The New Encyclopædia Britannica

in 32 Volumes

FOUNDED 1768
15TH EDITION

ENCYCLOPÆDIA
Britannica

Encyclopædia Britannica, Inc.
Jacob E. Safra, Chairman of the Board
Jorge Aguilar-Cauz, President

Chicago

London/New Delhi/Paris/Seoul

Sydney/Taipei/Tokyo

The information on this page refers to
The New Encyclopædia Britannica.

First Edition	1768 – 1771
Second Edition	1777 – 1784
Third Edition	1788 – 1797
Supplement	1801
Fourth Edition	1801 – 1809
Fifth Edition	1815
Sixth Edition	1820 – 1823
Supplement	1815 – 1824
Seventh Edition	1830 – 1842
Eighth Edition	1852 – 1860
Ninth Edition	1875 – 1889
Tenth Edition	1902 – 1903

Eleventh Edition
© 1911
By Encyclopædia Britannica, Inc.

Twelfth Edition
© 1922
By Encyclopædia Britannica, Inc.

Thirteenth Edition
© 1926
By Encyclopædia Britannica, Inc.

Fourteenth Edition
© 1929, 1930, 1932, 1933, 1936, 1937, 1938, 1939, 1940, 1941, 1942, 1943, 1944, 1945, 1946, 1947, 1948, 1949, 1950, 1951, 1952, 1953, 1954 1955, 1956, 1957, 1958, 1959, 1960, 1961, 1962, 1963, 1964 1965, 1966, 1967, 1968, 1969, 1970, 1971, 1972, 1973
By Encyclopædia Britannica, Inc.

Fifteenth Edition
© 1974, 1975, 1976, 1977, 1978, 1979, 1980, 1981, 1982, 1983, 1984, 1985, 1986, 1987, 1988, 1989, 1990, 1991, 1992, 1993, 1994, 1995, 1997, 1998, 2002, 2003, 2005, 2007
By Encyclopædia Britannica, Inc.

Printed in U. S. A.

Library of Congress Control Number: 2006921233
International Standard Book Number-10: 1-59339-292-3
International Standard Book Number-13: 978-1-59339-292-5

Britannica may be accessed at http://www.britannica.com on the Internet.

不列颠百科全书

国际中文版

修订版

Encyclopædia Britannica
International Chinese Edition

9

中国大百科全书出版社

《不列颠百科全书》国际中文版

Jerusalem 耶路撒冷 希伯来语作Yerushalayim,阿拉伯语拉丁字母转写作Bayt al-Muqaddas。世界上最古老最神圣的城市之一,1949年12月以色列国宣布为其首都。

1948～1967年,耶路撒冷分为以色列(西耶路撒冷)辖区和约旦(东耶路撒冷)辖区,前者遂成为以色列首都。然而,在1967年6月的六日战争中,以色列占领前约旦辖区,并宣布为统一城市不可分割之一部分,对其拥有管辖权。1980年通过的一条以色列特别法律确定了耶路撒冷作为国家首都之地位。1975年以来,统一的耶路撒冷是以色列最大城市。面积:109平方千米;人口:657 500(2001)。

自然地理和人文地理

景观 城市位置 耶路撒冷面积109平方千米。东面俯瞰死海,越过约旦河对岸是摩押干旱山脉;西面朝向沿海平原和58千米外的地中海。

气候 耶路撒冷属亚热带和半干旱混合型气候,夏季温暖干燥,冬季阴凉多雨,年平均降雨量500毫米,每二或三年降雪。平均气温8月为24 °C,1月为10 °C。沙漠热风称为沙拉夫,又称喀新风,在春秋两季较平常。日平均湿度白天为62%,但在沙漠热风的情况下可能下降30%～40%。

动植物 由不同类型的石灰石白垩形成的各种红色与棕色的地中海土壤覆盖着山丘,供养多达1 000种植物。鸟的种类繁多,包括70种留鸟和约150种冬季迁徙而来的。唯一的毒蛇是巴勒斯坦蝰蛇;光滑的蜥蜴和普通的变色龙经常出没在花园中。

城市布局 1967年确定的市政边界,从北面的耶路撒冷机场几乎伸展到南面的伯利恒,从东面的斯科普斯山山脊和橄榄山伸展到西面的海尔兹尔山、恩凯雷姆和希伯来大学的哈达萨医疗中心。

①旧城。据信持续有人居住已近5 000年,是一个有围墙的等边四边形地区,每边长约900米。岩顶圣殿区高踞城内台地之上,即伊斯兰教徒称为"庄严圣地"的第一、第二圣殿所在。围墙的其他地方由古老街道分成穆斯林、基督徒、犹太人和亚美尼亚人居住区。旧城以许多教堂和犹太人居住区古老的犹太教会堂和书院而闻名。自19世纪60年代起,在旧城外面建立的第一批居民区主要散布在通往城市的大路旁。

②住房。旧城的住房有用古老的石块砌成的古建筑物,又有政府主要为新移民修建的住房工程。旧城中最普通的基本居住单元是一组综合结构,地面往往出现高低不同层次,围着一个内院建造,有一条狭窄的走廊通入。

③建筑。耶路撒冷最惹人注目的特色是旧城墙,大部分由奥斯曼苏丹苏来曼大帝于1538～1540年建立在更早期的墙基上,这些老墙主要属十字军时期,但有些地区属拜占廷、希律王朝,甚至哈斯蒙王朝时代。在岩顶圣殿区的3边,原来的护墙有些部分依然耸立着。

很多教堂主要代表基督教建筑的两大时期,即拜占廷时期和十字军时期。前者的显著特征是宏伟的两层或三层装饰性柱头或雕刻成篮子形的柱头;后者反映了罗马式风格,有尖顶拱门和扇状拱形圆顶的特色。圣墓教堂则结合两种风格的成分,但其外观与布局在建筑上属罗马式风格。此种混合风格的最佳例证是圣安妮教堂(其下层结构为拜占廷式)。三方集市的中央部分,及其与卡多(修复的罗马-拜占廷林荫路)的连接起源于十字军时期。13～15世纪的马木路克建筑,以及马木路克统治者的纹章可在沿大卫街和西墙的链门附近看到。这些建筑的特点是"钟乳石状"或"蜂窝状"的装饰物和使用五彩石板。16世纪初期的奥斯曼建筑沿袭马木路克风格,以岩顶圣殿区的一些建筑为代表。在旧城以东和以北,从岩石中掘出的坟墓是公元前第一个1 000年前半叶(法老之女墓)和第二圣殿时期(诸王之墓、押沙龙墓和撒迦利亚墓)建筑之典范。在现代耶路撒冷中央,修复的十字架寺院始建于5世纪。耶路撒冷向城墙外扩展后,其建筑的特点主要是铁梁和红瓦屋顶。1930年以后发生了一个根本变化,以平屋顶和钢筋水泥外贴自然布置的石块最显著。虽然有人反对,修建高层建筑仍呈增长趋势。但是,所有的建筑物都必须遵循一条城市法规,要求是石料建筑。斯科普斯山上和吉瓦特拉姆的大学校园、国会大厦、以色列博物馆、耶路撒冷大剧院和希伯来联合学院突出地反映着杰出的现代建筑。

耶路撒冷旧城,图中央是岩石拱顶,背景为死海
美国不列颠百科全书公司供图

人民 耶路撒冷是一座圣城,独特地为3种主要的宗教所崇敬,因此,依据其所属宗教或许能最好地描述耶路撒冷人民。城市居民大多数是犹太人。穆斯林是最清一色的社团,基督徒最多样化。

犹太人 犹太人中,主要划分是德系犹太人和西班牙系犹太人,此两名字不很准确地表明了原籍。更重要的是分为正统派和世俗思想较多的两部分人。他们对宗教问题以及政治问题的态度经常有冲突。耶路撒冷是犹太人宗教上敬仰与企望之中心。最神圣的地点是岩顶圣殿,西墙是祈祷和朝圣最重要的中心。在新城有几十所犹太人祈祷房,耶路撒冷是犹太拉比语学习最重要的中心,包括几十所犹太学校，即《塔木德经》学院。

穆斯林 穆斯林崇敬耶路撒冷，视为世界上第3个最神圣之地。到耶路撒冷朝圣即完成了主要朝圣。1967年创立的宗教捐助和穆斯林事务委员会对穆斯林教教法法院和宗教捐助拥有管辖权。该委员会负责管理穆斯林事务，在此之前则由设在安曼的宗教捐助和穆斯林事务委员会负责管理。

基督徒 基督徒构成该市人口中最少但极为多样化的部分。耶路撒冷是东正教3位常驻牧首和许多大主教及主教的驻地，而且几乎每一个基督教教派都设有一教会大使馆。主要的教团是东正教徒、基督教一性论派、天主教徒和新教徒。主要的教派共管圣墓教堂。耶路撒冷的大多数教会团体都设有学术研究机构并拥有很好的图书馆。

经济 在耶路撒冷，人们生活的主要来源是在政府和公共服务部门就业（包括学术性职业和文书职业）。自1967年以来，住房业繁荣以及大批朝圣者和旅游者越加涌入，刺激了城市的商业活动与投资。个人收入稳步上升，失业率极低，虽然该城仍在处理大量社会福利问题。

工业与贸易 为保护该城的传统性质，一直不鼓励建立重工业。加以运输与销售困难，使该城只有若干小工业。新增加的工业包括现代科学型工业，并在城郊和一些容易到达的卫星居住区开发工业区。但是，从事工业的劳动力所占比率仍然很小，约2/3的劳动力从事服务业。

运输 交通问题仍是城市规划中最尖锐的问题之一，因为私人车辆日益增多。公共交通由公共汽车公司提供，这些公司在耶路撒冷东部和西部营业，也经营城区之间的联运，有出租车服务，连接耶路撒冷和以色列所有主要市镇。连接耶路撒冷与沿海的特拉维夫-雅法和海法以及耶路撒冷与贝尔谢巴内地的老铁路则是次要的；该城北边的耶路撒冷机场主要为内地旅游交通服务。

行政与社会状况 *政府* 耶路撒冷是以色列总统驻地和议会所在地。1947年联合国提出使其成为一个国际城市，但以色列和约旦都反对此建议。驻以色列的大部分外国大使馆与公使馆原来设在耶路撒冷，直至1980年以色列法律正式宣布此统一的城市为该国首都。此时大多数外国使团迁往特拉维夫-雅法，重申不承认耶路撒冷为以色列首都。法国和美国在该城东部和西部各自保留了领事馆。各政府部门集中在本-古里安镇的政府综合建筑群，一侧是议会，另一侧是以色列银行。国防部仍在特拉维夫-雅法，另有几个部设在耶路撒冷的临时性房屋中。市政委员会由31人组成，每4年按比例代表制选举产生。委员会以市长为首，自1975年以来由直接选举产生。永久性居民，即使非以色列国籍也有权选举。行政人员中20%以上为阿拉伯人。官方信件采用希伯来文和阿拉伯文两种文字。

服务业 自20世纪50年代以来，新城从以色列国家拦水网得到无限制的供水，1967年东耶路撒冷重新接上西耶路撒冷的供水系统。该城有一现代下水道系统。贯穿旧城约9.7千米长的古老管道至今呈现严重的工程问题。电力由以色列政府一家公司的全国电网和东耶路撒冷一家小柴油机电厂供应。

保健 大多数家庭分属劳工联合会等非政府团体办的医疗保险基金会。全体公民必须依法实行医疗保险。市社会福利部门照管社会上不包括在医疗保险内的病例。该城所有学校都提供健康监督，包括牙齿检查与治疗。一切社会保健服务都有政府津贴。

教育 由于高出生率和人口中许多人强烈的宗教信仰，教育总涉及复杂的问题。在犹太人学校，教学用语是希伯来语，在阿拉伯人学校里则用阿拉伯语。希伯来语和阿拉伯语在各校不是第一语言便是第二语言。在校舍结构和课程上，阿拉伯学校通常按照约旦制度。虽然大多数学龄儿童进政府办的学校，但是有许多由犹太、穆斯林和基督教组织办的私人学校，这些学校里的教学用语有时是法语或英语，1967年国家在东耶路撒冷开设了幼儿园。在该城预算中教育是唯一最重要的项目，市政府负责维修从幼儿园直到高中的教室。耶路撒冷希伯来大学（1925年创办）是该国主要的高等学府。

犹太国家和大学图书馆藏书2 500 000册，是国内最大的图书馆。此外，还有国会图书馆和国家档案馆（各收取在以色列出版的每一册书），以及市立图书馆及其分馆。

文化生活 以色列博物馆是一个重要的文化机构，除一般艺术收藏外，还有综合的中东考古收藏品，几份重要的死海文卷等文物，著名的犹太礼仪艺术收藏品，中东民族学展品，雕塑品花园和青年馆。洛克菲勒博物馆集中从事圣地的考古，艾格撒清真寺附近有一座伊斯兰博物馆，西耶路撒冷还有伊斯兰艺术梅耶纪念馆。以色列博物馆、美术家之家、手工艺者中心（Hutzot ha-Yotzer）、青年国际文化中心和私人画廊举办艺术展览。会议中心（Binyane ha-'Uma）、商队驿站（the Khan；设在一修复的18世纪房屋里）和希伯来大学的智慧礼堂上演音乐会和戏剧。阿拉伯剧院的初始工程已建成。以色列唯一的英语日报《耶路撒冷邮报》以及所有的阿拉伯文日报在耶路撒冷印刷。大多数希伯来语学术刊物也在该城印刷。以色列广播局（电视与广播）总部也在耶路撒冷。无线电广播主要用希伯来语和阿拉伯语，虽然有些节目也用若干种语言，包括英语、法语、拉迪诺语、罗马尼亚语、俄语和依地语播出。

历史

早期 *古老的起源* 人类聚居最早可追溯到铜石器时期后期和青铜器时代早期（约公元前3 000）。该城及其最早的统治者埃及人在埃及的咒诅祷文中（约公元前1900～前1800）也有提及。

约在公元前1000年，居住在耶路撒冷的混合人口称作杰希西特人，大卫王占领该城后便成为犹太王国的首都。其后继人所罗门王扩建城市，并在杰希西特人亚劳纳（奥尔南）的打禾场建造圣殿。于是，耶路撒冷成为王室宫殿之地和一神教的神圣之所。

所罗门逝世后，北方部族便脱离出去。公元前922年埃及法老示撒一世洗劫该城，其后非利士人和阿拉伯人于公元前850年、以色列的约阿斯于公元前786年相继洗劫该城。希西家成为犹大国王后，修建了新墙垣和一条地下隧道，从基洪泉引水至城内的赛洛姆池。但他屈服于亚述国赛辛那赫里希的威力，于701年被迫交付重税。612年，亚述国将其首要地位让与巴比伦。8年后，耶路撒冷遭掠夺，国王被放逐到巴比伦。公元前587～前586年，该城和圣殿被尼布甲尼撒彻底摧毁。囚虏时期开始，直至公元前538年才结束，那时波斯居鲁士大帝二世已征服巴比伦，他允许犹太人在大卫家族的所罗巴伯率领下回归耶路撒冷。尽管撒马利亚人反对，圣殿被修复（公元前515），该城成为新国家的中心、尼希米（公元前444）修复其墙垣后，其位置得到加固。

希腊化和哈斯蒙王朝时期 随着亚历山大大帝的来临和公元前333年他在伊苏斯的胜利，耶路撒冷首次被拖入西方大国政治的轨道。

亚历山大逝世后，巴勒斯坦落入其部将、拉古斯之子托勒密一世（救星）的那份领地，他已占领埃及并建都亚历山大。公元前198年，耶路撒冷被北方王朝所占，该王朝是亚历山大的另一位部将塞琉古一世的后裔，从安条克（今土耳其的安塔基亚）进行统治。希腊人或多神教徒影响之增长冒犯了正统派，在塞琉西的安条克四世伊皮凡尼斯故意亵渎圣殿之后，正统派的敌对情绪于公元前167年爆发为武装叛乱。叛乱由一名虔诚的乡下人哈斯蒙尼斯（哈斯蒙）之子玛他提亚领导，并由其子犹大（人称马加比）继续开展。哈斯蒙人赶走了塞琉西人，耶路撒冷在祭司式的哈斯蒙王朝统治下重新获得作为一个独立国家首都的地位。

罗马统治 一段时期以来，罗马一直在亚洲扩张权力，公元前63年庞培占领耶路撒冷。与犹太民族主义的冲突一度靠一名门望族之政治技能得以防止，此家族最杰出的成员即希律大帝。公元前40年，希律已任著名的加利利总督，由罗马元老院任命为"附属"犹太国王。

其后36年希律称王，在此期间耶路撒冷达到鼎盛时期，财富增长，城市扩大到双重城墙以外。耶路撒冷已是宗教之中心、必需履行的朝圣之目的地、统治者和犹太人元老院自治议事会之所在地，成为一座希腊化世界的大都市。公元前4年希律王逝世，其子阿基劳斯继位，后来于公元6年被罗马人废黜，由一系列罗马地方长官之第一任取代。在第五任长官庞修斯·彼拉多统治下，拿撒勒的耶稣被处死。

公元41～44年，希律王国因其孙希律·阿格里帕一世而改组，他早死后，罗马地方长官又回来。66年犹太人反抗罗马，70年该城被围困，在提图斯率领下，罗马大军几乎将该城全部摧毁。希律王最大的创造（圣殿）化为灰烬。及至130年该城已有部分居民返回，132～135年犹太人再次反抗罗马，但未成功。哈德良决定就地建立一座罗马城市——埃利亚卡皮托利纳。哈德良的城市总布局延续到进入20世纪。

基督教朝圣者早就进入耶路撒冷，但一

直到君士坦丁大帝皈依基督教及其母海伦娜皇太后那次著名的朝圣(326),才有可能在耶路撒冷修建闻名的圣坛,包括圣墓教堂。基督教的辉煌延续至6世纪,那时在查士丁尼皇帝领导下,重建复活教堂并兴建许多教堂、修道院和宗教团体办的招待所。614年波斯人入侵,黄金时代遂告结束。此次入侵使耶路撒冷居民遭屠杀,教堂被毁。

伊斯兰和十字军时期 638年穆斯林哈里发欧麦尔一世进入耶路撒冷,688～691年第10任哈里发,阿卜杜勒·马利克·伊本·迈尔万建造了岩石拱顶。但该城已失去其早先的重要性,尽管哈里发辖地自大马士革迁至巴格达时曾宣布该城为穆斯林朝圣之目的地。其面积已缩小,城墙的界线(11世纪)已不包括大卫城和锡安山区。伍麦叶人及其后继者阿拔斯人对基督徒和犹太人都奉行开明政策。969年耶路撒冷的控制权转入埃及的什叶派法蒂玛哈里发们手中。1010年哈里发哈基姆下令毁掉各基督教圣坛。1071年塞尔柱土耳其人击败拜占廷人,取代埃及人为圣地主人,并切断朝圣路线,从而激起十字军运动。

该城在遭到第一次十字军大批军队围困前一年重新被埃及人占领(1098):十字军国家以该城名取国名,即耶路撒冷国。该城重新获得王国首都的地位,王国(包括北部封邑)从现代土耳其疆界一直伸展到红海,巨大的穆斯林圣殿成为基督教教堂。1149年,圣墓教堂祝圣开堂,至今犹存,穆斯林和犹太人不准在城内居住。耶路撒冷王国从1099年持续至1187年,被萨拉丁推翻,萨拉丁的阿尤布王朝继承人从大马士革和开罗进行统治,1229～1239、1240～1244年,耶路撒冷重新掌握在基督徒手里,1244年被花拉子模土耳其人洗劫。1247年圣城又一次被埃及攻陷,仍从属于马木路克人。巨大的圣殿又归于穆斯林,留在那里的基督徒只有希腊东正教等东方教团。14世纪圣方济各会开始代表天主教利益。曾遭十字军阻拦的犹太人返回,自13世纪中叶起居住在自己的区内。在此期间,居住区的布局已定。马木路克人在岩顶圣殿区和该城布满了清真寺、回教大学和装饰华丽的坟墓。

1517年奥斯曼苏丹谢里姆一世夺取该城,开始了持续400年的土耳其政权。16世纪是市区大开发时期。除了仍围绕旧城建新墙及修复供水系统外,新的回教大学、家教捐助基金会和慈善机构成倍增加。但是,到该世纪末,该城开始衰落,此后达300年之久。

现代耶路撒冷 几个因素决定了19世纪该城的命运。1831年埃及统治者穆罕默德·阿里之子易卜拉欣帕夏占领耶路撒冷,并实行一系列广泛的改革,这些改革在土耳其人重新获得该城时(1840)被保留下来。1887年建立市,及至该世纪中叶欧洲列强都已在耶路撒冷设立领事馆,这对于非穆斯林人口的地位起有益的影响。最后,主要来自东欧的犹太移民改变了该城的人口结构以及旧城与墙外新区的相对重要性。基督教和穆斯林区也如此。及至19世纪中叶,该城半数人口是犹太人,并向墙外扩展。

1917年,埃德蒙·艾伦比勋爵率英国军队于土耳其人撤退后进入耶路撒冷。此举开创了一个新纪元,直至1948年,在此期间,耶路撒冷又成为首都,英国受委托进行统治,由一位高级专员领导。人口约80 000,有半数为犹太人,其余为穆斯林和基督徒。城市发展迅速,经济与人口扩大,尽管在1920、1929和1936年阿拉伯人和犹太人发生流血对抗,小规模冲突持续到第二次世界大战前夕。1947年又发生敌对行动,1948年英国人撤出,在随后的战斗中外约旦占领了旧城,耶路撒冷被外约旦和以色列人瓜分,后者宣布耶路撒冷为以色列国之首都。1967年6月的六日战争中,以色列直捣旧城,并宣告耶路撒冷再次统一。虽然联合国的一项决议不同意此行动,在以色列治理下耶路撒冷仍作为一个统一的实体继续发展。1980年以色列议会宣告将统一的耶路撒冷正式定为以色列首都,在国际间激起相当大的争议,许多国家拒绝承认。在往后的年代,耶路撒冷新旧两部分的恢复工作和新建设都有进展,但该城的地位至今仍然是一个有国际争执的问题。1987～1993年,发生巴勒斯坦人暴动,城内民族关系进一步恶化。1993年,以色列人与巴勒斯坦人签署和平协议,巴勒斯坦人在城市东部地区加强了自治机构。出现了很多活跃的巴勒斯坦政治、文化、专业和市民机构。但犹太人社区在城市南部、东部和北部边界地区的增加激怒了巴勒斯坦人。到90年代末,犹太人成为耶路撒冷东部的多数人口。1996年,该城的巴勒斯坦居民被允许选举巴勒斯坦全国委员会。但以色列坚持整个城市属于以方的管辖区,拒绝巴勒斯坦人将耶路撒冷东部定为新国家首都的要求。同年,城市发生多起针对以色列人的恐怖主义事件。双方军队再度发生冲突,城市气氛紧张,谈判僵持,陷入困境。在2000年夏的谈判当中,该市地位问题的争论导致巴以谈判失败。从2000年9月起,巴勒斯坦人发动了新一轮起义和针对以色列人的恐怖主义活动。该市的巴以关系进一步恶化。

Jerusalem, Assizes of **《耶路撒冷法典》** 以12世纪拉丁十字军的耶路撒冷王国的一系列习俗和惯例为基础的法典。它是封建法律的最完整的标志之一。这部法典的基础是由这个王国的第一个统治者布永的戈弗雷(1100卒)奠定的。他让他的一些大臣向十字军人员询问西欧流行的习俗和惯例。采用的习俗主要是法国的,目的在于治理和保卫一个处在敌人包围之中和依赖军事维持自身的民族。该法典存放在耶路撒冷圣墓大教堂中,被称为"圣墓法律"(Letters of the Sepulchre)。法典包括朝官任免,司法管理,征收赋税,授予封地,以及关于服兵役和从事贸易的规定。原始的"圣墓法律"于1187年耶路撒冷陷落时被毁,但在13世纪由塞浦路斯王国一批法律学者重新编订。尽管在以后300年中这部法典几经修订,但它仍然表明了欧洲中世纪时期封建国家的性质。

Jerusalem, Council of **耶路撒冷会议** 基督教众使徒于公元50年在耶路撒冷举行的会议。这次会议决定,非犹太裔基督教徒不必遵守犹太教的摩西律法。原来耶路撒冷某些犹太裔基督教徒坚持叙利亚安提阿出身的非犹太裔基督教徒应按摩西律法受割礼,因此召开这次会议。由使徒保罗和巴拿巴率领代表团到耶路撒冷与当地教会长老进行磋商。其后,由使徒彼得和雅各召集这次使徒会议(见《使徒行传》15:2～35)就这一问题作出符合保罗和非犹太裔基督教徒主张的上述裁决。

Jerusalem, Kingdom of **耶路撒冷王国** 在第一次十字军期间,欧洲基督教徒于1099年在从穆斯林手中夺得的巴勒斯坦土地上建立的国家,这个国家一直延续到1291年。其版图大致相当于今以色列、黎巴嫩南部和约旦西南部。耶路撒冷法典是这个王国政府的基础。经济上,它不富裕,依靠同穆斯林的贸易,金融业务以及对朝圣者征税。境内虽有肥沃土地,但大部荒芜,遇有荒年需从叙利亚进口谷物。早期国王有鲍德温一世(1100～1118在位)和鲍德温二世(1118～1131在位)。他们夺取海滨城镇和建立新的碉堡,使王国得到巩固。当第二次十字军(1147)失败时,穆斯林开始加强他们的地位。1187年,萨拉丁的军队占领了耶路撒冷城。此后,耶路撒冷的国王们便以阿克里作为首都。在13世纪,耶路撒冷王国的版图日益缩小。吕济尼昂王室于1291年被赶出亚洲,退居塞浦路斯岛。它继续统治到15世纪末期,仍保留耶路撒冷国王称号。

Jerusalem, Synod of **耶路撒冷会议**(1672) 东正教的一次会议,1672年由耶路撒冷牧首多西狄奥斯召开,其目的是驳斥君士坦丁牧首卢卡里斯1629年所提出鼓吹新教加尔文宗主要教义的《正教信纲》,这次会议宣布,反对人得救与否完全由上帝预定的说法以及单纯靠信心称义的观点。会议承认圣体礼中的饼和酒实质转化为肉与血的天主教义,承认炼狱的存在,但又认为圣灵仅发自圣父,此点与天主教不合。会议还声称,教会与《圣经》同样永无谬误,规定奉行七件圣事,并将《多比传》、《犹滴传》、《便西拉智训》及《所罗门智训》收入正典。

Jerusalem, Temple of **耶路撒冷圣殿** 古代以色列人崇拜上帝的中心场所,也是他们的民族象征,历史上前后共有两座。在以色列王国初期,约柜轮流放置在一些圣所,主要是示剑和示罗的圣所。国王大卫攻下耶路撒冷后,即将约柜移置该城。第一座圣殿是大卫之子所罗门在位时所建,公元前957年竣工,安放约柜,并供以色列人集会之用,圣殿本身并不大,但院落宽阔。圣殿正面朝东,殿基长方形,分成三间相等宽度的大堂,其中门厅是举行礼拜的主要场所,另外两间分别为圣所和至圣所,约柜即置于至圣所;圣殿主体北、西、南三面环以库房。第一圣殿设有5个祭坛,一在至圣所入口,两个在殿内,门廊前还有一个铜铸大祭坛,院中有一个附有台阶的大祭坛并设有称作铜海的大铜盆,供祭司净身之用。至圣所内约柜两旁立有用橄榄木雕成的噻嘧咱,据说此处是上帝所在之处,只有祭司长在赎罪日才可入内。巴比伦国王尼布甲尼撒二世于公元前 604 和前 597 年劫掠圣殿中的宝物，并于公元前 586 年犹太教历阿布月 9 日将圣殿彻底摧毁。波斯国阿契美尼德王朝第一代皇帝居鲁士二世灭巴比伦后，于公元前 538 年允许被掳到巴比伦的犹太人返回耶路撒冷重建圣殿。第二圣殿仿第一圣殿的形式但较为简陋，其详细情况无从考证。自公元前 4 至前 3 世纪，圣殿大致尚受到尊重，统治犹太的外国君主往往对圣殿有所资助。公元前 168 年罗马皇帝安条克四世在圣殿祭坛上向宙斯献祭，激起哈斯蒙尼暴乱，暴乱领袖马加比重新净化圣殿。犹太人每年有再献圣殿节，纪念此事。罗马占领期间，公元前 63 年大将庞培闯入至圣所，但未伤害圣殿。公元前 54 年罗马官员克拉苏掠夺圣殿宝物。公元前 37 ～前 4 年，犹太王大希律重修第二圣殿。公元 66 年反抗罗马的起事爆发后不久便以圣殿为中心，70 年犹太教历阿布月 9 ～ 10 日圣殿又被毁。目前仅存第二圣殿院落西墙一段，这段墙曾于 691 年并入伊斯兰教的岩顶和艾格撒清真寺的围墙，1967 年重归犹太人控制。

Jerusalem artichoke (*Helianthus tuberosus*) **菊芋** 又作 girasole。又称洋姜、鬼子姜、耶路撒冷洋蓟。菊科向日葵属植物。原产于北美。以块茎可食著称。地上部分多年生，不耐霜，被糙毛，多分枝，高达 2 ～ 3 米。夏末秋初开花，头状花序数多，美观；边花黄色；盘花黄色、棕色或紫色。地下块茎长圆状至长条形，形状规则或不规则，有分枝，小的很小，大的可重达 110 克，皮淡黄至棕色、红色和紫色，极薄，块茎在干燥空气中很快皱缩，肉白而脆。用块茎繁殖。菊芋在欧洲普遍作为蔬菜烹调食用，法国很早就栽培作为饲料。美国种得很少，但有少量用制腌菜或作为餐前开胃小菜等。

Jerusalem cricket 沙螽 又作 sand cricket。直翅目沙螽科昆虫，约 35 种。大型，淡褐色，形丑。分布于亚洲、南非、北美和中美洲。夜

沙螽 (*Stenopelmatus intermedius*)
美国不列颠百科全书公司供图

行性，白天在石块或沙下。前足粗，表皮厚，用于挖掘。

Jerusalem Post 《耶路撒冷邮报》 1932年创刊的以色列英语早报。除星期六外每天出版。服务对象是不懂希伯来文而懂英语的读者。该报是以色列最大的英语报纸，一贯注重国际新闻，特别注意阿拉伯-以色列关系。20 世纪 80 年代初期日销 3.1 万份，星期五版日销 4.5 万份。以周末版为基础另编印一种名为《耶路撒冷邮报周刊》的国际版，在世界范围内销售 5 万份。社论基本采取独立观点。该报以精心编辑、标题简短和文字简练见长，并因消息灵通、报道客观全面而博得声誉。很少广告。虽执行的是独立的编辑政策，但该报在以色列通常被认为是中间偏右的报纸。该报于2004年被霍林格国际公司卖给了两家媒体公司，每家持有50％的股份。

Jervis, John Bloomfield 杰维斯(1795-12-14，美国纽约亨廷顿～ 1885-01-12，纽约罗马) 美国土木工程师，对建设美国的运河、铁路和供水系统有卓越的贡献。1821 ～ 1825 年任伊利运河工程的总工程师，1827 年任特拉华-哈得孙运河总工程师，这项工程很艰巨，要修建 174 千米的运河和 26 千米的铁道，并需在山区修建许多桥梁和坡道。接着担任建设纽约州首批铁路的总工程师。1833 ～ 1836 年担任纽约希南戈运河工程总工程师，这是第一条利用人造水库供水的运河。1836 年他又负责建设纽约市第一个供水系统克罗顿高架渠，该渠用有 15 个石砌桥拱的渡槽跨越哈勒姆河。从 1846 年起直至他 1864 年退休为止，他还为纽约州和中西部的三条铁路的修建工程担任指导。

Jervis Bay 杰维斯湾 塔斯曼海海湾。在澳大利亚新南威尔士州东南部。长 16 千米，宽 10 千米。东北至珀彭迪丘勒角，西南达格维诺黑德。杰维斯湾是澳大利亚最好的天然港湾之一。按 1908 年"政府所在地法令"，该港湾和一些邻近的滨海地区的管辖权于 1915 年从新南威尔士州转属澳大利亚联邦，以使在其西南偏西 177 千米的首都直辖区有一条入海的通道。港湾为游览区。湾畔有杰维斯贝、赫斯基森、萨赛克斯因勒特等城镇。1915 年澳大利亚皇家海军学院建于该处。

Jervis Island (Galápagos Islands) **杰维斯岛** 参阅 **Rábida Island** 拉维达岛。

Jervis Island 参阅 **Jarvis Island** 贾维斯岛。

Jeseník Mountains 耶塞尼克山脉 德语作 Altvatergebirge(阿尔特瓦特山)。捷克共和国北部形成苏台德山系东段之山脉。位于摩拉维亚北部，邻近波兰边界线。上耶塞尼克山的最高处为普拉杰德山(1 491 米)；正东为下耶塞尼克山，比较低。此山脉为远古隆起的结晶质地块的破碎残存物。山间有星星点点被遗弃的矿坑(主要是铁矿坑)。舒姆佩克、耶塞尼克和卡尔洛瓦斯图丹卡是旅游中心，而下利波瓦有休养所。

Jesi 耶西 又拼 Iesi。意大利中东部马尔凯区安科纳省城镇和主教区。在安科纳西南、埃西诺河畔，原为古罗马殖民地。中世纪初支持神圣罗马帝国。1266 年归属教会。腓特烈二世和作曲家 G.B.佩戈莱西诞生于此。旧城有 14 世纪城墙环绕。执政团宫(1486 ～ 1498)内现有市政厅、图书馆和画廊。现为农业中心，生产农业机械、肥皂、火柴、羊毛、纸张、丝绸等。人口：城市区约 40 156(1991)。

Jespersen, Otto 耶斯佩森(1860-07-16，丹麦兰讷斯～ 1943-04-30，罗斯基勒) 全称 Jens Otto Harry Jespersen。丹麦语言学家和英语语法权威。曾参与对于欧洲外语教学方面的改进工作；在语音学、语言学理论及英语史等领域，贡献尤多；并创制人造语言**新为语**(**Novial**)。童年时期深受著名丹麦语言学家 R.拉斯克成就的鼓舞。曾用拉斯克所编语法研究冰岛语、意大利语和西班牙语。他决心深入地研究语言，首先是语音学和语言教学。1886 年，即获得哥本哈根大学法语硕士学位前一年，发表第一篇重要论文探讨语音定律，并促成斯堪的纳维亚语言教育改革协会的建立。任哥本哈根大学英语教授期间(1893 ～ 1925)，领导以日常谈话为基础而不以学习教科书中的词汇和语法为基础的外语教学运动，写有许多教科书，为丹麦及外国学校所采用。在《如何教外语》(1901)一书中提出其语言教学理论。曾出版大量关于英语的著作，名作之一《英语的发展和结构》(1905)于 1969 年重印；巨著是 7 卷本的《现代英语语法》(1909 ～ 1949)。耶斯佩森对语音和意义之间的关系特别重视。另一主要关注点是受 C.达尔文进化论影响而萌生的对语言发展问题的研究，已反映在《从英语看语言的发展》(1894)一书中。《语音学》(1897 ～ 1899)长期被视为最富有科学性的普通语音学论著。《语言逻辑学》(1913)对语法理论做出极富独创性的贡献。《语言的性质、发展和起源》(1922)论述有关语言发展问题，亦为最富成果之作。《语法哲学》(1924)中则曾申明对语言不断变化的信念。因对国际辅助语饶有兴趣，曾参与创制"伊多"语的工作，但他的主要成就却是自行设计"新为语"，发表于《国际语言》杂志(1928)。其后在 1930 年又发表《新为语词汇》一书。

jessamine(shrub) 参阅 **jasmine** 茉莉。

Jesse 耶西 又拼 Isai。《旧约》所载以色列国王大卫之父。耶西是俄备得之子；波阿斯与路得之孙。他在伯利恒务农并饲养羊群。大卫是耶西的 8 子中最幼者。由于耶稣基督属于大卫王后裔的一支，因而中世纪画家在用绘画，例如称为耶西窗的彩色玻璃窗，表示耶稣的家谱时，通常把耶西作为第一代人。

Jessel, Sir George 杰塞尔(1824-02-13，英格兰伦敦～ 1883-03-21，伦敦) 英格兰法学家。被认为是最伟大的英格兰衡平法审判法官之一，还是一位杰出的上诉法官。据说，杰塞尔作为副检察总长(1871 ～ 1873)是在英格兰担任政府重要职务的第一个犹太人。他是一位伦敦商人之子，曾在伦敦的大学学院就读和在林肯律师学院学习法律。1847 年获律师资格，1865 年被任命为女王御用律师，1868 年作为自由党人被选入下议院。从 1873 年起，他担任档案长，这一职务最初是既作为记档法院的初审法官，也作为上诉法院的成员。但后来，经 1875 年和 1876 年的法令规定，档案长成了上诉法院院长，他就只担任上诉

美国不列颠百科全书公司供图

法官。

他作为一个衡平法审判法官所进行的迅速而有效的工作，与英国衡平法程序传统中的拖拉作风形成鲜明对照。他所作的判决的明确性使这些判决成为非常有用的判例；这些判决很少被人提出上诉，而且几乎没有被推翻的。他曾协助根据最高法院司法组织法(1873年及以后)将法律和衡平法合并。

Jessel, George (Albert)　杰塞尔(1898-04-03，纽约～1981-05-24，洛杉矶)　美国喜剧演员、作家、作曲家和导演。由于擅长宴会演说，获"美国宴会主持大将"的桂冠。其戏剧生涯从9岁开始。曾在美国和英国作歌舞杂耍巡回演出，发展了一种由喜剧、怀旧剧和感伤歌曲组成的大众化艺术形式。20世纪20～30年代间，曾在几部戏剧中扮演名角。同时从事作曲、写作和演出事业。1943年到加利福尼亚为好莱坞工作，此后10年导演的电影有音乐喜剧片《女娃娃》(1945)和《内莉等待日出》(1952)等。50年代曾频频在电视上出现。1970年因从事慈善工作，美国电影艺术科学院授予他奥斯卡特别奖。其著作包括自传《如此的我》(1943)和其他几部轶事传记及讲演指导等。

Jesselton (Malaysia)　亚庇　参阅**Kota Kinabalu** 哥打基纳巴卢。

Jessentuki (Russia)　参阅**Yessentuki** 叶先图基。

Jessner, Leopold　耶斯纳(1878-03-03，德国柯尼斯堡～1945-10-30，洛杉矶)　德国"表现派戏剧"演出人兼导演。他在20世纪20年代的大胆革新为他赢得了国际声誉。青年时当过巡回演员。导演的第一部戏剧是莫里哀的《达尔杜弗》(1911)。任柏林国家剧院导演时(1919～1925)，在一无所有的舞台上搭起阶梯式的层层平台，以表示不同剧情的场景变化，用来上演古典剧和现代剧。令人难忘的演出剧目有席勒的《威廉·退尔》、莎士比亚的《理查三世》和穿现代服装演出的《哈姆雷特》，后者旨在讽刺20年代的德国。他采用反自然主义的过分简单化的手法训练演员，对表现早期表现派剧作家魏德金德作品中的那些鬼迷心窍和发疯似的人物形象特别有效。1920年以快一倍的速度上演的F.魏德金德的《凯依特侯爵》，为他最著名的导演成就。他是一个社会主义者和犹太人，积极从事戏剧革新。1933年离开纳粹德国，定居好莱坞，隐姓匿名从事电影工作直至逝世。

Jessore　杰索尔　孟加拉国西南部城市，位于派罗布河畔。古建筑有昌奇拉的拉杰巴里，以及穆斯林圣人巴拉姆沙赫和加里布沙赫的圣庙。1864年设市，有大型运动场、图书馆和隶属于拉杰沙希大学的4所公立学院。周围地区位于胡格利河(印度)与梅克纳河之间、恒河三角洲的中部。主要农作物有水稻、甘蔗和椰枣。人口148 927(1981)。

jester (comic entertainer)　弄臣　参阅**fool** 小丑。

Jesuit　耶稣会会士　天主教男修会耶稣会的成员。耶稣会的创建人依纳爵原是西班牙士兵，在作战中负伤，疗养过程中经历了信仰转变。他在巴黎大学所结识的6名青年于1534年在巴黎与他一同发清贫、贞洁与朝圣三愿，并决定，如第三愿不能实现，即接受教皇的派遣。1539年依纳爵订立会规，成立耶稣会，翌年经教皇保罗三世批准。该会在宗教生活形式上有所革新，强调顺从，特别是顺从教皇，主张灵活，准许会士在世界各地参加各种活动。耶稣会成立数月后即开始国外传教活动。依纳爵派遣得力助手沙勿略及其他三人去东方。依纳爵死于1556年，当时耶稣会约有会士1 000名，分布在欧洲、亚洲、非洲和美洲，1626年增至15 544人，1749年达22 589人。1773年教皇克雷芒十四世发出解散耶稣会的敕令，1814年教皇庇护七世通令恢复该会。该会在其后发展成为天主教最大的修会。耶稣会会士主要从事各级教育工作和其他工作，但在非天主教地区特别是亚洲和非洲，耶稣会会士从事传教工作者远较其他修会为多。他们也参加通讯活动、社会工作、跨教派活动乃至政治活动。

Jesuit drama　耶稣会会友戏剧　16、17和18世纪时在耶稣会设立的大学中，为教育和宣传而发展的一种戏剧项目。作为传播罗马天主教教义而发展起来的一种手段，200多年中戏剧在耶稣教学校中非常盛行。最早的一出有记载的耶稣会戏剧于1551年在西西里的墨西拿新建的马梅尔蒂诺公学演出。在不到20年的时间内，许多欧洲大陆城市如罗马、科尔多瓦、慕尼黑和维也纳等城市中兴起的10余所新设立的耶稣会学院里均有戏剧上演。最初上演的剧本都要求有虔诚的内容，表现真正宗教的和道德的教义；都要用拉丁文进行高雅端庄、但无过分装饰的表演；并且不允许有女角或戏装出现。随着耶稣会戏剧的发展，这些清规戒律都被放宽或修改了。常见题材大都取自《圣经》故事、圣徒和殉教者的生活，以及基督的生活琐事，然而耶稣会的剧作家们也从异教的神话、古代历史和当代事件中汲取素材，但都要用天主教教义来重新予以解释。常用民族语言演出，或用解释拉丁语对话的地方语言作开场白。耶稣教戏剧日益变得精雕细琢，其舞台技术也与欧洲戏剧舞台的最新发展保持一致。这种戏剧大多数以音乐为重要成分，其演出形式可从简单的歌曲到大型管弦乐队和合唱队表演的作品。这种戏剧演出中的铺张和奢侈受到猛烈攻击。许多演出的费用十分昂贵，因而受到反对者的指责。许多地区这种戏剧演出受限制或被禁止，1773年耶稣会被暂时禁止时，这种戏剧演出随之全部停止。

Jesuit Estates controversy　耶稣会会士地产争论　19世纪加拿大天主教与基督教新教的争论。1773年耶稣会被罗马教廷取缔时，它在加拿大的土地归属英国政府，但规定这些土地的一切收益必须用于教育事业。1814年教皇庇护七世恢复耶稣会。1842年一些耶稣会会士返回加拿大。经过多年讨论，1888年英国颁行耶稣会会士地产法案，给予他们地产损失补偿费40万加元。这一法案在邻近的安大略基督教新教徒中引起反天主教情绪。1889年，安大略向英国下议院提出一项动议，要求自治领政府拒绝实行这项措施，理由是它构成对公民和宗教自由的威胁。这项动议以及其后的类似行动都未成功。

Jesuit ware　仿洋瓷器　中国清代乾隆年间(1736～1796)为出口西方而按照欧洲题材装饰的瓷器。装饰题材的来源主要是由耶稣会传教士带到中国的欧洲版画。最普遍使用的绘画是基督教题材，如"耶稣钉死在十字架上"等，但也采用神话故事，偶尔还使用共济会图案。图案绘在白色坯体上，一般用黑色，有时也用深棕的单色，并时而加上薄薄的涂金。彩色的装饰罕见。当今大多数藏品的年代为1730～1750年。尽管着意模仿，但是几乎总可以分辨出是中国的画法；中国毛笔画与欧洲题材的对比，有时会造成一种近于滑稽的不协调感。

Jesus, Little Brothers and Little Sisters of　参阅**Little Brothers of Jesus and Little Sisters of Jesus** 耶稣小兄弟会和耶稣小姊妹会。

Jesus, Society of (religious order)　耶稣会　参阅**Jesuit** 耶稣会会士。

Jesus Christ　耶稣基督(约公元前6，犹太～约公元30，耶路撒冷)　基督教的创始人。

耶稣基督的生平　关于耶稣的生平，没有与他同时代的资料可据。一般叙述几无例外地以基督教会传统为依据，特别是福音书的前三卷(《马太福音》、《马可福音》和《路加福音》)作者所根据的最古老的资料。非基督教史料甚少。罗马史学家塔西佗110年前后所著《编年史》第15卷第44节提到号称基督的某人受刑而死的事。原来，公元64年罗马帝国皇帝尼禄迫害基督徒，时值罗马发生大火。尼禄将火灾的责任强加在已为人民所憎恨的基督教徒身上，塔西佗叙至此加以解释说："基督徒一词源出基督，基督已经在提比略在位期间为总督彼拉多所处死。"但他并未提及基督为何人。在罗马皇帝图密善宫中担任史官的犹太人约瑟夫斯在叙述犹太人的历史和66～70年犹太-罗马战争经过时，顺便提到62年"号称基督的耶稣之弟雅各"被乱石击死。犹太教《塔木德》中1、2世纪拉比语录中有少数几处偶一提及耶稣，但夹杂着莫衷一是的传闻。他们描绘的耶稣可以归纳如下：耶稣是罗马士兵潘特的私生子；他运用邪术，讽刺睿哲之人，煽惑黎民，收徒五人，于逾越节前夕被钉十字架处死。基督教会关于耶稣的叙述都收集在《新约》中，也见于更为广泛的圣传资料。其中矛盾甚多，把耶稣作为历史人物来介绍的甚少。但是，福音书仍是有关耶稣生平的最重要资料来源，尽管其中是史实与早期教会的信仰杂然并见。就耶稣的事迹而言，耶稣的出生与传教之地加利利的情况至为重要。当时犹太人对于罗马统治态度不一。耶路撒冷宗教专制首脑及其他若干人士服从异族统治，其他人则公开或隐蔽地进行抗拒。因此，当时犹太教派别纷纭，包括法利赛派、撒都该派、文士、奋锐党和艾赛尼派。耶稣的生活和传教工作只能知其梗概。根据《路加福音》第3章第1节记载，施洗约翰出现于罗马皇帝提比略在位第15年。此点已由《圣经》以外的史料证实，据此可以较精确地推算耶稣活动的期间和死的日期。但耶稣的出生年和出生地都无法确定。《马太福音》第1、2章云耶稣出生于希律一世当朝之时，并提及王位交替之事（公元前4），同时《路加福音》云耶稣降生适逢罗马皇帝亚古士督（奥古斯都）在犹太进行第一次人口普查（公元前6）。关天耶稣降生于伯利恒一节，仅见于《马太福音》第2章和《路加福音》第2章，可能是依据《旧约》关于弥赛亚将出身于大卫后裔的预言。《马可福音》第6章提到耶稣的4个兄弟和几个姐妹。从他的亲属的名字可见他出身于纯犹太家庭。母名马利亚，父名约瑟。《马可福音》第6章载耶稣或其父以木工为业。其父可能死得较早，耶稣可能在家庭和犹太教会堂的虔诚宗教气氛中成长，曾赴耶路撒冷朝圣。关于耶稣的童年和他当时的思想，资料甚少，仅有的一段记载见于《路加福音》第2章第40～52节，述童年耶稣进圣殿之事。有关耶稣青年时代的情况及其当时思想没有任何具体资料。

耶稣基督所宣传的教义 至迟在施洗约翰之时，耶稣开始在故乡加利利地区的农村传教。与施洗约翰不同，耶稣不要求人们到旷野苦修禁欲。他深入村落，与众人共同生活，巡回传教，地点不限于犹太教会堂，湖边、路旁等露天处所即可，追随他的人有妇女和儿童以及许多被人认为不信上帝或不洁净之人。他讲道不以经文为唯一根据，而用使人感到直截了当而易于接受的方法证明上帝存在，上帝旨意必定实现。他不拘出身和教养挑选门徒，宣告天国即将来临，号召众人悔改。当时许多犹太教徒热切盼望的是民族英雄、政治领袖，如同大卫一样的救世主，后来进而及于普世的末世论理想。耶稣所鼓吹的天国仅有末世论的未来含义，它将突然降临，结束并克服现世的历史进程。耶稣集中宣传上帝就在身边，上帝已经开始显现以建立他的统治。耶稣的教导的主要特点在于他宣布天父怜爱受苦受难、身负罪名、人所共弃、被视为无资格蒙受救恩的人们。他不仅这样教导人，而且身体力行。据说他行了许多神迹，为人治病。耶稣固然尊重律法，但是他不以律法的词文为满足，他根据爱之诫命的原则解释律法，他认为，律法不再是人了解上帝旨意的唯一根据，也不再是上帝与人之间的唯一媒介。现代伦理哲学区分私德与公德，耶稣并不重视这种区分。耶稣并没有设计新的世界或国际秩序，他没有要求更加公平地分配财富，没有主张废除主奴之分，也不曾号召改善行政制度。耶稣号召人们在现有的世界按照上帝的本旨、按照即将降临的天国的要求，决定自己的行动，反对玛门即金钱的统治。他要求他的信徒不要与凡世同流合污。耶稣关于不可报复和必须爱人的教导，在司法上可以说是行不通的。但是所谓耶稣的登山宝训无法付诸实践的一贯说法，它的本身恰好又从另一个方面说明，耶稣的教义强有力地推动社会批判。

耶稣基督的死 耶稣最后进入耶路撒冷，这是他一生中的转折点，可能意在号召前往度逾越节的以色列人在天国即将到来之时作出最终决定。他明知他即将同犹太统治者发生严重冲突。他洁净圣殿之举说明他并不回避这种冲突。后世的传说则声称耶稣去耶路撒冷仅仅是要遵照上帝的旨意死而复活。耶稣被判处用十字架钉死，这表明，他的死是根据罗马帝国惩治叛逆的法律处理的，但是基督教认为，耶稣死是为了救赎世人的罪。关于耶稣受刑的日期，历来多半取《约翰福音》的说法，以犹太教历尼散月14日（公历4月7日）为耶稣受难日。

Jesus Only　唯耶稣会 美国基督教五旬节派会，主张真正的浸礼只能是“奉主耶稣的名”而不能是“奉圣父、圣子、圣灵的名”。在1913年加利福尼亚州五旬节派一次露天奋兴布道大会上，一位名叫J.G.谢佩的人士说他体验到了耶稣之名的大能，这就是这个运动的源起。许多人承认这种启示，并从《约翰福音》第3章5节和《使徒行传》第2章38节找到根据。其后的神学争论使五旬节派发生分裂，新教会纷纷成立。

Jesus prayer　默念耶稣圣名 东派教会认为反复在内心默念耶稣基督的名字极为灵验。最为流传的祷词是：“主耶稣基督，上帝之子，求你怜悯我。”据《圣经》教导，上帝之名是神圣的，称呼上帝之名就能与上帝直接相通，这种祈祷就是以此为根据。在近代，默念耶稣圣名的习俗是由于1782年出版《慕善集》而得到推广的。

jet engine　喷气发动机 从大气中吸入空气与燃料燃烧后产生的热废气向后喷射而推动飞机的内燃机。从1903年到30年代后期，往复式内燃机加上螺旋桨是唯一用于推进飞机的工具。1939年终于在德国创造出第一架喷气式发动机的飞机。这台喷气发动机包括一个燃气涡轮系统，极大地简化了推进过程，于是找到一种极大地提高飞机速度、增大飞机尺寸和提高飞行高度的方法。若干年来已经研制出好多种喷气式发动机，主要的几种是：①涡轮喷气式（涡喷）发动机；②涡轮风扇式（涡扇）发动机；③涡轮螺旋桨式（涡桨）发动机；④涡轮轴式（涡轴）发动机；⑤冲压式喷气发动机。

涡轮喷气式发动机 基本原理为：从发动机前面开口吸入空气，通过离心式或轴向式压气机压缩到原来压强的3～12倍，把足够的燃油加进空气在燃烧室中燃烧，使燃气温度升高到600～700 °C，得到的热空气通过涡轮，涡轮的唯一功能就是带动压气机。如果涡轮和压气机都是高效率的，涡轮后的气流能接近两个大气压，这一剩余压强可用来使推力喷管产生高速燃气流，也就是产生推力。若采用加力燃烧室可极大地增加推力，因为空气中的氧在涡轮喷气式发动机中只用了不到1/3。加力燃烧室就是在涡轮后和推力喷管前的第二个燃烧室。有了它，推力喷管前的燃气温度可显著提高，起飞时可增加约40％的推力，而在高速时增加得更多。

涡轮风扇式发动机 在涡轮喷气式发动机中，压气机、燃烧室和涡轮总称为燃气发生器，进气道进来的空气统统进入燃气发生器。在涡轮风扇式发动机中只有一部分空气进入燃气发生器，剩下的空气经过风扇或低压压气机，作为“冷”喷流直接喷射出去，或者与燃气发生器排出的气体混合产生“热”喷流。这种旁路系统的目的是不增加燃油消耗量而增加推力。它是通过增大空气总流量并在总能量供应不变的情况下减小流速。风扇通常放在发动机前面，其尺寸取决于函道比。大函道比时只要一级或两级风扇就够了，但小函道比时就需要更高的喷气速度和更多级的压缩。

涡轮螺旋桨式发动机 与涡轮喷气式发动机一样，有压气机、燃烧室和涡轮。但它的全部压降都用于驱动涡轮，而涡轮产生的功率却远多于带动压气机的需要。多余的功率用来经过减速器带动螺旋桨。与涡轮喷气式发动机相比，它在飞行速度800千米/时以下推进效率较高。新式的涡轮螺旋桨式发动机上用的螺旋桨直径较小而桨叶较多，使其在比过去大得多的飞行速度上有效地工作。为适应较高的转速和飞行速度，桨叶做成弯刀形，桨尖前缘后掠。有这种螺旋桨的发动机称为桨扇发动机。

涡轮轴式发动机 另一种燃气涡轮发动机，其工作原理很像涡桨系统，但它不是驱动螺旋桨而是驱动直升机旋翼。涡轮轴式发动机必须做成这样：直升机旋翼转速与燃气发生器的转速无关。这样即使燃气发生器要适应发出功率的大小而改变转速，旋翼仍能保持恒定转速。

冲压式喷气发动机 最简单的飞机推进装置，实质上就是省掉了旋转机械的涡喷发动机。由于压缩比完全取决于前进速度，故使用上受限制。它没有静推力。在声速以下，推力非常小。所以冲压式喷气发动机的飞机必须还要用某种方式帮助起飞，如像需要另外一架飞机来帮助它一样，故过去主要将它用于导弹系统。

jet stream　急流 在对流层上部或平流层的水平区内，一股狭长而强劲的东向气流。在急流中风速有强的垂直切变，据认为这是产生危害飞机航行的湍流的主要原因；急流还伴随有大气扰动，因此影响天气。第二次世界大战中，飞行员第一次发现的急流长数千千米，中心风速高达500千米/时，不过两侧和上下的风速急剧下降。因此高速气流仅限于10～50千米高度上非常狭窄的带状范围内，通常位于高度突然变化的对流层顶的断层上。急流的动能来源于赤道的热量经科里奥利力偏移，向两极转移。急流沿曲折的路线环绕地球，并随季节改变位置和速度，冬季离赤道较近，风速比夏季大。两半球各常有两个，有时3个急流系统：一个与断续的极锋有关，位于中纬度，中纬度的锋有利于飑、风暴和气旋的形成；另一个是副热带急流，位于副热带高压带的上方，常伴随有晴天；第3个是热带急流，夏季出现在东南亚、印度、阿拉伯海和热带非洲，它影响印度和非洲夏季季风的形成和持续时间。

jeté 热泰 芭蕾中的一种跳，跳时演员的身体重心要从一只脚移到另一只脚上。向前、向侧或向后"甩起"一腿，落地时另一腿保持在各种指定的位置上。这种舞步的常见形式

P.内亚里跳的格朗·热泰
美国不列颠百科全书公司供图

有：热泰·巴蒂（*jeté battu*）——落地前双腿在空中互击；格朗·热泰（*grand jeté*）——一种很高的大跳，一腿向前伸直，另一腿向后伸出，像是空中劈叉；热泰·昂·图尔囊（*jeté en tournant*，或叫图尔·热泰［*tour jeté*］）即在跳起的空中转身——演员前面一腿在空中完成半个圈的转，然后着地。

Jethro 叶忒罗 又称流珥（Reuel）或何巴（Hobab）。《旧约》所载米甸地方的基尼人祭司。摩西在成为以色列人的领袖以前杀一埃及人，逃往叶忒罗处避难。叶忒罗将女儿嫁给他（《出埃及记》3:1）。摩西率领以色列人迁出埃及，叶忒罗带着摩西的妻儿赶来参加；向摩西建议任命有才能者协助他审判百姓的诉讼案件，从而创立希伯来人的司法制度。他的后代与希伯来人长期友好相处。有些学者根据《出埃及记》第18章认为，雅赫维本是基尼人所信奉的神，通过叶忒罗传给摩西和以色列人。

jetty 突堤 河流、港口或海岸的工程结构，用以控制水流、潮汐或保护港口、海岸免受海浪冲击。突堤分两类：一类建在河口海口，一类建在港湾和近海用于船只停泊。有的河口过宽，就在两岸建突堤以约束水流，保持航道。在使用船闸出入的港口，紧靠进口处的航道两侧要建突堤，形成漏斗形的船闸出入口，提供临时停泊场所，也可作防波堤用。港口的入口突堤用以限制并引导海水流向以保护入口免受沿岸流的侵蚀。

Jeune Afrique L'intelligent 《青年非洲》 用法文出版的新闻周刊，报道和评论非洲，特别是非洲法语区的事务。在巴黎出版，是有关非洲问题的出色新闻刊物，1960年创刊。还分册出版一种题名《青年非洲》的百科全书。

Jeune Belgique, La 《青年比利时》 诗人、小说家M.瓦莱尔主编的颇有影响的刊物（1881～1897）；一个致力于表达真正比利时"意识"，并把比利时文学从陈腐的浪漫主义中解脱出来的文学运动即取名于该刊物。与这一运动有联系的作家，如M.梅特林克、E.维尔哈伦、M.埃尔斯康普等，都是具有国际声誉的诗人。

Jevons, William Stanley 杰文斯（1835-09-01，英格兰利物浦～1882-08-13，苏塞克斯黑斯廷斯附近） 英国逻辑学家和经济学家。他在《政治经济学理论》（1871）中，同K.门格尔（1871）在维也纳、L.瓦尔拉（1874）在瑞士大致同时提出效用价值说，开拓了经济思想史上一个新时期。早年在伦敦大学学习自然科学，1854年中断学习，到澳大利亚悉尼当化验员。在那里他对政治经济学和社会科学产生了兴趣。1859年回英国后，很快完成了他最初的和最有启发性的两篇论文：《政治经济学的一般数学原理》（1862）及《黄金价值严重下跌》（1863）。第一篇概述了为后来人所熟知的边际效用价值论，这一理论论述产品额外单位（至少超过临界数量）对消费者的效用（或价值）与其已持有产品的单位的数量呈相反关系。第二篇论述他对加利福尼亚及澳大利亚发现黄金后一段时期中金价上涨的衝量，并对指数理论作出了最杰出的贡献。但直到发表《煤炭问题》（1865）时，该文要求对英国煤炭供应逐渐耗尽予以注意，他才被公众认可。1866年杰文斯任曼彻斯特欧文斯学院政治经济学教授。1876年转到伦敦大学学院。他的逻辑学与科学方法著作中最重要的是《科学的原理》（1874）。其他名著有《政治学理论》（1871）及《有关劳工情况》（1882）等。

Jew 犹太人 指信奉犹太教（Judaism）的人。广义言之，犹太人是属于世界范围内由血统传宗或信仰改宗而一直继承古代犹太民族传统的群体中的任何成员。古代犹太民族就是《旧约》所说希伯来人的后裔。在古代，犹太人原本是犹大族即犹大支系（迦南12支系之一）或后来的犹大王国（与北方的以色列王国相对立者）的成员。全体犹太民族最初称作希伯来人，自他们进入圣地之日起至公元前538年巴比伦囚虏结束之日止，被称作以色列人。此后，犹太人就用来指称所有信奉犹太教的人们，因为巴比伦囚虏的幸存者（即原来的犹大王国居民）是唯一能够保持其民族特征的以色列人。北方以色列王国的10个支系在公元前721年被亚述人征服之后，均已四散，并逐渐同化于其他民族。犹大是雅各的四子，他的支系与其异母弟便雅悯的支系共同组成犹大王国。现今世界各派犹太人都承认由犹太妇女所生者即为犹太人，而改革派则认为双亲中有一人是犹太人者即为犹太人。从纯粹宗教的角度看，非犹太人而改宗犹太教者即可被认为真正犹太人，但在以色列，拉比常常对此身份的登记设置障碍，强调凡未经正宗拉比监督而改宗者不能承认其为犹太人。对此，以色列最高法院已作出更宽的解释。以色列国家的公民一律称作以色列人，此词现无种族意义，亦无宗教色彩。

Jewel, John 朱厄尔（1522-05-24，英格兰德文布登～1571-09-23，威尔特郡芒克顿法利） 基督教安立甘宗索尔兹伯里主教，维护女王伊丽莎白一世反天主教的宗教政策的论辩家。1553年信奉天主教的女王玛丽一世即位，撤销以圣公会为国教的法律，朱厄尔曾为保护自己而在反对新教的几份布告上签字。女王伊丽莎白一世登位，新教重获法律保护，朱厄尔从施特拉斯堡返回英格兰，1559年在威斯敏斯特会议上发言反对天主教。同年又在讲道中提出，在天主教与安立甘宗互有分歧的问题上，天主教的立场在经文或圣传上都无根据。在礼仪问题上，他起初同意清教派礼仪从简的主张，但后来又同意伊丽莎白一世的温和立场。1560年任索尔兹伯里主教，继续就此发表论辩文章。

jewel beetle 首饰甲虫 参阅**metallic wood-boring beetle** 吉丁虫。

Jewel Cave National Monument 朱厄尔洞穴国家保护区 美国国家保护区。位于南达科他州西南部，东距卡斯特24千米。1908年建立。面积5平方千米。主要名胜是一些石灰岩山洞，洞穴之间有狭窄的通道相连。已知山洞总长度为124千米。

Jewel Food Stores, Inc. 朱厄尔食品公司 原美国零售公司。1999年由爱达荷州博伊西城的艾伯森公司收购。朱厄尔食品公司的历史可追溯到1899年，当年F.V.斯基夫和F.罗斯开设朱厄尔茶叶公司，用马车向芝加哥地区供应调味品。后来汽车日益成为重要运输工具，该公司即不再用马车而改用载重汽车向美国中西部地区销货。该公司于1903年在伊利诺伊州登记注册。30年代，限制流动商贩的《格林里弗法令》执行，朱厄尔茶叶公司受到启发，进入零售食品业，1932年开办朱厄尔食品公司，购进原由洛布劳自助食品杂货店公司所拥有的各杂货商店。扩大后的公司在美国中西部生意兴隆，具有一心为消费者服务的形象。1961年，该公司收购奥斯科药品公司的药品连锁店系统，从而扩展到药品零售业。1966年改名为朱厄尔公司。该公司在具体运作中有不同字号，例如朱厄尔超级市场，奥斯科药品商店和白鸡食品公司。1984年，朱厄尔公司为药品零售商美国零售商公司所收购。1999年，美国零售商公司，其中包括朱厄尔，被艾伯森公司收购。

jewel orchid 宝石兰 兰科几个近缘属的植物。因其叶形美观，而作观赏植物栽培。线柱兰属(*Zeuxine*)的叶沿茎排列，叶面有或无斑纹。柔毛斑叶兰(响尾蛇车前，*Goodyera*

柔毛斑叶兰(*Goodyera pubescens*)
美国不列颠百科全书公司供图

pubescens)原产北美东部，叶深绿色，叶脉白色或银白色；花小，白色，穗状花序。东南亚的花叶开唇兰(*Anoectochilus roxburghii*)、锡金开唇兰(*A. sikkimensis*)、*Dossinia marmorata*、不同色血红兰(*Ludisia discolor*)及线柱兰(*Zeuxine strateumatica*)花形同上种，以上各种亦见于北美东南部。前四种叶宽，绿色或棕绿色，叶脉红色或金黄色，着生于靠近植株基部。

jewelers' borax(mineral) **珠宝商硼砂** 参阅 **tincalconite** 三方硼砂。

jewelry 珠宝 人体装饰用的饰物，多以黄金或具有高贵内在价值的宝石之类的材料制成。史前时期原始人取动物的角、壳、羽毛等装饰自己，由此开始了制作珠宝的艺术。洞窟绘画和雕刻中已有戴手镯、项链、头饰的人物。此后，珠宝发展出各种形式，几乎为身体的每个部分都创造出装饰的花样。上肢和下肢饰以手镯、戒指、鞋扣、踝镯；头上饰以冠状头饰、耳环、梳子；胸和颈饰以胸针、项链、腰带、护胸甲。

珠宝在传统上是社会地位的标志，也往往是吉祥如意的象征。在异教时期，常常用珠宝陪葬。当打开埃及国王图特安哈门的陵墓时得到了大量的珠宝。在罗马时代，珠宝不再是贵族的独占物，较低等阶级的人也开始佩戴。基督教兴起后，结束了用珠宝陪葬死者的习俗。在中世纪，虽然少有珠宝制作，但到12世纪，制造金饰的艺术有所发展；至文艺复兴时期，尤其是在15世纪的佛罗伦萨，珠宝制作达到了美术的境界。许多著名的佛罗伦萨雕刻家和建筑师都是金匠出身。

黄金大概是制作珠宝的最普遍采用和最受人珍爱的材料。由于黄金的可锻性好，价值高，色泽美丽，遂成为广泛适用的理想材料。薄金片可以压印、雕刻、压制、钻孔而打造成各种饰物花样。金线可以用来串连珠宝或制作链带。其他常用于制作珠宝的金属是银与白金。银的可锻性也极佳，而且没有黄金那么昂贵，白金在19世纪已经开始广泛采用。铜与钢之类非贵重金属也有人采用，特别是20世纪的现代匠人。其他最常用的珠宝材料是宝石与准宝石。钻石向来被视为最贵重的宝石，其色泽由黄至月白不一，偶有体积极大的。17世纪发明了借众多切割面充分表现钻石灿烂夺目特点的"多面型琢磨法"。至18世纪，钻石普遍受到喜爱，开始有仿造钻石出现。其他宝石如红宝石、绿宝石和蓝宝石，以及较不昂贵的金绿宝石、黄玉、锆石，都被用于制造珠宝。准宝石有紫晶、石榴石、蛋白石、海蓝宝石、玉石、绿松石、杂青金石、孔雀石。琥珀为树脂化石，也是一种价值昂贵的宝石。珍珠与珊瑚虽产自动物而不是矿物，通常也被视为宝石。两者都有黑、粉红、白等不同色泽。

涂釉和切割是雕琢珠宝常用的技术。宝石可以凹刻(雕刻)出图案(如金龟子)，也可以进行浮雕。玛瑙和缟玛瑙可以浮雕，色泽会因层次而不同，把背景部分除去后，即留下浮雕。

自17世纪以来，珠宝的装饰效果超过了象征的、社会的或宗教的意义。贵族与富裕的中产阶级都购买并佩戴珠宝。至19世纪，工业化使更多的人能够拥有珠宝。新的技术发展，使人们可以利用比较廉价的材料，如镀金的金属、养殖的珍珠和仿制的宝石等。许多大商业公司由于为富有阶级制造和出售精美的珠宝而驰名，如俄国的法贝热、巴黎的卡蒂埃和纽约市的蒂法尼等。

珠宝在其他各种文化中也有重要地位。两个著名的例子如：前哥伦布文明中的黄金饰物和美国西南地区纳瓦霍族与普韦布洛族印第安人的绿松石和银制的珠宝。自古以来，印度的珠宝制作便是一种光辉的艺术。彩色宝石的使用已经极为普遍，显然这是由于印度、锡兰、泰国、缅甸都有此类宝石的大量天然矿藏。

Jewett, Frank Baldwin 朱厄特(1879-09-05，美国加利福尼亚帕萨迪纳～1949-11-18，新泽西萨米特) 美国电气工程师，贝尔电话实验室股份有限公司第一位总裁。他领导了电话、电报、无线电和电视通信的研究。1898年获斯鲁普工业学院(现在的加利福尼亚理工学院)文学士学位，1902年获芝加哥大学哲学博士学位后，即在麻省理工学院任教。1904年他开始为美国电话电报公司工作，设计长距离电话线路，其中有一条是从纽约到旧金山的横贯美洲大陆的电话线路。他还研制了电话增音器并领导了一项导致1915年首次实现横越大西洋通话的研究工作。第一次世界大战期间，他受命指挥美军通信部队，建立起电话系统，并为飞机无线电通话作了首次试验。战后，他出任贝尔电话实验室股份有限公司总裁和美国电话电报公司副总裁，领导了早期的自动电话机、有声电影，用电话线传送图像以及电唱机和海底电话电缆等的研制工作。这一工作使贝尔实验室成了主要的工业研究中心。1933～1935年他在F.罗斯福总统的科学咨询委员会供职，1939年当选为全国科学院院长。第二次世界大战后他提倡由文官而不是军人来管理科学研究。

Jewett, Sarah Orne 朱厄特(1849-09-03，美国缅因南贝威克～1909-06-24，南贝威克) 美国乡土小说女作家。父亲是一位有成就的医生，她因身体虚弱主要在家中受教育。十三四岁时，朱厄特就决定写周围乡土生活中那些正在迅速消逝的习俗，28岁时已成为知名作家。她的20部作品中突出的有《深港》(1877)和《尖尖的枞树之乡》(1896)，一般认为后者是她的最佳作品。这些著作用现实主义的手法，辛辣幽默的笔触，对缅因州老年人的风俗习惯、语言特色作了满怀同情的描绘。1901年她成为荣获鲍登学院名誉学位的第一个女子。1902年在一次意外事件中残废，因而停止了写作。

jewfish 大石斑鱼 鮨科若干大型鱼类的统称，尤指产于热带美洲大西洋沿岸的 *Epinephelus itajara*。该种体长可达2.5米，重约320千克。成鱼体呈暗橄榄棕色，有隐约可见的斑点与条纹。成鱼通常独栖，喜于同一地区停留一段长时间。近缘的南太平洋大石斑鱼(披针形石斑鱼，*E. lanceolatus*)体长可达3.75米。栖于南卡罗来纳至巴西间大西洋海域的华沙石斑鱼(变黑石斑鱼，*E. nigritus*)及分布在加利福尼亚至下加利福尼亚太平洋沿岸的巨海鲈(巨坚鳞鮨，*Stereolepis gigas*)有时亦称大石斑鱼，长可达约2.2米，重达220千克。在澳大利亚，jewfish 一词指产于东岸的南极叫姑鱼(*Johnius antarctica*)、双刺叫姑鱼(*J. diacanthus*)及西岸的青叶鲷(*Glaucosoma hebraicum*)。

Jewish Agency 犹太代办处 代表世界犹太复国主义者组织的国际团体，全称以色列犹太代办处，1929年由查姆·魏茨曼创立，总部设在耶路撒冷。其目的是支持和鼓励全世界的犹太人帮助建立和巩固以色列。它是犹太复国主义运动的海外活动机构，在非犹太复国主义的犹太人中间寻求援助。排犹的纳粹在德国执政后(1933)，代办处帮助提高向巴勒斯坦移民的合法定额。1942年5月，本-古里安在纽约市比尔特摩饭店犹太复国主义运动代表大会上代表犹太代办处促使大会通过决议，称为比尔特摩决议，主张取消对犹太人移居巴勒斯坦的限制，建立犹太人军队，并把巴勒斯坦建为犹太人的国家。1948年以色列国成立后，犹太代办处主要致力于移民、安置居留地、救助世界各地曾遭受纳粹迫害的犹太裔青少年和儿童并帮助他们到以色列定居并从事宣传和以色列以外的犹太人的文化教育。1951年该机构在法律上与世界犹太复国主义者组织融为一体，但它依然保留这些职责。

Jewish autonomous oblast(Russia) 参阅 **Yevreyskaya** 犹太自治州。

Jewish Bund 犹太人崩得 参阅 **Bund** 崩得。

Jewish calendar 犹太历 以月球和太阳周为依据的宗教和民用记日系统。

在现行的犹太历上，1日为从日落计到

日落，7日为1星期，29或30日为1月，12个太阴月另加约11日（即353、354或355日）为1年。为了与每年的太阳周协调一致，在19年周期中的第3、第6、第8、第11、第14、第17和第19年中插进一个第13月，月长为30日。因此，闰年可能共有383～385日。现行的犹太人纪元约始于公元9世纪，它根据《圣经》纪事计算，以公元前3761年为创世之年。

一年中各月的名称源于巴比伦术语（在犹太人被掳往巴比伦以前，月的名称用希伯来文，现只知其中的4个，见于《圣经》，即以大宁月、布勒月、亚笔月、基辅月）。各月顺序按宗教习俗安排，它们依次为：尼散月（亚笔月［西方格雷果里历为3～4月］）、依雅尔月（基辅月［4～5月］）、息汪月（5～6月）、塔慕次月（6～7月）、阿布月（7～8月）、厄路耳月（8～9月）、提市黎月（以大宁月［9～10月］）、赫舍汪月或麻赫舍汪月（布勒月［10～11月］）、基色勒夫月（11～12月）、太贝特月（12～1月）、舍巴特月（1～2月）和阿达尔月（2～3月）。闰年的第13个月称闰阿达尔月，插在阿达尔月之前，通常在阿达尔月应守的宗教节日便改在闰阿达尔月。民用历以提市黎月为正月，其初一即为岁首节（新年）。

安息日是犹太节日中唯一由《十诫》规定的，它是一星期中的第7日（星期六），以纪念上帝完成创世之工后的休息日，也为纪念上帝在历史上功绩以及上帝与犹太人的立约。严格说，犹太人有义务在家中或犹太教教堂中守安息日、作礼拜和进行宗教学习。

每年宗教历的周期始于逾越节的庆祝活动，即尼散月的15～22日。此节即所谓大节之一，必须停工休息，也是3个“朝拜节日”之一。在古代，凡男子均须在这类节日前往耶路撒冷圣殿参加宗教活动。过逾越节是纪念当年以色列人在埃及为奴以及其后出埃及的经历。之所以称为逾越节是因为在以色列人出埃及的前夕，上帝向埃及降下十灾中的最后一灾时“逾越”了以色列人的住屋。

下一个大节是五旬节，在息汪月6～7日。此节为“朝拜节日”中的第二个，它为纪念上帝在西奈山启示律法的日子。在古代，逾越节之后为7个星期的谷物收获节，其后即为此节。

从提市黎月1～2日岁首节到提市黎月10日赎罪日这一旬为忏悔旬，据信它是上帝审判全人类的日子。在岁首节，人们也应严格遵守停工和其他禁戒，而庆祝活动也是此节日的内容，例如在教堂做礼拜时要吹山羊角。赎罪日是犹太人一年中最庄严、最神圣的节日。严格说，节日全天都要祈祷和禁食，有罪认罪，以达到人神和解。在最后一段祈祷结束时，吹起山羊角。

住棚节是大节中的最后一个，也是第三个“朝拜节日”，在提市黎月15～21日。此节为纪念以色列人出埃及后在旷野中的漂泊。在此期间有欢乐的庆祝活动和宗教仪式。

犹太宗教历上还有许多小的节日，之所以称为小节日是因为既不要求停工，也不要求禁食。再献圣殿节是纪念犹太人起事反抗塞琉西王国统治者安条克四世并于公元前164年重建耶路撒冷圣殿落成举行献殿典礼的事。此节日基色勒夫月25日开始，庆祝8天，燃烛，盛宴，唱歌，并向儿童赠送礼物。普珥节（又称掣签节）纪念公元前5世纪波斯境内犹太人在受迫害时得救的事。当日需在犹太教教堂内诵读《以斯帖记》，通常也举行宴会、化装舞会和普珥节戏剧演出等。

有5个斋日是纪念犹太人历史上的悲惨事件的。塔慕次月17日斋和阿布月9日斋分别纪念公元前586年第一圣殿被毁和公元70年第二圣殿被毁的事。另外3个是提市黎月3日、太贝特月10日斋和阿达尔月13日以斯帖斋。除此之外，依雅尔月18日通常是学校假日；舍巴特月15日目前在以色列国是植树节。自1948年现今的以色列国建国后，犹太历增加了3个节日，即燔祭节（尼散月27日，纪念第二次世界大战中纳粹屠杀犹太人的节日）、阵亡人员纪念日（依雅尔月4日）和独立日（依雅尔月5日）。

Jewish Daily Forward　《犹太前锋日报》　纽约市和美国各大区中心同时出版的意第绪语报纸，1897年由犹太社会主义报业联合会创办，作为帮助和团结来自欧洲的犹太移民的媒体。它很快成为美国主要的意第绪语报纸。在主编A.卡恩（1903～1951年任职）领导下，该报把日常新闻报道范围同对民主社会主义和犹太工团主义所承担的义务结合起来。设有政体、政治、教育等栏目，还有英语课文及对读者的建议，也有短篇小说、连载小说（特别是I.B.辛格的连载小说）。第一次世界大战时它的影响最广，日发行量达20万份（有11个地方和地区版）。但20世纪后期以来读者大为减少，该报改为周报。1990年出版英语版，1995年出版俄语版。

Jewish Revolt，First　第一次犹太人起义（公元66～70）　犹太王国的犹太人反对罗马统治的大起义。第一次犹太人起义是一连串长期冲突的结果，小股的犹太人对罗马人进行零星的反抗，罗马人对之严厉镇压。公元66年犹太人联合起义，把罗马人赶出了耶路撒冷。他们在贝特-霍朗隘口战胜了由罗马派驻叙利亚的副总督加卢斯率领的罗马讨伐军（公元66年秋），并设立了革命政府，其影响遍及全国。罗马皇帝尼禄派遣韦斯巴芗扫平叛乱。他与提图斯会合，罗马军队开进加利利。那里的犹太部队由历史学家约瑟夫斯率领。两军相接，约瑟夫斯军队败逃。贾塔帕塔堡垒沦陷后，约瑟夫斯投降。罗马军队遂扫荡全国。公元70年犹太教历5月9日（70-08-29）耶路撒冷沦陷，圣殿被焚，犹太国亡。

Jewish Revolt，Second　第二次犹太人起义（132～135）　犹太人反抗罗马在犹太的统治的起义。起义之前，犹太人与罗马人在这个地区连年发生冲突。公元132年，因罗马的犹太总督廷尼乌斯·鲁福斯治理不当，加上皇帝哈德良企图在耶路撒冷城建立一个罗马驻防人员居留地，并对犹太人的宗教自由和膜拜仪式横加限制，终于激怒最后余剩的巴勒斯坦犹太民众起来造反。巴尔·科赫巴（Bar Kokhba）成为这次起义的领袖。他的队伍虽然初战告捷，但毕竟敌不住罗马将军塞维鲁步步为营的战术和残酷的镇压手段。耶路撒冷以及该撒利亚以南的海岸要塞贝萨尔相继失陷，这次起义遂于135年被镇压下去。此后，罗马人不准犹太人进入耶路撒冷。

Jewish Theological Seminary of America（JTSA）　美洲犹太教神学院　美国保守派犹太教的学术中心和精神中心。1886年成立于纽约市，初名犹太教神学协会，第一任首脑是拉比莫赖斯。1902年该院在第二任院长谢克特的领导下改今名，并修改章程。该院下设律法研究系、洛杉矶犹太教大学、犹太教神学师范学院、祈祷文领诵者学院和犹太教圣乐学院，各分支机构都有资格授与学位。该院主办耶路撒冷硕肯犹太教研究所、纽约市犹太博物馆及其他许多机构。

Jew's harp　单簧口琴　又作Jaw's harp。一种乐器。将一个薄木制或金属制的簧片的一端固定在一个两分叉的框架底部而制成。演奏者把框架的一端放进嘴里（口腔形成一个共鸣腔），并拨动乐器的簧片。发出的音只限于泛音列中的第4音到第10音的7个音。簧片只能发出一种音高，改变口形可分离出一个个泛音。18世纪欧洲的名演奏家使用两个或更多的具有不同音高的簧片，从而可以奏出完整的音阶。单簧口琴在大洋洲和亚洲广泛使用（特别是在部落文化中），14世纪由亚洲传入欧洲。此琴声音纤柔，几乎弱不可闻，因而在亚洲常用以表达沉思冥想。这是少数几种通过拨奏而不是通过敲击而发声的体鸣乐器之一。

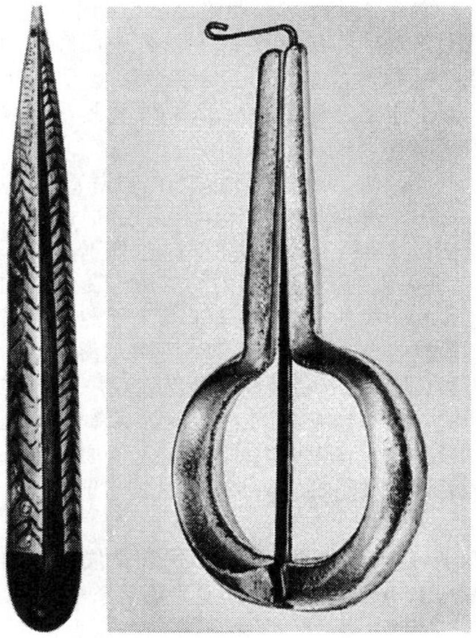

（左）竹制的大洋洲单簧口琴
（右）具金属框架和簧片的欧洲单簧口琴
美国不列颠百科全书公司供图

Jex-Blake，Sophia Louisa　杰克斯-布莱克（1840-01-21，英国苏塞克斯黑斯廷斯～1912-01-07，马克克罗斯）　英国女医师。1876年成功地促使立法机关准许妇女在英国得到医学博士学位和内、外科开业许可证。通过她的努力,1874年在伦敦开办了一所女子医学院,1886年她在爱丁堡建立了另一所女子医学院。她曾在伦敦女王学院求学,后在波士顿和纽约学习3年,1868年返英。爱丁堡大学接受她学医,但不授予学位。1877年她在伯尔尼大学获得博士学位,并通过都柏林国王和王后内科医师学会得到在不列颠行医的许可证。

Jezebel 耶洗别(?～约公元前843) 见于《旧约》(《列王纪上》、《列王纪下》),以色列国王亚哈之妻。她阻挠希伯来人对雅赫维一神的崇拜,无视百姓的权利,蔑视先知以利亚和以利沙,挑起希伯来人互相残杀,使以色列王国在几十年中逐渐衰弱。耶洗别是腓尼基沿海城市推罗(今译提尔)和西顿(现黎巴嫩的赛达)统治者的女儿,嫁给亚哈(约公元前874～约前853在位)后劝他崇拜推罗人的自然神巴力。信奉雅赫维的先知以利亚率众杀死巴力的祭司。耶洗别誓杀以利亚,迫使他亡命(《列王纪上》18:19～19:3)。耶洗别为了霸占一百姓的葡萄园,竟诬告他亵渎上帝和国王,把他处死(《列王纪上》21:5～16)。几年后,亚哈在同叙利亚人作战中阵亡,又约10年后,以利亚的继承人先知以利沙另立军人耶户为以色列王,耶户射杀耶洗别的儿子国王约兰,命令耶洗别的太监将她自宫室窗口扔下跌死。当耶户指示以公主之礼埋葬她时,人们发现其尸已被群犬吃掉大半。

Jezreel 耶斯列 今译伊茨雷埃勒。巴勒斯坦古城,亚哈王统治下北部以色列王国的都城,在以色列吉尔博阿山的支脉。在与非利士人的一次战斗中,扫罗王战死于此。伊茨雷埃勒谷地是古代约旦河谷通往滨海平原的商道,现代考古发掘在该地区发现一件有特色的灰色磨光陶器,现称为埃斯德赖隆陶器。耶斯列亦为犹太境内一城镇名;希伯伦附近的希尔拜塔腊玛据说即为该城镇遗址。

Jezreel, Valley of(Israel) **伊茨雷埃勒谷地** 参阅 **Esdraelon, Plain of 埃斯德赖隆平原**。

Jhābua 恰布瓦 印度中部中央邦城镇,恰布瓦县县城。恰布瓦镇位于巴哈都尔湖畔。始建于16世纪,曾为恰布瓦土邦首府,现为地方农产品和木材市场,有道路通塔尔。设有维克拉姆大学的一所公立学院。恰布瓦县面积6 800平方千米。1948年设县,由以前的恰布瓦等几个土邦构成。**温迪亚山脉**(**Vindhya Range**)北支,森林覆盖的拉特山横贯全县。耕地多沿阿纳斯河和**默希河**(**Mahi River**)及它们的支流分布。主要农作物为小麦、玉米、粟和棉花。开采锰矿。人口:镇30 577;县1 396 677(2001)。

Jhālawār 恰勒瓦尔 印度西北部拉贾斯坦邦城镇,恰勒瓦尔县县城。县城有时称为恰尔勒巴登、恰尔勒巴登查奥尼或布里杰讷格尔,为重要的农产品市场和公路枢纽。旧城建于1796年。新城(包括宫殿和兵站)在旧城的正北。恰勒瓦尔(前同名土邦的首府)设有拉贾斯坦大学一所公立学院。恰勒瓦尔县为马尔瓦高原一部分。北部为起伏不平的肥沃平原,南部为丘陵,面积6 216平方千米。棉花、小麦、油料作物、玉米和高粱为主要农产品。开采铁矿和砂岩。人口:镇48 049;县1 180 342(2001)。

Jhalore(India) 参阅 **Jālor 贾洛尔**。

Jhang Maghiāna 章马吉亚纳 巴基斯坦旁遮普省城市,萨戈达专区章马吉亚纳县县城,由章和马吉亚纳两个城镇组成。位于杰纳布河东侧。马吉亚纳镇位于临河谷高地的边缘,章镇位于高地脚下。两镇通过两条公路相连并经大干线公路通白沙瓦和拉合尔。马吉亚纳镇为毛货集散地,有手工纺织业,生产肥皂、皮革、锁和铜器。章镇有政府经营的毛毯织造中心和其他纺织行业。两镇1867年合并为市,有医院、公园和旁遮普大学下属一所公立学院。周围为农业区,由杰纳布灌渠系统灌溉麦田和棉田。南面的绍尔果德废墟过去可能是亚历山大大帝在公元前325年占据的一座城市。人口:市292 214(1998)。

Jhānsi 占西 印度北部北方邦西南部城市,是重要公路、铁路枢纽。主城有城墙围绕,建在奥尔恰统治者的堡垒(1613)四周。1732年为马拉塔人据有,1853年由英国获得。为农产品市场,有轧钢、制造业工厂和铁路工厂。设有本德尔肯德大学。人口:市约383 248;都会区约463 281(2001)。

Jharia 切里亚 又拼Jherria。印度东部比哈尔邦南部的城市和煤田。煤田位于达莫德尔河谷,面积280平方千米。露天矿生产炼焦煤。印度煤炭多出自该河谷的切里亚煤田与拉尼根杰煤田。矿工多为当地人,农忙季节从事农业。人口约81 979(2001)。

Jhelum 杰赫勒姆 巴基斯坦东北部旁遮普省城镇。位于杰赫勒姆河以西,有铁路和公路干线通白沙瓦和拉合尔。河对岸老城可能是公元前4世纪亚历山大大帝时建造的布克法拉城。曾为食盐贸易中心,现为重要木材市场。有纺织厂、锯木厂、新闻纸厂、玻璃厂和卷烟厂。1867年设市。设有旁遮普大学几所公立学院。杰赫勒姆西南的卡塔斯的寺庙废墟可能是8～9世纪佛教建筑。人口145 847(1998)。

Jhelum River 杰赫勒姆河 巴基斯坦旁遮普省的5条印度河支流中最西一条。发源于查谟和克什米尔印度控制区内韦尔纳格的一条深泉。从比尔本贾尔岭北坡向西北流经克什米尔谷地入武勒尔湖。出湖后,穿过比尔本贾尔岭深约2 100米的陡峭峡谷。至巴基斯坦控制区的穆扎法拉巴德接纳吉申根加河后转向南进入巴基斯坦。在曼格拉附近穿过西瓦利克山进入冲积平原。然后在杰赫勒姆镇沿盐岭转向西南至胡沙布。最后向南在特里穆附近注入杰纳布河。全长约725千米。下游用于灌溉和发电,门格拉坝和水库浇灌着120万公顷土地,水电装机容量30万千瓦。

斯利那加的杰赫勒姆河
美国不列颠百科全书公司供图

Jhering, Rudolf von 耶林(1818-08-22,汉诺威奥里希[德国]～1892-09-17,德国格丁根) Jhering又拼Ihering。德国法学家,有时被称作社会学法学派之父。他发展了社会功利主义的哲学,即强调社会的需要,而与英国的功利主义者耶利米·边沁的利己主义的方向不同。耶林曾在吉森大学(1852～1868)、格丁根大学(1872起)以及短时期内在其他4所大学讲授过罗马法。在他的巨著《罗马法的精神》(4卷本,1852～1865)中,详细地论述了法律与社会变革的关系。大概在20世纪更有影响的著作是他的《法的目的》(2卷本,1877～1883;英译本《法律乃达到目的的手段》,1924)。正如在其著作中所表达的观点所示,他认为,法律的目的是通过对各种利益的协调以最大限度地减少冲突的诱因,从而保护个人和社会的利益。如果各种利益发生冲突,他主张优先考虑社会的利益。

Jhind(India) 参阅 **Jīnd 金德**。

Jhūnjhunun 琼丘努 也拼作Jhunjhunu。印度西北部拉贾斯坦邦东北部城市。为地方性羊毛、牛、皮革和鹰嘴豆的贸易中心。建有染料厂与毛纺织厂。设有一所医院和拉贾斯坦大学的一所学院。琼丘努地处半干旱沙质平原。主要农作物有珍珠粟、鹰嘴豆、绿豆和大麦。大麦是该地区主要作物。人口约100 476(2001)。

Ji Junxiang 纪君祥(13世纪60年代前后在世) 中国元代杂剧作家。一作纪天祥,大都(今北京)人,生卒年不详,生平事迹无考。所作杂剧6种,今存《赵氏孤儿》1种,为元代杂剧名作之一。该剧写春秋时,晋国大夫赵盾遭奸臣屠岸贾诬陷,满门被斩,并诈传灵公之命害死驸马赵朔,囚禁公主。公主在禁中生下一子,门客程婴救赵氏孤儿。屠岸贾"搜孤"。为保护婴儿,晋公主、韩厥、公孙杵臼等人献出了生命。而程婴用自己亲生儿子作替换,保全了孤儿性命,并抚养其成人,报了冤仇。该剧是一部忠臣与权奸斗争的壮烈悲剧。程婴的义烈、屠岸贾的凶残刻画得相当生动,舞台演出性极强,故几百年来常演不衰。明人改编为传奇《八义记》,清代的京剧和地方戏叫《八义图》。近代有京剧《搜孤救孤》和秦腔《赵氏孤儿》;20世纪50年代,京剧

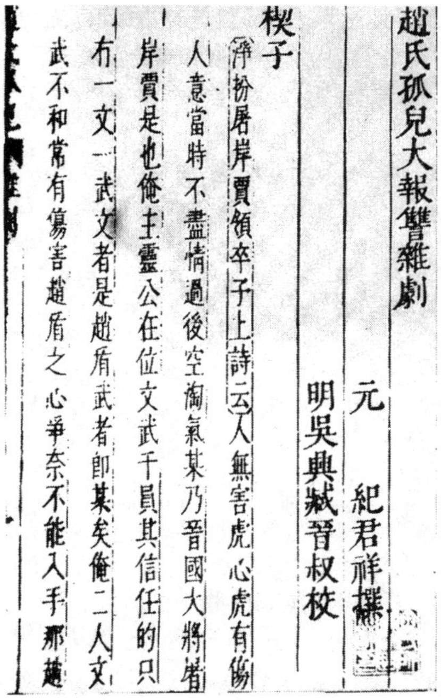
趙氏孤兒大報讐雜劇

元 紀君祥撰

明吳輿臧晉叔校

楔子

（淨扮屠岸賈領卒子上詩云）人無害虎心虎有傷人意當時不盡情過後空淘氣某乃晉國大將屠岸賈是也俺主靈公在位文武千員其信任的只有一文一武文者是趙盾武者即某矣俺二人文武不和常有傷害趙盾之心爭奈不能入手那趙

明万历博古堂刻本《元曲选·赵氏孤儿》

中国大百科全书出版社供图

又有全剧改编本上演。此剧于18世纪即译成多种外文，有英、法、德、意文的译本或改编本。法国文学家伏尔泰、德国诗人歌德对此剧作过改编。

Ji Kang　嵇康（223～262）　又拼Hsi K'ang。中国三国魏文学家、思想家、音乐家。为竹林七贤之一。字叔夜。谯郡铚（今安徽宿县地区）人。官拜中散大夫，世称嵇中散。自称

中国大百科全书出版社供图

“轻贱唐虞而笑大禹”，“非汤武而薄周孔”，反对当权的司马氏集团，为司马昭所杀。传嵇康刑前有三千名太学生上书愿代受刑，嵇不动声色，鼓琴自若。在哲学上嵇康崇尚老庄，提出“越名教而会自然”，认为儒家礼乐仁义摧残人的自然本性。嵇康撰《声无哀乐论》，强调声音是“物之自然”，只有善恶（悦耳和不悦耳）之分，而“无系于人情”，与人的哀乐感情并非一事。他也讲求养生服食之道。亲自实验炼丹，相信有长生不死的神仙，这反映了他思想中的矛盾。著作有《嵇中散集》，又称《嵇康集》，现以鲁迅辑校本《嵇康集》最为详实。

Ji Xian　蓟县　中国天津市辖县。位于市北部，居北京、天津、唐山、承德4市之间，扼东北入京咽喉。距天津市区115千米、北京市区89千米。境内有京秦、大秦、津蓟3条铁路，京哈、津围两条国道公路，纵横贯穿。北部为燕山余脉盘亘，南部属海河平原，山地、平原约各占一半。春秋时，古代中国山地民族山戎曾在此建无终国。战国为燕国的无终

蓟县独乐寺

中国大百科全书出版社供图

邑。秦始皇帝二十二年（公元前225）灭燕，置无终县。为右北平郡治所。隋末改称渔阳县。唐代为蓟州或渔阳郡治所。明洪武初年（1368），废渔阳县，地入蓟州。1913年，废州为县，称蓟县。原属河北省，1973年划归天津市。1988年划入中国沿海经济开放区。面积1 593平方千米。蓟县物产丰富，矿藏主要有锰硼、锰、钨、钼、金、紫砂（伊利石页岩）、水泥灰岩、白云岩、大理石、麦饭石、叠层石、煤、泥炭等。农作物以小麦、玉米、稻谷、大豆、花生、棉花、蔬菜等为主。1978年以来，乡镇企业发展迅速。1990年县乡工业企业发展到6 982家，形成以服装、纺织、食品、建材、自行车零件、化工、农机、建筑为骨干的八大行业。有130多种产品打入国际市场。旅游胜地有中上元古界国家级自然保护区、八仙山自然保护区、盘山风景名胜区，国家重点文物保护单位有独乐寺、白塔、黄崖关古长城遗址等。人口810 000（2005）。

Ji Zheng　纪政（1944-03-15，中国台湾新竹～　　）　又拼Chi Cheng。台湾女子田径运动选手。在短跑方面成就显著，在推动体育教育和体育活动方面贡献良多。1963年就读于竹南中学高二年级时，因体育成绩优异，出国深造。1973年纪政毕业于美国加利福尼亚州立工业大学，获体育学士学位。1960年代表台湾参加在罗马举行的奥运会。1963年获得台湾女子五项全能冠军，并获得台湾第1届十大杰出女青年殊荣。1964年参加东京奥运会未得分。1966年获曼谷第5届亚运会女子跳远金牌。1968年获墨西哥奥运会女子

中国大百科全书出版社供图

80米低栏铜牌和女子100米第7名。1970年获曼谷第6届亚运会女子100米金牌。1970年创造了100米11″、200米22″4、100米低栏12″8、100码10″和220码22″6等项世界纪录。1971年初，当选由美联社选出的全球最佳运动员，同时打破《田径杂志》多年来只选男子的传统，而成为该杂志第一位年度最佳女运动员，并在有运动界奥斯卡奖之称的胜利运动员奖中列名。1979年美国圣安东尼国际邀请赛中，她是“名人榜”上的唯一女性。1983年10月成为美国运动学会推举的“1983年发展国际体育特殊贡献人士”中的唯一女性。1974～1975年，纪政担任加利福尼亚州雷德兰大学女子体育组主任。1976年担任台湾田径协会总干事，现为顾问。1983年由国民党提名竞选立法委员后当选；1986年连选连任。

jia　斝　又拼chia。中国古代酒器，用于温酒或盛酒；也是一种灌器。祭祀时用以盛鬯酒（一种香酒），不饮而灌之于地。斝形似杯而深，三足、双柱、一鋬。表面常饰有饕餮（兽

商代青铜斝

美国不列颠百科全书公司供图

面）纹。陶斝始见于新石器时代，商代极为盛行，西周已不见。商代还盛行铜斝，经常与觚、爵二器成套出现。又有仿铜陶斝，多为明器。西周早期尚见铜斝，西周中期以后斝逐渐为盉或锥所代替。

Jia Qinglin　贾庆林（1940-03，中国河北泊头～　　）　中国共产党第十六届中央政治局常务委员，中国人民政治协商会议第十届全国委员会主席。大学学历。1959年加入中国共产党。1956年入石家庄工业管理学校工业企业计划专业学习。1958年入河北工学院电力系电机电器设计与制造专业学习。1962年后任一机部设备成套总局技术员、团委副书记。1969年下放一机部江西奉新“五七”干校劳动。1971年后任一机部办公厅政策研究室技术员、一机部产品管理局负责人。1978年任中国机械设备进出口总公司总经理。1983年任山西太原重型机器厂厂长、党

中国大百科全书出版社供图

委书记。1985年后任中共福建省委副书记、副省长、代省长、省长。1992年当选为中共十四届中央委员。1993年后任中共福建省委书记、省人大常委会主任。1996年后调任中共北京市委副书记、副市长、代市长、市长。1997年当选为中共十五届中央政治局委员，任中共北京市委书记、市长。2002年11月当选为中共十六届中央政治局常委。2003年3月当选为第十届全国政协主席。

Jia Sidao　贾似道（1213～1275）　又拼 Chia Ssu-tao。中国南宋末宰相。字师宪。台州（今浙江临海）人。因其姊为理宗皇帝贵妃而被擢用擅权。蒙古军南犯，开庆元年（1259）以右丞相领兵援救鄂州（今湖北武昌），暗中向忽必烈求和，允称臣、纳币，退兵而诈报大捷。推行“公田法”，政府用低价收购大量土地。度宗时封太师、平章军国事，独揽国政，不顾国家安危，穷奢极欲，挥霍无度。隐匿襄阳被蒙古军围困军情，支援亦不力。襄阳失守后蒙古军东下，贾领兵阻击，败于鲁港（今安徽芜湖西南）。被革职流放，途中为监送人郑虎臣诛杀于福建漳州木棉庵。

Jia Sixie　贾思勰　参阅 **Qimin Yaoshu**《齐民要术》。

Jiading　嘉定　又拼 Chia-ting。中国上海市辖区。在市西北部，邻接江苏省太仓、昆山两市。成陆较早，古属扬州。南宋嘉定十年（1217）析昆山县东境五乡置县，以年号命名。

嘉定汇龙潭公园

中国大百科全书出版社供图

1958年由江苏省划归上海市。1992年改县为上海市辖区。面积459平方千米。属长江三角洲平原，地势平坦，北部略高。气候温和湿润，初夏有梅雨，夏秋有台风。河道密布，吴淞江流经南部，浏河斜贯西北边境，练祁河、蕴藻浜等由西向东流过境区。农产以稻谷、小麦、油菜籽、棉花为主，是上海重要的商品棉和经济作物区。东南部靠近市中心一带，以种蔬菜、花卉和饲养生猪、乳牛、肉鸡等为主。特产白蚕豆以粒大质糯著称。富有民族特色的黄草编结，是著名传统手工艺品，远销东南亚。工业主要集中在嘉定和安定两个卫星城镇和桃浦工业区。嘉定镇有棉纺、毛巾、汽车齿轮、轴承、玻璃、水泥等厂，并以科研、教育、生产相结合为特点，有上海科学技术干部管理学院和中国科学院上海光学精密机械研究所等高等院校和科研单位，已辟为上海科学文化卫星城。安亭镇以汽车制造业为重点，有著名的上海大众汽车有限公司等。桃浦工业区是上海化工基地之一，有染化、香料、化工、化纤、造漆、油墨、橡胶、塑料、制药等厂。水陆交通发达，沪宁铁路横贯境内，204、312国道及沪宁高速公路穿越全境。号称“吴中第一”的孔庙，建于宋嘉定十二年（1219）。在其东南有建于明万历三十一年（1603）的“汇龙潭”。区境东部的南翔镇，有明代嘉定竹刻家朱三松设计布局的江南名园——古漪园，为上海地区园林胜景之一。人口520 000（2005）。

jiaguwen　甲骨文　中国商、周时刻在龟甲、兽骨上的文字。参阅 **zhuanshu** 篆书。

Jiajing　嘉靖　参阅 **Ming**——：明朝帝王序列下 **Mingshizong Zhu Houcong** 明世宗朱厚熜。

Jialing Jiang　嘉陵江　中国长江水系中流域面积最大的支流。古称阆水、渝水。在四川省东部。发源于秦岭，来自陕西凤县的东源与甘肃天水的西汉水汇合后，西南流经略

嘉陵江

中国大百科全书出版社供图

阳，穿大巴山，至四川广元昭化纳白龙江，南流经南充到合川先后与涪江、渠江汇合，到重庆注入长江。全长1 119千米，流域面积近16万平方千米，河口流量2 120立方米/秒，仅次于岷江。上游河谷狭窄，水流湍急，常有滑坡、泥石流现象，中游河床平缓，水面宽阔，河曲发育。下游河道流向与四川盆地东部平行岭谷相交，形成著名的“小三峡”，峡谷陡峻，阶地河滩相间。流域内降水充沛，植被覆盖率低，水土流失严重，河水含沙量大。河流两岸有耕地约333万公顷，是四川省重要的粮油产区和丝绸之乡。广元以下可以通航，是四川省南北水陆联运的重要通道，运量约占全省内河航运的1/4。

Jiamusi　佳木斯　又拼 Chia-mu-ssu。中国黑龙江省辖地级市。位于省境东北部，松花江下游南岸。地处三江平原，称为三江平原的门户。北部为平原，南部是丘陵。年平均气温2.8°C，年降水量558毫米。辖永红、向

松花江畔的佳木斯市

中国大百科全书出版社供图

阳、前进、东风、郊区5区和桦南、桦川、汤原、抚远4县，并代管同江和富锦2县级市。全市总面积31 528平方千米，其中市区面积883平方千米。佳木斯地区原属吉林省，佳木斯市区旧名东兴镇。清宣统二年（1910）在此设桦川县。1934年设佳木斯市，为伪满三江省省会；1945～1949年为合江省省会。合江省撤销后属松江省，为省辖市。1954年属黑龙江省。1958年隶于合江专区。1966年复为省辖市，1968年改隶合江专区，1984年再改为省辖市。市区工业发展迅速，已形成造纸（建有中国最大的造纸厂）、机械、制糖、电子、电力、石油化工、食品、医药、建材等工业部门。辖区各县土地肥沃，水源充足，有大批国有农场，是黑龙江省重要商品粮生产基地。主产大豆、小麦。畜牧业和水产业发展较快。特产有鲟鱼、鳇鱼、大麻哈鱼、乌苏里貉、东北黑蜂等。水陆交通发达。绥（化）佳、牡（丹江）佳、鹤（岗）佳、图（们江）佳及福前（福利屯—前进镇）等铁路线在此交会。公路有201、221国道和哈同、鹤佳高速公路过境。每年4～10月，松花江航运上通嫩江，下达黑龙江及乌苏里江。佳木斯港、富锦港、同江港已于1989年对外开放。另有直通哈尔滨的航班。市内有佳木斯大学、黑龙江中医药大学佳木斯学院等高等院校。人口：全市2 490 000（2005）；市区820 000（2004）。

Ji'an　吉安　又拼 Chi-an，Kian。中国江西省辖地级市。位于省境中西部，赣江中游与

禾水交汇处。处于吉安-泰和盆地中心地带，赣江贯穿南北，分河东、河西两大部分。秦(公元前 221 ～前 206)置庐陵县，曾为庐陵郡、吉州治所。元至元十四年(1277)升为吉州路，元贞元年(1295)改为吉安路。至正二十二年(1362)朱元璋在此置吉安府。1912 年废府存县。1914 年改庐陵县为吉安县。1949年析吉安县城区设市。2000 年撤销吉安地区和县级市，设地级吉安市。辖吉州、青原 2 区和吉安、吉水、峡江、新干、永丰、泰和、遂川、万安、安福、永新 10 县，并代管井冈山县级市。面积25 219平方千米，其中市区面积1 331平方千米。矿产资源有煤、铁、钨、稀土等。工业以粮食加工和樟脑制造为主。吉安樟脑厂是中国最大的樟脑生产厂。粮食加工能力仅次于南昌市居全省第二位。此外还新建电子、机械、食品、电力、化工、建材、造纸等工业。建有万安水电站和井冈山华能电厂。皮革和樟木箱制造等传统手工业有很大发展。吉安历来是江西南北水陆交通要道，赣中西地区物资集散地。交通有京九铁路、105 国道南北纵贯，319 国道及三南公路东西横穿，南可溯赣江沟通闽粤，北可泛鄱阳湖与长江相连，顺抵长江下游发达省市。市内风景名胜较多。白鹭洲，素以白鹭栖息而闻名。南宋理宗皇帝御书的“白鹭洲书院”，与庐山白鹿洞书院、铅山鹅湖书院齐名，号称江西三大书院。民族英雄文天祥曾读书于此。此外还有青原山、神岗山、真君山、井冈山、大仙岩、狮子岩以及武功山金顶大庙等游览景区。人口：全市4 630 000(2005)；市区480 000(2004)。

jian 鉴 又拼 chien。中国古代水器。流行于东周。由盆演变而来。古代以水为镜，

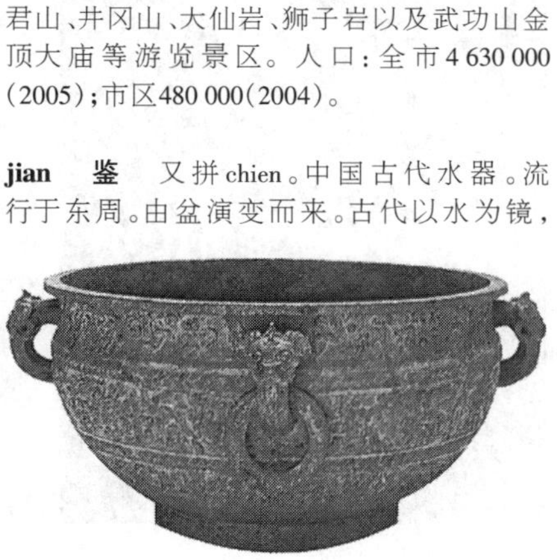

东周青铜鉴

美国不列颠百科全书公司供图

鉴是盛水照人的镜子。大的鉴可作浴器。

Jian Bozan 翦伯赞(1898-04-14，中国湖南桃源～ 1968-12-18，北京) 中国历史学家。原名翦象时。维吾尔族。1916 年夏考入武昌商业专门学校。1924 年夏赴美国加利福尼亚大学专攻经济学，1926 年 1 月回国。1927 年在北平、天津、上海等地研究中国历史和社会。从 1930 年开始，积极参加当时学术界关于中国社会性质和社会史问题的论战。1934 年 5 ～ 12 月，赴欧美考察。抗战期间，主编《中苏半月刊》，同时兼任南迁的北平民国大学教授；1938 年出版了《历史哲学教程》；1940 年 2 月到重庆，在周恩来领导下从事秘密工作，并研究中国古代历史。所著《中国史纲》(2 卷)为中国较早运用马克思主义观点的通史。在此期间发表历史论文60余

中国大百科全书出版社供图

篇，涉及史学方法、农民战争、民族战争以及政治、经济、文学诸方面。抗日战争胜利后到上海，参加领导上海大学教授联谊会，兼任大夏大学教授。1947 年 10 月到香港，任达德学院教授、香港《文汇报》“史地”副刊主编。1949 年 2 月到北京，后历任燕京大学教授、北京大学教授兼历史系系主任和副校长等职。他从 50 年代初开始发起编纂《中国近代史资料丛刊》共 11 个专题。他亲自主编其中《戊戌政变》和《义和团》两个专题。1961 年起主编全国高等学校通用教材《中国史纲要》和《中国古代史教学参考资料》。他先后发表了《对处理若干历史问题的初步意见》和《目前史学研究中存在的几个问题》等论文，批评史学界从 1958 年以后开始出现的极左思潮。还到各地讲演，批评史学界在教学和研究中简单化、公式化、绝对化等错误倾向。文化大革命前夕已受到批判，后遭残酷迫害，1968 年 12 月 18 日夜与夫人戴淑婉一同在北京大学自尽。重要论文集有《中国史论集》第一、二辑(1943，重庆；1947，上海)，《历史问题论丛》(增订本，1962)，《翦伯赞历史论文选集》(1990)等。

jiandu 简牍 英语作 bamboo and wooden slip。中国古代用竹、木制成的狭长形书写材料。商代已开始使用，两晋时期因纸的普遍使用而逐渐废弃。迄今考古发现的简牍多属于战国和汉晋时期。内容包括官方的文书档案、私人信件、各种书籍抄件、历谱，以及专为随葬用的遣册等，有很高的史料价值，也是十分珍贵的书法墨迹。根据形制的不同，简牍主要可分为：①简，或称札，一般长约 23 厘米；②两行，即书写两行的简；③牍，为可供多行书写的木、竹板，长度与普通简相同，宽可至 6 厘米；④觚，多棱形木棍，可供数面书写，长 30 厘米以上；⑤封检，传递文书信札或财物时用以封缄的木简；⑥楬，题写簿册或器物名称的宽短木牌，即标签。此外，还有一种从旧简上削下来的带字的薄片，称为“柹”或“削衣”。简多用丝、麻编连成册，可以折叠，也可以卷起。简册制度不仅对帛书，而且对中国文化影响深远：中国文字的直行书写，行的顺序从右至左，以及纸和印刷术发明后中国书籍的单位名称(如“册”、“卷”)，版面行款形式等，都渊源于简册制度。

Jian Kiln 建窑 中国宋代(960～1279)瓷窑。位于福建建阳水吉镇。宋代以烧制黑釉茶碗为主，有兔毫、油滴、曜变等名贵品种。建瓷胎体绀黑如铁，又名乌泥建或黑建。当时江西吉州窑还有类似建瓷的玳瑁釉、鹧鸪斑以及剪纸花纹和树叶纹的黑釉茶碗，也非

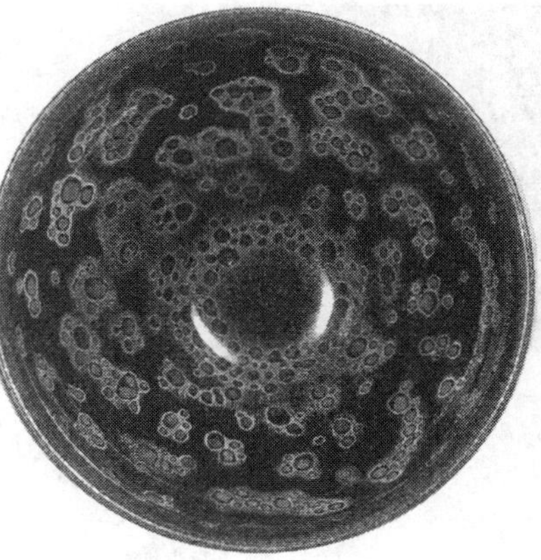

南宋建窑油滴釉茶碗

美国不列颠百科全书公司供图

常有名。北方的山西、河南等地也有油滴或兔毫等黑釉瓷器，往往被误作“建窑”产品。北宋时上层统治者喜用黑釉茶具斗茶，建窑瓷器被作为贡品供宫廷使用，使建窑瓷名声大振。日本将其视为珍品，相传宋时日本僧人到天目山学禅，归国时带回建窑瓷茶碗，称天目碗，至今仍为茶道中的名贵茶具。

Jian Xi 建溪 中国福建省闽江的北源。长 296 千米。由南浦溪、崇阳溪、松溪合流而成。流经武夷山茶区，多险滩。在南平与富屯溪、沙溪汇合后称闽江。

Jiang Dingwen 蒋鼎文(1895-01-25～1974-01-02) 又拼 Chiang Ting-wen。中国国民党军队高级将领。字铭三。浙江诸暨人。1911 年辛亥革命时，到杭州加入学生军。1912 年考入绍兴大通学堂，同年转入浙江讲武学堂。毕业后分派至浙江督军公署守备队，后升至连长。1918 年入粤。1921 年 5 月孙中山就任非常大总统，蒋鼎文出任参谋部中校部员。后改任参谋。1924 年进黄埔军校，任区队长、教官。此后历任教导团副营长、营长、副团长、团长，第一军师长、副军长及第二军军长等职。1930 年中原大战爆发，率部讨伐冯玉祥、阎锡山，战后进驻洛阳，兼任陇海路西段警备司令。1931 年起，参加“围剿”江西中央苏区。1934 年 2 月任东路总司令，翌年改任驻闽绥靖公署主任。1937 年抗日战争爆发后，任国民政府军事委员会委员长西安行营主任，兼第十战区司令长官，不久改任陕西省主席。1941 年被派往洛阳，任第一战区司令长官兼冀察战区总司令。1944 年春，指挥所部与日军战于豫中、豫西。战后辞卸本兼各职。1947 ～ 1948 年游历美国和欧洲。回国后任总统府战略顾问。1949 年到台湾，曾任蒋介石的国策顾问。

Jiang Jieshi 蒋介石(1887-10-31，中国浙江奉化～ 1975-04-05，台湾台北) 又拼 Chiang Kai-shek。中国国民党当政时期的党政主要领导。名中正，字介石。1906 年去日本留学，同年底回国。1907 年入保定军官学校。1908

年又去日本人振武学校，加入同盟会，参加反清活动。1911 年辛亥革命后回国，投奔沪军都督陈其美，任沪军第五团团长。孙中山通电讨伐袁世凯后，蒋参加“第二次革命”

美国不列颠百科全书公司供图

(1913)，失败后东渡日本。1922 年粤军总司令陈炯明叛变，孙中山生命受到威胁，乘永丰舰离广州，蒋介石由沪赴粤随侍，得孙中山信赖，任大元帅府大本营参谋长。1923 年 8 月孙中山派他到苏联考察军事政治及党务。1924 年国民党第一次全国代表大会会后，开办黄埔军官学校，蒋任校长。1925 年孙中山病逝，大元帅府改组为国民政府，蒋任国民政府委员、国民革命军总司令，率军北伐，从此掌握军政大权。1927 年实行“清党”，与共产党公开破裂。同年与宋美龄结婚。1928 年南京国民政府成立后任主席。1931 年“九一八”事变后坚持攘外必先安内政策，继续进行反共内战，对工农红军发动多次围攻。1936 年西安事变后被迫第二次与共产党合作，共同抗日。但在抗战期间多次掀起反共高潮。1938 年出任国民党总裁，1946 年被选为国民政府主席，1948 年当选第一任总统。1949 年中华人民共和国宣告成立后，蒋介石结束在中国大陆的独裁统治，撤至台湾。在台湾期间不断鼓吹“反攻大陆”、“反共复国”。1955 年签订《中美共同防御条约》，希图凭借外力反攻大陆。

Jiang Jingguo　蒋经国(1910-03-18，中国浙江奉化～1988-01-13，台湾)　又拼 Chiang Ching-kuo。中国国民党主席。蒋介石的长子。在上中学时曾因参加五卅运动被学校开除，又因参加反对北洋政府的示威游行被监禁。

美国不列颠百科全书公司供图

1925 年 10 月去苏联中山大学就读，1927 年毕业后进列宁格勒红军中央军事政治研究院学习。1935 年与苏联女工费娜(后名蒋方良)结婚。1935 年 1 月在列宁格勒《真理报》发表《给母亲的信》，批评蒋介石的“清共”政策。1937 年 3 月回国后先后任江西省政府保安处、督练处处长，赣州专员公署专员兼保安司令。1944 年任三民主义青年团中央干部学校教育长，1945 年 1 月任青年远征军训练总监部政治部主任。1945 年 6 月随国民政府代表团到苏联谈判，签订《中苏友好同盟条约》。抗日战争胜利后任外交特派员，到东北与苏联斡旋。后任国防部预备干部局局长、国民党中央执行委员。1948 年任上海经济管制督导员，到上海整顿经济。1949 年随蒋介石去台湾。先后任台湾国防部部长，行政院长。1975年 4 月蒋介石去世后任国民党主席。1978年 5 月当选为台湾国民党政府总统。1984 年再度当选，连任总统。1987 年 7 月宣布解除台湾地区戒严令，并先后解除党禁、报禁及外汇管制；坚持一个中国的立场，反对台湾独立。同年 11 月宣布开放部分台湾同胞赴大陆探亲。著有《任重致远》、《风雨中的宁静》、《我的父亲》等书。

Jiang Kanghu　江亢虎(1883-07-18～1954-12-07)　又拼 Chiang K'ang-hu。中国反动政客，汪伪政权汉奸。原名绍铨，号洪水、亢庐。江西弋阳人，早年离乡入北京东文学堂，研习西文与科学。1901 年东渡日本考察政治。半年后归国，任直隶北洋编译局总办。1903 年复去日本留学，翌年因病辍学。回国后任刑部主事和京师大学堂日文教习。1910 ～ 1911 年出国旅游，经日本至欧洲，途中宣扬所谓“三无主义”，即无宗教、无国家、无家庭。1911 年辛亥革命爆发后，他将前不久在上海组织的社会主义研究会改组为中国社会党。北洋政府于 1913 年解散该党，江亡命美国，在加利福尼亚大学任中国文化课讲师，并曾任职于美国国会图书馆东方部。1920 年夏辞职返国。翌年前往苏俄访问。1922 年回国后，在上海创办南方大学，自任校长。1924 年至北京会见溥仪，6 月宣布恢复中国社会党。翌年 1 月将该党易名为中国新社会民主党。1925 年 8 月，清室善后委员会公布 1924 年江请见溥仪等信函，南方大学学生以江参加密谋“甲子复辟”(1924 年为甲子年)，掀起驱江风潮，江被迫辞职，1927 年解散中国新社会民主党，前往加拿大。1930 年任加拿大大学中国文学院院长。1933 年回国。1937 年抗日战争爆发后，前往香港。1939 年 9 月，应汪精卫之邀，由港至沪，旋发表宣言，主张“以中国古有文化为中心，建设东亚新秩序”，以策应日本军阀谋和之号召。1940 年 3 月 29 日任汪伪政权国府委员兼考试院副院长。次日，国民政府明令通缉卖国汉奸陈公博、江亢虎等 77 人。1942 年 3 月，任伪考试院院长。1945 年 8 月日本宣布投降后，江削发为僧，潜藏于南京清凉寺。后逃往北平，被查获拘禁。1954 年底在狱中病死。

Jiang Kui　姜夔(约1155～约1221)　又拼 Chiang K'ui。中国南宋词人、音乐家。字尧章，号白石道人。饶州鄱阳(今属江西)人。早岁孤贫，一生困顿未仕。长期寓居杭州，与词客交游。精通音乐，曾向朝廷上《大乐议》、《琴瑟考古图》及《圣宋铙歌》12章。词多自

白石道人自题画像诗

中国大百科全书出版社供图

度曲，现存 17 种注有工尺谱词调，是研究词乐的珍贵资料。青年时多次客游扬州、合肥等地，目睹江淮遭受战争浩劫后惨象，写有《扬州慢》、《凄凉犯》等词，寄寓故园乔木之思。中年后，多怀人念旧、写景咏物之作，有《暗香》、《疏影》等名篇。词风清空雅淡，饶有情致，为清初浙派词人所宗。诗的成就也很突出，尤工七言律绝，辞旨清新。有《白石道人歌曲》、《白石道人诗集》等。今人夏承焘有《姜白石词编年笺注》(1958)。

Jiang Qing　江青(1914-03，中国山东诸城～1991-05-14，北京)　又拼 Chiang Ch'ing。原中国共产党第九、十届中央政治局委员。原名李云鹤。1929 年春在济南入山东省实验剧院。1933 年 2 月加入中国共产党，5 个月后即失去党的关系。1934 年 10 月在上海被国民党政府逮捕，同年 12 月被释。后以蓝苹为

艺名做电影演员。1937年秋到延安，恢复党籍。改名江青。1938年同毛泽东结婚，生有1女，名李讷。1949年中华人民共和国建立后，担任过全国电影指导委员会委员，中共中央宣传部电影处处长等职，但为期很短，多年称病休养，未参加社会或政治活动。

从1963年起，她以京剧革命为名，在文艺界煽动极左思潮。1965年11月指使姚文元发表文章，攻击历史学家吴晗的历史剧《海瑞罢官》，又在1966年4月受林彪委托，主持写成了《部队文艺工作座谈会纪要》，诬蔑中国文艺界是"黑线专政"，为文化大革命的发动作舆论准备。

1966年5月以后，她被任命为中央文化革命小组第一副组长、代理组长，后在中共第九次及第十次全国代表大会上当选为中央委员、中央政治局委员。在文化大革命中，同张春桥、姚文元、王洪文结成"四人帮"，先后勾结林彪、康生、陈伯达等，利用毛泽东晚年所犯的错误，煽动"打倒一切"的极左思潮，迫害党和国家的大批领导干部，残酷地打击广大知识分子，攻击中国人民解放军，阴谋夺取党和国家的最高权力，使党、国家和全国人民遭受到最严重的损失。

以江青为首的四人帮，在党内和人民中遭到强烈反对。1976年10月，中共中央政治局对江青等进行隔离审查。1977年7月，中共十届三中全会通过决议，永远开除江青党籍，撤销其党内外一切职务。1981年1月25日，中华人民共和国最高人民法院特别法庭以反革命集团首犯判处江青死刑，缓期二年执行。1983年1月25日最高人民法院裁定减为无期徒刑。1991年5月14日自杀身亡。

Jiang Tingfu　蒋廷黻(1895-10-21，中国湖南宝庆[今邵阳]～1965-10-09，美国纽约)　又拼 Chiang T'ing-fu。中国历史学家、外交家。10岁入长沙明德小学，翌年入湘潭教会所办

中国大百科全书出版社供图

益智学堂，开始习英文。1911年春赴美国留学，入密苏里州派克学院预科，后转学俄亥俄州奥伯林学院，主修历史，获文学士学位。曾应基督教青年会征选至法国为华工服务。1919年夏返美入哥伦比亚大学研究院，1923年获哲学博士学位后归国。先后任教于南开大学、清华大学历史系。从事中国外交史研究，并介绍西洋名著。曾与学生合译海斯所著《族国主义论丛》。在南开任教期间，编成《中国近代外交史资料辑要》。"九一八"事变后，与胡适、丁文江等发起创办《独立评论》周刊，在该刊发表多篇政论文章。1934年夏赴欧考察3个月，锐意观察苏联外交。翌年离开清华大学，出任国民政府行政院政务处长。1936～1938年奉派为驻苏联大使。归国后重任行政院政务处长，发起创办《新经济》半月刊。1944年11月，出任联合国善后救济总署中国代表及行政院善后救济总署署长，翌年解职。1945年底任国民政府驻联合国常任代表。1957年4月，当选台湾中央研究院人文组院士。1961年冬调任台湾驻美国大使，兼驻联合国常任代表。主要著作有《最近三百年东北外患史》(1932)、《中国近代史》(1938)及《蒋廷黻选集》(6册)。

Jiang Yan　江淹(444～505)　又拼 Chiang Yen。中国南朝齐代文学家。字文通。济阳考城(今河南兰考)人。早年有文名，官至金紫光禄大夫，封醴陵伯。在安富尊荣中文学才能显著减退，时人谓为"江郎才尽"。善于模拟各家风格，写有大量拟古诗。他的赋以《恨赋》、《别赋》为有名。前者刻画一些古人饮恨吞声的悲哀。后者描写黯然销魂的离情别绪，抒发了浓厚的感伤情调。有《江文通集》。

Jiang Zemin　江泽民(1926-08-17，中国江苏扬州～　　)　又拼 Chiang Tsê-min。中国共产党第十三、十四、十五届中央委员会总书记(1989～2002)、中华人民共和国主席(1993～2003)、中华人民共和国中央军事委员会主席(1990～2005)。

江泽民出身一个爱国知识分子家庭。少年时过继给六叔江上青(土地革命初期的中国共产党党员，革命烈士)。从小受到爱国主义思想和民主革命思想的启蒙，同时在诗书世家的氛围中深受中华民族优秀文化的熏陶，他的中小学时期在扬州度过。1943年考入南京中央大学电机系，积极参加青年学生的抗日爱国活动。抗日战争胜利后，转到上海交通大学电机系学习。1946年4月加入中国共产党，从事共产党的地下工作。1947年大学毕业到工厂工作后，在工人群众中，并在青年会夜校职业青年中，从事革命宣传工作。中国人民解放军解放上海前夕，组织工人群众进行护厂斗争。

中华人民共和国建立后，历任上海益民食品一厂、上海制皂厂第一副厂长和第一机械工业部上海第二设计分局电器专业科科长等职。1955年赴莫斯科斯大林汽车制造厂(后改名为利哈乔夫汽车厂)实习。1956年回国后，在长春第一汽车制造厂担任过动力处副处长、副总动力师和动力分厂厂长。1962年调任第一机械工业部上海电器科学研究所副所长，后任武汉热工机械研究所所长、代理党委书记。1971年出任第一机械工业部派驻罗马尼亚的专家组总组长。1973年回国，先后任第一机械工业部外事局副局长、局长。

1980年担任国家进出口管理委员会、外国投资管理委员会副主任兼秘书长。参与制定扩大对外贸易、引进国外先进技术和设备、吸收利用外资等方面的政策，同时参加领导筹建经济特区的工作。1980年8月在第五届全国人民代表大会常务委员会第十五次会议上作了关于在广东、福建两省设置经济特区和《广东省经济特区条例》的说明。1982年后相继担任电子工业部第一副部长、中共电子工业部党组副书记和部长、党组书记，组织领导了电子工业的结构调整和技术改造。1982年9月在中共第十二次全国代表大会上当选为中央委员。

1985年出任上海市市长、中共上海市委副书记，1987年担任上海市委书记。他提出在本世纪末把上海建设成为开放型、多功能、产业结构合理、科学技术先进，具有高度文明的社会主义现代化城市的发展方针，强调要把浦东建设成为国际化、枢纽化、现代化的世界一流的新市区。1987年11月在中共十三届一中全会上当选为中央政治局委员。1989年春夏之交，中国发生政治风波，他拥护和执行中央关于维护国家的独立、尊严、安全和稳定的正确决策，维护了上海的稳定。

中国大百科全书出版社供图

1989年6月在中共十三届四中全会上当选为中央政治局常务委员，中央委员会总书记。同年11月中共十三届五中全会又选举他为中央军事委员会主席。1990年3月在第七届全国人民代表大会第三次会议上当选为中华人民共和国中央军事委员会主席。1992年10月在中共第十四次全国代表大会上作了题为《加快改革开放和现代化建设步伐，夺取有中国特色社会主义事业的更大胜利》的政治报告，提出要抓住机遇、加快发展，中国经济体制改革的目标是建立社会主义市场经济体制，提出确立邓小平建设有中国特色社会主义理论在全党的指导地位。在中共十四届一中全会上再次当选为中央政治局常务委员、中央委员会总书记和中央军事委员会主席。1993年3月在第八届全国人民代表大会第一次会议上当选为中华人民共和国主席，并再次当选为中华人民共和国中央军事委员会主席。

1995年春节他在《为促进祖国统一大业的完成而继续奋斗》的讲话中提出促进中国两岸和平统一的八点主张。1997年7月1日他率领中国政府代表团到香港出席中英两国政府举行的香港交接仪式，向全世界庄严宣告：中国政府恢复对香港行使主权，中华人民共和国香港特别行政区政府成立。同年9月在中共第十五次全国代表大会上作了题为《高举邓小平理论伟大旗帜，把建设有中国特色社会主义事业全面推向二十一世纪》的政治报告，总结历史，规划未来，对中国改革开放和现代化建设跨世纪的发展蓝图和基本纲

领作了全面部署和深刻论述。在中共十五届一中全会上继续当选为中央政治局常务委员、中央委员会总书记和中央军事委员会主席。1998年3月在第九届全国人民代表大会第一次会议上再次当选为中华人民共和国主席和中华人民共和国中央军事委员会主席。2002年，在中共十六届一中全会上出任中央军事委员会主席。2004年9月中共十六届四中全会决定同意江泽民同志辞去中共中央军事委员会主席的职务。

Jiang Zhaohe　蒋兆和（1904-05-09，中国四川泸州～1986-04-15，北京）　中国现代国画家、美术教育家。自幼喜爱绘画，在父亲执教的家馆中读书。1920年赴上海从事画像、广

中国大百科全书出版社供图

告及服装设计工作，业余自修素描、油画和雕塑。1927年结识徐悲鸿，深受其写实主义主张和改革中国画思想的影响。1928年，任中央大学艺术系图案课教员。1930年到上海美术专科学校任素描课教授。1935年秋定居北平，开办画室以授徒为业。1937年5月在中央饭店大礼堂举办首次个人画展，作品以传统水墨融入、运用西方画法描绘穷苦百姓，体现了蒋氏的写实主义追求和改革中国画的大胆实践，引起画坛瞩目。1938年被聘为北平私立京华美术学院教授，翌年到北平艺术专科学校兼课。步入艺术创作的鼎盛时期。1943年完成代表作品《流民图》，图高2米，长近20米，100多个人物形象，被称为中国现代画史上现实主义的历史画卷。1950年以后一直任中央美术学院教授，并继续作画。在教学方面，致力于中国画教学的改革，在中国画的造型基础课及水墨人物写生课教学原则和实施方案上自成体系，颇有影响。在创作方面，自50年代末期，则更重历史人物肖像画的创作。平生多次举办画展，也曾与夫人萧琼举办过书画联展。出版有《蒋兆和画集》（1958）、《蒋兆和画选》（1984）等画册。

Jiangge'er　《江格尔》　又拼 Jangar。蒙古族英雄史诗。与蒙藏两民族的《格斯尔》和柯尔克孜族的《玛纳斯》被誉为中国三大史诗。至20世纪末，已经搜集到的诗篇共有200余部，长达25万余诗行。史诗包括①结义故事，叙述英雄们经过战场上的交锋或经历各种考验最终结为盟誓弟兄的故事；②婚姻故事，通过江格尔及众英雄的娶亲经历，展示他们非凡的本领和高尚的品德；③征战故事，描绘的是以江格尔为首的英雄们降妖伏魔，痛歼掠夺者，保卫家乡宝木巴的辉煌业绩。江格尔产生于蒙古族分散的各部或众多小汗国混战时期，反映出饱受战争蹂躏的蒙古族民众反对侵略与奴役，为保卫家乡而英勇献身的精神。主人公《江格尔》作为宝木巴汗国的缔造者、组织者和领导者，武艺高强，知人善任，在他身上集中了古代英明首领的优秀品质和民众对统帅的期望。《江格尔》还塑造了一批具有传统特色的勇猛型和智谋型人物形象，如大公无私的洪古尔，剑术高明的萨布尔，忠于朋友的萨纳拉，以及阅历丰富、善于出谋划策的军师阿拉谭策吉。《江格尔》语言优美精练，想象大胆奇特，擅长夸张渲染，富于浪漫主义色彩。它博采蒙古族口头文学中的各种韵文样式（包括民间歌谣、民间叙事诗、民间谚语、祝词、赞词等），在蒙古族文学发展史上享有很高的地位。

Jiangling　江陵　又拼 Chiang-ling。中国湖北省荆州市辖县。位于长江中游荆江段两岸。境内除西北一隅为浅丘外，均属江汉平原。长江贯穿区境南部，河湖纵横交错，湖泊以长湖最大。面积1 032平方千米。春秋战国时期为楚郢都。秦分郢置江陵县。秦汉以后至宋，荆州城又称江陵城，历为郡、州、道、路治所。唐肃宗上元元年（760）曾建为南都；南朝后梁、五代十国时南平国均在此建都。农业主产水稻、小麦、棉花和油料。盛产鲜鱼。为中国商品粮、鱼基地。主要特产有蚕茧、蜂蜜、茶叶、麻类。工业有电力、机械、化工、建材、纺织、造纸等。荆州锦缎为传统工艺品。江陵历史文化悠久，有楚故都纪南城、太晖、开元、元妙等景观。公路有207、318国道，可通利川、襄樊、武汉等地。水运以长江为主。人口400 000（2005）。

Jiangmen　江门　又拼 Chiang-men，Kong-moon。中国广东省辖地级市。位于珠江三角洲西部边缘，濒临南海。旅外华侨、外籍华人有近300万，是广东省著名侨乡。辖江海、蓬江、新会3区，并代管台山、开平、恩平、鹤山4

江门东湖

中国大百科全书出版社供图

县级市。面积9 443平方千米，其中市区面积1 692平方千米。当西江与蓬江汇合处，因蓬江两岸蓬莱山和烟墩山对峙如门得名。原为新会县地，元末明初已成集镇。1927年置省辖市，1931年复归新会县。1949年析新会县设县级市，1950年升省辖市。属粤中丘陵平原区，地势自西北向东南倾斜，天露山横亘西北部，中部低山、丘陵交错，东南部以平原为主。市区位于境内东北部，江门河贯穿其中。农业以种水稻为主，兼种甘蔗、花生、柑、橙、香蕉、荔枝、茶等。海洋捕捞、海水及淡水养殖地位重要。有锡、稀土、煤、钾长石、高岭土、石灰石等矿。工业以纺织、食品、制糖为主。水陆交通方便。江门港为广东省第二大内河港，船只通珠江三角洲和沿海各港及广西梧州和香港、澳门。陆路有班车通广州、肇庆、深圳、珠海、中山、湛江等地。人口：全市3 850 000（2005）；市区1 330 000（2004）。

Jiangnan Arsenal　江南机器制造总局　中国清朝政府于洋务运动中兴办的最大军用企业。简称"江南制造总局"、"上海机器局"。1865年李鸿章在上海购买美商旗记铁工厂，合并原有两个洋炮局并配备容闳从美国购进的机器建成。机器设备和原材料从国外进口。技术由英、美、德等国技师主持，生产枪炮弹药，修造兵轮，并附设翻译馆（广方言馆）。工人最多时达3 000人，是当时东亚最先进的、世界最大的工厂之一。1867年建成船坞，先后建造10余艘轮船。1905年造船部分独立，称江南船坞。兵工部分仍称制造局。创办经费银54万余两，常年经费为50～60万两银。由于设备、原材料由国外提供，技术仰仗洋员，加之经营管理腐败，产品质量不高，生产效率低下。1912年船坞部分改称江南造船所。1917年兵工部分改称江南兵工厂，1932年停办。

Jiangnan Qiuling　江南丘陵　中国长江以南、南岭以北、武夷山和天目山以西、雪峰山以东丘陵地的总称，包括江西、湖南两省中南部和安徽南部、江苏西南部、浙江西部的大片低山和丘陵，面积约37万平方千米。低山、丘陵、盆地交错分布，以湘江、赣江流域为中心。盆地中的白垩系和下第三系红色地层广泛出露，形成"红色盆地"，这些红色地层被河流切割成丘陵，则称为"江南红色丘陵"，海拔200～600米左右。盆地丘陵周围为海拔1 000米左右的低山，湘赣之间有幕阜山、九岭山、武功山、万洋山和诸广山，浙西的天目山、仙霞岭，闽赣界上的武夷山和皖南的黄山等。盆地中盛产水稻、小麦、油菜籽等，低山、丘陵生长亚热带林木，马尾松林、杉木林和毛竹林广布。江南丘陵地区也是柑橘、油茶、茶叶的主要产区。

Jiangsu　江苏　中国东部省份。简称"苏"。介于北纬30°46′～35°07′，东经116°22′～121°55′。在长江、淮河下游，东临黄海，北接山东，西连安徽，南邻上海、浙江。面积100 000平方千米，是中国人口密度最高的省。除汉族外，还有回、满、蒙古、壮、苗等民族。设13个地级市、54个市辖区、27个县级市、25个

县。省会南京市。

自然条件 全省地势低平，河湖众多。低山、丘陵和岗地占总面积的15%，集中分布于西南部和北部，一般海拔200～300米。西南低山丘陵中，南京市东郊的钟山，是宁镇山脉的主峰，海拔448米。宜溧山地的主峰黄塔顶海拔611米，为全省第二高峰。在北部，连云港市郊云台山主峰玉女峰，海拔625米，是全省最高点。北部低山丘陵以南、西南低山丘陵以东为广大平原（包括长江三角洲的大部，以及徐淮平原、苏北东部滨海平原），为长江、淮河和黄河冲积而成。这些平原的地面高程，大都在10米乃至5米以下，最低处地面高程仅0.9米（射阳河中游）。平原上河网密布，湖荡罗列，素称"水乡"。全省计有大小河道2 900多条，湖泊近300个。海岸线长954千米，滩涂广阔，岸外并有世界上面积最大的辐射沙洲群。连云港是著名的海港。长江在江苏省境内长约420千米，江阔水深，万吨海轮可直驶南京新生圩港；沿岸尚有镇江大港、张家港和南通港，可供万吨级以上海轮停靠。为南温带和北亚热带过渡区。淮河、苏北灌溉总渠以北，年平均气温13～14°C，1月平均气温-1.5～0°C，7月平均气温27°C左右，年降水量800～1 000毫米，属南温带季风湿润气候。自然植被以落叶阔叶林为主，是温带落叶果树栽培区。淮河、苏北灌溉总渠以南，年平均气温14～16°C，1月平均气温0～3°C，7月平均气温27～29°C。年降水量1 000～1 200毫米，初夏有梅雨，夏秋间多台风，属北亚热带季风湿润气候。自然植被主属落叶阔叶和常绿阔叶混交林，是茶树、柑橘、枇杷、杨梅等常绿经济林木栽培区。最南部的宜溧山地，具有中亚热带季风湿润气候特征，是茶树、杉木、毛竹等常绿林木栽培区。

沿革 北部徐州一带远古为大彭国地。春秋后期今江苏大部属勾吴国所有，建都于吴（今苏州）。吴王夫差为争霸中原，开凿邗沟（今里运河前身）以通江淮，水利事业渐兴。战国初，地居中原的魏国开通鸿沟与汴水间的运河，沟通了黄河与泗水，江苏南北水路交通开通始于此。隋、唐、北宋，凿通通济渠（又称汴渠），沟通淮河与黄河的交通，运河沿线的润州（今镇江市）、扬州、山阳（今淮安市）均发展为漕粮和贡品转运口岸和商业都会。以扬州最为繁荣，吸引了西亚诸国和新罗（今朝鲜）、日本等国商人前来经商，富甲天下。是时，苏州亦成为江南第一大城，海外商船溯黄浦江、吴淞江直抵苏州城下，采购丝绸绫罗。元、明、清三代相继完成京杭运河，成为贯通全省南北间的水运干道，以迄于今。清康熙六年（1667）析江南右布政使司置省，以江宁、苏州二府首字命名江苏省。

经济 19世纪末，苏州、无锡、南通等地开始兴起中国民族工业，有缫丝、面粉、棉纺织、采煤和机械制造等部门。1909年沪宁铁路、1912年津浦铁路先后建成通车，民族工业进一步发展，成为中国民族工业的主要集中地之一。抗日战争期间，工农业生产遭到摧残和掠夺，直到1949年全省工农业生产始终没有恢复到战前（1936）的水平。20世纪80年代末，江苏省已是中国工农业生产最发达的省份。工业内部结构逐渐趋向合理，90年代初轻工业和重工业的对比关系为54.3∶45.7。重工业部门有煤炭、电力、钢铁、机械、电子、化工、建筑材料等，轻工业以纺织工业最重要，棉、毛、丝、麻、化纤的纺、织、印染及纺织机械等已形成了完整的体系。服装、食品、皮革、造纸、印刷、文教和旅游用品等部门亦较发达。20世纪80年代后期，乡镇企业首先在苏州、无锡、常州等市所属各市县兴起，1992年乡镇企业的产值已占全省工业总产值的半数以上。

太湖平原素为中国著名的粮食、油料、水产和蚕桑生产基地。20世纪50年代以来，治理淮河结合京杭运河和长江水北调工程的兴建，在苏北次第完成了导沂整沭，开辟苏北灌溉总渠和淮沭河，修建三河闸和扩大淮河入江水道，整治里下河入海诸港工程，整理里运河和中运河，修建沿江、沿海、沿湖堤防，兴建江都、淮安和淮阴三大水利枢纽工程，以及一大批闸坝配套工程，基本上克服了里下河平原、苏北东部滨海平原和徐淮平原的洪涝、水旱灾害，逐步使这些低产区变为可与太湖平原媲美的粮、棉、油料生产基地，水产养殖、家禽和桑蚕饲养基地遍及全省各地。著名的手工艺品有苏州刺绣和檀香扇、扬州漆器和玉雕、无锡惠山泥塑、常州梳篦、常熟花边、南京云锦、宜兴紫砂茶具、连云港贝雕、东海水晶制品等。

交通运输及教育科研 南京和徐州是江苏省二大交通枢纽。南京市区跨长江两岸，有京沪、陇海、新长、宁铜等铁路干线过境。有104、204、205等国道纵横全境，沪宁、宁合、宁通、宁连等高速公路交叉贯通境内。1968年建成的南京长江大桥把苏南、苏北二大公路网连成一体。南京港年吞吐量已逾5 000万吨，是中国最大的内河港口；南京油码头是鲁宁输油管的终点，胜利油田和华北油田原油经此运往长江沿岸各炼油厂。南京航空港有定期航班达北京、西安、成都、武汉、桂林、广州、深圳、香港、厦门、福州、温州等地。徐州地当苏、鲁、豫、皖四省之交，京杭运河湖西航道横过市区北境，陇海铁路与京沪铁路交轨于此，扼苏北连通鲁南、豫东、皖北地区的徐临（沂）、徐商（丘）、徐宿（县）、徐连（云港）、徐淮（阴）诸公路的中心，成为四省之交的一大商业中心。省内交通以内河航道和公路为主干道。全省90%的市、县和65%的乡、镇可通轮船，内河通航里程达24 800千米（2004）。省内公路通车里程已达73 082千米（2005），从南京发出的长途客运班车当日可直达各市、县。

有南京大学、东南大学、南京师范大学、中国矿业大学等多所高等院校，以及中国科学院南京分院、中国科学院紫金山天文台等科学研究机构。人口72 060 000（2005）。

Jiangxi 江西 又拼 Kiangsi。中国东南部内陆省份。简称"赣"，因省内第一大河赣江得名。地处长江中下游之交的南岸。介于北纬24°29′～30°05′，东经113°35′～118°29′。东邻浙江、福建，南连广东，西接湖南，北毗湖北、安徽。北控长江，上接武汉三镇，下通南京、上海；南倚梅关，沟通广州，与东南沿海开放区相邻近。面积170 000平方千米。除汉族外，有回、畲、满、壮、苗、瑶、侗等37个少数民族。现设11个地级市、19个市辖区、10个县级市、70个县。省会南昌市。

自然条件及资源 全省东南西三面群山环绕，内侧丘陵广亘，中北部平原坦荡，构成一个向北开口的巨大盆地。周边山峰一般海拔1 000米，赣、闽边境武夷山主峰黄岗山海拔2 158米，是江西的最高点。井冈山地处赣、湘边界罗霄山中段，气势雄伟，中国共产党第一个农村革命根据地就建立在这里。庐山屹立在鄱阳湖入江口西侧，为赣、鄂边界幕阜山东延余脉，是著名旅游避暑胜地。境内大小河流2 400多条，主要汇成赣江、抚河、信江、饶河、修水五大水系，流经各红层盆地和冲积平原，注入北部的鄱阳湖，然后北流长江。鄱阳湖面积4 646.64平方千米（湖口最高水位），为中国第一大淡水湖。鄱阳湖候鸟自然保护区是世界最大的候鸟越冬栖息地。鄱阳湖平原面积约2万平方千米，农业较发达，是全省主要粮仓和棉库。江西属中亚热带湿润气候。冬季，西伯利亚寒冷气流不断侵入，气温较低，1月平均气温为3.7～8.6°C；夏季受北太平洋副热带高压脊西进北上的影响，天气炎热，7月平均气温为27～30°C，中、北部各盆地极端最高气温都在40°C以上，是中国夏季高温区之一。年降水量1 341.4～1 934.4毫米，是中国大陆东南部多雨中心。境内山区广布常绿阔叶林、杉、毛竹、马尾松等人工林，是中国南方杉、竹的重要产区。全省拥有近300种世界珍稀动植物，共建有33个自然保护区。矿产资源丰富，以钨为最重要，储量居世界重要地位。铜、银、金、钽、铷、铯、钪、熔剂白云岩、滑石、伴生硫铁矿、粉石英等11种矿产储量居中国第一。

沿革 1974年发现新石器时代遗址，表明早在4 000年前这里就已有人类活动。春秋时分属吴、越、楚，战国属楚。秦属九江郡。汉高祖六年（公元前201）分九江郡置豫章郡，辖境相当今全省，治所在南昌。三国属吴，西晋元康元年（291）置江州。唐开元二十一年（733）置江南西道，北宋天圣八年（1030）置江南西路，简称"江西"，辖境包括湖南等地，这一时期瓷业鼎盛，"景德窑"闻名中国。元至元十四年（1277）置江西等处行中书省，明洪武九年（1376）置江西承宣布政使司，清设江西省。咸丰八年（1858）九江辟为商埠以后，外国资本逐渐涌入，大量输出稻米和土特产，九江成为中国四大米市和三大茶市之一。到1949年，因山林破坏，水土流失，水利失修，水、旱灾害频仍，广大农区土地贫瘠，产量低下。工业基础十分薄弱，以碾米、制茶、纺织为主，规模小，设备落后。

经济 全省共有耕地约280万公顷，1949年以来，经大力进行绿化造林，水土保持，兴修水利，建设堤防，全省旱涝保收田已占耕地总面积一半以上，农业以种植水稻为主，广泛推行双季稻，以鄱阳湖平原为主要产区。经济作物以棉、油、麻、蔗为主。油料作物以油菜为主，多为水田越冬作物，分布区与水稻一致。赣北为重要产棉区，赣南素为甘蔗产地。赣西苎麻色白质优，是江西特产。

茶园遍布全省,遂川狗牯脑和浮梁祁红茶是中国最早获国际金奖的茶叶。赣江、抚河中游为重要柑橘产地。工业也有较大发展。有色金属开采和冶炼为全省优势,并已实现机械化作业。现已建立钢铁、机械、化工、水泥、电力、煤炭等工业,主要工业区建成了电力网。纺织、瓷器、造纸、制糖、制茶、食品等工业发展很快。

交通及教育　自秦统一中国后,江西省就是中国北方通达岭南、闽越的交通要道。现在,以赣江为主干、南昌为中心的内河航运构成了江西交通运输的重要部分,九江是长江中游重要港口,全省内河航道里程达5 700千米(2004)。境内铁路有京九、浙赣、鹰厦、皖赣、向九、武九等主要铁路干线和10多条铁路支线,其中京九铁路在该省境内的一段约占全线长的1/3,连通江西南北,铁路营运里程达2 274千米(2004)。公路有105、206、316、319、320、323等国道、近百条省道及县乡公路,连接本省各市、县,南九、南吉、九景等高速公路均已建成通车,公路里程达34 963千米,形成了纵横连贯的公路网。民航以南昌为中心,可达北京、上海、广州等国内其他大城市;并有通吉安、赣州、九江、景德镇等地方的航线。现有江西大学、华东交通大学等多所高等院校。人口43 630 000(2005)。

Jiangxi Soviet　江西苏维埃　全称中华苏维埃共和国临时中央政府(1931～1934)。中国共产党在江西建立的中央革命政权机关。1931年11月7日中国共产党在江西瑞金召开中华工农兵苏维埃第一次全国代表大会,成立临时中央工农民主政府,通过宪法大纲、土地法、劳动法和经济政策等法令,选举毛泽东、刘少奇、周恩来、朱德等63人为中华苏维埃共和国临时中央政府委员。毛泽东为主席。中央工农民主政府成立后,领导根据地人民开展政治、军事、经济、文化等方面的建设工作。

Jiangyin　江阴　又拼 Chiang-yin。中国江苏省县级市。在省境南部,长江南岸。辖澄江、青阳、周庄、华士等16个镇。面积987平方千米。春秋时属吴。战国时属楚,为楚春申君封地,境内申港、黄田港、黄山、君山等均因春申君得名。为汉毗陵县地。晋太康二年(281)析置暨阳县,属毗陵郡。南朝梁太平二年(557)改称江阴郡。隋开皇九年(589)废郡改隶常州。元至元十三年(1276)升为江阴路,至元二十八年降为江阴州,明洪武初年(1368)再降为江阴县。1983年划归无锡市。1987年撤县建市,由无锡市代管。市境主要属长江南岸高沙平原,海拔5～6米,间有少数孤丘兀立于平原之上。中部的花山、定山等海拔在200米以上;沿江的君山、黄山、长山等均在90米左右,自古为濒江军事要地。平原盛产稻、麦、油茶籽。山丘岗地遍植竹、木、果、茶、桑等林木。副业有养猪、养蚕、淡水养殖和河蚌育珠。长江江面有众多的刀鱼、鲥鱼、河豚。工业主要有纺织、印染、服装、食品、塑料、电力、机械、造船、汽车配件、建筑材料等。锡澄运河和锡澄、镇澄等公路为交通干道。黄田港与靖江八圩港间、利港与靖江夹港间设有汽车轮渡,为沟通长江南北的交通要津。著名的华西村在澄江镇东南,属华士镇。澄江镇中山公园有"心经碑"、镇西南隅有兴国塔、镇南有适园、镇东北有黄山炮台遗址;马镇旸岐村是明代地理学家徐霞客的故乡,建有徐霞客纪念堂和徐霞客墓、碑。人口1 180 000(2005)。

Jiangyou　江油　又拼 Chiang-yu。中国四川省县级市。位于涪江上游宝成铁路线上,水陆交通方便。面积2 720平方千米。三国蜀汉章武元年(221)设江油戍,即江油关。西魏废帝二年(553)在今平武县东南置江油县,元至元二十二年(1285)废。明洪武十三年(1380)复置江油县时移治今江油市境。1988年改县为市,由绵阳市代管。市境东部为丘陵与平原,西部属龙门山地。有"第二都江堰"之称的武都大型引水工程,渠首主体工程位于市内。有天然气、石油、煤、硫铁矿、赤铁矿、优质石灰石、水泥黏土等矿产。工业以冶金、机械、建材、矿业、电力、化工为主,攀钢集团四川长城特殊钢有限责任公司、江油发电厂、四川双马投资集团有限公司、四川矿山机器(集团)有限责任公司及川西北石油矿区等,均为省内的大型工矿企业。钢材、电力、水泥及天然气等产量在四川占有重要地位。特产"中坝附片",产量为中国各县市之首。江油是唐代大诗人李白的故里,有李白故居遗址——太白祠和李白纪念馆。窦圌山风景区中的云岩寺为中国重点文物保护单位。中坝镇是四川历史上四大名镇之一。人口870 000(2005)。

Jiangzu(China)　参阅 **Gyangzê** 江孜。

Jianwen　建文　参阅 **Ming**——:明朝帝王序列下 **Minghuidi Zhu Yunwen** 明惠帝朱允炆。

Jianzhen　鉴真(687～763)　又拼 Chien-chen。中国唐代僧人,日本律宗初祖。亦称唐大和尚、过海大师。俗姓淳于,广陵江阴(今江苏扬州)人。幼年出家,为天台宗名僧灌顶门下恒景(律师兼学天台)弟子。后在扬州大明寺讲律传法。唐天宝元年(742)应日留学僧荣叡和普照之请赴日本弘布戒律,但五次东渡未成,其间双目失明,荣叡身亡。天宝十二年(753)日遣唐使藤原清河等人到扬州再次邀请,鉴真"白头不变,远涉沧波",以惊人毅力六次东渡,终在次年抵秋妻屋浦(今日本九州南部),第二年入首都奈良东大寺。天皇下诏"自今以后,授戒传律,一任和尚",并授以"传灯大法师"位。后建戒坛院,又仿唐建筑造唐招提寺为传戒基地。鉴真还把中国建筑、雕塑、美术和医药传到日本。唐宝应二年(763)五月初六日,鉴真卒于唐招提寺。1980年,日本佛教界奉鉴真坐像到北京、扬州两地供中国人民和佛教徒瞻礼,以示两国世代友好情谊。

鉴真和尚干漆纻像
中国大百科全书出版社供图

Jiao Bingzhen　焦秉贞　又拼 Chiao Ping-chen。中国清代(1644～1911)画家。山东济宁人。工人物、山水、楼观,吸取西方天主教士携来的宗教画中的透视明暗法。曾奉命为康熙皇帝临写的董其昌《池上篇》作诗意画,所画山水甚为成功,受到皇帝的奖赏。奉命画《耕织图》,人物、房舍、林木、山水守旧习,远近大小则采用西法,形成一种新的风格,雕版行世。其弟子冷枚亦长于此道,作品有《避暑山庄》等。

Jiaojiang　椒江　中国浙江省台州市辖区。位于省境东部沿海椒江河口。是台州市物资集散的重要港口。1949年析黄岩县部分地区置海门区(县级)。1956年撤销并入黄岩县。1980年以黄岩县海门区和附近地区及临海县的部分地区置海门特区,1981年改设椒江县级市,以江得名。1994年撤市改区。面积276平方千米。地处温黄平原北缘,市境由沿海海积平原和大陈岛、一江山岛等30余座岛屿组成,控扼台州湾。区内有造船、水泵、玻璃、化工、化肥、火力发电等厂。麻帽、绣衣为传统手工艺品。农作物以水稻、棉花为主,特产柑橘。大陈渔场盛产黄鱼、带鱼、乌贼等。海门港港阔水深,外有老鼠屿作屏障,是优良的避风港。港口设备完善,客轮通上海、宁波、石浦、大陈等地。大陈镇在区东南约28海里,分上大陈、下大陈等岛屿,附近海域是著名的大陈渔场。东山西麓的旧城隍庙,是明代抗倭英雄戚继光屯兵之所,现建戚继光纪念馆。人口483 700(2005)。

Jiaozuo　焦作　又拼 Chiao-tso 或 Ts'iao-tso。中国河南省辖地级市,重要的煤炭基地。豫西北交通枢纽。位于省境西北部,北依太行山,南临黄河。辖山阳、解放、中站、马村4区和修武、博爱、武陟、温县4县,并代管孟州、沁阳2县级市。面积4 072平方千米,其中市区面积370平方千米。焦作原属修武县。商、周以来是历代古战场。元至元六年(1269)称焦家作,后简称"焦作"。焦作采煤相传始于唐代。1898年后英、意、日先后在此开矿。1910年置焦作镇,为修武县一小镇。20世纪50年代后改为矿区。1956年撤销矿区设市。焦作地下煤炭资源丰富,煤质优良,灰分低,热量高,出口到欧洲及东南亚诸国。工业以煤炭为主,还有电力、建材、橡胶、化工、造纸、机械、纺织等工业部门。是中国四大怀药的主要产地。新焦、太焦、焦枝3条铁路相交于此，为晋煤南运和豫、鄂两省西部山区对外联系重要通道。公路干线通达郑州、

焦作市一角
中国大百科全书出版社供图

洛阳、新乡及山西晋城。名胜古迹有王屋山、云台山风景区、太行山自然保护区、月山寺、青天河水库等。有河南理工大学等高等院校和10余所科研机构。人口：全市3 440 000(2005)；市区810 000(2004)。

Jiaqing 嘉庆 参阅 **Qing**——：清朝帝王序列下 **Qingrenzong Yongyan** 清仁宗颙琰。

Jiarong language 嘉绒语 中国藏族语言的一种。属汉藏语系藏缅语族羌语支。分布在四川省阿坝藏族自治州的理、马尔康、金川、小金、汶川、黑水等县及甘孜藏族自治州的丹巴、道孚和雅安专区宝兴县的部分地方；使用人口约9万。分东部、北部、西北部三个方言。嘉绒语(梭磨)语音特点：有35个单辅音声母，其中包括双唇、舌尖中、舌根塞音各分清、浊、清送气三套共9个；舌尖前、卷舌、舌叶、舌面中塞擦音各分清、浊、清送气三套共12个；舌尖前、舌叶擦音各分清、浊及喉门清擦音共5个，双唇、舌尖中、舌面前、舌根鼻音各1个；此外还有边音、边擦音、颤音各1个；双唇、舌面半元音各1个。197个复辅音声母，分二合和三合两类，个别地区有合复辅音，二合复辅音往往由前置辅音加基本辅音构成，也有由基本辅音加后置辅音构成，也有由两个性质相同的辅音构成的。有7个单元音韵母和7个复元音韵母，有66个带辅音韵尾的韵母，辅音韵尾既有塞音、鼻音，也有擦音、边音和颤音，还有带s的复辅音韵尾。词类有名词、代词、数词、量词、动词、形容词、副词、助词、语气词、叹词、连词11类，有丰富的形态变化。构词上部分名词有作为词性标志的构词前缀 tə-和 ta-；动词有 kə-和 ka-；形容词有 kə-；名词有领属的范畴；动词有态(他动态、自动态、使动态)、人称、数(单数、复数、双数)趋向(直上方、直下方、水源方、下游方、靠山方、靠水方)、体(进行体、已行体、将行体)；句子主语在前，谓语在后；宾语在主语后，谓语之前；形容词、数量词作修饰语在中心词后，名词、代词作修饰语在中心词前。

Jiaxing 嘉兴 又拼 Chia-hsing。中国浙江省辖地级市。位于省境东北隅，京杭运河东岸。秦置由拳县，三国吴黄龙三年(231)改名禾兴县，赤乌五年(242)避太子讳改名嘉兴县。五代置秀州。南宋庆元元年(1195)升为嘉兴府，元至元十四年(1277)改嘉兴路。明、清复为嘉兴府治。1912年废府留嘉禾县，1914年复名嘉兴县。1949年析县城区置市，1962年撤销，1979年复置市，1981嘉兴县并入嘉兴市。1983年升为省辖市。辖南湖、秀洲2区和嘉善、海盐2县，并代管平湖、海宁、桐乡3县级市。面积3 915平方千米，其中市区面积968平方千米。地处杭嘉湖平原中、

嘉兴河滨
中国大百科全书出版社供图

东部，杭州湾西北岸。地势平坦，土壤肥沃，河港密布，湖荡众多。盛产稻谷、小麦、油菜籽、蚕茧、淡水鱼，并产西瓜、槜李、南湖菱、杭白菊及小羊皮。宋代以来就以丝绸业闻名，1949年后缫丝、丝绸纺织、造纸、食品工业有巨大发展，并新建机械、化工、家用电器、毛纺等工业。沪杭铁路、沪杭高速公路、320国道和京杭大运河贯穿境内，平湖乍浦是重要海运港口，为苏南、上海市和浙江北部水陆联运中心。城南有南湖，湖上小洲建有烟雨楼，风景秀丽。湖中产菱，无角、壳薄、肉厚，为菱中佳品。人口：全市3 320 000(2005)；市区800 000(2004)。

Jiayi 嘉义 又拼 Chia-i，Chiayi。中国台湾省西部县。面积1902平方千米。地处浊水溪南方三角洲——嘉南平原的中央，昔日为平埔族的聚居地。县治原设嘉义市，该市升

嘉义县中埔乡吴凤庙
美国不列颠百科全书公司供图

为省辖市后，县治移设太保市。东部为森林茂密的阿里山(2 676米)，西部是肥沃的嘉南平原。朴子溪自东向西流贯县境中部，西部平原上有八掌溪和北港溪分别在南、北县界平行流出。县南大埔乡有台湾最大的曾文水库，与其相连的是嘉南大圳同为平原地区灌溉系统的大动脉。农业发达，盛产稻谷、甘蔗、花生、玉米、黄麻、大麦、高粱、大豆、香蕉、凤梨、柑橘。柑橘年产量居全省第一，甘蔗仅次于台南县而居全省第二位。阿里山是全省重要木材采伐场之一，铺设有森林铁路专线。木材加工业占台湾的重要地位，产枕木和包装箱薄板。制糖、碾米、制盐、制药、机械制造、石油等工业也很发达。还产石棉、煤和大理石。除阿里山森林铁路外，对外交通有纵贯铁路和公路、中山高速公路、航空、水运均经本县。西部有布袋和东石港口。著名的阿里山风景区是台湾最佳避暑胜地之一，此外还有曾文水库、梅山公园、台湾北回归线标示、吴凤庙、王得禄墓、颜思齐墓等。中埔乡的吴凤庙(阿里山忠王祠)是阿里山人民纪念清代官吏吴凤(1699～1769)舍身劝化土著居民的陋习而建，至今香火不绝。人口552 000(2005)。

Jiayi 嘉义 又拼 Chia-i，Chiayi。中国台湾省辖市，曾为嘉义县政府所在地。面积60.03平方千米。清康熙二十三年(1684)置诸罗县，乾隆五十二年(1787)改嘉义县。光绪三十二年(1906)因地震城被毁。日本占领时重建。城区原为嘉义县治，1982年析置市。位于台湾西部，阿里山与台湾西部平原的过渡地带，四面与嘉义县相邻，为台湾地区少数几个未与海域相邻的县市。对外主要交通网有中山高速公路、纵贯铁路、公路和空运的交会处。嘉南平原的甘蔗和阿里山的木材在此集散，又是进口粮食市场和商业中心。属亚热带季风气候，年平均气温23.3 °C，雨量甚丰，年均降水量2 000毫米，有利于农业发展。1920～1930年建成嘉南灌溉系统，开发阿里山林区，促进了本市工农业的发展。

嘉义市的主要工业有制糖、木材加工，是台湾省造纸和胶合板制造业中心。还有轮胎制造、水泥、酒精等工业。市郊农业发达，有省林业试验所工作站从事热带林木种植试验。东郊有著名植物园。市内设有农业、教育、商业、工业技术方面的专业学校。人口约268 000(2005)。

Jiayuguan 嘉峪关 中国甘肃省辖地级市。位于省境西北部河西走廊西段。南为祁连雪峰，北有黑山高耸，北大河由南向东北流贯。形势险要，自古为东西交通要冲，丝绸之路经此。明洪武五年(1372)在今市境西嘉峪塬戈壁滩上筑城置戍，成为明长城西端关口。城楼建筑宏伟，向称"天下雄关"，今尚有堡垒、烽台遗址。1955年南部镜铁山发现大型铁

嘉峪关城关
中国大百科全书出版社供图

矿，1958年建立酒泉钢铁联合企业，1971年析酒泉县及肃南裕固族自治县置市，以长城关口命名。辖6个街道办事处和3个镇。面积2 935平方千米。为中国西北最大的钢铁

基地，并有机械、电器、化学、水泥等工业。农业生产小麦、玉米、瓜果等。名胜古迹除有近年重修的长城边墙和嘉峪关城楼外，还有黑山岩画、汉魏墓群等。新建有长城博物馆。祁连山"七一"冰川可供游览参观。兰新铁路、312国道、甘新公路横贯全境。兰新铁路有支线通往矿区。嘉峪关机场在市境东北，有民航班机通往兰州、敦煌。人口170 000(2005)。

jib 艏三角帆 在帆船上，前桅和艏斜桅之间的支索上张挂的三角帆。已知最早的艏三角帆是用在独桅船上。约在1600年，这种帆的应用开始普及，到1700年前后，更推广到

带艏三角帆(图中白色者)的法国渔船
美国不列颠百科全书公司供图

较大的战船。有了艏三角帆就便于驾驶，在横帆装置中，它是一种较好的迎风航驶的工具，并只需较少劳力来张辅助帆，因而特别有价值。有的船上艏三角帆多达5面，甚至更多。大多数现代帆船都没有艏斜桅，艏三角帆的下角连在艏部附近的船体上。

Jīb, al-(Israel) **吉卜** 参阅 **Gibeon** 基遍。

Jibran, Khalil 参阅 **Gibran, Khalil** 纪伯伦。

Jibrīl 吉布里勒 又拼 Jabrāʾīl。伊斯兰教教义中的天使长。他在安拉与人之间作中介，将启示传达给穆罕默德等先知。吉布里勒相当于《圣经》中的加百列。起初穆罕默德本人并不知是什么精灵附在自己身上，《古兰经》也仅有三次指名提到吉布里勒。然而他后来成为穆罕默德的忠实助手，与天使米卡伊来纯洁穆罕默德的心，以使他登霄，又引导他穿过多重天直达安拉宝座。穆罕默德一次发出承认拉特、欧扎和麦那等异教女神的启示，吉布里勒斥责穆罕默德传播恶魔所授意的话语。吉布里勒还在各种政治危机中护佑穆罕默德。在624年的拜德尔之战中，他率领几千天使支援穆罕默德。并吩咐他攻击噶努嘎尔和古来祖等地的犹太部族。

吉布里勒将启示传达给穆罕默德
美国不列颠百科全书公司供图

jícama (species *Pachyrhizus erosus*, or *P. tuberosus*) **豆薯** 又作 yam bean。又称薯蓣豆。豆科藤本植物，原产墨西哥、中美洲和南美洲。块根呈不规则球形，皮褐色，肉白色，鲜嫩多汁，可食。有两种类型的变种，水豆薯(*jícama de aqua*)块根的液汁无色，乳豆薯(*jícama de leche*)的液体乳状，均可做沙拉生食或加酸橙汁及辣椒粉做小吃，亦可煮食。幼嫩荚果也可食用。成熟的种子含有有毒化合物鱼藤酮，毒性很大，可制杀虫剂。

Jicaque 希卡克人 洪都拉斯西北海岸的印第安人，其文化与尼加拉瓜东北部的苏莫人及米斯基托人相似。他们务农，种植甜木薯、苦木薯、豆类和玉米。捕鱼和狩猎则提供其他食物；家畜现在也很普遍。住房为木柱草顶结构。衣着为半传统服装；一些商品布匹和衬衣、裤子、女装等正日益普及。手工业包括编织、编筐、制作石磨和弓箭。希卡克人实行一夫多妻制。宗教主要信奉两个善神和一个恶神。

Jicarilla Apache 吉卡里拉阿帕切人 北美印第安部落，是东阿帕切人(参阅 **Apache**)的一个支系。20世纪末，吉卡里拉阿帕切人约有2 300人，居住在新墨西哥州北中部的吉卡里拉居留地及其附近地区。早期的吉卡里拉人是西南部阿帕切人中几个松散组成的自治群体之一，他们的土地约相当于现今科罗拉多、俄克拉何马及新墨西哥各州的部分地段，居住在椭圆形草棚中，操一种东阿帕切语。1716年吉卡里拉人被科曼切人逐出其土地，逃往今新墨西哥州东北部，学会了以农耕辅助传统的狩猎和掳掠营生；于是他们定居而很少作战。1724年又遭科曼切人的侵凌，许多男人战死，妇女儿童成为俘虏。1880年，吉卡里拉阿帕切人被美国军队征服，1887年送往新墨西哥州居留地。现在的吉卡里拉部落组织由一民选"总统"和"议会"治理，财政来源主要靠出租矿区土地。

Jiddah 吉达 又拼 Jidda，Jeddah或Juddah。沙特阿拉伯西部城市和主要港口。位于汉志地区中部，麦加西面，濒红海。公元646年哈里发奥斯曼使该市成为伊斯兰教徒横渡红海去朝圣的港口。1916年吉达和其土耳其驻军向英国军队投降。后成为汉志王国的一部分。1925年为伊本·沙特征服。根据1927年《吉达条约》，英国承认沙特阿拉伯对汉志和内志的统治权。吉达后并入沙特阿拉伯。1947年城墙拆除后，城市迅速扩展。"吉达"一名有"女祖先"或"祖母"之意，由当地著名的夏娃墓而来。1928年沙特政府因其宣扬迷信而将墓拆毁。第二次世界大战后，随石油财富的获得，吉达经扩建完全现代化。港口已加深和加阔，可停靠巨型油轮。20世纪70年代初期开建一座世界最大的海水淡化工厂。从前经济依靠朝圣和渔业收入，现已多样化，有轧钢厂、炼油厂以及水泥、服装和陶器制造业。另有牛饲养和乳制品业，并有许多小型工业。吉达是沙特阿拉伯最大最繁忙海港城市之一，也是外交中心，为沙特外交部和各国使馆、外交使团驻地。1967年建立阿卜杜勒·阿齐兹国王大学。有公路通麦加和麦地那。建有阿卜杜勒·阿齐兹国王国际机场。人口约1 500 000(1983)。

Jien 慈圆(1155-05-17，日本京都～1225-10-28，近江藩[今滋贺县]) 又作 Fujiwara Dōkai。谥慈镇。日本高僧、诗人，第一个大历史学家。出身藤原氏贵族世家。幼年入佛教天台宗寺院，法名慈圆。1220年左右完成巨著《愚管抄》。该书反映悲观的末法(**mappō**)佛教教义，认为封建时期是宗教没落、文明崩溃的时期，需要改变封建结构，并维护将军当权。

Jieng(people) **竞人** 参阅 **Dinka** 丁卡人。

Jieyang 揭阳 中国广东省辖地级市。位于省境东部沿海。辖榕城区和揭东、惠来、揭西3县，并代管普宁县级市。面积5 138平方千米，其中市区面积181平方千米。秦始皇帝三十三年(公元前214)设揭阳县，因揭阳岭得名。晋初期入海阳县。北宋宣和三年(1121)复置。南宋绍兴二年(1132)又废，绍兴八年再置揭阳县。1991年撤销揭阳县，设揭阳省辖市。广东省著名侨乡。地势西北高东南低，榕江、龙江流经市境入海。市区(榕城)在市境西北部，榕江中游。设有榕城海关，千吨轮可达市区，货轮与香港、澳门直接通航。农业主种水稻、甘薯，兼种小麦、大豆、花生、甘蔗、茶，是广东省粮食基地之一。盛产荔枝、柑橘、菠萝、橄榄、香蕉、梨、油柑、青梅等，有"水果之乡"美誉。局部地区种植橡胶、胡椒。有锡、钨、铁、钴、铜、钛、钼、绿柱石、独居石、水晶、高岭土、煤等矿藏。工业有机械、电子、纺织、食品、制糖、化工、陶瓷、医疗器械、酿酒等。抽纱、刺绣、金木雕为传统手工艺。名胜古迹有元代紫禁城、明代石牌坊、清代烽火台、霖田祖庙、天竺岩、广德庵、河婆古塔、棉湖天后宫、培风塔、海角甘泉等。神泉港外归湖海面偶现"海市蜃楼"奇观，古今闻名。揭阳学宫为广东省的重点文物保护单位。交通便利，206、324国道以及广汕高速、广梅汕铁路过境。韩江、榕江、练江可通航。海路通广州、汕头、香港。人口：全市6 020 000(2005)；市区660 000(2004)。

Jifārah, Al- 杰法拉 又称 Jeffara，Djeffara或 Gefara。北非利比亚西北端和突尼斯东南部地中海沿岸平原，大致呈半圆形。从突尼

斯的加贝斯延伸至利比亚的黎波里以东约20千米。平原向内陆延伸的最大宽度为130千米,面积约为37 000平方千米,突尼斯和利比亚各占一半。杰法拉地势从地中海沿岸向南到撒哈拉高原,往上倾斜,分为三个不同区域。北部是一个狭窄、低洼的海岸地带,有沙滩和许多小洼地(雨季盐碱平原上布满了小湖)。南部是起伏平缓的干草原植物区,海拔50～200米不等。最南部地区是撒哈拉高地(在利比亚称为奈富塞山)的山麓;在突尼斯,这个高地伸出一个长长的南北方向的山嘴,形成海岸平原的西部边缘,被称为宰赫尔高地或达哈尔(阿拉伯语意为"黑色")。大部分地区年降水量为125～250毫米,的黎波里周围沿海地区达380毫米。条状海岸带上有许多棕榈树林,种植了一些水果和谷类作物。杰法拉中部地区地下水位很低,仅用于放牧羊群。杰法拉狭窄的山麓地带(海拔约为300米)是一片散布着绿洲的沙漠,到处都被明显的陡坡山脊或鬣丘与撒哈拉高地分开。

jig　吉格舞　一种民间舞蹈。通常为独舞,16、17世纪时期流行于英格兰北部地区和苏格兰,18世纪以后还流行于爱尔兰。这是一种脚步急速、上身挺直、即兴表演的舞蹈,在英格兰,吉格舞偶尔穿木鞋跳,类似于现代英格兰北部的木鞋舞。在16世纪伊丽莎白一世宫廷中,北方吉格舞曾风行一时,这个名称还被用来泛指起源于民间的其他舞蹈。16世纪和17世纪吉格舞常被搬上舞台,作曲家W.伯德、J.布尔和G.法纳比等人竞相为之谱曲。吉格舞很快传到法国,略加修改,成了季格舞(**gigue**),在路易十四世时代盛行。爱尔兰吉格舞是由一个或若干个独舞演员表演,或成对地单独表演。舞曲是6/8拍子。跳跃式或滑行式吉格舞是一种舞步近似的9/8拍子的单人舞。由数对舞伴和着吉格舞节拍的乐曲而跳的那种有固定队形的舞蹈或花样舞蹈也称为吉格舞。英国的少数几种摩尔人独舞也叫作吉格舞,意大利的吉加舞(giga)和吉格舞有联系,是一种民间传统形式的活泼的对舞,至今仍在流行。

Jigawa　吉加瓦　尼日利亚北部一州。1991年将卡诺州东北部的半个州划出,建立了吉加瓦州。北与尼日尔共和国接壤,东北与本国约贝州相连,东南和南与包奇州相接,西南与卡诺州为邻,西北与卡齐纳州毗连。主要是平原,南为树木茂盛的大草原,北为低矮丛林所覆盖。季节性河流哈代贾河向东北流经该州。州内主要作物有:花生、高粱、棉花、豇豆和小米;还有河谷中种植的水稻。普遍饲养牛、山羊和绵羊。居民多为豪萨人或富拉尼人。杜泽(州首府)、古梅尔、哈代贾、卡扎乌雷和比尔宁库杜为主要市集中心。穿过该州的有拉各斯-恩古鲁铁路干线,还有公路从该州通向卡诺州和包奇州。人口2 829 929(1991)。

Jigoku　地狱　日本佛教所说的地狱。据说内中有8个炎热区域和8个寒冷区域,位于地下,由阎魔王统治。阎魔王凭罪恶记录簿审判死者。他左右两边柱上都各悬有一个人头襄助他审案。女性头名见目,能洞悉人最隐秘的罪行。男性头名嗅鼻,能嗅出罪行。地狱之苦并非永久,死者或判定在其中一处服刑,或连续下到几处。活人求告菩萨可缩短死者在地狱中的刑期。

jigsaw puzzle　拼板玩具　一套形状不规则的板片,可拼成图画或地图。板片数量可以甚多,形状各不相同,因此玩法十分复杂,拼成一个图形会耗用若干小时。拼板玩具源于18世纪的英格兰,那时把它作为地理教学(拼地图)的用具。后来出现了各种分成小块的图,内容涉及历史、字母、生物学和动物学等。拼板玩具在20世纪初风行一时,后渐衰,30年代大萧条时期作为一种便宜而耐用的娱乐工具而重新风行。第二次世界大战后再次流行。1978年开始在市场上出售的一种拼板玩具称为什马兹尔,包含168块用激光裁制的板片,十分精密复杂。

jihad　圣战　又拼jehad。又称吉哈德。伊斯兰教用语,指穆斯林通过战争传播伊斯兰教的宗教义务。广义指凡为了原则或信仰而进行的斗争。根据伊斯兰教义,圣战可以用心、舌、手或剑进行。用心是指通过与恶魔斗争,净化自己心灵,抵制诱惑;用舌和手(笔)是指通过支持正确言行、批评错误言行的斗争形式传播伊斯兰教;用剑是指以具体的军事行动,同异教徒和伊斯兰教的敌人作斗争。现代伊斯兰教强调,圣战主要指对人内心的自我进行斗争,如果伊斯兰教受到威胁,穆斯林方可与其他民族交战以自卫。在伊斯兰教历史上,对非穆斯林作战往往由政治原因引起,但也称圣战。这一点在18、19世纪非洲撒哈拉以南伊斯兰世界特别明显,如奥斯曼·丹·弗迪奥发动圣战,于1804年在今尼日利亚北部地区建立索科托哈里发王朝。20世纪末和21世纪初的阿富汗战争也被很多参与者视为圣战,第一次是反抗苏联和阿富汗的马克思主义政府,后来是反抗美国。伊斯兰极端分子利用圣战理论为他们针对认定的穆斯林叛徒实施的暴力行为作辩护。

Jihān Shāh(Turkmen leader)　参阅**Jahān Shāh** 杰汉·沙阿。

Jihlava　伊赫拉瓦　德语作Iglau。捷克共和国中南部南摩拉维亚州城市。在波希米亚-摩拉维亚高原伊赫拉瓦河沿岸。约自1240年起,因采银矿而开始繁荣。1436年胡斯派的饼酒同领派和巴塞尔会议代表在此签订条约。1523年几毁于大火,后按文艺复兴模式重建。到1600年布匹贸易已代替采银而成为其经济基础,19世纪末期开设烟草厂,现在也制造车辆和精密仪器。人口约52 271(1991)。

Jihočeský　南捷克州　又作**Jižní Čechy**。捷克共和国南部一州,北接中捷克州和东捷克州,东连南摩拉维亚州,南为奥地利,西南为德国,西与西捷克州交界。南部有舒马瓦山,其余地区为广阔而多山的高原,即中捷克丘陵;高原上有向北流去的伏尔塔瓦河(即莫尔道河)及其支流穿凿而成的一些河谷。

农业和林业各占用地1/3以上。主要农作物有玉米(作饲料)、干草、马铃薯、亚麻、燕麦、大麦、小麦、红花草和黑麦;还种植苹果、李子、樱桃、梨和核桃。饲养业主要有猪、牛和家禽。乳制品业约占用总牛数的2/5,且集中在州首府捷克布杰约维采及斯特拉科尼采、普罗季温、捷克克鲁姆洛夫的周围。

全州约4%的面积为水域,养鱼业颇重要。有天然湖泊,还有些人工湖,多分布在南部高地的卢日尼采河和伏尔塔瓦河一带。卢日尼采河畔的特热邦自中世纪便有渔业,现为渔业中心。罗日姆贝克鱼塘(1584～1590修建,面积724公顷)以产鲤鱼驰名。现代的大坝和所形成的水库,增强了养鱼业。

森林主要分布在南部山地、湖区及伏尔塔瓦河和卢日尼采河流域,多为冷杉、云杉、松、栎、山毛榉,还有一些槭和椤。主要林木加工和造纸中心有:捷克布杰约维采、维特日尼、洛乌却维采、皮塞克、塔博尔、索别斯拉夫、佩尔赫日莫夫、利绍夫和卢日尼采河畔苏赫多尔。

该州矿产资源较少。上拉泽茨、多莫拉迪采、科洛杰耶和布利日纳开采石墨;莱诺拉、特热邦、普日布拉兹和卢日尼采河沿岸采掘泥炭;捷克克鲁姆洛夫和希诺夫开采石灰岩;博罗瓦尼产石棉;皮塞克和哈拉姆基产长石;各河沿岸产砖和耐火黏土。

捷克布杰约维采乃该州主要工业中心,有炼钢、电子、运输设备、家具、铅笔、食品加工等工业,还有几家酿酒厂。塔博尔-塞济莫沃乌斯季-普拉纳工业区和卢日尼齐有化工、金属加工、运输车辆、电子、纸张、服装和食品加工等工厂。其他较大的工业中心有:皮塞克制造机械、纺织品和乐器;斯特拉科尼采生产摩托车、机械和服装;温佩尔克设有玻璃器皿、木材和纺织品工厂。

旅游业主要依赖水上运动,特别是利普诺大坝水库、奥尔利克大坝水库和斯维特鱼塘上的水上运动;在伏尔塔瓦河和卢日尼采河上乘船游览;到许多胡斯宗教改革运动发祥城镇和纪念胜地去观光。胡西内茨是胡斯的诞生地(1369-07-06),他的部分故居现作为纪念博物馆。塔博尔是胡斯运动(1420)发生地,现有胡斯革命运动博物馆。

捷克布杰约维采为全州文化中心,有南波希米亚博物馆、国立科学图书馆和师范学院;它有许多胡斯时期的建筑,也是受全国托管协会保护的城市。该市西北10千米的伏尔塔瓦河畔赫卢博卡有阿莱什南波希米亚美术馆,展出哥特式和巴罗克式艺术。贝希涅设有陶瓷学校,并以拥有用泥浴治病的矿泉而著名。皮塞克也是疗养胜地,并设有地方性博物馆。捷克布杰约维采以南和以西各县有2%～3%的斯洛伐克居民和少量德意志人。南捷克州面积11 345平方千米。人口约697 334(1991)。

Jihomoravský　南摩拉维亚　捷克语作Jižní Morava。英语作Southern Moravia。捷克共和国东南部一州,西为南捷克州,北为东捷克州和北摩拉维亚州,东与斯洛伐克交界,南与奥地利毗连。面积15 028平方千米。西北部为多小山的波希米亚-摩拉维亚高地,东北部沿与斯洛伐克的边界有白喀尔巴阡山脉。主要的摩拉瓦河系在高原之间向南流，形成广阔肥沃的河谷，即哈纳地区和波德卢齐地区。

哈纳谷地产小麦、大麦、甜菜、玉米、黑麦和蔬菜。周围丘陵地区为全国洋李、杏的主要产地，还盛产苹果、樱桃、梨和核桃。波德卢齐地区多葡萄园，并以产葡萄酒及洋李白兰地著称。西北部丘陵区为马铃薯的主要产地，并种植亚麻、黑麦和燕麦。

全国的石油和天然气大多蕴藏在波德卢齐地区，形成一些小油气田聚集在布热茨拉夫和霍多宁的周围；在东北部的布尔多附近和南部的米库洛夫附近，有些孤立的小油气田。兹比绍夫有重要的烟煤煤田在开采；米库尔奇采于1980年开始采掘褐煤。奥斯拉武河畔奥斯特罗夫开采铀。兹诺伊莫附近的乌纳诺夫出产高岭土，首府布尔诺周围采掘石灰岩。

在布尔诺以北和以西及哥特瓦尔德夫周围有云杉和栎树森林；木材加工和造纸工业均集中于这些地区。工业用电来自下列4处建有大坝的水电站：斯夫拉特卡河上的维尔、伊赫拉瓦河上的奥斯拉瓦尼、布尔诺附近的克尼尼采、迪耶河上的迪耶河畔弗拉诺夫。

布尔诺和哥特瓦尔德夫为全州主要工业中心。布尔诺以工程施工、机械、电气技术产品、拖拉机、水泥、木材、纸制品、纺织品和食品加工著称。哥特瓦尔德夫为制鞋、制革中心，也生产机械和合成橡胶。其他重要中心有：特热比奇生产革制品和机械；伊赫拉瓦制造电子器具、运输设备、机械和纺织品；普罗斯捷约夫有钢铁厂、啤酒厂、工具厂和服装厂；奥特罗科维采为飞机制造中心；兹诺伊莫生产陶瓷、革制品、纺织品并加工水果和蔬菜。布尔诺还是主要文化中心，有技术、农业和兽医学等大学，兽医学中心图书馆，摩拉维亚博物馆、美术馆和图书馆。这里有著名作曲家L.雅那切克（1854～1928）的故居，设有雅那切克歌剧院和雅那切克音乐戏剧学院。其他设有文化机构的城市有：哥特瓦尔德夫、兹诺伊莫、克拉利采和斯拉夫科夫。旅游名胜有：米库洛夫附近的下韦斯托尼采的史前洞穴发掘地、米库尔奇采的斯拉夫民族历史遗迹和布兰斯科的摩拉维亚喀斯特地层。波德卢齐和哈纳文化区以民间节日著名，天然湖和人工湖建有水上运动设施。居民中有许多虽列为捷克人，但却是斯洛伐克人混血儿，操一种捷克语方言摩拉维亚语。人口约2 051 389（1999）。

Jijel　吉杰勒　旧称吉杰利。阿尔及利亚东北部城镇和锚地港口。在地中海海滨和科洛卡比利亚地区西缘。早期为腓尼基人贸易港。后接连由罗马人、阿拉伯人和海盗控制。1839年被法国人占领，原先的城镇1856年毁于地震。四周密林环绕，北部有半岛和城堡。现城市经过改建，有宽阔林荫道纵贯其间。工业以软木加工、制革、炼钢为主。农产品出口贸易兴旺。也是海滨游览胜地。周围地区有捕鱼业。生产柑橘和谷物。居民有阿拉伯人和卡比尔人（柏柏尔族支系）。人口106 003（1998）。

jījīm（weaving）　参阅 **cicim 西西姆**。

Jīlī, al-　吉里（1365～约1424）　全名为阿卜杜勒·克里姆·古塔卜丁·伊本·易卜拉欣·吉里。伊斯兰教神秘主义者。在所有30多部著作中以《学贯始终的完人》最为著名。他在该书中阐述他的复杂的完人学说。这部著作显然带有西班牙伊斯兰教神秘主义者伊本·阿拉比（1240年卒）的泛神论倾向。他认为，完人能与真主融为一体，从阿丹到穆罕默德诸先哲固然都曾体验这种神人合一，其他人如能达到万物最高水平而成为蒙选者中的蒙选者，也可以达到此点。他还认为，古今完人从仪表到本质都彰显先知穆罕默德。他的这种教义后来退化为鼓吹一切贤人和练秘功者都能与真主融合为一。

Jilin　吉林　中国东北部省份，简称"吉"。以汽车工业及化学工业闻名。位于东北地区中部。介于北纬40°52′～46°18′，东经121°38′～131°19′。北为黑龙江省，南邻辽宁省，西接内蒙古自治区，东与俄罗斯接壤，东南以图们江、鸭绿江为界与朝鲜相望。面积190 296余平方千米。除汉族外，还有朝鲜、满、回、蒙古等少数民族。现设1个自治州、8个地级市、20个市辖区、20个县级市、17个县和3个自治县。省会长春市。

自然条件　东部为长白山地，西部为东北平原。长白山地由相间排列的山脉、丘陵以及盆地、谷地组成。张广才岭-龙冈山以东海拔一般在1 000米以上。长白山绵亘于东南部边境，白云峰高达2 691米，峰顶的白头山天池是个火口湖，北有缺口和瀑布，松花江发源于此。张广才岭-龙冈山以西到大黑山属低山、丘陵区，海拔一般在500米以下，由于久经松花江及其支流的侵蚀，山形浑圆，谷地宽广。大黑山以西是平原，海拔一般在120～250米。平原中部在长春至公主岭、长岭、通榆一带横亘着一条微弱隆起带，海拔250米以下，是松花江和辽河两水系的分水岭。分水岭以北属松嫩平原，分水岭以南属辽河平原，都是东北平原（即松辽平原）的一部分。由于起伏平缓，松辽分水岭南北仍然浑为一体，都是以黑土、黑钙土为主的肥沃平原。属中温带大陆性季风气候。东部离海较近而海拔较高，西部接近内蒙古高原但地势较低，东部和西部气候上的差异明显：自东向西，气温递增，降水锐减。全省1月平均气温为－20～－14°C，7月平均气温为20～23°C，年降水量400～1 000毫米。长白山地是中国的重要林区，有大面积的以红松、枫桦等为主的针阔叶混合林。1960年建立长白山自然保护区。被联合国教科文组织列入国际生物圈保护区网络。

沿革　吉林省长期以来是满、蒙古、汉、朝鲜等民族共同生活的地区。商、周时代是肃慎族地，以狩猎为生。汉初建政权名夫馀，属玄菟郡，东汉末改属辽东郡。5世纪起属靺鞨族的粟末、白山等部，是靺鞨族中较先进的部族。种植粟、麦，并养猪。唐圣历元年（698），以靺鞨人为主体，结合部分高句骊人建立了包括今东部地区在内的渤海政权。初称振国（或震国），后改称渤海。省境西部辽河上游一带，向为东胡及其后裔契丹的游牧地。唐末耶律阿保机统一了契丹各部，建立了辽，在926年兼并了渤海。1125年金灭辽，吉林省主要在女真族统治下。元朝为辽阳行省的宁泰路。明代在这里的女真地区设建州卫。建州女真的经济、文化深受相邻各族的影响，主要是汉族的影响，在女真诸部中发展较快。从事农业、狩猎和牧畜，并自开铁矿和金银。后来的满族，就是以建州女真为核心发展起来的。清康熙十五年（1676）宁古塔将军移驻此地，乾隆二十二年（1757）改称吉林将军，光绪三十三年（1907）正式置吉林省。20世纪初这里曾为日、俄两大侵略势力角逐的场所，政治、经济、文化逐步沦为半殖民地性质。

经济　1949年以来，经济获得了巨大发展。农业以种植玉米、粟、高粱、大豆、水稻、小麦等粮食作物为主，主要分布在中部和西部。大豆产量居中国第四位。甜菜、烟草是主要经济作物。林业占重要地位。除产大量木材外，人参、貂皮、鹿茸等珍贵特产均居中国第一位，每年还放养大量柞蚕。自然条件多样，农、林、牧、渔业的发展有巨大的潜力。机械工业已居工业各部门首位，著名的长春第一汽车制造厂为中国最早建立的汽车工业基地；化学工业产值居第二位，所产电石、化肥、染料居全国前列。电力工业以白山、丰满、吉林等电厂为骨干，为东北电网的重要组成部分。有色金属的采冶有很大发展，主要有桦甸、珲春的金，汪清、浑江、集安的铅锌，磐石的镍，通化、临江的铜等。钢铁工业主要在通化、吉林。煤炭工业以辽源、通化、舒兰、蛟河、营城等煤矿为主。吉林、石岘、白城、开山屯有规模巨大的造纸厂、制浆厂。食品、纺织工业也有很大发展，以人参、鹿茸等药材制作的烟、酒、糖为食品工业的显著特色。

交通及教育科研　铁路为交通运输骨干。南北干线有哈大、拉滨、牡图、平齐、沈吉等线，都是过境干线。东西干线有省内的长图铁路。全省铁路营运里程达3 568千米（2004）。长春、吉林为公路网的主要中心，102、201、302等国道为主要干线，辐射各地、市、州、县的公路网。有长吉、长四、长营、长哈、长沈等高速公路建成通车，公路里程达50 308千米（2005）。松花湖区水运发达，松花江在丰满以下是重要的通航河段，内河航道里程达1 134千米（1996）。以长春大房身机场为中心，辐射周边国家和地区，可通往首尔、仙台、海参崴等主要国外城市，以及北京、上海、成都、昆明、香港等国内主要城市。设有吉林大学、延边大学等多所高等院校，并有多所科研机构。人口26 620 000（2005）。

Jilin　吉林　又拼Chi-lin或Kirin。中国吉林省辖市。位于省境中部，松花江畔。市区为低山丘陵环绕，依山傍水，风景秀丽。原名"吉林乌拉"，满语为"沿江"之意。辖昌邑、龙潭、丰满、船营4区和永吉县，并代管舒兰、桦甸、蛟河、磐石4县级市。面积27 722平方千米，其中市区面积3 817平方千米。清顺治十八年（1661）为抵御帝俄侵略，临江设置船厂，修筑城堡，故有"船厂"之名。康熙十五年（1676）清政府将黑龙江宁古塔将军移驻此地，乾隆二十二年（1757）改称吉林将军，改"船厂"为"吉林乌拉"，简称"吉林"；为东北中部地区政治、经济和军事中心，也是农产品和木材的集散地。曾置吉林厅,后升吉林府。1913年改吉林县,1929年改名永吉县。1936年析县置吉林市。从1907年设吉林省后,至1954年为省会。20世纪30年代,榨油、面粉、酿造、木材、火柴等工业有所发展。1937年兴建丰满水电站和化学、造纸、水泥等工业,但规模小,建设速度慢。1949年后对丰满电站进行扩建,装机容量达55.4万千瓦,成为东北工业基地的动力。1953～1957年期间重点建设项目有江北地区的吉林染料厂、化肥厂、电石厂、装机容量45万千瓦的热电厂;哈达湾地区的电力、冶金工业和碳素厂、九站的制糖厂。此外还有造纸、水泥、炼油、纺织、机械、建材、油脂和仪表等工业。交通便利,是长图、吉哈、沈吉铁路交会的枢纽,北通哈尔滨,南经梅河口直达沈阳,西与东北腹地和省会长春市相接,东扼边陲重镇图们市,经长图铁路可通朝鲜。并辟有北京、广州、上海、大连的航线。中国首座陨石博物馆于1990年7月建成开放。市郊发现较大的汉代古墓群。人口:全市4 290 000;市区1 790 000(2004)。

吉林松花湖

中国大百科全书出版社供图

Jilin University 吉林大学 中国综合性大学。校址在吉林省长春市。前身为1946年创建的东北人民大学。1959年改为国家重点大学。1984年建立研究生院。1985年建立博士后科研流动站。2000年6月12日原吉林大学、吉林工业大学(1955)、白求恩医科大学(1939)、长春科技大学(1951)、长春邮电学院(1947)合并组建了新的吉林大学。2004年8月29日,中国人民解放军军需大学并入。吉林大学学科涵盖哲学、经济学、法学、教育学、文学、历史学、理学、工学、农学、医学、管理学、军需学等12大学科门类;有本科专业121个,一级学科学位授权点28个,硕士学位授权点278个,博士学位授权点191个,博士后科研流动站27个;有国家重点学科17个。学校有教师6 000多人,其中教授1 293人。有中国科学院和中国工程院院士19人,在校全日制学生约6.3万人,其中博士生、硕士生近2.1万人,留学生1100余人,另有成人教育学生1.8万人。学校拥有几百个具有现代化研究手段的实验室,其中教育部人文社会科学重点研究基地6个,国家重点实验室5个,教育部重点实验室10个,其他部委重点实验室13个。校园占地面积612万平方米,现有6个校区8个校园,分布在长春市的不同方位。另在珠海市新建珠海校区占地面积330多万平方米。学校图书馆各类藏书546万册,已被确定为联合国教科文组织、联合国工业发展组织和世界银行的藏书馆。学校出版物有《吉林大学学报》等。

吉林大学的教学大楼

中国大百科全书出版社供图

jill(unit of measure) 参阅 **gill** 及耳。

Jilong 基隆 又拼 Chi-lung 或 Keelung。中国台湾省港口城市,为省辖市,面积123.8平方千米。位于台湾岛东北端,北临东海。港口三面环山,外窄内宽,形似鸡笼,旧称鸡笼港。港口外有和平岛(旧称大鸡笼屿)、基隆屿(旧称鸡笼屿)在东侧屏障,港内无大河注入而少淤积,为天然良港。但降雨多(年降雨量2 900多毫米,年雨日214天),为著名的"雨港",不利于装卸作业。明天启六年(1626)西班牙人占领后在和平岛上筑圣萨尔瓦多堡和教堂。1638年福建漳州移民开始移入。1642年被荷兰占领,1662年由郑成功收复。1683年清政府进军驻守。1860年清政府正式在基隆开港,1863年辟为商埠。1875年设防,并改名基隆,以示基地昌隆之意。中法战争期间(1884～1885)一度被法军占领。1891年台湾行政中心从台南迁到台北,促进了基隆的发展。日本侵占期间(1895～1945)填海拓地,扩大市区面积,成为台湾的主要输出港。港口、铁路和周围煤田的发展使基隆成为台湾最早的工业城市。现有造船、钢铁、化工、煤炭、水产加工等工业。基隆港是台湾北部最大的国际港口,也是重要的渔港。交通便利,可经纵贯铁路和中山高速公路通往岛内各地。该市为台湾海洋研究基地,有海洋学院。港内三沙湾是台湾最早的海水浴场。东南郊的灵泉寺建于清光绪二十五年(1899),此外中正公园、海滨公园、仙洞岩等都是该市著名的游览区。人口391 000(2005)。

基隆港

美国不列颠百科全书公司供图

Jim Crow Law 《吉姆·克劳法》 1877年美国重建时期结束后,到20世纪50年代强大的民权运动开始前的阶段,在南部执行的种族隔离法律。"吉姆·克劳"原是黑人剧团的一个保留剧目的名称(实际上应为"江普·吉姆·克劳"),1828年由其作者T.D.赖斯首先演出,后来又有许多演员起而仿效,其中包括J.杰斐逊。这个剧名后来专指黑人和他们的隔离生活,含有贬义。从19世纪70年代后期开始,南部各州议会不再受前来活动的北方政客以及自由人的控制,于是通过法律,要求白人在公共交通工具中同"有色人种"隔离开来。总的说来,为了进行隔离,凡是可以确定或被强烈怀疑有黑人血统的人,都算"有色人种"。南北战争以前,实行过一种有利于混合人种的后代(特别是路易斯安那州的具有半法国血统的"自由有色人种")的区别对待,这时也被废除了。隔离的原则扩大到学校、公园、公墓、剧院、餐厅,力图防止黑人同白人在平等的基础上进行接触。1954年,最高法院宣布公立学校中的种族隔离为违宪,后来又对其他类型的种族隔离作出同样的裁定。参阅 **black code**; **racial segregation**。

Jim River (North Dakota-South Dakota, U.S.) **吉姆河** 参阅 **James River** 詹姆斯河。

Jim Thorpe 吉姆索普 美国宾夕法尼亚州东部自治镇,卡本县县城。位于艾伦敦西北35千米处,在波科诺山谷中,濒临利哈伊河。1791年当地发现无烟煤。利哈伊煤炭和航运公司在此开发并修筑了美国第一条工业铁路(1828)。1954年建镇。目前采矿业已为纺织品、服装、提包和家具制造业取代。附近有弗拉格斯塔夫山公园和格伦奥诺科两处风景区。人口4 827(2003)。

Jima 季马 又拼Jimma。埃塞俄比亚西南部城镇。在亚的斯亚贝巴西南353千米处。位于海拔1 750米林区中。以咖啡种植业著称。是该地区咖啡及其他产品的贸易中心。设有农业学校。建有机场。城东北开采硝石和智利硝。人口约88 867(1994)。

Jimaní 希马尼 多米尼加共和国西南部城市。在恩里基约湖西岸与海地边界之间。现为当地所产咖啡、水果、木材的贸易中心。有二级公路通多米尼加共和国和海地的社区。2004年,洪水和泥石流毁坏了该城,数百人死亡。人口3 911(1993)。

Jiménez, Juan Ramón 希梅内斯(1881-12-24,西班牙莫格尔～1958-05-29,波多黎各圣胡安) 西班牙诗人,1956年获诺贝尔文学奖。在萨拉曼卡大学短期学习后,1900年来到马德里。同年,发表了他最初的两本诗集《紫罗兰色的灵魂》和《白睡莲》。晚年,希梅内斯因为这两本作品过于伤感而极为烦恼,因而将他所能找到的所有本子销毁。他由于体弱多病,离开了马德里。1912年返回后,任教育期刊编辑4年。1916年去纽约旅行,在该地与印度诗人泰戈尔作品的西班牙文译者Z.C.阿伊马尔结婚。回到西班牙后不久,发表《新婚诗人的日记》(1917),1948年收入《一个诗人和大海的日记》出版。这本诗集是他转向他称之为"赤裸裸的诗歌"的标志。他企图使他的诗歌排除一切无关的事物,不受格律

美国不列颠百科全书公司供图

的束缚,完全用自由体,并且具有更纯的性质。西班牙内战期间(1936～1939),他站在共和力量一边,后来自动流亡到波多黎各,余生大部分在那里度过。他一生诗作甚丰,其中最著名的有:《心灵的十四行诗,1914～1915》(1916),《石头与天空》(1919),《韵文诗,1917～1923》(1923),《散文与韵文诗》(1932),《我的歌声》(1945),《底层的动物》(1947)。

Jiménez, Marcos Pérez　希门尼斯　参阅 **Pérez Jiménez, Marcos 佩雷斯·希门尼斯**。

Jiménez de Cisneros, Francisco, CARDENAL (Cardinal)　**吉麦内兹·德·西斯内罗斯** (1436,卡斯蒂利亚托雷拉古纳[今在西班牙]～1517-11-08,西班牙罗阿)　天主教枢机主教、异端裁判所大法官、政治家。曾在萨拉曼卡大学学习,受神职后1459～1466年一直居住在罗马。他不赞成当时充斥教廷的人文学者,但敬佩他们学识渊博。1482年枢机主教P.G.de门多萨任命他为锡古恩萨副主教,1484年他辞教职入方济各会隐修院。1492年西班牙女王伊莎贝拉一世根据门多萨的推荐,任命他为女王告解司铎。1495年任托莱多大主教。从此得以着手整顿西班牙天主教会。他先后在1497年的阿尔卡拉会议和1498年的塔拉韦拉会议上颁发教令,严禁神职人员结婚;要求神职人员常驻本教区,经常做告解,每星期日向信徒宣讲福音。他强迫格拉纳达地区的摩尔人改奉天主教,激起1499～1500年的摩尔人叛乱。摩尔人问题得不到彻底解决,他应负主要责任。1504年伊莎贝拉一世死,吉麦内兹拥护阿拉贡的斐迪南二世继位,反对斐迪南的女婿腓力。他参与调解,最后达成萨拉曼卡协议,使腓力保留卡斯蒂利亚国王称号。1506年腓力死,他成立执政府,代替尚在那不勒斯的斐迪南行使统治权。1507年斐迪南任命他为异端裁判所大法官,并使他获得枢机主教称号。吉麦内兹扩大最高异端裁判所的权力,使之管辖各地异端裁判所。起初,改奉基督教的犹太人请求斐迪南撤销异端裁判所,代价是许以60万都卡,据说吉麦内兹表示,斐迪南不应依从他们,如果斐迪南意在谋财,他自己可以付出这笔款项。他从自己大主教税收中拨款资助西班牙在北非扩展势力。1516年斐迪南死,麦吉内兹再次任卡斯蒂利亚摄政,直到1517年。这一年斐迪南之孙查理继位,称西班牙国王查理一世、神圣罗马帝国皇帝查理五世。

Jiménez de Quesada, Gonzalo　希梅内斯·德克萨达(约1495,西班牙科尔多瓦或格拉纳达～1579-02-16,新格拉纳达马里基塔)西班牙征服者,他率领的探险队为西班牙获得了新格拉纳达(哥伦比亚)。曾在格拉纳达学法律,1535年去新大陆,任南美北部海岸圣玛尔塔殖民地的行政官。次年率领900人的探险队上溯马格达莱纳河,进入新格拉纳达的内地,穿过热带森林,击退敌对的印第安人,占据了哥伦比亚中部大平原(有较高文化水平的希布恰族印第安人地区)。1538年末,两名分别来自基多和委内瑞拉的殖民地征服者与他争夺征服新格拉纳达的功绩。德克萨达1539年7月从卡塔赫纳回西班牙,向国王请求承认他征服的权利,但只得到了一个荣誉称号。返回新格拉纳达后立即成为该地最有影响的人物之一,但他的征服(和搜刮黄金)欲望并未得到满足。1569年他带领500人出发,寻找神话中的埃尔多拉多。经过两年奔波,一无所获,回来时只剩下25人。晚年隐居于拉苏埃斯卡乡村的住宅中,著书记叙他的经历。

Jimeta　吉梅塔　尼日利亚东部贡戈拉州城镇。濒临贝努埃河南岸。1935年同约拉合并。1955年独立设镇。为约拉镇的河港,承担贝努埃河大部分航运业务。每年7月中至10月中涨水期,有小船将花生、棉花和生皮运至尼日尔河三角洲诸港,以便出口。当地贸易以高粱、黍类、薯蓣、牛油果、胡椒、靛青、牛、羊、家禽等为主。公路通津、吉雷、邦比、穆比、巴马和迈杜古里。有渡船通贝努埃河北岸。人口约73 080(1991)。

Jimma (Ethiopia)　参阅 **Jima 季马**。

Jimmu　神武天皇　传说中的日本第一代天皇。据日本史籍记载,公元前607年他从日向沿内海东征,次第征服各部族而至大和立国,死后谥为神武天皇。现代历史学家认为民族东迁发生在公元初期。传说太阳女神天照大神遣其孙琼琼杵尊主宰大地,他与风神素戋鸣的后裔成婚,神武天皇是他们的后裔。神武天皇在日本统治家族与其天神祖先之间有着重要的连接作用。1890年日本政府在据说他葬身之地建立了神宫。

jimsonweed(*Datura stramonium*)　**曼陀罗**　茄科一年生热带草本植物,已成为遍及北半球大部分地区的杂草。其汁液有毒,且气味难闻。株高1～2米。花大,白色或紫堇色,喇叭状。果大,有刺,俗称刺苹果。曼陀罗可提炼药物莨菪碱。

曼陀罗(*Datura stramonium*)
美国不列颠百科全书公司供图

Jin DYNASTY　**金**(1115～1234)　中国女真族完颜部首领阿骨打(金太祖完颜旻)1115年在安出虎水(今黑龙江哈尔滨东南阿什河)地区创建的王朝。安出虎,女真语意谓金,故以

金上京午朝门遗址(黑龙江阿城)
中国大百科全书出版社供图

为国号,年号收国。创制女真文字。1119年与北宋订约共同攻辽。金太宗完颜晟继位建立都城,称会宁府。1125年灭辽后进攻北宋,1126年陷开封,俘徽、钦二帝,北宋亡。后又连年南侵。金太宗时创建各种典章制度,奠定一代规模。1153年金海陵王完颜亮迁都燕京(今北京)。1161年定为中都。1214年金宣宗因蒙古军进逼迁都汴京(今河南开封),至1232年蒙古军克汴京,金哀宗迁往蔡州。1234年蔡州失守,金哀宗与末帝承麟均死,金亡。共传10帝,历时120年。其疆域东北到今日本海、鄂霍次克海,以及外兴安岭地区。西北控制蒙古高原各部落,西至陕西与西夏为邻,南以秦岭、淮水与南宋对峙。

Jin DYNASTY　**晋**(265～420)　又拼Chin。中国历史上的封建王朝。公元265年司马炎代魏称帝,国号晋,建都洛阳(今属河南)。316年为匈奴族建立的汉国所灭,共传4帝,史称西晋。317年晋元帝司马睿在建康(今江苏南京)重建晋朝,史称东晋,共传11帝,420年为南朝宋武帝刘裕所灭。

Jin Fu　靳辅(1633～1692)　又拼Chin Fu。中国清代治理黄河的名臣。字紫垣。辽阳(今属辽宁)人。初为国史院编修。1671年任安徽巡抚,加兵部尚书衔。1677年以原官总督河道,主持治理黄河、淮河水患。运用"川字沟"法挖深河底;用前人"束水攻沙"治理下游,引导黄、淮入海。又采取筑减水坝、修坦坡等多种措施,使河水复归故道,确保漕运畅通。这些措施使黄河安流30余年。1688年遭诬陷罢官。1692年再任河道总督,不久病死。著有《靳文襄公奏疏》、《治河方略》。

Jin Jiang　晋江　又作Chin River。中国福建省南部河流。发源于闽中戴云山(永春县西北部),流经安溪、南安在泉州市入台湾海峡。长182千米。水量变化大,含沙量多。

Jin Memorial Hall　晋祠　中国古代建筑群。位于山西太原市西南郊。相传是纪念周成王胞弟唐叔虞的祠堂，因其国号晋，故名。现为国家重点文物保护单位。创建于北魏

晋祠圣母殿
中国大百科全书出版社供图

(386～534)以前，其中圣母殿、献殿和飞梁是宋、金两代建筑。圣母殿建于1023～1032年间，是面阔7间、进深6间的重檐歇山顶建筑。殿柱均向房屋内侧微倾，柱高自中心至角柱逐渐增高，为典型的北宋建筑。殿的前檐下檐柱上有木雕蟠龙，殿内有圣母和侍女群像43尊，都是宋代雕塑精品。殿前有方池，池上架木构十字形桥，下加石柱，称为飞梁。池前有3间祭祀圣母用的单檐歇山顶小殿，四面敞开无墙，称献殿，建于1166年。建法和风格与圣母殿相似。祠内还有周柏唐槐、难老泉和宋塑侍女像，合称晋祠三绝，是太原著名风景区。

Jin Shan　金山(1911-08-09～1982-07-07，北京)　中国戏剧、电影演员和导演。原名赵默，字缄可。江苏吴县人。青少年时期生活颠沛流离，在农场学徒时曾业余编导、演出《出征》。20年代末到上海，1932年加入左翼戏剧家联盟，开始参加戏剧的创作和表演。1935年开始从事电影创作。到抗日战争爆发，他演出或主演的话剧与电影有：《娜拉》、《钦差大臣》、《昏狂》、《赛金花》、《夜半歌声》、

中国大百科全书出版社供图

《狂欢之夜》、《貂蝉》等。1939年赴南洋宣传抗日，1940年底被新加坡当局驱逐，后去香港，1942年到重庆，因成功地主演了《屈原》而蜚声中国剧坛。1947年完成了自己编导的第一部影片《松花江上》，获得好评。1949年担任中国青年艺术剧院副院长兼总导演，先后主演了《万尼亚舅舅》、《红色风暴》等剧目；导演了《上海屋檐下》、《丽人行》、《文成公主》等。1958年他在影片《风暴》中扮演施洋大律师，观众反响强烈。1978年调到中央戏剧学院，次年任院长。

Jin Shanbao　金善宝(1895-07-02，浙江诸暨～1997-06-26，北京)　中国农学家、中国科学院院士、中国小麦研究的奠基人。1920年毕业于南京高等师范学校农业专修科，留校

中国大百科全书出版社供图

任小麦试验场技术员。后学校改为东南大学，他回校读完农艺系课程。1930年赴美国进康奈尔大学农学院，后到明尼苏达大学农学院攻读作物育种，1932年得硕士学位。同年回国，先后在浙江大学农学院、南京中央大学农学院任副教授、教授。1934年他采用系统分析法，成功地选育出适合中国长江中下游地区栽培的“南大2419”和“矮粒多”两个优良品种。1949年任南京农学院院长。他的研究成果得到迅速推广，仅“南大2419”在50年代中期至60年代，每年推广面积即达数千万亩；品种寿命长达数十年。他对中国小麦种类及其分布的研究，为中国小麦育种奠定了基础。他研究鉴定了从全国各地收集到的5 544个小麦品种，其中“云南小麦”是世界上独有的小麦新种。他于1955年被聘为中国科学院生物学部委员，1957年任中国农学院副院长，1964年任院长。1967～1973年利用中国幅员辽阔的自然条件，提出小麦“南繁北育”、加速世代育种的方法，通过“北京春播-高山夏播-南方秋播”，加速了新品种的繁殖，缩短了育种年限，先后育成“京红1、2、3、4、5、6、7、8、9号”和一批“中字号”优质高产品种。1982年辞去中国农业科学院院长职务，任名誉院长。1986年被美国农业服务基金会授予永久荣誉会员。主要著作有：《实用小麦论》(1934)、《中国小麦区域》(1934)等；主编《中国小麦栽培学》(1961)和《中国小麦之种类及其系谱》(1983)。

Jin Shaoshan　金少山(1890，中国北京～1948-08-13，北京)　中国京剧演员。本名仲义，满族。父亲金秀山(1855～1915)是清末民初间的京剧名净。幼年随父学艺，工铜锤花脸，承继家学，兼宗何桂山，并从韩乐卿习练武功、把子，学架子花脸戏；又向何通海、屈兆奎学过一些花脸配角戏。初于宝胜和班登台，又入双庆、鸿庆、永庆各班，名不甚彰。其

金少山在《红逼宫》中饰司马师
中国大百科全书出版社供图

父谢世后，在北京难以自立，遂奔赴外地演唱。20年代梅兰芳旅沪公演期间，由其饰演《霸王别姬》中的项羽，获“金霸王”之誉。自此，声望日增。1937年重返北京，自组“松竹社”，开花脸挂头牌之先例。雄踞京剧净行首席直至辞世。他嗓音洪亮高亢，遒劲沉雄，唱腔朴直无华，于顺畅自然中显气势；念白达意传神，功力深厚，尤工京韵白的太监戏。做功表演遵黄润甫路数，工架严谨稳练，身段精细漂亮，“寓矫健于凝重之中，见端庄于玲珑之外”。他突破了铜锤花脸与架子花脸的严格区分，推进了净行表演艺术的发展，形成自家风格，世称“金派”，与郝(寿臣)、侯(喜瑞)两派鼎立而三，居于首位。常演剧目有《锁五龙》、《草桥关》、《御果园》、《牧虎关》、《白良关》、《飞虎山》、《断密涧》、《刺王僚》、《忠孝全》、《法门寺》、《龙凤阁》、《盗御马、连环套》及包公戏《断太后、打龙袍》、《铡美案》、《探阴山》等；《霸王别姬》一剧更为冠绝一时。他非常热爱生活，喜好广泛，从中体悟剧艺创造的道理。为人性格豪爽，仗义疏财，晚境困窘，

贫病而终。

Jin Yilian 金怡濂(1929-09,中国天津～) 中国计算机专家,中国工程院院士。国家并行计算机工程技术研究中心主任、研究员。1951年毕业于清华大学电机系。1956～1958年在苏联科学院精密机械与计算技术研究所进修电子计算机技术。他是中国高性能计算机领域的著名专家,中国巨型计算机事业的开拓者之一。是"神威"巨型计算机系统的总设计师。2002年获国家最高科学技术奖。

Jin Yuelin 金岳霖(1896-07-14～1984-10-19) 又拼 Chin Yüeh-lin。中国现代哲学家、逻辑学家。字龙荪。湖南长沙人。1914年毕业于北平清华学堂,同年赴美国留学,入宾夕法尼亚大学。1917年入哥伦比亚大学政治学

中国大百科全书出版社供图

系,1920年获哲学博士学位。此后在英、法等国留学和从事研究工作。1925年回国。先在北平中国大学执教,后任清华大学教授,创办该校哲学系,讲授逻辑学。曾被选为中央研究院院士。中华人民共和国建立后任清华大学文学院院长、哲学系主任,北京大学哲学系主任,中国科学院哲学研究所研究员和副所长。1954年当选为中国科学院哲学社会科学部学部委员。1953年加入中国民主同盟。1956年加入中国共产党。历任全国人民代表大会代表、中国人民政治协商会议全国委员会委员、中国民主同盟中央委员。1979年当选中国逻辑学会会长。他把数理逻辑引入中国,为中国数理逻辑的教学与研究开了先河。在哲学和逻辑学中吸收西方成果,建立了自己独特的哲学体系。主要著作有《逻辑》、《论道》、《知识论》等。

Jina(in Jainism) **胜者** 参阅 **Tīrthaṅkara** *渡津者*。

Jinan 济南 又拼 Chi-nan, Tsinan。中国山东省辖地级市、省会。位于省境西部。南依泰山,北濒黄河,是黄河下游最大的城市。辖历下、市中、槐荫、天桥、长清、历城6区和平阴、济阳、商河3县,并代管章丘县级市。面积8 177平方千米,其中市区面积3 257平方千米。1928年在济南城东35千米的城子崖发现新石器时代龙山文化遗址,证明远在4 000多年前这里已有发达的农业和畜牧业。战国时为齐国的泺邑,后改称历下。秦、汉为

济南解放纪念阁和环城公园
中国大百科全书出版社供图

历城县。西晋永嘉年间(307～313)为济南郡治。北宋政和六年(1116)起是济南府治。13世纪意大利旅行家马可·波罗游此,曾盛赞城市的园林之美。近代发展始于清代咸丰二年(1852),时黄河改道循城北济水故道下泄,与南北大运河相通,又有小清河东北流入海,航运条件改观。1904和1912年胶济、津浦两铁路相继建成并在此交接,济南成为交通枢纽和青岛港广阔腹地的物资集散中心。1904年旧城西关为商埠,是棉花、粮食、花生、烟叶的集散地。纺织、面粉、榨油、卷烟、造纸、火柴等工业也相应发展,成为山东省内仅次于青岛的第二个工业城市。第一次世界大战后,日本取代德国在山东的特权,在济南建立日本居民区。1928年日军寻衅杀害中国军民5 000余人,酿成震惊中外的"济南惨案"。1929年日军被迫撤出,同年析历城县置市至今。1938～1945年济南又被日军侵占。1949年后济南经济迅速发展,成为轻重工业兼备的现代工业基地。主要工业有机械制造、纺织、化工、冶金、电力、汽车制造等,面粉、造纸、卷烟、灯泡、热水瓶、火柴、酒精、搪瓷等轻工业也很发达。粮食作物主要有小麦、玉米、谷子、稻谷、高粱等,经济作物以棉花、花生、蔬菜为主。1990年济南列入中国沿海经济开放区。济南是全国重要交通枢纽之一,京沪、胶济铁路在此交会,104、202、308、309等国道纵横交错,境内济青、济沧、泰济等高速公路畅通,还有亚洲最大的公路斜拉桥飞架黄河两岸。黄河、小清河水运可直达渤海。民航可通往北京、上海、南京等国内主要大中城市。济南又是山东省文化中心,有山东大学、山东师范大学以及济南大学等高等院校。市区处丘陵和平原交接地带,泉水众多,素有"泉城"之称。千佛山、大明湖、趵突泉是市区的三大名胜。市北平原上屹立一些蚀余孤山,人称"齐烟九点"。长清有佛教四大禅林之一的灵岩寺。宋代文学家李清照、辛弃疾都出生在济南。人口:全市5 890 000(2005);市区3 350 000(2004)。

Jinan University 暨南大学 中国综合性大学。校址在广州。其前身为1906年创办于南京的暨南学堂,是中国政府创办的第一所华侨学校。1911年停办。1918年复校,改名国立暨南学校,设师范、商业两科。1921年与国立东南大学在上海合办中国第一所商科大学——上海商科大学。1923年迁上海真如。同年独自设立国立暨南商科大学,作为暨南学校的组成部分。1927年成立国立暨南大学,分大学部、中学部、南洋文化教育事业部。大学部设商、文、理、教育、法5个学院。

暨南大学医学院主楼
中国大百科全书出版社供图

1937年迁入上海公共租界。1942年6月迁福建建阳。1946年迁回上海。1949年9月停办,院系分别并入复旦大学、交通大学。1958年在广州重建,设中文、历史、外语、经济、外贸、数学、物理、化学、生物9个系,在校学生3 000人,其中华侨学生占75%。1970年停办。1978年复校后进入发展新时期。学校设有20个学院,44个系,80个研究机构和74个实验室,61个本科专业,133个硕士学位授权学科,6个博士学位一级学科授权点,39个博士学位二级学科授权点,5个博士后流动站。有国家级重点学科2个,国家人文社会科学重点研究、教育部中国语言文学人才培养和科学研究、国家大学生文化素质教育、国务院侨办华文教育等基地。有国家工程中心1个。学校有专职教师1 576人,其中中国科学院院士2人,中国工程院院士5人,教授324人,副教授551人。在校全日制学生23 752人,其中华侨、港澳台和外籍留学生10 609人,博士、硕士研究生6 074人,本科生16 336人。图书馆藏书278.53万册,学校在广州、深圳、珠海三地设有4个校区,校园占地面积约174万平方米。出版物有《暨南大学学报》、《东南亚研究》等。

Jinbi Shan 金碧山 中国重庆市区的山岬。位于长江、嘉陵江汇合处。最高点海拔280米。由枇杷山眺望金碧山一带夜景,山城灯火倒映江水中,金碧辉煌,故名。

jinbi shan shui 金碧山水 又拼 chin-pi shan-shui。又称青绿山水。中国传统山水画的一种画法。用矿物质石青、石绿作为主色表现树木,补以泥金表现山石轮廓、坡脚、水纹以及楼台殿阁等建筑物。因施用青绿的轻重不同又有大青绿、小青绿之分。前者勾廓多,皴笔少,着色重;后者是在水墨淡彩的基础上薄施青绿二色。敦煌莫高窟隋代壁画于丹青之外,已加添了赤金点染。北宋汴京相国寺壁画中用色,丹青之外,亦有金碧之说。因矿物质制成的颜色可以经久不变,故传世名作如隋代展子虔的《游春图》、唐代李思训的《江帆楼阁图》、李昭道的《明皇幸蜀图》、宋代王希孟的《千里江山图》以及赵伯骕的《万松金阙图》至今犹是青绿金碧,光彩照人。

Jinchang 金昌 中国甘肃省辖地级市。新兴的工矿城市,中国最大的镍生产基地和铂族稀贵金属冶炼中心。位于省境西北部河西走廊东段,东大河与西大河下游,市区在金川河畔、兰新铁路河西堡车站北面。1958年在永昌县白家嘴和西坡村间龙首山北麓的戈壁滩上,发现硫化镍等有色金属矿苗。1960年成立金川有色金属公司进行大规模开采,开始修建矿区到兰新线河西堡的铁路和金川水库、火电站,并设立金川镇。现金川公司已发展成为包括采矿、冶炼、机修、动力和科研兼备的有色金属联合企业。1978年被国家列为三大资源综合利用基地(攀枝花、白云鄂博及金昌)之一。中国最大的镍钴生产基地,铂族金属提炼中心,有“中国镍都”之称。1981年改设金昌市,以所辖金川区和永昌县各取一字为市名。全市面积8 896平方千米,其中市区面积3 017平方千米。市境南高北低,气候温暖干燥,风大沙多。永昌县以农为主,金川区是工矿基地。兰新铁路、甘新公路横穿市境。河西堡至雅布赖公路纵贯南北。名胜古迹有三角城遗址、高庙古城遗址、鸳鸯池遗址、钟鼓楼、百子洞,另有西汉时安置罗马战俘的骊靬城。人口:全市450 000(2005);市区200 000(2004)。

Jincheng 晋城 中国山西省辖地级市。位于省境东南部的古泽州盆地,四围为山地和黄土丘陵环抱。辖城区及陵川、阳城、沁水、泽州4县,并代管高平县级市。总面积9 484平方千米,其中城区面积141平方千米。丹河和沁河水系东西并列,由北而南纵贯全境。太焦、太洛、侯月铁路纵横伸展,207国道纵贯南北,晋阳、晋焦高速公路已建成通车,晋长高速公路正在建设中。西汉置高都县。北魏永安二年(529)置建州。隋初改建州为泽州。隋开皇十八年(598)改高都县为丹川县(今晋城市区东北)。唐初废丹川县,武德二年(619)于今晋城市区置晋城县,明初废县入泽州。清雍正六年(1728)置凤台县,升泽州为泽州府。1912年废府,1914年改凤台县为晋城县。1983年晋城县改为县级市。1985年撤销晋东南地区,晋城市升为省辖市。自然条件较好,年平均气温10.9°C,年降水量628毫米。种植玉米、谷子、小麦、棉花、花生、芝麻等。有高平黄梨、晋城山楂等特产。煤、铁、硫磺等资源丰富,沁水煤田南段盛产优质无烟煤。工业较发达,有采煤、钢铁、机械、电力、化工、建材、纺织、食品等行业,为山西省新兴工业城市。城西门外景德桥创建于金大定二十九年(1189),是中国著名的古桥之一。人口:全市2 130 000(2005);市区280 000(2004)。

Jīnd 金德 又拼Jhind。印度西北部哈里亚纳邦中部城市。位于通往德里的公路和铁路线上,在德里东南110千米处。为地方谷物贸易中心,有轧棉厂。设有古鲁格舍德拉大学几所学院。周围地区除南部有阿拉瓦利岭外围丘陵外,其余为平原;有移动沙丘。灌溉依靠锡尔欣渠。主要农产品有谷物、鹰嘴豆和棉花。人口:市区85 300(1991)。

Jindyworobak movement 金迪沃罗巴克运动 20世纪30到40年代中期力图发扬本民族思想和传统——尤指在文学中——的澳大利亚民族主义的文学运动。该运动的发展壮大源于下列诸因素:经济萧条使注意力集中到与19世纪90年代初期相类似的苦难;“异族”文化的涌入冲击着正在成长中的年轻的澳大利亚文学;旅游者惊奇地描述鲜为人知的澳大利亚内陆地区。X.赫伯特的作品《卡普里柯尼亚》(1938)就代表了该运动的目标。

Jing Hao 荆浩 又拼 Ching Hao。中国五代后梁(10世纪初)画家。字浩然,河内沁水(今山西沁水)人。遭时战乱,长期隐居太行山之洪谷,号洪谷子。擅画山水,深入大自然,努力学习前人,重视提炼艺术形象,又擅云中山,山顶四面峻厚,气势雄伟,多作大山巨壑全景山水。据记载画过《千里江山图》,有惊人的概括能力。他认为唐“吴道子山水有笔而无墨,项容山水有墨而无笔。吾当采二子之所长,成一家之体”。他的艺术成就超

荆浩绘《匡庐图》
中国大百科全书出版社供图

过前人,为水墨山水画的表现形式奠定了基础,为山水画地位的提高做出了极大贡献。他还长于画松,摹“写数万本,方如其真”,继张璪之后,更进一步给予松柏以人的生命情感,使之成为自己的化身或生活中的知己。他著有画论《笔法记》,指出山水画要师法自然,提炼形象,反对单纯的形似,提出气、韵、思、景、笔、墨“六要”,是隋唐以来山水画艺术实践的总结,发展了谢赫的《六法论》。他还对唐代山水画作出比较正确的评价,指出山水画的目的与功能等。尽管他的论述不无问题,但确实初步建立了比较完整的理论体系,并长期指导着后代山水画的发展。传世作品仅有《匡庐图》。他是大宗师,其后山水画三位大师关仝、李成、范宽都是从他化出。宋梅尧臣诗云:“范宽到老学不足,李成但得平远工。”可证。

Jing He 泾河 又作Ching River。中国陕西省渭河第一大支流。本源有二:南源出宁夏泾源老龙潭,北源出宁夏固原大弯镇。两河在甘肃平凉附近汇合后折向东南,至陕西省长武县亭口附近先后纳马莲河、蒲河、黑河等支流,形成辐射状水系。在陕西高陵县附近注入渭河。泾河是黄河中游的大河,长455千米,流域面积约45 400平方千米。大部分支流深切于黄土丘陵和黄土高原,河谷狭窄,陕西境内多险滩,跌降高差3～7米,多形成瀑布急流。夏秋多暴雨,故以洪水猛、泥沙多著称。泾河流域水利开发很早,秦时开郑国渠引泾水灌溉关中平原;上游平凉、泾川等地也远自唐代即已开渠兴利。现在上、中游修

筑水库,下游扩建泾惠渠灌溉工程,增加了灌溉面积。

Jing Jiang　荆江　又作 Ching River。中国长江自湖北省枝江至湖南省岳阳县城陵矶的河段。因流经古荆州地区,故名。全长 420 千米。藕池口以上称上荆江,以下称下荆江。下荆江河道蜿蜒曲折,有“九曲回肠”之称。荆江以北是古云梦泽范围,以南是洞庭湖,地势低洼,长江带来的泥沙在此大量沉积。东晋时代开始筑堤防水,围垦云梦泽,至明代形成北岸荆江大堤。由于泥沙不断沉积,河床已高出两岸平原,成了“地上河”。北岸靠 180 多千米的荆江大堤保卫富饶的江汉平原。大堤经多次全面整修,防洪能力有了提高。为

荆江
中国大百科全书出版社供图

解除洪水威胁,保护荆江大堤,1952 年兴建荆江分洪工程。1967 和 1969 年在中洲子和上东湾进行截弯取直,使荆江航运里程缩短 78 千米;1975 年以来,又加固荆江大堤的险恶堤段,提高了泄洪能力。

Jing Jiu Railway　京九铁路　又作 Beijing Jiulong Railway。中国自北京至香港九龙的一级双线铁路。纵贯北京、天津、河北、山东、河南、安徽、湖北、江西、广东等 9 省市,途经霸州、衡水、聊城、菏泽、商丘、阜阳、潢川、麻城、九江、南昌、吉安、赣州、龙川、深圳等地,全长 2 381 千米。加上两条联络线,总长 2 553 千米,辐射范围约 50 万平方千米。全线有特大桥 65 座,大中桥 725 座,隧道 150 座。内燃机车牵引,预留电气化条件。京九铁路的关键地段早已开工(如九江长江桥已于 1993 年初建成),部分路段(如九江—南昌、商丘—阜阳)利用既有线路改造而成。1993 年 2 月京九铁路建设工程全面展开。1995 年全线铺通,1996 年 9 月 1 日开通运营。其中九江长江桥为长江上跨度最大的桥,全长 7 679 米。该铁路以货运为主,兼营客运。京九铁路是中国迄今为止规模最大、线路最长、投资最多、进度最快的战略通道,对加快国民经济发展和加强与 1997 年回归祖国的香港的联系起重要作用。

Jingdezhen　景德镇　又拼 Ching-te-chen。中国江西省辖地级市,著名的“瓷都”。位于省境东北部昌江上游东南岸。市境东、西、北三面低山环抱,储有丰富的优质瓷土、瓷石和高岭土,还有煤、萤石、硫磺等。古称新平镇,后又名昌南镇、陶阳镇。北宋景德年间(1004 ～1007),因所制御瓷底部均落款“景德

景德镇市郊的湖田古窑遗址
中国大百科全书出版社供图

年制”,故易名景德镇。原为浮梁县属镇。1949 年由浮梁县划出设市,1953 年升为省辖市。1960 年撤销浮梁县,并入景德镇市。1988 年恢复浮梁县并归市辖。辖珠山、昌江 2 区和浮梁县,并代管乐平县级市。面积 5 263平方千米,其中市区 423 平方千米。汉代开始烧制陶器,南朝陈(557 ～ 589)时已有制瓷业。唐时所产陶器已享盛名。宋代派官监督烧制瓷器作贡品,“景德窑”自此闻名全中国。明、清设御器厂,大量烧制各色彩釉精品,发展为当时中国四大名镇之一。1840 年鸦片战争后,制瓷业日趋衰落。1949 年后,瓷器制造迅速发展。瓷器产量多,质量好,造型精美,品种繁多,装饰丰富,风格独特。除进一步发扬“白如玉、薄如纸、明如镜、声如磬”的传统青白瓷工艺外,还恢复了失传的名贵彩釉。许多日用瓷、工业用瓷和瓷雕等新产品不断推出。全市有大中型瓷器厂 20 座,年产瓷器约占中国的20%,品种达千余种,产

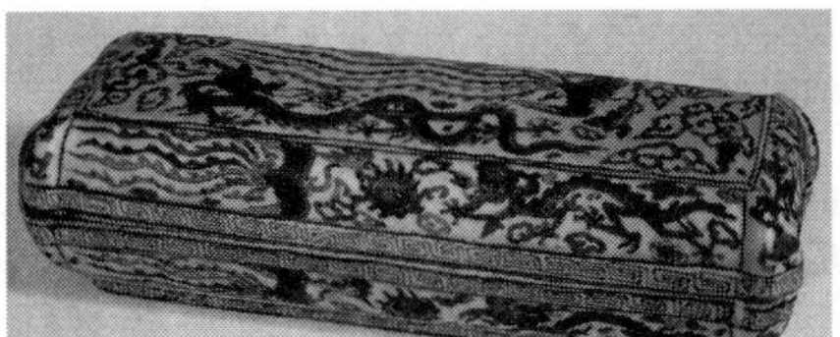

景德镇窑五彩龙凤纹瓷笔盒
中国大百科全书出版社供图

品远销世界百余个国家和地区。1984 年在莱比锡、布尔诺、波兹南国际博览会上,45 头青花梧桐西餐具连获 3 枚金质奖章。有陶瓷研究所、陶瓷学院和陶瓷历史博物馆。现已形成以瓷器制造为主干,包括化工、电力、水泥、机械、砖瓦、耐火材料、制茶、食品加工、采矿等工业体系。农业发展较快,山林密布,是赣东北重要林区之一。交通便利,皖赣铁路、206 国道南北纵贯,九景高速公路已建成通车,昌江水道可直通鄱阳湖达长江。人口:全市1 510 000(2005);市区420 000(2004)。

Jinggang Shan　井冈山　中国江西省西南部、湖南省东南部边境的山地。位于罗霄山中段的万洋山北部。平均海拔 1 000 米,与周围的丘陵、平原相对高差达 500 米,山势挺拔陡起。中部诸峰海拔高达 1 000 ～ 1 800 米,有不少山间盆地,如茨坪、大井、小井等和河谷。主要种植水稻、油菜、豆类、茶叶等。山林资源丰富,有约 3 500 种高等植物和珍贵树种,盛产杉、松、毛竹、油茶和药材。已建立井

井冈山黄洋界盘山公路
中国大百科全书出版社供图

冈山自然保护区,主属江西省井冈山市境,市中心茨坪也已建成初具规模的山城。1927 年毛泽东在井冈山创建第一个革命根据地。茅坪、五大哨口、大小五井等已辟为革命纪念地。

Jinggangshan　井冈山　中国江西省县级市。位于省西南边境,罗霄山中段,西邻湖南酃县。为海拔 1 500 ～ 1 700 米的多山间盆地的山地,四周则断崖绝壁,相对高差达 500 米左右,地势险要。1927 年毛泽东在此建立第一个革命根据地。原分属永新、宁冈、遂川等县管辖。1959 年成立井冈山管理局,直属省辖。1981 年改为井冈山县,1984 年改为市,属吉安市管辖,市府驻厦坪镇。面积 1270 平方千米。工业主要是木材加工、造纸、食品等。农业以种植水稻、油菜、豆类、茶叶、油茶为主。山林资源丰富,盛产杉、松、毛竹、油茶和药材。重要矿产有铁、钨等。交通有环山公路和通往泰和、吉安、遂川、宁冈等地的公路干线。市内有井冈山革命博物馆、红军烈士纪念塔和革命烈士陵园等。风景名胜有飞龙洞、五龙潭瀑布、仙人桥瀑布、猴子山瀑布、五大哨口及南山、挹翠湖等。人口150 000(2003)。

Jinghong 景洪 又拼 Ching-hung。中国云南省西双版纳傣族自治州辖县级市，自治州首府驻地。位于省境南部，自治州中部，南邻缅甸。面积7 133平方千米。澜沧江纵贯境内。

景洪飞龙白塔
中国大百科全书出版社供图

元至元三十一年（1294）置车里军民总管府。明洪武十九年（1386）改车里宣慰司，1929年改车里县。1954年改设景洪、勐笼、勐养、勐旺4个版纳，1957年合并为县级版纳景洪，1960年改景洪县。1993年撤县设市。境内河谷宽广，土地肥沃，气候湿热，雾霭弥漫，是中国著名热带雨林区。除产稻谷、甘蔗、茶叶外，还产樟脑、剑麻、紫胶、橡胶及各种热带水果，其中以香蕉、橘子、柚子、椰子、菠萝蜜、木瓜著名。工业有电力、冶炼、机械、制茶、制糖、化肥、橡胶加工、木材加工等。公路可通昆明。名胜古迹有建于南宋嘉泰四年(1204)的飞龙白塔、橄榄坝等。人口380 000(2005)。

Jingjiao 景教 基督教聂斯托利派(Nestorian)在唐朝时传入中国后的称谓。当时又称波斯教、弥施诃教。5世纪初，由基督教正统派中分裂出来的聂斯托利派为躲避迫害，向东转移并沿途传教，从叙利亚传入波斯，再到中国新疆地区。唐太宗贞观九年(635)传入内地，获得相当的发展。武宗会昌五年(845)大举灭佛，景教亦遭波及，在中原一带一度绝迹。13世纪元朝建立，该教再度进入中原，并向南北各地扩展。元朝灭亡后再度消失于中国。最重要的景教文献有唐代大秦景教流行中国碑(Xi'an monument)、《大秦景教三威蒙度赞》(现藏巴黎图书馆)和《序听迷诗所经》(日本高楠顺次郎藏)。

jingle shell 不等蛤 又作 saddle oyster。又称鞍牡蛎。双壳纲不等蛤科海产无脊椎动物。形似牡蛎。多数种类的一壳瓣贴在石上，有一大孔伸出钙质足丝附于石面。上壳瓣较下壳瓣隆起，形状不规则，其外形似所附着的岩石表面。壳通常透明，内面具珍珠光泽。不等蛤被触摸时会发叮当声，故得其英文名。可用制灯罩、*编击乐器*(**chime**)或装饰品。

jingling Johnny 小铃笠 又称土耳其月牙铃。法语作 pavillon chinois。一种乐器。有一个饰以伞盖的杆及月牙形和其他样式的顶部，其上挂满小铃和叮当响的金属片，常用马尾盖在顶上。它可能源于中亚细亚巫师的权杖，为土耳其禁卫军军乐队使用的一种乐器，这种乐队在18世纪末使土耳其音乐在欧洲流行一时。19世纪，欧洲军乐队采用了小铃笠，在德国流传，但有点变化。中国古代音乐中有类似的乐器，可能是从中亚细亚同一个根源传来的。

Jingmen 荆门 中国湖北省辖地级市。位于省境中部，汉江西岸，荆山余脉东南端，鄂中丘陵与江汉平原过渡地带。矿产主要有石灰石、石膏、石英石、煤、硫铁矿、黏土矿等。尤以石灰石质优量大。市区沿焦枝铁路两侧呈南北带状分布。辖东宝、掇刀2区和沙洋、京山2县，并代管钟祥县级市。面积12 100平方千米，其中市区面积2 231平方千米。唐贞

荆门市象山大道
中国大百科全书出版社供图

元二十一年(805)设荆门县，以城南荆门山得名。元为荆门州。1912年废州为县。1979年以原荆门县城关镇置荆门市(县级)，1983年将荆门县撤销划入，升为省辖市。工业以重工业为主，有炼油、化工、电力、建材、机械、纺织等。荆门热电厂是华中电网的主体火电站。荆门炼油厂是中国重点企业之一。郊区盛产稻谷、小麦和棉花，亦富产鲜鱼。特产有木耳、蚕茧、蜂蜜。焦枝铁路从西南向东北穿过境内。公路有汉宜、襄沙、荆潜、荆当等干线，可通武汉、襄樊、沙市等地。漳河水库可蓄水20.5亿立方米，有干、支渠长920余千米，可灌溉荆门、当阳、江陵、钟祥4县市16万余公顷农田，是湖北省最大的商品粮基地。名胜古迹有南宋荆门城遗址、隋代东山宝塔、宋代哲学家陆九渊讲学的龙泉书院和龙泉公园等。人口：全市2 980 000（2005）；市区730 000(2004)。

Jingō（empress of Japan） 参阅 **Jingū** *神功皇后*。

jingoism 极端爱国主义 好战的民族主义态度，其含义同沙文主义。该词产生于1877～1878年俄土战争期间的英国，当时英国地中海舰队被派往加利波利以扼制俄军的进攻，在英国国内掀起了战争狂热，支持英国政府对俄政策的人就被称为极端爱国主义者。

Jingozaemon（Japanese military strategist） **甚五左卫门** 参阅 **Yamaga Sokō** *山鹿素行*。

Jingpo 景颇族 中国少数民族。主要分布在云南省西部地区。人口132 143(2000)。语言属汉藏语系藏缅语族景颇语支；也使用缅语支的载瓦语。有景颇文。唐代将高黎贡山

景颇族姑娘
中国大百科全书出版社供图

以西地区称为"寻传"，统称当地的景颇、阿昌等族为"寻传蛮"。明代在景颇地区设长官司，任命茶山、里麻两大部落联盟首领为长官，授以铜印。从此形成"官种"、"百姓"和奴隶三个等级。16世纪后景颇人大量移居德宏地区。山官世袭，有固定辖区。军事、政治组织均以山官辖区为单位。有"载瓦"、"浪峨"、"勒期"等支系。男子多佩长刀，妇女饰耳坠筒和银币串成的项圈。习惯姑舅表联姻。对财产实行不严格的幼子继承制。人死后行土葬，凶死者火葬，幼殇者天葬。目脑节(农历1月15日)，接连数日举行隆重的舞蹈盛会。普遍信奉原始宗教，相信万物有灵；少数人信仰基督教和小乘佛教。1953年建立了德宏傣族景颇族自治州。

Jingpo Hu 镜泊湖 中国最大的堰塞湖。位于黑龙江省宁安市西南，牡丹江上游。由玄武岩溢流堰塞而成。湖面海拔350米，面

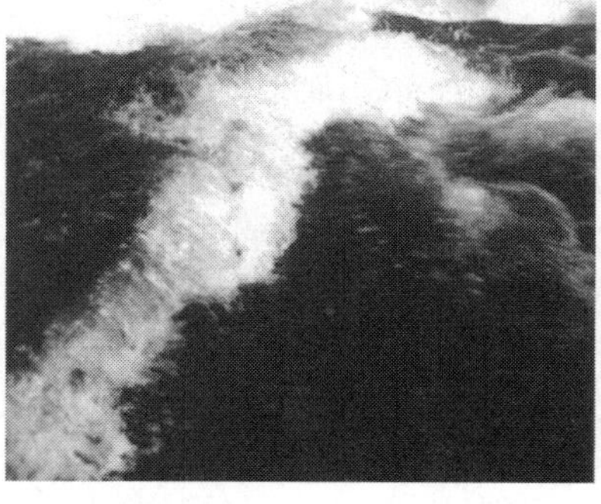

镜泊湖瀑布
中国大百科全书出版社供图

积95平方千米。北部水深40～50米，最深62米，湖水呈绿色；南部水深仅数米，湖水呈黄色。冬季封冻，平均冰厚0.7米，最厚1.01米。湖的北部有两个出口，各有高约20～25米、宽约40～45米的瀑布。吊水楼瀑布落差约25米，已建有水电站。盛产鱼类。湖区两侧山地森林茂密，湖光山色，景色宜人，为旅游胜地。沿湖还盛产鹿茸、鹿胎、蜂蜜、人参、貂皮等。

Jingpo language 景颇语 中国景颇族语言。属汉藏语系藏缅语族景颇语支。分布在中国云南省德宏傣族景颇族自治州；使用人口约2.3万。此外还分布在缅甸克钦邦境内（称克钦语）。景颇语（恩昆）语音特点：有17个单辅音声母（其中包括双唇、舌尖中、舌根塞音分清、清送气两套6个，舌尖前、舌叶塞擦各1个，舌叶擦音分清、浊和舌尖前擦音，有双唇、舌尖中、舌根鼻音各1个，还有边音、双唇半元音和舌面半元音各1个）；有6个双唇和舌根部位的腭化音、4个带卷舌半元音的复辅音声母。有10个单元音韵母（其中5个松元音和5个紧元音，除单独作韵母外，还和韵尾相结合），8个复元音韵母也是4紧4松，70个带辅音韵尾的韵母（由3个鼻音韵尾和4个塞音韵尾组成），3个汉语词中出现的韵母和舌尖中鼻音自成音节的韵母。有3个声调：低降、高平和中平。词类有名词、动词、形容词、数词、量词、代词、副词、连词、助词和叹词10类。有较丰富的黏附性前后缀形态。有关地点的名词重叠表示“某些、有些”的意义；动词有人称、数（单数、复数）、式（陈述式、祈使式、疑问式）、体（未完成体、完成体）、趋向（相同方向、相反方向、原方向）等语法范畴；单数人称代词有格（主格、领格）；句子主词在谓语前；宾语在主语后，谓语之前；形容词、数词修饰语在中心词后；名词、代词修饰语在中心词之前；状语一般位于中心词之前。原有拉丁字母形式的拼音文字，创于19世纪末。1957年在原有字母基础上作了改进，试验推行。

Jingtai 景泰 参阅 **Ming**——：明朝帝王序列下 **Mingdaizong Zhu Qiyu** 明代宗朱祁钰。

jingtian 井田 参阅 **well-field system** 井田制。

Jingū 神功皇后（170？，日本～269？，日本）又拼Jingō。日本仲哀天皇的皇后。据说仲哀天皇死后，她兵不血刃地征服了朝鲜。神功皇后是否确有其人，现尚无法肯定，但在她那个时期，日本西部确实存在母系社会。中国和朝鲜的史籍都曾提到日本的倭国是由女王治理的国家，并和中国、朝鲜有过密切接触。

Jingwei 精卫 中国神话中的小鸟。又称冤禽。炎帝小女女娃的精灵变成。女娃游东海被溺死。魂变成小鸟，住在北方发鸠山上。衔西山木石想把东海填平。后人因以精卫填沧海称誉人坚韧不拔的毅力。

jingxi 京戏 又拼ching-hsi，英文作Peking opera。中国戏曲的主要剧种，又称京剧。安徽的徽调和湖北的汉调传入北京后，融合京腔、昆曲、梆子腔等的剧目、表演、音乐逐步衍变而成。它集各种地方戏之所长，又富有北京地方特色，19世纪末叶开始流行全国。京剧唱腔以皮、簧腔为主。另有西皮反调（习称反西皮）、二簧反调（习称反二簧）以及南梆子、四平调、吹腔、高拨子、南锣等唱调。伴奏乐器以京胡为主，二胡、月琴、三弦为辅。有的唱腔及乐曲由唢呐、笛等伴奏。打击乐器有单皮鼓、檀板、大锣、小锣、铙钹、堂鼓、星子等。京戏表演讲究唱、做、念、打并重，常用虚拟动作，重视情景交融，声情并茂。在武打中融合许多武术技巧，技术要求很高。常用白、红、黑以及金、黄、绿、紫等颜色在脸上勾画各种脸谱来突出人物性格，表示人物的忠、奸、善、恶。脚色行当分生、旦、净、丑四大行，各行又细分若干脚色。

京戏《真假孙悟空》
美国不列颠百科全书公司供图

京剧传统剧目有1 300多个，流行的有《将相和》、《宇宙锋》、《群英会》、《空城计》、《贵妃醉酒》、《野猪林》、《拾玉镯》、《三岔口》、《追韩信》、《打渔杀家》等。20世纪40年代陕甘宁边区对京戏进行改革，编演了《逼上梁山》、《三打祝家庄》等剧。中华人民共和国建立后，对京戏优秀传统剧目进行整理加工，编演了一批反映现代生活的剧目。从1919年梅兰芳第一次赴日本演出以来，京剧团体曾多次出国演出，在国外有广泛的影响。

Jingyuan 泾源 中国宁夏回族自治区固原市辖县。位于六盘山东麓，渭河支流泾河上游，邻接甘肃省。县政府驻香水镇。面积1 431平方千米。北宋乾德二年（964）始置安化县。金大定七年（1167）改名化平县，后废。清置化平川厅，1913年又改化平县。1951年改今名。1958年由原甘肃省划归宁夏。水力资源丰富，已建成沙南、西峡、龙潭等水电站。气候阴湿，森林资源丰富，是国家针叶林基地。农产品以小麦、杂粮、胡麻为主。名胜有老龙潭、宋安化城遗址。人口120 000（2005），其中回族占90％以上。

Jinhua 金华 又拼Chin-hua。中国浙江省辖地级市。简称“婺”。位于省境中部，东阳江与武义江交汇处北岸。东汉初平三年（192）置长山县。隋曾改名吴宁县、东阳县，开皇十八年（598）改称金华县。隋、唐时置婺州，明、清为金华府治。1912年废府存县，1949年析城区置金华市，1962年撤销，1979年复置市，1981年撤销金华县并入金华市。1985年升省辖市，并恢复金华县。辖婺城、金东2区和武义、浦江、磐安3县，并代管兰溪、义乌、东阳、永康4县级市。面积10 919平方千米，其中市区面积2 045平方千米。地处金衢盆地东部，南北为仙霞岭、大盆山和龙门山夹峙，分属浙南山地和浙东丘陵。主要河流有东阳江、武义江、兰江。属中亚热带季风气候，并具盆地气候特征。农作物除水稻、小麦、油菜外，还有棉花、茶叶、糖蔗、蚕茧、柑橘、中药材等。传统特产金华火腿，已有近千年的历史。是茶用茉莉花重点产区之一。苏、浙、皖、赣最大的水果集散中心。工业主要有机械、纺织、制茶、化工等。作为华东地区重要枢纽，浙赣、金温、金千铁路在此交会，320、330国道过境，杭金衢、金丽温高速公路已建成通车。水运以东阳江、兰江为干道。市内有浙江师范大学。婺剧是浙江主要地方戏之一。主要名胜古迹有天宁寺、太平天国侍王府、北山双龙洞及浦江仙华山等。人口：全市4 520 000（2005）；市区920 000（2004）。

Jining 集宁 又拼Chi-ning。中国内蒙古自治区乌兰察布市辖区。旧称平地泉。位于阴山山地东段的熔岩台地之上。海拔1 400米。京包、集二、集（宁）通（辽）三条铁路在此相交，是连接中原地区与大兴安岭以西及漠北的必经地。面积114平方千米。历史上集宁曾是草原上的商业中心。金明昌三年（1192）设集宁县，元代设集宁路，后来被毁。20世纪初为仅有几户人家的老蛙嘴村，1920年设集宁设治局。1922年京绥铁路通车后设集宁县。1950年城关区改为平地泉镇，1956年设集宁市。2003年撤销集宁市，设乌兰察布市集宁区。20世纪50年代起集宁是重要交通枢纽，拥有较大规模的车站及附属设施。现为内蒙古中部工、农、牧业产品的集散中心。有大型肉类联合加工厂及电力、酿造、绒毛加工、皮革、机械、建材、化学等工业部门。全区有汉、蒙等13个民族。人口260 000（2005）。

Jining 济宁 又拼Chi-ning，Tsining。中国山东省辖地级市。位于省境西南部、京杭运河沿岸。辖市中、任城2区和微山、鱼台、金乡、嘉祥、汶上、泗水、梁山7县。原辖曲阜、兖州、邹县3县，1986～1992年相继改设曲阜、兖州、邹城3县级市，3市划归省直辖，仍由济宁市代管。面积11 286平方千米，其中市区面积920平方千米。西汉在今微山县设任城县，北魏神龟初年（518）移任城县治于今济宁市区南。五代后周广顺二年（952）始置济州，治所在钜野。金天德二年（1150）移州治到任城。元至元八年（1271）升州为济宁府，后改置路。明洪武十八年（1385）改济宁州，同时废任城县入州。1913年废州为济宁县。1946年析置济宁市，1983年为省辖市。境内地势低平，南北分别有南阳、昭阳、独山、微

济宁铁塔(1105)
中国大百科全书出版社供图

山、蜀山和马场诸湖。

元代南北大运河开通后，济宁成为运河漕运码头，商业逐渐繁盛，是明、清两代运河上主要港口之一，设有大型谷仓。同时又是鲁西南商业、手工业中心。19世纪中叶后黄河改道，北面的运河淤废。清末“停漕改折”，粮食经由天津供应北京，加以津浦铁路建成通车，结束了大运河作为南北交通大动脉的历史，济宁在交通、商业上的突出地位被南北的徐州和济南所取代。但至今仍是鲁西南的政治、经济、文化和交通中心。主要工业为采煤、电力、面粉、机械、化工、医药、电子、纺织、皮革、食品等。兖州煤矿是中国大型煤矿之一。有竹器、木器、铁器、青猾皮、酱菜和酒等著名土特产。粮食亩产居全省首位。沿湖富产鱼、蛋、菱、藕。京沪、京九、新兖石铁路与327、220、105、104国道以及京福高速公路交织成网。济宁是著名的“孔孟之乡”。曲阜市的孔府、孔林、孔庙于1994年12月被列为世界遗产。邹城市是孟子的故乡，建有孟庙。嘉祥是宗圣曾子故里，建有曾庙。名胜古迹还有太白楼、铁塔、武氏墓群石刻、水泊梁山等。人口：全市8 020 000(2005)；市区1 050 000(2004)。

Jinja　金贾　乌干达东南部城镇。尼罗河在此处流出维多利亚湖。海拔1 140米。为乌干达第二大城镇。金贾建于1901年。1957年下游5千米处兴建欧文瀑布水坝时设自治市。水电使金贾成为该国工业中心。金贾有东非第一座轧钢厂。还有炼铜、胶合板、烟草、谷物加工等工业。附近有啤酒厂、纺织厂和大型甘蔗种植园。与坎帕拉和肯尼亚的蒙巴萨港有铁路相通。人口约65 169(1991)。

jinja　神社　日本神道教祀神或参神的场所。城乡皆有，规模不一，但一般都包括本殿、币殿(献祭之处)和拜殿三部分。大神社并有附加建筑，如神乐殿、社务所、手水屋(净手漱口处)以及狛犬(守护兽像)和灯笼(供奉的石灯或铜灯)。神社的入口有称为鸟居的牌坊。自明治维新至第二次世界大战结束，神社由内务省管理，受政府资助。战后国家神道废除，宪法禁止政府资助神社。神社除靠信徒捐献外，举办服务行业以维持收入。日本全国共有神社9.7万余所，大多由神社本厅统辖。该厅管辖全国1.07亿神道教徒的大多数。

Jinjī　真吉　又拼Gingi。维查耶那加尔帝国(约1347～1642)的君主在险要地段建造堡垒的遗址。位于今印度泰米尔纳德邦境内，马德拉斯西南约130千米处。1690年该堡被莫卧儿军队包围，至1698年才被攻下。堡垒使一支莫卧儿大军受阻达8年之久，因而著名。

Jinjiang　晋江　又拼Chin-chiang。中国福建省县级市。地处省东南沿海，泉州湾与金门湾之间。三面环海，成半岛状伸向金门湾。西及西北部为丘陵，是戴云山向海延伸的余脉，紫帽山海拔517.8米，为晋江最高峰。中部为红土台地，其上分布着三列东北-西南走向的低丘。平原分布在沿海，约占全市面积的1/3。市区位于平原南部。平原地势低平，土层深厚，水源充足，是主要水稻产区。唐开元六年(718)，析南安东乡置县，始称晋江，范围很大。北宋太平兴国六年(981)划出北部十六里另设惠安县。1951年划出城关设泉州市，县治迁青阳。之后，又陆续划北部6个乡场归泉州市。1987年划出东部三乡一镇设立石狮市。现辖6个街道、13镇，面积722平方千米。晋江为著名侨乡，旅居海外侨胞、华人达104万人。其中旅居菲律宾占60%，港澳同胞30万人。祖籍晋江的台胞达100万人以上。经济以工业为主，个体经济比重较大。有制糖、机械、纺织、森工、陶瓷、建材、食品等工业门类及若干专业化区域，如以磁灶为中心的陶瓷专业化区域，陈埭等制鞋专业化区域，金井、龙湖为羽绒服装专业化区域等。农产以稻、红薯、花生为主，龙眼产量大。传统工艺品有通草画、珠绣拖鞋、竹编、锡器、福绣等。主要港口有深沪、东石。名胜古迹有龙山寺、姑嫂塔、草庵摩尼教遗址、安平桥(五里西桥)等。人口1 024 330(2003)。

Jinling Bajia　金陵八家　又拼Chin-ling pa-chia。英语作Eight Masters of Nanking。中国明末清初活跃于金陵(今江苏南京)的8位画家，即龚贤(字半千)、樊圻(字会公)、高岑(字蔚生)、邹喆(字方鲁)、吴宏(字远度)、叶欣(字荣木)、胡慥(字石公)与谢荪(字缃酉)。清代张庚《国朝画征录》始称金陵八家。其中以龚贤成就最大，列为“八家”之首。他们面对当时复杂的社会矛盾，采取避世态度。彼此之间相互交往，商讨画艺，师承和画风却不尽相同，但均擅长画山水，其次花卉，人物画比较少见。绘画风格除龚贤特异外，其余7人较为相近。用笔严谨，构图工稳，设色秀丽，多取南京周围一带景色入画，在画史上有一定影响。

Jinmen　金门　又拼Kinmen或Quemoy。中国福建省厦门港外的岛县。台湾省代管。由大金门岛(原称浯州屿)和小金门岛(原称烈屿)等59座岛屿组成，总面积149.27平方千米，县治设金门岛的金城镇。金门位于福建省东南海上，扼厦门咽喉，屏障闽、粤地区。旧称“浯洲”、“仙洲”、“浯岛”。本为荒岛，晋代中原兵乱，始有人渡海避居于此。明洪武二十年(1387)在岛上筑城，名“金门城”，沿用至今。明末郑成功曾以金门为反清基地及攻台跳板。明、清两代均隶属同安县。1915年设县。金门岛面积约133平方千米，东西宽、南北窄，最高点太武山(253米)在岛的东部。多丘陵、湾岸，小金门岛在岛的西南隔海峡相望。种植高粱、甘薯、花生等作物。居民以捕鱼为业。矿产有铝土、玻璃砂、磁土等。人工造林成效显著。金门高粱和瓷器两大特产远近闻名。人口约50 000(2005)。

Jinmen Dao　金门岛　又拼Chin-men Tao或Quemoy Island。中国福建省厦门港口外岛屿。包括大金门岛和小金门岛。大金门岛原称浯州屿，小金门岛原称烈屿。大金门岛面积133平方千米。岛形似哑铃，东西宽，南北窄，多丘陵。环岛多港湾，以金门湾最大。小金门岛面积15平方千米。农产品以花生、甘薯为主，水产丰富。

Jinnah, Mohammed Ali　真纳(1876-12-25，印度卡拉奇[今在巴基斯坦]～1948-09-11，卡拉奇)　印度穆斯林政治家，巴基斯坦国家缔造者和第一任总督(1947～1948)。16岁进

美国不列颠百科全书公司供图

伦敦林肯律师学院学习。1896年回国，在孟买当律师。1906年参加印度国民大会党加尔各答代表大会。4年后选入帝国立法会议。他认为穆斯林的利益寓于印度民族主义的范畴之中。当印度国内自治联盟成立时，他被选为孟买支部主席。致力于印度教徒与穆斯林的政治联合。反对甘地的不合作运动及其根本上倾向于印度教的政治态度。后来，不合作运动的失败和印度教徒复兴运动的出现，导致印度教徒和穆斯林之间发生对抗和暴力行动。印度教徒和穆斯林重新和好是30年代初真纳的首要目标。为此他在立法议会中和伦敦圆桌会议(1930～1932)上做了大量工作，并提出14点建议，但失败了。1937年的选举成为穆斯林联盟与印度国大党关系中的一个转折点。国大党在6个省中获得了绝对多数，在各省组成了清一色的国大党省政府，把联盟排斥在外。联盟至为激愤，印度教徒与穆斯林之间的关系乃趋恶化。此

时,真纳已为众望所归的穆斯林领袖。1940年3月22～23日,联盟在拉合尔通过了建立一个单独的穆斯林国家——巴基斯坦的决议。国大党强烈反对,穆斯林则积极拥护。甘地和尼赫鲁那样有声望的人也与之对抗。英国政府似乎也要保持印度次大陆的政治统一。真纳巧妙而坚定地领导运动,终于使国大党和英国都同意印巴分治。这样,巴基斯坦于1947年成为一个独立的国家。真纳成为这个新的国家的第一任总督,被尊为国父。独立后第二年病逝于家乡卡拉奇。

jinni 镇尼 又称杰尼。阿拉伯神话名词,即精灵,是低于天使和恶魔的超自然灵物,内中又分古尔(奸诈善变)、易夫里特(凶残邪恶)和希尔拉(奸诈、外形不变)等数种。镇尼是用火或气造成,能变成人或动物的形状,可以附于地下、空中或火中的石、木、废墟等一切无生物体上。与人一样,他们有肉体需求,甚至可以被杀死,但不受肉体的限制,人往往有意无意地伤害镇尼,镇尼则最喜报复。据说许多疾病和灾祸都是镇尼作祟,然而,能以魔法制伏镇尼的人可以役使镇尼。信镇尼曾在早期的阿拉伯半岛流行,被认为能赋予诗人和占卜算命者灵感。甚至穆罕默德最初也曾担忧他得到的启示是镇尼所为。正统的伊斯兰教早就了解镇尼的存在。据传他们跟人一样,最后会得救或毁灭。北非、埃及、叙利亚、波斯和土耳其的民间故事中,镇尼有魔法,都是好人,是民间文学的主人公,常出现在《一千零一夜》中。在印度和印度尼西亚,镇尼通过《古兰经》的描叙和阿拉伯文学,浸透在当地穆斯林幻想之中。参阅 **ghoul**; **ʻifrīt**。

Jinniushan site 金牛山遗址 1974年在中国辽宁营口金牛山发现的古人类文化遗址。地质时代属中更新世。1974年发现两处裂隙堆积,发掘出丰富的哺乳动物化石和文化遗物,发现人类用火的遗迹和打制石器以及骨器。石器原料是脉石英,用锤击法和砸击法制成石片,打击点和半锥体较明显。石器加工痕迹清晰,类型简单,均与北京人的相似,分为刮削器、尖状器和小型砍斫器。其中以刮削器为主,又有单刃、复刃和半圆形三种。所发现的两件骨器,一是用动物尾椎打磨成的装饰品,一是打磨成的骨锥。1984年秋季,在下部地层中发现一批罕见的人类化石,有头骨、脊椎骨、肋骨、尺骨、髋骨、髌骨和手与足骨共50余件,属一成年男性个体,被命名为“金牛山人”。除人类化石以外,还发现有用火的遗迹,有烧土块、灰烬、炭屑和烧骨。烧骨中有大量啮齿类、兔类和鹿类的肢骨。这些动物是金牛山人主要的狩猎对象。旧石器时代早期金牛山附近气候温暖湿润,有茂密的森林、灌木,有宽阔的草原、水域。到旧石器时代晚期气候转向寒冷、干燥,植被也逐渐稀疏。

金牛山遗址
中国大百科全书出版社供图

Jino 基诺族 中国少数民族。系基诺山的古老民族。主要分布在云南省。人口20 899(2000)。语言属汉藏语系藏缅语族彝语支,无文字。基诺旧称攸乐,源于古氐羌人。清初始见于汉文记载。传说先世是诸葛亮南征时遗留的军队,至今祭鬼时仍呼孔明之名。男孩衣被刺绣孔明八卦图案。过去农业生产落后,刀耕火种辅以狩猎采集。村社公有土地每年以大家族为单位分配各家使用,同家族成员伙种,收获按劳力分配,打猎所获平均分配。近代同一家族的小家庭共住于长方形竹楼,各有火塘和独立经济生活。旧时信万物有灵,行祖先崇拜。主要为一夫一妻制父系小家庭。未婚青年有社交专用“公房”。男女皆穿耳,塞竹木管,以孔大为美。碗和容器多为竹制。中华人民共和国建立后,山区普遍设置生产文化站,开垦水田,并建立中小学和卫生所。最隆重的节日是“特毛且”节,约在每年公历2月6～8日。过去盛行祖先崇拜,相信万物有灵。1988年成立了西双版纳傣族自治州景洪市基诺山基诺族乡。

基诺族青年
中国大百科全书出版社供图

Jino language 基诺语 中国基诺族语言。属汉藏语系藏缅语族彝语支。主要分布在中国云南省西双版纳自治州景洪县攸乐山地区。使用人口约1.2万。无方言差别。基诺语(景洪)语音特点:有45个声母,其中34个单辅音声母(分清、清送气的双唇、舌尖中、舌根塞音各一套6个,舌尖前、舌叶、舌面前清、清送气塞擦音各一套6个,唇齿、舌尖前、舌叶、舌面前、舌根擦音各分清、浊共10个,双唇、舌尖中、舌面前、舌根鼻音各分清、浊共8个,还有1个边音、1个边擦音和双唇、舌面半元音各1个),6个双唇和舌尖中腭化声母,5个双唇和舌根与卷舌半元音相结合的复辅音声母(pɹ、phɹ、kɹ、khɹ、mɹ);有27个韵母,其中16个单元音韵母(12个口元音,3个鼻化元音和1个卷舌元音),6个复元音韵母和5个带舌根鼻音韵尾的韵母;有7个声调(高平、次高平、中平、中降、低升、高升、高降)。以虚词和词序表示句子成分的关系。也有少数形态变化。如部分名词有格(宾格、领格);动词有体(将行体、进行体、完成体);形容词重叠表示程度加深;句子主语在前,谓语在后;宾语在主语后,谓语之前;名词、代词作定语在中心词前,形容词作定语一般在中心词后;重叠形容词则在中心词之前;状语既可在中心词前,也可在后;补语既可在动词前,也可在后。

Jinotega 希诺特加 尼加拉瓜中北部城市。位于阿帕纳斯湖正南面的中部高地中。四周地形崎岖,但土壤肥沃,生产咖啡、烟叶、玉米、豆类、马铃薯、其他蔬菜、水果和小麦。工业有面粉厂、制革、咖啡加工和帽子及席垫的制造。有道路与马塔加尔帕公路连接,从而可达泛美公路。人口约18 488(1985)。

Jinotepe 希诺特佩 尼加拉瓜西南部城市。地处迪里安巴高地,海拔569米。1883年建市。桑地诺游击队和政府军曾于1979年在此处发生激战。为重要的工商业中心。附近地区主要以产咖啡闻名,亦种植稻米、甘蔗和芝麻。畜牧业较普遍,也有伐木业。郊区有石灰石采石场和盐场。地处泛美公路和太平洋铁路支线上。殖民时期教堂中有一个用贵重金属和宝石做成的圣物盒。人口约23 538(1985)。

Jinping cheqian 金瓶掣签 金瓶,藏语音译“金奔巴”或“金奔巴瓶”。确定藏传佛教大活佛转世人选的制度。始自中国清代乾隆五十七年(1792)。此制度制定之前,确定活佛转世时有串通“吹忠”(护法神汉)妄指之弊。为了防止大贵族势力操纵其间,加强中央政府对西藏政教的控制,乾隆五十七年颁发两只金瓶,分别贮于北京雍和宫及拉萨大昭寺内。在雍和宫的金瓶,例由理藩院尚书监临,掣签拈定章嘉呼图克图与哲布尊丹巴呼图克图转世灵童;贮于大昭寺的金瓶,例由驻藏大臣监临,主持达赖喇嘛与班禅额尔德尼及大呼图克图转世掣签之事。遇有大活佛转世之时,先行呈报所选灵童数人姓名、出生年月日,用满、汉、藏三种文字缮写于象牙签之上,贮入钦颁金瓶中,供于释迦佛像前,传唤喇嘛齐集大昭寺,诵经七日。届期由驻藏大臣亲临大昭寺,焚香顶礼,从瓶内掣签。掣得者即为转世活佛,申报朝廷请封。

Jinpingmei 《金瓶梅》 又拼 Ch'in p'ing mei。中国明代长篇小说。作者署名兰陵笑笑生。小说共100回,写西门庆勾结官府,仗势欺人,谋财害命,蹂躏妇女的恶行,反映了

明崇祯刻本《金瓶梅》插图——《西门庆官作生涯》
中国大百科全书出版社供图

明代中叶社会黑暗腐败的时代特征。人物刻画生动,尤长于写市井人情世态,细节描写亦细腻真实,但对男女性关系多有过分渲染之处。《金瓶梅》在中国古典小说发展史上具有不可忽视的地位,是中国文学史上第一部由文人独创的长篇小说。现存版本有两种,系统、回目、内容、文字略有差异。1939年曾以The Golden Lotus和Ch'in P'ing Mei: The Adventurous History of Hsi Men and His Six Wives两种不同书名出版英译本。

Jinsha Jiang 金沙江 又作 Chin-sha River, Kinsha Kiang。中国长江上游典型的峡谷河流。长江江源水系汇成通天河后,到青海玉树县境进入横断山脉,始称金沙江。流经四

金沙江畔
中国大百科全书出版社供图

川、西藏、云南三省区。干流全长2 308千米,流域面积约50万平方千米,河口平均流量4 920立方米/秒,年径流总量1 570亿立方米,相当于3条黄河的水量。由于流经山高谷深的横断山脉,水流湍急,向东南奔腾直下,至云南省玉龙纳西族自治县石鼓附近转向东北,形成著名的虎跳峡,两岸山岭与江面高差达2 500~3 000米,是世界最深峡谷之一。金沙江干流落差3 300米,水力资源10 918万千瓦,占长江水力资源的40%以上。流域内矿物资源丰富,但流急坎陡,江势惊险,航运困难。由于河床陡峻,流水侵蚀力强,金沙江是长江干流宜昌站泥沙的主要来源。

Jinshanwei 金山卫 中国上海市工业卫星城镇。在市境西南部金山区沿海,南临杭州湾。明洪武十九年(1386)为防御海上倭寇在此筑城设卫所,因与近海的大、小金山两岛遥

金山卫镇一角
中国大百科全书出版社供图

对,故名。清雍正四年(1726)析娄县南部置县,县治设此,属松江府。乾隆二十四年(1759)县治迁朱泾镇,即今金山区政府所在地。旧有土城呈正方形,周长6千米,为海防要塞,曾多次击退倭寇侵袭,今仅存城垣遗址。1972~1973年在城南沿海滩涂和旧盐场填海造地,兴建上海石油化工总厂(今上海石油化工股份有限公司)。1979年正式建成投产。厂区东西长8.4千米,南北最宽处4千米,占地10平方千米,集现代化石油化工、化纤联合企业于一体,为中国大型石油化工基地之一。这是上海兴建的使生产和社会生活系统紧密结合的新兴工业城镇。设有上海石油化工高等专科学校。交通便利,有沪杭铁路支线北通上海西站,沪杭、松金两公路在此相交,是上海联接浙江的通道。

Jinshi 津市 又拼 Chin-shih。中国湖南省县级市。位于省境北部澧水下游,洞庭湖西侧。地势西南高,东北低。西南为低矮丘陵,东北为澧阳平原。原名三州驿,是重要渡口和驿站。古代漕运发达的时期,南北客商多聚集或过往于此。1949年由澧县津市镇析置津市市,1952年撤销,1953年复置市,1963年撤市并入澧县为镇,1979年再设市。1988年由常德市代管。面积558平方千米。农产品有稻谷、生猪、鲜鱼、蔬菜、瓜果等。工业以纺织、化工为主,并有食品、机电、皮革、造纸等门类。湘澧盐矿是省内最大的盐业基地,津市市蚊香总厂的产量占全国的1/10。水陆交通便利,素称"九澧门户"。津市港是湖南六大内河港口之一,夏季可航行千吨级货轮。有津长(沙)、津常(德)、津沙(市)、津张(家界)4条主要公路干线,成为湘西北、鄂西南、鄂南地区货物集散地。名胜古迹有唐代大同寺古刹、南朝中武当道观、明华阳王朱悦耀陵墓;大同山巅有雌雄二井,一清一浊,不溢不竭,颇称奇观。人口270 000(2005)。

Jinshin-no-ran 壬申之乱(672) 又作Civil War of AD 672。日本皇位继承战争,在日本历史上首次把一位有牢固军事基础的皇帝拥上皇位。它削弱了中臣和苏我等氏族集团的势力,增强了皇族权威。这场冲突起于672年天智天皇死后。当时大友皇子借助曾抵制天智天皇集权措施的贵族集团之力登上大宝,称弘文天皇。而大海人皇子则集结自己的兵力进攻在近江藩(今滋贺县)的都城,击败大友皇子,然后登上皇位,称天武天皇,并在大和藩(今奈良县)的飞鸟另建新都。

Jintaizu Wanyan Min 金太祖完颜旻(1068~1123-08) 女真名阿骨打,汉名旻。中国金朝(1115~1234)开国皇帝,女真族贵族。辽天庆三年(1113)继任女真"都勃极烈"(联盟长),以武力统一女真各部后,起兵反辽,连败辽兵于宁江州、出河店。辽天庆五年(1115)即皇帝位,建国号金,年号收国。同年攻克黄龙府(今吉林农安),击败辽天祚帝耶律延禧的亲征大军,广拓疆域。1116年改年号天辅。天辅三年(1119)与宋订立盟约共同攻辽,攻取辽临潢、大定二府,占据辽上京(今蒙古巴林左旗南波罗城)等地。天辅六年占领辽中京(今辽宁宁城西大名城)、西京(今山西大同)等地,辽天祚帝西逃夹山(今内蒙古萨拉齐西北)。完颜旻亲自统军占领辽南京析津府(燕京,今北京),派兵追击天祚帝。七年,把掳掠一空的燕京按约交与宋朝,当年8月领兵返回上京途中病卒。

Jinwudi Sima Yan 晋武帝司马炎(236~290) 中国晋朝的开国皇帝。河内温县(今属河南)人。司马昭长子。司马懿发动政变诛曹爽后,魏政权由司马氏把持。经司马师、

中国大百科全书出版社供图

司马昭到司马炎,于265年12月代魏称帝。280年平定吴国,统一全国,在位25年(265~290)。即位后重视法制,招集流亡,劝课农

桑,减轻赋役,社会呈现繁荣景象。但灭吴后志满意得,撤州郡武备;穷奢极侈,怠于政事;颁布按官品高下占田,荫及亲属,不纳赋税,以加强门阀制度;又惩魏孤立以亡,大封宗室,以郡为国,置军士,使之互相维制,因之形成日后同姓诸王内讧的根源。

Jinzhou 金州 又拼 Chin-chou。中国辽宁省大连市辖区。位于辽东半岛南部,东临黄海,西濒渤海,北接普兰店市,南与大连甘井子区相连。南部金州地峡分隔金州湾与大连湾,最窄处不到5千米,为大连到沈阳、丹东等地铁路、公路的必经之地,交通地位十分重要。金州区是东北地区古老的城镇之一。唐辽置苏州。金贞祐四年(1216)升为金州。明洪武八年(1375)改金州为金州卫,清雍正十二年(1734)改置宁海县,道光二十三年(1843)设金州厅。1913年改金县。1987年撤销金县,设金州区,属大连市。面积1 391平方千米。清末曾是辽东半岛行政、商业中心。后来大连兴起,金州地位有所下降,但仍是当地重要商业城镇。盛产苹果,为中国苹果主要产区。三十里堡苹果驰名中外。水产资源丰富,有鱼、海带、海参、对虾、扇贝等海产品。工业有化工、纺织、食品、制药等行业。人口680 000(2005)。

Jinzhou 锦州 又拼 Chin-chou。中国辽宁省辖地级市,辽西最大工业城市。位于省境西部。北靠松岭山地,南临渤海,是经由辽西走廊出入山海关的咽喉,自古为兵家必争之

锦州市一角
中国大百科全书出版社供图

地。辖太和、古塔、凌河3区和义县、黑山2县,并代管凌海和北镇2县级市。面积10 111平方千米,其中市区面积535平方千米。市区是座古城。春秋属燕地,名屠河,当时已是较繁荣的小镇。秦属辽西郡,西汉置徒河县,唐属营州。辽置锦州,属中京道。明代设置卫所。清康熙元年(1662)置锦县,康熙四年设锦州府。1937年析锦县设锦州市。1948年为辽西省省会,1954年起为辽宁省辖市。汉时即已筑城,在明洪武二十四年(1391)、成化十二年(1476)和弘治十七年(1504)多次加固城堡。日本占领时期在旧城侧建新市区,初具近代城市雏形。锦州原是手工业城市,以制革和榨油业为主。20世纪30年代后,石油炼制、棉纺、面粉、卷烟等工业逐渐兴起。50年代后工业迅速发展,有石油、化工、造纸、机械、电子、陶瓷、棉纺和食品等工业部门。棉纺是锦州传统工业,发展较早。石油工业是在阜新煤矿的基础上发展起来的,目前以炼制天然石油为主。交通发达,有京哈、京沈铁路,并有锦承、锦新等铁路,西北通承德、赤峰,东北通阜新、通辽,东通海城、鞍山等地,201国道及京沈高速公路横贯全境。位于渤海湾的锦州港已正式通航,并对外开放。市内有锦州医学院、辽宁工学院、渤海大学等高等院校。建有辽沈战役纪念馆和烈士纪念碑。名胜古迹有辽代锦州塔、广济寺。人口:全市3 070 000(2005);市区870 000(2004)。

Jirajara 希拉哈拉人 又称希拉拉人。委内瑞拉西北部的印第安人,17世纪中叶已灭绝。对他们了解甚少,只能假定他们在文化上同卡克蒂奥人(**Caquetío**)非常相似。

Jirásek, Alois 伊拉塞克(1851-08-23,奥地利帝国波希米亚赫罗诺夫[今在捷克共和国]~1930-03-12,捷克斯洛伐克布拉格) 第一次世界大战前捷克最重要的小说家,也是捷克民族的杰出人物。伊拉塞克原是中学教师,1909年才退出教坛。他写了一系列历史小说,反映出他对捷克民族走向自由正义事业的进展满怀信心。他对15世纪胡斯派活动时期的波希米亚史尤为关怀,他的大部分作品都以此为题材,其中最有名的有三部曲《在激流之间》(1981)、《抗击众敌》(1894)和《弟兄们》(1899～1908)。他在创作艺术上有杰出造诣的作品可能要算描写19世纪民族复兴的《弗·勒·维克》(1888～1906)。他的最佳作品是他最后一部长篇《黑暗时代》(1915),它描写了波希米亚在反宗教改革时期的生动画面。伊拉塞克的小说以细心钻研史实为根据,笔调多样化,长于细节描绘,所以作品的个性鲜明,文笔多姿多彩,弥补了在塑造人物上的老一套手法的缺憾。在第一次世界大战期间,他公开要求民族独立,1918年4月13日在布拉格示威中宣读了"民族誓言"。他的文艺作品还有剧本和短篇小说。

Jirgalanta(Mongolia) **扎尔格朗图** 参阅 **Hovd** 科布多。

Jirjā 吉尔贾 又拼 Girga。上埃及索哈杰省城镇。位于尼罗河西岸。公元14世纪成为阿拉伯化的一支柏柏尔部族聚居地。在1576年左右,被埃及的奥斯曼总督征服,吉尔贾成为上埃及总督的驻地。在穆罕默德·阿里(1805～1848在位)统治期间,并入更大的领地单位。1859年索哈杰取代吉尔贾为省会。城内有几座精致的清真寺,并以生产优质陶器而闻名,也有棉纺、制糖和乳品工业。20世纪80年代初,制糖厂年产量扩大到7.5万吨。尼罗河西岸谷地生产棉花、谷物、海枣和甘蔗。该城科普特人少数民族人数很多,是科普特教会主教驻地。城外的天主教隐修院是埃及第二个最古老的隐修院。吉尔贾南面约16千米处是古代阿比多斯的遗址。在尼罗河东岸的灰岩崖壁上有一列古代城中贵族的坟墓。人口约70 899(1985)。

Jirobei(artist) **次兵卫** 参阅 **Suzuki Harunobu** 铃木春信。

jitō 地头 日本封建时代由幕府任命的庄园总管。12世纪初开始设置,负责维持治安和征收捐税,还担任当地法官。此职系世袭,有权征收"兵粮米"以自肥。在紧急情况下,将军依靠他们提供兵力。藩(地区)的守护从地头中选拔。到14世纪,守护权力大增,下层地头与地主阶级融为一体。

jitterbug 吉特巴舞 流行于20世纪30和40年代的欢快的舞厅舞。起源于美国,第二次世界大战期间由美军传至世界各地。原来随心所欲的杂技式摇摆、托举动作等均被修

吉特巴舞
美国不列颠百科全书公司供图

改成较保守的舞厅吉特巴。最常见的形式是对对男女互执一手或双手。步法变化较大,并包括其他舞步如林蒂单足跳,这种步法通常为两步慢"戳"步(先用脚拇趾往前一"戳",然后用脚跟跺地),再加两快步(一足原地跺,一足向后跺),然后,舞蹈者各向左右跨一步作摇摆,再跳两个"曳步"(侧向曳脚,两脚几乎并拢,再侧向一步)。吉特巴音乐也称摇摆乐或快速爵士乐,4/4拍子,有切分节奏。

Jiu Defile 日乌山口 参阅 **Surduc Pass** 苏尔杜克山口。

Jiu River 日乌河 罗马尼亚西南部河流。由发源于沃尔坎山和帕伦格山的两条源流在彼得罗沙尼以南汇合而成。该河向南流经特兰西瓦尼亚山脉,穿凿成一宽而深的峡谷,流经苏尔杜克山口,然后流经多瑙河平原注入多瑙河。全长约330千米。上日乌盆地形成彼得罗沙尼洼地和煤田。

Jiuhua Shan 九华山 中国四大佛教名山之一,著名的游览避暑胜地。古称陵阳山、九子山,唐天宝年间(742～756)改名九华山;因有九峰形似莲花而得名。位于安徽省皖南山区北部青阳县境内,周长100多千米,总面积334平方千米。山体主要由燕山期花岗岩构成,山势嶙峋嵯峨,共有99峰,其中以天台、天柱、十王、莲花、罗汉、独秀、芙蓉等9峰最为雄伟。最高峰十王峰海拔1 342米。境内主要风景集中在100平方千米的范围内,有九子泉声、五溪山色、莲峰云海、平冈积雪、天台晓日、舒潭印月、闵园竹海、凤凰古松等。名刹古寺林立,与自然景观巧妙结合,融为一体,素有"莲花佛国"之称。现存寺庙达78

九华山景色
中国大百科全书出版社供图

座，佛像6 000余尊。著名的寺庙有甘露寺、化城寺、祇园寺、旃檀林、百岁宫、上禅堂、慧居寺等，收藏文物达千余件。还有金钱松、叮当鸟、娃娃鱼等珍稀动植物。

Jiujiang 九江 又拼 Chiu-chiang。中国江西省辖地级市，长江中游的港口城市。位于省境北部，素有“江西北大门”之称。北临长江，南靠庐山，东倚鄱阳湖，为南浔铁路终点。九江先后有八个古称，其中以九江、浔阳、柴桑三名共晓于世。隋开皇九年(589)置寻阳县，后改名彭蠡、湓城。唐武德四年(621)改名浔阳，五代南唐名德化。长期是州、府所在地。元至正二十一年(1361)朱元璋置为九江府。1912年废府。1914年改德化县为九江县。1949年以九江县城郊设市。1980年升为省辖市。现辖庐山、浔阳2区和九江、彭泽、湖口、都昌、星子、永修、德安、武宁、修水9县，并代管瑞昌县级市。面积18 823平方千米，其中市区面积699平方千米。水运方

九江市甘棠湖的烟水亭，曾为三国周瑜操练水兵之处
中国大百科全书出版社供图

便，腹地广阔，自古为交通和军事要地，是江西省最大物资集散地。1858年辟为商埠，邻近地区物资大多由此运往上海转口，曾是中国四大米市和三大茶市之一。1949年前，经济以商业为主，工业多半是手工作坊，基础薄弱。20世纪50年代以来，已建有纺织、建材、食品、机械、钢铁、化工、电力、造船、制茶、陶瓷等工业部门，工业发展较快。农业生产以水稻为主。经济作物有棉花、油菜、花生、苎麻等，尤以产棉著称，是江西省重点产棉区。重要矿产有金、铜、锡、钨等。1992年九江长江大桥建成，沟通了江西与湖北、安徽等省的陆路交往。京九、武九、合九铁路在此交会，105、316等国道过境，昌九、九景高速公路已投入运营。九江港是长江中游重要港口之一，1980年开放为对外贸易港。上下航行可通长江沿岸各大城市，省内可溯鄱阳湖及赣、修、信、抚诸水通省内许多重要城镇。九江是粮、棉、茶、麻、瓷器等大宗物资集散地。是中国著名的旅游城市，市区有烟水亭、能仁寺、锁江楼、浪井、琵琶亭等“浔阳十景”。市区南面的庐山已被联合国列为世界遗产，是中国著名的旅游避暑胜地。白鹿洞书院、湖口石钟山、彭泽龙宫洞及涌泉洞、狮子洞等，亦为天下奇观。人口：全市4 660 000(2005)；市区560 000(2004)。

Jiuling Shan 九岭山 又作Chiu-ling Mountains。中国江西省西北部山地。位于修水与锦江之间。呈东北－西南走向，西南段延伸到湖南省东北部。长约250千米。一般高约1 000米，主峰五梅山海拔1 917米。主要由花岗岩和变质岩构成。植被茂密，900米以下以毛竹为主，平均株高15～17米，混生有杉木、甜槠、栲树、木荷等；800～1 200米以杉木为主；1 000～1 350米之间有黄山松林。经济林有茶树、油桐、油茶、漆树。

Jiulong Bandao 九龙半岛 又作Kowloon(或Kaulon, Kaulung) Peninsula。位于中国广东省南部，珠江口东侧，隔海同香港岛对峙。明、清属广东省新安县(今深圳市)，1898年后属香港。面积约11.1平方千米(指九龙半岛界限街以南地区)。半岛上多丘陵，以大帽山(957米)为最高。清咸丰十年(1860)英国侵占半岛南端尖沙嘴一带，光绪二十四年(1898)又租借半岛北部深圳河以南地区(内九龙城仍属中国管辖)及附近诸岛。主要城市九龙位于半岛南端，有铁路经深圳通广州，又有京九铁路通北京。港口可泊远洋巨轮。1997年回归中国。

Jiulong Jiang 九龙江 又作Chiu-lung River。中国福建省第二大河。在福建省南部。由源头至龙岩市合溪名雁石溪，合溪以下始称九龙江。东北流至漳平市折向南流，在龙海市福河汇西溪，分三股注入厦门湾。全长258千米，流域面积14 700平方千米。下游漳州平原是福建省稻米、水果之乡。上游水流湍急，下游江宽水稳可通航。

Jiuquan 酒泉 又拼 Chiu-ch'üan, Kiuchüan。中国甘肃省辖地级市。位于省境西北部河西走廊西段，黑河支流北大河中游的绿洲上。汉设禄福县，为酒泉郡治。西晋改名福禄县。隋开皇三年(583)废酒泉郡，仁寿二年(602)为肃州治所，大业元年(605)废州，大业十四年改福禄县为酒泉县。以“城下有泉，其味若酒”故名。唐中叶后并入吐蕃。元至元七年(1270)置肃州路。明洪武二十七年(1394)改卫，清雍正七年(1729)仍置肃州。1913年废州复置酒泉县。1958年设市，1964年复改县。

酒泉公园
中国大百科全书出版社供图

1985年撤县设市。2002年撤销酒泉地区和县级市，设地级酒泉市。辖肃州区和金塔县、瓜州县、肃北蒙古族自治县、阿克塞哈萨克族自治县，并代管玉门、敦煌2县级市。面积167 996平方千米，其中市区3 349平方千米。5世纪时在城西南文殊山上兴建佛窟和寺庙，成为佛教徒朝拜中心。为古代“丝绸之路”孔道，现仍为河西交通中心之一，兰新铁路、215、312、313国道横贯市境，酒泉至额济纳旗公路通蒙古边境。有农机和农具修理、电机、汽车修理、磷肥、造纸等中小型地方工业，所产“夜光杯”玉器驰名中外。农作物有春小麦、玉米、谷子、糜子、棉花等。特产有胡麻、甜菜和葱头。名胜有鸣沙山、月牙泉、敦煌莫高窟、千佛洞、玉门关、酒泉公园、明钟鼓楼等。建有酒泉卫星发射基地。除汉族外，还有裕固、回、藏、蒙古等少数民族。人口：全市910 000(2005)；市区340 000(2004)。

Jiuzhaigou 九寨沟 中国著名的自然风景区。其风景特色为世界罕见。位于四川省西北部九寨沟县境内，岷山山地的朵尔纳山(海拔4 764米)北麓。九寨沟为川、甘边境地区白龙江(嘉陵江支流)支流白水江上游的一条大支沟。主沟南-北走向，长40多千米，支沟6条。因沟内分布有树正、盘信、尖盘、彭布、故洼等9个藏族村寨而得名。九寨沟是以众多的天然湖泊、高山瀑布、原始森林植被和珍稀的动植物为主的自然风景区，并融藏族风土人情于一体，被誉为“童话世界”。分为宝镜岩、树正、日则、剑岩、长海和扎如等6个风景区。风景区内有长海、树正海、芦苇海、火

九寨沟风光

中国大百科全书出版社供图

花海、卧龙海等108个高山湖泊(当地俗称海子),湖水晶莹清澈。有壮观的诺日朗瀑布、高瀑布、珍珠滩瀑布和扎如瀑布等瀑布群,其中珍珠滩瀑布宽140米,高30多米。九寨沟群山环抱,原始森林茂密,主要树种有岷江冷杉、紫果云杉、圆柏、华山松、红白桦、槭树等,共有近千种植物。珍稀动物有大熊猫、金丝猴、扭角羚、白唇鹿、梅花鹿、雪豹、穿山甲及天鹅、鸳鸯、绿尾虹雉等。1978年建立九寨沟自然保护区,面积约600平方千米,以保护自然风景区及大熊猫等珍稀动物为主。1982年列为国家级自然风景区,1984年对外开放,1993年被列为世界遗产。与九寨沟南部毗邻的有著名的松潘县黄龙寺风景名胜区。九寨沟距成都市400多千米,共有3条公路通达。另辟有成都至九寨沟的直升飞机旅游航线。

Jiuzhang Suanshu 《九章算术》 参阅 **Liu Hui** 刘徽。

jiva **命** 梵语作jīva。根据印度耆那教哲学,指生命实体或灵魂。同它相对的是"非命",即无生命实体。灵魂是永恒的,数目也是无限的,同它们所栖居的身体不同。纯粹状态的灵魂上升到宇宙顶端,在那里同其他完美的存在物居住在一起,并且永不再生。但大部分的灵魂都处在轮回中,就是说,被一层善或恶的业(即过去所作所为的后果)的薄膜包着。业被认为是一种物质,因感情而积累起来,就好像油黏附灰尘。命是按其拥有的感官数目而划分的。人、神和魔都有五种感官加上理性。甚至四个要素(土、空气、水、火)里面都栖居着一簇簇看不见的极微灵魂,叫做尼哥达。它们属于最低级的命,只有触感,共享诸如呼吸和营养之类的功能,并感受剧烈的痛苦。据说世界的整个空间充满尼哥达。尼哥达则是极少数迄今仍能获得解脱而免于轮回的灵魂之本源。

Jívaro **希瓦罗人** 南美印第安人,居住在厄瓜多尔和秘鲁马拉尼翁河以北的蒙塔尼亚地区(安第斯山东坡),使用一种赫维罗-希瓦罗语群的语言。土著居民一度大约有3万人,但现在不到2万人。希瓦罗人从事热带森林农业,种植木薯、玉米、甘薯及其他作物,辅以采集野果及渔、猎。吹箭枪和毒镖是他们的主要武器。有亲属关系的一些家庭共同聚居在一个社区大院,而不形成村落。他们像蒙塔尼亚的其他居民一样好战。虽然受到耶稣会传教活动的影响,但他们依然以从未真正屈服而自豪。希瓦罗人有猎头(割取人的头作为战利品)风习。

Jixi **鸡西** 又拼Chi-hsi。中国黑龙江省辖地级市,重要煤城。位于省境东南部、穆棱河中游。辖鸡冠、恒山、滴道、梨树、城子河、麻山6区和鸡东县,并代管密山、虎林2县级

鸡西市一角

中国大百科全书出版社供图

市。面积23 040平方千米,其中市区面积2 234平方千米。原为荒野,1909年在此发现煤炭进行开发后,人口渐增。1941年析密山县建鸡宁县,1949年改为鸡西县,因居鸡冠山之西故名。1956年设鸡西省辖市。1958年改隶牡丹江专区,1966年复为省辖市。鸡西矿务局成立于1948年,现驻鸡西市,有大通沟、张新、二道河子、滴道、正阳、恒山、平岗、东海、麻山、城子河、小恒山等煤矿。已探明煤炭地质储量42.2亿吨,年生产能力1 173万吨。柳毛有世界最大的石墨矿床,石墨储量居亚洲前列。还有与煤炭生产配套的煤矸石电厂1处,洗煤厂5处,筛选厂8处。产品有洗煤、精煤、大块煤、末煤、粉煤等。采煤和掘进的机械化程度分别占89%和76%。有黑龙江科技学院和多所科研机构。铁路有林(口)密(山)线、(下)城(子)鸡(西)线等。人口:全市1 950 000(2005);市区910 000(2004)。

Jiyangze 参阅 **Gyangzê** 江孜。

Jiyū-Minshutō(Japan) 参阅 **Liberal-Democratic Party** 自由民主党。

Jīzah, Al- **吉萨** 上埃及的省。位于尼罗河西岸,向西南方延伸至西部沙漠。面积85 153平方千米。在尼罗河谷地的居民区约有1 059平方千米,大部分是农业区。农作物有玉米、棉花、小麦、黍类、三叶草、海枣、蔬菜(供应开罗)。省会吉萨是全省最大的工业中心。巴赫里亚绿洲发现铁矿和煤矿资源。省内的历史遗址包括第四王朝(约公元前2613~约前2494)吉萨金字塔和狮身人面像、古埃及首都孟斐斯的遗址及墓地。吉萨城北开罗附近的因巴拜设有机场。开罗—阿斯旺铁路经此。人口约3 700 054(1986)。

Jīzah, Al- **吉萨** 又拼Giza,Gizah或El-Giza。上埃及吉萨省省会和城市。位于开罗西南,尼罗河西岸。是首都开罗的郊区,有几个考古和文化遗址。当地史前时期就有人定居,曾发现新石器时代的物品。城西南有三座巨大金字塔,即胡夫、海夫拉和门卡乌拉三位法老的金字塔,全部建于第四王朝(约公元前2613~约前2494),因其巨大与精美,数千年来吸引着游人(参阅 **Giza, Pyramids of**)。其他古迹包括狮身人面像、小金字塔、坟墓和庙宇。城内有现代住房、政府机关、大使馆、研究所、饭店、公园、动物园和著名的游乐区。建于1908年的开罗大学,于1924年在吉萨重建。城内还有眼科研究所、阿拉伯语言研究院、实用工艺艺术高等学校。埃及的电影业也集中于此。其他工业有水泥、铁制品、木材制品、汽车零件、纺织、啤酒等。开罗—阿斯旺铁路经此。人口约2 221 868(1996)。

Jīzān **吉赞** 又作Qīzān。沙特阿拉伯西南部城镇和港口。与费拉桑群岛隔红海相望。据1934年《塔伊夫条约》规定,属于沙特阿拉伯。20世纪60年代后,也门对该镇提出主权要求。吉赞城为帖哈麦沿海平原的主要城镇、阿西尔地区的出口与海运中心。由于政府修建灌溉工程,周围地区成为全国主要农业区之一,农作物有小麦、稻、大麦和高粱。出口高粱米、芝麻、鱼干、椰枣和盐。其他经济活动有渔业、造船、采盐。当地建筑物显示奥斯曼和也门的影响。港口有公路通肥沃的内陆,有机场连接国内其他地区。人口56 565(1992)。

Jizang **吉藏**(549~623) 又拼Chi-tsang。中国隋唐时僧人。佛教三论宗创始人。俗姓安,祖先为安息人,又称"胡吉藏"。7岁出家,师事法朗。19岁讲解经论。陈末隋初江南凌乱,吉藏率徒众往各废寺收搜文疏写本,浏览涉猎,学业大进。隋平定百越(今浙江、福建一带),吉藏到会稽(今浙江绍兴)嘉祥寺说法,听众常达千余人,被称为"嘉祥大师"。后又受隋炀帝之请,住长安日严寺完成三论(《中论》、《百论》、《十二门论》)注疏,并对三论要义专章阐述,创立三论宗派。唐初受唐高祖殊遇,列名十大德中。吉藏毕生著述40余种,现存27部。主要著作除三论注疏外有《法华玄论》、《法华义疏》、《二谛章》、《大品经义疏》、《金刚经义疏》、《华严经游意》、《涅槃经游意》、《法华经游意》、《死不怖论》等。许多著作陆续传入朝鲜、日本。

Jizera Mountains 伊泽拉山脉 德语作 Isergebirge。捷克共和国波希米亚北部苏台德山脉的一部分，延伸入波兰境内。由一小群山峰组成，捷克共和国境内最高峰为伊泽拉峰(1 122 米)，波兰境内的维索卡-科帕峰稍高(1 127 米)。伊泽拉山脉与卢日采山之间有尼斯河相隔。利贝雷茨市坐落在此河谷中，市北郊向上延伸至伊泽拉山坡。山中乃建筑用花岗石的主要产地。

Jizera River 伊泽拉河 德语为Iser。捷克共和国北部易北河(拉贝河)的支流。源出波兰边境斯姆尔克山南麓，大致向南流经图尔诺夫和姆拉达-博莱斯拉夫；在布拉格东北注入易北河，全长 171 千米。

Jižní Čechy (Czech Republic) 参阅 **Jihočeský** 南捷克州。

Jižoí Morava(Czech Republic) 参阅 **Jihomoravský** 南摩拉维亚。

jizya 吉兹亚税 早期伊斯兰教统治者对非穆斯林征收的人头税。根据伊斯兰教法，非穆斯林臣民被区分为异教徒和顺民(又称受保护者或有经人，指基督徒、犹太教徒和琐罗亚斯德教信徒)。伊斯兰统治者允许顺民保留他们的宗教，作为回报，顺民必须交纳称之为吉兹亚的一种特别人头税。其税率和征收方法因被征服地区原有惯例的不同，在各省区有很大差别。原则上吉兹亚税收入应充作慈善经费、薪金及赡养费，但事实上常被统治者蓄作私财。按伊斯兰法律，非穆斯林一经改宗伊斯兰教，便不再纳吉兹亚税，但 661 ～750 年伍麦叶王朝各代哈里发却要求新改宗者与非穆斯林一样纳吉兹亚税。这种举措是引起呼罗珊地区 747 年阿布·穆斯里姆叛乱的原因之一，这次叛乱加速了伍麦叶王朝的覆灭。

jnana 智 梵语作jñāna，意为知识。在印度哲学中，“智”是对其对象、特别是最高存在或实在的整体经验。同它对照的是“识”，即“从另一事物而认识一件事物”或“实际的知识”。“智”的本质在很大程度上依赖于它的对象的本质，但印度哲学的一切学派都同意，最高对象的整体认知经验使灵魂摆脱轮回生活和这种生活强加给思想的倾向性。因此，与它相反的“无智”或“无明”就变得重要了，因为正是对实在的错误理解才使得灵魂不能得到解脱。“无智”从字面上讲虽是“无知”的意思，但更确切地说，却是“错误知识”的意思。就当前世界的种种实在而言，这种错误知识大部分有效，但它却掩盖了当前世界之外的实在的真理。

Jñānadeva 智天(1275，印度雅达瓦斯阿伦迪～ 1296，阿伦迪) 摩诃剌陀马哈拉施特拉神秘主义诗人。他用马拉提语撰写诗体《智辩》(1290)，诠释《薄伽梵歌》。智天为通称朝圣派的秘修派的倡导者。此外他还著有论奥义书哲学的著作《甘露知识》以及颂诗多篇。

JNR 参阅 **Japanese National Railways** 日本国家铁路公司。

Jo-nang-pa 觉囊派 中国藏传佛教的宗派。北宋(960 ～ 1127)时域摩弥觉多吉创“他空见”，其五传弟子突结尊追在日喀则建觉囊寺，传“他空见”教法，此派即称觉囊派。达赖五世将其法系改宗格鲁派，此派从此绝传。

Joab 约押(活动时期公元前1000年左右) 《旧约·撒母耳记下》中以色列国王大卫的外甥。因率领突击部队夺取耶路撒冷有功而被任命为元帅，在大卫的多次征战中，如战胜亚扪人和以东人，约押都曾发挥主要作用，又指挥忠于大卫的部队粉碎王子押沙龙的叛乱。约押为人残暴，曾谋杀他个人的两个潜在对手押尼珥和亚玛撒。约押被迫执行大卫关于普查全国人口的命令。在大卫暮年，约押支持大卫的儿子阿多尼雅争夺王位，事败，被取得王位的所罗门处死。

Joachim, SAINT **约雅敬，圣** 参阅 **Anne and Joachim, Saints** 安娜和约雅敬，圣。

Joachim OF FIORE **约阿基姆(菲奥雷的)** (约 1130 或 1135，那不勒斯王国切利科[意大利]～ 1201 或 1202，菲奥雷) 神秘主义者、神学家、圣经注释家、历史哲学家。他在桑布齐纳参加西多会，1177 年任西西里境内科拉佐隐修院院长。约 1191 年他摆脱烦琐行政职务隐居山中祈祷修行。虽然西多会认为他是逃亡者，但教皇切莱斯廷三世允许他在菲奥雷境内的圣乔万尼组织门人，成立菲奥雷圣乔万尼会。1184 年，教皇卢西乌斯三世召见他，鼓励他坚持不懈完成圣经注释。约阿基姆能诗，工于艺术。他的同代人和最先记述他的事迹的史学家都认为他是先知，能了解玄机。他反对中世纪神学家彼得(伦巴第的)，因此受到 1215 年第四次拉特兰会议的谴责，一时声誉稍降；后来方济各会和多明我会内出现约阿基姆派，约阿基姆再次被尊为先知。13 世纪中期的方济各会属灵派以及 16 世纪以前的许多修会都承认他所发出的关于 3 世纪的预言。但约阿基姆究竟代表正统信仰还是异端，至今没有定论。

Joachim, Joseph 约阿希姆(1831-06-28，奥地利帝国普雷斯堡附近基特塞～ 1907-08-15，柏林) 匈牙利小提琴家。以高超的技巧和演奏巴赫、莫扎特和贝多芬的作品而知名。最初在布达佩斯学习，7 岁与老师 S. 塞尔瓦琴斯基同台演出。1844 年出访伦敦，在门德尔松资助下，演出获极大成功。1849 年领导魏玛管弦乐团。1853 年领导汉诺威管弦乐团。1868 年出任柏林高等音乐学校校长，获优秀教师声誉，吸引欧洲各地学生前来学习。1869 年创建约阿希姆四重奏团，以演奏贝多芬晚期弦乐四重奏作品而闻名。演奏中主要着眼于美学价值，把技巧上的完美置于次要地位，从而导致节目编排上的一场改革，不再追求豪华壮丽的效果。他与勃拉姆斯友善。勃拉姆斯的小提琴协奏曲、舒曼的《小提琴与乐队幻想曲》都是献给他的。他的创作受勃拉姆斯和舒曼影响。作品主要是小提琴曲，其中著名的有《D 小调匈牙利协奏曲》。

Joachim I Nestor 约阿希姆一世·内斯托尔(1484-02-24～1535-07-11，勃兰登堡施普雷河畔科尔恩) 勃兰登堡选侯，反对哈布斯堡王朝的皇帝，虔诚的天主教徒，一生阻挠基督教新教在其领地内传播。1519 年支持西班牙查理一世成为皇帝，即后来的查理五世皇帝。内政方面，曾改革法典，用封土和赐爵的办法使好战的贵族安定下来。本人热心于人文科学的研习，于 1506 年在奥德河畔法兰克福创办一所大学。

Joachim II Hektor 约阿希姆二世·黑克托尔(1505-01-13，勃兰登堡施普雷河畔科尔恩～ 1571-01-03，勃兰登堡克珀尼克狩猎山庄) 勃兰登堡选侯，他拥护神圣罗马帝国皇帝，但在其领地内容许宗教改革，抵制皇帝重新天主教化的政策。约阿希姆一世长子，1535 年，其父死后，得到勃兰登堡的老马尔克及中马尔克两行政区。他虽然仍信奉天主教，但同情宗教改革，1539 年以后允许基督教新教在其领地内传播，并设法调解皇帝与德意志基督教新教邦君们的争端。在查理五世反对基督教新教邦君结成的施马尔卡尔登同盟的历次战争中，他站在查理一方。1547 年米尔贝格战役基督教新教徒失败，他劝说黑森伯爵菲利普投降，并努力营救萨克森邦君约翰·腓特烈一世(高尚的)使之免于一死。约阿希姆支持奥格斯堡临时敕令(1548)，并在导致奥格斯堡和约(1555)的一系列谈判中发挥重大作用。这项和约结束了各宗教派别之间的战争，在德意志重建和平。1569 年，受波兰国王西格蒙德·奥古斯特二世之封成为普鲁士公爵，两年后去世。

Joachim Frederick 约阿希姆·腓特烈 (1546-01-01，勃兰登堡施普雷河畔科尔恩[德意志]～ 1608-07-28，从斯托科夫至鲁德斯多夫途中) 勃兰登堡选侯(1598 ～ 1608)。选侯约翰·乔治的长子。他根据 1598 年一项名为《吉拉契约》的家族协议，确立了霍亨索伦选侯领地的长子继承制。普鲁士公爵乔治·腓特烈死后，约阿希姆为普鲁士摄政。在勃兰登堡他使贵族有权控制税收，严重地损害了农民的利益。

Joachin (king of Judah) 参阅 **Jehoiachin** 约雅斤。

Joad, C(yril) E(dwin) M(itchinson) 乔德 (1891-08-12，英国达勒姆郡达勒姆～ 1953-04-09，伦敦) 英国哲学家、作家、教师和广播界著名人士，20 世纪 40 年代英国最吸引人和最引起争论的人物之一。他是和平主义者和不可知论者以及通俗哲学著作的作者。1941 ～ 1947 年，他是英国广播公司“即席选答听众问题小组”节目的机敏的参加者，因而为广大英国听众所熟悉。在牛津巴利奥尔学院当学生时期就形成了和平主义和社会主义观点，在第一次世界大战时真诚地反战，在第二次世界大战初期又极力宣传和平主义。他担任了16年文职人员之后,于1930年退职,转入伦敦大学伯克贝克学院任哲学与心理学系主任。他是以H.G.威尔斯和G.萧伯纳为楷模的坚定的理性主义者,在哲学上无特殊的独创性。在所编大约40部书中十分清楚地讲述了别人的思想,不过都附加上他自己的辛辣见解。著作包括:《哲学入门》(1936)、《道德和政治哲学入门》(1938)。在其最后的一本著作《恢复信仰》(1952)里,概述了他在一个有神论的体系中新发现的信仰。

Joakim (king of Judah)　参阅 **Jehoiakim** 约雅敬。

Joan　琼　统治者之名,按国别分列于后,并各以●为标记。

与该字相等的外语:

法　语	Jeanne (让娜)
意大利语	Giovanna (乔瓦娜)
西班牙语	Juana (胡安娜)

那不勒斯

● **Joan I　乔瓦娜一世**(1326～1382-05-22,那不勒斯王国卢卡尼亚,[意大利])　又拼Joanna。普罗旺斯女伯爵,那不勒斯女王(1343～1382)。以美貌聪慧著称。又是当时的诗人和学者的庇护人。1343年继承祖父罗伯特国王的王位。她初嫁匈牙利路易一世之弟安德鲁,安德鲁被暗杀(1345-09-18)后,她被指责参与这一罪恶阴谋。1347年她与塔兰托的路易结婚。1348年路易一世要为安德鲁复仇,率兵侵入那不勒斯。乔瓦娜一世逃往阿维尼翁。在流亡期间,她把阿维尼翁出售给教廷,条件是要教廷宣布她对暗杀事件毫不知情。由于教皇英诺森六世的干预,她于1352年得以长久回到那不勒斯。她后来承认腓特烈三世为西西里国王,从而结束了安茹人和阿拉贡人之间的长期争执。1378年她承认敌对教皇克雷芒七世。1381年6月,都拉斯的查理在教皇乌尔班六世支持下占领那不勒斯,自立为王。他把乔瓦娜关人穆罗要塞,将她勒死。

● **Joan II　乔瓦娜二世**(1371,那不勒斯王国那不勒斯[意大利]～1435-02-02,那不勒斯)　又拼Joanna。意大利那不勒斯女王(1414～1435)。她生性风流,好弄权术,在位期间法兰西的安茹家族与西班牙的阿拉贡家族在那不勒斯进行权力斗争。1406年其夫奥地利的威廉去世。1414年继其亡兄王位后即任命其情夫阿洛波为大枢密官。1415年又与马尔什伯爵波旁的雅克结婚。贵族叛乱雅克逃走后,乔瓦娜又任命第二个情夫卡拉乔洛为大枢密官。卡拉乔洛权势日盛,企图孤立女王,但他被暗杀(1432-08)。乔瓦娜最后以自己所生之子属安茹家族的勒内为王储。她死后,阿拉贡的阿方索将勒内赶走。

纳 瓦 拉

● **Joan I　让娜一世**(1273-01-14,法国塞纳河畔巴尔～1305-04-02,万塞讷)　法国王后(1285起)和纳瓦拉女王(称让娜一世,自1274年起),法国国王路易十世、腓力五世和查理四世的母亲。她是纳瓦拉国王亨利一世的独生女和继承人。1284年8月16日嫁给后来成为法国国王的美男子腓力四世。将纳瓦拉的继承权利及香槟和布里的伯爵领地带归法国。1305年死于难产,上述权益传给其子未来的路易十世。让娜十分聪颖活泼,喜爱文学艺术,曾创建著名的纳瓦拉学院。

西班牙:阿拉贡/卡斯蒂利亚

● **Joan　胡安娜**(1479-11-06,卡斯蒂利亚托莱多[西班牙]～1555-04-11,西班牙托德西利亚斯)　绰号疯子胡安娜。卡斯蒂利亚女王(1504年起)和阿拉贡女王(1516年起)。但

美国不列颠百科全书公司供图

由其夫腓力一世、其父费迪南德二世及其子神圣罗马皇帝查理五世(西班牙国王查理一世)代她行使权力。阿拉贡的费迪南德和卡斯蒂利亚的伊莎贝拉的第3个孩子。在其兄和其姊死后,她于1500年成为王位继承人。她与勃艮第的腓力结婚,生有2子4女,后来1子成为皇帝,1子成为皇位继承人,4女均为王后。胡安娜从1502年开始精神失常,自1509年起在监护下生活于托德西利亚斯。

Joan, Pope　若安(女教皇)　传说中的女教皇,据说她855～858年在位略多于25个月,称约翰八世,上承利奥四世(847～855在位),下启本尼狄克三世(855～858在位)。已证实,利奥死后教皇权力过渡期间不过几周,因此,这段传说不可置信。现存这段传说的最古老的资料来源是13世纪法兰西多明我会修士斯特凡(波旁的)所著《圣灵的七种恩赐》。据斯特凡说,这位无名的女教皇在1100年前后当选,原是精明的书记,后任教廷公证人,最后当选教皇,当时已有孕在身。登位时,在列队向拉特兰宫行进的过程中分娩,遂即被拖到罗马城外受乱石打死之刑。这段传说在13世纪后半叶大为流行,波兰多明我会修士马丁所著《教皇及皇帝本纪》一书在转抄过程中往往被人塞进有关这段传说的内容。一说她死于分娩时,死后就地掩埋。此说的根据是,后来的教皇行进队列往往避开据说发生这件丑事的街道。她的名字,直到14世纪才确认为若安,其他名字尚有阿格尼丝和吉尔伯塔。据后来的传说,她名若安·安格利库,是英格兰女子,父母迁居今德国境内美因茨,她在该地出生。据说她与某英格兰本笃会修士相爱,女扮男装,随这个修士前往雅典,在该地受深刻学术造诣,迁居罗马,任枢机主教,从而当选教皇。15世纪人们认为确有若安其人,甚至1415年康斯坦茨会议也承认。10世纪罗马豪门狄奥菲拉克图斯家族出身的元老院女议员马罗吉娅及其母狄奥多拉曾权盛一时,一说关于若安的传说是从她们母女之事演化而成。

Joan of Arc, Saint　贞德(1412?,法国巴尔栋雷米～1431-05-30,鲁昂)　法语作 Sainte Jeanne d'Arc。农民的女儿,她确信自己受上帝的指引,率领法国军队在奥尔良赢得重大胜利,打退在百年战争中企图征服法国的英格兰人。一年后被俘,英格兰人及其法国合作者将她作为异教徒处以火刑。她是自己同胞心目中最伟大的民族英雄,她的功绩成为激励法国民族意识的决定性因素。1920年天主教会追谥她为圣女。她在完成把英格兰人及其勃艮第同盟者从法国瓦卢瓦王国驱逐出去这一使命中,感觉自己受到圣米歇尔、圣凯瑟琳和圣玛格丽特的"声音"指引。她具有在那个时代传诵一时的女幻觉者的许多特征。例如,个人无比虔诚;自称能与圣徒直接沟通交流;在教士主持的宗教仪式和例行的礼拜之外,确信个人体验到上帝的存在。此外,还有精神和躯体的刚勇以及健全的常识。贞德被称作"奥尔良姑娘",在后来的几个世纪里,特别在危难时期,她成为法兰西民族团结一致的中心。

贞德的使命　当时,瓦卢瓦家族国王查理六世的儿子和继承人王储查理与英格兰兰开斯特王室国王亨利六世争夺法国王位。亨利的军队与勃艮第公爵善良的菲利普(其父无畏的约翰于1419年被王储的支持者杀害)的军队结盟,占领了王国北部大部分地区。王储在其父死后5年仍未加冕继位,到1427年末,他的江山社稷更加渺茫无望。历来举行法国国王授权仪式的兰斯,这时恰好处于敌人的占领区。王储一日不加冕,他继承法国王位的合法性就会引起异议。

贞德的故乡栋雷米村位于英格兰人和勃艮第人统治下的法国与王储统治的法国交界处。在勃艮第人威胁下,村里百姓已大都离弃家园。贞德受圣徒的声音指引,于1428年

A.迪富尔所著《杰出妇女传记》(约1505)中的圣女贞德骑马彩饰画

美国不列颠百科全书公司供图

5月从栋雷米村去沃库勒尔，这是仍效忠于王储的最近的堡垒。她要求驻军指挥官罗贝尔·德·博德里库尔准许她去投奔王储。指挥官没有认真对待这个16岁的姑娘和她所说的幻象，她只好返回家乡。1429年1月，贞德再次去沃库勒尔。这一次，她坚定从容和平静虔诚的态度博得人们的敬重；指挥官确信她不是女巫，也不是头脑糊涂的姑娘，便准许她到希农去见王储。她身着男装，在6名骑兵陪同下，大约在2月13日离开沃库勒尔。他们穿过敌人占据的地界，走了11天，终于到达希农。

贞德立即到王储查理的城堡去。王储不知是否该接见她，他的顾问们的建议又相互矛盾；不过，两天之后，他还是答应接见贞德。查理混在廷臣当中隐藏着，但是贞德照直朝他走去，对他说希望去和英格兰人作战，并且会使王储在兰斯加冕。根据王储的命令，立即由教会权威人士对她进行盘问，查理的亲属阿朗松公爵让也在场，公爵本人对她颇有好感。在普瓦捷，她又受到支持王储事业的杰出神学家进一步讯问。自1417年教会大分裂之后，人们时时担心出现异端，所以才这样审问她，可惜审问记录都未能留存下来。贞德对教士们说，她要在奥尔良而不是在普瓦捷证明她的使命。接着，3月22日她立即口述了向英格兰人发出的挑战书。教士们在给王储的报告中提出，既然奥尔良城已被英格兰人包围数月，局势十分险恶，王储不妨考虑任用她。

贞德又回到希农。4月，王储在图尔为她配备了几名侍卫；J.多隆做了她的扈从，她的两个兄弟让和皮埃尔也来和她作伴。她有自己的军旗，上面绘有在最后审判中的基督形象，还有一面带有耶稣名字的旗帜。后来又出现佩剑的问题，她说可以到圣凯瑟琳-德菲耶布瓦的教堂去找，果然在那里发现一把剑。

在布卢瓦征召了一支几百人的队伍，他们于4月27日出发奔赴奥尔良。这座城镇从1428年10月12日起就被围困，几乎被英格兰人的堡垒团团围住。当贞德和一位法国指挥官拉伊尔于4月29日带着辎重给养进城时，人们告诉她，要等有更多的增援力量时才能开始战斗。

5月4日晚上，贞德正在歇息，突然一跃而起，显然她得到了什么启示，说要去攻打英格兰人。她武装披挂，急忙出了东城门，直奔英格兰人的堡垒，果然那里正展开战斗，不过原先没有告诉她。她的到来使法国人大为振奋，一举攻克堡垒。第二天，贞德又向英格兰人发出挑战书。5月6日早晨，她渡河到达南岸，向另一座堡垒推进，英格兰人立即撤离堡垒，去防守附近一处更坚固的阵地，但是贞德与拉伊尔又向那里发动进攻，并且攻克那个阵地。5月7日凌晨，法国军队又向莱图雷尔堡垒进击。贞德不幸负伤，但很快她又投入战斗。在某种程度上，由于她的榜样力量，法国指挥官一直坚持进攻，直到英格兰人最后屈膝投降。第二天，有人看见英格兰人在撤退，由于这一天是星期日，贞德没有派兵追击。

贞德于5月9日离开奥尔良，在图尔与王储查理会见。她催促王储赶快到兰斯去接受加冕。王储犹豫不决，因为他的几个比较谨慎的顾问劝他先去征服诺曼底，但是贞德的极力强求终于占了上风。不过，他们还是决定首先将英格兰人从卢瓦尔河沿岸其他城镇赶走。贞德与她的朋友阿朗松公爵会合，他已擢升为法军副总指挥，于是他们一起出发，攻占了一座城镇和一座重要的桥梁。然后，他们又进攻博让西，那里的英军撤进堡垒。接着，贞德不顾王储和他的宠臣G.德拉特雷穆瓦耶的反对，以及阿朗松公爵的保留态度，接待了在法国宫廷受到怀疑的里什蒙统帅。贞德让他宣誓表示忠诚后，接受了他的帮助。此后不久，博让西的堡垒便被攻克。

1429年6月18日，法军和英军在帕泰正面相遇。贞德预言法军必胜，她说查理要在这一天取得过去从未有过的胜利。法军果然大获全胜，英军溃败，失去不可战胜的名声。贞德和几位法国指挥官没有极力主张乘胜直捣巴黎，而是折回与王储会合，他和德拉特雷穆瓦耶正滞留在卢瓦尔河畔叙利。贞德再次向查理力陈必须迅速到兰斯去。可是查理仍然犹豫不定，在他漫游于卢瓦尔河各城镇时，贞德随行陪伴，并且一直在辩论，力图克服他的犹豫，压倒那些劝他推迟加冕的顾问。她明知有许多危险和困难，但是她表示这些都无关紧要。最后，她终于说服查理同意她的意见。

军队开始在日安集合，王储从那里发出召唤参加加冕典礼的惯例诏书。贞德写了两封信，一封是劝告图尔奈的居民百姓要永远忠于查理；另一封信是向勃艮第公爵善良的菲利普挑战。6月29日，她和王储出发向兰斯进军。在到达特鲁瓦之前，贞德写信给当地居民，答应他们如愿归顺，便予以宽恕。居民们针锋相对，派一名深孚众望的传道士理查修士去观察贞德。虽然他返回城内时，心中对贞德和她的使命充满了热情，但是居民们却决定仍旧忠于英格兰和勃艮第政权。王储召开了会议，贞德建议攻城。第二天早晨，她便开始攻击，城里百姓立即要求媾和。接着王储的军队向沙隆进军，这里尽管早先曾决定进行抵抗，可是伯爵和主教还是把城镇的钥匙交给了查理。7月16日，查理的军队到达兰斯，兰斯城门大开。1429年7月17日举行了加冕典礼。贞德参加了加冕仪式，她手持旗帜，站在离圣坛不远的地方。举行仪式之后，她跪在查理面前，第一次称呼他为国王。同一天，她写信给勃艮第公爵，敦促他与国王讲和，并把驻军撤出国王的堡垒。

7月20日，查理七世离开兰斯，军队在香槟和法兰西岛游行炫示达一个月之久。8月2日，国王决定从普罗万撤到卢瓦尔河，这次转移暗示将放弃进攻巴黎的一切计划。那些表示效忠国王的城镇对即将受到敌人的摆布感到恐慌。贞德本来反对查理的决定，便于8月5日写信安抚兰斯居民，信中说占据着巴黎的勃艮第公爵已决定休战两星期，而后可望他把巴黎让与国王。实际上，8月6日，英军在布赖阻止国王军队渡过塞纳河，这使贞德和指挥官们非常高兴，他们都希望查理攻打巴黎。贞德到处受到欢呼，根据15世纪编年史的叙述，贞德此时已成为法国人的崇拜偶像。她自己感到她的使命已经完成。

8月14日，在桑利附近，法军和英军又正面交锋。这次只是些小规模战斗，双方都不敢发动大的战役，尽管贞德把她的军旗插到敌人的工事上，并且公开向他们挑战。与此同时，贡比涅、博韦、桑利和巴黎北部其他城镇纷纷向国王投降。此后不久，8月28日，与勃艮第人签订协议，在塞纳河以北全部地区停战4个月。

可是，贞德变得越来越不耐烦，她认为夺取巴黎是根本的大事。8月26日，她和阿朗松公爵到达巴黎北部郊区圣但尼，巴黎人已开始组织防卫。查理于9月7日到达，9月8日开始在圣奥诺雷门和圣但尼门之间发动进攻。巴黎人目睹贞德在围攻者中的身影，她站在工事前面，号召他们把城市交给法国国王。她负了伤，仍继续鼓励士兵们战斗，直到她不得不放弃进攻。第二天，她和阿朗松公爵虽然试图再次发动进攻，但是查理召集的国王会议却命令他们撤退。

贞德跟随查理七世撤回卢瓦尔河。9月22日到达日安，军队在那里被解散。阿朗松和其他指挥官都回家了，只有贞德留下和国王在一起。后来，阿朗松在诺曼底策划一次战役，他要求国王让贞德去与他会合，但是德拉特雷穆瓦耶和其他廷臣劝阻国王不要同意。贞德随国王去布尔日，许多年以后，那里的人还记得她对穷苦人的仁慈和慷慨。10月份，她被派去攻打圣皮埃尔-勒穆捷，由于她英勇冲锋，虽然只带了很少的士兵，还是夺占了这座城镇。随后贞德又率兵包围卢瓦尔河畔拉沙里泰，由于军需不足，她请求邻近的城镇援助，但是补给迟迟不到，因此一个月后只好撤离。

于是贞德回到国王身旁，国王正在卢瓦尔河沿岸城镇过冬。1429年12月末，查理才颁布诏书，封贞德及其父母、兄弟为贵族。1430年初，勃艮第公爵开始威胁布里和香槟。兰斯的居民非常恐慌，于是贞德在3月写信给他们，说国王关心他们，并答应她会来保卫他们。当勃艮第公爵开始行动准备进攻贡比涅时，居民决定进行抵抗。3月底或4月初，贞德离开国王，出发去援助他们，随行的只有她的兄弟皮埃尔、扈从多隆和少数骑兵。4月中旬，她到达默伦，她的到来无疑促使那里的居民宣布效忠查理七世。

1430年5月14日，贞德到达贡比涅。她在那里遇见兰斯大主教雷诺·德·沙特尔和国王的一个亲属旺多姆伯爵波旁家族的路易一世，她与他们一起去苏瓦松，苏瓦松的居民不让他们进城。雷诺和旺多姆伯爵决定回到马恩河和塞纳河南岸去，但是贞德不愿同他们一起退走，宁愿回到贡比涅的“好朋友”那里去。

被俘、审判和处死　在归途中，贞德听说勃艮第军队的指挥官卢森堡的约翰已包围贡比涅。于是她趁黑夜急忙进入贡比涅。第二天5月23日下午，她带兵出击，两次打退勃艮第人，但是最后被英格兰援军包抄，不得不撤退。当后卫部队渡瓦兹河时，她一直留在后面掩护；她被人拉下马来，再不能骑上去了。于是她束手投降，并与她的兄弟皮埃尔和扈从多隆一起被押到马尔尼，勃艮第公爵到这里来看她。雷诺·德·沙特尔把贞德被俘的消息告诉兰斯的居民百姓，并指责她不听劝阻，一意孤行。查理当时正忙于与勃艮第公爵交涉休战的事，没有设法去营救她。

卢森堡的约翰把贞德和多隆押到他在韦芒杜瓦的城堡。贞德试图逃回贡比涅，结果又被送到更远的一座城堡去。她在那里虽然受到仁慈的待遇，但是，贡比涅的困境使她越来越感到忧虑。由于逃走心切，她从塔楼顶上跳下，跌到壕沟里失去知觉。她的伤势并不严重，身体复原之后又被押到阿拉斯，这是一座依附勃艮第公爵的城镇。

5月25日，她被俘的消息传到巴黎。第二天，站在英格兰人一边的巴黎大学要求勃艮第公爵把她交给宗教法庭庭长或是博韦主教P.科雄审讯，贞德就是在他的教区内被俘的。大学还给卢森堡的约翰写了同样内容的信。7月14日，博韦主教面见勃艮第公爵，代表他个人并以英国国王的名义要求把贞德交出，作为交换付给1万法郎。公爵把这一要求转达给卢森堡的约翰，1431年1月3日，贞德便被交到主教手中。审判定在鲁昂进行。贞德被解往布弗勒耶城堡的塔楼上。这座城堡由驻鲁昂英格兰指挥官沃里克伯爵占据。虽然贞德反对兰开斯特王权是众所周知的，但还是被带到教会法庭受审，因为主宰宗教信仰事务的巴黎大学坚持要把她作为异教徒审判。根据当时许多神学家规定的正统准则，贞德的信仰不是严格的正统信仰。她不是世间战斗教会的朋友（在世间的全体基督教徒自认为在与邪恶势力进行精神战斗），并且她声称看见过圣徒显圣、听见过圣徒的声音且直接与上帝相通，从而威胁到战斗教会的等级制度。另外，对她的审判可以打击查理七世的声誉，证明他所以能加冕靠的是女巫，起码是个异教徒。两位法官分别为博韦主教科雄和法国宗教法庭副庭长J.勒梅特。

审判 1431年1月13日开始审判，首先向主教及陪审法官宣读在洛林和其他地方取得的证词，这些材料为审讯贞德定下了基调。2月21日，贞德被传唤出庭，她要求法官允许她先参加弥撒仪式，但遭到拒绝，因为她罪恶严重，其中包括跳下壕沟企图自杀。法官命令她宣誓讲真话，她宣了誓，但是始终拒不透露她和查理讲的事情。科雄禁止她离开监牢，但是贞德坚持说她在道义上有试图逃走的自由。于是看守们一直和她一起呆在牢房里，并且把她捆在木桩上，有时还带上脚镣。从2月21日到3月24日，她差不多被审讯了12次。每一次都要她重新宣誓讲真话，但是她始终明确表示，她不一定要把任何事情都向法官泄露，因为他们虽然几乎都是法国人，但他们是国王查理的大敌。3月24日，法官向她宣读了预审笔录，她承认其中除两点以外，笔录准确无误。

正式审判开始大约一天后，贞德用两天时间回答对她提出的70条罪状。这些指控主要是根据一个论点，即贞德的一切态度和行动都表现出渎神的无礼放肆；尤其是她断言自己的见解都有上帝启示的权威性；她预卜未来；在自己的信上签注上耶稣和马利亚的名字，从而认为她自己与新奇可疑的耶稣崇拜是一致的；自称得到保证灵魂能够得救；此外还身着男装。最严重的指控也许是她更喜欢她所认为的上帝的直接命令，而不喜欢教会的命令。

3月31日，法官又就几个她避而不答的问题进行审问，特别是关于她顺从教会的问题。在她这种处境，是否服从正在审判她的法庭，对她是否顺从教会必然是一种检验。她极力避免陷入圈套，她说自己非常了解战斗教会是不会弄错的，但是她认为自己的言行对上帝及其圣徒负责。审判一直继续，70条罪状减少到12条，这些指控被送交鲁昂和巴黎许多杰出神学家审议。

就在这时，贞德在狱中病倒，由两位医生照护。4月18日，科雄和他的助手来探望她，他们劝说她顺从教会。贞德病情严重，她显然知道自己将不久于人世，因此请求允许她去忏悔，领圣体，并且死后埋葬在圣地。但是他们继续折磨她，而她只是不停地回答"我信赖我们的主"，"我坚持我已经说过的话"。5月9日，他们又变本加厉，威胁说如果她不讲清楚几个问题，就要严刑拷打。她回答说即使他们把她打死，她也不会改口；并且说，无论如何，她要坚持说明，她的一切供述都是在暴力威逼下招供的。面对这样顽强的意志，法官们于5月12日以10票对3票的多数判定，对她施用酷刑将毫无用处。5月23日，他们将巴黎大学的决定通知她，如果她坚持错误，就要将她移交给世俗当局；因为只有世俗当局可以执行被定罪的异教徒死刑判决，教会是不能执行的。

放弃信仰、故态复萌和处死 至此显然一切都无能为力了。5月24日，4个月来贞德第一次被押出牢狱，带往圣旺教堂墓地，在那里宣读了对她的判决。首先，由一位神学家向她训诫，他在训诫中猛烈攻击查理七世，贞德愤怒地打断他的话，认为他没有权利攻击国王这样的"好基督教徒"，并且要他只限于责难她本人。训诫完毕后，她要求把有关她的言论和行动的一切证据都送往罗马。在上帝之下，她应当向教皇负责，但是法官们不顾她向教皇的呼吁，并且开始宣读判决书，把她移交给世俗权力。听到这个可怕的判决，贞德沮丧已极，说她要按教会的一切要求去做。这时便交给她一份大概早已准备好的改变信仰宣誓书。她迟疑了一会儿，便签了字，她是在"使我们的主满意"的条件下才这样做的。她被判处终身监禁，或者像某些人所说的，被禁闭在一个通常充作监狱的地方。总之，法官要求她回到从前的监狱去。

宗教法庭副庭长命令贞德穿上妇女的服装，她服从了命令。但是两三天之后，当法官们和其他人来探视她时，发现她又是一身男装，她说她是自愿换了装的，因为她更喜欢男装。这时他们又追问了她其他一些问题，她回答说圣凯瑟琳和圣玛格丽特的声音指责她公开改变信仰是"背叛"。这样的供认被看作是故态复萌，5月29日，法官们和39位陪审法官一致同意，必须将她移交给世俗当局去处理。

翌晨，即1431年5月30日，贞德得到科雄准许，作了忏悔并领受圣餐，这对又重新堕落的异教徒来说，是没有先例的。然后，她由两名多明我会修士陪同，被带到旧市场广场，在那里又接受一次训诫。她的判决书在法官和许多百姓面前宣读，判决将她交给世俗权力——也就是交给英格兰人及其法国合作者。刽子手抓住她，把她带到火刑柱处，并点燃了柴堆。一位多明我会修士安慰贞德，贞德请修士为她高举十字架，以便她能看见，并请他高呼灵魂得救，使她能听到他的呼喊盖过火焰的咆哮。直到最后，她还坚持说，她听到的声音是从上帝那里来的，这声音没有欺骗她。根据1456年为贞德昭雪诉讼的记载，当时亲眼看到她死去的人大都对她的灵魂得救深信不疑，他们都承认她是作为忠实的基督教徒而死的。几天后，英格兰国王和巴黎大学正式公布了处死贞德的消息。

大约20年后，1450年查理七世进入鲁昂，下令对当时的审判进行调查。两年后，罗马教皇使节、枢机主教G.德埃斯图特维尔又进行了更加彻底的调查。最后，根据贞德的亲属提出的申诉，教皇加里斯都三世发布谕旨，于1455～1456年提起诉讼，撤销了1431年的判决。1920年5月16日，教皇本尼狄克十五世追谥贞德为圣女；5月30日被定为她的节日。1920年6月24日，法国议会颁布法令，每年5月第2个星期日为全国性节日，以纪念贞德。

性质和重要意义 贞德在历史上占有无可争辩的地位。她对人类英勇精神史上的贡献，也许比在法国政治、军事史上的意义更大。她是法国国内冲突的牺牲者，也是与外国强敌战争的牺牲者。解奥尔良之围无疑是一大胜利，这次胜利促成法国北部一些地区效忠查理七世政权。但是在贞德死后，百年战争仍继续打了22年之久；到了1435年，勃艮第善良的菲利普背弃与兰开斯特王室的同盟，才为恢复瓦卢瓦家族的法国奠定基础。此外，贞德的使命的性质，历来引起历史学家、神学家和心理学家之间的争论。有关她出征作战的情况，有关她的支持者和敌人的动机和行动，许多都是引起争论的疑点，例如，她去沃库勒尔、希农和普瓦捷的次数和日期；她与王储第一次在希农会面时，她如何赢得王储的信任；查理在兰斯加冕典礼之后四处巡行，究竟是炫耀胜利的巡视，还是不光彩的优柔寡断；贞德的法官们所说的"终身监禁"是什么意思；贞德在改变信仰之后又穿上男装，这是她遵照圣徒的声音自愿地换装，还是像后来传说的那样，是因为监牢的英格兰看守迫使她这样做的。

后世人出于不同的政治和宗教观点，往往曲解贞德的使命的重要意义，而不是力求把它放在当时混乱的历史环境中去考虑。天主教内部大分裂（1378～1417）的影响，以及公会议运动（1409～1449）期间教皇势力的衰落，导致在有关宗教信仰的诉讼事件中，很难寻找独立的公断和审判。宗教法庭的裁决容易带上政治或其他影响的色彩，因此，这种实质上不公正的诉讼程序的受害者并不只是贞德一人，在这样的程序中，被告没有辩护人为他辩护，而且严刑逼供也是准许的。贞德被尊为圣徒，这多半不是由于传说她创造了不大可信的奇迹，而是由于她英勇坚强地经受住审判的严峻考验，而且除了审讯末期她那小小的过失以外，也由于她深信自己事业的正义性，她确信听见神的启示，这种信念变得更为坚强。从许多方面来看，贞德都是法国内讧的牺牲品，审判她的法官和陪审法官几乎全是法国北方人，但贞德已成为民族意识的象征，所有的法国人，不论属于什么宗教信仰或政治派别，都能与她认同。

Joan OF NAVARRE　**琼（纳瓦拉的）**（约1370～1437-07-09，英格兰埃塞克斯黑弗灵阿特鲍尔）　英格兰国王亨利四世的王后。纳瓦拉国王"坏人"查理之女。原为布列塔尼公爵约翰四世（或五世）的遗孀，1402年与亨利结婚。由于布列塔尼与英格兰不和，因此英格兰人不赞成这桩婚姻。所以琼前往英格兰时，把较大的孩子留给了勃艮第公爵。她于1403年2月26日在威斯敏斯特加冕为后。婚后未生孩子。1413年3月亨利四世死后，她与亨利前妻之子亨利五世保持良好关系。但数年后因她的儿子约翰五世（或六世）统治的布列塔尼仍与英格兰为敌，她的处境尴尬。她于1419年被指控行使巫术而下狱。1422年获释，默默无闻地度过余生。

Joan OF NAVARRE (French queen)　**让娜（纳瓦拉的）**　参阅**Joan**（Navarre）让娜（纳瓦拉）项下的**Joan I** 让娜一世。

Joan THE MAD　**胡安娜（疯子）**　参阅**Joan**（Spain）胡安娜（西班牙）项下的**Joan** 胡安娜。

Joanna I–II（queens of Naples）　参阅**Joan**（Naples）乔瓦娜（那不勒斯）项下的**Joan I–II** 乔瓦娜一世至二世。

Joannides（patriarch）　**约安尼德斯**　参阅**Anthimus VI** 安提姆斯六世。

João Belo（Mozambique）　**若昂贝卢**　参阅**Xai-Xai** 赛赛。

João Pessoa　**若昂佩索阿**　巴西东北部帕拉伊巴州港口和首府。海拔45米。位于累西腓以北，在北帕拉伊巴河右岸。建于1585年。曾几度易名，1930年正式改此名以纪念在革命中身亡的州长若昂·佩索阿。殖民时代建筑物有白雪圣母教堂、18世纪的圣方济各教堂，设有帕拉伊巴大学（1955）。在塞沙斯角的布朗库角灯塔是巴西的最东点。生产电器、化学品、五金、塑料制品等。人口：城市区约396 197（1985）。

若昂佩索阿市圣方济各教堂内的回廊
美国不列颠百科全书公司供图

Job, SAINT　**约伯，圣**（？～1607-06-29，俄罗斯斯塔里察；1989-10-09追谥）　俄语拉丁字母转写作Svyatoy Iov。俄罗斯正教第一任莫斯科牧首（1589～1605）。在约伯当选为牧首前，俄罗斯正教的首脑一向称莫斯科都主教，且在名义上从属于君士坦丁堡牧首。莫斯科迫切希望有自己的牧首，就利用安提阿牧首和君士坦丁堡牧首的财务困难，提出建议，莫斯科可以提供财政支援，条件是让莫斯科有自己的牧首。原来，东正教传统上有5位牧首，那时仅有4位，即君士坦丁堡牧首、安提阿牧首、亚历山大牧首和耶路撒冷牧首。根据东正教的观点，空缺的是至尊的牧首，其位在1054年东西两派教会分裂之前由罗马占有。当时莫斯科希望充此缺。君士坦丁堡牧首耶利米终于同意了莫斯科的建议，于1589年将莫斯科都主教约伯提升为全俄罗斯牧首。1593年安提阿牧首、亚历山大牧首和耶路撒冷牧首承认了对约伯的任命，但以莫斯科牧首为第5位牧首。约伯的提升在宗教和政治上都引起了后果。由于约伯不必再奋力维护莫斯科在俄国国内的至高地位，他就可以把诺夫哥罗德主教和罗斯托夫主教提升为都主教。另一方面，当1598年沙皇费多尔死时，俄国人即请约伯牧首挑选新沙皇。约伯选中了戈东诺夫，戈东诺夫在位期间即是俄国多事之秋的开始。1605年反对戈东诺夫的众贵族将约伯撤职。他被投入斯塔里察地方的乌斯宾斯基隐修院，两年后死于该地。

Job, The Book of　**《约伯记》**　《旧约》中往往被推为世界文学杰作之一的一卷。《约伯记》属于圣经中的第三部分《圣录》，其主题为无端遭难这样一个永恒的问题，述主人公约伯努力了解自己的苦难，故名。《约伯记》可分为两大段散文叙事，包括前言（第1～2章）和尾声（第42章第7～17节），中间插入诗歌体论辩（第3章～第42章第6节）。散文叙事部分写于公元前6世纪以前，诗歌写于公元前6～前4世纪，第28章和第32～37章可能是后人加上去的。《约伯记》的感染力在很大程度上来源于它的结构。有韵的论辩部分镶嵌在散文叙事之中，而叙事所据是起源于以色列民族之外的一个传说，传说的主人公是敬畏上帝的富人约伯。撒旦作为坐探提出，应当考验约伯，看他之所以敬畏上帝是否仅由于拥有财富而万事亨通，约伯在遭受了丧失财富、子女乃至个人健康等可怕的厄运之后，却仍然不咒骂上帝，他的三位友人前来安慰他，以诗歌体对话开始。诗歌部分包含三轮对话，约伯同友人辩论，并同上帝通话。这三轮对话共同探讨约伯的苦难的意义，即苦难的原因以及约伯应作出什么反应。在这三轮对话中，约伯始终自称无辜，是无端遭难，而他的友人却说，他受苦是罪有应得。约伯自信忠诚公义，不满于他们的这种解释，约伯与上帝的对话结束了这一番饶有戏剧性的紧张争论，但是并未解决无端遭难这一问题。通过这些对话，约伯确信，上帝有意图地进行活动，干预人间事务，但上帝对待人的方法依然是神秘莫测。

job training　**在职训练**　参阅**employee training** 员工培训。

Jobim, Antonio Carlos　**裘宾**（1927-01-25，巴西里约热内卢～1994-12-08，美国纽约州纽约）　巴西词曲作家，他把巴西桑巴舞的外倾性节奏改编成内倾性音乐巴萨诺瓦，20世纪60年代在国际上流行一时。在成为奥德翁唱片公司的音乐总监前，曾在里约热内卢的俱乐部演奏吉他和钢琴。1959年他和邦法为电影《黑人奥尔菲》合写《嘉年华会的早晨》，国际知名度旋即打开。巴萨诺瓦这种音乐融合了轻声的桑巴律动（安静地敲击乐器，以不加大音量的吉他弹奏敏锐、复杂的节奏）、温和的唱腔，以及冷爵士乐的高雅复杂的和声，在美国流行音乐中赢得了长久的认同。裘宾曾与F. 西纳特拉、S. 盖茨和A. 吉贝尔合作，也为古典乐和电影配乐谱曲。所写歌曲逾400首，如《单音桑巴》、《冥想》和《来自依帕内玛的女孩》等。

Jobs, Steven P.　**乔布斯**（1955-02-24，美国加利福尼亚～2011-10-05，加利福尼亚帕洛阿尔托）　全名Steven Paul Jobs。苹果计算机公司的创办人之一，是个人计算机时代具有超凡魅力的先驱人物。在现称硅谷的库珀蒂诺由养父母抚养长大。1974年初，从俄勒冈州波特兰的里德学院辍学，到一家公司任电子游戏设计员。1976年与高中时的朋友、现惠普公司的S. 沃兹尼亚克创办公司。他们称沃兹尼亚克设计但被惠普否决的逻辑电路板为苹果一号，是在乔布斯家的车库中制造的。在乔布斯的鼓励下，沃兹尼亚克设计了一个改进型的苹果二号。该机器立即取得成功，成为个人计算机蓬勃发展的同义词。1981年公司上市，1983年以当时最快的速度进入《财富》杂志美国公司500强。1979年他带领公司部分工程师参观施乐公司帕洛阿尔托研究中心的技术演示，看到了图形用户界面是如何使计算机操作更便捷。此后不久，苹果的两种计算机都采用并优化了该研究中心的想法并重新设计。苹果逐步稳定地改进机器，最终成为公司的支柱，也是以后所有计算机界面的标准。1985年乔布斯被迫离开苹果公司。他很快另起炉灶，开办NeXT公司，为教育市场设计功能强大的工作站。20世纪90年代初，乔布斯把公司重点放在其创新的软件系统NextStep上。同时，在1986年就收购了由好莱坞电影导演G. 卢卡斯成立的皮克撒动画工作室，并在接下来的十几年中将其发展为一个重要的动画制作室。1995年制作出了第一部完全采用计算机制作的全长90分钟的动画片《玩具总动员》。同年，皮克撒上市，使他第一次成为亿万富翁。1996年末，苹果公司到了破产的边缘。新的首席执行官用4亿多美元买下了乔布斯的Nextstep公司，并把他请回苹果公司当顾问。1997年6月，董事会请乔布斯再次领导公司。1998年乔布斯推出了iMac，这是一种卵形的一体化计算机，以相对合理的价格提供高速处理的能力，掀起了新时尚计算机的潮流，到年末时，iMac机成为全国销量最大的个人计算机。第二年，他以时髦的iBook和G4又一次赢得胜利。iBook是一种膝上型计算机，针对的是学生用户；G4是一种桌面计算机，功能足够强大，就像一台超级计算机。虽然苹果公司不再能重获它曾有过的行业龙头地位，但乔布斯已经挽救了这家公司，并且在这个过程中也重新确立了他自己作为一个大师级的高科技商人和幻想家的地位。

Job's tears（species *Coix lacryma-jobi*） **薏苡** 早熟禾科一年生禾草，原产亚洲热带，如印度次大陆，现广泛分布于热带地区，已移植北美。株高1～3米，叶茂盛，茎节明显。有坚

薏苡（*Coix lacryma-jobi*）
美国不列颠百科全书公司供图

硬、光亮、泪珠状包裹种仁的珠状外壳（故英文俗名"约伯泪"），呈灰白或黑色，长6～12毫米。可用作首饰或串成念珠。生长于沼泽地区，在中国有栽培，中国人认为其种仁有药用价值。种仁亦可用作食物，在东亚及菲律宾，某些种类用作谷物类食品。

Jobst 约布斯特（1351～1411-01-17，摩拉维亚布尔诺［今在捷克共和国］） 又称约斯特或约多克斯。摩拉维亚侯爵、勃兰登堡侯爵。卢森堡统治家族成员、神圣罗马帝国皇帝查理四世的侄子，波希米亚和德意志国王文策斯劳斯及其兄弟后来的皇帝西吉斯蒙德的表兄弟。自1376年起，统治摩拉维亚，并成为意大利总督（1383和1389）。1388年，他将卢森堡及勃兰登堡并入自己的版图。1394年，他俘获文策斯劳斯，迫使其表兄弟任命他为波希米亚摄政。1397年议和后约布斯特获得两卢萨蒂亚，成为帝国亲王。1410年，德意志国王鲁佩特死，约布斯特在法兰克福议会上由一个派系选为国王（10-01），而其表兄弟西吉斯蒙德则获得另一集团的选票。但是，翌年春约布斯特即死去。只作了15周的德意志国王。

Jochelson, Vladimir Ilich 乔切尔森（1855-01-14，俄罗斯帝国维尔纳［今在立陶宛］～1937-11-01，美国纽约州纽约） 俄国人种学家和语言学家。以研究西伯利亚各民族而著名。因参与民意党的活动被流放到西伯利亚东部堪察加地区，在流放期间开始从事研究工作。1900～1901年参加纽约市美国自然历史博物馆的杰塞普北太平洋考察队。1908年写出《科里亚克人》。1912～1922年任彼得格勒（今圣彼得堡）人类学和人种志博物馆副馆长。1922年移居美国，先后在美国自然历史博物馆及华盛顿卡内基学会工作。著有《尤卡吉尔人和尤卡吉尔化的通古斯人》（1926）和《俄国亚洲地区各民族》（1928）。

Jöchi 术赤（？～1227-02） 蒙古亲王，成吉思汗四个儿子中最大的一个。直到临终前几年，他一直参加其父的军事征战。术赤在世时，同几个弟弟一样，得到一个乌路斯统领的王国、一个尤特（供养乌路斯的领地）和一个因朱（供养其宫廷的个人领地）。他的领地在蒙古帝国的西部。1221年后，术赤与父亲形成某种对立局面，但其确切原因尚不完全清楚。从1222年起直到5年后他死去时为止，术赤没有参加成吉思汗的战役。成吉思汗可能认为他的长子在阴谋害死他，但采取行动之前术赤即已去世。术赤的土地由诸子分别继承。

Jōchō 定朝（？～1057，日本） 日本佛像雕刻家，发展并完善了所谓"木寄法"即镶嵌细工技术。著名雕刻家康尚之子（或学生），主要为藤原道长和其家族雕刻。由于向京都法成寺奉献各种雕刻品，1022年被授予法桥称号，获得佛像雕刻家前所未有的荣誉。后来为藤原的家庙兴福寺雕刻佛像，再次被授予更高的职衔。为改变佛像雕刻家的社会地位，他组织了称为"佛所"的行会，即雕刻佛像的工作室。京都平等院凤凰堂里的阿弥陀佛（1053）是其唯一遗作，此像神态安详慈厚，具见定朝的才力。

Jochumsson, Matthías 约楚姆松（1835-11-11，冰岛托尔斯加峡湾～1920-12-18，阿克雷里） 冰岛诗人、翻译家、新闻记者、戏剧家。30岁时受神职。除当过6年记者外，一生均任教士，1900年获诗人年金退休。他写了不少宗教诗、赞美诗、葬礼挽歌以及歌颂英雄的叙事诗，宣传基督教信仰和仁爱思想。他还从斯堪的纳维亚语言、英语和德语翻译了无数训诫诗、爱国诗和赞美诗。国际主义和自由思想的基督教义使他受到斯堪的纳维亚作家的钦佩。他的文化人的高尚品质和仁爱思想使他成为一位全国闻名的人物。

Jockey Club 赛马总会 英国主管马赛和培育良种马的最高机构，1750年前后成立。全面管理赛马运动的联合赛马委员会由赛马总会代表和政府赛马赌税局官员组成。总会出版《赛马日历》和《种畜总录》，总部设于英国萨福克郡的纽马基特。其他国家也成立了类似的组织，如1893年成立的美国赛马总会即为一例。

Jodelle, Étienne 若代尔（1532，巴黎～1573-07，巴黎） 法国戏剧家、诗人，文学团体七星诗社的成员之一。曾将该社的美学原则应用于戏剧，并致力于创作一种古典戏剧，使之各个方面都有别于占据当时法国舞台的道德剧和神秘剧。他成功地创造了法国最早的近代悲剧和近代喜剧。这些剧本本身虽然被认为无法上演，很不上口，但是树立了一种新的榜样，为伟大的新古典主义悲剧作家高乃依和拉辛准备了土壤。他的第一部剧作《女俘克娄巴特拉》是诗体悲剧，于1553年在巴黎宫廷演出。他还写了另外两部剧本，喜剧《欧仁》（1552）和又一部诗体悲剧《自我牺牲的狄多》。他在《欧仁》的序言中，阐述了自己的喜剧理论，主张喜剧必须写中下层阶级的人民，理由是在他们中可以找到粗鲁与无知，而这正是喜剧的要素。悲剧则必须写国王或其他贵族，他们就是悲剧的观众，因一般小市民对悲剧的古典寓意是无法理解的。

Jodhpur 焦特布尔 印度西北部拉贾斯坦邦焦特布尔县县城。为公路铁路重要枢纽和农产品、羊毛、牛、盐和皮革的贸易中心。生产机械、棉纺织品、金属器具、自行车、墨水和

俯瞰焦特布尔市的要塞
印度驻美大使馆新闻处供图

马球用具。以手工业著称，生产牙雕、玻璃镯子、刀具、染色布、漆器、毡子、皮革制品、大理石雕、地毯。设有空军学院、焦特布尔大学和拉贾斯坦大学医学院。焦特布尔县面积22 860平方千米。基本上为荒芜地区，有高大沙丘。有时称马尔瓦尔，意为"死亡之域"。北部与西北部属塔尔沙漠。卢尼河为唯一河流，灌溉南部地区。珍珠粟、豆类、高粱、油籽、绿豆、玉米为主要农作物，也生产少量棉花和小麦。开采褐煤、铁、钨、石榴石、玻璃沙和石膏。有几处家禽饲养场，也饲养羊、牛和骆驼。人口：县城约648 621；县约2 127 552（1991）。

Jodl, Alfred 约德尔（1890-05-10，德国维尔茨堡～1946-10-16，纽伦堡） 德国将军，第二次世界大战期间任德国国防军最高统帅部作战指挥部参谋长参与策划和指挥了德军的大多数战役。第一次世界大战期间及以后任参谋，1935年升任帝国防务处处长，1939年8月23日被任命为德国国防军最高统帅部作战指挥部参谋长，成为希特勒最高统帅部的重要人物。与W. 凯特尔一起策划、指挥了德军多数战役。1945年5月7日，他在法国兰斯代表德军向西方盟军投降，签署投降书。纽伦堡国际军事法庭以战争罪判处他死刑。

Jōdo 净土宗 日本佛教的虔修派别，强调信赖阿弥陀佛和善恶果报。参阅 **Pure Land**

Buddhism。

Jodocks（German king） **约多克斯** 参阅 **Jobst** 约布斯特。

Jodrell Bank Experimental Station 焦德雷尔班克实验站 又称纳菲尔德射电天文实验室（Nuffield Radio Astronomy Laboratories）。英国天文学机构，该站设置的反射镜面直径76米的射电望远镜为世界最大可跟踪射电望远镜之一。此外，还有一批较小的射电望远镜。该站地点在英格兰柴郡曼彻斯特之南32千米的焦德雷尔班克。第二次世界大战刚结束，英国天文学家A.C.B.洛维尔在该地曼彻斯特大学植物园利用战争剩下的雷达设备开始研究射电天文学。1952年着手建造射电望远镜，并于1957年10月4日苏联发射第一颗人造地球卫星以前不久投入使用。该站曾用雷达跟踪了卫星运载火箭。焦德雷尔班克实验站主要是研究天文学而不是从事跟踪与通信，但其射电望远镜是美国空间探测计划的跟踪网的一部分，而苏联的研究成果大多为该站所侦知。苏联"月球9号"探测器于1966年2月6日在月面上拍得的第一批照相资料，曾由焦德雷尔班克实验站的射电望远镜传送回来。

Jōei Shikimoku 《贞永式目》（1232） 日本镰仓幕府的行政法典。贞永元年颁布。包括宗教事务、土地纠纷和犯罪行为的处理方法。这个法典比较温和、稳健，特别是它宽容幕府的以前敌人和承认天皇领导的单独行政体制。一般只适用于上层阶级。

Joel, Book of 《约珥书》 《旧约》十二先知书的第二篇。犹太教正典此书原分为四章，基督教各派译本将第二、三章并为一章。此书除提到约珥及其父之名以外不提约珥之事。分析此书正文可知，约珥生于耶路撒冷第二圣殿期间（公元前516～公元70），因为书中反映了当时所通用的崇拜礼仪。此书在主题思想上继承巴比伦囚虏时代前的诸位先知，鼓吹犹大与耶路撒冷必须归向雅赫维才能获得拯救。

Joenckema, Rembert van（Flemish scientist） 参阅 **Dodoens, Rembert** 多东斯。

Joensuu 约恩苏 芬兰东南部北卡尔亚拉省省会。位于库奥皮奥东南、皮耶利斯河口。1848年建市。为铁路枢纽和木材运输中心，还通轮船，有公路和航空线。工业有胶合板厂和木材厂。名胜有市政厅（1914）、皮耶利斯河城堡、北卡累利阿博物馆、希腊正教教堂（1887）和1808年率领游击战士英勇击败俄国军队的农民领袖奥利·蒂埃宁的纪念碑。人口约47 405（1991）。

Joffre, Joseph-Jacques-Césaire 霞飞（1852-01-12，法国里沃萨尔特～1931-01-03，巴黎） 第一次世界大战期间西线法军总司令（1914～1916），以"马恩河战役胜利者"闻名于世。毕业于巴黎综合工科学校。普法战争中巴黎被围期间，他是个下级军官。后在印度支那、西非和马达加斯加服役。1905年升任师长。1911年任法军总参谋长，成为战时的总司令。1914年战争开始后，他为法军制订的作战计

美国不列颠百科全书公司供图

划使法军遭到惨败。德军大规模越过比利时包抄协约国军队，使他和其他法军高级将领措手不及，巴黎岌岌可危。当他断定德军威胁法军左翼后，立即组织一支新军，即第六军，由他亲自指挥，抵抗德军。他的沉着、坚韧和勇敢挽救了局势。德军以优势兵力从北面迂回包围巴黎，法军节节撤退，其左翼已退至巴黎城下。9月6日，霞飞下令协约国军反击，即第一次马恩河战役，结果部分击退了德军的进攻，使德军在西线迅速取胜的希望化为泡影。整个1915年，他指挥法军试图以惨重的代价突破德军阵地，未获成功。他的威信开始下降。1916年，德军攻击凡尔登，法军缺乏准备，对此他应负责任，被夺去兵权。1916年12月26日辞职，同日升任法国元帅。著有《回忆录》（2卷，1932）。

Joffrey, Robert 乔弗里（1930-12-24，美国华盛顿西雅图～1988-03-25，纽约） 原名Abdullah Jaffa Bey Khan。美国舞蹈家，乔弗里芭蕾舞团创立人（1956）、团长和编导。父为阿富汗移民，母生于意大利。他开始学踢踏舞，后在西雅图M.A.韦尔斯舞校从韦尔斯学芭蕾。1948年迁居纽约市入美国芭蕾舞学校师从A.费多罗瓦。R.珀蒂的巴黎芭蕾舞团1949年在纽约市的演出季中，他参加该团。1953年他创办名为美国芭蕾舞中心的学校，当时已创作其主要作品《冥后》（1952）。1954年创立乔弗里芭蕾舞中心。1956年创办乔弗里芭蕾舞团，由G.阿尔皮诺任首席编导。1966年该团获国际声誉。乔弗里生前该团每年都在洛杉矶和纽约市演出。1995年珀蒂将芭蕾舞团迁至芝加哥，重新命名为芝加哥乔弗里芭蕾舞团。乔弗里的著名作品有：《加美兰》（1962）、《阿斯塔特》（1967）、《回忆》（1973）及《明信片》（1980）等。乔弗里舞团以其包罗古典作品、新作品及融现代舞与芭蕾舞于一体的剧目闻名。他本人为歌剧所编的舞蹈亦甚著名。

Jofre, Eder 霍夫雷（1936-03-26，巴西圣保罗～ ） 巴西职业拳击手。1957年成为职业拳击手。三年后获南美洲最轻量级冠军。1960年第6回合击倒E.桑切斯，开始问鼎美国全国拳击协会的世界最轻量级冠军。1961年第10回合击倒P.罗洛成为冠军。后成功卫冕7次，都是击倒对手获胜。1965年15回合数点输给F.哈拉达，1966年再战，又以数点落败。退役3年后重出江湖，参加次轻量级比赛，1973年靠数点击败J.莱格拉，成为世界拳击理事会冠军，同年，以4回合击倒V.萨尔迪瓦卫冕。1976年结束拳坛生涯，总共25场次轻量级拳赛全胜。一生共72胜（50次击倒对手），4平，2负。1992年入选国际拳击名人堂。

Jog Falls 焦格瀑布 又称格尔索巴瀑布。印度西南部卡纳塔克邦西部舍拉沃蒂河上的瀑布，距河口29千米，在霍纳沃尔注入阿拉

焦格瀑布

美国不列颠百科全书公司供图

伯海。焦格瀑布落差253米，分为4个急流。是一流的风景名胜。在其下游建有大型水电站。

Jogaila（Lithuanian duke） 参阅 **Władysław II Jagiełło** 弗瓦迪斯瓦夫二世。

Jōgan style 贞观式 日本平安时代（794～897）初期的佛教雕像风格。雕像呈圆柱形，姿态挺直，保持对称，体重完全平衡，是由整块木头雕刻出来的。其特点是：庞大的身躯肥硕而沉重，肌肉松弛的胸部，大而圆的脸形，厚唇大鼻和睁大的眼睛，外形简拙等。波纹衣饰是这种雕刻风格的最易识别的特点之一；深刻的衣褶刀痕调和匀称，一系列交错的大小波纹组成衣饰的褶层，开始是一排大而圆的波纹，向着较浅同时较小的波纹前进，小波纹的侧影是尖顶的，接着又是另一排外形弯曲的大波纹。这个时期的雕刻并不限于佛教，神道的神的雕像也时有出现。

jogging 慢跑 步履轻松的跑步。从20世纪60年代起，在美国估计有700万～1 000万人坚持慢跑，目的在于增进健康、增强体质、减肥防胖和消除紧张。慢跑每分钟可以消耗10～13卡的热量（打网球每分钟消耗7～9卡热量）。1967年俄勒冈大学的径赛教练鲍

尔曼和专门研究心脏的医学家哈里斯合著的《慢跑》一书出版，大大促进慢跑活动的普及。许多医学权威人士确认，慢跑是锻炼心脏和全身的好方法。慢跑通常以隔日进行为宜。但是在硬地面慢跑每英里两脚击地600～750次，因此有的医学家认为，慢跑会引起足弓下陷、外胫夹、汗疹、跟腱劳损、脚踵挫伤以及膝部和背部的病痛。所以慢跑前要做准备动作，慢跑时要穿合适的鞋和宽松的衣服，跑法要正确，而且需要具有总体上良好的健康状况和适当的锻炼目的。

Jogjakarta (Indonesia) 参阅 **Yogyakarta** 日惹。

Jogues, Saint Isaac **若格**(1607-01-10，法国奥尔良～1646-10-18，新尼德兰奥兰治堡附近奥瑟奈农[今美国纽约奥里斯维尔]) 天主教耶稣会传教士。1624年在法兰西鲁昂加入耶稣会，奉派前往加拿大，在乔治亚湾附近休伦地区工作达六年之久，教导并赒济印第安人。1641年若格到苏圣玛丽地方向奥吉布瓦部落传教。次年易洛魁人在蒙特利尔附近把若格、他的同伴古比尔和一批休伦人俘虏，押到奥瑟奈农，将古比尔杀害，奴役若格达13个月之久。得驻在附近奥兰治堡的荷兰人援助，若格逃跑，顺哈得孙河而下，到达新阿姆斯特丹(今纽约市)，是历史上到达该地的第一位司铎。1643年圣诞节他回到法兰西。1645～1646年被法兰西政府派遣到奥瑟奈农同莫霍克部落印第安人谈和。他到达该地后，莫霍克人说他玩弄魔法，将他杀害悬首示众。

Johanan ben Zakkai **约翰南·本·撒该**(活动时期1世纪) 巴勒斯坦犹太教哲人，在巴勒斯坦圣殿被毁(公元70年)之后，对传统的犹太教的继续和发展有决定性的影响。他的生平多不可考，只知早在公元70年前他已是法利赛派主要代表人物，同宗教当局和撒都该派人士争辩。约翰南反对不顾代价一味同罗马开战。据记载，他于公元70年(另说为68年)离开被围困的耶路撒冷，被解入罗马军营，不久获准在犹太滨海地区贾姆尼亚(贾布奈)成立学院，他的一些门生前来参加他的工作。其中埃利札·本·希尔卡努斯和约书亚·本·哈那尼亚据传曾将约翰南藏在棺木中偷运出耶路撒冷城。这两人于1、2世纪之交成为重要导师。约翰南和门人主要研究和考核哈拉卡即口传律法，兼及其他问题，特别是有关米德拉西(《圣经》评注)的问题。在《塔木德》研究史上约翰南堪称1世纪初《圣经》注释家希勒尔传统的继承者，当然他所继承的不限于希勒尔一人的学说。

Jóhann Sigurjónsson (Icelandic playwright) **约翰·西于尔永松** 参阅 **Sigurjónsson, Jóhann** 西于尔永松。

Johannes de Anglicus **约翰内斯·德·安格利库斯** 参阅 **Baconthorpe, John** 培根索普。

Johannes de Garlandia **约翰内斯(加兰迪亚的)** 参阅 **Garland, John** 加兰。

Johannes Scotus Erigena (theologian) **约翰尼斯·斯科图斯·埃里金纳** 参阅 **Erigena, John Scotus** 埃里金纳。

Johannes von Tepl **约翰内斯·封·特普尔**(约1350，波希米亚特普尔或许特瓦～约1415，布拉格) 波希米亚作家。所写《来自波希米亚的庄稼汉》(约1400)是对话体作品，也是以德语写的第一部重要的散文作品。在布拉格大学取得学位后，约于1378年前任萨茨公证人，1383年任该地小学校长，并于1411年在布拉格任公证人直至去世。《庄稼汉》可能为作者因丧妻而作：一个刚丧偶的农夫痛斥死神对待人类不公正，死神则以死亡的必要性反驳。复杂的结构和活泼的散文节奏，使之成为中古德语文学中无与伦比的作品。过去曾认为《庄稼汉》是"波希米亚文艺复兴"的主要代表作。现在论者广泛地认为，从思想上和技巧上看，它主要属于中世纪，但也包含了一些文艺复兴和人文主义的因素。

Jóhannes Bjarni Jónasson (Icelandic poet) **约翰内斯·比亚尔尼·约纳松** 参阅 **Jónasson, Jóhannes Bjarni** 约纳松。

Johannesburg **约翰内斯堡** 南非共和国最大的城市。非洲最大的城市之一。位于德兰士瓦高草原东西向山脊的石质分水岭——威特沃特斯兰德(通称兰德)南坡。大都会区即大约翰内斯堡，包括市政区和地方行政区。自1886年发现兰德金矿后，约翰内斯堡飞速发展，现已成为南非采金工业中心。

自然地理和人文地理

景观 城市位置 位于南非人口最密集区。城南和城西南是金矿区，其中许多矿区在20世纪70年代初已被采尽。城市海拔5 709英尺(1 740米)。共和国天文台所在处为最高点，高5 930英尺。

气候 该市气候宜人。7月平均气温约为13 °C；12月24 °C。年平均降水量约28英寸(700毫米)。

城市布局 市中心街道狭窄，1886年按长方形格状规划设计建造。大约翰内斯堡包括500多个郊区城镇，面积200多平方英里。根据南非当局的种族隔离政策，人口按肤色分开居住。非白种人——非洲黑人、有色人及亚洲人——被分别限制居住在城市西部和西南部的某些特定地区。城市主要建筑物集中于埃洛夫大街，该大街从火车站南延，为主要商业区。旺布兰迪斯、朱伯特及里斯克大街与之平行。附近还有科米锡翁尼尔、马基特、福克斯和迈恩大街(它们组成了商业区)，杰培大街和布雷大街。朱伯特公园、乔治·哈里森公园(以1886年首先在此发现含金石英的澳大利亚人之姓名命名)、特夫方丹赛马场、体育场和矿渣堆积场均在该地区。约翰内斯堡是与南非比勒陀利亚、布隆方丹、开普敦和德班等主要城镇之间的道路交会处。索韦托(西南城)是一由非洲黑人居住城镇群体组成的独立城市，不包括在约翰内斯堡市政区内，面积26平方英里(67平方千米)，有公路和铁路与约翰内斯堡相连。附近城镇包括科罗内申维勒和韦斯特伯里，是有色人居住区。约20英里外的莱纳赛是亚洲人城。

约翰内斯堡人习惯于拆除并重建房屋，并不效仿欧洲人翻修或改建原建筑的做法。市内有许多为各个收入阶层提供住房的街区，许多南非人能够维持带有花园的住宅。建筑风格多样。居住区内源于18世纪的开普式建筑风格引人注目，商业区及诸多住宅则为现代欧美建筑风格，公共建筑具有早期欧洲，尤其是英国、荷兰和文艺复兴时期意大利的建筑风格。20世纪70年代初修建公寓以增加居住密度，但通常为已婚非白种人建单层房屋。某些阶层(低收入)的人可得到补贴住房，大规模建筑工程是索韦托及市南其他地区的特点。

人民 约70%的城市人口为黑人，白人约占25%，其余为有色人和亚洲人。

该市是国际性城市。讲英语和阿非利堪斯语的人以白种人居多，少数为德国人、荷兰人、匈牙利人、意大利人、法国人、斯堪的纳维亚人、瑞士人、波兰人等；其中也有犹太人及讲祖卢语、科萨语、佩迪语、文达语及茨瓦纳语的非洲人。还有操不同语言、持不同信仰的亚洲人，包括日本人、中国人和印度人。有色人是白人与非白人的混血种人，信仰基督教，讲英语或阿非利堪斯语，或两种语言都讲。人口：城市区712 507(1991)；都会区1 480 530(1996)。

经济 商业和工业 为南非开采业、制造业和金融业中心。尽管金矿开采已转移到其他地区，但约翰内斯堡仍是金矿公司大多数业务及总部所在地。诸多第二产业，尤其是重工业，提供了多种就业机会。国内外许多银行业、工商业企业云集于此。约翰内斯堡证券交易所(建于1887年)亦位于此。由于该市的重要性，设置了许多政府的派出机构、领事馆及其他机构(如银行、建筑协会及保险公司等)，这些机构通常只设在首都。

运输 约翰内斯堡是当地与全国和国际交往的中心。市内高速公路主要满足日常进出的大量运输的需要。郊区有公共汽车服务，铁路主要为住在市外(东、西、南方向)的通勤者服务。约翰内斯堡国际机场位于市东北14英里处，通国内定期航班，以及直飞欧洲、北美、南美、澳大利亚和亚洲的航班。城东9英里处的兰德机场可起降包机。

行政与社会状况 政府 根据1994年新宪法，约翰内斯堡为地方自治城市。市议会属地方政府，对德兰士瓦省议会负责，省议会向中央政府负责。市议员在市议会中代表的党派与在国家议会中代表的党派相同。

公共服务业 市政府管理地方交通、电力和燃气供应、消防部门及公共卫生，并通过附近的兰德水管局的代理机构提供城市用水。铁路归政府所有，该市的庞大铁路车站是全国铁路系统的心脏。采矿及铁路的电力供应由总部设在该市的公众公用事业公司提供服务。

治安管理由全国性的南非警察部门负责。交通由市政交通官员负责。市内有农产品及畜禽市场和屠宰场。威特沃特斯兰德农业协会每年组织一次大型展销会，吸引着众多的国内外农业和工业展览会参加者。约翰内斯堡商会负责贸易,商业交易所负责采掘业的贸易。总部设在该市的南非矿业协会负责矿业经营。

保健 除约翰内斯堡总医院外,为白人服务的医疗机构包括许多为病孩、产妇及矿工服务的私人疗养所和公共机构(孤儿院、医院等)。也有许多为非白种人服务的医疗机构,包括诊所和治疗、助产及牙医服务。许多矿区为矿工提供医疗服务。南非医学研究院(建于1912年)及威特沃特斯兰德大学医学院(建于1922年)从事医学研究工作。

教育 威特沃特斯兰德大学主要招收讲英语的学生,兰德阿非利堪斯语大学(建于1966年)招收讲阿非利堪斯语的学生。威特沃特斯兰德高等技术学院(建于1925年)主要培养有关采矿及其他学科的技术人才。数量众多的公立、私立中、小学遍布全市,为不同年龄段的学生(从幼儿园到中、小学)提供受教育的机会。教师培训主要在约翰内斯堡教育学院(讲英语)、古德斯塔茨·奥德沃斯学院(讲阿非利堪斯语)、德兰士瓦教育学院(亚洲人)及兰德教育学院(有色人种)。

文化生活 文化设施包括约翰内斯堡公共图书馆及诸多博物馆,收藏有包括南非历史、军事史、医学、考古学、地质学、服装、运输、铁路及犹太文化等方面的珍品。约翰内斯堡美术馆展出现代欧洲绘画及南非画家的作品。商业性的艺术馆及古董店遍布市中心及市北地区。郊区和黑人居住区有图书馆服务。

有包括高尔夫球场、网球场、橄榄球和英式足球场、浴场和板球场等在内的诸多运动设施,名目繁多的私人体育俱乐部和提供冰上曲棍球、赛马及滑冰等运动设施的商业企业。动物园有许多野生动物,还有几个美丽的花园和一个湖。稍大的公园内有大众野餐地。郊区有许多空旷地。北郊的野生植物园面积45英亩,有南非野生花卉;梅尔罗斯鸟类保护区是野生鸟类的乐园。城市中心的空地上有精美的雕塑。城市剧院是歌剧、芭蕾、音乐和戏剧中心。电影院、娱乐厅、剧院及娱乐中心遍布全市。市内有一个天文馆及包括具有国际意义的共和国天文台在内的数个天文台。开尔文大楼是许多南非科学技术学会(包括南非化学研究所)的总部。此外,还有由摄影家、集邮者、棋类爱好者、园艺家、犹太事务的学生、人类学家及其他专业人员组成的各种专业协会。

约翰内斯堡市中心区

美国不列颠百科全书公司供图

历史

早期住区 约翰内斯堡是随着1886年德兰士瓦省威特沃特斯兰德地区金矿的开发而发展起来的。当时,从东部的德里方丹到西部的鲁德普特地区的农场被划为公共矿区,采金即告开始。现在约翰内斯堡市的中心就位于当时的政府所在地,并被叫做兰德杰斯拉格特或兰特杰斯拉格特。关于约翰内斯堡一名的来源众说纷纭。已知的最早的关于约翰内斯之名的正式记载可追溯到1896年,该市以当时的代理总监督官约翰·里西克和南非共和国矿产部部长克里斯蒂安·约翰内斯·朱伯特的名字命名,金矿就位于他们的领地内。这两人当时是调查采矿状况的政府特派员。1886年11月,根据《黄金法》的规定,选举了金矿区采矿者委员会的首批委员,成为该市首届地方政府。该委员会后来被叫做环境卫生委员会,1897年成为斯塔德斯拉德或镇议会。1887年,即发现金矿的第二年,矿业辛迪加——现矿业公司的雏型——开始运营;随后,住宅、办公室、教堂及商店开始大量涌现。

1889年,掘金者遇到了黄铁矿带,但不知如何从中提炼金子,新城市的扩展受到阻碍。结果,在来自格拉斯哥的3个英格兰男子——R.W.福雷斯特、W.福雷斯特和J.S.麦克阿瑟——发现氰化物处理炼金法之前,许多金矿倒闭了。氰化物处理炼金法救活了兰德,使约翰内斯堡生机再现。

尽管从一开始就有了某种邮政设施,1887年电报局开业,但直到1894年才开通首部电话业务。货物靠牛车运进,客运靠公共大马车和马匹完成;唯一的一条铁路(从约翰内斯堡到附近的博克斯堡)主要给金矿运煤。直到1892年才与其西南约800英里的开普敦港之间通铁路。1896年,约翰内斯堡居民(大多讲英语,无公民权)开始想在国家政府中占一席之地。结果,位于比勒陀利亚的国家政府与约翰内斯堡的采矿者之间的分歧日显尖锐。1899年英国和布尔人之间爆发南非战争,许多居民离开了约翰内斯堡。按照协议,1900年英国人接管该市时,金矿随之被接管。1902年战争结束,当时该市人口仅有10万。因矿工过于缺乏,便从中国输入了劳动力。因政治压力,到1910年,所有中国人被送回国。同年,约翰内斯堡及德兰士瓦的其他地区一起加入了南非联邦。

现代城市 第一次世界大战后,矿工多次罢工。在1922年的罢工中,白人矿工反对使用非洲人做半熟练工作,这次罢工遭到镇压,死了200多人。1928年,约翰内斯堡宣布为市。第二次世界大战(1939～1945)妨碍了该市进一步发展。战后城市建设加快,大兴土木,城市范围向北、西北扩展。1970年,市区面积已达104平方英里。1994年市区面积(不包括索韦托)达到171平方英里。

Johannesen, Knut **约翰内森**(1933-11-06,挪威奥斯陆～　) 挪威速滑运动员。20世纪50年代末和60年代初最杰出的运动员之一。1960年,在美国加利福尼亚斯阔谷冬奥会10 000米速滑比赛上以15分6.6秒创世界纪录,获得金牌。约翰内森的速滑事业始于1956年的冬奥会,10 000米速滑获银牌。第二年赢得世界锦标赛冠军。1959和1960年获欧洲锦标赛冠军,1964年再获世锦赛冠军。他的其他奥运会奖牌包括1960年5 000米银牌、1964年5 000米金牌和10 000米铜牌。

Johannitius (Arab scholar) **约翰尼悌斯**

参阅**Ḥunayn ibn Isḥāq(al-Ibādī)** *侯乃尼(伊本·易司哈克)*。

Johannsen, Wilhelm Ludvig **约翰森**(1857-02-03,哥本哈根～1927-11-11,哥本哈根) 丹麦植物学家和遗传学家,他的植物遗传实验对荷兰植物学家H.德弗里斯的突变理论是强有力的支持。许多遗传学家认为，约翰森的思想对达尔文关于新物种由缓慢的自然选择过程产生的理论是一个严厉的打击。他曾在丹麦的哥本哈根以及德国和芬兰学习，先后在丹麦农业研究所和哥本哈根大学任教授。先从事植物生理学研究，后全力进行遗传实验，成为这方面的主要权威。在研究红草豆中发现，由一粒种子产生的连续各世代的个体具有相同的遗传单位，他称这样的世代为“纯系”。约1905年，他证明了大小相同的种子可以长出大小不同的植株。他因此得出结论说，植物的外表特征即“表现型”虽然不同，但具有相同的遗传单位，也就是保存了共同的“基因型”。他所说的“表现型”和“基因型”，至今仍是遗传学术语。他支持德弗里斯的发现，即突变能引起基因型的变异，所谓突变就是新种的性状突然自发地出现。这种新性状在最初出现时与自然选择无关，以后才受达尔文所说的自然选择的支配，在未来的世代中不是存在就是消亡。

johannsenite　锰钙辉石　辉石族的硅酸盐矿物。分子式为 $Ca(Mn,Fe)Si_2O_6$。锰钙辉石是一种钙-锰-铁的硅酸盐矿物，是在蚀变石灰岩中通过变质作用过程产生的，或与铜、铅、锌矿石中的黄铁矿或其他矿物共生。硬度中等，有玻璃光泽，形成褐色、灰色或绿色的晶体或纤维体。常见的矿床发现于：美国亚利桑那州、新墨西哥州和俄勒冈州，意大利，日本，澳大利亚的新南威尔士。关于详细的物理性质，参阅 **pyroxene**（表）。

Johansson,(Per) Christian　约翰森（1817-05-20，斯德哥尔摩～1903-12-12，俄国圣彼得堡）　瑞典出生的芭蕾舞演员和圣彼得堡帝国芭蕾舞学校的教师。曾帮助发展了俄国的芭蕾舞风格。就学于瑞典皇家芭蕾舞学校，又在哥本哈根师从A. 布农维尔。1841年约翰森成为圣彼得堡帝国芭蕾舞团的首席男演员。1860年开始在帝国芭蕾舞学校执教。约翰森的教学方法与严格的意大利教学方法相反，结合了俄国的、丹麦的和法国古典的多样化芭蕾风格。他强调线条的纯正，并像布农维尔一样，对男性风格和女性风格作了明显的区分。在男芭蕾舞演员普遍不受重视、常常只扮演配角的时代，约翰森对于男子芭蕾舞的技艺却特别具有见识，并常向帝国芭蕾舞团的编导M. 佩季帕提出意见。约翰森的学生如E. 索科洛娃、O. 普列奥布拉仁斯卡、M. 克谢辛斯卡娅和A. 巴甫洛娃等都在佩季帕芭雷舞团中跳过舞，后来都当了教师。

Johansson,(Jens) Ingemar　约翰森（1932-09-22，瑞典哥德堡～2009-01-30，孔斯巴卡）　瑞典拳击运动员。1959年6月26日在纽约经3个回合将帕特森击倒，夺得世界最重量级冠军；1960年6月20日在纽约经5个回合被帕特森击倒，丧失冠军称号。1956年获欧洲最重量级冠军，1958年仅1个回合即击倒美国名将梅琴。1961年3月13日约翰森在迈阿密滩企图夺回冠军称号，但经过6个回合被帕特森击倒。1962年再获欧洲最重量级冠军，以后又一次卫冕成功，不久退出拳坛。1952～1963共参加28场比赛，胜26场，其中17场击倒对方取胜。除两次输给帕特森外所向无敌。

Johansson,Lars　约翰森（1638-10-18，斯德哥尔摩～1674-08-13，斯德哥尔摩）　笔名卢西多尔。瑞典抒情诗人。曾在国内外求学，学成归国后以写挽歌和新婚颂诗而闻名。他的抒发个人感情的饮酒歌和殡葬诗，具有典型的巴罗克风格。他最负盛名的诗歌为《只有傻瓜才悲伤》。诗集在他死后于1689年出版。

John　约翰　又译若昂。统治者之名，按国别、教宗或牧首系谱分列于后，并各以●为标记。

与该字相等之外语：

阿姆哈拉语	Yohannes
捷克语	Jan
丹麦语	Hans
荷兰语	Jan
法语	Jean
德语	Johann 或 Johannes
希腊语	Ioannes
匈牙利语	János
拉丁语	Johannes 或 Joannes
挪威语	Hans
波兰语	Jan
葡萄牙语	João
俄语	Ivan
西班牙语	Juan
瑞典语	Johan

波希米亚

● **John　约翰**（1296-08-10，卢森堡～1346-08-26，法兰西克雷西）　绰号卢森堡的约翰或波希米亚的约翰。波希米亚国王（1310～1346），是那个时代深受欢迎的英雄人物之一，曾横扫欧洲，从图卢兹转战到普鲁士。亨利七世之子。1310年成为卢森堡伯爵和波希米亚国王。1311年2月7日在布拉格加冕。在位期间，曾与立陶宛、俄国、匈牙利、英格兰、奥地利、意大利北部以及蒂罗尔进行战争。他兼并上卢齐支和西里西亚的一部分以及伦巴第的大部分地区。他同神圣罗马帝国皇帝路易四世不断发生争吵，因此与罗马教廷结成紧密的联盟。1346年废黜路易四世，推选自己的儿子查理为罗马人国王。他一向亲法，由于帮助法国国王腓力六世同英格兰人作战，而在克雷西战役中战死。

14世纪小银币上的（卢森堡伯爵）约翰像
美国不列颠百科全书公司供图

勃兰登堡

● **John　约翰**（1513-08-03，勃兰登堡唐格明德～1571-01-13，勃兰登堡诺伊马克屈斯特林）　勃兰登堡-屈斯特林侯爵，信奉基督教新教但仍忠于信仰天主教的哈布斯堡王朝皇帝的德意志统治者。他与新教的邦君斗争，治理其领地政绩卓著。勃兰登堡选侯约阿希姆一世的幼子，继承选侯封地的一半，得到东部的新马尔克区。幼年为天主教徒，后改宗基督教新教，并加入基督教新教施马尔卡尔登同盟。然而，1545年在得到不强迫他改变信仰的保证之后，站到了皇帝查理五世一边，其军队为击败施马尔卡尔登同盟出力。1548年的宗教协议奥格斯堡临时敕令使许多基督教新教徒遭流放，约翰再次反对皇帝，但出于对其他邦君们的不信任，又重新回到皇帝的营垒，查理任命他为皇帝咨议。因他没有儿子，死后封地转入其侄约翰·乔治之手。

布列塔尼

● **John I　约翰一世**（1217～1286）　绰号红头发约翰。布列塔尼公爵（1237起）。彼得一世之子。他同他父亲一样，力求限制教士的世俗权利，结果被革出教门，曾前往罗马争取赦免。后追随圣路易参加十字军，前往突尼斯（1270）。

● **John II　约翰二世**（1239～1305，里昂）　布列塔尼公爵（1286起）和里歇蒙伯爵。约翰一世之子。曾随其父参加圣路易十字军远征突尼斯（1270），并曾在巴勒斯坦作战。1272年返回欧洲，后在英王爱德华一世和法王腓力四世之间的战争中立场反复无常，被腓力四世封为法国贵族（1297）。

● **John III　约翰三世**（1286～1341）　别名好人约翰。布列塔尼公爵（1312起）。阿尔蒂尔二世之子。结婚3次，但无子嗣，导致两个间接继承人蒙福尔的约翰和布卢瓦的查理互相争夺，引发布列塔尼爵位继承战争。约翰三世指定布卢瓦的查理为其继承人，并将自己的侄女许配给他（1338）。

● **John (IV)　约翰(四世)**（？～1345）　别名蒙福尔的约翰。布列塔尼公爵领地的争夺者。布列塔尼的阿尔蒂尔二世唯一幸存的儿子。他原承认布列塔尼公爵约翰三世所指定的继承人布卢瓦的查理（国王腓力六世之侄），但1341年约翰死后，他又矢口否认，从而爆发了布列塔尼爵位继承战争。约翰受到英王爱德华三世的支持，腓力六世则支持其侄，并在南特将约翰俘虏（1341）。他越狱后，在卡多雷击败查理的同党（1345）。同年，约翰本人去世，其遗孀佛兰德的让娜继续为其子约翰四世提出继承要求。有些文献资料把蒙福尔的约翰列入布列塔尼公爵系谱，因此成为约翰四世，他的继承人则成为约翰五世和约翰六世。

● **John IV (or V)　约翰四世(或五世)**（约1340～1399-11-01，法国南特）　又称里奇蒙伯爵，别名蒙福尔的约翰、征服者约翰、勇敢者约翰。布列塔尼公爵(1365起),在百年战争中(1337～1453)支持英国利益,几乎将公爵领地丧失给法国国王。他的统治呈现不稳局面,这不仅由于他与英国结盟,而且因为他对臣民强征重税。曾在英王爱德华三世的宫廷中受教育。1364年9月战胜布卢瓦伯爵查理,结束布列塔尼爵位继承战争。法国国王查理五世签订《盖朗德条约》(1365-04-12),承认他为布列塔尼公爵(1365)。1372年他与爱德华结盟,允许英军驻屯在他的布列塔尼各要塞。法军将英军从大部分公爵领地赶走后,他逃往英格兰(1373-04)。1381年1月15日签订第2次《盖朗德条约》,与查理六世的摄政媾和。

● **John Ⅴ (or Ⅵ)　　约翰五世(或六世)**
(1389-12-24～1442-08-28)　别名智者约翰。布列塔尼公爵(1399起)。在百年战争和法国内部冲突中,他善于顺应形势、改变立场,因而加强了自己的公爵领地。他与阿马尼亚克和勃艮第、法国和英格兰、查理七世和他的王位争夺者这些互相冲突的双方均保持关系,并在布列塔尼内部成功地进行了意义重大的政治、军事和经济改革。

勃　艮　第

● **John　　约翰**(1371-05-28,勃艮第鲁夫尔～1419-09-10,法国蒙特罗)　别名无畏者约翰。法国瓦卢瓦王室的第2代勃艮第公爵,对15世纪初的法国历史有重大影响。勃艮第公爵大胆腓力之子。1385年同巴伐利亚的玛格丽特结婚。此后10年,大胆腓力向他传授治国和作战之道。1396年,他成为征伐奥斯曼土耳其人的勃艮第十字军的名义领袖。1404年继承父位,成为勃艮第公爵兼勃艮第、佛兰德和阿图瓦的伯爵。他将大部分时间和相当多的精力用于法国的政治方面和军事方面,巴黎成为他的长住地和政府所在地。1408年率

美国不列颠百科全书公司供图

领勃艮第军队支援列日主教巴伐利亚的约翰,反对公开叛乱的列日市民。1408年9月23日在奥泰原野彻底击败列日市民。勃艮第的影响由此扩及列日和列日教区。此后,约翰积极干预法国事务,并与奥尔良公爵路易进行战争。1413～1418年与英王亨利五世进行谈判,但未能建立起巩固的英勃同盟。1419年秋期望与阿马尼亚克派的领袖王太子查理(后为查理七世)缔结一项和平协定,两位王公各带10名随从在巴黎东南80千米处的蒙特罗桥会见。1419年9月10日外交谈判开始时,无畏者约翰在阿马尼亚克派挑起的争吵中遭到杀害。约翰追求的目标与当时其他统治者的目标相似:巩固并扩大他本人及其家族的权威,尽管存在种种缺点,他毕竟是一位成功的外交家和军事领袖。但在历史上,尤其是法国历史上,他长期被视作叛国者和凶手。倘若说他给法国造成了毁灭,他为自己的勃艮第领地却带来了和平与繁荣。

拜占廷帝国

● **John Ⅰ Tzimisces　　约翰一世(齐米斯西斯)**(925～976-01-10,君士坦丁堡)　拜占廷皇帝(969～976)。曾将拜占廷权势扩展到巴尔干和叙利亚,并使国内安定,为后继者

969～976年拜占廷金币上的约翰一世像(左)

美国不列颠百科全书公司供图

留下一个稳定而有威望的帝国。出生于亚美尼亚贵族家庭,与当时的将军、后来的尼斯福鲁斯二世有亲戚关系。因襄助尼斯福鲁斯登位有功,升任拜占廷东方部队最高指挥官。他与皇后狄奥法诺共谋,将尼斯福鲁斯暗杀(969-12)。因君士坦丁堡牧首波留克图斯威胁约翰必须悔罪才能即皇位,所以约翰将狄奥法诺送进女隐修院,又惩处了凶手。约翰一世以军事实力和外交手腕并用的政策加强了帝国的力量。970年,他与君士坦丁七世之妹狄奥多拉结婚,以平息国内对他地位的责难。971年,保加利亚人进犯,他率军占其首都,俘其皇帝,迫使他们承认拜占廷的宗主权。971年他击败俄罗斯大公斯维亚托斯拉夫,消除了北方的威胁。在西方,通过与未来的神圣罗马皇帝奥托二世联姻,加强了拜占廷的地位。在东方,他削弱了法蒂玛王朝在安条克地区的势力,974～975年取得安条克、大马士革以及其他叙利亚城市。大概因患伤寒,未及收复耶路撒冷即去世。

● **John Ⅱ Comnenus　　约翰二世(康尼努斯)**(1087-09-13～1143-04-08)　拜占廷皇帝(1118～1143),毕生为收复被阿拉伯人、突厥人和十字军所夺去的帝国领土而努力。亚历克塞一世康尼努斯皇帝之子,即位后大部时间在军中度过。他曾取消威尼斯人在拜占廷的贸易特权以增加国家岁入,但1122年作战失败又被迫予以恢复。12世纪20年代,他挫败了佩切涅格人、匈牙利人和塞尔维亚人对拜占廷的进犯。1130年为对抗西西里的诺曼人国王罗杰二世,与德意志皇帝洛塔尔二世(三世)结盟。统治后期,全力经营东方。

美国不列颠百科全书公司供图

1135年他打败梅利泰内的达尼斯梅德酋长国。两年后,他从下亚美尼亚王国手中夺回全部西利西亚。其后又迫使安条克大公普瓦捷的雷蒙承认拜占廷的宗主权,双方结盟进攻叙利亚境内的突厥族阿塔贝格人,但战果不大。1143年,他回师胁迫安条克,并指定四子曼努埃尔一世为自己的继位人,后死于狩猎事故。

● **John Ⅲ Ducas Vatatzes　　约翰三世(杜卡斯·瓦塔特泽斯)**(1193,拜占廷帝国～1254-11-03,今土耳其)　尼西亚皇帝(1222～1254)。他兼并领土,发展经济,并鼓励文化复兴;为从拉丁皇帝统治下收复君士坦丁堡、重建拜占廷帝国铺平了道路。出身于拜占廷贵族家庭,与尼西亚皇帝狄奥多尔一世之女伊林娜结婚。狄奥多尔死后继承帝位,打败起而抗争的狄奥多尔的两个兄弟(1223)及其支持者拉丁势力,而成为小亚细亚的统治者。1225年伊庇鲁斯君主狄奥多尔·杜卡斯占领帖撒罗尼加,自封拜占廷皇帝。1230年约翰三世同保加利亚皇帝阿森二世结盟,打败了狄奥多尔;1235年包围了君士坦丁堡。1241年阿森死后,约翰三世兼并了保加利亚领土,同时进攻伊庇鲁斯。到1242年,他夺取了伊庇鲁斯的部分领土,迫使其承认尼西亚的宗主权。他与西方各国首脑订立条约,以进一步孤立君士坦丁堡拉丁王朝。约1250年,他愿作神圣罗马皇帝腓特烈二世的附庸,以取得对进攻君士坦丁堡之助;同时与教皇谈判,答应一旦拉丁帝国交还君士坦丁堡,将协助中止东西教会分裂状态。但均未实现。在内政上,他使尼西亚经济自立,发展了农业和畜牧业,建立医院、济贫所,并鼓励尼西亚文化生活的发展。死后被正教会追谥为圣徒。

● **John Ⅳ Lascaris　　约翰四世(拉斯卡里斯)**(1250-12-25～1305)　尼西亚皇帝。狄奥多尔二世拉斯卡里斯皇帝(1254～1285在位)之子。8岁丧父,即位后由先帝的挚友乔治·穆扎隆辅佐。但未出9天,穆扎隆即被迈

克尔·帕里奥洛加斯的同伙刺死，迈克尔成为摄政者，尔后又自立为皇帝。1258 年 12 月加冕为约翰的同朝皇帝。迈克尔的军队从拉丁皇帝那里夺回君士坦丁堡以后，于 1261 年 8 月在圣索非亚教堂加冕为唯一皇帝，并将约翰四世双眼刺瞎，囚禁于比希尼亚的一所要塞。

● **John V** Palaeologus　**约翰五世(帕里奥洛加斯)**(1332-06-18，拜占廷帝国～1391-02-16，君士坦丁堡[今土耳其伊斯坦布尔])　拜占廷皇帝(1341～1391)。在位期间内争不已，奥斯曼土耳其人势力日增，欲挽救帝国但无所成。其父安德罗尼卡三世去世时即位，年仅 9 岁，由父皇的首相约翰·坎塔库泽努斯摄政。1347 年坎塔库泽努斯塔加冕为约翰五世的同朝皇帝。1354 年约翰五世与威尼斯人结盟，迫使坎塔库泽努斯隐退。1354 年奥斯曼土耳其人占领加利波利，在欧洲取得立足点，威胁君士坦丁堡。约翰呼吁西方援助，并以结束拜占廷教会与拉丁教会分裂状态为回报条件，教皇答应派遣十字军，但终未兑现。同塞尔维亚人、土耳其人的战争耗尽了拜占廷国库。1369 年约翰访问威尼斯时，作为破产债户被逮捕。1371 年约翰被迫承认土耳其人的宗主权。1376 年被其子废黜，1379 年土耳其人帮助他复位，但他的帝国已岌岌可危。他给儿子曼努埃尔留下了一个衰微的帝国、一个土耳其太上皇和惊心丧魄的黎民百姓。

● **John VI** Cantacuzenus　**约翰六世(坎塔库泽努斯)**(1292～1383-06-15，拜占廷帝国米斯特拉)　拜占廷政治家、皇帝、历史学家。由于与约翰五世争夺帝位，求援于土耳其人，

美国不列颠百科全书公司供图

从而为土耳其人征服拜占廷创造了条件。曾任安德罗尼卡三世的首相，1328～1341 年负责制定内外政策，改革司法制度，并实施一项大规模造船计划，以争取商业独立，摆脱对热那亚人和威尼斯人的依赖。在对塞尔维亚人的战争中功勋卓著，1337 年消灭了希腊西部的伊庇鲁斯君主国，将其并入拜占廷帝国。1341 年安德罗尼卡去世，他成为幼帝约翰五世的摄政。但当他离开君士坦丁堡去色雷斯同塞尔维亚人作战时，他的政敌，以太后、萨伏依的安娜为首，宣布他为卖国贼。1341 年 10 月 26 日，他于季季莫蒂洪斯自立为帝。1343～1345 年他与土耳其人结盟，并将女儿嫁给奥斯曼苏丹奥尔汗。在土耳其人的协助下，1347 年 2 月回到君士坦丁堡，5 月加冕为约翰五世的同朝皇帝，称约翰六世。他原允诺只同治 10 年，此后由约翰五世独自执政，但到 1354 年又不愿放弃权力，遂使其子马修加冕为同朝皇帝。约翰五世请求威尼斯人援助，1354 年夺回君士坦丁堡。坎塔库泽努斯被迫退位，隐居隐修院，撰写回忆录。此书成为 1320 至 1357 年前后的珍贵史料。

● **John VII** Palaeologus　**约翰七世(帕里奥洛加斯)**(1370～约 1408-09，拜占廷帝国)　拜占廷皇帝，1390 年从其祖父约翰五世皇帝手中夺得对君士坦丁堡的控制权，在位仅数月。1399～1402 年约翰五世的继承人曼努埃尔二世前往西方寻求援助以抗击土耳其人进攻时，他在君士坦丁堡摄政。在此期间，他与奥斯曼土耳其人订约，为他们提供财政及宗教特权。曼努埃尔回国后，宣布条约无效，调任约翰为帖撒罗尼加(今希腊塞萨洛尼基)总督。

● **John VIII** Palaeologus　**约翰八世(帕里奥洛加斯)**(1392-12-17/18～1448-10-31，君士坦丁堡)　拜占廷皇帝，在位期间，一直向西方寻求援助，以期抗击奥斯曼土耳其人对拜占廷帝国的攻击。他是曼努埃尔二世之子。1421 年被其父加冕为同朝皇帝，1425 年 7 月正式即位。当时帝国支离破碎，他的统治范围仅限于君士坦丁堡周围地区，他的兄弟们则分别治理希腊伯罗奔尼撒及黑海沿岸地区。1422 年 6 月，君士坦丁堡遭到土耳其苏丹穆拉德二世围攻。1430 年 3 月土耳其人攻占帖撒罗尼加(今希腊塞萨洛尼基)，约翰向西方求援。1437 年前往意大利。在费拉拉-佛罗伦萨会议(1439)中促成拜占廷同拉丁教会的联合。但是西方阻遏土耳其人的努力失败，因此拜占廷人拒绝使他们的教会从属于罗马教皇。约翰心灰意懒，兼以帝位之争阴谋屡起，第二次科索沃战役(1448-10)中土耳其人战胜匈牙利人的消息传来，使他郁郁而终。

君士坦丁堡

● **John**　**约翰**(约 1170～1237-03，拜占廷帝国君士坦丁堡[今土耳其伊斯坦布尔])　别名布列讷的约翰。布列讷伯爵，名义上的耶路撒冷国王(1210～1229)，君士坦丁堡的拉丁帝国皇帝(1231～1237)。他是法国布列讷伯爵埃拉尔之子，本是一个一文不名的小贵族。后结识法国国王腓力二世。经腓力介绍，1210 年 9 月与十字军所建耶路撒冷王国的女王玛丽结婚。10 月 3 日在提尔加冕为王。玛丽死(1212)后，女儿约兰德即位，称伊萨贝拉二世，由约翰摄政。1214 年，约翰与亚美尼亚公主斯蒂芬尼结婚，后生一子。约翰在摄政期间劝说罗马教皇英诺森三世发动第 5 次十字军东征，以支持他女儿的王国。1218 年，他参加十字军远征埃及港口达米埃塔。因与十字军领导人、教皇使节枢机主教贝拉基意见不合，离开埃及，返回耶路撒冷(1221-07)，以亲身见闻证实十字军的惨败及放弃围攻达米埃塔的行动。他于 1228 年应邀去君士坦丁堡任鲍德温二世的摄政者及同朝皇帝。1231 年加冕，共同击退保加利亚人的进犯。但他生前一直被迫向西方求援。

丹　麦

● **John**　**约翰**(1455-06-05，丹麦～1513-02-20，丹麦奥尔堡)　丹麦国王(1481～1513)，兼挪威国王(1483～1513)、瑞典国王(1497～1501，称约翰二世)，曾力图将瑞典并

美国不列颠百科全书公司供图

入丹麦人所统治的斯堪的纳维亚联邦，但未实现。约翰于 1481 年继其父克里斯蒂安一世为丹麦国王兼挪威国王，但同意丹麦贵族提出的对王权的严格限制。虽然瑞典参政会承认他为国王，但由于瑞典摄政者老斯图勒的阻挠，约翰推迟在瑞典举行加冕典礼。1490 年，约翰曾与其弟腓特烈(后为丹麦国王，即腓特烈一世)瓜分石勒苏益格和荷尔斯泰因两属地。约翰不顾 1483 年宪章的规定，扩大自己的权力，反对汉萨同盟，以削弱贵族的势力。1497 年约翰迫使老斯图勒辞去瑞典摄政。他登上瑞典王位后，下令建设海军，以控制波罗的海。1500 年迪特马申地方(今属德国)发生农民暴动，他在军事上遭到惨败，从而引起瑞典贵族造反，重推老斯图勒为瑞典摄政。但挪威和丹麦反对约翰统治的暴动则遭到镇压。在他与英格兰签署商约导致的一场反对瑞典和汉萨同盟的吕贝克市的战争(1510～1512)期间，丹麦海军屡胜。

英 格 兰

● **John**　**约翰**(1167-12-24，牛津～1216-10-18 或 19，英格兰诺丁汉郡纽瓦克)　别名约翰(拉克兰)。英格兰国王(1199～1216)。在与法国国王腓力二世交战中，丧失了诺曼底和

美国国会图书馆供图

在法国的几乎全部领地;在国内则引起贵族叛乱,被迫签署《大宪章》(1216)。亨利二世的幼子,深受宠爱。1177年获爱尔兰封地。1189年7月其兄理查即位后,封约翰为莫尔坦伯爵。他曾承诺在理查参加十字军东征离国期间不进入英格兰。1190年10月理查立阿瑟为王位继承人。约翰立即背弃誓言返回英格兰,与法王腓力二世奥古斯特结盟企图夺取王位,未成。1194年初理查归来后将他放逐并剥夺其一切领地。不久,他与理查和解。次年恢复了部分领地,包括莫尔坦和爱尔兰。1196年布列塔尼人背叛阿瑟将其交给腓力二世。理查只好承认约翰为其王位继承人。1199年4月理查去世,5月约翰加冕为英格兰国王。同年,他以血缘相近为由与第一个妻子伊莎贝拉离婚。翌年与昂古莱姆家族女继承人伊莎贝拉结婚。因伊莎贝拉是吕济尼昂家族的于格九世的未婚妻,吕济尼昂家族遂发动叛乱并求助于腓力二世,英法乃重启战端。战争初期约翰一度获胜,但到1206年诺曼底、安茹、曼恩以及普瓦图的一部分均落入腓力二世手中。1205年大法官坎特伯雷大主教休伯特·沃尔特去世,从此他重用家族成员。为了挽回在大陆的失败,横征暴敛,滥用特权,以增加财政收入。约翰拒绝教皇英诺森三世任命朗顿为坎特伯雷大主教,而与教皇发生争吵,被开除教籍(1209-12),后为收复大陆失地,于1212年向教皇妥协,接受兰顿为大主教,称臣纳贡。次年7月恢复教籍。1214年2月约翰对法开战,在拉罗谢尔登陆,但一无所获,被迫停战,10月返英。这时国内怨声载道,1215年5月内战爆发,伦敦失陷。6月19日约翰被迫接受贵族提出的《大宪章》,保证封建主的权利,重申英格兰法律。不久内战又起。法国的路易亲王(后为路易八世)应贵族之请侵入英格兰。约翰继续奋战,但胜负未决即死去。他的去世使媾和成为可能,贵族的权利得到恢复,约翰之子继位为亨利三世,路易撤军。

埃塞俄比亚

● **John Ⅳ**　参阅 **Yohannes Ⅳ** 约翰尼斯四世。

法　国

● **John Ⅰ**　**约翰一世**(1316-11-15～1316-11-19或20,巴黎)　又称遗腹子约翰。法王路易十世之遗腹子,虽于出生后数日即夭折,但仍被视为法国国王。其叔继位为腓力五世,传言系其置稚子于死地或以死婴掉包,但缺乏证据。1358年佛罗伦萨有一位叫詹尼诺的人自称是约翰一世,但几乎没有人相信;他于1363年死于那不勒斯狱中。

● **John Ⅱ**　**约翰二世**(1319-04-16,法国勒芒附近～1364-04-08,伦敦)　别名好人约翰。法国国王(1350～1364)。曾在普瓦捷战役(1356-09-19)中被英军俘虏。在法英百年战争(1337～1453)初期,被迫签署灾难性的条约(1360)。1350年8月22日即位后,继续与英格兰人休战。1351年9月7日攻击并收复法国西部的圣让-当热利,12日与英格兰签订新的休战协定。但于1352年8月又加以

美国不列颠百科全书公司供图

违反。约翰的另一个对手是纳瓦拉国王查理二世。双方不断发生冲突,但也曾达成过协议。1356年英王爱德华入侵法国,同年9月法军在普瓦捷大部被歼,约翰被俘,1357年4月被押往伦敦。最后签订《布雷蒂尼条约》(1360-05)和《加来条约》(1360-10),确定约翰的赎金为300万金埃居,并将法国西南部大部地区割让予爱德华。1360年10月9日,约翰获释回国筹措赎金,并以其他人质作为保证。但人质之一(约翰之子)逃脱,约翰感到羞耻,自动重回英国,接受监禁。

埃　诺

● **John Ⅰ**　**约翰一世**　参阅 **John Ⅱ**(Holland)约翰二世(荷兰)。

荷　兰

● **John Ⅱ**　**约翰二世**(约1247～1304-09-11?,埃诺)　又称阿韦纳的约翰。埃诺、荷兰和泽兰伯爵。埃诺伯爵阿韦纳的约翰之子,1280年获得埃诺伯爵爵位,称约翰一世。他与法国国王腓力四世友善,曾促使荷兰伯爵弗洛里斯五世中止同英格兰国王爱德华一世长期的友好关系,而同法国结成联盟。这遭到荷兰贵族的强烈反对,他们杀害了弗洛里斯(1296)。约翰成为荷兰总督、弗洛里斯之子的监护人。1299年弗洛里斯之子死去,他成为荷兰伯爵,称约翰二世。同佛兰德伯爵当皮埃尔的军队作战两年后,于1304年将佛兰芒人赶出荷兰和泽兰。

匈　牙　利

● **John**　**约翰**(1487,匈牙利赛派斯瓦拉尔尧～1540-07-22,沙塞贝斯)　原名亚诺什·扎波利亚。匈牙利国王和敌对国王(1526～1540),曾发动反哈布斯堡王朝的叛乱。1505年作为拉科斯国会议员开始从政。由于他的提议,国会表决在国王乌拉斯洛逝世之后不再选举外国王子作匈牙利国王。1511年他被指派为特兰西瓦尼亚督军,曾残酷镇压1514年的农民起义,因此获得地方绅士的好感。随后第二届拉科斯国会任命他为幼王路易二世的监护人。1526年奥斯曼苏丹苏莱曼一世进犯意大利,幼王路易在同年8月的莫哈奇战役中阵亡。10月底土耳其部队全部撤出匈牙利,他被一群贵族选举为国王(1526-11-10)。但是路易二世的姻兄奥地利大公斐迪南也根据哈布斯堡-亚盖沃家族的盟约提出王位要求,1527年被其追随者拥立为匈牙利国王。苏莱曼支持约翰,双方角逐至1538年,才订立秘密的《瑙吉瓦劳德条约》把匈牙利一分为二:斐迪南拥有西匈牙利和克罗地亚;约翰领有余下的2/3领土,拥有国王称号,首府设在布达;斐迪南将在约翰去世后继承王位。然而约翰再度结婚,并生一子名叫约翰·西吉斯蒙德(1540～1571)。约翰去世后,其子被选举为国王。斐迪南欲提出王位要求,但在苏莱曼保护下,约翰·西吉斯蒙德占据了匈牙利中部和南部大部分地区,只将西部一小部分留给斐迪南。

耶路撒冷

● **John**(Ⅰ)　**约翰(一世)**　参阅 **John Ⅰ**(France)约翰一世(法国)。

● **John**(Ⅱ)　**约翰(二世)**　参阅 **John Ⅱ**(Spain:Aragon)约翰二世(西班牙:阿拉贡)。

罗马教廷

● **John Ⅰ**,SAINT　**约翰一世,圣**(?,托斯卡纳～526-05-18,拉韦纳)　教皇(523～526在位)。经过他的努力,教廷与拜占廷帝国皇帝查士丁一世于519年恢复和平,自484年开始的阿卡西乌斯分裂局面结束,东西两派教会重新联合。东哥特狄奥多里克大王对这种和解有疑惧。后来查士丁一世镇压不相信基督具有神性的阿里乌派。狄奥多里克大王本人是阿里乌派信徒,525年命令约翰一世与查士丁一世进行谈判,要求后者撤销原颁通谕。约翰一世是曾经访问君士坦丁堡的第一位教皇。谈判未获成功,526年约翰一世返回拉韦纳,被狄奥多里克大王囚禁,不久可能由于饥饿而死。

● **John Ⅱ**　**约翰二世**(?,罗马～535-05-08,罗马)　原名梅尔库里乌斯。教皇(533～535在位)。教皇废原名而另置称号,自约翰二世始。在位期间反对聂斯脱利派。534年根据拜占廷皇帝查士丁尼一世的要求绝罚君士坦丁堡聂斯脱利派阿科埃梅支派修士,由上帝受难派引起的教义争论宣告结束。

● **John Ⅲ**　**约翰三世**(?,罗马?～574-07-13,罗马)　原名或许是卡特利努斯(Catelinus?)。教皇(561～574在位)。在意大利北部立国的日耳曼系伦巴第人入侵意大利内地,其时有关这位教皇的史料被毁。571年约翰三世请求拜占廷大将纳尔塞斯出兵保卫罗马,抗击伦巴第人,但罗马市民不接受纳尔塞斯,因为据说伦巴第人的入侵正是由他所引起。为避免卷入纷争,约翰三世隐匿在地下墓窟中,直到纳尔塞斯死去(约573)。

● **John Ⅳ**　**约翰四世**(?,达尔马提亚～642-10-12,罗马)　罗马教皇(640～642在位),原为罗马副主教,继塞维里努斯为教皇,接位后继续执行前任方针,谴责基督一志论(7世纪一种有关基督旨意的异端说法)。派遣使者营救被斯拉夫人俘虏的巴尔干人。原来教皇洪诺留一世曾提出基督的神人二性不可分,圣父圣子的意志无差异,引起激烈争论。约翰四世为这种说法辩护。他反对居住爱尔兰的凯尔特人所选定的复活节日期。

● **John V** **约翰五世**(?,叙利亚? ～686-08-02,罗马) 教皇(685～686在位)。在任助祭时曾参加教皇阿加托的代表团前往君士坦丁堡出席第六次普世会议(680～681)。这次会议谴责基督一志论。他博学多才,慷慨周济贫民。

● **John VI** **约翰六世**(?,希腊? ～705-01-11,罗马) 教皇(701～705在位)。拜占廷将军狄奥菲拉克图斯自西西里入侵意大利内地时,激起当地民众反抗,幸蒙约翰六世保护。伦巴第人贝内文托公爵吉苏尔夫率兵越过罗马南界时,约翰六世经斡旋,赎出被俘人员,他还促使吉苏尔夫撤兵。

● **John VII** **约翰七世**(?,希腊? ～707-10-18,罗马) 教皇(705～707在位)。他以崇敬圣母马利亚以及大力恢复罗马各处教会而闻名。692年在君士坦丁堡特鲁洛大厅会议

美国不列颠百科全书公司供图

上通过了包括反对教士必须独身以及斋戒等惯例习俗的教令。拜占廷皇帝查士丁尼二世向约翰七世提交了这份教令,约翰七世不予承认。

● **John** **约翰**(活动时期9世纪,意大利) 敌对教皇(844-01在位)。原为罗马教会大助祭,深得平民拥护,被推举为教皇,与贵族所推举的教皇塞尔吉乌斯二世对立。幸赖塞尔吉乌斯二世保护,约翰才免于被贵族杀害。塞尔吉乌斯二世将他囚禁于隐修院,其后不知所终。

● **John (VIII)** **约翰八世** 参阅 **Joan, Pope** *若安(女教皇)*。

● **John VIII** **约翰八世**(?,罗马～882-12-16,罗马) 教皇(872～882在位)。他支持大主教圣美多迪乌斯向斯拉夫人宣传基督教,并允许使用斯拉夫语宗教礼文。为了联合意大利南方以抵制萨拉森人入侵,与法兰克皇帝路易二世联盟。875年路易二世去世,约翰八世为西法兰克国王查理二世加冕,称西罗马帝国皇帝。君士坦丁堡牧首弗提乌一向受谴责,879年约翰八世予以承认,使教廷与东西两教会之间的争论得到解决。881年约翰八世为法兰克国王查理三世加冕,称法兰克皇帝。他经常受政敌暗算的威胁,据说最终被谋害而死。

● **John IX** **约翰九世**(?,罗马～900-01) 教皇(898～900在位)。他登位后塞尔吉乌斯(日后成为教皇塞尔吉乌斯三世)与他对立,被他处以绝罚。起初,教皇福尔摩苏斯死后于897年被教皇司提反六世(七世)下令掘墓审尸并宣布推选他为教皇无效。约翰九世登位后立即在罗马和拉韦纳召开会议,为福尔摩苏斯昭雪,谴责司提反六世(七世)所召开的会议,撤销其教令,恢复被司提反六世(七世)一派撤换的神职人员的职务,承认法兰克皇帝洛泰尔一世的《罗马宪章》,开选举教皇必须有皇帝使者在场的先例。

● **John X** **约翰十世**(?,罗马涅伊莫拉附近托西尼亚诺～928-05或06,罗马) 教皇(914～928在位)。他批准本笃会克吕尼隐修院的严厉院规。915年与罗马元老狄奥菲拉克图斯和斯波莱托公爵阿尔贝里克一世共同率军在加里利亚诺河畔击败萨拉森人。同年为阿尔贝里克一世加冕,授神圣罗马帝国皇帝称号。924年阿尔贝里克一世被暗杀,约翰十世与意大利国王胡格联盟。于是开罪于狄奥菲拉克图斯的女儿马罗吉娅,她本人是有权势的罗马元老院议员。她命令将约翰十世囚于罗马圣安杰洛城堡,约翰十世最后可能是被窒息而死。

● **John XI** **约翰十一世**(910?,罗马～935-12或936-01,罗马) 教皇(931～约935在位)。罗马豪门克雷申蒂家族的重要成员马罗吉娅与情夫教皇塞尔吉乌斯三世所生之子。21岁登位,为生母的政治目的效劳至932年或933年,是年他的同母异父兄弟阿尔贝里克二世(马罗吉娅与意大利斯波莱托公爵阿尔贝里克一世之子)剥夺马罗吉娅的称号,并将她逮捕下狱,约翰十一世则被终身幽禁在拉特兰宫中。

● **John XII** **约翰十二世**(937?,罗马～964-05-14) 原名奥塔维亚诺(Ottaviano)。教皇(955～964在位)。是当时统治罗马的斯波莱托公爵阿尔贝里克二世的独子。18岁左右即由枢机主教奉其父之命推选为教皇。962年为德意志国王奥托一世和王后阿德莱德加冕,称神圣罗马帝国皇帝和皇后。奥托一世后来公布"奥托特权",命令约翰十二世宣誓服从皇帝,约翰十二世予以抵制。963年奥托一世在罗马圣彼得大教堂召集会议,以约翰十二世阴谋发动政变且行为不端而予以驱逐,选出利奥八世接替约翰十二世。964年奥托一世撤离罗马,约翰十二世召开宗教会议废黜利奥八世。此后不久,约翰猝死于情妇怀中。

● **John XIII** **约翰十三世**(?,罗马～972-09-06,罗马) 教皇(965～972在位)。由神圣罗马帝国皇帝奥托一世选定,但遭罗马贵族反对,965年被劫持。966年奥托一世将他救出,并残酷惩罚他的敌人。967年约翰十三世为奥托一世之子奥托二世(12岁)加冕,授皇帝称号。972年拜占廷公主狄奥法诺嫁给奥托二世之前,约翰十三世为她加冕,授皇后称号。

● **John XIV** **约翰十四世**(?,伦巴第帕维亚～984-08-20,罗马) 原名卡内帕诺瓦(Pietro Canepanova)。教皇(983～984在位)。由神圣罗马帝国皇帝奥托二世选定,罗马豪门克雷申蒂家族另拥立敌对教皇卜尼法斯七世。奥托二世驱逐卜尼法斯七世,983年奥托二世死,卜尼法斯七世返回罗马,在克雷申蒂家族支持下将约翰十四世囚于罗马圣安杰洛城堡后害死,一说饿死,一说毒杀。

● **John XV** **约翰十五世** 参阅 **John(XX) (Papacy)** *约翰(二十世)*。

● **John XV (or XVI)** **约翰十五世(或十六世)**(?～996-03,罗马) 教皇(985～996在位)。起初,教皇本尼狄克六世和约翰十四世先后被罗马豪门克雷申蒂家族所拥立的敌对教皇卜尼法斯七世杀害。985年卜尼法斯七世死,克雷申蒂家族在政治上受挫。但克雷申蒂二世使约翰十五世(十六世)当选,该家族又重振势力。后来约翰十五世(十六世)企图依靠德意志国王奥托三世(日后为神圣罗马帝国皇帝)反抗克雷申蒂家族,但未及奥托三世干预,约翰十五世(十六世)身亡。993年约翰十五世(十六世)追谥奥格斯堡主教乌尔里希为圣人,创追谥圣人的先例。

● **John XVI (or XVII)** **约翰十六世(或十七世)**(?,卡拉布里亚罗萨诺～约1013) 原名Giovanni Filagato。敌对教皇(997～998在位)。988年由神圣罗马帝国皇帝奥托二世立为诺南托拉隐修院院长。奥托二世死后,菲拉加托在皇后狄奥法诺宫中甚得宠幸,是奥托三世的教父。996年教皇约翰十五世死后,狄奥法诺之子奥托三世令其堂弟布鲁诺继位,称格列高利五世。罗马豪门克雷申蒂家族趁奥托三世在德意志之际,在罗马鼓动骚乱。约翰十六世(十七世)自君士坦丁堡返回罗马,该家族建议约翰十六世(十七世)继位为教皇,以便联合拜占廷反对奥托三世,得约翰十六世(十七世)同意。997年流亡中的格列高利五世绝罚克雷申蒂二世。次年奥托三世率军攻入意大利,实行恐怖统治,将克雷申蒂二世斩首,约翰十六世(十七世)被摧残得身残目盲,一说被投入监牢,一说被禁锢于隐修院。由于罗萨诺隐修院院长圣尼卢斯的营救,约翰十六世(十七世)得免一死。

● **John XVII (or XVIII)** **约翰十七世(或十八世)**(?,罗马～1003-12-06) 原名西科(Sicco或Secco)。教皇(1003在位)。由罗马豪门克雷申蒂三世选立,是该家族的傀儡。

● **John XVIII (or XIX)** **约翰十八世(或十九世)**(?,罗马～1009-06或07,罗马) 原名法萨诺(Fasano)。教皇(1004～1009在位)。正如前代教皇约翰十七世一样,靠罗马权贵克

雷申蒂三世势力当选，虽比约翰十七世较有独立作为，但终于退位。

● **John XIX (or XX)　约翰十九世(或二十世)**(?～1032-11或12)　原名罗马诺(Romano)。教皇(1024～1032在位)。是继克雷申蒂家族之后控制罗马的图斯库拉尼家族成员。1027年为德意志国王康拉德二世加冕，授神圣罗马帝国皇帝称号，除罗马外，各地教务全由康拉德二世包办。约翰十九世(二十世)为人贪婪无度，甘愿接受贿赂以承认君士坦丁堡牧首，迫于舆论压力未敢成交。

● **John (XX)　约翰(二十世)**　教皇名号，实际并无其人。由于11世纪史学家马里安纳斯·斯科图斯等人误认为在敌对教皇卜尼法斯七世与真正的教皇约翰十五世之间曾有一位名为约翰的教皇，因而将教皇约翰十五世到十九世误作约翰十六世至二十世。后虽经纠正，但根据错误计数而取得称号的教皇约翰二十一世和二十二世仍坚持原名号，因而现用教皇年表上出现约翰二十世这一空头名号。

● **John XXI　约翰二十一世**(约1210或1220，里斯本～1277-05-20，教皇国维泰博)　原名胡利奥(Pedro Julião，拉丁语作Petrus Juliani)。别名西班牙人佩德罗(Pedro Hispano，拉丁语作Petrus Hispanus)。教皇(1276～1277在位)。曾任教皇格列高利十世的侍从医师。在位时期力图恢复罗马教会与东派教会的联合。著有《灵魂论》及评注伪丢尼修所著《天上等级》。此外还著有中世纪著名逻辑学课本《论理学概要》。《论眼》是他的重要医学著作。

● **John XXII　约翰二十二世**(?，法国卡奥尔～1334-12-04，阿维尼翁)　原名杜埃兹(Jacques Duèse或Jacques d'Euze)。教廷被迫迁往法兰西南部阿维尼翁后的第二代教皇

同时代银币上的约翰二十二世像
美国不列颠百科全书公司供图

(1316～1334在位)。他同方济各会及神圣罗马帝国皇帝路易四世发生争执，在神学上持非正统观点，为教廷聚敛大量财富并对教会加强集中管理。他在里昂当选，继克雷芒五世登位后立即作在阿维尼翁久驻之计。1322和1323年先后颁布两份教令，谴责方济各会关于守神贫的理论，根据《圣经》力证基督和众使徒都拥有财产。巴伐利亚的路易(日后为神圣罗马帝国皇帝路易四世)与奥地利的腓特烈互争神圣罗马帝国帝位，约翰二十二世介入其间。1322年路易击败腓特烈，约翰二十二世不许路易四世行使皇帝权力，以待争执获得解决。路易四世不服，约翰二十二世判处路易四世以绝罚，路易四世则于1328年敕令废黜约翰二十二世。1331～1332年冬，约翰二十二世在4次讲解教义时就蒙福信徒死后面见上帝问题发表自己的见解，被指控为异端。帝党枢机主教奥尔西尼与路易四世密商召集普世会议以审判约翰二十二世。约翰二十二世试图与敌手和解，但未果而死。他鼓励在亚洲的传教事业，在安纳托利亚、亚美尼亚、伊朗和印度设立主教区。他在阿维尼翁建有图书馆，并在卡奥尔开办大学。像驻在阿维尼翁的大多数教皇一样，他任人唯亲，而且偏惠亲戚及本国人士。

● **John XXIII　约翰(二十三世)**(?，那不勒斯～1419-11-22，佛罗伦萨)　原名柯萨(Baldassare Cossa)。敌对教皇(1410～1415在位)。他进入教廷时，正值西方教会陷于分裂(1378～1417)，教皇圣座谁属纷争不已。后来教皇格列高利十二世和敌对教皇本尼狄克十三世双方之间形成僵持局面。1408年柯萨背叛格列高利十二世。1409年枢机团在比萨开会，会上柯萨十分活跃。这次会议宣布将格列高利十二世与本尼狄克十三世一并废黜，另选敌对教皇亚历山大五世。1410年亚历山大五世死，柯萨继位，称约翰二十三世。此时曾被教皇英诺森七世赐以教会卫士称号的那不勒斯国王拉迪斯拉斯占据罗马，保护格列高利十二世，反对觊觎那不勒斯王位的安茹家族成员路易二世。1411年路易二世与约翰二十三世的联军开进罗马。拉迪斯拉斯重整部队反攻，迫使路易二世撤军。于是约翰二十三世抛弃路易二世而于1412年与拉迪斯拉斯议和，为换取拉迪斯拉斯抛弃格列高利十二世，由约翰二十三世赠给拉迪斯拉斯大量金钱并让与他部分领土。1413年拉迪斯拉斯毁约纵兵劫掠罗马并赶走约翰二十三世。约翰二十三世逃到佛罗伦萨。德意志国王西吉斯蒙德(日后为神圣罗马帝国皇帝)当时驻在佛罗伦萨，建议约翰二十三世召开康斯坦茨会议。1414年拉迪斯拉斯死。同年康斯坦茨会议开幕，会上大多数枢机主教承认比萨会议和它所选出的约翰二十三世，但不久即发生争执。意大利人拥护约翰二十三世，而德意志人、英格兰人和法兰西人则要求约翰二十三世、格列高利十二世、本尼狄克十三世一齐逊位。1415年约翰二十三世表示，如其他两人逊位，他即逊位。但不久他化装逃出康斯坦茨。康斯坦茨会议宣布逮捕并废黜约翰二十三世，接受格列高利十二世的逊位请求，谴责本尼狄克十三世，另选教皇马丁五世，教会复归于统一。

● **John XXIII　约翰二十三世**(1881-11-25，意大利索托伊尔蒙泰～1963-06-03，罗马，2000年9月3日宣福，纪念日10月11日)　原名A.G.隆卡利(Angelo Giuseppe Roncalli)。教皇(1958～1963在位)。他所开创的天主教新变化意义深远，在位时期堪称天主教会史中新时代的开端。青年时曾服兵役，1904年在罗马受神职时年不满23岁。1920年教

美国不列颠百科全书公司供图

皇本尼狄克任命他为意大利对外传教后援会会长。教皇庇护十一世召他到梵蒂冈参加教廷外交工作。1925年代表教廷访问保加利亚，按惯例出发前升为大主教。后来又任教廷驻希腊使节兼驻土耳其使团团长。1944年末任教廷驻戴高乐将军所领导的自由法兰西使节。原教廷驻法国使节瓦勒里在德国占领法国期间与维希政权首脑贝当将军关系密切，于是戴高乐通知梵蒂冈，瓦勒里为不受欢迎的人，要求将他召回。由于当时法国人对附敌分子仍抱有炽烈反感，隆卡利奉命设法缓和这种不睦气氛，恢复教会的独立自主，并设法使被俘的德籍神学院学生获释。此外，他必须善于处理法国青年教士中间的过激情绪，以平息教廷内部保守势力的不安。他出色完成任务，因此被庇护十二世立为枢机主教。71岁任威尼斯宗主教。庇护十二世死于1958年10月，隆卡利经过反复12次投票始当选为教皇，称约翰二十三世。登位后不久宣布召开近百年来一直未曾举行的普世会议。按照约翰二十三世设想，这次会议本应结束过去的仇恨，使天主教认清在基督教分裂局面形成过程中的责任，从而重建统一的基督教会。约翰二十三世有长期同东正教会交涉的经验，热衷于基督教统一事业，但是教廷人士无法接受他的开诚布公精神。他诚挚地接待东正教、安立甘宗和其他新教领袖，声称将要邀请他们派观察员参加梵蒂冈会议。他将礼拜仪式中刺激犹太人的词句删除。他不以梵蒂冈统治者自居，走访意大利总统，私下接见苏联总理赫鲁晓夫的女婿，与他诚挚地交谈。谒见他的人还有英国坎特伯雷大主教，苏格兰长老会主席和日本神道教大祠官。在1962年古巴导弹危机期间，约翰二十三世公开督促美苏双方慎重克制，这种意见受到肯尼迪总统和赫鲁晓夫总理的赞誉。2000年由教皇约翰·保罗二世为其行宣福礼。

牧　首

● **John XI Becchus　约翰十一世(贝楚斯)**(约1235，尼西亚帝国尼西亚～1297-03，拜占廷帝国尼科美底亚)　希腊正教会君士坦丁堡牧首(1275～1282)。拜占廷帝国中主张希

腊教会和罗马教会联合的主要人物。最初在反对东西方教会联合的君士坦丁堡牧首阿尔塞尼乌斯(1255 ～ 1265 在位)手下任档案员和助理秘书,当时他与阿尔塞尼乌斯立场一致,违抗拜占廷皇帝迈克尔八世的主张,反对与罗马教会联合。后来他被皇帝争取过去。罗马教皇格列高利十世召开预备会议探讨东西方教会联合的利害,他在会上再次反对联合,因而被迈克尔八世监禁。他在狱中研究希腊和罗马神学以及东西两派教会分裂的根源,从此坚决主张联合。反对联合的牧首约瑟夫一世退位后,他于 1275 年继任。由于希腊和罗马两方面都不再热衷于联合,约翰十一世坚决主张联合的立场遭到正教各隐修院乃至皇帝的反对。1279 年放弃牧首职位,后来皇帝再次谋求联合,使他复职。1282 年迈克尔八世去世后,反对联合的安德罗尼卡二世继位,希腊与罗马双方关系破裂,约翰十一世从此退位。他在流亡期间著文驳斥东派教会内部反拉丁派神学家,尤其是塞浦路斯的乔治。乔治后来接替约翰十一世任牧首,称为格列高利二世。约翰十一世被放逐到更为偏僻的尼科美底亚地区,但他拒不妥协,坚持奋斗,这也是格列高利二世在 1289 年被撤换的原因之一。

波　兰

● **John I Albert　　约翰一世·阿尔贝特**(1459-12-27,波兰克拉科夫～ 1501-06-17,托伦)　波兰国王和军事领袖,在其统治下波兰的议会政治得到发展。波兰国王卡齐米日四世的次子,1487 年在科佩斯特里兹和 1491 年在扎斯瓦夫打败鞑靼人时就表现出军事才能。其父死后第 2 年,贵族在枢密院选他为波兰国王。由于财政难以解决,1493 年他召集枢密院和新立法机构即代表会议开会。他同意保持贵族和绅士的传统特权,并给议会以更多的立法权,以作为对他们资助的报答。他也曾试图扩大疆土。曾购买土地并通过外交手段获得一些领土,1497 年发动摩尔多瓦战役,以应摩尔多瓦的斯特凡大公的要求去反击鞑靼人,并想从土耳其那里夺取处于多瑙河和德涅斯特河河口的基利亚和别尔哥罗德城镇。但是斯特凡惧怕国王的野心,怀疑他企图用波兰亲王西格蒙德取代摩尔多瓦王位。当波兰军进入摩尔多瓦时,便遭到斯特凡军队的强烈抵抗,并在 1497 年在苏齐瓦遭受严重挫败。1498 ～ 1501 年,他致力于反击鞑靼对波兰东部边境的进攻。临终前犹念念不忘讨伐拒不从命的封臣条顿骑士团大头领萨克森的腓特烈。

● **John II Casimir Vasa　约翰二世·卡齐米日·瓦萨**(1609-03-22,波兰克拉科夫～ 1672-12-16,法国讷韦尔)　波兰国王(1648 ～ 1668),瑞典王位觊觎者。在位期间与乌克兰、鞑靼、瑞典和俄国作战,丧失波兰大片领土。波兰国王兼瑞典国王(1594 ～ 1599 在位)西格蒙德三世瓦萨的次子,三十年战争时期站在哈布斯堡一边与法国作战。去西班牙就任舰队司令途中被法国人捕获,被囚两年(1638 ～1640)。获释后决心放弃军事生活,当耶稣会见习修士(1646)。一年后还俗。1648 年 5 月其兄波兰国王弗瓦迪斯瓦夫四世去世,数月后他当选为波兰国王,立即娶寡嫂玛丽·路易丝德·贡扎格-内韦尔为妻。他想用谈判方式来结束波兰半自治的乌克兰哥萨

波兰克拉科夫市瓦韦尔国家艺术馆供图

克人民的起义,但波兰贵族要加强控制乌克兰,使他不得不把战争继续下去。1651 年 6 月 28 ～ 30 日,在别列斯捷奇科战败哥萨克及其同盟者鞑靼,但哥萨克却服从俄国沙皇以换取军事援助,战争重起。当波兰军队正在东部边疆作战时,瑞典军却从西部入侵,到 1655 年 10 月,便占领了大部分波兰领土。他仓皇逃往国外,于第二年波兰农民起义反对瑞典统治时回国。1660 年与瑞典订立停战条约,他不得不放弃他对瑞典王位的权利,同时把利沃尼亚北部割让给瑞典。1667 年 1 月波兰与俄国签订和平条约,把半个白俄罗斯(包括斯摩棱斯克)、切尔尼戈夫以及第聂伯河以东的全部乌克兰和以西的基辅割给俄国。他厌倦了对外战争,又面临议会的离心,于 1668 年 8 月逊位,退隐法国,任圣日耳曼－德普雷隐修院院长至死。

● **John III Sobieski　　约翰三世·索别斯基**(1629-08-17,波兰奥列斯科～ 1696-06-17,维拉努夫)　波兰语作 Jan Sobieski。波兰当选国王(1674～1696)、军人,曾驱逐奥斯曼土耳

美国不列颠百科全书公司供图

其军并一度使波兰-立陶宛王国重新进入鼎盛时期。贵族出身。受过良好教育,年轻时曾周游西欧各国。1655 年瑞典人入侵波兰时,他追随瑞典人反对国王约翰·卡齐米日。翌年改弦易辙,成为驱逐瑞典人的领袖之一。1665 年任大元帅,1666 年任波兰陆军司令。1667 年 10 月在波德哈伊策附近击败鞑靼人和哥萨克人。1668 年春凯旋,被任命为波兰军队总司令。1665 年与法国女子玛丽辛卡结婚。1668 年约翰·卡齐米日国王放弃王位,玛丽辛卡策划使约翰当选为国王,没有成功。由于约翰经常在前线,玛丽辛卡多次回法国,约翰曾写给玛丽辛卡许多封长信,这些信件现在成为极重要的历史资料。在国王米哈尔的短暂统治时期(1669 ～ 1673),约翰大肆活动,企图削弱米哈尔的力量。1673 年 11 月米哈尔去世,他大败侯赛因帕夏指挥的土耳其军队。1674 年 5 月他当选为国王。最初采取亲法政策,1675 年 6 月与法国缔结《贾瓦拉夫密约》。他企图利用法国和瑞典的支持夺取普鲁士的领土,但未能如愿以偿。1683 年 4 月与神圣罗马帝国利奥波德一世缔结反土耳其人条约,其中规定:如果缔约一方的首都被围,另一方必须全力赴援。同年夏土耳其大军进逼维也纳。约翰率 2.5 万名波兰人匆匆前往,同年 9 月 12 日在卡伦贝格战役中大胜土耳其人,这是欧洲历史上决定性的战役之一。他企图把摩尔多瓦和瓦拉几亚从奥斯曼帝国的统治下解放出来,将波兰的势力扩展到黑海沿岸。1684 ～1691 年,数次进攻摩尔多瓦皆遭败北,最后一次几乎被生擒。俄罗斯本是波兰的宿敌,但表示愿意与他结成反土耳其人的联盟,结果达成《1686 年永久和约》。依约,波兰永远放弃基辅。尽管 1683 年后他经历了许多次失败,但他仍使波兰东南部摆脱了土耳其人和鞑靼人的进攻威胁。约翰在国内努力提高国王的地位,但由于贵族们相互争吵,诸王子犯上作乱,使 18 世纪的波兰将陷入崩溃状态。

葡 萄 牙

● **John I　　若昂一世**(1357-04-11,里斯本～ 1433-08-14,里斯本)　别名阿维什的若昂、若昂大帝或私生子若昂。葡萄牙国王(1385～1433),曾保持国家独立,摆脱卡斯蒂

15 世纪晚期细密画中款待宾客的若昂一世(右)
美国不列颠百科全书公司供图

利亚的羁绊，并开始葡萄牙的对外扩张，是阿维什王朝的第一位君主。国王佩德罗一世的私生子，6岁成为阿维什骑士团首领，接受宗教和军事教育。1367年丧父。1383年异母兄费迪南德卒，王后莱奥诺尔以他的女婿胡安一世为葡萄牙国王。这时若昂在以N.阿尔瓦雷斯·佩雷拉为首的一伙青年民族主义者的鼓动下，杀死王后的心腹欧伦伯爵，人民群众也纷纷起来支援。王后逃出里斯本，前往卡斯蒂利亚求援。1384年5月卡斯蒂利亚军队包围里斯本，9月因疫病流行被迫撤退。翌年4月，三级代表在科英布拉召开议会，拥戴若昂为国王。他和大将N.阿尔瓦雷斯率兵北进，收服几个重要地区。后因卡斯蒂利亚将入侵而回到里斯本。当敌军进犯葡萄牙中部地区时，若昂和阿尔瓦雷斯迎头痛击，1385年8月14日取得著名的阿尔茹巴罗塔大捷，从而确立了葡萄牙的独立地位。1386年5月9日签订《温莎条约》，奠定了英葡同盟的基础。1415年8月24日若昂的军队占领休达，后来休达成为一座边防重镇。他还由海上向外扩张，发现并殖民于马德拉群岛和亚速尔群岛。若昂一世把人民紧紧团结在自己的周围，赢得精明政治家的声誉。他为了感谢各行会对他的支持，设立二十四人院，由12个主要行会各选两名代表组成。同时还准许他们选出一名人民法官。他终止了在波尔图不受欢迎的由主教主持的民事审判。他在莱里亚附近建造了一座宏伟的巴塔利亚教堂以纪念他的战功，并作为伟人祠。他最爱好打猎，写过一部关于狩猎的著作。

● **John Ⅱ** **若昂二世**（1455，里斯本～1495-10，葡萄牙阿尔沃尔） 葡萄牙国王（1481～1495），被认为是葡萄牙最伟大君主之一，曾坚持王权超越贵族，并支持探险非洲及远征印度。阿维什王朝缔造者若昂一世之曾孙，阿丰索五世之子。1471年与表妹莱奥诺尔结婚。曾随父出征摩洛哥的阿尔济拉，并获得葡萄牙南部贝雅的封邑。1474年奉父命主管“几内亚贸易”和对非洲的探险。1475年4月其父与伊莎贝拉一世因争夺卡斯蒂利亚王位，使葡萄牙卷入战火。这时若昂成为摄政王。在阿丰索前往法国寻求援助时，他负责防务，曾巧妙地避开了西班牙人的反攻。阿丰索因求援不果被迫逊位，由若昂承袭。不久阿丰索复位，直到1481年8月死去。若昂二世即位后与西班牙谈判，修改了其父与西班牙订立的屈辱条约。他指控布拉干萨公爵为叛逆，经审判后于1483年6月将他斩首，并没收其家族财产，另派王室法官管辖其领地。他还亲手杀死企图推翻他的维塞乌公爵（1484-08）。若昂支持对非洲的贸易和开发，1481年他派遣迪奥戈·德·阿赞布雅在贝宁附近的米纳修建圣乔治要塞。1485年若昂称几内亚领主。此前他曾派D.康探索通往印度的海路而发现了刚果。当哥伦布向他提出向西航行前往印度的计划时，若昂未予批准，却让F.杜尔莫去寻找新的岛屿。1485年他再次派康航海前去非洲西南地区，但是仍然没有找到好望角。1486年他派遣佩罗·达·科维良和阿丰索·帕瓦由陆路前去印度和埃塞俄比亚，并派B.迪亚斯接替康继续寻找非洲的最南端。1488年12月迪亚斯回国，报告可以绕过非洲从海上到达印度，但直到若昂死后，伽马才开始去实现这一目标。1493年哥伦布回到里斯本，说他已经发现亚洲沿海的一些岛屿，教皇把这些新发现的岛屿全部授予西班牙。若昂二世对此提出抗议，经过多次折冲，终于签订有名的《托德西利亚斯条约》（1494-06），双方确定以佛得角群岛以西370里格处为分界线，此线以西的岛屿才归西班牙所有。但巴西却留给了葡萄牙，其原因迄今似乎尚不清楚。若昂对安纳菲曾进行一次小小的征服，取得摩洛哥的萨菲和阿泽穆尔的朝贡。若昂经过长期病痛后去世。

● **John Ⅲ** **若昂三世**（1502-06-06，里斯本～1557-06-11，里斯本） 葡萄牙国王（1521～1557），曾对印度洋和巴西沿海地区进行扩张，并在国内建立异端裁判所和耶稣会。即位后与神圣罗马皇帝兼西班牙国王查理五世之妹凯瑟琳结婚，查理则娶若昂之妹伊莎贝拉为妻。这种换婚使西班牙的腓力二世得以于1580年继承葡萄牙王位。根据《马德里条约》（1529），葡萄牙获得摩鹿加群岛，但承认西班牙对菲律宾的宗主权。1533年他鼓励葡萄牙人定居巴西，1549年在巴伊亚成立中央政府。此后又征服了印度的第乌城（1535）。同时与暹罗通商，并从中国取得澳门为殖民地。在北非，他放弃若干耗费高昂的沿海据点，但一直控制香料之路。1536年筹建异端裁判所，并授权耶稣会掌管文化教育事业。1557年由其幼孙继位。

● **John Ⅳ** **若昂四世**（1604-03-18或19，葡萄牙维索萨镇～1656-11-06，里斯本） 1640年结束历时60年的西班牙统治后，他出任葡萄牙国王，成为布拉干萨王朝的创建者。贵族出身。1640年12月争取葡萄牙独立的人士推翻西班牙总督后，若昂被立为国王，号若昂四世。他即位后与法国、英格兰和尼德兰建立外交关系。1644年又击败西班牙军的入侵。他曾设立王室会议、三级会议以及海外委员会。若昂还是著名的作曲家。死后其子阿丰索六世（1656～1683在位）继位。

● **John Ⅴ** **若昂五世**（1689-10-22，里斯本～1750-07-31，里斯本） 葡萄牙国王（1706～1750）。他即位时葡萄牙正卷入西班牙王位继承战争，但他终于与法国（1713）和西班牙（1715）媾和。在他统治时期，除与土耳其进行过一次短期战争之外，国家一直保持和平状态。巴西出产的黄金和钻石为他带来大量财富，使他在财政上免受议会制约，得以进一步扩大王权。尽管他想重建海军，发展工业，兴修房屋，但政府在这方面缺乏魄力。他巨大的财富堪与欧洲其他的宫廷匹敌。他向图书馆捐款，鼓励学术活动，赞助艺术事业，并建立了皇家历史学院、自然历史博物馆和建筑博物馆。他兴建教堂以提高其宫廷在宗教事业上的声望。晚年多病，教士弄权，政事松弛。死后由其子若瑟继位。

● **John Ⅵ** **若昂六世**（1767-05-13，里斯本～1826-03-10，里斯本） 葡萄牙摄政亲王（1799～1816）、国王（1816～1826）。当政之时，法国发生革命，拿破仑入侵葡萄牙，其宫廷迁往巴西，并在葡萄牙及巴西引入代议政治。他曾支持西班牙反对法兰西共和国，但西班牙在1795年与法国达成《巴塞尔和平协定》后，却成为法国向葡萄牙施加压力的工具。1801年西班牙入侵葡萄牙。1807年拿破仑宣布封闭里斯本港。当法军逼近里斯本时，葡萄牙王室和政府于1807年11月撤到巴西。1808年英国派兵去葡萄牙迫使法军投降。1814年拿破仑投降后人们期待若昂回国。但当拿破仑逃出厄尔巴岛后，若昂六世又回巴西，将巴西与葡萄牙组成联合王国。1816年3月其母后去世，他继承葡萄牙国王王位。1820年西班牙的革命烈火蔓延到葡萄牙。他最后同意离开巴西，把继承人佩德罗留在里约热内卢。1823年法国干预镇压了西班牙的激进派，葡萄牙的激进派随之失败。若昂重建王权但允诺颁布宪法。1825年批准巴西在政治上独立。

俄　国

● **John Ⅰ－Ⅵ** 参阅 **Ivan**（Russia）*伊凡*（俄国）项下的 **Ivan Ⅰ－Ⅵ** *伊凡一世至六世*。

萨　克　森

● **John** **约翰**（1468-06-30，萨克森德累斯顿附近迈森～1532-08-16，维滕贝格维滕贝格附近施韦尼茨） 别名坚定者约翰。萨克森选侯、马丁·路德的热烈支持者。他带头建立德意志基督教新教徒诸侯联盟，反对哈布斯堡王室皇帝企图强迫恢复旧信仰。1486年其父去世，他与其兄腓特烈三世共同统治萨克森韦廷王朝埃内斯特一支的领地，1525年继其兄为选侯。与黑森伯爵高尚的菲利普一起，创立哥达联盟，其后不久，又与德意志北部诸侯建立托尔高联盟。他是施派尔国会（1526）中宗教改革者的领袖，在宗教问题上争得查理五世皇帝的让步。1529年国会取消了这些让步，约翰签署少数派抗议书，成为最早的基督教新教徒之一。他接受路德宗《奥格斯堡信纲》（1530），是1530～1531年冬季为保障基督教新教徒利益而成立的施马尔卡尔登同盟的关键人物。查理五世为反对土耳其人，需要宗教改革者的帮助，因此赞同《纽伦堡宗教和约》（1532）。约翰去世时，萨克森侯国已成为德意志的主要基督教新教徒国家。

● **John** **约翰**（1801-12-12，萨克森德累斯顿～1873-10-29，德累斯顿附近皮尔尼茨） 萨克森国王（1854～1873），酷爱法律及艺术，曾以菲拉雷蒂斯为名，发表但丁的《神曲》译本（1839～1849）。参加制订1831年宪法的委员会，其兄国王腓特烈·奥古斯特二世死后，继承王位。在七周战争（1866）时支持奥地利，奥地利战败后，转而支持俾斯麦的北德意志邦联。普法战争（1870～1871）时，萨克森支持普鲁士。

苏　格　兰

● **John** **约翰**（约1250～1313-04，法国诺曼底加利亚尔堡） 又称J.de巴利奥尔。苏格兰国王（1292～1296）。约翰·德·巴利奥尔之幼子。1278 年继承巴利奥尔家族在英格兰和法国的领地。1290 年苏格兰王国女王位继承人玛格丽特死，他成为竞争王位的 13 人之一。英格兰国王爱德华一世会晤苏格兰贵族时，坚持应承认约翰为苏格兰的领主。1292 年 11 月 30 日约翰在斯康即位，12 月 26 日在纽卡斯尔向爱德华一世表示效忠。但是，当 1294 年 6 月爱德华要求苏格兰为加斯科涅战役提供军事援助时，苏格兰却与法国人缔结了一项互助条约。1296 年 1 月，苏格兰人袭击英格兰北部。爱德华一世迅即进行反击，于 3 月 30 日攻占贝里克。不久，约翰在蒙特罗斯成为阶下囚，被关入伦敦塔。1299 年 7 月经教皇干预获释。此后住在诺曼底。

西班牙：阿拉贡

● **John I　约翰一世**（1350-12-27 ～ 1395-05-16）　阿拉贡国王（1387 ～ 1395），佩德罗四世之子。因受其妻约兰德的影响，他采取亲法政策，但不卷入百年战争。他坠马而死，其人无大志，喜读矫揉造作的诗篇。

● **John II　约翰二世**（1398，莱昂坎波城～ 1479，巴塞罗那）　阿拉贡国王（1458 ～ 1479）和纳瓦拉国王（1425 ～ 1479），促成儿子费迪南德与卡斯蒂利亚的伊莎贝拉的婚姻，从而导致阿拉贡与卡斯蒂利亚联合，由此而形成现代西班牙国家。安特克拉的费迪南德之子。因与纳瓦拉的王位继承人布朗歇结婚，得纳瓦拉王位。1458 年继兄阿方索五世为阿拉贡国王，拥有西西里和撒丁。在阿拉贡，他的统治加深了阿拉贡本身与加泰罗尼亚之间的分裂。

西班牙：卡斯蒂利亚

● **John I　约翰一世**（1358-08-20，卡斯蒂利亚埃皮拉～ 1390-10-09，埃纳雷斯堡）　卡斯蒂利亚国王（1379 ～ 1390）。特拉斯塔马拉王朝的创始人亨利二世之子。在位初期，受到根特的约翰的觊觎，通过为其子亨利与根特的约翰之女凯瑟琳联姻，纠纷解决。又因葡萄牙与根特的约翰联盟，他一直和葡萄牙处于敌对状态。1382 年与葡萄牙国王费尔南多之女结婚，纠纷得到解决。1383 年费尔南多死后，他极力为妻子争夺葡萄牙王位，因而遭到葡萄牙人民的反对，在 1385 年 8 月 14 日的阿尔茹巴罗塔战役中惨败。后坠马而死。

● **John II　约翰二世**（1405-03-06，卡斯蒂利亚托罗～ 1454-07-21，巴利阿多利德）　卡斯蒂利亚国王（1406 ～ 1454），懦弱无能，一切政事依靠宠臣 Á. de 卢纳，然而不失为一位情趣高雅的君主和诗人们的保护者。约翰二世继承王位时年仅 2 岁，由其母与其叔联合摄政。1419 年约翰亲政，但为其宠臣卢纳所左右，引起权贵之争。1431 年约翰率军进攻格拉纳达，在伊格鲁埃拉战役中大败穆斯林。1445 年在奥尔梅多战役中，约翰和卢纳击败反对派。1447 年卢纳劝约翰娶葡萄牙的伊莎贝拉为妻，不久伊莎贝拉即反对卢纳。1453 年约翰接受劝谏，下令逮捕并处死卢纳，但此时他已不能单独施政。约翰在位期间，正值文艺复兴，对宫廷贵族文化颇有影响。他对诗人、作家总是给予鼓励和保护。

瑞　典

● **John II　约翰二世**　参阅 **John**（Denmark）约翰（丹麦）。

● **John III　约翰三世**（1537-12-21，瑞典斯泰格堡～ 1592-11-17，斯德哥尔摩）　瑞典国王（1568 ～ 1592）。1556 年约翰被其父瑞典国王古斯塔夫·瓦萨一世封为芬兰公爵。后因

美国不列颠百科全书公司供图

奉行独立于王权的外交政策，而与 1560 年继承瑞典王位的异母兄长埃里克十四世发生冲突。1562 年娶波兰国王西格蒙德·奥古斯特二世之妹为妻，在波兰建立基地，埃里克限制他的权力，并于 1563 年将其监禁。他于 1567 年获释后，联合其弟瑞典王储查理九世于 1568 年废黜埃里克，由他自己即位。不久，他签订《斯德丁条约》（1570），结束了瑞典和丹麦间的长期战争。约翰长于文学艺术，又为神学专家，相信路德主义和天主教教义能综合为一，并曾为此与罗马和西班牙天主教领袖进行谈判。1577 年他采用自己的“红皮书”祷文，恢复路德派所废弃的天主教中的某些礼拜仪式，但未能同罗马和解。1586 年，约翰指定他的受过天主教培育的儿子西格蒙德为波兰空缺王位的继承人，后因波兰人要求把归还爱沙尼亚作为交换条件，约翰收回原议，但掌握参政会大权的瑞典贵族阶级却支持立西格蒙德为波兰王位候选人，认为联合波兰有助于抗衡俄罗斯，且可使贵族扩大自己的势力。他于是与原来反对自己的宗教政策的弟弟查理言归于好，共同反对贵族的密谋。尽管如此，西格蒙德还是在 1587 年当了波兰国王。约翰虽有深湛的文化修养和敏锐的艺术鉴赏力，却不善治国理财。他强使瑞典教会接受他的宗教观点失败，忧愤而终。

John IV of Odzun　约翰四世（奥德松的）（650，亚美尼亚奥德松～ 729，德温）　亚美尼亚语拉丁字母转写作 Hovhannes IV Otznetzi。亚美尼亚正教卡托利科斯（亚美尼亚教会最高领导者）。有学识的神学家和法学家，致力于亚美尼亚教会的自主，支持正教的基督论神学（参阅 **Christology**）。718 年就任后不久召集全国宗教会议改革亚美尼亚教会的礼拜仪式并整顿教士纪律。起初显然同情基督一性论异端，726 年召集第二次全国宗教会议，讨论与尊奉一性论的叙利亚雅各派教会联合问题。他企图在叙利亚和亚美尼亚教会神秘主义基督论见解与正统信仰之间进行调和。主要著作有关于基督的神学论文，其中强调基督的人性和肉身的真实性，反对极端一性论的观点；还有一本小册子，主张亚美尼亚教会在东正教范围内保持独立传统。

John bar Qursos　约翰（奎索斯之子）（483 ～ 538，叙利亚安条克）　又称泰拉的约翰。基督教泰拉（今叙利亚境内阿勒颇附近）隐修士。519 年任主教。在神学上提出温和的基督一性论，一方面摒弃有主张基督具有双重位格之嫌的 451 年卡尔西顿会议纲领，另一方面指责极端基督一性论贬低基督的真正人性。533 年奉命到君士坦丁堡参加关于基督论的辩论，后来受到叙利亚严格正统派暴力迫害。拜占廷皇帝查士丁尼采取新政策，接受在卡尔西顿宣布的教皇利奥一世指示，约翰被捕后遇害。

John Chrysostom, Saint　约翰（克里索斯托），圣　参阅 **Chrysostom, Saint John** 克里索斯托，圣约翰。

John Climacus, Saint　约翰（天梯的），圣（约 579 ～约 649，西奈半岛西奈山）　拜占廷修士，是《登天成圣之梯》一书的作者，故名。此书是禁欲主义奥秘神学手册，全书分 30 章，分别叙述耶稣传教以前 30 年的生活历程，借以介绍心灵中进行的斗争，以达到道德上的至善境界，天人相融。约翰固然受到埃及作家和东方经院作家的影响，但是他具有分析心理的洞察力，而且文笔简练，别具一格。

John Damascene, Saint　参阅 **John of Damascus, Saint** 约翰（大马士革的），圣。

John de Balliol　约翰（巴利奥尔的）　参阅 **John**（Scotland）约翰（苏格兰）项下的 **John** 约翰；**Balliol family** 巴利奥尔家族。

John Eudes, Saint　约翰·厄德，圣　参阅 **Eudes, Saint John** 厄德，圣。

John Lackland　约翰（拉克兰）　参阅 **John**（England）约翰（英格兰）项下的 **John** 约翰。

John Leonardi, Saint　约翰·莱奥纳德，圣（1541?，卢卡共和国卢卡附近～ 1609-10-09，罗马）　天主教天主圣母会（通称伦纳德会）创始人。该会注重学术研究，其本旨是反对宗教改革。他 1572 年左右任司铎，在职积极从事慈善事业。1574 年在卢卡建立修会。他激烈反对新教，卢卡共和国政府出于政治上的原因反对他的立场，因此他只有依靠教皇的庇护才能在该国立足。他先后创立 4 个修会，并于 1603 年与他人合作成立神学院，培养外方传信人员。

John of Antioch　约翰（安条克的）　参阅 **John Scholasticus** 约翰（学者）。

John of Asia **约翰(亚细亚的)** 参阅 **John of Ephesus** 约翰(以弗所的)。

John of Austria, Don **约翰(奥地利的)** 参阅 **Juan de Austria** 胡安(奥地利的)。

John of Avesnes **约翰(阿韦纳的)** 参阅 **John** (Holland)约翰(荷兰)项下的 **John II** 约翰二世。

John of Avila, Saint **约翰(阿维拉的),圣** (1499或1500,西班牙托莱多附近阿尔莫多瓦-德尔坎波～1569-05-10,蒙蒂利亚) 教会改革家。出身于犹太人家庭,曾在萨拉曼卡大学和阿尔卡拉大学学习哲学和神学。1525年在阿尔卡拉受神职为司铎,将父母遗产用于慈善事业。自1529年起在安达卢西亚传教,坚持9年。许多人听了他的讲道纷纷悔改信教,但他也开罪于当权有势之士。宗教法庭就他贬抑财富、抨击时弊、提倡严格生活等对他进行审查,1533年宣布他无罪,此后他声誉大增,成为西班牙最伟大的福音传道者之一。他整顿教士生活。坚持神职人员独身制,在他这种改革思想影响下,享有盛名的门人纷纷涌现。1537年约翰与大主教阿瓦洛斯共同创办格拉纳达大学,还成立巴埃萨及其他地方的学院多处。他在西班牙各地促进耶稣会的发展,但他本人未及加入耶稣会即已死去。

John of Aviz **若昂(阿维什的)** 参阅 **John**(Portugal)若昂(葡萄牙)项下的 **John I** 若昂一世。

John of Beverley, Saint **约翰(贝弗利的),圣**(?,诺森伯里亚约克郡哈帕姆～721-05-07,约克郡贝弗利) 约克郡主教,中世纪最有声望的英格兰圣人之一。他曾在肯特郡坎特伯雷圣奥古斯丁隐修院学习,后加入约克郡惠特比隐修院。687年任赫克瑟姆主教,705年任约克主教。在茵德拉伍德(后改称贝弗利)创建隐修院,717～720年间辞去约克主教职务,退居该地。英格兰国王亨利五世1415年10月25日率军在法兰西境内阿让库尔击败法兰西军,亨利五世把这次胜利归功于约翰,因为这一天是约翰遗骨自贝弗利奉安约克城(1037)的周年纪念日。

John of Bohemia **约翰(波希米亚的)** 参阅 **John**(Bohemia)约翰(波希米亚)项下的 **John** 约翰。

John of Brienne **约翰(布列讷的)** 参阅 **John** (Constantinople)约翰(君士坦丁堡)项下的 **John** 约翰。

John of Capistrano, Saint **约翰(卡皮斯特拉诺的),圣**(1386,那不勒斯王国卡皮斯特拉诺～1456-10-23,卡林西亚公国菲拉赫) 15世纪方济各会最伟大的布道家之一。1412年任教皇国佩鲁贾行政官。后因牵涉民事纠纷而入狱。在狱中经历感情转变,1416年获释,加入方济各会。1426年受神职。他是方济各会严格派的主要缔造人之一。该派从比较开明的置产派分裂出来,主张严格苦修。他1451年奉教皇尼古拉五世派遣到奥地利,劝化胡斯派信徒重奉天主教。得知土耳其人威胁东欧,乃参与组建军队,亲自指挥,1456年解除土耳其军队对贝尔格莱德的围困。后在归途中死于瘟疫。

John of Damascus, Saint **约翰(大马士革的),圣**(约675,大马士革～749-12-04,耶路撒冷附近) 又作 Saint John Damascene。基督教东派教会修士,希腊教会和拉丁教会的教义师。他在神学研究上的综合,使他成为希腊文化与中世纪拉丁文化的杰出调和者。他继承父职,任哈里发手下的税务官。730年左右,著《论圣像》论文三篇,提倡崇拜圣像,驳斥拜占廷皇帝利奥三世和反对拜圣像的人。754年希埃里亚会议根据这三篇论文认定约翰有罪,但是787年第二次尼西亚会议为他翻案。约翰于730年不久在耶路撒冷附近的迈尔撒巴作修士,从事研究、著述及传教活动,号称"金辩士"。在他的约150种著作中,最重要的是《知识之源》。它综述基督教哲学和教义,在指导中世纪拉丁思想方面发挥了重要作用,同时它又成为希腊正教会的主要神学课本。约743年该书修订后,共分三个部分:哲学部分主要取材于3世纪末新柏拉图主义哲学家波菲利介绍亚里士多德论理学的《入门》;历史部分摘引4世纪希腊教会人士伊皮凡尼乌斯论异端的《面包篮》;神学部分是最著名的一部分,题为《阐明正教信仰》,基本上用亚里士多德学派的语言摘要介绍巴西勒、格列高利(纳西昂的)和格列高利(尼斯的)等4世纪卡帕多西亚教父的著作。约翰在选择著作正文和注释方面有所创新,反映安提阿派分析神学的观点。《阐明正教信仰》经过译成几种东方语言和拉丁语,东西两派教会的思想家都从中汲取论理学和神学概念,同时,它说理具有系统性,成为后来中世纪经院哲学家综论神学的典范。该文就上帝的性质和上帝的存在问题进行思辨,其中一些论点引发了后世神学家的争论。

John of Ephesus **约翰(以弗所的)**(约507,美索不达米亚阿米达～约586,小亚细亚比希尼亚卡尔西顿[今译卡尔西登]) 又称亚细亚的约翰。以弗所主教、早期杰出的历史学家、叙利亚基督一性论派(**Monophysites**)的领袖。原是叙利亚隐修士,529年任阿米达助祭,因信奉基督一性论受拜占廷当局迫害,过游牧生活。后来在皇后狄奥多拉的支持下获得皇帝查士丁尼宠信,约542年领以弗所主教衔。查士丁尼死后,继位者查斯丁二世拥护正统派,监禁约翰,把他驱逐到卡尔西顿。约翰著有教会历史,述凯撒(?～公元前44)时代至公元585年之事,全书3卷,现仅存末卷。

John of Fordun **约翰(福尔登的)**(?,可能生于苏格兰阿伯丁福尔登～1384以后) 第一位试图撰写苏格兰通史的编年史家,其著作具有民族色彩,史实确凿可靠。关于他的生平见于W.鲍尔的《苏格兰编年史》的序言。他大概是阿伯丁教堂的神父。所撰《苏格兰编年史》共7卷,1～3卷为传说时代,4卷为814～1057年的历史,5卷为1057～1153年的苏格兰,6卷为1066年以前的英格兰,7卷为1153～1363年的苏格兰(另称《英雄史》),后又续写到1384年。

John of Gaeta (pope) **约翰(加埃塔的)** 参阅 **Gelasius II** 基拉西乌斯二世。

John of Gaunt, duke of Lancaster **约翰(冈特的)**(1340-03,根特～1399-02-03,伦敦) 又称里奇蒙伯爵。英格兰亲王。英王爱德华三世第4子。其侄理查二世在位期间,他在

美国不列颠百科全书公司供图

政治和宪法斗争中起了缓和矛盾的影响。通过第一个妻子于1362年继承兰开斯特公爵爵位以及在英格兰和威尔士的大片地产。1367～1374年在英法百年战争中任司令官。回国后,尽管不得人心,但在理查二世继位(1377)后仍然保住自己的地位。1381～1386年在王党与约翰的弟弟格洛斯特伯爵托马斯·伍德斯托克领导的反对派之间起调和作用。1386年前往西班牙,要求取得因同卡斯蒂利亚的康斯坦斯结婚(1371)而获得的卡斯蒂利亚和莱昂的王位。这次远征遭惨败。1388年他放弃这一要求。次年回国后,王党与格洛斯特派之间已接近兵戎相见,他继续发挥了调解作用。

John of God, Saint **约翰(天主的),圣**(1495-03-08,葡萄牙新蒙特莫尔～1550-03-08,西班牙格拉纳达) 原名 Juan Ciudad。天主的圣约翰护病会(护病兄弟会)创立人。1886年教皇利奥十三世宣布他为医院和病员的主保圣人。原是牧人,后为士兵,最终献身为穷人和患者服务,为此于1537年在西班牙的格拉纳达城租赁房屋,在教会的支持下开展工作,发展人员。西班牙图伊主教拉米莱斯为他们制定服式。约翰死后,马蒂诺继任该会会长。该会在西班牙国王腓力二世的大力资助下建立许多分会。1586年教皇西克斯图斯五世批准该会。该会在20世纪70年代末共有会员1 800名,在世界许多地方设有医院。

John of Jandun **约翰(冉丹的)**(约1286,法国香槟冉丹～1328,教皇国托迪) 14世纪对阿威罗伊所译之亚里士多德著作的最早的解释者。在巴黎大学学习后,在巴黎的纳瓦拉学院取得文学硕士学位,后在该院讲授亚里士多德哲学。他同《和平的保卫者》一书

的作者帕多瓦的马西利乌斯有交往。该书宣称,世俗权力高于教皇权力。由于此书引起了争论,约翰和马西利乌斯寻求巴伐利亚路易四世的庇护。在教皇颁布一系列谴责训谕后,他俩于1327年被教皇约翰二十二世作为异端处以绝罚。他最有影响的著作是对亚里士多德著作的评注。他主要关注的是信仰和理性的区分。有些评论家认为他主张"双重真理"论,即相信彼此矛盾的信仰陈述和理性陈述同时都是真理。另一些人说他反基督教,还有些人认为他是属于奥古斯丁传统的思想家。

John of Jerusalem 约翰(耶路撒冷的) (约356～417) 神学家、主教。从青年起进行隐修,约387年任耶路撒冷主教。393年西方教会圣经学者哲罗姆和塞浦路斯岛萨拉米斯主教伊皮凡尼乌斯攻击约翰承袭亚历山大派奥利金(**Origen**)的观点。伊皮凡尼乌斯煽动巴勒斯坦众修士反对奥利金学说,作为报复,约翰不许他们进入耶路撒冷城内各圣地,拒绝为他们所收教徒施洗礼或主持丧礼。396年哲罗姆发表刻毒的声明,驳斥约翰。397年两人和解,但在哲罗姆同鲁菲努斯继续就奥利金观点进行辩论时,约翰保持中立。西方神学家贝拉基提出人无需上帝帮助就能持守道德的学说,引起新的争论。贝拉基到巴勒斯坦时受到约翰的友善接待,哲罗姆和奥古斯丁的使者则在415年耶路撒冷会议上斥责贝拉基为异端分子。奥古斯丁的门徒企图利用奥古斯丁的权力对贝拉基采取措施,约翰则声称在耶路撒冷只有他本人是权威。后来约翰默许贝拉基派洗劫坚决反对该派的伯利恒隐修院,受到教皇英诺森一世的严责。原来说是由西里尔(耶路撒冷的)所撰的《教理摘要》一书,其中一部分可能出自约翰手笔。该书是东派教会教育新受洗信徒的教义汇编。

John of Kronshtadt 约翰(喀琅施塔得的) (1829-10-31,俄罗斯阿尔昌格尔附近～1909-01-02,喀琅施塔得) 原名伊凡·伊里奇·谢尔盖耶夫。俄罗斯正教司祭、禁欲苦修家。他的神职和教育活动,特别是在没有技能的贫民中进行的这些活动对俄国的社会和神学改革有显著贡献。毕业于圣彼得堡神学院,1855年成为已婚司祭,前往喀琅施塔得圣安得烈教堂任职,在贫民中成立弟兄互助会和工作中心,传授工艺、技术和一般知识,并进行宗教培训和社会服务。他对礼文进行了改革以方便广大信徒做礼拜。

John of Luxembourg 约翰(卢森堡的) 参阅 **John**(Bohemia)约翰(波希米亚)项下的 **John** 约翰。

John of Matha, Saint 约翰(马塔的),圣 (1160-06-23,法国福孔德巴斯洛内特～1213-12-17,罗马) 基督教圣三一赎奴会(通称三一会或马都会)的创立者之一。这个托钵修会的本旨是解放沦为穆斯林奴隶的基督教徒。约翰曾在巴黎研习神学并任司铎。1197年同菲利克斯(瓦洛瓦的)筹划成立修会,营救在非洲受穆斯林奴役的基督教徒。1198年教皇英诺森三世批准该会。两人由意大利返回法兰西,受国王腓力二世的接见,获得在法兰西境内成立圣三一赎奴会的许可。约翰将该会总部设在皮卡第地区塞尔夫洛瓦村。

John of Mirecourt 约翰(米尔古尔的) (活动时期14世纪) 法兰西西多会修士、哲学家、神学家。1345年在巴黎获神学硕士学位,评注罗马教会神学家彼得(伦巴第的)所著《教父名言集》。他是中世纪基督教唯名论和唯意志论的主要倡导者,前者认为宇宙万物仅为名称并无实际,后者认为人要体会和了解世界,决定因素不是理性而是意志。约翰的基本见解是:理性基本上不可能达到确定性,因为感觉容易发生差误,即使人的头脑可能产生正确观念,也未必能掌握真理,因为拥有绝对权能的上帝可以改变现实。他认为人最好还是因爱上帝而信上帝,承认他的存在,这胜似用演绎推理来肯定上帝的存在。他认为罪恶之所以存在,上帝有他的作用,即使说上帝仅仅是容忍罪恶,实际上还是他造成罪恶。他的这种观点使他同教会当局产生分歧。

John of Montfort 约翰(蒙福尔的) 参阅 **John**(Brittany)约翰(布列塔尼)项下的 **John(IV)** 约翰(四世);**John IV(or V)** 约翰四世(或五世)。

John of Nepomuk, Saint 约翰(内波穆克的),圣 (约1345,波希米亚内波穆克[今在捷克共和国]～1393-03-20,布拉格) 殉教士,捷克的主保圣人。1390年任布拉格代理主

美国不列颠百科全书公司供图

教,1393年布拉格大主教在约翰的支持下绝罚波希米亚国王瓦茨拉夫四世的宠臣并阻止国王将布拉格省建为主教区。约翰是大主教的主要代理人,因而被捕。瓦茨拉夫亲自以火对他用刑,然后转念而将他释放,但强令他发誓不谈自己所受虐待。约翰此时已奄奄一息,瓦茨拉夫为了灭口,令人塞住他的口,将其装入羊皮袋,投入伏尔塔瓦河。

John of Paris 约翰(巴黎的) (约1255,法国巴黎～1306-09-22,加斯科涅波尔多[法国]) 又称 John Quidort。基督教多明我会修士、哲学家、神学家、巴黎大学讲师。就教皇权力和政教分离等问题提出重要见解,并对圣餐的性质提出自己的引起争论的看法。他认为教会和政府都受权于上帝,但各自独立,教会执掌属灵事务,政府执掌世俗事务;除非涉及道德和神学问题,否则世俗事务不应受教皇干涉;教皇既然为人所选,人如有正当理由也可以罢免教皇。关于圣餐,约翰提出新的解释以取代变体论,他认为,基督作为三位一体上帝中的一位以某种方式与饼和酒发生本质的汇合。约翰的背离正统的学说遭谴责,被判终身不得发表言论。他向教皇克雷芒五世提出申诉,但未待裁决便去世。

John of Plano Carpini (Franciscan author) **约翰(普拉诺·卡尔皮尼的)** 参阅 **Giovanni da Pian del Carpini** 乔万尼(皮安德卡尔皮尼的)。

John of Rochester, Saint 约翰(罗切斯特的) 参阅 **Fisher, Saint John** 费希尔。

John of Sabina(pope or antipope) **约翰(萨比纳的)** 参阅 **Sylvester III** 西尔维斯特三世。

John of Saint Thomas 约翰(圣托马斯的) (1589-07-09,葡萄牙里斯本～1644-06,西班牙巴塞罗那附近弗拉加) 原名胡安·波因萨特(Juan Poinsat)。天主教哲学家和神学家,自1620年起先后在西班牙几个大学讲授神学。1643年西班牙国王腓力四世召他到马德里任国王顾问兼告解司铎。在随腓力四世出征期间著《圣灵的恩赐》。约翰任西班牙异端裁判所神学审询官,审案公正,不屈枉被告,特别眷顾卢万(当时受西班牙统辖)大学的神学教师。著有《哲学教程》9卷(1632～1636)、《神学教程》7卷(1637～1644)等,他对于天主教教义评述周详,号称托马斯主义的主要代言人。

John of Salisbury 约翰(索尔兹伯里的) (1115或1120,英格兰威尔特郡索尔兹伯里～1180-10-25,可能死于法国沙特尔) 英格兰著名拉丁语学者,先后任坎特伯雷大主教西奥博尔德和T.贝克特的秘书,以及沙特尔的主教。1148年在西奥博尔德宅中供职,其后5年经常奉派前往罗马教廷。约1163年著《教廷史》,写人写事生动。从1153年起,约翰的主要职务是起草与教廷的通信,特别是有关申诉的通信。1156年他的这种活动触怒国王亨利二世,亨利认为他主张教会独立。这在一定程度上影响了他的两本书《论政治》和《元逻辑》(均写于1159)。两书的主旨是向同时代人揭示,他们的思想和行为都背离了人的真正任务。将廷臣和官吏们的生活方式

与拉丁诗人以及古典和宗教作家们所倡导的理想行为方式进行对比，而加以抨击。1163年约翰被放逐到法国。不久贝克特也被放逐。后来亨利与贝克特和解，约翰也于1170年返回英格兰，12月29日，贝克特被杀害时他在坎特伯雷。此后即从事收集贝克特的书信并为之撰写了传记式序言。1176年任沙特尔主教，在1179年第3次拉特兰会议上发挥重要作用。

John of Scythopolis 约翰（斯齐托波利斯的）（活动时期6世纪） 拜占廷神学家、巴勒斯坦的斯齐托波利斯主教。他原是律师，博学多才，撰有小册子数种，抨击基督一性论。他的主要论著写成于530年前后，驳斥当代基督一性论派首脑塞维鲁（安条克的）。另一著作批判5世纪初基督一性论派优迪克。在教义方面，约翰是新卡尔西顿派，一方面支持451年卡尔西顿会议的基督论，承认基督有神人二性，另一方面又把这种教理与西里尔（亚历山大的）的正统观念加以融合，强调基督将神人二性融于一身而神性占主导地位。

John of Struma(pope) 约翰（斯特鲁马的） 参阅 **Calixtus(Ⅲ)** 加里斯都（三世）。

John of Tella 约翰（泰拉的） 参阅 **John bar Qursos** 约翰（奎索斯之子）。

John of the Cross, Saint 约翰（十字架的），圣（1542-06-24，西班牙丰蒂韦罗斯～1591-12-14，乌韦达） 原名Juan de Yepes y Álvarez。基督教奥秘神学家、诗人、教义师。改革隐修院制度，参与建立赤足加尔默罗会。1563年在西班牙境内坎波城加入加尔默罗会，1569年任司铎。1568年协助女奥秘神学家德肋撒（阿维拉的）恢复加尔默罗会的第一处隐修院。但是，改革使得该会内部发生摩擦，约翰于1576年被捕入狱，1577年再次在托莱多身陷囹圄。他最优秀的诗作就是在托莱多写成的。1578年8月越狱逃走，后来在赤足加尔默罗会中任高职，1585～1587年任安达卢西亚省教区司铎；晚年时，因加尔默罗会再次发生分裂而引退静修。

John of the Heart of Jesus 约翰（耶稣圣心会的） 参阅 **Dehon, Léon-Gustave** 德翁。

John Scholasticus 约翰（学者）（约503，叙利亚安条克附近～577-08-31，君士坦丁堡） 又称约翰（安条克的）。神学家、教会法学家。565年拜占廷皇帝查士丁尼任命他为君士坦丁堡牧首，称约翰三世。查士丁二世在位期间（565～578），约翰先在基督一性论派内部各派之间进行调解，后来又按照皇帝钦旨镇压正统派。约翰于545年前后编成《教会法规集》，它是现存最古老的拜占廷教会法文献。他还编有《八十七章教令集》，收查士丁尼所颁行的关于教会事务的补充法令。

John Sobieski 约翰（索别斯基） 参阅 **John (Poland)** 约翰（波兰）项下的 **John Ⅲ Sobieski** 约翰三世·索别斯基。

John Talaia 约翰（塔莱雅）（活动时期5世纪） 基督教神学家。482年任埃及亚历山大城主教，但不久被君士坦丁堡牧首阿卡西乌斯宣布为优迪克派异端（参阅 **Eutyches**），优迪克派是极端的基督一性论者。约翰在东罗马帝国皇帝芝诺（474～491在位）的压力下离职。482年，阿卡西乌斯在芝诺的授权下执笔写成联合法令，提出三位一体论和基督论的纲领，内容包含325年尼西亚会议和381年君士坦丁堡会议的决议。教皇费利克斯三世（483～492在位）根据约翰的请求于485年绝罚阿卡西乌斯和他所领导的派别，理由是他们未经同罗马教会协商擅自发出联合谕令。此事加速了东西两派教会的短时间分裂。

John the Apostle, Saint 约翰（使徒），圣（活动时期1世纪） 又称传福音者圣约翰。按基督教相传，他是《新约》中《约翰一、二、三书》、《约翰福音》及《启示录》的作者。他在耶路撒冷早期教会发挥主导作用。其父是渔夫西比太，母名撒罗米。他与其兄雅各同属最早蒙耶稣召唤的诸门徒之列，他与雅各和彼得三人组成耶稣众门徒中的核心。耶稣复活后约翰与彼得和雅各继续主持耶路撒冷教会。一说约翰与保罗派对立，反对教会吸收非犹太人，但此说证据不足。约翰以后经历不详。2世纪末以弗所主教波利克拉蒂斯宣称约翰葬在以弗所。3世纪有两处约翰墓，其中一处经过核证于4世纪建为圣迹。据2世纪北非神学家德尔图良记载，约翰被投入滚油之中，但竟能脱难，未受丝毫伤害。作为传福音者，他的标记是鹰。

John the Baptist, Saint 约翰（施洗者），圣（生于犹太；活动于1世纪初） 出身祭司家庭的犹太人先知，宣讲上帝的最后审判即将

平图里乔绘《施洗者圣约翰》（1504～1505）
美国不列颠百科全书公司供图

来临，为悔改者施洗礼。据《新约》的福音书记载，他为拿撒勒人耶稣施洗，耶稣受洗后立即开始传教活动。约翰在历史上之所以重要，主要不是由于他建立某一教派，而是由于早期基督教会以他为耶稣的先驱而继承他所宣传的教义，后世学者考证许多人都是他的门徒，他的许多思想广泛传播，他所创立的洗礼经过改进被基督教会采用为圣事之一。约翰出生犹太境内（据约530年的考证，确切地点为恩克冷），其父名撒迦利亚，是亚比雅班里的祭司，其母名以利沙伯，可能是耶稣之母马利亚的亲属。约翰的成长时期在犹太旷野中度过，当时艾赛尼派和其他各派隐修人员在那里根据自己的理想教育青年。在27～28或28～29年，约翰成为闻名的先知。他在约旦河下游一带即今纳布卢斯附近活动，身穿骆驼毛衣服，这是传统的先知服饰，吃的是蝗虫和野蜜，表明他严格遵守犹太教关于拿细耳人的律法规定。他向犹太各色人等宣传教义说，天国近了。据《马太福音》第3章记载，约翰说："那在我以后来的能力比我更大"，这话所指的可能是上帝本身，也可能是指人间弥赛亚，还可能是位超然的神灵。他又说："我是用水给你们施洗……；他要用圣灵与火给你们施洗。"这后一种洗礼可能指最后审判。约翰的门徒禁食悔罪并举行特别祈祷，所行超过犹太教律法的要求。《路加福音》第3章记载，约翰要求个人根据自身情况履行公义，持守节操。自1947年死海古卷发现后，学者考证约翰的使命与艾赛尼派有许多相近之处，都源自祭司家族、主张禁欲，期待末日的到来。但约翰仅从事个人传教，不组织修道社团，不强调研习摩西律法，传教对象比艾赛尼派广泛，包括穷人和罪人。相传约翰在为耶稣施洗后，被统治加利利和约旦河东岸中部地带的希律王安提帕投入监狱。原来，希律违背犹太法律，娶其异母兄弟之妻希罗底而休弃原妻纳巴泰国王亚哩达四世之女。约翰谴责希律这种行为，这样，犹太人遂有与半阿拉伯系民众联合起来对抗希律之势。于是希律处决约翰，后来希律于35～36年被阿雷塔斯击败，人们认为此事为希律杀害约翰之果报。

John the Bastard 若昂（私生子） 参阅 **John(Portugal)** 若昂（葡萄牙）项下的 **John Ⅰ** 若昂一世。

John the Conqueror 约翰（征服者） 参阅 **John (Brittany)** 约翰（布列塔尼）项下的 **John Ⅳ (or Ⅴ)** 约翰四世（或五世）。

John the Elder (Legendary Christian ruler) 长老约翰 参阅 **Prester John** 祭司王约翰。

John the Evangelist, Saint 约翰（传福音者），圣 参阅 **John the Apostle, Saint** 约翰（使徒），圣。

John the Faster, Saint 约翰（斋戒者），圣（活动时期6世纪末～595-09-02，君士坦丁堡） 基督教君士坦丁堡牧首，称约翰四世。得到东罗马帝国皇帝提比略二世的宠信，于

582年就任。在588年宗教会议上自加尊号“普世牧首”，此举受到6世纪教皇贝拉基二世和格列高利一世的谴责，认为是僭用尊号，但这一称号被历代君士坦丁堡牧首沿用至今。约翰曾在正统派与基督一性论派(**Monophysites**)之间进行调解。

John THE FEARLESS　约翰(无畏者)　参阅 **John**(Burgundy)约翰(勃艮第)项下的 **John** 约翰。

John THE GOOD　约翰(好人)　参阅 **John**(Brittany)约翰(布列塔尼)项下的 **John Ⅲ** 约翰三世；**John**(France)约翰(法国)项下的 **John Ⅱ** 约翰二世。

John THE GRAMMARIAN　约翰(语法学家)　参阅 **Philoponus, John** 菲洛波努斯。

John THE GREAT　若昂(大帝)　参阅 **John**(Portugal)若昂(葡萄牙)项下的 **John Ⅰ** 若昂一世。

John THE POSTHUMOUS　约翰(遗腹子)　参阅 **John**(France)约翰(法国)项下的 **John Ⅰ** 约翰一世。

John THE REDHEAD　约翰(红头发)　参阅 **John**(Brittany)约翰(布列塔尼)项下的 **John Ⅰ** 约翰一世。

John THE VALIANT　约翰(勇敢者)　参阅 **John**(Brittany)约翰(布列塔尼)项下的 **John Ⅳ (or Ⅴ)** 约翰四世(或五世)。

John THE WISE　约翰(智者)　参阅 **John**(Brittany)约翰(布列塔尼)项下的 **John Ⅴ (or Ⅵ)** 约翰五世(或六世)。

John, Acts of　《约翰行传》　基督教外典之一，约成书于180年，记述传福音的约翰旅行和行神迹之事。据9世纪君士坦丁堡牧首佛提乌之说，《约翰行传》的作者为查利努斯。此书反映早期异端幻影论的观点，认为基督的肉身并无实质，只有表象。此书曾受到787年第二次尼西亚会议的谴责。

John, Augustus (Edwin)　约翰(1878-01-04，威尔士彭布罗克郡滕比～1961-10-31，英格兰汉普郡福丁布里奇)　威尔士油画家、壁画家和肖像画家。其肖像画有力地刻画出当代政界和艺术界许多杰出人物的性格。他曾根据和吉卜赛人住在一起的经历画了《在达特穆尔高地上宿营》(1906，私人藏品)。第一次世界大战期间他在加拿大军团中任专职战地美术师，画大型的壁上漫画《朗斯河对岸的加拿大人》(1919)。其最重要的肖像画有《含笑的妇女》(约1908，伦敦塔特美术馆藏)、他的继室多尔丽亚的肖像，以及J. 乔埃斯、萧伯纳、大提琴家絮吉阿夫人、诗人D. 托马斯等人的肖像。

John, Sir Elton　约翰(1947-03-25，英格兰米德尔塞克斯平纳～　)　全称 Sir Elton Hercules John。原名 Reginald Kenneth Dwight。英国歌手、作曲家和钢琴家，是20世纪晚期最受欢迎的艺人之一。他和E. 普雷斯利一样融合了流行音乐的许多流派和表演风格，也卖出了数以亿计的唱片。约翰是钢琴神童，11岁时获得就读皇家音乐学院的奖学金。继节奏与布鲁斯后被流行音乐吸引。他在英国的第一首畅销歌曲是1968年的《莎曼莎女士》。1970年在美国推出第一张专辑《埃尔顿·约翰》，立即成为国际大歌星。在美国的第一首热门单曲为《你的歌》(1970)。到1973年约翰已是世界最畅销的流行音乐歌手之一。其典型作品是深情的戏仿。从1976年专辑《蓝色足迹》开始，他音乐中摇滚乐的影响变得不很明显，而在《道歉似乎最难》(1976)等抒情曲中出现较具教堂气息的英国流行风格。70年代晚期和80年代与其他合作者进行实验，其音乐失去一些清新感，声望亦有所下降，但仍是极受欢迎的主流艺人，把拉斯韦加斯钢琴传奇人物利贝拉斯旧式俗丽的穿着带进流行音乐界。90年代他是第一位宣布有同性恋倾向的男星，但事业没有受到明显的损害。他还为影片《狮子王》(1994)写歌。同年，翻唱1973年老歌《风中之烛》，以哀悼黛安娜之死，成为历史上最成功的流行单曲，唱片卖出3 000万张以上。1994年入选摇滚乐名人堂。1998年，英国女王伊丽莎白二世封其为爵士。

John, Gospel According to　《约翰福音》　《圣经·新约》中记述耶稣基督的生平与死亡的四部书中的最后一部，是不列入同观福音的唯一福音书。该书据说是耶稣“最喜欢的门徒”约翰所著，但究竟出自谁手，学者莫衷一是。从该书的语言和所宣传的成熟的教义看来，当是约翰以后的某人根据约翰的思想和追述撰写而成。书中所述耶稣事迹往往与同观福音先后顺序不同，其最后一章似属后续。这都表明，它是根据不同资料编纂而成。该书成书地点和时间也难以断定，许多学者认为它成于公元100年前后的以弗所，其对象是受希腊文化熏陶的基督教徒。《约翰福音》在几个方面不同于同观福音：它叙事所覆盖的时间不同于其他书；它指出耶稣的许多活动都发生在犹太境内；它用很大篇幅叙述耶稣在神学问题上的议论。但是，其最主要的差异在于约翰的总的宗旨。作者表明，他不记述耶稣的许多象征性行动，而是另选某些事迹，目的是要使读者懂得并且共享基督教会的奥秘团契，使他们信“耶稣是基督，是上帝的儿子，并且叫你们信了他就可以因他的名得生命”(20:30)。这个主题贯穿全书，书中还着重叙述某些奥秘象征和道成肉身这一教义。作者一开始就宣布道成肉身，其文词与“创世记”明显地相近(“太初有道，道与上帝同在，道就是上帝”)。作者不断根据自己的思想解释耶稣主题。关于四福音书所共载的一些神迹，例如用五张饼和两条鱼叫五千人吃饱(6:1～15)，约翰的叙述解释说是象征更为深刻的真理(“我就是生命的粮……”)。在《约翰福音》全书中，耶稣公开表明自己是上帝的圣子，不像在《马可福音》中那样隐瞒自己的身份。由此可见，《约翰福音》的作者并非只描述一系列事件，而是指出某些细节以证明这些事件的系统化神学解释。古代学者根据《约翰福音》的特殊神学特点称之为“属灵的福音书”，它对于早期基督教教义的发展起了深刻而持久的影响。

John, letters of　约翰一、二、三书　《圣经·新约》的三卷，据说是福音书作者、西庇太之子、耶稣的门徒约翰于公元100年左右所作。虽然对作者真正身份尚无定论，但从语言和内容可见三封信出自一人之手。《约翰一书》显然是写给出现否认耶稣道成肉身的“假先知”的教会，作者指责这些人为敌基督者。这些人使许多人背离正统，因而正统信徒心情沮丧。异端邪说受到异教人士支持，信徒们大感不安，脱离教会的人声称体验了深奥的神秘经历，使信徒们自愧弗如。因此，《约翰一书》劝告基督徒坚持自己所受的教诲，批判异端邪说；还敦促他们坚定地过有道德的生活，效法基督，遵守诫命，特别是彼此相爱这一条。这封书信的精神与《约翰福音》的精神十分接近。《约翰二书》和《约翰三书》在语言和思想上与第一封书信相近。第二封书信告诫某个被热情地称为“蒙拣选的太太和她的儿女”的教会，要他们批判不承认道成肉身的异端分子。第三封书信写给一位名叫该犹的人，提出“那在教会中好为首的丢特腓不承认我的权力”，这说明诺斯替派的学说已在严重地扰乱教会。

John, Revelation to　参阅 **Revelation to John** 《启示录》。

John Bartholomew and Son　约翰·巴塞洛缪父子公司　英国地图出版公司，设在爱丁堡，专门采用分层设色方法印制彩色立体地图。该公司于1826年由J. 巴塞洛缪创建。最初印制支票簿，选举资料和地图等印刷品。1856年，其子J.G. 巴塞洛缪(1831～1893)这位苏格兰著名的制图专家总揽了公司的经营权后，业务有显著发展，并有了自己的印刷厂(1860)。自1890年以来主要从事出版地图的业务；1978年开始利用人造卫星摄影方法研究地球的大气环境及其自然特征，出版供教学用的环境保护地图，受到广泛赞誉。该公司最有名的出版物是《世界旅游地图集》、《世界地图集》、《泰晤士世界挂图》、《全国地图集》和《城市地图集》。

John Birch Society　约翰·伯奇社　美国民间组织，1958年12月9日由波士顿退休糖果制造商 R. H. W. 小韦尔奇(1899～1985)创建，以反对共产主义、提倡极端保守主义为宗旨。社名源自J. 伯奇，他是美国浸礼会传教士和美军情报官员。该社出版《美国舆论》杂志(每年11期)并为其成员出版《公报》月刊。总部设于马萨诸塞州贝尔蒙特。

John Bull　约翰·布尔　又译“约翰牛”，指英国文学和政治漫画中传统的英格兰或英国人的化身。由苏格兰的数学家和物理学家约翰·阿巴思诺特所创造。1712年出现在一套共5本的小册子中，同年在汇编出版的《约翰·布尔的历史》一书中，布尔作为一个规矩的呢绒商出现。布尔伙同其友荷兰亚麻制品商尼古拉斯·弗罗赫为刘易斯·巴布恩（路易十四）干涉他们的贸易而向法庭提起诉讼。

1829 年漫画中农民形象的约翰·布尔（左）和 1911 年漫画中穿着英国国旗背心的约翰·布尔（右）
美国不列颠百科全书公司供图

这一讽刺作品的广泛流传使布尔成为 18 世纪政治著作中流行的化身。到法国革命和拿破仑战争时期，有些讽刺漫画家（如 J.吉尔雷和 T.罗兰森）把布尔俗化成一个迟钝、有点愚蠢的人物形象，因债务、纳税，或因烦恼而闷闷不乐，但不到 50 年之后，"HB"（约翰·多伊尔）提高了布尔的社会地位，布尔成为一个肥胖而富裕的人。19 世纪中期和后期，通过有影响的《笨拙》杂志刊出的有影响的连环漫画，而使他的形象广为人知。约翰·布尔最为人们熟悉和常见的形象是《笨拙》周刊的两位连环画家约翰·利奇和约翰·坦尼尔爵士描绘的一个快活而忠厚的农民形象，他实实在在，规规矩矩，有时穿着英国国旗的背心，并有一只叭喇狗跟在后面。这时约翰·布尔已经成为全世界熟悉的人物，他的名字经常在图书、剧本和期刊的标题中出现，同时还被用作各种工业制成品的品牌名或商标的图案。

John Day　约翰迪　美国俄勒冈州东北格兰特县城市。位于约翰迪河与坎宁河汇流处，邻近斯特罗伯里山莽原区。19 世纪 60 年代为采矿和牧牛城镇。现为养牛、采矿区的贸易点和莫卢尔国家森林总部所在地。木材、牛肉和旅游为主要经济支柱。附近的赫尔曼与 E.奥利弗历史博物馆收藏有淘金时期的遗物。沿河西行有约翰迪化石地层国家保护区。有 3 000 万年以前的化石和古印第安人石壁画峡谷。人口 1 836(1990)。

John Dory（fish）　参阅 **dory** *海鲂*。

John Frederick　约翰·腓特烈（1503-06-30，萨克森托尔高～1554-03-03，萨克森-魏玛魏玛）　绰号高尚的约翰·腓特烈。萨克森韦廷家族埃内斯特一支最后一位选侯，新教的*施马尔卡尔登同盟*(**Schmalkaldic League**)领袖。他与神圣罗马皇帝查理五世以及与各邦君主的战争，使他丧失了选侯资格和大部分领土。选侯"坚定的约翰"之长子，1532 年继承了埃内斯特的封地。成为保卫宗教改革的施马尔卡尔登同盟的领袖人物，因轻信查理五世的和平意图，对于发动反皇帝的战争犹豫不决。但是，约翰·腓特烈在瑙姆堡强行撤换天主教主教的断然措施，使查理五世决心对宗教改革运动进行军事干涉。此外，他夺取了武尔岑城，侵犯了远房堂兄弟莫里斯（韦廷家族中与埃内斯特支系对立的阿尔贝特支系的萨克森公爵）的权利，促成了德意志基督教新教诸邦君之间的分裂。1547 年，查理五世借助于莫里斯的兵力在米尔贝格战役中击溃施马尔卡尔登同盟，约翰·腓特烈受伤被俘，被判死刑，但以同意放弃选侯地位及割让领地赎得性命。然而，他在宗教问题上毫不让步，命令 3 个儿子联合起来，拒绝与莫里斯议和。1552 年，皇帝与莫里斯发生战争，约翰·腓特烈获

美国不列颠百科全书公司供图

释。但选侯地位已被授予莫里斯的继承人奥古斯都，因而未能恢复。约翰·腓特烈被看作基督教新教的殉道者，受到其臣民及基督教新教邦君们的尊敬。

John Frederick（Ⅱ）　约翰·腓特烈（第二）（1529-01-08，萨克森托尔高～1595-05-09，奥地利施泰尔）　绰号庸人约翰·腓特烈。韦廷家族埃内斯特一支的萨克森公爵，或萨克森-科堡-爱森纳赫公爵，在他的父亲、前选侯约翰·腓特烈被监禁期间，约翰·腓特烈第二和他的两个兄弟约翰·威廉与约翰·腓特烈第三共同统治割让土地后的埃内斯特支系的封地。兄弟死后成为唯一的统治者。约翰·腓特烈第二是一位严格的路德宗信徒，曾数次清洗领地内持不同见解的牧师。对皇帝剥夺其父选侯职位耿耿于怀。为了夺回丧失给敌对的阿尔贝特支系的选侯地位，他与实力雄厚的巴拉丁领地及冒险家*格鲁姆巴赫*(**Grumbach，Wilhelm von**)结盟，力图煽起一次叛乱。1566 年，约翰·腓特烈遭到皇帝的声讨，1567 年在哥达被俘。此后被囚禁达 28 年之久，直到死去。

John G. Shedd Aquarium　约翰·G.谢德水族馆　参阅 **Shedd Aquarium** *谢德水族馆*。

John Gaston（grand duke of Tuscany）　参阅 **Gian Gastone** *吉安·加斯托内*。

John George　约翰·乔治　德语作 Johann Georg。统治者之名，按国家分列于后，并各以 ● 为标记。

勃兰登堡

● **John George　约翰·乔治**（1525-09-11，勃兰登堡施普雷河畔科尔恩～1598-01-18，施普雷河畔科尔恩）　勃兰登堡选侯，1571 年继承其父约阿希姆二世之位。在他的统治下，分裂的选侯领地再度联合。其经济政策受到贵族的欢迎。他是路德宗信徒，欢迎法国和荷兰的基督教新教徒难民流入其领地，但拒绝卷入别国的宗教战争。

萨克森

● **John George Ⅰ　约翰·乔治一世**（1585-03-05，萨克森德累斯顿～1656-10-08，德累斯顿）　1611 年起为萨克森选侯，他犹豫不决，使当时德意志各邦中最富有、最强大的萨克森失去了地位上升及扩大领土的机会。他是一个懒散的酒鬼，哈布斯堡王室的忠实追随者。由于未能抓住政治机会，他失去了对德意志基督教新教徒的领导权。三十年战争中，又失掉了波希米亚的王位以及永久取得马格德堡大主教管辖区的机会。1648 年的《威斯特伐利亚和约》结束了三十年战争，并决定了勃兰登堡对萨克森占支配地位。

● **John George Ⅱ　约翰·乔治二世**（1613-05-31，萨克森德累斯顿～1680-08-22，萨克森弗赖贝格）　萨克森选侯（1657～1680），当政期间，德累斯顿成为德意志的音乐中心。1657 年即位后便与 3 个兄弟相约，防止因各自领土问题发生争执。1664 年又与法兰西国王路易十四建立友好关系。这位选侯的主要兴趣不在于政治，而在于音乐和艺术。他使德累斯顿生色，外国音乐家和其他艺术家云集宫中，全城经常沉浸在音乐节和其他节日的欢庆中。宫廷开支庞大迫使他于 1661 年赋予领地以更大的金融控制权，为以后的萨克森财政制度奠定了基础。

● **John George Ⅲ　约翰·乔治三世**（1647-06-20，萨克森德累斯顿～1691-09-12，符腾堡蒂宾根）　萨克森选侯（1680～1691）。他一反其父约翰·乔治二世摇摆不定的对外政策，于 1683 年参加了反法联盟。在萨克森首次建立了常备军。1680 年 9 月，协助将土耳其人逐出维也纳。1688 年 9 月，法王路易十四进犯德意志，约翰·乔治率先兴兵抗法。攻取美茵茨以后，他被任命为帝国部队总司令，但死前并未取得任何显著成绩。

● **John George Ⅳ　约翰·乔治四世**（1668-10-18，萨克森德累斯顿～1694-04-27，德累斯顿）　萨克森选侯（1691～1694）。即位之初，接受其首席顾问汉斯·亚当·冯·舍宁（1646～1696）的劝说，对皇帝利奥波德一世采取比较独立的立场。萨克森军队从帝国陆军编制中撤出，但利奥波德设法于 1693 年初把萨克森军队重新列入帝国武装力量。约翰·乔治主要以能获得玛格达勒妮·冯·奈德许茨的爱情为荣，继位时曾公开宣布她是他的情妇。

John Henry 约翰·亨利 美国黑人民谣中广泛传唱的英雄。民谣描述了他与气钻的比赛，在比赛中他粉碎的岩石比机器还多，可是他“手中还握着铁锤”就死了。作家和艺术家

J.莱维茨基绘蛋彩画《约翰·亨利》(1961)
美国不列颠百科全书公司供图

们在他身上看到了人类与机器注定要进行斗争的象征和黑人与白人进行的悲惨斗争。约翰·亨利这一民谣有一些事实根据。1870～1873年，从切萨皮克到俄亥俄的铁路在西弗吉尼亚州通过阿勒格尼山脉的大本德隧道时，打钻工人用钢钎在岩石上打孔以便装填炸药。1870年，南方引进了现代化的气钻，因此在大本德有可能对这两种方法的效率进行比较。虽然南方黑人歌唱他，但他们很少谈及关于他的故事。他和保罗·布尼安一样，不是一位真实的民间英雄。R.布雷德福在《约翰·亨利》(1931)中富有想象的描述使这个名字为许多美国人所知。

John Hyrcanus I 海尔卡努斯一世（约公元前175～前104） 犹太国祭司长和统治者（公元前135或134～前104年在位）。在他统治下，古代巴勒斯坦的哈斯蒙犹太王国曾经鼎盛一时。他是马加比的幼子，因而成为哈斯蒙王朝的一员。公元前137年击退叙利亚大将肯德贝乌斯对犹太的入侵。公元前135年托勒密杀死他的父亲和哥哥，因而由他继承犹太的王位。他企图消灭托勒密未果，但同罗马结盟后曾成功地阻挡叙利亚的入侵，并征服邻邦撒马利亚和以土买，扩大犹太的领土，并且迫使以土买人改宗犹太教。他死后由其长子继位。他的王朝是最后一个使犹太成为强大统一国家的王朝。

John Hyrcanus II 海尔卡努斯二世（？～公元前30，耶路撒冷） 犹太祭司长（公元前76～前40），与其兄阿里斯托布卢斯二世同为哈斯蒙王朝最后一代国王。由于他优柔寡断，使犹太（**Judaea**）成为罗马帝国的附庸。公元前76年其父死，他出任祭司长；前67年其母死，他就任犹太国王，3个月后其兄阿里斯托布卢斯把他赶下台。以土买总督安提帕为实现其占据犹太的野心，曾怂恿他去与兄长阿里斯托布卢斯二世打仗。经过血战之后，弟兄2人请求罗马大将庞培给予仲裁。庞培见到可以利用他来控制犹太，就让他继续当祭司长，并给予一些民政的权利。此后，被那些想利用他的人任意摆布。地方总督加比尼乌斯把他免职，J.凯撒则由于他帮助打败了庞培，恢复了他的职务。公元前42年安东尼任命安提帕的两个儿子为犹太小王，他失去了行政权力。公元前40年安息人入侵，割掉了他的耳朵，使他连祭司长也无法担当。他被迫寄居巴比伦。公元前36年经安提帕之子希律批准，他回耶路撒冷。6年后希律为了制止公众支持他，将其处死。

John Joseph of Austria 约翰·约瑟夫(奥地利的) 参阅 **Juan José de Austria** 胡安·何塞(奥地利的)。

John Maurice of Nassau 约翰·莫里斯(拿骚的)（1604-06-17，拿骚迪伦堡［德国］～1679-12-20，勃兰登堡克莱沃） 荷兰殖民地总督和军队司令。他巩固了荷兰在巴西的统治(1636～1644)，从而使荷兰帝国在拉丁美洲达到权力顶峰。拿骚-齐根-迪伦堡伯爵约翰之子，1621年以后参加反西班牙战争。1636年任巴西荷属殖民地总督，使荷兰西印度公司控制巴西的广大地区。他还扩大荷兰在加勒比海地区的势力，并夺取安哥拉(1641)和非洲西海岸的一些重要港口，以保障向种植园主供应非洲奴隶的贸易。他曾试图使葡萄牙种植园主们接受荷兰统治，但未成功。1644年，由于荷兰政府拒绝给予财政支持以维持对殖民地的控制，他挂冠而去。1647年，勃兰登堡选侯腓特烈·威廉大帝任命他管辖克莱沃、马尔克和明登。1665年在第二次英荷战争中，他率领荷兰军队同英格兰盟友明斯特主教冯·加伦作战。在1672～1678年的反法战争中，他任弗里斯兰和格罗宁根的军队司令。1674年在瑟内夫战役中功勋卓著，次年退休。

John o'Groats 约翰奥格罗茨 英国苏格兰高地行政区凯斯内斯历史郡一小村落，位于大不列颠本土最北端邓尼特角附近。所谓疏落的小村原来是一幢房屋，现其上仅存一土冢。1793年《苏格兰统计志》记载中首次提到，从荷兰来的约翰·德格罗特及其两兄弟持敕赐保护书定居于此。俗语“从兰兹角到约翰奥格罗茨”（“from Land's End to John o'Groats”，两地相距约1 400千米）意为“英国的天南地北”。事实上英国本土的最北端是在邓尼特角附近，而本土离兰兹角最远处却是在邓肯斯比角附近。英伦三岛最北的地点是设得兰群岛中的安斯特岛旁边海上一块岩石上的马克尔·弗拉加灯塔。

John Paul I 约翰·保罗一世（1912-10-17，意大利福尔诺-迪卡纳莱～1978-09-28，罗马） 原名阿尔比诺·卢恰尼，教皇。1978年登位，在位34天去世，为近代史上在位时间最短的教皇。他出身贫苦，毕业于罗马格列高利大学。1935年立为司铎，1969年任威尼斯大主教，1973年任枢机主教。

John Paul II 约翰·保罗二世（1920-05-18，波兰瓦多维采～2005-04-02，梵蒂冈） 拉丁语作 Johannes Paulus，原名沃伊蒂瓦（Karol Wojtyła）。波兰籍教皇，1978年登位，为456年间第一位非意大利籍教皇。曾在克拉科夫市亚盖沃大学攻读波兰文学，因第二次世界大战而辍学，在化工厂工作，1942年决心献身为司铎，隐身于克拉科夫大主教宫中。1946年11月1日受祝圣，先在罗马安杰利克大学学习，获伦理学博士学位，后在卢布林公教大学进修。其后在卢布林和克拉科夫大学任哲学教授，转任克拉科夫助理主教(1958)、大主教(1964)，再任枢机主教(1967)。他于1978年10月16日当选为教皇，10月22日登位，成为天主教历史上第一位波兰籍教皇，他除精通拉丁文外，还精通几种现代语言（波兰语、意大利语、英语、法语、德语、西班牙语和葡萄牙语），因而他具有他人所不能有的条件充当天主教会的巡回国际大使。自登位伊始，他就积极工作，一方面认真履行罗马主教的职责，巡视各堂区和各机构，另一方面广泛旅行，访问拉丁美洲和加勒比地区、美国及加拿大、非洲、欧洲各国、印度、远东和澳大利亚。1981年5月13日他遭遇阴谋暗杀，被土耳其国民穆罕默德·阿理·阿卡在圣彼得广场

美国不列颠百科全书公司供图

枪击成重伤。事后有3名保加利亚人涉嫌与凶手和另外3名土耳其人同谋，据传他们此举是因为教皇公开表示支持波兰天主教会和团结工会，但这些人后来都因罪证不足而宣告无罪。在社会问题上，他是保守的教皇，他坚定地维持天主教传统观点，诸如禁止人工流产、禁止使用避孕药物及器具、禁止离婚、不许修女和司铎担任政治职务，不许妇女任司铎。但是，他也主张让世界上发展中国家享受民主和经济公平。他实行高度集中的领导，在教义问题上言论保守，因而引起西部欧洲和西半球的一些比较开明的天主教神职人员的非议。20世纪90年代起，患上帕金森病，并经历了一系列手术。但他仍然保持忙碌状态。即使到了暮年，仍具有很大的号召力。1995年在菲律宾首都马尼拉，400万人参加了他组织的一场弥撒。2002年，在波兰克拉科夫市，有200万人参加了他的弥撒。2003年后，他只以坐姿出现在公众场合。他在2005年4月的葬礼有数百万朝圣者赶到罗马参加，很多世界政要也加入了送葬队伍。2005年5月，其继承者新教皇本尼狄克十六

世解除了通常的五年等待期，允许就约翰·保罗二世的宣福和封圣开展审查。约翰·保罗二世可以说是第一个"全球性"的教皇。

John Sigismund　约翰·西吉斯蒙德（1572-11-08～1620-01-02）　1608年起为勃兰登堡选侯，他将其领地与普鲁士联合。由于娶普鲁士的安娜为妻（1594），1618年成为普鲁士公爵。在荷兰人支持下，他根据《克桑滕条约》（1614）取得克莱沃，包括马尔克和拉芬斯堡。他支持加尔文主义，但对他的路德宗臣民采取宽容政策。他同前任约阿希姆·腓特烈一样，被迫向勃兰登堡的贵族让步。

John William Friso　约翰·威廉·弗里索（1687-08-14，安哈尔特德绍～1711-07-14，荷兰多德雷赫特附近）　荷兰的拿骚-迪茨亲王和奥兰治亲王，弗里斯兰和格罗宁根两省的执政。弗里斯兰和格罗宁根两省执政卡齐米尔二世之子，1696年继承父亲职位。在西班牙王位继承战争（1701～1714）中，他率兵对法国作战，功勋卓著。1695年奥兰治亲王威廉三世指定他为联省执政之职的继承人，但1702年威廉死后，荷兰7省中的5省拒绝他为执政，这标志着重返议会政治优势的开始，即第二执政时代（1702～1747）。1709年与黑森-卡塞尔的玛丽亚·路易丝结婚。2年后，在前往海牙途中，越过荷兰海峡时淹死。其遗腹子奥兰治-拿骚亲王威廉四世于1747年成为荷兰执政。

Johne's disease　约内氏病　又称副结核病。由副结核分枝杆菌引起的一种严重的传染病。多发生于牛，马、绵羊、鹿和山羊也能感染。母牛在感染本病后可长达一年之久不表现症状。该病主要表现为慢性下痢、体重减轻。产奶量大幅度下降，被毛粗乱，皮肤发干。该病主要通过病兽的粪便传播，预防措施为屠宰病畜。

Johnny Appleseed　苹果佬　参阅 **Chapman, John** 查普曼。

Johns, Jasper　约翰斯（1930-05-15，美国佐治亚奥古斯塔～　）　美国油画家和版画艺术家，通常将他与波普艺术运动相连。曾在哥伦比亚市南卡罗来纳大学学习（1947～1948），一度从事商业美术。常把旗帜、箭靶、数字和字母等作为绘画题材。1958年在纽约市举行个人画展，一时轰动全城。其有名的雕塑《着色青铜器》是用两只啤酒罐做的（1960）。他吸取了抽象表现主义的流畅笔触、光效应艺术的几何学，以及流行艺术对日常事物的精确描写等因素，使之结合在一起，独具个人风格。在《现地画》（1963～1964）里，使用了啤酒罐、画笔和凸出画面的木制字母实物。1960年开始从事石版、铜版、丝漏版和凹凸版画创作。70年代改变了艺术风格。

Johns Hopkins University　约翰斯·霍普金斯大学　设在美国马里兰州巴尔的摩市的一所私立高等学府。1876年由巴尔的摩银行家约翰斯·霍普金斯捐款创办，当时主要为只招男生的研究院，但也为男生提供大学本科教育。该大学现为男女同校。它有1个哲学院、4个专业学院、1个半日制学院和2个单独的研究单位。约翰斯·霍普金斯医院是1889年开办的单独机构；由于缺乏资金，那时大学无力创建医学院。1893年，一批有兴趣获得医学教育机会的妇女筹得50万美元捐款，以妇女可与男子在同样条件下录取为前提，帮助创立约翰斯·霍普金斯医学院。这所医学院在运作上同约翰斯·霍普金斯医院保持密切联系。1918年卫生和公共保健学院开办。该大学除了以医疗设备闻名于世外，还以其高级国际问题研究学院著称。大学办有约翰斯·霍普金斯出版社，是美国持续经营的最老的大学出版社。该大学还设有文理学院，并有一所应用物理实验室。

Johnson, Amy　约翰逊（1903-07-01，英国亨伯赛德赫尔河畔金斯顿～1941-01-05失踪）　英国女飞行员。因最先独自驾机试创从伦敦飞抵澳大利亚达尔文的飞行纪录而闻名。毕业于设菲尔德大学，后在伦敦任秘书。在伦敦期间，她对飞行和飞机发生了浓厚的兴趣。1928年取得飞行员驾驶执照，同时也是第一位获得地勤机械师执照的英国女性。1930年5月5日她独自驾机飞往达尔文，但比原纪录多了3天，然而她勇于冒险的精神，使她在英语国家中赢得极大的声誉。英国新闻界将其誉为"飞行皇后"。此后作过多次远程飞行：1931年创下横跨西伯利亚至东京的飞行纪录；1932年独自驾机飞抵南非的开普敦，打破了原有纪录。后来的成绩不太突出。1939年加入空运辅助航空队。一次为空军部执行飞行任务时，在泰晤士河河口失踪。

Johnson, Andrew　约翰逊（1808-12-29，美国北卡罗来纳罗利～1875-07-31，田纳西卡特车站附近）　美国第17任总统（1865～1869），于A.林肯总统遇刺后就职。由于对南方实行宽大的"重建"政策，激怒了激进派共和党人，从而导致政治上的倒台。受正规教育少，为人简朴率真，未满21岁即组织工匠党，并因而当选为格林维尔市参议员，后当选市长。1835～1843年任市议员时，拥护提倡州权的杰克逊民主党，并维护山民和小农的权益。1843～1853年任国会众议员。1853～1857年任田纳西州州长。1856年当选美国参议员，支持民主党降低关税、反对禁奴宣传的主张。但于1860年林肯当选总统后，他却戏剧性地与民主党决裂，极力反对南方脱离邦联。1861年6月田纳西州脱离联邦时，他是唯一留职并拒绝加入南部邦联的南部参议员。选民的谴责从未动摇他对联邦的忠诚。1862年5月被林肯任命为田纳西州（当时已处于联邦控制下）军事长官。1864年林肯蝉联总统，他当选为副总统。1865年4月仓猝接任总统后，面临重建南部邦联诸州的棘手问题。国会共和党人主张对战败的南方采取严厉措施，因此对新总统允许南方各州可重新加入联邦而只附带有限改革或仅给予获得自由的奴隶以极少的公民权利的方案感到不满，对权力复归白人贵族及制订限制性《黑人法典》感到愤怒。1866年国会选举中，激进派赢得了足以推翻总统否决的压倒多数。1867年3月，新国会通过第一部《重建南方法》，规定给黑人以选举权并对南方各州实行军管，但遇到总统多次否决及狭隘解释

美国国会图书馆供图

的刁难，一再拖延，竟至事实上归于无效。总统对同一天通过的《任职法》（规定总统未经参议院同意不得撤换某些联邦官员）也采取漠视态度，贸然将陆军部长E.M.斯坦顿（激进派盟友）撤职。作为回应，众议院通过弹劾总统条款（开弹劾总统先例），但在决定性投票时（1868-05-16、26）却以一票之差不足定罪所需的2/3票数（7名共和党人投票支持约翰逊）。然而，约翰逊从此失去作为政治领袖的作用。回到田纳西州后，重新当选参议员（1875）。

Johnson, Ban　约翰逊（1864-01-05，美国俄亥俄诺沃克～1931-03-28，密苏里圣路易斯）　美国职业棒球运动管理人，美国职业棒球俱乐部联盟第一任主席（1900～1927）。曾就学于奥伯林学院和玛丽埃塔学院。19世纪90年代中期任《辛辛那提商业报》记者，后调任体育编辑。1894年任西部联盟主席。一年后脱离新闻界而入棒球界。当时，全国棒球联盟和约翰逊所属的西部联盟（1900年改名为美国棒球联盟）互相斗争。美国联盟逐渐侵入全国联盟的地盘，终于1903年在纽约市获从事棒球业的特许。同年约翰逊发起组织两联盟一起参加的世界系列赛，并努力清除棒球比赛中的粗野行为，使人们可以携眷属前来观赛。1920年约翰逊参与揭发**黑短袜丑闻**（**Black Sox Scandal**），但反对撤换三人棒球委员会而代之以一名专员。1927年辞职。1937年入选棒球名人堂。

Johnson, Charles Anthony　约翰逊　原名查尔斯·安东尼·约翰逊·布鲁克爵士，**布鲁克王朝**（**Brooke Raj**）的第2代罗阇。

Johnson, Charles Spurgeon　约翰逊（1893-07-24，美国弗吉尼亚布里斯托尔～1956-10-27，肯塔基路易斯维尔）　美国社会学家，种族关系问题的权威，田纳西州纳什维尔的菲斯克大学第一任黑人校长（1946～1956）。他早年曾创办和主编《机会》杂志（1923～

1928)，这是20年代“黑人文艺复兴”的主要喉舌。约翰逊曾入芝加哥大学，在社会学家帕克的指导下当研究生，然后在芝加哥种族关系委员会工作(1919～1921)。他的第一篇

美国不列颠百科全书公司供图

重要论文《芝加哥的黑人》(1922)对1919年7月芝加哥的种族暴乱进行了社会学研究。他的所谓“种族关系的社会自我调查”方法便于搜集黑人和白人的社会学资料及其看法。1928～1947年，他任菲斯克大学社会科学系主任。第二次世界大战后，他参与制订日本教育制度改革计划。约翰逊的著作有：《美洲文明中的黑人》(1930)、《黑人大学毕业生》(1936)、《在黑人区成长》(1941)和《黑人种族隔离的方式》(1943)。

Johnson, Cornelius　约翰逊(1593-10-14受洗，伦敦～1661-08-05，尼德兰乌得勒支)　Johnson又拼Jonson, Janson。巴罗克画家，17世纪初期最重要的英格兰本土肖像画家。父母是荷兰人。詹姆斯一世和查理一世曾是他的主顾，但自凡·戴克1632年到伦敦后便失去了声望。他在英国的作画生涯到1643年为止，后去荷兰。除半身像外，约翰逊很少画其他东西。像框通常是卵形；画像惟妙惟肖，手法细致灵巧。他一般总在木板上作小幅画，有时也复制自己的较大作品。

Johnson, Eliza　约翰逊(1810-10-04，美国田纳西格林维尔～1876-01-15，格林维尔)　婚前名Eliza McCardle(伊丽莎·麦卡德尔)。美国第一夫人(1865～1869)，第17任总统A.约翰逊之妻。1827年与约翰逊结婚。夫妻二人合开一间裁缝店，支持丈夫的政治抱负，却不愿丈夫的成功而成为公众注目的焦点，而甘心于全身心养育5个子女及操持家务。约翰逊任众议院议员时，她仍与子女留在田纳西，约翰逊当选参议员(1857～1862)多年后，才于1860年首次赴华盛顿，在约翰逊因林肯总统遇刺而继任总统之前，仅在华盛顿度过极短时间。虽为第一夫人，但她将社会职责交给女儿玛撒·帕特森。她用国会的30 000美元拨款修缮业已破损的白宫，并在白宫草坪上养牛产奶。声称自己及家人来自田纳西山区，是因国难而入驻白宫的普通百姓，致使批评者无计可施。在约翰逊险遭弹劾期间，密切注视事态进展。1869年约翰逊总统任期结束后夫妻两人重返格林维尔。1875年约翰逊再次当选参议员，但于同年去世。伊丽莎因病情过重未能出席葬礼，6个月后在女儿家中病逝。夫妻合葬于今安德鲁·约翰逊国家墓地。

Johnson, Eyvind　雍松(1900-07-29，瑞典布登附近斯瓦特约恩斯宾～1976-08-25，斯德哥尔摩)　瑞典为数不多的工人阶级小说家之一，他不仅给瑞典文学带来了新主题和新视角，还对新形式和写作技巧进行了实验。1974年他和H.E.马丁松共同获得诺贝尔文学奖。少年时代曾在北极圈附近的家乡从事艰苦劳动，20岁时去疮痍满目的战后西欧。他的早期小说主要写人的挫折失意，可以看到他受普鲁斯特、纪德和乔伊斯的影响。所写《博比纳克》(1932)一书揭露了现代资本主义黑幕；《奥洛夫四部曲》(1934～1937)记述了他在北极圈附近地带当伐木工的经历，并开始探求人类遭受磨难的原因。第二次世界大战期间，曾强烈反对极权主义恐怖，尖锐抨击中立主义立场。《返回伊塔卡》(1946)及《公爵大人活着的时候》(1960)两书均被翻译成多种文字。

Johnson, Gerrard　约翰逊　参阅**Jensen, Gerrit** *詹森*。

Johnson, Harry Gordon　约翰逊(1923-05-26，多伦多～1977-05-08，杰尼瓦)　加拿大出生的经济学家。第二次世界大战后甚为活跃，经常出席各种会议，发表大量文章，对宏观经济和国际贸易贡献甚多，1943年毕业于多伦多大学，1946年毕业于剑桥大学。1948～1956年在剑桥大学任教，又在曼彻斯特大学任教3年，然后转任芝加哥大学教授。逝世前同时担任芝加哥大学经济学正教授和伦敦经济学院正教授，其学术地位之高，非同一般。他对凯恩斯追随者批判虽严厉，但并不真正赞同芝加哥学派保守的货币主义观点，也许他最持久的贡献在贸易理论方面，这方面他很早提出有效贸易保护的概念。后来在关税、贸易增长方面发表了有重要意义的著作，倡议恢复古典经济学关于国际收支中的货币理论。

Johnson, Hiram (Warren)　约翰逊(1866-09-02，美国加利福尼亚萨克拉门托～1945-08-06，马里兰贝塞斯达)　美国加利福尼亚州州长(1911～1917)、美国参议员(1917～1945)、进步共和党人，后成为顽固的孤立主义者。1906年任旧金山市检察官时以积极倡导改革闻名。1910年提出改革纲领，当选加利福尼亚州州长。任内，该州议会制止了南太平洋铁路对该州的政治控制，并使这个州走在席卷全国的进步党运动的前列。1912年参与建立进步党，作为副总统候选人与T.罗斯福联合竞选，失利。在参议员任内反对共和党保守倾向，支持改善农业立法及新政救助失业措施。后渐以顽固坚持孤立主义闻名，反对美国参加《凡尔赛和约》、国际联盟和国际常设法院(即世界法院)。倡议20世纪30年代的中立法，抵制第二次世界大战前的备战措施及成立联合国。

Johnson, Jack　约翰逊(1878-03-31，美国得克萨斯加尔维斯顿～1946-06-10，北卡罗来纳罗利)　原名John Arthur Johnson。美国拳击运动员。1908年12月26日在悉尼击倒伯恩斯，成为世界最重量级冠军，是获此称号的第一名黑人；1915年4月5日在哈瓦那经过26个回合被威拉德击倒，丧失冠军称号。1897～1928年参加职业拳击赛。1945年年已67岁，仍参加表演赛。在与伯恩斯比赛前，由于种族歧视，多年受埋没，收入也十分微薄。他获得冠军后，在“白人伟大希望”的叫嚣声中涌现出许多与他敌对的选手。约翰逊极盛时期两次与白人妇女结婚，遭到报界抨击。白人拳击家杰弗里斯业已退休，但人们动员他再次出山，体现“白人伟大希望”，结果又败于约翰逊，此事使白人至上主义者更为恼火。他曾携未婚妻越过州界，因此于1912年被控违犯《曼恩法案》，判处1年徒刑，上诉期间保释出狱；他乔装某黑人棒球队员经加拿大潜往欧洲，流亡7年之久。在巴黎3次保住冠军称号，乃去古巴与威拉德比赛。据说，约翰逊误认为，如把冠军称号让给白人，对他的起诉就会撤销，因此故意输给威拉德。1897～1928年共参加114场比赛，胜80场，其中45场击倒对方取胜。1920年投案服刑，在堪萨斯州莱文沃思联邦监狱参加几场比赛。出狱后偶尔参加拳击，并从事杂耍表演。死于车祸。

Johnson, James Weldon　约翰逊(1871-06-17，美国佛罗里达杰克逊维尔～1938-06-26，缅因威斯卡西特)　美国诗人、外交官和黑人文化文集编辑者。他的母亲是一位教师，他在音乐等方面受到母亲的熏陶。毕业于亚特兰大大学，获得学士(1894)和硕士(1904)学位，后进哥伦比亚大学深造。曾在杰克逊维尔黑人中学当过多年校长。同时攻读法律，1897年成为律师。在这期间同其弟、作曲家约翰·R.约翰逊(1873～1954)一起开始写歌曲。1901年兄弟俩到纽约，为百老汇音乐剧坛写了约200首歌曲。1906年任美国驻委内瑞拉卡贝略港领事，1909～1914年任驻尼加拉瓜科林托领事。此后在菲斯克大学任教。同时开始创作小说《一个曾被叫做有色人的自传》，1912年匿名发表，但直至1927年以其真名重印时才引起人们注意。1916年起成为全国有色人种促进协会领导人。继《50年及其他诗》(1917)之后编有《美国黑人诗歌集》(1922)和与其弟合编的《美国黑人圣歌集》(1925、1926)。他最著名的作品《上帝的长号》(1927)是用诗体写的黑人方言布道词，包括《创世》和《走向死亡》。《沿着这条道路》(1933)是他的自传。

Johnson, J. J.　约翰逊(1924-01-22，美国印第安纳州印第安纳波利斯～2001-02-04，印第安纳波利斯)　美国爵士乐作曲家和长号演奏家。早期学习钢琴，15岁改学长号，1941年起成为职业演奏家。其后10年在B.卡特和巴锡“伯爵”的乐团里工作。不久就被公认为是一个吸收了20世纪40年代“比博普”技巧的娴熟的独奏家。1952年短暂引退之后，又于1954年重返乐坛，与长号伙伴K.温丁一起巡回演出；他们的二重奏被认为是爵士乐长号技巧演变中的分水岭。1959年在蒙特雷

音乐节上以管弦乐作曲家身份举行首次演出。他于70年代基本上停止演奏,专心为电影、电视配乐。80年代重新开始演奏,在20年中发布了多张专辑,其中一些被视为他最好的作品,包括《事情一直越来越好》(1983)和《我们去走走》(1992)。

Johnson, John Arthur (boxer) 参阅 **Johnson, Jack** 约翰逊。

Johnson, John H(arold) 约翰逊(1918-01-19,美国阿肯色州阿肯色城~2005-08-08,伊利诺伊芝加哥) 美国书刊出版家,第一个在出版行业获得巨大成功的美国黑人。曾在芝加哥大学和西北大学学习,后在一人寿保险公司工作。1942年创办《黑人文摘》杂志,第一期即售出约3 000份。在此基础上于1945年创办供黑人阅读的画刊《黑檀》。《黑檀》创刊号出版2.5万份,销售一空。到1967年,该刊发行量达100万份以上。他的公司——约翰逊出版公司还出版以黑人读者为对象的书籍。后来他把业务扩展到无线电广播、保险业和化妆品制造业。1996年获颁总统自由勋章。

Johnson, Kelly 约翰逊(1910-02-27,美国密歇根伊什珀明~1990-12-21,加利福尼亚柏班克) 美国航空工程师和设计师,具有高度创造性。毕业于密歇根大学,获有理学士(1932)和理学硕士(1933)学位,1933年开始到洛克希德公司工作。后来担任洛克希德公司的秘密研发单位"臭鼬工厂"的负责人,参与设计了40多种飞机。其中包括P-38"闪电"战斗机,1943年的P-80(后来的F-80)"流星","星座"(用于军事运输机时称C-69),后来的"超星座"(1950)飞机,F-104星式战斗机(1954),高海拔飞行的U-2(1954),还有YF-12和SR-71"黑鸟"。约翰逊在SR-71上使用钛合金取代铝,可以在极高的温度下高速飞行。获得过许多荣誉和奖项,其中有自由奖章(1964)。1975年从洛克希德公司高级副总裁的职位退休后,继续担任董事至1980年,并任高级顾问直到去世。

Johnson, Lyndon B(aines) 约翰逊(1908-08-27,美国得克萨斯吉莱斯皮县~1973-01-22,得克萨斯圣安东尼奥) 美国第36任总统(1963~1969)。温和的民主党人,有魄力

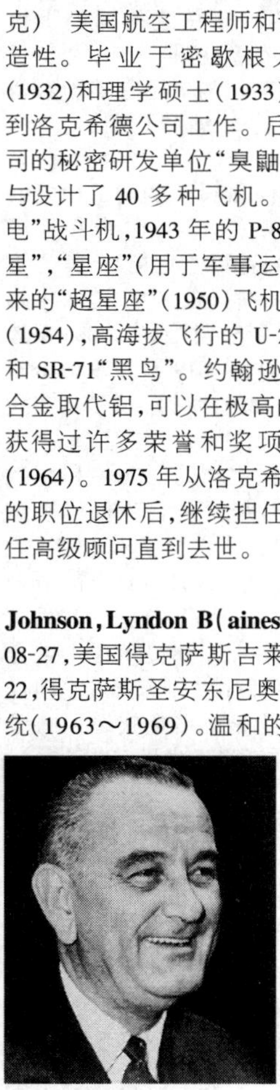

美国国家档案馆供图

的参议院领袖,1960年当选副总统,J.F.肯尼迪总统遇刺(1963-11-22)后,继任总统。他在任内,签署了自重建时期以来最全面的民权法案,着手制订了若干主要的社会服务纲领,同时,当其政府因在越南的行动遭到全国反对时,他成为被抨击的主要对象。

约翰逊出生在得克萨斯州西南部群山中一座3居室宅中,在5个孩子中最大。虽然他的父亲和祖父均曾任职于得克萨斯州州议会,但约翰逊一家在佩德纳莱斯河畔的农场土地贫瘠,家境贫寒。青年时代,他拒不去大学读书,宁愿在乡间四处寻找工作谋生。最后进入位于圣马科斯的西南得克萨斯州立师范学院,接受3年教师训练。早期在得克萨斯州休斯敦的萨缪尔·休斯敦中学任教时得以接触墨西哥裔美国人,并通过他们接触到少数民族问题。他在州政治生活中作为志愿人员曾不懈地工作,在为少数民族争取权利的斗争中,获得了不少政治上的好处。1932年去华盛顿,担任众议员R.M.克莱伯格的议会助理,协助他进行国会竞选。不久即将成为众院议长的S.雷伯恩势力强大,对约翰逊极为友善,因此约翰逊的政治事业迅速发展。1935~1937年任全国青年总署得克萨斯分署署长,他在罗斯福总统推行新政的政府遭到保守派严厉抨击之时竞选众议院席位成功,以忠诚与足智多谋博得罗斯福的垂青,将其列为政治上的门人。以后的12年中,约翰逊一直代表着得克萨斯州第10众议员选区。

1941年约翰逊未能在一次特别选举中争得参议院席位。但1948年又再次竞选,经过有缺陷的竞选,包括双方在决定性的民主党初选中都有舞弊行为,他以微弱多数赢得参议院席位,并保持12年之久,并于1951年成为民主党议员的领袖。在这些年月中,他发挥了他的天才,善于通过协商在政见不同的政治势力间达成谅解。有时利用机智但又常常是无情的手段,在参议院建立起显然是纪律严明的民主党党团。作为多数党领袖(1955~1961),他强调意见的统一,他的领导技巧在1957年和1960年对通过《人权法案》起了主要作用——这在20世纪尚属首次。

到1960年,约翰逊非凡的政治才能已使他成为国家的政治生活中的传奇人物,但他接受肯尼迪之邀,作为副总统候选人联名参加民主党的全国选举,使许多人都感到惊奇。然而他在竞选中全力以赴,许多观察家都感到他的联名参加是民主党获胜必不可少的条件。约翰逊的新职相对来说是个默默无闻的角色,他却能容忍而毫无怨言,并在担任总统的就业机会均等委员会、国家航空和航天委员会的主席职务中得到一些满足。

肯尼迪总统是在约翰逊的家乡得克萨斯州的一次政治出巡时被暗杀的,这使约翰逊一下子担当起他的长期政治事业中最为困难的角色。在肯尼迪死后动荡不定的时期中,约翰逊致力于稳定国民的情绪并继承了总统职位。他的无拘无束的西南部民间作风与前任的极富于东部情调的矫揉世故相对照,使他相形见绌,成了他最为沉重的负担。然而,就在他上任的最初几个月中,这位新总统竟能使国会通过了以前拖延不决的有关人权、减税、反穷困计划和资源保护等极为重要的立法。

1964年11月,约翰逊以1 500多万的空前多数选票再次当选为总统。他将这一选举结果解释为选民对他推行他称之为"伟大社会"的国内改革纲领的一次特殊授权。在全国都为解决种族敌对行为、城市中长期的衰败现象和持续的贫穷而努力时,他成功地推动了令人瞩目的大量福利立法,包括老年人医疗保健、教育、住房和城市发展、资源保护和移民。然而,这些成就的效果却因他因袭前届政府扩大美国在印度支那战争中的军事卷入而大受影响。尽管他在竞选中明确许诺不再扩大战争,这位总统和他的顾问们,由于担心南越会因共产党的侵略而失陷,却一再增加美国的干预。由于每次升级都遭到敌方新的回应,而且看来战斗结束无望,总统的公众支持显著下降。最严厉的批评来自"鸽派",这些人赞成早日通过谈判结束战争。学生强烈反对战争及征兵法的呼声,得到开明人士、知识分子和民权领袖的纷纷响应,而政府一度为了消除贫困和不公正而制定的预算,也不得不随战争费用开支紧张而膨胀。

1968年3月31日,经历了美国政治历史上动乱最为频仍的3年之后,约翰逊作出了使电视观众感到吃惊的举动。他的一次对全国听众的讲话包括了3点声明:他刚刚命令大大减少对北越的轰炸;他已提出和谈的要求;他将不会寻求也不会接受他的政党再次提名他为总统候选人。在他发表声明后不到4天,人权领袖马丁·路德·金被暗杀,在黑人区引发了最后一次城市暴乱的浪潮。在以后的几个月里,参议员R.F.肯尼迪也遭到暗杀,而民主党在芝加哥举行了喧喧嚷嚷的8月会议。约翰逊总统既未出席这次会议,也未参与他的政党为保住总统职位而进行的不成功的努力。

1969年1月,他返回得克萨斯州去经营约翰逊城附近的农场,撰写他担任总统年代的回忆录《高瞻远瞩》(1971)。在签署结束越南战争的协议前不到一个星期,约翰逊在家中因心脏病突发逝世。

Johnson, Magic 约翰逊(1959-08-14,美国密歇根兰辛~) Earvin Johnson, Jr.的别名。美国大学职业篮球运动员。他在20世纪80年代率领美全国篮球协会(NBA)洛杉矶湖人队参加过5次锦标赛并赢得冠军。约翰逊是一名汽车工的儿子。中学时代他在篮球场上打球时奔跑迅速,从而赢得了"魔术师"的绰号。1979年他在大学念二年级时,就率领密歇根州立大学队参加全国大学体育协会锦标赛并夺冠。同年,他作为首选球员加入了洛杉矶湖人队。1980、1982、1985、1987和1988年,约翰逊率领湖人队夺得全国篮球协会锦标赛冠军,1987、1989和1990年他被评为全国篮球协会最有价值的运动员。他作为在前场组织进攻的后卫,凭着他2.06米的身高,速度,娴熟的控球技术以及似乎具有心灵感应的场上意识,在这个位置上打出了前所未有的灵活性和变化多端的技术。他技术全面,无论投球、抢栏板球、防守都非常精通。再加上他传球不露声色,使他在1990年成为全国篮球协会史上最优秀的助攻运动员(助攻次数为9 921)。1991年11月约翰逊宣布他感染了艾滋病病毒,将退出职业篮球比赛。1994年他担任湖人队主教练。

Johnson, Osa　约翰逊（1894-03-14，美国堪萨斯沙努特～1953-01-07，纽约州纽约）　婚前名 Osa Helen Leighty。美国探险家、制片人和作家，她与丈夫共同完成的以非洲、南洋土著和野生动物为题材的影片颇受欢迎。1910 年与探险家兼摄影师 M.E.约翰逊结婚。1912 年筹集了足够的资金，在南洋岛屿拍摄了一部记录食人族的影片。1914～1935 年在所罗门群岛、新赫布里底群岛、北婆罗洲和非洲等地作摄影旅行。他们为美国自然史博物馆拍摄野生动物的记录片，收集了许多宝贵的地理和人种学资料；制作的影片获得巨大商业成功，包括《丛林探险》（1921）、《南洋的猎头族》（1922）、《训练非洲野生动物》（1923）、《百兽之王辛巴》（1928）、《环游世界》（1930）等众多短片。他们还合著《食人地带》（1922）、《非洲摄影》（1924）、《狮子》（1929）等书。1937 年丈夫去世后，她继续完成二人共同的事业。同年，率领二十世纪福克斯影片公司一支摄影队进入非洲丛林，拍摄影片《荡寇志》（1937）。她独立制作了另外 4 部影片《丛林的召唤》（1937）、《我和探险的不解之缘》（1940）、《非洲天堂》（1941）、《图拉吉和所罗门群岛》（1943）；并撰写了《丛林中的朋友》（1939）、《小象潘达伦》（1941）、《小猩猩雪球的故事》（1942）和《小狮子塔尼莎的故事》（1945）等。此外，她还为全国野生动物联合会设计了一系列精致的动物玩具。

Johnson, (Emily) Pauline　约翰逊（1862-03-10，上加拿大布兰特县六国印第安人保留地［今在安大略］～1913-03-07，不列颠哥伦比亚温哥华）　加拿大印第安女诗人，她的诗篇自豪地歌颂了印第安人民的传统，在她那个时代具有无限的感染力。父亲是莫霍克族酋长，母亲是英国人。她在十几岁时就开始发表诗歌，用她的印第安名字“特凯希昂韦克”成功地周游了加拿大、英国和美国，穿着鹿皮衣服举行诗歌朗诵会。后来定居温哥华，根据印第安人生活和传说写出了《温哥华的传说》（1911）、《沙甘纳皮》（1913）、《制作鹿皮靴的人》（1913）等散文故事。诗集有《燧石与羽毛》（1912）。她最著名的诗《我的桨唱的歌》为所有加拿大小学生所熟悉。

Johnson, Pete　约翰逊（1904-03-25，美国密苏里堪萨斯城～1967-03-23，纽约布法罗）　美国布吉-伍吉爵士乐钢琴家，以能连续奏摇摆乐和强劲的触键闻名。1926 年起成为职业钢琴家，同布鲁斯歌唱家 J.特纳有多年合作关系。后来和 A.安蒙斯演奏布吉-伍吉二重奏而大受欢迎，并与 L.刘易斯组成 3 人钢琴小组。常被称为“布鲁斯的头儿”。作品有《樱桃红》、《只为你》、《彼得，摇吧》和《小宝贝布鲁斯》等。

Johnson, Philip C(ortelyou)　约翰逊（1906-07-08，克利夫兰～2005-01-25，康涅狄格新迦拿）　美国建筑师、建筑理论家。最初提倡国际式建筑风格，以后在实践中逐渐转变为表现个性的风格，并在其中借鉴了多种历史风格。曾在哈佛大学学习哲学，1927 年毕业。1932 年任纽约市现代艺术博物馆建筑部主任。他同 H.-R.希契科克合作编写的《1922 年以来的建筑——国际风格》，描述了第一次世界大战之后现代建筑的情况，并给这一阶段的建筑贴上了标签。1940年重返哈佛大

美国不列颠百科全书公司供图

学，进设计研究生院从 M.布罗伊尔学习。但他真正的导师是密斯·范·德·罗厄，他的专著《密斯·范·德·罗厄》于 1947 年出版，颇负盛名。1946～1954 年重任现代艺术博物馆建筑部主任。1949 年他基于密斯·范·德·罗厄的一件作品，设计了自己的住宅，作品具有简朴方正的形式，并用大片玻璃作为墙壁，此项设计确立了他作为建筑师的声望。从纽约州切斯特港的一座犹太教会堂（1954～1955）开始，他的作品有了新的转变，密斯的影响逐渐消失，设计作品中出现了曲线的、特别是拱的形式，并越来越明显地引用历史的风格，某些评论家对他的一些作品评价不高，认为他只是从事形式的游戏。例如他设计的纽约市美国电话电报公司总部大楼（1982），建筑物的屋顶状如奇彭代尔式柜橱。到 21 世纪初他仍在进行设计。获得过一系列奖项，包括第一个普里兹克建筑奖。

Johnson, Rafer (Lewis)　约翰逊（1935-08-18，美国得克萨斯希尔斯伯勒～　　）　美国田径运动员，1960 年在罗马奥运会上获十项全能冠军。1954年在加利福尼亚大学上二年级时，首次参加十项全能比赛。1955 年在泛美运动会上获金牌。1956年因受伤而未能获

1960 年奥运会十项全能赛场上的约翰逊

美国不列颠百科全书公司供图

墨尔本奥运会金牌。1958 年创十项全能世界纪录。在 1960 年奥运会上十项全能比赛空前激烈，结果约翰逊以 8 392 分获胜，比第二名选手只多 58 分。在那次奥运会入场式上，约翰逊执美国队旗，是担任此任务的第一位黑人运动员。获 1960 年优秀业余运动员沙利文纪念奖，不久退出体坛。有时任体育解说员。1984 年他引人注目地出现在洛杉矶奥运会上，为开幕式点燃火炬。

Johnson, Reverdy　约翰逊（1796-05-21，美国马里兰安纳波利斯～1876-02-10，安纳波利斯）　美国宪法律师，从马里兰州选出的美国参议员（1845～1849，1863～1868），在泰勒总统任内的司法部部长（1849～1850），并曾任驻英国公使（1868～1869）。由于他能抓住问题的两方面并使争议双方达成妥协而被称为“和事佬”。他虽然生活在一个实行奴隶制度的州里，但他反对奴隶制，并且反对在墨西哥战争（1846～1848）后吞并可能实行奴隶制的地区。在南北战争期间，他协助使马里兰州留在联邦内。然而，在著名的德雷德·斯科特案（1857）中，他充当拥有奴隶的被告的代理人。在该案中，美国最高法院裁决黑人不能成为美国公民。在南北战争期间，他作为一个参议员，支持战时的忠诚宣誓，但在战后，他促使最高法院宣布忠诚宣誓是违反宪法的。他在针对 A.约翰逊总统的弹劾诉讼（1868）中协助宣告约翰逊无罪。在任驻英公使时，他为和平解决英国与美国在英国对待南部邦联的政策上的争端铺平了道路。

Johnson, Richard M(entor)　约翰逊（1780，美国弗吉尼亚路易斯维尔附近［今在肯塔基］～1850-11-19，肯塔基法兰克福）　美国第 9 任副总统（1837～1841）（总统 M.范布伦的民主党政府）。1802 年进入律师界，1804 年选入肯塔基州议会，1807～1819 和 1829～1837 年为众议员，1819～1829 年为参议员。初为辉格党人，后积极支持 A.杰克逊总统（1829～1837），拥护民主党的低关税和解散国家银行的立场。杰克逊则于 1836 年坚持提名约翰逊为副总统。因选举团未能在 4 名候选人中取得一致意见（美国历史上前所未见的现象），约翰逊终由参议院选出。其后党内反对他的势力不断增长，1840 年民主党全国代表大会采取了拒绝提名副总统的空前行动。在大选中，约翰逊被辉格党候选人 J.泰勒击败。死前不久重新当选肯塔基州议员。

Johnson, Robert　约翰逊（约1911，美国密西西比哈兹勒赫斯特～1938-08-16，密西西比格林伍德附近）　美国布鲁斯作曲家、吉他手和歌手。他的怪异假声与娴熟的节奏性滑音吉他技巧，对同时代的及后继的布鲁斯和摇滚乐音乐家都有深远影响。出身于佃农家庭，在田纳西州孟菲斯和密西西比州鲁滨逊维尔长大。先学口琴，后学吉他。可能得益于录音节目以及同 E.豪斯、C.巴顿、W.布朗和其他著名的密西西比三角洲布鲁斯歌唱家的个人接触。足迹遍布密西西比、阿肯色、得克萨斯和田纳西，往北远至芝加哥和纽约，常在家庭舞会、小型舞厅、伐木营区及街头表演。

1936～1937年,他在得克萨斯州的圣安东尼奥和达拉斯灌录一系列的唱片。曲目包括豪斯等人的一些布鲁斯歌曲,但他自己创作的《我与魔鬼布鲁斯》、《魔犬追踪我的足迹》和《徒然的爱》等才是他最迷人的作品。他的录音虽然数量不多,但对其他歌手,包括M.沃特斯和E.詹姆斯等有重要的影响。

Johnson,Robert L.　约翰逊(1946-04-08,美国密西西比希科里～　　)　全名Robert Louis Johnson。美国商人,黑人娱乐电视台(BET)创办人,也是第一位拥有美国主要职业运动队大部分股权的非洲裔美国人。成长于伊利诺伊州弗里波特,在十个孩子中排行第九。先在伊利诺伊大学主修历史(1968年获文学士学位),后在普林斯顿大学攻读公共事务(1972年获硕士学位)。移居华盛顿哥伦比亚特区后,供职于公共广播公司和全国城市联盟。开始发展有价值的政治和商务关系,为其憧憬创建属于黑人的有线电视公司提供了资金。1976～1979年,为开始形成的有线电视业进行游说,他注意到广大的非洲裔美国电视观众正处于被忽略和未被开发的状态。他建立的黑人有线电视台开始规模极小,1980年每周只播出两个小时的节目,后来则成为据称有7 000万以上个家庭观看的大型电视台。1991年,黑人娱乐电视台成为第一家在纽约股票交易所上市的黑人控股公司。20世纪90年代发展很快,增加了更多的有线频道,通过新的影片和出版部门、音乐频道和网站扩大了受众。主要的媒体公司开始向这一成长的网络投资。1998年约翰逊再一次将黑人娱乐电视台归为个人所有,并与合伙人于2001年将黑人娱乐电视台控股公司作价30亿美元售于大媒体集团维康公司,不过他仍在黑人娱乐电视台担任首席执行官。这次交易使他成为第一个非洲裔美国亿万富翁。接下来他组成了一个伞式公司—RLJ集团公司—广泛经营媒体、体育运动、赌博、房地产和旅店餐饮业。20世纪90年代,在试图购买全国篮球协会特许之后,他2003年获准成为北卡罗来纳州夏洛特一个扩编球队的拥有人。新队称作红猫队,2004年开始参加比赛。他购买特许估计花了3亿美元,也包括全国女子篮球协会在夏洛特的针刺队。2004年10月他发起创建卡罗来纳运动娱乐网(C-SET),即一个地区性的运动和娱乐有线电视网。

Johnson,Robert Wood　约翰逊(1845-02-15,美国宾夕法尼亚卡本代尔～1910-02-07,新泽西新不伦瑞克)　美国医疗用品制造商,创制防腐绷带与敷料促进了现代外科术的发展。开始时在药店当学徒,后当药物零售商及药物中间商。1874年建立起合股公司——西伯里-约翰逊公司,按照新配方利用橡胶制作绷带。11年后与合股人散伙,又同兄弟詹姆斯及爱德华合伙建起当今著名的约翰逊-约翰逊公司。该公司以供应质量高而价格低廉的医疗器材与敷料闻名。约翰逊自公司成立直到1910年去世一直是公司的总裁。他倡导约瑟夫利斯特说教,主张防腐外科,对创口防止感染。这些理论在19世纪末还是种新奇的想法。他努力研制一种敷料,自出厂至最后国内各地外科应用,尽可能不沾细菌。

Johnson,Samuel　约翰逊(1709-09-18,英格兰斯塔福德郡利奇菲尔德～1784-12-13,伦敦)　英国诗人、评论家、传记作者、散文家和辞典编纂者塞缪尔·约翰逊,不仅由于他的著作,而且还由于他的富有说服力的、机智诙谐的谈话而成为名人。在整个英国文学范围内,莎士比亚之后,约翰逊也许是最著名,也是最经常被引用的一个人物。

早年生活及影响

他于1709年9月18日(新历)出生于斯塔福德郡的利奇菲尔德城。他的父亲迈可·约翰逊是利奇菲尔德城的行政司法长官。作为一名书商,他经营了一项殷实的但不是非常有利可图的生意。塞缪尔不是一个健康状况良好的孩子。他弱视,颈部淋巴有结核病感染,这种病当时通称之为“瘰疬”。寄希望于让皇室成员摸治以治愈这个疾病,约翰逊夫人于1712年3月带领塞缪尔去伦敦,并由女王安妮给孩子正式摸治。对于摸治的仪式他自然不很记得,他脑海中保存着关于一位戴满钻石和披着黑头巾的贵妇人的颇为庄严的回忆。至于皇室成员的摸治是否给他的身体带来任何好处,却无记录可查,但是女王挂在他项上的金制护身符却随他直至逝世。

迈可·约翰逊是一位高派教会教徒,他同情詹姆斯二世的后裔。他赞成斯图亚特王朝继承王位,而不支持汉诺威王朝继承。他的妻子萨拉·福特是一位倾向于加尔文派的虔诚妇女。她教她的儿子每天默诵短祷,并向他解释天堂和地狱的区别。1717年约翰逊进入利奇菲尔德文法学校,开始学习拉丁文。他的一位同学E.赫克托——后来成为约翰逊的终生朋友——在以后岁月中回忆起约翰逊的“非凡的学习才能”时写道:“他的好胜心很强,虽然他在课本上下的功夫是微不足道的……他很不喜欢规定的作业,他总将他的练习拖延到最后一小时才做”。约翰逊在他漫长的文学生涯中一直保持着这样的脾气。

当他升入高一级学校时,他由校长亲自教导。这位校长是一位学者,但也是一位暴虐专横的人,对学生任意体罚,借口“挽救他们免上绞刑架”。正像约翰逊后来说的那样:“校长打我很狠。若不是这样,阁下,我会一事无成。”在斯托布里奇文法学校短期学习以后——在那里约翰逊既当学生,还参加一部分低年级孩子的教学——他开始在他父亲的书店里帮忙。漫游于书店里他父亲的书架之间,凭着一个萌芽学者的本能,他进行大量广泛的阅读——“阁下,我不仅读航海和旅行游记,而且读全部文学,所有的古代作家,所有的适合男人读的东西……”。这样,在他于1728年进入牛津大学彭布罗克学院之前,他已熟读了许多大学生尚不知晓的著作。当他初次被引见给学院导师W.乔丹时,他在自己的谈话中引用了拉丁语法家兼哲学家马克罗比乌斯的一句话。约翰逊并不看重乔丹的学问,但赞扬他心地善良。他更重视W.亚当斯,此人曾是彭布罗克学院研究员,后为该学院的院长,后来他和约翰逊仍保持多年友

美国不列颠百科全书公司供图

好关系。约翰逊在同辈大学生中也有一些好朋友。他和基督教学院的老同学(来自阿希布恩的J.泰勒)很亲近。在彭布罗克学院同学当中他有乐天派和爱开玩笑的名声。但是他的乐天不过是强作欢颜。由于受到贫困的折磨和痛苦,他蔑视权威,“期望凭着他的文学创作和聪明才智为自己争取一条出路”。从他大学时代保存下来的一个能够说明他学习十分机敏的例子就是被收入1731年牛津出版的《杂文集》中约翰逊为A.蒲柏的《救世主》所做的拉丁文译文。

贫穷的迈可·约翰逊如何能够送他的儿子上大学,这个问题尚不完全清楚。很可能约翰逊夫人所接受的一小笔遗产对此有些帮助。但是,无论如何,约翰逊在牛津只住了13个月,于1729年12月被迫离校。他的前途渺茫。他既无学位,也无别的资历。他父亲的生意日益衰败。他申请斯托布里奇学校助理教师的位置也未成功。他父亲死于1731年末。翌年,塞缪尔在马基特博斯沃思文法学校找到一个教师助手的工作。这个工作对他的身心都不利。他憎恶所寄居的房主人沃尔斯坦·迪克西爵士对待他的傲慢态度。通过他在伯明翰当外科医生的老友赫克托的关系,约翰逊才得到把J.洛博神父写的《阿比西尼亚航行记》一书的法文版译成英文的任务。约翰逊为他的译文写的序很早就表明他对被侵略国家的人民怀有本能的同情心。阿比西尼亚的侵略者都是传教士,他们手执宝剑,布讲福音。这篇序也使人们预先品味到约翰逊散文风格的特点:

> 正如勤勉和不执偏见的探究者总会发现的那样,读者也会发现这一事实,即无论何处有人性,便混杂有罪恶与善行,便有感情与理智的斗争,并且造物者在他分配时不会出现不公平现象,而是在大多数国家中他总是以特殊的优待来平衡特殊的不利条件。

约翰逊旅居伯明翰时,带给他的不仅是他第一本书所赚得的5畿尼(1畿尼合21先令)报酬,还有一位名叫伊丽莎白的妻子。她是绸缎商人H.波特的遗孀,比约翰逊年长20岁,要想断定他们相互爱慕的理由是颇不容易的。在以后的岁月中,约翰逊惯于谈她妻子美丽的金发;不论这位女士如何看待约翰逊的外貌(“瘦长身材……显而易见的淋巴结核的深伤疤”),又如何看待他的痉挛的惊跳和古怪的手势,她至少欣赏他生气勃勃的、

有见识的谈话。婚礼于1735年在德比举行，新娘带给他据说值700英镑的嫁妆。靠这笔钱，再加上一位身为利奇菲尔德宗教法庭记录员的朋友所给的鼓励，约翰逊决定在靠近利奇菲尔德的埃迪尔创办一所学校，为青年绅士提供住宿，并教给他们拉丁文和希腊文。他精心准备了全部课程，但只有很少几个青年绅士，其中包括D.加里克，来当学生。两年终了，约翰逊不得不承认办学失败。

但是尽管健康状况不佳、患有忧郁症、没有学位，以及所办的学校的瓦解，成为著名学者和作家的欲望仍然明确地蕴藏在他心中。当他还是一个小学生时，他就已经写出：

……年轻作家渴望成名，

渴望留名后世的光荣。

在他结婚前一年，他已向《绅士杂志》提出在合理报酬的条件下愿为该杂志编写一个栏目，包括诗歌、论文、对古代和现代作家的评论以及其他内容。此外，在埃迪尔时，由于有大量时间需要消磨，还由于朋友们的再次鼓励，他根据R.诺尔斯在他的《土耳其人通史》讲述的关于苏丹穆罕默德二世和美丽的希腊女郎艾琳的故事，着手写一出悲剧。但是这个作品未能完成。面对这样的现实：即他必须写些编者或书商愿付他稿酬的东西，约翰逊决定赴伦敦去碰运气。所以在加里克陪同下，他于1737年3月骑马去伦敦。A.墨菲在《论法学博士塞缪尔·约翰逊的生平与才华》(1792)一文中写道：

在那一天以前，或许还从来没有过这样两位候补名人一同进入首都……他们还带来大自然给他们塑造的、为各自感到强烈爱好的不同职业所需要的才华和智力。在三年或四年以后，加里克以其惊人的天才轰动了听众……约翰逊欲仍在不为人知的文学道路上辛苦迈进。

《绅士杂志》给约翰逊提供了第一个干卑微苦役的机会。出版商E.凯夫很快就认识到他赋有为杂志撰稿的才能。于是约翰逊向该杂志投了一些散文体和诗体的稿件——颂歌、讽刺短诗、书评，以及一系列简短的传记。1737年后期他回到利奇菲尔德，在那里完成了他的悲剧《艾琳》，并且将他的妻子带回伦敦。与此同时，他想成为一名写出传世作品的作家，而不限于仅为期刊写没有持久价值的文章，这个志愿仍然不减当年。1738年，他的第一个有分量的诗作《伦敦》发表了，这是仿效尤维纳利斯的第三首《讽刺诗》写的。在此诗中约翰逊表现出他坚决反对政治腐败。

让他们在这儿统治吧！特殊补助能够促使他们把爱国志士与卖国政客黑白颠倒。

他还抗议伦敦街头的危险：

这儿，毫无慈悲心的暴徒设下了埋伏，

也在这儿，残忍的律师四处觅食，寻找猎物；

这儿，快要倒塌的房屋在你头上轰轰作响。

也在这儿，一位女无神论者的谈话使你烦得要死。

怀着更为深刻的个人感受，他还为默默无闻的贫困作家的苦难发出抗议的呼声：

"这种令人伤心的真相到处为人们所公认，受到贫困的压抑，才智将难以出人头地。"

《伦敦》以无名氏为作者发表后，立即获得成功。它很快出了三版，并且赢得蒲柏的高度称赞。不过约翰逊的稿酬只有10畿尼，他再次想到担任小学教师，这总比替书商翻译而饿死要强。他可以得到莱斯特郡阿普尔比学校校长的位置，但他必须获得硕士学位。他和牛津大学及都柏林大学磋商授予他硕士学位一事毫无结果。同样，由于没有法律学的学位，他申请挂牌做律师也未蒙批准。他对沃波尔政府所做的两篇最猛烈的讽刺性谴责文章是在这段痛苦失望时期写成的：第一篇是《诺福克郡的大理石石刻》(1739)，这是一篇论一首拉丁文诗的小品文，据说该诗是在沃波尔的故乡诺福克郡发现的。另一篇是《为舞台检查者所做的彻底辩护》(1739)，这是一篇为禁止H.布鲁克的剧本《古斯塔夫斯·瓦萨》上演而写的反语讽刺辩护文章。这两篇讽刺作品都是一个愤怒的年轻人的抗议书，这个年轻人反抗权威，并奋斗不息地，如同他以前在牛津大学所做的那样，凭着自己的聪明才智去努力争取一条出路。约翰逊不是一位拥护詹姆斯二世及其后裔的怀念旧政权的人，但是他对汉诺威王朝的嘲笑却从来没有比在《诺福克郡的大理石石刻》一文中更明显、露骨地表达出来过：

于是，纷乱之神将展开她的双翼覆盖世界；

君主变法，王国改朝换代。

关于政府向约翰逊发出逮捕状一事的传说从未被证实，但是，与此同时，凯夫编辑部要求他作为成员之一必须以更稳重的态度对待当前的政治。1732年以来，关于国会辩论的报道已经是《绅士杂志》一大特色，但是约翰逊到达伦敦后不久，下议院就禁止公布其会议记录。然而凯夫企图以《放大了的小人国上议院的辩论》为题来继续发表这些记录。起初，约翰逊被雇用来帮助编辑并扩大这些会议报告的内容，但从1740～1743年"辩论"便完全成为约翰逊自己的工作了。他不是一名现代意义的新闻记者，他仅仅有一次机会在下议院列席。有时由其他记者向他提供很少一点记录，有时只有辩论题目和发言人的姓名；有时，他坦白说，这些"辩论"不过是由他自己的想象制作出来的产品，而且在以后的岁月里，他对自己这样随意杜撰感到一些良心不安。作为新闻写作中的成绩，他写的这些"辩论"记录却是一项绝技表演。他经常将自己关在圣约翰门凯夫总部的一间屋子里，在一小时内为这个《杂志》写出三栏。他的时常被别人引用的一句话，说他提防着不要让辉格党的小人占了上风，这句话并没有如实地反映他的所作所为。他写的那些报导恰如其分地被评为不是辩论中一些讥讽和痛骂的记录，而是提出了所辩论问题的正反两方面的一篇篇的社论。在报导辩论有关沃波尔应否离职的提案的结尾处，约翰逊让沃波尔做出的简短发言是一位大臣为自己辩护时所做的既体面、又含蓄的一篇演说的绝妙的客观记录。

约翰逊早年在伦敦时，R.萨维奇是他的最亲密的伴侣之一。萨维奇在年轻的时候曾当过演员、剧作家和诗人。他声称出身贵族，并在大人物当中结交了许多朋友，但他一贯滥用他们的慷慨好施。他与约翰逊至少有两个共同点：贫穷和反对沃波尔政府的爱国义愤。他们最穷时经常整夜在"威斯敏斯特广场上走来走去……当时用他们所有能够凑起来的钱还不足以给他们自己购买当夜在一家酒窖里过夜的栖身处和那里所能提供的肮脏卧具"。当萨维奇逝世时，约翰逊迫不及待地为他的朋友写纪念文章。怀着满腔激情，他一口气写就了《理查德·萨维奇先生生平》一书，以无名氏为名发表于1744年。这是约翰逊的第一部吸引广大读者注意的散文作品。5年后发表《汤姆·琼斯》的小说家H.菲尔丁声称这个作品是英文当中论人性优点和缺点的最佳论著；J.雷诺兹——当时他虽然年仅21岁，但注定将成为英国最伟大的画家之一——不肯放下约翰逊这本书，直到把它读完为止。

赢得承认和事业成熟时期

戏剧方面 在各式各样卖苦力的工作之外，约翰逊现在又将他的注意力转向莎士比亚。他于1745年发表了他的《关于麦克白悲剧的各式各样的意见》，并附有他对编辑莎剧新版本的初步设想。但是有人建议他应该编纂一部英文辞典，这个建议使他从进一步研究莎士比亚转向其他工作。书商联合组织居然会选中约翰逊来承担如此巨大的一项任务，这对他9年间为自己在伦敦所赢得的地位无疑是一种致敬的表示。

在这几年中加里克已经取得更迅速和更辉煌的进展。他为戏剧而放弃了法律，在1741年他已成为一位名演员，到1747年他已成为特鲁里街剧院的经理。约翰逊为加里克所安排的最初的演出写了一个序幕。虽然他通常以蔑视的口吻谈起演员和他们的职业，但是为了友谊的原故，他却愿意为他们辩护：

哎！不要让人们谴责，说我们的命运由我们自己选择。

舞台不过是人民大众声音的反响，

戏剧法则是由戏剧保护人订立的，

而我们生来供人们娱乐的人就必须娱乐别人以求自存。

此外，这时约翰逊对戏剧创作有了切身的兴趣。他的悲剧《艾琳》很久以来一直没有出版商肯出版或演出者愿意上演。当加里克掌了权，他愿尽最大的努力给他往日的老师助一臂之力，于是《艾琳》终于在1749年用展示东方富丽堂皇的布景来演出。它连续上演9个夜晚。这个悲剧实质上是一个伦理剧。虽然据说它受到各方面的赞赏，但却从未再度上演。

约翰逊的第二首说教诗是《人生希望多空幻》(1749)。这首诗列举了伽利略、沃尔西、瑞典国王查理十二世和其他人的事业来阐明政治野心的危险，军事征服的无用，以及作家的苦难：

在那里，请注意什么灾难袭击学者的生命：

苦役、嫉妒、贫穷、保护人和监狱。

请看各个国家，事后才有先见，想公正，却又吝啬，

为已被埋葬的才华竖立起迟来的半身

雕像。

如果梦想还使你高兴，请再一次注意，
听听利迪亚的生平和伽利略的结局。

虽然《人生希望多空幻》在出版时不如《伦敦》那样卖得快，但它却是约翰逊最伟大的诗篇。诗的风格是他的时代所特有的，但是启发约翰逊创作的动力却是他的"高度严肃感"，这种严肃感赋予他的诗篇以普遍性。它激发约翰逊概述近代和古代世界上的学者、哲学家、政治家的起伏和盛衰，不过记录幻想破灭并不是这诗的最终目的。

难道无助的人类就一定要平静、无知
地在黑暗中滚入他命运的急流吗？

约翰逊的答案是否定的。人类必须为具有基督徒的爱心、忍耐和信仰而祈祷。

《漫步者》 《英文辞典》的合同已于1746年签定，约翰逊于翌年发表了他的《英文辞典规划》。对于书商给他的报酬他不曾抱怨过，只是所付的报酬不足以使他免于饥饿。所以他于1750年着手创办《漫步者》刊物。这个刊物共两大页，售价两便士，一周出版两期，它只包括一篇无名氏的杂文。《漫步者》是评价约翰逊的文学观点和研究方法的最根本的重要材料。在他着手这项工作之前，他祈祷他能促进人们对上帝的赞美，并能促进他自己和别人的灵魂得救。总之，《漫步者》不是为了供人消遣，而是为了使人受到教益的刊物。19世纪的评论家倾向于把他的杂文看作非教会人士的说教，不值一读。

约翰逊不久以前已成立了他的最早的俱乐部(常春藤小巷俱乐部)，并且经常坐在他的俱乐部食堂宝座上，高谈阔论，对所谓的"谈话的娱乐"做出最突出的贡献。但是印出来的文章却要求"更精确的思想和更精雕细琢的华丽词藻"。以谈话取胜是合法的，但是白纸黑字却是伦理学家的责任。在约翰逊的文学信仰中，主要的一条信条是使世界变得更加美好，这始终是一个作家的职责。这种使命感决定了约翰逊这些杂文的风格。他没有创造出来一个人物能和《旁观者》期刊中艾迪生与斯梯尔的罗杰·德·柯夫雷爵士相比较。他的这些杂文与盛行一时的事件或当时流行的文学作品也很少关联。另一方面，这些文章却又经常反映出那个时代的社会和文学情况：例如，对艺术品鉴赏家和对过度喜爱装饰家庭的女主人的嘲笑；妓女生活的客观写照；对抢劫罪判处死刑的有力抗议；以及不可避免地还有对为报刊撰稿者的命运所做的冷酷却又幽默的展现。此外，这些文章还显示出对人类所受的挫折和愿望的不能实现具有异常深刻的理解。近来有人指出20世纪以前，只有在约翰逊的作品里才能找到最为接近弗洛伊德学说的先兆，尽管所用的语言不是弗洛伊德的。

《漫步者》每周发表两期，共持续了两年(1750～1752)。在最后一期的出版几天之后，由于约翰逊的妻子去世，他原来就患有的忧郁症更加重了，对他的婚后生活的全部历史我们只能加以猜测。在他早年伦敦时期的朋友中间，似乎无一人认识约翰逊夫人，而且她同时代的人对她的记载又极少。他们的婚姻是基于相互爱慕，在道理上是十分明白的。从一开始，约翰逊夫人就很欣赏她丈夫谈话的特点。她特别赞赏《漫步者》。在约翰逊方面，他赏识她阅读喜剧时的聪慧理解。但是在家庭生活方面，他们二人不是一对好配偶。约翰逊对饮食的质量要求很高，可是他并不在乎室内的整洁。更严重的是，在她后来的日子里，约翰逊夫人嗜好烈性饮料和麻醉剂，而且不愿意与她丈夫同房。这些情况可从约翰逊关于她的逝世的祈祷和默想的字里行间读到。虽然如此，约翰逊对她略带一些内疚的爱情仍然是诚挚的。这种诚挚并未因下述事实的发现而受到损伤，即他在1753年4月22日曾表示"在不使对亲爱的特蒂的怀念受到任何减弱的情况下，试图寻找一位新妻子"。他追求的具体对象无从知晓，但有趣的是他企图进行一次后来他称之为期望胜过经验的奇遇。30多年以后，在放置于布罗姆利教区教堂内的墓碑上约翰逊用拉丁文描述他的特蒂是"一个美丽、娴雅、聪明和虔诚的女人"。用他自己的话说，碑文并不是一个人的誓词。

1752年约翰逊丧偶鳏居，但他那时已结交了一些好友。在常青藤小巷俱乐部，他感到愉快，能够"自由自在、无拘无束地交流思想和感情来消磨时间，否则只好待在家里在痛苦的回顾中打发时光"。在俱乐部里共有10个会员，其中包括约翰·霍金斯爵士，他活到后来成为约翰逊的遗嘱执行人和传记作者；J.霍克斯沃思，是《冒险家》刊物的编辑，约翰逊自己曾为这个期刊写了若干篇杂文；J.赖兰德，是约翰逊很少的几个早年朋友中的一位，他一直活到后来参加了约翰逊的葬礼；J.佩恩，是《漫步者》的出版商，以及R.巴瑟斯特，一位受约翰逊爱慕甚于任何其他人的医生。在常春藤小巷俱乐部里，约翰逊为他的朋友C.伦诺克斯夫人出版第一本书举行了庆祝会。他们"像过节日一样度过通宵"。大约在早晨5时，按照霍金斯的说法，"虽然约翰逊只喝了柠檬水，他的脸部却闪耀着盛年时期的光彩"。

辞典 约翰逊于1747年发表了他的《英文辞典规划》。在作家兼书商R.多兹利的建议下，约翰逊将此书献给切斯特菲尔德勋爵。起初切斯特菲尔德表示对这书有些兴趣，并提出了一些修改意见。但是当他未曾更进一步注意此著作时，约翰逊不愿卑躬屈节地再求他，并且也忘不了他的冷遇。1753年4月约翰逊已开始编写辞典的第二卷。他还必须写出序言、语法和历史部分。

两年以后，这部著作完成了。它使约翰逊和他的几个抄写员整整全力以赴地忙了8年半时间。正如《牛津英语辞典》的主编詹姆森·默里爵士所形容的那样，它的完成是一个奇迹。它不仅在篇幅上，而且在定义的精确上和文学例证上，都胜过以前的辞典。所收的40 000个词的确较前人N.贝利的著作为少，但约翰逊的著作不同凡响之处在于他根据广阔的阅读实践，对一些单词列举出各种细微不同的词义。在序言中他是这样写的："我曾专心致力于熟读我国的作品……摘录下凡是对确定或解释任何一个单词或一个词组有用的材料。"他读过的某些书，如培根的《随笔》、索斯的《布道集》以及其他著作被保存了下来，其中有约翰逊在选出来供引用的段落下面划下的横线和指示记号。他的助手们将这些引用段落抄写在另外的纸条上，并将它们粘贴在约翰逊自己给词所下的定义下面。开始时约翰逊曾期望让他有时间尽情享受文学的盛宴，并且彻底搜索北欧学问的偏僻角落，但是不久以后他就认识到这些期望都是"一个命中注定终于要醒后发现自己是一位辞典编纂者的诗人所抱的一些梦想"罢了。在使人厌倦的誊抄工作之外，还加上烦人的删除工序。在为他的工作定下具体的范围之后，约翰逊强烈地意识到他这部著作的不足之处。他的正字法公认是有争议的，他的词源不够明确；甚至当这部辞典匆匆付印时，如同他说的那样，有些新词正在萌芽，另外一些词正在消失过程中。尽管如此，在他写的序——这是约翰逊散文风格最佳的例证之一——的最后一段中，他所提出的那些要求读者谅解的理由还是十分充分的：

在这部著作里，读者可能会发现它有许多遗漏，但请不要忘记它也有许多成就。虽然从来没有读者因爱惜作者而原谅过他的书，虽然世人不愿过问他们所否定的作品中的过失从何而来，但是为了满足人们的好奇心，我可以告诉他们这部《英文辞典》是在没有学者的帮助下，没有大人物的奖励下写成的；不是在安适的、恬静的隐居生活中，或在学府的荫庇下，而是在艰苦和烦扰当中，在疾病和悲伤当中完成的。

今天的一般读者可能只记得书中的少数"荒唐的错误"，那些"引人发笑的荒谬言论"，以及在给下列名词下定义时所坦率表露出来的编者个人的偏见，例如，"燕麦"("一种在英格兰一般用来喂马，但在苏格兰却用来养活人的粮食")、"货物税"、"年金"，及其他著名的例子。但是约翰逊用明晰的定义和摘自英国文学作品的语言例证大大地丰富了前人的词书，这在词典编纂史上是一项不朽的功业。

在《辞典》的扉页上，约翰逊以把自己介绍为牛津大学文学硕士为荣。值得注意的是：牛津大学授予他这个学位是作为对他的杂文的宗教和道德价值的酬报。总之，这个学位是授给《漫步者》的。

《辞典》受到普遍的好评。反对的意见仅来自那些"咖啡馆里的批评家，他们的叫嚣不久就会烟消云散，再也不会被人记起"。但是却有一个热烈赞扬的叫嚣，约翰逊不愿让它自生自灭。在《辞典》出版前不久，切斯特菲尔德勋爵企图补偿他以前对约翰逊的冷落，于是在《世界报》上发表了两篇文章，把约翰逊奉为英国语言的最高裁判。这就激发了约翰逊写出他所有信札中最著名的一封信：

您居然高兴，注意起我的作品来了。假若您给予我作品的注意来得早些，这种注意就会是善意的。但是您的注意迟迟不来，直至我已无动于衷，对您的垂青已无法消受；直至我已孑然一身，无法与人共享；直至我已成名，对此并不需要……

报刊文章 不久后约翰逊就着手编纂《辞典》的节本，但是辞典家的名望却并不能使他免于手头拮据。1756年3月，他因付不清5英镑18先令的欠款而遭拘留。在正常情况下，他会求助于他为之工作的某一位出版商，可是这些出版商都不在身边，而是小说家兼出版商的S. 理查森给他送来6畿尼。因此，由于需要，他不得不继续为报刊写文章。他编辑了托马斯·布朗爵士的著作《基督教的道德》(1756)，为W. 佩恩的著作《跳棋游戏入门》(1756)和R. 罗尔特的著作《贸易和商业新辞典》(1756)分别写了序，还向报刊投稿多篇。在《文学杂志》上，J. 汉韦写的小品文《茶论》引起约翰逊的兴趣，他写文章把自己描写成一位饮茶20年而健康未受影响的“坚定的和不以为耻的茶客”，因此坚信茶非毒药。

一篇更为重要的文章是他对S. 詹宁斯写的《对罪恶的性质和起源的自由探究》(1757)一书的评论。在这篇书评里，约翰逊用大量的反语讽刺驳斥了下述的猜想，即人类受一种比他们更优越的族类的欺骗和折磨，这种族类这样做是为了供他们自己消遣：

> 写作的唯一目的在于帮助读者更好地享受生活，更好地忍受生活。如果一个作者告诉我们说我们只是一些木偶，而比我们聪明不了许多的某种生物却是我们的牵线者，那么我们怎样会更有能力达到上述两个目的中的任何一个呢？

约翰逊也不肯轻易接受这种说法，即认为贫困一般可从更好的健康和对最小的乐趣加以更细致的品味当中得到补偿。他反驳说，“眼见属实”(没有亲身体会不能了解生活)。他在写这些题目时总是带着特别深沉的感情，而在他有深沉的感受时，他的文笔总是更加直率、简练。

约翰逊的兴趣和著作并不局限于文学和伦理。他给1756年的《文学杂志》投了两篇论政局的文章：《英国政治情况的介绍》和《对目前局势的意见》。在这两篇文章里，他嘲笑英国和法国殖民主义的固有的强权政治。这两个国家在美洲相互之间的争夺不过是“两个强盗抢劫过路旅客财物之争。”即便是那些用最公平的手段在新大陆定居下来的人们除了起“替用暴力进行掠夺的人掩盖罪责的公证人的有害作用”外，别无任何其他功劳可言。约翰逊也毫无畏惧地宣称法国人委派更好的总督，他们比英国人对待当地人民更友好。他写道，除了友好对待的途径外，梦想通过其他途径来赢得或保持与其他国家无论文明或野蛮之间的友谊，那是荒谬可笑的。正是由于他对殖民者的动机和方法根本不信任才激发了他后来写的更有名的痛斥提出殖民权利要求的文章。与此同时，他手头或心目中还有自己的写作计划。1756年，他发表了编辑莎士比亚戏剧集的建议，并且强调说明他的动机不是为了出名，而是由于经济上的需要，而他做这种声明并不是第一次。1757年4月，他写信给住在伯明翰的老朋友赫克托，说读者对莎剧集的预订份数虽然令人有些失望，但还算过得去。但在1758年年初，他却不得不向一家书商预支40英镑。

约在同一时期，他开始向《世界记事》期刊每周投寄一篇杂文，标题为《袖手旁观者》。关于这些杂文，我们可以这样说：尽管读者接受了传统的说法，认为约翰逊的谈话极为精彩，而他的写作，除《英国诗人传》外，却是不堪一读，尽管如此，我们还愿奉劝读者重视这个《袖手旁观者》。虽然他的道德说教者和社会改革家的面貌仍然历历可见，他却已表现出愿把注意力转向人间喜剧的方面。例如，转向专门搜寻、购买廉价商品的妇女(“任何她认为是便宜的东西，她出于经济学家的责任感非买不可”)，或转向出版商(“他们有些人从来不和作家打交道；另外一些人手上总是塞满了书稿；有些人从来没有碰上如此不景气的时光；还有一些人，他们在过去一年中所出的书都亏了本”)。这些杂文当中也有一些人物速写，其中最令人难忘的是“适度先生”的素描：

> 适度先生的主要娱乐是谈话；他的话总是说不完，他听别人说话的兴趣也永无休止；不论说或听，都同样使他高兴；这是由于他总以为他自己在教给别人一些东西或从别人那里学到一些东西，而且以为在谈话的那会功夫里，他暂时摆脱了自己的缺点。
>
> 但是为了让朋友们睡觉，夜晚某一时刻他不得不告别；另外，在上午还有一段时间，大家约定互不干扰。这些时刻，可怜的适度一想起就会浑身发抖。

这是一幅绝妙的、令人信服的自画像。连续两年时间，中间稍有例外，约翰逊每周都把他写的《袖手旁观者》的杂文交给出版商。

拉塞拉斯 在工作和担心当中，他又得到母亲患病的消息。1759年1月13日，他设法给她送去12畿尼。但是他知道他将需要更多的钱。在他最后一次给母亲汇款(1月20日)的当天，他恳求出版商斯特拉恩预付他30英镑，为了他“正在准备出版的一个东西”。这个东西将命名为《阿比西尼亚王子》，更为通行的名称是《拉塞拉斯》。这部作品是在担心支付即将来临的他母亲的安葬费用的焦灼和沉重的心情中，在一周内的夜晚完成的。它探索并且揭示人类徒劳无益地追求幸福。故事的背景无疑是由约翰逊对洛博的《阿比西尼亚航行记》一书的回忆引起的；约翰逊的这本书是为这样的读者写的，这些读者“倾听幻想所发的切切私语而乐于相信，并且迫不及待地捕捉希望所投射的影子”。王子拉塞拉斯就被这种迫不及待的心情所驱使，他和他妹妹离开了他的幸福之谷，因为那里的乐趣已失去对他的魅力，而且因为他心中激发起干一番事业的渴望和热情。他遇见从事各种职业和抱着各种旨趣的人们，热切地探讨他们的生活方式——学者、天文学家、牧人、隐士、诗人等。他和诗人伊姆拉克一同海阔天空地讨论了艺术和人生的许多根本问题，但从他所得到的答案中却很少获得教益和满足。在他初次进入城市生活时，拉塞拉斯到处看到一片欢乐升平景象，但是进一步熟悉以后却发现人们过的是轻浮、放纵的生活。他厌倦青年人奢华、无节制的行为，转向倾听有关伦理道德的鼓舞人心的说教，结果却又发现说教者的哲学家修养经不起个人不幸遭遇的轻微打击而土崩瓦解。当他满怀希望地转向牧人淳朴、真诚的田园生活时，却又看到牧人们的心灵受到愤慨、不满情绪的腐蚀，因为他们命中注定要为富人的奢华享受卖苦力。当他去请教一位隐士时，他得到的也只是灰心、失望，因为隐士告诉他说“隐士的生活肯定是悲惨的，但不一定是虔诚的。”就这样，他们的一次又一次的失望旅行延续下去，直到伊姆拉克向拉塞拉斯抗议说：“在你选择生活方式的同时，你却忽视了生活本身”——或许这就是我们能够从这个故事中吸取的最重要的教益。

在约翰逊所有的著作中，没有任何一部比《拉塞拉斯》更能强烈地显示出作者的特点。这是一个突出的例子，说明当他有了一个具体的目标和一个确定的期限在他的面前，他能充分发挥他的熟练的创造性，但是速度并没有损伤他的主题的严肃性和他处理主题的肃穆态度。约翰逊让他的想象力驰骋到埃塞俄比亚和埃及的国土，但是《拉塞拉斯》根本上却是一部心灵的自传。另外，这部作品还是约翰逊唯一的一部在他在世时期出版后就立即赢得广大读者喜爱的散文作品。它满足了18世纪读者的审美要求，即要求一部作品能够使“深刻的真理穿上美丽的虚构外衣”；不仅满足了英国读者的要求，而且通过各种语言的译本，使这本书的声誉遍布全欧洲和世界其他各处。

约翰逊的圈子 尽管他不断地与贫困和不幸做斗争，约翰逊此时已不再是一名孤单的雇佣文人。他的作品虽然没有给他带来财富，却给他带来了许多朋友。雷诺兹以前已被约翰逊写的《萨维奇传》迷住，现在又以同样程度热衷于他的谈话和评论。C. 勃尔尼是当时英国最重要的音乐史家，对他的《辞典》推崇备至，并且鼓励他编辑出版莎士比亚的作品。B. 兰顿是林肯郡一位乡绅学者，早年曾到伦敦专门为了和《漫步者》的作者会晤。约翰逊还十分珍惜他在牛津大学结识的许多朋友。他曾几次访问牛津，并在那里停留了一些时间，一次在1754年，1755和1759年又再度访问。在他接受了牛津大学授给他的荣誉学位后，他非常高兴穿他的博士长袍。1759年在牛津大学三一学院，兰顿把他介绍给T. 伯克莱克，这人是英国国王查理二世和英国著名女演员尼尔·格温生的儿子。

即便如此，约翰逊仍随时受到其他作家、编辑和友人的召唤，撰写导言、书评，特别是献辞。名义上J. 贝内特是R. 阿谢姆著作的主编，实际上约翰逊担任编辑，并且约翰逊为这个集子撰写了一篇阿谢姆的传记——阿谢姆是文艺复兴时期英国的著名学者，也是英国女王伊丽莎白一世的拉丁文秘书。约翰逊还替画家、雕塑家和建筑师们写了一篇献给英国国王乔治三世祝贺他达到成年的表忠心的赞辞。他还修订了一个关于加冕列队行进仪式所应采取的适当路线的小册子。他为一本论苏格兰女王玛丽事迹的著作写了一篇书评，并且为G. 巴莱蒂的《意大利语辞典》写了一篇献辞。与此同时，他编辑的莎士比亚作品迟迟未能问世。1762年，一件料想不到的事情发生了。他接到通知说国王陛下恩赐给他一笔300英镑的年金。鉴于他在他编的《辞典》里给“年金”下了这样一个定义：“年金是国家赏给它所雇佣的人去出卖国家的酬金”，他能否体面地接受这笔年金？无论如何，他感到必须和朋友们商量。雷诺兹让他放心地去领取，首相比特勋爵告诉他说这笔奖金并不是为了让他去做任何事情，而是为了奖励他已经做出的贡献。因而约翰逊十分激动地感谢这位勋爵大人，因为他使他免除了"乞求的耻辱和悬念的焦虑"。

与J.鲍斯韦尔的会晤 在下一年，约翰逊的生涯又一次到达一个新的里程碑。1763年5月16日，他在T.戴维斯经营的位于伦敦科文特加登的书店后客厅里偶然和鲍斯韦尔相遇。从此开始了历史上最著名的伙伴关系之一。鲍斯韦尔是苏格兰法官奥辛莱克勋爵的长子。他曾在爱丁堡和格拉斯哥学习法律，他热烈地渴望尝尝伦敦生活的幸福滋味。他心中抱着两大奢望——一是和名人会面，二是自己成为一位名作家。去年他住在乡间住宅时，曾朗诵《漫步者》上刊登的一些杂文，并给这些杂文加上热烈的评论。在他拟就的想要拜访的名人名单中，《漫步者》的作者居于领先地位。在他们初次会晤时，鲍斯韦尔被约翰逊的粗暴回答弄得有些胆怯，但是戴维斯却仍鼓励他坚持下去。一周以后，鲍斯韦尔带着歉意再度拜谒约翰逊。约翰逊打断了他的歉辞，说道："我感激任何来看望我的人。"于是鲍斯韦尔停留下来，倾听约翰逊谈话，欣喜若狂。他在日记中写道："他的谈话和他的写作同样伟大。"他不可能说出更高的赞语。对约翰逊来说，新的友谊总是可喜的，尤其是年轻人的友谊（约翰逊当时53岁，鲍斯韦尔只有22岁），因为这种友谊最为经久。鲍斯韦尔的热情魅力很快地征服了他。他们一同在僧帽酒店共进晚餐，在泰晤士河上游览，但是约翰逊的好感最显著的标志就是他主动提出要乘公共马车陪伴鲍斯韦尔到哈里奇去，从那里鲍斯韦尔将坐船到欧洲大陆去旅行。约翰逊给了他许多忠告。特别是他力劝他记日记。正是由于鲍斯韦尔记了日记，世人才能如此熟悉地了解约翰逊。虽然不少人留下了有关约翰逊的生平和个性的宝贵记录，但是鲍斯韦尔却使全国人都约翰逊化了。

1764年，约翰逊愉快地同意雷诺兹的建议，成立一个俱乐部，这个俱乐部至今仍是伦敦最有名的进餐俱乐部。最早一批俱乐部会员，在雷诺兹和约翰逊之外，还有E.伯克、伯克莱克、兰顿和O.哥尔德斯密斯。9年以后，当鲍斯韦尔被接受成为俱乐部的会员时，他感到那是他一生中最值得骄傲的时刻之一。

编辑莎士比亚戏剧集 在此期间，约翰逊一直在从事他的莎士比亚编辑工作。1745年，他为此工作勾画了一个轮廓，1756年，他正式向公众宣布他的计划。他本想在两年之内完成此计划，但这项工作所占据他的时间远远超过这个时限。这样长的拖宕曾引起诗人C.邱吉尔对他的有代表性的嘲讽：

> 他向订户投下了钓钩，
> 收了他们的现金，但是书却在哪里？

终于，在1765年，这部共有8卷的大书出版问世了。约翰逊毕生都在研究莎士比亚。他并非偶像崇拜者，他对莎翁的评论基本上从道德观点出发：

> 他更为经心的事是提供乐趣，而不大关心提供教益，因而他似乎不抱任何道德目的来从事写作……他漠不关心地使他的人物经历了是和非，善和恶，并在剧本结尾处把他们打发掉，不再关心他们的下落，让他们的榜样随着偶然的机会去起作用。他那个时代的原始风尚并不能作为借口来减轻这个缺点。归根结底，一个作家的职责在于使世界变得更好。

作为编辑，约翰逊首先开始纠正文本上的讹误；其次阐明语言上晦涩之处；最后，在探讨莎士比亚的出处时，还查阅了那些莎士比亚曾参考过的书籍。他认为批评家对莎士比亚忽视时间和地点不一致的指责不值一驳。对于这种一致性的要求来自"一种假想的必要，认为必须使戏剧合理可信"，但约翰逊的看法是：戏剧既不可信，也不要求人们相信它。"事实上，观众们的头脑总是清醒的，他们知道，从第一幕到最后一幕，舞台只不过是舞台，演员们也只不过是演员罢了。"约翰逊固然承认，莎士比亚写他的剧本不是为了读者在书桌前阅读，而是为了让观众在剧院中看演出。但是约翰逊本人从不赞赏演员对解释剧情所做的贡献。对他来说，演员只是一个背诵者，他"用恰当的手势和悦耳的抑扬声调"来念他的台词。对约翰逊来说，他感受"义愤、怜悯和希望这些强烈感情的长久不息的激动"达到最深刻程度的场合不是在剧院里，而是在他的书斋中。关于《麦克白》的恐怖效果，他写道："谁要是阅读莎士比亚，就会惊恐地看望四周，并会因发现自己独自一人而惊跳起来。"约翰逊说他第一次读到《李尔王》中科迪利亚之死时，他受到如此深刻的震动，以至于他不忍心再读那一幕，直到他后来作为编辑，为了修订该剧才不得不重读它。19世纪浪漫主义批评家贬低约翰逊的莎士比亚研究成果，但是英国批评家沃尔特·雷利爵士（1861～1922）却预言说约翰逊在20世纪将受到更大的重视。这个预言在现代莎剧编辑者们对约翰逊的态度上完全应验了。在约翰逊编的莎士比亚戏剧集出版的那一年，他被都柏林大学三一学院授以法学博士学位。10年以后，他的母校授给他同样的荣誉。

约翰逊的家庭成员 在从事无论哪部文学作品的创作时，约翰逊最大的恐惧是孤独。他的家庭结构反映了他为了避免孤独所做的努力。他在伦敦有不少住宅，其中最著名的是正好位于舰队街北面的他在高夫广场上的那所房子。他在那里从1749年一直住到1759年。当1763年鲍斯韦尔第一次拜访他时，他住在内殿律师学院胡同1号。1765年，他从那里搬回约翰逊院落，1776年又迁居宝尔特大院，他在那里定居，直到去世。高夫广场的住宅保存完好，现在是一所约翰逊博物馆。他在那里编纂了《辞典》，写了《漫步者》、《袖手旁观者》，或许还写了《拉塞拉斯》，以及许多其他作品；在那所住宅里，他的妻子于1752年去世。甚至在她逝世以前，早在他获得退休金之前，他已开始把他的房子变成穷人和不幸者的收容所。

Z.威廉斯在编写他的《海上的经度》一书时曾得到约翰逊的帮助。他的女儿安娜·威廉斯来到伦敦，打算医好白内障，后来却完全失明。约翰逊妻子在世时，安娜就已是家中的常客，在她去世后，就搬来长住。从此时开始，在她的一生当中，她不是住在约翰逊家中，就住在他家附近。失明使她态度暴躁，但约翰逊对她的敬重和怜爱始终如一。1783年她去世了，约翰逊哀悼这位陪伴他30年的家庭伴侣。在约翰逊妻子逝世后不久，约翰逊的好友巴瑟斯特送给约翰逊一名黑奴，名叫法兰西斯·巴尔布尔。这名黑奴是巴瑟斯特的父亲买下的。约翰逊把法兰西斯既当作仆人，又当作朋友，送他到主教斯托福德镇上学，并在遗嘱中慷慨地为他的生计做了安排。另一位低微的朋友名叫R.莱维特，他是"一位在下层人民当中行医的不知名的郎中"，他栖身在约翰逊院落里顶楼上一间小屋中。约翰逊强调说他仅仅给莱维特提供了一间住房，和他在早餐桌上分享一便士一条的面包，偶尔还向他提供一顿星期天的正餐。莱维特之死激发了约翰逊最感人的诗篇之一：

> 经历了时刻变化的岁月，经得住考验，
> 请看莱维特人土为安；
> 殷勤、天真无邪、诚恳，
> 他是每一位失去亲人者的亲人。

另一位受惠者是约翰逊的教父斯温芬博士的女儿，戴木兰夫人。她在约翰逊早年定居伦敦时就已加入约翰逊家庭成员的行列。约翰逊妻子逝世后，她似乎主管烹饪。但她经常和安娜·威廉斯吵架，厨房里一片混乱。

从这样一个家庭环境中，约翰逊于1765年被带到另一个家庭中，这个家庭的成员将为约翰逊提供他一生中最令他感到慰籍的友谊之一。H.斯雷尔是萨瑟克镇上一家酿酒厂的业主，他于1763年和海斯特·林奇·索斯伯利结婚。两年以后，他当选为代表萨瑟克镇的一名议会议员，他的妻子成为一位有名的女主人，特别担任"约翰逊博士的供养者和女向导"。在他一生中，约翰逊才第一次无忧无虑地享受到有钱人的舒适生活。他不仅被邀请参加宴会，还被请在斯雷尔夫妇位于斯特雷特姆的乡间住宅里做客，一住就是几个星期，甚至数月。如同他说的那样，在享乐方面，没有任何人愿做伪君子。在斯特雷特姆，他可以享受一切乐趣：丰富的藏书、风趣的谈话、漂亮的女人、睡懒觉、可口的烹调。不仅如此，他还成为父母和子女们的知己和参谋。在他们的萨瑟克宅第里，以及在斯特雷特姆家中，都专门准备了约翰逊的居室；他已成为他们家庭中的一个成员。

政论性小册子 约翰逊的年金已使他的生活方式发生了两大变化：他已不再靠写作谋生，现在他已有足够的钱和时间去度假。事实上，作为一名作家，他并没有完全睡大觉：莎士比亚戏剧集和《辞典》都需要修订；朋友们请他写献辞和序幕（他为哥尔德斯密斯的喜剧《好好先生》写了一个序幕）；他还受到激发，写下了一系列的政论性小册子。长期以来，人们对于这些小册子的普遍看法是：这些小册子给人以可悲的景象，使人看到一个伟人不惜有失身份发泄他的保守派的偏见，用谩骂的方式来表示他反对人民的权利。今日，人们要做出更大的努力来理解约翰逊的观点。18世纪70年代的小册子不再被认为是他晚年突发的奇想怪论，而被视作他毕生关怀政治道德表现的一个组成部分。在18世纪30和40年代，约翰逊曾写出政论性小册子，有力地痛斥了沃波尔政府的专制、暴虐和腐败。在50年代，约翰逊对"七年战争"背后的各种商业的和帝国主义的动机也曾做了大量尖锐的报刊分析评论(和谴责)。《一场虚惊》(1770)的写作目的,与其说是为了论证议会下议院有权拒绝重新接受曾被开除了的议员,还不如说是为了抗议把这场争论上纲到宪法危机高度的荒谬性。约翰逊写道,全国争论的问题不过是一个曾劳改过的罪犯是否可以代表米德尔塞克斯郡成为议会议员。大声疾呼说人民的权利受到威胁只不过是一场虚惊。《有感于近日有关福克兰群岛的交易》(1771)反驳了匿名政论家朱尼厄斯及其他人合写的一篇文章。文章的作者们以前曾督促英国政府发动侵略战争以抵御西班牙对这些群岛的领土要求。现在这些作者指责政府虽然用外交上的妥协手段避免了战争,并使英国占有了这些群岛,但是这样做并没有完全确定是英国,而不是西班牙,对它们拥有领土所有权。约翰逊详尽地回顾了历史,叙述了两国对该领土互不相让的要求和在外交上如何玩弄手段,随后他又运用了有力的雄辩本领来谴责对手们的沙文主义,痛斥他们为了商业上的利益不惜制造战争:

> 这些人没有德行,不劳动,也不冒生命之险,却在那里幸灾乐祸地看到顽抗或侵略野心又增加了另一年的杀戮和蹂躏。他们坐在桌旁,笑谈英勇战绩和科学技术,与此同时,他们还在那里做加减乘除游戏,期望从新的备战中签订新的合同,并且计算着一次围城或一场风暴会给他们带来多大的利润。

《爱国者》(1774)是一篇短文,写于当年选举的前夕。这篇文章说明真正爱国者的本质,与那些用不正当手段僭取爱国者头衔的沽名钓誉之徒的行为恰成对照。至于那些被认为是信仰自由的保卫者,不正是他们反对国会通过给予魁北克天主教徒信奉他们自己宗教的权利吗?《纳税非暴政》(1775)驳斥了1774年美洲大陆会议所做出的决议。这个决议所宣布的主张和1776年的"独立宣言"中的主张相似。在这里我们必须想到约翰逊一生都对欧洲殖民主义和大多数殖民者不抱同情,并且发表文章尖锐地谴责了葡萄牙人在非洲、西班牙人在中美和南美,以及那些"开垦美洲南方岛屿"——西印度群岛——"的英国残暴之徒,对土著人口的剥削(和更坏的行为)"。在刊登于《旁观者》(1759,第81期)的一篇杂文里,约翰逊通过一位印第安酋长之口猛烈地指责了美洲殖民者对印第安人和黑种人的压迫。照约翰逊看来,美洲殖民者抱怨英国政府(以纳税的形式)对他们所施加的"压迫"和这些暴行相比较就微乎其微了。为了唯利是图的缘故,他们定居在大西洋彼岸,依然受到英国的保护,享有英国特许状的权威。他们在威斯敏斯特(英国议会所在地)没有代表,那是他们自己的过错。他们受到英国军队的保护。他们有什么理由不肯出钱?如果说美洲有300万辉格党人"狂热地叫嚣自由",为什么在那些驱赶黑奴的奴隶主当中也能听到争自由的最响亮吠声?

对约翰逊来说,这些小册子向他提供了一个阐明他的基本上是实用主义的政治哲学的机会,他把神授的权力既不赋给君主,也不赋给人民。他认为抽象地谈论自由或"天赋的"权利都是假话,不值一顾。对于一个文明社会来说,最主要的是一个稳定的政府和人民对政府所颁布法律的重视和尊敬。但他又明确地承认必须有一个最根本的保证。如果一个政府滥用权力,人民不会容忍。人民将会揭竿而起反对暴君,并且砍掉他的头。

18世纪70年代的政治并没有妨碍约翰逊享受他新获得的自由和权利。他和斯雷尔一家人去布赖顿和在斯特雷特姆度假数周。他的"年度中部漫游"包括较长时间对牛津、利奇菲尔德,和对他的住在阿希布恩的老朋友约翰·泰勒的访问。

苏格兰西部岛屿的旅行 1773年,鲍斯韦尔劝说约翰逊陪伴他做一次更有趣的远征。约翰逊从还不记事的幼年起就一直想要游览苏格兰西部赫布里底群岛。现在他觉得鲍斯韦尔的"谈话的风趣和他的彬彬有礼的态度足以抵消旅途的不舒适"。这两位旅行家于8月18日离开爱丁堡,顺着海岸公路前进。在圣安德鲁斯城,约翰逊因见大主教区教堂废墟而伤感,受到善心的教授们的安慰。在阿伯丁市,他被授予该市荣誉公民的称号。乔治要塞的长官请他吃饭,约翰逊向他大谈火药,显示了他的博学和广泛的兴趣。抵达因弗内斯郡以后,他们改骑马,代替乘坐驿站马车。在内斯湖畔,约翰逊遇见一位老妇人,她只会说极少的英语,用锅煮山羊肉请他们吃。从格莱内尔格,他们渡海到斯凯岛。在那里,他们首次遇上下雨。人们警告他们说未来若干月将是天无三日晴的天气。在拉赛岛上,他们看到"礼貌、素雅和富裕,此外别无它物",约翰逊对他特来参观的那里的宗法社会生活感到十分满意。同样,在邓韦根岛上,他也"乐不思蜀"。在往赫布里底中心岛屿之一的马尔岛的航程中,风暴把他们带到科尔岛上。在那里,一天晚上,鲍斯韦尔高兴地看到约翰逊手持大刀和盾牌高视阔步地走在街上。但是他们因恶劣天气受阻于岛上一周,约翰逊渴望返回大陆——"以便生存下去"。是鲍斯韦尔,不是约翰逊,坚持要去艾奥纳,这是位于马尔岛西南方的一个小岛,但是约翰逊对那里的评论却是他所有著作当中最著名的段落之一:"一个到了马拉松平原,而他的爱国心没有增强的人,一个处在艾奥纳岛上废墟当中,而他的宗教感情没有变得更强烈的人,这样的人是不值得羡慕的。"在返回爱丁堡的途中,他们在奥辛来克顺访了鲍斯韦尔的父亲。在那里,使鲍斯韦尔感到不安的是约翰逊未能成功地避免有争论的话题。在爱丁堡停留两周后,约翰逊回到伦敦,宣称这是他一生中最愉快的一次旅行。

从许多方面来看,这次旅行是成功的。约翰逊在邓韦根岛过了他的64岁生日。他经受得住骑马走过马木·拉它钦的崎岖山路,在高原上茅屋中过夜,以及在暴风雨的海上颠簸在一叶小舟之中的严峻的体力考验,这件事本身就很了不起。从社交方面说,这次旅行,个别情况除外,也是极为成功的,约翰逊本人和他的东道主们都十分满意。对鲍斯韦尔来说,当然那是一个极好的机会来写实际上是他的《约翰逊传》的分期发表书稿的第一部分。约翰逊本人一生也仅有这一次是真正感受到写作的冲动——纯粹为了写书而写书。1773年8月31日,这两位旅行家在格伦莫里斯顿郡的艾诺克"走进一个狭窄的山谷,那里山花不算多,但青翠喜人"。当马儿在那里吃草时,约翰逊坐在溪岸旁,"正像一位传奇作者喜欢摆出的姿势那样",在为他的创作构思。他想写的却不是一部传奇,而是关于他的旅行的报导。当然他不想同鲍斯韦尔竞争,他看过他写的日记,并且也时而称赞几句。为了读到关于约翰逊的行为和谈话的"细枝末节"的亲密的个人记录,读者自然应把注意力转向鲍斯韦尔写的《赫布里底旅行日记》,出版于约翰逊逝世以后。在约翰逊自己写的《苏格兰西部岛屿旅行记》(1775)一书中,他感兴趣的事是描述一个对他来说新奇的社会,描述那个社会的风俗、宗教、教育、贸易和农业。他的叙述虽然不是毫不表现个人情感的客观报导,但也并不收入任何闲谈趣闻。而在致斯雷尔夫人的许多信函中,他写得更无拘束。在一封信中,他向她提出了旅行一词的定义,这个定义很能代表他对人生总的看法,即:"旅行的用途在于用现实来调节想象,在于看到事物的真正面目,而不是仅仅想象事物可能是什么样子。"

回伦敦后不久,约翰逊为哥尔德斯密斯的逝世感到悲痛。他们二人相识可能早在1760年,约翰逊是最先发现哥尔德斯密斯著作优点的人们当中的一位。他给哥氏写的诗篇《旅行家》提供了著名的一联(相互押韵的两行诗),哥氏也把他写的喜剧《委曲求全》献给了约翰逊。他常常在俱乐部里和其他地方把哥尔德斯密斯驳得体无完肤,但他对哥氏的盖棺定论却是诚恳的。他写道:"让我们忘掉他的弱点,他是一位伟人。"

在这个时期,约翰逊与斯雷尔一家的亲密关系可由下列事实明显看出,就是约翰逊参加了他们的两次长途旅游——1774年去北威尔士,下一年去法国。在去北威尔士途中,他有机会把他们介绍给他在利奇菲尔德的亲友。他们又一同在斯雷尔夫人的祖先曾经居住过的地方,克卢伊德谷,停留了一些时间。在归途中,约翰逊产生去看看伯明翰城里M.博尔顿的"机器"的兴趣,原来博尔顿曾与J.瓦特合伙制造出来若干台蒸汽机。他们还到了牛津大学,并在大学学院的饭厅中受到款待。在法国,约翰逊对人物比对地方更感兴趣。他赞赏一些大教堂的建筑,但是他的最有意义的评论却为法国的社会状况而发,特别针对贫富之间的鸿沟。没有任何措施能使穷人维持生活,也看不到一个生活较舒适的中产阶级。

《英国诗人传》 1771年,三位书商来拜访约翰逊,请求他为他们和其他人正在编辑的英国诗人选集的"精致和准确的"版本撰写一系列的《传记》。约翰逊答应了。收入的诗人已被选定。约翰逊极力反对把书名叫作"约翰逊的诗人"。在他的建议下,只增加了5位诗人(其中有些人入选是颇为奇特的)。虽然他说他写这些传记时写得"拖拖拉拉,而又匆匆忙忙,不想写,又猛写和赶写一阵,"但是正是在撰写这部著作中他才说得上真正享受到写作的乐趣。

这部《诗人传》并未构成一个系列,却是一本杂集。这些传记并没有按照一个写作计划而进行,也没有一个统一的设计。关于某些主要诗人（弥尔顿、德莱顿、蒲柏和其他人），约翰逊都写了长篇文章，这些文章一直是英国文学批评界最重要的文献之一。他告诉别人，说他受到为人们“提供有用的乐趣这个正当的愿望”所驱使而继续写了下去。例如，在写亚伯拉罕·考利时，他抓住这个机会详尽地探讨了玄学派诗人的特点，这些诗人“更愿受人赞赏，不愿被人理解”。另一方面，在一篇论理查德·杜克的300字的精练短文中，他得出结论，说杜克的诗篇“不低于中等水平”。当他论到J. 汤姆逊（由他增加的5名诗人之一）时，高度赞扬了汤姆逊的《四季》，但关于另一首诗《自由》他却写道：“当这诗初次发表后，我试图一读，但不久就停了下来。我再也没有做第二次尝试……。”

约翰逊最喜爱文学的传记部分，他从不试图把诗歌和创作诗歌的人分开。如果他不赞成某个人，他感到对那人的作品做出客观的评论颇为困难。他写的关于弥尔顿和格雷的《传记》可以算作两个例子。他轻蔑地揭发了弥尔顿的宗教信仰和政治立场——弥尔顿不属于任何教会，政治上他是一个刻毒、粗暴的共和主义者。这些偏见中有一些在他讨论弥尔顿的诗歌时透露了出来。诚然，约翰逊高度赞扬了《科玛斯》和《快乐的人》与《幽思的人》姊妹诗篇，并且认为《失乐园》是“人类头脑的伟大成就”之一，但他并不愿这个作品写得更长，而且坚持要指出它的主要缺点。在他对弥尔顿写的悼亡诗《利西达斯》所做的批评中（约翰逊对此诗的判决后来激怒了浪漫主义的作家们，但是现代批评家们也曾令人信服地为约翰逊的即便是这样的见解做了辩护），约翰逊坚决地和古旧的牧歌传统决裂。他感到这个传统过于陈腐，只适合于描绘乡村生活。在为格雷写的《传记》中个人的恶感也明显地表现出来。对《墓园挽歌》，约翰逊致以著名的颂词表示了真正的赞赏，但他对待格雷其他诗篇的态度却表现出“一个局外人的中立和一个批评家的冷静和客观”。事实上，他对格雷的倒装句法和古奥的形容词所做的严厉反对和批评说明他一点也不中立。格雷对待人生和文学的态度使约翰逊特别反感。在穷文人集居的格拉布街住了30个年头的人很看不惯一位过分宠爱自己的学者，这位学者要求先让自己有闲暇才能为别人做好事，并且说他自己只有当情绪好时才能进行写作。

最后几年

《诗人传》各卷于1781年出齐，这个集子引起了一场批评的风暴。但是约翰逊已是一名老年战士，不再为批评所困扰。事实上，在约翰逊全部著作当中，《诗人传》仍是读者最喜爱的，或是最不会被人们忘记的一部作品。在这一年，最使他伤心的事是H. 斯雷尔的去世，而不是一些对他自己不利的批评。自从他妻子死后，还没有任何亲友的弃世使他感到如此忧伤；他觉得自己好像变了一个人。他认真地履行了他作为死者指定的遗嘱执行人的职责，这项任务在一定程度上减轻了他的郁郁忧思。他对贸易和商业始终感兴趣。在斯雷尔生前，他很喜欢和斯雷尔讨论如何发展酿酒业务的方针，现在和他打交道的东西不是一批一批的酒锅和酒桶，而是“超出贪财者梦想的致富之道”。令约翰逊失望却使斯雷尔夫人高兴的事是斯雷尔的酿酒厂出售给“一伙富有的贵格派教徒”，售价为135 000英镑。在一段时期内，约翰逊继续把斯特雷特姆看作自己的家，但在1782年8月，斯雷尔夫人告诉他说她决定卖掉那所房子。在10月份他最后一次访问那所住宅时，他恭顺地感谢上帝赐给他在那里享受过的舒适和安慰。斯雷尔夫人在阿尔吉尔街买下的房子里仍给他保留了一间屋子，但是斯特雷特姆时期的亲密友谊日益减弱。长期以来，约翰逊患有气喘和水肿病，1783年6月他得了一次中风，直到下一年春天才正式康复。斯雷尔夫人仍以“昔日的关心和体贴”和他通信，但她不敢告诉他说她长期以来拿不定主意是否要嫁给一个名叫加布里耶尔·皮奥齐的意大利籍音乐家。1784年6月底，当约翰逊听到她决定再嫁后，写给她一封愤怒的谴责信；但是一周后他认识到斯雷尔夫人的再婚（这个婚姻的确是幸福的）是她自己的事，并且感谢她的仁慈，以及20年来给予他的慰藉。

这时，死亡已使约翰逊丧失了许多旧友。他自己多病，但他直到最后总是不懈地向他最大的敌人即孤独，以及由孤独所引起的忧郁做斗争。1783年12月，他在埃塞克斯街又成立了一个俱乐部，离他在宝尔特大院的房子很近、很便利。在下一年7月，他动身做他最后一次在英国中部的漫游。在利奇菲尔德，大家看到他回家乡都很高兴；他在阿希布恩住了两个月，他在那里感到很舒适，但是“如饥似渴地想找人谈话”，因为他从中学就相好的老朋友J. 泰勒晚上9时就上床睡觉；在伯明翰，他和赫克特大谈往事；在牛津大学，他被院长邀请参观他昔日求学时所属的学院。11月16日，他回到伦敦。虽然他的头脑仍很灵敏，但他的身体却每况愈下，他于1784年12月13日逝世。一周后，他被安葬在威斯敏斯特大教堂里。当时有一位报刊撰稿者注意到在参加葬礼的人们当中仅有一位有世袭头衔的贵族；但他又理直气壮地补充写道：被雷诺兹和伯克护送着进入墓茔的人不会不感到荣幸。

声誉和个性

约翰逊的声誉史颇为奇特。在他自己的时代，被公认为一位杰出的作家和思想家，这种声望今日仍然继续下去。但是今日他的名望却又建立在双重传统的基础上：一个是“民间的形象”，这一形象主要来自鲍斯韦尔的记载，后来又被麦考利加以强调，使这个形象永存下去。这就是机智、诙谐的谈话家约翰逊，而这位谈话家在辩论中时常提出反面的论证驳倒对方。这就是一位引人入胜的怪人形象，一只长着一颗金心的笨熊。大家都引用他的话，但却无人读他的著作。因此人们把他主要当作一本伟大书中的一个人物来纪念。另一个传统是文学家约翰逊，他在他自己的时代受到人们如此巨大的赞赏，中间经过长期的冷落，今日又重新登上他的宝座。这第二种传统并不排斥被鲍斯韦尔描写得如此精彩的谈话家约翰逊，但是却把重点放在这位“文学大王”的著作上面。

在新近出版的数十本书中，作者强调的不是约翰逊有趣的性格特点和他的富有说服力的谈话，而是他的强有力的推理本领，他对人性弱点的洞察和理解，他对伪善的深恶痛绝，以及他把伦理标准应用到评论个人行为和国家事务上面的行动。约翰逊的许多所谓的愚蠢偏见，如果我们对它们加以正确理解，实际上来自他坚持对一切事物做出严格的道德判断。约翰逊绝不是一个感情用事的托利党反对进步或改革的保守分子。他猛烈地反对战争，并且呼吁对战俘施以更为人道的对待。他攻击1737年通过的批准出版法案中的出版审查制度。他主张减轻法律对娼妓和欠债人的严厉处分，以及对伪造签字或文件罪的死刑判决。他始终如一地维护穷苦和受压迫的人们，并且为争取黑人和其他土著人民的权利而争辩。与此同时，他却又认识到必须有一个强有力的中央政府以抵制富有的商业集团的压力。

此外，现在大家都清楚地看到约翰逊并不像以前人们所想象的那样，是一位严格的新古典主义文学批评家；相反地，他的观点和方法倾向于以经验为根据。他反对盲目地遵守规律，主张对每一部作品分别做出判断，对于它的优点和缺点提出自己的看法。现在大家都把约翰逊看作20世纪新批评派之父。

虽然他嘲笑那一帮乐观主义者，他们天真地相信人类制度日趋完美的可能性，约翰逊本人也并不是一位彻底的悲观主义者。在对事物抱怀疑态度的同时，他又对生活怀着极大的兴趣和热情。参与和奋斗永远是必要的。虽然在某些领域内改善是可能的，但一切事物必须有一个坚强的伦理基础。约翰逊不仅是一位道德家，而且是一位基督教道德家。人类是有罪的，人类需要耶稣基督为他们的赎罪受难，这些是他个人信仰的基础。他的气质上的忧郁本性使他不能感受到宗教的安慰，他最深切意识到的人类罪恶是无所事事。在他死后出版的《祈祷和沉思》（1785）一书中，他的悔罪和改过的决心——他经常重复下决心，但却难以坚持——表现出他内心检查的诚恳和谦敬态度。但是他的信仰终于得胜。在他活在世上最后的日子里，他拒绝服用鸦片麻醉剂，因为他曾祷告上帝，希望能把自己的灵魂毫无阴影地带到天国。

出生在一家书铺里的约翰逊具有学者的特性和良知。他靠写书谋生；他靠读书来扩大他的思想和学识范围。他在后半生曾提过这个问题：除了教给人们生活的艺术外，书还能教给人们什么东西？很少有人给后世留下比塞缪尔·约翰逊更好的生活艺术榜样。

Johnson, Thomas 约翰逊（1732-11-04，马里兰卡尔弗特县［美国］～1819-10-26，马里兰弗雷德里克附近罗斯希尔） 美国独立战争领导人、马里兰州第一任州长（1777～1779）、美国最高法院法官（1792～1793）。曾在安纳波利斯攻读法律。1762年进入州议会。他反对英国的殖民政策，担任了几个委员会的委员，组织这些委员会是为了负责起草致英王的备忘录，要求解除人民的痛苦。他还是殖民地议会筹委会的成员。他代表马里兰出席1774

年9月的第1次大陆会议。在第2次大陆会议上，由他任命G.华盛顿为总司令。他支持与英国和解，但被说服后投票拥护《独立宣言》。1777年当选为马里兰州首任州长，两次连选连任。以后在州议会工作，其间他支持批准新宪法。后任马里兰州刑事法院的首席法官。他被华盛顿任命为最高法院法官，于1792年就职。他为最高法院写了第一个判决书意见，但由于健康原因，他任职时间很短。后被任命为联邦市委员会成员，努力将该市命名为华盛顿以纪念其老友。

Johnson, Uwe　约翰松（1934-07-20，德国卡明～1984-03-12[尸体发现日期]，英国肯特希尔内斯）　德国作家，他的许多小说探讨了第二次世界大战后分裂的德国生活中的矛盾。祖先为瑞典人。曾在罗斯托克和莱比锡大学攻读日耳曼语文学，1956年获学位证书。第一部长篇小说《英格丽特·巴本德雷尔德》因不同意修改内容被东德出版社拒绝，乃于1959年移居西柏林。他后来的作品集中描写了两个德国的人民之间互相隔离的情形。

他一到西方便发表了《对雅科布的种种揣测》（1959）、《第三本谈阿希姆的书》（1961）、《卡尔施及其他散文》（1964）和《两种观点》（1965）。约翰松的全部作品都是实验性的：叙述突然从一种意识或地点转换成另一种；不同的人物使用的同一词语却有不同的意义；对象和事件的整个错综复杂性得到精细的描写，好像要强调，对象和事件是不变的，而不同人物的情绪和回忆都是在变化中的。在他的三部曲《周年日——格西纳·克莱斯帕尔的生涯片断》（1970～1983）里，他采用了一种蒙太奇的技巧，把剪报、笔记和叙述结合起来描写60年代纽约的各种问题和20～60年代之间德国历史上发生的种种事件，这一切都是通过女主人公一家的回忆来展现的。

约翰松曾住在纽约（1966～1968），后回到西柏林，1974年迁往英国。曾是"四七社"的成员，尽管比大部分人年轻。

Johnson, Virginia E(shelman)　约翰逊
参阅 **Masters, William H(owell); and Johnson, Virginia E(shelman)马斯特斯和约翰逊**。

Johnson, Walter (Perry)　约翰逊（1887-11-06，美国堪萨斯洪堡～1946-12-10，华盛顿[哥伦比亚特区]）　美国职业棒球运动员。1907～1927年为美国棒球联盟华盛顿参议员队投手。在21年大联赛中使3 508名击球手三击不中出局，110（一说113）次不让击球手得分，这些成绩胜过大联赛史上任何其他投手。在20世纪棒球运动史上他获胜场次最多（413、414或416），投球局数也最高（5 923 ⅔）。1936年入选棒球名人堂。

Johnson, William　约翰逊（1771-12-27，南卡罗来纳查尔斯顿～1834-08-04，美国纽约布鲁克林）　从1804年起担任美国最高法院法官。他树立了在法院的大多数人意见之外发表个人意见——同意或不同意——的做法。作为一个感觉敏锐的人和有学识的、勇敢的法学家，他反对首席大法官J.马歇尔对最高法院的专制态度。在担任南卡罗来纳州众议院议员（1794～1799）、议长（1798～1799）以后，他被州议会选为普通诉讼法院法官，当时是州的最高级法院。任州法官期间，他在哥伦比亚大学内积极组织一个学院，后来成为南卡罗来纳大学。1804年3月经过T.杰斐逊总统的任命，他成了美国最高法院中第一个民主-共和党的大法官。首席大法官马歇尔为了巩固最高法院作为法律和宪法的解释者（主要按照联邦党的原则解释）的地位，不赞成分别写出个人的意见，在大多数重大案件中只发表法院的意见，并力求在他的同事当中取得一致的意见。但是，他往往发表独立的见解；他已经习惯于在州法院中起草个人不同的意见，而且这一倾向得到马歇尔的政敌杰斐逊的支持。尽管杰斐逊在1826年去世前和约翰逊一直是朋友，但约翰逊并不总是支持杰斐逊的政策。在"吉尔克里斯特诉查尔斯顿税务官"一案（1808）中，约翰逊在主持联邦巡回法庭时，准许一艘根据杰斐逊的1807年禁运法令扣留的船只驶离查尔斯顿港，该法令是旨在使美国在拿破仑战争中保持中立的一种措施。在最高法院审理的案件中，他通常同意马歇尔坚持的主张，即认为联邦拥有广泛的权力，不为州的行动所干扰。但是，他比他的法官同事们更赞成联邦政府与州政府之间进行合作而不是对抗，并且赞成为了公众的利益对经济实行节制。

Johnson, Sir William, 1st Baronet　约翰逊（1715，爱尔兰米斯郡史密斯敦～1774-07-11，纽约约翰斯敦附近）　纽约莫霍克流域的开拓者，主要业绩是在英法两国争夺北美控制权斗争的后期设法使易洛魁人保持中立甚至对英国友好。1737年移居新大陆，置地买业，终于成为英属美洲最大的土地所有者和最富有的移民之一。他与印第安人往来密切，鼓励教育和传教活动，向土人灌输欧洲生活方式。第一个妻子死后，接连与两个莫霍克女子结婚，因此与印第安人关系更加紧密。由于他擅长外交，1746年G.克林顿总督委任他为6个易洛魁部族（又称易洛魁联盟）的上校。他努力维持各部落之间的和平，搜集情报，组织并支援反法的作战部落。后因与地方议会发生争执，辞去督察专员职务。1756年最后一次法国印第安人战争爆发，他立即被征服役。在1754年的奥尔巴尼会议上，代表英国和印第安人谈判，争取到部分印第安部落保证在即将发生的对法战争中出兵支援。1755年被任为6个易洛魁部族及其同盟的督察专员，并以少将军衔率兵在纽约的乔治湖击败了法军。受封从男爵。次年重任北印第安人事务督察专员，在职达18年。在这次战争结束后，积极参预镇压世称庞蒂亚克阴谋的印第安人起义（1763～1764）。曾任1768年协议（即第一项《斯坦尼克斯堡条约》）的英方首席代表。

Johnson City　约翰逊城　美国田纳西州东北部华盛顿县城市。位于诺克斯维尔东北偏东的大阿巴拉契亚谷地。18世纪60年代有农民和炼铁者来此居住。19世纪50年代中期东田纳西—弗吉尼亚铁路通车后创建，1869年设建制。主要经济部门有农业（家畜、玉米和烟草）、伯利烟草贸易和制造业（电话、电器、纺织、硬木地板、医疗用品、化工品、服装、家具、工具和建筑材料），亦有石灰石等采矿业。另一经济基础为服务业（包括医疗、金融和电话推销）。设有东田纳西州立大学（1909）、米利根学院（1866）和斯蒂德学院（1940）。有为5个州服务的退伍军人管理中心。人口：市55 469；约翰逊城-金斯波特-布里斯托尔都会统计区480 091（2000）。

Johnson City　约翰逊城　美国得克萨斯州中南部城市，布兰科县县城（1890）。东距奥斯汀64千米，濒临佩德纳利斯河。为L.约翰逊总统的故乡。1879年创建，1944年设建制。约翰逊城国家历史遗址有约翰逊童年旧居。附近州立约翰逊公园内有参观中心展出约翰逊言行文物。地处山乡，饲养赫里福德牛、绵羊和山羊。人口1 191（2000）。

Johnson-Sirleaf, Ellen　约翰逊-瑟利夫（1938-10-29，利比里亚蒙罗维亚～　）　婚前名Ellen Johnson。利比里亚政治人物和经济学家，2006年起担任利比里亚总统，是非洲第一位当选国家元首的女性。其父是第一位进入国家立法机构的利比里亚土著人。1961年，约翰逊-瑟利夫前往美国学习经济和企业管理，1971年获哈佛大学公共管理硕士学位，然后进入利比里亚政府担任公职。W.托尔伯特担任总统期间，她担任财政部长助理（1972～1973）。军事独裁者S.M.多伊当权期间担任财政部长（1980～1985）。以廉洁和敢于与国家领导人冲突而闻名。在多伊统治时期，她两次入狱，险些被枪决。1985年全国大选期间，竞选参议院席位，公开批评军政府，被捕并流放。在长达12年的流放生涯中，成为世界银行、花旗银行等国际金融机构的重要经济学家。1992～1997年，担任联合国开发计划署非洲区的领导。1997年参加利比里亚总统竞选，失败后被迫流放。1999年利比里亚发生内战，她得以在2003年返回利比里亚。2005年再次竞选总统，发誓要消除内战和腐败，建立一个团结的国家，重建基础设施。她最终击败著名足球运动员G.维厄，于2006年1月16日就任总统。

Johnston, Albert Sidney　约翰斯顿（1803-02-02，美国肯塔基华盛顿～1862-04-06，田纳西夏洛）　美国南北战争时期（1861～1865）的南部邦联将领，于战争第2年去世，被南方认为是不可弥补的损失。1826年毕业于西点军校，有多次临战经验。1861年得克萨斯州脱离联邦时即辞去美国太平洋部队司令职务，被J.戴维斯总统任命为南部邦联第2最高将领，主持西部军区防务。因寡不敌众，自田纳西州和肯塔基州频频后撤，并导致1862年2月田纳西州纳什维尔的陷落。然而，对约翰斯顿的苛责并没有动摇戴维斯对他的信任。约翰斯顿在密西西比州科林斯集中兵力，准备攻打匹兹堡兰丁的联邦U.S.格兰特将军。他在夏洛战役（4月6至7日）中发起突

美国国会图书馆供图

然袭击，不幸首战即负致命重伤，功败垂成。

Johnston, Archibald 约翰斯顿 参阅 **Warriston, Archibald Johnston, Lord** *沃里斯顿勋爵*。

Johnston, David Claypoole 约翰斯顿 （1799-03，费城～1865-11-08，美国马萨诸塞多切斯特） 美国漫画家，受英国讽刺画家G.克鲁克香克的影响很深，画过一些富有想象力和独创性的作品。他在中小学时期就爱好绘画，1815年从师学版画。不久开始画讽刺画，自行出版，颇受欢迎，讽刺对象是权势人物。后改行当演员，一边演戏，一边作画，所画以男女演员为主。1826年专门从事插图工作，迅即成名，尤以石版画著称。1830～1849年，每年以《漫画剪辑》为题发表一系列幽默蚀版画，有“美国的克鲁克香克”之称。

Johnston, Edward 约翰斯顿（1872-02-11，乌拉圭 ～1944-11-26，英国苏塞克斯迪奇灵） 英国书法教师，对20世纪印刷术和书法有广泛的影响，尤其是在英国和德国，被称为现代书法刻印复兴之父。出身苏格兰军官家庭，儿时就被带回英格兰，在家中接受启蒙教育。约翰斯顿在爱丁堡大学攻读医学，毕业后(1898)去伦敦，但未开业行医转而承揽书写业务。他的教学生涯始于1899年，当时W.R.莱瑟比(建筑学家和教育家)请他在伦敦中央工艺美术学校讲授书法和刻字课，直到1913年；从1901年起他还在南肯星顿皇家艺术学院授课。通过莱瑟比结识了S.科克雷尔，其后助其与W.凯姆斯克特出版社联系。科克雷尔将其注意力吸引到不列颠博物馆的各种手稿上，在科的鼓励下，他重新发现制造和使用芦苇笔和鹅毛笔的技术。约翰斯顿具有很大影响的杰作《书法、字母装饰及字母刻写》(1906)一书，论述书写步骤，条理清晰，富有实用价值；《手稿和铭刻文字》(1909)随之相继问世。约翰斯顿曾受伦敦地下铁道委托，设计地铁标志和广告用字母，为此于1916年完成了一种无衬线字母的设计，是一大成功，成为第一批现代无衬线铅字。约翰斯顿教学的基本原则是书写和印刷是相互为用的关系。他的学生中有成为著名书法家和字形设计家的A.西蒙斯、T.J.柯布登-桑德逊、E.吉尔、G.休伊特、P.斯密斯。

Johnston, Sir Harry Hamilton 约翰斯顿 （1858-06-12，伦敦～1927-08-31，英国诺丁汉郡沃克索普附近伍德塞茨豪斯） 英国探险家、植物学家和早期殖民地行政官。在非洲作过广泛旅行，能说多种非洲语言，曾卷入所谓的19世纪殖民大国对非洲的争夺。发表了40本关于非洲题材的著作。1891～1895年任英国驻尼亚萨兰(今马拉维共和国)第一任专员。最初作为画家、博物收集家和自由投稿新闻记者曾游历非洲。1879～1880年在突尼斯，以后经过安哥拉并沿刚果河上溯(1882～1883)。在东非乞力马札罗考察植物时，协助确定了英德两国在这一地区的领地边界。1885年进入领事机构，曾任英国在尼日利亚东部保护地的行政官。1888～1891年，他对英国非洲政策的制订有很大影响，并签订了一些条约，使英国获得尼亚萨兰和北罗得西亚。1896年受封爵士。后在突尼斯任两年总领事，1899～1901年任驻乌干达专员。

Johnston, Henrietta 约翰斯顿（约1670年前，爱尔兰～1729-03-07，南卡罗来纳查尔斯唐尼[今美国南卡罗来纳查尔斯顿]） 原名Henrietta Deering。美洲早期肖像画画家，很可能是北美洲第一位女性艺术家。1705年4月与G.约翰斯顿牧师在都柏林结婚。1707年夫妇二人移民北美洲，定居在查尔斯唐尼。夫妇二人为贫困和疾病所困，生活艰难。她担当起丈夫的秘书，操持家务，抚养孩子，还挤出时间为有名望和权势之人画肖像画，挣钱贴补家用。画的尺寸不大，通常为23×30厘米。现知约有40幅肖像画为她所画，大部分创作于1707～1720年间。1716年丈夫去世后，靠绘画维持生计。去世地点不详，只知葬于查尔斯唐尼。

Johnston, Joseph E(ggleston) 约翰斯顿 （1807-02-03，美国弗吉尼亚法姆维尔附近～1891-03-21，华盛顿[哥伦比亚特区]） 美国南部邦联将领，在南北战争(1861～1865)

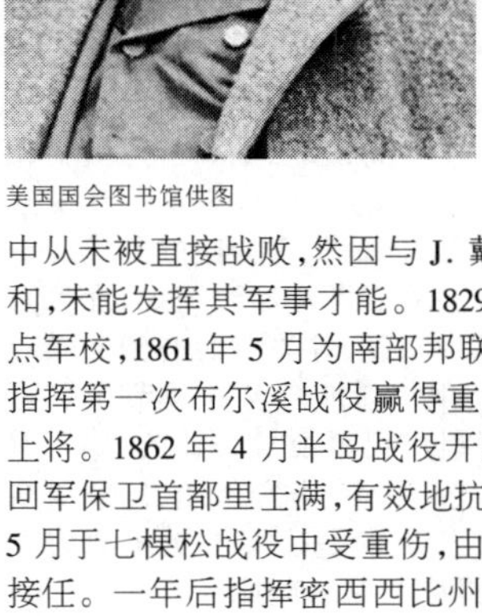

美国国会图书馆供图

中从未被直接战败，然因与J.戴维斯长期不和，未能发挥其军事才能。1829年毕业于西点军校，1861年5月为南部邦联军准将，7月指挥第一次布尔溪战役赢得重大胜利，晋升上将。1862年4月半岛战役开始，约翰斯顿回军保卫首都里士满，有效地抗击了联邦军。5月于七棵松战役中受重伤，由R.E.李将军接任。一年后指挥密西西比州南部邦联军，警告J.C彭伯顿将军撤离维克斯堡以避北军锋锐，但戴维斯总统命彭伯顿坚守。约翰斯顿无力分兵救援，维克斯堡遂于1863年7月4日陷落。同年12月，他受命指挥田纳西州南部邦联军抵御北军向佐治亚州亚特兰大推进。战局的发展证明他避免失败和南部邦联军解体的撤军战略是正确的。然而，戴维斯对他未能击败入侵者感到不满，于7月将他撤换。1865年2月复职后，指挥北卡罗来纳州南部邦联军旧部，3月间成功地遏制W.T.谢尔曼将军的前进。但由于兵员不足，军需匮乏，被迫继续撤兵，于4月26日在北卡罗来纳州达勒姆车站向谢尔曼投降。战后经商和写自传，1879～1881年为众议员，1885年任美国铁路专员。

Johnston and Sand Islands 约翰斯顿和桑德群岛 太平洋中部的美国无建制领地。在檀香山西南715英里处，为上升的珊瑚环礁所构成，长3 000英尺、宽600英尺。两岛陆地总面积320英亩。约翰斯顿岛较大，最高点44英尺，两岛位于7.5英里的半圆形礁中。群岛降雨量少，无淡水水源。植被限于丛生草类和香草。桑德岛无人居住。1807年由英国航海者C.J.约翰斯顿发现，1858年前两岛均无人居住。1858年美国和夏威夷王国均宣称拥有主权。1908年两岛上的鸟粪沉积被采完，1926年美国农业部宣布该环礁为鸟类保护区。1934年受美国海军控制。1941年建海军航空兵站。1948年归美国空军管辖直至1962年。约翰斯顿岛曾为美国核武器试验场，现用作化学武器存储地，科学家有时到此考察鸟类迁徙现象。人口1 100(2000)。

Johnstown 约翰斯敦 美国纽约州中东部城市，富尔顿县县城(1838)。位于奥尔巴尼西北69千米处，与格洛弗斯维尔相邻，濒临莫霍克河。始建于1762年，1808年设村，1895年设市。早年的约翰逊会堂至今犹存。德鲁姆宅第和特赖恩县府办公楼均建于殖民时代。女权运动先驱E.C.斯坦顿1815年生于该市。手套制造为基础工业。市内有富尔敦-蒙哥马利社区学院(1963)。人口约8 511(2000)。

Johnstown 约翰斯敦 美国宾夕法尼亚州西南部坎布里亚县城市。西距匹兹堡122千米，在科尼毛夫河与斯托尼河汇合处。是拥有60多个乡镇和自治镇的都会区的中心。1800年建立，原称科尼毛夫，1834年改称现名。1898年设市。因是阿勒格尼联运铁路西端终点站而具重要地位。1873年以前为美国主要炼钢中心。1889年5月末南福克水坝坍塌，大水横扫科尼毛夫河谷，淹死2 200余人，损失无数。旧坝址已辟为国家纪念地。1936年和1977年又发生严重洪水灾害。现代工业生产服装、化工品、家具、钢板、车轮、车轴、货车厢和金属丝。1927年建立匹兹堡大学约翰斯敦分院。人口：市23 906；约翰斯敦都会统计区232 621(2000)。

Johor 柔佛 西马来西亚最南端一州。西北邻马六甲和森美兰二州，北界彭亨州。海岸线长400千米，沿马六甲海峡和南海并蜿

柔佛州的椰子树林
美国不列颠百科全书公司供图

蜒于新加坡北部边界,沿岸小岛星罗棋布。面积18 984平方千米。地势平坦,有丛林覆盖,间有大片沼泽地,中东部有900米以上群峰。1830年后,种植胡椒和儿茶的华人到柔佛的平原定居,沿河建立起一些小的商业中心。1919年铁路从马来亚产锡和橡胶地带向南延伸到新加坡后,交通方便,促进经济发展。第一次世界大战后,该州开始大规模种植橡胶,并发现锡矿和铁矿。现在特卢拉穆尼阿开采铝土矿。柔佛州油棕榈生产在全国居于领先地位,椰子和菠萝的种植在多沼泽的平原也很发达,且附近就有罐头厂。由于港湾太浅,贸易须经新加坡港口。商品运输主要靠公路,并集中在州首府新山(**Johor Baharu**)。新加坡依靠柔佛的特贝劳河供水。柔佛州实质上已成为新加坡的腹地。其他重要城镇有麻坡、巴株巴辖、丰盛港和昔加末。

Johor Baharu 新山 又译柔佛巴鲁,旧作Johore Bahru。西马来西亚南部城市。在马来半岛南端,隔柔佛海峡与新加坡岛相望,有铁路、公路堤道连接新加坡。位于丘陵

新山市的巴卡尔清真寺
美国不列颠百科全书公司供图

地带,四周种植橡胶、油棕榈和菠萝。长期以来是半岛的外贸港。有纺织业,东南面特卢拉穆尼阿开采铝土矿。新山的许多居民使用新加坡的公共设施,在这方面几乎成为新加坡的卫星城。当地马来方言被认为是标准马来西亚语,即国语。新山颇具有中国特色,有大宫殿、清真寺、武吉塞雷内宫、动物园等名胜。设有马来西亚理工大学(1904,1972年获得大学地位)。人口:市328 646;大都会区442 250(1991)。

Johore Strait 柔佛海峡 马来西亚语称塔布罗海峡。是新加坡海峡北部一水道。位于新加坡共和国和马来半岛南端的柔佛州之间。长50千米,宽1.2～4.8千米,马来西亚新山(柔佛巴鲁)和新加坡兀兰之间有铁路和公路堤道相连接。东部有新加坡的乌敏岛和德光岛;与新加坡东北海岸樟宜海军基地之间有深水水道。

Joiachin (king of Judah) 参阅 **Jehoiachin** 约雅斤。

joinder and impleader 联合诉讼和控告 在法律上,指必须有第三方参与才能对争讼问题作出正确判决因而使第三方参加诉讼的程序。凡是被告本人可能对其有要求的第三方,从时间和效果上看,让他从一开始就参加到诉讼中来是有利的话,就会出现这种控告。在同一审讯中存在两项或两项以上的争讼时,就要进行联合诉讼。控告是一种程序上的手段。任何被告人只要声称第三方可能要对原告人提出的指控承担一部分(或更大的)责任时,他就有权要求第三方参加诉讼。当一个被告人(或在三方争讼中的几个被告人)对原告人提出了反诉时,原告人也可根据同样的理由行使同样的权利。法院倾向于赞成这种诉讼以节省时间和费用。在有些案件中,可以强制实行联合诉讼。强制性的联合诉讼要求那个其参加诉讼是对争讼作出公正判决所必需的第三人必须与案件中的一方当事人联合起来进行诉讼。一个原告人在同一问题上提出几项要求时,必须遵守联合诉讼程序,否则就要冒几项要求都被排除在审讯之外的风险,理由是它们构成了多项诉讼。同样的程序也适用于几个被告人,因为在这种情况下反诉必须也是联合提出的。在某些情况下,联合诉讼是可容许的,即几个人联合成为原告方或被告方,直到他们可以分别提出要求或分别被提出要求时为止。在某些情况下,为了在谋求得到公正判决上节省时间和费用,需要把联合诉讼和控告作为程序措施,而且把它们视为那些肯定会从这些程序上获益的人们的一种希望得到的权利。

joint 关节 解剖学概念。两个或两个以上骨的骨连接结构。按结构,可将关节分为动关节和不动关节二大类;按连接成分,又可将不动关节分为纤维性、软骨性和纤维软骨性三类。软骨结合是暂时关节,生后融合,25岁以前消失。纤维软骨关节仅有三种:椎间盘、耻骨联合和颏联合。椎间盘的周边坚韧、有弹性,中心是一黏液样的髓核;椎间盘可使相邻锥体保持一定活动度,并缓冲垂直方向上的运动冲力。动关节(滑液关节)外被一囊、内含滑液;两关节面或呈球面凸凹相对(可作圆周运动)、或呈鞍状骑跨(可作屈伸运动)。动关节的各骨借韧带连接到位,但实际上这是肌肉功能的延续。关节血管分布只在关节囊及周边组织,而关节软骨、半月板、椎间盘、各关节面的营养供应均来自关节囊中的滑液。各种关节疾病可呈急性,亦可慢性;可累及单个关节,亦可累及多个关节;老年人是易感者,但各个年龄组都可受染。关节病是残疾的重要原因之一,可被分为感染和非感染两大类。关节炎涵指各种类型的关节炎症性疾病,表现为受累关节的红、肿、热、痛。而滑膜炎是指关节囊内衬滑膜的炎症;脊椎炎专指脊椎的各种炎症;风湿性关节炎是指风湿病的骨、关节、肌腱和韧带的风湿病变;如果源于细菌感染,则称其为感染性关节炎。类风湿性关节炎是一种自身免疫性胶原结缔组织病,临床诊断的线索是:可除外各种已知病因的关节炎症都在考虑范围之内。类风湿性关节炎可累及全身各关节,常呈对称性、多发性,多为小关节受累;致残率高达1/3,包括肢体畸形和关节变形。同属此类的疾病还有系统性红斑狼疮等,病变均可累及皮肤、关节、眼睛、肾脏和中枢神经系统等全身各种器官、结构的结缔组织。风湿热也属此类,只是常和溶血性链球菌感染有关。非炎症性关节病主要是指各种外伤,如扭伤、骨折、关节脱位等。扭伤常常因为动作过急、过猛而伤及肌腱、韧带、肌肉所致,一般过几天就能康复。但如果损伤过重,就会导致肌腱、韧带或肌肉的撕裂,最后只能是瘢痕修复。关节脱位需石膏固定,有时还要手术修复。骨关节炎专指纤维软骨关节的退行性变性关节病变,人至中年以后均可不同程度地受累。一次外伤不会对本病造成多大威胁,但长期承受某种应力或压力,则可迅速加快本病的进程。先天性和遗传性关节疾病大多源于代谢障碍,一般要等到十几岁以后才会出现关节症状。出生时和儿童早期的关节疾病大都是结构性损伤,非遗传性疾病。关节病还见于以下情况:佝偻病、坏血病、痛风(以上属营养、代谢障碍)、血友病时的关节积血(伴性遗传性疾病)、无菌性(股骨头)骨组织坏死、肢端肥大症(因垂体功能亢进致外周小关节软骨增生和骨关节炎病变)、夏科氏关节(不能感受运动神经控制所致神经原性关节病),如不治,可致严重的关节结构损伤。另外,心绞痛的典型症状是左侧肩带部位及左臂疼痛(肩带综合征);颈椎病也可致肩带综合征,合并肿胀。中生代化石中可见有关节病证据,埃及木乃伊身上可见到风湿性关节炎病变。确定风湿性关节炎的第一人是法国医生G.巴尤;此前,人们认为所有的关节炎都是痛风。X射线照相对骨病有特殊的诊断价值,但对关节病就不那么灵验。滑液成分分析可对炎症、非炎症性关节病作出鉴别。关节囊活组织检查是最可靠的关节病的定性诊断方法。

joint 接头 木框架构件的连结点。做木接头是木工和细木工的主要职能之一。木料是天然材料,其木材质量及含水量都不一致。用于房屋建筑的木料由于含水量的变化,常发生变形,坚固和避免变形仍是接头设计中的一个关键问题。木料用于房屋建筑在世界各地已有千百年的历史,接头作法,也早已完善,至今变化不大。接头的目的是将两个构件固定在一起,使它尽可能的坚固,并不使接头暴露。接头的作法很多,但归纳起来,只有少数几种基本类型,许多作法不过是基本类型的变化而已。接头实际上都为手工制作,机器切割的接头,也绝大多数按传统的手工操作形式,大部分的接头主要依赖木材接榫

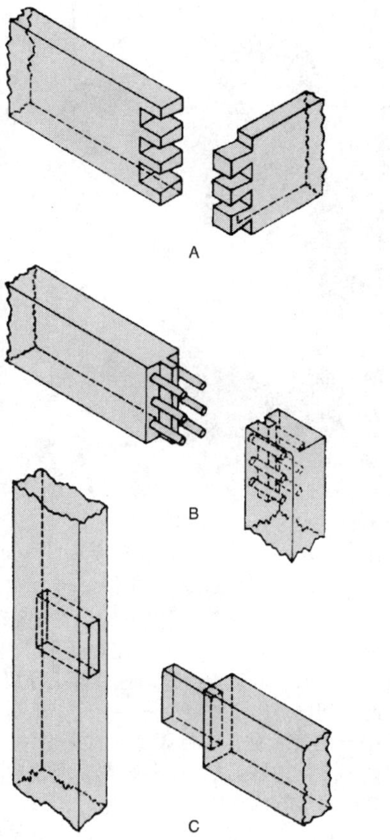

三种木工接头 A 燕尾榫 B 暗销榫 C 凹凸榫

紧密吻合的力量和胶合剂，以达到坚固的目的。接头的基本类型包括：燕尾榫，用于以直角连接两扁平构件，如抽屉的边板；暗销榫，使用暗销，使接头有一定强度；还有凹凸榫，用以连接水平和垂直的构件。

joint　节理　在地质学上，指岩石中的脆性断裂面。沿这种断裂面岩石没有或很少发生位移。在几乎所有地表岩石中，节理都存在，并向各个方向延伸，但一般垂直方向比水平方向更多一些。节理可有平整光滑的表面，可因有擦痕而粗糙不平。节理不会延伸到地壳深处，因在 12 千米深处，即使是刚性岩层，在应力作用下，也只作塑性流动。在未风化的岩石上，节理不太明显，但受风化作用后则变得显著，特别是在易溶解的岩石，如石灰岩中。由于渗漏过节理的水之溶解作用，就会形成大洞穴和地下河。发育良好的节理系统有助于采石作业。沉积岩通常显示有两组互相直交的节理，每一组节理均垂直于岩层层面向下延伸。一组节理顺倾角方向延伸；另一组则顺走向方向延伸（分别指垂直切过层面的线与层面水平方向的线）。节理间的距离差异很大，从大约 2 厘米到几百米。在相互交替的岩层中，各层的节理发育程度不同；在某些情况下，与成岩过程中沉积物的压实程度有关。在火成岩中，节理一般是极不规则的；但在花岗岩中，两组垂直节理在岩层顶面互成直角，而另一组横节理则经常接近水平状态（这种横节理是风化作用的结果）。熔岩侵入冷却后就形成岩床和岩墙，它们在很多地方显示有柱状节理。三组节理垂直于冷却表面，彼此各以约 120°的角度相交。这样形成的多边形岩柱，直径从大约 7 ～ 8 厘米到大约 6 米；大小取决于侵入岩的冷却速率，冷却越快棱柱越小。层状岩和火成岩中形成节理的主要原因是地壳运动，虽然这种运动的特定成因并非都很清楚。沉积物在固结时的收缩作用和结晶作用，也如同热火成岩在侵入时的膨胀和收缩一样，有助于小的不规则节理的形成。

joint family　同堂家庭　在这种家庭里，单系继嗣同他们的配偶和后代同在一所住宅中生活，并由父系家长或母系家长管理。同堂家庭是核心家庭的扩展形式。父系社会中的同堂家庭可能包括长辈夫妇、儿子、未出嫁的女儿、儿媳和孙子等。同堂家庭与大家庭（**extended family**）的区别在于：大家庭的成员住在分隔的院落里，而同堂家庭结合得非常紧密，在处理日常家务时，很少看到再分成若干核心小家庭，孩子们对所有的成年妇女都称呼“妈妈”。

joint ganglion　关节腱鞘囊肿　内含浓稠胶样黏液的囊状肿物，好发于腕的背面或掌面，其次见于足背。病因未明，可能与腱鞘或关节骨膜的创伤有关。该病多见于经常用手、腕进行操作的人，如打字员、钢琴家等。肿胀发展缓慢，疼痛轻或无，可自行消退。可行手术切除或注入药物使之皱缩。

Joint Industrial Council　联合工业协议会　参阅 **Whitley Council** 惠特利协议会。

joint-stock company　股份公司　又译合股公司。现代公司制度的先驱，用来筹措大量资本的组织形式。通过向投资者出售股份来筹集资金，投资者成为企业的股东。最早建立的股份公司之一是 1606 年的弗吉尼亚公司。该公司的成立是为了在北美进行殖民扩张。股东个人对公司的行为不负有法律责任；股东的损失仅限于他们最初的投资。参阅 **corporation**。

jointed charlock（plant）　参阅 **wild radish** 野萝卜。

Joinvile　若因维利　巴西南部圣卡塔琳娜州东北部城市。在圣弗朗西斯科湾头附近，临卡舒埃拉河，海拔 6 米。1887 年建市。现已成为一现代化工业城市。该市所产钢铁、铅、面粉、棉布和大量木材经东北面 68 千米的南圣弗朗西斯科港外运，或由公路和铁路运往沿海城市。20 世纪 70 年代末，加拿大人在该地区植树造林，发展木材工业和生产植物纤维。旅游名胜有考古博物院。人口约 470 500（2005）。

Joinville, François-Ferdinand-Philippe-Louis-Marie d'Orléans, prince de　儒安维尔亲王（1818-08-14，法国讷伊～1900-06-16，巴黎）　法国海军军官，军事论文作者，曾为海军现代化作出突出贡献。奥尔良公爵路易-菲力普（1830 ～ 1848 为法国国王）之子。1831 年加入海军，1836 年任海军上尉。1838 年派往韦拉克鲁什，因作战英勇晋升海军上校（1839）。1840 年他把拿破仑的遗骨运回法国。1844 年任海军少将。他在《两世界评论》杂志中撰文，对比英法海军实力，说明情况对法国不利，曾引起轰动。为弥补这种不平衡，他敦促法国多造汽船。他奖励新发明不遗余力，赞助迪皮伊·德洛姆建造最早的蒸汽螺旋桨船。1848 年前往英格兰。1861 年前往美国，为林肯总统效劳。1870 年返回法国遭到驱逐，化名再度入境，又被放逐。1871 年流放奥尔良家族的法律被撤销。同年当选为上马恩省议员，1875 年退隐。著有《论法国海军》（1852）和《海军研究》（1859）。

Joinville, Jean, sire de　儒安维尔（约 1224，香槟茹安维尔～ 1317-12-24，茹安维尔）　法国编年史作者。写有著名的《圣路易史》一书，该书为法文散文中第二部伟大的十字军编年史，对第七次十字军（1248 ～ 1254）作了最主要的叙述。原是香槟省一个小贵族，最初效劳于在索米尔的路易九世宫廷（1241），可能是一个侍候君主的侍从。年轻时，与国王同时参加十字军（1244），同他一起远征埃及（1248 年 8 月动身），打算从那里进攻叙利亚。路易和儒安维尔被俘，两人均被赎救，后来国王在阿卡驻跸期间，儒安维尔成为国王的朋友。他们 1254 年回到法国，在叙利亚时儒安维尔就已在写《圣路易史》的初稿，它的定稿则由美男子腓力四世之妻、香槟和纳瓦尔的让娜授权进行；她死时（1305）迄未完成，1309 年，此项工作交给其子路易十世。《圣路易史》是一部个人记事，在铺陈国王路易九世的功业过程中，儒安维尔本人显出是个易动感情的人。他淳朴、诚实、直率而又富于感情。他并不试图掩饰自己有时怯懦、不够虔诚、莽撞和多嘴。对路易的早年生活、后来的统治、去世和追认为圣徒的简要叙述都很有价值，因为作者几乎都置身于这些事件之中。但是本书的核心是在它的冗长的中间部分，即对十字军远征的叙述。由于他亲自参与这些事件，因此，所记载的都是参战者亲眼目睹的事实。他除了谈到财政拮据、航海危险、疾病肆虐以外，还生动地描述了十字军中的混乱和漫无纪律的情况。儒安维尔这个不大高明的顾问描绘了国王如何超脱名利，在他自己坦率的凡夫俗子之心的衬托下，国王就越发显得崇高伟大。他还描绘了穆斯林的习俗。原稿完成后就不见了。1547 年由一份普通的手稿用现代方法处理后出版。

joist　搁栅　又称桁条。房屋构造中支承天花板或地板的构件（由木、钢或钢筋混凝土制成），平行地排列在大梁或承重墙之间。两端常用金属吊钩或锚件固定，搁栅的两端留有凹槽或缺口，以使支承构件与搁栅面齐平。在铺设地板或吊装天花板以前，主要搁栅之间可用斜撑加固。

Jōjitsu　成实宗　威妥玛拼音 Ch'eng-shih。日本奈良时代（710 ～ 784）自中国传入的佛教小宗派。该宗主张人法两空，以据说是 3 ～ 4 世纪印度学者诃梨跋摩所著《成实论》为主要经典，故名。新罗僧人慧灌将此宗传入日本，现仅为三论宗的支派。

jojoba (*Simmondsia chinensis*) **霍霍巴树** 又作 goat nut。即中国西蒙兹氏木。黄杨科的一种灌木。原产美国西南部和墨西哥北部。霍霍巴树的植株高达 2 米，分枝坚挺，叶韧如革，常栽培作为围篱，在干旱地区用作黄杨木的代用品。其蒴果可制霍霍巴油，质量可与鲸油媲美，用制肥皂、洗发剂和护发剂，有保养面容的效用。该植物在加利福尼亚南部亦有少量商业化种植以榨油，但种植者日多。

Jókai, Mór 约卡伊（1825-02-18，匈牙利科马罗姆～1904-05-05，布达佩斯） 19 世纪匈牙利最重要的长篇小说家。1894～1898 年间出版的文集就多达 100 卷，大量的新闻作品尚不计在内。其早年作品如《工作日》(1845)，显露出法国浪漫主义的影响，但是，一些成熟的长篇小说却更多地反映出现实和个人经历。《一个匈牙利富豪》(1853～1854)和《金人》(1873)，是他涉及当代匈牙利题材的两部最主要的长篇小说。

joking relationship 戏谑关系 两人或两组人之间一种习以为常的社交关系。其中一方可以取笑或揶揄另一方，而不许动怒。这种戏谑可以是相互的(对称的)，也可以是单方面的(不对称的)。戏谑的形式是多种多样的，或以言语奚落，或为猥亵行为，或为恶作剧。这种戏谑关系兼有友好的和敌对的情绪，通常发生在彼此有矛盾但必须避免的场合。例如，它可用作一个社交禁忌方面的手段，戏谑者可借此以引起公众对某个个人或家庭的行为不当的关注。此种场合虽其戏谑程度可能近乎不敬，但能避免实际冲突。戏谑关系作为一种社交习俗，通常与回避的关系相提并论，后者限制个人的直接接触，从而保持最大程度的尊敬。如：在许多文化中，一个男子必须避开岳母之面而与妻子的姐妹及她们的丈夫开玩笑。男女之间可能婚配或发生性关系者，往往要避免戏谑关系。另一方面，回避关系也许应在不能婚配或有性关系的男女之间建立。这些习惯作法有助于使可能陷于冲突的关系得到稳定。因为某些亲戚之间存在的这些关系类型，在许多社会结构不同的文化中具有很多相似性，学者们认为其产生原因几乎具有普遍性。

Jokjakarta (Indonesia) 参阅 **Yogyakarta** 日惹。

Jökulsá á Fjöllum 菲约德勒姆冰河 冰岛东北部河流。全长 206 千米，为冰岛第二长河，流域面积 7 950 平方千米。水源为来自瓦特纳冰原的融水。向北流，注入阿赫萨峡湾。流经熔岩区，有一系列瀑布。最大瀑布代蒂瀑布(落差 44 米)水电资源为冰岛之冠。

Jolas, Eugene and Maria 乔拉斯夫妇（尤金 1894-10-26，美国新泽西尤宁城～1952-05-26，巴黎；玛丽娅 1893-01，美国肯塔基路易斯维尔～1987-03-04，巴黎） 玛丽娅·乔拉斯的母家姓为麦克唐纳。革命文学季刊《变迁》的美国创办人，另一创办人是 E. 保罗。尤金在法国洛林长大，后来在美国和法国担任记者。20 世纪 20 年代，他反对美国社会过分注意工业，同时也对报纸的新闻报道丧失信心，而对文学产生了兴趣。乔拉斯夫妇在美国相识，1926 年结婚后移居巴黎。尤金想在巴黎为各国作家提供一个论坛，于是便创办期刊《变迁》(1927～1930，1932～1939)。《变迁》专门刊登有独创性的革命和实验性作品，发表了外国作家的译作和 G. 斯泰因、K. 博伊尔、A. 麦克利什、H. 杜利特尔、A. 泰特、海明威、S. 贝克特、W. C. 威廉斯和乔伊斯等作家的著作。尤金不仅是《变迁》的主编和最有影响的人物，他还写有诗。这些诗反映了他的信念，即语言应当再创造和应当向梦幻和潜意识寻求灵感。最著名的诗集是《夜的语言》(1932)。玛丽娅为《变迁》所做工作不如其丈夫显著，她主要从事管理和出版事务及翻译该刊发表的外国作品。她所做其他工作包括创建讷伊双语学校和翻译 N. 萨洛特的 12 部小说。

Joliet 乔利埃特 美国伊利诺伊州东北部城市，威尔县县城(1845)。濒临德斯普兰斯河。1833 年始建，1852 年建制。原以产石灰石著名，有“石城”之称。伊利诺伊—密歇根运河(1848)、罗克艾兰铁路(1852)和芝加哥运河(1900)建成后，发展为工农业中心，通过运河和铁路输出农产品、制成品(建筑材料和设备、机器、线材、化工品、纸张)、煤和石油产品。设有乔利埃特初级学院(1901)和圣弗朗西斯学院(1930)。乔利埃特教养中心(州监狱)建于 19 世纪中叶。附近有伊利诺伊犯罪试验室和斯泰茨维尔教养中心。人口106 221 (2000)。

Joliet, Louis (explorer) 参阅 **Jolliet, Louis** 若利埃。

Joliot-Curie, Frédéric and Irène 约里奥-居里夫妇（弗雷德里克 1900-03-19，巴黎～1958-08-14，法国阿尔库埃特；伊雷娜 1897-09-12，巴黎～1956-03-17，巴黎） 弗雷德里克原名 Jean-Frédéric Joliot；伊雷娜原名 Irène Curie。婚后姓氏为约里奥-居里。法国物理化学家伉俪，因发现新的人造放射性元素共获 1935 年诺贝尔化学奖。他们是诺贝尔奖得主居里夫妇的女婿和女儿。

伊雷娜 1918 年在巴黎大学镭研究所给其母当助手。1925 年提出有关钋的 α 射线的博士论文。是年在其母的实验室中结识弗雷德里克，翌年结婚。两人在科学、体育运动、人道主义以及艺术等方面均志趣相同，堪称佳侣。弗雷德里克 1927 年获理学士学位，为增加收入到夏利亚电力工业学校任教，并在伊雷娜的指导下学习实验技术。1928 年起，他们的科学著作共同署名。

他们在研究过程中用 α 粒子分别轰击硼、铝和镁；他们取得几种通常无放射性的元素，即氮、磷和铝的放射性同位素。这些发现表明有可能利用人造放射性元素追踪化学变化和生理过程，而且实际应用不久就取得了成功，如探明甲状腺吸收放射性碘，及追踪放射性磷(以磷酸盐类的形式)在有机体新陈代

美国不列颠百科全书公司供图

谢中的行程。此等不稳定原子核的产生，为在它们蜕变时观察原子中的变化提供了进一步的手段。约里奥-居里夫妇还在他们所研究的变化中观察到中子和正电子的产生；他们发现人造放射性元素乃是朝解决释放原子能的问题迈出了重要的一步，因为 E. 费米用中子代替 α 粒子进行轰击使铀裂变的方法，只不过是约里奥-居里夫妇人工产生放射元素的方法的延伸而已。

1935 年约里奥-居里夫妇以合成新的放射性元素获诺贝尔化学奖。此后迁入紧靠索镇公园的住宅，仅偶尔前往他们在不列塔尼阿尔库埃特岬的房子，自玛丽·居里的时代开始，一些大学教授的家族就在那个地方聚会。

弗雷德里克于 1937 年任法兰西学院教授，分一部分精力准备新放射源。此后指导在阿尔克伊-卡尚和在伊夫里建设静电加速器，以及在法兰西学院建设一个 700 万电子伏的回旋加速器，它是欧洲第二台(继苏联之后)的这类设备。

这时，伊雷娜把大量时间用于养育他们的孩子海伦和皮埃尔。但是，她和弗雷德里克对于人类和社会责任都具有一种崇高的理想，夫妇二人于 1934 年加入社会党，1935 年成为反法西斯知识分子警觉委员会委员。1936 年，他们又站在共和西班牙的一边。伊雷娜是参加 1936 年人民阵线政府的 3 位妇女之一，任国务次长，负责科研工作，与 J. 皮兰共同奠定了日后成为国家科学研究中心这一机构的基础。

居里夫妇过去曾决定发表一切研究成果。约里奥-居里夫妇对于发现人造放射性元素也采取这种态度。但是，因纳粹主义抬头而引起的不安，以及意识到应用链式反应可能带来的危险，他们不再公开发表了。1939 年 10 月 30 日，他们写下核反应堆的原理，放入封筒加火漆后存到科学院，迄 1949 年一直保密。弗雷德里克决定全家留在被占领的法国，并采取万无一失的对策使闯入他的实验室的德国人不能利用他的作业或他的装置，防止把那些设备移往德国。约里奥-居里夫妇继续他们的科学研究，特别是在生物学方面；1939 年以后，弗雷德里克与 A. 拉卡萨涅一道演示用放射性碘作为甲状腺的示踪物。1943 年，他成为医学科学院院士。

但是,反抗占领军的斗争开始要求他投入越来越多的精力。1940年11月,他公开谴责关押朗之万。1941年6月,他参加创立民族阵线委员会,任主席。1942年春,理论物理学家J.所罗门被纳粹处决后,弗雷德里克参加了法国共产党,1956年任中央委员会委员。他创立了应用人造放射性元素研究社,这是一个实业公司,向科学家们发工作证,从而防止把他们送往德国。1944年5月,伊雷娜带两个孩子去瑞士避难,而弗雷德里克住在巴黎,化名让-皮埃尔·戈蒙。在法兰西学院他的实验室中,他组织生产炸药,成为解放巴黎的战斗期间的一座兵工厂。1944年法国解放后,弗雷德里克被选入科学院,并出任国家科学研究中心主任。1945年,戴高乐将军授权弗雷德里克和武装部长建立原子能专署,以保证法国应用他们1939年的发现。伊雷娜把她的科学经验和行政才能都投入了研究有希望提取铀的原料以及建造探测装置上。1946年,她又被任命为镭研究所所长。由于弗雷德里克的百般努力,终于在1948年12月15日使"佐埃"(ZOE,为法语 zéro[零]、oxyde d'uranium[铀的氧化物]和 eau lourde[重水]的缩略)投产,这是法国第一座核反应堆,虽然功率不大,但标志着盎格鲁-撒克逊人一手垄断的告终。然而,1950年4月,在冷战和反共的最高潮期间,G.比多总理不加解释地撤销他的高级专员职务,不出几个月,伊雷娜也被免去原子能专署的专员工作。自此以后,他们专心致志搞自己的实验、教学工作和参加各种和平运动。

1955年伊雷娜拟定了在巴黎以南的奥赛大学建立新的核物理学实验室的计划,使科学家的队伍可以在比巴黎各实验室更自由的条件下用大型粒子加速器工作。1956年初伊雷娜被送进山地养病,但情况并无好转。她像她母亲一样因白血病而日益消瘦,再度入居里医院,同年去世。弗雷德里克虽在病(肝炎)中,知道自己也来日无多,但是决心把伊雷娜未竟的工作继续下去。1956年9月,他接替伊雷娜在巴黎大学的教授遗缺,同时仍在法兰西学院任教。他还使奥赛实验室的建立大功告成,1958年见到那里的研究工作开始起动。

Jolivet, André 若利韦(1905-08-08,巴黎～1974-12-19或20,巴黎) 法国作曲家。以试验复杂和富有表现力的节奏和新的音响而著称。年轻时醉心于戏剧、绘画和文学,但不久即转向音乐,开始认真地随先锋派作曲家E.瓦雷兹等人学习。早期作品(1934年写的《弦乐四重奏》和《为弦乐队而作的行板》)表现出对B.巴尔托克、A.勋伯格和A.贝尔格的创作技巧十分熟悉。1935年协助创建现代室内乐组织——"螺旋",后改称"青年法兰西"小组,致力于促进现代民族音乐。第二次世界大战期间在法军服役,对原始宗教和巫术发生兴趣,这些影响在他的风格上也有所反映。1945年任法兰西喜剧院音乐总监。其后发展了一种富有表现力的旋律风格,如《小号、弦乐和钢琴小协奏曲》(1948)和《长笛协奏曲》(1949)中所见。作品还有《协奏曲》(1948)和《钢琴与乐队协奏曲》(1951)。

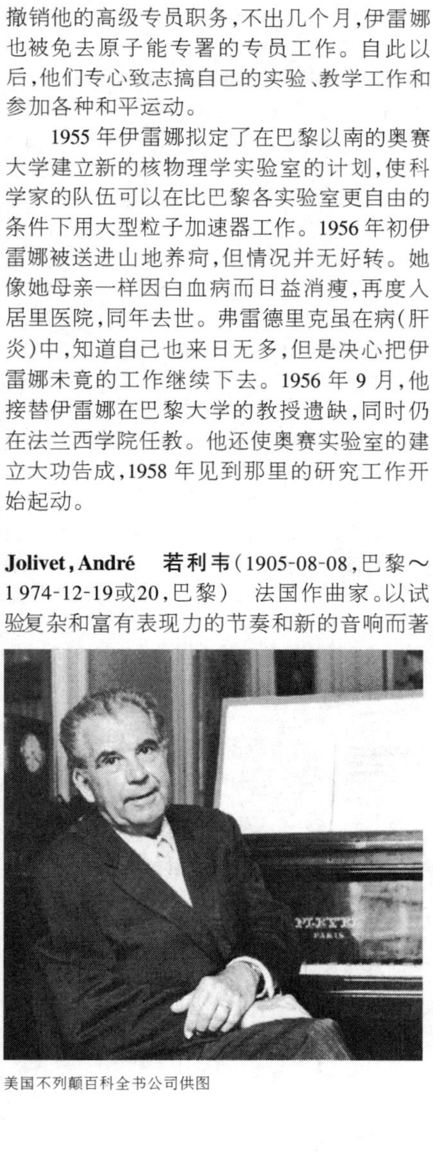

美国不列颠百科全书公司供图

Jolliet, Louis 若利埃(1645-09-21,可能在魁北克附近博普雷～1700-05,魁北克省) 法国-加拿大探险家、地图绘制者。他是航行密西西比河(从威斯康星河合流处到阿肯色河口这一段)的第一位白人。曾受过耶稣会的教育,但为在北美荒漠过冒险家生活,放弃了祭师职位。1669年,在苏必利尔湖区寻找铜矿后,率领一支法国人探矿队从休伦湖到伊利湖。1672年,新法兰西总督授权他探险密西西比河。1673年5月17日探险队乘两只独木舟,向密歇根湖的格林贝出发,航行约一个月后进入密西西比河,7月抵达在阿肯色河口的夸保印第安人村(今阿肯色城以北40英里)。他们通过个人的观察以及夸保印第安人的友好帮助,断定密西西比河南流后注入墨西哥湾,而不是他们曾经希望的流入太平洋。后来,他周游了哈得孙湾拉布拉多沿岸,以及许多加拿大河流。1697年被授予新法兰西皇家水文学家称号。

Jolly, George 佐利(?～1673?) 英国演员和剧院经理。其初期生涯默默无闻,后一跃而为最后一个英国巡回剧团的领班,该团的传统对德国剧坛影响不小。在其戏剧事业的早期,据说曾受雇于伦敦的命运剧院。曾于1648年到德国巡回演出,先在科隆立足,后到各城市巡演,特别是曾在美因河畔法兰克福市一年一度的定期集市期间演出。像其前辈一样,他继续以散文式的对白、强烈的表演动作、丰富的面部表情和富于激情的方式对德国观众进行表演,使他们逐渐习惯于欣赏悲剧,并在德国戏剧改革方面产生了很大作用。其剧团演出时采用意大利式布景。他是在英国公共剧场中应用精巧的舞台机械、在戏剧中融入舞蹈和音乐的先驱。在查理二世进行王政复辟时期,他得到了皇家特许权,得以在伦敦经营一座剧场并继比斯顿之后而成为科克皮特剧院(即后来的凤凰剧院)的经理。1663年去外省巡回演出。

Jolly balance 约利秤 测定固体或液体比重的仪器,是19世纪德国物理学家P.约利发明的,现已很少使用。它通常是一根长而柔软的螺旋形弹簧,上端固定悬挂在刻度尺前面,下端挂有砝码盘,盘下有一盛试样用的细金属丝篮子。试样在空气中及水中弹簧伸长量的差数表示试样在水中失去的重量。试样在空气中的重量除以它在水中失去的重量即为比重。求液体比重的方法是:任取一适当的固体试样,先放在水中秤量,再放在待测试的液体中秤量,固体在该液体中失去的重量与在水中失去的重量之比就是该液体的比重。

Jolo 霍洛 菲律宾西南部苏禄省的主要岛屿和城镇。霍洛岛在苏禄海与西里伯斯海(苏拉威西海)之间,面积894平方千米。岛上热带植物茂盛,小河很多,有几处死火山。达霍山国家公园占地213公顷,是野生动物的避难所。岛上有大面积耕地,种植水稻、椰子、木薯、水果等,但主要经济是渔业。居民集中在霍洛、帕朗、帕蒂库尔、塔利波等城镇。省会霍洛镇位于西北海岸,是通商口岸和贸易中心;有可容纳岛际航船、远洋货轮和军舰的大码头以及若干小码头;有机场。人口:岛(包括邻近小岛)360 588;城镇区 52 429(1980)。

Jolson, Al 乔尔森(1886-05-26,俄罗斯斯列德尼克～1950-10-23,圣弗朗西斯科[旧金山]) 美国歌星。从第一次世界大战前到1940年,在音乐剧及电影中装扮黑人喜剧演员。他的独特的歌唱风格和个人魅力使他与听众之间的交流十分默契。7岁到美国,在华盛顿(哥伦比亚特区)长大。1899年在该地舞台上第一次露面。1909年参加L.多克斯泰德的游方艺人表演团。由于主演音乐剧《美丽的佩莉》(1911)、《蜜月快车》(1913)、《邦博》(1921)和《大孩子》(1925)而成为纽约市受欢迎的表演者与歌手。1927年主演《爵士乐歌星》,这是第一部把对白、音乐和音响效果与画面同步配合的故事片。它改革了电影工业,标志着无声电影时代的结束。其他电影还有《唱歌的傻瓜》(1928)、《把它唱出来》(1929)、《妈咪》(1930)、《哈利路亚,我是一个流浪汉》(1933)、《跳起舞来》(1935)和《斯旺尼河》(1940)。生平事迹摄制成电影《乔尔森的故事》(1946)及其续篇《乔尔森又唱了》(1949)。曾与他人合作谱写过许多流行歌曲。

Joly, John 乔利(1857,爱尔兰金斯郡霍利伍德～1933-12-08,都柏林) 爱尔兰地质学家和物理学家。于1898年后不久,估计地球年龄为1亿年。还发明了提取镭的方法(1914)并且开创用镭治疗癌症。求学于都柏林三一学院,并在该校任土木工程(1883)和物理(1893)方面的演示员,后来任地质学和矿物学教授(1897)。他从海洋的含盐量,又从含放射性锆石和绿透辉石的岩石估计地球的年龄。曾试图用地球内部放射性衰变产生的热对流来解释地壳的形成。还因发明了一种测量热能的温度计(蒸汽热量计)和一种测量光频的光度计而知名。他获有很多荣誉,并被选为伦敦皇家学会会员(1892)。

Jomini, (Antoine-) Henri, baron de 约米尼(1779-03-06,瑞士帕耶讷～1869-03-24,法国帕西) 法国将领、军事评论家、军事史学家,由于系统阐述战争原理而被尊为现代军事思想奠基人之一。1798年在法国军队中任参谋,著有《论大战》(5卷,1805)。拿破仑读后,任命他为上校参谋。后在内伊元帅麾下参加乌尔姆(1805)、耶拿和埃劳(1806)诸战役,并陪同内伊前往西班牙(1808)。1813年升任内伊参谋长。同年因受歧视,离开法军去俄国,任亚历山大一世的中将侍从武官。1826年任沙皇尼古拉一世的上将侍从武官。参加1828年的俄土战争。1830年创办帝俄军官学校。1837年退役,仍任皇储亚历山大侍读,并为之撰写《战争艺术提要》(1838),堪称巨著。1854年克里米亚战争期间,任沙皇尼古拉战术顾问。1859年是拿破仑第三远征意大利的顾问。作为军事思想评论家,他第一个确定战略、战术和后勤之间的分野。他对战略尤感兴趣,认为正确选择战线,是运筹帷幄、决胜千里的中心课题。另著《战略学原理》(3卷,1818)、《法国革命战争史,1792～1801》(5卷)和《拿破仑传》(4卷,1827)。

Jommelli, Niccolò 约梅里(1714-09-10,那不勒斯王国阿韦尔萨～1774-08-25,那不勒斯) 宗教音乐及歌剧作曲家。1737年在那不勒斯写了第一部歌剧《多情的过错》,1738年写成《奥多阿尔多》,1740年去罗马后又创作两部歌剧。1753年在斯图加特任符腾堡公爵的礼拜堂乐长。在该地写成一些最佳歌剧,包括《奥林匹克运动会》和《费通泰》(1768年首演)等,在其中自由使用了有伴奏的宣叙调,打破咏叹调从头反复的传统程式,从而预示了格鲁克的手法。他也确有"意大利格鲁克"的美称。最后一部作品是二声部歌曲《上帝怜我》,完成于他去世前夕,是其最知名之作。他的序曲风格对J.斯塔米茨的早期交响曲有影响。

Jōmon culture 绳纹文化(公元前5000或前4000～约前250) 日本最早的史前文化。陶器上有绳纹装饰。属新石器时代。从北海道到琉球的许多发掘遗址中都有这类器皿。

绳纹文化中期陶瓮
美国不列颠百科全书公司供图

该文化在日本东部存在的时间最长。当时人们居住在河边或者沿海地区,以狩猎、捕鱼和采集为生。这时代末期可能已经用原始方式从事农耕。绳纹陶器是用粗糙黏土为材料,经微火烧制。由于当时尚无陶工转盘,主要依靠手工方法制作。早期绳纹陶器的形状仅限于罐、碗,但后来的形状和功能则多种多样。常常超过其他石器时代文化的技艺。绳纹文化遗址中还发现有石制和骨制的工具以及木弓等武器。绳纹文化虽与东北亚甚至美洲的古代文化有所类似,但其起源仍难确定。

Jon, François du 参阅 **Junius, Franciscus** 朱尼厄斯(小)。

Jón Arason(Icelandic poet and bishop) **约恩·阿拉松** 参阅 **Arason, Jón** 阿拉松。

Jón Magnússon(Icelandic pastor and author) 参阅 **Magnússon, Jón** 马格努松。

Jón (Thórtharson) Thoroddsen(Icelandic novelist) **约恩(托尔塔尔松)·托罗德森** 参阅 **Thoroddsen, Jón (Thortharson)** 托罗德森。

Jonah, Book of 《约拿书》 《旧约》十二小先知书的第5卷。此书与《旧约》中其他先知书不同,它不是先知约拿的言论集而主要记述他的一段事迹:上帝召唤约拿做先知以谴责尼尼微城的罪恶,而约拿逃避这种任务。此书成书在公元前6世纪巴比伦囚虏时代以后,很可能是公元前5或前4世纪,决不会晚于公元前3世纪。经过以斯拉和尼希米所倡导的改革,犹太教内狭隘犹太民族主义抬头,强调犹太教的排他性;《约拿书》与同时代作品《路得记》一样,反对这种倾向。书中所提大鱼使人联想到《旧约》其他著作中象征邪恶的海怪利维坦,因此约拿为大鱼所吞而得以脱险的故事象征以色列人的被囚虏和返回故土。

根据《约拿书》的记载,上帝召唤先知约拿前往尼尼微(亚述大城)预告该城因罪恶特别深重而必遭灾殃。约拿正如《那鸿书》的著者一样,认为尼尼微由于上帝对它实行审判不免覆灭。约拿唯恐该城悔改得救,没有发此预告。他逃往约帕,上船向相反方向航行,躲避上帝。空前剧烈的风暴突起,船长和船员奋力保船,眼见船将破裂沉没。于是大家掣签问卜,约拿承认风暴突起是因为他在船上之故。根据他自己的请求,他们把他投进大海,风暴平息。上帝差遣的一条大鱼把约拿吞入腹中。他在鱼腹中三天三夜,祈求上帝救命,大鱼把他"吐"在旱地上(2章)。他再一次听到命令:"你起来,往尼尼微大城去。"约拿前往尼尼微,发出谴责该城的预言,国王和全城居民遂悔改。约拿见此大怒,他唯恐灾难不至,就坐在城外等待该城毁灭。一株植物一夜之间长起,使他得免日晒之苦,但它被一条巨虫所毁,约拿又怒。上帝发言,道出故事的主题:"这蓖麻不是你栽种的,也不是你培养的,一夜发生,一夜干死,你尚且爱惜,何况这尼尼微大城,其中不能分辨左手右手的有12万多人,并有许多牲畜,我岂能不爱惜呢?"(4章)。

Jonah, Rabbi(Hebrew grammarian) **杰纳赫** 参阅 **Ibn Janāḥ** 伊本·杰纳赫。

Jonah crab 乔纳蟹 北美的一种黄道蟹,与邓杰内斯蟹(**Dungeness crab**)近缘。

Jonas 伊奥纳(活动时期15世纪,莫斯科) 又译约纳斯。俄语拉丁字母转写作 Iona。1448年选出的莫斯科第一任独立的都主教。15世纪以前俄罗斯正教会的基辅(后改为莫斯科)都主教一职需要由君士坦丁堡牧首选派人员(通常是希腊人)充任。由于拜占廷任命的都主教伊西多尔赞成东正教与天主教重新联合,1448年俄罗斯正教会宣布自主。俄罗斯大公瓦西里逮捕监禁伊西多尔,俄罗斯主教会议遂未经拜占廷同意而推选伊奥纳为都主教。

Jonas, Justus 乔纳斯(1493-06-05或06,北豪森～1555-10-09,萨克森艾斯费尔德) 德意志宗教改革家、法学家。他同路德合作,在宗教改革运动最初几次会议(特别是1529年马尔堡会议和1530年奥格斯堡会议)上发挥重要作用。参与草拟《奥格斯堡信纲》并把路德和梅兰希顿的拉丁文著作译成德文。他倡导伊拉斯谟的人文主义,成为爱尔福特大学校长(1519)后开设希腊文和希伯来文课程。

Jónas Hallgrímsson(Icelandic poet) **约纳斯·哈德格里姆松** 参阅 **Hallgrímsson, Jónas** 哈德格里姆松。

Jónasson, Jóhannes Bjarni 约纳松(1899-11-04,冰岛达拉省戈达斯塔得～1972-04-27,雷克雅未克) 又名约翰内斯·约纳松·乌尔·克特卢姆。冰岛诗人、改革者。著作反映了他对那些威胁冰岛传统民主的政治和经济趋向的抗争。曾在几个地方担任乡村教师,后在雷克雅未克工作,最后退休回乡成为专业作家。约纳松诗歌创作的发展历程反映了20世纪冰岛文学和社会的重要趋向。其早期作品在形式上属于新浪漫主义,抒发对大自然的爱。30年代,受冰岛经济大萧条的影响,转向社会主义;诗集《我佯装睡着了》(1932)反映了这一变化。在《七日集》(1955)中,他的诗作摆脱了传统形式,充满了现代主义的意象,说明其情调和风格又经历了一次变化。在这一时期,他抨击福利社会的听天由命和漠不关心。第二次世界大战后,约纳松共出版了4部长篇小说。但他的散文从未达到他的诗作的水平。1948年以"无名氏"笔名发表《奇异的语言》,其中包括现代诗人如T.S.艾略特和e.e.肯明斯作品的译文。

Jonathan 约拿单 《旧约》(《撒母耳记上》、《撒母耳记下》)所载以色列国王扫罗的长子,忠于挚友大卫(日后为国王),为他勇猛作战。约拿单曾因违犯扫罗军令而几乎被处死,幸得部下维护。大卫率军对非利士人作战,连获胜利,与约拿单结成知己。扫罗妒忌大卫,约拿单试图从中调解。扫罗争取约拿单帮助他除掉大卫,约拿单反而向大卫告密,使大卫得以躲藏。大卫与约拿单密约,大卫登王位后由约拿单任宰相(《撒母耳记上》23:16～18)。其后扫罗、约拿单和他弟弟在对非利士人作战中阵亡。

Joncs, Plaine des (Vietnam) **水草平原** 参阅 **Thap Muoi Plain** 塔梅平原。

Jones, Alfred Gilpin 琼斯(1824-09-28,加拿大新斯科舍韦茅斯～1906-03-15,新斯科舍哈利法克斯) 加拿大政治家,加拿大联盟的反对者、有影响的议会议员,1900～1906年任新斯科舍省副督。原在哈利法克斯经商,1864年步入政坛。《英属北美法案》规定1867年成立加拿大自治领,英政府不同意新斯科舍省不受该法约束的提议,琼斯抗议。同年当选加拿大众议院议员。1878年一度在自由党政府中任民团部长。因拒绝放弃自由贸易政策影响自由党并导致该党竞选失败。代表加拿大参加太平洋海底电讯委员会。

Jones, Arthur Llewellyn (novelist) **琼斯** 参阅 **Machen, Arthur** 梅琴。

Jones, Ben 琼斯(1882-12-31,美国密苏里帕内尔～1961-06-13,肯塔基列克星敦) 美国良种赛马驯马师。他所训练的马中包括肯塔基大赛的6匹获奖马和美国三王冠赛的两匹获奖马。11次在获奖金方面超过美国所有的驯马师。

Jones, Bobby 琼斯(1902-03-17,美国佐治亚亚特兰大～1971-12-18,亚特兰大) 原名Robert Tyre Jones, Jr.。美国业余高尔夫球运

美国不列颠百科全书公司供图

动员。1930年连获英国和美国公开赛及业余锦标赛冠军,成为唯一在一年内囊括这4项主要比赛冠军的选手。1923～1930年共在这4项每年举行一次的比赛中获冠军13次,这一纪录保持到1973年才被别人打破。他在亚特兰大市开业当律师,从未进入职业高尔夫球界。曾先后5次获美国业余锦标赛冠军(1924、1925、1927、1928、1930),4次获美国公开赛冠军(1923、1926、1929、1930),3次获英国公开赛冠军(1926、1927、1930,为业余选手获此奖的第一人),1930年获英国业余赛冠军。在美英两国业余队之间的沃克杯锦标赛中,琼斯十战九胜。

Jones, Casey 琼斯(1864-03-14,美国密苏里东南部～1900-04-30,密西西比沃恩附近) 火车司机。由于谣曲《凯斯·琼斯》对他的死加以颂扬,使他成了民间英雄。十几岁时随家迁至肯塔基州凯斯,这便是他的别名"凯斯"的由来。由于喜开快车死于车祸。有位名叫W.桑德斯的擦机器工人写了这第一首谣曲。1909年由L.西伯特和E.牛顿发表的另一版本成了歌舞杂耍表演中很流行的节目。在铁路、建筑行业和流浪汉、激进派之中以及第一次世界大战的歌集里还出现了另外一些版本。

Jones, Chuck 琼斯(1912-09-21,美国华盛顿斯波坎～2002-02-22,加利福尼亚科罗纳代尔马) 原名Charles Martin Jones。美国动画导演。年轻时经常在洛杉矶街头观察电影喜剧演员C.卓别麟和B.基顿在摄像机前的表演。他们的时机掌握和滑稽的形体动作极大地影响了他的喜剧感受性。曾在洛杉矶舒伊纳德艺术学院学习,在迪斯尼短期工作后,1933～1962年任华纳兄弟公司的动画师,在此期间创造出兔宝宝、哔哔鸟及土狼这三个以速度和动作闻名的卡通形象,为他赢得奥斯卡金像奖。琼斯是米高梅公司20世纪60年代的首席动画师,之后他成立了自己的公司,导演过《幻象天堂》(1971)等剧情片和数部电视片。1996年获奥斯卡终身成就奖。

Jones, Donald Forsha 琼斯(1890-04-16,美国堪萨斯哈钦森～1963-06-19,康涅狄格哈姆登) 美国遗传学家、农学家,使杂交玉米能大量生产。1911年获曼哈顿的堪萨斯州立农业和应用科学学院理学士学位。以后在图森的亚利桑那农业实验站工作2年,然后在锡拉丘兹(纽约)大学任教。1914年到哈佛大学,在E.M.伊斯特指导下做玉米近交以育成高产杂种的实验,1917年,他成功地把两个单杂交种玉米实行双杂交,得出一个高产新品种。1924年他育成第一个杂种甜玉米,几年之内,这种植物就使美国玉米生产发生彻底变化,能在较小的种植面积里获得较多的产量。他还做出另外两项重要贡献,一项在理论方面:根据孟德尔遗传学原理解释杂种优势;另一项在实践方面:他和P.C.曼格尔斯多夫研究出使花粉不育性得以遗传的方法,从而使大田工作省去了当时培育杂种玉米必不可少的去雄工序。

Jones, Edward Coley Burne (painter) **琼斯** 参阅 **Burne-Jones, Sir Edward Coley, 1st Baronet** 伯恩-琼斯。

Jones, Edward German (composer) **琼斯** 参阅 **German, Sir Edward** 杰曼。

Jones, Elvin (Ray) 琼斯(1927-09-09,美国密歇根庞蒂亚克～2004-05-18,新泽西恩格尔伍德) 美国爵士乐鼓手和乐队领队。在打击乐器组上使用有力的多层次节奏,即用手、足各自独立地兼奏不同的拍子,形成不断向前推进的不规则的重音变动。虽出身音乐之家,但主要靠自学。曾在学校和军乐队中演奏,1949年在底特律开始他的职业生涯。1956年移居纽约,1960年加入J.科尔特兰的四重奏团。此后6年,他完善了他的强烈的多层次节奏的演奏风格,与科尔特兰一起录制了一系列唱片曲集,对爵士乐有着实质性的影响;通过他的榜样,原来只打拍的鼓手同演奏主要旋律的乐师具有同等重要的地位。后组织自己的小乐队。其唱片包括《终级埃尔文·琼斯》(1968)和《毫无意义》(1993)。

Jones, (Alfred) Ernest 琼斯(1897-01-01,威尔士格拉摩根罗斯菲林～1958-02-11,伦敦) 英国精神分析学家,在英国提倡精神分析的著名人物。S.弗洛伊德最亲密的合作者和忠实的支持者之一,曾撰写了有关弗洛伊德生平的详尽的三卷本著作。1903年获医学学位,1904年成为伦敦皇家内科医师学会会员,先后在伦敦几家医院和诊所工作。他的兴趣从临床医学逐渐转移到神经病学和精神病学,最后转向精神分析。1908年与C.容(又译荣格)一起在奥地利萨尔茨堡组织了第一次精神分析大会,在该处初次结识弗洛伊德。同年去加拿大,在多伦多综合医院工作4年,并大胆教授精神分析和从事精神分析技术的实验。琼斯对精神分析理论的主要贡献,是将精神分析原则应用于人类学、民俗学、艺术和文学。1910年发表一篇用俄狄浦斯情结解释哈姆雷特性格的论文,后经修订发表于《哈姆雷特与俄狄浦斯》(1949)一书中。他积极参与创建美国精神分析协会(1911)。撰写过有关暗示、象征性、性格形成及强迫性神经症研究的专题论文;这些著作后被收集在《精神分析论文集》(1913)中。1913年他返回伦敦,进行精神分析工作。创办了研究所、诊所及《国际精神分析杂志》,并任主编至1939年。主要由于他的努力,1929年英国医学协会承认了精神分析。30年代,琼斯帮助许多流亡的德国精神分析学家在英国和其他国家安家。1938年纳粹接管奥地利,琼斯在帮助弗洛伊德和他的家庭迁居伦敦上起了关键的作用。从1944年起他花费许多时间去编写《弗洛伊德的生平和著作》(1953～1957)。

Jones, Golden Rule 参阅 **Jones, Samuel M.** 琼斯。

Jones, Sir Harold Spencer 琼斯(1890-03-29,伦敦～1960-11-03,伦敦) 英国天文学家,在他的组织下,测定了更精确的日地平均距离。在剑桥大学学习后,1913年在格林尼治皇家天文台任助理。1923～1933年,他作为天文学家在好望角天文台工作,后返回皇家天文台。他的科学工作主要是测定更精确的天文基本常数,尤其是测定太阳的视差(地面上的位置变动使太阳在天空中产生的视位移)。琼斯利用观测1931年爱神星靠近地球时获得的资料,算出了太阳视差并从中得出地球-太阳间的平均距离约为1.49×10^8千米。他还研究过地球物理学问题,尤其是地球自转和地磁。当伦敦的烟雾和灯光越来越妨碍格林尼治皇家天文台(他从1933～1955任该台台长)观测时,他就筹划把天文台迁往新址。第二次世

界大战后,新址确定在苏塞克斯的赫斯特蒙苏城堡,新天文台建成于1958年。1943年,他被封为爵士并获皇家天文学会金质奖章和伦敦皇家学会的皇家奖章。1955年被封为英帝国爵士。他的著作包括:《无穷的宇宙》(1935)、《其他天体上的生命》(1940)、《宇宙图景》(1947)。

Jones, Henry 琼斯(1831-11-02,伦敦～1899-02-10,伦敦) 别名卡文迪什。英国惠斯特牌权威。1852～1869年开业为外科医师。其父是伦敦波特兰俱乐部惠斯特牌名手,曾与他人合著《短惠斯特牌规则》。琼斯从其父学习牌技并将其父所提出的规则加以整理阐发,使之系统化。1862年出版《惠斯特牌原理》(1886年第11版更名为《规则和原理》)。1862年任《实地》杂志惠斯特牌编辑,兼撰写有关其他牌戏和体育运动的小册子。1870年参与建立全英槌球俱乐部,1888年为《不列颠百科全书》第9版(1889)撰写有关惠斯特牌和其他纸牌戏的条目。

Jones, Henry Arthur 琼斯(1851-09-20,英格兰白金汉格兰德巴勒～1929-01-07,伦敦) 英国戏剧家,最初以写情节剧著称,后来改写维多利亚时期的"社会剧"。1879年,他的剧本《坚忍不拔的人们》在英国各地上演,而《白银国王》(1882年首演;与H.赫尔曼合著)使他在伦敦赢得声誉。随后又写有一些受欢迎的情节剧,如《迈克尔和他失去的天使》(1896)等。此时,他已步入上层社会,一种更为老练的喜剧风格开始出现在《苏珊叛逆事件》(1894)和《说谎者》(1897)等剧作中。但他的剧本表现出对维多利亚时代的道德准则原封不动地全盘接受,这种保守态度使他失去了喜爱观看萧伯纳和W.阿切尔等先驱人物剧作的新一代具有自由主义思想的观众的共鸣。尽管如此,他在戏剧创作方面仍显示出高超的技巧,如《达恩太太的辩白》(1900)有一个写得很精彩的盘问场面。

Jones, Howard (Harding) and T(homas) A(lbert) D(wight) 琼斯兄弟(霍华德1885-08-23,美国俄亥俄伊克塞罗～1941-07-27,加利福尼亚托卢卡湖;托马斯1887-02-21,伊克塞罗～1957-06-19,康涅狄格纽黑文) 兄弟俩都是美国大学橄榄球教练。霍华德于1908年在纽约州锡拉丘兹大学开始教练生涯,1909年任耶鲁大学教练,1910年转俄亥俄州立大学,1911年返回耶鲁大学。1916年任艾奥瓦大学队教练,1921年使该队以10:7的战绩胜圣母大学队而引起全国注意。1925年任北卡罗来纳州杜克大学队教练,后转到洛杉矶南加利福尼亚大学,1940年退休。在南加利福尼亚大学培养13名全美优秀运动员,该校各队共获7次太平洋海岸联赛冠军,2次全国冠军,在5次蔷薇体育馆橄榄球赛中保持不败纪录。托马斯通称塔德,1908年任耶鲁大学橄榄球队副教练,1909～1910年任锡拉丘兹大学教练,1916年再任耶鲁大学教练。第一次世界大战期间从事造船工作。后任预备学校橄榄球队教练,1920～1927年重任耶鲁大学教练。

Jones, Inigo 琼斯(1573-07-19受洗,伦敦～1652-06-21,伦敦) 英国画家,建筑师和设计师,古典建筑学派的奠基人。其父为成衣匠,到1613年时他已在意大利逗留很久,并在那

琼斯设计重建的白厅宴会大厅(局部)
美国不列颠百科全书公司供图

里学会绘画和建筑设计。后在丹麦克里斯蒂安四世宫廷里工作了一段时间,然后回国,以绘画为生。1605年为英国王后设计假面剧的布景和服装。在1605～1641年间为假面剧、田园剧和戏剧设计的草图,至今保存下来的尚有450幅之多。1610年任王储威尔士亲王亨利的建筑师。1613年冬去罗马,研究当代大师的杰作和古代建筑遗址。翌年秋季回国,他已经完成了作为一个古典建筑师的自我教育。1615～1642年长期担任詹姆斯一世和查理一世的工程总监,在29年间,不断从事王室房屋的新建、重建和扩建工作。第一个重要项目是王后在格林尼治的住房,它在一定程度上按照佛罗伦萨附近美迪契别墅的式样,但细部处理接近帕拉迪奥的风格。这所住宅现在是国家海洋博物馆。1619～1622年由他重建的白厅的宴会大厅是其最大的成就。除了上述二座建筑物外,现存琼斯所建的王室建筑物只有圣詹姆斯宫中的王后小教堂了。琼斯的作品并不限于王室宫殿,他还参加规划伦敦的新建筑,如1630年为贝德福德伯爵设计科文特花园的住宅等。他建造了伦敦的第一个"广场"。1634～1642年修复圣保罗大教堂是他任职后期从事的最重大工程。琼斯的建筑艺术远远超过当时英国传统的建筑水准,可与当时法国和意大利的最高成就相媲美。他给后继者留下的遗产是巨大的,终于成为自1715年左右起主宰英国建筑艺术达40年之久的"帕拉迪奥"运动的主要推动者。

Jones, James 琼斯(1921-11-06,美国伊利诺伊鲁滨逊～1977-05-09,纽约南安普敦) 美国小说家,以《从这里到永恒》(1951)而闻名。这是一部描述1941年日本袭击珍珠港之前和平时期夏威夷驻军的小说。对琼斯的文学生涯影响最大的是他1939～1945年在美军的服役经历,期间因参加在南太平洋的战斗而荣获铜星勋章和紫心勋章。在其第一部小说《从这里到永恒》中,他有效地利用对军队日常生活的了解,描写了太平洋战斗爆发后不久死去的一个极有魅力的军人的经历(根据该书改编的电影1953年获8项学院奖和几项其他奖)。在1958年发表的他的第二部小说《他们跑来了》中,他利用了战后在中西部的伊利诺伊的生活经历。同年移居巴黎。随后发表的两部小说《手枪》(1959)和《细细的红线》(1963),又恢复写他的战时经历。后来的著作都不如第一部小说那样受到读者和评论界的重视。

Jones, James Earl 琼斯(1931-01-17,美国密西西比阿卡巴特拉～) 美国演员。以扮演莎士比亚《奥瑟罗》剧中的主角和《拳王血泪》剧中命运多舛的第一位黑人重量级拳王这个主角而知名。琼斯的父亲R.E.琼斯也是一名演员,在琼斯出生之前即已弃家而去,抚养他长大的是住在密歇根的祖父母。他在密歇根大学主修戏剧,1953年获学士学位。在军中短期服务后前往纽约市,在美国戏剧联盟师从斯特拉斯伯格。1957年首次在外百老汇的舞台剧中演出。1961～1973年间,在纽约的莎士比亚戏剧节中扮演过一些莎剧角色,也曾参与纽约其他戏剧的演出。1968年因扮演H.萨克勒《拳王血泪》剧中的拳击家角色而赢得托尼奖,该剧于1970年搬上银幕,仍由他饰演主角。70年代和80年代间,在多部舞台剧、电影与电视剧里因演技出色而获赞誉,其中以只有两名角色的舞台剧《保罗·罗伯逊》(1978)和1981～1982年饰演《奥瑟罗》剧中的剧名角色最为著名,奥瑟罗的对手角色伊阿古则由普鲁默扮演。以浑厚洪亮的嗓音著名,参与了很多电视广告和电影的配音工作,最有名的配音角色是《星球大战》系列电影中的反派人物达斯·维德。

Jones, Jesse H(olman) 琼斯(1874-04-05,美国田纳西罗伯逊县～1956-06-01,得克萨斯休斯敦) 美国银行家、商人、公职人员、复兴金融公司总裁(1933～1939)。早年随家庭迁到得克萨斯。先后经营木材、银行、地产和建筑等业。1932年参加复兴金融公司,1933～1939年任该公司总裁。1939年改任联邦信贷署署长。1940年在F.D.罗斯福政府中任商业部长。他在动员美国工业为第二次世界大战服务方面起了重要作用。1945年应罗斯福要求离职回乡,余年发行《休斯敦记事报》并从事投资、商业活动。

Jones, Jim 琼斯(1931-05-13,美国印第安纳林恩～1978-11-18,圭亚那琼斯敦) 原名詹姆斯·沃伦·琼斯。美国一种崇拜体系的领袖,他先宣告自己是以旧金山为基地的福音运动人民圣殿教的弥赛亚,后保证要在南美洲丛林中给徒众一个空想完美世界。他最后带领徒众集体自杀,即骇人听闻的琼斯敦惨案(1978-11-18)。20世纪50和60年代,琼斯在印第安纳州的印第安纳波利斯城赢得能行神迹的牧师之名。但1967年其总部迁到加利福尼亚州北部之后(先到尤凯亚,1971年到

旧金山),琼斯明显地肆意独断专行。一些信徒的亲属开始指控琼斯敲诈大量财物,未曾引起社会关注。但面临越来越多的记者和叛逃徒众的控告,琼斯率领数百信徒迁到圭亚那,建立农业公社,取名琼斯敦(1977),没收徒众的护照和几百万美元,以敲诈、殴打和处死等威胁方法操纵其信徒,并预演集体自杀仪式。1978 年 11 月 14 日,美国加利福尼亚州众议员瑞安率新闻记者和信徒亲属到圭亚那,进行了非官方的关于滥用权力等事的调查。4 天后,当瑞安等人和 14 个叛离者准备自琼斯敦附近简易机场离开时,琼斯命令将这一群人暗杀。但他得悉仅瑞安及另 4 人(包括 3 名记者)被杀,其他幸存者将引来官方干涉时,便制定了自杀计划,命令徒众喝氰化物混合饮料。琼斯自己死于头部枪伤,也许并非自裁。第二天,圭亚那部队赶到琼斯敦,最后得知徒众死亡人数是 913 人(包括儿童 276 人)。

Jones, John 琼斯(1766-11-10,威尔士登比郡凯里格-德里迪翁附近格兰尼戈斯～1821-05-21,伦敦) 笔名雅克·格兰-伊-戈斯。威尔士语讽刺诗人、社会改革家。在法国大革命的影响下,创作了威尔士最早的一些政论作品。他深受美国和法国革命宣传家 T.潘因的政治和社会论著的影响,出版两本小册子《乌云下的一颗星》(1795)和《破晓》(1797)来阐明他的见解。他是居住在伦敦的威尔士人所组织的一个文学团体"圭内斯人"的成员。其他作品包括《威尔士法庭》,讽刺在威尔士使用英语执行法律所遭到的困难;《迪克·约翰·戴维》(1803),讽刺一个假装不懂自己本民族语言的威尔士人。

Jones, John Paul 琼斯(1747-07-06,苏格兰柯库布里柯克宾～1792-07-18,巴黎) 美国独立战争中的海军英雄,1779 年 9 月 23 日在英格兰东海岸外大胜英国战舰,因而举世闻

美国不列颠百科全书公司供图

名。12 岁时在苏格兰商船上当徒工,随船去弗吉尼亚,到弗雷德里克斯堡去找他的长兄威廉。1766 年在一艘牙买加贩奴船上任大副。两年后改在苏格兰客运船上工作,当船长、大副等人在途中病死后他驾船回港,被任命为船长。1772 年在西印度群岛购买一只船,翌年杀死暴动的水手首领后为避免受审而逃离群岛。两年后返回弗雷德里克斯堡。革命战争爆发时他前往费城,在新建的大陆海军中任高级副官。他被分配到 E.霍普金斯所指挥的小舰队的旗舰"阿尔弗雷德"号上,在巴哈马群岛作战时,以及在返航途中进攻英舰"格拉斯哥"号时,表现突出。1776 年指挥"普罗维登斯"号,8～10 月在从百慕大到新斯科舍的大西洋海面上巡逻,两次巧妙地战胜英国的快速舰,俘获、击沉和焚毁敌船 16 艘。后被任命指挥新造的"游击"号(1777-06),在穿过圣乔治海峡和爱尔兰海时俘获许多英国船只。当 1778 年 5 月 8 日到达法国的布雷斯特时,法国人把他作为英雄来热烈欢迎。1779 年 8 月,他指挥"老好人理查"号率 4 艘小兵船环绕英伦三岛。9 月这支小分遣队截击由两艘英国军舰护航的波罗的海商船队,接着发生了历史上最著名的海上战斗之一。经过 3 小时半的猛烈炮战,他取得了辉煌的胜利。在法国,路易十六赐给他一把金柄宝剑,封他为法兰西骑士。1787 年获得大陆会议的金质勋章。

Jones, (Everett) Leroi 琼斯 参阅**Baraka, Imanu Amiri 巴拉卡**。

Jones, Lewis Ralph 琼斯(1864-12-05,美国威斯康星布兰登～1945-03-31,佛罗里达奥兰多) 美国植物学家,农业生物学家,美国最早、最杰出的农业病理学家之一。曾在密歇根大学学习植物学,1889 年获博士学位。后到佛蒙特大学农业实验室研究植物,并首次在植物病理学方面取得重要成就。他成功地使用法国制造的波尔多液防治马铃薯凋萎病及梨和苹果的黑星病。研究了蔬菜细菌性软腐病,发现病原是一种杆菌(*Bacillus carotovorus*),破坏寄主植物细胞壁而引起腐烂。他首次详细考察了细菌感染植物的机制,为此于 1904 年第二次获得密歇根大学博士学位,成为造诣超群、世界闻名的植物病理学家。1909 年就任威斯康星大学植物学教授,并在该校建立了植物病理学系。并在此育成抗黄化病的甘蓝品种。

Jones, Marion 琼斯(1975-10-12,美国加利福尼亚洛杉矶～) 美国运动员。在 2000 年悉尼奥运会上,成为首位在一届奥运会中独揽 5 枚田径奖牌的女运动员。早年即表现出在径赛方面的天赋,12 岁开始参加国际比赛。也擅长篮球,作为高中篮球队员曾获 1993 年加利福尼亚甲级队最佳球员奖。靠篮球奖学金在北卡罗来纳大学上学,帮助校队赢得全国冠军。1997 年当选大西洋联盟联赛最有价值球员。同年毕业,集中精力于径赛。2000 年悉尼奥运会获 100 米(10.75 秒)、200 米(21.84 秒)和 4×400 米接力(3 分 22.62 秒)金牌,以及跳远与 4×100 米接力铜牌。2001 年世界锦标赛获 200 米和 4×100 米接力金牌。2003 年生子后状况大不如前,2004 年雅典奥运会仅获跳远第五名。

Jones, Mary Harris 琼斯(1830-05-01,爱尔兰科克郡～1930-11-30,美国马里兰锡尔弗斯普林) 母家姓哈里斯。别名琼斯妈妈。美国劳工运动中的女组织家,是一位闻名全美的鼓动家,提倡矿工及其他工人有组织工会的权利。琼斯是一位锻工的妻子,1867 年丧夫。1871 年在芝加哥大火中家计荡然无存,乃向劳工骑士团寻求救济,对该组织为改善劳工劳动条件而进行的活动深为钦佩。到 1880 年她本人已成为美国劳工运动中的重要人物。她遍历全国各地,或为联合矿工工会发展组织,或独立发表演说,支持罢工,提出"伙计们加入工会吧"这一口号,动员社会维护劳工利益。琼斯积极鼓吹以立法禁止雇用童工。1898 年她参与创建社会民主党。她也是 1905 年成立的世界产业工人联盟创办人之一。《琼斯妈妈的自传》出版于 1925 年;1974 年 D.费瑟琳所著的琼斯传记《矿工天使琼斯妈妈》出版。

Jones, Matilda Sissieretta 琼斯(1869-01-05,美国弗吉尼亚朴茨茅斯～1933-06-24,罗得岛普罗维登斯) 母家姓 Joyner,别名 Black Pattc 或 Madame Jones。歌剧演员,19 世纪末 20 世纪初美国最伟大的黑人歌剧演员。早年即展现歌唱天赋,在普罗维登斯音乐学院学习,可能还曾在新英格兰音乐学院深造过。1888 年在纽约市首演,之后随菲斯克大学的黑人民歌合唱团在西印度群岛演出。她高亢嘹亮的歌喉使她获得"黑帕蒂"(A.帕蒂是意大利最杰出的歌剧女高音)的美誉。1896 年以前一直在音乐会、歌剧等场合表演独唱及合唱。1892 年 4 月在麦迪逊广场花园的"非洲人大禧"中演唱,并在白宫为 B.哈里森总统演唱。1893 年在芝加哥世界哥伦布博览会上演出。她的巡演遍及加拿大、英国和欧洲大陆。演唱的曲目包括许多灵歌和民谣,但是她更喜欢演唱歌剧。1896～1916 年一直在一个名叫"游吟诗人黑帕蒂"的综艺剧团巡演;但她不喜欢这个名字,而愿意被称为琼斯夫人。多年里她以歌剧演出为主,观众几乎都是白人,被誉为当时首屈一指的黑人歌唱家。1916 年剧团解散,她从此隐居直至去世。

Jones, Owen 琼斯(1809-02-15,伦敦～1874-04-19) 英国设计师、建筑师、作家,以其著作《装饰法则》(1856)闻名。此书系统地罗列各种装饰图形,着重论述日常用品设计中如何运用色彩及应用合理的设计原则。曾受教于皇家学院。1833～1834 年赴近东地区及西班牙游历。他在《艾勒汉卜拉宫的平面、正面、剖面和细部》(1842～1845)一书中论述格拉纳达的著名宫殿,这是摩尔人建筑和装饰的杰出范例。他还从事室内装修和书籍插图,带头在热带采用预制的金属构件修建房屋。他被任命为英国 1851 年大博览会工程的总监,该展览会设于新建的水晶宫内,水晶宫由金属和玻璃预制构件建成。1852 年他负责水晶宫的装饰工作。

Jones, Quincy 琼斯(1933-03-14,美国伊利诺伊芝加哥～) 全名 Quincy Delight Jones, Jr.。别名"Q"。美国音乐演奏家、制作人、乐曲改编人和作曲家,其作品基本上囊括了流行音乐的所有形式。在华盛顿州的布雷

默顿长大,在当地学习小号并加入当时还不知名的钢琴歌唱家 R.查尔斯的小型爵士乐团,之后到西雅图和波士顿研习音乐。20 世纪 50 年代初和 L.汉普顿一起演奏小号并改编乐曲,之后为吉莱斯皮等人担任混音师,最后组织了自己的大乐团并与 C.贝锡、佛汉和 D.华盛顿等著名歌手合作。自 60 年代初开始为电影配乐,总共有数十部,其中包括《走路,不要跑》(1966)、《冷血》(1967)和《紫色姊妹花》(1985)等。70 年代中期主要从事制作人工作,为 M.杰克逊、F.西纳特拉等歌手制作出极其成功的专辑,并从爵士乐转向流行音乐。琼斯在此期间成为世界最著名的制作人之一,他的成功使他能够于 1980 年开创自己的唱片公司魁斯特。共获得 75 次格莱美奖提名(赢得 25 次)和 7 次奥斯卡奖提名。为电视连续剧《根》(1977)写的主题曲荣获埃米奖。

Jones, R(enato) William **琼斯**(1906-10-05,罗马～1981-04-22,西德慕尼黑) 国际篮球运动组织者。迁居美国后,曾在马萨诸塞州斯普林菲尔德学院求学,1891 年篮球即发明于该地。1928 年毕业后,先后在丹麦、德国和瑞士受教育,1929 年将篮球运动引进瑞士,1932 年参与创立国际业余篮球联合会,1936 年起任该组织秘书长。1958 年任国际体育运动理事会秘书长。1964 年入选篮球名人堂。

Jones, Richard **琼斯**(1790,英国肯特坦布里奇威尔斯～1855-01-26,赫特福德黑利伯里) 英国经济学家、牧师。1816 年毕业于剑桥大学。入英国圣公会做副牧师。1833 年任伦敦皇家学院政治经济学教授。1835 年辞职,继人口经济学家马尔萨斯任黑利伯里东印度公司学院教职。也是农产品税及慈善事业的督察。治学方法侧重观察与归纳。琼斯批判演绎推论法,特别对著名的英国经济学家 D. 李嘉图的地租理论,还批评了当时经济史上的研究。虽然古典经济学家们也可以毫无困难地作出许多批评,特别是指责以往作家疏忽改进农业的重要性以抵消日渐减少的回报等,但因琼斯强调历史和事实研究,被视为英国经济学历史学派的奠基人。与马尔萨斯一道协助建立伦敦统计学会(后称皇家统计学会)。

Jones, Robert **琼斯**(活动时期1597～1615) 盛行于 17 世纪初的英国诗琴乐派的歌曲作曲家。生平不详。仅知 1597 年获牛津大学音乐学士学位,1610 年与 P.罗塞特及其他二人获准在伦敦训练一批"娱悦女王的孩子们"。但枢密院下令拆毁其演出场所。作品有《第一套牧歌》(1607,现已不全)及 5 册由声乐和诗琴表演的歌曲(1600～1611)。

Jones, Robert Edmond **琼斯**(1887-12-12,美国新罕布什尔米尔顿～1954-11-26,米尔顿) 美国戏剧和电影设计师。他那富于想象力的简化布景发动了 20 世纪美国舞台设计中的反现实主义革命。1910 年从哈佛大学毕业,1911 年开始为纽约市的剧院设计舞台布景。完成了一套简单活动的舞台装置,只要把道具和背景予以最简易的改变即可换景(如同当年莎士比亚舞台那样)。1925 年后同麦高恩合作,任格林尼治村剧院导演,并与之合作出版了《欧洲大陆的舞台技巧》(1922)。他自己还出版了《戏剧的想象力》(1941)。1921～1946 年为奥尼尔的剧作设计布景。1933 年开始设计彩色电影布景。

Jones, Robert Tyre, Jr. 参阅 **Jones, Bobby** 琼斯。

Jones, Roy, Jr. **琼斯**(1969-01-16,美国佛罗里达彭萨科拉～　　) 美国拳击手,是第一位以轻重量级赢得重量级金腰带的拳击手。1988 年代表美国参加韩国汉城(今首尔)奥运会,在 71 公斤级的比赛中,成为黑哨的牺牲者,裁判员以数点将金牌判给韩国运动员,不过琼斯仍得到杰出拳击手的贝克奖。1989 年首次参加职业赛。他出拳快,反应快,能连续猛击。1993 年以 12 个回合数点击败 B.霍普金斯,获国际拳击联合会空缺的中量级金腰带。后体重增加,陆续赢得超中量级和轻重量级冠军。他的拳击比赛不像其他顶级拳击手的比赛那么激烈,因为通常总能占有极大优势,在比赛中呈现一边倒,于是往往在占得上风后就不再猛攻,由数点来决定胜负,拳迷们看不到有人被击倒。拳击之外他还在小联盟打篮球,出版单曲光盘。2003 年 3 月 1 日挑战世界拳击协会金腰带得主 J.鲁伊斯,12 个回合数点获胜,以轻重量级赢得重量级腰带。尽管已经打入重量级,但他又退回到轻重量级,11 月 8 日与 A.塔弗交手,这场比赛打得十分艰苦,琼斯仅以很小分差夺取了塔弗的金腰带。2004 年 5 月 15 日再战,在第 2 回合被击倒。4 个月后,挑战国际拳击联合会轻重量级冠军 G.约翰逊,再次被击倒,这次是在第 9 回合,说明他的拳击技能已经退步。

Jones, Rufus Matthew **琼斯**(1863-01-25,美国缅因南柴纳～1948-06-16,宾夕法尼亚哈弗福德) 美国基督教公谊宗人士。著有大量论述基督教神秘主义的著作,并参与成立美国公谊服务委员会。1917 年美国参加第一次世界大战,其后琼斯与公谊会其他人士合作,成立美国公谊服务委员会,任该会第一任主席。公谊会信徒根据自己的信仰拒绝服兵役,因此只好参与救济工作。公谊服务委员会起初就是以提供这种机会为宗旨,后来扩充活动范围,在全世界各地兴办教育,开展救济工作。

Jones, Samuel M(ilton) **琼斯**(1846-08-03,威尔士泰毛尔～1904-07-12,美国俄亥俄托莱多) 绰号 Golden Rule Jones。威尔士出生的美国商人和政治家,在商业和政治领域都以进步政策著称。3 岁时随父母移居美国,在纽约长大。稍受教育后,于 18 岁去油田做工。1891 年发明经过改良的油泵机械,顿成巨富。后在托莱多设厂制造自己发明的产品,规定了许多职工福利,包括 8 小时工作制、共分利润、假期工资照付、最低工资限额、圣诞节额外津贴、娱乐活动和低价膳食等。他经过多次试验,肯定"黄金规则"是对待职工的准绳,于是誉者和毁者都以"黄金规则"一词作为他的绰号。1897 年由共和党提名当选为托莱多市长以后,他便着手以同样理想来管理市政,举办各种福利事业,并竭力根除政府机构中的贪污现象,主张公用事业的公有制。1899 年共和党不再提他为候选人,但他因在选民中深孚众望,虽然以无党派人士的身份竞选,仍获得选票 70%以上。1901 和 1903 年又连选连任。

Jones, Thomas Gwynn **琼斯**(1871-10-10,威尔士登比郡阿伯盖莱～1949-03-07,卡迪根郡阿伯里斯特威斯) 威尔士语诗人、学者,因写关于传统的凯尔特族主题的叙事诗而闻名。早期曾当过多年记者,1913 年任威尔士大学讲师,后成为威尔士文学教授。评论家认为他最大的成就是下列几首诗:《提尔纳诺格》,供演出的配乐抒情诗剧;以布洛塞里安森林为背景的《布洛塞里阿芙德》;以古代高卢国的一个区为背景的《安那梯奥马罗斯》;描绘一个理想社会的《阿厄戈德》;以及有关 6 世纪威尔士诗人卢沃奇·亨的事迹的《辛迪力格》。所译歌德的《浮士德》(1922)及与 H.J.罗斯合译的希腊诗歌和拉丁警句集《古代花园之花》(1927)被认为是将古代文学译为威尔士语的最成功之作。

Jones, Sir William **琼斯**(1746-09-28,伦敦～1794-04-27,加尔各答) 英国东方学家、法理学家。曾大力推动西方的东方学研究。其双亲为威尔士人。他曾在牛津大学哈罗和大学学院(1764～1768)里读书,学习拉丁语、希腊语、希伯来语、阿拉伯语以及波斯语,终其一生靠自学已学会了包括汉语在内的 28 种语言。做几年翻译和研究工作后,因为经济上的原因而改学法律,1774 年开始执律师业,但同时并未放弃东方学。他所编《波斯语语法》(1771)很长时期是这个领域的权威著作。他所译《悬诗》(1782)是阿拉伯史前期的 7 篇颂歌(参阅 **Muʿallaqāt, al-**),他将这些诗歌介绍到英国。1783 年琼斯被封为爵士并被派往加尔各答任最高法院法官。1784 年他成立孟加拉亚细亚学会推动东方学研究,自己也研究梵语,为编纂一部门类广泛的印度教和伊斯兰教法典而做充分的准备。他的《伊斯兰教继承法》发表于 1792 年,《印度教法律原理》发表于 1794 年。这两部书是其未竟之业的一部分。1786 年琼斯在其主持亚细亚学会的讲话中曾提出梵语和希腊语有共同母语的假说,他的发现是比较语言学这门学科的最早例证之一。G.坎农所编两卷本《琼斯书信集》出版于 1970 年,他也是 1964 年出版的《琼斯传》的作者。

Jones Act **《琼斯法案》** 正式名称为《1916 年菲律宾自治法案》。该法案阐明美国政府的意图:"一旦菲律宾群岛能够建立稳定的政府,美国将放弃它在菲律宾的主权。"美国于 1898 年夺得菲律宾,1901 年成立菲律宾委员会,对菲律宾群岛行使立法权。《琼斯法案》规定以由选举产生的参议院代替菲律宾委员会，并把财产资格定得很低，使所有识字的菲律宾男子都有选举权。由于该法案规定总督可以否决菲律宾参议院通过的任何决定，美国仍然保持它在菲律宾的统治，直至1934年该法案为《泰丁斯-麦克达菲法案》所取代。《琼斯法案》等于菲律宾实际上的宪法。

Jonesboro 琼斯伯勒 美国阿肯色州东北部克雷格黑德县城市。位于密西西比河谷地边缘的克劳利岭。1859年建为县城，1883年通铁路并设市。作为锯木业城镇而兴盛起来。1910年木材资源枯竭后成为农产品贸易和加工中心。1909年高等职业学校（后为阿肯色州立大学）的建立也促进了城市的发展。第二次世界大战后，工业种类增多。现主要经济部门包括生产传输带系统、拖拉机拖车、模具和玻璃器具的制造业，以及食品加工业和商业印刷业。美国第一位女参议员H.卡拉韦（1878～1950）在此出生。人口约55 515（2000）。

Jonesborough 琼斯伯勒 美国田纳西州东北部城镇，华盛顿县县城。位于切罗基国有森林尤纳卡区以西詹森城附近。1779年建镇，以北卡罗来纳独立战争领袖琼斯的姓氏命名，是田纳西州最古老城市之一。北卡罗来纳割地给美国国会后，被激怒的居民于1784年建立富兰克林州，将琼斯伯勒定为首府，选定塞维尔为首任亦是唯一一任州长。州议会在该镇举行过两次，首府于1785年迁至格林维尔。不久富兰克林州即告解体。1788年，杰克逊获准在当地做律师，并曾在此与人决斗。1820年，恩布里在此发行美国最早一份废奴主义者报纸《解放者》。古迹有彻斯特旅店（约1798）和卫理公会教堂。在莱姆斯通小镇附近以西几英里是拓荒者克罗克特的出生地。该镇作为詹森城的西南郊区保留至今。经济目前主要依赖旅游业。每年10月在这里举行全国讲故事大会。建有琼斯伯勒-华盛顿县历史博物馆，介绍当地历史。人口4 168（2000）。

Jonestown 琼斯敦 圭亚那西北部人民圣殿教村社旧址。靠近委内瑞拉边境。该村社为一宗教崇拜团体。1978年该团体领袖J.琼斯（**Jones, Jim**）发起集体自杀，913人死亡。村社消失。

Jongen, Joseph 永根（1873-12-14，比利时列日～1953-07-12，列日附近萨尔特拉斯帕） 全名 Joseph-Marie-Alphonse-Nicolas Jongen。比利时现代杰出作曲家。曾就读于列日音乐学院，后又在意大利、法国和德国深造。1903年在列日任和声学教授。第一次世界大战中避难英国期间与小提琴家D.德福、中提琴家L.特蒂斯和大提琴家É.多哈尔德组成钢琴四重奏团。1920年任教于布鲁塞尔音乐学院，1925～1939年任该院院长。作品风格较保守，作有《五人合奏》（1923，为长笛、小提琴、中提琴、大提琴和竖琴而作）、《竖琴协奏曲》（1944）以及歌曲、弦乐四重奏和钢琴三重奏多首。

Jongkind, Johan Barthold 戎金（1819-06-03，荷兰拉特罗普～1891-02-09，法国科特-圣-安德烈） 荷兰油画家和版画家。其小幅风景画继承了荷兰风景画的传统，并促进了

戎金绘《磨房旁的小船，荷兰》（1868）
美国不列颠百科全书公司供图

印象派的发展。最初他在海牙向当地风景画家学习。1846年到巴黎在风俗画家E.伊萨贝和F.皮科的指导下创作。1852年在沙龙展出了作品，并获奖。其作品得益于重视表现空气感的17世纪荷兰风景画派。所画主要景色取自塞纳河畔、巴黎旧区、诺曼底海岸和荷兰运河。1863年由于其作品被沙龙拒绝展出，而参加了落选沙龙，与印象派先驱莫奈相识。莫奈曾向他学习表现空气、描绘光及其照射的瞬间效果的方法。1878年迁居科特-圣-安德烈（伊泽尔），在这里所作的风景画获得了声誉。

jongleur 杂耍艺人 法国中世纪时期的职业说书人或卖艺人，和行吟诗人几乎难以区别。一个杂耍艺人所担负的角色包括奏乐、杂耍、杂技、吟诵韵文故事、武功歌、短诗，以及他自己创作的韵文传奇等。每逢喜庆佳节，必在市集上、大寺院中、贵族的城堡里表演，有时亦受到贵族长期雇用。13世纪其地位达到顶峰，14世纪逐渐衰落，因为他所担负的各种角色已有专职的音乐家、演员、杂技演员等共同创造传播。

Jongley（The Sudan） 参阅 **Junqalī** 琼莱。

Jönköping 延雪平 瑞典南部一省。在约塔兰地区。自韦特恩湖向南延展，包括部分旧斯莫兰省，面积9 944平方千米。是瑞典南部地势最高的省份，有些山地海拔约400米。地势不平，湖泊星罗棋布；埃姆河、拉甘河、尼桑河川流其间。大部为林区，种植裸麦和燕麦，有畜牧业。制造业大都以木材做原料。主要城市和省会为延雪平，位于韦特恩湖南岸。人口约309 738（1992）。

Jönköping 延雪平 瑞典南部延雪平省城市和省会。位于韦特恩湖南端、蒙克湖与罗克湖沿岸。建于1284年。因地处战略要地，在丹麦与瑞典之间的战争中遭受严重破坏。现在的城市为1614年起重建。现存古建筑有旧市政厅（1696～1699）、上诉法院（1655，为瑞典最古老的法院之一）和克利斯蒂娜教堂（1649～1673）。工业以生产火柴、纸张、纺织、机械为主。有铁路通全国主要城市，有运河沟通波罗的海和卡特加特海峡。设有机场。人口：城市区约112 277（1992）。

Jonquière 容基耶尔 加拿大魁北克省南部萨格奈-圣让湖行政区城市。临萨格奈河支流萨布勒河。以1749～1752年新法兰西省督之爵号命名。19世纪中叶为一农业居民点。现已发展成为重要的木材业和纸浆生产中心。有大型炼铝厂。20世纪70年代中期阿尔维达市以及邻近的凯诺加米市和圣多米尼克-德-容基耶尔市均并入容基耶尔。1912年建镇；1956年建市；1975年合并后重新建制。人口：市57 933；希库蒂米-容基耶尔都会区137 715（1991）。

Jonson, Ben 琼森（1572-06-11?，英格兰伦敦～1637-08-06，伦敦） 英国詹姆斯时期剧作家、抒情诗人、文学评论家。被公认为詹姆斯一世时期仅次于莎士比亚的最重要的剧作家，是驾驭戏剧情节、运用语言和刻画人物性格的大师。主要剧作有喜剧《人人高兴》（1598）、《沃尔波内》（1606）、《炼金术士》（1610）和《巴托罗缪市集》（1614）。1598年他的《人人高兴》上演，获得成功。该剧采用了罗马剧作家普劳图斯式的情节，让4个主要角色，分别体现中世纪和文艺复兴时期的医

美国不列颠百科全书公司供图

学认为决定人的肉体和精神素质的所谓4种“气质”。一年后获得上演的《人人扫兴》按作者的本意是要与希腊剧作家阿里斯托芬的喜剧相媲美。在《冒牌诗人》（1601）中，既有对人的行为的鄙视，又有对人间秩序的向往。1605年，假面剧《黑假面剧》上演。假面剧是一种准戏剧性娱乐，剧终前观众与戴假面的演员共同起舞。琼森与建筑师I.琼斯一道，确定了詹姆斯一世时代假面剧特有的形式与风格。写于此年的剧本还有与查普曼和马斯顿合作的《向东方去！》。后又写《沃尔波内（或名狐狸）》与《炼金术士》是当时最受欢迎的剧目，描写拜金主义者的愚昧。其他主要剧作还有《巴托罗缪市集》等，对继之而起的剧作家们影响很大。他对于促进王政复辟时期以及18、19世纪喜剧人物性格的塑造起了重要作用。他现存的两部悲剧《西亚努斯的覆灭》（1603）、《卡塔林的阴谋》（1611）和同时代的其他悲剧一样，力图让伊丽莎白和詹姆斯一世时代的戏剧更接近古希腊、古罗马的戏剧。作为抒情诗人，琼森也一直为诗人和评论家们所推崇。死后葬于威斯敏斯特教堂。

Jonson, Cornelius 参阅 **Johnson, Cornelius 约翰逊**。

Jónsson, Arngrímur **荣松**（1568，冰岛维迪达卢尔～1648，侯拉尔） 冰岛学者、历史学家。又名阿恩格里米尔·荣松·维达林，绰号博学的阿恩格里米尔。他使冰岛文学中的瑰宝受到丹麦和瑞典学者的重视。曾就学于哥本哈根大学，后回到冰岛任拉丁文学校校长，并收集各种手稿，研究冰岛和斯堪的纳维亚历史。1597年他向丹麦政府递交了一份他的研究成果的摘要，这实际上是一部新的挪威和丹麦史，并对瑞典早期历史也有所阐明。这部作品虽然没有全部发表，却可称为他最有影响的著作。他的两部描写冰岛，并记叙它的历史的著作读者众多，成为后人论述冰岛历史的依据。

Jónsson, Hjálmar **荣松**（1796，冰岛艾亚峡湾～1875-07-25，布雷第米里） 又名博卢-希奥马尔。冰岛民间讽刺诗人。出身微贱。未受过正规教育，但读了许多萨迦和埃达。一生穷困潦倒。先后当过雇农和小佃农。他从不依附任何人。同其他农民诗人一样，在瘠薄的土地上求生存，住在狭小的土屋里，但却备有一间图书室，收集了一些冰岛和丹麦的书籍，他无情地批判官僚机构和教会。一生中很少朋友，从生至死始终是一个孤独的叛逆者。他的第一本诗集到1879年才出版。诗选集分2卷出版（1915，1919）。作品选集，共分4卷，于1949年出版。

Jonsson, John Erik **琼森**（1901-09-06，美国纽约布鲁克林～1995-08-31，得克萨斯达拉斯） 美国仪器制造商。伦塞勒工业学院毕业。先在美国铝公司（1922～1927）与杜蒙汽车公司工作，1930年成为一家从事石油开发的地球物理服务公司的实验室主管，1942年任该公司副总经理，在第二次世界大战期间将公司业务引向电子方面。1951年任总经理。该公司现名得克萨斯仪器公司。公司分为电子及地球物理部门，配备有中心研究小组以发展新项目。1952年公司由美国电话电报公司特许生产晶体管，开始制造供军用及工业计算机用高频锗晶体管。然而锗不能用于发热过高的设备，它是第一家制造出抗高温的硅晶体管的厂商（硅晶体管可用于超音速飞机和导弹的计算机上）。在琼森担任董事长的1948～1958年期间，得克萨斯仪器公司的销售额增长了18倍，每年达到9 200万美元。1966年琼森辞去董事长职务，半退休。1964年达拉斯市长卡贝尔任职期间，由于他辞职竞选美国国会议员，琼森被邀任其职务并重新当选市长任职共7年。1968年成为达拉斯城堡沃思区机场董事会的董事长，策划并修建一个27平方英里的机场（1973年开放）。

Joos van Cleve **约斯·凡·克列夫**（约1480～1540，佛兰德安特卫普［今在比利时］） 佛兰德斯画家，以画王族肖像和宗教画出名。在科隆画了著名的三联画《圣母之死》（分藏慕尼黑和科隆），因此曾被称为"圣母之死的画师"。他的作品影响了科隆画派画家。约斯用笔平易，其风格有折衷和保守色彩。但总能随时尚变化而改变。有时他被称作大凡·克列夫，以别于其子科尔内利斯·凡·克列夫（1520～1567）。

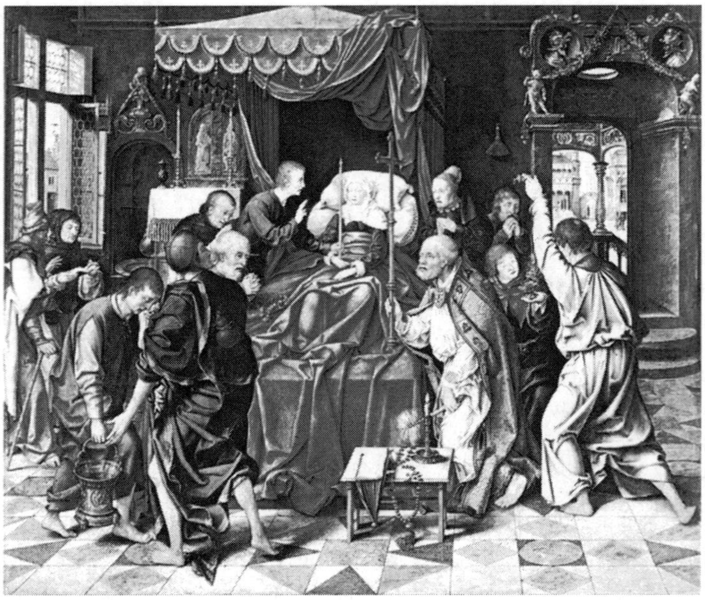

约斯·凡·克列夫绘《圣母之死》
美国不列颠百科全书公司供图

Joos van Wassenhove（Flemish painter） 参阅 **Justus of Ghent** 于斯特斯（根特的）。

Jooss, Kurt **约斯**（1901-01-12，德国瓦瑟阿尔芬根～1979-05-22，西德海尔布隆） 德国舞蹈家、教师和编导。他的舞蹈剧是表现派现代舞蹈动作和基本芭蕾舞技艺的结合。他开始学音乐，1920～1924年在R.拉班指导下接受舞蹈训练，以后担任先锋派"新舞蹈舞台"的舞蹈设计。约斯在维也纳和巴黎学习芭蕾后返回德国，并创办学校（1927）和剧团（1928）；1930年任埃森歌剧院芭蕾教师。1932年他创作的《绿桌》获得了由巴黎国际舞蹈档案馆组织的舞蹈设计竞赛一等奖。后来他的舞团以约斯芭蕾舞团著称，并在1933～1934年参加环球巡回演出。因A.希特勒当权，约斯未再回德国，而和S.利德一起在英国德文郡达廷敦会堂成立总部，许多学生来到这里学习约斯的舞蹈方式和R.拉班关于舞蹈动作的原则。1949年约斯作为英国公民回到埃森，重新开办学校。1953年他的舞团解散。他1968年退休。他的许多作品用拉班舞谱进行了记载。其杰作《绿桌》是一部关于战争无益的讽刺作品。他的其他芭蕾作品包括《大城市》（1932）和《七位英雄》（1933），也具有现代题材或与现代题材有关。他在舞蹈设计中保留芭蕾舞基本舞步和位置，并且广泛使用表情丰富的姿态，但摒弃诸如使用脚尖和复杂的急速旋转这样的艺术技巧。约斯经过有选择而不拘一格的舞蹈设计和他的执教，扩展了戏剧舞蹈在技巧上和题材方面的范围。

Joplin **乔普林** 美国密苏里州西南部欧扎克地区贾斯珀县和牛顿县城市。靠近堪萨斯州和俄克拉何马州边境，与韦布市毗连。自1849年发现铅锌矿，逐渐繁荣，直至20世纪30年代矿业衰落后，其他工业兴起。1871年置镇，1873年建市。现为地区农产品运输、贸易中心，生产多种工业制品如化学品、电力设备、液压泵等。有密苏里州立南方学院（1937）、欧扎克基督教学院（1942）和矿产博物馆（1931）。1953年创立的促进小学生阅读能力的乔普林教学法获得全国的认可。东南郊的G.W.卡弗国家纪念馆包括有这位杰出的黑人农学家的出生旧居。人口：市约41 287；都会统计区约135 985（1991）。

Joplin, Scott **乔普林**（1868-11-24，美国得克萨斯鲍伊县～1917-04-01，纽约州纽约） 美国黑人作曲家、钢琴家，20世纪初以"雷格泰姆之王"闻名于世。著名作品有钢琴经典雷格《枫树叶雷格》（1899）、《娱乐者》（1902）和歌剧《特里莫尼沙》（1911年自费出版）。童年时从师学习钢琴，19世纪80年代中期到美国中西部演出，1893年在芝加哥的哥伦比亚博览会上表演。1895年在密苏里州锡代利亚定居，进入专为黑人办的G.R.史密斯学院学习音乐，希望能成为一位音乐会钢琴家和经典音乐作曲家。第一批歌曲出版使他功成名就，1900年迁居圣路易斯，以便与音乐出版商J.斯塔克更密切地合作。1902年第一部大型作品芭蕾舞组曲问世，全曲使用雷格泰姆节奏，由他本人编舞。1907年迁往纽约市。后写了教科书《雷格泰姆乐派》，书中概述了他的复杂的低音型式、分散的切分音、节拍的中断以及和声的创新。这些都广为模仿和流传。晚年致力于歌剧《特里莫尼沙》的创作。这部传统的3幕歌剧是他全部音乐思想的概括。他在世时此剧仅举行过一次半公开的演出。他一心渴求这部歌剧能成功，如痴如醉，终于在1911年精神崩溃，1916年被送入精神病院。1972年《特里莫尼沙》由佐治亚州的亚特兰大剧团在百老汇上演，很受欢迎。70年代由于奥斯卡金像奖得奖影片《螫刺》的配乐中用了他的音乐，激起了对乔普林和雷格泰姆的兴趣。

Joppa（Israel） 参阅 **Tel Aviv-Yafo** 特拉维夫-雅法。

Joram(Old Testament king)　　参阅 **Jehoram** 约兰。

Jörd　约尔德　古斯堪的纳维亚神话中的一个女巨人,托尔神的母亲,奥丁神的情妇。据信,在基督教以前时代晚期,她有一个与她同名的丈夫,这也许从另一方面说明她变成了一个男性人物。

Jordaens, Jacob　约尔丹斯(1593-05-19,西班牙属尼德兰安特卫普[今在比利时]～1678-10-18,安特卫普)　佛兰德斯画家,以表现农民生活的喧闹景象和悦目赏心的寓言

约尔丹斯绘《国王饮酒》
美国不列颠百科全书公司供图

而成为17世纪佛兰德斯最有影响的画家之一。与当时许多佛兰德斯画家不同,他从未去过意大利。其作品形式夸张,风趣、粗鲁,基本上属于佛兰德斯风格。此外,他用色温暖鲜明,人物肥胖,面色红润健康。他是位多产画家,雇用许多门生在画室中复制他的最受欢迎的作品。虽于1648年宣称改宗加尔文主义,可照样接受天主教堂的大量委托作品。鲁本斯去世后,人们认为约尔丹斯是安特卫普最伟大的画家。

Jordan　约旦　阿拉伯语拉丁字母转写作 Al-Urdun。全称约旦哈希姆王国。西南亚阿拉伯国家,位于约旦河以东。南北延伸约460千米,东西横亘355千米。北与叙利亚交界,东北与伊拉克接壤,东南和南与沙特阿拉伯相连,西与以色列为邻。约旦在亚喀巴湾有19千米长的海岸线。约旦河以西领土(称为西岸)自1949年属约旦管辖,1967年被以色列占领(本条目各项统计均不包括该地区)。首都安曼。面积88 946平方千米。人口约5 389 000(2005)。

土地　约旦可分为3个自然地理区:沙漠区、东岸高地和约旦河谷地区。沙漠区是叙利亚沙漠(又称北阿拉伯沙漠)的延伸,占国土东部的4/5,北部由火山熔岩、玄武岩以及被侵蚀而成的沙土构成,南部则为裸露的砂岩;东岸高地(约旦河以东)平均海拔600～900米,拉姆山海拔1 754米,为全国最高峰,在领土南端的亚喀巴湾附近;约旦河谷地区由大裂谷形成,有约旦河流贯其间。该地区的死海低于海平面约400米,是世界最低水域。

约旦土地多为干旱不毛之地。气候在东部为沙漠气候,西部为地中海气候。年降雨量在400毫米以上的地区不到全国的5%,4～10月间几乎无雨。东部沙漠中的内陆盆地有间歇河流过,即干谷。约旦河将约旦与西岸和以色列隔开,有许多东部高原的泉水和溪流注入,但因过分蒸发,愈往下游盐度愈大,最后注入盐度极高的死海,其表面盐度平均约为300‰。约旦冬季凉爽多雨,北部安曼平均气温为9 °C,南部海岸边的亚喀巴为17°C;夏季炎热干燥,安曼平均气温为24°C,亚喀巴为32°C。缺水已成为该国的主要问题之一。

人民　人口的绝大部分为阿拉伯人。约旦人几乎占人口的一半,其祖先可追溯到北方的阿拉伯凯西族部落或南方的阿拉伯也门部落。全国人口约有一半为巴勒斯坦人,阿以战争期间,他们从以色列和约旦河西岸大批拥入约旦。约旦3/5以上的人口在15岁以下。作为一个发展中国家,其出生率较高而死亡率则较低,致使年人口增长率较高。国内的农村人口大批迁徙到城市也使经济负担加重,现在2/3以上人口为城市居民。

9/10以上的人口为逊尼派穆斯林;基督教徒约占1/20,大多信奉希腊正教。第一次阿以战争(1948)以来,超过100万巴勒斯坦阿拉伯人(包括85万以上注册难民和被赶出家园的人)流入约旦,这不仅改变了约旦人口分布状况,也影响了约旦的政治、社会和经济生活。大部分难民都已就业并全部取得了公民身份。不到一半的难民已在联合国近东巴勒斯坦难民救济和工程处登记,25万人仍住在难民营。

经济　约旦经济是发展中的自由企业经济。20世纪80年代初期以前,其国民生产总值一直快于人口增长,而后速度减缓。然而,1990～1991年的海湾危机和战争之后,被科威特于1991年驱逐的30万巴勒斯坦工人返回,有助于约旦经济再度蓬勃发展。其人均国民生产总值和世界上其他迅速发展中的国家相近。

国内生产总值主要来自社区、社会、金融和个人服务以及贸易和制造业。

约旦只有近1/20的土地是可耕地。灌溉设施遍布约旦河谷及其东部的土地。农业只约占国内生产总值的近1/20,蔬菜是主要作物,特别是番茄、茄子、南瓜、西葫芦和胡椒。其他作物有谷类(小麦和大麦居多)、扁豆、橄榄、西瓜、香蕉和柑橘。

约旦几乎没有牧场,仅有的少数牧场需要用井水喂养牲畜。主要牲畜有绵羊和山羊,均用于产肉和奶。约旦稀少的森林分布在靠近叙利亚的东部高地上。木材生产只能满足每年的部分需求量。1967年与以色列进行的战争使约旦失去了西岸的农田,政府不得不调整其造林计划,将一部分森林改为耕地。

采矿和采石业约占国内生产总值的1/20不到,磷酸盐为主要矿产,其他资源有铜、石膏、锰矿石、高岭土、钾盐及玻璃砂。

制造业(集中于安曼)约占国内生产总值的1/7,雇用差不多1/10的劳动力。主要产品有水泥、磷肥、精炼石油产品、轧制钢材、香烟、啤酒和葡萄酒。电力几乎全部由热电厂生产。建筑业仅约占国内生产总值的1/20。主要建筑项目包括约旦河谷的灌溉大坝和灌溉工程、死海的钾盐工厂、亚喀巴的化肥厂和港口设施,以及拉希底亚的一个大型水泥厂。

杰拉什及佩特拉的古迹以及死海沿岸的温泉是主要旅游胜地。

约旦的工业虽然没有国有化,但政府对许多工业拥有部分所有权,并且拥有炼油、磷酸盐开采、灌溉和发电以及交通运输业的大部分所有权。阿拉伯和西方国家给予的援助促进了经济的发展。

约旦的运输网络包括政府运营的铁路系统,贯穿约旦南北,且连接安曼与叙利亚的大马士革。几乎全国所有的道路都铺有路面。约旦有一个港口,即亚喀巴湾上的亚喀巴。安曼(在吉宰)和亚喀巴建有国际机场。

约旦的出口产品主要有天然磷肥、钾盐、各类蔬菜水果、化肥、药品和服装,以及纺织品和纱线,多数输往沙特阿拉伯、伊拉克、印度。进口产品主要是食品和活牲畜,以及矿物燃料、电器与非电动机械和设备、运输设备、钢铁以及服装和纺织品,大多来自美国、伊拉克、德国和意大利。约旦的巨大贸易赤字在不同程度上被国外约旦工人的汇款、旅游业的收入、赠款和贷款所抵消。

政体与社会状况　约旦为世袭君主国家,实行议会政治。国王对政府拥有广泛的行政权。首相由国王任命,内阁成员由首相选定。首相负责中央政府的行政管理。约旦的两院制国民议会时常被侯赛因国王命令暂时中止,国民议会休会期间由他以王室命令进行统治。国民议会由参、众两院组成,前者的议员由国王委派,后者由选举产生。约旦的选举活动经常被中止,但许多政党在遭禁多年之后都于1991年取得合法地位。最高司法机关是最高上诉法院,伊斯兰教教法法院负责裁决个人身份案件。

约旦的社会福利制度尚欠发达。政府经管的医疗设施主要位于安曼及其他城市区,广大农村地区则缺乏医疗救护。尽管如此,许多传染病现已得到控制。平均预期寿命男性为70岁,女性73岁。虽然政府不断地建

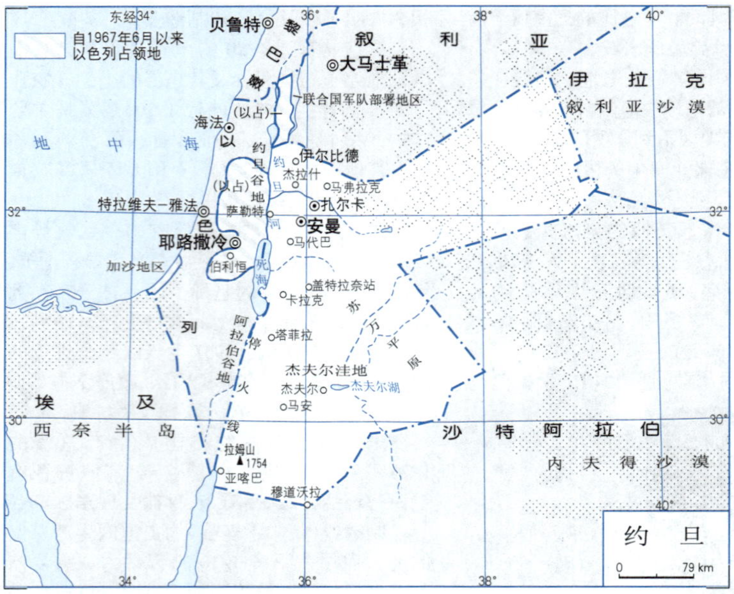

美国不列颠百科全书公司供图

造住房，但住房状况仍然紧张，且大部分住户只有一间居室。

约旦学校分为3类：公立、私立和联合国近东巴勒斯坦难民救济和工程处为巴勒斯坦难民儿童开设的学校。教育部监督所有学校并对儿童实施至14岁的义务教育。高等教育中心包括安曼的约旦大学（1962）、伊尔比德的耶尔穆克大学（1976）和卡拉克的穆塔尔大学（1981）。

约旦的报纸业为私人企业，但受到政府的全面管制。约旦广播和电视公司受政府监督，控制着全国的电子舆论工具。

历史 约旦的历史与以色列休戚相关，两国都曾占据过历史上称为巴勒斯坦的地区。远在旧石器时代早期，约旦就有人类居住。现在所知最早的约旦国家可追溯至公元前13世纪，包括基甸、亚扪、默押和埃多姆。现今约旦东部的大部分地区曾被并入公元前约1 000年大卫王和所罗门王统治下的以色列王国。此后，约旦和其他中东地区先后被亚述人、巴比伦人和波斯人占领；大约在公元前330年，又被塞琉西王国所占。

塞琉西人与托勒密人之间的冲突使得讲阿拉伯语的纳巴泰人得以在约旦东南部建立起一个王国，但公元前64～前63年又被罗马人征服。公元7世纪时，这一地区落入阿拉伯穆斯林手中。伍麦叶哈里发建都大马士革，而阿拔斯则迁都巴格达。自此约旦远离权力中心，人民又重新缓慢地回到游牧部落贝都因人的生活方式。1099年十字军攻陷耶路撒冷，那里的拉丁王朝将势力范围扩展到约旦河以东。16世纪，约旦臣服于奥斯曼土耳其的统治，由大马士革进行管理。

奥斯曼土耳其帝国在第一次世界大战中战败后被瓜分，1920年约旦（当时称外约旦）和巴勒斯坦成为英国的委任统治地，阿卜杜拉·伊本·侯赛因被英国人任命为埃米尔（军事指挥官）。1927年外约旦成为一个独立的立宪国家，但英国的委任统治直到1948年才告结束。1949年约旦与新成立的以色列国停止敌对行动，1950年约旦河西岸并入约旦。1946年阿卜杜拉成为约旦的第一位国王，1951年逝世。1953年他的孙子侯赛因继承王位。1967年“六日战争”后，以色列占据西岸。1970～1971年政府军与境内的巴勒斯坦解放组织的游击队发生武装冲突，使约旦遭到破坏。这场战争以巴勒斯坦解放组织被武力驱逐出境告终。在侯赛因国王的继续统治下，约旦没有参加1973年反对以色列的阿以战争（“赎罪日战争”），但同其他大多数阿拉伯国家一道，在巴勒斯坦自治问题上反对埃及与以色列就巴勒斯坦自治问题所签署的《戴维营协定》（1978）。为支持巴勒斯坦解放组织，1988年侯赛因放弃了约旦对西岸的一切领土要求。1994年约旦与以色列签订全面和平协定。侯赛因在位近50年后于1999年去世。由其子阿卜杜拉继承王位。他延续了父亲的政策，整合经济改革措施，改善与阿拉伯邻国的关系，改善妇女地位等。

Jordan, A(rchibald) C.　乔丹（1906-10-30，开普殖民地姆博科斯瓦纳传道区［今在南非］～1968-10-20，美国威斯康星麦迪逊）　科萨语小说家、教育家，属于第二代南非黑人作家。1961年移居美国之前，曾任开普敦大学班图语和研究非洲问题的讲师。1962年在洛杉矶加利福尼亚大学执教。1963～1968年在威斯康星大学任教。他曾以《非洲文学在形成中》为题，在《南非》期刊上发表一系列文章，对传统的赞美诗、谜语、谚语、科萨文学史以及著名班图语作家等论题进行探讨。所写小说《祖先的愤怒》（1940）在尝试揭示现代非洲黑人为反对保守的部落势力而进行种种斗争中的思想活动方面，远远超过以前的科萨语小说。在去世之前，他完成了另外两部小说和一部题名为《沿着齐察河湾》的短篇小说集，该集于1975年出版。

Jordan, Barbara C.　乔丹（1936-02-21，美国得克萨斯休斯敦～1996-01-17，得克萨斯奥斯汀）　美国女律师、教育家和政治家，国会中第一位来自南方腹地的黑人女议员（1972～1978）。1956年以优异成绩毕业于得克萨斯南部大学。1959年获波士顿大学法学学位。同年在得克萨斯、马萨诸塞两州获律师资格。后回得克萨斯任法官行政助理。1966年选入州参议院。1972年当选美国众议员。她在众议院的一些委员会中一直很活跃，但直至1974年7月25日在国会弹劾R.M.尼克松总统的演说在电视中播发后，才成为全国著名人物。1976年在民主党全国代表大会上发表演说，证明她是当时最有威望和说服力的演说家之一。1977年她出人意料地宣布不再竞选连任，而接受得克萨斯大学林登·约翰逊公共事务学院教职，讲授政治伦理学和政府关系课程。

Jordan, (Marie-Ennemond-) Camille　约当（1838-01-05，里昂～1922-01-20，意大利米兰）　法国数学家，早期的研究在几何学方面，其《置换和代数方程专论》，获得科学院的彭赛列奖，该文对E.伽罗瓦的置换群论做了综合论述，并应用到代数方程上。他是第一个充分地理解法国著名数学家伽罗瓦的理论的重要性的数学家。还解答了N.H.阿贝尔提出的弄清楚用根式求解任意给定的代数方程的可能性问题。1876～1912年任巴黎综合工科学校数学教授，在《综合工科学校分析教程》中发表了他对分析的讲稿和研究，在这部著作的第三版中比第一版有更多的自己的工作，从现代观点来处理方程论，论述了有界变差函数，他用这个函数定义曲线，现在称之为约当曲线。约当代数就是为纪念他而命名的。在拓扑学方面他证明了（1887）一个简单弧不能分开一个平面，而简单封闭曲线则将平面分为精确的两部分，这个定理虽然是不言而喻的，却需要非常复杂的证明。他主编过《纯粹数学和应用数学杂志》（1885～1922）。

Jordan, David Starr　乔丹（1851-01-19，美国纽约盖恩斯维尔～1931-09-19，加利福尼亚斯坦福）　博物学家和教育家，是他生活时代的美国最杰出的鱼类学家。曾在康奈尔大学攻读生物学，1872年获理学硕士学位，旋任印第安纳州巴特勒大学生物学教授，1879年为设在布卢明顿的印第安纳大学博物学教授。1885年任该校校长。1891～1913年，任加利福尼亚州当时新开办的利兰·斯坦福初级大学（今斯坦福大学）首任校长。乔丹在美国博物学家L.阿加西斯的激励下专攻鱼类学。从19世纪70年代起，他作了广泛的野外实地考察，足迹遍及美国及其沿海地区，给总共1 085属2 500余种鱼类命名，并对它们作了较为宽泛的分类。后半生主要致力于国际和平事业，任世界和平基金会总会长。乔丹与B.W.埃弗曼合著有权威的《北美和中美鱼类》，他独著的《美国北部脊椎动物手册》在1876年出版后至1929年印行达13版。

Jordan, Dorothea　约旦（1761-11-22，爱尔兰沃特福德附近～1816-07-03，法国圣克卢）　爱尔兰出生的女演员，尤以演出风趣横生的喜剧和男孩似的顽皮姑娘而获声誉。其母为都柏林女演员，其父可能也是舞台工作人员。1777年于都柏林首次登台，在《皆大欢喜》一剧里饰菲苾。1779年在都柏林的克罗街剧院中参加演出菲尔丁的闹剧《露出了真相的处女》。此后加入塔特·威尔金逊的地方剧团，

1785年去伦敦演出。1814年退出剧坛。1815年前往法国。雷诺兹、庚斯博罗和罗姆尼都曾为她作肖像画。

Jordan, Michael 乔丹(1963-02-17,美国纽约布鲁克林～) 全名Michael Jeffrey Jordan,绰号"飞人乔丹"。美国大学职业篮球运动员,常被认为是篮球运动史上最伟大的全能运动员。他率领美国全国篮球协会(NBA)芝加哥公牛队于1991～1993年连续获得三届锦标赛冠军。在北卡罗来纳州的威尔明顿长大。1981年在查珀尔希尔进入北卡罗来纳大学。大学二、三年级时,两次当选为年度最佳的大学选手。他读完三年级就离开学校,率领美国篮球队先后参加在委内瑞拉的加拉加斯举行的1983年泛美运动会和在洛杉矶举行的1984年奥林匹克运动会,均获得金牌。1984年被选入芝加哥公牛队。他作为职业运动员在第一个赛季(1984～1985)的联赛中得分最高,被评为当年的最佳新手。除第二赛季(1985～1986)外,他在每一个赛季都是NBA得分最高的选手。他是继W.张伯伦之后在一个赛季(1986～1987)中获得3 000分的第二个人。乔丹三次(1988、1991、1992)被评为NBA最有价值的球员,并于1988年被评为该年度的最佳防守队员。1992年,他随以职业运动员为主的美国篮球队参加奥运会,赢得了第二块奥林匹克金牌。1993年10月,在率领公牛队连续第三次获得冠军后,乔丹暂时退出比赛,转而开始了职业棒球生涯。1995年3月重返篮坛,回到公牛队。身高1.98米的乔丹是篮球史上最优秀的进攻选手之一。由于他那惊人的跳跃能力和上篮的杂技动作,赢得了"飞人乔丹"的绰号。他防守也十分出色,能迅速将球从对手中夺过来,或在对方投篮时实行盖帽。1995～1996赛季,乔丹带领公牛队在常规赛季中取得了72胜10负的NBA历史最好成绩。从1996～1998年,乔丹带领的公牛队连续三年夺冠。1997～1998赛季后,乔丹再度退役。乔丹在退役后仍在体育界很活跃,2000年1月购买了华盛顿奇才队的股份,并成为该俱乐部篮球经营的主席。2001年9月,放弃了对该队的所有权,但为该队打球。2002～2003赛季以后,他宣布了自己的最终退役。在整个篮球生涯中,乔丹共得32 292分,平均每场30.12分,为NBA历史上的最好成绩。

Jordan, (Ernst) Pascual 约旦(1902-10-18,德国汉诺威～1980-07-31,汉诺威) 德国物理学家,与M.玻恩和W.海森伯一同建立量子力学,与W.泡利和E.维格纳一起建立量子电动力学。还与R.迪克创始了一种宇宙学理论,建议把自然界的普适常数改为变数,使其随宇宙的膨胀而变化。1929～1944年在德国罗斯托克,1944年在柏林,1947年后在汉堡任理论物理学教授。其著作有与玻恩合著的《量子力学基础》(1930)等。

Jordan River 约旦河 阿拉伯语拉丁字母转写作Nahr Al-Urdun。希伯来语作ha-Yarden。西亚的河流。源于叙利亚境内的赫尔蒙山东南坡,向南流经以色列,在约旦境内注入死海,全长约223英里(360千米),在海平面下1 315英尺(400米),是世界最低的河。约旦河常被作为国际边界。1948年后该河的一段(从加利利海以南数英里开始至亚比斯河从左岸注入约旦河为止)曾是以色列和约旦之间的一段边界标志。但自1967年以色列军队占领约旦在该河西岸与亚比斯河汇合处以南的领土后,约旦河延伸到死海作为双方的停火线。约旦河谷地实际上是一条北-南走向的裂谷,是东非大裂谷的一个组成部分。平均宽约6英里,最窄处在加利利海(太巴列湖)两端,最宽处在杰里科一带,宽达15英里。约旦河有3条河源:哈斯巴尼河、巴尼亚斯河、达恩河,交汇于胡拉盆地。盆地原是一片沼泽,植物繁茂,20世纪50年代排水造田,现已有耕地6 000公顷。河水流经盆地后注入加利利海;出海而南,接纳了3条主要支流(其中以东岸的耶尔穆克河为最大),进入古尔平原。沿岸阶地被间歇河所切割,形成遍布深沟峻壑、崎岖不平的劣地。该段河道曲折蜿蜒,加利利海至死海的直线距离仅65英里,而河道长度为135英里。最后,流经一个宽广缓倾的三角洲,注入死海。胡拉盆地年降雨量22英寸(550毫米),而死海北端只有3英寸。约旦河年平均流量约为6亿立方米。涨水期为1～3月,枯水期在夏末秋初。由于蒸发和渗漏损失,下游流量递减。河水挟带泥沙很多,平均达2%,涨水期则超过5%。约旦河流域在能够灌溉的地方,有定居的阿拉伯和犹太农业村社。著名居民区为北面的胡拉盆地、西岸加利利海以南地区和西岸法里阿干河地区。约旦河由于上游湍急,下游浅而弯曲,且为季节性流量,故不能航行。主要渡口有位于太巴列至大马士革公路上的贝努特亚库伍桥;位于萨勒特至纳布卢斯公路上的达米亚桥;位于伊尔比德至阿富拉公路上的侯赛因国王桥;位于安曼至耶路撒冷公路上的艾伦比桥;以及位于曼希耶的管道渡口。约旦河水在灌溉上有特别重要的意义,但长期以来,仅杰里科有灌溉之利。古尔地区过去荒凉而贫瘠,冬季有牧民放牧牲畜,夏季则向高原迁移;自1967年在东岸挖成了长43英里的古尔灌渠后,地上已种上橘子、香蕉、甜菜、蔬菜等经济作物。以色列境内除排干胡拉盆地和修建从加利利海至贝特谢安的水道外,还建筑了每年可将3.2亿立方米约旦河水抽送到以色列中、南部地区的供水网。

Jordan, Vernon E., Jr. 乔丹(1935-08-15,美国佐治亚州亚特兰大～) 全名Vernon Eulion Jordan, Jr.。美国律师、民权领袖、商业顾问和有影响的经纪人。1957年获德波大学政治学学士学位,擅长演讲。1960年获哈佛大学法学博士,此后参加各学院和大学的废除种族隔离活动。1961～1963年任全国有色人种协会佐治亚分会秘书,后担任选民教育计划南方地区委员会主任(1964～1968)。1966年参加L.B.约翰逊总统的民权会议,崭露头角。1970年,作为黑人大学联合基金会主任为非洲裔美国人的学院筹款1 000万美元。1972年任全国都市联盟主席。1980年遭英国白人至上主义者暗杀,但只是受伤。1981年在华盛顿哥伦比亚特区改当律师。1992年帮助B.克林顿竞选总统,但不担任任何职务,是克林顿的幕后密友和顾问。

Jordanes 约尔丹内斯(活动时期6世纪中叶) 哥特人历史学家,致力于用拉丁文撰写历史。第一部重要著作《盖塔人的起源和历史》于551年完成,书中的盖塔人实际上是哥特人。提供了有关哥特人和匈奴人的重要史料。他对匈奴人的记载极有价值。另一著作《罗马人的起源和历史》记载从罗慕洛建罗马起到东罗马皇帝查士丁尼(527～565在位)为止的历史。

Jørgensen, (Jens) Johannes 约恩森(1866-11-06,丹麦斯文堡～1956-05-29,斯文堡) 丹麦作家,在本国主要以诗歌著称。1894～1898年写有一本诗集。1944年发表了一部《诗选》,但在国外则以圣徒传记《阿西西的圣方济各》(1907)、《锡耶纳的圣凯瑟琳》(1915)而闻名。晚年致力撰写《我的自传》(7卷,1916～1928)。

Jorhāt 焦尔哈德 印度东北部阿萨姆邦东北部锡布萨格尔县县城。临布拉马普特拉河支流。为公路铁路枢纽和富庶农业区的商业中心。以生产珠宝著称。设有阿萨姆农业学院。人口:城镇57 998;都会区约111 584(1991)。

Joris, David 约里斯(1501或1502,佛兰德根特或布鲁日～1556-08-25,瑞士巴塞尔) 宗教改革家。原以画彩色玻璃为业,卷入有关宗教改革的论战,直言抨击天主教会,1528年因抨击教会举办的列队行进仪式而被海牙法庭判处罚款、鞭笞、穿舌和徒刑3年。后来再洗礼派中的主和派与革命派发生争执,约里斯自称在异象中蒙上帝立为"大卫三世",成为先知,在双方之间进行调解。1543年率众逃到巴塞尔,取名"布鲁日的约翰"。所著《奇书》(1542、1551)卷帙浩大,内容神奇而兼有寓意;此外还撰有小册子多种。他逐渐成为富足而有地位的新教徒,不再宣传弥赛亚主义,转而强调个人密修。他所领导的教派发生争论,约里斯在争论未有结果时死去。1559年,巴塞尔大学对他进行身后审判,认定他为异端分子,发墓焚尸;其后当局继续审判他的徒众,这个教派到16世纪末已完全绝迹。

Jörmungand 约尔孟冈德 日耳曼神话中的一条邪恶毒蛇,同时也是托尔(Thor)的大敌。

Jorn, Asger 约恩(1914-03-03,丹麦日德兰～1973-05-01或02,奥胡斯) 丹麦画家。他的风格受表现主义画家比利时的J.恩索尔和瑞士的P.克利的影响,以强烈的色彩和扭曲的形象创造出动人的效果。是德国W.格罗皮乌斯创建的"包豪斯"学校的成员,眼镜蛇画派组织(1948～1951)的创始人。该社模拟原始艺术,用抽象风格刻画兽类和昆虫。1949年阿姆斯特丹市博物馆为约恩和眼镜蛇社举办画展。其代表作《给我儿子的信》

(1956～1957)，以严谨的结构和细节画出孩子般的天真形象。

Jornal do Brasil, O 《巴西日报》 巴西里约热内卢出版的日报，被认为是南美洲最杰出的报纸之一。该报于1891年创刊，是一独立报纸，多年来不顾政府的检查和控制，始终保持高水平的新闻报道。《巴西日报》的对象是受过教育的和上层人士读者。该报有庞大的编辑队伍，在全世界的主要国家首都均设有分社或者派有记者。

jōruri 净琉璃 日本的一种文学与音乐相结合的说唱形式。常为文乐(**bunraku**)即木偶戏的脚本。这个名称渊源于15世纪富于浪漫色彩的民谣、以净琉璃姬为主人公的《净琉璃姬物语》。最初在四弦琵琶(日本琵琶)伴奏下说唱。16世纪随着自琉球群岛引入弹拨的三弦(或三味线)，乐曲和脚本都得到发展。自16世纪末增加木偶以来，净琉璃得以充实，增添了最初简单说唱所没有的戏剧特色。内容包括忠孝节义、复仇、爱情和宗教奇迹等题材，对话和描述性的解说日趋重要。起初说唱者比脚本作者更为重要，直到17世纪末和18世纪初日本最伟大的剧作家之一近松门左卫门出现，才改变了这一局面。近松和说唱者竹本义大夫(1651～1714)的30年之久的合作，使木偶戏上升为高尚的艺术。义大夫本人也变得如此有名，以至他的唱片“义大夫节”(“义大夫的乐曲”)竟成为几乎是净琉璃的同义语。大多数净琉璃系由一位说唱者(大夫)和一位三弦师演出。净琉璃是世界上最高度发展的叙事乐曲形式之一，甚至与实际演出分开之后，依然颇受欢迎。

Jos 乔斯 尼日利亚中部城镇，高原州首府。地处乔斯高原(海拔1 295米)，临代利米河，邻近贾马里河源头。原为比罗姆人村落。英国人在1903年左右得知附近蕴藏丰富的锡矿后迅速发展。1905年开始在北面6千米的、18世纪已成为锡矿中心的纳拉古塔-豪萨瓦开采。矿石初由人工运往贝努阿河港洛科，然后转运至尼日尔河三角洲出口，1914年修成轻轨铁路，1927年标准轨铁路从哈科特港延长，锡矿石可直接运往尼日尔河三角洲港口。在第二次世界大战期间，铌铁矿开采成为重要行业，尼日利亚的铌铁矿石产量已在全世界居首位。20世纪60年代初在乔斯附近修建了冶炼厂。露天开采的锡和铌铁矿石在当地熔炼、铸造成锭，经铁路运往哈科特港，出口欧美。还有高岭土开采业。当地其他工业有食品加工、啤酒制作、化妆品、肥皂、绳索、麻袋和家具。重工业有水泥、碎石、轧钢、翻新轮胎等。乔斯是建筑业中心，并有印刷和出版业。申河上的乔斯-布库鲁水坝和水库为该镇提供工业用水。乔斯的矿藏财富吸引了许多外来者，包括豪萨人、伊博人、约鲁巴人和欧洲人。高粱、粟和饿稻为该地区主食，邻近地区种植薯蓣、马铃薯、木薯、玉米和蔬菜，供应乔斯市场。镇西南偏南的沃姆出产乳品。乔斯地势高，为国内最凉爽的地点之一，自从第二次世界大战爆发以来一直为山区疗养地。城内街道宽阔，绿树成荫。全国最早的乔斯博物馆(1952)收藏有诺克文化(公元前900～公元200在该地区繁荣发展)的赤陶像；亦有青铜黄铜、木等手工制品和陶器。有同联合国教科文组织合办的培养博物馆技术人员的学校。有一个24公顷的公园，内有动物园(1955)，还有露天的传统建筑博物馆、植物园。该镇有乔斯大学(1975)、联邦医学实验技术学校、专科医院和综合医院。铁路通哈科特港，公路通拉菲亚、包奇、卡杜纳和扎里亚。镇南有机场。人口约149 000(1983)。

Jos Plateau 乔斯高原 前称包奇高原(Bauchi Plateau)。尼日利亚中部高原州台地。为稀树草原。边缘为陡崖，境内有非洲主要锡矿开采区。中部面积约3 000方英里

乔斯高原上的村落
美国不列颠百科全书公司供图

(8 000平方千米)，平均海拔4 200英尺(1 280米)，四周的高平原海拔常在3 200英尺以上。属侵蚀的片麻岩岩层结构，间有花岗岩侵入体形成的块状山，也有许多死火山锥和火口湖。最高点希尔山(海拔5 843英尺)和萨拉峰(5 544英尺)。当地气候凉爽、多雨，是许多河流的发源地。崎岖陡峻的南坡多瀑布，建有水电站。在乔斯镇附近发现的手斧表明，在非洲早期石器时代，高原已有人类居住。20世纪30年代发现的诺克小塑像证明，公元前900～公元200年间，最著名的西非石器时代的诺克文化在当地十分繁荣。19世纪初，许多非穆斯林部族为了躲避富拉尼人“圣战”战士的劫掠，逃往该地区丘陵地带。1904年后该高原成为世界主要产锡地之一，20世纪40年代开始开采此地已知世界最大铌矿矿藏。此外还开采钽铁、钨、高岭土、锆和铀矿藏。铅、铁矿分布在高原州东部和中部，拉菲亚有炼焦煤，申达姆附近有金、银矿。在20世纪，高原的矿产资源吸引了大批豪萨人、伊博人、约鲁巴人和欧洲移民拥入。又因无采采蝇而吸引许多富拉尼牧民。高原的原始森林因长期开垦农田和开发矿藏而被毁。现高原几乎全部是开阔的稀树草原。广泛种植饿稻、高粱和粟，亦出产马铃薯、薯蓣和蔬菜以供应乔斯、布库鲁、潘克欣和沃姆等城镇。饲养牛和羊。20世纪80年代初由于耕种和放牧过度，一些农民迁出高原，但已在兴修水利以促进土地复耕。

Josaphat 参阅 **Jehoshaphat** 约沙法。

Josaphat, Israel Beer 约瑟法特 参阅 **Reuter, Paul Julius, Freiherr von** 路透。

Joseffy, Rafael 约瑟菲(1852-07-03，匈牙利洪法鲁～1915-06-25，美国纽约州纽约)匈牙利钢琴家和教师，当时杰出演奏家之一，以微妙的诗意表情和细腻的力度变化闻名。先在匈牙利学习钢琴。1866～1867年到莱比锡音乐学院随E.F.温策尔和I.莫舍勒斯继续学习。1868～1870年赴柏林师从C.陶西格，1870年和1871年夏在魏玛受业于李斯特。19世纪70年代在欧洲巡回演出，1879年在纽约市首演并定居美国。他是最早为美国听众演奏勃拉姆斯钢琴音乐的钢琴家之一。1888～1906年在纽约市国立音乐学院任教。除编订、出版肖邦的15卷作品和一些19世纪的练习曲外，约瑟菲还著有《高级钢琴弹奏法》(1902)一书。

Josel of Rosheim 约塞尔(罗塞姆的)(约1478，阿尔萨斯？～1554-03，阿尔萨斯罗塞姆[今在法国]) 又名约瑟夫·本·格尔雄·伦斯。著名律师，积极维护犹太人的利益。1525年罗塞姆地区的农民扬言要抢劫当地犹太人的财产，他一方面行贿，一方面劝说，使这些农民决定先抢劫其他城市的犹太人。其后，农民一则苦于疲劳，再则业已心满意足，因而未加害于罗塞姆的犹太人。1520年神圣罗马帝国皇帝查理五世加冕，其后不久，他呈上备忘录，驳斥关于犹太人赞助奥斯曼帝国扩张的流言，使皇帝放弃排犹计划。同年，他又向政府陈词，力辩犹太人一致希望同政府改善关系。为了证实这种愿望，他召集德意志境内各地犹太人代表开会，就犹太人的经商活动问题通过决议，提交奥格斯堡议会审议。著述包括其备忘录，有部分传世。

Joselito 何塞利托(1895-05-08，西班牙赫尔韦斯～1920-05-16，塔拉韦拉-德拉雷纳) 原名José Gómez Ortega。西班牙斗牛士。采用贝尔蒙特的非正统斗牛技巧，即牛冲来时，斗牛士几乎站立不动，利用挥动披肩的动作避开牛角。贝尔蒙特并称“斗牛黄金时代”的英雄。12岁时开始职业斗牛生涯，在庆祝16岁生日时，杀了6只公牛。在一次与梅希阿斯比赛斗牛时，何塞利托不幸被牛顶死，时年25岁。

Joseph 约瑟 《旧约》所载以色列人祖先雅各及其妻拉结所生之子。约瑟受雅各偏爱而为众兄弟所嫉妒，他们暗地里把约瑟卖给以实玛利人(米甸人)，以实玛利人把他带往埃及。约瑟因善于解梦而得到埃及法老王的宠爱，身为高官。他的兄弟为饥荒所迫到埃及购粮，与他会见。雅各全家被迎接到埃及的戈申，定居在该地。约瑟的故事往往被称作是一部精心制作的中篇小说，虽然它主要描写了约瑟这一人物，但它被当作是“雅各布的家族史”。故事的目的与以色列的存续有关。以色列人尽管愚蠢和恶劣但还是存活了下来，事实上，讽刺的是，他们的存活部分原因还在于他们的愚蠢和恶劣。在任何时代，约瑟都是位高权重、一心为民的犹太人的代表。

Joseph 约瑟夫 统治者之名，按国别分列于后，并各以●为标记。与此字相等的外语：

德语	Joseph 或 Josef
匈牙利语	József
意大利语	Giuseppe
葡萄牙语	José
西班牙语	José

日耳曼/神圣罗马皇帝

● **Joseph I　约瑟夫一世**(1678-07-26,奥地利维也纳～1711-04-17,维也纳)　神圣罗马帝国皇帝(1705起)。他为哈布斯堡王朝保住西班牙王位而进行斗争,未成。利奥波德一

美国不列颠百科全书公司供图

世皇帝的长子。1687年成为匈牙利国王。1690年成为罗马人国王(即帝国的预定继承人)。1705年5月继承帝位。他整顿奥地利混乱的财政,把维也纳市银行改为国家银行,以便支持奥地利的军事斗争。他的杰出将领萨瓦的欧根亲王率领奥军在意大利、德国和尼德兰连连获胜。但是,新的敌人不断威胁他的领地。1708年罗马教皇克雷芒十一世承认腓力为西班牙国王,这使约瑟夫与教皇之间的冲突达到了顶点。奥军向教皇国发动进攻,直至1709年教皇再次支持哈布斯堡王朝为止。

● **Joseph II　约瑟夫二世**(1741-03-13,维也纳～1790-02-20,维也纳)　神圣罗马帝国皇帝(1765～1790)。起先与其母玛丽亚·特蕾西娅共同执政(1765～1780),后来单独执

美国不列颠百科全书公司供图

政(1780～1790),治理奥地利哈布斯堡王朝的领地。他是一位"开明君主",谋求实施行政、司法、经济和宗教改革,但收效不大。洛林的弗兰茨·斯特凡(后为弗兰茨一世)的长子,受过严格而全面的教育。在玛丽亚·特蕾西娅任命他为政务会议委员时,表现出非凡的才智和浓厚的政治兴趣。父皇死后继位,但一切重大决策皆由玛丽亚·特蕾西娅作出。1780年特蕾西娅死后,他努力完成母后的改革工作。在教育体制确立之后,他竭力为维也纳大学聘请最好的学者和科学家。1786年颁布《民法大典》。帝国的财政达到收支平衡。自从改组军队以后,他在欧洲的地位得到了保证。他下令废除农奴制度,确立在法律面前宗教平等,并允许新闻自由。在同天主教会的斗争中,他曾建立国家培训司铎的学院,剥夺主教的权力,限制主教同教皇的通讯联系。他解散了700所不从事教育或医务的修道院,迫使3.6万名修道士离开修院。他强迫臣民接受新的生活方式,在奥属尼德兰和匈牙利等传统影响很深的国家遭到顽抗。在外交方面,他与母后共同执政时就已经获得一些成功。当波兰发生内战时,他与普鲁士的国王腓特烈大帝会谈,策划瓜分波兰。奥地利获得加利西亚。后来他同土耳其签订条约,吞并了布科维纳。为亲自了解东西欧的局势,他曾先后访问法国和俄国。他曾企图以奥属尼德兰换取巴伐利亚。但普鲁士的腓特烈提出抗议,并向波希米亚进兵。约瑟夫大失所望,因而再度访问俄国。他与俄国女皇叶卡捷琳娜签订盟约,允许叶卡捷琳娜放手推行她要征服君士坦丁堡和达达尼尔海峡的计划,同时保证奥地利获得大量领土。当叶卡捷琳娜向土耳其宣战时,他征集25万大军,但因病和国内危机,未取胜即返回维也纳。死时众叛亲离,他为臣民谋取自由和福利的努力似皆徒劳。

那不勒斯

● **Joseph　约瑟夫**　参阅 **Bonaparte, Joseph** 波拿巴。

葡萄牙

● **Joseph　若瑟**(1714-06-06,里斯本～1777-02-24,里斯本)　葡萄牙国王,在位期间(1750～1777)由大臣蓬巴尔侯爵塞巴斯蒂昂·德·卡瓦略掌权。其父约翰五世富于巴西的黄金和钻石,享有无上权威,使若瑟践位后懒问政事而纵情娱乐。1755年里斯本地震后,宠臣卡瓦略权倾一时,凌驾君主之上。1758年,卡瓦略借口有人谋杀若瑟,大肆迫害贵族,并于翌年将耶稣会士驱逐出葡萄牙。1777年2月若瑟病死,其女玛丽一世立即罢黜卡瓦略。

Joseph, Father　约瑟夫(神父)(1577-11-04,巴黎～1638-12-18,法国吕埃)　法兰西奥秘神学家、通称"灰衣贵人"。与法兰西大主教黎塞留("红衣贵人")相互配合,获得类似外交大臣的职权,特别是在黎塞留极力活动为日后称为三十年战争的军事行动筹措经费时,更是如此。起初,黎塞留于1611年任命约瑟夫为秘书。约瑟夫念念不忘要使欧洲的新教信徒改奉天主教,黎塞留怀有使法国称霸欧洲的政治方略,二人所谋一致。于是,约瑟夫全力推行黎塞留的政策,使欧洲经受三十年战争的惨祸,他在法兰西人民的忿恨怒骂声中死去。

Joseph, Saint　约瑟,圣(活动时期1世纪,巴勒斯坦地区加利利拿撒勒)　《新约》所记载的耶稣的世俗父亲,圣母马利亚的丈夫。他是以色列国王大卫的后裔。他发现未婚妻马利亚已经背着他怀孕,决定暗暗地把她休退。但又听从天使指示,娶她为妻。耶稣诞生后,约瑟和马利亚携带婴儿前往埃及,逃避犹太王希律的迫害。希律死后,他们回到圣地,定居于加利利的拿撒勒,约瑟向耶稣传授木工。1955年教皇庇护十二世确定5月1日为工匠圣约瑟日,以此与共产党人庆祝的五一节相对抗。

Joseph ben Matthias (Jewish historian)　**约瑟夫·本·马蒂亚斯**　参阅 **Josephus, Flavius** 约瑟夫斯。

Joseph of Arimathea, Saint　约瑟,圣(亚利马太人)(生于撒玛利亚亚利马太,活动时期约公元30年前后)　根据《新约》四福音书中所载,为秘密信奉耶稣的人。他品德高尚,富有家财并身居高位,是耶路撒冷市政会议的成员。耶稣被处死后,他不顾当时犹太法律,将耶稣的遗体葬入自己的坟墓。

Joseph of Volokolamsk, Saint　约瑟夫(沃洛科拉姆斯克的)(1439,俄罗斯沃洛科拉姆斯克～1515-09-09,沃洛科拉姆斯克)　原名伊凡·萨宁。俄罗斯正教隐修院院长和神学家。他的隐修生活的改革强调严格的集体生活和社会工作。1477年任博罗夫斯克隐修院院长。该隐修院是由莫斯科大公资助的富有宗教机构。约瑟夫上任后整顿纪律,厉行禁欲虔修制度,引起莫斯科大公伊凡三世反感。因为伊凡三世为该隐修院布置豪华环境,而其众子则利用该隐修院获得各种教俸。1479年约瑟夫被迫离职,前往沃洛科拉姆斯克另立隐修院。这座隐修院很快成为隐修事业改革、民众崇拜和社会活动的中心。约瑟夫和他的追随者(有时称作"约瑟夫派")主张在俄罗斯建立统一教会,惩罚持不同信仰者和异端,并处死其中顽固不化者。他们认为,为求信仰统一,教会必须与政府结成紧密联盟;他们愿意为此向政府作许多让步,允许政府干预教会事务,甚至为君权神授说辩护。同时他们主张允许修士拥有财富,以用于慈善、赈济和教育事业,因此又称为"拥有派"。

Joseph the Levite　约瑟夫(利未人)　参阅 **Barnabas, Saint** 巴拿巴,圣。

Joseph, Chief　约瑟夫(酋长)(约1840,俄勒冈准州瓦洛厄河谷～1904-09-21,美国华盛顿州科尔维尔保留地)　印第安人内兹佩尔塞部落首领,面对白人在俄勒冈部族土地上的拓居活动,率领追随者逃往加拿大。内兹佩尔塞部落曾是太平洋西北海岸最强大的、也是19世纪上半期与白人关系最为友好的部落之一。许多人信仰基督教。约瑟夫早年在教会小学读书。1871年继父位当酋长。1877年美国政府强迫其部落迁往爱达荷州保留地。正在准备出发时,有族中青年杀死几名白人。他害怕美军前来报复,就率领200～300名战士及其家属长途跋涉,奔赴加拿大。

6月17日至9月30日的3个多月，行程1 000余英里，屡屡挫败10倍于己的追兵。一路上对俘虏实行人道主义，对妇孺和老人表示关怀，对所需物品一律按价购买，因而受到人们

美国史密森学会供图

的称赞。最后在靠近加拿大边境的熊掌山区受美军包围，10月5日被迫投降，并被押送到一个寸草不生的保留地。他曾两次到华盛顿谒见T.罗斯福总统，请求返回家园。参阅**Nez Percé**。

Joseph Bonaparte Gulf　约瑟夫·波拿巴湾 蒂汶海海湾。位于澳大利亚北岸，西起西澳大利亚州的伦敦德里角，东至北部地方的斯科特角和布莱兹角之间。最宽处达360千米。有奥德、迪拉克、彭蒂科斯特和福里斯特等河注入，维多利亚河进入该湾的女王水道。海湾中的主要港口为温德姆。海湾两岸辟有土著居民保留地。法国人博丹于1803年到达此处，命以此名，1817年废此名，第二次世界大战中恢复。

Joséphine　约瑟芬（1763-06-23，马提尼克岛特鲁瓦伊勒～1814-05-29，法国马尔迈松）又称博阿尔内子爵夫人。拿破仑之妻，法国皇后。出身于没落贵族。她一生中前15年在马

美国不列颠百科全书公司供图

提尼克岛上度过。1779年嫁给一个富有的青年军官博阿尔内子爵亚历山大，随迁巴黎。虽育有2子，但虚荣的亚历山大嫌她有外省的土气，不谙世故，拒不带她到凡尔赛玛丽-安托瓦内特的宫廷中去。由于他的态度日趋冷淡，终于1785年分居。她仍留在巴黎，学习上流社会的时尚。其夫于1794年6月被送上断头台，她本人也被监禁。热月9日政变后获释，成为巴黎社交中的头面人物。不久，世情练达的约瑟芬就使当时还是一个青年军官的拿破仑迷恋不舍。在拿破仑任意大利方面军司令官后，她同意嫁给他。1796年3月9日举行世俗婚礼。1798～1799年拿破仑在埃及作战，这位冷漠的妻子却疏于回答他热情洋溢的情书，而与另一军官保持暧昧关系。在执政府期间（1799～1804），她处世审慎，避免招惹是非，且利用她的社会地位，帮助她的丈夫。1804年5月拿破仑称帝，勉强同她补行宗教婚礼（1804-12-01）。次日，她作为皇后，出席了教皇在圣母院为拿破仑举行的加冕典礼。由于她婚后无子，拿破仑准备与奥地利皇帝弗兰茨一世之女玛丽-路易丝结婚。1810年1月，拿破仑以1804年婚礼并无教士证婚为借口宣布与她离异。约瑟芬从此退居巴黎郊区。拿破仑逊位后，她得到俄皇亚历山大一世的照顾，但不久即死去。

Josephson, Brian D(avid)　约瑟夫森（1940-01-04，威尔士格拉摩根加的夫～　）英国物理学家，当他是一个22岁的研究生时，发现了约瑟夫森效应，1973年因此获诺贝尔物理学奖。曾在剑桥大学三一学院攻读物理，1960年获学士学位，1964年获硕士和哲学博士学位。在大学未毕业时就发表了第一篇著作，论述狭义相对论及穆斯堡尔效应的某些方面。1962年被选为三一学院研究员。他是一位有才气且自信的大学生，时常指出老师错误之处。还未毕业时，约瑟夫森就对超导电性感兴趣，并开始钻研两块超导体之间的结的性质，这种结就是后来著名的约瑟夫森结。他较早进行隧穿现象——电子作为一种辐射波穿透固体的现象——的研究。他和江崎玲于奈、I.加埃沃因进行隧穿现象的研究，共获1973年诺贝尔物理学奖。他在理论上预言，在两块超导体之间的隧穿现象会有非常独特的性质，比如，电流通过绝缘层无需加电压，如果加上电压，电流就停止流动并产生高频振荡。这就是约瑟夫森效应。实验证实了这效应，它的证实反转来加强了较早的超导体性状的BCS理论。国际商用机器公司（IBM）的研究人员应用约瑟夫森发现的超导体特性，于1980年组装了试验性的计算机切换结构，使切换速度比常规的硅衬底集成块快10～100倍，极大地提高了数据处理能力。1965～1966年他前往美国伊利诺伊大学任研究教授；1967年返回剑桥任研究副主任；1972年任物理学高级讲师；1974年任物理学教授。1970年被选为皇家学会会员。他曾以溜冰和登山为消遣。在获得诺贝尔奖之前几年，他就对东方玄学的科学解释发生了兴趣。1980年他和V.S.拉曼钱德伦在牛津编辑出版了以《意识与物理世界》为名的1978年国际意识问题论文集。

Josephson, Matthew　约瑟夫森（1899-02-15，美国纽约布鲁克林～1978-03-13，加利福尼亚圣克鲁斯）　美国传记作家，他根据确凿可靠和深入的研究，创作出无懈可击的作品。20年代侨居巴黎，任《扫帚》杂志副主编（1922～1924）。该刊着重介绍美国和欧洲的作家。他曾认为，一个想要避免沉溺于工业主义的美国艺术家，除了流亡国外，别无出路。不过，没有多久，他就回国去观察机械和思想两者之间的斗争。他在华尔街工作的时候，几乎弄得心力交瘁，后来便重操写作旧业，担任在巴黎出版的《变迁》杂志的主编（1928～1929）。他的第一部著作是经过深入研究写成的权威性的左拉传记《左拉及其时代——战斗的文学生涯》（1928）。他还写了其他一些受到高度赞扬的传记。他对19世纪法国文学的兴趣表现在《雨果》（1942）和《司汤达》（1946）中，后者重新唤起了美国人对司汤达作品的兴趣。他在他的最为有名的著作《巧取豪夺的大亨们：美国大资本家，1861～1901》（1934）中，探讨了他感兴趣的另一个主题——美国经济问题。这部书详述了19世纪末美国工业巨子D.洛克菲勒、A.卡内基等人的生平事迹。晚年著作有《金融巨子：大金融资本家，1925～1950》（1972）。

Josephson effect　约瑟夫森效应 薄绝缘层隔开的两种超导材料之间有电流通过的现象。超导体是温度降到接近绝对零度的某一定值以下时电阻全部消失的材料。英国物理学家B.D.约瑟夫森于1962年根据超导电性的BCS理论（**BCS theory**），预言了这种电流的存在，随后约瑟夫森效应由实验证实，又为BCS理论提供了证据。只有在两个超导体间不用电池连接时，才会有约瑟夫森电流。如果接上电池，电流就会极快地振荡，因而没有净电流流过。在超导体近处加上磁场就会影响约瑟夫森效应，这就使它可以用来测量极弱的磁场。根据BCS理论，超导电性是超导体内电子的相关运动的结果。电子形成所谓库珀对是这种相关性的一种特点。按照约瑟夫森的说法，在一定的情况下，这些库珀对就会穿过薄绝缘层，从一块超导体跑到另一块超导体。这种电子对的运动就产生约瑟夫森电流，而库珀对穿越绝缘层的过程就称为约瑟夫森隧穿。

Josephus, Flavius　约瑟夫斯（37或38，耶路撒冷～约100，罗马）　本名约瑟夫·本·马蒂亚斯。犹太教士、学者、历史学家。出身于一个高级教士家庭。早熟，14岁就与大祭司讨论犹太法问题。16岁开始在蛮荒之地作3年旅行。回耶路撒冷以后，曾加入法利赛派。公元64年出使罗马，圆满完成自己的使命。同时，他对罗马的文化和军事力量留下了深刻的印象。在反罗马大起义的前夕，他回到耶路撒冷。公元66年犹太地方的犹太人驱逐罗马的行政长官，在耶路撒冷建立一个革命政权。约瑟夫斯被任命为加利利地区的军事长官。他为抵抗罗马大军积极进行战斗准备。公元67年春罗马军队到达加利利，约瑟夫斯坚守要塞47天。加利利城陷落之后，他与40名战士到附近的山洞中躲藏。战士们虽然身陷重围，但至死不向罗马人投降。约瑟夫斯惊恐万状，诡称自杀不符合犹太教的道德，因此每个战士要依次杀死挨着他的人。大家抽签决定顺序。约瑟夫斯用计把自己排在最后。当仅剩两人时，他说服另一个人向罗马人投降。罗马人给他戴上枷锁，把他领

到统帅韦斯巴芗面前。但他情急智生,自称是先知,预言韦斯巴芗马上就要当皇帝。这使他免于一死,此后两年留在罗马人的军营中当囚徒。公元69年底韦斯巴芗被部下拥立为皇帝,约瑟夫斯的预言成为现实,这位善于逢迎的犹太人终于获释,并转而为罗马人效劳,改姓韦斯巴芗的姓,随韦斯巴芗前往亚历山德里亚。公元70年罗马人围攻耶路撒冷时,约瑟夫斯随罗马军队参战,并打算充当双方的调解人。但是,由于犹太人不原谅叛徒,罗马人又不信任他,他未得逞。耶路撒冷陷落后,他开始定居罗马,在皇帝赞助下从事文学事业。他的第一部著作《犹太战争史》共7卷,于公元75～79年陆续问世,其中对公元66～70年的大起义作了详尽的叙述。他极力渲染罗马军团的威力,显然,他写作此书的目的之一是劝说犹太人赶快放下武器向罗马人投降。书中对犹太爱国者表现极端的仇视,对他们的命运竟然丝毫没有同情心。他在罗马获得公民资格和一笔年金,曾是韦斯巴芗、提图斯和图密善三朝的宠臣。公元93年完成20卷《上古犹太史》。书后附有一篇《自传》,为自己的变节行为进行辩解。作为历史学家,他的分析比较肤浅,年代也常有错误,并且往往夸大和歪曲事实,特别在涉及他个人名誉时,显示出强烈的倾向性。就其个人而言,约瑟夫斯爱好虚荣,冷漠无情,追求私利。在他的品格中毫无英雄主义本质可言,理应遭受其同胞的鄙视。但另一方面,他忠于法利赛派的信念,为其人民尽到所能做的一切努力。

Joses THE LEVITE **约瑟斯(利未人)** 参阅 **Barnabas, Saint** 巴拿巴,圣。

Joshagan rug **约夏干地毯** 伊朗中部伊斯法罕以北小村镇约夏干生产的一种手织铺地用品。约夏干著名的传统图案是大地为若干菱形格子,每个格子中有一棵小树或一组小花。这种图案也可能以奎心形式出现,或饰以形状奇特的细长格子。大边多阿拉伯花饰,拴波斯扣,棉底。

约夏干地毯

美国不列颠百科全书公司供图

Joshua **约书亚** 又拼Josue,希伯来语作Yehoshuaʿ。摩西死后以色列人的领袖,他攻占迦南并把土地分给12个部落。《旧约·约书亚记》叙述了他的故事。据《约书亚记》所载,他是摩西亲自指定的继承人(《申命记》31:1～8;34:9),具有超凡魅力的勇士,他领导以色列人出埃及后征服迦南。在派出间谍潜入迦南刺探敌人士气后,约书亚率以色列人越过约旦河入侵。他夺取重要城市杰里科,继而攻占其他城镇直至大部巴勒斯坦都置于以色列人控制之下。他把征服的土地分给以色列的12个部落,然后告别他的人民(《约书亚记》23),告诫他们要忠于上帝。对《圣经》有关段落和其他资料的仔细研究,学者们普遍认为,以色列人征服迦南并不是执行完整的作战计划。迦南的占领是通过渗透和同化逐渐进行的。这种过程持续几个世纪,直到大卫时代才完成。

Joshua THE STYLITE **乔舒亚(柱上苦行者)** (活动时期5～6世纪) 祖克宁隐修院修士,一部编年史(主要记述495～506年间的历史)的著名作者。这部编年史是应埃泽萨(今土耳其的乌尔法)隐修院院长塞尔吉乌斯的请求,在波斯与拜占廷两帝国之间的战争(502～506)结束后立即写成的,作者居住埃泽萨,曾目睹书中所记的许多事实。

Joshua, Book of **《约书亚记》** 《旧约》的第六卷,与《申命记》、《士师记》、《撒母尔记》(上、下)、《列王纪》(上、下)同属成书于巴比伦囚虏期间、公元前550年前后的"申典",即历史和律法典籍一类。《约书亚记》主要叙述率领以色列人进入迦南的约书亚之事,故名。此书分为3部分:攻占迦南(1～12章);以色列人各支派分配领地(13～22章);约书亚的临终讲话和逝世(23～24章)。此书为《圣经》首六卷之一,叙以色列人如何进占上帝所应许之地迦南。作者根据自己观点将古代传说润色渲染而收入其中。当时正值以色列人离开故土在巴比伦为奴,作者借复述历史而倾泻希望重返故国之情。

Joshua Tree National Monument **约书亚树国家保护区** 美国加利福尼亚州南部风景区。西距圣贝纳迪纳100千米,在科罗拉多荒漠与莫哈韦荒漠之间。面积4 121平方千米。有各色花岗岩构造和石英二长岩。以有各种沙漠植物(约书亚树、蜘蛛刺木、墨西哥三齿拉瑞阿和莫哈维丝兰)闻名。1936年设为国家保护区,1984年指定为生物圈保护区,1994年成立国家公园。

Josiah **约西亚** 犹大国王(约公元前640～前609在位)。他发动一次改革,史称约西亚改革,在以色列人的宗教发展史上留下深刻的印记(《列王纪下》22～23:30)。犹大国王玛拿西之孙,其父亚扪被杀后,他于8岁即位。自从亚哈斯以后,犹大国作为亚述帝国的藩属已有一个世纪,被迫接受亚述人的宗教。那波帕拉萨尔王死后,亚述帝国陷入混乱。约公元前621年,约西亚发动以修复圣殿为中心的民族复兴运动。这时亚述帝国正处于困境,巴比伦大有崛起之势。埃及法老尼科派兵援助亚述,杀约西亚。此后不久,亚述覆灭,埃及军队撤退,被尼科立为犹大国王的约雅敬(约西亚之子)向新兴的巴比伦美索不达米亚帝国投降。

Joškar-Ola(Russia) 参阅**Yoshkar-Ola**约什卡尔奥拉。

Jospin, Lionel **若斯潘**(1937-07-12,法国默东～) 法国社会党政治人物,1997～2002年出任法国总理。1963年进入法国管理精英培养地国家行政学院就读,以优异成绩毕业后进入外交部工作,后到美国读书。1970年返回法国在巴黎索镇科技大学研究院教经济学。1971年加入社会党,1977年当选议会议员。不久成为党首F.密特朗的亲信,密特朗1981成为总统后,若斯潘被提名成为党首。后出任密特朗第二任期的教育部长,提出在全国各地新建教室及7所大学的计划。1989年他决定允许穆斯林女性学生在公立学校戴面纱,在许多法国人眼里这是违反政教分离原则。20世纪90年代初的政治生涯极为不顺。1992年失去内阁职务,1993年失去议会席位。由于患有癌症,在其他主要的社会党人受到丑闻困扰时,社会党挑选他为1995年该党总统候选人。尽管他没有竞选舞台,竞选宣传力度也不大,但最后仅以微弱差距败给共和党的J.希拉克。1997年社会党及其支持者赢得议会多数席位后,被希拉克任命为总理。在任期间兑现了竞选承诺,把工作时间减到每周35小时,降低失业率。尽管经常与保守的希拉克发生冲突,但他仍赞成采取温和的私有化和财政紧缩政策,让他的批评者大跌眼镜。2002年再次竞选法国总统,但只名列第三,不久即辞去总理职务。

Josquin DES PREZ **若斯坎·德普雷**(约1445,勃艮第埃诺埃斯科河畔孔代?[今在法国]～1521-08-27,埃斯科河畔孔代) des Prez又拼Des Prés。欧洲文艺复兴时期最伟大作曲家之一。1459～1472年在米兰大教堂当歌手。1474～约1479年在米兰斯福尔扎公

美国不列颠百科全书公司供图

爵府第任职。1486～约1494年服务于教皇礼拜堂,至1499年成为费拉拉的埃尔科莱一世公爵的唱诗班指挥。在那里写了弥撒曲《费拉拉的海格立斯》、经文歌《上帝怜我》。他后来成为孔代圣母教堂的教长。作品分属经文歌、弥撒曲和尚松三大主要范畴。在20首传世的完整弥撒曲中,有17首在他生前由彼得鲁奇分3集于1502、1505、1514年出版。他的经文歌和尚松被收入彼得鲁奇(从1501年的《谐美乐歌一百首》开始)和其他出版商的曲集中。马丁路德对若斯坎的音乐大为赞赏,誉之为"音符大师"。其作曲技艺达到了文艺复兴时期的最高峰,把传统的形式与后来成为通用技巧的一些创新手法融为一体。其作品中丰富的表情标志着与中世纪较抽象的音乐传统的决裂。他的经文歌风格成为16世纪的典型风格。在后期作品中,他逐渐放弃固定旋律的技巧,而采取借用和改编现成主题的方法,也时常应用卡农和旋律模仿的技巧。他是15世纪中叶尚松创作中一种新风格的主要倡导者,在这种风格中学术性的卡农与对位技巧被应用于世俗歌曲。他摒弃了回旋曲和叙事曲的固定曲式而采用他自己设计的自由形式。

Jost(German king)　**约斯特**　参阅**Jobst** 约布斯特。

Jost Van Dyke Island　**约斯特·范代克岛**　英属维尔京群岛中的一个岛屿。在大西洋和加勒比海之间的小安的列斯群岛范围内。位于托尔托拉岛西6千米处,东与小约斯特·范代克岛毗邻。形如蝌蚪。面积9平方千米,地形高而崎岖,海拔达321米。主要的居民点是南海岸的大港。该岛可能先由荷兰人发现和定居,1672年后归属英国。人口约136(1980)。

Jostedals Glacier　**约斯特谷冰原**　挪威西部的冰原。位于松恩-菲尤拉讷郡境内,森纳峡湾北面。是欧洲最大的冰原(冰岛除外)。东北-西南走向,延伸约75千米。最大宽度35千米。整个冰盖的面积约815平方千米。冰原由高大的高原冰组成,有一系列山峰,最高点卢达尔斯科帕峰海拔2 083米。源出冰原的众多冰川流入许多毗邻的山谷。周围地区人烟稀少。

jota　**霍塔**　西班牙北部,特别是阿拉贡省的一种传统的求爱舞蹈;也是一种在舞蹈前唱的或为舞蹈伴奏的民歌,或仅作为歌曲来演唱。对舞者高举双臂,打着响板,随着吉他或歌声的伴奏跳活泼跳跃的舞步。歌曲是由讽刺、爱情或宗教内容的即兴诗构成。这种诗的形式虽时有变化,但通常都是4行或7行的八音节诗。舞曲为3/4或3/8拍。霍塔舞和方丹戈舞十分相近,虽然传说这种舞是被放逐的摩尔诗人A.霍特从安达卢西亚传到北方的,但可能是从阿拉贡流传来的丰收舞。尤卡坦的一种挥舞披巾跳的哈拉纳舞就是霍塔舞在墨西哥的发展。

Jotunheim Mountains　**尤通黑门山**　挪威中南部山岭。在奥普兰郡境内,位处居德布兰谷地(东)和约斯特谷冰原(西)之间,绵亘130千米,是斯堪的纳维亚最高的山岭,最高点格利特峰海拔2 452米和加尔赫峰2 470米。古代挪威萨迦中曾提及尤通黑门,1822年曾命名为"巨人山",但20世纪伊始又称"巨人之家"。一百多年来一直是旅游胜地,是滑雪和登山的优良场所。H.易卜生的歌剧《彼尔·英特》以该地为背景。低山坡和平缓高原是牛羊夏季牧场。

Jou-jan(Central Asian people)　参阅 **Juan-juan** 柔然。

Joubert, Barthélemy-Catherine　**儒贝尔**(1769-04-14,法国蓬德沃～1799-08-15,意大利诺维利古雷)　法国大革命期间的将军。父业律师。他曾在里昂和第戎学法律。1791年加入安省义勇军,1793年在意大利作战,1796年底任少将。他在里沃利战役中负责牵制部队。1799年攻打奥地利,他指挥在蒂罗尔的拿破仑左翼分队越过山区,在施蒂里亚同他的长官会合。他在荷兰、莱茵地区和意大利曾任各种指挥职务,同年1月任意大利方面军总司令。因与民政当局争吵,辞职回法国。后被立即召去意大利前线接替V.莫罗。他力劝他的前任留在前线,并主要按他的指挥进行作战。由于1799年战役遭受惨败,法军情况极为不利,他和莫罗被俄军统帅A.V.苏沃洛夫逼迫出战。他在诺维战役中阵亡,奥俄联军获胜。儒贝尔是否具有第一流的天资,在他生前未能予以确定。拿破仑认定他是未来的伟大统帅。而他的同胞们也将他同法国革命将领L.奥什和F.-S.马尔桉并列为伟大的军事领导者。

Joubert, Petrus Jacobus　**朱伯特**(1831-01-20,开普殖民地艾伯特王子城附近[今在南非]～1900-03-27,南非共和国比勒陀利亚)　P.克留格尔的助手和对手,曾任南非共和国军队总司令和副总统。农民传教士之子。通过自学成为法律和财产代理人。1860年当选议会议员,1875～1876年T.F.伯格斯总统访问欧洲时担任副总统。1877年德兰士瓦被英国吞并,激起他的爱国热情,和克留格尔奔走于南非和伦敦之间,试图协商解决布尔人与英国人的分歧。布尔领导人被迫于1880年12月抗英,朱伯特担任总司令并率其市民团在莱英的内克、因戈戈及马朱巴山连战连捷。他参加议订《比勒陀利亚协定》(1881),恢复德兰士瓦独立。他观点较进步,因而与克留格尔日益抵触。1883年克留格尔任总统,他任副总统。在克留格尔离国赴伦敦期间(1883-09～1884-07),他代行总统职务时,力图扩展德兰士瓦疆界,但克留格尔遏制其所为。当他同讲英语公众一起对抗克留格尔政府中荷兰人势力时,两人分歧扩大。他再与克留格尔3次竞选总统(1888,1893,1898)均未成功。当对英战争(即1899～1902年南非战争)一触即发之际,他力倡和解政策。战事起后,担任共和国军队总司令。虽作战英勇,但眼光短浅,过于谨慎,主张防守,没有利用布尔人初期的胜利。战争期间病死。

Jouffroy d'Abbans, Claude-François-Dorothée, marquis de　**茹弗鲁瓦**(1751,法国罗农河畔罗什～1832,巴黎)　法国工程师和发明家。于1783年乘自造的"火船"在里昂附近的索恩河逆流而上,"火船"是第一艘真正成功的汽船。他20岁参军,一年后因卷入一场决斗被流放到普罗旺斯。他开始建造一艘长13米、装有蹼轮的汽艇,1778年在杜河上试验时遭到失败。5年后建造"火船"获得成功,船上装有双棘轮机构,能使桨轮连续转动,排水量为182吨。他申请专利,但是专利权的授予被无限期推迟,于是他停止实验,流浪了几年。这时美国发明家R.富尔顿成功地研制出汽船,虽然他高度评价茹弗鲁瓦的成就,但茹弗鲁瓦仍然悲痛地死去,被人遗忘。

Jouhaux, Léon　**儒奥**(1879-07-01,法国巴黎～1954-04-28,巴黎)　法国社会党人、工会领袖、国际劳工组织创建人之一。16岁起在火柴厂做工,不久成为革命工团主义的主要

美国不列颠百科全书公司供图

宣传员之一。1906年任火柴工人工会全国干事,1909年任法国总工会总书记。第一次世界大战前,曾与德国劳工领袖一起,试图组织反军国主义运动,后来却支持法国的战争行动。1919年出席凡尔赛和会,会议成立国际劳工立法委员会,他是最积极的委员之一。在他的倡导下,1925年成立了经济委员会。他认为工会运动应该在指导经济方面起作用,但不受政治行动的影响。1936年拒绝参加L.布鲁姆内阁,但是同意从1921年起分裂出去的共产党人重新加入法国总工会。第二次世界大战期间,维希政府解散法国总工会,逮捕儒奥,把他交给德国人关进集中营。战争结束后回到法国,重新担任重建后的总工会总书记。1947年与工会中占多数的共产党人决裂。1948年建立工人力量总工会,在共产党工人组织和天主教工人组织之间保持中立。1949年参加组织国际自由工会联合会。1951年获诺贝尔和平奖。

joule　**焦耳**　国际单位制中的功或能的单位。等于在1牛顿力作用下在力的方向上通过1米所做的功。以英国物理学家J.P.焦耳的姓氏命名。1焦耳等于10^7尔格,在电学范畴中1焦耳等于1瓦特·秒;即1安培电流通过1欧姆电阻在1秒钟内释放的能量。

Joule, James Prescott　**焦耳**(1818-12-24,英格兰兰开夏索尔福德～1889-10-11,柴郡塞

尔） 英国物理学家，确定了各种形式的能（机械能、电能和热能）基本上是同一的，可以由一种形式变换为另一种形式，从而为能量守恒定律，即热力学第一定律奠定基础。1835年在曼彻斯特大学英国著名化学家J.道耳顿指导下学习，在《论伏打电生热》（1840）论文中，描述了焦耳效应，说明电流在导线中所生的热，与导线电阻和电流平方的乘积成比例。1843年发表了产生一单位热所需功的量值（叫做热功当量）。使用了4种逐步提高精确度的方法来测定这个值。还通过使用不同的材料进行实验，确定热是能的一种形式，与受热的物质无关。1852年和W.汤姆孙（后为开尔文勋爵）发现，当气体不作外功而膨胀时，气体的温度就下降。这个“焦耳-汤姆孙效应”在19世纪期间被用来建立大规模制冷工业。国际单位制中以他的姓氏焦耳命名功的标准单位，记作J。

Joule-Thomson effect 焦耳-汤姆孙效应 气体在既不作功又不传热情况下因膨胀而引起的温度变化。在常温常压下，除氢和氦外的所有实际气体膨胀后都冷却，这一现象常用于使气体液化。氢和氦只有在初始温度很低时才能膨胀冷却。

Joule's law 焦耳定律 电学中，用数学公式表示电路中电阻将电能转换成热能的转换率的定律。1840年，英国物理学家J.P.焦耳发现载流导线中每秒钟所产生的热量与电流的平方及导线的电阻成比例。他测定每秒钟所产生的热等于所吸收的电功率（即功率损耗）。焦耳定律的计算式是：每秒钟所产生的热即电功率损耗P，等于电流I的平方乘以电阻R，即$P = I^2R$。当电流以安培表示，电阻以欧姆表示时，功率P的单位为瓦特，即焦耳/秒。

Jourdan, Jean-Baptiste, Count 儒尔当伯爵 （1762-04-29，法国利摩日～1833-11-23，巴黎） 法国指挥官，拿破仑的帝国元帅之一。他曾做过路易十六的士兵，在西印度群岛服役（1778～1784）。退伍后在利摩日经商。但他支持大革命，1791年选为义勇军中校，1793年升为少将。在战胜奥地利人后于1794年3月任摩泽尔方面军司令。他执行L.卡诺的新战略，集中军队和火炮于攻击点，向西挺进桑布尔河。同年6月26日在弗勒侣斯获得决定性胜利，瓦解在默兹河以西的奥军。同年10月占领比利时全境。他在1795和1796年莱茵河以东的战役成果不大。1797年选入五百人院，曾提出征兵法案（1798-09-05）。1804年拿破仑授予他元帅衔。他因在维多利亚战役（1813-06）中指挥失当而被撤职。1814年他赞成拿破仑逊位，转而效忠路易十八，任莱茵方面军司令。他被封为伯爵（1816），成为法国贵族（1819）。在1830年的七月革命中当过几天外交大臣，后任残废军人院总监。其《回忆录》于1899年出版。

journal 日志 日常活动或经历、思想的记录，定期记载供个人使用。与日记类似，但较少涉及隐私。

Journal de Genève 《日内瓦日报》 瑞士日内瓦出版的日报。在法语报纸中被认为是瑞士最好的报纸，也是世界最佳报纸之一，1826年创刊。该报为全国性报纸，格调严肃，持自由派立场。虽然销量不大，但它对瑞士和国际事务的报道慎重而全面，为它赢得广泛的声誉。该报为小型报纸，除星期日外每天出版。1998年与《每日新闻》合并成为《日内瓦时报》。

Journal des Débats, Le 《辩论报》 以前巴黎的日报，19世纪法国报界最有影响的喉舌之一。创刊于1789年，是为了报道国民议会中的辩论情况的。其观点属温和的自由主义，谴责王权复辟与第二帝国而倾向于路易-菲力普。它持续发行到1944年8月。

journalism 新闻业 指对新闻及有关评论和其他材料进行采集、编写，并通过小册子、通讯、报纸、杂志、广播、电影、电视和书籍等媒体加以传播的事业。新闻一词最初是指通过印刷形式——特别是报纸——报道时事，但随着20世纪广播与电视的出现，这一术语的应用范围扩展到包括一切印刷的和电子的时事传播。

历史 人们所知的最早的新闻品是古罗马时代发行的名为《每日纪事》的单页“报纸”，从公元前59年起逐日刊布，张挂在显目位置，记述重要的社会政治事件。在中国，唐朝时就有一种称为“邸报”或“朝报”的宫廷文件分发给政府官员，这种朝报以不同形式和不同名称一直持续到1911年清朝覆亡为止。第一份正规出版的报纸于1609年出现于德国各城市和安特卫普。第一份英文报纸《每周新闻》于1622年出版。最早的日报之一《时事日报》出现于1702年。最初报纸的发展受到政府审查及种种限制以及赋税的阻碍，到18世纪已获得报道的自由，至今发挥着无可取代的功能。识字的普及使对报纸的需求日益增长，蒸汽印刷机和电动印刷机的采用使报纸日发行量由数千份增长到数十万、上百万份。17世纪作为学术性刊物出现的杂志也逐渐开始登载一些评论时事的舆论文章，如《闲谈者》（1709～1711）和《旁观者》（1711～1712）。19世纪30年代开始出现以文化较低的广大群众读者为对象的、大量发行的廉价杂志，以及画刊和妇女杂志。大规模采集新闻费用非常高，于是专门向各报刊出售国际新闻报道的新闻社便应运而生。电报以及随后的广播和电视的发明大大提高了新闻的传播速度和时效，同时为以电子方式传播的新闻提供了大量的新渠道和新观众。20世纪后半期人造卫星开始被用于长距离传输新闻信息。

新闻职业 20世纪新闻业的特点是职业性日益增强。造成这一趋势的重要因素有四：新闻工作者不断组织起来；新闻专业教育的实施；有关新闻史、新闻问题以及大众传播技术的书刊日益增多；新闻工作者本身的社会责任感日益增强。记者的组织最早出现于1883年，当时在英国成立了一个皇家特许的记者学会，它与建立于1933年的美国报业工会以及法国全国报业联合会相同，都是既具有行业工会的性质，又是专业性组织。19世纪下半叶以前，新闻工作者都是通过学徒的方式学习技能的。1879～1884年密苏里大学（哥伦比亚）设置了第一个大学的新闻课程。1912年纽约市哥伦比亚大学接受纽约编辑家和报业发行人J.普利策的资助设立了第一个新闻研究生课程。人们认识到，新闻报道和报纸操作的日益复杂化要求业者有充分的专业训练。编辑人员也日益感到要深入报道诸如政治、工商、经济、科学等类新闻，报道者就必须具有相应的背景知识。电影、广播和电视这些新媒体的出现，更要求有新的技能。到20世纪50年代高等学校已普遍设置新闻课程或称大众传播课程。有关新闻业的书刊在1900年时只不过有两本教科书、少数讲演集和文集、有限的几本历史和传记。到20世纪末期这类书刊已多种多样，大量出现，从新闻发展史到新闻报道与新闻摄影教材，以至关于新闻的功能、方法和道德等的书籍一应俱全。对新闻工作者社会责任的重视，要算是19世纪末和20世纪的事情了。早期的报刊在政治上有强烈的党派性，往往把宣扬本党派立场、诋毁对立方立场视为自己的社会责任。随着读者日益增多，报纸规模和报社财产日益扩大，报纸渐渐加强了独立性。报纸往往制造一些受欢迎的和轰动一时的“事件”以扩大销量。这一倾向的顶峰便是所谓的**黄色新闻**（**yellow journalism**），即19世纪90年代纽约市的《世界报》和《新闻报》两家报纸相互竞争而使出的手段。社会责任感的明显提高，来自专业教育和对这一问题的广泛讨论。到20世期后期，研究表明，新闻工作者作为一个群体，对本行业在向公众公正报道事实方面所起的作用方面，总的来说，是符合高尚理想这种态度的。许多记者团体规定了职业道德守则，其中或许以美国报纸编辑协会的道德守则最为闻名。

现代新闻业 虽然新闻业的核心始终是新闻，但新闻一词已有了许多附加的含义，所以以“硬新闻”一词来定义指明那些具有新闻价值的新闻，以区别于其他边缘性的新闻。这在很大程度上是由于广播和电视的出现，它们的报道速度远非印刷品所能企及。为了抓住公众，报纸就不得不增加阐述性的材料——新闻背景分析、人物特写、评论专栏等。到20世纪60年代中期，报纸，尤其是晚报和星期刊，除刊登那些传统客观性规则仍然有效的“硬新闻”以外，大量采用杂志的编辑手法。新闻杂志则把报道与评论糅合在一起。书籍形式的新闻出现时间很短，但颇富生机。第二次世界大战后纸面平装书大为流行，推动了新闻性书籍的出版，例如报道和分析选举活动、政治丑闻和世界局势的一些书籍，即属此范畴，同时还形成了所谓的“新新闻体”。

joust 乘马比武 流行于西欧的一种模拟战。两名骑士用长枪互相攻击，竭力将对方击下马。16世纪初开始不受人喜爱，被一种

1565 年版画中多对骑士同时进行乘马比武的场景
美国不列颠百科全书公司供图

骑马人在疾驰中把长矛插进小金属环的游戏所取代。

Jouve, Pierre-Jean　茹弗（1887-10-11，法国阿拉斯～1976-01-08，巴黎）　法国诗人、小说家、评论家。曾受"隐修院"文艺社影响。受象征主义启发，写下最早的诗篇《罗马和佛罗伦萨的缪斯》（1910）、《风采》（1912）、《说话》（1913）。第一次世界大战时，因健康欠佳，免服兵役，移居瑞士，写诗鼓吹和平主义。这个时期的作品有《你们是人》（1915）、《死之舞》（1917）。1924 年信奉天主教，同时热心于心理分析。这两种信念给他提供了毕生的写作题材，即罪恶、性欲和死亡。诗集《神秘的婚礼》（1925）、《婚宴集》（1926）、《血汗集》（1935）既宣扬灵性，也宣扬色情。《波利娜 1880》（1925）、《荒凉世界》（1927）、《重要的一幕》（1935）等散文作品中也有同样的倾向。第二次世界大战期间，在日内瓦写了《巴黎的圣女》（1944）。战后回到巴黎，继续写作，出版诗集和一些有关语言研究的著作，如《颂歌》（1950）、《语言》（1952）、《抒情诗集》（1956）、《波纹绸》（1962）等。也写有关 19 世纪的法国作家和艺术家的评论文章，他又是个很熟练的翻译家。他毕生都热爱音乐，结果写了许多尖锐而很有见解的音乐评论文章，尤其在《评莫扎特的〈唐璜〉》（1942）一文中表达了他的尖锐观点。1966 年获法兰西学院诗歌大奖。

Jouvenet, Jean　茹沃内（1644，法国鲁昂～1717-04-05，巴黎）　法国巴罗克画家，以宗教作品和装饰天顶画而著名。受教于其父。1661 年到巴黎后，引起 C.勒布朗注意，并通过他受雇于凡尔赛。1675 年在勒布朗支持下成为皇家学院成员；1681 年当选该院教授。

Jouvet, Louis　儒韦（1887-12-24，法国克罗宗～1951-08-16，巴黎）　法国演员、导演、设计师和技师。20 世纪法国戏剧界最有影响的人物之一。曾由于口吃而多次被巴黎音乐学院拒之门外。1910 年在《卡拉马佐夫兄弟》一剧中首次登台演出。第一次世界大战中曾服役。1924 年任巴黎香榭丽舍喜剧院导演，1934 年被任命为阿特奈剧院的导演，他在这个位置上直到去世。他曾将剧作家季洛杜和设计师贝拉尔介绍到剧院工作，带来表现莫里哀剧作的新见解，发展了灯光技术，创造了简化而又具高度启示性的布景。他还对演员嗓音的表现力予以高度的重视。最成功的剧目有《诺克博士》（1923）、《太太学堂》（1936）和《夏约的疯女人》（1945）。他还演过一些电影。他是一位深受尊敬的、不知疲劳的戏剧工作者、导师、演讲者、作家和荣誉公民。他带领剧团去北美和南美巡回演出，成为他国家的文化使者。B. 纳普写的《戏剧界的杰出人物——路易·儒韦》一书于 1957 年出版。

Jovanović, Slobodan　约瓦诺维奇（1869-12-03，奥匈帝国新萨茨～1958-12-12，伦敦）　塞尔维亚法学家、历史学家、政治家，第二次世界大战期间的南斯拉夫流亡政府总理（1942-01-11～1943-06-26）。持开明的社会政治观点，大概是南斯拉夫最伟大的宪法权威；亦为塞尔维亚散文大师，在将近半个世纪中为塞尔维亚知识界的领袖。早年在日内瓦学习法律。1890 年进入外交界。1897～1939 年任贝尔格莱德大学教授，两度任副校长。1941 年任副总理。后在南斯拉夫流亡政府中任总理兼军事部副部长。第二次世界大战后任流亡中的南斯拉夫全国委员会主席。1946 年 7 月被缺席判处 20 年苦役。战前有著作 17 卷，战后著有《论极权主义》（1952）和《我的同时代人》（死后出版，1961～1962）。

Jovellanos, Gaspar Melchor de　霍维利亚诺斯（1744-01-05，西班牙希洪～1811-11-27，维哈）　西班牙政治家和作家，18 世纪西班牙启蒙运动最重要的人物之一。早年学习法律，后在塞维利亚和马德里的司法部门工作。因文学和学术方面的成就以及个人的廉正而享有盛名，但在为一位蒙受耻辱的朋友进行调停未能成功之后，于 1790～1797 年被逐出马德里回到家乡阿斯图里亚斯省，他在那里创立协会，以促进阿斯图里亚斯的改革，并完成了他最有影响的作品《马德里经济学会呈卡斯蒂利亚皇家最高委员会关于土地法的报告》（1795）。他在报告中强调根据自由主义的经济原则对西班牙的农业进行改革。1797 年任司法大臣，历时仅 8 个月，因反对宗教法庭和主张西班牙国家教会不受罗马的束缚而下台，并于 1801 年被囚于马霍卡岛。1808 年获释后，拒绝在法国入侵者的统治下任职，积极参加爱国政党的活动。此后，他在反法民族政府中央政务会中发挥重要作用，并促进召开国民议会。他信奉君主政体，但主张成立议会，以便对国王专断的权力加以控制。中央政务会解散后，他回到阿斯图里亚斯，在法军来到前逃离该省时，死于途中。

Joveynī, ʿAṭā Malek　约韦尼（1226，呼罗珊霍韦恩～1283，阿塞拜疆）　全名阿拉·丁·阿塔·马莱克·约韦尼。波斯历史学家。在蒙古统治伊朗时期（1220～1336）是波斯史学界第一个出色的代表人物。贵族家庭出身。早年听父亲讲蒙古行政机构的情况。1249～1251 和 1251～1253 年两度去中亚访问蒙古大汗的宫廷。1256 年开始为成吉思汗的孙子旭烈兀服务。1258 年出任伊拉克和胡齐斯坦总督，任职 20 余年。1265 年旭烈兀逝世后失宠，势力大减。他的巨著《世界征服者史》（2 卷，英译本 1958 年）是波斯最重要的史学著作之一，在波斯文学史上也占有一定地位。

Jovian　约维安（约331，上默西亚辛吉敦努姆～364-02-17，比希尼亚达达斯坦纳）　罗马皇帝（363～364）。曾随尤里安皇帝远征波斯，尤里安阵亡后，他被军队拥立为帝。即位后马上媾和，把底格里斯河以东的全部罗马领土以及辛贾尔和尼西比斯等城市都割让给波斯。在从前线返回君士坦丁堡途中死去。瓦伦提尼安一世继承其位。

Jovius, Paulus　约维乌斯（1483-04-19，米兰科莫～1552-12-10，佛罗伦萨）　意大利历史学家，曾收藏有一批著名艺术品。1528 年任诺切拉主教。他用拉丁文撰写一部佛罗伦萨史（1494～1547）和一些著名人物的小传。他的著作缺乏深度和政治性，但文笔优美，并充满有用的资料。

Jowett, Benjamin　周伊特（1817-04-15，伦敦～1893-10-01，英国汉普里德利帕克）　英国古典学者，被认为是 19 世纪最优秀的教师之一。以翻译柏拉图的著作而知名，是一位很有影响的杰出的指导教师。曾就学于圣保罗学校和牛津大学巴利奥尔学院，1842 年任该学院指导教师，同年任英国圣公会执事，3 年后升任教士。1855 年完成其著作《圣保罗书》。他的有关耶稣替世人赎罪的文章被指责为异端，但尽管有强烈的反对意见，他还被任命为钦定希腊语讲座教授，年薪 40 镑，直到 1865 年基督堂学院将捐款解冻才增为 500 镑。他的有关《理想国》的学术演说使人们对柏拉图产生了浓厚的兴趣。1870 年当选为巴利奥尔学院院长，使他得以重建学院的很大的一部分，并为不属于任何学院的学生修建了一座餐厅。这时他发表了所译《柏拉图对话集》（1871）和修昔底德的《历史》（1881）。担任大学副校长时（1882～1886），他奖励戏剧和音乐方面的活动，并且完成了亚里士多德的《政治学》的翻译工作。他为之付出了 30 年心血的《理想国》的版本在他去世后于 1894 年出版。

Joy Division/New Order　快乐小分队/新秩序乐队　英国摇滚乐队，最初名为"快乐小分队"，将20世纪70年代朋克乐的外在喧闹转化为内心的骚动，引领着后朋克时代的到来。后来更名为"新秩序"乐队，成功地将摇滚乐和80年代的美国黑人舞曲融合在一起。乐队主要成员有I.柯蒂斯、B.阿尔布雷克特、P.胡克、S.莫里斯和G.吉尔伯特。1977年春天，吉他手阿尔布雷特、贝斯手胡克和歌手柯蒂斯组成了一支朋克乐队"华沙"。1978年初，鼓手莫里斯加盟并将乐队名称改为"快乐小分队"。他们的音乐风格是：旋律优美的低音；构成节奏和结构的吉他和鼓；复杂、文学化的歌词以及具有蛊惑力的现场演出。首张专辑《莫名的快乐》(1979)彰显出这支朋克乐队的活力并使之成为英国最火爆的乐队之一。专辑中的《她失去了控制》成为乐队的招牌歌曲。乐队极其迅速地吸收了电子鼓和电子合成器，从摇滚乐向标准的欧洲电子音乐迈进。1980年，柯蒂斯由于私生活问题加上癫痫病恶化自杀身亡。之后，乐队的单曲《当爱将我们分开》和第二张专辑《更加靠近》分别登上英国排行榜前10名和前20名。柯蒂斯去世后，乐队中剩下的三个人加上新加入的键盘手吉尔伯特组成"新秩序"乐队。乐队推出了单曲《一切都变成了绿色》(1981)和畅销的《忧郁的星期一》(1983)。他们对舞曲的探索更为全面深入。1989年推出单曲《美好时光》。1990年世界杯主题歌曲《运动的世界》在英国排行榜上位居榜首。1993年的《悔恨》是乐队最后一首重要单曲。

Joyce, James　乔伊斯(1882-02-02，爱尔兰都柏林～1941-01-13，瑞士苏黎世)　爱尔兰小说家，因其在《尤利西斯》(1922)和《为芬尼根守灵》(1939)等巨著中对语言运用的试验

美国不列颠百科全书公司供图

和对新的文学方式的探索而著称。其父为都柏林税务专员，收入丰厚，但因酗酒，工作玩忽大意，从此家道中落，依靠借债度日。乔伊斯曾在都柏林大学学院攻读语言学，博览群书并积极参加学院文学和历史协会的活动。他对易卜生极为赞赏，为阅读其原著学会了丹麦-挪威语，并写了一篇评论《当我们死而复醒时》的文章，于1900年他的18岁生日后刊登在伦敦的《双周评论》上。初期的这一成功使他成为作家的决心更加坚定。1902年获学士学位。毕业后前往巴黎，依靠写书评和教英语为生。后来这一时期的书评和美学笔记被汇编成《詹姆斯·乔伊斯评论文集》于1959年出版。1903年因母病危归国探亲。1904年开始应邀为《爱尔兰农家》杂志撰写短篇小说，共15篇，后以《都柏林人》为题汇集出版，最后一篇《死者》堪称世界短篇小说的杰作之一。1905年迁居的里雅斯特。对于欧洲文学的研究使乔伊斯对象征主义和现实主义发生兴趣，开始在创作中把这两种对立的倾向结合起来。《青年艺术家的肖像》(1916)是一部半自传体小说，有些段落写得极其生动逼真，读者由于直接面对主人公斯蒂芬·德迪勒斯的内心活动而备感亲切。1914年这部小说在《利己者》杂志连载。1915年移居苏黎世，经济极为拮据，健康日益恶化，几乎双目失明。1920年应E.庞德之邀前往巴黎。1922年代表作《尤利西斯》在巴黎出版，全书描写1904年6月16日这一天都柏林发生的事，这部作品的主要力量在于其中人物描写的深度和幽默的广度，但这部书最著名的是它采用的、被称为"意识流"技巧的内心独白变体。乔伊斯声称此法取自被人遗忘的法国作家E.迪雅尔丹(1861～1949)。因有些段落不加标点符号，以致有隐晦之感。1939年出版了他花费十几年心血写成的最后一部小说《为芬尼根守灵》，他写此书时字斟句酌，有时一段文字要改写十多次。批评家们对它的评价不一。书中描写的一个普通爱尔兰家庭，涉及所有人的梦幻，梦中情节具有复杂的、变化不定的象征意义，采用多种语言风格和多层次的结构写成，旨在表现多样性的意蕴。乔伊斯在书中还用一种循环结构来象征历史的循环往复。初读此书似乎难以理解，但它充满了诗意和机智。作为一位小说家，他的高超技巧，对于人性微妙而直率的描述，对于语言的掌握和对于新文学创作手法的杰出发展，使他成为对20世纪作家影响最大的人物之一。

Joyce, William　乔伊斯(1906-04-24，美国纽约州纽约～1946-01-03，英国伦敦)　绰号哈哈勋爵。第二次世界大战期间纳粹德国对外宣传的英语广播员。他的父亲是一位归化美国的公民，但他大部分时间住在爱尔兰和英格兰。曾是O.莫斯利的英国法西斯组织中的活跃分子和国家社会主义联盟创始人之一。1938年取得英国护照，1939年8月去德国，为戈培尔的纳粹宣传部效劳。1945年5月被捕，以叛国罪受审判。被处绞刑。

Joyeuse, Anne, Duke de　茹瓦约斯公爵(1561，法国茹瓦约斯～1587-10-20，库特拉)　法国贵族，天主教极端主义派领袖。16世纪宗教战争期间，反对新教的胡格诺派。他是茹瓦约斯子爵纪尧姆的长子，幼年即供奉宫廷，根据其父领地之一受封为阿尔克侯爵。当时法王亨利三世由于失去几名宠臣，对他非常赏识，于是在1581年加封他为茹瓦约斯公爵，其位在法国诸贵族之上，仅次于亲王及某些王族成员。亨利还任命他为法国舰队总司令(1582)和诺曼底总督(1586)，而且把王后的妹妹即洛林-沃代蒙家族的玛格丽特嫁给了他。他坚决奉行天主教的极端的宗教政策，反对蒙莫朗西公爵亨利一世实行对朗格多克地区胡格诺派的宗教宽容政策，曾率军攻打吉耶讷地方的胡格诺派，并在圣埃鲁瓦山屠杀一些胡格诺派的人员。就在这一不合时宜的时刻，他因政敌之嫉，遭到阴谋暗算而被召回朝。后来他再度用兵攻打胡格诺派的纳瓦拉国王亨利(即后来的法王亨利四世)时，在库特拉被俘而遭杀戮。

Joyeuse Entrée　初巡礼　法语原意为"愉快的首次行程"。欧洲中世纪及法国大革命前，君主第一次巡视其治下各地的礼仪性活动，传统上此种活动多以向下属颁赠或确认特许权利为主要内容。其中最著名的一次是约翰娜同其丈夫文策斯劳斯于1356年元月3日对低地国家中的布拉班特公国的特许权利状的确认活动，称"愉快的首次行程"，由是遂有此名。约翰娜是布拉班特公爵约翰三世(1355卒)之女及继承人，文策斯劳斯卢森堡公爵是神圣罗马帝国皇帝查理四世之弟。此次邦君初巡，完全出于希拉班特人对文策斯劳斯的担心，唯恐他这个外国人将对该公国传统上的特权不予承认，而有此举。该特许状对布拉班特的各种权利予以确认，规定该公国领土不得分割；领土内所有公职只能由布拉班特人充任；有关钱币铸造、对外结盟以及宣战媾和等重要问题，必须与布拉班特公国进行磋商。邦君初巡于是就成为低地国家其他各省颁赠特许状的一种模式，而且也成为特许权利的一种保护形式。约瑟夫二世皇帝试图废除这种特许状所赋予的权利，造成1789～1790年布拉班特在H. van der诺特领导下举行的一场叛乱，实非明智之举。

Jōyō Daishi(Buddhist monk)　**承阳大师**　参阅**Dōgen**道元。

József, Attila　尤若夫(1905-04-11，匈牙利布达佩斯～1937-12-03，巴拉顿萨尔索)　匈牙利20世纪最伟大的诗人之一。他虽然17岁时就发表了第一批诗，但只是在死后才真正成名。由于受马克思主义意识形态的吸引，在匈牙利共产党仍处于地下时，他就是个党员。1932年他创办了一个短命的文学期刊《现实》。1936年，他又是《论据》杂志的两创办人之一。他在自己的诗里描绘了熟悉的无产阶级生活，并使自己的母亲，一个贫苦的洗衣女工成为工人阶级的象征。他创造了一种伤感的现实主义风格，注入荒谬的成分，以此来表达现代人的种种复杂感情，并显示自己对生活中不可缺少的美与和谐的信念。

JPMorgan Chase & Co.　摩根大通公司　旧称摩根公司。美国银行和金融服务公司。2000年12月由摩根公司和大通曼哈顿公司合并而成。总部设在纽约市。摩根公司成立于1895年，1959年与纽约担保信托公司(1864年)合并。1969年重命名为摩根担保信托公司。1989年摩根成为美国一主要公司债务承销商。到20世纪末，成为世界上最受尊

敬的投资银行之一。21世纪初,摩根在投资银行、政府债券和商业银行方面的经验与大通曼哈顿在个人的小企业银行业务中的经验相结合。2004年,摩根大通与芝加哥第一银行合并,芝加哥第一银行的大部分业务采用"大通"的品牌。

J/psi particle J/ψ 粒子 由粲夸克和反粲夸克组成的一类介子。其质量为3.1吉电子伏$/c^2$(c为光速),约为质子质量的3.5倍。这种粒子是1974年最早由两个美国物理学家小组各自独立地发现的:一组位于加利福尼亚州帕洛阿尔托的斯坦福直线加速器研究中心,另一组是纽约州长岛厄普顿的布鲁克黑文国家实验室。J/ψ粒子的发现使夸克及其相互作用更清楚地显示出来。它支持了关于除了由早期的夸克模型所预示的那3种夸克(现在习惯把它们记作u、d、s)外还存在第四种粲夸克(c)的理论。参阅 **meson**。

JTSA 参阅 **Jewish Theological Seminary of America** 美洲犹太教神学院。

Juan de Austria 胡安(奥地利的)(1547-02-24,雷根斯堡[德国]～1578-10-01,西属尼德兰那慕尔附近布日) 神圣罗马帝国皇帝查理五世的私生子。西班牙国王腓力二世的异母兄弟。作为西班牙军队司令,在历史性的勒班陀海战中击败土耳其人。从小就同出身平民的母亲分离,在西班牙长大成人。查理五世死后,西班牙国王腓力二世承认他为异母兄弟,给了他一大笔家产,命名他为奥地利的唐·胡安(1559)。

胡安英俊而豪迈,立志当军人,腓力满足了他的愿望。1568年夏,他在地中海同摩尔人海盗作战。1569年3月被任命为征服格拉纳达的摩里斯科人(即摩尔人后裔的基督教徒)的西班牙军总司令。1571年腓力又派他率领由西班牙、威尼斯和教皇结成的神圣联盟的海军,在东地中海与土耳其人作战。他把几支舰队组成一个有效的战斗单位,在勒班陀海战(1571-10-07)中,消灭了土耳其军队,从而打破土耳其人不可战胜的神话。1573年腓力派他去征服突尼斯。1576年被任命为尼德兰总督。当时尼德兰反对西班牙统治的公开叛乱如火如荼,因此胡安不愿承担这个困难任务。后来,由于答应他可以入侵英格兰并同当时被幽禁在英格兰的玛丽女王结婚,他才赴任。在尼德兰,与叛乱分子签订了一项《永久法令》(1577-02)。根据法令,叛乱分子承认胡安为总督并恢复天主教,但作为交换条件,西班牙军队必须撤走。荷兰和泽兰二省不同意恢复天主教,并拒绝承认胡安的统治权。于是,胡安攻占那慕尔,继续进行战争。后因他的秘书埃斯科韦多与腓力二世有隙遭到暗杀,他自感失宠于兄王,兼以缺乏应有的财政上及军事上的支持,故未能在尼德兰顺利进行战争。

Juan Carlos 胡安·卡洛斯(1938-01-05,意大利罗马～) 西班牙国王,1975年11月22日于佛朗哥死后两天即位。末代国王阿方索十三世之孙,巴塞罗那伯爵胡安之子。在意大利度过童年,1947年回西班牙受教育,先后入军事学院、海军学院、空军学院和马德里大学学习。1947年西班牙废除共和政体,建立"代议制君主国",但终佛朗哥之世没有君主。最后佛朗哥于1969年7月22日向议会指定胡安·卡洛斯为未来的西班牙国王。虽然他曾宣誓效忠于佛朗哥的"国民运动",但他即位后坚持自由民主原则,鼓励恢复各政党,并对政治犯实行大赦。1981年一举挫败佛朗哥派军事政变。此举使军方不满,但保持了政治民主,使1982年社会党政府得以掌权。此外,他还颁布一项离婚自由的法律(1981)和允许妇女有限制的堕胎的法律(1983)。1981年胡安·卡洛斯成为访问美国的第一位西班牙国王,也是正式访问中华人民共和国的第一位加冕君主。1982年,西班牙加入北大西洋公约组织,1986年加入欧洲共同体。胡安·卡洛斯于1962年5月在雅典与希腊国王保罗之女索菲亚公主结婚,生有两女一子。

Jüan Chi(Chinese Poet) 参阅 **Ruan Ji** 阮籍。

Juan de Fuca Strait 胡安·德富卡海峡 在北太平洋东部,美国华盛顿州奥林匹克半岛和加拿大不列颠哥伦比亚省温哥华岛之间。长130～160千米,西起弗拉特里角和太平洋,东至哈罗海峡、与扼南部皮吉特海峡入口的惠德比岛相接。中航道水深自西而东为275～90米。海峡内潮流运动情况复杂,岬角外和浅滩上常发生因不同方向潮流相遇形成的激潮。强风频繁。去温哥华和西雅图的船只经此。沿岸港口有维多利亚(加)和安吉利斯(美)。

Juan Diego, Saint 圣胡安·迪亚哥(1474,墨西哥库奥提特兰[墨西哥城附近]～1548-05-30,特派雅山[墨西哥城],2002年7月31日封圣,纪念日为12月9日) 皈依罗马天主教的墨西哥土著人、圣人,相传圣母玛丽亚以瓜达卢佩圣母的形象在他面前显灵。早年生活不详。声称自己是穷人,但可能指的是精神上的贫困。有人认为他是阿芝台克王子。已婚但无子女。50岁时,和妻子一道成为西班牙传教士将天主教引入墨西哥后第一批接受洗礼皈依天主教的土著人。据传,胡安·迪亚哥在1531年12月9日在墨西哥郊区的特派雅山第一次看见圣母玛丽亚显灵。她用当地土著语要求他去找主教为她在山上修一座圣殿。但主教不相信胡安·迪亚哥,要求他拿出证据。12月12日,圣母再次在胡安·迪亚哥面前显灵,让他采集一些玫瑰,将玫瑰带给主教看。虽然是冬天,但胡安·迪亚哥仍然在山上找到很多玫瑰。当他在主教面前打开斗篷时,有几十只玫瑰掉下来,只见圣母的形象印在了斗篷的内侧。于是主教下令为圣母玛丽亚在特派雅山上修建一座教堂。从此以后,胡安·迪亚哥一直住在该教堂旁边的棚屋里,接待前来朝圣的人。死后安葬在教堂里。但是否真有胡安·迪亚哥这样一个人,天主教徒和非天主教徒中均有人提出质疑,但梵蒂冈承认确有其人,并于1990年5月6日为他举行宣福礼,教皇约翰·保罗二世于2002年7月31日封他为圣人。他是墨西哥最重要、最受崇敬的圣人之一。

Juan Fernández Islands 胡安·费尔南德斯群岛 南太平洋上小岛群。位于智利瓦尔帕莱索区以西650千米,行政上属瓦尔帕莱索区。包括马萨铁拉岛(近地岛,或称鲁滨逊·克鲁索岛)、马斯阿富埃拉岛(远地岛,或称亚历杭德罗·塞尔扣克岛)以及圣克拉拉岛。这些岛屿都是胡安·费尔南德斯海底山脉突出海面的火山峰。马萨铁拉山顶海拔3 002英尺,马斯阿富埃拉海拔5 415英尺。马萨铁拉北部的坎伯兰湾和西端的帕德雷湾为仅有的优良锚地。西班牙航海家J.费尔南德斯约于1563年发现该群岛并在岛上繁殖山羊和猪。他离开后很少有人登临。1704年苏格兰水手A.塞尔扣克(**Selkirk, Alexander**)因与船长口角要求在坎伯兰湾上岸,并独自一人在岛上生活至1709年。据说他的经历启发了笛福创作《鲁滨逊漂流记》的灵感。19世纪初,群岛归属智利后曾多次充作罪犯(特别是政治犯)流放地。圣克拉拉岛现在无人居住。马萨铁拉岛和马斯阿富埃拉岛人烟稀少,居民大部分集中在坎伯兰湾鲁滨逊村,以捕捉龙虾为业。人口约516(1982)。

Juan José de Austria 胡安·何塞(奥地利的)(1629-04-07,西班牙马德里～1679-09-17,马德里) 英语作John Joseph of Austria。西班牙国王腓力四世的私生子中最著名的一个。曾任西班牙陆军司令,颇有功勋。从1677年直至逝世,任国王卡洛斯二世的首相。生母是著名女演员玛丽亚·卡尔德隆。他曾接受王室子弟的教育和一大笔财产。1647年被派往西班牙统治的那不勒斯王国镇压平民起义,任陆军指挥官。1651年率领皇家军队包围叛乱省份加泰罗尼亚的首府巴塞罗那,翌年10月促使叛军投降。1656～1658年任尼德兰总督,功勋卓著。当他与葡萄牙叛军作战时,在阿梅希尔被击败(1663),因而被解除司令官的职务。他野心勃勃,企图继承父位,引起国王的反感。1665年9月腓力逝世时,他已失宠。由于新国王、他的异母兄弟卡洛斯二世尚未成年,他积极参与一些政治阴谋。1669年举行军事暴动,迫使摄政的王后玛丽亚娜解除她的宠臣和忏悔神父尼撒德的职务。1677年初,他将玛丽亚娜及其新的宠臣巴伦苏埃拉逐出宫廷,自任首相。他原来颇得人心,但由于狂妄自大,好搞阴谋,欺世盗名,漠视群众疾苦,很快就失去了群众的支持。1678年他与法国签订《奈梅亨条约》,丧权辱国,遂致死后名声扫地。

Juan-juan 柔然 又拼Geougen, Jou-jan或Jwen-jwen。中国史籍又称蠕蠕、芮芮、茹茹。中亚历史上的重要民族。因其统治者称汗或可汗,学者认为他们是蒙古族,或者是操蒙古语的民族。柔然帝国自5世纪初持续到6世纪中叶。它占有中国北方的辽阔地带,满洲至突厥斯坦。柔然曾与白匈奴结盟,一直与中国北方的魏朝为敌。公元552年,柔然帝国内部的突厥部落造反,联合魏朝,共灭柔然。许多学者认为,558年出现于欧洲的阿瓦尔人,即为柔然之残部。

Juan Manuel, Don　胡安·曼努埃尔(1282-05-05,新卡斯蒂利亚埃斯卡洛纳～1348,科尔多瓦)　西班牙贵族、文人,被称为西班牙14世纪最重要的散文作家。以所著《卢卡诺尔伯爵》(1328～1335)闻名。这是一部以50个短故事组成的劝世性说教著作,文笔清澈、直率,完全没有当时惯用的那种华丽辞藻,为后世作家树立了一个标准,对西班牙散文的发展有极大影响。他现存著作中的杰作有《国家篇》,一本论政治的书;《骑士与乡绅之书》,一篇论社会的论文。

Juaneño　朱亚内诺人　一译胡安内尼欧人。操犹他-阿兹特克语的北美印第安居民集团,其族源已不可考。原住加利福尼亚西南沿海地区,恰在圣胡安·卡皮斯特拉诺教团附近,因此以教团之名(胡安·卡皮斯特拉诺)为名。他们的语言是卢伊塞诺语的一种变体,属犹他-阿兹特克语系。朱亚内诺人的文化,是在其北部邻人加布列莱诺人的部分影响下发展起来的。朱亚内诺人住房用柴枝及其他植物材料搭成,以采集橡实及其他植物、捕鱼及采集贝壳动物为生。对于他们的社会组织,尚不清楚。不过一般说来每个村庄有一个首领,拥有职权,受到尊敬,虽然他的实际权限也许受到限制。朱亚内诺人同其他南加利福尼亚印第安人相同的另一风尚是,对于异性装扮癖及同性恋,社会上是予以鼓励的。

Juárez　华雷斯　原作Ciudad Juárez(华雷斯城)。墨西哥奇瓦瓦州北部城市。临格兰德河,与美国得克萨斯州埃尔帕索隔岸相望,有两座大桥相连。市内有瓜达卢佩教堂

华雷斯市的瓜达卢佩圣母教堂
美国不列颠百科全书公司供图

(1659)。该城原名北埃尔帕索,在抗法斗争中,墨西哥总统B.胡亚雷斯于1865年在此设指挥部。该城1888年改现名。该城是棉花种植区集散地和墨西哥国家铁路北部终点站,同美国过境贸易频繁。华雷斯和埃尔帕索之间的河道有很多弯曲,成为100年间美墨之间有争议的边界,1963年双方交换小片领土,争端解决,1967年正式划定边界。华雷斯自治大学于1973年建立。该城从20世纪70年代起与其北边的三座城市共同经历了迅速的发展,主要是因为对出口导向的装配业的经济和法律上的支持,以及国际旅游业的繁荣。在北美自由贸易协议执行(1994)后,装配业和卡车运输业有了更快的发展。人口在1980年近545 000,至2000年,已翻了一番。但城市服务业的发展跟不上人口的激增,导致环境污染和暴力犯罪的增加等诸多问题。该城市因成为向美国输送非法移民和毒品的集结地而"闻名"。人口约1 217 818(2000)。

Juárez, Benito (Pablo)　胡亚雷斯(1806-03-21,墨西哥瓦哈卡州圣巴勃罗-盖拉陶～1872-07-18,墨西哥城)　墨西哥民族英雄、总统(1861～1872),同外国占领军斗争了3年之久(1864～1867),推行宪法改革,以建立一个民主的联邦共和国。印第安人,3岁时双亲弃世,12岁开始受正规教育。1831年获瓦哈卡科学艺术学院法学学位,并成为市议员。他自持廉洁,从未利用公职谋取私利。曾兼任州议会和全国议会议员。1841年任法官,后担任本州州长。这一时期,开始为解决国家的许多问题制定方案。他认为只有用资本主义代替教会和贵族对经济的垄断,才能使国家走上繁荣昌盛的道路。他相信,只有联邦制为基础的立宪政府才能使国家政局稳定。但1853年大选后,保守党人重掌政权,胡亚雷斯等许多著名自由党人被放逐。1853年12月至1855年6月,胡亚雷斯住在美国的新奥尔良,生活清苦,整日忙于同其他墨西哥人交流意见,并筹划回国。1855年自由党人控制了政府,胡亚雷斯回国担任司法和社会教育部部长。1857年新国会遴选他担任最高法院院长,根据法律,兼任有实权的副总统。由于教会人士支持保守派反对合法政府,胡亚雷斯制订一些法律,削弱教会的权力。1861年胡亚雷斯当选总统。他面临许多严重问题:反对派的力量丝毫未受损害,新国会不信任国会议长,国库异常空虚。1861年7月他决定两年内暂停偿还全部外债。英国、西班牙和法国为保护他们投资的利益,1862年1月出兵在韦拉克鲁斯登陆,进行干涉。英国和西班牙听说拿破仑三世打算征服墨西哥之后,撤回了自己的军队。法国虽然在普埃布拉遭到重创,但仍陆续增援,终于在1863年6月占领了墨西哥城。胡亚雷斯被迫离开首都。经过长途跋涉,最后抵达墨美边界的胡亚雷斯城。由于墨西哥人继续抗战和美国

美国国会图书馆供图

的压力,拿破仑于1867年年初决定撤军。胡亚雷斯1871年再度参加总统竞选。在激烈的较量之后,重新当选。不久死于心脏病。胡亚雷斯在政治上的成功是一场持久的斗争。他不断克服社会上流行的对于他的印第安出身的偏见。他的内政改革使墨西哥清除了新殖民主义的残余。他领导的反法斗争取得巨大的成果。由于这些丰功伟绩,胡亚雷斯得到民族英雄的光荣称号。

Juàzeiro　茹阿泽鲁　巴西东北部巴伊亚州北部城市。位于圣弗朗西斯科河畔。海拔373米。1878年建城。为当地农牧区(全国最干燥的地区之一)的贸易和运输中心。上溯圣弗朗西斯科河至米纳斯吉拉斯州的皮拉波拉一段可航小船舶。货物也可经铁路和公路运往沿海的阿拉卡茹、河对岸伯南布哥州的佩特罗利纳和巴伊亚州内邻近地区。人口:市约132 796;城市区约174 101(2000)。

Juàzeiro do Norte　北茹阿泽鲁　巴西东北部塞阿拉州南部城市。海拔400米。巴西北部内地主要城市之一。1914年建市。经济以榨糖和棉花加工业为主,当地亦产谷物。在

北茹阿泽鲁市的圣方济各教堂
美国不列颠百科全书公司供图

福塔莱萨—克拉图铁路线上。有公路通附近城市。有一机场。人口:市约201 950;城市区约211 858(2000)。

Jūbā　朱巴　苏丹南部城镇和都市中心。海拔约460米。杰贝勒河西岸河港。为周围农业地区所产烟叶、咖啡和辣椒的贸易中心,

也是苏丹河运南部终点站。是通往乌干达、肯尼亚、刚果(金)的公路的枢纽。建有国内机场和3家银行。设有朱巴大学(1975)。1947年在朱巴召开的会议上,苏丹南北地区代表同意统一国家。1955年驻在朱巴的南方部队发动暴乱导致一场苏丹内战,直至1969年才平息。1983年内战再度爆发,南方抵抗力量不断袭击设在朱巴的中央政府重要军事要塞。人口约114 980(1993)。

juba 朱巴舞 美洲黑人奴隶的舞蹈,这种舞蹈直到19世纪还能在从荷属圭亚那至加勒比海群岛和美国南部的地区看到。这种舞由一群男子围着中央的两个男子进行表演。随着群舞者的活泼而有节奏的叫声和击掌声,中央二人表演各种舞步,例如朱巴舞步、狗搔痒、鸽子飞翔等。作为一种反复,每换一种新舞步之后,外圈的舞者都用朱巴舞按逆时针方向转动。朱巴舞包含有美洲黑人各种现存舞蹈的特点,特别是即兴表演,曳步慢舞,柔软的身体动作,急促的节奏,它可能与非洲吉欧巴舞有关。"拍击朱巴"即拍击手、腿或身体,从而产生复杂的快速节奏。在朱巴舞失传之后,拍击朱巴残留下来。在朱巴舞原先流传地区,这种拍击朱巴仍然时而可见。

Juba I 朱巴一世(约公元前85～前46,塔普苏斯附近) 又拼Iuba。努米底亚国王,支持庞培的追随者和罗马参议院在北非同凯撒作战(公元前49～前45)。约于公元前63～前50年继父亲亨普萨尔二世的王位。因遭到人身侮辱(可能在公元前63年),对凯撒恨之入骨。公元前50年,支持凯撒的保民官库里奥主张把努米底亚改为罗马的一个行省,未能实现。公元前49年,库里奥在北非登陆,驱逐庞培的军队,但被朱巴打败杀死。公元前46年凯撒亲自征伐。朱巴不得不将他的大量步兵、骑兵和大象分开作战,因为他的王国也受到凯撒的盟友毛里塔尼亚国王博库斯和意大利冒险家P.西蒂乌斯的入侵。朱巴和庞培的追随者在塔普苏斯战败,他在临时首都扎马被居民驱逐后自杀。

Juba II 朱巴二世(约公元前50～约公元24) 朱巴一世之子。北非国家努米底亚国王(公元前29～前25)和毛里塔尼亚国王(公元前25～公元24)。他用希腊语写了多种著作,其中包括历史、地理、语法以及戏剧。朱巴一世死后,凯撒在罗马举行凯旋仪式时,他被游街示众,时年5岁。但后在意大利接受良好的教育。年轻时与屋大维(后为奥古斯都皇帝)成为好友。公元前29年被屋大维指定为努米底亚国王。自公元前46年朱巴一世被打败后,努米底亚一直为罗马一个行省。公元前25年成为毛里塔尼亚国王。其妻克娄巴特拉·塞莱尼为马可·安东尼和克娄巴特拉之女,对他的政策有很大影响。

Jubayl(Lebanon) **朱拜勒** 参阅**Byblos**比布鲁斯。

Jubayl, al- 朱拜勒 沙特阿拉伯东部的港口城市。位于阿卜德阿齐兹海军基地附近、宰赫兰北部波斯湾畔。朱拜勒由于濒临波斯湾,有充足水源供大工厂冷却设备,并便于该市运输各种产品,而且靠近重要油田。20世纪70年代初期,由一个捕鱼和采珍珠的小村被沙特政府选为主要工业联合企业的所在地。新城核心由16个主要工业构成,包括生产钢铁、汽油、柴油、石油化工品、润滑油和化学肥料的工厂。此外还有次要的辅助行业。全部工业区约占地132平方千米。工人居住区与工业区之间有用波斯湾淡化海水灌溉的绿地分隔。城市总面积近945平方千米。朱拜勒与宰赫兰和达曼之间有公路连接。建有一机场。

Jubba River 朱巴河 又拼Juba,又称加纳内河或格纳莱河;意大利语作Giuba。索马里主要河流。在非洲东北部。发源于埃塞俄比亚南部山脉。从多洛流至基斯马尤(索马里三大港口之一)北面注入印度洋。全长约875千米。河水依靠雨水补给,是该地区唯一常年性河流。虽然从12月至4月中旬和6～10月水位下降,但从河口至巴尔代雷以上32千米,仍可行驶浅水船。上游出山后进入干旱地区,仅河岸附近生长植物;下游土壤为白垩质且富含矿物质,有大片红树林。从河口向内地延伸480千米的狭长低地土壤肥沃,产棉花、花生、玉米、西沙尔麻、芝麻、香蕉和其他水果。两岸野生动物繁多。

Jubbulpore(India) 参阅**Jabalpur**贾巴尔普尔。

jube 圣障 又称屏障。教堂中分隔圣坛与其他部分的建筑装修。中世纪成熟的形式分为三部分:围屏、阁楼和最上面的十字架。参阅**rood screen**。

Jubilee, Year of 大赦年 又称圣年。天主教节期。或临时宣布,或每25年举行一次,届时由教皇宣布。凡前往罗马朝圣者,一律予以特别赦罪。这个节期与《旧约》时代的50年节相似,但不像是从它演化而来。在50年节里,希伯来人停止一切劳动,解放奴隶并发还祖产。

Jubilee diamond 朱比利钻石 即60周年纪念钻石。洁白无瑕的钻石,未加工料重651克拉,1895年发现于南非贾杰斯佛蒂矿山。1897年被琢磨成重约245克拉的长方阶梯形钻石,作为维多利亚女王即位60周年纪念,由此而得名。

Jubilees, Book of 《禧年书》 又称《小创世记》,伪经之一。该书把《创世记》至《出埃及记》第12章所叙之事按七七四十九年为一禧年作为纪年单位编排,意在使犹太人得以按正确日期庆祝宗教节日。建立禧年历制度的用意一则可能是要保证犹太教节日和圣日得到遵守,再则可能是强调犹太人与异族的区别而突出《旧约》中关于以色列人是与上帝立约的民族的说法。此书一方面重述并润色《创世记》内容,另一方面叙述当代犹太教律法和习俗的本源。此书说,《创世记》中所讲的列祖即遵守律法和有关节日的规定,而这些律法和规定到了列祖时代以后才具体地形成,这样,就把摩西律法和《利未记》的许多律例的根源讲得更为历史悠久(因而对希腊化时代的人来说也就更为神圣)。《禧年书》的定稿或许成于公元前100年前后,但其中包含许多更为古老的神话传说。此书宗教孤立主义精神浓厚,态度拘谨,因此,巴勒斯坦地区库姆兰的犹太教艾塞尼派在他们的主要著作之一《大马士革文献》中大量引用。此书与《创世外记》也有密切关系,《创世外记》也是重述《创世记》内容而为库姆兰教团所喜爱。《禧年书》希伯来原文本的若干片段见于库姆兰出土的文献中。现存完整的埃塞俄比亚文本,系从以希伯来文本为依据的希腊文本转译而来,尚有希腊文本和希伯来文本的残篇。

Júcar River 胡卡尔河 在西班牙东部。源出昆卡省北部乌尼韦尔萨莱斯山脉,南流后折向东,流经昆卡、阿尔瓦塞特和巴伦西亚三省后,在库列拉处注入巴伦西亚湾。全长498千米。上游建有阿拉孔水坝。河水灌溉拉里韦拉平原的大部地区,当地广布橘园及稻田。河水极易泛滥。

流经科夫伦特斯一座14世纪城堡的胡卡尔河
美国不列颠百科全书公司供图

Juchen DYNASTY **女真** 参阅**Jin dynasty**金。

Juchen character 女真文 中国金代女真人创制的文字。据《金史》记载,金阿骨打命完颜希尹仿契丹字和汉字制女真字，于天辅三年(1119)颁行。20年后，金熙宗完颜亶又制女真字，于天眷元年(1138)颁行。前者称女真大字，后者称女真小字。但《金史》上关于女真大、小字的区别没有明确记载。传世的女真文(包括金代碑碣、墨迹和明代《译语》)主要是一种与方块汉字相似的单文。日本《吾妻镜》所载的"银简铭"女真文和1977年苏联滨海地区赛金古城出土的金代银牌女真文均把两个单字合并书写，而中国明代《方氏墨谱》和《弇州山人四部稿》中又有上下叠写的女真文，学术界认为这种并写或叠写的女真文颇似契丹小字，或者就是女真小字。一般以为女真文最初是表意字，继而为了适合女真语的语法特点，创制了词干字和词缀字，最后发展为按音拼写的文字，即金熙宗所制的女真小字。1973年发现的金人手书《女真字文书》残页，更加深了这种看法。金世宗以后，废除并写、叠写，统用单文直书。女真文创制后，主要用于官方文件。12世纪后期才以女真文译汉文经书。金朝灭亡(1234)后，女真文仍通用于中国东北的女真各部，至15世纪中叶始废。传世的女真文文献有《女真译语》、女真馆来文和杂字，以及石刻、符牌、印章、器物铭文等。

Juchereau de Saint-Denis, Louis　朱谢雷奥　参阅 **Saint-Denis, Louis Juchereau de** 圣但尼。

Juchitán　胡奇坦　墨西哥南部瓦哈卡州东南部城市。临胡奇坦河，在特万特佩克地峡南岸附近。海拔38米。是印第安萨波特克人主要聚居地之一。旅游占重要地位。秀丽景色、手工艺品和宗教节日吸引大量游人。为附近农业区的商业和制造业中心。产芝麻、玉米和豆。饲养牛、羊、猪。在泛美公路墨西哥城至危地马拉城的路段上。有铁路通危地马拉边界。也有一机场。人口：城市区约66 525(1990)。

Jud, Jakob　尤德(1882-01-12，瑞士文吉～1952-06-15，吕特利)　瑞士语言学家，曾利用比较语言学重建文化史。1906～1922年在苏黎世中学教法语，后在苏黎世大学任罗曼语教授。尤德致力于拉托-罗曼语诸方言、法语、普罗旺斯语及意大利语的研究，并设想以此来调和德意志-奥地利、法兰西及意大利各国的语言学研究传统。他乐于采用灵活的词汇学而不喜死板的历史语法。他的一些专著描述了拉丁、凯尔特及日耳曼诸民族早期的接触情况；基督教对语言学的影响；变化中的瑞士语言学之概况。尤德与另一瑞士著名罗曼语语言学家亚贝格合著八卷本《意大利和瑞士南部语言及史实图表集》(1928～1940)，成为不朽之作。

Jud, Leo　尤德(1482，阿尔萨斯日尔玛尔[今在法国]～1542-06-19，苏黎世)　瑞士宗教改革家、圣经学者、翻译家；参与起草1536年的第一部《瑞士信纲》。原在巴塞尔大学学医，后转修神学。他的主要活动是支持密友茨温利。他主张政教分离。译作甚多，将《圣经》译成德语(即苏黎世版《圣经》)，并将其中《旧约》译成拉丁语。

Judaea　犹太　又拼Judea。又译犹地亚或朱迪亚。古代巴勒斯坦3个传统区划中的最南一个，其余两个是北面的加利利和中央的撒马利亚。以色列人占领巴勒斯坦之前由迦南人控制，希伯伦为其重要中心。大卫成为犹大国王(公元前10世纪)时，夺取古代迦南人(杰布西特人，又译耶布斯人)的要塞——耶路撒冷，把它建为以色列各部族的联合王国的首都。大卫之子所罗门王(公元前10世纪)死后，北方10个部族从犹大分裂出去，而耶路撒冷继续作为犹大王国的首都。犹大王国维持到公元前586年，巴比伦人征服了犹大，摧毁了耶路撒冷。后来，波斯国王允许被俘的犹太人从巴比伦尼亚重返故土，重建圣殿和耶路撒冷的围墙。亚历山大大帝征服中东后，犹大先后受托勒密王朝和塞琉西王朝的统治。后来，犹太领袖马加比家族崛起，逐渐把塞琉西王朝赶出国土，建立复兴的犹太王国。然而，家族之争又导致罗马人的介入(公元前63)。公元前37年希律大王被罗马任命为犹太国王，后为整个巴勒斯坦的国王(公元前20～前4)。希律死后，王国时而由其直系后嗣统治，时而由罗马总督治理。公元66年爆发犹太人起义，耶路撒冷城被毁(公元70)。犹太这名字仍被用来粗略地表示与今以色列相同的区域。

Judaea and Samaria　犹太和撒马利亚　参阅 **West Bank** 西岸。

Judah　犹大　《圣经》时代以色列人12支派之一。以色列人进入上帝所应许之地迦南以后，继摩西之后领导以色列人的约书亚为各支派分配土地。犹大支派之地在耶路撒冷以南地区。国王大卫和所罗门都出身于犹大支派。预言中的弥赛亚据说也将产生于这个支派。现代犹太人的祖先就是犹大和便雅悯(与犹大支派融合)两个支派以及担任宗教职务的利未支派。因为以色列国分成南北两个王国后，北朝王国以色列国于公元前221年亡于亚述，其民四散而同化于他族，只有南朝王国犹大国的后代保存民族特色。犹大国于公元前586年亡于巴比伦，许多百姓被掳往该国。公元前538年波斯征服巴比伦，波斯居鲁士大帝允许犹太人返回故土。此后犹太人的历史基本上就是犹大支派的历史。

Judah Aryeh　犹大·阿里耶　参阅 **Modena, Leone** 莫德纳。

Judah ben Samuel　犹大·本·撒母耳(？～1217)　又名耶胡达(哈西德派教徒)。犹太教神秘主义者、半传奇的虔诚派教徒，德意志犹太教哈西德派创始人。他参与撰写伦理学著作《虔诚之书》(1538)，此书可能是现存最重要的中世纪犹太教文献，也是犹太文学中一大杰作，收犹大及其父撒母耳以及门生沃尔姆斯的以利亚撒的作品。犹大的立论在书中地位突出。此书编排杂乱，文笔不雅，但是全面而如实地介绍中世纪犹太人所关心的问题。其中，从宗教在现实生活中的作用而不是以抽象理论论述宗教。此书又是详细的指南，内容涉及人与上帝、人与人的关系；人的事业；安息日；同非犹太人的社会交往、忏悔以及其他种种问题。

Judah ben Saul ibn Tibbon　犹大·本·萨乌尔·伊本·提本　参阅 **ibn Tibbon, Judah ben Saul** 伊本·提本。

Judah ha-Levi　犹大·哈列维(约1075，潘普洛纳王国图德拉[纳瓦拉]～1141-07，埃及)　希伯来语全名 Yehuda ben Shemuel ha-Levi。犹太诗人、宗教哲学家。生于西班牙北部城镇图德拉。当时西班牙大部分土地，包括图德拉在内，仍处于穆斯林统治下。1090年前不久，他到南部的安达卢西亚，与当地的希伯来诗人和知识分子接触，他的诗才引起广泛注意。后应邀访问著名希伯来诗人摩西·伊本·埃兹拉，两人建立深厚交情。在后者陪伴下，他在格拉纳达过得十分愉快，写过几首抒发情怀的诗作，后来到过卢塞纳、塞维利亚和托莱多，在托莱多行医多年。晚年移居科尔多瓦。他对古以色列犹太国十分向往，盼望能去圣城耶路撒冷朝觐。1140年在一犹太富商资助下，乘船至埃及，拟取道陆路去耶路撒冷，终未成行，一年后卒于埃及。他深受阿拉伯文化长期熏陶，运用希伯来语和阿拉伯语写作。他的诗集《锡安颂》收有大量世俗的和宗教的诗歌，二者都倾吐出对锡安山(以色列的故土)深情的眷恋。对诗人来说，圣地不仅是犹太人有朝一日摆脱流放而集聚的处所，而且迁居巴勒斯坦也会加速弥赛亚的来临。没有哪个中世纪的前辈曾经像他那样热情歌颂耶路撒冷。在用阿拉伯语写的散文作品《哈扎尔王书》里，他以一个犹太学者与8世纪皈依犹太教的哈扎尔君王对话的形式，阐述了他对犹太教的看法。此书的希伯来语译本流传甚广。

Judah ha-Nasi　犹大·哈-纳西(约135～约220)　犹太教最晚近的坦拿之一，大贤哲希勒耳的后裔，继父亲迦马列二世任巴勒斯坦犹太人族长兼犹太教公会首领。摩西五经所载成文律法不足以处理一切问题，于是几个世纪内不断涌现口传律法，为了保存过去的经验，犹大50年间精心选辑口传律法，按农耕、庆典、婚姻、民法、圣殿祭礼、净化等六类编纂成书。犹大·哈-纳西遵从拉比阿吉巴及其门生拉比梅伊尔的方法进行分类，但也颇有创见。他比较各拉比的意见而取其权威者，如果律法已经修改，而且必须为这种修改找出先例，犹大则注意保存少数派的意见。另一方面，他将业已过时或不再具有权威性的律法删除。

Judaism　犹太教　犹太人信奉的一神教，该教认为，犹太民族直接面对上帝，他们与上帝的关系，即"约"，是持续不废的，它对全人类有重要意义。上帝是"颁赐托拉的神"，根据传统最广义的解释，托拉包括希伯来《圣经》、犹太教口传文献(《密西拿》和《塔木德》)、神学结论、历史材料、伦理规范、礼仪规定以及关于权威文献的评注(《米德拉西》)。上帝既然选定犹太人作为赐福的对象，从而也就选定他们作为向全人类赐福的渠道，要求他们遵守全部托拉，向全世界其他民族作证。

犹太教的创始人亚伯拉罕相传于公元前20世纪中叶自美索不达米亚北部的哈兰迁到迦南（大致即今以色列和黎巴嫩）。亚伯拉罕和他的儿子以撒、雅各的半游牧后裔——当时是12个希伯来氏族——从迦南迁入埃及。他们在埃及受奴役，经过几个世代，于公元前13世纪自埃及重返迦南。彼时和其他任何时代一样，犹太人列祖传下来的宗教暴露在各种异族思想的交叉影响之下，这种影响来自马里、巴比伦、美索不达米亚、乌加里特和埃及。率领以色列人出埃及的摩西赋予犹太教以新的特色，诸如相信人之所以为人即在于有选择善恶的能力。由此推理之，全人类都与上帝有立约的关系，犹太人以自己的表率和见证昭示这种约。以色列人重返迦南之后遇见非利士人等新的敌人，《士师记》所记述的动乱时代开始，由于有宗教纽带，并非高度集中化的12个支派尚能在长老或武士的率领下行动一致。约旦河两岸都建有许多圣所和祭坛，约柜固然一般置于示罗，却被认为可移动之物。在士师时代人们已感到必须有持续性的领导，于是要求立王，实行君主制。尽管保守的宗教人士反对，扫罗约于公元前1021年受膏为王，但是宗教人士继续反对君主制，直到约公元前1000年大卫登王位，局势才定。大卫攻占耶路撒冷，定都于该城，将全国之神的圣物约柜迁到该城。大卫之子所罗门王建第一圣殿，他向国际间彰显王威，激起宗教界和世俗界的反对，北部10个支派约于公元前922年分裂出去，另立新国。据《列王纪》记载，其后200年间，异族的崇拜形式对犹太人的宗教发挥影响。自公元前9世纪中叶至公元前8世纪中叶，以色列人长期对亚兰人（阿拉米人）作战，结果以色列社会两极分化，多数人发财，民众贫困，于是出现古典先知，阿摩司是其中的第一位。他提出，违背上帝之约中的社会道德训诲必将使上帝与犹太人为敌。亚述于公元前8世纪末威逼以色列，先知何西阿认为，国难的原因在于以色列人忘记上帝。犹大国王亚哈屈服于亚述，于是先知以赛亚和弥迦将末世论主题引进犹太教先知的教义，预言将来会有一个真正神圣的社会，它在一位理想的统治者的领导下在地上发挥社会-政治典范的作用。犹大国亡于巴比伦，举族流放（始于公元前597年），于是先知们（如耶利米和以西结）更加强调未来，也有的先知如以赛亚和弥迦提出，复兴以色列是使全世界人都信奉以色列的上帝的手段。波斯击败巴比伦，犹太人的囚虏时期结束，犹大复国（自公元前538起），但是关于弥赛亚的希望落空，先知玛拉基劝告犹太人遵守摩西的托拉，于是先知时代结束。亚历山大大帝于公元前332年攻占巴勒斯坦，希腊化犹太教时代开始（公元前4～前2世纪）。公元前2世纪初，希腊化犹太人士控制祭司长职务，彼时希腊影响已十分明显。塞琉西王国国王安条克四世下令禁止犹太教习俗，激起犹太人起事，多人遇难。起事并未使希腊化过程中断，在犹太国王希律一世在位期间（公元前37～前4）达到高峰。那个时代也兴起了两个派别，法利赛派认为口传律法也具有神圣权威，撒都该派则严守托拉的词句。在希腊化时代，在叙利亚、小亚细亚、巴比伦，特别是在埃及亚历山大，都有犹太教的主要中心。“五经”被译成希腊语，希腊化程度甚高的《七十子希腊文本圣经》出现，同时，大量犹太历史、诗歌、戏剧和哲学文献在埃及问世。在公元前63年至公元135年罗马统治时代，犹太人力图建立独立的国家。争取这种目标的有希律党人、奋锐党人以及以严格遵守律法为特点的几个准隐修派别。在罗马统治时代，以色列人关于恢复上帝对全人类的权威的愿望集中在关于理想之王的思想上，在这个时代，基督教的兴起不容置疑的是极为重要的“派别”性事件。罗马统治时代之初情况良好，但是，帝国京城不断发来敌对性的谕令，一道更比一道严厉，激起一系列起事，都未成功；在第一次起事期间（66～73）第二圣殿被毁。经过这些灾难，犹太教日益重视《塔木德》。塔木德运动发生的环境是拉比犹太教，其时代自2世纪持续到18世纪。在所谓坦拿时代，设在巴勒斯坦的高级司法机关的首脑是西缅·本·迦玛列（约135～约175）和犹大·哈-纳西（约175～约220）两位族长，据说《密西拿》（口传律法汇编）的定本是他们两人提出的。随着《密西拿》的颁布，阿摩拉（诠释家）时代开始。巴勒斯坦系阿摩拉（约220～约400）和巴比伦系阿摩拉（约200～约650）以《密西拿》为标准文献，加以阐发，对照其他文献，把其原则运用于新的情况。他们分别编成巴勒斯坦《塔木德》和巴比伦《塔木德》，后者成为犹太人社会中的中心法典。犹太人有共同的宗教基础，但是在中世纪形成两支犹太文化。西班牙系犹太人文化源出于巴比伦，受到阿拉伯-穆斯林环境的影响。德系犹太人文化发展于欧洲拉丁-基督教文化环境之中，溯源于罗马和巴勒斯坦。两支文化在普罗旺斯和西班牙北部发生冲突。这种冲突本来可以获得解决，不意基督教当局抨击《塔木德》，1306年法兰西驱逐犹太人，于是，犹太教正统两大系并存下来，双方关系微妙复杂。欧洲迫害犹太人，进入18世纪犹未止，结果一些犹太人叛教，一些犹太人表面上改奉基督教，同时兴起诸如沙贝塔伊·泽维和弗兰克等假弥赛亚的极端派别。在18世纪，中欧和东欧兴起哈斯卡拉运动，即犹太教启蒙运动，在哈斯卡拉运动的激发下，自拿破仑时代（1800～1815）起西欧兴起犹太教改革运动。在改革运动的刺激下，保守派犹太教在1845年兴起于德国。保守派也承认犹太教是发展性的宗教，但是在关于如何遵守教规的问题上主要坚持传统主张，欧洲犹太人大都不赞成各种改革运动。许多人，主要是哈西德派，仍然全盘反对西方化，但是，大多数人一方面坚持正统信仰而另一方面在习俗和文化上接受西方化。从其非宗教的一面讲，犹太复国主义也可以说是改革运动的产物。犹太复国主义吸收19世纪欧洲民族主义的内容，针对凶残的排犹主义，提出复兴民族和安置返归故土人口的计划，终于使以色列国在1948年建立。

自从第二次世界大战期间纳粹大批屠杀犹太人以来，犹太教已成为非欧洲宗教，其中心在以色列、美国、俄罗斯以及其他前苏联共和国。世界犹太人与阿拉伯各国发生冲突，而在各地犹太人社会中犹太教面临日益加强的世俗化。尽管如此，种种迹象表明，犹太人有深厚的宗教热情，将坚持犹太教传统和犹太教历史观。

Judas, Saint　犹大，圣（活动时期1世纪）Judas又拼Jude。又称圣勒巴厄乌斯或圣撒迪厄斯。耶稣的12门徒之一，与出卖耶稣的加略人犹大不是同一人。据《圣经》的某些英

美国不列颠百科全书公司供图

译本记载，他是亚勒腓之子使徒雅各的儿子或兄弟。他不大可能是耶稣的兄弟、《圣经》中《犹大书》的作者犹大。他大概与西门同属奋锐党（公元70年前的犹太民族主义党派）。据4世纪的一种传说，西门和犹大曾在波斯传教并在那里殉教。

Judas Iscariot　犹大（加略人）（？～约公元30年）　耶稣的12门徒之一，是出卖耶稣的叛徒。可能属于犹太教中最激进的西卡里派，这派中一些人是恐怖分子。犹大在耶稣的门徒中间管理钱财。他以30块银子的代价把耶稣的行踪泄露给祭司长和长老，又引兵到耶路撒冷附近的客西马尼园搜捕耶稣。关于犹大的死，据《圣经·马太福音》（27:3～10）说，犹大看到耶稣被判死刑后就后悔而自缢。而《使徒行传》（1:18）则说他“用他作恶的工价买了一块田，以后身子仆倒，肚腹崩裂，肠子都流出来”；该书并称犹大死的地方为血田。但据伊斯兰教论辩文献载，犹大不是叛徒，他向祭司说谎以保护耶稣，而耶稣也没有被钉死在十字架上。但后来犹大的名字作为叛徒和背叛之吻（即犹大之吻）的代名词。

Judas, Gospel of　犹大福音　2世纪的天主教伪经，认为是十二门徒之一的加略人犹大所著。该福音宣扬诺斯替教宇宙观，将犹大描写为正面人物，认为他是唯一充分理解基督教导的人。该福音书失传了很多个世纪，20世纪70年代在埃及发现了包括犹大福音希腊原文的科普特语翻译的手稿。1978年，该手稿被一名埃及古董商购得，将其放在纽约州的保险箱里，直到2000年被瑞士的梅塞纳斯古代艺术基金会购得，并委托他人对手稿进行研究。犹大福音及其翻译于2006年公布。犹大福音可能是由一名诺斯替教徒编撰而成的。犹大一直被视为背叛基督的叛徒而遭到谴责，但在犹大福音中却将他描写

为基督最爱的门徒和知己，基督将他的秘密告诉犹大，但没有告诉其他门徒。这些秘密涉及宇宙和超越一切的神的本质、天使和人类的创造。该福音中也包括了基督和犹大的一次谈话，基督告诉犹大："你将超越他们所有人。因为你将牺牲覆盖我的肉体。"这样，犹大成为帮助基督的精神自我从肉体束缚中解放出来的人，成为基督最重要的合作者，而不是叛徒。

Judas tree 犹大树 参阅 **redbud** 紫荆。

Judd, Charles Hubbard 贾德(1873-02-20，印度巴雷利～1946-07-18，美国加利福尼亚圣巴巴拉) 美国心理学家，采用科学方法研究教育问题的倡导人。研究过学校课程、教学

芝加哥大学图书馆供图

法以及阅读、语言和计数的本质等问题。孩提时即赴美国。曾在莱比锡大学从W.冯特研究实验心理学，1891年获博士学位。后在美国几所大学任教。1903年著《教师用发生心理学》，以后专门研究有关课程安排的心理学基础。1907～1909年任耶鲁大学心理实验室主任；后任芝加哥大学教育系主任；1938年退休。贾德的著作尚有《社会风俗心理学》(1926)和《教育——培养高级心理过程》(1936)。

Judd, Gerrit P(armele) 贾德(1803-04-23，美国纽约帕里斯～1873-07-12，檀香山) 曾对夏威夷群岛的治理起重大作用的传教士。1825年毕业于纽约州费尔菲尔德一所医科学校，后决心献身于传教事业。1827年被派往桑威奇群岛教会当医生，1828年到檀香山。1842年前主要从事传教，已逐步与政府发生关系，开始当翻译，后任顾问。1842年夏威夷国王卡米哈米哈三世任命他为国库委员会主席，后历任外交大臣、内政大臣和财政大臣。事实上他是主管几乎全部政务的首相。1852年代表国王参加起草开明宪法的委员会。后退出政府，但仍关心夏威夷的政治。1858年任夏威夷国会议员并参加1864年的制宪会议。1863年后任夏威夷福音协会的理事。

Juddah(Saudi Arabia) 参阅 **Jiddah** 吉达。

Jude, Saint 参阅 **Judas, Saint** 犹大，圣。

Jude, Letter of 《犹大书》 《圣经·新约》的一卷，是由真实身份不详而自称"耶稣基督的仆人，雅各的弟兄犹大"的人写给一般基督徒的短信。此书呼吁基督教徒"为从前一次交付圣徒的真道竭力地争辩"，提防"不虔诚的人"。此书笔法灵活，《旧约》、《新约》和其他材料，大量引用，高雅的希腊文风昂然。此书还引用外典，因而在3世纪兴起了有关其真伪的争论，但是，此书在早期教会中的正典地位不容怀疑。此书可能写于公元2世纪初，地点不详。

Judea 参阅 **Judaea** 犹太。

Judenräte 犹太居民委员会 第二次世界大战期间在德国占领的波兰和东欧成立的犹太人委员会，用以在纳粹幽禁犹太人的聚居区内贯彻德国人的政策和维持秩序。首先由纳粹盖世太保头子R.海德里希于1939年9月21日在波兰建立。委员会的委员由24名犹太人担任，选自"剩下的权威人士和拉比"。起初他们不知道德国人的最终意图，以为将无限期地待在聚居区，而委员会就是为与外界隔绝的社区提供卫生、教育、商业和食品的市政当局。但能够到手的东西极少，不得不为供应起码的生活需要而挣扎。后来才明白他们最终的命运是灭亡。委员会的活动靠收税支持，设置警察以执行命令，维持治安。各地委员会的管理方式各不相同。最大的华沙犹太聚居区实行自由的资本主义，私有企业继续存在；而在罗兹则实行集权，商业、贸易以及所有的城市服务，包括食物和住房的分配，都严格控制。犹太居民委员会和德国人的关系各地也不相同。有的德国军官很有礼貌，甚至表现友好，有的则十分严酷和凶恶。在聚居区的居民中，委员会常常招致愤怒，认为他们和德国人毫无二致，尤其在德国人加紧剥夺，聚居区情况恶化的时候。对委员会领导勇气的最大考验是德国人要他们提出留下工作和遣送集中营的人选名单。而送到集中营就意味着死亡。他们想尽办法，贿赂、拖延、软磨硬泡，尽可能留下更多的人工作，而特别不好办的是儿童和老人，因为他们不能工作。罗兹犹太居民委员会的伦科夫斯基配合遣送，他说，"我必须弃肢保体，不送儿童就得送别人。可以救下来的比舍弃的部分大。"华沙的切尔尼亚科夫不愿参加遣送儿童和清洗整个聚居区，他说"他们要我用自己的手杀死儿童"，于是自杀。拒绝把自己的同胞送到集中营的领导人都很快丧命。一些聚居区的犹太人开始抵抗，科夫诺的埃尔克斯和明斯克的穆什金与地下组织合作；但大多数委员会的领导人则认为抵抗是对维持治安和聚居区生存的威胁。结果，委员会的领导人和犹太警察常常是抵抗组织首先杀掉的对象。到战争结束时，委员会领导几乎无一幸存。

Judeo-Spanish language 犹太西班牙语 参阅 **Ladino language** 拉迪诺语。

Judges, Book of 《士师记》 《圣经·旧约》中的一卷。与《申命记》、《约书亚记》、《撒母耳记》(上、下)、《列王纪》(上、下)同属成书于公元前550年前后的"申典"一类。原来，以色列人进占上帝应许之地迦南以后，迭受异族人控制，以色列人中一些卓越人物拯救同胞脱离这种控制，这些人称为士师。作者身在巴比伦为奴，对异族人的控制感受甚深，在复述士师时代的历史时，不免根据个人感受而加以渲染。他指出以色列人为异族所征服而丧失自由幸福，乃是由于他们敬拜迦南诸神所致。他们应该回过来仍崇拜雅赫维就能获得幸福。

judgment 判决 指各种法律制度下，法庭为判定经其审理的某一法律诉讼中就当事人的权利而作出的裁决。终局判决通常构成上诉法院对某一法院的判决进行复审的先决条件，这样可以防止对中间(临时)裁决(参阅 **interlocutory decree**)进行零星的上诉。一般地说，判决是用以最终地和权威性地解决法院受理的纠纷。裁判可分为对人的、对物的或者准对物的三类。法院作出的最通常的判决，是对人的判决，它强制某个人或某个团体对别的个人或团体承担个人责任或义务。这样的义务有可能是偿付一笔款项，履行某项行为，或者不作某项行为。另一方面，判决也可以是否定原告人救助要求而有利于被告人。对物的判决就不是强制某人承担义务，而是宣判各方在某一特定事物或财产中的权益处于法院的监管下，或者是要受法院司法管辖权的支配。准对物的判决指的是某一特定当事人而不是所有当事人的权益处于法院控制或管辖下的某一事物或财产。判决一经作出，当事人就已决的争议(参阅 **res judicata**)重新起诉，就会有各种障碍。只有当作出判决的法院有权决定该案件所提出的法律问题，以及对案件涉及的人或事享有管辖权(参阅 **competence and jurisdiction**)，判决才有法律效力。通过对某人送达令状(**writ** 或 **warrant**)或其他类型的通知，即对其行使司法管辖权。任何有关处分财产的有效判决，都必须对财产有司法管辖权，这种管辖权是通过法院查封或扣押该财产来实现。凡是法庭处理的是案件当事人的法律地位问题，如在离婚诉讼中那样，则通常要求至少有一方是该法院所在管辖区的居民。法院判决案件的权限问题，在大多数情况下，则取决于特定国家法院结构的具体情况。一般说来，大多数法院都可以审理涉及一定款数以上的案件。此外，有关遗嘱验证、家庭法和刑事案件常常是只由专门法院来审理。在许多情况下，胜诉一方无须采取附加什么行动来实施判决中给他规定的权利，例如，当判决只处理事实上处于法院监管下的财产就是这样。然而，当判决强制一方对另一方承担个人债务时，后者就可能需要采取法律提供的多种补救办法来行使其权利。如果判决是命令一方履行某种行为(不是付款)或者不作某种行为，法院就有充分的权力，对蔑视法庭的行为施加惩罚，以保证法院命令得以执行(参阅 **injunction**)。在债务案件中，涉及金钱的判决可以视作对债务人的全部财产以及对债务人为逃避债权人而转移的全部财产有扣押权。判决中确定的债权人也可以扣押属于债务人的工资或其他款项。另外，在许多司法制度下，判决中确定的债务人由于未能支付法庭命令所规定的生活费或赡养费，或者未能履行判决要求其支付的损害赔偿金等，他就可能被监禁。参

阅 **appeal**。

Judgment, Day of (Judaism) **周年审判日** 参阅 **Rosh Hashana** 岁首节。

judgment tale(African short story) **判断故事** 参阅 **dilemma tale** 两难故事。

Judicature Act of 1873 **《1873年司法组织法》** 在英格兰,指国会通过的建立高级审判法院(**Supreme Court of Judicature**)的法令。该法令加大了上议院作为上诉级法院的作用。该法令实质上是为了减少英格兰和威尔士各地拥有特殊管辖权的法院的混乱状态——以及因此而形成的无效率状态——而作的第一个现代的努力。最初,《1873年司法组织法》是把若干法院合并起来,建立了五个重要的庭,在高级审判法院所包括的上诉法院或高等法院的指导下工作。这五个庭是:①王座庭;②大法官庭;③民事庭;④财政庭;⑤遗嘱检验、离婚和海事庭。1880年,御前会议发布命令把民事庭和财政庭的任务并入王座庭。《1873年司法组织法》重申了上议院作为终审上诉法院的地位。它还推动了那些将要构成1876年法令的诉讼程序,该项法令规定在上议院内设置常设上诉议员,这些议员都是一些有才干的律师、法官和法学家。当代的许多法律史学家指出,《1873年司法组织法》是英格兰和威尔士的法院走向现代化的第一步。1971年的法院法继续这种现代化而废除了季度法庭和巡回法庭。

Judicial Committee of the Privy Council **枢密院司法委员会** 指英国枢密院的某些成员组成的英联邦法院。它根据上诉书审理来自联合王国、王国殖民地以及来自尚未废除这一最终上诉程序的英联邦成员国的上诉案件。该法院的权力来源于1833年的《司法委员会法》,但它在英国历史上的渊源还要长。从很早的时候起,国王就被看成是"公正的最高源泉",他的御前会议往往不仅起咨询作用,而且还执行司法职能。在中世纪后期,审理各种普通案件的法院已经完全建立,但是仍给国王保留了对某些问题的司法权,这部分司法权由御前会议中的各种小组委员会行使。而这些小组委员会也就是到17世纪陷于声名狼藉并于1689年被废除或停止活动的某些特权法院的前身。1689年以后,向国王提出的上诉,特别是从海外向国王提出的上诉概由枢密院的综合小组委员会处理。1833年设立了一个名为司法委员会的特别审判庭,由大法官、常任上诉法官和担任过这类职务的枢密院顾问,以及现任和卸任的枢密院议长组成,英联邦殖民地和独立的英联邦成员国的法官也包括在内。司法委员会分设几个庭,可以同时审理各种案件,并不受以前判决的约束。它的判决以向国王报告的形式作出,可以用枢密院命令予以执行。国王保有将任何问题提交司法委员会的权力,这种特殊的权力现在仍旧在行使。

Judicial Conference of the United States **美国司法会议** 美国联邦法院系统中的全国性行政管理机构。该机构由美国的26位联邦法官和最高法院首席大法官组成。由首席大法官领导。该机构负责进行监督和提出建议,研究不同法院的工作状况,它们的预算和工作量,以及法官的健康和品行问题等。会议每年召开两次,就有关影响司法系统的立法和修改联邦制度等问题向国会提出建议。

judicial review **司法审查** 指由国家的法院行使的审查政府的立法、行政和管理部门的权力活动,并保证使这些活动符合宪法规定的权力。不符合宪法的活动就是违宪的,因而是无效的。司法审查制度是以现行的成文宪法为依据,宪法只有通过特别的立法程序或是公民投票才能更动。作为一项贯彻宪法的实践,司法审查一般被认为是始于1803年,当时美国首席大法官约翰·马歇尔在马伯里诉麦迪逊案(**Marbury v. Madison**)中提出主张:最高法院有权宣告国会通过的立法归于无效。事实上,在宪法的实际条文中并没有马歇尔所主张的司法审查权的明确根据,虽然这方面已有英国枢密院审查殖民地立法的若干先例;它的成功最终取决于最高法院本身的裁决,还要加上政治上对此不出现强烈的反对意见。第二次世界大战后,在欧洲和亚洲起草的许多宪法都写入各种形式的司法审查条款。在法国,最高法院没有司法审查权,而是建立了一个具有司法-立法混合性质的宪法委员会;德国和意大利更直接规定了专门的宪法法院;日本、印度和巴基斯坦则建立了大体上是美国和英联邦模式的行使司法审查权的最高法院。第二次世界大战后要求采用司法审查的普遍压力来源于深受美国宪法思想影响的一种感情,认为一种有宪法保证的制衡制度是民主政府的一个必要的条件。某些观察家得出结论说,将政府的权力集中在行政部门,实际上不受政府其他机构的制约,它为第一次世界大战至第二次世界大战期间德国和日本的极权政体的崛起大开方便之门。在美国,强调最高法院对协调政府权力的作用是经常起变化的,而且在大法官之间对最高法院在行使司法审查的正当作用的问题上也经常存在意见分歧。直到20世纪30年代后期,法院在允许国会干预宪法保障的财产权利问题上显得犹豫不决,而且在30年代初期曾撤销了许多新政立法。从那时起,法院的注意力转向分析各州的立法、行政和司法活动,特别是涉及各州遵守宪法规定的保障自由权利以及法律上的同等保护权等方面(参阅 **due process**)。在某些领域里法院的意见一直是一致的,或者基本上是一致的,如自从1954年以来法院在取消学校中的种族隔离和投票权等案件中所作出的许多判决那样。在对待联邦政府行政部门侵犯宪法第一条修正案有关言论自由的保障问题上,法院的意见也差不多是一致的,这可以从1971年防止政府干预公布国防部关于越南战争的研究材料的裁决中看到这一点。在别的一些国家里,司法审查的经验则显示出一种有助于经济利益和财产利益的倾向,随之而来的明确的说法是,法官的任务只是解释宪法。但另一方面德国则采用了美国模式的司法为政治目的服务的积极行动(参阅 **Federal Constitutional Court**)。

judiciary **司法机关** 政府的一个部门,它的任务是执法。司法机关的主要工作是对争讼作出裁决。法院必须决定所有的法律问题;而且,如果案件没有陪审团参加审判,法院还必须裁决事实问题。然而,裁决争讼不是司法机关的全部工作。在提交司法机关的问题中,有很多是没有争议的。大多数民事案件——例如那些涉及离婚、对儿童的监护或对契约的解释——不经过审判而是在法庭外解决。在这些案件中,法院的任务是行政性的。当它必须裁决争讼时,有一套规则规定哪些当事人可被准许出庭,哪些证据可被采纳,哪些审判程序必须遵守和哪些类型的判决可能作出。任何司法程序都包括有若干人参加。虽然法官是中心人物,但除争讼的当事人各方和代表他们的律师外,还有其他一些人,包括证人、书记员、执行员、行政人员,如果程序中有陪审团参加的话,还有陪审员。有规则规定哪些类型的事物可被接纳作为证据,有关这方面的法律被称为证据法。司法程序本身遵守另一套规则,可以作出的判决的类型则由法律确定。虽然法院的明确任务是按照立法部门通过的规则执法,但法院本身也不可避免地立法。例如,在决定怎样将法律条文适用于具体案件时,法院就要立法。实际上,它们在制定适用于未来的案件的规则时也是在立法,这被称为判例法。在作出一项法庭判决后,它可能需要或不需要执行。在很多案件中,当事人各方接受法庭的判决,并用他们的行为遵守。在另外一些案件中,法庭必须命令一方当事人停止某项活动。在这些案件中就要发出一项禁止令,而且,如果它未得到遵守,法庭可以判定未遵守的一方犯有藐视法庭罪,从而判处他入狱或交纳罚金。然而,这种禁令的执行是由执行部门负责的。在中世纪早期,司法任务是与立法任务或行政任务分不开的,所有的政府任务都由君主或别的统治者执行。但是,从12世纪左右开始,统治者和教会领袖们把关于执法的决定委托给专业人员去做。例如,被称为天主教最高法庭的教会最高级的中央法庭就是由职业律师们组成的。在大学里有一群公民接受法律训练,这种做法的兴起有助于使司法任务逐渐脱离行政任务。今天,在大多数司法制度中,执行任务由执行部门负责,法院则从事审判。

Judith, Book of **《犹滴传》** 外典之一,未列入犹太教或基督教正典,但收入《七十子希腊文本圣经》,因而列入天主教正典。该书叙:亚述国王尼布甲尼撒派将军荷罗孚尼攻巴勒斯坦,围困犹太城市贝图利亚。美丽的犹太寡妇犹滴伪作逃出城的难民,告知荷罗孚尼他必胜。荷罗孚尼邀她进帐,犹滴趁他醉后沉睡之际割下他的头颅,装入袋中带回城内。犹太军猛攻无主将的敌军,大获全胜。此书在史实和纪年方面讹误甚多,因而其史料性值得怀疑。该书带有启示文学的特色,称敌人对巴勒斯坦的进犯为邪恶势力与上帝的子民之间的争斗。作为文学作品,《犹滴传》情节紧张,扣人心弦;存有希伯来、希腊、古叙利亚、拉丁等多种文本,可见在古代甚为流行。

judo 柔道 原是日本徒手格斗术,现主要是体育运动。柔道规则复杂,目的是干净利落地摔倒对手,或通过对对方臂部关节或颈部使用压力的方法按住或制服对方。所用技巧是顺对手之势为我所用,不与对方直接较劲。习演柔道讲求礼仪。通常的运动服是厚实白布制作的肥大上衣和裤子。腰束横带,新手横带为白色,技术水平高者为黑色,中间各级以其他颜色区别。嘉纳治五郎(1860～1938)吸收旧武士道各派柔术的精华,于1882年成立讲道馆,开现代柔道之端。20世纪60年代,大多数国家都已建立柔道组织,国际柔道联合会总部设在巴黎。1964年,东京奥运会第一次将柔道列为比赛项目。世界女子柔道锦标赛始于1980年。参阅 **martial art**。关于世界柔道锦标赛冠军,参阅 **Sporting Record**:Judo;关于奥运会冠军,参阅 **Olympic Games**。

Judson, Adoniram 贾德森(1788-08-09,美国马萨诸塞莫尔登～1850-04-12,印度洋上) 美国语言学家、在缅甸传教的浸礼会传教士。1810年,6名神学院学生携带贾德森起草的

美国国会图书馆供图

请愿书前往马萨诸塞州公理会总联合会请求成立美国国外传教理事会,他们的建议获得批准。贾德森于1812年与妻子安娜出发前往印度。在船上研究并接受浸礼宗教义,夫妇受浸礼后脱离原属委员会而加入1814年成立的另一传教会(后称美国浸礼会国外传教会)。他们在印度遭受英国东印度公司反对,遂迁往仰光,学习缅甸语和佛教经书所用语言之一巴利语。1819年开办第一个公共布道所,不久兴建教堂,开办学校,培训布道员,形成有50万信徒的浸礼会。在第一次英缅战争(1824～1826)中,贾德森为缅军所囚,备受酷刑。他妻子在他获释后不久死去。贾德森继续著译并传教,1834年译成缅文《圣经》。他所编纂的《词典》于1826年出版,英缅版修订本于1849年出版,缅英版修订本于1852年出版。

Judson, E. Z. C. 贾德森(1823-03-20,美国纽约斯坦福～1886-07-16,斯坦福) 笔名内德·邦特莱因。美国冒险家、作家。19世纪后期风行一时的所谓廉价小说的创始人。早期作品取材于他自己的冒险生涯。早先是美国海军的船舱服务员。后来升为海军学校见习生,1844年离开海军,据说参加了塞米诺尔战争,并在西部旅行。他向《纽约荷兰人杂志》投寄小说,1844年在俄亥俄州的辛辛那提创办《内德·邦特莱因》杂志。在捕获两个因在肯塔基犯谋杀罪而被通缉的逃犯后,他前往田纳西州的纳什维尔创办刊登轰动新闻的报纸《内德·邦特莱因自己》。因被人怀疑有谋杀罪而逃脱私刑后,将杂志业务迁到纽约。1849年因领导"阿斯特广场骚乱"事件,被监禁一年。他是一无所知党的重要创建人。南北战争期间曾参加联邦军队,1864年因酗酒被解职。后遇见W.科迪,给科迪起了个诨名"野牛比尔",并在他的一系列廉价小说中把科迪描写成英雄。他还以科迪的生平为蓝本写了剧本《平原侦察员》(1872)。1871年回到纽约州斯坦福,继续写他的有利可图的小说。他还为戒酒运动写赞美诗和演讲。他的数百篇廉价小说均写喜欢闹事的英雄们的惊险故事和暴力行为,其中有《纽约的秘密与痛苦》(1848)、《内德·邦特莱因的生活奇谈》(1848)、《斯特拉·德洛姆,或科曼奇人的梦》(1860)、《红色的拉尔夫:别动队员》(1870)、《野牛比尔的第一次考验;或快马邮递骑手威尔·科迪》(1888)等。

jue 爵 又拼chüeh。中国古代酒器。甲骨文已有爵字,象形:前有流,后有尾,双柱,一鋬,三足或四足。陶爵最早见于龙山文化(公元前2500～前2000),但极少见。商代早期

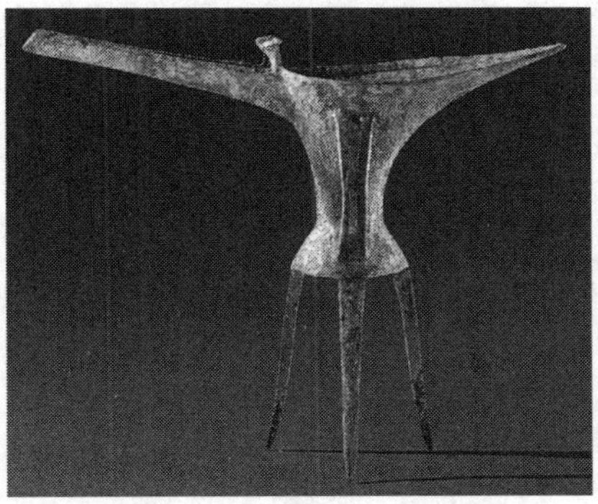

河南二里头出土的商代之前(或商代)的青铜爵
美国不列颠百科全书公司供图

始流行。铜爵也在商代盛行,并有仿铜陶爵作明器,多与觚相配出现。西周早期铜爵还常见,中期以后逐渐绝迹。东周礼书中常提到爵,但未发现实物。

Juel, Niels 尤尔(1629-05-08,挪威克里斯蒂尼亚～1697-04-08,丹麦哥本哈根) 丹麦海军将领。在17世纪晚期指导丹麦海军的发展,在斯卡尼亚战争(1676～1679)中取得战败瑞典的重大胜利。1652～1654年英荷战争期间,他在丹麦海军上将特龙普和德·勒伊特麾下学习指挥海战,后在1658～1660年瑞丹战争中立有赫赫战功。其后15年和平时期,他任舰队司令和皇家造船厂(霍尔门)厂长,对丹麦海军颇多建树。尤尔在斯卡尼亚战争中因革新某些战术,遂使亚穆恩德和厄兰(1676)及克格(1677)诸战役均告捷。战后,他继续发展丹麦舰队;1683年任海军大臣。

Jueluotag Shan 觉罗塔格山 中国新疆维吾尔自治区东部山脉。维吾尔语"觉罗"意为荒漠,"塔格"即山脉。位于吐鲁番盆地与库米什盆地之间,近东西走向,为不对称的拱形隆起山地。北坡降落到低于海平面的吐鲁番盆地,南坡短促。山地西部海拔约2 000米,向东降低到1 200～1 500米。为荒漠性山地,植被稀少。

juge d'instruction 预审推事 在法国,指负责在刑事审理之前进行调查性审讯的地方法官。主要证据的收集和提供,证人的询问,以及证词的制作,都在这种审讯中进行。如果在预审结束时,预审推事并未确信已有足够罪证证明应交付审判,就不得进行审判。这种程序不同于英美法系中的大陪审团听审,大陪审团只需肯定有合理诉因,即可以起诉,交付审判。在法国,预备性调查程序早在17世纪就已采用,但直到19世纪中期才设置预审推事。预审推事是经司法部推荐,由总统任命,任期三年,可以连任。预审推事只有当检察官(公诉人)命令或公民个人要求时,方得受理案件。预审推事的调查一经开始,就必须给被告人提供辩护律师,而且必须给辩护律师提供查阅所有文件和证据的机会。预审必须保证被告人获得保护;尽管被告人有陈述权,但他也可选择保持沉默。为了进行预审,预审推事享有广泛的权力。他可以签发令状,允许当局搜查被告人的居所,提取必要的证据。他也可以签发令状,要求某些人出庭作证,或者要求专家作鉴定。如果证言有矛盾,可以命证人当庭对质,而且常常与被告人对证。审讯结束时,检察官可以根据情况以控告形式提出意见。收集到的证据和证人的证词构成该案案卷。它可以作为法官开庭审判时的线索,特别是可用来核实证词。辩护一方有权了解全部案卷,以使任何突然袭击的因素(这种因素在普通法审判中最为常见)均从主要审讯中排除。但是,陪审团不得了解案卷,因为它必须以开庭审判时提出的事实为根据来作出自己的裁断。预审推事正是根据这些案卷来作出是否将案件交付审判的决定。他可以签发"不予起诉"的裁决,如果他断定有足够证据就可以交付审判,较重的轻罪案件或较轻的重罪案件可以提交刑事法庭,重大的重罪案件则需首先提交上诉法院的起诉庭,进行审理前的审讯。如果起诉庭支持预审推事的建议,就将案件移交巡回法院,这是法国唯一有陪审团的法院。

Jugendstil 青年风格 大约在19世纪90年代中期出现于德国,并且延续到20世纪最初10年的一种艺术风格。这一名称取自慕尼黑出版的一种专门刊载"新艺术"设计作品的杂志《青年》。青年风格可分成两个发展阶段:第一阶段出现在1900年以前,源自英国的新艺术和日本的应用美术与版画,主要的特点是花卉;另一个阶段较晚,是比较抽象的阶段,受到出生在比利时的建筑师和设计师费尔德的维也纳风格作品的影响。参阅 **Art Nouveau**。

juggler 杂耍演员 擅长表演平衡和灵巧技艺，如抛接球、盘、刀等物件的艺人。已发现的古代埃及、希腊、罗马的雕塑、钱币和手稿证明，早在中世纪之前，杂耍表演就是一种高度发展的艺术。一份早期的手抄本记载着一只熊用后脚直立，耍弄3把刀子（现在俄国马戏团也表演类似技艺，让熊躺在一只摇篮里，用后腿耍弄一个燃烧的火把）。在17和18世纪，杂耍艺人在集市上谋生，直到19世纪，玩杂耍者才跻身于竞技场和杂耍剧场。这些新的场地为新的才能提供了独特的训练场所。现代的表演要求在表演杂耍技艺时更加惊险，例如蒙着双眼骑在马背上、在高架钢丝上或在独轮脚踏车上表演。

Juglandales 胡桃目 双子叶植物（**dicotyledon**）的一目，含马尾树科（Rhoipteleaceae）及胡桃科二科。乔木，花不显著，常聚生成柔韧的圆锥形的柔荑花序。胡桃科一些种的坚果可

枸士叶枫杨（*Pterocarya fraxinifolia*）
美国不列颠百科全书公司供图

食，木材坚硬美观，如**胡桃**（**walnut**）、**美洲山核桃**（**pecan**）及**山核桃**（**hickory**）。马尾树科仅一属，分布于越南北部及中国。胡桃科较大，经济上也重要，8属，约60种，主要分布于北温带，但已通过中美洲沿安第斯山脉分布到阿根廷，并从温带亚洲到爪哇和新几内亚成分散的小片分布。无论生长于温带地区的森林、山区，或沿热带海岸分布，胡桃科种类均要求土壤有一定的湿度。在干燥的小山坡繁茂生长的种类也依赖于间隔合适的降雨。少数种类在潮湿峡谷中沿河道生长，或生长于山中的雾带。胡桃和山核桃很少单独一个种聚生成片；却与生于下层的灌木和栎树等混合生长于落叶林中，如在美国东部及墨西哥东部，黑胡桃树类的树干可高达53米。美洲山核桃及某些山核桃也能生成粗大的茎干。这些树干几乎完全由次生木材构成。根部也有形成层，形成层的活动在春季最为活跃。胡桃科种类的木材以其纹理形式及光泽的木射线著称（木射线由形成层向树干周边辐射）。其中黑胡桃树（*Juglans nigra*）及美洲山核桃（伊利诺伊山核桃，*Carya illinoinensis*）的木材坚硬而美观，需要量很大；许多天然生长的成片树林已砍伐殆尽。胡桃科种类的叶为羽状复叶；叶柄由桠枝侧向生出，形成叶轴，小叶对生于叶轴上。叶轴相当于单叶的中脉。胡桃属（*Juglans*）种类的小叶数为7～23枚。许多种类的小叶下表面有黄色小点或含树脂的微小鳞片，使该种具特征性的辛辣芳香。芽、花及果的芳香味常浓于叶片。化香树属（*Platycarya*）原产于中国；枫杨属（*Pterocarya*）的一些种类原产于亚洲广大地区，株高可达30米左右；这些种类的小枝埋入土中可以生根，最后生成新株并与母株分离。枫杨属种类及一些山核桃有吸根及根出条，可借以进行营养繁殖。此外，胡桃科的种类借种子繁殖。胡桃科种类的花序由一条长花轴和许多花朵组成。花单性。雄花无柄，组成柔荑花序，雄蕊外有叶状的苞片，每朵花可有多至100枚的雄蕊。雌花组成穗状花序，某些属的雌花花序中只有1～2朵花。除黄杞属（*Engel hardtia*）外雌花和雄花生于同一植株上。均为风媒花。果为核果，最外层为外果皮，中果皮肉质，内果皮为硬核；常俗称为“坚果”。有松鼠的地方，许多胡桃果实被埋在地下又没被挖出，春季便萌出籽苗。

Jugoslavija 参阅 **Yugoslavia 南斯拉夫**。

Jugurtha 朱古达（约公元前160～前104，罗马［意大利］） 努米底亚国王（公元前118～前105），曾努力摆脱罗马的统治。马西尼萨（公元前148年卒）的非婚生孙。马西尼萨的继承人米西普萨之侄。公元前120年被米西普萨收为养子。公元前118年米西普萨去世，朱古达与米西普萨的两个儿子亨普萨尔和阿代尔巴尔共同执政。亨普萨尔为朱古达所杀，阿代尔巴尔遭朱古达袭击，逃往罗马寻求援助。后来，朱古达的使者经罗马元老院批准，将努米底亚一分为二，西半部（较富）归朱古达，东半部归阿代尔巴尔。公元前112年，朱古达再度进攻阿代尔巴尔，占领其首都锡尔塔；但由于杀死许多意大利商人，在罗马引起公愤，元老院被迫向朱古达宣战。公元前111年，执政官卢西乌斯·卡尔普尼乌斯·贝斯提亚同他达成一项宽大的解决方案。由于朱古达的一个潜在对手在首都遇害，即使他最亲密的罗马朋友也不再支持他。公元前110年初，他迫使奥卢斯·波斯图米乌斯·阿尔比努斯整军投降，并将罗马人逐出努米底亚。公元前105年初，毛里塔尼亚的博库斯一世在执政官马略的度支官卢西乌斯·科内利乌斯·苏拉的怂恿下诱捕朱古达，并将他交与罗马人，次年被处决。

Juigalpa 惠加尔帕 尼加拉瓜中部城市。地处尼加拉瓜湖和马那瓜湖所在的裂谷中。农业和商业中心。主要产品有甘蔗、咖啡、谷物和牲畜。有制革、加工咖啡和饮料厂。在首都马那瓜至加勒比海沿岸低地的大西洋公路上。人口：市约36 999；城市区约50 791（1995）。

Juilliard School 朱利亚德学院 原名朱利亚德音乐学院。纽约市一所享有国际声誉的表演艺术学院。现为林肯表演艺术中心的职业教育部门。朱利亚德学院提供音乐、舞蹈与戏剧的学士学位，也招收音乐研究生。该校校史始于1905年建立的音乐艺术学院。金融资本家A.D.朱利亚德于1919年去世时，遗赠一笔巨款给朱利亚德音乐基金会，翌年即投入运行。基金会受命在美国举办音乐教育，于1924年创办朱利亚德研究生院。1926年音乐艺术学院与朱利亚德研究生院划归同一董事会管理，并于1946年合并，定名朱利亚德音乐学院。50年代课程设置中增加舞蹈。1968年学院改用现名，以适应其拓宽的活动范围（此时学院又增设戏剧分部，设有表演课程）。该院亦以其朱利亚德弦乐四重奏团而闻名。四重奏团创立于1946年，对美国室内乐的发展具有重要作用。在校学生约1400人。

Juin, Alphonse(-Pierre) 瑞安（1888-12-16，阿尔及利亚博恩～1967-01-27，法国巴黎） 第二次世界大战中，担任自由法国高级指挥员的法国陆军军官。瑞安是阿尔及利亚一名警察的儿子，在圣西尔军校接受教育，第一次世界大战中任摩洛哥陆军上尉，后任利奥泰元帅的参谋长。1940年6月法国战役中任师长，被德军俘虏，1年后释放。1941年11月20日，维希政府任命他为元帅，并取代马克西姆·魏刚任北非法军司令。虽然他被迫抵抗盟军1942年11月的北非登陆，但他很快转向盟军，随后在突尼斯和意大利指挥自由法国军队。1944年6月率法军攻入罗马。1951年，瑞安担任中欧北约部队司令。由于他出生于法属阿尔及利亚，1960年因抗议政府的阿尔及利亚政策而同他的多年好友戴高乐总统决裂。1962年以上将军衔退休。

Juiz de Fore 茹伊斯-迪福拉 巴西米纳斯吉拉斯州东南部城市。地处很深的帕赖布纳河谷。为当地高度发达的农牧区的中心，农牧产品包括稻谷、香蕉、甘蔗、咖啡、牲畜。也是巴西一大制造业中心，尤以纺织和塑料产品闻名。有马里亚诺·普罗科皮奥博物馆、茹伊斯-迪福拉联邦大学（1960）。有商业机场。位于里约热内卢和州首府贝洛奥里藏特之间的公路和铁路干线上。人口443 359（2000）。

jujitsu 柔术 日语拉丁字母转写作yawara。主要以赤手相搏的日本武术，起源于17世纪前后武士道。柔术原旨是在战斗中补剑道之不足，因此必须强调凶狠，如打仗一样要使对手致残或致死。柔术包括打、踢、膝顶、抛摔、扼咽、钳制以及使用某些兵器等。所谓柔是指顺着对手的攻势，加以利导而予以控制。也可以用自身坚硬部位（如指节、拳、肘和膝盖）攻击对方软弱部位。19世纪中叶日本封建体制没落，柔术随之衰落，但其中许多原理与方法为柔道、空手道、合气道等现代武术所吸收。参阅 **martial art**。

jujube 枣 鼠李科枣属（*Ziziphus*）两种带刺小乔木，也指其果实。普通枣（*Z. jujuba*）原产中国，有4 000多年的栽培史，已培育出许多品种。该种株高7.6～9米；叶互生，3出脉，下表面光滑，椭圆形至卵圆形，长2.5～7.6厘米。花小，色黄。果深棕色，圆

形至长圆形，大小似小李子。果肉白色，鲜脆，内含一果核。果核大，两端尖。印度枣（毛里求斯枣、毛叶枣，*Z. mauritiana*）与普通枣的不同是：叶下表面被短柔毛，果实较小，

普通枣（Z. jujuba）
美国不列颠百科全书公司供图

不如普通枣甜。枣可鲜食或煮、炖、烤食。用蜂蜜和糖浆煮后做成的枣很像波斯椰枣，有时又叫中国蜜枣。用枣汁制作的小糖果称枣味胶糖。这两种枣树皆生长于炎热、干旱的气候条件下，冬季温度不低于9.4℃。植株抗多种虫害。用种子繁殖，商业化品种用根出条、根插条或接枝行营养繁殖。

Jujuy　胡胡伊　阿根廷西北端省份，西接智利，北邻玻利维亚，面积53 219平方千米。境内有安第斯山系的几条山脉，海拔达5 000米。山间有3500米的阿塔卡马高原，东部有

胡胡伊省的古印第安人要塞
美国不列颠百科全书公司供图

U形的格兰德河和圣弗朗西斯科河系流过。东北部温暖而湿润。河系西北部的乌马瓦卡峡谷从省会圣萨尔瓦多-德胡胡伊沿格兰德河向北延伸160千米。历史上为一条重要的贸易通道。在15世纪末和16世纪初该地区为印加帝国之一部。1834年建省。矿产丰富。在20世纪末，开采锌、铅、锡和银。萨帕拉山脉有高品位铁矿，萨帕拉镇有鼓风炉。但煤炭供应不足和交通运输设施不充足妨碍了充分开发。商品农业（以甘蔗和烟草为主）仅限于圣弗朗西斯科河和格兰德河下游河谷。饲养驮畜，以及羊和牛。农忙时有数以千计的农工从玻利维亚拥入，造成社会和经济问题。在乌马瓦卡峡谷和境内的阿塔卡马高原有约20座16至18世纪的农村小教堂。人口约503 000（1989）。

juku　私塾　日本私立的课外辅导学校，目的在于帮助中小学生更好地完成白天正常的课堂作业和提供准备投考大学的突击课程。私塾大小不等，自个别家庭辅导直到全国联网学校，任教者大多为退休教师、业余兼职教师和大学生。虽然大多数私塾着重于学习和入学考试都很要紧的普通文化课，但也有些私塾教授非正课的各种艺术和体育运动。在德川幕府时期（1603～1867），"塾"一词指教授武术、哲学或其他某种特定题目的小型学校。在明治时期（1868～1912），此词则专指业余辅导学校，以与其他各种类型的公立或私立学校相区别。现代类型的"塾"一般认为是"考大学突击学校"，大多在20世纪60年代中期以后随着日本经济的高速增长而成立。

Jukun　朱昆人　住在尼日利亚贝努埃河上游的民族，一般认为是中世纪晚期最强大的苏丹王国之一科罗罗法王国的后裔，现今朱昆人居住区的东北方面有一处遗址，一般认为就是那个王国的首都，不过此说尚未被考古学界证实。朱昆人的语言属尼日尔-刚果语系贝努埃-刚果语族。朱昆人由许多小居群组成一集合体，组织居群的基础各不相同，不过一夫多妻制的大家庭似乎要占支配地位。朱昆人有一套复杂的公职系统，既涉及政治，也涉及宗教。祭司负责繁杂的宗教活动，有每日每年的祭祀；国王在1947年成为尼日利亚北部酋长院成员之前，是一名半神职的祭司-国王。

Jula（people）　参阅 **Dyula** 迪尤拉人。

Julia　尤莉娅（公元前39～公元14，雷吉乌姆［今意大利雷焦卡拉布里亚］）　罗马皇帝奥古斯都独生女。先嫁马可·马塞卢斯。马塞卢斯死后，改嫁马库斯·维普萨尼乌斯·阿格里帕，生有2女。公元前12年阿格里帕死去，奥古斯都强迫提比略与她结婚。她纵欲无度。奥古斯都发现她行为不检，公元前2年把她放逐到潘达塔里亚岛。但因她聪明伶俐，受到人们的爱戴。提比略登基后，不再向她发放津贴，她因营养不良而死。

Julia Augusta　尤莉娅·奥古斯塔　参阅 **Livia Drusilla** 利维娅·德鲁西拉。

Julia Domna　尤莉娅·多姆纳（？～217）　罗马皇帝塞维鲁的第二个妻子，在继承者卡拉卡拉在位时期她是个有权势的人物。本为叙利亚世袭高级祭司巴西亚努斯之女。她

美国不列颠百科全书公司供图

在罗马把哲学家和其他知识分子聚集在自己的周围。塞维鲁死后，她的两个儿子卡拉卡拉和盖塔共为皇帝。212年卡拉卡拉当她面将盖塔杀死。卡拉卡拉出征时，由她主持大部分朝政。217年听到卡拉卡拉被杀后，绝食而死。

Julia Maesa　尤莉娅·梅萨（？～约226）　罗马皇帝塞维鲁之妻尤莉娅·多姆纳之妹。叙利亚世袭高级祭司巴西亚努斯之女，嫁罗马元老院议员阿维图斯。很有权势。曾设法

美国不列颠百科全书公司供图

使外孙埃加拉巴卢斯和塞维鲁·亚历山大相继于218、222年得到皇位。她死前在帝国政府中一直拥有权势。

Julia Mamaea　尤莉娅·马梅亚（？～235）　罗马皇帝塞维鲁·亚历山大之母。尤莉娅·梅萨之女。亚历山大14岁即位，由她摄政。古代作家对她过多地干预政务多有谴责。232

美国不列颠百科全书公司供图

年在对波斯的战争中随军出征。一般认为，罗马的战败是她干涉军政的结果。235年，她和亚历山大同被士兵杀死。

Julia Molina(Dominican Republic) **胡利亚莫利纳** 参阅 **Nagua** 纳瓜。

Julian **尤里安**(约331或332,君士坦丁堡～363-06-26或27,美索不达米亚泰西封) 罗马皇帝(361～363)。君士坦丁大帝之侄,著名学者和军事领袖。执著地反对基督教,

美国不列颠百科全书公司供图

自称信奉异教(361),因而被称为"叛教者"。少年时成为孤儿,初由比提尼亚省尼科米底亚主教欧塞比乌斯秘密抚养,后去卡帕多西亚马萨卢姆的庄园藏身。19岁获准完成学业。曾到过佩加马、以弗所和雅典,深受新柏拉图学派的影响。23岁获得凯撒的称号和权力,与皇帝的妹妹海伦娜结婚。不久率兵前往高卢,由于英勇果敢,取得极大成功。他击败阿勒曼尼人和法兰克人,把他们从高卢赶走,但是,他的战绩引起皇帝君士坦提乌斯二世的嫉恨。360年,正当他在巴黎过冬的时候,皇帝下令抽调他的精锐部队到东方作战,实际上不过是要削弱他的力量。恰在此时,他的部下推戴他为奥古斯都,这激怒了皇帝。尤里安意识到他与皇帝之间必然发生战争,就决定先下手为强。361年11月君士坦提乌斯二世在塔尔苏斯城死去,临终前无可奈何地同意将帝国传给尤里安。尤里安的宫廷生活极其简朴,尽量减少开支,他颁布敕令,称要以马可·奥勒利乌斯为榜样实行哲人统治,并宣布宗教信仰自由,允许被流放的基督教主教回国。同时决心复活异教,抬高其地位至国教。该政策不久就发展成为对迫害、压制基督徒行为持明显的放任态度。但异教命数已尽,其宗教政策未能产生长久影响。由于想要在东方重建罗马的霸权,他不顾各方面的劝告,调集大军对波斯作战。然而波斯人巧妙利用沙漠、饥饿和罗马人的无能,再一次战胜对方。尤里安从泰西封城下仓惶败退时,被投枪刺穿肝脏,第二天夜里死去。

Julian OF ECLANUM **朱利安(埃克拉农的)** (380,意大利埃克拉农～约455,西西里) 埃克拉农主教。402年前后结婚,丧偶后接受神职,约417年任主教。很早就支持**贝拉基**(**Pelagius**)。教皇索西穆斯判处贝拉基与其弟子塞莱斯蒂乌斯以绝罚,朱利安和另外几位主教拒绝在该文件上签字。421年被逐出意大利,最后定居在西西里当教师。431年被以弗所会议宣布有罪。朱利安将贝拉基主义神学加以系统化,写成几本书,大部分已散失。

Julian OF NORWICH **朱利安(诺里奇的)** (1342,英格兰诺福克诺里奇?～1416以后) 女奥秘神学家,所著《神恩的启示》被学者普遍认为是阐明中世纪宗教修养经验的重要文献之一。晚年隐居在英格兰诺里奇的圣朱利安教堂。《神恩的启示》是英国宗教著作中出众之作,广泛论述深奥的基督教教义,诸如得救预定论、上帝的预知、罪恶的存在等。她观察深入明确,在神学上阐述确切,文笔恺切雅致。人们从未为朱利安行过宣福礼,5月13日是纪念她的非官方节日。今圣朱利安教堂里的一个小教堂是专门用来纪念她的。

Julian, George W(ashington) **朱利安** (1817-05-05,美国印第安纳韦恩县～1899-07-07,印第安纳欧文顿) 美国改革派政治家,初为废奴主义者,南北战争和重建时期作为激进派共和党人在国会任职,后主张妇女参政和实行其他开明措施。习法律后于1840年获得律师资格,在印第安纳州执律师业。19世纪40年代中期以辉格党人进入州众院。常在报上发表反奴隶制观点的文章,这一观点使他转向自由土壤党。1848年以该党候选人当选联邦众议员。在众院中,他反对《1850年妥协案》。1850年竞选连任失败,回印第安纳操旧业。1852年由自由土壤党提名为副总统候选人。4年后为组建共和党的重要人物。1860年以共和党候选人再次获得众院席位,促使通过《宅地法》,并使废奴成为北方进行南北战争的目标。他是国会"战争指导联合委员会"的委员,以主张惩罚南方联盟首脑和给奴隶以选举权闻名,战后重建时期参与阻止国会通过A.约翰逊总统的国家恢复计划及弹劾总统。1870年争取共和党提名失败,两年后退出该党,而支持自由共和党。后主要通过著述致力于社会改革运动。

Julian Alps **尤利安山** 斯洛文尼亚语作Julijske Alpe。东阿尔卑斯山脉的山岭。自**卡尔尼克山脉**(**Carnic Alps**)和意大利东北部塔尔维西奥向东南延伸至斯洛文尼亚卢布尔雅那市。主要由石灰岩构成。西北为费拉河与坎波罗萨山口,北和东为萨瓦河。**特里格拉夫峰**(**Triglav**)海拔2 864米。尤利安山是流向亚得里亚海和黑海诸河流的分水岭。群山之间多谷地,避暑地众多。为冬季体育和登山活动良好场所。

Julian calendar **儒略历** 又称旧历(old style calendar)。儒略·凯撒为改革**罗马历**(**Roman republican calendar**)而建立的记日系统。凯撒接受亚历山大天文学家索西琴尼的建议,把新历定成阳历而不是阴历。他把太阳年的长度取为365¼日。一年分成12个月。除2月外,每月是30日或31日。平年(365日)的2月是28日,每个第4年份(闰年,366日)的2月则是29日。由于误解,该历在公元8年前从未无争议地实施过。索西琴尼把年的长度估高了11分14秒。到16世纪中叶,误差的积累已使从凯撒时代以来的节气日期偏移了约10日。到1582年,教皇格列高利十三世的改革(参阅 **Gregorian calendar**)把历法恢复到公元325年的节气日期,即调整了10天。自1582年提出格雷果里(格列高利)历以来,儒略历已被逐渐废弃。

Julian period **儒略周期** 现在主要是天文学家使用的一种记日系统,自公元前4713年1月1日起连续计日。它同儒略历是两回事。儒略周期是由一位名为J.J.斯卡利杰的学者在1582年设计出来的。他用他父亲的名字J.C.斯卡利杰来命名。J.J.斯卡利杰提出一个计算日期的7980年周期,用来确定以不同纪年法、纪元或历法所记录的不同历史事件之间所经过的时间。选择7980年的长度是因为它是$28 \times 19 \times 15$的积。28是儒略历的所谓太阳周中的年数,经过这一周期,星期的日期又回到了同一天;19是太阴周或默冬周的年数,月相在太阳年或季节年中的某一日中重复出现的周期;15是一种指示周期,它起源于古罗马定期课税或政府征用的时间表。选择公元前4713年作为万元或起算点,是因为它在过去年代中是3个周期一同开始的最近一年。

Juliana **朱丽安娜**(1909-04-30,海牙～2004-03-20,巴昂) 荷兰女王(1948～1980)。威廉明娜女王的独生女。在莱顿大学习法律(1927～1930),1931年参加组建国家危机委

美国不列颠百科全书公司供图

员会。1937年与利普-比斯特菲尔德的贝恩哈德亲王结婚,生有4个女儿。第二次世界大战期间,朱丽安娜流亡渥太华。1945年回国后,在威廉明娜生病期间摄政(1947-10～12和1948-05～08)。1948年9月6日在母亲逊位后成为女王。50年代,她聘用信仰疗法师来治疗她的一个几乎天生失明的女儿,这引起了公众的焦虑。她的另外2个女儿分别嫁给了西班牙卡里斯特王子(1964)和德国外交官(1966),由于第二次世界大战中荷兰的遭遇,这两桩婚事也引起了政治纷争。而且在位期间因其夫受贿也引起了政治危机。但由于她受到民众普遍爱戴,最终成功渡过了危机。之所以广受欢迎,一方面是因为她的谦虚低调——她把子女送入公立学校上学,在当地的超市里购物,取消了屈膝礼;另一方面是因为她在促进社会福利方面做出的努力。1980年4月30日自愿退位。但她社会生活仍然保持活跃,直到90年代末健康衰退。

Julianehåb 尤利安娜霍布 格陵兰西南部主要城镇。爱斯基摩名为卡科尔托克。位于尤利安娜霍布峡湾岸。1755年由挪威商人奥尔森建立。为海港和贸易站。饲养绵羊、肉类加工、捕捉海豹和鱼类加工为主要行业。第二次世界大战期间建有美军基地，现为纳萨尔苏瓦克机场。城北有布拉塔利德遗址，曾为红发人埃里克的住宅和格陵兰第一个挪威人居民点(982)。人口约3 127(1990)。

Juliani, Petrus 胡利奥 参阅**John**(Papacy)约翰(罗马教廷)项下的**John XXI** 约翰二十一世。

Julianus, Marcus Didius 尤里安 参阅**Didius Julianus, Marcus** 狄第乌斯·尤里安。

Julião, Pedro 胡利奥 参阅**John**(Papacy)约翰(罗马教廷)项下的**John XXI** 约翰二十一世。

Jülich 于利希 神圣罗马帝国时代的公国，以于利希城为中心，位于今德国北莱茵-威斯特伐利亚州的亚琛区。12～13世纪，于利希各代伯爵因支持霍亨斯陶芬王朝的皇帝而被授予或得以继承艾费尔山以北莱茵巴拉丁领地的大部分土地。1328年于利希的威廉五世娶荷兰伯爵威廉三世之女，因此成为路易四世皇帝(他在1336年指定于利希为侯爵领地)和英王爱德华三世的姻兄弟。百年战争爆发后，威廉帮助爱德华与一些德意志邦君结盟。他积极参与荷兰事务，向北扩展领土。1356年受封公爵(称威廉一世)和帝国世袭元帅。1423年于利希与贝尔格和拉芬斯堡合并。1609年威廉的继承人约翰·威廉死而无嗣，勃兰登堡选侯约翰·西吉斯蒙德、巴拉丁领地-诺伊堡的沃尔夫冈·威廉在法、荷及德意志基督教新教邦君支持下，于1610年共同占领了该公国。根据1614年的克桑滕条约，该地区被分割，克莱沃-马尔克及拉芬斯堡归西吉斯蒙德，于利希-贝尔格与拉芬斯泰因归沃尔夫冈·威廉。拿破仑时代于利希并入法国。1815年维也纳会议将整个地区划入普鲁士莱茵省。

Julijske Alpe (Italy-Slovenia) 参阅 **Julian Alps** 尤利安山。

Julio-Claudian DYNASTY **朱利亚-克劳狄王朝**(14～68) 指罗马第一代皇帝奥古斯都的4个继任者：提比略(14～37在位)、卡利古拉(37～41在位)、克劳狄一世(41～54在位)和尼禄(54～68在位)。4人并非直系血统。提比略为奥古斯都的养子，出自克劳狄亚贵族家族；卡利古拉为奥古斯都的曾外孙；克劳狄为提比略的侄子；尼禄为克劳狄的侄孙和养子。其中最能干的是提比略，但他晚年成为暴君。卡利古拉脾气暴躁，喜怒无常。克劳狄兼并仆从国家，征服南不列颠，在罗马和意大利兴修许多公共工程。尼禄以恶行和荒淫而遗臭万世，但其暴行对帝国总的繁荣影响甚微。朱利亚-克劳狄王朝在叛乱和内战中灭亡。

Julius 尤里乌斯 天主教几代教皇的称号，按年代顺序分列于后，并各以●为标记。

● **Julius I, Saint 尤里乌斯一世，圣**(?，罗马～352-04-12) 教皇(337～352在位)。339年他容许受阿里乌派废黜并驱逐的亚历山大主教亚大纳西在罗马避难。在340年的罗马会议上重新肯定亚大纳西的主张。342或343年召开撒尔底迦(今保加利亚的索非亚)会议，以期联合西方各主教反对阿里乌派。这次会议承认教皇在教会中有最高权威，规定由教皇裁断主教区产权纠纷，从而加强教皇处理教务的权力。于是尤里乌斯一世恢复亚大纳西的职务，驳斥阿里乌派对他的指责。

● **Julius II 尤里乌斯二世**(1443-12-05，热那亚共和国阿尔比索拉～1513-02-21，罗马) 教皇(1503～1513在位)。原名朱利亚诺·德拉·罗韦莱(Giuliano della Rovere)，是历代教皇中最热心赞助艺术者，又是该时代最有权势的统治者之一。1471年由教皇西克斯图斯四世任命为枢机主教。西克斯图斯四世死后，1492年罗德里戈·鲍尔吉亚当选为教皇，称亚历山大六世，筹划暗杀朱利亚诺，于是他于1494年逃往法兰西国王查理八世宫中避难。他随查理八世出征那不勒斯，在被迫撤回法兰西之后，又于1502年随路易十二进攻意大利。亚历山大六世曾两次企图捕获他而未成。亚历山大六世死于1503年，朱利亚诺经过10年流亡返回罗马。教皇庇护三世在位期间短暂，朱利亚诺大肆进行贿赂，于1503年10月当选教皇，称尤里乌斯二世。他登位之后，以恢复被亚历山大六世毁坏的教皇国为要务。原来，教皇国很大一部分已经在亚历山大六世死后为威尼斯所占。尤里乌斯二世首先于1508年秋天征服佩鲁贾和博洛尼亚；1509年3月又参加康布雷联盟，这个联盟是1508年12月由当时统治米兰的法兰西国王路易十二、神圣罗马帝国皇帝马克西米连一世和自1503年兼为那不勒斯国王的西班牙国王斐迪南二世为了反对威尼斯而结成的。联盟军于1509年5月在克雷莫纳击败威尼斯军，光复教皇国。尤里乌斯二世鼓吹意大利民族意识，主张将法兰

同时代大纪念章上的尤里乌斯二世像
美国不列颠百科全书公司供图

西人驱逐出意大利，但是他的第二战(1510-09～1511-05)不成功。有几位枢机主教归附路易十二世，召开分裂会议，尤里乌斯二世针锋相对，召开第五次拉特兰会议。他先于1511年10月与威尼斯以及西班牙和那不勒斯国王斐迪南二世订立盟约，然后于1512年5月在拉特兰宫主持会议的开幕式。先是，路易十二在1512年4月击败联盟军，后来瑞士派兵援助教皇，形势为之一变。法兰西军所占意大利北部地区纷纷叛变，于是法兰西军撤离意大利，教皇国兼并帕尔马和皮亚琴察，疆土扩大。尤里乌斯二世热心赞助艺术事业，他的名字同布拉曼特、拉斐尔、米开朗琪罗等艺术大师的名字紧密相联。约在1503年，他提出建造长方形圣彼得大教堂的设想，布拉曼特为它提出第一份设计方案。大教堂于1506年4月18日奠基。尤里乌斯二世请米开朗琪罗制作“摩西”雕像和在西斯廷教堂绘画，请拉斐尔在梵蒂冈绘制壁画。这位教皇在任枢机主教期间生有私生女三人，她们都不是名人。他把本家族的四位成员任命为枢机主教，其中仅有一人略有作为。

● **Julius III 尤里乌斯三世**(1487-09-10，罗马～1555-03-23，罗马) 教皇(1550～1555在位)。原名德尔蒙特(Giovanni Maria Ciocchi del Monte)。登位后设法限制枢机主教的圣禄

意大利大纪念章上的尤里乌斯三世像
美国不列颠百科全书公司供图

并整顿隐修院纪律。他关心耶稣会，在罗马成立培养德意志籍司铎的德意志学院，委托耶稣会会士管理。他赞成文艺复兴思想，整顿罗马大学，兴建圣安得烈教堂，任命作曲家帕莱斯特里纳为圣彼得教堂唱诗班指挥，艺术家米开朗琪罗为教堂建筑设计师。

Julius Caesar 尤利乌斯·凯撒 参阅**Caesar, Julius** 凯撒。

Julius Majorianus 参阅 **Majorian** 马约里安。

Julius Nepos (Roman emperor) **尤利乌斯·内波斯** 参阅**Nepos, Julius** 内波斯。

Jullundur 贾朗达尔 印度西北部旁遮普邦贾朗达尔县城市、首府。公元7世纪时为拉杰普特王国首都。为该邦第三大城市、公路铁路重要枢纽和农产品贸易中心。有制造业、鞣革、织布、木工和体育用品制造等行业。设有古鲁那纳克·德夫大学的13个学院及若干邦政府机构。该县位于萨特莱杰河以北。

面积3 396平方千米。地处肥沃冲积平原，80%地区已开垦。主要农作物为小麦、玉米、棉花、甘蔗和鹰嘴豆。人口：城市408 196；县1 734 574(1981)。

July **七月** 格雷果里历的第七个月份。参阅 **month**。

July 7 incident **七七事变** 参阅 **Marco Polo Bridge incident** 卢沟桥事变。

July, Fourth of 参阅 **Independence Day** 美国独立纪念日。

July Days (French history) 参阅 **July Revolution** 七月革命。

July Days **七月危机**(1917-07-16～20[旧历07-03～07]) 指俄国革命中彼得格勒工人和士兵举行反对临时政府的武装示威的时期，其结果是布尔什维克的影响暂时下降，组成以克伦斯基为首的临时政府。7月3日革命群众列队前往道利达宫，要求工兵代表苏维埃正式夺取政权。布尔什维克最初打算阻止示威，但后来决定给予支持。7月4日布尔什维克原拟组织一次和平示威，但在混乱中发生武力冲突，示威群众约伤400人。临时政府和苏维埃都无法控制局势。但苏维埃认为夺取政权的时机还不成熟。结果临时政府进行改组，由克伦斯基出任总理，十月革命时被推翻。

July Offensive(World War I) **七月进攻** 参阅 **June Offensive** 六月进攻(1917)。

July Plot **七月密谋** 又称拉斯滕堡暗杀密谋。1944年7月20日一批德国高级军官企图暗杀希特勒，夺取对政府的控制并谋求同盟国方面较有利的和平条件。1943年和1944年初，德国的军事形势恶化，军队高层反对希特勒的人增多。1943年底拟就了代号为“瓦尔基里”的政变计划。主要人物有贝克上将(前参谋总长)、特雷斯科夫少将、奥尔布里希特上将等。最坚决的是施陶芬贝格伯爵、中校，他亲自执行暗杀任务。7月20日他把藏有炸弹的公事包放到东普鲁士拉斯滕堡“狼穴”大本营的会议室里，此时希特勒正与高级军事助手在开会。但炸弹爆发后希特勒仅受轻伤。结果施陶芬贝格、奥尔布里希特等均被处决，贝克被迫自杀，约180至200名参加密谋的人被处死。

July Revolution **七月革命**(1830) 又作 July Days。拥戴路易－菲力普登上法国王位的起义。这次革命是由于查理十世公布违反《1814年宪章》的限制性法令(7月26日)而激起的。继抗议和示威游行后，发生了3天的战斗(7月27～30日)。结果查理十世退位(8月2日)，并宣布路易－菲力普为“法国人的国王”(8月9日)。在七月革命中，中产阶级上层取得了政治和社会方面的支配地位，从而成为七月王朝时期(1830～1848)的特征。参阅 **1830, revolutions of**。

jumʿah **主麻** 伊斯兰教用语，指星期五，又指凡自由成年男性穆斯林都必须参加的星期五午间礼拜(亦称聚礼)。平日举行的晌礼在星期五则由主麻替代。主麻必须在当地主要清真寺举行，据某些教法学者意见，参加人数不得少于40人。在伊斯兰教早期，主麻日并无休息日之意，但当代大多数伊斯兰国家都将星期五作为法定休息日。

Jumilla **胡米利亚** 西班牙东南部穆尔西亚省和自治区城市。地处卡斯蒂略山麓。在穆尔西亚市西北，临塞古拉河支流胡亚河。14世纪由卡斯蒂利亚国王佩德罗一世占领。该市现以红葡萄酒闻名，亦生产橄榄油、肉罐头、烈性酒、镶嵌砖和建材。人口20 492(1981)。

Jumna (India) **朱木拿河** 参阅 **Yamuna River** 亚穆纳河。

jump rope **跳绳** 又作 skip rope。个人或集体的跳跃运动。所用的绳两端可附有手柄以便抡动。跳绳起源于19世纪，一向是女孩在游戏场或人行道上玩的游戏，由两人抡绳，其他人则轮流跳，边跳边念唱或计数。跳法日趋复杂，跳者必须在绳抡动时进去，跳完就出来，不得触绳或拦绳。有单脚跳、双脚并跳、倒进跳、交叉脚跳、双脚空中前后与左右分跳、急速短跳、侧转身跳、半转身跳、全转身跳和双人跳等。荷兰式双绳跳用两根绳同时向相反方向抡；还有一种跳法叫“交叉”，由一人握住绳的两端，两臂交叉向前向后交替抡绳。跳绳歌词多得数不清，其中有很多来自德国和英国，歌词内容一般是用来指挥动作。中国跳法是由两名持绳人面对面站着，两脚开立，将绳子围在两人腿上，形成长方形，然后把绳逐渐提高，直到跳绳人发生失误为止。单人跳绳已成为职业拳击运动员用来锻炼气力和腿力的一种手段。

jumping bean, Mexican 参阅 **Mexican jumping bean** 墨西哥跳豆。

jumping hare (rodent) 参阅 **springhare** 跳兔。

jumping mouse **林跳鼠** 林跳鼠科美洲林跳鼠属(*Zapus*)、林跳鼠属(*Eozapus*)和缘木林跳鼠属(*Napaeozapus*)5种善跳跃的小型啮齿动物的统称。浅灰、金黄色或淡黄褐色。体长约8～10厘米(不包括尾长)。形似小鼠，

草间林跳鼠(*Zapus hudsonius*)
美国不列颠百科全书公司供图

但后腿长，尾特长。用后腿跳跃，尾起平衡作用。居于地面草窝中或浅洞里。以果实、种子和昆虫为食。冬季在地下冬眠。草间林跳鼠(哈得孙美洲林跳鼠，*Zapus hudsonius*)、太平洋林跳鼠(三斑美洲林跳鼠，*Z. trinotatus*)及西方林跳鼠(美洲林跳鼠，*Z. princeps*)大都分布于北美洲，主要栖息于开阔林地和草甸。中国林跳鼠(四川林跳鼠，*Eozapus szechwanus*，或归入美洲林跳鼠属)栖息于山地森林，对它所知甚少。林地林跳鼠(显著缘木林跳鼠，*Napaeozapus insignis*)栖于北美东部林地，黄褐色间白色，甚美观。

jumping plant louse **木虱** 又称跳蝉。同翅目木虱科昆虫，近2 000种，大小如针头。从头部、长触角、足及透明的翅看，均形似缩小的蝉。卵产在寄主植物的枝、叶上。若虫扁平，宽卵形，常群集在一起取食。有的种外被蜡质，有的在叶上形成虫瘿。木虱数多时，其消化的副产品(味甜的胶质分泌物)可在叶和枝上形成一层膜，有时可像雨滴般自叶滴落，澳大利亚土著居民常收集桉叶上的此种物质(桉叶胶)为食。苹木虱(*Psylla mali*)和梨黄木虱(*P. pyricola*)的若虫为害花和枝条，并使叶枯萎。

jumping shrew **跳鼩** 参阅 **elephant shrew** 象鼩。

jumping spider **跳蛛** 蜘蛛目跳蛛科(Salticidae或Attidae)动物，已知约3000种。多数小型到中型。在热带最常见，但亦见于北方和北极。体多毛，通常色泽鲜明或图案

帐篷跳蛛(*Salticus scenicus*)
美国不列颠百科全书公司供图

醒目。其视觉在蜘蛛类中最为敏锐。白天活跃，常见于阳光下。夜间隐蔽在树皮、石块或叶下的致密的窝内。同种数个个体的窝常在一起。Oonopidae科的种称为小跳蛛，分布于热带落叶层及建筑物内。

Jun kiln **钧窑** 中国宋代(960～1279)瓷窑。窑址在河南禹县(古称钧州)神垕镇。钧瓷坯体厚重，胎质细，呈灰白色。釉厚而润，有细平与橘皮釉之分。橘皮而有红斑者居多，通常有乳浊釉，光泽妖妍似蛋白石，是因釉内含磷的微分子将光线分散而成。乳青色由氧化亚铁和釉的乳浊现象产生，红色由铜还原而成。带紫色之处由铜红色与铁青色组成。还有灰绿、月白、天蓝等多种色彩。以玫瑰紫、海棠红、天青、月白等釉色闻名于世。产品有花盆、瓶、盘、碗等。江苏宜兴与广东

北宋钧窑瓷碟
美国不列颠百科全书公司供图

石湾有仿钧陶器，别名"宜钧"或"泥钧"。江西景德镇还有"炉钧"的低温釉仿钧瓷器。这些产品虽各有特色，但都不如"宋钧"的本色。

Junāgadh　朱纳格特　印度中西部古吉拉特邦西南部城市。城市靠近卡提阿瓦半岛的吉尔纳尔丘陵。附近寺庙和清真寺众多，表明该市历史悠久而复杂。15世纪以前为拉

朱纳格特附近岩石上开凿的佛洞
美国不列颠百科全书公司供图

其普特人的要塞，现为商业与制造业中心。有铁路和公路。朱纳格特县面积10 607平方千米，位于卡提阿瓦半岛西南部，临阿拉伯海，除吉尔纳尔丘陵与吉尔丘陵外，该地区均为平原，农产品有棉花、谷物、豆类、油籽和甘蔗。有波尔班达尔等海港。人口：城市约 130 132；都会区约 166 755；县约 2 392 372（1991）。

Junayd　朱奈德（活动时期14世纪，伊拉克）

朱奈德绘《诗五首》插图画《胡迈与胡马云之战》（1396）
美国不列颠百科全书公司供图

细密画画家和贾拉伊尔画派主要插图画家。他善于在匀称的背景下，描绘衣着富丽的人物；这种风格深刻影响了波斯画的发展。其生平事迹不详。曾从画家沙姆斯丁学艺，1382～1410 年效忠于巴格达的蒙古贾拉伊尔王朝艾哈迈德苏丹。他继承了伊儿汗国后期大不里士画派诸多艺术大师的传统，创造一种充满珠光宝气、繁复多彩的艺术，成为后世波斯细密画画家们所取法的基本模式。其作品有为赫瓦朱·凯尔马尼著的《诗五首》所绘的插图，完成于 1396 年；还有为艾哈迈德苏丹的诗集绘制的边饰插图。

Junayd，Shaykh　祖乃德（约1430，伊朗阿塞拜疆？～1460-03-04，库拉河附近）　神秘主义萨非教团第四代教主，企图把教团的精神力量转化为政治权力。1447 年其父死时继承教主之位，由于年幼而受叔父谢赫·加法尔的监护。成年后希图把自己所享受的宗教尊荣转化为世俗权力，这一政策引起教团分裂。占多数的温和派拥护谢赫·加法尔，其余人追随祖乃德。他是萨非教团领袖中称苏丹的第一人，苏丹这一称号表示世俗权力。由于该教团军队的活动，他与伊朗西北部阿塞拜疆什叶派统治者杰汉·沙阿发生冲突，结果于 1448 年被迫率信徒撤出传统根据地阿尔达比勒，到达阿勒颇（今在叙利亚），不为当地当局所容而去。1456 年，率部进攻信奉基督教的特拉布宗公国（今在土耳其）不成，请求土耳其统治者乌宗·哈桑予以庇护。哈桑接纳他并允其暂居阿米德。祖乃德娶乌宗·哈桑的姐妹赫底彻。1459 年率部离阿米德前往收复阿尔达比勒，被杰汉·沙阿的优势兵力所阻。祖乃德军转而向北，袭击塔巴萨兰（今在高加索地区）信奉基督教的切尔克斯人，遭到伏击，他本人阵亡。其子海达尔继续执行他的军事冒险并坚持什叶派教旨和萨非派虔诚习俗的政策。最后，其孙伊斯玛仪一世在伊朗建立萨非王朝和什叶派支派十二伊玛目派。

Junaynah，al-　朱奈纳　又称朱奈纳堡。苏丹西部达尔富尔地区城镇。位于法希尔西面约 350 千米、距乍得边界以东约 24 千米处。有公路与法希尔连接。海拔 853 米。有国内机场。设有邮政、电报机构和医院。人口约 92 831（1993）。

Juncales　灯心草目　禾草状单子叶植物的一目。含灯心草科（Juncaceae）和特恩氏草科（Thurniaceae），共 10 属。生于潮湿的冷温带地区。花小，两性，淡绿色，密生在顶端或侧生成簇，风媒传粉。每年都有带叶的地上茎从横卧或直立的根状茎上长出。灯心草科含：灯心草属（*Juncus*，300 种）；地杨梅属（*Luzula*，80 种）；另有 6 属（灌木蔺属［*Prionium*］、锐草属［*Oxychloe*］、*Rostkovia* 属、枣核籽属［*Marsippospermum*］、*Andesia* 属、两排叶属［*Distichia*］）共 16 种，只分布于南半球。特恩氏草科仅 1 属——特恩氏草属（*Thurnia*），3 种，分布于委内瑞拉和圭亚那。本目被认为与百合目有共同的祖先。世界许多地方用本目植物编织椅垫、席、篮和帽子，髓部可作灯

多花地杨梅（*Luzula multiflora*）
美国不列颠百科全书公司供图

心。有些种是牧草或用作干草。

junco　灯草雀　又称灯草鹀。新大陆燕雀科（或归入鹀科）灯草鹀属（*Junco*）数种小鸟。体长约 15 厘米；体色各异，但多为灰色；外尾羽白色，飞行时外尾羽闪闪发光，并发出咯嗒声和喊喳声；喙通常粉红色。分布范围自阿

灰蓝灯草鹀（*J. hyemalis*）
美国不列颠百科全书公司供图

拉斯加和加拿大至佐治亚及墨西哥北部；常在美国过冬。喜栖居于混合林或针叶林，但亦常见于田野、灌木丛及城市公园中。每窝产卵 3～5 枚，卵淡绿色，有褐色斑点。灰蓝灯草鹀（*J. hyemalis*）在整个加拿大及阿巴拉契亚山脉繁殖。在北美西部有几个种生有褐色或粉红色斑纹，其中白腹灯草鹀（黄眼墨西哥灯草鹀，*J. phaeonotus*）眼黄色而非黑色。

Junction City　章克申城　美国堪萨斯州东北部城市，吉里县县城。位于里帕布利克河与斯莫基希尔河汇合处。1858 年始建，1859 年设市。发展成附近赖利堡的贸易中心。现为周围谷物和乳品产区的批发和转运中心，建有铁路工场、饲料加工厂和牛奶场。周围有石灰石开采业。里帕布利克河上建有米尔福德水坝，形成水库。人口约 18 886（2000）。

Jundiaí 容迪亚伊 巴西圣保罗州南部高原的城市。海拔 750 米。1865 年建镇，为市级地区政府驻地。农产品包括葡萄、咖啡、棉花、稻米和玉米。工业品有钢铁、纺织品、陶器、家具、酒和食品。商品经铁路和公路运往州首府圣保罗和邻近城市。附近有一机场。人口：城市区约299 669(2000)。

Jundūbah 朱杜巴 又拼Jendouba，又称苏格艾尔巴。突尼斯西北部城镇。位于突尼斯城至阿尔及利亚铁路线上，为谷物(主要是小麦)种植和出口中心。镇北 8 千米处有努米底亚人和罗马人遗迹。周围地区为迈杰尔达河中游谷地冲积平原，利于农耕。人口约 39 731(1994)。

June 六月 格雷果里历(**Gregorian calendar**)的第六个月份。

June beetle 六月甲虫 又作May beetle或June bug，又称五月甲虫、六月虫、六月鳃角金龟。鞘翅目金龟科鳃角金龟亚科(Melolonthinae)六月鳃角金龟属(*Phyllophaga*)昆虫。一般见于北半球暖春的夜晚，趋光。体厚实，红褐

六月甲虫(*Phyllophaga rugosa*)
美国不列颠百科全书公司供图

色，长 12 ～ 25 毫米，鞘翅闪亮。夜出吃叶和花，有时为害严重。幼虫称白蛴螬，长约 25 毫米，生活在土中；将植株从根切断，毁坏谷类作物、小粒谷类作物、马铃薯、草莓，破坏草地和牧场。每个雌虫在土中产 50 ～ 200 个珍珠状小卵。幼虫食植物根，经 3 年化蛹，8、9 月份成为成虫，再进入土中越冬。翌春出来食叶，寿命不到一年。天敌是蜣蝇(*Pyrgota undata*)，其幼虫食六月鳃角金龟。六月鳃角金龟的幼虫是优良的鱼饵。绿色六月甲虫即光泽美洲花金龟(*Cotinus nitida*)。参阅 **flower chafer**。

June Offensive 六月进攻(1917) 又称 July Offensive(七月[公历]进攻)、Summer Offensive(夏季进攻)、Kerensky Offensive(克伦斯基进攻)或 Galician Offensive(加利西亚进攻)。第一次世界大战中俄国陆军部长 A. 克伦斯基策划的一次不成功的军事行动。这次行动不仅暴露出俄国陆军的解体程度，而且也看出临时政府未能充分反映公众的革命情绪。这次行动曾短暂地起到加强国内温和派和保守派地位的作用。克伦斯基选择的时机特别不好，在二月(公历 3 月)革命后，公众，特别军队内求和愿望越来越强烈。士兵委员会争论军事问题，经常否决军官的命令。军队纪律涣散，许多士兵私下与德国人讲和，开小差回家。1917 年 5 月成立的首届临时联合政府继续承认已废黜的帝国政府的结盟，不肯果断地单独求和。它答应只进行防御性战争，但克伦斯基却计划进攻。他设想如果取胜将会团结人民支持临时政府，并迫使交战双方缔和。1917 年 7 月 1 日(俄历 6 月 18 日)，俄军在 A.A. 勃鲁西洛夫将军指挥下沿加利西亚宽大正面进攻德奥联军，并向利沃夫推进。尽管开始时俄军告捷，但士兵旋即拒绝离开战壕作战，到 7 月 3 ～ 4 日攻势已瓦解。7 月 6 日德奥联军发起反攻，只遭到零星抵抗就穿过加西利亚长驱直入乌克兰，到兹布鲁奇河才停止前进。六月进攻的政治后果严重，克伦斯基任命 L.G. 科尔尼洛夫将军为总司令，奠定了军政保守势力发展的基础，导致科尔尼洛夫的未遂政变，史称科尔尼洛夫叛乱。

Juneau 朱诺 美国城市和自治镇，阿拉斯加州首府(1900)。位于州东南部，在罗伯茨山(3 600 英尺)和朱诺山(3 576 英尺)山麓，濒临加斯蒂诺水道，有宽达 75 英里的岛屿带屏蔽太平洋。1880 年发现金矿，始有人定居。1944 年阿拉斯加-朱诺金矿关闭之前其经济一直以矿业为主。现经济主要依赖渔业、林业和公共事业，并发展旅游业。城北 13 英里有门登霍尔冰川，城西北有冰川湾国家公园。冬季降雪在 1 英尺以上，为不冻港。通过轮

朱诺市的圣尼古拉俄罗斯东正教教堂
美国不列颠百科全书公司供图

渡至北面海恩斯与阿拉斯加公路相接。设有阿拉斯加大学(1972)和州立阿拉斯加博物馆(1900)。1970 年与水道对岸岛上的道格拉斯合并后，成为全国面积最大的城市(8 050 平方千米)。人口 30 711(2000)。

Junee 朱尼 澳大利亚新南威尔士州中南部城镇。建于 1863 年。1883 年设镇。位于里弗赖纳区沃加沃加北面，地处通悉尼的南方铁路干线上，东北距悉尼 348 千米。现有大型火车保养和车库设备，曾因铁路柴油机化而大受打击。为附近小麦、羊和葡萄产区的服务中心。每年在此举行里弗赖纳地区中小学生橄榄球赛会。人口 3 993(1981)。

Jung, Carl (Gustav) 容(1875-07-26，瑞士凯斯维尔～ 1961-06-06，屈斯纳赫特) 又译荣格、容格。瑞士心理学家，精神病学家。童年生活孤独，好沉湎于生动的想象及观察父母和师长的行为。年稍长喜爱哲学。1902年获

美国不列颠百科全书公司供图

苏黎世大学医学博士学位。毕业后开始在该校任精神病医师。后任苏黎世布格霍尔茨利精神病院医师。在 E. 布洛伊勒领导下工作，在这期间成功地运用联想测验研究患者，发现患者对刺激字产生古怪的不合逻辑的应答，源于他们的情绪性、无意识的联想丛，而这种无意识联想实际上是植根于患者的喜、恶、道德观念和性意识之中，并首创“情结”这个有名的术语表达这一概念。因此项研究享有国际声誉。并因此获悉弗洛伊德的理论，他的发现证实了弗洛伊德的许多论点，两人曾合作 5 年(1907 ～ 1912)。容在精神分析运动中占有重要地位。后因两人性情和观点不同，中断合作关系。他反对弗洛伊德坚持以性欲为神经症病因的主张，1916 年发表《无意识心理学》，有许多观点与弗洛伊德不同。容脱离国际精神分析学会，与 A. 梅德合作，在苏黎世创立新学派，提倡分析心理学。他主张按照态度类型将人分成外倾型与内倾型两类。后又区分出 4 种心理功能：思维、情感、感觉与直觉，认为任何人都有一种或数种功能占优势。1923 年发表《心理类型》一书。容

自幼曾有鲜明的梦境和幻想,与弗洛伊德分手后钻研自己的梦与幻想,让这些奇怪经验的非理性方面自由表现,并详作记录,进行科学分析。后来提出了集体无意识和原始意象等概念,他指出这对研究宗教心理学十分重要。认为起自诺斯替教止于炼金术的种种异端运动就是不能在各种基督教形式中充分表现的无意识原始意象元素的表露。他是对认为生活失去意义的中年或老年患者进行心理治疗的先驱。1933 ~ 1941 年担任苏黎世联邦工业大学心理学教授,1943 年任巴塞尔大学医学心理学教授。著作甚多,大部分篇幅大而专业性强。30 年代后撰写了一些较短而易懂的著作。容在政治上同情纳粹,写过不少为纳粹歌功颂德的文章。重要著作尚有《早发痴呆的心理学》(1909)、《精神分析论》(1915)、《分析心理学文集》(1916)、《心理学与宗教》(1938)、《人格的整合》(1939)、《神话学科学文集》(1949)、《飞碟,空中怪物的现代神话》(1959)等。

Jung, Johann Heinrich　容　参阅 **Jung-Stilling, Johann Heinrich** 容-施蒂林。

Jung Bahadur　忠格·巴哈杜尔(1817-06-18,尼泊尔加德满都～ 1877-02-25,加德满都) Jung 又拼 Jang。尼泊尔首相(1846 ～ 1877)。世袭首相拉那家族的建立者。胆识过人,才能出众。1846 年杀死阴谋篡位的加甘·辛格。随后废黜了国王和王后。他任终身首相,冠以世袭的"拉那"称号。1850 ～ 1851 年访问英国。一生亲英。他施展巧妙的外交手腕,使尼泊尔能在印度次大陆落入英国手中的时候仍然保持独立。1857 ～ 1858 年印度兵变期间,他派遣廓尔喀人组成的小分队去援助英军,从而开始了廓尔喀人在英军中服役的传统。他努力改进行政,修订旧刑法,虽然他要废除寡妇殉葬制,但在他死后,他的 3 个遗孀还是跳到火葬的柴堆中烧死。担任世袭首相后,巴哈杜尔认为只有将职位传给有才干的成年人,才能确保国家的安定。因此,他设计了一种继承顺序,将职位传弟而不传子。到第二代时,则按年龄顺序传给所有兄弟的子嗣。以此类推。据此,巴哈杜尔去世后,他的职位由弟拉纳·乌第普·辛格继任。拉那家族的最后一任世袭首相莫汉于 1951 年引退。但拉那家族仍然权势显赫。

Jung-lu (Chinese official)　参阅 **Ronglu** 荣禄。

Jung-Stilling, Johann Heinrich　容-施蒂林(1740-09-12,威斯特伐利亚格伦德[德国]～ 1817-04-02,卡尔斯鲁厄) 原名约翰·海因里希·容。又称海因里希·施蒂林。德国作家,以自传《海因里希·施蒂林的一生》(5卷,1806)闻名。该书第一、二卷对 18 世纪一个虔信宗教的家庭的乡村生活作了生动的现实主义描写。在极为贫困的环境中长大,14 岁即当小学教师,还做过裁缝等工作,遭受多次挫折之后,才成为医生。在斯特拉斯堡攻读医学时结识歌德。歌德为他所感动并发表他的《海因里希·施蒂林的青年时代》(1777)的头两卷,也是最好的两卷。该书在反对启蒙运动唯理主义的虔信主义思潮中,由于它的虔诚和朴素而颇有影响。1772年作为一名医

美国不列颠百科全书公司供图

生,因做白内障手术成功而出名。1778 年成为经济学讲师。1803 年获巴登选帝侯所赠年金。除自传和经济学教科书外,他还写神秘主义的和虔信主义的作品,其中最著名的是寓意小说《思乡病》(1794 ～ 1797)。

Jungbunzlau (Czech Republic)　**永本茨劳**　参阅 **Mladá Boleslav** 姆拉达-博莱斯拉夫。

Jünger, Ernst　容格尔(1895-03-29,德国海德堡～ 1998-02-17,威尔弗林根) 德国小说家、短论作家。早年是一个狂热的军国主义者和虚无主义者,这种信念后来又改变为同样热烈地坚信和平、欧洲联盟和个人尊严。这种转变显示在为纪念他战死在意大利的儿子而写的《和平》(写于 1943,出版于 1948)一书里。1912 年为参加法国外籍军团,从家中出走,第一次世界大战期间作为德国士兵在西线战场负伤。第二次世界大战时,他又作为一名上尉重赴西线战场。1920 年出版《钢铁暴风雨中》,声称德国在第一次世界大战中所遭受的苦难是新生和胜利的前奏。尽管他具有军国主义思想,在 20 年代末还是拒绝了希特勒的友好表示。在希特勒任总理期间,他甚至还写了一篇寓言《在大理石悬崖上》(1939),讽刺对一个和平国家的野蛮蹂躏,这篇寓言竟然通过书报检查,实出人意料。第二次世界大战期间,他同密谋刺杀希特勒的军官集团有间接联系。后期作品有《玻璃蜜蜂》(1957),这是一个扰动人心的故事,描写一个没有工作的退伍军人生活在一个以人造蜜蜂和木偶为象征的过分机械化的世界上。他还写有几篇散文,在德国和国际上都多次获奖。

Junges Deutschland (literary movement)　参阅 **Young Germany** 青年德意志。

Jungfrau　少女峰　瑞士的著名山峰(13 642 英尺)。俯瞰着劳特布伦嫩谷地,位于因特拉肯旅游地东南偏南 11 英里处。这座风景秀丽的山峰把伯尔尼州和瓦莱州隔开,是伯尔尼兹山的一部分。1811 年瑞士人迈耶兄弟从东侧第一次登上少女峰。欧洲最高的铁路之一经过一条长 4.4 英里的隧道穿过艾格尔山和门希山,到达门希山和少女峰之间的山口永弗劳约赫(11 335 英尺)。

Jungfrauenbecher　少女杯　一种银杯,状如穿展开裙子的少女(倒置时成一巨大的杯子),托着高出其头部带轴的碗。这种造型显然起源于 16 世纪后期的德国,但自 17 世纪以来只留有少数样品。少女杯用于婚宴,新郎先从裙状杯饮敬酒,然后把少女像摆正,并不使盛于轴上碗中让新娘饮用的酒洒出来。它也是一种打赌用的杯子——打赌的人必须饮两个杯中的酒而又不能使任何一杯的酒洒出。

Junggar Pendi　参阅 **Dzungarian Basin** 准噶尔盆地。

Junggrammatiker　参阅 **Neogrammarian** 新语法学派。

jungle　丛林　热带森林,植被繁茂、纠缠交结、难以通行,林间一般多野生动物。丛林通常产生于热带,由雨林的树冠层被破坏演替而成。参阅 **rain forest**。

jungle babbler　幽鹛　又称丛林画眉。画眉科幽鹛族(Pellorneini)鸣禽,32 种。自非洲分布到马来西亚和菲律宾。色单调。嘴细长,末端通常钩曲。隐蔽在森林下层。东南亚的条纹幽鹛(斑点画眉,*Pelloreum ruficeps*)长 16 厘米,头顶淡红,眼纹白色,背暗绿色,胸部白而有条纹。啭鸣声洪亮,两个音调。

jungle fowl　原鸡　鸡形目雉科原鸡属(*Gallus*)4 种亚洲鸟类的统称。与雉科其他种类的区别是:雄鸟有肉质冠和悬挂在喙下方的分叶的肉垂,尾高高隆起如拱形。红原

红原鸡(*G. gallus*)

美国不列颠百科全书公司供图

鸡(原鸡,*G. gallus*)是家鸡的祖先。雄鸟有光亮丝状羽毛,头、背红色,身体其余部分的羽毛为黑色和绿黑色相间(这种羽色型可见于某些品种的家鸡);雌鸟锈褐色,有斑驳的颈和小的肉质冠。雄鸟在竞偶场中用锐利的脚距进行角斗,往往格斗到死。在求偶表演中,雄鸟垂下一只翅膀,向雌鸟倾斜着羽毛最艳丽的部位:头、翕和背(家公鸡的行为也相类似)。在正常环境下,原鸡为单配性(一雌配一雄)。每窝产 5 ～ 8 枚淡黄色卵。印度

南部的灰原鸡(*G. sonnerati*)也可能是家鸡祖先,有些家鸡有与其类似的淡灰和白色色型。其他种类栖息于印度某些地方,亦见于斯里兰卡、爪哇和某些印度尼西亚岛屿。关于澳大利亚原鸡,参阅 **megapode**。

Junín 胡宁 阿根廷布宜诺斯艾利斯省北部城市。地处南美大草原,濒临萨拉多河。1827年建镇,以保护殖民者不被印第安人侵入。1906年建市。农业(小麦、玉米、牛)、商业、制造业中心。市内有铁路机修厂,以及酿酒、陶器、家具和金属制品厂。附近潟湖产鱼,供应布宜诺斯艾利斯。爱娃·庇隆出生在胡宁以南的洛斯托尔多斯。人口约83 924(1999)。

Junín 胡宁 秘鲁中部省份,1853年成立。面积44 197平方千米。大部处在安第斯山区,有曼塔罗河和其他亚马孙河支流流经。该省大部为城市人口,集中在省会**万卡约**(**Huancayo**)和豪哈、拉奥罗亚镇(有大型炼铜厂)之间地区。山间大片的盆地适于种植小麦、大麦、马铃薯和其他高地作物。东部低坡地出产咖啡、可可、甘蔗。有采矿、冶炼、水力发电等工业。通铁路、公路。人口1 260 773(2003)。

Junior Achievement 青年商业社 美国和加拿大的一种教育组织。其目的是使相当于中学生年龄的青年,在工商界志愿顾问指导下,自己组织和经营小型商业,以获得经商经验。这一方案由马萨诸塞州斯普林菲尔德的H.A.摩西首创,1926年建立;第二次世界大战后取得重大发展。基层组织名称为青年商业社公司。董事会、劳动力和营业人员均由就学青年男女组成。秋季选举干事,决定产销品种,确定公司启动生产所需流动资本数额。他们向父母、朋友、教师等出售股本。每人可购股数不得多于5股,公司成员每人至少认购一股。公司于筹集资本后即在银行开立账户,着手购进原料。公司申请青年商业社许可证,支付租金,购买所需小型工具,制订完备的簿记制度。公司于春季歇业,同时售出存货,付清债务,如有盈利(大多数公司均有盈余),则于退还股本时清付股息。每一公司均有3名成人顾问负责指导,公司成员平均为15人。全国性总部设在纽约市。

junior college 初级学院 又称社区学院(community college)。提供大学本科头两年级的学术教育和职业技术训练、为毕业生就业作准备的教育机构。此类学院一般系公立,还开设各种具有非传统形式和内容的灵活多样的课程。它们在为社区成员提供非全日制学习、夜校、电视教学、周末讲习班等教学形式方面已经成为先驱。初级学院的根源可上溯至美国南北战争后实行的肖托夸计划和其他成人教育计划,但初级学院作为有组织的教育机构的历史,是在20世纪初开始的。芝加哥大学第一任校长W.R.哈珀是初级学院的创始人。哈珀自1883年起在纽约州肖托夸任成人教育暑期集会的教育主任。他在19世纪90年代将新建的芝加哥大学分为两部分——高级学院和初级学院。他后来对伊利诺伊和其他地方的初级学院的建立也有影响。第一所公立初级学院于1901年建于伊利诺伊州乔利埃特。1907年加利福尼亚州也开办了两年制的公立学院。由于使初级学院成为州立大学分支的体系遍及全州,加利福尼亚社区学院的学生几乎占该州全部在校大学生的一半。1915年美国已有70多所初级学院,其中75%是私立学校,并往往同某个教派有联系。20世纪20年代早期,美国有初级学院200多所,因此成立了美国初级学院协会(后为美国社区学院和初级学院协会)。20世纪30年代经济萧条期间,社区学院适应了公立高等教育花费要少的需要,后来,又满足了因人口西迁而产生的需求。第二次世界大战后,由于大批退伍军人涌入学校以及联邦和地方均拨出大笔资金资助高等教育和职业训练的刺激,初级学院迅速发展。公立社区学院实行典型的宽松入学政策,向所有可能受益的人提供学习机会,象征性地收取学杂费,或完全免费。社区学院向本社区或本学区内的居民和组织提供范围广泛的服务。一所典型的社区学院除向学生提供本科学术性课程以使他们获得转入4年制学院或毕业所需的学分外,还开设实用性课程,如汽车修理、退休员工计划或计算机技术等。许多社区学院可根据学生需要开设任何一个科目的特修课程。社区学院和初级学院毕业生一般可获得准学士学位。最常授予的学位是文科准学士学位(A.A.);此外还有应用科学准学士学位和商业管理准学士学位。其他一些国家,如加拿大、菲律宾和日本也采用了美国模式的社区学院方案。社区学院一直因过多注意现时利益和实用课程,忽视在高等教育各个学科方面进行严格教育而受批评;另一方面,也有人为社区学院和初级学院辩护,认为这些学校的教师更注重教学效果,而不是靠发表学术论著和研究来换取声望。人们还认为这类学院提供别处得不到的民主教育机会,并且是本社区成员终生学习的中心。

junior high school 初级中学 在美国一些学校体制中,它是小学后、高中前的包括两三个中学年级(7、8、9年级)的学校。在初级中学就读的儿童年龄约在12～15岁之间。初级中学可以自成体系,也可以是完全中学的组成部分。在一些学校体制中,中学作为小学和高中之间的某些年级(如6、7、8年级)。

juniper 刺柏 又称桧柏。柏科刺柏属(*Juniperus*)植物,约60～70种芳香常绿乔木或灌木,广泛分布于北半球。幼叶呈针状,成熟叶呈锥状,成对或3叶轮生。有些种的叶小,鳞片状,具油腺,紧密贴生于圆形或四棱形的小枝上。通常雌雄异株。球果淡红棕色或淡蓝色,肉质或浆果状,外被灰色蜡层,成熟需要1～3个季节。种子1～12粒,通常为3粒。欧洲刺柏(普通刺柏,*J. communis*)为蔓生灌木,广泛分布北半球,生长于岩石地带,有很多观赏栽培变种。其果用于食品及酒类,尤其是**杜松子酒**(**gin**)的调味。果实具芳香辛辣味,用于鹿肉调味可去除膻味,又用于酱汁、馅料、腌肉、甜露酒、苦啤酒等的调味。产于北美东部的**东方红柏**(**eastern red cedar**; *J. virginiana*)为重要的观赏和材用树种,其木材芳香,可用制家具、铅笔等。欧洲中部所产的萨皮纳刺柏(*J. sabina*)、亚洲东部所产的中国刺柏(*J. chinensis*)、北美东部所产的平铺刺柏(*J. horizontalis*),亦为常见的观赏种,均有很多园艺变种。西班牙、葡萄牙的香桧(西班牙刺柏,*J. thurifera*)和地中海地区的腓尼基桧(*J. phoenicea*)的木材可用制焚香。该属几个种的叶和木材蒸馏提取的桧油可用制香料和药物(如利尿药)。真菌寄生桧柏所致的瘿称为"桧苹果"。

欧洲刺柏(*J. communis*)
美国不列颠百科全书公司供图

Junius 朱尼厄斯 1769～1772年向伍德福尔的《公众广告者》报写一系列信件的那个人的笔名,但究竟是谁,至今仍不得知。《公众广告者》报是当时风行的英国报纸。朱尼厄斯意在使乔治三世的大臣们声名扫地,并联合反对派的力量。被考证可能是朱尼厄斯的人多达约50个,其中包括菲利普·弗朗西斯爵士(首选对象)、E.吉本、E.伯克、J.威尔克斯、切斯特菲尔德勋爵和T.潘恩。

T.博纳1770年绘画中所表现的朱尼厄斯多面孔中的两幅面孔
美国不列颠百科全书公司供图

Junius, Franciscus, THE YOUNGER 朱尼厄斯(小)(1589,巴拉丁选侯区海德堡～1677-11-19,英国伯克郡温莎) 法语作François du Jon。语言和文学专家,其著作曾激起研究盎格鲁-撒克逊语(古英语)和与之同源的早期日耳曼诸语言的兴趣。他是法国新教神学家F.朱尼厄斯之子,曾习神学,1617年在荷兰做牧师,1620年去英国任阿伦德尔十四伯爵、著名的艺术保护人T.霍华德的图书馆馆长和家庭教师，在英国居住30年，收集了大量的古代手稿，加以编辑和注解并遗赠给牛津大学的博德利图书馆。他回尼德兰后的头几年(1651～1674)住在北部的弗里斯兰，目的在于研究方言。1674年返回英国，1676年在牛津退休。他还辑有英国早期基督教诗人开德蒙的诗集，他的最重要的工作或许是编订4世纪乌斐拉士主教所译《圣经》哥特字体抄本的第一版(1665)。所著《英语词源学》(1743)一书为S.约翰逊广泛引用。

Junius Gallio 朱尼乌斯·加利奥 参阅 **Gallio, Junius** 加利奥。

Junius manuscript 《朱尼厄斯手稿》 参阅 **Caedmon manuscript**《凯德蒙手稿》。

junjichu 军机处 英语作 Office for Military Planning。中国清代(1644～1911)辅佐皇帝的政务机构。雍正七年(1729)以用兵西北，设军机房。雍正十年(1732)正式改称办理军

军机处值班房
中国大百科全书出版社供图

机处，简称军机处。军机处无定员，一般由大学士和六部尚书等现职官兼任，称军机大臣。宣统三年(1911)成立责任内阁，军机处撤销。

junk 中国式帆船 中国古代帆船，起源不详，但至今仍广泛使用。这种船高尾、船首伸出，安装多达5根船桅，桅上装几面用竹棍撑平的亚麻布或麻袋布做的横帆。每面帆都像百叶帘那样，一拉就能张开或收拢。巨大的舵装在龙骨的位置或在中插板处。船体被厚

带传统船帆和欧式艏三角帆的现代中国式帆船
美国不列颠百科全书公司供图

木板纵向和横向分隔，使强度大为提高。中世纪初中国式帆船就在印度尼西亚及印度水面航行。

Junker 容克 普鲁士与德意志东部的地主阶级，德意志帝国(1871～1918)及魏玛共和国(1919～1933)时期拥有强大的政治权力。1871～1890年任帝国宰相的俾斯麦出身容克，被认为是容克利益的代表。在政治方面容克地主阶级持极端的保守主义，主张君主专制，崇尚武力，赞成对农业采取保护主义政策。在整个帝国年代中，帝国国会中的德意志保守党、议会外的农民同盟(**Agrarian League**)代表着容克的利益。普鲁士军队统一了德意志，它的军官多出身于容克，因此容克在德意志特别是普鲁士有巨大的影响，普鲁士长期保留着高度反自由主义的宪法(1850～1918)。在魏玛时期，容克继续敌视共和政体。共和国的崩溃导致希特勒的上台。

Junker, (Johann) Wilhelm 容克尔(1840-04-06，莫斯科～1892-02-13，圣彼得堡) 对苏丹南部和中非地区进行探险的俄罗斯人，测定了刚果河主要支流乌班吉河的河道及其支流韦莱河。旅行冰岛(1869)、突尼斯(1873～1874)后，到埃及和苏丹(1875)，考察了索巴特河下游和白尼罗河西侧的支流(1876～1878)。1879年到苏丹最南端的赤道省，居住数年；在阿赞德部落地区(今中非共和国，刚果[民]和苏丹境内)作过人种的观察。由于马赫迪派起义无法经苏丹回欧洲，便穿越今坦桑尼亚腹地于1886年12月到达桑给巴尔。著有《1875～1886年非洲旅行记》(1889～1891)，英译本出版于1890～1892年。

Junkers, Hugo 容克(1859-02-03，普鲁士赖特～1935-02-03，慕尼黑附近高廷) 德国飞机设计家、单翼机和全金属飞机的早期提倡者。1910年获得一项飞翼设计的专利，同年在德绍建立了工厂。他设计的J-1单翼机是第一架成功的全金属飞机(1915)，F-13是第一架全金属运输机(1919)。容克工厂也制造航空发动机，并在第二次世界大战期间设计了一种最早的涡轮喷气发动机。它在战争期间还为纳粹德国空军提供了Ju-52型三发动机单翼机，用作运兵飞机和滑翔机的牵引机，以及Ju-87型俯冲轰炸机和Ju-88型双发动机多用途轰炸机，对加强德国空中力量起了重要作用。

Juno 朱诺 古罗马宗教所信奉的主要女神，其地位与朱庇特相当。她与希腊女神赫拉极其相似。日后就被人认为与赫拉同体。朱诺与朱庇特和密涅瓦一同在卡皮托尔山受奉祀，据说崇拜他们的习俗是由埃特鲁里亚(又译伊特鲁里亚)各代国王引进的。朱诺与妇女生活特别是婚后生活的各个方面有关。可以说朱诺代表人类生活中的阴元。崇拜朱诺的习俗日益风行，朱诺的神通也就增大，终于成为国家的主要女神。她的重要节日是3月1日和7月7日，7月7日的庆典在罗马城

朱诺女神雕像
美国不列颠百科全书公司供图

外的战神广场上的野无花果树下举行。朱诺形象甚多，但多为庄重大方的主妇，肃然而立，有时显示英烈之性。

Juno Beach 朱诺滩 第二次世界大战诺曼底登陆五个海滩中东起第二个海滩，登陆代号为“朱诺滩”，宽约10千米，从梅尔河畔库尔瑟勒小渔港向两侧延伸，东侧有贝尼埃

第9旅的后备军在第8旅于1944年6月发起第一攻击波后登陆贝尼埃尔
美国不列颠百科全书公司供图

尔和圣欧班两个小村庄，德军在沿海沙丘后筑有炮台和防御工事，其第716步兵师，特别是736团在此防守，并占据有利地势。但朱诺滩登陆的首要危险并非德军设置的障碍，而是近海岸的天然暗礁和浅滩。加拿大步兵第3师负责登陆朱诺滩。部分登陆任务交由迈尔斯中将指挥的英军第2军团。朱诺滩分为两个攻击区，加拿大步兵第3师第7旅在库尔瑟勒登陆，第8旅在贝尼埃尔登陆。第3师的目标是切断卡昂-巴约公路，夺取卡昂西侧的卡皮皮凯机场，并与金滩和剑滩的英军部队汇合。第一攻击波上午7点55分开始，比预定时间晚10分钟。延误使加拿大登陆部队陷入困境。海滩上部分障碍物已被淹没，工程兵无法为登陆开道。登陆艇只得摸索前行。因触雷造成重大伤亡，约30%的登陆艇遭到摧毁损坏。加拿大部队涉水登岸，起初几乎未遭火力射击。士兵穿越障碍进入

德军纵向火力区时人员伤亡惨重。登陆头一小时伤亡率几乎达2:1。上午10时许贝尼埃尔和圣欧班先后攻破。嗣后进展顺利，随着后续装甲部队到来，很快切断了卡昂-巴约公路。第1轻骑兵坦克团第1连成为反攻日整个盟军登陆部队中唯一一支抵达最终目标的部队。当晚，第3师与金滩的英军第50师会合，但未能与剑滩的英军第3师会合。之间2千米的缺口遭到德军第21装甲师反扑。加拿大21 400人的登陆部队伤亡1 200人。

Junod, Henri Alexandre　瑞诺（1863，瑞士纳沙泰尔州～1934，日内瓦）　瑞士基督教新教传教士和人类学家。以研究非洲南部聪加诸部落的人种志著称。1889～1896年到德兰士瓦，除传教外还采集植物、蝴蝶和昆虫标本，送往瑞士和南非一些博物馆；有的植物或昆虫就以他的名字命名。但他也热心于人种学和语言学的研究，写有一本龙加语（一种聪加方言）语法和分析（1896），一本龙加民歌和民间故事集（1897）以及一部龙加人种志（1898）。后来又因公两次去非洲南部（1899～1903和1904～1909），又写成一本聪加-尚加语语法（1907）、一本研究伦理的著作《席德吉格》（1911）以及使他成名的专著，英译本题名《一个南非部落的生活》（共2卷，1912，1913）。瑞诺的著作生动地描述有关社会变迁与发展趋势的关系及其诸种风俗，他认为科学的人种志著作应以某一地区的某个部落为其观察研究的基础。最后一次去非洲（1913～1920）回来后，就一直在日内瓦罗曼德传教会工作，并对收集到的材料加以整理。他那部巨著的第2版于1927年发行，成为对一种文化作出功能上的分析的先驱之作。

Junot, Andoche　朱诺（1771-10-23，法国比西勒格朗～1813-07-29，蒙巴尔）　阿布朗泰斯公爵，拿破仑麾下的将军及第一个副官。富裕农场主之子。1792年参加勃艮第的科多尔地区的义勇军，服役时表现英勇，绰号“暴风雨”。翌年在土伦之围中，他原为上士，因其勇敢，晋升上尉。1794年任拿破仑副官，后升准将，1801年成为少将。他在叙利亚战役中战功突出，1799年4月仅率一小队骑兵，就打败土耳其人的大部队。但同拿破仑的其他将领相比却显得平庸。1806～1808年葡萄牙战役中他被英军击败，作为将领的威望日渐下降。在1812年斯摩棱斯克战役中，他表现指挥无能，因而未能随拿破仑及其他将军一同以胜利者姿态进入莫斯科。1813年2月任伊利里安省总督后，心智失常，数月后自杀身亡。

Junot, Laure, DUCHESSE D'ABRANTÈS　**朱诺**（1784-11-06，法国蒙彼利埃～1838-06-07，巴黎）　又译瑞诺。即阿布朗泰斯公爵夫人。母家姓佩尔蒙。法国一本著名回忆录的作者。1795年父逝世后，同母亲佩尔蒙夫人住在一起。母亲创办了一个出色的巴黎沙龙，拿破仑是该沙龙的常客。1800年，经拿破仑撮合，她和拿破仑的副官、巴黎军事总督A.朱诺结婚。婚后并不美满，洛尔·朱诺颇有外遇。她丈夫于1813年死后，拿破仑命令她离

美国不列颠百科全书公司供图

开巴黎。虽然她央求警察大臣允许她回来，但二次复辟（1815）后，她的运气终于衰微。在罗马居住多年以后返回巴黎，写完她的《关于拿破仑、大革命、执政府、帝国及复辟的回忆》（8卷，1831～1835）。她以善于挖苦讽刺和夸大放肆著称，她的回忆录往往与事实不符，并含有恶意，尤其在涉及拿破仑的时候。

Junqalī　琼莱　又拼Jongley。苏丹南部地区省份。东邻埃塞俄比亚，面积121 644平方千米。1975年建立，原为上尼罗省的一部分。包括南部地区南部黏土平原区的东部。杰贝勒河在博尔附近流入境内，成为西部边界。杰贝勒河及其许多支流形成永久性的长满高大芦苇和纸莎草的沼泽，严重地阻碍人民定居和船只航行。新石器时代杰贝勒河两岸已有人居住。埃及人在19世纪初征服该地区。该省短时期曾被宗教改革家马赫迪控制。马赫迪派1898年被推翻，导致英埃共管。1930～1947年为英埃政府分割出的南苏丹的一部分。苏丹1956年独立。1972年政府与南方达成协议，给予南方诸省更大的自治权。居民大多数在沼泽草地牧牛、捕鱼和种植黍类等作物为生。传统的手工艺品有皮革和木制品。有兽皮和其他牲畜产品的初级加工业。省会博尔有公路通往其他城镇。主要居民有丁卡人、努埃尔人、希卢克人和阿努亚克人。说尼罗语。人口约300 000（1976）。

Junqueiro, Abílio Manuel Guerra　戎克罗（1850-09-17，葡萄牙山后弗雷舒-德埃什帕达阿辛塔～1923-07-07里斯本）　以社会抗议和社会改革为其作品主题、最能代表1910年

美国不列颠百科全书公司供图

葡萄牙革命的葡萄牙诗人。科英布拉大学革命学生集团“科英布拉一代”的领袖人物之一。该集团首先推翻了葡萄牙文学中的浪漫主义，后来又推翻了葡萄牙的君主政体。他的诗人声誉始于放弃早期浪漫主义风格，改用现实主义写作《唐璜之死》（1874），其中唐璜被描写成一个卑鄙的勾引者，虚情假意的象征。另一作品《永恒之父的晚年》（1885）同样无情地攻击了上帝的形象，引起了轰动。《单纯的人们》（1892）称颂葡萄牙的乡村生活，在这里他的诗具有最纯净的抒情性。1896年所作戏剧诗《祖国》，谴责布拉甘萨王朝，以及用国家过去的光荣历史来掩饰国运衰落的做法，该书得到很大成功。1910年共和国建立，他作为革命英雄，被派往伯尔尼任特命全权公使。晚年，经历了一次信仰危机，改信天主教。

junta　政务会　一种委员会或行政委员会，尤指一个国家政变后、合法政府未组成前统治国家的机构。这个名词广泛用于16世纪，指许多政府的顾问委员会。1808年西班牙人反抗拿破仑的侵略是由各省政务会组织的，全国的委员会就是中央最高政务会。后来，在西班牙、希腊和拉丁美洲所发生的一切内战或革命动荡中，类似的组织，不管是选举的或自己任命的，通常都称为政务会。

Jupiter　朱庇特　又称Jove，拉丁语作Iuppiter，Iovis或Diespiter。古罗马和意大利的主神，相当于希腊的宙斯。是天空的主宰。他最古老的称号之一是赐光朱庇特，旱灾时

朱庇特标准雕像

美国不列颠百科全书公司供图

人们向行雨神朱庇特祈雨，司雷朱庇特在战神广场有祭坛，凡被雷击之处都归他所有，须筑墙围绕以防亵渎。朱庇特保佑人类并象征明确的道德观念。人们奉他的名起誓、缔约并结盟，起初最隆重的婚礼都须有朱庇特的祭司出席。信义神或信义女神等次要神灵都与他有关，有的也许曾与他融为一体，朱庇特这种象征良心、义务感及端正品行的特点，经过罗马历史阶段才逐渐丧失。在维吉尔的叙事诗《埃涅阿斯纪》里，朱庇特在很多方面带上了希腊神灵的特点，但依然护佑英雄人物履行对神、对国、对家的天职。到了专制时代末期，卡皮托尔山上建起神庙，其基址今日仍依稀可见。该庙标明供奉“众朱庇特中至高至大者”，此时朱庇特的上述特点益发发扬光大。同庙祀奉的尚有朱诺和密涅瓦，三神同祀显然是希腊-埃特鲁里亚的遗风，古罗马宗教没有这种传统。出征凯旋的军队要列队通过此庙门前。在整个罗马共和国时期，朱庇特庙都是罗马的崇拜中心。奥古斯都皇帝尊奉阿波罗和马尔斯两神，朱庇特的地位遭到挑战，但奥古斯都并未贸然全盘废弃朱庇特。

朱庇特仍被尊为皇帝的保护神，对他的崇拜遍及整个帝国。

Jupiter 木星 按距离太阳由近及远的顺序为第五颗大行星，是太阳系中最大的非恒星天体。它的西名是罗马神话中的大神。

木星的质量是地球的318倍，体积超过地球1 500多倍。木星的巨大质量所产生的强大引力效应作用于太阳系其他天体，其中包括形成小行星周期中的柯克伍德空隙、有火山现象的木卫一的内部之潮汐致热、彗星运动轨道的改变等。木星的卫星至少有16个，其中最大的4个是伽利略于1610年发现的。木星及其卫星实际上是太阳系的微型缩影。木星的弥漫光环系统的厚度不到1千米，为美国"旅行者"号宇宙飞船运载的仪器于1979年所发现。

地面仪器和"旅行者"号探测器在很宽的电磁波谱范围内进行的分光研究指出，木星是液态流体，主要是氢和氦，与太阳的成分相近。木星在波谱的红外波段的辐射比它从太阳上接受的约多70%。氢在几百万个大气压下的行为的实验室试验表明，在木星上，流体区域之内为一个约10个地球质量的固态的岩石核，它是一个高传导率的金属同素异形体。

木星的快速自转（周期是9小时55分29.71秒）导致金属氢区之内的电流发生变化，其结果是形成一个在已知的任何行星中都不及的最大的磁场，在朝向太阳的磁层顶延伸到$100R_J$处（R_J是木星赤道半径，71 492千米），而在背向太阳的磁层尾则延伸到土星的轨道之外。由电子、质子和从木卫一的火山灰中俘获的金属离子所组成的荷电粒子受磁场作用而沉陷到狭窄区域。这一过程致使形成了强辐射带（范艾伦带），它的延展使最靠木星的6个卫星都处在带内。辐射带以一种有特征的周期发射射电波，这种射电波可用来确定行星的自转速率。来自连接木卫一和木星的一条磁流管的荷电粒子与木星高层大气的相互作用所触发的不仅是一片延伸广阔的极光，还引发一定数量的极区电暴。"旅行者"号飞船运载的照相机曾观测到这种有如超级闪电般的电暴。木星大气中可见的云层的富色彩外貌，被认为是放电作用和化学成分受太阳辐射触发的光化学作用的综合效应所致。那些化学成分主要是氨、甲烷、乙烷、乙烯、硫和水蒸气。尚未观测到复杂的有机分子。木星云顶的快速垂直向运动以及有害的辐射环境都不令人认为在木星大气中能存在诸如地球上已知的那样的有机生命。"旅行者"号获得的图像的计算机处理结果揭示，木星风的规模和结构，以及云层顶的大气环流的规模的结构、云的带状外形和风速最大处的位置密切相关。在某些情况下，全球式的云顶层环流的表现与地球大气很相像。地球大气乃是与外来的太阳致热的不均匀性成协的能量重新分布有关的小尺度天气系统。另一方面，出现在±45°纬度带的、环赤道风力的长存性和对称性以及匀称的云带的瓦解都使人推测，同心柱状对流结构模型乃是云顶股流主要是受内部致热所驱动的更为合理的解释。木星的云带可能和日面所观测到的超米粒组织更为相似。气象研究指出，木星云中的大红斑，这个长久存在的云中卵形区域，在持久性（已超过300年）和尺寸大小（$0.4R_J \times 0.2R_J$）这两方面都是唯一的例外。这么认为是因为，大红斑的内部气流以及与其他风暴系统的相互作用特性，都与在木星大气中观测到的、所有的其他卵形结构完全一致。

利用木星大气的成分的测量资料、伽利略卫星的表面陨击记录以及木卫的物理特征（例如，密度）的测定结果，已推进了太阳系起源和演化的研究。这类研究结果认为，虽然表面的气候活动抹去了许多有关早期历史的痕迹，但伽利略卫星经受的陨石的撞击大约发生在月球表面的月海地貌形成的同时。

Jupiter II 参阅 **Europa** 木卫二。

Jupiter Dolichenus 朱庇特·多利刻努斯 罗马的一种秘密祭礼所崇拜的神，原来是在土耳其东南部多利刻（今杜鲁克）地方受崇拜的一个丰产与雷霆之神。后来，人们使这个神有了闪族的性质，但在阿契美尼德王朝的统治下（公元前6～前4世纪），人们又把他与波斯的阿胡拉·玛兹达神等同起来，这样他就变成一位主宰宇宙之神。受希腊的影响，他又被命名为宙斯·奥格玛斯德斯；由于有这个名称，他同另一位波斯神密特拉的崇拜紧密相联。对朱庇特·多利刻努斯的奉祀逐渐西移至罗马以及其他军事重镇，2～3世纪间极为流行。在罗马的秘传宗教中，他不仅是一位主神，同时还掌管军事胜利和安全。他的形象通常为手持双刃斧和雷霆而立于牛背。

Juppiter（Roman god） 参阅 **Jupiter** 朱庇特。

Jura 侏罗 又译汝拉。法国东部弗朗什孔泰大区省份。由过去的弗朗什孔泰省的南部组成，面积4 990平方千米。北以奥尼翁河为界。东与瑞士相接，边界线达19千米。有一条从省会隆勒索涅到日内瓦湖畔瑞士尼翁的公路。侏罗山庄东南面的珀拉峰海拔1 495米以上。山脉向西北方向降低至侏罗高原和肥沃的索恩河上游平原。流过侏罗省的还有杜河和安河。山区冬季漫长而寒冷，河谷地区冬暖夏热。山谷地区有大面积森林，农业发达，出产大量格吕耶尔奶酪。该省分为隆勒索涅、多勒（微生物学家先驱巴斯德的出生地）和圣克洛德专区。圣克洛德是生产管子和塑料的中心，还经营钻石加工。人口约250 857（1999）。

Jura 侏罗 英国苏格兰斯特拉斯克莱德行政区阿盖尔-比特区的内赫布里底群岛的第4大岛。长43千米，宽3～13千米。塔伯特湖几乎把该岛分为两部分。山岭纵贯全岛，最高点为侏罗岛帕普斯峰（784米）。岛上饲养牛羊。人口集中在东岸农业区，种植燕麦、大麦和马铃薯。在唯一的村庄克雷格豪斯有一些捕鱼业。人口196（1991）。

Jura 汝拉 瑞士西北部的州。南起侏罗山，向北延展至侏罗高原的丘陵地带，包括弗朗什山地各区和阿茹瓦。北部和西部与法国接壤，面积836平方千米。公元999年，今汝拉州很大一片地方被勃艮第国王赠予巴塞尔的主教。在法国大革命前800多年间，这部分地区始终是神圣罗马帝国内一个拥有主权的城邦。1815年汝拉地区与伯尔尼州合并。后汝拉州提出独立要求。1979年正式成为瑞士联邦第23个州。主要经济部门是农业和牧业（牛、马）。钟表业、纺织业和烟草业占重要地位。首府德莱蒙。人口约68 800（2000）。

Jura Mountains 侏罗山脉 又译汝拉山脉。法国和瑞士边境的弧形山脉。从罗讷河伸展到莱茵河，长约360千米。在地质上，属阿尔卑斯山前沿陆地的一部分。山体主要由富含化石的石灰岩层构成；岩层形成于2.08亿年前至1.44亿年前，地质史上称侏罗纪。德国地理学家洪堡首先命名该山岩层为侏罗系。最高峰内日峰在日内瓦附近，海拔1 718米。其他高峰有：法国境内的雷库烈山（1 717米）；瑞士境内的唐德尔山和拉多勒山（均在1 680米以上）。由于石灰岩渗透性强，缺少地表径流，传统上当地农民多用水池蓄水浇地。今日则有现代供水系统将水从杜河及其他河流的峡谷将水汲上。气候属海洋与大陆过渡型，山地阴冷，谷底和南坡较暖。茹湖有地下出口，又形成河流，另有许多地下水流。最大河流为杜河、安河和比尔斯河。年降水量向南和向西递增，在里苏兹山和唐德尔山地区达2 030毫米，而在德尔斯堡谷地和埃戈尔茨河谷北坡还不到1 000毫米。天然植被以森林为主，常见树木有：栎、山毛榉、冷杉和枫。林线（1 600米）以上的山岭多为阿尔卑斯山的草原所覆盖。高原上的牧场风光绮丽，西部和南部有葡萄园以及果园、菜地；还盛产铁矿砂。较大城市有尚贝里、日内瓦、纳沙泰尔、比尔、索洛图恩、阿劳、巴登、布雷斯地区布尔格等。侏罗的瑞士制表工业中心有拉绍德封、勒洛克勒、圣伊米耶、日内瓦、比尔、格伦奥和沙夫豪森。其他轻工业有钻石切磨、眼镜制作、烟斗、八音盒、唱机、照相设备、纸张、打字机及烟草和巧克力加工等。夏为避暑胜地，冬为滑雪场所，旅游观光业促进了山区交通的发展。

Juran 巨然 又拼Chü-jan。中国五代南唐（10世纪）画家。钟陵（今江西南昌附近）人，一说江宁（今江苏南京）人。江宁开元寺僧。江南平后，北上入宋作画。水墨山水师法董源，擅于表现"淡墨轻岚"、草木茂密的江南景色。他又推陈出新，变换董源画法，主要是峰峦较为峻拔，皴法较为丰富多变，水边有风蒲，山脚杂卵石，山顶更喜作矾头。其作虽气势雄伟、"平淡天真"不如董源，然而幽深秀润，景物集中之处，亦能发挥所长。据文献著录，他还画过《长江万里图》和《海野图》，扩大了山水画的表现内容。从现存的《秋山问道图》、《万壑松风图》、《层崖丛树图》中，可以看到他的艺术成就。董、巨创造的披麻皴法，不断为后世山水画家所习用，且成为元代以后山水画的主要表现方法。他们在中国绘画史

巨然绘《山溪古寺图》
美国不列颠百科全书公司供图

上的地位可谓与时俱进；在宋代仅被米芾、江参等所重视，到了元代便与李成、郭熙画派并峙画坛；历经明清，遂称独步。与董源并称“董巨”。

Jurassic Period 侏罗纪 2.08亿年前至1.44亿年前的一段地质年代，常被划分成早侏罗世（2.08亿年前至1.87亿年前）、中侏罗世（1.87亿年前至1.63亿年前）和晚侏罗世（1.63亿年前至1.44亿年前）。侏罗纪是中生代三大分段之一，之前为三叠纪，后为白垩纪。在侏罗纪期间形成的岩层构成侏罗系。

大陆裂开作用开始于三叠纪终了前后，成为泛大陆——由现代所有主要地块构成的庞大的超级大陆——解体的预兆。在侏罗纪开始时，构成泛大陆的大陆块体仍然是连接在一起，或者位置彼此非常接近的。澳大利亚、南极洲和印度那时紧靠非洲东岸连接在一起，南美洲则同非洲西南岸相连接。北美洲仍然同非洲西部和欧洲相联，一条叫做特提斯的深海峡从西班牙向东一直穿过南亚。这些大陆多数比它们现在的位置偏南：南部非洲位于南极圈以内，赤道穿过北美洲南部和欧洲。结果，多数目前处在北半球的大陆地块的气候都比现在温暖。由于整个地球气温较高，所以那时很可能没有什么极地冰盖，而且有些地区还有广阔的沙漠。

到中侏罗世，北美洲已经开始从欧亚大陆和非洲脱离，于是大西洋张开。浅海水缓慢地推进到了世界的许多大陆地区上面，在晚侏罗世时达到最高限度，而在侏罗纪结束时后撤。在晚侏罗世时，内华达造山运动在北美洲的西部边沿开始了。这次大规模的造山运动是当载有北美洲的构造板块的西边缘同一整套岛弧体系碰撞时发生的。南方的几块大陆也在晚侏罗世之前就已开始分离。南美洲和非洲彼此分裂开来，印度也从仍然还联在一起的澳大利亚和南极洲脱离了。

在侏罗系的岩层中，海洋沉积物分布广泛。其中既有浅水的礁石灰岩也有深水的远洋石灰岩，这些岩石在欧洲（侏罗系的几个大的阶都是在欧洲初次得到描述和定界的）、北美洲、非洲东部和澳大利亚西部都是大范围的。从一个区域到另一个区域追踪这些地层可揭示出，这些石灰岩在有些地方逐渐变为页岩和砂岩。大陆沉积物——包括煤在内——在亚洲到处都有发现。

侏罗纪的化石记录指出，海生无脊椎动物，特别是菊石类（现已绝灭的头足类），十分兴旺，而且有新的种迅速演变形成。菊石类的壳的形状，尤其是缝合线（为相邻两体腔部接合处的线条或皱纹的标志），变得更加复杂，而且各个种对其时代都非常具有代表性，分布又都非常广泛，因而现在把菊石当作标准化石用来定侏罗系地层分带的界限。颗石鞭毛类（coccolithophores，海洋浮游生物的变种）较小规模出现了，并在白垩纪（1.44亿年前至6 640万年前）的晚期取得了较大的重要性。珊瑚礁和海绵礁在许多地方十分突出，而且，尽管鱼类继续有重要性，较大的爬行类已经在许多的海洋生长环境中处于支配地位。其中有蛇颈龙类（plesiosaurs），是陆地爬行类的后代；它们的脖子长，四肢呈桨状，同龟的或海豹的四肢相似，而且它们仍然生活在离海面不远处。蛇颈龙类及有关的种在侏罗纪末期达到很大的体型。鱼龙类（ichthyosaurs），从侧面看同现代的海豚相似，已较好地适应海洋环境。

在陆地上，蕨类、藓类、苏铁类以及球果植物类都很茂盛，有些在球果的部位发育成了花状的结构。由三叠纪较小的祖先逐渐形成的恐龙类，在陆地上已上升到至高的优势。到侏罗纪末最大的种已经进化形成；令人惊奇的蜥脚类（sauropods）是素食动物，大概喜爱水浅的栖息环境；而兽足类（theropods）中则有著名的陆地食肉类动物——霸王龙类（tyrannosaurs）。翼龙类（pterosaurs）是另一种常见的类型。侏罗纪的这些飞行的爬行类都很小，有些种大约只有麻雀或画眉一般大。它们的肌肉还没有发育得像今日的鸟类那么好，所以它们必然是慢腾腾地在气流上滑翔。最早的原始鸟——始祖鸟（archaeopteryx）出现在侏罗纪结束以前。最早的哺乳类——像在三叠纪接近结束时出现的鼩鼱样的小动物，好不容易存活下来并在整个侏罗纪时期演进发展。

Jurchen DYNASTY **女真** 参阅**Jin dynasty**金。

jurisdiction（law） **管辖** 参阅**competence and jurisdiction** 权能和管辖。

jurisdiction，summary（Anglo-American law） 参阅**summary jurisdiction** 简易审判。

Jurjānī，al- 朱尔贾尼（1339，伊朗阿斯泰拉巴德附近图朱～1413，设拉子） 全名为阿里·伊本·穆罕默德·朱尔贾尼。又称赛义德·艾什·谢里夫。15世纪伊朗伊斯兰教传统派教义学家。1377年在设拉子任教师。1387年设拉子为帖木儿所占，作为当时一个颇有声望的教师和学者，朱尔贾尼被带到帖木儿皇宫所在地撒马尔罕，直到1405年帖木儿死去才得以返回设拉子。朱尔贾尼多用阿拉伯文写作，现存著作31种，以《词义辨》最为有名，是教义学、哲学和语言学词汇术语词典。

Jurōjin 寿老人 日本神话中七福神之一。他与福禄寿神常相混淆。传说原是中国宋代道人，得道成为南极星。其像白须着巾，有时伴有鹿、拄杖，杖头挂有书卷。参阅**Shichi-fuku-jin**。

Jurong 裕廊 新加坡西南部城镇和工业联合体。裕廊临近裕廊河口，为东南亚最大工业基地之一，占地3 900公顷。有轻工业和重工业，有公路、铁路、河港，运输便利。裕廊规划始于1963年新加坡加入马来西亚联邦之时，计划发展成为其他各邦橡胶、锡、棕榈油的加工中心。尽管1965年新加坡退出联邦，发展速度减慢，但至今仍有800多家公司。国民钢铁厂为工业核心，其他工业有船舶制造、维修和拆卸厂、钢管厂、制酸工厂、炼油厂。裕廊港口有5个深水泊位，为海运企业提供服务。周围地区为新居住区，南洋大学及裕廊公园为其提供教育与娱乐服务。成立于1968年的裕廊镇公司负责管理该地区的土地、工厂、低价住房和娱乐设施。人口74 096（1990）。

Jurong Bird Park 裕廊鸟园 新加坡一座专业性动物园，以拥有大量大型鸟舍著称。此园由一家国营公司经营，1971年开放。面积20公顷，位于距新加坡商业区约24千米的裕廊山山坡上。园内最壮观的展出是一个占地2公顷的大鸟槛，鸟能在其中自由飞翔；还有许多其他大型鸟舍。园内有300多种鸟类，约3 000只。饲养的繁殖种群有各种鹦鹉、雉、犀鸟、风鸟以及其他大部分属于东南亚的鸟类。展览品的设计与葱翠的背景很谐调。园内备有无轨电车载运游客游览各鸟舍。

Juruá River 茹鲁阿河 西班牙语作Río Yuruá。发源于秘鲁洛雷托省乌卡亚利河东面高原。北流经巴西阿克里州进入亚马孙州后曲折东流，继转东北偏东于塔马尼克附近注入亚马孙河。为亚马孙河流域最弯曲的河流。长3 283千米以上，河源海拔仅453米，下游950千米可通航。沿岸人口稀少。其许多支流在20世纪70年代后期才首次通过卫星绘图。

Juruena River 茹鲁埃纳河 巴西中西部河流。源出帕雷西斯山，北流有阿里努斯河注入，再北与特利斯皮里斯河（或称圣曼努埃尔河）汇成亚马孙河主要支流之一塔帕若斯河。20世纪70年代末河上建水电站，为木材工业供电。全长1 240千米。多急流、瀑布，不能航行。

jury 陪审团 英美历史上形成的一种法律制度。在这种制度下,有一批非专业人员在很大程度上参与解决诉讼案件。陪审团的起源在历史上已无从查考。早先,陪审员都是被告近邻的见证人,根据他们所知道的情况作出裁断。后来他们才被召集到法院,根据法庭上提出的证据,就案件的事实问题作出裁断。到15世纪,陪审制取代了以往审判中使用的刑讯等不合理的方式,成为普遍接受的按普通法处理刑事和民事案件的审判制度。随着英帝国的向外扩张,陪审团制传到了亚洲、非洲和美洲大陆,而法国革命的影响所及,又把陪审团制度作为平民政府的象征而引进法国,再经过拿破仑传到欧洲大陆上的许多国家。但在上述这些国家中,开始时陪审团只适用于严重的刑事罪和政治上的叛国罪。从19世纪中叶以后,输入陪审团制度的这些国家,都先后放弃了这种制度。目前,英国也局限在很少的一类案件中才使用陪审团,而美国倒成了使用这种制度的主要国家。美国最高法院曾宣布说,对刑期超过6个月的刑事罪,审判中设陪审团乃是宪法上规定的权利。在民事案件中,审判中设陪审团的问题在宪法中的地位尚不太明确,但一般地说,审判中有陪审团是很容易做到的。在历史上,需要拥有最低限度的财产和具备一定的资格的人才可以担任陪审人员。目前,在有关地区的居民中,凡具有一定的代表性的就能获选。但在大部分司法管辖区,警察、律师、医生等人员免当陪审人员。还有一些管辖区,所有妇女都免当陪审人员。在传统上,陪审团的组成人员为12人,作出的裁断结论要一致通过。现在已经过若干修改,在轻罪案件中,陪审团可以由6人组成,裁断结论有10:2或2/3的多数即可通过。在民事案件中,陪审团裁断的是责任问题和赔偿金的数目;在刑事案件中,裁断的是罪责问题,科刑则由法官去决定。但遇到死罪案件时,陪审团可以决定,至少可以表示意见,对被告人应处以死刑。陪审团的审判工作是在法官的指导下进行的:法官可以根据证据规则就陪审团听审证据的范围作出决定;法官可以根据情况,撤回案件,指示陪审团宣布被告人无罪,但不能指示陪审团作有罪的裁断;还有,如果法官发现陪审团的裁断显然证据不足,可以撤销该裁断,并命令重新审判。

jus gentium 万国法 又译国际法。在法律理论上,指顺乎情理建立起来适用于所有人的法律。它有别于民法,即有别于专门适用于一个国家或民族的民法。罗马法学家和地方法官原先设想万国法是一种适用于外国人与罗马公民之间争议案件的公平制度。希腊哲学家最初提出的概念,认为所有国家共同的一切法律准则必须基本上是正确的和公正的。罗马人把这个概念加以扩大,认为任何准则都会本能地被人们的辨别力所接受。最后,这个专门术语便成为公正或执法的同义语。现代法律中有万国私法和万国公法的区别:前者就是指国际私法,或称为冲突法;而后者则是指国家间交往中实行的一种法规制度。

jus Latii 拉丁人的权利 英语为Latin rights。指罗马共和及帝政后期拥有某些罗马公民特权或要求给予罗马公民资格的人(拉丁人或不属罗马公民的外省人)享有的权利。

根据公元前493年卡西安条约的规定,拉丁宗族团体的各公社是受罗马约束的,双方有着永久的联盟关系,对于在共同作战中所获的战利品可以平等分享,遇有争端可以在双方商定的城镇中依照罗马法律作出裁断。这种关系延续、并扩大到赫尼西时期(公元前486),其中包括有互订契约和互相通婚的权利,甚至在拉丁人反叛(公元前340)以及拉丁宗族团体瓦解(公元前338)以后,拉丁人依然享有这种权利。原来拉丁城镇的大部分居民以后均并入到罗马公民这个群体内。除了遗留下的古老拉丁城镇以外,所用的拉丁名称主要是指拉丁人的开拓地,其中的公民有许多是从罗马公民中补充进来的。这些开拓地是自治公社,由来自拉丁城镇和罗马的移民组成,在对外政策上服从罗马。罗马依靠这种方式随着自身的扩张就占领了意大利许多重要城镇。当时拉丁人在罗马公民和意大利同盟者之间形成一个中间集团。老一辈的拉丁人很可能享有入籍权,即迁居到罗马,并在那里经过登记以后,即享有取得罗马公民资格的权利,但就定居在拉丁人开拓地并已经接受拉丁人地位的罗马人来说,罗马和他们之间也发生这种关系。公元前187年上述权利的请求只限于来自拉丁人的开拓地,随着开拓地人口的日趋减少,后来这个权利也就完全消灭。

公元前338年由于有许多老的拉丁公社合并到罗马公民的群体中去,开始出现了拉丁人权利和拉丁人地区及拉丁人中分离开来的过程。由于拉丁人开拓地的扩大,以及准许罗马士兵与西班牙卡塔亚开拓地(公元前170)的本地妇女所生的子女说拉丁语,又推动了这一过程。随着公元前89年允许意大利人取得罗马公民资格,以及同年根据庞贝法律将拉丁人权利授给波河以北的高卢人,而不是授给开拓地的居民,上述过程遂告完成。当这些虚构的拉丁人采用了拉丁人的市政模式并使用拉丁人的语言和法律,待他们要求取得罗马公民资格时,立即就成为罗马的政治问题,并于公元前49年经凯撒同意授予。作为城镇自治或虚构的开拓地的拉丁人的权利经凯撒和奥古斯都授给西方各省的许多本地公社;这一过程一直继续到韦斯巴芗把这种权利授给西班牙全部组织起来的公社时为止。后来有几位皇帝任意把它扩大到一些省份和北方各个省份。实际上,这种省份已成为本地公社上升到罗马公民资格的中间阶梯;作为主要人物的有权势的地方行政长官以及他们的家属很快就可以取得这种身份。在哈德良统治时期,出现了一种允许所有地方自治委员会的成员都有获得罗马公民资格的权利的情况,这是足以使地方元老院成员感到称心如意适应他们需要的措施。但是这种权利本身却是不多的,否则城镇就不会派遣使节去请求这种权利了。卡拉卡拉(212)发布敕令授予除投降的蛮族人和获得解放但品行不端的奴隶以外的所有的人以罗马公民资格,把拉丁人和罗马人的地位之间的差别缩小到只剩下一种形式,但是这些称呼却继续存在了一段时间。

Jusserand, Jean(-Adrien-Antoine-) Jules 朱斯朗(1855-02-18,里昂~1932-07-18,巴黎) 法国学者和外交官。1902～1925年任驻美大使时,对美国参加第一次世界大战起了促进作用。一位著名的中古英国文学研究者。他的作品《美国人民今昔》(1916)获首届普利策历史奖(1917)。他任驻美大使时期,经历了以T.罗斯福开始的5届美国政府。他关于中世纪英国文学的主要著作有:《中世纪的英国:威廉·朗格兰的神秘史诗》(1893)及《英国人民文学史》。

Jussieu, Antoine de 朱西厄(1686-07-06,里昂～1758-04-12,巴黎) 法国医生、植物学家。曾撰写许多关于人类解剖学、动物学和植物学的文章,其中包括一篇论述咖啡的花和果的文章。曾在蒙彼利埃大学学医,后到西班牙、葡萄牙和法国南部旅行,采集大量植物。1708年去巴黎,任皇家植物园园长。1719年编辑出版J.P.德图尔讷福尔的《植物学基础》(3卷),并因此被选入法国科学院。他是贝尔纳·朱西厄和约瑟夫·朱西厄的哥哥。

Jussieu, Antoine-Laurent de 朱西厄(1748-04-12,里昂～1836-09-17,巴黎) 法国植物学家。他发展了植物分类自然系统的基础理论。1770年由伯父贝尔纳带到皇家植物园担任实验员。1773年提交给法国科学院一篇关于毛茛科植物的论文,介绍了自己的分类方法。在1789年发表《以1774年皇家植物园设计的方法为基础按照自然顺序排列的植物属志》一书,以植物的相对特征为基础,把这种分类方法扩展到整个植物界。1790年他在皇家植物园的基础上帮助筹建了国立自然博物馆,1826年辞去该博物馆的教授职务。他的儿子亚德里安－洛朗－亨利·德·朱西厄(1797～1853)以其《单子叶植物的胚胎》(1844,花费13年才写成)和《植物学基础教程》(1842～1844,后译成多种语言)等著作而闻名。

Jussieu, Bernard de 朱西厄(1699-08-17,里昂～1777-11-06,巴黎) 法国植物学家。以植物胚胎的解剖特点为基础建立了一种植物

美国不列颠百科全书公司供图

分类法。曾在蒙彼利埃大学学医，1722年到巴黎皇家植物园担任见习植物实验员。1759年应邀在凡尔赛的小特里阿农建立植物园。他在植物园采用的植物排列方法不仅反映了林奈的思想，而且成为他侄子安托万-洛朗·德·朱西厄以后提出新的植物分类体系的开端。他是安托万·朱西厄的弟弟，约瑟夫·朱西厄的哥哥。

Jussieu, Joseph de　朱西厄（1704-09-03，里昂～1779-04-11，巴黎）　法国植物学家。曾随同法国物理学家夏尔·玛丽·德·拉·孔达米讷的考察队去秘鲁测量子午线的弧度。在南美居住35年，1771年返回巴黎。把秘鲁天芥菜（*Heliotropium peruvianum*）引入欧洲。他是安托万·朱西厄和贝尔纳·朱西厄的兄弟。

just intonation　纯律　在音乐中，一种调音体系，音阶中所有音程的准确距离是用纯自然3度和5度（分别是自然泛音列中第4和第5泛音与第2和第3泛音之间的音程）的增、减计算而获得的。据推测，曾在中世纪的单声部音乐中得到应用，但不适用于复调音乐，至迟在1500年被中庸全音律取代。

just war　正义战争　欧洲中古时期的概念，意指统治者通过正式宣告并抱有正当动机，可以派武装部队到辖区以外去保卫权利、纠正错误和惩罚犯罪。这就是说，他可以根据自己解释的正当理由而拿起武器。这个概念早在4世纪已由圣奥古斯丁倡导，到17世纪，荷兰法学家格劳秀斯还予以接受，此后即不甚流行，但到20世纪，它又以某种新的形式复活，主张国家可以利用武装部队进行自卫，也可以利用武装部队履行集体义务，以维护国际和平。

Justice, High Court of　参阅 **High Court of Justice** 高等法院。

justice of the peace　治安（法）官　在英美法系中，指受权主要审判轻微刑事或民事案件的地方治安法官。在有些司法管辖区内，他还可以主持宣誓和负责结婚登记。在英格兰和威尔士是指由大法官代表国王任命的治安法官，负责维持所管辖的地区的治安。现代治安（法）官的任务是从最初根据1361年的《治安（法）官法》赋予他们的任务发展而来的。实际上，治安（法）官仍然主要是审理轻微的刑事案件和把比较重大的案件送交上级法院处理，从1971年以来是送交刑事法院或属于高等法院（**High Court of Justice**）的各庭处理。英格兰和威尔士的现代治安（法）官跟他的前辈一样，通常是非专业人员。但是现在，每个被任命的人都要经过一段时期的训练，学习基本法和治安法院的行政任务。在法律问题上，有一位治安法院书记官供他们咨询。非专业的治安法官必须至少有两人才能审理一个案件，领薪的专职治安法官则可以单独审理案件。在有些不那么重大的刑事案件中，一位治安（法）官可以同一位刑事法院法官一起开庭。在英格兰和威尔士，共有大约28 500名治安（法）官，其中1/3是女性。青少年案件的增多占去了治安（法）官更多的开庭时间。审理这类案件、或对儿童的监护问题作出裁决的治安（法）官还要学习青少年法的特别课程。在澳大利亚，治安（法）官的主要任务是确认文件生效。在美国，治安（法）官是选举或任命的，他们在最低一级的州法院开庭，审理细小的民事案件和轻微的刑事案件，通常是轻罪案件。他们主持婚礼、发布逮捕证、处理交通肇事罪和进行侦讯。

justiciar　最高司法官　早期英国国王的司法官员。他与中央政府的其他官员不同，不是王室官员中的一员。最初设立最高司法官一职，是因为国王出国时，需要有一名可靠的臣属作为摄政官统管王国的政务；而在其他场合，则是为了负责处理国王无暇顾及的事务。从职务的性质来说，最高司法官高于任何其他王室官员。众所周知，威廉一世（1066～1087）在去诺曼底时便指定专人来执掌上述职权，但是一回到英格兰，这些人的职务也就结束了。在亨利一世统治时期（1100～1135），为了使最高司法官在王室法官中享有某些权威性地位，给这一职位增添了行政方面的职能。但是直到亨利二世（1154～1189）继位以后，特别是在大法官兼首席大臣托马斯·贝克特下台之后，最高司法官才成了王国中除了国王以外的最重要的人物。亨利二世推行的改革使得司法工作量逐年增加。最高司法官主持威斯敏斯特的法院，组织巡回审判，审理疑难的申诉，就许许多多法律问题给法官们提供咨询，到全国各地进行视察，监督司法工作的正确进行。当国王在国外时，最高司法官要为国王筹款并负责维持国内的安宁。1204年失去了诺曼底之后，国王留在英格兰的时间多了，最高司法官失去其重要性。尽管在亨利三世还未成年时，最高司法官曾经重新恢复了可观的权力，但1261年以后，这一职位不复存在。

justification　称义　基督教神学名词。具有以下几种含义：①上帝使人脱离罪恶（不义）而进入恩宠（义）；②人脱离罪恶而进入义的转变；③主要是在新教神学中，指忏悔的罪人蒙上帝恩赦而取得义人的身份。称义自从圣保罗时代以来在教会史和神学史上就是重要课题。圣保罗在《加拉太书》和《罗马书》等书信中，针对法利赛人强调遵守律法着重虔修的主张提出问题说，人如何才能在上帝面前算为义人？他的回答是，不能靠行为甚至不能靠遵守律法。在人间的法庭上，无辜者才是义人；而在上帝的法庭里，一切人都是罪人。正是不义之人靠着上帝的仁慈裁决被宣布为义人。这并非任意的宣告，而是靠着耶稣基督，“耶稣被交给人，是为我们的过犯；复活，是为叫我们称义”（《罗马书》4:25）。这样，罪人就不仅仅是被称为义人，而且真正地被造就为义人。为了报答上帝的作为，人应当接受上帝通过耶稣所作出的仁慈裁判，将自己的一切交托给上帝。已经称义的人仍将受到试探，故仍需依赖上帝的恩宠。信心不应是消极的，而应当是“使人发仁爱的信心”（《加拉太书》5:6），也就是说，人必须用仁爱的行为为自己的信仰作证。教会的希腊教父并不强调关于称义的教义，但是在奥古斯丁与贝拉基派争论教义时，它在奥古斯丁的思想中形成了重要神学概念。贝拉基派是一个异端派别，他们鼓吹，人依靠自己的善行而称义。路德与在中世纪末期流行的关于人靠行为称义这一概念进行斗争，当时关于称义的教义大受重视。经过这场斗争，人们认真评估圣保罗关于称义的学说。因信称义形成了新教的主要教义。特伦托会议（1545～1563）阐明了天主教的主张，其措辞一方面反映了天主教对于新教的偏见，另一方面在几个世纪内划清了双方对教义这一理解的对立的界限。

Justin　查士丁（活动时期3世纪）　罗马史学家。个人生平不详。《菲利皮古城及宇宙起源与地球结构》一书缩写本《摘要》的作者。原书作者为特罗古斯（**Trogus, Pompeius**），写于奥古斯都时代，现已散佚。《摘要》主要叙述马其顿和希腊化诸王历史，所保存资料对研究希腊化史很有价值，在中世纪广为人们使用。

Justin I　查士丁一世（约450，第二马其顿省比德里安纳～527-08-01）　拜占廷皇帝（518起），曾支持基督教正教。他是查士丁尼一世的叔父和前任。农民出身，原籍伊利里亚。幼年为牧猪人，20岁左右到君士坦丁堡，进入宫廷卫队。阿纳斯塔修斯一世皇帝在位时，他指挥宫廷禁卫军，受封伯爵。518年阿纳斯塔修斯去世后，他取得皇位。曾在518～519年结束与罗马教会的阿卡西乌斯分裂，迫害基督一性论者。523年又下诏反对阿里乌派。为了与波斯进行斗争，他在东方极力控制拉齐卡（今格鲁吉亚科尔基斯地区），并同美索不达米亚和南叙利亚结盟。但在北部边界，他却无力打退不断跨过多瑙河前来骚扰巴尔干诸行省的斯拉夫人。死前数月，立查士丁尼一世为同朝皇帝。

Justin II　查士丁二世（？～578-10-04）　拜占廷皇帝（565起），曾力图保卫帝国领土完整，抗击阿瓦尔人、波斯人及伦巴第人入侵，但屡屡受挫。查士丁尼一世的侄子和心腹。即位初期以果断和务实著称：偿付国债，豁免苛税，减少开支，并且采取宗教宽容政策。但到571年3月又颁布反对基督一性论派的条例，要求全体教士签名登记，否则予以监禁。在西方，他与法兰克人结成同盟，然而未能阻止伦巴第人进入意大利（568），不久，拜占廷帝国就永远失去意大利的若干地区。他拒绝向阿瓦尔人纳贡，568年与中亚的西部突厥人结盟以对付阿瓦尔人和波斯人。但在多瑙河边境被阿瓦尔人击败，571年又被迫求和，3年后签订每年向阿瓦尔人纳贡的条约。572年夏，他为援助亚美尼亚人而入侵波斯，未能取胜，反遭波斯人入侵，占领达拉等几座重镇。达拉失守后他精神失常，574年由索菲亚皇后代表他进行和谈。经索菲亚劝说，他收提比略将军为养子，574年12月授予凯撒封号。此后，查士丁名义上仍为皇帝，但过退隐生活终其晚年。

Justin MARTYR, SAINT　**查斯丁(殉教士),圣**(约100,巴勒斯坦弗拉维亚·奈阿波利斯[今约旦以色列占领区纳布卢斯]～约165,罗马)　基督教早期教父。他第一次把基督教义同希腊哲学结合,并奠定历史神学的基础。查斯丁原是在犹太社会成长的异教徒,后来改奉基督教。135年后不久他开始在罗马宣讲他的宗教哲学。因同犬儒学派的克雷申斯辩论,几年后以阴谋破坏罪被判处死刑。目前已确认为查斯丁的作品有两篇《护教文》和《与犹太人特里风谈话录》。《第一护教文》的前一部分中阐明查斯丁基督教哲学的核心(即基督教义和柏拉图哲学所探讨的最高目标)是超然于物质世界之上而永恒不变的上帝,因此,对基督教义的理智表达将显示它与理性的和谐。这种趋同性深深扎根于人的理性与神的心思之间的关系,两者的共同名称是逻各斯(希腊文 Logos;汉文《圣经》译作"道"),它使人了解关于世界、时间、世界的创造、人的自由、人的灵魂与神的圣灵相近之处以及认识善恶这些基本真理。查斯丁指出,基督是全部道的化身,因而也就是这些基本真理的化身,而异教哲学家的伟大著作则仅能透露其一鳞半爪。基督之所以到世界上来就是要把真理传授给人,拯救人脱离魔鬼的权力。查斯丁在《第一护教文》的第三部分生动地描述早期基督徒举行圣餐和洗礼的方式。《与犹太人特里风谈话录》记查斯丁如何向有学问的犹太人特里风证明基督教是真理。查斯丁力图说明:新约已经取代上帝与犹太人订立的旧约;耶稣既是《旧约》先知所宣告的弥赛亚,又是先于创世而存在的道,上帝通过它在《圣经》中显示自己;外邦人已被上帝选定作上帝的选民以取代以色列人。在简短的《第二护教文》中,查斯丁指出基督徒正在受罗马帝国不公正的迫害。查斯丁提出了上帝的历史规划,也就是上帝所制订的救世过程。在这种规划中,历史的各个时代结合成有机的整体,趋向一个超自然的结局。就这样,《旧约》与希腊哲学汇合而成一条基督教义长河,这是查斯丁对基督教神学的独特贡献。他关于洗礼和圣餐的具体描写至今仍是研究原始教会史的主要资料。此外,查斯丁是2世纪《新约》文本的重要见证人,他提到前三部福音书,引用并解释保罗的书信和《彼得一书》。根据现有材料,他是第一位引用《使徒行传》的著作家。

Justinian I　查士丁尼一世(483,达达尼亚托雷西乌姆[可能在今塞尔维亚尼什之南]～565-11-14,君士坦丁堡)　拜占廷皇帝(527～565),以其重组帝国政府行政体系及支持编纂《查士丁尼法典》(534)闻名。查士丁尼是一名操拉丁语的伊利里亚人,出身农民家庭。年轻时前往君士坦丁堡,投奔叔父查士丁,在那里受到良好的教育。518年查士丁作了皇帝,因年迈无嗣,收他为养子,并授予要职。525年查士丁尼获"凯撒"称号,527年4月与叔父共执朝政,称"奥古斯都"。同年8月查士丁去世,他成为唯一的君主。面临与宿敌波斯继续斗争,收复被蛮族占领的西方前罗马诸行省的任务。他即位时,拜占廷大军正在幼发拉底河畔与波斯的军队酣战。经过几次交锋,以贝利萨留为首的几员拜占廷大将取得重大的胜利。532年达成永久性的和平协定,波斯承认拜占廷对拉齐卡地区的宗主权。540年战争再度爆

美国不列颠百科全书公司供图

发,但查士丁尼正忙于意大利事务,无暇东顾。540年波斯国王霍斯罗夫一世的军队进占美索不达米亚、叙利亚北部和拜占廷的亚美尼亚省,掠夺各大城市;541年又侵入拉齐卡地区。于是他再次任命贝利萨留指挥东方战场,进行一系列反击。545年达成为期5年的休战协定,551年又延长休战期限。但是波斯拒不交还拉齐卡地区,在这里继续进行激烈的战斗。最后约在561年底才签订为期50年的和约,拜占廷同意每年付给波斯3万索利迪(金币),而波斯则放弃对拉齐卡这一基督教小王国的一切主权要求。他就这样保全了东方诸省的完整。

对于西方的失地,查士丁尼不顾文武官员的强烈反对,于533年6月发动进攻北非的战役。他派贝利萨留统率500艘战船和1.5万名正规部队,于8月在北非登陆,翌年3月占领整个汪达尔王国,国王盖利默投降。北非重新成为帝国的组成部分。同时,撒丁、科西嘉、巴利阿里群岛和塞普泰(休达)也纳入帝国的版图。在罗马帝国的发祥地意大利,过去一直由东哥特人狄奥多里克统治,由于信奉阿里乌主义而迫害天主教徒,不但造成哥特人与意大利人之间的相互仇视,而且有些东哥特人激烈反抗拜占廷帝国。查士丁尼派陆军进入意大利,又命贝利萨留率舰队攻打西西里。东哥特人始终没有屈服,推举托提拉为国王,542年挥兵进攻意大利南部,543年占领那不勒斯。544年贝利萨留奉命前往镇压,但是缺乏足够的兵力,也由于驻军欠饷而士气低落,结果东哥特人攻克了一座又一座城池,最后,只有拉韦纳、奥特朗托和安科纳还在拜占廷掌握之中。直到562年,拜占廷才确立对整个意大利的统治。查士丁尼希望意大利社会安定和经济繁荣,于554年颁布一项《国事诏书》。在巴尔干北部的罗马领地,经常受到蛮族的侵犯。色雷斯、达契亚、达尔马提亚遭到保加利亚人、斯拉夫人的劫掠。其后匈奴人、阿瓦尔人也参与入侵。入侵者曾南达德摩比利,东进抵达防卫君士坦丁堡的长城。拜占廷未能有效地击退他们,也未能同化他们。斯拉夫人以及保加利亚人最终定居下来。他非常重视法学研究:528年成立编纂新帝国法规的专门委员会,529年出版《查士丁尼法典》,530年又建立一个整理罗马法学著述的专门委员会,533年出版《学说汇编》,534年重版《查士丁尼法典》,565年又颁布《新律》(参阅 **Justinian, Code of**)。查士丁尼希望通过简化司法程序使人民得到幸福。535年他明令禁止买卖官职的做法,改组地方行政体系,并严格监察各省总督。

查士丁尼知人善任,他手下有两个杰出的大臣,一是来自小亚细亚的卡珀多西亚的约翰,一是主管财政的叙利亚人彼得·巴塞摩斯。他们为了筹集战费和维持庞大帝国的开支,不得不把财政问题置于首位。政府收入的主要来源是与东方的贸易,生丝贸易就曾由政府垄断。当政府企图扩大垄断范围时,导致532年君士坦丁堡的骚乱,但趁机企图篡权者终被消灭。此外,他也有宏大的建筑规划,例如:重建被地震摧毁的城市,开辟输水管道,加固防御工事等,迄今仍有遗迹可寻。此外,他还建造隐修院、孤儿院、旅店、教堂等,其中君士坦丁堡的圣索非亚教堂是数学家和工程师米利都的伊齐多尔和特拉利兹的安西米厄斯所设计的不朽杰作,至今巍然屹立,令人对拜占廷人的天才叹为观止。在教义问题上,他面对正教与基督一性论派的冲突。后者在埃及、叙利亚有强大势力,且与日益增长的民族感情和对拜占廷统治者的忿恨紧密相关。他的妻子是狂热的一性论者,但他也知道如对之让步必将招致罗马和西方的离心。他试图迫使西部正教主教们与一性论妥协,甚至强令教皇维吉里(**Vigilius**)表态。553年第2次君士坦丁堡普世会议终于肯定了卡尔西顿会议的立场,谴责安条克的论文。但这次会议的决定并未为维吉里的继任者所承认。此举导致的罗马与君士坦丁堡的分裂延至610年。晚年很少过问朝政,一心研究神学。

Justinian II　查士丁尼二世(约669～711-12,小亚细亚[今在土耳其])　又称里诺特梅图斯。拜占廷希拉克略王朝末代皇帝,专制严酷但不失为治世之君,曾自斯拉夫部落那

7～8世纪苏勒德斯金币上的查士丁尼二世像
美国不列颠百科全书公司供图

里收回马其顿一些地区。君士坦丁四世之子,685年9月继父位,年16岁。即位初期与阿拉伯人订立条约,增加阿拉伯人贡金的数额,并使阿拉伯人同意与拜占廷联合统治塞

浦路斯、亚美尼亚和格鲁吉亚。688 或 689 年查士丁尼二世远征色雷斯和马其顿，打败盘踞在那里的斯拉夫人。阿拉伯人因对查士丁尼的塞浦路斯政策不满而对拜占廷的东部边境发起进攻，691～692 年占领拜占廷的属地亚美尼亚。695 年查士丁尼的苛政引起国内的骚动。起义者拥立新帝，割去查士丁尼的鼻子，并将他流放到克里米亚半岛的切尔松。后来，查士丁尼逃至保加利亚王国。在保加利亚君主的帮助下，他进军君士坦丁堡，705 年重登帝位。即位后与教廷言和，710～711 年教皇康斯坦丁访问君士坦丁堡。但他疯狂进行报复，大肆屠杀反对他的人。711 年切尔松发生暴动，亚美尼亚人巴达尼斯被拥立为皇帝。巴达尼斯率众攻占君士坦丁堡后，将查士丁尼全家杀死。

Justinian MARINA **朱斯蒂尼安(马里纳)** (1901-02-22，罗马尼亚～1977-03-26，布加勒斯特) 罗马尼亚正教会牧首(1948～1977)。朱斯蒂尼安先后任勒姆尼库沃尔恰神学院院长、摩尔达维亚和苏恰瓦都主教(1947)、布加勒斯特大主教、翁格罗-弗勒希亚都主教、罗马尼亚正教会牧首(1948)。他在任期间能使马克思主义意识形态与正教信仰相安无事。他也同其他教会，尤其是英国圣公会建立紧密联系。1965 年英国圣公会大主教拉姆齐访问罗马尼亚，授予他兰贝斯十字章，表彰他对基督教合一运动的贡献。

Justinian, Code of **《查士丁尼法典》** 拉丁语为 Codex Justinianeus。正式名称《查士丁尼民法大全》。指拜占廷皇帝查士丁尼一世主持下于 529～565 年完成的法律和法律解释的汇编。严格说来，它并不构成一部新法典，只不过是查士丁尼法学家委员会搜辑的两部参考性文献，包括过去法律的汇编和对罗马大法学家意见的摘录；此外还有法律基本纲要以及查士丁尼自己所立新法的汇编。《查士丁尼法典》包括 4 部作品：①《法典》(直译是《敕令典》)；②《学说汇编》；③《法学总论》(又译《法学阶梯》)；④《法典颁布后的新律》(简称《新律》)。《法典》的工作是查士丁尼于公元 527 年继位后不久就开始的，这时他任命了一个 10 人委员会去清理以往皇帝颁布的法令，即"敕令"，删掉其中矛盾和过时的材料，并使所有的条款符合当时的情况。编好的 10 卷本《法典》于 529 年公布，所有皇帝的命令，凡未被列入的都一律作废。534 年一个新的委员会又颁发了一部修改过的《法典》，共 12 卷，其中的部分修改以查士丁尼的新的立法为根据。《学说汇编》是由一个 16 人的法学家委员会于 530～533 年在法学家特里波尼安主持下草拟的。他们搜集并审查了所有已知的公认的法学家的著作。从里面节录了他们认为是有价值的东西；通常一个特定的法律论点只选用一条节录，并在必要时为了清晰和简洁起见把原文加以重写。其成果用 50 卷加以发表，每卷又分为若干题目，所有未被选入《学说汇编》的法理陈述都被宣布为无效，以后永远不许在法律上引用。《法学总论》是 533 年在特里波尼安监督下，以从前如盖尤士的《法学总论》的文本为根据编写并发表的，它是为法律学校一年级学生编写的基础课本。《新律》包括好几卷新法令汇编，这些新法令是在查士丁尼发表《法典》修改版之后于 534～565 年发布的。所有这些作品除了《新律》之外都是用拉丁文写成的。而《新律》则几乎全用希腊文发表，但也有正式的拉丁文译本供西罗马各省使用。

Justo, Agustín Pedro **胡斯托**(1876-02-26，阿根廷乌拉圭河畔康塞普西翁～1943-01-10，布宜诺斯艾利斯) 阿根廷军官、总统(1932～1938)。早年入军事学院。1903～1930 年在一些院校讲授军事学、数学和土木工程。后晋升将军。1930 年革命后一度任陆军总司令。历任陆军、农业和公共工程部长。1931 年 11 月作为保守派联盟候选人当选总统。他建立警察国家。在第二次世界大战期间，他反对总统 R. 卡斯蒂略的中立政策，主张阿根廷要向轴心国宣战。1942 年 8 月巴西对德意两国宣战后，他在巴西军队中当将军。

Justus, SAINT **尤斯图斯，圣**(?，罗马[意大利]～627-11-10?，英格兰肯特坎特伯雷) 基督教教士。601 年奉教皇格列高利一世派遣协助坎特伯雷大主教奥古斯丁在英格兰传教。604 年罗切斯特主教区成立，尤斯图斯任主教。616 年英格兰掀起反基督教运动，尤斯图斯逃往高卢。617 年返英格兰，624 年任坎特伯雷大主教。不久诺森伯利亚地区接受基督教。

Justus OF GHENT **于斯特斯(根特的)**(约 1435 或 1440～约 1480，乌尔比诺公国乌尔比诺?[意大利]) 又称 Joos van Wassenhove。画家，将佛兰德斯风格介绍到乌尔比诺。早期作品受 D. 包茨影响，在《博士来拜》(约 1466)中的人物上犹可见出，此画尤以空间感引人注意，显然受益于意大利艺术的成就。1473～1474 年在意大利画《使徒领受圣餐》，现藏乌尔比诺的杜卡莱宫。此画无疑属于佛兰德斯风格，但可看出开始受意大利早期文艺复兴风格的影响，即构图简单和形体理想化。把北欧绘画传统带到意大利，使之同意大利画派结合。其深度是逐步发生的，晚期作品同意大利画家的作品已难以区别。

于斯特斯(根特的)绘《使徒领受圣餐》(约 1473～1474)
美国不列颠百科全书公司供图

Justus, Gaius Pescennius Niger **朱斯图斯** 参阅 **Niger, Pescennius** 尼格尔。

Jute **朱特人** 日耳曼民族的一支。公元 5 世纪时联合盎格鲁人及撒克逊人，共同侵入不列颠。朱特人在欧洲大陆未见历史记载，但有大量证据说明他们的故乡是在斯堪的纳维亚地区(也许是日德兰半岛)。也有证据说明，那些未曾移往不列颠的朱特人后来被丹麦人所同化。按照尊者比德的记载，朱特人曾在肯特郡、怀特岛及汉普郡的部分地区定居。在肯特郡，朱特人的名字很快就消失了，但此地的社会结构中却有很多证据说明其定居者是来自邻近地区的一个异民族。考古发掘证实了比德的说法，即怀特岛与肯特郡的居民是同一民族，而他们在汉普郡的存在则可由当地地名予以证实。

jute **黄麻** 印地语作 pāṭ。又作 allyott。属椴树科，分为圆果种白黄麻(*Corchorus capsularis*)和长果种长蒴黄麻(*C. olitorius*)两种，后者包括黄麻纤维(tossa)和印度黄麻(daisee)等品种，也指它们的纤维。黄麻纤维是一种韧皮纤维，获自黄麻茎皮的内韧皮组织。黄麻纤维主要用作编织品，用以包装范围广阔需要装包、装袋、捆扎、包裹的农业品和工业品。凡是体积大的物件都需要结实的编织品和绳索将其包扎固定。黄麻因其价格低廉而被广泛使用。麻袋便是用黄麻制成的。从古代起印度(以及现在的孟加拉国)的孟加拉地区便种植黄麻。从 18 世纪 90 年代起生黄麻就从印度次大陆向西半球出口。黄麻纤维原用于制绳，1822 年苏格兰丹地开始大量用于纺纱，并迅速成为黄麻加工业中心。印度自己的黄麻加工业始于 1855 年，加尔各答为主要的加工中心。1947 年印巴分治后，黄麻产区主要在东巴基斯坦(今孟加拉国)，建立起新的加工工厂。除了印度次大陆外，中国和巴西也生产黄麻。日本、德国、英国、比利时和法国是原麻纤维的主要进口国。黄麻可能原产于印度次大陆，是一年生草本植物，高度平均3～3.6米，其圆筒形茎粗如手指。用以制取黄麻纤维的这两种黄麻很相似，只是种籽荚形状、生长习性和纤维特性不同。多数品种适于在排水良好的砂质沃土生长，气候需温湿，生长季节中每月降雨量最少75～100毫米。其叶呈浅绿色，约10～15厘米长，5厘米宽，边缘呈锯齿形，末端收尖。开小黄花。黄麻植株之纤维在其茎皮之下，围绕在茎的木质中心的四周，最接近外皮的纤维束和茎同长。一般在花朵脱落、种籽完全成熟前收割。如提前收割，则纤维软弱；如等种籽成熟后再收割，纤维虽壮实，但粗糙，且缺乏特有的光泽。黄麻纤维由黏性物质黏合在一起。必须将麻茎浸沤，把这些物质软化、溶解、洗净才能从茎上剥下纤维。收获后，将成捆的麻茎放入池水或溪水之中，压上石块或泥土，浸泡10～30天。在此期间细菌破坏纤维周围的黏性组织。浸沤完成后，用拍板打松麻茎根端，使麻茎从根部附近绽裂，将纤维束从茎上拉下。然后将纤维漂洗、晒干、整理、分类、打包，以便运送黄麻加工厂。在工厂将纤维加上油、水和乳化剂使其软化，然后纺成麻纱。这个过程包括梳麻、并条、粗纺、细纺，以析出单根的纤维长丝，把这长丝平行排好，混和得颜色、强度和质量一致，然后捻成结实的麻线。一旦制成麻线，便可将其织、结、拧、扎、缝或编成成品。使用黄麻的商品种类繁多。黄麻垫子和祈祷毯在东方很常见，以黄麻为底衬的地毯在全世界都能见到。然而黄麻的最大用途，是制成袋、包。质量好的叫做麻袋，或打包麻布。麻袋用于运输和储存粮食、水果和蔬菜、面粉、糖、动物饲料和其他农业产品。高质量的麻布主要用作栽绒地毯以及钩编地毯（即东方地毯）的底衬。黄麻纤维也用于制作麻绳和粗缆索。

Jutiapa　胡蒂亚帕　危地马拉东南部城市。在中央高地南侧。海拔892米。为农牧业腹地的商业和制造业中心。气候炎热。市北有泛美公路。人口约16 625（1990）。

Juticalpa　胡蒂卡尔帕　洪都拉斯东部城市。临胡蒂卡尔帕河。海拔823米。建于1620年。1835年设市。殖民时期为繁荣商业中心。现是腹地的农业和商业中心。附近有木材、牲畜饲养、乳品业。种植咖啡、烟草、稻米和甘蔗。市内有锯木厂和肉类加工厂。亦生产水泥、鞋、服装。有公路通首都特古西加尔巴和北海岸的卡斯蒂利亚港。有飞机场。人口：城市区约20 600（1989）。

Jutland　日德兰　丹麦语作Jylland。北欧一半岛，构成丹麦王国的大陆部分。西和北为北海和斯卡格拉克海峡，东为卡特加特海峡和小贝尔特海峡。古代地理上为西姆布里卡半岛。从广义上说，包括德国的***石勒苏益格-荷尔斯泰因***（**Schleswig-Holstein**）州；但政治上按1919年《凡尔赛条约》，它南端为弗伦斯堡湾，包括利姆水道以北诸岛屿。面积

日德兰半岛北端的灯塔
中国大百科全书出版社供图

29 775平方千米。行政上分为7个州。人口约2 373 555（1989）。

Jutland, Battle of　日德兰半岛之战　又称斯卡格拉克之战（Battle of the Skagerrak）。1916年5月31日至6月1日发生于北海斯卡格拉克海峡，距丹麦日德兰半岛海岸约97千米处，是第一次世界大战中，英国与德国舰队唯一的一次主要遭遇战。英国海军情报部向海军上将杰利科和比提通报，德国海军上将舍尔已率远洋舰队启航。在海上侦察的战斗巡洋舰队司令比提发现一支由海军上将希佩尔指挥的实力相当的德国舰队，乃跟踪追击，接近德国主要舰队。大约下午4时左右，双方开火，英方损失惨重。退向杰利科的英方主力舰队所在地，德国舰队紧追不舍。下午6时以后，双方主力舰队相遇，激战再起。至黄昏时，英方占上风，舍尔不久即退去。但当德国舰队再次返航时，又直接闯入英国舰队，时英舰正处于德国舰队与德国港口之间。在这第二次危急关头，舍尔命令他的驱逐舰和其他轻型舰艇袭击英国舰队，以此来掩护其战舰的第二次撤退。杰利科此时过高地估计了德国驱逐舰鱼雷攻击的危险，也立即转移，战斗因此未分胜负即告结束。双方均声称取得了胜利——德方宣布胜利，因为它们击沉、击伤舰只多艘，致敌伤亡；英方则说北海仍在其控制之下。

Juvarra, Filippo　尤瓦拉（1678-03-07，西西里墨西拿～1736-01-31，西班牙马德里）　18世纪早期誉满欧洲的西西里建筑师、舞台设计家。1703～1714年在罗马随建筑师C.丰塔纳学习建筑。曾在坎切拉腊府邸为奥托博尼主教的剧院设计舞台。他还为波兰王后玛丽亚·卡齐米拉和奥地利皇帝约瑟夫一世设计过舞台布景。1714年任西西里王的建筑师，移居都灵，负责该城的第三次改建工程。他所设计的最杰出的两件作品都在都灵，一件是斯图皮尼吉的皇家猎苑行宫（始建于1729），另一件是胭脂红教堂（1732）。他还为葡萄牙国王约翰五世设计了在马夫拉的王宫（1719～1720）。他在都灵的早期作品，喜欢采用以传统方式设计的明确划分的静态空间，如圣菲利波·内里教堂（1715）、苏佩尔加屋（1717）、玛达玛府邸（1718）。但后来受舞台设计的影响，把建筑物作为一个整体加以处理。他晚期的作品，以具有流畅雅致效果的轻盈飘逸的空间著称。这些晚期作品被认为是意大利早期洛可可风格的优秀例子。

Juvenal　尤维纳利斯（55至60？，意大利阿奎努姆～约127）　罗马最有影响的一位讽刺诗人。家境殷实。在图密善皇帝执政时期（81～96）作过军官，但得不到迁升。他写诗发牢骚，结果被放逐，财产被没收。图密善遇刺身死（96）后，他才回到罗马，靠富人的施舍为生。后来他的境遇好了一些，在提布尔（今蒂沃利）有一处农庄，还有仆人和牲畜。他的16首《讽刺诗》主要记述罗马皇帝图密善及其继承者（内尔瓦、图拉真和哈德良）治下罗马人的生活，后人把它们大体按年代编成5卷。诗歌讽刺的对象有二：罗马社会的腐化和人类的愚蠢与残暴。他的诗歌写得十分优美，充满警句。他在诗中声称，弊端、罪愆和滥用财富已达登峰造极之境，不写讽刺诗不行。在他去世后，他的作品曾一度被遗忘。后来，基督教的传播者德尔图良以及其他基督教作者和非基督教的文学研究者开始阅读和引用他的作品。对保存下来的《讽刺诗》的诠释完成于350～420年之间。许多讽刺作家，如薄伽丘、布瓦洛和拜伦，都模仿过他的作品。

Juvenal, Saint　朱韦纳尔，圣（？～458，耶路撒冷）　耶路撒冷主教（422～458）。他将过去由凯撒里亚管辖的耶路撒冷地区升为牧首区。这一措施受到451年卡尔西顿会议的承认。耶路撒冷众修士不满意朱韦纳尔在该次会议上就基督学论战所采取的立场，所以当他回到耶路撒冷时群起反对他，另选主教。罗马帝国军队镇压了这些修士，朱韦纳尔随即成为全巴勒斯坦牧首。

Juvenalian satire　尤维纳利斯式讽刺　指文学作品中对同时代的人和事进行的挖苦和讥讽，其中充满猛烈的人身攻击、强烈的道德愤慨以及悲观失望情绪。尤维纳利斯式讽刺源自罗马讽刺诗人尤维纳利斯，他在1世纪时卓越而现实主义地谴责了罗马社会（特别是那些有钱有势的贵人）以及不安而又危险的城市生活。萨缪尔·约翰逊的《伦敦》一诗系仿尤维纳利斯的第三首讽刺诗。他的《人的心愿的虚荣》系仿后者的第十首。《格利佛游记》（1726）使J.斯威夫特享有尤维纳利斯式讽刺大师的声誉。20世纪，K.克劳斯历数第一次世界大战后奥地利盛行的腐败现象，亦属尤维纳利斯式的讽刺。

juvenile court　少年法院　又称儿童法院（children's court）。指处理违法儿童或无人管教或被虐待的儿童的问题的专门法院。它执行由政府代替父母这一任务；而在没有少年法院的地方，其他法院必须完成这一任务。少年法院受理两类案件：民事案件，通常涉及一个被遗弃儿童或父母无力供养的儿童的照顾问题；刑事案件，由儿童的反社会行为引起。大多数法律规定，所有在一定年龄（在很多地方是18岁）以下的人必须先由少年法院受理，然后由该法院自行斟酌决定是否将案件移送普通法院。少年法院制度的基本概念是，儿童应当受到特殊的照顾。这种制度的

创始人认为，由于一个儿童的非法行为而对他加以惩罚是无益的和不公平的，应以改造来代替。为了做到这一点，法院曾不拘形式像父亲一样地去行事。第一个少年法院于1889年在芝加哥建立，这个运动很快遍及全世界。现在在欧洲、拉丁美洲、以色列、伊拉克、日本和其他国家都有这种法院，尽管在组织上和程序上各有不同。少年法院的不拘形式的做法究竟对儿童有利还是有害，在这一点上有很大的争论，在美国尤其如此。有些人争辩说，由于法院的案件日程表排得很满和法官们力不胜任，不能实现这种法院的目的，儿童被剥夺了刑事被告人应有的权利，也不能相应地减轻处理。为了回答这一点，美国法院把通常只有成年被告人才享有的权利延伸扩大到少年被告人，例如交叉询问证人的权利，讯问前得到事先通知的权利，拒绝自我归罪的权利，聘请法律顾问的权利。

juvenile drama 少年剧 参阅 **toy theatre** 玩偶剧。

juvenile hormone 保幼激素 又作 neotenin。昆虫的一种激素，由脑附近的一些腺体分泌。其功能在幼虫阶段为保持幼年特征，在发育期间和成虫期则影响周期性的蜕皮。在雌性昆虫为卵的正常生成所必需。参阅 **thoracotropic hormone**。

Juventud, Isla de la 青年岛 1978年前称皮诺斯岛（Isla de Pinos；英语作 Isle of Pines）。古巴岛屿和特别市。位于加勒比海，西北濒临印第乌斯运河，北和东北连接巴塔瓦诺湾，并以此与古巴大陆分开。美国于1925年最终批准承认古巴享有对该岛主权的1904年条约。1978年确定现名。面积2 200平方千米，是卡纳雷奥斯群岛最大岛屿。岛屿北部地区为松林覆盖、地势起伏的平原和热带大草原，多沙土岩石，有数座海拔303米的低矮山丘。主要经济活动有渔业、蔬菜和柑橘种植，葡萄柚生产在数量上占支配地位，为该岛经济的基础。距省会和主要城市新赫罗纳（**Nuevo Gerona**）几英里处有国家感化院（监狱）。拉尼尔沼泽以南地域狭小，多岩石，与外界呈隔绝状态，只有少数渔民和烧炭人居住。岛上出产高岭土和大理石。人口约71 097（1989）。

Juwaynī, ʿAla ad-Dīn ʿAtā Malek 参阅 **Joveynī, ʿAṭā Malek** 约韦尼。

Juxon, William 贾克森（1582，大概生于英格兰萨塞克斯郡奇切斯特～1663-06-04，伦敦） 英格兰坎特伯雷大主教，查理一世被处死时的随身牧师。原在牛津大学圣约翰学院攻读法科，后研究神学。1615年授神职，任牛津大学圣贾尔斯学院院长。1621年任圣约翰学院院长，后任牛津大学副校长。他效忠王室，很快成为查理一世的宫廷牧师。1632年任赫里福德主教。1633年任伦敦主教。1636年被查理任命为财政大臣。1641年辞职。1642～1648年内战期间给国王当顾问。1649年1月查理被处死时，他是唯一陪伴国王去断头台的牧师。同年被O.克伦威尔免去主教职务而退休。1660年查理二世复辟后，任命他为坎特伯雷大主教。

Juyong Guan 居庸关 中国长城的著名关口。位于北京市昌平区西北15千米四十里关沟中。战国设关居庸塞，秦始称居庸关，后曾名西关、纳款关、蓟门关、军都关等。居庸关处在两旁高山夹峙，长15千米的沟谷中，南有南口，北有八达岭，是北京通向内蒙古高原的主要孔道。为北京咽喉，兵家必争之地。居庸关自北魏开始修筑长城，西到山西省大同，东至山海关。旧时南口为一小村，20世纪初京张铁路筑成后，迅速发展为京郊工业重镇。古迹有元代云台，浮雕精美，刻有梵、藏、八思巴、维吾尔、汉、西夏6种文字。“居庸叠翠”被列为燕京八景之一。

Južno-Sachalinsk（Russia） 参阅 **Yuzhno-Sakhalinsk** 南萨哈林斯克。

Južnyi Bug（river, Ukraine） 参阅 **Yuzhny Bug** 南布格河。

Jwen-jwen（Central Asian people） 参阅 **Juan-juan** 柔然。

Jylland（Denmark） 参阅 **Jutland** 日德兰。

Jyoetsu 上越 日本本州新潟县城市。位于荒川河口。因工业需要，由直江津与高田合并而成。高田早期为城堡镇。17世纪初逐渐成为商业中心。传统行业为纺织和农具制造。现亦生产滑雪器材。直江津在镰仓时代为重要港口。通铁路后工业发展迅速。生产化工品、金属制品、机械和食品。人口130 114（1990）。

Jyväskylä 于韦斯屈莱 芬兰中南部中芬兰省省会，位于库奥皮欧西南、派延奈湖北端。1837年建镇。有3所历史悠久的学校：芬兰第一所师范学院（1863）、第一所芬兰语中学（1858）和芬兰第一所女子学校（1864）。还有阿尔托博物馆和芬兰中部博物馆。为铁路枢纽。工业有造纸厂、胶合板厂、冶金厂、染毛厂、食品厂、制药厂等和一个国家军火制造中心。机场在市北约19千米的蒂卡科斯基。人口：城市区约66 361（1991）。

K

K-capture K俘获 又称电子俘获，影响原子核的3种β衰变（**beta decay**）过程的一种。

K mart Corporation 凯马特公司 原称克力司吉公司（直至1977年）。美国较大的零售连锁商店。主要通过贴现及百货公司销售一般商品。总部在密歇根州特洛伊。公司起源于孟菲斯和底特律的两个5～10美分商店。该店由五金推销员S.S.克力司吉（**Kresge, S. S.**）和在东部拥有8个类似商店的J.G.麦克罗里于1897年设立。克力司吉最后成为唯一的店主。至1907年，克力司吉在芝加哥与匹兹堡间的8个城市经营。作为董事长（1907～1925）及董事会主席（1913～1966）使公司稳步扩大。克力司吉起初将商品价格限制在10美分之内，但第一次世界大战触发的通货膨胀将限度提至15美分，最后升至1美元。1962年，公司在总裁H.B.坎宁安策划下，克力司吉进入大规模经营的折扣零售市场。在底特律外建造第一个凯马特公司。随着它的成功，公司大大扩展。在后来的20年中在美全国及部分加拿大每年平均设立85个折扣商店。1977年，不顾其子的反对，公司改为现名并于该年超过了彭尼公司成为美国第二大的零售商。除凯马特公司外，公司继续经营克力司吉百货公司及朱庇特折扣商店。公司并拥有计划销售联合保险及西南部富尔自助餐连锁店。

K meson K介子 亚原子粒子中介子族的重要一员。参阅**meson**。

K2 K2峰 又称Mount Godwin Austen（戈德温奥斯丁峰），当地人称之为达普桑峰或乔戈里峰。世界第二高峰，海拔28 251英尺（8 611米），仅次于珠穆朗玛峰。为喀喇昆仑山（喜马拉雅山）的一部分。部分在中国，部分在克什米尔巴基斯坦控制区的吉尔吉特拉达克。终年为积雪和冰川覆盖，高耸在海拔约15 000英尺的巴尔托罗冰川之一的戈德温奥斯丁冰川之上。印度测量局的T.G.蒙哥马利上校于1856年对该峰进行测量，以K2作为标号，表明该峰为喀喇昆仑山第二个经过测量的山峰。戈德温奥斯丁峰一名则来自该峰的第一个考察者——19世纪的英国地理学家H.H.戈德温·奥斯丁。1902年一个英国-瑞士远征队首次试图攀登顶峰未成功，只到达东北侧18 600英尺的山顶。1954年由5名科学家（其中有领队、地质学家阿尔迪托·德西奥）、1名医生、1名摄影师和其他12个人组成的意大利远征队，不顾气候恶劣，设法征服阿布鲁齐山；阿基利·孔帕尼奥尼与利诺·拉切德利于7月31日下午6时抵达峰顶。向导之一马利奥·普吉奥兹在攀登中死于肺炎。

Ka（unit of measure） 参阅**qa**夸。

ka 护卫灵 又拼koi。在古埃及宗教中，护卫灵、身魂和善魂共同构成人或神的灵魂。

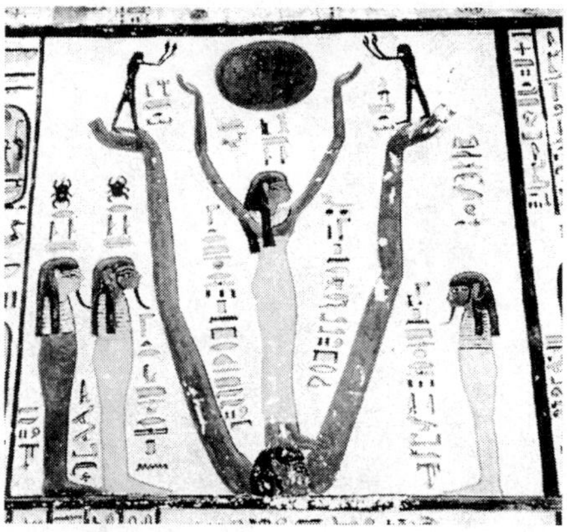

拉美西斯六世墓室壁画中的护卫灵，双臂举起，头顶一女神

美国不列颠百科全书公司供图

护卫灵在人死后仍然存在，可以附在死者的画像或塑像上。

Ka-erh（Tibet） 参阅**Gar**噶尔。

K'a-shih（China） 参阅**Kashi**喀什。

Kaaba（Muslim shrine） 参阅**Kaʿbah**克尔白。

Kaahumanu 加休曼努（约1772，夏威夷毛伊～1832-06-05，夏威夷） 夏威夷卡米哈米哈一世的宠后，夏威夷代理摄政（1823～1832）。1819年卡米哈米哈一世死后，她任其继承人卡米哈米哈二世的首相，曾推行多项改革措施，规劝新王废止传统戒律，欢迎新英格兰基督教传教士前来传教。当卡米哈米哈二世去英格兰时，她被任命为在卡米哈米哈三世成年前的摄政。为保证卡米哈米哈家系的王权不致旁落，加休曼努与两个主要王位争夺者夸马立艾王及其子同时结婚。她与基督教传教士密切合作，1825年受洗，此后人称“新加休曼努”。

Kaali järv Craters 卡里亚夫陨石坑 波罗的海萨列马岛上的一群8个陨石坑。位于爱沙尼亚的金吉谢普东北20千米处。其中最大的陨石坑直径110米，边缘高出周围地面6～7米。被认为是陨石爆炸形成的坑，因它有个高的周围，周边地层被掀起，它形成一池塘，深约16米。其他几个陨石坑都是干的，直径从12～44米不等。这些小陨石坑中的白云岩基岩被冲击力粉碎成岩屑。在这一地区还发现了许多小的铁陨石碎屑和一些陨石粉末。小陨石坑内填充物中的软体动物化石表明，这些坑形成于4 000年前至5 000年前。

Kaapprovinsie（South Africa） **开普省** 参阅**Cape of Good Hope**好望角。

Kaapstad（South Africa） 参阅**Cape Town**开普敦。

Kabābīsh 卡巴比什人 苏丹科尔多凡省北方沙漠丛林地带从事游牧的阿拉伯人，人口约有7万。其族源混杂，被认为是一个松散的部落联盟。1821年为土耳其人征服，然后又发生很多变革。传统的卡巴比什人很少从事耕作，主要靠放牧骆驼、绵羊及山羊为生。旱季时，他们聚集在达尔·卡巴比什井水集中处，然后驱赶骆驼及羊群南向科尔多凡省中部和达尔福尔省，以迎接早期雨季的来临。雨季中他们再回来同早已迁往西北地区的家人团聚。好雨之年，畜群，尤其是骆驼群，可深入达尔富尔省北部及乍得。现在离开本地出外做工的人越来越多。

Kaʿbah 克尔白 又拼Kaaba。麦加大清真寺（又译“禁寺”）内靠近其中央部分的一座小殿，世界各地穆斯林视之为人间最神圣的处所。根据《古兰经》所载真主的指示，穆斯林每日5次面向克尔白方向礼拜，死后面向克尔白方向埋葬，并抱有在朝觐时参拜克尔白的心愿。这个方形建筑物以灰色石块和大理石建成，4角分别大致对准东西南北4方。殿内有3根支撑屋顶的柱子和若干悬吊着的金银灯盏，此外别无他物。在全年的大部分时间内，克尔白被覆以一黑锦缎巨幔（即罩幕[**kiswah**]）。位于克尔白东角的是麦加的黑石，其现存的若干碎块周围饰有石环，并由一个重银框将碎块结合在一起。据流行的传说，此石是在阿丹被从天园逐出时真主授予他的，以使其罪孽获得宽恕。据传说，此石原为白色，后经无数的朝觐者亲吻和抚摸，吸收他们的罪恶而变为黑色。参加朝觐的每个穆斯林被要求绕行克尔白7周，在这过程中亲吻和抚摸黑石。当朝觐月份（即伊斯兰教历12月）结束时，进行一次清洗克尔白的仪式，宗教官员和朝觐者共同参加该活动。克尔白的早期历史不详，但有一点可以肯定，即在伊斯兰教兴起前的时期，克尔白被尊奉为圣殿而且是一个朝觐处所。《古兰经》在论及亚伯拉罕（易卜拉欣）和以实马利（伊斯玛仪）时，说他们“建造了克尔白的基础”。虽然其确切意义不明确，但穆斯林的传说将此话解释为是指他们重建起由阿丹最初建立的但只有地基残存的圣殿。克尔白屡次被毁屡次重建。930年，卡尔马特派的狂热分子掠走了黑石，并且为了得到赎金将黑石扣留了近20年。在其任先知圣职的早期，穆罕默德似乎忽视了克尔白，但在他迁徙到麦地那并与该地犹太人关系紧张后，他将礼拜朝向由耶路撒冷改为克尔白。630年，当他攻克麦加时，他让人毁掉了圣殿内及其周围的异教徒的偶像，并清除了该建筑物内的异教徒的画像。从那以后，克尔白成为穆斯林虔敬的中心。

Kabala（Judaism） 参阅**Kabbala**喀巴拉。

Kabalevsky, Dmitry 卡巴列夫斯基(1904-12-30,圣彼得堡～1987-02) 俄罗斯民族风格作曲家。其作品也有国际听众。曾在莫斯科斯克里亚宾音乐学校(1919～1925)和莫斯科音乐学院(1925年入学)学习。1932年任莫斯科音乐学院教师。18岁开始作曲,起初多为钢琴曲。第二次世界大战后几次赴欧洲访问,演出自己的作品。其作品和教学多次在苏联获奖。早期作品受其老师俄罗斯作曲家A.斯克里亚宾和N.米亚斯科夫斯基的影响,后来以清晰的调性和有活力的节奏为特点的个人风格得到发展。早期作品有《第一钢琴奏鸣曲》(1928)和《第二钢琴协奏曲》(1935),后者是他最佳作品之一。他最著名的作品可能是他的歌剧《科拉斯·布勒尼翁》(1936,取材于罗曼·罗兰的小说)的序曲和组曲《喜剧演员》(1940)。后期作品包括轻歌剧《姐妹》(1967)和清唱剧《给30世纪的信》(1972)。除歌剧和钢琴音乐外,还有协奏曲、室内乐、交响乐、戏剧音乐。

kabane 姓 5世纪晚期至7世纪晚期日本社会政治结构中表示一个人的职务和社会地位的世袭称号,有臣、连、国造和伴造。在姓的阶层中,大和皇族最有权势。6世纪时,许多姓的首领(尤其是大臣和大连)的势力压过大和朝廷,使许多代天皇都成为傀儡。645年大化革新后废除旧姓,684年改设8种新姓。天皇将最重要的新姓授予友人或忠诚支持者。

Kabardian language 卡巴尔达语 又称切尔克斯语。通行于俄罗斯西南部北高加索西部的卡巴尔达-巴尔卡尔共和国,与阿布哈兹语、阿巴扎语、阿迪格语及乌比赫语有亲属关系,共同组成阿布哈兹-阿迪格语族或西北高加索语族。这些语言语音系统中显著的特点是辅音区别特征很多而元音区别特征很少。1917年十月革命后,卡巴尔达语一直是书面语言,起初用拉丁字母书写文字,不过,1936年起却改用西里尔字母。

Kabardino-Balkariya 卡巴尔达-巴尔卡里亚 俄罗斯西南部的共和国。位于大高加索山脉北侧。按地形可分为3大区。南部地区是大高加索山脉,以山脊为界。格拉夫内、佩列多沃伊、斯卡利斯特和乔尔内耶4条山脉走向平行。最高峰厄尔布鲁士山海拔5 642米,德赫套山海拔5 204米。该地有许多巨大冰川,湍急河流由此发源。第二地区是低于冰原的递降地区,生长有高山草甸、针叶林和落叶林(山毛榉、橡树、赤杨、鹅耳枥、枫树、桉树、杨树)。山脉北部是海拔500～700米的山麓丘陵,生长落叶林和草甸(多见于宽阔谷地)。第三地区(北部和东北部)是平坦的卡巴尔达平原,有捷列克河系流贯,此河系由切列克河、切格姆河、巴克桑河和马尔卡河诸支流汇合而成。捷列克河流域的西部是大卡巴尔达平原,其东部是小卡巴尔达平原,土地肥沃,大部开垦,自然植被有草甸和羽状禾草草原。属大陆性气候,一般随地形起伏而变化。卡巴尔达平原干旱,年降水约500毫米。夏季温暖,7月平均气温24°C,1月平均气温－4°C。

该地3/5人口居住在城镇,首府纳尔奇克(**Nalchik**)。农业人口多集中在卡巴尔达平原和主要谷地。卡巴尔达人属高加索民族,与切尔克斯族群有血缘关系。他们使用的语言属于伊比利亚-高加索语族的阿布哈兹-阿迪格语支。一般信奉伊斯兰教。巴尔卡尔人属突厥语民族,与邻近的卡拉恰耶人有血缘关系。

卡巴尔达人多为平原居民,早在1557年即与俄罗斯人联合在一起,卡巴尔达成为捷列克哥萨克区的一部分。在捷列克河畔设有一个俄国要塞,另一个于1818年设在纳尔奇克。现今居住在该国的俄罗斯人多为哥萨克后裔。高山地区的巴尔卡尔人长期反抗过俄国的入侵。1921年设为卡巴尔达自治州。1922年与巴尔卡里亚合并为卡巴尔达-巴尔卡尔自治州,1936年成立自治共和国。1943年巴尔卡尔人因所谓与德国有勾结而被放逐。其所属巴克桑河上游地区划归格鲁吉亚苏维埃社会主义共和国。其余地区重新命名为卡巴尔达苏维埃社会主义自治共和国。1956年巴尔卡尔人重返家园,1957年该区重新成立卡巴尔达-巴尔卡尔苏维埃社会主义自治共和国。

矿产分布甚广。巴克桑河流域特尔内奥兹的附近地区出产钼和钨;马尔卡河流域发现有丰富的金、铬和镍矿床。制造业集中在纳尔奇克(石油钻井设备,木材、家具、纺织品、服装、鞋以及水泥、玻璃等产品)和普罗赫拉德内(工程业)。多数城市有农产品加工业。20世纪70年代在苏拉河上建成高加索最大水电站之一。农业灌溉集中在卡巴尔达平原,出产小麦、玉米、向日葵、大麻以及杏、桃、梨、苹果等水果。山区则饲养牛和羊,还繁殖卡巴尔达种马。

罗斯托夫—巴库铁路干线经过北部地区,其间普罗赫拉德内有一支线通弗拉季卡夫卡兹,由此还有一支线通纳尔奇克。由皮亚蒂戈尔斯克到纳尔奇克有一条公路干线。其他公路多沿山谷而行。面积12 500平方千米。人口约784 000(1992)。

维多利亚尼罗河下游的卡巴雷加瀑布
美国不列颠百科全书公司供图

Kabarega Falls 卡巴雷加瀑布 又称默奇森瀑布。乌干达西北部维多利亚尼罗河下游的瀑布。维多利亚尼罗河流经数英里的急流浅滩,在此形成宽约6米、落差约120米的三级瀑布,第一个瀑布落差约40米。通常卡巴雷加(默奇森)瀑布即指此瀑布。该瀑布为卡巴雷加国家公园(1952年建立)主要风景区。

Kabba 卡巴 尼日利亚中南部夸拉州城镇。地处约鲁巴丘陵,海拔400米,邻近奥塞河。与洛科贾、奥凯内、伊卡雷、阿多埃基蒂和埃贝通公路。为约鲁巴人农产品销售中心。设有农业学院(1963)和女子师范学院。人口约41 930(1991)。

Kabbala 喀巴拉 又拼Kabala、Cabala或Cabbala。犹太教神秘主义体系。自从13世纪以来,数百年内多次出现。此词又泛指犹太教一切神秘主义派别。最初的喀巴拉称为灵轮,公元1世纪开始流行于巴勒斯坦。已知犹太教神秘主义的最古老的经籍是《创世之书》,出现于3～6世纪之间。灵轮的主要经籍是《光明之书》,成书于12世纪。在13世纪,《隐喻之书》出现于西班牙,作者不详。著名的《光辉之书》也出自西班牙喀巴拉派的手笔。1492年西班牙驱逐犹太人,犹太人愈益希望弥赛亚到来,喀巴拉为广大群众所欢迎。法术喀巴拉兴起,它不同于侧重默念的一般喀巴拉而提倡使用法图和标有上帝圣名的护符。

到了16世纪中叶,喀巴拉的中心已经转迁到最著名的喀巴拉大师卢里亚的故乡加利利地区的塞费德。卢里亚派喀巴拉提出几条基本原理:神光退隐,从而创造原始的空间,发光体沉没于躯壳之中,于是通过极度神秘的生活和不懈地与邪恶作斗争,犹太人成功地达到了"宇宙复兴"。此派喀巴拉对17世纪兴起的沙贝塔伊运动有影响。哈西德派的教义中也有喀巴拉的成分。

Kabelvåg 卡伯尔沃格 挪威北部诺尔兰郡罗弗敦群岛上具有历史意义的村镇。位于东湾岛南岸。12世纪初国王厄于斯泰建立此村(称瓦甘),并建有教堂和渔民旅馆。为一小港口,位于风景如画的峭壁上,传统的鳕鱼捕捞业占有重要地位。现主要以夏季疗养地著称。附近有一座厄于斯泰塑像。人口1 900(2000)。

Kabia(Indonesia) **卡比亚** 参阅**Selayar**塞拉亚。

Kabila, Laurent **卡毕拉**(1939,比属刚果雅多维尔[今刚果民主共和国利卡西]～2001-01-18?) 推翻扎伊尔的蒙博托总统的叛军领袖,后来成为刚果民主共和国总统(1997～2001)。20世纪60和70年代在扎伊尔参加过多次受马克思主义影响的起义活动。曾在海外求学,包括中国的军事学校。后从事贵重矿石和象牙的贸易。卢旺达内战期间,与卢旺达的P.卡甘姆合作,攻击扎伊尔境内的胡图族游击队及扎伊尔政府军。1997年他率领的军队推翻蒙博托政权,自任总统并将扎伊尔共和国改名为刚果民主共和国。但他上台后实行高压政策,因而又导致一场更大的战争。战斗双方都得到不同非洲国家派遣军队的支持,后遇刺身亡,一般认为暗杀策动者为其手下官员。死后总统职位由其子约瑟夫继任。

Kabinda(Angola) 参阅**Cabinda**卡宾达。

Kabīr **迦比尔**(1440,印度江布尔贝拿勒斯～1518,默克尔) 印度神秘主义者、诗人,他力图沟通或融合印度教和伊斯兰教思想,鼓吹一切宗教本质同一,万人本质平等。迦比尔不专信印度教或伊斯兰教,而是取两者的精华,宣传他自己的简同派,从这种教义又衍生出伽比尔派以及另一种宗教锡克教以及其他派别。这些派别的主要共同特点是:信奉独一天神,用通俗语文撰写经籍,尊古鲁为信仰中心,完全废除种姓制度。

kabuki **歌舞伎** 日本剧种之一,一种通俗的文娱节目。它把现实主义与形式主义,把音乐、舞蹈、滑稽剧以及华丽的布景和服装交融在一起,丰富多彩。歌舞伎一词的日语本意是歌、舞和技能。歌舞伎的高度抒情性戏剧很少被看作是文学,主要被看作是演员们用以显示种种不同的做功和唱功的手段。这些

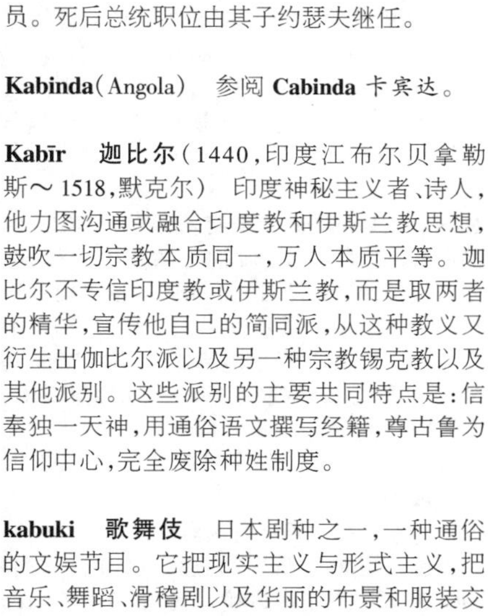

正在表演帽子舞的歌舞伎"女形"
美国不列颠百科全书公司供图

歌川丰国绘歌舞伎剧院内景的彩色木刻三联画,约1800年
美国不列颠百科全书公司供图

演员把歌舞伎的技巧代代相传。许多演员的祖先是最早的歌舞伎演员,表演风格也是祖传的。在歌舞伎剧院中,演员与观众经常进行思想交流。演员往往把戏停下向群众讲话,群众则给予相应的称赞或者鼓掌。在表演的过程中,群众也可以喊出他们最喜欢的演员的名字。由于歌舞伎的节目通常从早演到晚,许多观众往往只看一出戏或一场戏,可以随时进出剧场。节目包括反映四季的主题和风俗,或者插入时事材料。自17世纪末以来,大多数西方剧院的舞台都有一弧形台口把演员与观众隔开,歌舞伎与此不同,其表演者经常入侵观众。从正舞台到观众席背后有加高的通路,日本叫"花道",如果左右各有一个"花道",则观众被3个舞台圈了起来。

歌舞伎形式起源于17世纪初,一个名叫阿国的女舞蹈家曾为出云神社的巫女,因跳念佛舞而驰名。她把那些云游四方的舞蹈和演戏的女子聚集到她的剧团。阿国的歌舞伎是供日本老百姓欣赏的第一种有重要意义的戏剧节目。由于具轻浮、大胆和淫秽的性质,歌舞伎于1629年被政府查禁。此后由男青年穿上女子服装上演节目,但到1652年,这种类型的歌舞伎也遭到取缔。即而由成年男子取而代之。正是这一全由成年男子扮演的文娱形式持续了几百年,直至今日。自从由成年男子扮演所有角色(包括妇女角色)之后,歌舞伎水平日益提高,表演更加精湛。到18世纪初,歌舞伎已经成为一种根深蒂固的艺术形式,能够对真正激动人心的场面作严肃的戏剧表演。由于日本商人和其他平民的社会和经济地位开始上升,人民的戏剧歌舞伎提供一种对现实社会的生动活泼的评论。真实的历史事件被搬上舞台;例如,大本连台戏《忠臣藏》(1748),把1701～1703年的著名事件戏剧化。同样,戏剧作家近松门左卫门的《心中》(成对情死)剧几乎都是根据某一平民与他的恋人的实际自杀盟约写成的。

舞乐(皇宫的雅乐舞蹈)和能剧(**nō theatre**)均有悠久的历史,长期由贵族和武士独自享用。歌舞伎成为市民和农夫的戏剧。舞乐和能剧精美雅致,动作极为细腻;歌舞伎则有些粗俗和放纵,艳丽奢靡,以情动人。歌舞伎与能剧和17世纪发展起来的净琉璃木偶戏均有极密切的关系。歌舞伎大量取材于能剧,当1652年歌舞伎被禁止的时候,它采用和模仿《狂言》(上演能剧时的幕间幽默短剧)以图东山再起。在这一时期出现了一群特殊的男演员,叫做"女形",专门扮演女性角色;这些演员往往成为当时最走红的人物。

根据题材的不同,歌舞伎分成历史剧(时代物)和社会剧(世话物)两种。歌舞伎的节目单通常按历史-社会的顺序排列,中间用一或两个扮成妖怪、高等妓女和其他奇异动物的舞蹈隔开。歌舞伎演出的最末一场是大批演员生动活泼的舞蹈。虽然歌舞伎的基本目的是使人愉快和让演员们显示他们的才能,但有一种道德说教的因素,用"劝善惩恶"来表达最终理想。因此,这种戏常常表演一些宗教思想之间的冲突,如来自佛教的世事无常思想和来自孔教的匹夫有责思想的矛盾,以及一般的道德情操。从结构方面讲,这种戏剧通常情节复杂,由两个或更多的主题组成,但是它们缺乏西方戏剧努力追求的那种强烈的粘连因素。歌舞伎剧包括种种不同的插曲,由这些插曲发展到最后的戏剧高潮。歌舞伎虽然易于吸取新的形式,却是一种非常程式化的戏剧。它的表演可以程式化到与舞蹈完全成为一体的程度。它保留着早期在神社和寺庙里演出的那些戏剧形式的许多惯用技巧。歌舞伎中的舞蹈可能最具号召力,无论是"女形"的忸怩和轻飘的动作,或是男性角色的夸张姿态。

现在,正规上演歌舞伎的有容纳1 600人的歌舞伎座以及国立剧院,均在东京。其他剧院有临时演出。歌舞伎演员也组团在其他地方表演。在歌舞伎座,节目的平均长度约5小时;在国立剧院,约4小时。歌舞伎座采取一种保守方式维护演员的传统地位,即以头等名角为中心规划演出的节目;国立剧院则强调戏本身的重要性,极力保持历史的传统并把歌舞伎作为一种古典形式来维护。

Kabul **喀布尔** 阿富汗首都和最大城市。濒临喀布尔河,海拔约1 800米。全国文化和经济中心。坐落在陡峭的阿斯麦山与舍尔达瓦扎山之间的三角形谷地中。与全国大部分地区及北面的乌兹别克斯坦和东面的巴基斯坦有公路相通。建城已3 500多年,吠陀(印度古代文献,约公元前1500)提到该城。1776年起成为阿富汗首都。在第一次英国—阿富汗战争期间,英国驻兵在喀布尔遭到大屠杀(1842)。1978年阿富汗战争期间,喀布尔成为军事和游击队活动的中心。1979年,苏联

喀布尔市远眺
美国不列颠百科全书公司供图

入侵阿富汗，试图支持当地的马克思主义政权。1980年初，苏军在喀布尔建立了军事指挥部，该市的机场得到改善。1989年苏军撤出阿富汗后，各游击队之间内部冲突不断。1996年，塔利班控制了喀布尔，当时该城已成为一片废墟。塔利班政府未采取任何措施重建城市或改善其基础设施。2001年，阿富汗联军和美国领导的盟军攻入喀布尔，塔利班政府在战争打响前逃亡。该城在临时政府统治下仍为首都。现今的喀布尔是一座新老建筑物混杂和正在不断发展的城市。旧城大多被毁并已按现代方式重建。城内很多机构、学院在内战中遭到严重破坏。现有许多古迹，其中包括该城统治者的坟墓和一些花园。靠近旧城西端舍尔达瓦札山麓的巴伯尔花园和坟墓是著名游览地。达尔阿曼宫是议会场所与政府部门驻地。喀布尔大学建于1932年。工业有食品、人造丝和毛纺、家具、铸造及大理石加工。喀布尔人主要讲达里语（波斯语），但已混有大量普什图语。人口：市约700 000（2000）；大都会区约2 602 000（2001）。

Kābul River　喀布尔河　古希腊语作Cophes。阿富汗东部、巴基斯坦西北部河流。全长435英里（700千米），其中350英里在阿富汗境内。发源于喀布尔以西45英里桑格拉赫山脉，向东流经喀布尔、贾拉拉巴德，在开伯尔山口向北流入巴基斯坦，又经白沙瓦在伊斯兰堡附近与印度河汇合。有4条主要支流：卢格尔、潘杰希尔、库纳尔和阿林加尔河，因大量河水引灌农田，喀布尔城以西河道于夏季往往干涸。贾拉拉巴德和白沙瓦地区也广泛引水灌溉。与潘杰希尔河汇流点以下几英里处建有水电站。喀布尔河谷为阿富汗、巴基斯坦间天然通道。1945年以来，白沙瓦—贾拉拉巴德—喀布尔公路已修通，喀布尔城下游河道可通平底船。

Kabwe　卡布韦　前称布罗肯希尔。赞比亚中部城镇。位于大北公路上，是重要的交通和采矿中心。海拔1 180米。罗得西亚布罗肯希尔开发公司对促进外国投资开发当地矿产起一定作用。矿产量下降以后，建立了第一条罗得西亚（今津巴布韦）铁路。由于需要电力，1924年在穆隆古希河上建造水力发电站。城镇周围农业区种植玉米和烟草。1921年在矿区曾发现动物化石、罗得西亚智人化石以及石器。人口约166 519（1990）。

Kabwe man　卡布韦人　旧称罗得西亚人，又称布罗肯山人。一种已绝灭的人，其化石发现于北罗得西亚布罗肯山（今赞比亚卡布韦）。标本包括：近于完整的颅骨、上颌骨残片、荐骨、骨盆的一部分和肢骨。学者们现在通常认为卡布韦人属于已绝灭的智人罗得西亚亚种。颅骨硕大，侧视低平，眉嵴粗隆，跨于鼻梁之上。枕嵴甚大，上颌骨膨胀，腭骨十分硕大——这些都是尼安德特人的特征。卡布韦人的脑量与肢骨都和现代人相同。1953年，在南非开普敦以北霍普菲尔德萨尔达尼亚湾又出土了一具卡布韦人类型的颅骨化石，随之出土的还有阿布维利石器以及更新世晚期的动物化石遗存。地质资料表明其年代可能比卡布韦人为早。

Kabyle　卡比尔人　阿尔及利亚的柏柏尔人，其居住地是半山区地带，从地中海延伸到大卡比利亚山脉南坡，从代利斯延伸到奥卡斯角。20世纪末人口约20万。他们多数是

卡比尔人
美国不列颠百科全书公司供图

穆斯林，少数是基督徒。以农业为主，种植谷物和棕榈，放牧山羊。卡比尔语是闪含语系的柏柏尔语，又称兹瓦瓦语。传统上每一村庄都由男丁（其年龄是以参加莱麦丹斋月活动者）会议治理，有一套习惯法处理有关财产、民事及轻重刑事犯罪等问题。村庄分成彼此对立的氏族，社会分成若干等级：有常遭轻视的铁匠、屠夫，还有一个农奴阶级。传统服装是：男人着宽松长袍，与头巾相连的毛外衣，戴宽沿草帽；妇女穿华丽的棉布外衣，头上覆以丝巾。

Kabylie　卡比利亚　又拼Kabylia。阿尔及利亚北部多山的沿海地区。在阿尔及尔与斯基克达之间。包括大卡比利亚（西临伊塞尔河、东南濒苏马姆河）、小卡比利亚（贝贾亚湾周围地区）、科洛卡比利亚（布加龙角腹地）。大卡比利亚地区山地降水量丰富（年降雨量1 000～1 500毫米），有两处国家公园，朱尔朱拉国家公园（186平方千米）和阿克法杜自然保护区。林木大量减少，人口密度大、农业耕作仅够生存，贫穷现象普遍，人口常年外流，手工艺品闻名，有编篮、木刻、制箱、刀剑制造和珠宝业。主要城镇为提济乌祖。小卡比利亚地区山地生长北非仅有的阿尔及利亚枞。人口稀少，交通不发达，有矿藏、果园、水电站和公路。主要城镇为艾因凯比拉。科洛卡比利亚地区多栎树林和下木丛，居民点人口流动量很大，从事小型农业生产。经济依靠出产软木。在卡比利亚，尤其是大卡比利亚，有保持原始状态的柏柏尔族及其文化。

Kacew，Romain　卡谢夫　参阅Gary，Romain 加里。

Kachchh，Gulf of　卡奇湾　Kachchh又拼Kutch，Cutch或Kachh。阿拉伯海东北部海湾，位于印度中西部卡奇沼泽地与卡提阿瓦半岛之间。向东延伸约180千米，宽16～65千米，边缘遍布泥滩，湾中小岛棋布。海湾入口处为奥卡港，其他港口有曼德维、贝迪和根德拉。

Kachchh，Rann of　卡奇沼泽地　Kachchh又拼Kutch，Cutch或Kachh。印度中西部、巴基斯坦南部盐碱泥滩地。卡奇大沼泽面积约1.8万平方千米，几乎全部在印度、巴基斯坦交界处。卡奇小沼泽地自卡奇湾向东北延伸，在古吉拉特邦内，面积约5 100平方千米，原为阿拉伯海的一部分，因年久淤塞，终于与海分离。亚历山大大帝时期曾是通航湖泊，而今成为广阔泥滩地。季风季节仍为海水淹没。个别低缓孤丘上有人居住。1965年印巴两国因大沼泽西部边界发生争执，4月开战。1968年国际法庭将边境地区约10%划归巴基斯坦，约90%划归印度。

Kachemak culture　卡彻马克文化　在阿拉斯加中南部基奈半岛南部的卡彻马克湾所发现的一种文化。这种文化分为三个阶段，最古老的可以追溯到公元前8世纪，最晚的到有史时期。早期文化较晚期文化更富于爱斯基摩风格。卡彻马克人居住沿海地区，以猎取驯鹿、驼鹿、熊、海豹及其他海生哺乳动物为生，辅以鱼、鸟及软体动物，后来还从事捕鲸。在早期，石器（包括石片）是打制的，后来为磨制的。有圆形或椭圆形石灯和写实性的石雕人像。第三阶段发现有铜器和陶器。岩画画面一般都是高度刻板化的人或动物的形象。早期的居住情况几无所知，不过在第二阶段已有石头和鲸脊骨造的房子；后来，房子是半地下式的原木结构。三个阶段都饲养狗。埋葬方式是屈肢葬，并附有殉葬物品。在最后阶段，已有骨制或象牙制人工眼睛置于死者的眼上。学术界认为这种文化与东亚的文化有联系，与接壤陆地地区和科迪亚克岛的文化也有联系。

Kachin　克钦人　居住在缅甸东北部、毗邻的印度（阿鲁纳恰尔邦和那加兰）及中国（云南）的部族。20世纪末，克钦人人口总数约71.2万人：居住在缅甸的约59万；在中国的

约12万；在印度的数千人。他们使用藏-缅语族的各种语言，据此可分为景颇人、阿系人、马鲁人（又称朗峩人）、拉喜人、侬人和傈僳人。绝大多数克钦人使用景颇语，景颇语是中国官方承认的少数民族语言之一。在英国统治时期（1885～1947），缅甸克钦人地区是边疆特区，缅甸独立后，克钦人居住区成为缅甸国内一个半独立的单元。传统的克钦社会实行轮垦耕作，在山地种植稻谷为生，也以抢劫和世仇宿怨互相残杀所得财物作为补充。大多数地区由小头目掌权，小头目要靠其父系近亲和姻亲支持。克钦人传统信仰是万物有灵论的祖先崇拜，并需以牲畜献祭。约有10%的克钦人是基督徒。

Kachin Hills　克钦山区　缅甸东北端一系列森林密布的高地。南北走向，西北邻印度阿鲁纳恰尔邦，北界中国西藏自治区，东接中国云南省。西面与枯门岭融为一体。伊洛瓦底江源头迈立开江和恩梅开江流经此山区。西部有亲敦江上游盆地。克钦山区主要居民为克钦人，用刀耕火种方法在山坡上种植水稻。语言属汉藏语系，组织形式为父系部落制。南部陡峭河谷地区居住着掸人和缅甸人。稻米、蔬菜、烟草、棉花和甘蔗为主要作物。鸦片是一种经济作物。主要居民中心为密支那、莫冈和葡萄。由仰光向北的铁路以密支那为终点。河流可用于交通运输。自18世纪以来，历届中国政府均对克钦山区东北端部分提出领土要求。20世纪60年代缅甸将东部的片马、古浪和岗房3村庄归还中国，政治边界争端始告结束。缅甸历任国王从未能控制构成克钦山区的这一孤立的偏远地区，这一地区一向由英国人直接治理。根据1947年宪法，该地区拥有很大程度的自治，但后来缅甸政府逐渐将该地区与全国融为一体。

kachina　卡奇纳　普韦布洛印第安人制作的有装饰的木刻小人像，代表他们所崇拜的卡奇纳神。这种木偶由部落的男人们制作，

霍皮人制作的卡奇纳神木偶，约1950年
美国不列颠百科全书公司供图

也作为玩具赠送给部落中的儿童，以教育他们认识神的形象及其服饰标志。现已知道各族普韦布洛人有500多个这样的神。他们相信卡奇纳神是非凡的祖先神灵，是沟通人和神的媒介，每年在部落中居留半年，只要人们戴上卡奇纳面具并举行一种传统的仪式，神是允许大众瞻仰的。由于人们认为面具上所画的神能使表演者暂时变幻，神实际上是同表演者一起出现的。

K'achta（Russia）　参阅 **Kyakhta** 恰克图。

Kadamba FAMILY　**卡丹巴家族**　4～6世纪统治印度次大陆迈索尔西北的小王朝。创始人玛尤拉萨摩原是一个婆罗门学者，因受帕那瓦官吏的侮辱而投笔从戎，获得足够的领地，在西海岸建立一个土邦。他的儿子根格跋摩可能就是被伐卡塔卡国王温德亚塞瓦所打败的那个贡德拉王公。他的孙子格古特跋摩（425～450在位）是一个强大的君主，与笈多以及其他王室联姻。他死后，幼子在南部建立了一个独立土邦，酿成两支间的战争。后来幼子一支被迫承认帕那瓦和长门的宗主权。卡丹巴王国在阿阇跋摩时期灭亡。

Kadar　卡达尔人　印度南部的小部落，居住在喀拉拉邦科钦地区与泰米尔纳德邦哥印拜陀市之间的边界上，地多丘陵。他们似乎是澳大利亚土著居民，也许是尼格利陀人。他们住在森林里，不从事农业；筑草棚而居，经常迁徙；由交易或做工而获得米为食，不采集食物。长期以来他们都是采集蜂蜜、蜂蜡、西米、小豆蔻、姜和制伞柄的能手，并用这些物品与平原上的商人进行贸易。许多人也做劳工。估计卡达尔人口有几百，操达罗毗荼语系的泰米尔语和建那陀语。卡达尔人崇拜丛林精灵、祖先和当地印度教神祇。允许从表婚姻，尤其鼓励以姑表姊妹为择偶对象。

Kadár, Ján　卡达尔（1918-04-01，匈牙利布达佩斯～1979-06-01，美国加利福尼亚洛杉矶）　20世纪60年代初捷克斯洛伐克电影"新浪潮"的重要导演。第二次世界大战期间被关进纳粹劳动营。战后曾短时期充任编剧和助理导演，完成一部出色的纪录片《生活从废墟里兴起》（1945）。1950年导演喜剧片《卡佳》，这是他独立拍摄的第一部故事片，也是战后捷克斯洛伐克电影的一个里程碑。紧接着又同E.克洛斯合作导演了一系列重要影片，其中包括《绑架》（1952）。《死神的名字叫小仙》（1963）在莫斯科电影节获得大奖。受到国际赞誉的《大街上的商店》（1965），是一部关于一个普通捷克斯洛伐克公民在纳粹大肆迫害犹太人的情况下面临道义抉择的现实主义戏剧，获得纽约电影评论奖和奥斯卡最佳外语影片的金像奖。1968年移居美国，在美国拍摄据B.马拉默德的短篇小说改编的《安琪儿勒文》（1970），以及《飘泊》（1971）和《父亲对我说的谎言》（1975）。1976年任美国电影学会电影学校校长。

Kádár, János　卡达尔（1912-05-26，匈牙利阜姆[今克罗地亚里耶卡]～1989-07-06，布达佩斯）　原名亚诺什·切尔马尼克。匈牙利总理（1956～1958，1961～1965）和匈牙利共产党第一书记（1956～1988）。在匈牙利从1956年I.纳吉政府的反苏至随后建立亲苏政权的

美国不列颠百科全书公司供图

转变中起关键作用。在平息国内群众叛乱后，设法说服苏联撤军，允许匈牙利享有少许内部自治。在学成为技工后，1931年成为当时属非法的共产党党员，在随后的12年里，曾数度被捕。1942年进入党的中央委员会，1945年进入政治局。战后1949年任内务部长，但1950年因与斯大林主义者发生冲突而被开除出党、投入狱中（1951～1953）。1954年恢复名誉后，加入纳吉短暂的政府。纳吉在保证对共产党统治实行自由主义化和苏军撤出匈牙利后，依靠匈牙利叛乱（1956年10月23日开始）的力量上台执政。在苏联军队于11月4日接管匈牙利后，卡达尔抛开纳吉，在苏联的主持下成立新政府，出任总理，直至1958年。由于未能贯彻执行纳吉的改革政策，卡达尔采取镇压措施，阻止叛乱。1961～1965年他再度出任总理。在外交政策方面，卡达尔采取亲苏路线，与此同时，努力提高匈牙利人民的生活水平，以及推行较为自由主义的国内政策。他把政治监督减少到最低限度，并终于允许有限的言论自由。为使经济获得较快的增长，卡达尔政府于60年代后期采取分权的经济管理新制度，这种制度赋予工厂经理和农场主在经营和发展企业方面以较大的自由来作出基本的决定。在这种情况下，利润动机得以部分地引进国营经济的许多部门，结果使匈牙利成为东欧最繁荣的国家。70年代中期，卡达尔政府放慢并最后停止了改革的步伐，到80年代，匈牙利经济进入停滞状态。卡达尔因此于1988年被免去匈牙利共产党总书记职务，改任主要是礼仪性的党的主席。1989年5月被免去党的主席和中央委员职务。

Kadare, Ismail　卡达雷（1936，阿尔巴尼亚吉诺卡斯特～　）　在国际上拥有众多读者的阿尔巴尼亚小说家、诗人。卡达雷是吉诺卡斯特邮局职工之子，先求学于地拉那大学，后在莫斯科高尔基世界文学学院学习，直到1960年。返回阿尔巴尼亚后任新闻工作者，并从事文学写作。在霍查长期统治阿尔巴尼亚期间，卡达雷时而歌颂霍查的政府，时而批评它，因此，他在多次的论争中饱受痛苦。卡达雷在阿尔巴尼亚国内先以诗闻名，但在国际上他以散文著称，他的书已译成20多种语言。他最著名的小说是《死亡军队的将军》（1963），写一位意大利将军到阿尔巴尼亚办理运送在第二次世界大战中阵亡于阿尔

巴尼亚的意大利士兵遗骸事宜，在从事这项作业期间变成颠狂，小说通过这位意大利将军的眼睛探讨战后阿尔巴尼亚的问题。在卡达雷写阿尔巴尼亚历史的小说中，《婚礼》(1968)写一位农村姑娘接触社会主义学说之后反对传统的包办婚姻；《伟大的冬天》(1977)全面地叙述导致1961年苏-阿关系破裂的种种事件。卡达雷以多少具有超现实主义特色的方式把阿尔巴尼亚的历史和民间传说与社会批判现实主义结合起来，写成小说。《三拱桥》(1978)受到评论家的好评。1981年著小说《梦之宫殿》，1990年著小说《关于H的档案》，1999年著小说《科索沃挽歌》。《科索沃挽歌》中包括三个关于14世纪巴尔干人与奥斯曼帝国之间战争的故事。非小说类作品《石头纪事》(1976)描写他自己于战争期间意大利军占领下的吉诺卡斯特度过的童年生活，这是他的半自传体作品之一。另一非小说类作品《阿尔巴尼亚的春天：对暴政的解剖》(1991)评论了1944～1990年阿尔巴尼亚的政府和政治。

Kadavu　坎达武　又拼Kandavu。南太平洋斐济岛屿，在维提岛以南80千米。原为火山，面积409平方千米。最高点华盛顿峰海拔838米。坡地土质肥沃。中部和东部是林区，生产木材，亦种植香蕉并产椰干。北岸的武尼塞阿为主要城镇和坎达武省省会。人口：坎达武和邻近各小岛9 535(1996)。

Kadazan(people)　**卡达桑人**　参阅**Dusun 杜松人**。

Kaddish　卡迪什　又拼Qaddish。犹太教祝祷上帝之赞美词。通常在礼拜仪式的主要部分结束时由主领人用阿拉米语背诵。会众的应和词是："愿主的大名受祝福，永世无尽。"祷词内容古老，与《新约》中的《主祷文》相似。起初，卡迪什是在拉比学院中使用，宣讲教义的人结束讲演或布道之后背诵，后来逐渐成为会堂礼拜文的独特内容。

Kaden-Bandrowski, Juliusz　卡登-班德罗夫斯基(1885-02-24，加利西亚热舒夫[今在波兰]～1944-08-06或10，华沙)　波兰长篇和短篇小说作家。他的实验性现实主义作品尖锐地讽刺了第一次世界大战后的波兰社会。曾学过一段时期音乐，1914年加入毕苏斯基军团第一旅，1918～1920年任波兰陆军新闻处负责人。给他带来盛名的小说包括《黑翼》(1928～1929)和《马泰乌什·比格达》(1933)，这两部作品分别描写波兰煤矿矿区和政府人士的生活。较早的短篇小说集《我的母亲城》(1925)由童年时代的回忆构成。

Kadesh　卡叠什　即今纳比迈恩德。叙利亚西部奥龙特斯(阿西)河畔的古城。在霍姆斯西南约24千米。在埃及史册中首见记载。图特摩斯三世(公元前1479～前1426)曾在此镇压叙利亚的一次暴动。在赫梯人统治(约公元前1340)以前，它一直是埃及势力的前哨。公元前13世纪，卡叠什在埃及向叙利亚扩张的道路上占有战略地位。埃及国王塞提一世曾占据该城。后为埃及国王拉美西斯二世与赫梯的穆瓦塔利斯之间的一次著名战役(约公元前1275)的战场。海上民族侵入(约公元前1185)后，该城从历史中消失。

Kadesh, Battle of　卡叠什战役(公元前1275)　由拉美西斯二世领导的埃及人与由穆瓦塔利斯领导的赫梯人之间的一次大战役。战场在叙利亚奥龙特斯河谷。拉美西斯二世企图重新夺取赫梯人占据的卡叠什，率4个师侵入叙利亚，穆瓦塔利斯与仆从国结成联盟进行抵抗，打败拉美西斯的部队。最后，赫梯人南进到大马士革地区，使埃及人未能再度入侵叙利亚。从博阿兹科伊出土的赫梯人文件叙述了这一战役。

Kadet　立宪民主党人　俄国立宪民主党(Constitutional Democratic Party，又称人民自由党)的党员，主张彻底改革俄国政府，采用英国式的君主立宪制度。立宪民主党是1905年10月由"解放社"和其他一些自由主义者建立的。1906年，它控制了首届杜马。在临时政府的第一届内阁中，有4名成员是立宪民主党人。布尔什维克掌握政权后，于1917年底宣布立宪民主党为非法。

kadi(Muslim judge)　参阅**qadi 卡迪**。

Kadijevka(Ukraine)　**卡季耶夫卡**　参阅**Stakhanov 斯达汉诺夫**。

Kaḍiri　卡迪瑞　东爪哇的印度教国家，约建立于11世纪。对此王国所知不详。据《国王列传》所载，东爪哇的一位英明国王爱兰加在1049年逝世前，将王国分给两个儿子：西部称为卡迪瑞，或称潘加鲁，首都为达哈；东部称为姜加拉。卡迪瑞的查亚哈亚王(1135～1157在位)将姜加拉并吞后，查亚哈亚和后来的卡迪瑞其他国王把领土扩张到非爪哇区，包括婆罗洲海岸区及巴厘岛。但是，卡迪瑞无法控制苏门答腊，因为已趋式微的室利佛逝王国仍是该区的主要势力。卡迪瑞最后的国王喀塔加亚，因削减婆罗门的势力，与之发生冲突。背叛者肯安果克，即后来的新柯沙里的国王，与婆罗门秘密协定，于1222年在甘特击败了喀塔加亚。遂在卡迪瑞的原地建立了新柯沙里王国。参阅**Kediri**。

Kadoma　门真　日本本州大阪府城市。位于淀川左岸，与大阪毗邻。以种植荷花闻名。1909年与大阪通铁路后工业发展迅速。1933年松下电气工业公司迁此，建有电机、电器、塑料制品和建筑材料工厂。人口约140 507(1995)。

Kadoma　卡多马　旧称加图马。津巴布韦中部城镇。1907年设村。1917年建市。位于哈拉雷(索尔兹伯里)到布拉瓦约的公路干线和铁路线上。为农产品(牛、棉花、玉米和烟草)贸易中心，生产棉纺织品。城东北偏东的艾菲尔费拉茨有全国最大金矿。也开采铬、镍和硫矿。1925年设有卡多马(农业)研究站和农业研究委员会的中非棉花虫害研究所。人口67 750(1992)。

Kadra　嘎尔　中国藏族流传的乐舞。唐代(618～907)西域民族乐舞高度发展，经过唐王朝汇集、提炼，又传到西藏地方。乐舞在吐蕃时期盛况空前，现在拉萨大昭寺尚保存唐代一批乐器。流传下来的藏族乐舞有两种。一种叫曲嘎尔，意为宗教乐舞，用于寺院宗教活动。一种叫赛嘎尔，意为世俗乐舞，用于官场集会或群众娱乐场合。

Kaduna　卡杜纳　尼日利亚中北部一州。面积45 600平方千米。包括扎里亚世袭酋长国及杰马城。大部地区曾遭豪萨和富拉尼掠奴者的袭扰，扎里亚城周围的居民点至今仍保留当年修筑的防御工事。现在的豪萨和富拉尼族居民多数为穆斯林；南部居民约分30个部族，并非均为穆斯林，其中以格巴里人人数最多。自然植被主要是稀树草原树木。生产棉花和花生供出口。亦出产牛油果、胡椒、姜、蔬菜、赤砂糖、大豆、烟草、高粱和黍类。有牛羊和家禽饲养业，出口皮革和革制品。该州手工织布、土法染布、鞣革、酒椰叶编织、制陶等传统手工业也很重要。首府卡杜纳为全国最大纺织工业中心，扎里亚为另一大工业中心，有烟草加工、棉籽加工、纺织、自行车和印刷工业。该州有锡和钽矿。扎里亚有阿马杜贝洛大学(1962)和农业、畜牧、教育学院。卡杜纳有锥体虫病和眼病研究所和国家博物馆(1975)。卡杜纳和扎里亚是铁路和公路中心。人口约4 438 007(1995)。

Kaduna　卡杜纳　尼日利亚中北部卡杜纳州城市和首府。濒临卡杜纳河(尼日尔河的主要支流)，位于拉哥斯—卡诺铁路线上。英国首任北尼日利亚总督弗雷德里克·卢加德

卡杜纳市的卢加德大厦
美国不列颠百科全书公司供图

(爵士，后加封为勋爵)选择今址为城，1913年动工兴建。1917年卡杜纳(豪萨语，意为"鳄鱼")取代其西南偏西160千米处的宗盖鲁，成为北方诸省首府。1954～1967年北尼日利亚分为6州时，该市为北方区首府。按简化的伊斯兰风格建成的立法议会大楼卢加德大厦，矗立于主街起点处。1966年1月发生的伊布族军事政变中，索科托苏丹兼北方区总理阿赫马杜·贝罗在此遇刺，从而触发尼日利亚内战(1967～1970)。自20世纪50年代末起，该市成为尼日利亚北方诸州的主要工商业和金融中心。尼日利亚证券交易所在此设有分所。工业大多集中于卡杜纳河南岸临近铁路干线枢纽处。该城建有尼日利亚最大、在非洲亦名列前茅的棉纺织厂，并出产针

织纤维。食品工业生产啤酒、软饮料、烘烤食品及肉制品。轻工业产品有皮革制品、塑料、陶器、药品、家具和电视机，并有若干印刷和出版公司。重工业产品有钢材、铝制品、水泥、石棉瓦、混凝土砖、电机、军械和炸药。城内有一家轧钢厂，一家汽车装配厂和一家炼油厂（一条长 607 千米的输油管通往尼日尔河三角洲油田，为之供应原油）。80 年代初，石化厂开始运营。卡杜纳也是建筑业中心，并且是棉花、花生、牛油果和皮革的集散地，高粱、黍类、玉米、苏丹可乐果、山羊、家禽、家畜等当地农牧产品购销兴隆。总部设在该市的国营家畜服务培训中心，为北方各州牲畜饲养业提供服务。该市为卡杜纳学院、尼日利亚国防科学院、基督教师范学院和卡杜纳州立图书馆所在地。尼日利亚地质勘探局（1930）总部亦设于此，并建有一家地质博物馆。位于该市的国家博物馆以展示尼日利亚北方诸州文化为特色。卡杜纳还建有赛马场、阿赫马杜贝罗体育场（建于 1964）、尼日利亚锥虫病研究所（建于 1951）和国立眼科中心。通往拉哥斯、哈科特港和扎里亚的铁路干线在卡杜纳市南部交会，形成枢纽，拉哥斯—卡诺高速公路也经过该市。市北 8 千米处有飞机场。人口约993 642（1991）。

Kaduna River　卡杜纳河　尼日尔河主要支流，在尼日利亚中部。源出乔斯高原，向西北流至卡杜纳城东北 35 千米处后，转向西南，在穆雷吉（帕泰吉对岸）注入尼日尔河。卡杜纳河全长 550 千米。该河大部流经开阔的草原林地，仅下游穿过几段峡谷后进入尼日尔河泛滥平原。河流水位因季节变化涨落明显。7～10 月宗盖鲁以下可通航小船。上游洪泛平原沼泽地区出产稻米，南部平原种植水稻和甘蔗，比达附近为主要稻米产区。在沿河最大城镇宗盖鲁和卡杜纳有铁路桥梁。

Kaédi　卡埃迪　毛里塔尼亚南部城镇，位于塞内加尔河右岸。塞内加尔河流域有季节性洪水，现已开垦，为全国人口密度最大的地

卡埃迪的瘤牛群
美国不列颠百科全书公司供图

区。其余地区雨量大于北部地区，从事牧业，输出皮革。人口35 241（1992）。

Kael, Pauline　凯尔（1919-06-19，美国加利福尼亚佩塔卢马～ 2001-09-03，马萨诸塞大巴灵顿）　20 世纪下半叶美国著名电影评论家。曾在伯克利加利福尼亚大学学习哲学，1940 年毕业后从事制片和剧本创作，大多不成功。她的第一篇电影评论于 1953 年在旧金山的名为《城市之光》的小杂志上发表。

此后 13 年间，她在伯克利经营一家放映艺术片的电影院，并在广播电台广播她的评论，同时将她写的评论向其他报纸和杂志投稿。1965 年出版了她的电影评论集《我迷醉于电影之中》，受到广泛的重视。她迁往纽约市，1965 ～ 1967 年为多家杂志撰写影评，1968 年成为《纽约人》周刊的电影评论员。她为该刊撰写影评，直至 1991 年退休为止。凯尔是一位诙谐而苛刻的评论家，她既从电影观众的角度又从整个当代文化的角度评价影片。她的评论富有见地，令人信服，同时又是以令人愉悦的散文体写成。她后来出版的影评集有《吻吻打打》（1968）、《情有所钟》（1970）、《深入银海》（1973）、《当灯光熄灭的时候》（1980）和《观影5 001 夜》（1982）。

Kaema Highlands　盖马高原　在朝鲜北部。有朝鲜半岛屋脊之称。盖马高原北界白头山（2 744米），西邻狼林山脉，东临日本海，南接太白山北端。高达1 000 ～ 2 000米，面积近 4 万平方千米。高原农业靠传统的烧荒法种植黍类、豆、燕麦和马铃薯。盖马高原森林资源丰富。

Kaesŏng　开城　朝鲜西南部城市。在北纬 38°线南侧，韩国首尔西北。曾是高丽王朝（935 ～ 1392）的首都。开城原名松城，城墙用石头构筑，有四门。朝鲜战争（1950～1953）

开城市的金日成铜像
美国不列颠百科全书公司供图

期间被朝鲜军队占领，1951 年被选作第一轮停战谈判地点。开城战后并入朝鲜版图。战争期间，高丽国古迹被毁坏，但仍遗留不少庙宇、陵墓和宫殿，其中有些已修复。人参是当地特产，自古以来远销中国和东南亚各国。现代工业以纺织为主。开城现已成为重要的文化教育中心。人口约120 000（1987）。

Kāf, Al-　卡夫　又拼 El-Kef 或 Le Kef。突尼斯西北部城镇。海拔 780 米。距阿尔及利亚边界 35 千米。古代该地为迦太基城镇，后为罗马殖民地。在土耳其统治期间为重要据点。现为地区集市中心和战略公路枢纽。古迹有古城墙、罗马浴室、庙宇、土耳其古堡

卡夫镇的土耳其古堡
美国不列颠百科全书公司供图

和大水池。周围地区产谷物和牛。也有采矿业。居民为定居的柏柏尔人。人口 34 509（1984）。

Kaffeklubben Island　卡菲克卢本岛　地球最北的陆地之一。在北冰洋中，格陵兰的莫里斯·杰塞普角以东。岛名为丹麦语，意为"咖啡馆"。1900 年由美国北极探险家皮里发现。1921 年丹麦探险家科克来此，以哥本哈根采矿博物馆的咖啡馆命名。1969 年加拿大勘探队确定这个岛的最北端比一直被认为是地球最北点的莫里斯·杰塞普角还往北 750 米。但丹麦大地测量研究所测出更北面还有一岛，但尚未证实。

Kaffir　卡菲尔人　指南部非洲操班图语的民族集团（参阅 **Xhosa**），也指阿富汗东北部兴都库什山区的民族（参阅 **Nūristāni**）。对这两个群体使用这个名词含有敌视的意思。尤其是在南非共和国内，kaffir（不作大写）一般是对非洲黑人一种侮辱的称呼。

kaffir bread　参阅 **bread palm** 面包棕榈。

Kaffir cat　参阅 **Caffre cat** 利比亚猫。

Kaffir language　卡菲尔语　参阅**Xhosa language** 科萨语。

Kaffir Wars　卡菲尔战争　参阅 **Cape Frontier Wars** 开普边境战争。

Kaffraria　卡弗拉里亚　葡萄牙人和英国人在非洲东南海岸所有殖民地的统称。19 世纪特指特兰斯凯和西斯凯操科萨语民族居住的地区。"卡菲尔"一词现有贬意，但在 19 世纪是"科萨"的同义词。1847 年英国吞并凯斯卡马河和凯河之间科萨人居住的土地，建立卡弗拉里亚殖民地。1865 年并入开普殖民地。

Kāfiristān（Afghanistan）　**卡菲里斯坦**　参阅 **Nūrestān** 努里斯坦。

Kafka, Franz　卡夫卡（1883-07-03，奥匈帝国波希米亚布拉格［今在捷克共和国］～ 1924-

06-03，奥地利维也纳附近基尔林） 捷克出生的德语幻想小说作家。在他死后发表的作品，尤其是《审判》（1925）和《城堡》（1926），表达了20世纪的人的焦虑和异化。生于布拉

美国不列颠百科全书公司供图

格一个犹太中产阶级家庭。父亲是个商人。他父亲的形象有如阴影笼罩着他的作品和生活，实际上是他创作的最令人难忘的形象之一。因为这个专横跋扈的店主和一家之主在他的心目中是个令人敬畏、冷漠无情的暴君。在自传试作《致父亲的信》（1919）中，他把他生活的失败和逃避于文学都归咎于父亲的阻挠。他感到自己的意志已被父亲所粉碎。和父亲的矛盾直接反映在他的小说《判决》里。这一冲突以更大的规模反映在他的其他长篇小说中。小说以清澄的、看似简单的散文语言描述一个人同一个占绝对优势的力量作绝望斗争。这种力量或迫害它的受害者（如《审判》），或不顾人家在寻找它、苦苦哀求它给予居留许可证却始终不予理睬（如《城堡》）。但卡夫卡的焦虑和绝望的根子比他同父亲及家庭的关系要深。这根子在于绝对的孤立感，在于无法同一切人——他的挚友、他所爱的女人、他憎恶的职务和他生活在其中的社会——甚至无法同上帝作真正的沟通。卡夫卡的父亲是个很想被同化的犹太人，对犹太教区的宗教和社交活动只是应付了事。卡夫卡无论在语言或文化方面都与德国人无异。幼年时，他腼腆，常怀负罪感，听话，在学校里品学兼优，为教师所尊重和喜爱。但他对专横的规章和不人道的、强调死记硬背和古典语文的人文课程却心存反感。他公然反抗现在社会，是在他成年后自称为社会主义者和无神论者之时。在整个成年时期，他都对社会党人表示一定的同情，参加过（第一次世界大战前）捷克无政府主义者的集会。在后来的岁月里，对社会化的犹太复国主义表示出引人瞩目的兴趣和同情。即使此时，他主要仍是个不参与政治活动的消极旁观者。作为犹太人，他被孤立在布拉格德国人的社团之外。但作为现代知识分子，他又和自己的犹太传统疏远。他同情捷克人在政治和文化上的追求，但他对德国文化的认同感也使这种同情一直受到压抑。因此，这种在社会上的孤立无根状态造成他个人的终身不幸。不过他在布拉格和一些德国-犹太知识分子及文人交友。1902年布罗德与他相识，成为他最亲密、最关心他的朋友，后来成为他的作品的抢救者和阐释者。两人相识时，卡夫卡正在布拉格大学学习法律，但不太专心。1906年卡夫卡获博士学位。1908年在布拉格波希米亚王国半国营的"工伤保险公司"找到一份工作，在此一直工作到1917年，此后因患肺病常请病假，不得不于1922年退休。他工作勤奋，不久就成为上司的左右手，为同事所敬重。他具有魅力，聪颖，幽默，但认为刻板的办公室事务和迫不得已的双重生活（他经常通宵写作）是难以忍受的苦刑。他的复杂的个性和矛盾的爱好也表现在男女关系上。心理压抑破坏了他和费莉赛·鲍尔的关系；他们曾两度订婚，1917年终告破裂。后来对密伦娜·叶申斯卡·波拉克的爱情同样受阻失败。1917年后基本上住在疗养院。1923年为逃避父亲的家庭来到柏林。此时一位年轻的犹太社会主义者多拉·迪曼特成了他的伴侣，使他产生了新的希望。但1924年初他因健康状况迅速恶化，由多拉·迪曼特陪伴回到布拉格，最后死于维也纳附近一家医院里。

卡夫卡生前为前卫派出版商所催迫，仅勉强发表了不多几篇作品，包括《一次斗争的描写》（1936）中于1909年发表的两段、短篇散文集《观察集》（1913）、一些表明卡夫卡已成为成熟的艺术家的代表作中篇小说《判决》（写于1912年）、《变形记》（1915）、《在苦役营》（1919）以及短篇小说集《乡村医生》（1919）。《饥饿艺术家》（1924）中有4篇短篇小说，展示出作者晚期精细、清澄的风格特色，是他在生前就已准备好出版的，但问世时他已病故。

对自己作品的疑虑使卡夫卡去世前要求把他未发表的作品均予销毁。这一遗嘱的执行人布罗德并未遵嘱照办，而是出版了他的长篇小说《审判》（1925）、《城堡》（1926）和《美国》（1927）及短篇小说集《中国长城》（1931）。作品中的人物都力图与他人建立交流，但均告失败。他们依循一种嘲弄正常日常逻辑的、自身隐蔽不见的逻辑。他们的世界充满奇异事件和暴力。每个人物只是饱受痛苦的声音，寻求世界的了解和一条能相信认同归宿和生存目的的道路，但都枉然。卡夫卡的小说引起种种阐释。卡夫卡去世时他仅为很小一部分文学界人士赏识。如果布罗德尊重他的遗嘱，他的名字和作品就早已湮没无闻了。卡夫卡留有两张字条，要求他的朋友销毁他全部未发表的手稿，并禁止已发表的作品重版。布罗德的作法正好相反，使卡夫卡的名字和作品在其身后流传全世界。他的作品最初在希特勒时期就流行在法国及英语国家中——正是他的三个妹妹被送进集中营遇害之时。1945年后，卡夫卡在德国和奥地利重新被发现，由是对德语文学的影响日增。60年代，这一影响扩大到共产主义捷克斯洛伐克的知识界、文学界和政界的生活中。

Kafr ash-Shaykh 谢赫村 下埃及尼罗河三角洲中部一省。1949年从盖尔比耶省划出建省。面积3 437平方千米。北面为巨大的沿海咸水潟湖布鲁卢斯湖，长约56千米，有狭长沙坝与地中海隔开，由尼罗河的小汊流和水渠供水。潟湖岸上有大面积盐沼，已开垦大片的稻田。东岸有渔村拜勒提姆。该省主要农作物有棉花、水稻、玉米和小麦。20世纪80年代初引种甜菜，也兴办了养鱼业。重要商业城镇迪苏格和比耶拉有与农业有关的行业（棉纺、碾米、甜菜加工）。其他行业集中在省会**谢赫村**（**Kafr ash-Shaykh**）。苏伊士运河兴建时建有4座灯塔，其中一座矗立在布鲁卢斯潟湖东端北岸。人口约2 222 920（1996）。

Kafr ash-Shaykh 谢赫村 埃及城镇，谢赫村省省会。位于尼罗河三角洲中部，坦塔西北偏北40千米。地处肥沃平原。有加工棉花和制造卷烟、稻草板、稻糠油和化工产品等工厂。有国王法鲁克一世（1936～1952在位）的王宫。有铁路通罗塞塔和开罗。人口约124 819（1996）。

kaftan 参阅 **caftan 卡弗坦长袍**。

Kafue 卡富埃 赞比亚中南部城镇。在卡富埃河北岸。首都卢萨卡以南40千米。与马扎布卡和卢萨卡通大北公路和铁路。该镇有化肥、纺织、钢铁、制造玻璃钢渔船、制革、造纸、铜制品等工业，所需电力由卡富埃大坝水电工程供给。工业区和居住区之间有绿化地带。人口43 801（1990）。

Kafue National Park 卡富埃国家公园 在赞比亚中南部，卢萨卡西322千米。建于1950年。面积22 400平方千米。位于地势起伏平缓的广阔高原上，有卡富埃河及其两条支流卢富帕和隆加流经。园内植被繁茂，南部有混合林、灌木丛、林地和草地，北部是杂有常青林地的草原，西北部沼泽地的积水经过布桑加泛滥平原流入卢富帕河。境内野生动物有河马、水牛、斑马、象、黑犀、狮、紫貂、矮羚、捻角羚、黑斑羚、马羚、大角斑羚、短鼻水羚、角马、林羚、小羚羊、鳄鱼以及多种飞禽。

Kafue River 卡富埃河 源出刚果（金）-赞比亚边界，大体南流，在卢坎加沼泽地附近折向西，再转向南，最后折向东，流经卡富埃低地和卡富埃峡谷，在津巴布韦的奇龙杜附近汇入赞比西河。全长960千米。该河有灌溉之利，建有水电站。附近有卡富埃国家公园。河系穿过赞比亚中部高原。由于有瀑布和急流，只有小船可通航。

Kāfūr, Abū al-Misk 卡富尔（?～968） 埃塞俄比亚奴隶，伊赫什德王朝大臣，946～966年埃及的实际统治者。此后，为合法统治者直至去世。原是伊赫什德王朝创建者穆罕默德·伊本·图格吉的奴隶。因才华出众，穆罕默德任之为自己孩子的家庭教师。后被提升为军官，在叙利亚和汉志的诸战役中表现出卓越的军事才能。穆罕默德临死时托孤给他，从而成为乌努朱尔（946～961在位）和阿里（961～966在位）时代埃及的实际统治者。其后，以自己的名义统治埃及直至去世。死后埃及为法蒂玛王朝征服。在他执政的时代，埃及历经了鼠疫、饥馑和严重地震等灾害。他是一位真正的学者，是当时最伟大的阿拉伯诗人穆太奈比的朋友和保护人。

Kafzeh 卡夫泽人 以色列拿撒勒以南的一座岩棚里出土的11具人骨架遗存，其年代距今约4.5万～6万年。20世纪30年代早

期，法国驻耶路撒冷总领事R.纳维尔第一次发掘了卡夫泽山的这处遗址。后来，法国巴黎大学的B.旺达梅什在60年代和70年代早期又对此作过发掘。这些遗骸是迄今中东地区这个时期的人骨出土最多的一批，伴随出土物还有莫斯特文化期石器工艺遗存。莫斯特石器在欧洲地区通常与尼安德特人一起出土。但是，旺达梅什把卡夫泽人骨鉴定为现代智人（即现代人），因此，卡夫泽人是迄今为止已发现的年代最早的现代智人遗存。另一些学者则把这些遗存定为"非典型的"尼安德特人。

Kaga 加贺 日本本州石川县城市。濒大圣寺川。1958年由大圣寺市和几个城镇（包括温泉疗养地片山津、山代）合并而成。原大圣寺市为现在的市中心。第二次世界大战后开始工业化。现生产电机、陶器、自行车链条、丝和人造纤维织品。旅游业重要，市内有数座寺庙，温泉区和优美的环境很吸引游客。人口68 630（1985）。

Kagame，（Abbé）Alexis 卡加姆（1912-05-12，卢旺达基扬扎～　　） 卢旺达诗人、历史学家、天主教司铎。用本民族的肯尼亚旺达语和法语写作。1941年授神职。在罗马取得博士学位前后，不仅教过书，当过杂志编辑，还从事学术研究。主要作品《胜利的战鼓》（1943）是一部卢旺达历史；《进步的源泉》（1949～1951）是一部3卷史诗，等。

Kagamigahara 各务原 日本本州岐阜县城市。在岐阜市东，中京工业区内。1868年建立军事基地，第二次世界大战后被美军接管。现由日本空中自卫队使用。生产飞机、交通设备和纺织品。人口约129 686（1989）。

Kaganovich，Lazar Moiseyevich 卡冈诺维奇（1893-11-22，俄罗斯帝国乌克兰基辅附近卡巴尼～1991-07-25，苏联俄罗斯莫斯科） 苏联共产党领导人，斯大林的支持者。作为一名犹太青年鞋匠，卡冈诺维奇加入俄国社会民主工党布尔什维克派（1911）。1920年任塔什干苏维埃政府主席。因巩固土耳其斯坦苏维埃统治有功，受到斯大林的重用，委派他监督地方党组织的活动，1924年委派他执掌党的用人权。由于他在后一项工作中帮助斯大林击败了政治上的竞争对手，又因他是一名能干的组织者和行政领导，卡冈诺维奇在党内青云直上，到1930年已成为苏共政治局委员。

卡冈诺维奇是斯大林在1929年以后推行高速度集体化的一小批高级顾问之一。作为莫斯科地区党组织的领导（1930～1935），他将该组织牢牢地置于斯大林控制之下。在此期间，他在修建莫斯科地下铁道和为支持失利的集体农庄制度而分配农业重型设备方面起过不少作用。在苏共政治局内，他和V.M.莫洛托夫曾带头反对S.M.基洛夫提出来的向农民让步的意见，也反对后者企图缓解斯大林的严酷控制。他们成为斯大林肃反之后苏共政治局的核心。从那时起，直到斯大林政府的结束，他主要负责苏联的重工业。他被任命为运输部人民委员（1935）、重工业部人民委员（1937）、燃料工业部人民委员（1939）、石油工业部人民委员（1939）。1938年任副总理，第二次世界大战时任斯大林的国防委员会委员。他和作家I.爱伦堡在战后斯大林迫害犹太人的运动中突出地得以幸免。在N.赫鲁晓夫领导下，给卡冈诺维奇安排的主要是行政职位，监督工业事务。他反对赫鲁晓夫的非斯大林化，参加企图撤换赫鲁晓夫的行动。该行动失败后，他失去了党内外一切职务，据说给了他一个次要的行政职位。1964年苏联政府宣布，卡冈诺维奇前些时已被开除出党。

Kagawa 香川 日本四国最小的县份。濒临濑户内海。面积（包括小豆岛等岸外岛屿）1 883平方千米。气候温和少雨。河川众多，湖泊散布其间。产稻米、小麦。南部种植柑橘，小豆岛上种橄榄。岩盐产量占全国很大比重。并生产漆器、工作手套和扇子。首府高松是与本州来往的主要港口以及四国-濑户内海国家公园的主要旅游中心。有高松城堡（16世纪）遗址（在玉藻公园内）和栗林公园等名胜。西南31千米琴平的金刀比罗（金比罗）宫神社香火甚盛。人口约1 027 000（1989）。

香川的金刀比罗宫
美国不列颠百科全书公司供图

Kagawa Kageki 香川景树（1768-05-25，日本鸟取～1843-04-26，日本） 日本德川时代（1603～1867）晚期的短歌作家和文学研究家，号桂园，曾创立短歌坛上的"桂园派"。生于武士家庭，25岁离开故土，到京都拜香川景柄为师，成为香川家的养子，后来又与景柄脱离关系。1796年与小泽芦庵结识，芦庵反对短歌中的传统的和死板的风格，主张朴素而真诚地表现各种感情，对景树产生很大影响。他开始提出"调"的概念，说一首诗歌的音调比它的文词内容更为重要。19世纪初，景树成为京都歌坛的领袖人物，建立了桂园派。自从《新学异见》（1811）问世以来，他的声誉又有所提高。他在该书中批判了贺茂真渊的短歌风格。他在这一时期的许多短歌收在《桂园一枝》（1828）歌集中出版。他的一些观点和他的自立一派，曾引起贺茂真渊的门徒以及已成立的其他各派的仇视。尽管遭受那些人的攻击，景树死后，他的影响依然存在，直至19世纪晚期，桂园派始终在日本歌坛中占优势。

Kagawa Toyohiko 贺川丰彦（1888-07-10，日本神户～1960-04-23，东京） 日本基督教社会改革家、作家，工人运动和民主运动领导人。关心日本的贫苦大众。早年在圣经班学习英语，后留学美国。回国后参加工人运动和社会福利工作，住在神户贫民窟里。1921～1922年两次入狱。开释后在国内外大城市传道。1928年创建全国反战同盟。1940年因不赞成日本侵华被捕。一年后赴美，试图阻止即将爆发的战争。第二次世界大战结束后回国，领导妇女参政运动。著书150多种，有小说、社会学与宗教论文，并翻译A.施韦策的著作。

Kagera River 卡盖拉河 又拼Akagera River。尼罗河最远的源头河，维多利亚湖最大支流。发源于布隆迪境内，坦噶尼喀湖北端附近。由尼亚瓦朗戈河和鲁武布（鲁武武）河两条源头河汇合而成。流向北转东，流程约400千米。中游向北河段形成坦桑尼亚和卢旺达之间边界，向东流形成坦桑尼亚和乌干达之间一段边界。后穿过坦桑尼亚，在布科巴以北40千米处注入维多利亚湖。流域主要在卢旺达境内。内有卡盖拉国家公园。最长支流为卢卡拉拉河，最南部支流为卢维龙扎河。唯一港口为坦桑尼亚的基亚卡。

Kagoshima 鹿儿岛 日本九州南端县份和城市。鹿儿岛县范围包括大隅、吐噶喇和奄

鹿儿岛，对面为御岳火山
美国不列颠百科全书公司供图

美等岛群。面积9 167平方千米。南部鹿儿岛湾深入内陆。御岳火山原为岛屿,1914 年爆发后与东岸连接。崎岖的地势、火山灰土壤和与外界的相对隔绝,使农业仅限于生产谷物、烟草和甘薯。内地有林业,沿海渔业重要。当地主要行业为食品加工、木工和传统手工业。奄美群岛是日本仅有的亚热带地区,产热带水果、甘蔗、樟脑和槟榔子。鹿儿岛市为县城,是九州南部经济、文化、交通中心。1949 年设立一所大学。人口:市约536 360;县约1 810 000(1989)。

kagu(*Rhynochetus jubatus*) **鹭鹤** 鹤形目鹭鹤科唯一的种,不能飞行,产于新喀里多尼亚,已临于灭绝。体长约 55 厘米。体躯粗短,羽毛蓬松,呈灰色,冠羽直立。喙、腿和眼

鹭鹤(*Rhynochetus jubatus*)
美国不列颠百科全书公司供图

橙红色。求偶表演时展开翅膀跳舞,显示出美丽的黑、白和锈色斑点。常于夜间发出响亮而尖锐的咯咯叫声。在森林中寻食陆生螺类和昆虫。将狗引入新喀里多尼亚后成为鹭鹤数量减少的主要因素。

Kagwa, Sir Apolo **卡格瓦**(约1869～1927-02,肯尼亚内罗毕) 布干达的卡提基罗(首相)(1890～1926),干达(巴干达)人民在英国属下争取半自治的领导人物。在干达人的多次内战中(1888～1892),他是新教一方的领袖。1890 年国王姆旺加复位时,他出任卡提基罗。1897 年姆旺加出亡时,新的卡巴卡(统治者)尚在幼年,由他摄政,直至 1914 年。他从 19 世纪 90 年代起统治王国,颇有胆识。他对英国人效忠,但不唯命是从,并能驾驭卢基科(咨询议会)中的酋长们。但是在 20 世纪 20 年代早期他与卡巴卡的矛盾加剧。1925 年他与英国行政官在殖民官员有权同干达酋长直接联系这一根本性问题上发生冲突,被迫于次年辞职。

Kagyupa(Tibetan Buddhist sect) 参阅 **Bka'-brgyud-pa 噶举派**。

Kagyur(Tibetan Buddhist literature) 参阅 **Bka'-'gyur《甘珠尔》**。

Kahanamoku, Duke Paoa **卡哈那莫库**(1890-08-26,夏威夷瓦胡岛怀基基附近～1968-01-22,檀香山) 美国游泳运动员。3 次获奥运会金牌。在自由泳中用浅打水代替

美国不列颠百科全书公司供图

剪式打腿动作,可能主要是由他创始的。1913～1917 年间创 3 项得到公认的百码自由泳世界纪录(53 秒)。在 1912 年斯德哥尔摩奥运会上夺得 100 米自由泳金牌,1920 年在安特卫普奥运会再获该项冠军,同时他所参加的美国队获 800 米接力冠军。

Kahlo (de Rivera), Frida **卡洛**(1907-07-06,墨西哥科约阿坎～1954-07-13,科约阿坎) 墨西哥女画家,以所绘明暗突出、颜色光亮的原始风格自画像著称。虽然否认与超现实主义有瓜葛,但常被认为是一位超现实主义者。1929 年与壁画家 D.里维拉结婚,1939 年离异,1941 年再婚。1925 年乘公共汽车遇车祸,伤势严重,先后进行了 35 次手术。在伤口缓慢痊愈的期间,自学绘画。她把初期的习作给在几年前相识的里维拉看,里维拉鼓励她继续画下去。两人结婚后,美国有几个城市委托里维拉作壁画,她就随丈夫去旅行(1930～1933)。1938 年与主要的超现实主义者 A.勃勒东相识,他支持她的工作。勃勒东和杜尚为她的作品在美国和欧洲展出出过一臂之力。1943 年她被任命为"埃斯梅拉达"(教育部设立的美术学院)绘画教授。她在科约阿坎的住宅现为弗里达·卡洛博物馆。

Kahn, Albert **卡恩**(1869-03-21,威斯特伐利亚劳嫩[德国]～1942-12-08,美国密歇根底特律) 工业建筑师和规划师的先驱,以设计汽车工厂而著名,当时公认为世界上最优秀的工业建筑师和"现代工厂设计之父"。其父为犹太教教士,1881 年携全家移居美国。卡恩未进过正式学校,仅从密歇根一流建筑师 G. D.梅森学习。此后获得《美国建筑师》杂志举办的设计竞赛奖学金,赴欧洲游历一年。1902 年自设事务所,后发展为建筑史上最大的事务所之一。1904 年受帕卡德汽车公司的委托第一次接受了设计汽车工厂的任务。他的设计采用钢筋混凝土框架结构,突破了砖石结构工厂建筑的传统,并从此成名。在以后的设计中,他创造了典型的现代工厂建筑,一种能快速而廉价建筑的钢框架结构,有着各不相碍的地面布置和大玻璃窗及天窗。卡恩担任大多数美国大汽车公司的主要建筑师达 30 年之久。为福特汽车公司设计了成千项工程,其中鲁日河制作装配车间是世界上最大的工业建筑组合之一。到 1937 年,他的事务所设计了美国 19% 的工业建筑。他接受来自五大洲的设计工厂、铸造厂、仓库的任务。1929 年苏联政府委托他设计斯大林格勒的一个拖拉机厂(1930),后共为苏联设计了 521 座工厂并训练了近千名工程师。

Kahn, Florence Prag **卡恩**(1866-11-09,美国犹他盐湖城～1948-11-16,加利福尼亚旧金山) 婚前名 Florence Prag。美国公职人员。1887 年毕业于加州大学伯克利分校,在中学教英语和历史 12 年。1899 年与共和党众议员 J.卡恩结婚。其后25年间对丈夫的事业

美国不列颠百科全书公司供图

和公共问题颇感兴趣。1924 年丈夫死后,通过 1925 年的特别选举,接替丈夫的席位。1926 年在正式选举中当选,1928 年任军事委员会委员,后又任拨款委员会委员,以若干军事设施,以及旧金山海湾大桥的项目使她所在选区获得联邦拨款。她在国会的辩论甚受欢迎,是很有影响的议员。1936 年被民主党击败,1937 年退休后回到旧金山。

Kahn, Gustave **卡恩**(1859-12-21,法国梅斯～1936-09-05,巴黎) 法国诗人、文学理论家,被认为是自由诗体的创始人。在巴黎学习后,赴北非 4 年,1885 年回巴黎,帮助筹办或编辑若干文学刊物,包括《时尚》、《象征主义者》和《独立评论》。这些刊物都登载了他的诗,并围绕象征主义运动的各种理论进行了讨论。在《最初的诗集》(1897)序言中阐述了他的"自由诗体"理论。该诗收集有他的早期诗卷《迁徙无定的宫殿》(1887)、《情人之歌》(1891)、《仙境》(1895)。他无疑是"自由诗体"的先驱和最有说服力的倡导者。他破除了当时占支配地位的亚历山大诗格的传统,力求使韵律服从于诗人的思想,而不被传统诗律所束缚。所著《象征派与颓废派》(1902)一书,为法国诗歌史作出特殊贡献。

Kahn, Herman **卡恩**(1922-02-15,美国新泽西贝永～1983-07-07,纽约查帕阔) 美国物理学家、战略家和未来主义者。以其引起争议的对核战争的研究而闻名。卡恩在纽约市和加利福尼亚州长大。1945 年毕业于洛杉矶加利福尼亚大学。此后 3 年里,他在几个飞机制造公司工作并在加利福尼亚理工学院取得硕士学位。1948 年他加入了大部分经费由美国空军资助的私人研究中心兰德公司,研究将新的分析技术,如对策论(博弈论)、运筹学与系统分析等应用于军事战略上。卡恩因出版了《论热核战争》(1960)而成为著名人物,在书中提出他的论点:热核战争与常规战争的不同,只是程度上的而不是性质上的,所

以应循相同的途径进行分析与计划。1961年,卡恩离开兰德公司到纽约州哈得孙河畔克罗顿镇设立哈得孙研究所(研究国家安全和政府政策),他自任所长和研究主持人。卡恩的其他著作有《思考那些难以想象的》(1962)、《日本超级大国的崛起》(1970)、《今后200年》(与W.布朗和L.马泰尔合著,1976)和《日趋繁荣》(1982)。

Kahn, Louis I(sadore)　卡恩(1901-02-20,俄罗斯帝国爱沙尼亚奥塞尔～1974-03-17,美国纽约州纽约)　美国建筑师。他设计的建筑以体型坚实厚重为特点,完全摆脱了国际风

美国不列颠百科全书公司供图

格的影响,而成为第二次世界大战后出现的最引起人们争论的建筑师之一。童年时随父母移居美国。1924年毕业于费城宾夕法尼亚大学,随即赴欧洲考察建筑。1941～1944年,先后与G.豪、O.斯托诺洛夫合作从事建筑设计。1947～1957年,任耶鲁大学建筑学教授,设计了该校的美术馆(1952～1954)。该建筑的某些部分虽然尚有若干密斯·范·德·罗厄的影响,但整个设计与国际风格大不相同。他另一个重要作品,新泽西州特伦顿犹太社区中心的公共浴室(1955～1956)建有4座用粗大柱墩支承的角锥状屋顶。1957年,任宾夕法尼亚大学建筑学教授。他设计的理查德医学研究院大厦(1960),"服务"与"被服务"两种空间的区别表现得很突出,其中服务空间(楼梯间、电梯、排风道和进风道、管线井等)都集中设在4个塔内,而与被服务空间(生活区和工作区)分开。他设计的加利福尼亚州拉霍亚索尔克生物研究所(1959～1965)采用表面粗糙的大面积混凝土墙板,在设计纽约州罗切斯特唯一神教堂中的聚会厅时,他利用四角高塔上的窗户,把光线引入厅内。对上述教堂及卡恩设计的其他建筑物,评论家们曾以粗犷、厚实、刚劲、雄伟等词加以形容。他的最后一个作品是耶鲁不列颠艺术中心(1977年落成)。

Kahn, Otto Hermann　卡恩(1867-02-21,巴登曼海姆[德国]～1934-03-29,美国纽约州纽约)　美国银行家和艺术倡导人。对美国铁路系统的改组起过重要作用。1888年被柏林德意志银行派往伦敦分行,在伦敦入英国籍,不到5年升任副经理。1893年银号斯派尔公司邀请他到纽约供职。1897年成为库恩-洛布公司的合伙人,在该公司供职37年之久。E.哈里曼倚重卡恩的理财能力,整顿了6个铁路系统(如联合太平洋铁路和巴尔的摩-俄亥俄铁路)的资产。1917年卡恩放弃英国国籍。第一次世界大战期间,大力支援协约国作战,为此法、意、西、比、日等国均授予勋章以表彰其贡献。1903年成为纽约大都会歌剧院的股东,数年内他为歌剧院挽回损失并于1908年聘请加特-卡萨扎为导演,从米兰聘请托斯卡尼尼为指挥。1918～1931年任总经理。去世时持有84%公司股份。他是绘画、挂毯及青铜器的收藏家。对艺术事业的赞助有:建立纽约黑人艺术家奖金,对各博物馆捐赠现金和绘画,为莫斯科艺术剧院访美筹措资金,协助建造纽约新剧院以及支持修复雅典帕台农神庙。卡恩著有许多关于艺术、历史、政治和商业的作品,包括:《艺术与人民》(1916)、《美帝国主义的神话》(1925?)、《关于很多事情》(1926),以及他关于金融和政治的演说、著作集。

Kahn, Reuben Leon　卡恩(1887-07-26,立陶宛科夫诺[今立陶宛考纳斯]～1979-07-22,美国迈阿密?)　又译康。美国免疫学家。研究过血液反应,找到了一种检验梅毒的有效方法——卡恩氏(康氏)反应(在严格对照的条件下,往梅毒患者的血液样品中加入牛心肌清及少量胆固醇溶液后便出现混浊)。虽然最近曾经免疫接种的或患过非梅毒的其他疾病的人也会产生假阳性结果,但该法仍比费时的瓦色曼氏试验更实用。他发现,通过调整温度、盐浓度及用于实验的肌清稀释度,可以利用这个反应来检测血液样品中是否存在结核、疟疾或麻风的病原体。1951年著《健康和疾病时的通用血清学反应导论》,解释了他发明的试验方法,并称之为通用血清学反应。1957～1967年,他在原子能委员会的支持下研究过辐射如何影响动物对疾病的免疫力。发现辐射会破坏抗体与外来蛋白质发生反应的局限化过程,使免疫接种的效率大为提高。

Kahn, Robert Elliot　卡恩　(1938-12-23,美国纽约布鲁克林～　　)　美国电机工程师,因特网的主要缔造者之一。1960年获纽约城市学院工程学士学位,1962和1964年分别获普林斯顿大学电子工程硕士和博士学位。先后在贝尔实验室和麻省理工学院工作。他在马萨诸塞州剑桥的BB&N工程咨询公司时才开始接触新型计算机网络(ARPA网)的设计工作。ARPA网是由其赞助者国防高级研究计划局命名。他BB&N公司的主要成就包括:是设计网络的接口消息处理器小组成员;1972年帮助组织计算机通信的第一次国际会议。1972年卡恩到国防高级研究计划局的信息处理技术部任职,与W.塞尔夫等人在互联网技术协议,即TCP/IP(传输控制协议/因特网协议)的发展上密切合作。除此之外,卡恩在里根政府期间还是美国军事计算起步战略的设计师。同期,他还创造了"国家信息基础设施"一说法。2001年成为获国家工程学会颁发的查尔斯·斯塔克·德雷珀奖荣誉的四个人之一。

Kahneman, Daniel　卡尼曼(1934-03-05,以色列特拉维夫～　　)　以色列出生的心理学家。曾就读于耶路撒冷的希伯来大学,1954年获文学士学位;后就读于加州大学伯克利分校,1961年获博士学位。后在普林斯顿等大学任教,并担任多家学术刊物的编委。60年代后期开始深入研究的课题是人们是如何作出经济决策的。他与A.特维斯基对人们是如何在不确定条件下作出决策的问题进行研究。他们的研究结果形成经济学的一个新分支——前景理论。卡尼曼的调查和实验显示:人们在复杂决策的后果不确定时是没有能力对其作出分析的。人们在这种情况下改为依靠直观推断(即根据经验进行粗略估计)的简便方法。与V.L.史密斯共获2002年诺贝尔经济学奖。

Kahnweiler, Daniel-Henry　卡恩韦勒(1884-06-25,德国曼海姆～1979-01-11,巴黎)　德国出生的法国艺术商和出版家,以最先支持立体派和与毕加索长期密切交往知名。卡恩韦勒受过财政专业训练,后选择艺术并在巴黎定居,1907年开办一个小画廊。他对几个年轻艺术家的作品感兴趣,不久就专门展销毕加索、布拉克、德兰等人的作品。还出版过一些文学艺术家初展才华时的作品,其中包括G.阿波里耐、A.马尔罗和A.阿尔托。第一次世界大战爆发时在德国,1920年2月回到巴黎,同年9月开设西蒙画廊,1937年成为法国公民。第二次世界大战爆发时,其藏品和画廊被其妻的姊妹路易丝·莱里斯买下,更名为路易丝·莱里斯画廊。法国解放后,他主持路易丝·莱里斯画廊直至去世。1961年出版回忆录《我的画廊和画家们》。

Kahonde(people)　参阅 **Kaonde** 卡翁德人。

Kahr, Gustav, Ritter von　卡尔(1862-11-29,巴伐利亚魏森堡[德国]～1934-06-30,慕尼黑)　德国拥护君主政体的保守政治家。曾短期出任巴伐利亚总理,在20年代初期反左派的反动时期为巴伐利亚实际上的独裁者。1917年任上巴伐利亚州长。1920年3月反对魏玛共和国的卡普暴动失败后不久,出任巴伐利亚总理。在准军事的市民保卫团和反动分子的支持下,他立即解散了左派的"工人和士兵会议"。6月保卫团在协约国的压力下解散,卡尔于同年9月被迫辞职。两年后,在法比两国占领鲁尔所引起的一片混乱中,他被巴伐利亚政府任命为实际上拥有独裁权力的州长官。他公开对抗全国政府,策划巴伐利亚脱离中央和恢复君主政体。但是,希特勒在慕尼黑发动啤酒店暴动(1923-11)打乱了他的计划,他被迫进行了镇压。翌年2月,他辞去职务,后又任巴伐利亚宫廷局局长。1934年6月30日在纳粹党的清洗中被杀。

Kahramanmaraş　卡赫拉曼马拉什　土耳其南部城市。位于阿达纳东北偏东,阿赫尔山下肥沃平原边缘。接近托罗斯山脉三个要隘(格克孙、埃尔比斯坦、马拉蒂亚)的南口,战略地位重要,一直是安纳托利亚内地和叙利亚北部之间的交通中心。约公元前12世纪为古尔古姆的赫梯王国都城。约公元645年被阿拉伯人征服,作为入侵小亚细亚的基

地。该城在阿拉伯、拜占廷和亚美尼亚的争斗中曾数次被毁。1097年被十字军短期占领,12世纪落入塞尔柱土耳其人手中,约1515年并入奥斯曼帝国。1919年法国占领该城及周围地区,但两年后归还土耳其。市内的中世纪城堡现设为考古博物馆,珍藏附近出土的赫梯古迹。有几座清真寺,以15世纪大清真寺为最著名。还有经学院和古教堂。该市现为轻工业和商业中心,生产并输出橄榄油、香料和手工机织物。有铁路支线与阿达纳—马拉蒂亚铁路相通。周围地区多山,矿藏丰富,主要为铁矿和银矿。农业区有杰伊汉河灌溉,产小麦、稻米和豆荚。人口210 371(1985)。

Kahului 卡胡卢伊 美国夏威夷州毛伊岛北部毛伊县沿海城市。临卡胡卢伊湾。有该岛主要机场和唯一深水港。与市西的怀卢库一起形成该岛商业和运输中心,出口中部富庶平原的物产。港口有防波堤保护,有装运散装糖和集装箱设施,与附近菠萝罐头厂和甘蔗园之间通铁路。该市设有毛伊社区学院(1931),是夏威夷大学的一个分校。并建有一以蔗糖生产为主题的博物馆。人口20 146(2000)。

Kahun 卡汗 古埃及小镇,地址在今法尤姆省。在塞索斯特里斯二世(公元前1844～前1837在位)建筑伊拉汗金字塔时,是监工和工人居住的地方,金字塔建成后即被废弃。1888～1890年英国考古学家在这里发掘出十字形街道和许多土坯小屋,还有克里特岛的卡马雷西彩陶和塞浦路斯岛的黑色陶器。

Kai Islands 卡伊群岛 又作Key Islands或Kei Islands。又称埃瓦布群岛。印度尼西亚马鲁古群岛东南部岛群。位于班达海,阿鲁群岛以西和塞兰岛东南。为马鲁古省一部分,包括大卡伊、小卡伊、卡伊杜拉、库尔及塔扬杜诸岛群。陆地总面积1 438平方千米。大卡伊岛多山,海拔900米,海岸陡峭。大部分岛屿有浅滩环绕。群岛林木葱郁,出产珍贵木材。植物有无花果树、铁木树、各种棕榈树和红树。动物有野猪和袋貂。礁上有大量龟类。居民是典型的黑皮肤巴布亚人,和马来人广泛通婚,主要信奉基督教,但也有很多穆斯林。属公社制社会,非耕地归村所有,耕地归耕者所有。卡伊人擅长木刻和编篮子,也是出色的造船工匠。种植大蕉、芋类、玉米、水稻和烟草。主要贸易商品有椰干、木材、海参和玳瑁壳。小卡伊岛西岸的图阿尔是群岛行政中心和主要港口。人口74 000(2000)。

Kaibara Ekiken 贝原益轩(1630-12-17,日本福冈～1714-10-05,日本) 原名笃信。日本旅行家、植物学家和哲学家。以通俗语言阐发儒家学说,使各阶层人士都能领会。早年学医,1657年弃医从山崎闇斋与木下顺庵习朱子理学。他为讲学而走遍全国。所撰旅行记记事翔实,后之旅行者多循其路径。他被称为日本植物学的先驱,所著《大和本草》一书颇为西方学者所重视。其哲学著作不下百种,强调朱熹关于社会等级的理学观点,但在《大疑录》一书中,对朱熹的二元哲学提出异议而主张一元之说。在《童子训》中他要求子女绝对听从父母的严格管教。一般认为《女大学》也是出于他的手笔。此书讲三从四德,在很长时期内是日本妇女必读的伦理教科书。然而益轩与其妻东轩则相敬如宾达45年之久。其妻亦为学者、书法家及诗人,故世人多以为益轩的著述实出于其妻之手。

Kaidu 海都(?～1301) 蒙古可汗(1269～1301在位)。成吉思汗的曾孙,窝阔台之孙。忽必烈汗统治蒙古帝国时的反对派领袖。他曾控制突厥斯坦,并一度控制蒙古本部的大部分,包括蒙古帝国前首都哈拉和林。虽然进行了30余年战争,却未能推翻忽必烈的政权。约1263年他作为突厥斯坦主权要求者第一次出现。他依靠军事同盟获得这个地区。1269年蒙古酋长集会,承认他为合法的可汗。在位期间,他花费大部分时间同忽必烈作战。1294年忽必烈死后,他继续进攻。1301年在哈拉和林附近战败,在溃逃中被杀死。

Kaieteur Falls 凯厄图尔瀑布 在圭亚那中西部的波塔罗河。垂直落差226米,在下方8千米的冲蚀峡谷中落差25米。顶部宽90～105米。1930年以瀑布为中心开辟凯厄图尔国家公园。一般由乔治敦乘包机前往游览,但也可组团沿公路或沿河前往。该瀑布是英国地质学家B.布朗在1870年发现的。

Kaifeng 开封 又拼K'ai-feng。中国河南省辖地级市,著名古都。位于省境东部黄河南岸,黄淮平原北部,陇海铁路由城南穿过。辖鼓楼、龙亭、禹王台、金明、顺河回族区5区和

开封市宋都御街
中国大百科全书出版社供图

开封、兰考、杞县、通许、尉氏5县。面积6 247平方千米,其中市区面积396平方千米。春秋时郑国在此筑仓城,名"启封"。战国魏惠王九年(公元前362),魏国迁都于此,改称大梁。秦灭魏后置启封县,西汉因避景帝名讳改为开封。到5世纪时止,开封只是中型商业城市。北周和隋、唐时期先后置梁州、汴州。隋开挖通济渠、广通渠,中国东南赋税、商货都由水运经开封抵达京都。五代时后梁、后晋、后汉和后周分别建都于此,称为东京。北宋仍以开封为国都,成为中国政治、经济、军事和文化中心,人口100多万,处于历史上的鼎盛时期,有"汴京富丽天下无"之说。著名的《清明上河图》描绘的就是北宋开封市井闹市的繁荣景象。宋室南迁临安(今杭州)后,开封日趋衰落。明、清时期置开封府,商业一直未恢复到北宋时期的水平。加上大运河废弃、阻塞,丧失了南北交通要冲地位。又因忽视黄河治理,水患频繁,风沙弥漫,沙丘满布,开封成为沙城。1912年废府存县,为河南省会。1948年设市,1954年省会迁郑州。20世纪初,市容凋零,商业萧条,工业不振,只有小规模的棉纺、卷烟和火力发电等工厂。20世纪50年代以来开封已成为拥有机械、化工、纺织、电子、仪表、食品等部门的工业城市。汴绣为传统的工艺品,已走向国际市场。以马道街、大相国寺为中心的商业区,繁荣昌盛。黄河堤岸经多次加固加高,城市经过绿化制服了蔓延的沙垅。背河洼地和沙垅已成鱼米之乡。交通便利,陇海铁路、202国道横贯东西,106国道纵贯南北,开商、洛开高速公路已建成通车,并有通往上海、泰山、曲阜、少林寺、洛阳等地的旅游线路。黄河上建有公路大桥、柳园渡口,通往豫北等地,并通航至黄河下游各地。名胜古迹有清明上河图水系网、宋部御街、龙亭、大相国寺、铁塔、包公祠堂、繁塔和陕山甘会馆等。有河南大学等6所高等院校。人口:全市4 800 000(2005);市区880 000(2004)。

Kaifeng Jew 开封犹太人 又拼K'ai-feng Jew。历史上定居中国的犹太人。由于入境较早,居住集中,延续较长,保留了一些文物、文献,常被视为中国犹太人的代表。河南开封犹太人始于北宋徽宗(12世纪初)年间。大多从天山南路入境,先是经商,后定居下来。初来有金、李、俺、艾、赵、张等17姓。信奉犹太教,旧称"天竺教",后改称"一赐乐业教",俗称"挑筋教"。开封有犹太会堂,称"清真寺",建于金世宗大定三年(1163),毁于19世纪中叶,延续700余年,由"掌教"(即拉比)主持,信仰耶和华,不设偶像,做礼拜,诵希伯来文经典,行割礼,遵守安息日、逾越节、普珥节等节期。食肉必先挑筋,戴蓝色小帽,不食猪肉,不与异教徒通婚。开封犹太人定居以后,与汉族友好相处,深受汉族文化的影响,如尊孔尊儒,春秋两季都去文庙参与祭典;清真寺内供"万岁牌",上书皇帝名字;增设"祖堂",祀奉祖先。明代以后,与异教徒不准通婚的禁律放松,逐渐为汉族同化,部分犹太人改宗回教(今伊斯兰教)而成回族,人口逐渐减少,宗教意识也日益淡薄,至19世纪初,已完全停止宗教活动。现在,他们同中国社会融为一体,以致作为一个侨居的民族和宗教集团已不复存在。

Kaifu Toshiki 海部俊树(1931-01-02,日本一宫～　) 日本政治家和政府官员,1989～1991年任首相。照相馆主的儿子,1954年由东京早稻田大学毕业。他步入政坛后,作为自由民主党(LDP)党员,1960年当选为众议员,此后连选连任。1974～1976年在首相三木武夫的内阁中任副官房长官,1976～1977年在首相福田赳夫的内阁中任文部大臣,1985～1986年在首相中曾根康弘的内阁中又任后一职务。1989年,首相竹下登和宇野宗佑因财政丑闻和群众对当政的自由民主党不满而相继辞职后,海部于8月8日被推选为党的总裁以补足宇野的任期,翌

日众议院选举他继宇野任总理大臣。同年10月,海部当选完全两年任期的自民党总裁。1990年2月,自民党在他的领导下,在众议院全国大选中获得压倒性的胜利,从而在该立法机构内保持多数。自民党主要领导人对海部改革日本选举政治感到不满。1991年10月,海部在失去该党主要领导人的支持后,拒绝寻求再度竞选自民党总裁。他的首相任期于1991年11月终止。

Kaigetsudō Ando **怀月堂安度**(1671,日本～1743) 又名冈崎源七。日本早期浮世绘画家,怀月堂派始祖。以画妓女立像闻名,笔锋矫健、施彩雅静。因为另外一些画家所画的妓女与其极其相似,有人推测,他可能经营画室,指导弟子作画。其生平不详,仅知他于1714年被流放到大岛,著名作品有《名妓和侍女》、《美人立像》和《风前美人》。

Kaihō Yūshō **海北友松**(1533,日本近江省～1615-03-01,日本京都) 日本安土桃山时代的屏风画家。武人家庭出身,到京都后出家。在世时很出名,曾得丰臣秀吉和后阳

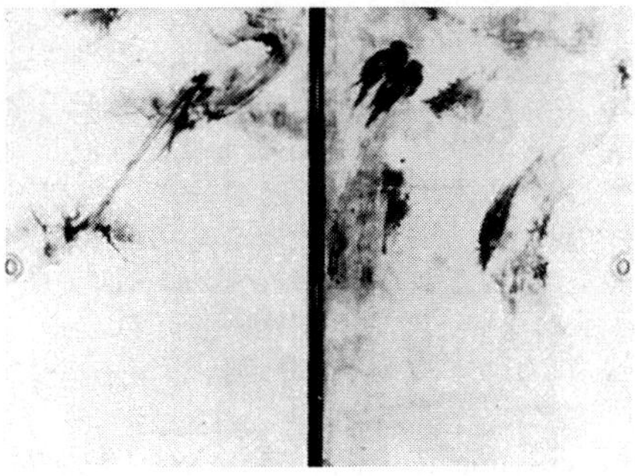

海北友松绘《松鸟图》
中国大百科全书出版社供图

成天皇的庇护。初从狩野派画家学画,后自成一家。既擅长狩野永德的金碧辉煌的重彩画法,又能保持禅僧画家的晕淡的水墨传统。其水墨人物(如《竹林七贤图》)用梁楷"减笔体"。这种肖像画称"口袋画"(因所画宽大外衣就像把画中人装在口袋里)。京都妙心寺和京都御西美术馆藏有其作品。他用狩野派风格所绘的屏风以线条优美(如京都建仁寺藏《梅花图》)和色彩谐调(如《渔网》,东京国立博物馆藏)著称,对后世颇有影响。

Kaihuang lü **《开皇律》** 中国隋代法典。隋文帝开皇元年(581)命高颎等编"新律"。开皇三年又命苏威等重修,同年颁布,名《开皇律》。它删去前代的死罪、流罪等1 000多条,并废除鞭刑、枭首、轘裂等残酷刑罚,更定刑名为笞、杖、徒、流、死5种,共12卷、500条。著名的《唐律》是在它的基础上制定的。

Kaikei **快庆**(活动时期1183～1236) 日本雕刻家,建立了佛像雕刻的传统样式。与其父兄康庆和运庆同为古都奈良的兴福寺和东大寺雕刻塑像。其写实手法以优美、雅致著称。在尚存的20多件作品中,有日本的武神僧形八幡神和儿童的守护神地藏菩萨的彩塑,两者都保存在东大寺。后出家为僧,法号安阿弥陀,因而其风格也通称安阿弥样。

Kaikoura Range **凯库拉岭** 新西兰南岛两座相连的山。走向与该岛东北海岸平行。长100千米。内陆凯库拉山的塔普艾努库峰高2 885米,靠海凯库拉山的马纳考峰高2 609米。两山脉之间有克拉伦斯河。山坡森林因多年砍伐仅剩灌木丛。东麓有面积不大的凯库拉半岛,半岛上的凯库拉镇建于1850年,为农业、乳品业和养羊业中心,有石灰厂,小龙虾加工厂和海洋生物研究站。

Kailas Range(mountain range, China) 参阅 **Gangdisi Shan** 冈底斯山。

Kaili **凯里** 中国贵州省黔东南苗族侗族自治州辖县级市,自治州首府。新兴工业城市。位于省境东南部苗岭北麓,清水江上游龙头河南岸,湘黔铁路线上。明弘治八年(1495)置清平县,嘉靖八年(1529)置凯里安抚司。清雍正十二年(1734)开辟苗疆,置凯里卫。乾隆二年(1737)建城。1914年置凯里分县,隶属炉山县。1958年黔东南自治州首府移驻此,炉山县更名凯里县。1983年撤县设市。面积1 306平方千米。地处亚热带,气候温暖湿润。主要农产品有稻谷、小麦、玉米、甘薯、烟草、油菜籽、木材、药材等。有"苗家谷仓"之称。矿产有煤、铁、铅锌、铝土矿、石英砂岩、石油、天然气等。建有煤炭、电力、建材、电子、纺织、化工、造纸、食品、木材加工等工业。是省内著名的电子工业基地和木材集散地。凯里是多民族聚居地区,苗族人口最多,占62%;汉族其次,占26.4%;其他还有侗、布依等族。民族节日有苗年、爬坡节、吃新节、闹冲节、姊妹节、铜鼓节、祭鼓节。节日开展跳芦笙、跳铜鼓、跳木鼓、斗牛、赛马、唱歌、斗鸡等活动。人口450 000(2005)。

Kailua-Kona **凯卢阿-科纳** 美国夏威夷岛中西部沿海游览区。在华拉莱山麓,临卡龙阿湾。为大型鱼类捕钓中心和北科纳区的主要村庄。1779年英国航海探险家J.库克船长在此登岸。1837年建夏威夷国王夏宫,现辟为博物馆。科纳区是本州咖啡业发源地,咖啡在私人占有的小块土地上种植。农民沿华拉莱和莫纳洛瓦火山坡居住。人口:凯卢阿9 870(2000)。

Kailua-Lanikai **凯卢阿-拉尼凯** 美国夏威夷州瓦胡岛东南部火奴鲁鲁县的两个居民社区。沿凯卢阿湾而建。当地优良的白色海滩曾为中世纪瓦胡岛国王的住地。附近有乌卢堡等多处寺庙遗迹。居民多经由科奥劳岭的隧道去火奴鲁鲁市工作。人口:凯卢阿市36 513(2000)。

Kailyard school **菜园派** 19世纪后期苏格兰的小说运动,其特征是用伤感的情调把清寒的农舍生活理想主义化。名称源自苏格兰文菜园"kail-yard",通常指农舍边的小菜地。菜园小说的主要作家有《古老的轻快田园诗》(1888)和《思拉姆斯的窗子》(1889)的作者詹姆斯爵士和I.麦克拉伦(约翰·沃森的笔名)以及S.R.克罗克特。他们的作品在苏格兰、英格兰和美国有广大的读者,激励了数以百计的仿效者。其单纯、自然的风格和地方观念很快退化为使人讨厌的感伤,在同代苏格兰现实主义者和后来20世纪作家中引起敌对反应。

Kainan **海南** 日本本州和歌山县城市。临和歌湾。1934年由黑江、日方和内海三町(镇)合并而成。德川时代起即以生产黑江漆器和日本伞闻名。沿海地区有新兴石油化工业。人口48 598(1990)。

kainite **钾盐镁矾** 天然的复盐,是含水的钾、镁的硫酸盐-氯化物($KMgSO_4Cl \cdot 3H_2O$)。它作为变质作用产物,同其他盐类一起只产于钾盐矿床中,在德国中部和北部,它是大型盐类矿床的主要成分。钾盐镁矾受到水分解,便成为泻利盐和钾石盐。关于化学式和详细的物理性质,参阅 **sulfate mineral**(表)。

Kainji Lake **卡因吉湖** 尼日尔河上的水库,跨尼日利亚尼日尔和夸拉两州。1968年建卡因吉水坝后形成,淹没福吉岛、布萨镇、耶卢瓦旧镇(部分)和其他沿河居民点,约5万居民(主要为雷舍、布萨、坎贝里、努佩、洛帕瓦和拉罗人)迁居。面积1 300平方千米。卡因吉湖国家公园占地3 924平方千米,范围包括博尔古和祖古尔马两禁猎区,旱季(11～3月)对游人开放。卡因吉水坝高66米,长600米,为尼日尔河最大水坝,可供电,改善索科托州耶卢瓦以上河段航运和控制坝下至卡杜纳河汇入尼日尔河河段的水流,并有灌溉和渔业之利。

Kaipara Harbour **凯帕拉港** 新西兰北岛西北部塔斯曼海的海湾。是北奥克兰半岛最大的沉溺河系,由于海水泛滥侵入凯帕拉等河谷而形成。港湾浅阔,面积520平方千米。有8千米宽水道通外海,并有许多狭窄小湾伸入内陆,海岸线长逾3 200千米。沿岸主要居民点有海伦斯维尔、鲁阿韦、帕帕罗阿。

Kaira(India) **盖拉** 参阅 **Kheda** 凯达。

Kairouan(Tunisia) 参阅 **Qayrawān, al-** 凯鲁万。

Kairov, Ivan Andreyevich **凯洛夫**(1893-12-26,俄罗斯梁赞～1978-10-29) 苏联教育家和负责教育理论著作的公共教育官员。曾在莫斯科大学物理数学系自然科学班学习,后在该校和莫斯科捷米里亚杰夫农业学院以及列宁教育学院任教。他还曾任过俄罗斯苏维埃教育部部长、苏联教育科学研究院副院长和院长。1957年率领苏联代表团参加在东京召开的禁止原子弹和氢弹第三次国际会议。他最有名的著作是《教育学》(1956)。曾三次荣获列宁勋章和社会主义劳动英雄称号以及其他勋章。

Kaiser, Georg **凯泽**(1878-11-25,德国马格德堡～1945-06-04,瑞士阿斯科纳) 德国重要的表现主义戏剧家。曾去阿根廷当职员,因健康欠佳被迫返回德国。在长期养病期

间,写出第一批剧本,主要是讽刺喜剧,但几乎无人注意。他的《加来市的居民》(1914)最先获得成功,显示了他以尖刻犀利和热情洋溢的语言表达构思严谨的戏剧的非凡能力。随后他又写了一系列剧本,在这些剧本中,他表现了人同现代金钱世界和机器世界的殊死冲突:《从清晨到午夜》(1916)、《珊瑚》(1917)、《瓦斯第一部》(1918)和《瓦斯第二部》(1920)、《地狱、道路、大地》(1919)、《并存》(1923)以及《银湖》(1933)等。这些剧作确立了他的表现主义运动领袖的地位。他后来的剧本被视为艺术上已臻成熟时期的产物,更多地表现内心的情绪,包括爱情的深邃体验:《十月的日子》(1928)、《图卢兹的园丁》(1938)、《阿兰和伊丽泽》(1940)等。1938年纳粹查禁他的戏剧以后流亡到瑞士,继续从事创作直至去世。最后作品是一部神话三部曲,1948年出版。

Kaiser, Henry J(ohn)　凯泽(1882-05-09,美国纽约斯普劳特布鲁克～1967-08-24,火奴鲁鲁)　美国实业家。凯泽铝业公司(又译凯塞铝公司)、凯泽钢铁公司、凯泽水泥与灰泥板公司等100多家公司的创建人。1913年在为华盛顿一个砾石与水泥商人工作时,一家加拿大筑路公司停业。他利用贷款接管并完成该公司的工程项目,终于获利。1913～1930年,建成加利福尼亚的一些大坝、密西西比河大堤、公路,包括在古巴200英里的公路和500座桥。同时,为工程提供所用材料,他建立了沙石厂。1931～1945年间,他联合一些建筑公司修建胡佛、邦纳维尔、大古力水坝以及其他一些庞大工程。为向沙斯塔大坝提供670万桶水泥,1939年在加利福尼亚的珀马宁特建立水泥厂,并造成横跨山峦通向大坝工地的1英里长的传送带。第二次世界大战期间,开办7家造船厂,运用装配线生产,共为美国海军造船1 490艘。1941～1942年,在西海岸建立唯一的联合钢厂,为其造船厂炼钢。1944年建立凯泽灰泥板公司。为供应凯泽-弗雷泽汽车公司的需要,他从美国阿尔科阿铝公司购得一些铝厂。1953年由于工业萧条,凯泽停止了汽车生产,而凯泽铝业及化工公司已经成为十分有利可图的企业。1954～1960年,他指导修建夏威夷村旅游中心,1961年将其售给希尔顿旅馆联号,售价2 100余万美元。1942年凯泽为船厂雇员设立第一个保健机构。作为后来联邦规划的模式,凯泽医疗保健基金建立了19个医院,为100多万人提供了预防性的保健服务。

Kaiserin Augusta River(New Guinea)　**凯瑟琳奥古斯塔河**　参阅 **Sepik River** 塞皮克河。

Kaiserslautern　凯撒斯劳滕　德国西南部莱茵兰-普法尔茨州城市。在哈尔特山和萨尔-纳厄山区之间,周围是普法尔茨林山自然保护区。卡洛林时代(751后)为王室驻地。1848～1849年为巴拉丁领地民主革命的中心。尽管在第二次世界大战中遭到严重破坏,但还留下几座古建筑。作为原巴拉丁领地西部的文化中心,有各种学校以及博物馆、剧院、音乐厅和一所大学。为重要的铁路转运和银行中心。生产机械、纺织品和汽车。人口约99 095(2003)。

Kaishintō　改进党　英语作Progressive Party。第一次世界大战前日本的主要政党,1882年由民主派领袖大隈重信创立。它主要代表城市上层知识分子、大工业家和大商人。它的纲领与主要对手自由党和立宪政友会的纲领一样,要求建立和加强(1890以后)由富有阶级选出的国会,以限制从明治维新(1868)以来对天皇影响最大的官僚派的权力。1898年,改进党一度同自由党合并成宪政党,但是由于政治家之间长期存在的分歧,这一团结国会力量以与官僚相抗衡的努力付诸东流。此后10年,立宪政友会同改进党轮流执政。1916年,改进党被宪政会所取代,后者在1927年演变为民政党。

kaishu　楷书　又拼 k'ai-shu,英语作 regular script。中国汉字书体之一,在隶书的基础上发展而成。初名"正书",后称"真书",到唐朝始名"楷书"。楷是模范法式之意。初见于西汉末新莽始建国四年间,正式形成于东汉末至三国时期,一直广泛使用至今。东汉后期王次仲创造了"八分楷法",三国魏钟繇善用此体缮写奏章,称为"章程"书。其《荐季直表》与《贺捷表帖》就是略带隶法的古正书。稍后,吴国的《谷朗碑》与《葛府君碑》,分势略减,亦近此体。到了东晋王羲之、王洽等进一步脱去隶法,王献之尽去旧体,以成今体。今天从王羲之摹钟繇的《宣示表》和他自书的《乐毅论》以及王献之的《洛神赋》中,便可看到王氏父子运化之迹。南北朝时代,南北书风,前期有异,盖北方宗法钟繇旧体,南方宗法王氏父子新体;北方较方严,南方较俊秀;北方犹存分势;南方不折而用转。但愈到后期,南北书风愈加接近,像其他艺术一样,主要是以南化北。著名碑刻有《郑文公碑》、《张猛龙碑》、《龙门二十品》、《石门铭》等。争奇竞秀,蔚为大观。南北朝碑刻,实为楷书艺术的一大体系,隋代以《龙藏寺碑》、《启法寺碑》二者为楷书代表,已能成功地熔南北于一炉,开唐楷之先路。唐代欧阳询、虞世南、褚遂良、颜真卿、柳公权等,或上追王羲之,或融合南北,或兼有取于篆籀,都有极高成就,称为"唐碑",形成楷书艺术另一大体系。唐后经300余年至元代得赵子昂,泛学钟王,能写出法度谨严、风格秀美的楷书,影响了元明清三代。其间能书者虽不乏人,但变化出新者甚少。到了清代中后期邓石如、赵之谦等,改学南北朝碑刻,方能开辟新境,但其成就,仍甚有逊于南北朝与隋唐。

Kaitaia　凯塔亚　新西兰北岛北部城市。位于奥克兰半岛阿瓦努伊河口以上7千米处。为该岛最北部奶牛、绵羊饲养场和蘑菇培植场的商业和行政中心。有公路通奥克兰(东南233千米)。生产农业机械设备、水泥制品、乳品和石灰等。附近有"九十英里海滩"。人口约5 631(1996)。

Kaitangata　凯坦加塔　新西兰南岛东南部城市。位于克卢萨河支流马陶河口以上6千米处。1855年始有人定居。1887年设市。为该国主要煤矿区之一。也是绵羊、奶牛饲养地区的中心。人口861(1996)。

Kaithal　盖特尔　印度西北部哈里亚纳邦中北部城市。1867年设市,为农贸中心。工业有榨棉、硝石加工、金属加工、陶器制造和涂漆木器制造等部门。设有古鲁格合德拉大学的3个学院。人口约71 096(1991)。

Kaiyuan　开远　又拼 K'ai-yüan。中国云南省红河哈尼族彝族自治州辖县级市,新兴工业城市。位于省境东南部,昆(明)河(口)铁路线上。面积2 009平方千米。宋代时大理国置最宁府,元改置阿迷州,1913年改阿迷县,1931年改开远县。1981年撤县设市。1910年昆明至越南海防的铁路修筑前开远原是小村落,后在邻近小龙潭、大窑寨、乌格发现煤藏,1932年建成个旧炼锡厂的供煤地,个旧锡矿石不再运往香港提炼。50年代以后采煤和电力工业迅速发展。小龙潭煤矿已成为省内最大的褐煤生产基地。所产煤大部用作昆明、开远新建电站的燃料。现正发展综合利用,建立人造石油、合成纤维及化肥工业。开远还有火力和水力电站、糖厂、造纸厂和水泥厂等。在小龙潭坝南盘江两岸褐煤层中,发现古猿牙齿化石和上颌骨化石。开远古猿化石遗址是当今世界上晚中新世时期古猿化石最丰富和最重要的地区。公路干线通昆明、文山、个旧、河口、建水、石屏、屏边及广西的百色。人口260 000(2005)。

Kajanus, Robert　卡亚努斯(1856-12-02,赫尔辛福斯[今赫尔辛基]～1933-07-06,赫尔辛基)　芬兰指挥家和作曲家。推崇芬兰民族音乐。曾在赫尔辛基、莱比锡和巴黎学习音乐。1882年创建芬兰第一家完备的交响乐团——赫尔辛基交响乐团。1914年该团与国家交响乐团合并,自任指挥直至1932年,成为他的友人J.西贝柳斯作品的权威表演者。还创建了合唱与管弦乐学校。作品受德国浪漫派作曲家与芬兰民间音乐影响,有两首交响曲:《库莱尔沃》(1881)和《艾诺》(1885),两首管弦乐的《芬兰狂想曲》以及康塔塔、钢琴曲和歌曲等。

Kajikawa FAMILY　梶川家族(活动时期17～19世纪初期)　日本漆器艺术家族,他们的技艺流派在江户(今东京)持续了200年以上。普遍认为久次郎(又名纪次郎)是这个家族的奠基人和这种艺术传统的创始人。他擅长制作特别精细的漆器印笼,这是一种便于携带的药箱,用一套极小的盒子互相紧紧扣住,再以丝线缚牢。因为修饰它的外表要用大量的艺术技巧,所以多佩在上等社会男子的和服腰带上,成为收藏家收藏的珍品。梶川家族的艺术家们还设计雕刻成动物、人和植物形状的漆坠子(根付)用以系住药箱、烟荷包或钱包,挂在男子的腰带上。梶川家族美术工艺品的代表作陈列在伦敦维多利亚与艾伯特博物馆和纽约格林菲尔德收藏馆。

kaka 卡卡啄羊鹦鹉 啄羊鹦鹉亚科(Nestorinae)的新西兰产鹦鹉(**parrot**)。

Kakadu National Park 卡卡杜国家公园 澳大利亚澳北区广袤的自然和文化地区。面积20 000平方千米。1964年成为土著人保留区,1972年成为野生动物保护区,1979年成为国家公园,1981年被联合国教科文组织列为世界遗产。公园由澳大利亚环境与遗产部和当地的土著土地所有者共同管理。国家公园内有丰富的自然和文化资源。该地区最古老的岩石可追溯到25亿年前。该地区有众多独特地貌,例如海拔330米的阿纳姆地。公园内有1 600种植物,10 000种不同的昆虫,大约60种哺乳动物,280种鸟类,120种爬行动物和50种鱼类。在当地已经发现了大约5 000个土著民岩石艺术遗址。有一些已有2万年历史。考古发掘显示,该地区是人类在该大陆中最早的居住地之一,包括数个对土著人具有重大宗教意义的遗址。游客被当地的风光和岩画所吸引。仍然有数百名土著人在园内居住。

Kakamega 卡卡梅加 肯尼亚西南部城镇。与穆米亚斯和基苏木两地通公路。英国人在1903年为防御目的建卡卡梅加。至1920年成为地区首府。1931年发现金矿后,镇内人口激增。现有食品加工、服装、鞋靴等工业。人口58 862(1989)。

kakapo 夜鹦鹉 又作owl parrot。鹦鹉科鸮鹦鹉亚科(Strigopinae)的新西兰产鸟类。参阅 **parrot**。

Kakata 卡卡塔 利比里亚西部城市。位于蒙罗维亚至邦加的公路上。设有布克尔·华盛顿学院(建于1929年,为全国第一所职业农业学校)、卡卡塔乡村师范学院和几所教会中学。橡胶生产、金刚石勘探以及水稻种植在该市经济中占重要地位。附近吉比山脉发现有重晶石矿。人口5 200(2001)。

kakelaar(bird) 参阅 **wood hoopoe** 林戴胜。

kakemono 字画轴 在日本艺术中,挂在墙上的画卷(**scroll painting**)。

Kakiemon ware 柿右卫门瓷器 一种日本瓷器,原由酒井田家族制于江户时期(1603～1867年间的德川幕府时期)。其窑炉建于肥前藩(佐贺县)伊万里港附近的有田。典型的盘、碟、碗、瓶为八边形、六边形或正方形,可能是因为这些形状比圆形更能防止在烧成中变形。过去,制品采用釉下淡蓝绘画,直至该家族学会中国秘方后才采用釉上彩。由于酒井田家族中许多人都以柿右卫门为名,因此产品也以这一名字而著称。色彩特征是铁红、浅蓝、翠绿色和黄色,有时镶一点金。1680～1720年间的彩饰主题是明显地不对称风格。最著名的柿右卫门装饰图案表现的是嫩树枝和鹌鹑,称为鹌鹑图。柿右卫门瓷器经荷兰商人出口至欧洲,对欧洲工厂的早期装饰风格产生很大影响。这些工厂包括英国的切尔西、鲍和伍斯特,德国的迈森和法国的尚蒂伊。柿右卫门瓷器的欧洲仿制品极多,现今的西方人对它们的熟悉程度远超过存世很少的原始的柿右卫门瓷器。

17世纪晚期的柿右卫门瓷碗
美国不列颠百科全书公司供图

Kākināda 卡基纳达 又作Cocanada。印度南部安得拉邦东北部城镇。为一海港,因船舶须在岸外8～10千米处停泊,所以利用不多。由于地处不稳定的三角洲地区,港口必须经常疏浚,以保持1.2～1.8米深度。出口棉花、花生、糖和烟草。有磨粉厂、铸造厂。20世纪70年代建有制盐厂。设有安得拉大学的几个学院。人口约279 875(1991)。

Kakinomoto Hitomaro 柿本人麿(?～708,日本) 自古为日本人尊崇的诗人。他也是日本文学界第一位伟大人物。在他流传至今的作品中有用当时日本两种主要诗歌形式——短歌和长歌——写作的诗。他大概还写过旋头歌(这种歌包括两首三行诗,分别由5、7、7音节组成),这是一种比较小型的诗歌形式,柿本人麿最初似乎为了文学的目的曾对它加以改编,但在他死后便几乎无人使用这一形式了。凡能确认是他所写的诗歌(短歌61首、长歌16首)以及一大批被认为是他写的诗歌均收录在日本最早、篇幅最大的民族诗歌集《万叶集》里。

有关他的生平几乎一无所知,这方面的主要资料来源就是这些诗以及编者所作的注释。据说柿本人麿是在奈良附近出生和长大的。他以低级官吏的身份进入宫廷,曾接连在两位亲王手下任职。他的一些最著名的诗歌是为庆祝皇室活动而写的。后来他成了外地的官吏,据说死在石见(今天的岛根县)。他似乎至少有两个妻子。柿本人麿处于日本从一有文字前到有文字的、文明的社会的入口处,他在自己的诗歌里做到了原始诗歌的朴实无华与新时期比较高雅的趣味与文学技巧之间的完美和谐。他的所有诗歌都充满深厚的个人抒情风格,悲天悯人的胸襟和与同胞休戚相关的感情。

Kakogawa 加古川 日本本州兵库县城市。地处加古川下游。德川时代为繁华河港。第二次世界大战前生产纺织品和化肥,战后建起钢铁、机械、纺织和化工厂。市北丘陵地区发展起大片住宅区。该市为播磨工业区一部分,南部的别府为输出港。人口约251 735(1994)。

Kakongo 卡刚果 历史上的非洲国家。约15世纪建于大西洋海岸,在卢安果(北面)和恩戈伊(南面)两王国之间,疆域从今卡宾达中部向东伸入刚果(金)境内。主要城市为马伦巴,16世纪起为出口奴隶的重要港口。1700年后港口设施扩大,可容纳更多的法国、英国和葡萄牙商船。在这个王国里,社会地位是由拥有奴隶的数量来决定的。贵族坚持自治,国王徒有虚名。19世纪30年代以后,王国不复存在。

Kakure Kirishitan 隐切支丹 日语的拉丁字母转写,意为秘密天主教徒,专指第一批改信天主教的日本人的后裔,他们于1650年被迫转入地下,秘密信教达两个多世纪之久。参阅 **Kirishitan**。

Kakuyū(Japanese priest) **觉猷** 参阅 **Toba Sōjō** 鸟羽僧正。

Kala(people) **卡拉人** 参阅 **Wa** 佤人。

kala-azar 黑热病 又称内脏利什曼病、达姆-达姆热、热带性脾大或西尔卡里病。杜氏利什曼原虫引起的地方性传染病。见于地中海地区、亚洲、非洲及拉丁美洲。通过白蛉叮咬传播,常有动物贮主。是一种隐袭的慢性疾病,特征为发热、白细胞计数下降,轻度贫血、消瘦、脾脏显著增大及血清蛋白数量与性质的改变。感染后两个月以上才出现症状,并逐渐加重。若不加治疗则95%病例于1～2年内死亡,多死于继发感染。锑剂或芳香二脒治疗通常有效,上述药物无效者可用两性霉素B。消灭白蛉在预防上有重要意义。参阅 **Oriental sore**。

Kalacuri DYNASTY **卡拉丘里王朝** 印度历史上几个所处时间和空间各不相同的王朝的名称。除王朝名称和祖先相同之外,其他有关资料甚少。最早的卡拉丘里王朝(约550～620)。统治马哈拉施特拉邦北部、古吉拉特邦、马尔瓦高原及德干高原西部。首都可能是讷尔默达河谷的摩西舍摩提。从铭文和钱币考证,国王有克里西纳罗阇、桑卡拉伽纳和佛陀罗阇。7世纪初开始衰微。另一个卡拉丘里王朝(1156～1181)崛起于德干高原。统治卡纳塔克邦。王朝由毗遮罗创立。他原是地方领主,后篡夺遮娄其人的王权。这个王朝虽然昙花一现,但在卡纳塔克的历史上却很重要。印度历史上最著名的是8世纪初至13世纪初统治印度中部的卡拉丘里王朝。早期历史不详。柯卡拉一世(约850～885在位)和柯卡拉二世(约990～1015在位)时代,王朝的权力得到巩固。耿吉亚提婆(约1015～1041在位)南征北战,不仅击败达克辛柯萨拉和奥里萨,而且从巴拉人那里夺得瓦拉纳西地区。其子卡尔纳(1041～1073在位)在印度东部、南部、中部和西部采取大规模的军事行动,但是,他的霸业为时很短。在耶沙·卡尔纳(1073～1123在位)和维查耶辛哈(约1188～1209在位)之间的时期,这个王朝的势力日益衰微。邻近的伽哈达伐拉人、巴拉马拉人和昌德拉人开始进行蚕食,1211年后不久,巴克尔根德和达哈拉曼德拉都被昌德拉王国吞并。

此外,还有两个卡拉丘里王朝,一是萨拉尤巴腊卡拉丘里人的王朝(8世纪后期～11世纪晚期)。最初统治北方邦巴赫赖奇县和贡达县的萨拉尤河两岸。到11世纪末,其疆域从克克拉河一直伸展到根德格河,包括巴赫赖奇、贡达、伯斯蒂和戈勒克布尔各县。二是拉坦普尔卡拉丘里人的王朝。时期为11～15世纪。著名国王有查查拉提婆一世(12世纪初)。15世纪王室分裂为拉坦普尔和赖普尔两支。

Kalahari 卡拉哈里沙漠 非洲南部呈盆地形、大部由砂子覆盖的沙漠地区。北邻赞比西河源流,东接德兰士瓦和津巴布韦高原,南界奥兰治河,西连纳米比亚高地。"沙漠"这一名称夸大了卡拉哈里的干旱贫瘠,更恰当的说法应是干旱的土地。除了博泰蒂河及其流域外,在这片多砂但植物生长良好的地区无常年地表径流。博泰蒂河系由内陆的奥卡万戈沼泽三角洲季节性泛滥供给水。风和河水带来的砂子覆盖了该地区90%以上的土地。沙漠地表起伏不大,唯一高出地表的地形为偶尔可见的形成东南、西南及西北部诸山的更古老的岩石残丘,海拔900米或更高一些。东北部的主要特征为马卡迪卡迪(旧名为马卡里卡里)洼地,包括两个大面积的裸露盐沼区,表层为含碱的砂土。沙漠西部全是连绵不断的新月形砂丘,其凸面朝着风源。博泰蒂河以南的古河谷形成引人注目的地形特征。这些古代排水线路在其中段有明显的河谷,但更进一步深入沙漠中后,正常地退化成一串串长草的浅盆地和盐碱地。气候特征是温度具有明显的季节和昼夜变化。降水是局部的,且不规则,冬季常出现冰冻。卡拉哈里沙漠具发育良好的植被:树、低矮的灌木和生草丛。贴近地面则有季生植物、块茎状和鳞茎状植物、匍匐植物和藤本植物。动物种类较多,尽管缺少地表水,但还是有许多种动物,如南非小羚羊、牛羚、狷羚、直角大羚羊、旋角大羚羊、长颈鹿、斑马和象。英国探险家利文斯敦和奥斯韦尔于1849年首次横穿卡拉哈里沙漠寻找恩加米湖时,只能有小队人员同行,利用的只是极少几个沙漠泉。1878～1879年大队布尔人坐牛车艰苦跋涉,穿过沙漠,但牺牲了约250人,死了9 000头牛。有机动车后就较易进入该地区了。人口稀少的卡拉哈里沙漠的居民主要是班图语系黑人、科伊桑语系桑族人(较大的少数民族)和少数欧洲人。公路和小道都很少,只有卡车和四轮驱动汽车才可通过,有专人保养的公路连接各行政中心和主要居民点。面积约93万平方千米。

Kalahari Gemsbok National Park 卡拉哈里大羚羊国家公园 南非开普省北端,卡拉哈里沙漠中的国家公园。与博茨瓦纳的大羚羊国家公园毗连。建于1931年。面积9 591平方千米。另有24 000平方千米在博茨瓦纳境内,由南非同一机构管理。在南非的部分是半干旱区,有狮子、小野猫、小薮猫、野狗、黑背豺等动物,鸵鸟等许多鸟类。博茨瓦纳境内部分建于1932年,以保护越界移栖的各种动物。

Kālakācāryakathā 《迦罗迦师故事》 印度耆那教白衣派非正典经籍。关于迦罗迦的传说出现于12世纪以前,有梵文、普拉克里特文、阿帕巴兰沙文、古甲拉提文,以及其他文本。许多原稿有插图,因而成为12～16世纪印度西部风格微型画宝库。以下四段插曲同见于不同版本:荒淫无道的乌阇衍那国王犍陀毗罗拐走迦罗迦的妹妹娑罗室伐底(辩才)女尼,迦罗迦在萨迦族支援下将他推翻;他将雨季安居节提前一夜;训斥徒孙僧人娑加 罗乾陀罗骄傲自满;他在神王帝释面前宣讲尼拘陀教义。现代研究认为迦罗迦确有其人,生活在公元前57年前的几十年间,编写过一些书。

Kalakaua 卡拉卡乌阿(1836-11-16,夏威夷群岛瓦胡火奴鲁鲁～1891-01-30,美国加利福尼亚圣弗朗西斯科) 夏威夷王(1874～1891)。大酋长之子。1873年为王位候选人,但在选举中败给卢那利洛。翌年卢那利洛去世后,议院选举他为王。他建立一个极端反动和亲美的政权。1874年访问美国,1881年周游世界。1876年与美国订立有利的互惠条约,但1887年却在美方要求下屈服,给与美国进驻珍珠港并在该港常设海军加煤和修配站的独占权利。他日益努力恢复旧制度,包括专制主义和神权的习俗与观念,但伴随而来的是奢侈、腐败、个人干扰政治和挑拨种族感情等弊端。1887年被迫颁布新宪法,允许成立责任内阁政府,并提供一些其他保证。然而,斗争不但持续到他统治结束时(1891),1889年反对派还曾发起一次武装起义,而且在他妹妹利留卡拉尼继位后愈演愈烈。他死于访美途中,当时谣传他准备出售自己的王国。

Kalakh(ancient Assyrian city) 参阅 **Calah** 卡拉。

Kalām 凯拉姆 伊斯兰教思辨教义学。运用这种哲学方法的教义学家被称为穆台凯里姆。早期凯拉姆无非是驳斥基督教、摩尼教以及其他宗教的信徒。穆斯林思想家日益注重哲学,凯拉姆即采用希腊怀疑论和斯多葛派的辩证法驳斥企图用亚里士多德和柏拉图的学说解释伊斯兰教义的伊斯兰教哲学家。历史上最重要的凯拉姆学派是8世纪出现的号称伊斯兰教唯理派的穆尔太齐赖派。

Kalámai 卡拉迈 希腊伯罗奔尼撒南部工业城市和港口,麦西尼亚州首府。濒临内宗河和麦西尼亚湾,是半岛上仅次于帕特雷的重要出口港,可停靠小型客轮。该市长期生产丝织物、面粉、酒和烟草,是优质橄榄、葡萄干和麦西尼亚平原所产其他水果的主要销售市场。有飞机场,并有铁路通帕特雷和雅典。1941年驻希腊英军主要由此撤出。人口45 090(1991)。

Kalamáta, Gulf of(Greece) **卡拉马塔湾** 参阅**Messenia, Gulf of**麦西尼亚湾。

kalamatianos 卡拉马西阿诺斯舞 一种希腊链舞,是西尔托斯(**syrtos**)的一种形式。

Kalamazoo 卡拉马祖 美国密歇根州西南部城市,卡拉马祖县县城(1830)。北距大急流城80千米,濒临卡拉马祖河。1829年创建,1843年设村,1883年设市。1846年通密歇根中央铁路后得以发展。1874年以来工业以造纸为主,现也有药物、交通设备和金属品等制造业。设有卡拉马祖学院(1833)、西密歇根大学(1903)、纳扎雷思学院(1924)和卡拉马祖瓦利社区学院(1966)。卡拉马祖自然中心内有天然小道、谷仓旁场地和修复的拓荒者住房。人口:市约81 253;卡拉马祖-巴特尔克里克都会统计区约435 967(1992)。

Kalambo Falls 卡兰博瀑布 非洲第二个落差最大又不间断的瀑布(仅次于南非的图盖拉瀑布)。位于坦噶尼喀湖东南岸附近、坦桑尼亚-赞比亚边界的卡兰博河上 。瀑布215米的落差仅仅是卡兰博河10千米河段的900米斜坡的一部分。在卡兰博峡谷中发掘出原始工具,测定为公元前30万年的遗物。

Kālāmukha(Hindu ascetic) **黑脸派** 参阅 **Kāpālika and Kālāmukha** 髑髅派和黑脸派。

kalanchoe 高凉菜 景天科高凉菜属(*Kalanchoe*)肉质植物。在室内容易成活,很受欢迎。最常见的种,其中别具一格而有观赏价值,包括茸毛高凉菜(*K. tomentosa*)、

布洛斯费尔第安那高凉菜(*K. blossfeldiana*)的不同品种

美国不列颠百科全书公司供图

大理石纹高凉菜(*K. marmorata*)、复叶高凉菜(*K. pinnata*)、绒叶树(*K. beharensis*)、鬼脊树(*K. daigremontiana*)以及南美的费德琴氏高凉菜(*K. fedtschenkoi*)等。由布洛斯费尔第安那高凉菜(*K. blossfeldiana*)培养了一系列花色美丽的盆栽植物,这些花在冬天大量上市,保鲜期长达8周。如同其他肉质植物一样 ,高凉菜也比较容易栽培于室内,通常在较明亮的散射光下能生存,但仍需有适当的直射光,仅在极干旱时需要浇水。该属所有的种都可用叶或茎插条繁殖。

Kalantiyaw, Code of 《卡郎提奥法典》 菲律宾在1433年制订的法典。于1614年在班乃岛上发现。共18条。规定对一些道德和社会犯罪行为绳之以法。刑罚有:少量罚款,凌迟,投喂鳄鱼等,视犯罪严重程度而定。许多犯罪与菲律宾古代宗教信仰有关,如砍伐神树,夜间行路唱歌,杀死白猴等皆要受到处罚。

Kalashnikov Model 1947(Soviet rifle) **卡拉什尼科夫1947型步枪** 参阅**AK-47** AK-47

步枪。

Kalasin 加拉信 泰国东北部呵叻高原的城镇。位于保河东岸孔敬—沙功那空公路上。以畜牧业和河谷出产的西瓜、稻米著称。人口约32 436(1986)。

Kalāt 格拉德 巴基斯坦俾路支省城镇。当地人称俾路支格拉德以区别于阿富汗的吉勒宰格拉德。位于格拉德河谷西端沙西马尔丹山嘴。为小型零售中心,有公路通奎达、伯斯尼和卡拉奇。老城及其中的格拉德王宫部分毁于1935年的地震,后迁至今址。境内多山,格拉德夏季温和,冬季严寒多雪。北部降水充足。格拉德出产小麦、大麦、西瓜、高粱和多种水果。矿产有煤(斯贝曾德附近)、铁矿和硫磺。当地产品有绒面挂毯、刺绣、皮革制品、棕榈纤维提包和席子。人口稀疏,主要是布拉灰族与俾路支族。人口约11 000(1981)。

Kalaupapa 卡劳帕帕 又称马卡纳卢阿。美国夏威夷州莫洛凯岛北部的半岛。为一面积26平方千米的台地,与该岛其他部分隔有高600米的峭壁。不适于发展农业。半岛东部的卡拉瓦奥村(已荒废)原为麻风病人隔离地(1866)。现全部半岛为州立麻风病院所在地。归州卫生部管理。该地区称卡拉瓦奥县,但无正式政府,在州议会中由毛伊县代表。

Kalb, Johann 卡尔布(1721-06-29,埃朗根附近许滕多夫~1780-08-19,美国南达科他卡姆登) 别名为Baron de Kalb。美国独立战争时期参加大陆陆军的杰出德国军官。出身农民家庭,曾在克里根布龙入学,16岁时离开家庭。1743年卡尔布在法国步兵的德意志团中以中尉军衔首次接受军事训练。此后若干年中功勋卓著(特别是在奥地利王位继承战争和七年战争中),他于1768年应法国外交部长舒瓦瑟尔公爵之请,秘密访问北美13个英国殖民地,探听它们对英国的态度。他经过4个月的调查提出了若干详细而精明的报告。回到欧洲以后他渴望再返回新世界,1776年他通过美洲殖民地驻法国专员迪恩推荐,得到在大陆陆军中任职的一项允诺,于1777年7月到达费城,最后由大陆会议任命他为少将军官。他仰慕华盛顿将军,忠贞不渝,戮力同心,共同度过了宾夕法尼亚福吉谷战场的严冬。作为拉斐德侯爵的副司令,他曾于1778年参加一次对加拿大的失败远征。1780年4月,卡尔布在新泽西莫里斯敦接受了驰援南卡罗来纳查尔斯顿的命令,但在南进途中,该城陷入英军之手。7月,他与南路军司令H.盖茨将军会师于北卡罗来纳迪普里弗,曾建议立即向英军发起进攻,但盖茨坐失良机,英军得悉美军到来,即于8月14日迎击于卡姆登。盖茨所部旋被击退,卡尔布坚守阵地,但因受伤于5日后死去。

Kalb River, Al- 凯勒卜河 阿拉伯语拉丁字母转写作Nahr Al-Kalb,拉丁语作Lycus。黎巴嫩中西部河流,向西流,在贝鲁特以北注入地中海。该河除靠近海岸的一小段外为季节河;在夏季,其唯一水源为吉塔岩洞的泉水。河流全长30千米。河谷地区远在旧石器时代即有人居住。右岸发现迦勒底(新巴比伦)帝国国王尼布甲尼撒二世(约公元前630~前562)的铭文石碑。左岸有些石碑上还刻有历史铭文,也是纪念其作者的胜利史实的。其中包括拉美西斯二世(大王)(公元前1290~前1224)的象形文字铭文,以撒哈顿国王(公元前680~前669)的亚述语铭文,马可·奥勒利乌斯皇帝(211~217)的拉丁语铭文和查希尔·赛义夫·J.巴尔库克(1382~1399)的阿拉伯语铭文。还有近至1946年的对本地区事件的法语和英语的纪事。流域农业有沿海平原上种植的柑橘和香蕉,高原坡地的葡萄、橄榄和谷物,河谷高处的无花果、蔬菜和谷物。主要城镇为比斯肯塔。

Kaldu(ancient Mesopotamian city) 参阅 **Chaldea 迦勒底**。

kale(species *Brassica oleracea*, variety *acephala*) **羽衣甘蓝** 十字花科植物。甘蓝的叶松散的一个变种。包括数个类型。普通羽衣甘蓝(苏格兰羽衣甘蓝)和布达羽衣甘蓝

羽衣甘蓝(*Brassica oleracea* variety *acephala*)
美国不列颠百科全书公司供图

是最耐寒的蔬菜作物。羽衣甘蓝的莲座状叶丛发达,但松散;叶具长柄,叶片长,叶缘波状或带褶边。若生长期长,主茎可高达60多厘米。可以在主茎伸长前采收整棵植株,也可以(尤其在生长期长而凉爽的地方)随着主茎的伸长不断剥取下部叶片。羽衣甘蓝主要在秋冬收获,在寒冷的气候条件下其食用品质得到改善。能耐寒,成为冬天的主要新鲜蔬菜。烹熟食用,富含维生素A。新鲜羽衣甘蓝的叶应不萎蔫,呈深蓝绿色。

Kaledin, Aleksey Maksimovich 卡列金(1861-10-24,[旧历10-12],俄罗斯乌斯季霍皮奥尔斯卡亚~1918-02-11[旧历1-29],苏联俄罗斯联邦新切尔卡斯克) 俄罗斯帝国军官,哥萨克首领。十月革命后,军事抵抗布尔什维克政权的第一批组织者之一。第一次世界大战期间历任骑兵师长和第八军军长。1917年5月因反对俄国临时政府实行的军事改革,被迫辞职。后回顿河地区,积极支持哥萨克争取地方自治的运动,因而被推选为顿河哥萨克的首领。十月革命后,顿河地区实际上保持独立,成为从彼得格勒和莫斯科逃亡的保守派和自由派军政要员的避难所。他不仅对这些逃亡者表示欢迎,而且容许他们在顿河地区组织反对布尔什维克的志愿军。他组织新的哥萨克部队,招揽失意者和非哥萨克人士参加政府。1917年底布尔什维克军队摧毁了他的反政府中心。1918年初,他因连连败北而举枪自杀。

kaleidoscope 万花筒 一种光学装置。由几面镜片组成,能使人从其中窥见由彩色玻璃碎片拼成的对称几何图形;转动装有玻璃碎片的部分即可显出变幻无穷的图案。由布鲁斯特于1816年前后发明,1817年取得专利权。简单的万花筒包含两片楔形条状反射镜,成60°或45°角相接,也可用一片明亮的铝片折成。镜片装在筒内,筒的一端留有窥孔,另一端装有可转动的玻璃盒,其中放置彩色玻璃碎片、金属箔或圆珠。有些万花筒不装玻璃片盒,而用反射镜片反映远方的物体。如在窥孔上装一目镜则效果更佳。

Kalējs(Baltic deity) 参阅 **Kalvis 卡勒维斯**。

Kalemi 卡莱米 又称卢库加,在1915~1966年称阿尔贝维尔。刚果(金)东南部城镇,坦噶尼喀湖西岸港口。有机场和铁路与卢本巴希、卡南加相通。在1915年,卡莱米为英国-比利时军事基地,被选为大湖铁路的终点。刚果(金)从坦桑尼亚的达累斯萨拉姆进口的货物,大多通过此港运往卢本巴希。有渔业。生产纺织品和水泥。人口约101 309(1994)。

Kalenjin 卡兰津人 此名用以指南迪人(**Nandi**)、基普西基人、苏克人(波科特人)、塔托加人及其他有族缘关系的诸民族。他们居住在肯尼亚中西部、坦赞尼亚北部和乌干达,操尼罗-撒哈拉语系沙里-尼罗语族东苏丹诸语言。他们主要以农业为生。公元1500年前后,卡兰津诸部落扩展到大裂谷地区,18世纪被马赛人逐出到大裂谷与维多利亚湖之间的地带定居,以迄于今。

Kalevala《卡勒瓦拉》 芬兰民族史诗。兰罗特据古芬兰民谣、抒情诗歌,以及芬兰口头传说中的咒语汇编而成。该诗1835年初版,为32篇。1849年再版,共50篇。"卡勒瓦拉"是诗中主要人物的居住地,也是诗中用以称呼芬兰的名称,意为"英雄国"。"卡勒瓦拉的子孙"的领袖维纳莫伊宁是一个明智的老人,一个有影响的先知。其他人物包括熟练的铁匠伊尔马里宁,他是创世时的"天盖"锻造者之一,还有无忧无虑的冒险勇士和迷惑女人的能手勒明基宁、北方强国波约拉的女统治者路希,以及由于命运所迫,自幼沦为奴隶的悲剧英雄库勒沃。该诗中主要的戏剧性事件是创世以及维纳莫伊宁、伊尔马里宁、勒明基宁三人到波约拉国向路希美丽的女儿求爱的那段惊险曲折的旅程。在途中,他们为卡勒瓦拉人民重新打造一个能创造非凡奇迹的"桑波",它既是一个能产生出盐、粗面和黄金的磨,又是一个能保证幸福和兴旺的

法宝。

Kalf, Willem 卡尔夫（1619-11-03，鹿特丹～1693-07-31，阿姆斯特丹） 荷兰著名静物画家，专画大众喜爱的宴会餐具和精致物品。其作品表现强光照射下的金银器皿和水

卡尔夫绘《带一个中国瓷盖罐的静物画》
美国不列颠百科全书公司供图

果，富丽而典雅。尽管其静物沿袭固有的模式，但他用简洁的构图，深色的背景和强烈渗透的高光极大地丰富了民俗画，卡尔夫的静物画反映了17世纪中期富足的荷兰人的品味。

Kalgan（China） 参阅**Zhangjiakou 张家口**。

Kalgoorlie 卡尔古利 澳大利亚西澳大利亚州中南部城镇。与南面相邻的博尔德共同组成纳拉伯平原和维多利亚大沙漠西边的东库尔加迪金矿的主要居民点。1893年发现金矿后，淘金热潮随之而起。金产量于1903年达于巅峰，后由于表层矿床的耗竭，产量减少。1929年后，因实施产量控制，改良采矿技术和加工方法，以及黄金的价格等方面的影响而趋于某种程度的稳定，并持续到70年代初期。到1978年底，卡尔古利只剩一个主要的金矿仍在作业。然而，80年代金价上涨使金矿开采和探勘业复苏。目前，镍矿已取代金矿成为该地区主要矿产。1966年坎博尔达（南37英里[60千米]）发现镍矿后，卡尔古利就成为这个开发地的服务中心。1971年，在卡尔古利设立了一个很大的镍矿熔炼所。城内的其他工业包括矿石处理厂，铸造厂，机械厂和酿造厂。卡尔古利位于通往珀斯（西374英里）的大东部公路上。有国家铁路系统与埃斯佩兰斯（南260英里）连接，也有横贯澳大利亚铁路通往南澳大利亚的奥古斯塔港和皮里港。卡尔古利位于干燥区，1903年以来一直属于金矿区供水系统的一部分。西澳大利亚矿业学校于1903年迁此。人口：镇约10 390；卡尔古利-博尔德都会区约25 630（1985）。

Kalhu（ancient Assyrian city） 参阅**Calah 卡拉**。

Kālī 迦利 又译"大黑女"、"时母"。印度教女神，她性好吞吃和毁灭，是女神提鞞（至尊女神）的凶恶可怖的侧面。其像黑面獠牙、口吐红舌、身带血污。有4手，分别握剑、盾、从巨人身上割下的巨手或绞索，也可以张手表示安抚。她赤身裸体，胸挂髑髅环、腰束断手串成的带。直到19世纪还在印度活动的职业杀手黑镖客礼拜迦利，用被害人尸体

印度10世纪的迦利砂岩浮雕像
美国不列颠百科全书公司供图

向她献祭。迦利与女神突迦有关，突迦也是提鞞的可怖的侧面，人们有时把这两位女神混为一体。20世纪末，西方对迦利神话和仪式产生了兴趣，特别是美国的女权主义倾向学者和作家，他们将迦利视为妇女权力的极端化象征。

Kāli（India） **喀利河** 参阅**Sārda River 萨尔达河**。

Kali Glagah Fauna 喀利格拉加动物群 东南亚更新世早期的一个脊椎动物群（更新世大约始于250万年前，止于1万年前）。喀利格拉加期的沉积物是在芝朱朗层之后沉积的，其年代距今200万年以上。喀利格拉加期动物群与印度境内同样属于更新世早期的锡瓦立克层序中的平乔尔带相关联，也与上缅甸伊洛瓦底层的上部相关联。喀利格拉加动物群的特点是，马、骆驼、羚羊和犀牛的种与他处不同。

Kalibangan 卡利班甘 印度河流域古代文明的遗址，在今印度西北部的拉贾斯坦。卡利班甘的重要性在于拥有前哈拉帕文化与哈拉帕文化的遗迹，从中可看出两种文化的过渡。虽然前哈拉帕文化已使用铜和用棉花织布，但还没有文字，其遗迹既缺乏整体布局；也没有使用过砖，而哈拉帕遗址却有墓地和城堡。

Kālidāsa 迦梨陀娑（活动时期约5世纪，印度） 梵语诗人、剧作家，可能是印度最伟大的作家。与旃陀罗笈多二世（约380～约415在位）有关系。同大多数古代印度作者一样，生平事迹不详。据僧伽罗人传说，他于鸠摩罗陀娑王（517即位）时期死于锡兰（斯里兰卡）。一个更为持久的传说认为他是优禅尼国王健日王宫廷"九宝"之一。他是梵文古典文学的代表作家之一。流传的诗篇有叙事长诗《罗怙世系》、《鸠摩罗出世》和抒情诗《云使》。《罗怙世系》是关于英雄罗摩的祖先及其后代的传说；《鸠摩罗出世》是关于湿婆神及其妻子和儿子的传说故事；《云使》以恋人托云彩带口信给自己的妻子的形式，描绘了古印度北部山川林木的秀丽景色，内有一系列出类拔萃的精彩诗章。还有一篇《时令之环》，经考证认为可能出自其手（或许是其青年时代作品）。剧作有《沙恭达罗》、《优哩婆湿》和《摩罗维迦与火友王》。《沙恭达罗》讲述美丽善良的少女沙恭达罗与国王豆扇陀真诚相爱的故事，后来国王听信谗言离弃了沙恭达罗。最后国王、沙恭达罗及他们的儿子相聚在天堂。《优哩婆湿》是一个古老久远的传说，叙述一位凡尘国王与一位仙女之间的爱情。《摩罗维迦与火友王》，是写王室后宫中的荒淫，十分滑稽可笑。迦梨陀娑纯熟地运用梵文作诗编剧，其作品反映的多是宫廷贵族社会，语言异常生动，比喻十分形象。人们认为其作品体现了梵文语言内在的文学特性，以及产生这种语言的文化的文学特性。现代西方对迦梨陀娑感兴趣始于1789年W.琼斯勋爵的英译本《沙恭达罗》。这一作品的德文译本后来极大地激发了歌德的创作灵感。

Kālīghāṭ painting 卡立格特绘画 一种在印度流行短暂的水彩画风格。19世纪加尔各答的一些艺术家作画卖给朝拜卡立格特神庙的朝圣者。其特点是线条粗犷，挥洒自如，

19世纪晚期的卡立格特绘画——带鸟的仕女
美国不列颠百科全书公司供图

色彩浓艳，构图简单，宜于大量生产。这种绘画一般是17英寸×11英寸（43厘米×28厘米），画在一张白纸上，不作任何背景。大多描绘一般的印度教神像。随着价廉的彩印石版画的竞争，这种风格的绘画不久就销声匿迹了。这种画的柔美和活力对印度一些现代画有影响，在贾米尼·罗的作品中可见一斑。

Kalimantan 加里曼丹 婆罗洲(**Borneo**)岛的印度尼西亚部分,位于该岛南部,占全岛3/4。印度尼西亚人以"加里曼丹"作为整个岛屿的地理名称。加里曼丹一名起源不确定。在沙捞越,这个词指婆罗洲北部吃西米的民族。印度尼西亚加里曼丹分为4个省份:西加里曼丹、中加里曼丹、南加里曼丹和东加里曼丹。加里曼丹深受印度文化的影响。7世纪苏门答腊室利佛逝帝国统治婆罗洲西部和南部。14世纪麻喏巴歇帝国占领该地区。随着伊斯兰教的传入,16世纪出现一批穆斯林土邦。17世纪上半叶荷兰势力伸入婆罗洲,1863年建立殖民统治。第二次世界大战后印度尼西亚独立。1949～1950年加里曼丹成为印度尼西亚的一部分。

Kalimantan Barat 西加里曼丹 印度尼西亚婆罗洲西部省份。北界东马来西亚的沙捞越州,东北接印度尼西亚的东加里曼丹省,东南邻中加里曼丹省,南濒爪哇海,西临加里曼丹海峡。面积146 807平方千米。包括珀拉皮斯、马亚、劳特、特马朱、巴瓦尔、彭宜基和巴当蒂卡诸岛以及勒穆库坦群岛和加里曼丹海峡中的加里曼丹岛群。大部分地区为沼泽低地,有卡普阿斯、帕万和肯道阿等河流及其支流流贯。马勒山脉和斯赫瓦纳山脉相继自东北至西南伸展,形成该省约2/3的东南边界。北部边界大部分以卡普阿斯胡卢山脉为界,该山脉在东北面与马勒山脉相会合。马勒和斯赫瓦纳山脉的支脉延伸到内地,形成宽阔的山谷,有默拉维河和卡普阿斯河流经。有些山峰海拔达1 700米。浓密的铁木、柚木、栎木和针叶树森林覆盖着山地,附生植物丰富。轮耕制农业构成经济的基础;种植水稻、玉米和木薯。还有一些橡胶和椰子种植园。以家庭工业为主,有碾米、加工棕榈油、木雕、手工织布、编草席和篮子等行业。有限公路连接省会坤甸同内地城镇和沿海地区。河运为内地的主要运输方式。居民大多数是达雅克人。人口3 117 900(1989)。

Kalimantan Selatan 南加里曼丹 印度尼西亚婆罗洲东南部省份。东临望加锡海峡,南濒爪哇海,西接中加里曼丹,北邻东加里曼丹。面积36 985平方千米,包括望加锡海峡的劳特、塞布库和巴拉巴朗岸等岛屿。低低的默拉图斯山脉从南至北呈弧形伸展,几乎把该省一分为二,其南部边缘为库桑山。默拉图斯山向东倾斜至平坦的沿海低地,向西消失在由内加拉河形成的沼泽盆地。东海岸的特征是有几个小海湾。近海的劳特岛较平坦,东北海岸是稍微隆起的高地。该省的低矮的山脉覆盖着柚木及乌檀的赤道森林和蕨类植物以及其他附生植物;沼泽地有红树林和尼帕棕榈。居民多数以农业为生,施行轮作,种植水稻、玉米和木薯。也生产橡胶和椰干。工业为加工食品和饮料,制造家具、生产化工品和橡胶制品。开采黄金、铁矿、钻石和煤矿。出口石油、木材、藤条、橡胶和古塔胶。省会马辰有公路连接马塔普拉、坎当岸和亚文泰。在丹戎和马辰有机场。达雅克人是最大的民族,同时也有少数的班詹人。人口约2 453 800(1989)。

Kalimantan Tengah 中加里曼丹 印度尼西亚婆罗洲中南部省份。西北接西加里曼丹省,北和东北与东加里曼丹省相连,东南与南加里曼丹省接壤,南临爪哇海。面积153 800平方千米。西北边界有斯赫瓦纳山脉和马勒山脉平行延伸,马勒山脉一支脉沿北部边界伸展。斯赫瓦纳山脉最高峰拉亚山,海拔2 278米。山脉南面为该省中部和南部广阔的冲积平原。南部沿海低地有开阔的沼泽地带,为南流的卡普阿斯河、桑皮特河、彭布昂河、阿尤特河和拉曼道河等河流及其支流的河口湾所隔断。人口稀少,主要以农业为生,产稻米、松香、藤条、野生橡胶、蜂蜡、玉米、木薯、甘薯、花生和大豆。工业主要是锯木、碾米、磨面、木材加工、制造小船、纺织、编织和制作念珠。该省在经济上是全国最不发达的,主要原因是南部有大片沼泽地和交通困难。河流提供有限的内陆航线,因流量极不稳定并受到季节性泛滥影响。省会帕朗卡拉亚同桑皮特通过航空联系,西面遗留有1960年由苏联修筑的通往唐基灵的公路。居民多为达雅克人,沿海地带还有马来人、华人和全国各地移民。大部分达雅克人信奉万物有灵论,与外界有些联系的沿海地区也有穆斯林或基督教徒。人口约1 268 600(1989)。

Kalimantan Timur 东加里曼丹 印度尼西亚婆罗洲中东部省份。东北临西里伯斯海(苏拉威西海),东南临望加锡海峡。北面和西北面与东马来西亚的沙巴州和沙捞越州接壤,西面与西加里曼丹省接壤,西南面与中加里曼丹和南加里曼丹接壤。面积211 440平方千米,包括西里伯斯海中的塞巴利克(南半部)、布纽、打拉根、潘姜、德拉万和比朗比朗安等岛屿。连绵的伊兰山脉为南北走向,与东加里曼丹的西部边界平行。其支脉经该省的中部和北部再往东北方向伸展,几乎抵达海岸一带。这一山脉有非火山的群峰,其中包括穆鲁德山(2 438米)、孔克穆尔山(2 053米)和巴都布罗克山(2 240米)。北方的河流有塞布库、森巴孔、塞萨亚普、卡耀和伯绍诸河。这些河流向东流到西里伯斯海,并在沿岸形成各自的河口湾。马哈坎河与它的支流托伦河和贝拉扬河形成该省东南部多沼泽的内陆盆地,大的沼泽包括塞马扬、默林唐和真庞诸湖。群山覆盖有浓密的柚木、栎木、松木、桤木、枫树和桦木的热带雨林。大量的降雨使土壤不断红土化,从而使土壤贫瘠。农业为主要谋生手段,多行轮耕制,主要作物有水稻、玉米、木薯、马铃薯、红辣椒、水果和蔬菜。当地人也饲养家畜和家禽。河溪和深海捕鱼在经济上有重要地位。工业和手工艺包括食品加工、碾米、制药、锯木、木雕、纺织、编织,制作念珠,编篮子与垫子和炼铁。在巴厘巴板附近有一个炼油厂,在东南面的近海油田开采石油和天然气。公路局限于东南部沿海平原,将省会三马林达与登加龙和巴厘巴板连接起来。内地交通主要依靠河船和沿海轮船,巴厘巴板有一机场。居民主要是伊巴人、卡扬人、克拉比蒂克的马鲁特人和蒂东人。虽然有很多伊巴人为基督教徒,伊斯兰教仍占优势。库泰禁猎区位于该省东海岸的邦坦附近。人口约1 796 700(1989)。

Kálimnos 卡利姆诺斯 爱琴海上多山的希腊岛屿,是佐泽卡尼索斯群岛的一部分。面积111平方千米。首府卡利姆诺斯(波西亚)在东南部,是主要港口和爱琴海上的重要商业中心。岛上居民大部住在这里。海绵打捞自古以来就是主要行业,打捞船队每年复活节后远航到北非海岸达6个月。瓦西斯火山谷地得到泉水灌溉,生长着柑橘、橄榄、无花果和葡萄。当地为希腊东正教的一个大主教驻地。人口:岛约16 407(1991)。

Kālimpong 噶伦堡 印度东北部西孟加拉邦北端城市。位于蒂斯塔河东岸。为喜马拉雅山脉的一个山间避暑地。有公路通往大吉岭、西里古里和巴格多格拉,并为来自中国西藏的驮运路的终点站。每年举行一次农、畜交易会。以手工业,特别是织布著称。设有医院和手工艺培训中心以及北孟加拉大学的一个学院。人口约40 845(1991)。

Kaline, Al 卡林(1934-12-19,美国马里兰巴尔的摩～) Albert William Kaline 的别名。美国棒球联盟职业运动员外场手。他是优秀的守场员和击球员,用右手击球和投球。卡林在上学前开始玩业余棒球。他家里多数成员曾参加过半职业性棒球赛。起初他想当一名投球手,但在南方中学(巴尔的摩)时被认为当投手个子太小,当内场手又太弱,于是就成为一名外场手。1953年赛季中期,他同底特律猛虎队签订合同,并一直在那里打球。1955年他共击出27个本垒打,成为获得这一成绩的最年轻的队员。他的平均击球率为0.340,居全联盟之首。从1968年起他担任一垒手,1968年底特律猛虎队在世界系列赛中获胜,在这期间卡林的平均击球率为0.379,击球得8分。1974年9月24日他击出第3 000个安全打。同年退出球坛后成为电视棒球解说员。1980年入选棒球名人堂。

Kaliṅga 羯陵伽 印度中东部的古代地区,相当于今安得拉邦的北部、奥里萨邦的大部分以及中央邦的一部分。南抵哥达瓦里河,腹地包括半印度化部族居住的森林山区、印度中部和恒河平原地区。与缅甸以及更远的东南地区的海上贸易甚为发达。在羯陵伽的统治者中,最著称的是东恒伽人。东恒伽人王朝始于11世纪中叶,1238～1305年间,他们抵御住了来自北方的穆斯林的侵袭。1324年德里苏丹从南方人侵,该王朝灭亡。

Kalinin(Russia) **加里宁** 参阅 **Tver 特维尔**。

Kalinin, Mikhail Ivanovich 加里宁(1875-11-19[旧历11-07],俄罗斯特维尔省上特罗伊察～1946-06-03,莫斯科) 苏联共产党领

导人和政治家,1919～1946年为苏维埃国家形式上的元首。农民出身。1893年加里宁在圣彼得堡成为产业工人。1898年加入俄国社会民主工党,成为列宁的布尔什维克派在俄国的最初的支持者之一。他在党的革命工作中起积极作用(1899年和1903年两次被捕),曾在圣彼得堡参加俄国1905年革命。1912年成为布尔什维克的中央委员会候补委员、俄国局委员和《真理报》的共同创办者。1917年十月革命后,他出任彼得格勒市长。1919年3月他成为苏维埃国家元首,即全俄苏维埃代表大会中央执行委员会主席,1924年他的官衔改为全联盟中央执行委员会主席,从1938～1946年3月他的官职为最高苏维埃主席团主席。1925年12月他又当选为党中央委员会政治局委员。20年代,他在党内对工业政策和农业政策的争论中虽然赞成右派的观点,但在关键性的投票中却支持了斯大林,从而不仅在30年代斯大林排除政敌的大清洗中得以幸存下来,而且获得了党和政府中的高级职位,一直任职到逝世前不久。

Kaliningrad　加里宁格勒　俄罗斯最西部一州。首府加里宁格勒市。面积15 100平方千米,大部分位于普列戈利亚河及其支流流域。原系德国东普鲁士北半部,1945年根据《波茨坦协定》划归苏联,同年建州。苏联时期为俄罗斯联邦组成部分,但被苏联立陶宛、白俄罗斯和拉脱维亚三个共和国的领土隔开约360千米。1991年苏联解体,三国独立,该州与俄罗斯其余部分由三国名副其实地完全隔开。沿岸有广阔淡水海湾,与波罗的海由长大沙嘴隔开。地形以低地、沼泽和平缓丘陵为主,20%的土地生长着混生林。主要工业部门为机械、金属加工和制浆造纸。还有生产琥珀的大型联合企业。沿海地带渔业重要。农产品以谷物、马铃薯和蔬菜为主,奶牛饲养业占有重要地位。3/4以上的人口居住在城镇。人口约886 900(1991)。

Kaliningrad　加里宁格勒　原属德国(1255～1946),德语称Königsberg(柯尼斯堡)。俄罗斯西部加里宁格勒州城市和行政中心。位于普列戈利亚河畔,濒临维斯林湾。先后曾为普鲁士公国和东普鲁士的首府。1945年据《波茨坦协定》划归苏联。1255年建为要塞,1286年建市。19世纪东普鲁士与俄国铁路网联运,该城贸易繁荣,成为俄国商品如谷物、种子、亚麻、大麻的主要输出口岸。先后曾为普鲁士和德国波罗的海重要海军基地(仅次于基尔)。1544年创立专供纯路德教徒学习用的一所大学;1967年设立加里宁格勒大学。第一次世界大战期间该市曾被俄军围攻,没有成功,但在第二次世界大战期间,被苏联红军围困两个月,最终于1945年4月被摧毁(只留下14世纪的大教堂,大城堡和最早的大学)。随后会同东普鲁士北端地区划归苏联,1946年改今名。今城系在旧城西北郊区重建。现为重要工商业中心。有32千米长水道与波罗的海外港和海军基地波罗的斯克相连。有渔业、工程业、造纸业、伐木业和机械工业。人口约430 003(2002)。

Kaliningrad　加里宁格勒　俄罗斯城市。参阅 **Korolyov** *科罗廖夫*。

kaliophilite　钾霞石　*矿物霞石*(**nepheline**)的变种。

Kalisky, René　卡利斯基(1936-07-20,比利时布鲁塞尔～1981-05-02,法国巴黎)　波兰裔比利时作家,一生中最后12年所写的话剧最为著名。第二次世界大战中其父在奥斯威辛集中营被杀害,他则幸免于难。这些战争经历使他能就犹太人题材写出很有力的作品。主要以戏剧作品闻名。其作品有现代气息,形式新颖,却有着古典悲剧的特点。其"超级演技"和"超级文本"的思想,不仅使演员和剧本摆脱了传统手法的束缚,还有助于发挥观众的戏剧潜能。早期曾就阿拉伯-以色列的主题写过论述文。之后开始写由一些松散片段组成的历史剧:《托洛茨基等人》(1969)、《迷津》(1970)、《狮心吉姆》(1972)、《克莱里塔的聚餐》(1973)。后期的剧作在思想和演剧风格上更加集中,更加复杂,如《大卫在海滩边》(1978)。去世后出版的作品中,《阿伊达被击溃》(1979)讲述一个犹太人返回欧洲的故事,是一部最通俗易懂的作品。《狮心查理》(1984)是根据比利时历史题材写的电视剧。在创作以圣经中有关约瑟及其兄弟们的故事为主要线索的话剧《虚伪》(1981)时病故。

Kalisz　卡利什　原波兰中西部一省(1975～1998)。现为大波兰省的主要组成部分。

Kalisz　卡利什　波兰中西部大波兰省城市。濒临普罗斯纳河。该城历史悠久,在此曾出土一座史前村庄。2世纪天文学家、地理学家托勒密曾称之为卡里西亚。1282年建镇。现已实现工业化,专门从事纺织业(始于15世纪)。市内多风景秀丽的公园和古教堂。人口约109 498(2002)。

Kalkbrenner, Frédéric　卡尔克布雷纳(1785-11,黑森-卡塞尔卡塞尔附近[德国]～1849-06-10,法国昂吉安莱班)　德国出生的法国钢琴家、作曲家和教师。其作品大多为钢琴曲,偏重炫技。1799～1801年在巴黎音乐学院求学,1803～1804年间去维也纳师从J.G.阿尔布雷希茨贝格和海顿。1814年迁居伦敦后开始钢琴演奏生涯。1824年返回巴黎,任职于普莱埃尔钢琴制造商行。1825～1835年的10年中演奏声誉达到顶峰,但1835年后,因新一代钢琴家如李斯特、肖邦和S.塔尔贝格的出现而名声大减。卡尔克布雷纳的演奏清晰而音色优美,虽然有人认为他缺乏感情力度。作为教师,他曾发明能帮助提高技巧的手臂托架,并写过一本钢琴教程。

Kalkin　迦尔吉　印度教大神毗湿奴未来的也是最后的化身。在歌利世即现世末期,道德和宗教沦丧,恶人当道,彼时迦尔吉将出现,尽杀恶人而开创新时代。传说他骑白马,手持出鞘之剑,寒光如彗星。在绘画和雕塑

17世纪尼泊尔细密画中的迦尔吉神像
美国不列颠百科全书公司供图

中,迦尔吉不如毗湿奴其他化身常见,多数作品显示他骑马或牵马。

Kállay, Benjamin　卡洛伊(1839-12-22,奥地利帝国匈牙利佩斯[今布达佩斯]～1903-07-13,奥地利维也纳)　奥匈帝国政治家,任帝国财政大臣兼波斯尼亚总督20多年(1882～1903)。一生研究巴尔干诸国。1867年任驻贝尔格莱德总领事。几年后出版一部塞尔维亚史纲。他在政治上是个保守派。1879年任外交部司长。两年后一度掌管外交部。1882年接任波斯尼亚总督不久,就在那里树立一个有效的、开明的行政机构,大力开展铁路建设,改善医疗和公用事业,并对南部斯拉夫人民表示同情。

Kállay, Miklós　卡拉伊(1887-01-23,奥匈帝国匈牙利尼赖吉哈佐～1967-01-14,美国纽约州纽约)　匈牙利政治家,第二次世界大战期间作为匈牙利首相试图解除该国与德国的同盟关系,但未能成功。出生于古老而有影响的地方贵族家庭。1921～1929年任尼赖吉哈佐州副州长。1929～1931年任商业部副国务秘书。1932～1935年任农业大臣。1935年因反对根伯什首相的极右政策而辞职。1942年摄政霍尔蒂要求他组织政府。他当政时期(1942～1944)给予犹太人一定的保护,允许左翼报刊和政党进行活动。对外主张武装反对俄国,同时与西方国家保持和平。1944年3月德军占领匈牙利时被俘,先后关人达豪集中营和毛特豪森集中营。纳粹德国垮台后获释。1946年出国。1951年定居美国。著有回忆录《匈牙利首相》(1954)。

Kallérgis, Dimítrios　卡莱伊斯(1803,奥斯曼帝国克里特[今在希腊]～1867-01-24,希腊雅典)　希腊独立初期的著名政治家。身为上校的卡莱伊斯反对国王奥托一世的统治,1843年9月领导起义,迫使国王解散他的巴伐利亚政府并实施比较自由的新宪法(1844)。卡莱伊斯1845年亡命国外,1848年归国,发动革命未成。1854年任马夫罗科扎托斯内阁的大臣,1855年10月被国王解职。奥托垮台后,他参加了使丹麦的威廉亲王于1863年登上希腊王位的谈判。

Kallikrates　参阅 **Callicrates** *卡利克拉特*。

Kallinikos of Heliopolis 参阅 **Callinicus of Heliopolis** 卡利尼库斯(赫利奥波利斯的)。

Kalliope (Muse) 参阅 **Calliope** 卡利俄珀。

Kálmán(king of Hungary) 参阅**Coloman**卡尔曼。

Kalmar 卡尔马 瑞典东南部省份。在波罗的海之滨的约塔兰地区。面积11 171平方千米。由大陆部分和厄兰(**Öland**)岛组成。岛屿和大陆之间是狭长的卡尔马海峡。卡尔马地区地势平坦,多树;西部有沼泽。沿岸地区土壤肥沃,牧场广阔,有养羊和乳品业。主要工业部门有木材加工、制造火柴、家具、玻璃、金属制品等。省会为卡尔马。其他重要城市有大陆上的韦斯特维克、奥斯卡港、尼布鲁、胡尔茨弗雷德和维默比以及岛上的博里霍尔姆等。人口约241 912(1993)。

Kalmar 卡尔马 瑞典东南部卡尔马省省会和港市。濒卡尔马海峡。建于12世纪。1397卡尔马联合即以该市命名。1613年被丹麦人征服。1647年被烧毁后,城市大部分在附近的克旺霍门岛重建。市中心周围仍有17世纪城防工事遗迹。现存17世纪历史建筑包括文艺复兴时期风格的大教堂(1666～1700)、省长官邸(1674)和市政厅(1680)。13世纪时的卡尔马城堡现为省博物馆。中世纪起便有造船业。港湾优良。现主要为制造业中心,产品种类繁多。附近有世界第一流的玻璃厂。铁路和航空交通便利。有轮渡通厄兰岛。人口:城市区约56 863(1993)。

Kalmar Union 卡尔马联合 1397年6月在瑞典卡尔马城结成的斯堪的纳维亚联盟,挪威、瑞典和丹麦3个王国共戴一个君主。当玛格丽特一世统治丹麦、挪威和瑞典的时候(1387～1388),她极力想从自己的亲属中物色一个国王。1389年,她宣布年幼的外孙波美拉尼亚的埃里克为挪威国王。1396年,丹麦和瑞典相继宣布对他效忠。她自任摄政。1397年6月,玛格丽特召集三国权贵在卡尔马城开会,随即为埃里克举行联合加冕典礼。卡尔马联合一直持续到1523年瑞典独立为止。1536年,挪威沦为丹麦的一个省。

Kalmar War 卡尔马战争(1611～1613) 丹麦和瑞典为争夺挪威北部海岸和内陆地区控制权而进行的战争。由于瑞典国王查理九世宣布他对旧芬马克地区拥有主权,丹麦国王克里斯蒂安四世于1611年4月向瑞典宣战。1611年夏,丹麦攻陷瑞典的卡尔马港,挪威将瑞典军队赶出芬马克地区。1612年5月,丹麦攻占艾尔夫斯堡港。1613年1月,战争以签订《克奈勒德和约》结束。根据和约,瑞典承认丹麦和挪威在芬马克地区的主权,4年后,以大量赔款才赎回艾尔夫斯堡。

kalmia 山月桂 杜鹃花科山月桂属(*Kalmia*)植物。约6种常绿灌木,全部产于北美及西印度群岛。叶有短柄,对生、互生或轮生,叶缘光滑。花美观,碗状,有5裂瓣,粉红色、紫色、淡紫色或白色,成穗着生于枝顶或叶腋。花药在花瓣内侧褶合成袋状,当昆虫触及,花药即弹开,将花粉散到虫体上。该属最著名的3个种是:狭叶山月桂(绵羊月

阔叶山月桂(*K. latifolia*)
美国不列颠百科全书公司供图

桂、毒羊月桂、猪月桂、矮月桂,*K. angustifolia*)、阔叶山月桂(山月桂、美洲月桂、匙木、多色灌木,*K. latifolia*)及泥泽山月桂(沼泽月桂,*K. polifolia*)。狭叶山月桂与泥泽山月桂的叶片对食草动物有毒。前者广布于北美东部的开阔沼泽地区,高0.9～1.7米,茎直立,不分枝;叶披针形,对生;花穗腋生,花淡紫色或玫瑰色。阔叶山月桂分布北美东部多山地区,高1米;叶广椭圆形,互生或轮生;花穗大,顶生,花玫瑰色、粉红色或白色。泥泽山月桂见于北美北部泥炭土或沼泽土,高60厘米;叶广椭圆形,对生或轮生;花穗顶生,玫瑰色或粉红色带淡蓝色。

Kalmuck (people) 参阅 **Kalmyk** 卡尔梅克人。

Kalmyk 卡尔梅克人 又拼Kalmuck。主要住在俄罗斯西南部卡尔梅克共和国的蒙古民族,语言属蒙古语族的卫拉特语支或西部语支。卫拉特方言也通用于蒙古西部、中国的新疆和附近各省。卡尔梅克人的家乡在伏尔加河下游以西地方,地处里海西北沿岸弧形地带。布扎瓦部落的少数卡尔梅克人住在顿河沿岸。另有一小群人叫作萨尔特-卡尔梅克人,住在吉尔吉斯斯坦靠近中国边境的地方。第二次世界大战后,有少数人迁居美国。13世纪蒙古帝国臻于极盛,东西两部蒙古人为敌。西部蒙古人以所谓"四部"(Dörben Oyrat)联盟的形式存在,由是而有"卫拉特"的名称。一部分卫拉特人留居新疆北部及蒙古西部。另一部分于17世纪初经西伯利亚南部到达乌拉尔山南部地带,转而到达伏尔加河下游,18世纪时他们并入俄罗斯帝国。1771年,伏尔加河东岸的卫拉特人回归中国,居住在西岸的卡尔梅克人留在俄罗斯。卡尔梅克人长时期过游牧生活,饲养马、牛、羊及少数骆驼。其游牧生活方式是传统式的;每年自冬季营地出发,到春季草地、夏季草地和秋季草地放牧,再回冬季营地,周而复始。住所是蒙古包。凡从事农业者,均已定居。家庭生活、继嗣制度、婚姻关系及财产继承主要遵循父系制度。传统上家庭是大家庭,由父母、已婚儿子及其家庭和未婚儿女组成。几个家庭组成一个家族村落,村落再组成民族,民族组成氏族联盟。卡尔梅克人传统上分为王公、贵族及平民三个等级,现在只剩下平民一级。像其他蒙古人一样,卡尔梅克人是喇嘛教徒,但他们的佛教是土著信仰和萨满教的结合物。萨尔特-卡尔梅克人则是穆斯林。第二次世界大战结束时,卡尔梅克人被指责反苏,被流放到苏联中亚地区。1957年得以重返家园。根据1939和1959年的人口普查,人口数量在20年间从134 000下降到106 000。1970年人口为137 000,1979年人口为147 000。

Kalmykia 卡尔梅基亚 俄罗斯西南部的共和国。位于里海西北,伏尔加河下游西侧。东达里海之滨,东北面有两处到伏尔加河边。大部分位于里海沿岸北部广阔低地,许多地区海拔低于海平面。西部以叶尔格尼丘陵和萨尔斯克-马内奇山脉为界,最高海拔221米。叶尔格尼丘陵东坡有无数的河谷和沟壑,除了雨期,几乎全无水。境内有一条狭长地带,从东到西贯穿马内奇低地,其间有一些大盐湖,从前借以沟通里海和黑海。叶尔格尼丘陵区的东部到里海为一片平坦的平原,其间仅有一些小洼地和古坟墩。叶尔格尼丘陵区的植被为干草原的草丛和谷地的落叶树丛(柳树、榆树、杨树),其余地区均为半荒漠。气候为夏季炎热少雨,但常有倾盆骤雨,在河谷地区造成山洪暴发。17世纪,蒙古血统的卡尔梅克人从中亚迁移至里海地区。他们多为养牛的游牧民。1920年设为自治州;1936年成立自治共和国,1944年被撤销,当时卡尔梅克人因所谓与德国有勾结而被放逐。1957年获准返回家园,该区重设为自治州。1958年恢复自治共和国建制。约2/5人口居住在首府埃利斯塔(**Elista**)等3个城市和5个城市型的居民地。畜牧业,尤其是养殖细毛羊和卡拉库尔羊是经济基础。但人们过游牧生活的已减少,只有牧民迄今仍随牧群迁移。叶尔格尼丘陵区有一些可耕地,主要农作物为谷物、玉米、饲草、芥菜籽、向日葵和甜瓜。里海沿岸渔业重要,卡斯皮斯基有大型鱼类加工厂。工业以畜产品(皮革、羊毛、黄油和乳酪)加工为主,集中在埃利斯塔和卡斯皮斯基二市。面积76 100平方千米。人口约319 000(1996)。

Kálnoky von Köröspatak, Gusztav Siegmund, Count(Graf) **卡尔诺基·冯·克勒什帕塔克**(1832-12-29,摩拉维亚莱托维茨[今捷克共和国莱托维采]～1898-02-13,普罗德利茨[今布罗代克]) 奥匈帝国政治家、外交大臣(1881～1895)。原为职业军人,1854年步入外交界。先后在伦敦、罗马和哥本哈根任外交官。1880年任驻俄罗斯大使,翌年回维也纳任外交大臣。他的外交政策通常是保守的,十分成功。他恢复奥德联盟,并与俾斯麦共同敦促意大利参加三国同盟(1882)。他同塞尔维亚(1881)、罗马尼亚(1883)签订秘密条约以及与保加利亚往来,其目的都在于削弱俄国在巴尔干半岛的势力。他对俄国始终存有戒心,但却努力改善奥俄两国的关系。他想利用梵蒂冈破坏俄法联盟(1893),但匈牙利人不喜欢卡尔诺基而偏爱罗马教皇的观

点，最后主要由于这个原因而辞去外交大臣职务。

Kalocsa　考洛乔　匈牙利中部巴奇-基什孔州城镇，在多瑙河东侧。曾是匈牙利国王斯蒂芬一世建立的主教管区之一。土耳其劫掠之前，为日渐繁荣的中世纪城镇，19 世纪成为农业中心。这里的民间艺术丰富多彩，设有民间艺术博物馆和卡罗伊·维斯基博物馆。人口约18 209(1991)。

Kalpa-sūtra　《劫波经》　印度教习俗手册；吠陀(印度最古老的经籍)各派内都有一些这类手册。每一部手册解释各派的礼仪惯例(即“劫波”)，其中《天启经》(**Śrauta-sūtra**)论祭献礼仪；《家经》(Gṛhya-sūtra)论在家崇拜；《法论》(**Dharmashastra**)论修身操行。《劫波经》采用格言体，便于背诵。《劫波经》是六种“外道论”(vedangas)之一，因为是人为，故称为“传承”，不同于天启的吠陀。

Kalpa-sūtra　《劫波经》　印度耆那教白衣派重要经典。经中论述耆那教二十四祖的生平和历代传承，并载僧人在雨季安居节期间应遵守的戒条。此外还有最后三代教祖阿利湿塔内米、巴湿伐那陀、大雄和第一代教祖勒舍婆那陀的 5 项吉祥事迹(离天下降，诞生，出家，证得全知，逝世)以及许多传说。经中还简要介绍其他圣人。

Kaltenbrunner, Ernst　卡尔滕布鲁纳(1903-10-04，奥匈帝国因克赖斯里德～1946-10-16，德国纽伦堡)　奥地利纳粹党人，奥地利党卫军头目，后为纳粹德国警察部队的首领。初在林茨公立学校就读，后入布拉格大学学习。1932 年加入奥地利纳粹党，1935 年成为奥地利党卫军首领。德奥合并后，他成为奥地利冲锋队的正式首领。1938 年他被任命为奥地利保安局长。担任该职直至 1941 年。1942 年 6 月海德里希被捷克爱国者暗杀，卡尔滕布鲁纳随即被希姆莱选中，于 1943 年 1 月起担任中央保安局局长。作为中央保安局长，他既负责盖世太保，又掌管散布于欧洲各处的纳粹集中营系统。他是一个狂热的反犹分子，据说在 1942 年的一次会议上，他同意希姆莱的意见，认为应使用毒气室作为屠杀犹太人的方式。1943～1945 年，卡尔滕布鲁纳掌管着实施消灭欧洲犹太人的行政机构。1945 年 5 月 15 日被美军俘获，1945 年 8 月 29 日，被纽伦堡国际军事法庭以战争罪起诉，1946 年 10 月 1 日以战争罪及违反人道罪被判处绞刑。

Kaluga　卡卢加　俄罗斯西部的一个州。位于莫斯科州西南，奥卡河流域上游。面积29 900平方千米。宽广的多沼泽谷地与中俄罗斯高地的起伏丘陵相间。全州土地仅 1/3 覆盖着自然植被，有橡树、云杉、松树和白桦混交林，其余为农田。属大陆性气候，年降水600毫米。农牧业发达，种植谷物、亚麻、大麻、饲草等。小城镇有农产品加工、轻型机械制造、木材加工等行业。东北部有纺织业。还开采褐煤。1955 年在奥布宁斯克建成苏联第一座原子能电站。首府为卡卢加市。人口约1 080 000(1991)。

Kaluga　卡卢加　俄罗斯西部卡卢加州城市和首府。坐落在莫斯科西面，濒临奥卡河。14 世纪建为要塞，17 世纪被哥萨克人破坏，1941 年冬曾被德军占领。现有多种工业，生产涡轮机、铁路设备和消费品。有维亚济马—图拉铁路通过，并在附近与莫斯科—基辅线联轨。人口约366 300(1991)。

Kalulushi　卡卢卢希　赞比亚中北部城镇。邻近刚果(金)边境。与卢萨卡和采矿中心基特韦、卢安夏、钦戈拉等地通公路干线。20 世纪 20 年代初期发现铜矿，因而有大批乡村移民涌入。其他矿产有钴和硒。现有食品、饮料、木材加工、塑料、金属制品和化工等工业。人口约75 197(1990)。

Kalundborg　凯隆堡　丹麦西兰岛西北部西西兰州城市，临凯隆堡湾。中世纪时为王室驻地。当地城堡原为国民议会经常开会的地方，后来成为国家监狱，1658 年被瑞典人夷为平地。现有著名的沃尔弗鲁埃教堂(约1170)。该市有避风港和各种渡轮码头，工业包括肉类包装、造船、炼油、机器制造和化工。人口：市约15 452；城市区约19 421(1999)。

Kalush　卡卢什　乌克兰西南部伊万诺-弗兰科夫斯克州城市。位于利沃夫市东南约90 千米。地处伊万诺-弗兰科夫斯克—斯特雷铁路线上。1939 年建市。有食品加工、服装、化工和混凝土制造业。设有化工和专业技术学校。人口约68 000(2001)。

Kalutara　卡卢特勒　斯里兰卡西南部城镇。该镇位于海岸，为渔业和贸易中心。椰树纤维编绳、编筐并制造其他物件为地方行业。除编织工艺品外，该地区也产亚力酒(用米浆和糖蜜等酿制的烈酒)和莽吉柿。人口约37 081(2001)。

Kalvis　卡勒维斯　拉脱维亚语作 Kalējs。波罗的宗教所信奉的天匠。以大铁锤为象征物。他似乎曾杀龙。每天早晨卡勒维斯为清晨女神奥斯林纳锻造新太阳，为晨星和暮星打出银腰带和金马镫。

Kálvos, Andréas Ioannídis　卡尔沃斯(1792-04，威尼斯共和国扎金索斯[今在希腊]～1869-11-03，伦敦)　希腊诗人。曾把意大利新古典主义影响带入伊奥尼亚诗派(来自 7 个伊奥尼亚岛屿的浪漫派诗派)。在托斯卡纳的来航长大，一生大多住在意大利和英格兰。在意大利期间，他当过意大利爱国诗人 U. 福斯科洛的秘书(1812～1817)。这位意大利诗人也是他的同乡，对他的著作有很大影响。事实上，他的最初著作，包括两部悲剧，是用意大利文写的。1826 年到科孚设立了他自己的私人学校，晚年在英格兰度过。卡尔沃斯分两册出版了 20 首爱国颂诗，即 1824 年在日内瓦出版的《里拉琴》和 1826 年在巴黎出版的《新颂歌》。他笔下的希腊是一个理想化的、具有旧式美德的希腊，然而却是从外部观察的希腊。虽然他有时使用希腊的民间语言，但一般说来他是个主张纯正语言的艺术家，写的大多是严肃和说教的诗歌和各种拟古作品。

Kalyān　格利扬　印度西部、马哈拉施特拉邦西部城市。傍乌拉斯河。为大孟买工业综合体的组成部分。专门生产化学药剂、合成物以及电气装备。小工业，特别是手工棉织与丝织居重要地位。有良好公路和铁路与全区各地相通，有每周一次的集市和农产品批发市场，并且是沿海地方贸易的港口。有几处穆斯林时期的古迹，如马塔巴尔汗宫和黑清真寺。人口约1 193 266(2001)。

Kalyub(Egypt)　参阅 **Qalyūb** 盖勒尤卜。

Kalyubia(Egypt)　参阅 **Qalyūbīyah, al-** 盖勒尤卜。

Kāma　伽摩　印度神话中的爱神。在吠陀时代，他体现宇宙之欲即创造冲动，是原始混沌的最初产物，有了伽摩万物才得以发生。吠陀时代以后，伽摩之像多为俊美青年，由众

约 17 世纪中叶麦华绘画中的伽摩神像
美国不列颠百科全书公司供图

多天上仙女陪伴，她们向他发射产生爱情的花箭。

kāma-dhātu　欲界　佛教名词。指感觉和欲望的境界。参阅 **arūpa-loka**。

kāma-loka　欲界　佛教名词。指有生死轮回的三个生存境界中的第三个界。参阅 **arūpa-loka**。

Kama River　卡马河　俄罗斯中西部河流。源出乌德穆尔特的上卡马高地，北流，后转向东、南和西南，注入伏尔加河中游的古比雪夫水库。全长1 805千米，流域面积 52.2 万平方千米。融雪后春汛流量几乎占年径流量的 60%。结冰期为 11 月中或 12 月初至 4 月。鲁德尼奇内以下1 535千米下游河段可通航。历史上是乌拉尔至西伯利亚的通道，现为大伏尔加河水路系统的组成部分。沿河在彼尔姆、沃特金斯克附近的柴可夫斯基和下游的下卡姆斯克均建有拦河坝和水电站。

kamacite 铁纹石 由铁和5％～7％镍的合金构成的陨石矿物。见于铁陨石中，包含六面体式陨铁中的所有的金属，也是八面体式陨铁的主要成分，在八面体式陨铁中它与镍纹石(陨镍铁)交生。其晶形属等轴晶系。

Kamaishi 釜石 日本本州岩手县城市。临釜石湾。原为小渔村。1727年发现磁铁矿。1857年建立国内第一个欧洲式鼓风炉。1885年建炼铁厂。第二次世界大战中破坏严重。1945年后磁铁矿开采业复兴。釜石港是输入钢、铁的进口港和重要渔港，也是陆中海岸国家公园的一部分。20世纪70年代重建港口并在围海填造的陆地上建起大型油库和工业点。人口46 520(2000)。

Kamakaeha, Liliu 卡马卡埃哈 参阅**Liliuokalani** 利留卡拉尼。

Kamakura 镰仓 日本本州神奈川县城市。位于横滨之南，三浦半岛西部，濒临太平洋。三面环山，南有海滩。原为小渔村，1180年后作为日本第二国都达300年。德川时代

镰仓市的日本国宝——1252年铸造的大铜佛像
美国不列颠百科全书公司供图

成为游览中心，建起宫殿、庙宇和贵族宅邸。为历史名胜、旅游和住宅区。1945年以后该市大船地区工业有所发展。古迹有作为国宝的大铜佛像，以及建长寺、因果寺和观音像。镰仓博物馆藏有许多国宝。市内有镰仓县现代艺术博物馆。由比滨和七里滨海滩十分吸引游客。生产13世纪兴盛的民间工艺品镰仓雕漆器。人口约175 995(1988)。

Kamakura-bori 镰仓雕 日本的漆工艺品中，在木料上雕刻出图案，然后涂以黑漆或朱漆的技法。镰仓雕是由仿效中国在有一定厚度的多层涂漆(常为几种颜色)上雕刻图案的“堆朱”(即雕漆)工艺而来的。中国漆器在日本镰仓时期(1192～1333)很流行，镰仓雕就是在这时期的后半叶出现的。日本京都南禅寺有一个香炉，上面有牡丹纹样，是现存的镰仓雕最早实物之一。据信这是14世纪或15世纪初的遗物。室町时代(1338～1573)末年的镰仓雕箱、柜，也表现出中国雕漆工艺的影响。在明代嘉靖年间(1522～1566)，中国艺人利用雕漆的红绿漆层，雕出红花绿叶。镰仓雕的木刻图样上，花也涂以红漆，叶涂以绿漆。

Kamakura period 镰仓时代 日本历史上的一个时代(1192～1333)。在此期间，日本完全奠定了封建社会的基础。因源赖朝最终战胜对手平家以后，在镰仓建立幕府，故名。1199年赖朝死后，幕府实权落到北条氏手中，直到镰仓幕府垮台，他们始终把持政权。1274和1281年蒙古人先后两次侵入日本，都被击退。但是由于抵御外敌，军费浩繁，镰仓幕府财政拮据，政权亦更加不稳。1331年后醍醐天皇举兵讨幕和接着发生的宗派斗争，导致幕府在1333年垮台。镰仓文化主要表现于武士阶层的兴起。他们掌握军事技能，并极为重视尽责、忠诚和勇敢的观念。剖腹自杀和崇拜刀剑，都出现在这一时期。强调戒律、诚心和直接行动的佛教禅宗因为与武士的情感相通，变得颇有影响。净土宗和日莲宗则在平民中获得信徒。在文学方面，描写著名武士的英雄业绩的军记物语成为一种重要流派。

kamanjā 凯曼贾琴 阿拉伯和波斯艺术音乐中的重要弓弦乐器。这是一种尖长形提琴，换言之，它的圆形或圆柱形的小琴体好像被琴颈刺穿，演奏时这刺入的琴颈就成为支撑乐器的“腿”。面板为皮膜制成，一般有2～4根弦。源于波斯北部。10世纪哲学家和音乐理论家阿尔-法拉比曾提到过此琴。在中东仍常见，但在北非已由当地称为凯曼贾琴的竖着演奏的欧洲中提琴和小提琴所代

凯曼贾琴(侧面与正面)
美国不列颠百科全书公司供图

替。在中亚、北印度和东南亚，尖长形的很像凯曼贾琴的弓弦乐器一般都叫雷巴布琴。土耳其把凯曼贾琴称为拉巴布琴。

Kamaraj, Kumaraswami 卡马拉季(1903-07-15，印度维鲁杜纳格尔～1975-10-02，马德拉斯) 印度政治家。纳达尔种姓(仅高于最低等级)出身。曾任马德拉斯(后称泰米尔纳德)首席部长和国大党主席。15岁参加政治活动，在家乡为国大党筹募资金。1937年选入马德拉斯立法会议。1952年在印度国会下议院赢得席位。1954～1963年任马德拉斯首席部长。此后不久任国大党主席。1964年拉尔·巴哈杜尔·夏斯特里出任总理和1966年英迪拉·甘地出任总理，他都起了重要作用。1967年被甘地夫人排挤出国大党的领导集团。1969年成为保守集团成员，力图使甘地夫人下台。后集团分裂。

Kamarān 卡马兰 也门所属的红海近岸岛屿。面积57平方千米。阿拉伯文“卡马兰”意为“双月”，指该地能见到月亮的双重倒影。该岛由珊瑚礁构成，西岸平直，东岸弯曲，有一港湾。年平均气温29 °C，在全世界名列前茅，湿度高，有尘暴，雨量不大，气候恶劣。西岸3个村庄从事珍珠采集业。出口鱼干、木炭。岛上有机场可通也门本土。

Kamáres ware 卡马雷西陶器 古希腊米诺斯文化中期(公元前约2100～前约1550)在克里特岛盛行的彩绘陶器。现存制品有脊纹杯、圆形带嘴小水罐以及大型贮罐。装饰图案为抽象的曲线与风格化的植物和海景的结合，在黑色的胎底上，以白色和红、橙、黄等色调进行彩绘。

Kāmārhāti 加马尔哈蒂 印度东北部，西孟加拉邦中东部城市。位于胡格利河东岸。为加尔各答都市区的一部分。主要工业有黄麻和棉花加工、鞣革、制陶、橡胶制品、水泥和油漆生产。有一些祀奉时母、黑天和湿婆的寺庙。原属伯勒讷格尔市，1899年单独设市。人口约266 625(1991)。

Kāmarūpa 迦摩缕波 印度古代王国。大致相当于今印度东北部阿萨姆邦。由于有天然屏障，其疆界相当稳定。公元350～650年是笈多帝国的属邦，9～10世纪时为独立王国。13世纪缅甸北部的阿霍姆部落渗入这个地区。阿霍姆人称该地区为阿萨姆，于是取代迦摩缕波成为该地区的公认地名。作为独特的南亚和西亚文化的融合点，是印度教密宗的发祥地。

Kamasian Pluvial Stage 卡马斯雨期 非洲更新世(160万年前至1万年前) 重要的年代地层单元。是一个气候比较潮湿的时期。卡马斯雨期位于卡格拉雨期之后，并与之隔有一个气候比较干燥的时期，即卡格拉-卡马斯间雨期。其与北半球的明德冰期，以及奥杜瓦伊峡谷中的Ⅱ层相当。该雨期堆积层中发现的鳄鱼化石提供的证据表明当时气候比较潮湿。

Kamazhu He 卡马朱河 中国西藏珠穆朗玛峰北坡冰川积雪融水形成的河流。

Kamba 坎巴人 居住在肯尼亚，操班图语系语言。与邻族基库尤人关系密切。坎巴人

以农为主，同时大量饲养牛、绵羊和山羊。主要作物有黍稷、高粱和玉米。由于马查科斯区人口稠密和水土流失，许多人前往内罗毕去谋生。坎巴人长期以行商著称。坎巴人大约分散成25个大小不等的父系氏族。个人都要纳入年龄组，但不像基库尤人和其他邻族那样要实行成年礼。最高一级年龄组的男子传统上组成地方议事会负责地方行政；现在由政府指派的酋长和头人与议事会协同工作。宗教信仰接近基库尤人，崇奉至高神明恩加衣和祖灵，对祖先的崇拜尤盛。大多数坎巴人现已成为基督教徒。

Kambalda　坎博尔达　澳大利亚西澳大利亚州南部一镇。在卡尔古利-博尔德以南60千米处。1896～1906年开采黄金。1966年附近发现高品位镍矿后成为现代重要矿区。所产矿石运往卡尔古利-博尔德和奎纳纳加工，或经南面的埃斯佩兰斯港外运。当地镍矿石中还含有铜、钴、钯和铂。当地正进行广泛勘探，并已在斯帕戈维尔和尼平开采。人口4 259(1991)。

Kamban, Gudmundur (Jonsson Hallgrimsson)　坎班(1888-06-08，冰岛阿尔弗兰尼斯～1945-05-05，丹麦哥本哈根)　20世纪冰岛最重要的剧作家及小说家之一，作品立足于深刻的历史感，对现代西方价值观常有批评，鼓吹仁爱与理解。他既用冰岛文也用丹麦文写作。他的最出色的作品为4卷本历史小说《斯卡豪特》(1930～1932)，在经过仔细研究，搜集资料的基础上写出了17世纪冰岛主教B.斯韦松之女儿的一生。另一部重要作品为历史小说《我看到了一片神奇的土地》(1936)，叙述11世纪北欧海盗远征格陵兰与美洲。坎班的主要剧作有以性爱为主题的《哈达·帕达》(1914)以及考察刑罚制度，对惩处罪犯是否正当提出问题的《我们这些杀人者》(1920)。丹麦抵抗纳粹运动企图逮捕坎班以便弄清有人指控他同情纳粹是否属实时，但不慎将他枪杀。

Kambujia　参阅 **Cambyses 冈比西斯**。

Kamchadal　堪察加人　又称伊捷尔缅人(Itelmen)，居住在俄罗斯最东部的堪察加半岛南部。20世纪末人口普查时，约为2 500人。由于被人征服和疫病流行，人口大减。自18世纪以来大部分已俄罗斯化。俄语中称这些存活下来的堪察加人为“伊捷尔缅人”，而以“堪察加人”用来指称那些混血人。堪察加人的古西伯利亚语族的洛拉维特兰语和神话体系，与邻近的楚克奇人和科里亚克人的语言和神话体系密切相关。堪察加人的经济和生活方式同北太平洋沿岸的许多部落一样，以每年洄游的鲑鱼为主要食物来源，并广泛采集野生植物。堪察加人为水边居民，颇为分散。根据1697年第一次报道的情况，他们当时在技术上尚处于石器时代，冬天住地下室，夏季住在木桩之上构筑的房屋中。以狗拖橇和独木舟为交通工具。地方部族间常有战斗发生。其传统社会组织不详，但妇女具有很大影响力。宗教祭祀众多的精灵，以献牲礼祈祷狩猎成功。对待萨满巫师不如西伯利亚其他地方重视。

Kamchatka　堪察加　又拼 Kamčatka。俄罗斯远东地区一个州。面积472 300平方千米，包括堪察加半岛全部和科里亚克山脉南端。辖科里亚克自治区。首府**堪察加彼得罗巴甫洛夫斯克**(**Petropavlovsk-Kamchatsky**)。人口密度每平方千米仅0.9人，居民以俄罗斯人为主，还有科里亚克人、埃文人、楚克奇人和堪察加人。经济以渔业为主，有大型蟹类罐头厂。堪察加河流域有伐木业和分散的农业。建有俄罗斯第一座地热发电站。人口约423 000(1995)。

Kamchatka Peninsula　堪察加半岛　位于俄罗斯远东地区。西濒鄂霍茨克海，东临太平洋和白令海。南北长约1 200千米，最宽处480千米，面积约37万平方千米。有两条沿半岛延伸的山脉：中部山脉和东部山脉。最高点克柳切夫火山海拔4 750米。有127座火山，其中有22座活火山。有许多喷泉和温泉。半岛南端有一小型地热发电站。气候恶劣，冬季漫长、寒冷而多雪，夏季潮湿、凉爽。植被大部为苔原植物。低地和谷地有白桦和松林，湿地有白杨和柳树。渔业是唯一重要的经济活动，特别是沿海捕蟹业。也有少量农业及牛和驯鹿放养业。堪察加彼得罗巴甫洛夫斯克是主要城市和港口。居民主要是俄罗斯人，另有科里亚克人、楚克奇人和堪察加人。

堪察加半岛帕拉纳附近冻原上科里亚克人的驯鹿
美国不列颠百科全书公司供图

Kamchatka River　堪察加河　俄罗斯远东地区河流。源出堪察加半岛中部山地，向东北流，注入白令海。全长约758千米。米尔科沃下游河段可航行吃水浅的船只。结冰期一般在11月至次年5月，温泉出露地表的地区除外。河上可漂运木材，河口有乌斯季堪察茨克港。

kame　冰砾阜　由冰川末端或其附近弱分选的冰水沉积物(主要为砂和砾石)组成的丘岗。它可能是融水河流的三角洲沉积，也可能是融化冰川在地面留下的岩屑堆积体。密集分布的冰砾阜群称冰砾平原或冰砾组合，锅穴或锅穴湖点缀其间。当冰体与谷壁之间具有融水河流堆积物时，形成冰砾阶地。在小范围内冰砾阜可能形成终碛(或称尾碛)。

Kamehameha　卡米哈米哈　夏威夷国王名。按年代顺序分列于后，并各以●为标记。

● **Kamehameha I　卡米哈米哈一世**(1758?-11，夏威夷岛科哈拉区～1819-05-08，凯卢阿)原名派埃亚(Paiea)。别号卡米哈米哈大帝。夏威夷征服者、国王，1801年统一夏威夷诸岛，建立卡米哈米哈王朝，是夏威夷历时最久、史实最详的王朝。大首领科奥亚与前王阿拉派之女科奎阿波瓦之子。夏威夷有一种传说，当一位伟大的征服者出生前，曾有一颗明星显现。这一传奇故事的日期正与1758年哈雷彗星的出现相符。当明星为夏威夷的神秘占卜者见到时，就预示有个伟大的领袖将要降生，他将打败他的所有对手并成为夏威夷诸岛的最高统治者。阿拉派曾下令将襁褓中的王子处死，但被人秘密地养育成人，取名卡米哈米哈，意为“非常孤独的人”或“留下的人”。1782年卡兰尼乌卜王去世后，夏威夷

美国不列颠百科全书公司供图

岛由其子基沃洛和侄卡米哈米哈分治。尽管堂兄弟二人互相忌妒,和平关系仍能维持。到1782年7月,双方下属的首领在科奥莫发生争议,遂爆发战争。在后来的战斗中,基沃洛在莫库奥海被杀。卡米哈米哈便开始相继征服诸岛,至1795年,已将除考爱岛和尼豪岛以外的所有岛屿置于其控制之下。1810年这两个岛屿亦经过和平谈判归属于他,于是他成为全夏威夷岛群无可争议的统治者。卡米哈米哈虽在原则上实行独裁,但在各岛分设总督治理。在法律和惩罚上他保留了传统上极为严苛的卡普制度,但也颁布了《小刑杖法》,以防止酋长鱼肉百姓,并废除了以往在祈佑王权的典礼上以活人做牺牲的旧制。卡米哈米哈是精明的商人,通过政府垄断檀香木贸易和征收外国商船入港税,为王国聚集了大量财富。他是个思想开明的君主,无愧"大帝"的称号,被人们称为夏威夷最强有力的统治者。尽管他处在欧洲向外扩张的时代,仍能维护自己王国的独立——这是他的继承者难以做到的。

● **Kamehameha Ⅱ 卡米哈米哈二世**(1797,夏威夷岛～1824-07-14,英国伦敦) 又称利霍利霍。夏威夷国王(1819～1824)。卡米哈米哈一世之子。1820年他批准第一批来自新

美国不列颠百科全书公司供图

英格兰的传教士进入夏威夷。他们在两年内就学会了夏威夷语,把它形成文字,并且印出了第一本教科书。卡米哈米哈拒不改信基督教,据说这是由于他有5个妻子,不愿意放弃其中的4个,并由于他嗜酒的缘故。1823年,他率代表团乘船去英国访问,代表团中有他的两个妻子。1824年6月,卡米哈米哈与他心爱的妻子卡马马露在伦敦染上麻疹,后死于该地。

● **Kamehameha Ⅲ 卡米哈米哈三世**(1814-03-07,夏威夷群岛～1854-12-15,瓦胡岛火奴鲁鲁) 又名考伊克奥乌利。夏威夷国王(1825～1854)。卡米哈米哈二世之弟。即位时年仅10岁,先由卡米哈米哈一世的宠后卡胡曼努摄政王。自卡米哈米哈二世于1824年去英国访问并死于该地之后,她一直担任摄政王。她于1824年皈依基督教,以其聪颖和为政慈厚著称。1832年她去世,摄政王一职落入卡米哈米哈一世之女基瑙之手。次年卡米哈米哈三世亲政。在听过美国教士W.理查兹有关政府管理的系列讲课后,卡米哈米哈三世于1839年6月17日颁布了称作《夏威夷大宪章》的权利宣言,1839年6月17日

美国不列颠百科全书公司供图

颁布了《信仰自由法令》,1840年10月8日颁布了第一部宪法。这部成文宪法包括几项革新的内容,如由人民选举代议制机构和设置最高法院。1842年出版第一部法律汇编。在理查兹的帮助下,卡米哈米哈还获得美国(1842)和英法两国(1843)对夏威夷独立的外交上的承认。

● **Kamehameha Ⅳ 卡米哈米哈四世**(1834-02-09,夏威夷群岛瓦胡岛埃瓦～1863-11-30,瓦胡岛火奴鲁鲁) 原名亚历山大·利霍利霍。夏威夷国王,以坚决反对美国兼并而闻名。即位后,竭力限制美国新教传教士在夏威夷群岛的政治势力,保护由于疾病而濒临灭绝的本国人民,推行多项社会和经济改革。他在坚实的基础上建立了夏威夷与其他国家的商业和政治关系,并致力于平衡各国对该岛生活的影响。他是曾任首相的女酋长、瓦胡岛与基瑙岛总督凯库安纳奥亚之子,自幼过继给他的叔父卡米哈米哈三世。受过严格的新教教育,曾就读于酋长子弟学校。为了准备继位,曾在传教士G.P.贾德医生的陪同下,与兄弟洛特于1849年周游美、英、法等国。卡米哈米哈三世去世后,他于1855年被立为国王,深受人民的爱戴,实际上成了夏威夷人民的偶像。由许多美国传教士支持的

美国不列颠百科全书公司供图

1853～1854年的兼并运动,曾使他采取一系列措施维护王国的独立。为了平衡过去为美国一手操纵的对外关系,他引入英国圣公会(安立甘宗)在岛上立足。由于对美国传教士的极端拘谨感到不耐烦和对美国商人产生疑心,他逐步撤换了在内阁中任职的所有美国人,并大力提倡夏威夷与其他国家进行商业往来。在他的政绩中,有1860年于檀香山建造海员之家及王后医院,为夏威夷人及一半夏威夷血统的人提供免费医疗,建立夏威夷第一家商会,积极关心经济发展,制定旨在鼓励土著居民务农的农业规划,扩建海港以适应迅速发展的夏威夷捕鲸业。1862年,他的独子考伊克奥利(1858生)王子死后,他不再过问国事。

● **Kamehameha Ⅴ 卡米哈米哈五世**(1830-12-11,夏威夷群岛瓦胡岛火奴鲁鲁～1872-12-11,火奴鲁鲁) 亦称洛特·卡米哈米哈。夏威夷国王(1863～1872)。在其弟卡米哈米

美国不列颠百科全书公司供图

哈四世死后即位,立即显示要实行强有力的统治,在举行即位典礼时拒绝宣誓维护现行的比较开明的宪法。在召开并解散立宪会议之后,他亲自撰写并公布了一部新宪法(1864),这部宪法一直施行了23年。他还根据1868年签订的契约,第一次把大批日本劳工引进夏威夷。在位后期,身体逐渐发胖(体重约170千克),以致经常深居宫中,最后不能站立。他从未婚娶,去世后卡米哈米哈王朝即行告终。议会推选其表弟W.C.卢纳利洛接替王位。

kamelaukion 卡美拉琼帽 形似头套的封闭式头饰,源于拜占廷。这种帽子下面有个托环,两侧通常还有垂饰。希腊正教高级教士戴的主教冠还保持着这种形式。

Kamenets-Podolsky(*oblast*, Ukraine) **卡缅涅茨-波多利斯基** 参阅**Khmelnytskyy**赫梅利尼茨基。

Kamenets-Podolsky 卡缅涅茨-波多利斯基 又拼 Kam'yanets-Podilskyy。乌克兰西部赫梅利尼茨基州城市。濒临斯莫特里奇河,四周被河水环绕,有良好的天然屏障。是德涅斯特河流域最大、最古老的城市之一,城市历史至少可追溯到11世纪。长期曾为边疆

要塞和立陶宛波多利耶州中心。19 世纪铁路通车，城镇繁荣。1793 年被俄国兼并。现在是多种工业的中心，有食品、建材和科学工业；设有工业专科学院、师范学院和农业学院。20 世纪 70 年代建成乌克兰最大的水泥厂，促使人口大幅度增长。人口约104 900（1991）。

Kamenev, Lev Borisovich　加米涅夫（1883-07-18，俄罗斯莫斯科～1936-08-24，莫斯科）原姓罗森费尔德。老布尔什维克，俄国十月革命（1917）后10年间共产党和苏维埃政府

美国不列颠百科全书公司供图

的重要人物，后成为斯大林的反对者，在大清洗中被处决。中产阶级家庭出身的职业革命家，参加俄国社会民主工党（1901）和该党的布尔什维克派（1903）。1908 年流亡西欧，在那里与布尔什维克领袖列宁密切合作。1914 年列宁派他回俄国。他因领导布尔什维克的杜马代表反对俄国参加第一次世界大战而被捕，并被流放到西伯利亚（1914-11）。二月革命（1917）后，返回彼得格勒（今圣彼得堡），领导（与斯大林一起）当地的布尔什维克组织，并主张有条件地支持临时政府。加米涅夫与他的密友季诺维也夫反对布尔什维克关于夺取政权的决定。尽管他持有不同的观点，仍然被选入布尔什维克的第一届政治局（1917-10），在十月革命后出任全俄苏维埃代表大会中央执行委员会第一任主席。1919 年成为改组的政治局的委员和莫斯科苏维埃主席。列宁病重时（1922），加米涅夫联合斯大林和季诺维也夫形成掌握实权的三头政治。他们在政治上共同攻击军事人民委员托洛茨基，并把他逐出权力竞争。后来斯大林把他的攻击目标转向加米涅夫和季诺维也夫（1925）。1925 年，加米涅夫在政治局内受到降职处分，并被免除了莫斯科党组织首脑的职务。后曾担任其他一些职务，但在他与季诺维也夫和托洛茨基形成联合反对斯大林的集团（1926）以后，就完全被赶出政治局（1926-10）和党中央委员会（1927-11），并 3 次被开除党籍。1934 年 12 月 1 日党的领导人基洛夫被暗杀后，加米涅夫受到秘密审讯，并与季诺维也夫以间接参与此案一起被判罪。1936 年 8 月在大清洗的第一次公开审讯中，他与季诺维也夫再一次受审。加米涅夫被指控阴谋刺杀斯大林以及其他苏联领导人，他承认编造的罪名以试图挽救自己的家人，后被枪决。1988 年，苏联最高法院撤销了对加米涅夫和季诺维也夫的指控。

Kamenshek, Dorothy　卡门谢克（1925-12-21，美国俄亥俄辛辛那提～2010-05-17，加利福尼亚棕榈沙漠）　美国运动员，女子职业棒球明星，被认为是优秀的一垒手和击球手。17 岁在当地的垒球联合会打外场手。后加入全美女子职业棒球联合会，1943 ～ 1953 年在罗克福德桃花队，起初做外场手，不久改为一垒手。她在女子职业棒球联合会打球 10 年，7 次入选全明星队，保持联合会的杀出局记录，连续两年击球第一，3 736 次击球只有 81 次三击不中。1951 年赛季后，因背伤退役，到威斯康星州密尔沃基马凯特大学学习理疗。1953 年回罗克福德桃花队帮助提高门票收入，赛季后永久退役。马凯特大学毕业后在密歇根州做理疗医师。最后到加利福尼亚任洛杉矶伤残儿童服务部主任。

Kamensk-Shakhtinsky　卡缅斯克-沙赫京斯基　俄罗斯西南部罗斯托夫州城市。濒临北顿涅茨河。1686 年建哥萨克居民点。1927 年设市。卡缅斯克-沙赫京斯基曾为东顿涅茨煤田主要采煤中心。现主要生产农业机械、采矿设备、人造纤维和玻璃制品等。人口约73 500（1993）。

Kamensk-Uralsky　乌拉尔地区卡缅斯克　俄罗斯西部叶卡捷琳堡州城市。位于卡缅卡河与伊谢季河汇流处。1700 ～ 1701 年在此建立卡缅斯基铸铁厂（乌拉尔地区第一座铸铁厂）。现以北乌拉尔斯克的铝土矿为原料，专门生产铝、铝铸件和铝板。也制造钢管和各种电机。人口约208 000（1993）。

Kamenskoye（Ukraine）　**卡缅斯科耶**　参阅 **Dneprodzerzhinsk 第聂伯罗捷尔任斯克**。

Kamerlingh Onnes, Heike　开默林·昂内斯（1853-09-21，荷兰格罗宁根～1926-02-21，莱顿）　荷兰物理学家，因对低温物理学的研究并制出液氦获1913年诺贝尔物理学

美国不列颠百科全书公司供图

奖。他发现了超导电性。1871 ～ 1873 年在海德堡大学学习，同德国物理学家 R. 本生和 G. 基尔霍夫一起工作。1879 年在格罗宁根大学获博士学位，1878 ～ 1882 年在代尔夫特工业学校任教。1882 ～ 1923 年任莱顿大学实验物理学教授。受 J. 范德瓦耳斯工作的影响，探索了描述物质状态的方程式，研究了液体和气体在很广的压强和温度范围内的一般热力学特性。1894 年创立并建成了低温实验室（现在以他的姓氏命名），使莱顿成为世界低温研究中心。1895 ～ 1906 年集中力量完善低温实验技术，研究低温下的金属和流体。1906 年制造了改进的氢液化机，1908 年液化氦获得成功。固化氦的尝试尚无结果，直到 1926 年他的学生和后继者 W. H. 凯索姆任该实验室主任才完成这一功绩。

Kamerny Theatre　莫斯科小剧院　俄国导演泰洛夫（**Aleksandr Tairov**）1914 年在莫斯科创建的一所小型剧院，以支持他的综合性戏剧实验。他把所有的剧场艺术，包括芭蕾、歌剧、音乐、哑剧和话剧等结合在一起，以替代莫斯科艺术剧院斯坦尼斯拉夫斯基的现实主义的纯然写实表现方式。他没有上演反映日常生活的剧本，反之提供了一种英雄剧。剧院所作的许多改革中有：使用音乐、舞蹈和姿势动作、哑剧动作，以及半唱半诵的说话方式。在它设计的许多舞蹈动作与现代舞蹈相关，这些动作使用了弱拍节奏和不按节奏的自由舞步。1934 年剧院在莫斯科上演《乐观的悲剧》。1950 年剧院随着泰洛夫的逝世而关闭。

Kames, Henry Home, Lord　凯姆斯勋爵（1696，苏格兰贝里克希尔凯姆斯～1782-12-27，爱丁堡）　即 H. 霍姆。苏格兰律师、农业家和哲学家。1724 年获取律师资格；1752 年出任最高民事法院法官。1763 年成为法院法官。以所著《批判原理》（3 卷，1762）而出名。这部作品在美学史上引人注目，作者试图将美同悦耳的和悦目的事物等同起来。其他著作有：《道德与自然宗教原理论文集》（1751）、《思维术引论》（1761）、《人类史纲要》（2 卷，1774）和《农民绅士》（1776）。

kami　神　日本神道和其他固有宗教的崇拜对象。天照大神（太阳女神）以及其他造物神灵、先辈英豪，以及植物岩石、鸟兽虫鱼等有生无生之物都可以成为神。早期神道认为，天津神高于国津神，现代神道则不再加以区别。神道有天地神祇八百万之说。

kamidana　神棚　日本神道教的神龛，家庭或店铺的日常崇拜中心。神棚中央供奉神的牌位，两侧陈设代表**氏神**（**uji-gami**）的御札（符）。日本家庭往往除神棚外还设有**佛坛**（**butsudan**）。

kamikaze　神风飞机　日本在第二次世界大战中使用的自杀飞机，也指志愿驾驶这种飞机向敌目标（通常是舰船）作自杀性坠毁的飞行员。这种行动主要发生在 1944 年 10 月莱特湾海战，一直到战争结束。“神风”原指 1281 年将进逼日本西海岸的元朝舰队吹垮的一股台风。大多数“神风”飞机系普通战斗机或轻轰炸机，通常在满载炸弹及附加油箱后，故意与目标相撞，同归于尽。另外研制了一种有人驾驶的导弹作为神风飞机，盟军戏称“巴格”（日语“笨蛋”）。导弹固定在飞机上，

在距目标80千米时自7 500米高空投下，滑翔到距目标5千米左右时，飞行员启动3台火箭发动机，使最后俯冲速度达960千米/小时。火箭头部内装炸药1吨多。大战期间，“神风”飞机共击沉舰船约34艘，伤数百艘。冲绳之战中，美海军蒙受空前严重打击，近5 000人丧生。对神风飞机攻击的最有效的防御通常是集中舰载的防空火力向接近的飞机射击。

Kāmil, al-Malik al-　卡米勒(1180～1238)　阿尤布王朝苏丹(1218起)。在第5次和第6次十字军东征时期，他统治埃及、巴勒斯坦和叙利亚。他即位之初，与第5次十字军交战，1221年终于迫使十字军撤离埃及。在冲突中，他曾会见阿西西的圣弗朗西斯，后者有意使他改奉基督教。1229年，他把耶路撒冷和巴勒斯坦其他一些城镇让给第6次十字军的首领腓特烈二世。

Kāmil, Muṣṭafā　卡米勒(1874-08-14，埃及开罗～1908-02-10，开罗)　埃及律师、新闻工作者和民族主义者，民族党的创始人。他相信埃及已经是一个国家，完全有资格统治自己。为了宣传他的观点，于1900年创办了《旗帜报》。他预见到独立是很难达到的，因而指望法国帮助埃及对抗英国的势力，认为法国是欧洲自由主义的象征。1904年法国和英国签署英法协约后，又请求土耳其苏丹支持埃及的斗争，当时埃及在名义上是奥斯曼帝国的一个省。他不想再接受土耳其的直接统治，但认为与土耳其团结有助于对英国进行斗争。他从不忘记埃及人自己的力量，认为这种力量可以导入一种爱国主义精神，即对埃及的土地和传统热爱的感情。1907年10月他参加建立了民族党作为推行这些政策的工具。

Kâmil Paşa, Mehmed　卡米勒帕夏(1832，塞浦路斯～1913-11-14，尼科西亚)　土耳其军官，曾4度出任首席大臣。早年在开罗学习军事，后历任政府官职。1885～1891年和1895年两度任首席大臣。因建议组织责任内阁，被皇帝免职，后任士麦那行政长官12年。1908年革命后任首席大臣。执政初期，政绩卓著。1909年统一与进步委员会迫他辞职。1912～1913年间第4次出任首席大臣，后因政变而下台。

Kamina　卡米纳　刚果(金)东南部城镇。为卢本巴希至伊莱博铁路线上的重要中心。有铁路与通往东非的港口卡莱米相连。班机通往卢本巴希、科卢韦齐和卡南加。有空军基地。主要作物为棉花、烟草和蔬菜。人口约75 347(1994)。

Kaminaljuyú　卡米纳柳尤　高原马雅人历史上的著名中心，位于今危地马拉城附近。自文化形成期(公元前1500～公元100)至古典晚期(约600～900)该中心衰落之前均有人居住。形成期晚期(公元前300～公元100)墓地已发现200余处。古典期早期(约100～600)墓葬比较复杂，含有特瓦蒂瓦坎风格的陶器。墓葬和某些金字塔的形制也反映出特瓦蒂瓦坎这个古典时期中墨西哥最重要中心的影响。由于当地缺乏石材，金字塔和其他建筑均用草泥建造。

Kaministiquia River　卡米尼斯蒂奎亚河　又拼Kaministikwia。位于加拿大安大略省西部，源自多格湖。蜿蜒95千米注入桑德湾——苏必利尔湖的一个港湾。河上有许多急流、瀑布，宽阔的卡卡贝卡瀑布最著名，高达47米，是一座大水力发电站所在地。河流分三条渠道进入桑德湾，为桑德湾城镇提供了一个深水的船坞。

Kaminska, Ida　卡明斯卡(1899-09-04，俄罗斯帝国乌克兰敖德萨～1980-05-21，美国纽约州纽约)　出生于俄国的波兰裔意第绪语舞台剧演员、电影演员和剧院经理。其演技享有世界声誉。父母均为著名意第绪语演员。5岁时即首次登上舞台。1916年跟随以其父名命名的剧团在华沙正式登台演出。1916～1919年间曾在华沙饰演许多主角。从俄国巡回演出(1919～1921)返回华沙后，建立了伊达·卡明斯卡剧院，并在她改编和执导的一些剧作中饰演主角。1945年创办波兰国立犹太剧院，该剧院得到国家承认并获资助，直到1968年她离开波兰去美国。所饰演的最著名的舞台剧角色无疑是由她自己改编并执导(原作者为戈丁)的《米海尔·埃弗洛斯》一剧中的主角，此角不仅在国内演出，1967年曾随国立犹太剧院剧团到西欧和美国巡回演出，而在她成为美国公民后，1969年又再度饰演此角。其他著名角色有《玩偶之家》中的娜拉、《芙昂蒂奥弗尤娜》中的劳伦齐亚和《大胆妈妈》中的主角等。她改编自《卡拉马佐夫兄弟》的同名舞台剧也获得很大成功。所拍电影不多，但引人注目。《维尔纳一传说》(1924，无声片)和《无家可归》(1939)尤为受人欢迎。其电影生涯的高峰是她在一部捷克片《大路旁的小店》(1965)中的表演，为此获奥斯卡奖的提名。1973年出版英文自传《我的一生和戏剧》。由于在美国创立一所意第绪语轮演剧目剧院的计划受挫而去以色列。

Kamloops　坎卢普斯　加拿大不列颠哥伦比亚省南部城市。位于温哥华东北422千米，地处南、北汤普森河合流处两岸，在两河与坎卢普斯湖连接处附近，毗邻坎卢普斯印第安人居留地。初为贸易货站，由太平洋(阿斯托里亚)毛皮公司的A.罗斯所建，称之为Cumcloups(印第安语，意为“河流汇合处”)。1813年西北公司买下太平洋公司。1821年将贸易特许权卖给哈得孙海湾公司，后者于1862年将货站(坎卢普斯堡贸易站)迁至河对岸现在的北坎卢普斯。随着19世纪50年代末的淘金热开始发展，1862年大陆移民到达，1885年铁路修通，一直保持了这一发展势头。1893年坎卢普斯建市，1946年北坎卢普斯成为村落，1961年建镇。1967年两处合并成为坎卢普斯市。坎卢普斯市为大牧场区和木材业地区的服务中心，有牲畜贸易市场、木材和纸浆加工、食品罐头及包装等行业。附近有海兰德河谷铜矿。也是铁路的交会站和包括横贯加拿大公路在内的三大公路的交叉点。政府雇用(该市设有不列颠哥伦比亚省南部内务行政总部)和旅游业是经济收入来源之一。人口67 057(1991)。

南、北汤普森河交汇处的坎卢普斯市

美国不列颠百科全书公司供图

kammaṭṭhāna　业处　梵文拼作Karmasthāna。上座部佛教名词，指修习禅定时心识集中的物境，又指利用这一物境的禅定阶段。《清净道论》(5世纪佛音所撰巴利文论文)列举40种业处，任人根据自己的性格或志趣选择。业处禅定法颇受僧人重视，目前缅甸、泰国和其他东南亚国家仍十分流行。

Kammerer, Paul　卡默勒(1880-08-17，奥地利维也纳～1926-09-23，德国普赫贝格)　奥地利生物学家，声称已通过实验证明获得性可以遗传。他用蝾螈、蟾蜍和其他两栖类做实验。1918年后做了一系列实验(同年发表首次实验结果)，声称胎生高山蝾螈的后代能获得有斑卵生低地蝾螈的性状，反之亦然。他在第二系列实验后宣称，能使不具带色素拇趾肉垫的雄产婆蟾遗传这种肉垫。他的理论缺乏科学依据，他却声称得到了证实，所以受到许多批评，他被要求提出证据。1923年，他在剑桥大学及伦敦的林奈学会讲课并展示其证据。主要的批评者W.贝特森试图使他信誉扫地。1926年，G.K.诺贝尔和H.普尔济普拉姆观看他保存的两栖类标本，发现其肉垫曾用墨汁人工染色。但他声称对此一无所知，且作伪的证据无说服力。并于争论的详情发表后不久自杀身死（事件的经过由A.凯斯特勒写成《产婆蟾事件》于1971年发表）。死时刚接受莫斯科大学生物学教授的职位。最著名的著作为《相继法则》，该书试图说明，巧合的事件实为一个自然原理的表现，该原理独立于已知的自然因果律之外。

Kammu　桓武天皇（737，日本奈良～806-04-09，平安京［今京都］）　日本第50代天皇，建都于平安京，其业绩是打下了平安时代（794～1185）的基础。781年即位，是日本最强有力的统治者之一。当时日本佛教势力很大，危及天皇政府，因此他下令限制新建佛寺、进庙拜佛和向佛寺出卖或捐赠土地。同时，他努力整顿地方行政，制服北方的虾夷人。784年迁都到奈良北面约48千米的长冈京，10年后又迁新都平安京（今京都）。平安京仿照中国隋唐首都长安，有许多大街和小巷。皇宫和官署建在市中心，围以长方形围墙。

Kamo Chōmei　鸭长明（1155，日本～1216-07-24，京都）　日本歌人与评论家，日本诗学史上的主要人物之一。以一感情丰富之人遁入空门的典型范例和著有描述自己出家生活的《方丈记》（1212）而家喻户晓。他是京都神道中一个神官的儿子，曾受过系统的艺术训练。虽然他出身比较低微，但是他的诗歌才能使宫廷不得不承认他，最后终于得到一个宫廷的官职。在他的地位确立之后不久，长明便受戒（1204）出家了。起初他在大原山中住了四五年，随后在京城东南的日野山麓盖了一座小茅庐，完成了他的《方丈记》。全书的特点主要是宣扬佛教的人事徒劳和万物无常的观点。《方丈记》和庆滋保胤（934？～997）的《池亭记》（981年用汉语散文写的作品）有相似之处并不是偶然的。事实上，长明在他出家之后仍然同宫廷和诗坛保持接触。1205年，他有10首诗作收入第八部敕选的宫廷和歌集《新古今集》的第一辑里，使他大为高兴。大约在1208或1209年，他开始撰写《无名抄》，这部极有价值的诗文集包括评论、轶事和口头传说的诗人事迹。他的《发心集》据认为是在1214或1215年完成的。他的其他作品包括他自选的一部诗集（大概编于1181年）和已失传的《伊势记》（去伊势旅行的记述）。在一个第一流诗人辈出的时代，长明的诗作可以代表这一时代最优秀的诗作。

Kamo Mabuchi　贺茂真渊（1697，日本伊场～1769-10-31，江户［今东京］）　日本国学派最早的代表之一，主张回到古代传统和文化中去，以便恢复真正的日本精神。第二次世界大战时，随着民族主义的抬头而复兴。真渊生于古老的神道贺茂家族的一支，这家族在京都附近著名的贺茂神宫任神官。在神官们的指导下通过学习日本文学，他确认日本最早的诗歌集《万叶集》和被称为"祝词"的各种神道仪节的重要意义。他坚信这些古老的作品没有受外来的影响，它们才是纯日本精神的代表，因此他协助促成早期诗体的复兴。《国意考》是他的一部有特色的重要作品，严厉批判了从中国传来的思想和文学，对日本古代的一切则大加赞扬。他的作品达12卷，绝大部分是对日本古典文学的评注。

Kamose　卡莫斯（活动时期公元前17～前16世纪）　埃及第17王朝（公元前约1630～前1540）最后一代国王。他公开敌视在公元前第17世纪占领埃及部分地区的西部闪米特入侵者——喜克索人。继位时，只是埃及南端1/3地区的统治者。他不满于只统治部分地区，决定发动一场解放战争。他率领一支舰队和从努比亚调来的沙漠部落军队，对喜克索最南方的要塞进行一次突然袭击。然后继续北进，对向敌人提供吃住的埃及人毫不留情。他声称他的兵舰俘获了载有武器的喜克索船只；他乘的兵舰在驶过东三角洲的喜克索人的都城时，他曾经嘲笑和辱骂过敌国的国王。在库塞下游160千米处，他俘虏一名前往库施（今苏丹境内）的喜克索信使，该信使携有要求库施王公从后方进攻埃及的信件。卡莫斯派遣一支部队占领重要的巴哈里亚绿洲，从而挫败了敌人。战后他凯旋回到底比斯，击退在其后方发动暴乱的反叛者。大多数学者认为，卡莫斯至多执政5年。

kampaku　关白　日本天皇的摄政，始于平安时代，887年藤原基经最早使用这一职称，开创藤原氏控制朝政的漫长时期。在11世纪藤原道长任关白时，其权势达到顶峰。1068年后由于创立由退位天皇实行统治的院政制度，关白的政治权力下降。非藤原氏的丰臣秀吉及其养子秀次也任过此职。关白一职虽延续到德川时代（1603～1867）结束，但在丰臣父子之后并无实权。

Kampala　坎帕拉　乌干达首都和最大城市。地处丘陵地带，海拔约1 190米。在该国南部，维多利亚湖以北。1890年英帝国东非公司在此设立总部。1905年以前奥德坎帕拉山中的堡垒一直是乌干达殖民政府所在地。1949年建市的坎帕拉于1962年成为乌干达首都。位于国内最繁荣的农业区，出口咖啡、棉花、茶叶、烟草和糖。有许多生产食品、金属制品和家具的工厂，也有一家拖拉机装配厂。全国的大公司大多把总部设在这里。该市也是维多利亚湖区的主要市场。设有20多所中学、一所技术学院和马凯雷雷大学和乌干达博物馆。亦为宗教中心，有清真寺、印度教神庙和基督教教堂。为全国公路网中心，在卡塞塞至肯尼亚的蒙巴萨铁路线上。在维多利亚湖畔有贝尔港（市东10千米），在恩德培（市西南偏南34千米）有乌干达国际机场。人口约1 154 000（1998）。

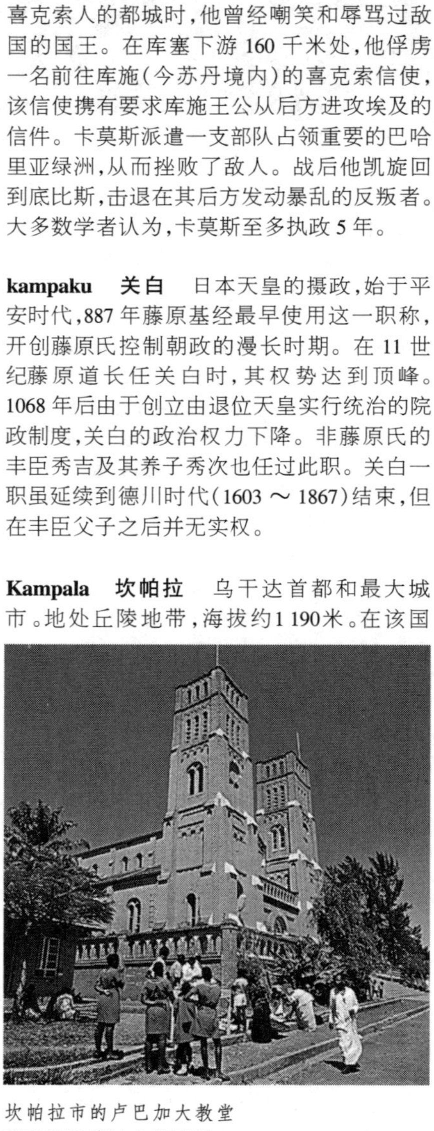

坎帕拉市的卢巴加大教堂

美国不列颠百科全书公司供图

Kampen　坎彭　荷兰中北部上艾瑟尔省港口城市。在艾瑟尔河的西南岸，位于该河注入凯特尔湖处附近。1227年首见记载。曾是汉萨同盟成员。当时为主要商业中心。16世纪为阿姆斯特丹取代。19世纪工业发展，1942及1957年在附近开发农业圩田，经济得到恢复。现生产雪茄和搪瓷器皿。为铁路枢纽。古建筑有市政厅（1543年失火后重建）、圣尼古拉斯教堂（14世纪）、圣母教堂（16世纪）和3座中世纪城门楼。人口约32 188（1999）。

坎彭市3座中世纪城门楼之一的科恩马尔克茨门

美国不列颠百科全书公司供图

Kämpfer, Engelbert　凯普费尔（1651-09-16，［德国］威斯特伐利亚莱姆戈～1716-11-02，林普）　德意志旅行家。他对17世纪波斯和日本的记述是很宝贵的资料。他在瑞典参加赴俄国和波斯的贸易代表团，后又访问巴达维亚（今雅加达）。1690年在巴达维亚参加荷兰贸易代表团去日本，在日本居住两年，比过去任何到过日本的欧洲人看到更多的东西，搜集到更多的资料。1694年回欧洲。遗著有《日本志》（1777～1779）。该书在他去世后首先以英文出版。德文版译成拉丁文、荷兰文、法文。其手稿存于英国博物馆。

Kamphaeng Phet　甘烹碧　泰国西部城镇。濒临宾河，为一座有城墙的古城。多名胜古迹和庙宇，有一座博物馆。周围地区经济活动以种稻为主。西部高地产柚木。人口约31 323（1998）。

Kâmpóng Cham 磅湛 柬埔寨中南部城镇。位于湄公河右岸，是一重要河港，距首都金边东北约75千米，有一较大机场。城内有棉纺厂、碾米厂及农机和车辆修理厂。1975年革命以前，该城有磅湛皇家大学分校。1921年发现湄公河左岸朱普山排水良好的红色火山土壤，有益于橡胶树的生长。磅湛东南的朱普种植园面积2.6万公顷，1975年前为私人所有，并有一个绉纹薄橡胶板厂。近郊种植水稻、棉花、果树、马铃薯、甘蔗、烟叶、黄麻、木薯、大豆、芝麻、木棉、金鸡纳树及玉米。磅湛附近高地地区盛产木材，包括锡兰硬木、黄檀木、豆荚树、柚木和橡胶树。渔业在湄公河沿岸占重要地位。1975年后动工的几项大规模灌溉工程使该省农业生产潜力有所改善。这些工程中著名的有格罗乍湖和巴泰的水库。人口约33 000(1987)。

Kâmpóng Chhnăng 磅清扬 柬埔寨中部城镇。位于洞里萨河西岸，有港口设施。有国家公路和铁路与首都金边连接。附近有黏土矿床。周围地区居住着高棉人，其中有些人种植水稻；在季风涨潮季节，居住在水上渔村里。1975年以前，该地区的主要产品为农作物，包括水稻、香蕉，辅之以渔业。人口约15 000(1987)。

Kâmpóng Saôm 磅逊 又名西哈努克城，柬埔寨南部主要深水港、新兴城镇、自治市。位于泰国湾的一个半岛上，有两条较重要的公路与首都金边相连。1956年首次开辟了海上交通。最初的设施可同时容纳4艘1万吨级的轮船，后来设备又有所扩充。到1966年，这个城镇已拥有学校、公园、旅馆、近80千米的街道和居民1.4万人。1967年，连接金边的263千米长铁路建成通车。在1975年以前，该港口就有一个工业区，包括炼油厂和贮油罐、拖拉机厂、渔类加工厂(该镇是柬埔寨沿海渔业中心)以及卡车装配厂和酿酒厂。主要出口稻米、玉米和橡胶；进口石油产品、铁、钢、化学制品、机械及金属产品。在其城郊有一较大机场。海滩是当地的一大旅游胜地。人口：城镇约16 000(1987)；自治市155 690(1998)。

Kâmpóng Spœ 磅士卑 柬埔寨中南部城镇。位于象山山麓和特诺河畔，在连接首都金边和主要海港磅逊的国家公路上。周围地区种植水稻、甘蔗、棕榈树、棉花、木薯和玉米。该地区还有丝织、木材贸易和一个较大的国营炼糖厂。各种灌溉工程促进了农业生产，著名的有20世纪60年代初兴建的位于磅士卑西部特诺河上的一系列水坝。人口约8 921(最新统计)。

Kâmpóng Thum 磅同 柬埔寨中北部城镇。位于森河畔，有国家公路与首都金边相接。附近蕴藏有丰富的低品位铁矿(赤铁矿)。周围地区主要农产品为稻米、玉米、橡胶和棉花，还种植香蕉、马铃薯、大豆、甘蔗、烟草、黄麻、椰子、木棉、金鸡纳树、柠檬、桑椹和芒果。该镇东北的高地地区盛产木材，包括优质硬木，如野枣、红木、浆果树、花梨木和柚木；低地区有大片竹林。1975年后的几项大规模灌溉工程，使该地区农业生产大幅度增长，这些工程包括若干水坝、水库与运河。人口约12 000(1987)。

Kâmpôt 贡布 柬埔寨南部城镇。位于高斯拉河口附近。19世纪时曾是该国主要港口，但在20世纪50年代已被磅逊所取代。有国家公路和铁路与金边和磅逊港相连。该镇有一纺织厂。周围地区主要农产品包括稻米、胡椒、香蕉、椰子、榴莲。沿海地区盛产鱼类和贝壳类动物。山区森林茂密，包括优质木材，如花梨木、柚木以及浆果树、角豆树及橡胶树。泰国湾沿岸地带国营盐场提供柬埔寨所需的大部分食盐。1975年后，由于各项灌溉工程，尤其若干大型水库建成，农业生产有所提高。人口约15 000(1987)。

Kampuchea 参阅 **Cambodia** 柬埔寨。

Kāmrūp Sanctuary(India) **格姆鲁布保护地** 参阅**Manās Wild Life Sanctuary**马纳斯野生动物保护地。

Kamsack 卡姆萨克 加拿大萨斯喀彻温省东部城镇。位于阿西尼博因河与怀特桑德河汇合处，马尼托巴边界西面。在里贾纳东北268千米。1793年建贸易站。约1888年以当地印第安人邮递员之名命名。1903年通加拿大国家铁路。现为农牧产品和木材的交易中心。工业有炼油和制酪。1905年建村，1911年建镇。人口2 323(1991)。

卡姆萨克镇的谷仓
美国不列颠百科全书公司供图

Kamyshin 卡梅申 俄罗斯西部伏尔加格勒州城市。濒临伏尔加河伏尔加格勒水库。1697年由彼得大帝建要塞，名为彼得罗夫斯克，以保护修建伏尔加河和顿河之间的运河的劳工。1710年更名为德米特里耶夫斯克，1780年改用现名，成为当地农业区的中心和内河转运港。1895年卡梅申有铁路通坦波夫。现有机械等工业部门。人口约127 500(1993)。

Kan-chou(China) 参阅 **Ganzhou** 赣州。

Kan-Hakka dialect 客家方言 又作Hakka language。汉语方言之一。分布广东、广西、福建、江西等省部分地区。使用人口约占汉族总人口的4%。语音特点：①无浊塞音、浊塞擦音和浊擦音声母，中古浊塞音声母一律读作送气清塞音；②大部地方无卷舌音声母；③有双唇、舌尖中和舌根3个鼻音声母，无舌面鼻音声母，舌根鼻音在齐齿韵母前读舌面前鼻音；④无撮口韵母；⑤有3个鼻音韵尾和3个塞音韵尾；⑥有6个声调，其中有入声，部分地区入声还分阴阳。具有客家话特点词汇：脉个(什么)、秋晡日(明天)、厓(我)、舦(舌)、殕(长白毛)、噍(嚼)、索(绳子)、食(吃)、叫(哭)、挠(打脑袋)。参阅 **Hakka**。

Kan-hsien(China) **赣县** 参阅 **Ganzhou** 赣州。

Kan Oum(Vietnamese leader) **金雍** 参阅 **Deo Van Tri** 刁文池。

Kan River(China) 参阅 **Gan Jiang** 赣江。

kana 假名 两种并用的现代日语假名表(片假名和平假名)，各自独立代表日语的所有的语音。这两种假名表的简单笔划都是从汉字中衍生出来的，但用于不同的目的和不同的文体。具有棱角的片假名用于外来词、电报、某些儿童书籍，并常常用于印刷广告的大字标题、电视和海报等。平假名是优美的草写体文字，公元1000年以后曾作为宫廷妇女所用的手写体而盛行起来，当时叫作"女手"(妇女字体)。在现代日语中，汉字用于书写并传达词义，但却不能表示屈折变化，而平假名主要用来表示屈折变化、所有格，能表示句子和短语的直接宾语并执行其他语法功能。格助词、形容词及一般短语常用平假名书写。一段典型的日语书写形式包括汉字、平假名，或许还包括片假名。每种假名表各包括46个基本字母，开头的5个代表元音a，i，u，e，o。其后的40个字母系由一个首辅音(或几个首辅音)跟一个元音组成的音节。例如，ka，shi，fu，te，yo。附加音由加上浊音符号的 20 个片假名或平假名表示。用这种方法就产生了 25 个新的音符。例如,ka 变成 ga,shi 变成 ji,fu 变成 bu 或 pu,te 变成 de,so 变成 zo。其他的一些音则是由一些音节组合而成。例如,ki 和 ya 产生 kya;shi 和 yu 产生 shu。

Kanab 卡纳布 美国犹他州西南部城市,凯恩县县城(1864)。位于亚利桑那州界以北,弗米利恩悬崖脚下,濒临卡纳布河。1864 年在卡纳布(该地名源于印第安语,意为"垂柳")堡附近首次建立居民点,但因遭印第安人袭击而放弃。1870 年被摩门传教士重新占领。后发展成为牲畜、谷物、苜蓿和木材贸易中心。亦是前往附近大峡谷(亚利桑那南部)、布莱斯峡谷国家公园和宰恩国家公园等景点的旅游基地。市西有州立科勒尔皮克沙丘保护区。作家 Z.格雷曾在卡纳布小住。周围沙丘、峡谷和旷地为其小说《紫艾灌丛中的骑士们》(1912)提供了背景。当地自 20 世纪 30 年代初起为电影外景拍摄地,现仍保留一些可供拍摄电影外景的城镇,素有"好莱坞后院"之称。人口3 564(2000)。

Kanaga Island 卡纳加岛 美国阿拉斯加州西南部阿留申岛群中安德烈亚诺夫群岛之一岛。长 50 千米,宽 6.5 ～ 13 千米,北端的卡纳加火山海拔1 346米。卡纳加水路把它与塔纳加岛分割开来。卡纳加岛可能就是 1778 年时被英国航海家 J.库克船长称作卡纳顿的岛屿。

Kanagaki Robun 假名垣鲁文(1829-01-06,日本江户[今东京]～ 1894-10-08,东京) 原名野崎文藏。日本小说家,专写幽默轻松的作品,用传统的讽刺手法来描述处在西方化过程中的日本社会的特点。假名垣最初是店铺的学徒,但是成了戏作(以娱乐江户商人和工人阶级为目的的一种轻松、风趣的作品)传统作家花笠文京的门生。终于被公认为主要的戏作作家,著名作品有讽刺到名胜地区朝圣的流行小说《富士山滑稽旅行记》(1860 ～ 1861),以及富于幽默感的警世之作《牛肉火锅》(1871)等。

Kanagawa 神奈川 日本本州的一个县。在东京南面,东滨东京湾,南临太平洋。面积 2 403平方千米。东部沿海为京滨工业区的重要部分。首府横滨为东京的外港。太平洋沿岸地区是游览胜地,包括镰仓、平塚和小田原等城市。内地农业区所产鲜花和乳品供应东京。三浦半岛顶端的三崎港为主要渔业中心,产金枪鱼和鲣鱼。70 年代末由于工业增长,工人住房城市化,人口激增。人口约 7 846 000(1989)。

Kanagawa, Treaty of 《神奈川条约》(1854-03-31) 又名《佩里协定》,日本同西方国家缔结的第一个条约。由美、日两国代表在神奈川签订,故名。它标志着日本锁国时代(1639 ～ 1854)的结束。1853 年 7 月,美国海军准将 M.P.佩里率领舰队驶入东京湾,要求日本开放几个港口,供美国船只使用。为了给日本政府几个月考虑的时间,他随即离开日本。翌年 2 月卷土重来。日本人见到自己兵力不足,无法抵抗佩里的舰队,只好同意开放下田、函馆两港和允许美国在下田设领事馆。

Kanaka 卡纳卡 夏威夷语,意为"人",指 19 世纪末和 20 世纪初在澳大利亚昆士兰的甘蔗园或牧场当雇工,或是在城镇中当仆人的南太平洋岛民。这些岛民最初于 1847 年被昆士兰的棉花种植园雇用。尔后榨糖业兴起,他们便成为廉价劳动力。到 1900 年,卡纳卡约有 5.7 万名。他们通常受雇主虐待,地位与奴隶(参阅 **blackbirding**)相似。由于受到人道主义者的强烈抗议,更由于欧洲劳工和欧洲人小土地所有者的要求,昆士兰政府于 1890 年禁止继续招募卡纳卡。1901 年澳大利亚联邦政府决定 1904 年后禁止招募岛民,并在 1906 年后把大多数南太平洋劳工驱逐出境。

Kan'ami 观阿弥(1333,日本伊贺～1384-06-08,水宇贺) 日本演员、剧作家、音乐家、能剧的创始人之一。曾在小波多一个演出猿乐的剧团任职,这种戏剧在当时已是带有对白、杂技表演和舞蹈的戏剧。后率领剧团来到大和并组织了结崎剧团。他的演出在各处都极受欢迎,于是他开始巡回演出并到京都演出。1374 年将军足利义满成为其庇护人。观阿弥是第一个把曲舞(带有强烈的不规则节拍的一种流行歌舞形式)和戏剧相结合的人。还把"田乐"(乡村丰收节庆活动)的音乐和舞蹈纳入他的戏剧之中,创立了很有影响的能剧观世座流派。其子世阿弥元清既是演员又是剧作家,后成为能剧最重要的理论家。

Kananga 卡南加 1972年前称路路阿堡。刚果(金)中南部城市。滨卢卢阿河。有公路和铁路通往卢本巴希和伊莱博,有班机通往以上两城及其他城市。1884 年被一个德国探险家取名路路阿堡。1895 年成为军事哨所。1950 年为开赛地区首府。为商业中心,产钻石、牲畜、咖啡和棉花。棕榈油、稻米、木薯、花生、香蕉和菠萝在此加工,并有酿酒和印刷业。设有国立博物馆、师范学院。在刚果独立(1960)后的 15 年中,城市人口迅速增加。1972 年恢复原名。人口约393 030(1994)。

Kanapoi fossil 卡纳波依化石 1965 年 B.帕特森在肯尼亚西北部鲁道夫湖附近发现的人科化石遗存,标本是保存得很完好的末端肱骨,估计其年代距今 250 万年以上。一般认为这段肱骨化石属于鲍氏南方古猿,亦即人属最早成员之一。这是一项很有意义的发现,因为它把已发现的南方古猿化石的年代,推向比过去所估计的更早的阶段。

Kanara 格讷拉 印度卡纳塔克邦(以前是迈索尔邦)西部地区,位于阿拉伯海的马拉巴尔沿岸一带。东与西高止山脉交界。过去北部被划归孟买,东南部被划归马德拉斯(今坦米尔纳德邦)。1956 年印度依据语言改划地区归属,使其成为迈索尔邦的一部分。格讷拉出产稻米(主要的粮食作物)和甘蔗(主要的经济作物),以及胡椒、槟榔和椰子。柚木和黑檀产自当地森林中。居民为卡纳尔人,讲坎纳达语。主要的人口聚居地是门格洛尔。

Kanārak (India) 参阅 **Konārak** 戈纳勒克。

Kanarese language 卡纳拉语 参阅 **Kannada language** 坎纳达语。

Kanarese literature 参阅 **Kannada literature** 坎纳达语文学。

Kanáris, Konstantínos 卡纳里斯(1790,希腊普撒拉～ 1877-09-14,雅典) 希腊海军军官和政治家,在希腊独立战争期间(1821 ～ 1832)因反对土耳其人的战功而著名。战争期间,卡纳里斯把他自己的船献给了希腊舰队。不久他便因有效地利用"火船"而出名。1822 年 6 月 18 日在希俄斯岛的海上他炸毁了土耳其海军上将的旗舰,迫使土耳其舰队退回达达尼尔。1822 年 11 月他又在特内多斯摧毁了另一艘土耳其战舰。虽然在 1824 年 6 月他未能从土耳其人手中挽救他的故乡普萨拉岛,但是在萨摩斯和莱斯沃斯海上他烧掉或击沉几只土耳其战舰,骚扰并牵制了以克里特为目标的埃及舰队。1825 年 8 月他在亚历山大想烧掉穆罕默德·阿里的埃及舰队的大胆企图在最后瞬间因一场逆风而失败了。卡纳里斯退役后,在独立战争的激烈的政治斗争中作用不大。战后,他虽然担任首相(1848 ～1849),却同国王奥托的反对派有联系。1861 年废黜奥托后,他是临时政府的成员。此后直到 1863 年,他是 3 摄政者之一。1864 年 4 月～ 5 月以及 1864 年 8 月～1865 年 2 月他任首相。1877 年俄土战争期间,他以退休之身重新出来主持内阁,后在任上去世。

kanat (water-supply system) 参阅 **qanāt** 坎儿井。

Kanatak Lake 卡纳塔克湖 美国阿拉斯加州西南部的一个湖。位于阿拉斯加半岛别恰罗夫山以南。长约 800 米。有卡纳塔克小溪流经并继续流向东北约 6.5 千米入波蒂奇湾。位于波蒂奇湾头、卡纳塔克小溪以西的卡纳塔克村在 20 世纪 30 年代是石油钻井活动的中心,到 50 年代钻井结束,村庄也就被遗弃荒芜了。不过这一地区仍以捕鱼和陷阱捕兽著称。

Kanauj(India) 参阅 **Kannauj** 根瑙杰。

Kanawha River 卡诺瓦河 在美国西弗吉尼亚州高利布里奇由两条河流汇成,向西北流,在波因特普莱森特角注入俄亥俄河。全长 156 千米。沿河有水坝和船闸,船只通航至卡诺瓦瀑布。该河流域有丰富的各种盐溶液(氯、溴、碘、钙、镁和钾碱)沉积物以及天然气和石油资源。

Kanazawa　金泽　日本本州石川县首府。濒犀川。现保存有前田家族（统治金泽近300年）城堡的墙壁、城门和部分建筑物，使城市具有日本传统风格。当地兼六园（原大名花园）为日本式风景园林的典范。出产精

犀川两岸的金泽市
美国不列颠百科全书公司供图

制漆器和九谷烧瓷器。除传统丝织业，并有棉、毛、人造纤维纺织业。1949年建立金泽大学。人口约456 434（2000）。

Kanchanaburi　北碧　泰国西部城镇。地处曼谷西北110千米、奎内河与运河汇合处附近。建于18世纪。现有两座造纸厂。当地有第二次世界大战期间为修筑"死亡铁路"而牺牲的盟军士兵的墓地。现该路已失修损坏。附近有赛育瀑布。城郊有大片竹林，为造纸厂提供纸浆。还产稻米、烟草。有考沙洛普野生动物和森林保护区。人口约52 119（2000）。

Kānchenjunga　干城章嘉峰　又拼Kāng-chenjunga。尼泊尔语拉丁字母转写作Kumbh-karan Lungur（贡普加兰隆古尔山）。海拔8 586米，世界第三最高峰。属喜马拉雅山系，位于尼泊尔、印度边境，在大吉岭西北偏北74千米处。山体呈巨十字架状，四臂分指北、南、东、西。毗邻诸峰间有四条主要山脊相连并各有冰川：泽木（东北）、达弄（东南）、亚弄（西南）和干城章嘉（西北）。在当地居民的神话与宗教仪式中占重要地位。第一张干城章嘉峰地图制于19世纪中叶，出自印度学者、探险家R.纳姆加尔之手。嗣后屡有欧洲人攀登，均未果，最佳成绩为1931年7 700米。因数度发生致命事故，遂使后来者望而却步，该峰以奇险难攀闻名于世。1955年英人C.埃文斯在皇家地理学会和阿尔卑斯俱乐部（伦敦）赞助下率队登山，因尊重锡金宗教信仰和愿望，至离峰顶数码处而止。峰名原出藏语，意为雪中五宝。

kanchil　坎奇尔鼷鹿　产于东南亚的几种小鼷鹿。以前认为是单独的种，今视为南亚鼷鹿（*Tragulus kanchil*）的几个变种。参阅**chevrotain**。

Kānchipuram　甘吉布勒姆　又称康吉弗兰。印度东南部泰米尔纳德邦北部城镇。位

甘吉布勒姆城镇的印度教寺庙，约始建于1500年
Shostal 供图

于巴拉尔河畔，有马德拉斯—班加罗尔公路和铁路通过。始建于公元前2世纪，为印度南部最古老城市之一。一直是朝圣中心。为古代耆那教和佛教学术中心；伟大印度哲学家罗摩奴阇（1017～1137）在此受过教育。现为印度教七大圣城之一。现亦为学术中心，设有马德拉斯大学的几个学院。人口：城镇152 984；都会区188 349（2001）。

Kānchrāpāra　甘杰拉巴拉　印度东北部西孟加拉邦东南部城镇。位于胡格利河东岸。为加尔各答都市区的组成部分，在哈利瑟赫尔市内。有印度最大铁路工厂之一。黄麻厂为主要工业。有黑天神庙，每年举行庙会。庙北设有政府土地开发区，包括规划中的一座现代城镇格利亚尼，其中有一所大学（1960）和一所州立结核病医院。人口126 118（2001）。

Kandahār　坎大哈　又拼Qandahār。阿富汗中南部城市。阿富汗南部主要商业中心。位于塔尔纳克河附近海拔1 000米的平原上，为来自喀布尔、赫拉特和奎达（位于巴基斯坦）的公路交叉点。有国际航空站，但主要供国内航线使用。该城地处经由赫拉特通

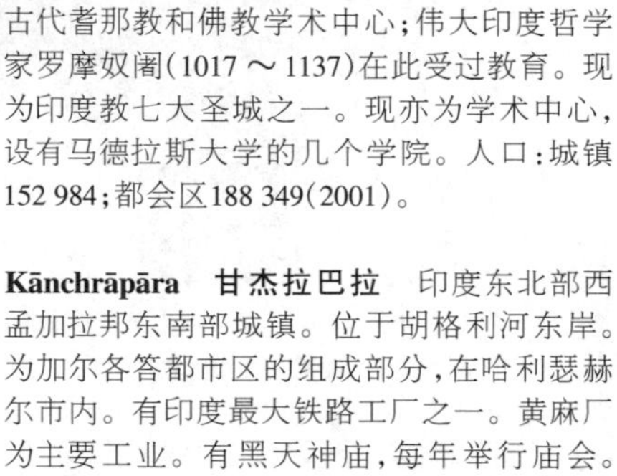

坎大哈市的阿哈马德·沙·杜兰尼子女小陵墓
美国不列颠百科全书公司供图

往中亚细亚、喀布尔和印度的交通干线上，是战略和商业要地，故有漫长的征战和频繁重建的历史。曾由大流士一世纳入阿契美尼德帝国版图，公元前329年由亚历山大大帝攻取，公元前305年被塞琉古一世让予旃陀罗笈多，并因其孙阿育王用希腊语和亚拉米语镌刻在岩石上的铭文而显赫一时，其后相继为希腊大夏人、安息人、萨卡人、贵霜人和萨珊人所占。在其伊斯兰时期曾经先后为阿拉伯、波斯、土耳其和蒙古诸君主所占。公元7世纪归阿拉伯人，9世纪归萨法尔人，10世纪归伽色尼人统治。坎大哈曾先后被蒙古入侵者成吉斯汗和突厥人征服者帖木儿所毁，此后为莫卧儿人（16世纪）和波斯人（17世纪）所占。1747年首次成为统一的阿富汗的首都。英国人自1839年以来企图控制该地区，但于1881年9月终于放弃。坎大哈市随后的历史中重要事件不多，但20世纪80年代阿富汗战争期间，这里断续发生阿富汗抵抗力量与苏联侵略军队之间的激战。从90年代中期到2001年，伊斯兰原教旨主义派别塔利班统治阿富汗大部分地区，其总部设在坎大哈。2001年塔利班政权被推翻后，坎大哈又成为美国军队打击伊斯兰武装分子的集结地。今坎大哈市及其周围村庄的居民主要是杜兰尼族的普什图（即帕坦）人，其次是吉尔扎伊人和卡卡尔人以及操波斯语的人。坎大哈市与巴基斯坦的白沙瓦市同为普什图人大城市，坎大哈居民的语言相对于白沙瓦的硬音普克图语来说，是他们语言中叫做普什图语的软音形式的中心。现在的坎大哈城市中心位于拥挤的旧城西面。旧城由阿富汗土著统治者阿哈马德·沙·杜兰尼（约1722～1772）所建，为其首都。尽管原环城土墙所剩无几，但旧城平面几何图形和长1 800米宽550米的矩形轮廓仍清晰可辨。东北区有著名的阿哈马德·沙·杜兰尼的高大陵墓，是该市营造巨大建筑物的仅有尝试。该陵墓除堂皇的镀金圆顶及其周围的杜兰尼12个子女的小陵墓之外，还有一些精致的细工浮雕和镶嵌铭刻。陵墓附近有"赫克"清真寺，被视为圣地，因为其中据说存有先知穆罕默德的长袍。今城西约6.5千米，沿石质山坡延伸至山脚下的平原，有古坎大哈城的遗迹，即1738年遭受伊朗征服者纳迪尔·沙阿掠夺和洗劫过的古城。山顶上有一小城堡高踞于半埋没的古城遗迹之上。城墙里面有巴巴瓦里的花园和著名圣殿，至今仍吸引朝圣者。在陡峭的东北面整个岩体上凿出40个大台阶，向上通至小型圆顶壁龛，其中有台阶营造者莫卧儿王朝皇帝巴伯尔的铭文，载有其帝国和征服地的详情。其孙阿克巴皇帝也增补了铭文。坎大哈市周围地区为灌溉农田。该市的主要工业是食品加工业。还有纺织厂，以毛纺著称。传统出口产品是水果。坎大哈地区以水果，特别是葡萄、甜瓜和石榴驰名。其他出口产品有棉花、茜草、小茴香和阿魏。人口约237 500（20世纪90年代初）。

Kandavu（Fiji）　参阅**Kadavu 坎达武**。

Kandel, Eric　坎德尔（1929-11-07，奥地利维也纳～　　）　奥地利出生的美国神经生物学家，由于发现了突触在记忆和学习中所起的中心作用，与A.卡尔松和P.格林加德共获2000年诺贝尔生理学或医学奖。1956年获纽约大学医学院的医学学位。先在哈佛大学工作，1965～1974年在纽约大学当副教授。从1974年开始，在哥伦比亚大学任教授，并任该校神经生物学和行为中心主任直到1983年。他得奖的研究工作集中在一种裸肥软体动物身上。这种动物有保护性反射，用以保护它的鳃，而这正是他用来研究的基本学习机制。他通过这些实验和后来对老鼠的研究，得出以下结论：记忆的中心位于突触，突

触功能的改变就形成不同类型的记忆。他还证明,弱刺激会增加突触中的某些化学变化;这些变化是短期记忆的基础,持续几分钟到几小时。较强的刺激造成不同的突触变化,结果形成长期记忆,可以保持数周。

Kander, Lizzie Black　肯德(1858-05-28,美国威斯康星密尔沃基～1940-07-24,密尔沃基)　美国福利工作者。婚前名 Lizzie Black(莉齐·布莱克)。1881 年 5 月与商人及地方政要 S.肯德结婚。20 岁后积极投身密尔沃基妇女救济缝纫协会工作,收集、缝补废弃衣物,然后分发给贫穷的移民家庭。1894～1895 年任协会主席,次年当选新成立的密尔沃基犹太救济会主席。1900 年救济会与个人服务妇女会合并为密尔沃基首家社区服务中心,仍担任主席。社区服务中心除提供职业和家务技能培训以及英语、美国历史、音乐课程外,还设立健身房、男孩和女孩的俱乐部及其他社区服务设施。其中最受欢迎的是肯德的烹饪班。所收集的食谱于 1901 年印刷成书。该书广受欢迎,自第二版起开始有盈利。她继续从各方收集食谱,并从 1914 年独自负责编辑。至 20 世纪 70 年代末,该书已售出 100 多万册。1911 年社区服务中心迁至新址,更名亚伯拉罕·林肯会馆。肯德继续担任主席至 1918 年。1907～1919 年间还担任密尔沃基校董会董事,主要负责创办女子职业高中。

Kandh(people)　参阅 **Khond** 孔德人。

Kandi　康迪　贝宁东北部城镇,位于首都波多诺伏以北 523 千米处。附近有优质铁矿,但主要为一农业中心,主要产有棉花、木棉、牛油树果仁、花生、玉米和小米。有棉花和木棉的轧花厂。该镇位于一主要公路线上,并有一飞机场。人口约26 365(1992)。

Kandinsky, Wassily　康定斯基(1866-12-16,俄国莫斯科～1944-12-13,法国塞纳河畔纳伊)　俄国出生的画家,纯抽象绘画创始人之一。生于莫斯科的一个富有家庭。1871 年随父母去敖德萨,在那里上完中学,并成为钢琴与大提琴的业余演奏者和业余画家。1886年入莫斯科大学攻读法律和经济学,但对绘画仍有极大兴趣。1889 年去沃洛格达从事种族史的调查,对俄国民间绘画色彩艳丽的非写实风格发生强烈兴趣。1893年获博士学位,在大学任教。1896 年去德国,立志成为画家。入慕尼黑学院进修,1900 年结业。此后几年间成为与现代诸流派有关系的、有一定成就的职业画家。他受到印象派"新艺术"的影响,吸收新印象派的点彩技法,运用中欧的表现主义和法国野兽派的强烈的非写实的色彩,作品中往往透露出莫斯科的圣像画和沃洛格达民间美术的痕迹,有时则喜用带有亚洲味道的紫色图案。1903 年在莫斯科、1904 年在波兰举行个展。1903～1908 年漫游,先从荷兰南下至突尼斯,后由巴黎返回俄国。1909 年左右开始向纯抽象绘画演变。1911 年刊印《论艺术中的精神因素》一书,强调所谓"内在的需要"。在 1913 年出版的《回忆录》中,主张把颜色、线条和形状发展为足以表达思想和唤起深厚感情的视觉语言的绘画。他是慕尼黑的先锋运动的积极鼓舞者,1909 年参加创立"新美术家协会"。1911 年另行创立一个叫作"青骑士"的团体,对现代艺术的发展起过重要作用。第一次世界大战爆发后,康定斯基回到俄国。1918 年任莫斯科美术院教授。1919 年创立艺术文化研究所,任莫斯科绘画博物馆馆长,1920 年任莫斯科大学教授。1921 年创立俄罗斯艺术科学院。他在莫斯科时期的油画和水彩画表现出要达到完全的抽象。1921 年末,由于苏维埃政府提倡社会主义现实主义,他离开莫斯科前往柏林。当时他已是国际驰名的画家。1922 年初到魏玛,在著名的包豪斯建筑和实用美术学校任教。他继续向几何的抽象演变,以圆和三角为主要形式,典型作品有《在黑圆圈中》、《一个中心》、《黄红蓝》、《三个声音》等。1926 年发表第 2 部重要论著《从点和线到面》。他分析图画的抽象因素的想象效果,说横线表冷,竖线表热。他虽然在 1928 年成为德国公民,但到 1933 年,由于德国秘密警察封闭包豪斯学院,他只好移居巴黎。1939 年入法国籍。晚期作品为慕尼黑时代的有机风格与包豪斯时代的几何风格的综合。他使用一大堆类似象形文字的符号,许多符号好像水生的幼虫。典型作品有:《紫的优势》、《主曲线》、《十五》、《温和》等。同时,他还写了一些文章,认为必须觉察到他所谓的"实际物体的象征性质"。他对 20 世纪的艺术具有深远的影响。

美国不列颠百科全书公司供图

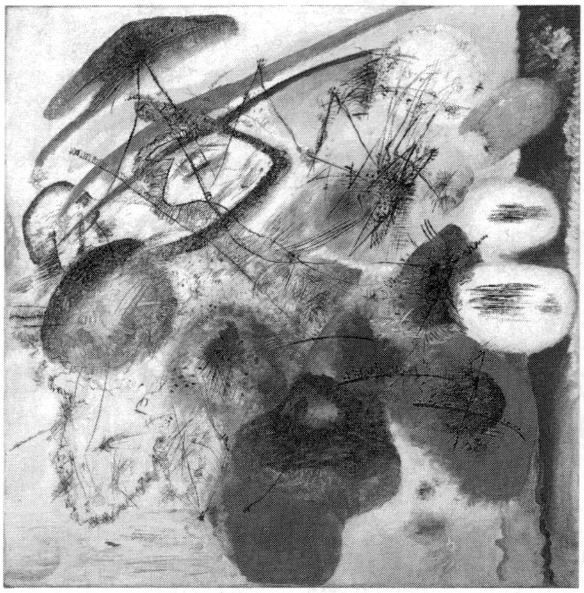

康定斯基绘《黑线》(1913)
美国不列颠百科全书公司供图

Kandla　根德拉　印度中西部、古吉拉特邦西北部城镇。傍卡奇湾。20 世纪 30 年代辟为天然深水港。由于要为比古吉拉特邦大得多的内地服务,城镇不断发展。进口石油、机械和化学药剂,并从事谷物、纺织品和盐的贸易。有主要公路、铁路各一条和一个机场。人口23 978(1981)。

Kändler, Johann Joachim　坎德勒(1706,菲施巴赫,萨克森[德国]～1775-05-18,迈森)　巴罗克晚期风格雕刻家,欧洲瓷器雕刻的主要创始者。1731年,坎德勒当时在萨克森选侯强者奥古斯都的宫廷中当雕刻师,奉命改组迈森瓷器厂的模型车间,前后历时 44 年。他多才多艺,具有非凡的想象力,主要由于他的天才,使迈森瓷器厂赢得了世界声誉。在

坎德勒制作的即兴喜剧小雕像——哈乐根,约 1738 年
美国不列颠百科全书公司供图

设计和制造方面，坎德勒主要依靠3位洛可可时期最出色的陶器雕刻家——J.F.埃伯莱因、F.E.迈耶和P.赖尼克。当时迈森瓷器几乎遍布所有欧洲宫廷，如雕像、餐具、花瓶或肯特勒时期的其他作品。其著名的作品有：即兴喜剧小雕像（大部分在1738～1740年间完成）；为德累斯顿的日本宫制作的各式飞鸟（1731～1735年间完成）；为H.G.布吕尔制作的2 200件天鹅餐具（1737～1741年间制成）。参阅 **Meissen porcelain**。

Kandy 康提 15世纪末锡兰（斯里兰卡）的重要独立君主国家，被殖民强国征服的最后一个僧伽罗人王国。17世纪初，所有其他的僧伽罗人王国都为葡萄牙人所灭，唯有康提又巍然屹立两个世纪。在葡萄牙人统治锡兰时，康提与荷兰人结盟；在荷兰人统治锡兰时，它又寻找英国人的援助。从1796年英国人接管锡兰的时候起，康提则依靠自己的资源。英国人认为康提的继续独立对他们扩展商业和在锡兰的交通网都是一种障碍。1803年英国人首次进攻康提，结果失败。但到1815年，康提的酋长们对他们的专制国王不满，遂欢迎英国人干涉。根据1815年的《康提协定》，康提国王退位，主权归英国国王，但康提酋长的权利大部分得到维护，不久，酋长们对这一协定不满，并公开起来反抗（1817），但在1818年被英国人彻底征服。

Kandy 康提 斯里兰卡（锡兰）中部、康提高原上的城镇。海拔488米。濒临马哈韦利河。有最后一位康提国王修筑（1806）的水库，景色优美，群山环绕。有许多佛教庙宇，最著名的是佛牙庙。有皇家植物园和锡兰大学。康提镇是行政、商业、文化和教育中心，吸引许多游客，出产斯里兰卡大部分茶叶，并种植水稻等农作物。人口约102 000（1988）。

Kane, Elisha Kent 凯恩（1820-02-03，美国宾夕法尼亚费城～1857-02-16，古巴哈瓦那） 美国医生和北极探险者。1850年率领一支探险队去格陵兰西北部，寻找1845年失踪的英国探险家富兰克林而未成功。他攻读医学，1843年成为海军军医。在北极地区寻找富兰克林之后，他又计划去探测北极周围有无未被冰封的海域。于1853年5月31日乘"前进"号离开纽约，前往格陵兰西北部，进入现今称为凯恩湾的海域。船只被冰围封，探险队虽然没有找到一名富兰克林的船上人员，也没有发现一处无冰封的极地海，但是却完成了许多地理、气象、地质等科学研究。凯恩和他的队员们在两个冬季里得了坏血病和其他一些疾病。1855年5月，他们抛弃了"前进"号，开始了83天的陆上旅程，前往格陵兰岛上的乌佩纳维克。被一支救援队找到后，于1855年10月返回纽约。1856年凯恩出版了《北极探险》、《1853、1854、1855年第二次格林内尔探险，寻找约翰·富兰克林爵士》。

Kane, John 凯恩（1860-08-19，苏格兰西科尔德～1934-08-10，匹兹堡） 苏格兰出生的美国画家。常以原始画风描绘匹兹堡的景色和对苏格兰的回忆。童年曾在煤矿做工。1879年移居美国。他做过炼钢工、养路工，并且爱好拳击。在一次铁路事故中，他丧失了一条腿。在其幼子死后，他离开了家，开始在纤维板上画宾夕法尼亚的乡景和匹兹堡的市

凯恩自画像，1929年
美国不列颠百科全书公司供图

景。1927年匹兹堡卡内基国际展览会展出了他的一幅画，两年后获奖。最有名的作品是一幅自画像（1929，纽约市现代艺术博物馆藏）。

Kane, Sheikh Hamidou 卡内（1928-04-03，塞内加尔里弗区马塔姆～ ） 非洲作家。作品以自传体小说《暧昧不明的历险》（1961）最著名，曾获1962年黑非洲文学大奖。青年时代受过穆斯林传统教育，后离开塞内加尔到巴黎大学学习法律。1959年回国，先后任政府的计划专员、捷思区总督、塞内加尔发展计划部办公室主任、达喀尔船舶工程负责人和工业发展部长。1963年成为联合国儿童基金会驻尼日利亚拉各斯官员，1966年成为该基金会驻科特迪瓦阿比让主任。《暧昧不明的历险》集中写一个青年人处身于传统的伊斯兰教信仰及他祖先的生活方式中，同法国人输入非洲而他已经适应了的西方物质主义文化间的矛盾。卡内明确提出两种价值观念的冲突，赋予这部作品以力量和个性。

Kanem-Bornu 卡内姆-博尔努 9～19世纪控制乍得湖周围的塞夫王朝统治的非洲商业帝国，其领土在不同时期包括今乍得南部、喀麦隆北部、尼日利亚东北部、尼日尔东部和利比亚南部。9世纪中叶建立，第一个首都在乍得湖东北的恩吉米。11世纪末，塞夫王朝的国王成为穆斯林，卡内姆-博尔努遂成为伊斯兰教国家。在16世纪一些有才干的统治者的控制下，卡内姆-博尔努（以后有时简称博尔努）扩大和巩固。约在1808年，尼日利亚的富拉尼人把塞夫王朝国王驱出首都。塞夫王朝于1846年灭亡。

Kaneohe 卡内奥赫 美国夏威夷州瓦胡岛东北部火奴鲁鲁县城镇。由科奥劳岭的山麓丘陵延展到卡内奥赫湾，主要为居民区。设有夏威夷洛河学院（1963）和温沃德社区学院（1972）。与东侧的凯卢阿同为该岛早期国王住地。据传一位塔赫蒂安王子曾居住于此，并将草裙舞传授给夏威夷人。人口34 970（2000）。

Kaneohe Bay 卡内奥赫湾 在美国夏威夷州瓦胡岛东北部。岸线长32千米。该湾水浅且清，乘玻璃底船可观赏水下色泽鲜艳的珊瑚石，为一主要游览区。湾内莫库奥劳岛上设有夏威夷大学海洋生物实验所。湾区有莫卡马努（鸟岛）。美国海军陆战队在此设有航空站。

Kang Sheng 康生（1898，中国山东诸城～1975-12-16，北京） 原中国共产党第十届中央委员会副主席。1925年在上海大学读书时加入中国共产党。1933年去苏联，是中共驻共产国际代表团的成员之一。积极追随王明，推行"左"倾冒险主义。1934年1月中共六届五中全会上当选中央委员、中央政治局委员。1937年11月回国到延安，先后任中央书记处书记、中央党校校长、中央社会部部长、中央组织委员会副书记。1945年继续当选中共第七届中央委员、中央政治局委员。后去山东工作，任中共中央山东分局书记、山东省人民政府主席。1950年后长期养病。1956年中共八大当选为中央委员、中央政治局候补委员。文化大革命中担任中央文革小组顾问。积极为林彪、"四人帮"出谋划策，诬陷许多不和他沆瀣一气的党员。1971年林彪垮台，他蒙混过关。1973年8月，仍在中共十大上当选为中央委员、中央政治局委员和中共中央副主席。1975年12月病死。在文化大革命期间直接参与林彪、江青等人篡党夺权的阴谋活动，1980年10月16日中共中央鉴于他犯下的严重罪行，决定开除其党籍，撤销其《悼词》，并公布其罪行。

K'ang-ting（China） 参阅 **Kangding** 康定。

Kang Youwei 康有为（1858-03-19，中国广东南海～1927-03-21，山东青岛） 又拼 K'ang Yu-wei。原名祖诒，字广厦，号长素。中国近代学者、思想家、戊戌变法运动领袖。1879年

美国国会图书馆供图

游历香港，接触西方文化，开始向西方寻找救国真理。1888年第一次上书光绪帝，建议变法图强。1890～1893年间在广州万木草堂讲学。1895年中日甲午战争中方失败后，康有为联合各省赴京会试的举人1 300余人上书，要求光绪帝拒和、迁都、变法图强。

中进士后授工部主事,拒不就职。在京组织强学会,编印《中外纪闻》,并设强学分会于上海,创办《强学报》。1897年11月德国强占中国胶州湾,外患日亟,1898年1月应诏上疏,提出变法具体办法,4月12日在北京成立保国会,以"保国、保种、保教"为宗旨,定期集会演说,推动维新运动。同年6月11日光绪帝接受康的变法建议,此后迭上奏折,企图在不改变君主制条件下改革政治、经济、文化、军事,使中国富强。9月变法运动遭到慈禧太后镇压,逃亡国外。1899年7月在加拿大组织保皇会(又称中国维新会)以保救光绪为名,主张君主立宪,抵制孙中山领导的革命运动。1900年义和团运动爆发,康敌视义和团,通令各地保皇会"助外人攻团匪以救上"。1907年3月保皇会改名"帝国宪政会"。1911年辛亥革命后,康有为在上海主编《不忍杂志》。发表反对共和与保存国粹的言论,企图恢复清王朝。1917年7月参与张勋复辟帝制失败。康有为著作很多,主要有《新学伪经考》、《孔子改制考》(1897)、《戊戌奏稿》、《大同书》等,这些著作对当时中国思想界产生一定影响。

Kangar 加央 西马来西亚西北端玻璃市州最大城镇和首府。西距泰国边界8千米,傍玻璃市河,为该河小船航线的起点。工业有水泥、锯木、橡胶、造纸、制糖和对虾加工。为周围地区所产稻米的收购中心。该镇与附近的亚劳和加基武吉实行统一管理。人口:城镇12 504;大都会区54 390(2000)。

Kangarid DYNASTY **康加尔王朝** 参阅 **Mosāferīd dynasty** 莫萨法尔王朝。

kangaroo 袋鼠 袋鼠科,约47种澳大利亚有袋兽类的统称。体长在23厘米至2.5米以上。其特点是有一对细长而有力的后腿,用来跳跃;有一条尾基粗壮的长尾,以保持身体平衡。后脚的第4趾稍长于第5趾,爪亦最长;第2、3趾极小而愈合,除一个种外后足均缺第1趾。前肢短,功能颇像人的手

灰袋鼠(*M. canguru*)
美国不列颠百科全书公司供图

臂,但各"指"都具利爪,拇指也不能对掌。头较小,耳大而圆,口小,唇突出。毛柔软像羊毛;多数种的毛为灰色,头、背或上肢可有条纹。袋鼠通常每年产一仔,多数种一经分娩又立即交配,但其胚胎植入可能要延迟数月。袋鼠幼仔产下时仅部分发育,却能自己爬进母兽开口朝前的育儿袋内,并吸附在一个奶头上(奶头共4个,通常仅2个有功能)。幼仔留在袋里数月,然后再和母兽一起生活一段时候,并吮吸奶汁。袋鼠产于澳大利亚、塔斯马尼亚、新几内亚及俾斯麦群岛以东的岛屿;有一种已引进新西兰。多地栖,均以草为食,栖息在有青草、嫩叶的地方。天敌为大型猛禽、几种巨蜥、蟒、澳洲野犬和人类。人类为了取其肉和皮(用来制鞋),又因为袋鼠与家畜争食牧草,而将其猎杀。最大的袋鼠是灰袋鼠(林灰袋鼠,*Macropus canguru* 或 *M. giganteus* 或 *M. major*)、岩大袋鼠(新南威尔士大袋鼠,沃拉鲁大袋鼠,*Macropus*[或 *Osphranter*] *robustus*)、红大袋鼠(红飞袋鼠,*Megaleia rufa* 或 *Macropus rufus*)。澳大利亚东部和西南部以及塔斯马尼亚的灰袋鼠,主要活动在疏林地带。东部沿海地区的灰袋鼠毛长,呈银灰色;在内地的毛短,为深灰色。雄灰袋鼠直立时高度超过2米,最高纪录总长近3米,重65千克以上。灰袋鼠整个一生都在不断生长。一只灰袋鼠一跳可达9米,最高纪录为13.5米,速度每小时接近50千米。红大袋鼠在澳大利亚内地草原到处可见,身高、体重等似灰袋鼠。东部地区者雌体为蓝灰色(蓝飞袋鼠)。岩大袋鼠较小而矮壮,被毛较粗糙,深灰到浅红褐色;栖息在维多利亚州以外的整个澳大利亚多岩石地区。这些大袋鼠在一只最大的雄体带领下,成群活动。这只雄体("老头袋鼠","大雄袋鼠")以咬、踢和掌击来制服年轻的竞争者。雌体的妊娠期29～38天,幼仔在袋里生活10个月,然后再吮乳6个月。红大袋鼠孕期约33天,新生幼仔约2厘米长,体重约为母体的三万分之一。新几内亚的树袋鼠属(*Dendrolagus*)有3个种,其中2种也产于昆士兰的雨林中。体长约95～175厘米,耳短,腿短,尾长,全身斑点错杂。白天栖于树上,夜间下地吃草和蛴螬。

Kangaroo Island 坎加鲁岛 澳大利亚第三大近海岛。面积4 351平方千米。位于南澳大利亚州圣文森特湾出海口,阿德莱德西南130千米。地貌为较低的多悬崖高原(构造上为大陆山脉的延续部分)。岛西部灌丛地区只要管理适当,可种植大麦和燕麦等,并可放牧牛羊。主要居民区金斯科特有海运和航空线与大陆相通。以海洋捕鱼和弗林德斯国家狩猎公园为基础的旅游业也是收入来源之一。有大量石膏蕴藏。锡尔湾南岸有澳大利亚海豹禁猎区和繁殖地。人口4 118(1996)。

kangaroo mouse 小囊鼠 倭囊鼠属(*Microdipodops*),跳跃的二足啮齿动物,它们仅分布在美国西部的某些沙漠中。耳朵和头很大,头的末端有外部颊囊;前肢很短,但后肢和后足都很长。后足的边缘长着硬毛,底部的毛也很致密。软而丝质的外层则长而松弛。黑小囊鼠的上部是浅黄色或棕色,并着以黑色;下部则是灰色或白色,尾尖为黑色。灰白小囊鼠的上部和整个尾巴都是乳黄色,下部则是白色。小囊鼠重10～17克,体长7～8厘米,尾长6～10厘米。当它们跳跃着在地面上行进时,尾巴起到了平衡作用。由于可以储存脂肪,尾巴中间略微膨胀,这在北美本土的小型哺乳动物中是独有的特征。脂肪的储存在夏季增加,并且在冬眠中作为能量来源被消耗。小囊鼠生活在大盆地的谷地和冲积扇。在那里,风吹来的沙子形成固定的沙丘,沙质的土壤很常见。黑小囊鼠喜欢细沙砾土,它们的地洞入口常常挖在灌木丛的附近。当在远离灌木丛的空旷地上觅食的时候,它们把食物放在颊囊里并且运回地洞贮藏。这种鼠只在沙漠凉爽的夜间活动,排出浓缩的尿液和干燥的粪便以减少需水量。它们并不需要饮水,而是通过种子或偶尔的昆虫食物获取所需的一切。在大盆地的高处,冬季寒冷难熬,小囊鼠通过冬眠来度过在11月到次年3月之间的冬季。它们在夏季生育,每次能产2～7个幼崽。小囊鼠被认为是袋鼠鼠(kangaroo rat)的小型版本。可以从尾巴上将二者区分开:与较大的袋鼠鼠不同,小囊鼠的尾巴既没有冠毛也没有穗饰。这两个类群都属于异鼠科(Heteromyidae)(希腊语,"其他鼠类"或"不同的鼠类"),它们都不属于真正的老鼠(鼠科)。口袋鼠与小囊鼠是近亲,也属于异鼠科。这个科与衣囊鼠科(Geomyidae)很接近,都属于啮齿目。

kangaroo rat 更格卢鼠 啮齿目更格卢鼠科更格卢鼠属(*Dipodomys*)约25种齐足跳跃的啮齿动物的统称。栖息在北美干旱和荒漠地区。头大,眼大,前肢短,后肢长。与其亲

更格卢鼠(*Dipodomys*)
美国不列颠百科全书公司供图

缘动物小囊鼠类似,有嘴旁开口的衬以毛的外颊囊。体长10～16厘米(不包括长尾)。背部皮毛为浅黄到褐色,腹面为白色;通常两侧髋部各有一白色条纹。大多数种的尾端有丛毛。用后腿跳跃前进时,尾可司平衡。居于地穴,夜出觅食种子、树叶和植物其他部分。采集食物,用颊囊运到地穴储藏。很少喝水,主要从食物中获取水分。一年生育一次或多次,每窝产2～5仔,妊娠期为1个月。莫罗湾更格卢鼠仅产于加利福尼亚州,已为濒危动物。得克萨斯更格卢鼠产于得克萨斯州和俄克拉何马州,数量已趋罕见。小更格卢鼠属(*Microdipodops*)种类的毛柔软光亮,色黄褐至灰黑。体长7.5厘米,不包括长尾。分布于美国西部,习性和大型更格卢鼠相似。

Kāngchenjunga(mountain, Nepal-India) 参阅 **Kānchenjunga** 干城章嘉峰。

Kangding 康定 又拼K'ang-ting。中国四川省甘孜藏族自治州辖县。自治州首府。旧称打箭炉。位于四川省西部大渡河支流瓦斯沟上游，当川藏公路线上，联川通藏，地理位置重要。汉时康定为蜀郡牦牛县与徒县边外地。三国蜀汉时名打箭炉，故康定又称"炉城"。五代后期为土司属地。清雍正八年(1730)设打箭炉厅，宣统末年(1911)为康定府治。1913年裁府为康定县。1939年为西康省省会。1950年为西康省藏族自治区首府。1955年为四川省甘孜藏族自治州辖县，1956年起为自治州首府。县政府驻炉城镇。面积11 486平方千米。县境多高山和高原。大雪山南北绵亘，主峰贡嘎山距城南约50千米，列为国家级风景名胜区。县城跑马山为藏族宗教名山。城西北15千米的木格错风景区，集高山湖泊、原始森林、雪山草地、温泉瀑布于一体。县内的榆林宫温泉和二道桥温泉及药王泉远近驰名。县城的安觉寺、跑马山的凌云白塔及塔公寺的塔林闻名青藏高原。境内有铅、锌、钨、金及石棉、水晶等矿产，水能资源和森林资源、草场资源很丰富，并盛产麝香、鹿茸、虫草、天麻等名贵中药材。农业以牧为主。工业有采矿、毛纺、石棉制品、制药、皮革、木材、电力等部门。所产毛毯畅销省内外。康定是甘孜藏族自治州的文化中心，州内的民族师范专科学校及工业、财经、卫生、林业等中等专业学校均集中于此。人口110 000(2005)。

瓦斯沟畔的康定城
中国大百科全书出版社供图

Kangean Islands 康厄安群岛 印度尼西亚东爪哇省爪哇海中的岛群。位于小巽他群岛西北，南距巴厘约121千米。由3个主岛与四周环列约60个小岛组成。陆地面积668平方千米。其中以康厄安岛最大，面积487平方千米，东西长40千米，南北宽19千米。还有帕利亚特岛长14千米，宽5千米；塞潘姜岛长16千米，宽8千米；两岛都在康厄安岛东南面。其他岛有大塞里迪岛、小塞里迪岛、塞西伊尔岛、塞塔博岛、萨潘库尔岛和门布里特岛等。康厄安岛海拔较低，东北部丘陵海拔约364米，覆盖着柚木。沿海有椰子种植园。气候炎热潮湿，经常浓云密布，雨量充沛。有少量农业，饲养牛，出口椰干、鱼类、食盐和木材。主要贸易对口城市是巴厘海对面的巴厘。康厄安岛上的阿尔贾萨和帕贝安为主要城镇。

Kanggye 江界 朝鲜北部城市。为内陆高原的交通枢纽，在边境附近。李朝时代(1392～1910)起，为军事要地。现有铁路和公路通平壤。工业有木材加工和陶瓷。1945年在附近鸭绿江支流秃鲁江建成水电站后，发展了制造业。该地附近开采铜、锌、煤、石墨等矿产。市内有教育学院。人口约211 000(1987)。

Kanghwa Island 江华岛 韩国西北部、京畿道离海岸不远黄海中的岛屿。在仁川西北面，位于汉江口。大体呈长方形，面积422平方千米。多丘陵，土地肥沃。产大米等农产品，亦为主要的人参种植区。主要城镇有东北部的江华和南部的东漠。1866年和1871年法国人和美国人曾先后占据该岛。人口152 678(1990)。

Kangnŭng 江陵 韩国东北部江原道城市。濒临日本海。自古为太白山脉东部地区行政和经济中心。有许多历史古迹和优良海滨浴场。市北6千米处的镜浦台风景区为旅游胜地。有几家丝织厂，工业不发达。人口152 678(1990)。

江陵市附近的镜浦台寺院
美国不列颠百科全书公司供图

Kango 坎戈 加蓬西北部城镇。在利伯维尔以东，临科莫河。20世纪70年代建起非洲最大纤维板和纸浆厂，加工周围地区林产品。地处利伯维尔—兰巴雷内公路干线上。人口约26 600(1985)。

Kāngra 冈格拉 印度西北部喜马偕尔邦西部城市。位于特尔姆萨拉西南偏南的铁路线上。海拔734米。为农产品贸易中心，18～19世纪成为微型绘画艺术中心。1905年被地震夷平，后重建。冈格拉位于喜马拉雅山南麓，大部属贝阿斯河流域。出产小麦、玉米、稻米、茶叶和其他农产品。附近有森林可提供木材。手工业发达。以手工织布为主。人口：市9 019(1991)。

Kangri (Turkey) **坎格里** 参阅Çankırı昌克勒。

Kangto Shan 康格多山 喜马拉雅山东段的高峰。位于中国西藏自治区南部错那县东部，海拔7 060米。有现代冰川发育。

KaNgwane 卡恩格瓦尼 又称斯威士。1977年根据种族隔离制度在南非德兰士瓦东部成立的前非独立的黑人邦。卡恩格瓦尼是不在斯威士兰居住的斯威士人居住地。为最小的黑人邦之一。多丘陵草原。卡恩格瓦尼主要地区为沿斯威士兰西部和北部边界的狭长地带，以及北面一小片飞地。其首府为路易维尔。卡恩格瓦尼和独立国家斯威士兰同是斯威士人的传统住地。19世纪初斯威士人建立王国。1895年卡恩格瓦尼被布尔南非共和国(后为德兰士瓦英国直辖殖民地)接管。1994年的南非宪法废除了根据种族隔离制度建立的黑人邦，依据该宪法，卡恩格瓦尼成为南非新成立的东德兰士瓦省的一部分。

Kangwŏn 江原 朝鲜东南部的道，濒临日本海。原江原道被1945年"三八线"及1953年停战协定的分界线分为南北两部，北部较小，即今江原道。此外，它还包括1945年自咸镜南道划来的元山市和两个县。面积10 600平方千米，大部分在太白山脉北端。金刚山(1 638米)自古以来以远东风景区闻名，有怪石奇峰12 000处，以及悬崖、石林、深池、瀑布，还有多种阔叶林和针叶林。山中有100多所古庙，其中有长安寺、摩诃衍和新溪寺。战后当地开始发展农业，出产谷物和柿子。渔业亦重要。矿藏丰富，有铅、锌、金、银、镍、锰、无烟煤和褐煤。工业集中在首府元山，有造船、汽车、水泥等工业。人口约1 227 000(1987)。

Kangwŏn 江原 韩国东北部的道。东临日本海，南邻忠清北道和庆尚北道，西接京畿道。江原道的北部按1945年"三八线"及1953年停战协定的分界线分属南、北朝鲜，该道大部分划在南朝鲜境内。海岸陡峭平直。该道面积16 894平方千米，4/5为森林，有食用高山植物和蘑菇等林产品。江原道的矿产资源有铁、煤、钨、萤石和石灰石。水力发电和热电厂建立后，其他工业也有发展。江原道的附近水域盛产鱼类，尤其是墨鱼和绿鳕。该道城市有首府春川、江陵、原州和束草。雪岳山(1 708米)和五台山(1 563米)位于太白山脉国家公园内。人口约1 592 000(1990)。

Kangxi (Chinese emperor) **康熙** 参阅 **Qing** ——：清朝帝王序列下 **Qingshengzu Xuanye** 清圣祖玄烨。

Kangxi Nanxuntu 《康熙南巡图》 中国清代宫廷绘画作品。王翚、杨晋等人合作，全图共12卷，绢本，重设色，每卷纵67.8厘米，横1 555～2 612.5厘米不等。绘康熙皇帝玄烨第二次南巡(1689)的情景。系南巡后两年，康熙帝下旨召命内务府曹荃和都察院左副都御史宋骏业，组织王翚、杨晋以及部分宫廷画家共同创作，历时3年完成。12卷画首尾相接，描绘玄烨一行从京师永定门出发，沿途所经山川城池、名胜古迹的全部过程，场面宏大，人物众多。每卷画中玄烨均出现一次。画中除南巡队伍外，还大量表现了当时的风俗人情和农业、商业经济的繁盛景象，反映了清朝初年的社会生活和生产劳动的情况。作品工整细致，色彩鲜明，具有重要的艺术价值和历史价值。画卷现已散佚不全，其中第一、九、十、十一、十二卷藏于北京故宫博物院，第二、四卷藏于法国巴黎吉美博物馆，第三卷藏于美国纽约大都会艺术博物馆，第七卷原在丹麦，现为加拿大私人收藏，其余下落不明。

Kānha National Park　甘哈国家公园　印度的国家公园。在中央邦门德拉县。面积316平方千米，海拔600～900米。1935年定为本贾尔谷地保护地。1955年定为国家公园。1964年扩大。为三面被平顶丘陵围绕的大片草地。动物有兰古尔猴、野狗、虎、豹、野猪、羌鹿、白斑鹿、麋、沼鹿、野牛、红莽鸡、灰莽鸡和孔雀等。公园有公路与那格浦尔、贾巴尔普尔和县首府门德拉相通。

Kanibadam　卡尼巴达姆　塔吉克斯坦苦盏州城市。位于费尔干纳盆地西部。卡尼巴达姆绿洲以盛产杏仁闻名（今名意为杏仁乡）。城市历史至少可追溯到15世纪。经济以加工当地农产品（棉、丝、水果和杏）为主。大费尔干纳运河流经南郊区。设有师范学院和歌剧院。人口约38 800（1991）。

Kanık, Orhan Veli　卡讷克（1914，君士坦丁堡贝贝可兹～1950-11-14，伊斯坦布尔）　20世纪土耳其文坛最有革新精神的诗人之一。曾就学于伊斯坦布尔大学文学系，在安卡拉土耳其邮政管理局工作（1936～1942）前，曾一度任助教。1942～1945年任土耳其陆军预备役军官。因其熟谙法语，在教育部从事两年翻译工作，并翻译法国大诗人和剧作家的一些作品。1950年任文学评论杂志《对开本》编辑。最初以穆罕默德·阿里·塞尔为笔名写作，并在先锋派文学杂志《生存》上发表作品，以后逐渐背离传统的诗歌形式。1941年与他人合写的诗集《怪诞》出版。这部作品使土耳其文学发生重大变化，摈弃当时土耳其诗歌的传统格律、韵脚、语言风格和主题。诗歌艺术开始面向大众，采用日常用的土耳其口语和民间流行的主题。尽管他在诗歌革新中遇到很大阻力，但死时在土耳其诗坛已享有崇高声誉。

卡讷克的其他作品包括《我绝不屈服》（1945）、《像一首史诗》（1946）、《新的》（1947）、《穿越》（1949）等。他的诗歌选集《我在倾听伊斯坦布尔》由塔拉特·赛义德·哈尔曼翻译出版（1971）。

Kanimblan orogeny　康尼布兰造山运动　将近早石炭世末（约3.25亿年前）在澳大利亚东部发生的一次造山事件。从塔斯马尼亚延伸到约克角的宽广地带里出现了隆起和变形。这次运动是影响塔斯曼地槽的最激烈的造山幕。

Kanin, Garson　卡宁（1912-11-24，美国纽约罗切斯特～1999-03-13，纽约）　美国作家、电视电影导演，他与妻子——女演员R.高登的合作尤为出名。经济大萧条初期辍学养家，先从事音乐，后当喜剧演员，1932年入美国戏剧艺术学院。毕业后在百老汇演出，并协助导演G.艾博特工作，因而也想做导演。1937年在制片人S.高德温手下工作。1938年与雷电华电影公司签约，执导的影片有《没齿难忘》（1938）、《伟人投票》（1939）、《家有娇妻》（1940）和《汤姆、迪克与哈里》（1941）等。第二次世界大战期间被战时新闻局和人力动员局征召拍摄纪录片。其中与C.里德合作导演的《真正的光荣》（1945）获奥斯卡最佳纪录片奖。战后在百老汇执导《绛帐海棠春》（1950年改编为电影）。与高登合著的电影剧本有《死吻》（1947）、《亚当的肋骨》（1949）和《帕特和麦克》（1952）。他们在整个创作生涯中，没有与好莱坞任何电影公司签约，一直坚持自由创作。卡宁还著有：长篇小说《掀起风暴》（1959）、《盛夏》（1973）和《声画剪辑机》（1979）；短篇小说集《角色分配》（1969）；写实文学作品《特蕾西与赫伯恩传略》（1971）、《好莱坞》（1974）等。

Kanin Peninsula　卡宁半岛　位于俄罗斯西北部阿尔汉格尔斯克州。西濒白海，东临巴伦支海乔沙湾，面积约10 500平方千米。北部有卡宁卡缅岭由西北向东南延伸，其余地区为平坦、多沼泽的冰川和海洋沉积苔原。多冰碛丘陵，海拔70～80米。

Kanis, Petrus　参阅 **Canisius, Saint Peter 卡尼修斯，圣**。

Kaniṣka　迦腻色迦（活动时期1世纪）　贵霜王朝最伟大的国王。即位年代不详，大致在78～144年间。在位约23年。他的国土西起布哈拉（今乌兹别克斯坦），东至恒河流域的巴特那，北接帕米尔（今塔吉克斯坦），南达印度中部。都城大概是布路沙布罗（今巴基斯坦白沙瓦）。他可能跨过帕米尔高原，征服于阗、疏勒和莎车。他与中国人在中亚的接触可能促进了印度佛教向中国的传播。迦腻色迦曾在克什米尔召开第四次佛教大会，标志着大乘佛教的肇始。他在位期间和罗马帝国的交往导致贸易的增加和思想的交流，其范例是犍陀罗艺术的诞生。

Kanjeran Pluvial Stage　坎杰拉雨期　非洲更新世重要的年代和地层单元（更新世始于约250万年前，延续约249万年）。位于卡马斯雨期之后，甘布尔雨期之前。非洲的各个雨期可能是与北半球广泛发育的大陆冰川期有关的比较潮湿的时期。有些权威人士认为坎杰拉雨期与欧洲的玉木冰期的早期同时，另一些人则认为与较早的里斯冰期同时。坎杰拉雨期的湖积物中有丰富的脊椎动物化石，以及人类工具和遗骨。根据放射性碳方法测定，晚坎杰拉雨期的化石年代为5.7万年左右，与玉木冰期的早期同时。

kanji　汉字　日语书写符号，将中国汉字略加变化而成。常用以书写名词、动词词根、形容词和其他重要的单词。表示动词时态、助词及其他语法标记的日语词缀为汉语所无，故用平假名字母表示，与汉字夹用，亦可用平假名字母表示汉字读音。参见 **kana**。

Kankakee　坎卡基　美国伊利诺伊州东北部城市，坎卡基县县城（1853）。濒临坎卡基河。19世纪50年代始建，1854年设建制。通伊利诺伊中部铁路后得以发展。现为农产品销售和制造业中心。设有州立坎卡基精神病院（1877）、奥利弗特纳扎雷内学院（1907）和坎卡基社区学院（1966）。人口：市约27 575；坎卡基主要都会统计区约103 833（2000）。

Kankakee River　坎卡基河　源出美国印第安纳州北部南本德附近。向南转西流217千米，接纳易洛魁河后折西北，与德斯普兰斯河汇合形成伊利诺伊河。可通航。

Kankan　康康　几内亚东部城镇。在米洛河航道起点。18世纪是索宁克人商队运输食盐、黄金、可乐果的中心。现为几内亚第二大城镇。几内亚东北部交通枢纽，科纳克里—康康铁路终点，公路网中心。是马林克人和迪尤拉人贸易中心。有轻工业和手工艺（黄金、象牙、木刻）。教育设施有康康大学（1963）、国家警察学校（1959）、职业学校和稻米研究所。人口：镇约88 760（1983）。

Kankan Mūsā（Mali emperor）　**康康·穆萨**　参阅 **Mūsā 穆萨**。

Kankrin, Egor Frantsevich, Graf（Count）　**坎克林**（1774-11-16，黑森卡瑟尔哈瑙［德意志］～1845-09-10，俄国圣彼得堡附近巴甫洛夫斯克）　尼古拉一世统治下的俄国财政大臣（1823～1844），财政上的极端保守主义者，拒绝为实现俄国现代化所作的大部分尝试，1829年封伯爵。父为受雇于俄国的德国采矿工程师。坎克林于1797年离开德国开始为俄国政府服务。1821年参加国务会议，1823年任财政大臣。在理财方面，他主要是靠限制支出来减少赤字。他削减工业贷款，不准开设私人银行，反对修筑铁路。曾兴办一所技术学校，为俄国工业造就更多熟练的技工。虽然1839～1843年的货币改革被称为坎克林货币改革，但许多历史学家认为，这项改革大多出自其他人之手，这项改革确定银卢布与贬值的纸券——纸卢布——之间的兑换率。他的继承者继续他的保守主义政策，直至亚历山大二世即位为止。

Kanmon Tunnel　关门海底隧道　世界第一条海底隧道，长约3.5千米，连接日本本州岛和九州岛。1936～1944年建造时几乎采用了所有已知的各种隧道技术。20世纪50年代又在原铁路隧道以东建造了公路人行隧道。

Kannada language　坎纳达语　一译建那陀语。又称卡纳拉语。属达罗毗荼语系，通行于印度西南部，是卡纳塔克（前迈索尔）邦的官方语言。坎纳达语有许多地域方言，至少有3种社会方言（婆罗门方言、非婆罗门方言和贱民方言)，还存在双语并存现象，有正式与非正式、文学与口语两种语言之分。坎纳达语有卷舌辅音(如：ṭ，ḍ，ṇ)并用后缀标明时态、人称、数和格等语法范畴。该语言所用字母与泰卢固语(Telugu language)所用字母接近。

Kannada literature 坎纳达语文学 又作Kanarese literature。指用坎纳达语写成的文学作品，坎纳达语属于达罗毗荼语系。最早的记载有始于6世纪的铭文。最早的文学著作是一部诗学著作《诗王路》(约850)。早期文本大多以宗教为主题。近代的坎纳达语文学像其他各印度文学一样，模仿欧洲的形式如抒情诗、长篇小说以及短篇小说等。

Kannauj 根瑙杰 又拼Kanauj或Cannauj，史称曲女城。印度北方邦中部城镇。地近恒河，有公路和铁路通坎普尔。历史悠久，有许多文物古迹。曾由笈多帝国和戒日帝国统治，1018年被伽色尼王国马恰茂德破坏，1194年又被劫掠，几乎完全毁灭。后虽以产香料和烟草著称，但已成次要城市。人口约59 650(1991)。

Kanniyākumāri 根尼亚古马里 又拼Kanyākumāri。印度东南部、泰米尔纳德邦南部城镇。该镇地处南亚次大陆最南端的科摩林角。为旅游与朝圣中心。以湿婆庙与甘地纪

根尼亚古马里镇的甘地纪念碑
美国不列颠百科全书公司供图

念碑著称。朝圣仪式是在皮特鲁和马特鲁两块圣石前沐浴，圣石上有印度宗教领袖辨喜的纪念碑，建于1970年。该地区土地肥沃，人口密集。沿海沙地产独居石与钛铁矿。镇郊基本上为农业地区，有手工织布业。人口：城镇约17 206(1991)。

Kannon 观音 在日本佛教中，教徒普遍爱戴的大慈大悲菩萨。参阅**Avalokiteśvara**。

Kano 卡诺 尼日利亚北部的一个州，也是古代王国和世袭酋长国名。卡诺王国于999年由豪萨人创建。1095～1134年间都城从谢梅迁至卡诺。14世纪40年代传入伊斯兰教。约1400年被扎里亚人击败。1421～1438年臣服博尔努王国。1463～1499年间国势最盛，与主要贸易对手卡齐纳长年进行战争。约1513年归顺桑海帝国，16世纪末改属豪萨人的扎藻王国。1653年和1671年两度被朱昆人挫败后，其商业中心的地位被卡齐纳取代。1734年再度成为博尔努王国的属国。1804年富拉尼人起兵反抗豪萨人的统治，1807年攻陷卡诺城，建立卡诺酋长国。19世纪20年代成为西非最大的通商国家，出产的革制品和棉织品沿撒哈拉商队路线远销到的黎波里、突尼斯和非斯，再转销欧洲，其红山羊皮称为摩洛哥皮。19世纪80年代由于结束了奴隶贸易和欧洲人来到西非海岸，贸易衰落。1903年为英国占领，划入卡诺省，并成为该省面积最大、人口最多的酋长国。1968年设为卡诺州，面积43 285平方千米。南部为多树草原，北部有灌丛植被。有卡诺、查拉瓦和哈代贾3河流经。该州的轻质砂土壤适宜种植出口作物花生，还出产棉花、靛青、烟草、阿拉伯树胶、粟、高粱、木薯、玉米等。畜牧业发达，出口皮革。有铁、锡、铌矿开采业。南部有小型铀矿，尚未开发。居民以豪萨和富拉尼人为主，还有少数马古扎瓦人(信奉原始宗教的豪萨人)、阿拉伯商人、欧洲人及其他部族。主要城镇和贸易中心有州首府卡诺(Kano)城、古梅尔(Gumel)、哈代贾(Hadejia)、卡扎乌雷(Kazaure)等。境内有拉各斯—恩古鲁铁路干线和卡杜纳-包奇州际公路经过。首府设有国际机场。

Kano 卡诺 又称卡诺城。尼日利亚北部卡诺州首府。濒临贾卡拉河。原由加亚人创建。1095～1134年为豪萨人所建卡诺王国的都城。1804～1807年富拉尼人进行的“圣战”之后，又成为富拉尼人所建卡诺酋长国的首府。保存至今的城墙建于15世纪，有14座城门，长20千米，宽12米，高9～15米。城内濒河的库尔米中心市场为古代商队贸易的终点站。该市曾为西苏丹至尼罗河间的重要商业中心。1903年为英国占领，1912年拉各斯通铁路后，贸易路线开始向南转至几内亚湾。该市现为主要工商业中心。出口花生和皮革，所产牲畜和蛋品运销拉各斯等地。传统工业有制革、皮革印染、编席、金属制造

尼日利亚卡诺老城城墙内的中心清真寺
美国不列颠百科全书公司供图

和制陶。染布、染革工业已有数百年历史。食品工业有面包、肉食加工、罐头食品、花生、花生油、植物油、软饮料、啤酒生产。轻工业有纺织、编织、服装、塑料、橡胶等，也生产化妆品、药品、肥皂、金属制品、木器家具、砖瓦、搪瓷器皿等。重工业生产水泥、预制件、金属构件、自行车、汽车和化学品。还有轧钢和印刷业。该市居民以豪萨人为主，主要是卡诺人，也有阿巴加吉亚瓦人和富拉尼人。全城分为约100个小村落，每个村落有一个清真寺和一个市场。主要名胜有15世纪的王宫和全国最大的清真寺。该市设有贝勒大学(1975)、州立卡诺高等教育学院、阿拉伯法律学校(1934)以及几所师范、科技、商业学校，还有一所农业研究所。该市在恩古鲁—拉各斯—哈科特港铁路网上，通公路，有国际机场。

Kanō Eitoku 狩野永德(1543-02-16，京都～1590-10-12，京都) 日本安土桃山时代(1574～1600)屏风画家。狩野派第5代传人、狩野元信之孙。他以金地、艳色施加较浓

狩野永德绘《唐狮子图》(16世纪80年代)
美国不列颠百科全书公司供图

的水墨轮廓，使狩野派的风格显得更加富丽堂皇。构图简单，喜在用于装饰城堡和寺庙室内的折叠屏风和隔扇上画鸟兽、花木和岩石。军事统领织田信长和丰臣秀吉都曾命他作画。当时的许多画家，包括他的儿子光信、孝信以及义子山乐，都受他的影响。亲笔作品存世很少，其中有画在6扇折叠屏风上的《唐狮子图》(日本皇室藏)；画在京都天球院16隔扇上的《山水与花卉》以及画在京都南禅寺墙壁上的《二十四孝图》。

Kanō Masanobu 狩野正信(1434～1530，京都) 日本足利幕府御用画家，狩野派始祖。这一派的“日本化”中国画风曾统治日本画坛300余年。他曾受画僧天章周文影响。但其水墨山水不是以笔墨表现禅法，而是轮廓明晰，发挥了日本艺术固有的纤细风格。据传他曾模仿周文画过圣徒和菩萨，但无一存世。少数存世作品中有《周茂叔爱莲图》(东京中村家藏)和屏风画《竹石白鹤图》(京都真珠庵藏)。

Kanō Morinobu 狩野森信 参阅**Kanō Tanyū 狩野探幽**。

Kanō Motonobu 狩野元信(1476-08-28～1559-11-05，京都) 日本画大师。同其父正信(狩野派始祖)一样，也是足利幕府的御用画家，并且承袭足利家所喜好的中国水墨画风格。但他又是提倡“大和绘”的土佐派始祖土佐光信的女婿，因而采取折衷办法，把中国水墨画的挺拔笔势同“大和绘”的绚丽装饰结合起来。这种合而为一的风格特别适合于巨

幅作品。实际上在其后的300年中主导着日本绘画。他天资聪颖，多才多艺，所画山水、人物和花鸟美妙绝伦。他在京都灵云院的隔扇上画过许多画。他曾用山水画装潢寺中的

狩野元信绘《四季花鸟图》
美国不列颠百科全书公司供图

3个房间，采用3位中国大师的风格，即牧溪法常的随笔点墨、夏圭的简劲苍老和玉涧的飞龙断墨。他有些画原来画在隔扇上，后来裱为挂轴，其中最主要的是《四季花鸟图》（也在灵云院）。

Kanō Naonobu　狩野尚信（1607-11-25，京都～1650-05-07，江户［东京］）　日本画家狩野家族第7代，任德川幕府御用画师。曾创立狩野家族木挽町分派。他的画接近水墨画传统，以草体画法知名。运笔开阔大胆，用墨朴素清淡，使人有简洁、鲜明之感。他的草体画代表作有东京国立博物馆所藏的两幅山水屏风和波士顿美术博物馆藏的两位中国兄弟伯夷叔齐人物画屏风。其他作品，如《潇湘八景》现存一个片断（东京国立博物馆藏），主题和技法都以南宋中国水墨画家牧溪法常的作品为范本。

Kanō Sanraku　狩野山乐（1559，日本～1635-10-30，京都）　日本德川幕府御用画师，画家狩野家族第6代。狩野永德的门徒和养子，擅长巨幅装饰构图，在金底上涂以粗体的线条和鲜明的色彩。他画过许多屏风画和隔扇画，作为寺院、城堡和宫殿的内部装饰。作品存世很多，其中有《鸷鸟图屏风》（熊本市西村家藏）、一对中国古代传说人物画屏（东京

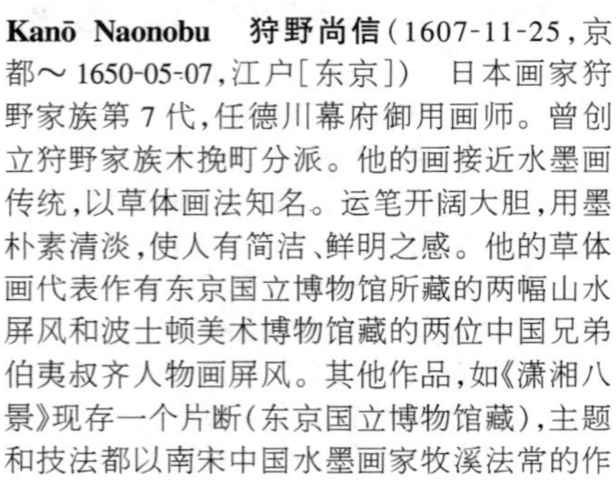

狩野山乐绘《红梅图》（7世纪初叶）
美国不列颠百科全书公司供图

国立博物馆藏）和京都天球院壁画《花、木和虎图》（定为国宝）。他还从中国的《帝鉴图说》（1573）选择了一些历史人物作画，此后的狩野派画家常用这种主题。

Kanō school　狩野派　日本的一个宗族画派，其画风是在15～19世纪之间发展起来的，长达7代，历时200余年，日本的主要画家都来自这个宗族。这个画派主要为将领武士们服务，崇尚道德与政治理想。该派画风虽在题材和用墨技巧方面属于中国传统，但在实际表达方式上却是日本式的。画面的深度以两个层次表达，后来又变为一个层次。作风粗犷是其主要特征，线条的明快和宋代绘画有明显区别。其画面的明暗配合及其单纯的装饰性处理，在屏风上和活动板面上显得更为突出。狩野派的首倡者是武士阶层的业余画家狩野景信，其子狩野正信（1434～1530）被公认为第一代狩野派画家，但到了狩野正信的儿子狩野元信（1476～1559），才使该派画风形成。

Kanō Tanyū　狩野探幽（1602-03-04，京都～1674-11-04，江户［东京］）　原名狩野森信。日本德川时代最有影响的狩野派画家。他采用保守性题材（如体现儒家伦理观念的历史人物），恢复狩野派早期画家的柔和色调和图案，成为此后狩野派画家的样板。在屏风画《孔子与两个门徒》（波士顿美术博物馆藏）中，显示出他画人物肖像的谨严画风。从他所获得的种种荣誉可知，他的艺术迎合了当时幕府将军的趣味。他17岁时就成为幕府御用画家，在锻冶桥有他得到恩赐的宅第。因而他的画派称为锻冶桥派。他曾为许多宫殿和城堡作壁画，包括京都二条城、名古屋城和京都的皇宫。他画过德川幕府第一代将军家康的生平事迹，并且装饰家康墓（即日光东照宫）的门廊。34岁时自号探幽，两年后任高级僧职。他同祖父永德和玄祖元信并称狩野派“三大名笔”。

kanōn　正颂　拜占廷教会的日课的主要项目之一，全部共9首颂诗，是根据东派教会的9支经文歌写成的。据说正颂于七八世纪源起于耶路撒冷，用以在早课中代替经文歌。正颂中的每首颂诗以第一行为规范，其后各行（一般是3行）在节奏与重读上与第一行一致。最后一首颂诗通常有赞颂圣母马利亚的词语，因而称为《圣母赞》。最著名的正颂作者有圣约翰（大马士革的）和科斯马斯（音律家），前者的名著是《复活节正颂》；后者为各重大节日所作正颂诗意浓郁而华美感人。当时叙利亚和小亚细亚的颂歌创作也十分繁荣。但798年颂诗写作中心移到了君士坦丁堡。在那里，圣狄奥多尔（斯图狄乌斯隐修院的，826卒）重新整理崇拜礼仪，圣T.格拉普托斯（845卒）和颂诗作家圣约瑟夫（883卒）写作甚丰。以后几个世纪，希腊正教会和斯拉夫系各民族正教会都继续创作正颂。

Kanoya　鹿屋　日本九州鹿儿岛县城市。在大隅半岛中部。1936年建立帝国海军航空基地后发展迅速。第二次世界大战后基地被自卫队接管。现为农业城市，出产甘薯、谷物、酒精和淀粉。人口81 485（2005）。

Kānphaṭa Yogi　乾婆陀瑜伽师　又称穿耳瑜伽师。印度教内部崇奉湿婆大神的苦行僧，特点是戴大耳环。他们是乔罗迦陀的徒众，据说乔罗迦陀是12世纪或更早一个时期的人，他们亦称乔罗迦陀派或纳陀盘提派，他们的信仰是吸收印度教湿婆派、佛教密宗和诃陀瑜伽而加以融合的神秘主义、巫术和炼金术的混合体。

Kānpur　坎普尔　原作Cawnpore。印度北部北方邦坎普尔县县城。位于勒克瑙西南，临恒河。1801年被英国占领时仅为一村庄。现为北方邦最大城市和印度最大城市之一。市区面积100平方英里。为重要陆路交通枢纽和主要的商业和工业中心。附近有军用机场。设有一所大学；另有医学、法律和教育3个学院；还有印度工学院和一个政府实验农场。著名的建筑物有印度圣杯庙和静修院。有几个博物馆。坎普尔县面积2 400平方英里。地处恒河与亚穆纳河之间肥沃冲积平原。该县由这两条河流的支流以及下恒河运河网灌溉，主要农作物是小麦、鹰嘴豆、高粱和大麦等。坎普尔县内比图尔遗址为一印度教朝圣地。人口：城市2 532 138；都会区2 690 486；县5 721 526（2001）。

Kansa　坎萨人　又拼Konza；又称Kaw。北美印第安民族，操苏语，住在堪萨斯河和萨林河沿岸，相当于现在的堪萨斯州中部。他们与奥马哈人、奥萨格人、夸保人及蓬卡人族源较近。坎萨人是半定居民族，农、猎结合，其村落组织松散，由酋长管理，酋长人选以智慧和勇敢为主要条件。后来酋长职位变成了世袭制。每一所大型圆锥状住房可容纳2或3个坎萨人家庭。男人外着围腰布，内穿鹿皮裤。他们拔掉面部和头部毛发，十分仔细，仅留头顶至后脑勺的一绺头发。宗教信仰有众多神秘精灵。这些精灵名“瓦坎”，具有不同等级和神力，均与自然现象有联系，比如，同太阳、光明、黑暗、森林、平原等有关。男青年有青春礼仪，名为幻象探求礼仪，这是一段索居独处和自我克制的时间，用以激发预示未来事业的梦幻和神奇妙境。葬俗颇为复杂、完备。

在坎萨人的早期历史阶段，曾有几次迁徙过程，大概是由大西洋岸的史前居址开始的。由于同福克斯人、奥马哈人、奥萨格人、波尼人及夏延人的战争频繁，坎萨人人数锐减，再加上白人的压榨——西班牙、英国、法国及美国的土地投机商的巧取豪夺，致使坎萨人的自给经济遭到破坏。18世纪时，坎萨人约剩3 000人，到20世纪晚期，已不足600人，居住在俄克拉何马州。

Kansan Glacial Stage　堪萨冰期　北美更新世重要的年代和地层单元（更新世始于约250万年前，终止于约1万年前）。位于阿夫顿间冰期之后，雅茅斯间冰期之前，此二间冰期都是温暖气候期。因堪萨斯州东北部研究过的堆积物而得名。但是更有代表性和完全

的堆积物则产于艾奥瓦州的阿夫顿附近。这个时期的冰川作用范围很大。在远离现在堪萨斯州和印第安纳州南部的冰缘地区,存在着发育很好的森林和哺乳动物群。现在通常是干旱和半干旱地区,当时显然是潮湿的。该期动物群丰富多样,实质上属现代成分。此冰期的代表性动物有猛犸象、麝牛、驼鹿和已绝灭的大河狸。在中西部,有一层广泛分布的火山灰,叫做皮尔列特火山灰层,是重要的标志层,可能是西科迪勒拉山火山喷发所产生的。

Kansas 堪萨斯 1861年1月29日成为美国第34州,位于北美洲大陆大平原区从东向西逐步升高的地段。建州当年经过投票公决,托皮卡以超出大约2 700票击败邻近的劳伦斯,成为该州首府。该州面积213 110平方千米,北接内布拉斯加州,东邻密苏里州,南连俄克拉何马州,西与科罗拉多州交界。该州印第安人中有坎萨人,又称考人,州名即由此而来。

在堪萨斯州莱巴嫩附近,靠近内布拉斯加州边界的一块牧草地立有用石灰石雕成的旗杆和旗面,那里就是美国本土48个州的地理中心。由此往南约65千米是北美洲陆地的磁中心,即大地测量中心,美国、加拿大及墨西哥的大地测量作业一律以此为参照点。

堪萨斯曾被人认为是美国的农业腹地。但是,自从1952年以后,工业对经济的贡献已经超过麦田和大牧场的贡献。该州最大城市威奇托在当地号称世界的航空之都,因为该市在民用飞机的生产方面超过其他任何城市。

自然地理和人文地理

土地 *地形、水系和土壤* 一般认为堪萨斯是一望无际的平原,其实,该州地形固然缺乏特色,也并非完全一致。东南部地区海拔213米,自此逐渐升高,坡度虽缓但升势不绝,至科罗拉多边界已达1 231米。最西部地区,高原平铺,绝少天然树木,一眼望去似是平漠接天。实际上平原上有条条浅沟,叫做洼地,由于数千年的侵蚀而形成。这里有该州一些最有特色的地质结构。昆特以南的罗克堡,白垩尖塔林立,高出平原之上。由此向西数英里之遥的天然雕像群,森然罗列,如人面狮身巨像等。杰特莫尔附近的盗马贼峡谷是大峡谷的一个缩影。

堪萨斯西南部因有灌溉设施,已能大量生产蔬菜和甜菜。该州东北部过去虽为遍布美国北部大部分地区的冰川覆盖,但现该地丘陵起伏,林木连绵,溪水潺潺,清泉趵突。东南部邻近欧扎克山脉的山脚丘陵,地形崎岖,有些地段遍生矮栎。该州中南部梅迪辛洛奇附近的石膏丘陵带,颇似美国西南部的平顶山,因该处有石膏,故名。在堪萨斯中东部,弗林特丘陵纵贯南北,地势起伏较大但坡度平缓,基本上无树木,遍生须芒草,为美国境内仅存的一大片未开垦的真正大草原。

该州主要河流有堪萨斯河和阿肯色河。堪萨斯河的支流有大布卢河、里帕布利肯河、所罗门河、萨林河和斯莫基希尔河,都在该州北部。阿肯色河自科罗拉多州境内进入堪萨斯州,蜿蜒流经该州西南部及中南部,再穿越俄克拉何马州和阿肯色州,汇入密西西比河。阿肯色河的支流有锡马龙河、弗迪格里斯河和尼欧肖河(又称格兰德河)。

几百万年以前,堪萨斯很大一部分地区曾是内陆海。注入这个内陆海的河流带来的流沙和腐植质积累而成陆地。这种残积土属世界最肥沃的土壤,已发现埋有重要的史前化石。

气候 堪萨斯的气候属温带大陆性,夏季最高气温与冬季最低气温差别悬殊,但极热和极冷时期都很短。年平均气温13 °C。植物生长季节为4月中旬至9月中旬。正常年降水量各地不同,西部为500毫米,东南部为1 000毫米。

动植物 堪萨斯州西部和中部地区的土生植物为野牛草,弗林特丘陵一带有须芒草,东部有六月禾。全州各地有多种野花,向日葵比比皆是(堪萨斯州又称"向日葵州")。三角叶杨见于该州各地,东北部地区产栎、胡桃、枫、雪松和榆。堪萨斯西部多鹌鹑和雉,是北美洲草原松鸡数量最多的地区。鹿一度濒临绝灭,多年来依法予以保护,现已大量繁殖,不在禁猎之列。野牛过去遍布于平原区,现仅见于公园及动物园。

住区模式 堪萨斯州西部的农场或大牧场面积较大,大多不少于1平方英里(640英亩[259公顷]),一位农人的田产不总是连成一片。该州东部的农场起初规模较小,有的不超过40英亩,但后来逐渐扩大。该州法律规定,经营农场的企业,只能是家族公司。许多小市镇大多具有现代化气息,管理井井有条,街道铺有路面,公用事业设备齐全。许多小城市,特别是在该州西部,具有意想不到的文化和商业资源,这或许是因为它们相隔甚远并有广大的贸易区。东部城市历史较长,相互距离较近,一般比较缺乏进取精神,但其中大多数地方风景优美,住宅区街道宽阔,林木茂密,市中心繁华。

该州最大城市威奇托拥有州内最大的建筑物和最大的工业以及风险最大的企业。在托皮卡,过去最大的用人单位是州政府,目前从事服务业的人口已有所增加。堪萨斯州的堪萨斯城与规模较大的邻市密苏里州的堪萨斯城融为一体,构成该地区大工业中心重要的组成部分,邻近的约翰逊县也是如此。该州最早建成的城市莱文沃思原以几个机构为核心,其中包括莱文沃思要塞陆军哨所、联邦监狱、州监狱(位于边界城市兰辛)和退伍军人医院。该州规模最大的大学位于劳伦斯,对该市的经济发展起到很大作用,但该市的工业开展也颇见成效。其他城市大多依赖农业以及与农业相关的企业。

纵观堪萨斯的历史,大部分时期受到两种地方主义危害:一种地方主义把农村人口同城市居民对立起来;另一种则把东部同西部对立起来。由于该州西部无大城市,因而这两种地方主义是相互联系在一起的。该州西部人口比东部稀疏,一向担心受制于东部,经常奋力抗拒,而东部则往往忽略西部。该州4大都会区之一威奇托拥有该州近1/5的人口。地处该州东北部的堪萨斯城-劳伦斯-托皮卡地区包括3个大都会区,拥有较多的人口,又是许多工业的中心。这两个城市区的斗争在州立法机构中十分激烈。农村地区人口主要包括农户、牧场主和小工商业者,还有小市镇的住户,往往不信任各城市,于是在立法机构中经常形成僵局。

人民 最初在堪萨斯州定居的移民基本上是反对蓄奴的具有盎格鲁-撒克逊血统的新英格兰人。美国南北战争以后,随着兴建铁路事业的开始,许多中欧人被能找到一份修铁路的工作并在完工之后可无偿占有土地的允诺所吸引,纷纷来到这里。目前,该州仍

堪萨斯州西北部明戈的谷仓
美国不列颠百科全书公司供图

有一些以俄罗斯、波希米亚、德意志或斯堪的纳维亚后裔为主体的社区，零星散布在全境。各民族的母语基本上已听不到，但是还有一些地方的居民作礼拜时仍使用德语或瑞典语，另有一些少数社区每年都举行自己独特的节日活动，届时传统的习俗、食品和语言成为节日的一大特色。第二次世界大战期间，许多军人和制造飞机的工人调到该州工作，其后许多人留了下来，在当地安家落户。堪萨斯州基督教(新教)占优势，许多人信奉循道宗、浸礼宗和信义宗。实际上，各教派无一不存在于该州，包括凤毛麟角的阿曼门诺派和邓卡德弟兄会。在信教人口中，天主教徒占1/4以上。

堪萨斯州就业机会不足，该州许多年轻人都到其他各州寻找出路。但是，在多数年份其出生率尚能保持少量的人口自然增长。人口自农村向城市移动是最明显的人口变化。随着农业的技术进步和个体农场面积不断扩大，这种趋势无疑会持续下去。人口2 688 418(2000)。

经济 美国全国的发展趋势从制造业逐渐向服务业转移，而在堪萨斯州这种趋势却并不明显，该州制造业从业人员比例仍高于全国平均水平。在就业人口中，中小企业中人数比例逐渐上升。该州对准备前来建厂的雇主来说具有许多优势，其中之一就是具备可靠的劳动力来源。

资源 堪萨斯州的农田多，矿物资源丰饶，劳动力素质高，零售贸易网健全，电力充沛，水源丰富，而且地处美国中部。该州属美国矿产量最多的15个州之一。该州的石油产量和天然气产量逐渐下降，但氦产量却在全国领先，并大量生产硅酸盐水泥、石料、黏土、黏土制品、砂、盐、砾石、锌、烟煤和铅，而该州的白垩可谓取之不尽。在炼油能力上，该州仍位居各州前列。为达到保存自然资源和防止污染的目的，堪萨斯州对石油或天然气征收的跨州税极低。

农业和工业 农业和制造业都对堪萨斯州的经济有重要贡献，前者向后者提供了许多原料。该州农场产量很高，使该州的小麦和高粱产量都位居美国各州之首。该州牧草、牛肉和猪的产量名次也较靠前。

制造业和加工业门类繁多，产品从飞机到锌锭一应俱全。威奇托是野营器具的主要产地，该市还生产供热和空调设备、摩托雪橇及其他产品。威奇托除了民用飞机的生产居世界首位以外，还是军用飞机的重要制造中心。该州其他工厂还生产婴儿食品、宠物食品、预制房屋、移动住宅、贺卡、轮胎、油漆和洗碗机。该州通过的一部劳动权利法，禁止强迫工人参加工会。大多数城市发行收益债券，以促进新产业的兴办。堪萨斯的面粉产量虽有所下降，但在全国仍居首位，并且是加工牛肉的主要生产地之一。

军事设施 两个很久以前构筑的陆军要塞对该州经济曾起过重大促进作用。莱文沃思要塞建于1827年，设有著名的指挥和参谋学院。该地在早期对印第安人的多次战争及南北战争期间都是主要的前哨基地，多年来一直提供先进的教育，培训了许多国际军事人才。章克申城附近的赖利要塞建于1853年，也曾是印第安人要塞；在20世纪，该地一直为重要的步兵训练中心，是威名远扬的第一步兵师的大本营。麦康内尔空军基地设在威奇托，隶属于战略空军司令部，是美国国内配备B-1B型轰炸机的4个基地之一。

运输 堪萨斯州的东西铁路运输系统优良，但除了东部地区以外，南北运输线路不足。公路系统也大致如此。仅有的两条南北公路是堪萨斯的一条收费公路和135号州际公路，前者是该州唯一的一条收费公路，自堪萨斯城向西南延伸，通往威奇托以南的俄克拉何马线。堪萨斯州有350多个飞机场，好几家航空公司，但只有威奇托机场是起落横贯大陆航班的主要机场。

行政与社会状况 *政府* 根据1859年通过的宪法，堪萨斯的州长、副州长、司法部长和州务卿均由选举产生，其他官员大多是任命的。州议会包含125名众议员和40名参议员，由选举产生，任期分别为2年和4年。州议会会期在奇数年没有时间限制，而在偶数年以90天为限。全州105个县都设有由选举产生的县长、县检察长、财政官和其他官员。全州31个司法区的法官由选举产生，而州最高法院的7名法官和州上诉法院的7名法官则由州长根据州最高法院提名委员会的提名任命。州最高法院法官须经选举人批准。

20世纪30年代堪萨斯州创建了州议会常设委员会，在美国首开先河。它是期中机关，负责在两届州议会会期之间分析法律和草拟法律。其后另有几个州也任命了州议会常设委员会。1969年的一项州立法规定，法案必须预先在议会两届会议之间提出入档，由于这种变革，州议会即认为州议会常设委员会已无必要存在。1971年州议会决定，撤销州议会常设委员会，成立由州议会参众两院领导人组成的议会协调委员会。

1933年，堪萨斯州制订了《现金基础法》，这项法律规定，除非是由州议会筹措并拨给，否则政府不能花费任何资金。发行债券仅限于基本改建工程，如修缮州建筑物和公路，此项花费通过征收使用费回收。

堪萨斯过去曾是共和党势力最强的一州，但目前民主党虽处在少数却已拥有相当的势力，同时无党派选民日益增多，少数自由派也有一些地盘。第一届州议会于1861年允许女性参加学校的选举，1887年妇女选举权扩延到城市和其他单位的选举，同年，该州的阿戈尼亚市选出了美国第一位女市长。1861年的州宪法授予妇女以置产和抚养子女的平等权利。该州于1912年实行普选权。在妇女担任公职的比率上，堪萨斯位居各州前列。

农人联盟和人民党都成立于堪萨斯，它们在19世纪90年代在美国中西部的政治上曾发挥过重要作用。堪萨斯州带头实行直接初选，代表堪萨斯州的一位参议员在美国国会提出议案，要求把直接选举参议员这一项写进联邦宪法。

堪萨斯是第一个以宪法形式禁酒的州；关于禁酒的修正案于1880年写入州宪法，直到1948年才废止。1986年，堪萨斯州的选民投票表决，通过了一项州宪法修正案允许一些商店销售含有酒精的饮料，而这种商店的营业额至少须有30%为食品。在那次表决中，赛马同注分彩赌博法和州彩票也获得了批准。

教育 1951年，堪萨斯州托皮卡市一位黑人教士带着他的女儿来到一所专为白人子女开设的学校，学校不予录取，于是引起了具有划时代意义的“布朗诉托布卡教育局案”，美国最高法院于1954年就此案作出裁决，其主旨称，种族隔离教育，即使是“隔离而平等”的教育，其本质也是不平等的，因而必须尽速予以废除；这项裁决成为其后大多数民权问题裁决的依据，有关学校的许多裁决都以此为准。

在20世纪60年代中期，堪萨斯州撤销了州公共教育督导署代之以州教育部，由教育部长和经过选举产生的州教育委员会领导。全州分为300多个公立学校学区。一些2年制学院和职业技术学校，由所在社区管理。

堪萨斯有6所州立大学。海斯堡州立大学、匹兹堡州立大学和恩波里亚州立大学授文科学位。堪萨斯大学设在劳伦斯，堪萨斯州立大学在曼哈顿，威奇托州立大学在威奇托。堪萨斯州立大学的农学院被公认是美国的主要农学院之一，这所大学也是美国第一所接受政府拨款兴办的大学。该州的医学院附属于堪萨斯大学医学中心，校址设在堪萨斯城。1971年，该医学院在威奇托设分院以扩充临床医学教育设施。堪萨斯大学和设在托皮卡的沃什伯恩大学都设有法学院。此外，堪萨斯州还有几所由教会开办的4年制私立学院，都授予文科学位。

保健与福利 州保健及环境部负责有关保健方面的信息和教育，对环境问题、水及废料的管理、空气质量、辐射以及食品、药物、住房、生死统计资料和一般的健康问题有监督权。州社会及康复服务部主持托皮卡、奥萨沃托米、拉尼德和诺顿的精神病院，并在老年医学、公共保健护理、营养、母婴保健、关怀智力迟钝者等方面提供服务。门宁格基金会及精神病诊所设在托皮卡。

自1862年起，堪萨斯州就一直开办一些救济穷人的事业。州社会及康复服务部向穷人提供经济援助和特殊教育。同时对残疾人提供职业教育和康复服务。帕森斯、温菲尔德和诺顿等地设有弱智人学校。艾奇逊的儿童保育所成立于1855年，托皮卡设有精神失常儿童治疗中心，伯洛伊特设有女犯教养所。

堪萨斯州有公正住房法和一个民权委员会，该委员会定期听取申诉并设法进行调解。

文化生活 有人说，堪萨斯人生活在文化沙漠之中，该州居民对此大为不满，但这种说法至少反映出部分真实情况。较大城市大多有业余剧团，托皮卡和威奇托两地还有交响乐团。州内众多大学和学院为许多小地方提供了一个艺术和音乐的演出设施，否则这些地方将不会有类似的活动。但是，在该州西部人口稀少的地区，许多小地方除了公共图书馆以外绝少有其他文化设施。不过，威奇托有几个艺术博物馆，还有一个文化市府大厦，内有两个剧场、一个展览厅和一个会议厅。该州最东部地区的文化娱乐活动大多在密苏里州的堪萨斯城举办。20世纪60年代堪萨斯州艺术委员会成立，该委员会由州提供资金，向有志于发展文化活动的社区和机构提供帮助。堪萨斯大学拥有一个著名的自然历史博物馆和一个艺术博物馆。位于阿比林的艾森豪威尔中心，包括美国第34任总统艾森豪威尔的童年时代的住宅，一个博物馆及一个图书馆，藏有关于他担任总统期间及他的军事生涯的档案和纪念物。

林兹堡是个小地方，除了拥有一个艺术博物馆以外，每两年还举办一次瑞典民俗节，届时人们身着瑞典民族服装，吃传统食品，跳民间舞，并展出当地工匠制作的工艺品。威尔逊每年都举行捷克人节。卢卡斯有一位无师自通的艺术家，按照他自己的体会，在湿水泥上塑出伊甸园及其他《圣经》故事，堪称民间艺术中的一绝。

历史

印第安人、探险家和移居者 考古发掘证实在欧洲人移居到堪萨斯以前，当地的印第安文化形态早已存在了许多世纪。自大约1 200至1 500年，在里帕布里肯河和大布卢河一带有一个蓬蓬勃勃的农业社会。

根据史料记载，第一批到堪萨斯探险的欧洲人是由科罗纳多率领的西班牙人，他们于1541年骑马自墨西哥北上，寻找传说中的锡沃拉七座城的黄金。随探险队工作的司铎帕迪利亚在这块领地上建起第一个传教站，其位置可能在今威奇托以北。1862年法国探险家拉萨尔宣布这块领土为法国所有。在18世纪，法国毛皮商在今堪萨斯州东北部与印第安人有频繁的贸易往来。

1803年，堪萨斯作为"路易斯安那购地"协议中包括的部分地区划归给美国。1806年美国地理考察家派克穿过了堪萨斯，称之为"美洲大沙漠"，这种形容是不真实的，但至今仍在流传。其后数十年间，人们对堪萨斯进行了彻底的考察，但是，向西部迁移的移居者和采矿者穿越该地区时仍不做任何停留。

1830～1854年，堪萨斯被划在印第安准州的范围之内，土地被白人夺去的印第安人部落都被安置在这一带。1854年的《堪萨斯-内布拉斯加法案》规定，成立两个准州，两者都向移居者开放，允许居民自行决定未来的州是否保留蓄奴制。于是移居者开始争先恐后地涌来，北方和南方都力图尽量向新成立的准州移民，遂使堪萨斯成为南北战争的主要策源地之一。最初的定居点大多在东部边境，反对蓄奴的定居户经常受到来自密苏里的边境暴民的骚扰。1856年，南方的游击队洗劫劳伦斯城，即为这类事件之一。废奴主义者布朗率领他的几个儿子及另外几个男子进行报复，把邻居中5个拥护蓄奴制的人从家中拖出，然后杀害。蓄奴派势力企图就这一惨案报仇雪恨，但都为布朗所俘。布朗因此成为北方同情者心目中的英雄。由于这类事件发生过数百起，堪萨斯遂被称为"流血的堪萨斯"。

建州时期 1861年，堪萨斯作为一个自由州加入了联邦。在南北战争之前和之后，移居者与印第安人之间只偶而发生过战事。1867年签订了一项和约，印第安人在和约中同意出售土地；作为回报，美国同意在今俄克拉何马州为他们营造住房，并向他们提供钱、食物和服装。美国国会出尔反尔，不执行和约，印第安人返回时，发现自己的土地已为白人移居者所占。于是战事又时有发生，印第安人的最后一次袭击发生在1878年，以后便再无战事。

堪萨斯州堪萨斯城的乡村俱乐部集市广场
J.C.尼科尔斯公司供图

堪萨斯林木茂密的东部地区的早期移居者都住在小木屋里，而在西部地区，他们只好住窑洞或生草土屋。无常的气候，印第安人的频频袭扰，连年干旱，暴风肆虐，尘土蔽天，加之蝗虫成灾，使许多早期移居者心灰意懒。那个时代的英雄之一是马修森，绰号真正的"野牛比尔"，他整个冬天都在为移居者捕猎野牛，提供整车整车的牛肉，却从不索要报酬。19世纪60年代后期和70年代，铁路修到堪萨斯，于是各个村落次第变成热闹的运牛市镇。得克萨斯的牧人赶着牛群北上，经考德威尔、威奇托、道奇城、埃尔斯沃思、牛顿和阿比林等地，最后到达铁路的尽头。这种情况给堪萨斯带来了繁荣，而且造成了一个持久的形象，其实运牛市镇时期还不足10年。

基督教门诺宗信徒于1874年来到堪萨斯，带来了一箱箱的精选出来的土耳其红小麦种籽。这种优良品种保证了粮食的高产，而粮食高产正是堪萨斯州经济的一个重要组成部分。许多门诺宗信徒的后裔至今仍是富有的农民。

到了1890年前后，该州大部分土地已各有其主，堪萨斯人遂开始了以务农为主的生活。第一次世界大战使得粮食需求大增，于是越来越多的草原被开垦成农田以生产粮食，这种作法使当地繁荣一时，但直接造成尘暴的发生，该州因此在20世纪30年代大受其害，陷于一片荒凉。在第二次世界大战期间，堪萨斯州因飞机制造工业而取得日益重要的地位，许多人纷纷自俄克拉何马州和阿肯色州到威奇托的几个飞机制造厂工作。

在20世纪70和80年代，堪萨斯州人口一直持续缓慢地增加，失业率在全国居最低之列，从事矿业、保健和其他服务业的人口也稳步增加。该州依然是共和党控制的地区，但是，1957～1987年的30年间，竟有20年是由民主党人担任州长职位，这说明，在堪萨斯正在发生的不仅仅是经济上的变化，也有政治上的变化。

Kansas City 堪萨斯城 美国堪萨斯州东北部城市，怀恩多特县县城。位于堪萨斯和密苏里两河汇合处，与密苏里州的堪萨斯城相邻。现在的堪萨斯城是由8个城镇联合而成的。其中最老的怀恩多特镇1859年建制，是堪萨斯州宪法起草地点；1863年成为联合太平洋铁路的东端终点站，后成为重要的牲畜市场和转运中心。旧堪萨斯城和里弗维尤是19世纪80年代发展起来的。堪萨斯河北岸的阿默代尔于1880年规划为肉类加工厂。阿姆斯特朗位于怀恩多特以南。围绕圣菲工场和调车场发展起来的阿根廷为冶炼场所。上述诸镇(除阿根廷于1910年)于1886年3月合并为初级城市，定名堪萨斯城。堪萨斯大学医学中心所在地罗斯代尔于1922年并入。昆达罗前此已经合并。现在是都会区大部分重工业的所在地，也是主要的肉类加工业中心。制造业产品有化学品、纸品、汽车、铁路车辆、石油和肥皂制品、钢材构件、乳品及农作物产品等。设有医疗中心、唐纳利初级学院(1949)、堪萨斯城堪萨斯社区学院、浸礼会神学院、堪萨斯州立盲人学校。堪萨斯城市内名胜有农业名人馆和民族中心、肖尼卫理公会布道团(1839)以及怀恩多特县博物馆。人口：市146 866；都会统计区(密苏里州-堪萨斯州)1 776 062(2000)。

Kansas City 堪萨斯城 美国密苏里州西部城市。地跨克莱、杰克逊和普拉特三县县界，位于密苏里河畔，堪萨斯河河口。与堪萨斯州堪萨斯城相邻。与附近10个城市组成都市联合体。1821年始有人定居。早年为通往西部的交通要道。1850年设镇，1853年设市，1889年更名为堪萨斯市，以别于堪萨斯准

密苏里州堪萨斯城的自由纪念碑
美国不列颠百科全书公司供图

州。南北战争中为双方争夺的目标，几次战役的战场。现为广大农业地区购销、运输中心，并有牲畜交易、谷物存贮、肉类加工、食品加工等行业。工业发达，有机器制造、运输设备、钢铁和化工制品、石油加工、汽车装配、印刷、出版等。附近的空军基地、弹药厂、军火库对城市经济也有补益。设有堪萨斯市密苏里大学(1963)、罗克赫斯特学院(1910)、阿维拉学院(1916)等多所院校。并为拿撒勒人会、基督教统一教派和人民交流计划署世界总部所在地。联合车站附近有自由纪念碑(高66米，为第一次世界大战纪念碑)、W.R.纳尔逊画廊。还有L.杰克南北战争博物馆及露天剧场、动物园、体育设施等。每年在这里举行美国大牲畜展览会、马匹展览会和牧人竞技表演。人口：市441 545；都会统计区(密苏里州-堪萨斯州)1 776 062(2000)。

Kansas City Group　堪萨斯城群　美国晚石炭世(3.2亿年前至2.86亿年前)的地层单元。得名于密苏里州堪萨斯城地区研究过的露头。位于兰辛群之下，普莱森顿群之上，三者都属于密苏里统。该群由6个灰岩层同6个页岩层交替组成。该地层含化石，其中含一些重要的䗴类属可用作地层对比。

Kansas City Star　《堪萨斯城明星报》　密苏里州堪萨斯城出版的晚报，是该地区主要报纸，也是美国最重要的报纸之一。1880年由W.R.纳尔逊创办。初创时即掀起反选举舞弊和反政府违法行为的运动。纳尔逊把树立声誉视为报纸的主要任务之一。纳尔逊于1915年去世后，他的女婿I.R.柯克伍德提出雇员所有制计划，将报纸转为全体雇员所有。该报以其战斗姿态和全面的新闻报道和社论而闻名。该报注意保持高质量的撰稿人队伍。E.海明威和E.斯诺等杰出作家曾参与该报工作。

Kansas City style　堪萨斯城爵士乐风格　一种与美国密苏里州堪萨斯城一带的爵士乐师们有关联的音乐。盛行于20世纪30年代。它具有节奏自由和轻松的特点，并且编配简单，往往是一些采用切分手法的重复的乐句(称为“连复段”)，由乐队的一组乐器与另一组乐器相互应答地演奏(如萨克斯管组对铜管组)。萨克斯管手偏爱缓慢的颤音和不加渲染的音响。巴锡“伯爵”在电台广播并率领自己的乐队巡回演出后，这一风格引起全国的关注。这就是以L.扬为独奏明星的堪萨斯城之声。堪萨斯城爵士乐虽然通常被认为主要属于摇摆乐时期大乐队风格，但它却是从20年代到40年代逐渐发展而来的。先是新奥尔良风格的小乐队，然后是大一些的乐队(加入事先创作的比较精致的改编曲)，最后才用到摇摆乐时期大乐队的配器。

Kansas-Nebraska Act　《堪萨斯-内布拉斯加法案》(1854-05-30)　美国南北战争前，有关奴隶制向准州扩展的一次重要政策转折，国会法令中肯定了**人民主权论**(**popular sovereignty**)的概念。1820年的《密苏里妥协案》规定北纬36°30′以北不准蓄奴。民主党参议员S.A.道格拉斯提出《堪萨斯-内布拉斯加法案》，主张堪萨斯和内布拉斯加应在人民主权原则指导下按《1850年妥协案》对待新墨西哥和犹他两州的情况办理。该法原想抑制奴隶制扩展问题上日益加深的矛盾，实际上却激化了国家的分裂。自由土壤派和其他反对奴隶制的派别认为这项法案是向蓄奴论者投降。《堪萨斯-内布拉斯加法案》通过后，以反对在新地区内实行蓄奴制为标榜的共和党即告成立。在堪萨斯准州，亲奴隶制和反奴隶制的移民群因争夺对权力机构的控制，导致一段时期的政治混乱和流血冲突。参阅**Bleeding Kansas**。

Kansas River　堪萨斯河　美国堪萨斯州东北部河流。由里帕布利肯河和斯莫基希尔河在章克申城汇合形成，又于曼哈顿附近接纳大布卢河，在堪萨斯城注入密苏里河。全长272千米，流域面积158 770平方千米，包括堪萨斯州北部，内布拉斯加州南部和科罗拉多州东部。

Kansei reforms　宽政改革　1787～1793年，日本政治家松平定信为整顿德川幕府的财政和纠正不良的社会风气而采取的一系列保守主义措施。其中包括：减少贸易，特别是对西方的；鼓励农业；厉行节约，压缩开支；不准农民任意流入城市；尊奉朱熹的儒家学说为哲学的正统；严格检查出版物等。定信下台后，这些改革逐渐废止。

kanshitsu　干漆　即夹纻，日本的雕刻和装饰技术。制作雕像或容器时，用多层浸透漆的麻布作为原料，随后敷以漆、锯木屑、岩粉和其他材料的混合物，形成表面形状。这一技术又分为两种：一种是脱活干漆(脱胎)，即先用黏土制成粗糙的外形，外表贴以浸漆的麻布，然后去掉内部的黏土，形成空心的壳体。第二种是木心干漆，即以雕就的木头作为核心，外贴麻布。制造容器时采用脱胎法，雕刻则二法均可采用。干漆是在奈良时代(645～794)从中国唐朝传入的。现珍藏在东京博物馆的几只碗，就是这个时代的。当时主要用于雕造佛像，所以在现存的实物中佛像远远多于工艺品。前者如奈良兴福寺中的八部众和残存的六大弟子。20世纪，在制作瓶、盆、碗等高级漆器时，干漆技术仍被采用。

Kansk　坎斯克　俄罗斯中部克拉斯诺亚尔斯克边疆区城市。位于坎河与西伯利亚大铁路的交会处。1640年建为要塞。现为坎斯克-阿钦斯克褐煤田中心；该煤田在20世纪80年代初即已成为苏联最大产煤区之一。也有棉纺织、木材水解和食品等工业。人口约108 000(1997)。

Kansu(China)　参阅**Gansu 甘肃**。

Kant, Immanuel　康德(1724-04-22，普鲁士柯尼斯堡[今俄罗斯加里宁格勒]～1804-02-12，柯尼斯堡)　伊曼纽尔·康德是启蒙运动最重要的思想家，历史上最伟大的哲学家之一。

美国不列颠百科全书公司供图

由笛卡儿开创的唯理主义和由培根开创的经验主义的新思潮，集中体现在他身上。他开创了哲学思想发展的新时代。他在认识论、伦理学和美学方面的全面、系统性的工作对后起的一切哲学，尤其是对德国的康德主义和唯心主义的各种学派，产生了巨大影响。

背景和早年生活　康德出生于东普鲁士的柯尼斯堡，他的一生都在这个边远省份度过。他的父亲是一个马鞍匠，据康德说，他是苏格兰移民的后裔，但学者们并未找到这一说法的根据。康德的母亲是一个没有受过教育的德国妇女，性格鲜明，天生聪颖。双亲都是路德教会虔信派的热忱信徒。这一教派教导说，宗教属于内心生活，表现为朴素和对道德律的服从。康德在9个儿女中排行第4，但却是存活的孩子中最大的。依靠虔信教牧师的影响，他才获得了受教育的机会。

康德在8岁时进入由他的指导牧师管辖的虔信教学校。这是一所拉丁语学校，大概就在该校就读的8年半期间，康德熟悉了他终生喜爱的拉丁语经典，尤其是自然主义诗人卢克莱修的著作。1740年，他成为柯尼斯堡大学神学学生。虽然他听神学课程，还偶而布道，但他的主要兴趣在数学和物理学。他的一个教师曾经研究使唯理论哲学系统化的沃尔弗，并热衷于牛顿爵士的科学，在这个年轻教授的帮助下，康德开始阅读英国物理学家的著作，并在1744年开始写作讨论运动力问题的第一本书。此时，他已决心从事学术事业，然而，他的父亲于1746年去世，他又未能在大学的一所附属学校里谋得下级教师的职位，他被迫放弃原计划，自谋生路。

家庭教师和编外讲师　他当了家庭教师，9年间先后在3个家庭工作。他在这里步入对城市有影响力的社会，获得了社会体面。他曾到距离家乡60英里之外的城镇阿恩斯多夫旅行，这是他的最远一次旅行。1755年，在一个朋友的慷慨帮助下，他完成了大学的学位，获得编外讲师的职位。

为了获得这一职位，他提交了3篇论文，反映出这一时期他的思想的兴趣和方向。在一篇《论火》的论文中，他提出这样一个论证：相互作用的形体以均匀分布的可变精细物质为中介，这就是热和光的基体。他最初讲授数学和物理学，并且始终关心科学发展。他在以后几年发表的几部讨论不同人种、风的性质、地震原因以及天体一般理论的科学著作，显示出他对科学的兴趣不仅仅是业余的爱好。

这一时期，牛顿物理学的哲学意义和科学内容对康德来说都非同一般。他的第2篇论文《物理的单子论》(1756)把牛顿的思维方式与德国大学里流行的哲学中应用的诸方法作了一个比较。德国大学流行的是博学多才的学者莱布尼茨的哲学，它被沃尔弗以及鲍姆加登系统化、通俗化，后者写了一个被广泛使用的课本《形而上学》(1739)。现在所知的莱布尼茨著作在当时并未完全被这些作者所掌握，他们所讲的莱布尼茨哲学是极端唯理主义、抽象而又干瘪枯燥的学说。然而，它仍然有强有力的势力，当时德国的独立思想家都用主要精力来考查它的观点。

在第3篇论文《关于认识形而上学第一原则的新说明》(1755)之中，康德专门分析了充足理由律。按沃尔弗的模式，一切事物都有为什么是这样而不是那样的充足理由。康德虽然持批判态度，但却是谨慎的，远没有达到向莱布尼茨的形而上学设想挑战的地步。

在任编外讲师15年中，康德作为教师和作者的声望稳步上升。他很快讲授除物理学和数学之外的其他许多科目，包括逻辑、形而上学和道德哲学。他甚至讲授火器和筑城学；30年间，每年夏季都讲授自然地理的通俗课程。他成为一个非常成功的讲师，他的讲课风格与写作风格明显不同，幽默而活泼，举很多他在英国和法国文学以及游记、地理、科学和哲学之中读到的生动事例。

虽然他在柯尼斯堡两次申请教授资格的努力都未获成功，他拒绝接受其他地方的职位，包括柏林大学的诗学教授职位，虽然这会给他带来更大的声誉，他宁愿在家乡城市的和平与安静中发展和完善自己的哲学。

对莱布尼茨唯理主义的批判　他在18世纪60年代对莱布尼茨主义的批判不断增长。据他的一个学生说，康德当时攻击莱布尼茨、沃尔弗和鲍姆加登，声称自己是牛顿的追随者，并对浪漫主义者卢梭的道德哲学表示了极大的敬意。

他在这一时期的主要著作是《关于自然神学和道德的基本原则的明确性之研究》(1764)。他在这部著作中批判了莱布尼茨哲学的一个观点，即哲学应以数学为模式，致力建立以自明的前提为基础的证明真理系列。康德争辩说，数学来自随意的定义，使用被明确、严格定义的运算为工具，以能展示在具体形式之中的概念为基础。他说，哲学与这种方法不同，必须从已被给予的、“但却是模糊、不充分地被规定了的”概念出发；因而，哲学家们不能从定义出发而不陷入词语的循环。哲学不能像数学那样进行综合；它必须分析和澄清。他从卢梭那里学来的道德次序的重要性增强了他通过研究牛顿而获得的信念，即综合的哲学是空洞和错误的。

除了攻击莱布尼茨主义者的方法之外，他还开始批判他们的主要观点。在《把负数概念引入哲学的尝试》(1763)这篇论文里，他争辩说，事物之间的物理对立不能被归结为表述既是肯定又是否定这样的逻辑矛盾，因此，把因果性归结为前件与结论的逻辑关系是没有意义的。在另一篇同年写作的论文《关于上帝存在证明的唯一可能的依据》中，他尖锐地批判了莱布尼茨的存在概念，指出仅靠逻辑来证明上帝存在的所谓本体论证明之悖谬在于混淆了存在命题和属性命题；他说明存在不是表示属性的谓项。此外，在空间的性质问题上，康德站在牛顿立场上反对莱布尼茨。他的结论是：莱布尼茨认为空间是“同步存在的秩序”的观点和可用概念词表述空间差异的观点是不能成立的。

康德所著的《通过形而上学之梦解释的视灵者之梦》(1766)这一奇特著作表现了他用以取代莱布尼茨立场的某些思绪。这一著作以探讨科学家和圣经研究学者斯维登堡的唯灵主义主张为背景，考查了关于精神世界的全部观念。康德一开始似乎完全站在怀疑论的立场，苏格兰怀疑论者休谟的影响在这里比在任何先前的著作中都表现得更为明显。他后来说，正是休谟首先把他从独断论的睡梦中唤醒。但是，康德并不完全把精神世界的观念说成幻影，而是坚持认为，人没有了解这一世界性质的洞察力，这一结论蕴含着对莱布尼茨主义者所想象的形而上学的沉重打击。形而上学家可以如同唯灵主义者一样作梦，但这并不是说，他们的梦必然是空虚的；这里已经有关于道德经验可以为一个“理智世界”的理想提供内容的暗示。卢梭在与休谟相反的方向上影响着康德。

任柯尼斯堡教授的最初几年　在当了15年的编外讲师之后，康德终于在1770年被任命为逻辑与形而上学教授，他任这一职位，直至死前几年。这一时期通常被称作批判时期，因为这一时期他写出了伟大的《批判》，他出版了一系列振聋发聩的独创性著作，论及广泛多样的主题，建立并说明了他自己的哲学。

1770年担任新职位时发表的《就职论文》已经包含着他的成熟哲学的很多因素。如该文题目所示：《论感觉界和理智界的形式和原则》、《梦》文中隐含的二元论已变得明显，它被置于对感觉和悟性之区分的完全非莱布尼茨式解释的基础之上。感觉并非如莱布尼茨所说是思维的混乱形式，而是知识的一个独立的来源，只不过它所认识的对象仅是“现象”，这也是莱布尼茨用过的一个术语。它们之所以是现象，因为一切感觉活动都以显现在感觉能力中的时间和空间的形式为条件，这些形式不是事物的客观特征或结构，而是“纯粹直观”。然而，虽然关于可感事物的一切知识都是关于现象的知识，这并不意味着，对于事物本身一无所知。当然，人没有关于理智世界的直观或直接的洞察，然而，显现于他之中的某些“纯理智概念”，诸如可能性、存在、必然性、实体、原因，使他具有某种关于理智世界的描述性知识。通过这些概念，他可以得到“用以衡量其他一切实在事物”的原型。这种原型赋予人一种关于理论和实践秩序完善性的观念：在理论上，这是关于最高存在，即上帝的观念；在实践上，这是关于道德完善性的观念。

在这篇论文之后的11年间，康德基本上没有发表任何东西。但当他把该论文送交一个朋友发表时，他写道：“大约在一年前，我得到的概念是我永远不会为要改变它而担心的概念，虽然我可能会扩展它。通过它，所有形而上学问题都要按照完全可靠和简易的标准得到检验，并得出它们是否能被解决的确切决定。”

三大“批判”时期　1781年，《纯粹理性批判》出版，其后9年间出版的几部创造性巨著在一个短时期里引起了哲学思想的革命，开创了未来年代遵循的新方向。

《纯粹理性批判》　它是10年思索与沉思的产物。即便如此，康德在多次拖延之后，才勉强地出版了该书的第一版；因为他虽然相信这一学说的真理性，但对其表述却不能确定，并有怀疑。他的担心被证明是完全有道理的，康德抱怨说，该书的解释者和批评者严重地误解了它。为了纠正对他的思想的这些错误解释，他写了《未来一切作为科学的形而上学导论》(1783)，并于1787年出版修订过的第一“批判”的第二版。对这两个版本的优点现在仍有争议：倾向于唯心主义解释的读者一般偏向于第一版，而倾向于实在论观点的读者则恪守第二版。但就阅读与理解的难易程度而言，一般认为两者之间很少有差别。任何一个新手打开两部书的任何一本，都会发现极其困难和令人费解的晦涩。

造成这一困难部分原因可以追溯到被康德当作哲学著作模式的那些著作。康德是第一个以毕生时间和精力从事大学哲学教授工作的伟大的近代哲学家。按照规则，一切讲授都必须使用某一类书本，因此，康德所有的哲学讲授都以沃尔弗和鲍姆加登之类的手册为基础，这些手册充斥着技术性术语，人为的、定型的区分以及对完整性的注重。康德遵循这些样板，相应地为他的三大批判建构了极其矫揉造作的、刻板的、完全不直接启示于人的框架。

《纯粹理性批判》在前言之后，被分为篇幅不等的两部分：“关于因素的先验学说”在标准版本中长达近400页，其后的“关于方法的先验学说”不到80页。“因素”部分讨论人类知识的来源；“方法”部分建立了使用“纯粹理性”的方法论及其先天理念。两者都被认为是对一切知识的基础以及一切可能经验的条件的分析，因此都是“先验”的。“因素”部分再被分为“先验感性论”、“先验分析论”和“先验辩证论”。

描述这一《批判》内容的最简单方式是肯定它是一部关于形而上学的论著：它旨在说明一类形而上学的不可能性，并为另一类形而上学打基础。他把攻击目标指向莱布尼茨的形而上学，批判它认为人类心灵依靠纯思想便可获得关于实在的真理，而这些实在按其本性永远不能成为经验的对象，如上帝、人类自由和不朽。但是，康德坚持认为，心灵没有这样的能力，因而被过分吹嘘的形而上学是一个假东西。

康德认识到，形而上学和任何科学的问题都在于：一方面解释自身原则何以是必然、普遍的(这是一切科学知识的条件)；另一方面又包含着实际的知识，可向研究者提供比业已分析地包含在他所知的之中的东西更多知识的可能性，就是说，这种知识不仅蕴含在意义之中。康德坚持认为，为了满足这两个条件，知识必须依赖先天的判断，因为只有这些独立于经验偶然性的判断才能同时是必然和综合的，即谓项包含着比已经分析地包含在主项之中的东西更多的成分。比如，“所有形体都有广延”这一命题不是综合的，而是分析的，因为“广延”这一观念已经包含于“形体”的观念之中；而“所有形体都有重量”是综合命题，因为重量在“形体”观念之外，还设定形体相互联系的观念。因而，康德所规范的基本问题是决定“先天综合判断如何(即在什么条件下)可能?”

按康德想法，这一问题出现于3个领域之中，即数学、物理学和形而上学；《批判》上半部的3个主要部分分别讨论它们。在《先验感性论》里，康德论证说，数字必然与空间和时间有关，它们都是人类感性的先天形式，是感觉所把握的一切的先决条件。《先验分析论》是全书最关键，同时也是最困难的部分，康德在这里说明物理学是先天综合的，因为它使用一种特殊类型的概念安排经验秩序。这些被他称之为范畴的概念不是从经验中得出的，而是被编排在经验之内的，因而它们是先天的，或者说，是纯粹的，是与经验的概念相对立的。但是，它们与经验概念的差别不只在起源上：它们在知识中的全部作用都有差别；经验概念作为个别经验的对应，在细节上指出经验是如何被安排的，而范畴的功能是规定这些细节性秩序必须遵循的一般形式。它们属于知识的结构。但是，虽然它们对于客观知识是必不可少的，它们所赋予的只是关于可能的经验的对象的知识，只有当它们安排通过空间和时间而被给予的东西时，它们才能产生出有效的和真实的知识。

在《先验辩证论》中，康德又说明了形而上学中的先天综合判断。他说这里的情形和数学与物理学完全相反。形而上学割裂了与感觉经验的联系，企图超越感觉经验，因此而未能够达到一个真正的先天综合判断。为了证明他的说法，康德分析了形而上学所使用的无条件的概念的用法。据康德说，理性在3个不同领域寻求无条件或绝对的东西：①在哲学心理学领域，它寻求知识的绝对主体；②在宇宙论领域，它寻求时间中事物的绝对开端，空间中事物的绝对界限以及它们可分割性的绝对界限；③在神学领域，它寻求一切事物的绝对条件。在每一场合，康德都指出这种努力注定失败，它导致了一种二律背反：肯定与否定的立场都有着同等有效的理由。康德熟知鲍姆加登教科书中的理性心理学、理性宇宙学和自然神学这样一些形而上学“科学”，他在讲课时不得不对这些教科书作出评论，最终使之失去根据。

通过这些工作，康德自豪地宣称，他完成了哲学中的哥白尼革命。正如近代天文学的创始人哥白尼用观察者的运动来解释星体似乎在运动的部分原因，同样，康德说明了心灵的先天原则运用于客体，显示了客体服从于心灵：在认知活动中，不是心灵服从于事物，而是事物服从于心灵。

《实践理性批判》 由于坚持知识需要经验成分以及他反对思辨的形而上学，康德有时被当作一个实证主义时代之前的实证主义者；他对形而上学的攻击在他生前被很多人视作对宗教与道德的摧毁。这些当然完全不是康德的意图。他不仅提出要把形而上学置于“科学的可靠道路之上”，他还刻意指出，他“无可避免地”相信上帝存在和来世生活。同样真实的是，他的批判哲学的独创概念预示了道德哲学批判的前奏。《实践理性批判》(1788)便是这种意图的结果，这是他的伦理学说的标准原著。早期的《道德形而上学的基础》(1785)是一部较短的著作，但却对同样普遍的主题作了更为全面的探讨。这两本书都不同于《道德形而上学》(1797)，前者讨论纯粹伦理学，并致力于解释基本原则；后者关注于把前者所建立的原则运用于具体的进程，涉及对美德和邪恶的说明以及法律和政治的基础。

康德的伦理学和认识论(即关于知识的理论)之间有许多相似点。两者有着相同的框架——“因素学说”，包括“分析论”和“辩证论”，随后是“方法论”；但第二《批判》短得多，没有那么复杂。正如第一《批判》的一个根本区分是感觉和理智，第二《批判》的根本区分是欲念和道德理性。正如第一《批判》参照一个假设的观念“直观理解力”来解释人类认识状况的本性，人类道德状况的本性也参照“神圣意志”的观念得到阐明。这种意志已无理性与欲念之区分；具有神圣意志的存在者总是做应该做的事情。但他却不会有责任和义务的概念，这些概念只有当理性与欲望处于对立时才派用场。就人类而言，这种对立是连续的，因为人同时是肉身和精神；康德的宗教背景之影响在这里是最显著的。因此，道德生活是一场连续的斗争，道德以法律形式出现在潜在的过失者面前，要求为了自身目的而服从法律；但是，这种法律的要求并不来自任何异己的权威，而是道德主体可以认作他自身的理性的声音的代表。

在“辩证论”里，康德再次捡起上帝、自由和不朽的理念。它们已在第一《批判》中被当作超越人类感觉经验、永远不能知道的对象而遭摒弃，他现在论证说，它们是道德生活所必需的公设。虽然它们在形而上学中是不可认识的，对道德哲学而言却是绝对必需的。

康德往往被描绘成伦理学的唯理主义者，而这种描绘并非完全不合适。然而，他从未信奉过几位同代人的极端唯理主义，也不像晚近的哲学家们把理性当作对价值世界的直接洞察或对某一道德原则正当性的直观能力。实践理性如同理论理性一样，对他来说是形式的，而不是实质性的，它是构成原则的结构，而不是实际规则的内容。这就是为什么他如此强调绝对命令的第一程式：“不论做什么，都应该使你的意志所遵循的准则同时能够成为一条普遍的法律。” 缺乏任何对于道德领域的洞察，人们只须问自己：他们所要做的是否有法律的形式特征，即对类似环境中的一切人都同样适用。

《判断力批判》 《判断力批判》(1790)是康德著作中最有创造性、最富有教益的作品之一，他关于批判哲学的创造性概念并未预示到它。因此，大概最好把它视作对其他两部《批判》的一系列附录。这部著作分为两部分，分别称作“审美判断力批判”和“目的论判断力批判”。在第一部分里，康德在前言中先讨论了“逻辑意图”，然后分析了赋予事物美的判断的“审美意图”。他认为，这类判断不只是兴趣的表达，它要求具有普遍有效性；但它不能被看作是认知的，因为它依靠情感，而不是论辩。可用这样一个事实来解释：当一个人注视一个对象，发现了它的美，时则在他的想象与理解之间存在某种和谐，他对该对象的当下愉悦使他体验到这种和谐。想象把握住对象，但却不局限于任何明确的概念；另一方面，他感受到的愉悦也感染了其他人，因为这种愉悦来自他的认知能力的自由运行，这对所有人都是同样的。

在第二部分，康德着手说明自然目的论。事物的部分相互为手段与目的关系，这种有机体的存在设定了自然目的性。人们不能满足于用机械论原则说明有机体。但是，如果摒弃机械论，并从字面上理解自然的意图或目的之观念，这似乎意味着，这一观念所适用的事物是某一超自然的设计者的作品，这一步骤已被第一《批判》证明是不可能的。康德回答了这一反对意见，他承认对自然现象的说明不能避免目的论语言，但必须把它的意义理解为：有机体必须被看作“好像”是设计的产物，这并不等于说它们是有意制造出来的。

晚年 批判哲学很快在所有重要的德语大学中讲授，青年人云集哲学圣地柯尼斯堡。在某些场合，普鲁士政府还承担了资助他们的费用。康德的话好像神谕一样，向他咨询的问题无所不包，包括接种牛痘的合法性这样的问题。效忠的义务并未打断康德的一贯习性。这个不到5英尺高的人，胸有伤残，身体孱弱，他终生坚持严格的生活制度。他的安排是如此有规则，人们可以根据他每天上街散步的时间来对表，这条街因而有“哲学家走道”之名。只有一次例外，那时他全神贯注地读卢梭的《爱弥尔》，在家里待了几天未外出。据说，只是到了老年，他才停止了这一有规则的外出活动。

第三《批判》的出版完成了康德的主要哲学著作。1790年起，他的健康状况恶化。他尚有许多写作计划，但一天只能写作几小时。他此时完成的著作，部分是对过去未作仔细考察的主题的详尽阐述，部分是对批评的答复和对误解的澄清。1793年出版了《完全在理性范围内的宗教》一书之后，康德在表达宗教观点权利的问题上，卷入了与普鲁士当局的争论。这本书被认为过于理性主义而不合正统味道；他被指控为滥用其哲学，“歪曲并蔑视《圣经》和基督教许多首要与基本学说”，政府要求他不得在讲课和著述中再谈论宗教问题。康德表示同意，但私下解释说，这道禁令是他对国王的私人承诺；国王1797年死后，他感到自己摆脱了禁令。在他最后一篇主要论文《学院之争》(1798)里，又重新论及这一被禁问题。

直到去世，他一直在写一部大作，留下的片断即他的著作柏林版最后两卷的内容。它按康德想法应成为对他的批判哲学的一大贡献，但未完成，只遗留下一部未竟著作的一系列笔记，它原来的题目是《从自然科学最高原理到物理学的过渡》。他可能想进一步贯彻《自然科学的形而上学最高原理》(1786)的论证,说明建立一个先验的自然科学的可能性,它将不仅仅是一般性的提纲,而且也有众多的细节。但从现存的片断来看,尽管数量很大,这些片断如果成书是否能够成为他的哲学和名望的重大补充,现在还不能断定这一点。

在经受了使他的朋友和他都感到痛苦的慢性疾病之后,康德于1804年2月12日在柯尼斯堡去世。他最后一句话是:“这很好”。他在教堂里的坟墓刻着这样的字(用德语):“头上的星空和内在的道德律(这是他在第二《批判》的结论中讲的两件事),于我心中充满着常新的、益增的敬仰与畏惧,我们思考得越经常,便越坚定。”

Kantemir, Antiokh Dmitriyevich 康捷米尔(1708-09-21,土耳其君士坦丁堡[今伊斯坦布尔]~1744-04-11,法国巴黎) 又拼 Antioch Dmitrievich Cantemir。杰出的俄国政治家,俄国第一位世俗诗人和古典派主要作家之一。德米特里·康捷米尔公爵之子,在家中接受家庭教师的教育,1724~1725年在圣彼得堡学院学习。1729~1731年写了一些诗,其中最重要的可能是两首讽刺诗:《告理智:致辱骂学问的人》及《堕落贵族的嫉妒与傲慢》。这些诗谴责对彼得大帝施行改革的反抗,原稿在民间流传时即获得巨大成功。任驻英大使(1732~1736)时,他将其父有关奥斯曼帝国历史的稿本带往伦敦,在出版英译本时附上他父亲的传记。从1736年到去世,他一直任驻巴黎的全权公使。与伏尔泰和孟德斯鸠交往甚密,并继续写讽刺诗和寓言。他译成俄语的古典和当代作家的作品中,包括法国文人丰特奈尔的《谈宇宙多元性》(1686),这部书被认为是左道邪说而遭到查禁。

Kantemir, Dmitry (Konstantinovich) 康捷米尔(1673-11-05,摩尔达维亚奥海或弗尔丘[今罗马尼亚弗尔丘]~1723-09-01,俄罗斯哈尔科夫附近德米特洛夫卡[今在乌克兰]) 罗马尼亚语拼作 Dimitrie Cantemir。政治家和科学家,罗马尼亚-俄罗斯著名的康捷米尔家族中最伟大的人物。摩尔多瓦公爵(1710~1711),后任俄国彼得大帝的皇室秘书。摩尔多瓦公爵君士坦丁·康捷米尔之子。早年博得本邦土耳其人最高领主的青睐,曾希望将来有一天把摩尔多瓦公国与瓦拉几亚公国联合起来,由他统治。1710年封摩尔多瓦公爵。不久即与俄国结盟(1711-04),相信土耳其人的权势已快结束。但在接着发生的俄土战争中,俄国人连连惨败,因此,他逃亡俄国定居,由彼得大帝封为帝国公爵,担任皇室秘书。他精通11种语言,在罗马尼亚和奥斯曼历史方面有大量著作。所著《奥斯曼帝国兴衰史》(1716)是世界所有语言中第一部有关奥斯曼帝国的严肃的历史。其他著作有第一部评论性的摩尔多瓦-瓦拉几亚史,以及最早的对摩尔多瓦地理、人种和经济的详细著述。由于他的科学成就,1714年当选为柏林科学院院士。曾参与创办圣彼得堡科学院。

Kanter, Rosabeth Moss 坎特(1943-03-15,美国俄亥俄州克利夫兰~) 美国社会科学工作者、作家。1964年从布林莫尔学院毕业后到密歇根大学学习社会学1965年获硕士学位,1967年获博士学位。1975~1976年在哈佛大学做博士后研究。先后在密歇根大学(1967)、布兰代斯大学(1967~1973,1974~1977)、耶鲁大学(1977~1986)讲授社会学。1986年在哈佛商学院担任工商管理教授。此前曾在哈佛大学教授社会学(1973~1974)。早期著述涉及公社生活组织,但对社会不断变化中的企业结构与管理颇感兴趣,出版多部有关企业文化、管理方法及企业转变的书籍。此外,还曾编写许多有关社会学、性别角色及组织发展的课本,并担任《哈佛商业评论》编辑(1989~1992)。1977年与他人合伙成立一家咨询公司。

kantharos 康塔罗斯酒杯 又拼 cantharos。一种古代希腊陶器,为红彩陶器(**red-figure pottery**)和黑彩陶器(**black-figure pottery**)时期的制品。器形为深底杯,有两个环状把手,

约公元前490年的康塔罗斯酒杯,上绘赫拉克勒斯与亚马孙人交战图案
美国不列颠百科全书公司供图

把手自杯身下部向上延伸至远高于杯缘处,再向下弯转到杯缘。

Kantianism 康德主义 作为哲学名词,康德主义可以指18世纪的划时代哲学家康德著作中包含的思想体系;也可以指后来通过研究康德著作而产生的哲学,这类哲学从康德的原则获得启发。本条目只论述后一种意义上的康德主义。

康德主义的性质和类型 康德主义运动是各种不同的哲学的松散集合,这些哲学都共同研究康德所关心的人类知识的性质和界限,以期把哲学提高到与数学和物理学相同意义上的科学的水平。这些哲学承袭了康德的批判精神和方法,因而都反对独断论和膨胀了的思辨自然主义(比如犹太唯理论者斯宾诺莎的那种自然主义),并且通常也反对非理性主义。康德主义的各种支流具有“家族相似”式的共同特征,即有选择地关注康德哲学众多思想的某一个方面,比如,对经验知识性质的关注,对心灵自身的范畴结构加诸经验的方式的关注,尤其是对使得人类知识和道德活动可能的、被认作为先天(逻辑上独立于经验)的结构的关注,对物自体(Ding an sich)的状况即在人类认识事物背后所设立的终极实在——的关注,对知识和道德之间关系的关注。对康德哲学体系的简要说明可参阅 **Kant, Immanuel**。

对于像康德批判哲学这样的体系,读者可以根据个人所偏爱的哲学倾向,自由地重构它的综合。康德体系是强调经验对于知识产生的作用的英国经验论(表现于洛克、贝克莱和休姆思想之中),牛顿的科学方法论,以及把莱布尼茨的哲学系统化、强调心灵作用的沃尔弗的形而上学先验论(或唯理论)之间的一种调和或结合。它在不同起源和性质的因素之间建立了综合,这使得研究者可依自己先入为主的想法来看待它。

用来处理批判哲学的不同的解释态度和方法可以被归结为3个基本类型:①把批判哲学认作一种认识论,或关于(科学)知识和方法论的纯理论;②把它认作形而上学批判理论,或关于存在(终极实在)性质的理论;③把它认作与伦理学(在行为领域)平行的规范或价值性反思的理论。这些类型分别被称作认识论的、形而上学的和价值论的康德主义,它们可以再被区分为一些次要的流派。从历史上看,认识论的康德主义包括像经验论的康德主义这样一些不同的立场,扎根于生理学或心理学的研究之中;马尔堡学派的逻辑学康德主义强调逻辑的本质和运用;还有奥地利人A.里尔的实在论的康德主义。形而上学的康德主义从德国浪漫主义的先验唯心论发展为实在论。这一进程伴随着许多思辨的思想家,他们和大多数的当代康德主义者一样,在批判哲学中看到一种实质上是归纳性形而上学的基础,以适应现代科学的成果。最后,价值论的康德主义研究价值理论,它被分为:①价值论方法(恰当地说),解释康德三大批判(即《纯粹理性批判》、《实践理性批判》和《判断力批判》)的方法,视它们为思想的规范学科;②折衷主义或相对主义的康德主义,它把批判哲学视为依赖社会、文化和历史条件的思想体系。

这些流派的主要代表人物在下面的历史部分讲述。

在康德主义运动中清楚地区分两个时期是必要的:第一时期从1790~1831年(黑格尔逝世);第二时期从1860年至今。这两个时期被实证主义时代用科学压制形而上学的思想所分开。第一时期开始于对康德主要理论著作《纯粹理性批判》(第二版,1787)的彻底研究与修正,但很快汇入德国唯心论的浪漫主义倾向。第二时期专指新康德主义,它首先是对理论上的《批判》的部分或全部进行有意识的再肯定;同时,作为一个完整体系,它也是对实证主义的反应。早期的新康德主义把哲学归结为知识论和科学方法论;20世纪初兴起的系统化的新康德主义试图建构形而上学的框架。

早期康德主义:1790~1835 据康德的说法,他的主要著作《纯粹理性批判》包含着方法论的论述,它首先是科学研究预先所要求的探讨,把牛顿的方法(归纳、推论和普遍化)和笛卡儿、沃尔弗的方法(从自明的直观开始演绎)对立起来;导致对形而上学的批判,形而上学的价值不在于科学之中,而在只能被纯粹理智所知的存在领域之中。康德称之为“物自体”领域,在他的《批判》中说明了

它的正面作用。哥白尼在行星显示出的运动中看出了地球自身的运动，在天文学中发生了一场革命，康德在哲学中发起了哥白尼革命，声称进行认知的主体在相当大的程度上构造了客体；就是说，知识是由心灵加诸经验材料之上的先天或先验因素（来自心灵自身）部分地构成的。对康德来说，知识并不是对外在实在的描述，而是认知主体的产物。当感觉经验成为材料时，先验的（心灵的）方式建构了人的经验和科学，或使之成为科学。先验因素有3个不同等级：最低层的是空间和时间（专门术语称之为直观）的形式；它们上面有人类理智的范畴和原则（包括实体、因果性和必然性）；最高层、最抽象的是理性的理念——先验"自我"、世界整体和上帝。只是由于人的感觉直观（空间和时间）的形式和知觉相遭遇，才形成现象。形式产生于主体自身，知觉或经验材料却归根到底与物自体相关，物自体是不可知的，但只要有任何可知的东西，事物就必然在人类直观的形式之下出现，因此表现为现象，而不是物自身。所以，物自体表示知识的界限，而不是知识的对象。

康德的这些论题引起了沃尔弗的追随者和莱布尼茨唯理论者的批评，在康德学生中间亦引起怀疑，而这些怀疑发展成体系之后，则标志着康德主义的第一个时期。他的学生把《纯粹理性批判》当作研究纯粹理性或先验体系的导论，而不是体系自身。他们在这一解释中看到了《批判》的模糊性，并就两点提出疑问：第一，康德错误地区分了三种先验知识，与前面提到的心灵的三个层次或三种能力相对应；第二，康德承认物自体是知识的构成成分。关于第一点，他们认为，康德接受了三种能力和各自的先验特征，却没有依据《批判》的首要特征，考察在何种情况下，这一结构应被视作一个基本能力的三重表现。因此，关于直观和悟性层次的区分（或心灵接受性和任意性的区分）应被否决，因为这三种先验的东西——空间和时间、范畴和理性的理念——并不存在，只是思想的功能。最后，这些学生们争辩说，一个先验主体和自我的存在将使物自体成为多余，对于认识论的科学研究更为有害。

人类思想的这一功能（先验主体）是先天的绝对根源，早期不同的康德主义思想家给它各种不同的意义。德国实在论者赖因霍尔德认为它构成了表象的功能；立陶宛唯心论者迈蒙认为它是构成客体的心灵能力；唯心论者贝克是康德门徒，他认为它是综合的活动；康德主义的经验论批判者舒尔茨认为它是休谟所说的意义上的经验——一串抽象的感觉印象；根据著名的伦理唯心论者费希特的知识论，它是自我和非我的最初设定，这在美学唯心论者谢林那里意味着"绝对自我"，在黑格尔那里意味着"绝对精神"，最后在悲观主义的浪漫主义者叔本华那里意味着"绝对意志"。在每一场合（舒尔茨除外），对物自体的实在论的形而上学解释都被否决，取代它的是不同程度的先验论。站在康德主义主流之外的是倾向于经验论的思想家弗里斯，他在这一集团中不是真正意义上的唯心论者，而在心理功能和因素的条件下解释先天性。

康德曾经宣布与所有背离他的教导的人断绝关系，但在去世前夕为先验哲学的新解释作了准备（遗著第二部分），显示出默认反对者批评的迹象。

1860年以来的新康德主义　*19世纪的新康德主义*　实证主义对一切哲学的排斥产生了异常的影响，它唤起康德主义的觉醒，因为很多思想家想要给实证主义一个哲学基础：一方面尊重它的现象主义态度，另一方面反对它那通常是策略性的，但却是不连贯的唯物主义的形而上学。可以正当地认为，康德能够提供这样一个基础，因为他反对形而上学，并把科学知识限制在现象领域。批判哲学的复杂性在于，理论的批判可以有多种不同方式，对《纯粹理性批判》的多种不同解释可以通过事实本身获得，按发生顺序（这不是价值和重要性的顺序），产生出经验主义的、逻辑主义的、实在论的、形而上学的、价值论的和心理学的康德主义流派，它们中最重要者延续到20世纪。

卓越的哲学史家菲舍的《康德的生平及其学说的基础》（1860）这一历史画卷已经决定了返回康德。这本书取代了较早时期的半康德主义者、很著名的耶拿学者之子E.赖因霍尔德的著作（1828～1830出版），特别是著名哲学史家埃德曼的著作（1834～1853）。1865年，年轻的认识论者李普曼的名著《康德及其追随者》发出了"回到康德"的号令，康德追随者注定要摆脱实证主义的困境，使德国人离开浪漫主义的唯心论。

①认识论的新康德主义。经验主义的、逻辑主义的和实在论的学派可以被归属于认识论学派。

经验主义的新康德主义代表人物是博学的学者、物理学和生理学的先驱冯·亥姆霍兹，部分地是研究唯物主义的著名作家朗格。亥姆霍兹用康德论证他的主张：第一，虽然知觉可以反映外部事物，它反映的方式通常不是对外部事物属性的描述；第二，空间和时间包含着知觉主体所创造的思想的经验结构；第三，因果性是使哲学家得以推导一个绝对不可知的实在的先天规律。同样，朗格把科学还原到现象层次，并排除了物自体。

逻辑主义的新康德主义的代表是最著名、最流行的康德主义学派，即马尔堡学派，创始人为朗格在马尔堡的继任者柯亨，他在1871年写的论康德的一本书中论辩说，先验主体不应被看作心理存在，而应被看作建构知识形式和内容的思想的逻辑功能。他说，没有被给予的东西，所有的一切都提交给思想（像谜语似的），比如，在微积分运算过程中，分析者想象时空的细微间隔和它们相加的区域，便产生了运动。因此，经验是人类逻辑精神的完满构造，柯亨的范例鼓舞了其他许多作者，他们中有柯亨在马尔堡的同事瑙托尔普，他在一本论精确科学的逻辑基础的著作中，甚至把心理学也整合在马尔堡派的先验主义之中。卡西雷尔以强调人的象征能力而著称，他在一本值得注意的著作《新时代的哲学和科学中的知识问题（1906～1920）里，把这种逻辑主义转变为说明现代哲学史的形式。

实在论的新康德主义是认识论的新康德主义的第三种表现形式，它的代表人物是科学一元论者里尔及其学生赫尼希斯沃尔德。里尔在论批判哲学对实证科学的意义的一本书（1876～1887）中，直接反对马尔堡派的逻辑主义，认为物自体确实体现在知识的建构之中，因为所有知觉都包含着与主体之外的事物相关的因素。

②形而上学的新康德主义。前面提及的具有理论突破意义的著作《康德及其追随者》出版10年之后，该书作者李普曼在另一本著作（1876）中提出了分析实在的新的形而上学方法。浪漫主义者J.伏尔凯尔特接着采用了批判性形而上学的观点，表达了朝向绝对的坚定信念，他认为，在人的主观意识的确定性之外，存在着先验领域的一种新的确定性。主观性不可避免地被超越，正如科学以形而上学为前提时才公开传播一样。具有影响力的精神道德学家保尔森维护他所称的康德从来就是一个形而上学家的观点，即使在《纯粹理性批判》之中，即使受到认识论的限制，康德也是按形而上学行事的，这一主张的影响在整个20世纪都能感到。

价值论的新康德主义。因为价值论解释的两大主要代表人物都在海德堡任教，这一派别也被称作德国西南学派或巴登学派，其创始人为文德尔班，他以在哲学史中的"问题"方法而著称。把这一立场系统化的学者是他的继任者李凯尔特，他曾经属于菲舍的传统。这些思想家把逻辑对于思想的限制与应有之义对于伦理活动的作用平行起来，认为人的活动是对一个绝对价值（善）的回答，而人的思想则是对一个相对价值（真）的回答，他负有服从它的责任。他们认为《纯粹理性批判》建立了这种规则——它不是一个实体，而是一道命令，对活动的绝对指令。李凯尔特认为批判的努力过于狭隘，因为它只适用于物理学，他要求一切精神科学都要以此为基础。这一学派的显著特点是把德国唯心主义（费希特和黑格尔的学说）再统一于个人性的康德主义。结果，它成功地兼并了半康德主义思想的许多地盘：例如，狄尔泰的"精神科学哲学"，他认为理智生活不能通过自然主义的因果性得到解释，只能通过历史性的理解来解释它；社会哲学家西梅尔的"生命哲学"，他从早期的自然主义的相对主义走向对客观价值的说明；明斯特尔贝格的实验心理主义，他建立了一个关于价值的系统；R.克罗纳的"半黑格尔主义"，这是一种文化和宗教的哲学；以及鲍赫的一般性著作，他是李普曼在耶拿的继任者。所有这些哲学家与价值论的新康德主义有或多或少的联系。

③心理学的新康德主义。弗利斯派经验主义者迈耶在《康德心理学》（1870）一书中按心理学概念对康德的先验论作出了新的解释。后来，格丁根的道德和法律哲学家内尔森在这一领域作出了更重要的贡献，他出版了《弗利斯学派条例》（1904及其后）。书的题目已经表示出他与弗利斯新的理性批判（1807出版）的康德主义之间的密切一致，而他实际上也被认为是新弗利斯学派的创始人。在其他的康德学派关心客观或外部知识的先验分析之时，内尔森却坚持认为，通过对

主观或内在自我的分析，心灵的先验工具，即先天的东西，可被直接揭示出来。心理学因此被用来揭示这一工具，它自身又属于形而上学等级。正是以此为基础，马尔堡的神学家奥托在《神圣的观念》(1917)一书中开创了一种已被证明是十分成功的宗教现象学。

被称作康德语言学的一门学科研究康德的历史、发展和著作，自1860年以来在哲学历史学中占有相当位置。这些研究始于费英格于1881～1892年对《纯粹理性批判》所作的大量注释，他以“似乎”哲学(强调人有赖于实用的构想)、1896年创刊新杂志《康德研究》和1904年创办“康德学会”(两者现在仍然存在)著称。但是，语言学运动的最显著成果无疑是人文主义研究的斗士W.狄尔泰主编而由柏林科学院从1900年起陆续出版的大部头康德著作全集23卷。这些卷包括：第一部分，著作；第二部分，书信；第三部分，遗稿。自从这一任务被移交到明斯特大学之后，第四部分，康德讲演录也已编入。莱曼编辑逻辑和形而上学部分(24～25卷)，内容极佳。

当代新康德主义　新康德主义的新近发展，除了无数的历史性研究之外，是十分片面的，它不再专门研究认识论，仅是形而上学学派的延伸。并且，现在康德研究的一大部分被所谓的康德问题(见下面)所包含。对康德哲学思想的发展，对作为形而上学的康德，对他的本体论和科学学说，对他的先验演绎有重要研究。

德国以外的康德主义　康德主义的复苏并不局限于德国，它遍及西方世界。主要创始者有：法国首先接受它的影响，始于折衷主义思想家库辛对德国学者的研究，他曾多次到德国旅行。相对主义的人格主义者勒努维耶，当时维护的是一种人格式的批判哲学，它对巴黎大学的极端唯心论者哈梅林，形而上学家、法国新唯灵论者创始人拉舍利耶及其学生、科学哲学家布特鲁，都产生了长远的影响。

另一方面，英语国家似乎未能像吸收黑格尔的唯心论那样吸收批判哲学。除了苏格兰宗教绝对主义者、主要为黑格尔主义者凯尔德的《伊曼纽文·康德的批判哲学》(1889)之外，只有19世纪结束时在柏林的另外一个苏格兰人、批判实在论者亚当森是一个康德主义者。但在他之后，可以提及的有1918年出版的史密斯的注释，此人为康德第一批判标准英译本的制作人，更近一些的有牛津康德主义者佩顿的《康德的经验形而上学》(2卷，1936)的精彩阐述。最后，卓越的牛津“日常语言”哲学家斯特劳森的最近著作《个体：描述形而上学论》(1959)是说明康德方法特点的一本新书。美国主要通过新英格兰先验主义者和诗人爱默生，在1840年左右才知道康德，但爱默生本人并不是康德主义者。物理学家和逻辑学家皮尔斯的实用主义在很大程度上借助于康德反对黑格尔主义的作用。前南加利福尼亚的哲学家沃克迈斯特代表受马尔堡学派鼓舞的新康德主义(《知识的基础和结构》；1948)的一种类型。

但意大利的学者们则积极从事康德研究，由A.泰斯塔起始。意大利的首要新康德主义者却是实在论者坎托尼，他站在反实证主义的立场。后来，在1900～1918年期间，康德主义的代表是极端实在论的有神论者奥雷斯塔诺。康德语言学的学派以博学的基督教唯心论者古佐及其杂志《哲学》为核心，建于都灵。批判本体论者卡拉贝莱塞的著作具有更为独立的精神，他是秦梯利在罗马大学的继任者。

对康德主义的评价　目前，不管在德国或其他地方，都须有一个纯粹的康德哲学家；但是，所有哲学家都承认有认真研究他的义务。但在当代思想的四大主流——现象学、传统主义形而上学、存在主义者以及维也纳学派和分析哲学的实证论经验主义——之中，对康德的主要态度是否定的。

康德主义的问题　就认识论而言，批判哲学建立了与流行倾向相符合的科学理论，科学必须有一个经验而又实在的基础。另一方面，它蕴含着先验或先天成分；当何种带有新的、真正的知识的理解可在经验之外获得的问题，即综合先天判断何以形成的问题被提出时，争论接踵而来。值得注意的是，现象学创始人、德国哲学家胡塞尔在激烈反对康德先验论之后，又回到它的圈子中。经验主义反对康德立场，完全否认综合先天的可能性(甚至它的意义)，剥夺了传统的哲学主题，把哲学研究主要方向导向语言研究。然而，先驱哲学家维特根斯坦把限制理性的义务(或知识中的先验因素)加诸哲学之上，但他后来抛弃了这一半康德主义的立场。在存在主义方面，德国著名的当代哲学家海德格尔在《康德与形而上学问题》(1929)一书中表达了一个高度个人化的解释。柯亨在马尔堡的一个学生、形而上学家哈特曼成了实在论方法的先驱，在对知识形而上学所作的分析中(1921)，他在存在的两种形式——思想与实在——之间找到本体论关系。因此，按照他的观点，思想的原则对应于实在的原则，这一立场与康德并不一致(即使此时他被解释成实在论者)。并且，哈特曼还讨论了当前哲学中紧迫的数学问题，其方式也是完全反对康德的；他特别对康德提出的人用来看待世界的关于时空结构的先天直观的有效性提出质疑，指出康德在这一点上未能适应非欧几里得几何(弯曲空间)的挑战，他不但以实在论取代先天因素，而且更重要的是，反思了关于数学基础的明确的逻辑主义立场。哈特曼时代以及此后的哲学的一个议题仍然是关于实在的人类知识中物自体的地位问题，但却和以前一样没有得出明确答案。当哈特曼朴素地接受物自体时，经验论(以各种形式)绝对地否定了它，并仅在康德所谓的现象的意义上说明实在。在伦理学领域，现象学家和存在主义者不满意于康德伦理学纯形式的特征，即缺乏具体性，以一个绝对性不亚于康德伦理学的关于具体责任的“实际”伦理学取而代之。对他们而言，经验主义者仅对道德判断表达方式的分析感兴趣，并把它们归结为情感的、旨在赢得支持者的绝对命题。

反对康德主义的意见　必须承认，康德为当代哲学思潮提供了许多最有意义的论题，它们直至今天仍然在一定的形式下表现出来。但是，与1860～1918年存在的状态相比，康德主义处于明显的没落状态，虽然在1951～1975年似乎略有复兴。

造成这种没落的原因何在呢？一般地说，自第一次世界大战以来，把哲学归结为科学哲学的做法不再被人们所接受，虽然当代实证的经验主义也对此几乎没有任何反对意见。实际上，科学哲学仅仅包括一个问题域，而不是哲学问题的全部。由此产生了第二种反对意见：一般来说康德主义太形式化，不能满足人们越来越关心具体的实际探究。康德主义将自身限制在对思想的先天形式的考查之中，不大关心思想的各种不同的内容。假如这一反对意见只与精确科学相关，那么，它并不严重，因为这些科学关心它们自立的应用；但是，这种反对意见是在伦理学领域变得格外严重。出于这一原因，反对康德形式主义的最激烈的意见所针对的是他的伦理学论著《实践理性批判》，如哈特曼、现象学家谢勒以及其他人所做的那样。这种先验形式主义立即被当成主观主义来反对；虽然试图(从逻辑方面)摆脱这一批评，它还是被指责为阻碍了人们对自我的实在普遍性。对思想主体的理解，不可避免地迫使学者们把人类知识仅仅看作主观构造的产物。主观主义的先验论按照自身内在逻辑，否认了人类对外部世界的认识，不但把人与物自体世界分开，而且也阻止他赋予现象客观实在性，因为先验来源在这里被看作对经验和现象起着构造作用。

这3种主要反对意见出现在很多细节性批判中间，在过去1/4的世纪里，不断地发现于康德研究文献里。就对批判哲学的评价而言，这些反对意见造成了全盘抛弃它的后果，但却没有考虑阻止它的限制方法。因此，虽然有上述种种反对意见，康德仍然是问题与观念的不可枯竭的源泉，在这一方面，他可与柏拉图和亚里士多德相比，他们一起构成了西方哲学思想的三巨头。

Kantipur(Nepal)　参阅 **Kāthmāndu** 加德满都。

Kantō Plain　关东平原　又拼Kwanto Plain。日本最大平原。在本州中部，临太平洋。面积(包括东京)16 172平方千米，是日本物产最多和人口最稠密的地区。先是南北走向，至日本山弧变为东西走向。西、北有山脉阻隔，南有丘陵作为屏障。当地最新岩层的地质构造与地表形态吻合，通常又称关东构造盆地。从东北至西南排列的河流有中川、利根川、相模川。利根川流域占平原面积大部，有水电之利。农业以抗旱作物为主。河流上游谷地干旱而多砾石，中、下游多三角洲和沼泽，较潮湿。平坦的台地上覆盖着经分解的红褐色火山灰土壤，称为关东垆坶。

Kantō Range　关东山脉　Kantō又拼Kwanto。在日本本州关东平原西面。走向从北向南，长130千米，东西宽80千米，形成关东地方和中部地方的天然分界。该山在地质上呈结晶片岩及古生代、中生代和第三纪岩层，由北向南带状分布。山地西与赤石山脉连接。全境可以相模河支流桂河为界分成北部的秩父山脉(日本东北部最高山脉，主峰金峰山高

2 595米，山地东缘秩父盆地为日本历史上重要聚居地）和南部的丹泽山脉（向西延伸至御坂-天守山山地）两部分。

Kanton Atoll　坎顿岛　又拼 Canton Atoll。又称阿巴里灵阿岛。太平洋中西部菲尼克斯群岛之最大和最北端的珊瑚礁群，在夏威夷西南2 610千米，面积 9 平方千米，环抱一潟湖。1889 年归属英国。20 世纪 30 年代成为飞机横越太平洋的中途站。1939 年美英达成对该岛和恩德伯里岛实行 50 年共管的协议。第二次世界大战中为战略空军基地。战后仅为飞机紧急着陆站。1970 年起为美国用作反导弹追踪站。1979年属基里巴斯。人口45（1990）。

kantor（religious official）　参阅 **cantor** 赞礼员。

Kantorovich, Leonid Vitalyevich　坎托罗维奇（1912-01-19，俄罗斯圣彼得堡～1986-04-07，苏联）　苏联数学家和经济学家。因其在稀有资源最佳分配上的论述，与美国 T. 库普曼斯共同获得 1975 年诺贝尔经济学奖。受教于列宁格勒大学，1930 年获数学博士学位，时年 18 岁。1934 ～ 1960 年任列宁格勒大学教授。1961 ～ 1971 年领导苏联科学院数学和经济学西伯利亚分部的工作。之后在莫斯科国家经济计划研究所当领导（1971 ～ 1976）。1964 年被选入有名的苏联科学院。1965 年获列宁奖金。其最有名的著作为《经济资源的最佳利用》（1959）。1939 年发展了线性规划模式之后，他率先利用该模式为经济规划的工具。以此种数学技巧说明在计划经济中，如何分散决策最终有赖于价格取决于资源相对稀少这一理论体系。其背景虽纯属数学，但他对经济问题理解之深可见一斑。他的“分解乘数”概念相当于西方经济学中的影子价格。坎托罗维奇是国内显著的“改革”经济学家。他对苏联经济政策非教条的分析批判与其正统的马克思主义者同事的观点冲突。

Kantorowicz, Hermann　坎托罗维奇（1877-11-18，德国波森～1940-02-12，英国剑桥郡剑桥）　德国教师和学者。他的自由法学说对发展法律社会学做出了贡献。他专门研究刑法，直到纳粹上台为止，先后在弗赖堡大学（1908 ～ 1929）和基尔大学（1929 ～ 1933）任教。后来在美国、意大利的几所大学任教，从 1935 年起在英国任教。他的后期著作有：《英国政策的精神和包围德国的神话》（1929，英译本 1931）、《独裁制》（1935）、《罗马法注释家研究》（1938，与 W. W. 布克兰德合写）以及《法律的定义》（1938 著，1958 出版）；在最后一本著作中他详尽地论述了法律是“规定外部行为和被认为是可受法院审判的行为规则的总和”。从他的自由法学说来看，司法判决严格说来是一种立法职能。法官应按各个案件的要求适用现行的法律规则，同时需要宣布新的法律（来自习惯和社会惯例）以填补法院诉讼中亟待注意的法律空隙。在阐明这些观点时，他与法律实证主义者发生了冲突。1911 年他对法学的补充学科（价值科学）和社会学（事实科学）做了严格的区别，这一区别有时被他的追随者所忘却。

Kanuma　鹿沼　日本本州栃木县城市，与足尾高原东部相邻。德川时代为驿镇。现为小型工业中心，加工木材，生产家具、绳索和扫帚。当地还出产专门用于园艺的一种土壤（鹿沼土）。市西半部划为县天然公园。人口 88 078（1985）。

kanun　法规　在奥斯曼帝国，指补充伊斯兰教教法的行政规定。按照伊斯兰教的司法理论，教法为唯一的法律条文。但在早期伊斯兰国家里，当执行教法时，不得不考虑风俗习惯和时间地点，甚至根据统治者的意图作出一些通融。在奥斯曼帝国时期，教法与法规之间的区别已经消失。理论上，法规必须符合教法。任何同伊斯兰教法抵触的法规无效，但事实上，法规很少被否定，从而使苏丹可以自由制定法律。苏丹穆罕默德二世在位时期（1444 ～ 1446，1451 ～ 1481）发表第一部《法规全书》。

Kanuri　卡努里人　非洲民族，是尼日利亚东北部博尔诺州主要居民，也有不少住在尼日尔东南部。卡努里语属于尼罗-撒哈拉语系撒哈拉语支。卡努里人曾在撒哈拉沙漠主要商路的苏丹终点地带建立一个称作博尔诺的帝国，16 世纪帝国达到鼎盛。商路穿过比尔马绿洲，通往利比亚。自 11 世纪以来，卡努里人信仰伊斯兰教，并且遵循马立克派教法。他们的经济活动以种植黍稷为主，但也是商业民族，内部贸易发达，同时还向富拉尼牧民和舒瓦阿拉伯牧民换取奶制品并出口大宗牛皮和羊皮。卡努里社会分为若干不同阶级，实行一夫多妻制。典型的家族单位是由夫、妻、子女组成的核心家庭，或住同一院落的多妻家庭。住宅是以土坯建成的圆形或方形房屋，圆屋为草顶，方屋为平顶。

Kanyakubja（India）　**曲女城**　参阅 **Kannauj** 根瑙杰。

Kanyākumāri（India）　参阅 **Kanniyākumāri** 根尼亚古马里。

Kanye　卡内　博茨瓦纳南部村庄。在通往首都哈博罗内的公路干线上。是全国最大村镇之一，班瓜克策人的传统住地中心。有教会医院、机场、银行和学校。人口约 23 000（1984）。

Kanze school　观世流　日语拉丁字母转写作 Kanze-Ryū。日本能剧的一派，以强调优美和雅致著称。此派于 14 世纪由**观阿弥**（**Kan'ami**）创立，他是猿乐（能剧的原型）的大和四座之一——观世座的座主。第二代座主世阿弥元清在将军足利义满的保护下完善了此派艺术的基本形式。自从室町时代（1338 ～1573）起，观世流为日本最大的能剧团体，会员有几百名能剧师和日本一半以上交纳会费的能剧爱好者。

Kao-hsiung　参阅 **Gaoxiong** 高雄。

Kao-hsiung Hsien（Taiwan）　**高雄县**　参阅 **Fengshan** 凤山。

Kao Kang（Chinese official）　参阅 **Gao Gang** 高岗。

Kaō Ninga　可翁仁贺（活动期14世纪初，日本）　最早的日本水墨画画家。作品为受中国画风影响的单色水墨画，深得禅僧画家们的喜爱。画过像。画像应用的技法开创 15 ～ 16 世纪日本盛行一时的水墨画风。其身世传说不一：有人认为是禅僧宗然，有人认为是名画家良诠。他和默庵（14世纪早期的僧人画家）的作品奠定了日本水墨画的基础。

Kao-yao（China）　**高要**　参阅 **Zhaoqing** 肇庆。

Kaogongji　《考工记》　英语作 Artificer's Record。中国最早的科学技术专著。一般认为是春秋末齐国记录手工业技术规范的官书。约成于公元前5世纪。分木工、金工、皮

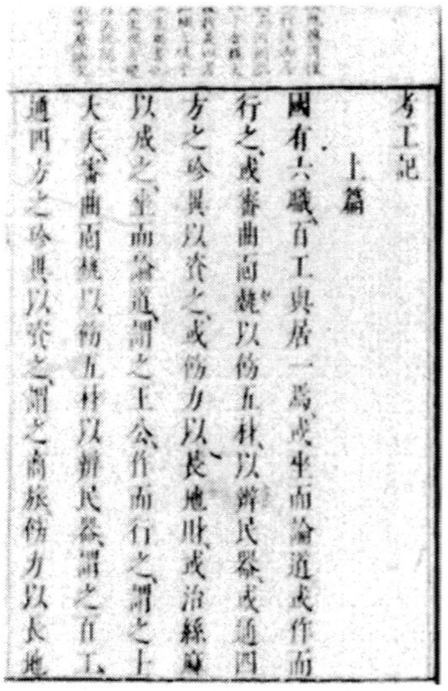
考工記　上篇
國有六職，百工與居一焉。或坐而論道，或作而
行之，或審曲面埶以飭五材，以辨民器，或通四
方之珍異以資之，或飭力以長地財，或治絲麻
以成之。坐而論道，謂之王公，作而行之，謂之士
大夫，審曲面埶以飭五材以辨民器，謂之百工，
通四方之珍異以資之，謂之商旅，飭力以長地

明刻本《考工记》书影
中国大百科全书出版社供图

革工、设色工、刮磨工、陶工六部分，包括 30 个工种。对各专业所用材料、制成品规格尺寸和技术要求及加工过程，均有详细记述。其中记述用不同比例铜、锡合金制造不同用途的青铜器，是世界最早的合金成分配量记录。书中还涉及力学方面的滚动摩擦、斜面运动、惯性现象、弓箭运行轨道、水的浮力、材料强度以及声学方面的乐器发音、频率、音色、音响等问题。

Kaokoland　卡奥科兰　纳米比亚西北部地理区域，居民为操班图语的赫雷罗人、奥瓦欣巴人及奥瓦提金巴人等游牧民族。北与安哥拉和库内内河为界，东为奥万博地理区域，南有霍阿尼布干河，西临大西洋。是一个人烟稀少、十分偏僻的干燥地区，原居民为 16 世纪中叶从非洲中部迁来的赫雷罗人。19 世纪 70 年代从德兰士瓦西部向西北跋涉的波尔人，在前往安哥拉的途中，曾在此地逗留。

在奥奇通杜瓦和卡奥科奥塔维可见到他们遗留下的建筑物废墟。该区的大部内地多山，平均海拔约1 400米。当地有许多短小、崎岖的山岭，岭上长满了各种草、肉质植物（如芦荟）和矮树。山岭和大西洋岸之间为纳米布沙漠，人烟稀少，除了一些应时的肉质植物之外，植被很少。被称为骨骼海岸的狭窄海岸地带，为砾石平地和岩石高地，因为近海有冷流，经常多雾且潮湿。除了库内内河沿岸外，水不可多得。在其他地方，有时可在干河床找到水潭。另外也有一些泉水，可为农园作物提供有限的灌溉。当地游牧部落牧养牛、绵羊和山羊，猎取野生动物，并在雨后采集野生植物根菜和野浆果。沿海有时可找到钻石。内陆则有铁矿。奥普沃和卡奥科奥塔维是主要的聚居地。

Kaolack　考拉克　塞内加尔中西部城镇。位于萨卢姆河右岸。是海洋和内河运输港口、花生和海盐对外贸易集散地。有铁路与达喀尔相连，公路四通八达。为伊斯兰教提加尼教团中心，镇外有一个大的清真寺。人口约179 894(1992)。

kaolin　高岭土　又称瓷土（china clay）。白色软质黏土，是制造瓷器的主要配料，广泛用于纸张、橡胶、油漆和其他许多产品的制造。高岭土以中国的高岭山命名，该地开采高岭土已有数个世纪。高岭土样品首先由法国基督教传教士于1700年前后传入欧洲，作为中国人制造瓷器的一个例子。高岭土的天然状态为白色软质粉末，主要由高岭石构成，在电子显微镜下高岭石呈大致六角形的板状晶体，晶体大小约0.1～10微米，甚至更大，还见以蠕虫状和书本形态出现。偶见近毫米级大小的肉眼可见的形状。天然高岭土通常含有数量不定的其他矿物，如白云母、石英、长石和锐钛矿。此外，高岭土常常为氢氧化铁色素所沾染，往往需要用化学方法对其进行漂白以除去铁色，用水进行洗涤以除去其他矿物，随后才能用于工业。高岭土和水混合到含水20%～35%时，变成可塑性物料（即在压力下可浇铸成型），其形状在除去压力后可保持不变。若水分增多，高岭土即变成泥浆或成为水悬浮液。为使高岭土具有可塑性和黏性，其所需水量随高岭土粒子的大小和高岭土中可能存在的某些化学成分而变化。法国、英国、德国的萨克森、捷克共和国波希米亚和美国均开采高岭土。美国著名的矿床位于东南部各州。产量近40%用作纸的填充剂和表面涂料。作为填充剂，高岭土和纸浆中的纤维形成整张的纸，使其具有质地、颜色、不透明度和可印刷性。作为涂层，高岭土和黏结剂一起覆盖于纸张表面，使其具有光泽、颜色、高不透明度和良好的印刷性。高岭土作涂层使用时，需把大部分粒子磨到直径小于2微米。也广泛地用在陶瓷工业中，由于熔化温度高和熔烧变白的特性使其特别适用于制造卫生陶瓷、瓷制品和耐火材料。高岭石分子结构中不含铁、碱、或碱性土，是其具备所需陶瓷性能的条件。在制造瓷器时，高岭土通常要与近乎相等数量的氧化硅和长石相混合，此外还需掺加少量的叫作球土的轻烧黏土。为了获得可塑性、收缩量、玻璃化等性能，必须添加这些成分，这才能使瓷器成型并烧成。大量用作橡胶的填充剂以增强橡胶的机械强度和抗磨性。高岭土作此用途时，必须采用极其纯净的高岭石并须磨得更细。也用于油漆中，作为增量剂和补偿剂，并经常用作造纸的胶合剂，以控制纸张的可渗透性。在油墨、有机塑料、某些化妆品以及其他许多产品中都是重要配料；高岭土以其粒细、色白、化学性质稳定、吸收能力强而具有特殊的价值。

kaolinite　高岭石　常见的一族黏土矿物，为含水的铝硅酸盐，是高岭土（瓷土）的主要成分。这一族矿物中有高岭石及其少见的变体——迪开石和珍珠石，还有埃洛石以及化学成分类似高岭石但为非晶质的水铝英石。高岭石、珍珠石和迪开石往往呈细微或狭长的六角片形产于致密块体或粒状块体以及云母状堆中。高岭石是长石、似长石和其他硅酸盐矿物天然蚀变的产物。富硅高岭石以前被认为是一种硅铝比值比一般高岭石高的高岭石族矿物，但现在认为是高岭石加上游离的氧化硅（主要是非晶质的）。关于化学式和详细物理性质，参阅 **clay mineral**（表）。

kaolisol　高岭化土　在热带高温多雨条件下形成的土壤，其中氧化硅和盐基都被淋溶掉了。因而这种土壤的特点是：①贫氧化硅；②风化程度高，有时深达几米，因此易风化的矿物贫乏；③富铁质，铁质是风化析出的，并不同黏土相结合，而且常常形成又大又多的铁结核；④透水性强，所形成的黏土矿物，湿时并不膨胀，不影响透水性。因为被水从上层搬运来的黏土矿物的积累以及土壤的透水性，所以黏土成分随深度而增加。这种土壤阳离子交换能力低。或者说是将结构中的金属原子放出去与水溶液中另外的金属原子交换位置的能力低。高岭化土一旦形成，以后又可成为新土壤的母质。

kaon　K介子　亚原子粒子，一种重要形式的介子（**meson**）。

Kaonde　卡翁德人　又拼Kahonde。又称巴卡洪德人（Bakahonde），使用班图语的民族，居住在赞比亚的西北地区。该地区多树的高地平均海拔为1 220米；东南部是开阔的平原，以猎物丰富著称。3个历史各异的族群被称为卡翁德人，他们都是现在刚果（金）的卢巴人的后裔。16和17世纪卡翁德人在现今的住区定居时，就承认其北面隆达帝国的最高酋长为他们的宗主。18世纪几个卡翁德酋长取得自治权，19世纪势力大增，他们曾与洛齐人作战，而卡翁德奴隶则袭击其南面的伊拉人。卡翁德人奉行母系制，却在大村庄里实行从夫居。他们种植玉米、木薯、小米、薯蓣、南瓜和豆类；传统工作法是将砍倒的树木和灌丛烧掉，然后把作物种植在有灰肥的方形地块之内。他们采集多种野果；男子也猎取高原小猎物（南非小鹿、南非羚羊等），在干旱的六七月份，则在河塘施毒捕鱼。卡翁德人同其他使用中部班图语的民族在文化上有许多共性。重视祭祖，与赞比亚北部和刚果（金）南部的风习相同。许多卡翁德人在铜带采矿中心寻找工作。卡翁德语是赞比亚8种官方语言之一，赞比亚广播电台就使用它广播。

Kapaa　卡帕阿　美国夏威夷州考爱岛中东部沿海考爱县城市。20世纪60年代起，旅游、农业多种经营和服务业取代原有的菠萝种植业成为主要经济来源。主要农产品有甘蔗、菠萝、大米。商业活动曾一度被中国商人控制。附近有怀卢阿河历史保护区。市南的“沉睡巨人”山令人联想到格利佛游记中的小人国。人口9 472(2000)。

kapāla　嘎巴拉　梵语，藏语称“兑巴”（thod-pa）。用人头骨制作的碗，又可意译为人头骨碗。印度教和中国藏传佛教密宗护法神经常佩戴这种碗。在西藏，嘎巴拉碗常放在佛像前供桌上，在举行仪式时用以盛象征人血的酒或捏成眼、耳、舌形状的糌粑面团以供奉护法神。这种碗往往经过精工制作，供在模拟火焰和骷髅的三角形底座上。碗上通常以白银或镀金的金属镶嵌，碗盖像半个骷髅形状，还有一个像金刚杵的手柄。

Kāpālika and Kālāmukha　髑髅派和黑脸派　活跃于印度中世纪（10～11世纪）的印度教两个极端苦修集团，据说他们的祭礼中包括人祭，以此闻名。他们是从湿婆教最早的支派兽主派分化出来的。两派都称为摩哈弗罗丁即“还大愿者”，因为他们有裸体、以髑髅为食器、吃死人肉和用骨灰涂身墨面等习俗，故名。他们往往前往火葬场，面对女尸默想约尼（阴户），据说还举行许多古怪狂乱的仪式。髑髅派的现代继承者是阿戈罗派。

Kapampangan(people)　**卡潘潘甘人**　参阅 **Pampangan 邦板牙人**。

Kapfenberg　卡普芬贝格　奥地利施泰尔马克州城镇。在布鲁克东北，米尔茨河与特尔巴赫河汇合处。建于12世纪末，1256年首见记载。早在15世纪即有制铁厂。现为避暑和冬游胜地。有大型炼钢厂，并生产电缆、化工原料和建筑材料。人口约25 800(1986)。

Kapila　迦毗罗（活动时期公元前550?）吠陀圣人和六派吠陀哲学之一数论派的创始人。释迦牟尼的哲学与迦毗罗哲学多有相似之处，如强调入定以解脱痛苦，认为吠陀所载诸神有局限性和条件性，厌恶礼仪和婆罗门教义等。但迦毗罗不向大众宣讲自己的思想，也不像释迦牟尼那样建立僧团。迦毗罗的学说没有对印度教传统产生全面性重大影响，但是自公元前6世纪迄今一直受到少数哲学家的重视。

Kapital, Das　《资本论》　英语作Capital。19世纪经济学家K.马克思的一部主要著作（3卷，1867、1885、1894），阐述他的关于资本主义制度发展和走向自我毁灭的理论。马克思说明本书写作的目的在于揭示“现代社会的经济运动规律”。第二卷和第三卷是在他去世后由他的合作者 F.恩格斯编辑出版的。《资本论》以很大篇幅阐述马克思关于劳动“剩余价值”及其对资本主义影响的思想。按照马克思的意见，不是人口的压力而是大批失业者的存在，促使工资水平仅足以糊口，对此他谴责资本家。他认为在资本主义制度下，劳工只是一种商品，得到的只能维持生存。而资本家可以迫使工人在工作中干更多的时间，除了维持工人生存之外多出的产品，或剩余价值，被资本家取走。由于全部利润来自“对劳动的剥削”，所以利润的多少主要取决于受雇佣的工人的人数。机器的使用对于个别企业主是有利的，使他能够胜过其他竞争者；但是，机器不能被剥削；虽然它们能帮助工人生产更多有用的东西，它们对总利润却不能有所贡献。只有工薪资产（可变资本）能生产剩余价值亦即利润。随着机器费用与工资支出相比不断增加，利润与资本支出总额相比却不断减少。资本家从每百元资本得到的利润将越来越少，他们只有靠压榨工人来延缓自己的破产；最后，“资产阶级再不能统治下去了，因为它甚至不能再使自己的奴隶维持奴隶般的生活水平了”。最后资本主义制度崩溃，工人阶级将继承统治权力。

Kapiti Island　卡皮蒂岛　新西兰北岛西南部无居民岛。在库克海峡北端，怀卡奈河口外8千米处。面积23平方千米。可能曾是连接南北两岛的陆桥。地势崎岖，1/2为森林。1897年几乎全部划入野生动物保护区。

Kapitsa, Pyotr Leonidovich　卡皮察（1894-07-08，俄国喀琅施塔得～1984-04-08，莫斯科）　苏联物理学家，因对磁学和低温物理学的研究与他人共获1978年诺贝尔物理学奖。他发现氦Ⅱ（液氦在2.174K或－270.976℃以下的稳定形式）几乎没有黏性，即对流动没有阻力。他在彼得格勒工业学院毕业后，留校任讲师直到1921年去英国剑桥大学留学。在该校与E.卢瑟福一起工作。1924年任卡文迪什实验室磁学研究副主任。设计了一种装置，能得到5万高斯的磁场，这个强度直到1956年无人超过。1925年任剑桥三一学院研究员，1929年被选入皇家学会，是当选为会员的少数外国人之一。1932年皇家学会在剑桥特别为他建了蒙德实验室。1934年在发表液化氦的膨胀机论文之前到苏联参加一次专业会议，护照被扣。1935年被任命为莫斯科苏联科学院物理问题研究所所长，通过卢瑟福的调解，把蒙德实验室的设备运到莫斯科，继续低温物理学研究，在研究氦Ⅱ的导热性时，发现了它的超流性。1939年为第二次世界大战期间的苏联钢铁工业制造了生产大量液氧的设备。1945年获社会主义劳动英雄称号。1946年，拒绝参与研制核武器的工作，被解职并退居乡间直到斯大林1953年去世后。在此期间，他对球状电闪进行了独创性研究。1955年他又恢复了研究所所长的职务直至去世。20世纪50年代末，卡皮察在大功率微波发生器方面的研究使他的兴趣转向受控热核聚变，并从1969年开始发表一系列有关研究论文。

Kaplan, Mordecai Menahem　卡普兰（1881-06-11，立陶宛什文乔尼斯～1983-11-08，纽约市）　犹太教拉比、教育家、神学家、美国宗教领袖、犹太教重建运动的创始人。1902年在美洲犹太教神学院受神职，他对犹太教的性质同该神学院看法不同，但长期与之保持关系，在该院执教50年。1922年创立的犹太教促进会日后成为重建运动的核心。他所主编的《重建主义者》双周刊于1935年发行。卡普兰认为，在现代实际情况下，人对上帝的观念必须改变，因此，重建派主张修改犹太教义而使之适应这种实际情况。他提出，上帝的意志通过人性表现，而人性又是由环境和社会媒介形成的，他把这种过程叫作性质形成。他曾参与编订重建派的《安息日祈祷书》（1945），在该书中提出一些非正统观点，例如他认为经文词不达意，于是美国和加拿大正统派拉比协会发表声明，谓他的理论是不可接受的。

Kapodístrias, Ioánnis Antónios, Count（Komis）　**卡波季斯特里亚斯**（1776-02-11，科孚［希腊］～1831-10-09，希腊纳夫普利翁）　意大利语作 Conte Giovanni Antonio Capo d'Istria。希腊政治家，他是亚历山大一世时代的俄国外交界和希腊争取独立斗争中的著名人物。父为伯爵。曾就读于帕多瓦，后入政府工作。1799年俄国和土耳其把法国人逐出伊奥尼亚群岛，组建七岛共和国。他参加了这个新国家的第二部宪法的起草工作（1803年通过）并出任国务大臣（1803）。1807年法国重新控制群岛后，卡波季斯特里亚斯转入俄国外交界（1809），成为巴尔干问题专家，任职于多瑙河下游俄军的司令部（1812）。在这支军队北进以迎击拿破仑对俄国的入侵（1812）之后，卡波季斯特里亚斯被任命为陆军参谋部外交官（1813），后来又被亚历山大一世派往瑞士执行特殊任务（1814）。在战后的维也纳会议上，他是俄国的代表之一（1814～1915）。此后，成为皇帝身边很有影响的顾问。1816年1月起，他与外交大臣涅谢尔罗迭共同负责执行俄国的外交政策。卡波季斯特里亚斯对亚历山大与奥地利、普鲁士结成神圣同盟持怀疑态度，反对俄国同意奥地利镇压那不勒斯与皮埃蒙特的起义（1820～1821）。他因此受到奥地利首相梅特涅政治上的敌视，梅特涅利用自己对亚历山大日益加强的影响破坏卡波季斯特里亚斯的地位。当亚历山大拒绝支持希腊反土耳其起义（始于1821年3月）时，一向对希腊独立事业抱有深刻同情的卡波季斯特里亚斯发现自己处于一个无法忍受的地位。于是在1822年，他请假离开俄国，定居日内瓦，致力于向希腊起义者提供物质和精神的援助，直到当选为希腊的临时总统（1827-04）。随后他周游欧洲为希腊的独立战争寻求财政和外交的支持。1828年1月，他到达希腊的首都纳夫普利翁（纳夫普利亚）。随后他致力于同美、法、俄三国谈判确定希腊的边界和选任新国王的问题。他成了亲俄派领袖。他努力组织一个有效的政府并设法使强大的、半自治的地方领导人服从这个新国家的领导。但是在这过程中，他招致了许多敌人，其中马伊纳的G.马夫洛米卡利斯和康斯坦提诺斯在他进入一座教堂时暗杀了他。

kapok　木棉　又作 Java cotton、ceiba 或 Java kapok。又称爪哇棉或爪哇木棉。从丝光木棉树（五雄蕊爪哇木棉树，*Ceiba pentandra*）的果实上采得的种籽纤维。该植物属木棉科，为高大的热带树，具有展开的树冠、巨大的树干和掌状大叶。木棉的主要产地在亚洲和印度尼西亚，是爪哇的重要物产。木棉纤维富有光泽，浅黄褐色，重量轻，含有木质素和纤维素。成熟的木棉树结有数以百计的籽荚，籽荚最长有15厘米，内有附着纤维的种籽。朔果可砍下或候其落下后收集。籽荚可用木槌敲开，种籽与纤维用手工剥离后放在篮中搅动，种籽落于篮底，与纤维分开。木棉籽可以榨油以制造肥皂，榨剩的棉籽饼用作肥料或饲料。木棉单纤维长0.8～3.2厘米，直径30～36微米。木棉不吸湿，易干燥，回弹性好，比重轻，但纤维强度低，拉伸变形能力差，不能纺纱。木棉纤维用于水上救生设备，在水中能浮起自身重量30倍的重物；浮力损失缓慢，据试验，放在水中浸30天浮力仅损失10%。木棉也用来充填枕头、床垫和沙发，用作绝缘材料及医用脱脂棉的代用品。木棉极易燃烧，由于泡沫橡胶、塑料和化学纤维等材料的发展，其重要性已经下降。印度木棉是印度原产植物马拉巴尔木棉（*Bombax malabarica*）的纤维，性质颇似爪哇木棉，但颜色更显棕黄，回弹力较差，浸在水中时仅能浮起其重量10～15倍的物体。

Kaposi sarcoma　卡波西氏肉瘤　又称原发性多发色素出血性肉瘤。一种罕见的致死性癌症。以皮肤和其他器官出现多个红紫色或蓝棕色的斑块、丘疹和肿瘤为其特征。其皮肤病灶可为柔软或坚实，单一或多发。1872年，M.卡波西首先报告此症。在获得性免疫缺陷综合征（AIDS）出现之前，卡波西氏肉瘤本极罕见。地中海后裔的老人和非洲人常患此症。此外，还有一种特殊型式的、为赤道非洲某些地区的小孩所常患的卡波西氏肉瘤，不生在皮肤上，而生在体内（尤其是淋巴腺）。由于非洲地区的健康统计极为匮乏，有关该症的历史和疾病型态至今仍不明。约1980年以后，艾滋病患者也罹患卡波西氏肉瘤这一事实变得日益明显，其中尤以男同性恋者最易罹患此病。事实上，在向美国亚特兰大的疾病控制中心报告的艾滋病病例中，约有一半的病例显示，该症是艾滋病的病征。免疫系统的崩溃和艾滋病毒感染的白细胞产生的生长因子可能与诱发本病有关，因此该病被视为一种机遇性肿瘤。卡波西氏肉瘤经过治疗虽能达到部分或完全缓解，但至今仍无根治之法。该症在艾滋病患者身上极易复发，一旦发病后，其寿命平均不会超过两年。参阅 **AIDS**。

Kaposvár　考波什堡　匈牙利西南部城镇，绍莫吉州首府。位于考波什河上游丘陵上，为主要贸易城镇，在匈牙利艺术和诗歌中一直发挥重要作用。农产品有黑麦、马铃薯、甜菜和烟草。工业有纺织、制砖、农机和制糖等。位于从布达佩斯到克罗地亚萨格勒布和里耶卡的铁路干线上。人口约71 212(1992)。

Kapp, Wolfgang　卡普(1858-07-24,美国纽约州纽约～1922-06-12,德国莱比锡)　普鲁士反动政治家,领导卡普暴动(1920)企图推翻初生不久的魏玛共和国,建立右派专政。曾获得法学博士学位。他在东普鲁士经营过种植园。1900年任普鲁士农业部顾问,1906～1920年任东普鲁士农业信贷银行董事长。他是一个泛德意志兼并主义者,第一次世界大战中属保守的反对派,1917年和海军将领A.冯·蒂尔皮茨创立德意志祖国党。1918年革命后,他被选入德国国会,致力于恢复君主政体。卡普暴动的直接原因是政府决定强迫解散右翼自由军团的埃尔哈特和巴尔蒂库姆旅。在柏林军区司令的合作下,埃尔哈特旅开进柏林(1920-03-13)。卡普得到参谋总长鲁登道夫的帮助,建立了政府。4天之内,各工会号召的总罢工,以及公务员拒不听从卡普的命令使暴动遭到失败。卡普和几个同谋者逃往瑞典,后又回国受审。1922年卡普在等待审判时死去。

kappa　河童　日本民间传说中一种好色的妖怪,比鬼(**oni**)狡狯,但较少伤人。据说正骨术是由河童传授给人的。传说和艺术作品中的河童身材矮小如10岁童子,肤色绿中带

骑在黄瓜上的河童,北雅绘
美国不列颠百科全书公司供图

黄,似猴而有鳞或甲,头顶凹陷处充满了水,传说如此水溅出,河童就失去神通。遇到河童的传说都千篇一律地说,如果迫使他们低头或骗他们鞠躬从而把水泼出,便能使他们履行一个承诺。河童喜吃黄瓜,所以安抚他们的通常做法便是向他们栖身的水中投掷黄瓜。

kappa organism　卡巴微生物　又称卡巴颗粒。某些株双小核草履虫(*Paramecium aurelia*)细胞质内共生的革兰氏阴性细菌。此类菌释放入环境中就变为P颗粒,后者可分泌出一种毒素(草履虫素),可杀死双小核草履虫的其他敏感株。草履虫有无卡巴颗粒共生是由遗传决定的。带卡巴颗粒的草履虫称放毒品系,它们对于自己释放的毒素有免疫力。

Kappel Wars　卡佩尔战争(1529,1531)　瑞士宗教改革运动中发生的两次冲突,以苏黎世和楚格两州交界处的卡佩尔隐修院而得名。第一次:瑞士邦联信奉天主教的5个邦(卢塞恩、乌里、施维茨、翁特瓦尔登和楚格)结成基督教联盟,阻止苏黎世邦在共管领地上传布新教。因此苏黎世邦对这一联盟进行讨伐,但交战不久即于1529年6月26日在卡佩尔隐修院达成停战协定。根据协定,天主教各邦承认共管领地有信教自由。但是后来他们发现苏黎世邦正在共管领地之一图尔高强制推行新教,于是在1531年10月突然向苏黎世邦发动战争。10月11日,他们在卡佩尔打败苏黎世的军队,新教领袖茨温利战死。1531年11月24日签订的第二次卡佩尔停战协定支持天主教会在整个有争议的地区的要求。

Kapsukas(Lithuania)　**卡普苏卡斯**　参阅**Marijampolė马里亚姆波列**。

Kapteyn, Jacobus Cornelius　卡普坦(1851-01-19,荷兰巴讷费尔德～1922-06-18,阿姆斯特丹)　荷兰天文学家。以把照相和统计方法用于测定恒星的运动和分布而闻名。卡普坦就读于国立乌得勒支大学,1875年在莱顿天文台工作。1877年被选为国立格罗宁根大学天文学和理论力学教授。他并非把照相法用于天文学的首创者,但他开阔的科学视野和完成庞大测量计划的能力使他成为发展照相天文学的关键人物。他用D.吉尔在好望角拍得的恒星底片上的星像位置,编成了载有约454 000颗南天恒星的《好望角照相星表》(1896～1900)。他设计出一种抽样方法,用此方法对某一小天区的恒星进行计数就能获得银河系结构的概貌。在记录了很多恒星的运动资料以后,他发现了"星流"现象,即恒星的本动(单颗恒星相对于周围恒星平均运动的一种运动)不是无规则的,而是成群地沿空间两个相反的方向运动。后来许多有关银河系恒星的距离和空间分布的研究都发源于卡普坦的这一工作。

Kapuas River　卡普阿斯河　印度尼西亚婆罗洲西部主要水道。发源于岛中部上卡普阿斯山脉,向西南偏西流1 143千米,在坤甸西南一大片沼泽三角洲处注入南海。大部河段可通航。

Kapuni　卡普尼　新西兰北岛西部地方及天然气田和油田。位于埃格蒙特峰以南。所产石油经管道运至奥克兰和惠灵顿。主要用作家用燃料。天然气通过管道输往北岛各主要城市。卡普尼镇为该国一农业人口密度较大地区的服务中心。有铁路通新普利茅斯。人口335(1981)。

Kapūrthala　格布尔特拉　印度西北部旁遮普邦中北部城市。建于11世纪。1780年为格布尔特拉土邦首府,1948年并入印度。为农产品市场。有化学药剂、油漆和药品制造业。设有古鲁那纳克·德夫大学的几所学院、一家医院,还有一座古代宫殿。格布尔特拉地处冲积平原。经济活动以农业为主,出产小麦、甘蔗、棉花和其他农产品。人口:市约63 083(1991)。

Kapuskasing　卡普斯卡辛　加拿大安大略省中部偏东科克伦区城镇。位于卡普斯卡辛河滨。1914年初建,是加拿大国家铁路线上的一个站。第一次世界大战中此地有战俘集中营。以后建立试验农场和斯普鲁斯瀑布电力-造纸厂(利用其北面80千米处的斯莫基瀑布发电)。该镇主要生产白报纸、纤维素、薄纸和纸浆。人口10 344(1991)。

Kara-Bogaz-Gol Gulf　卡拉博加兹戈尔湾　土库曼斯坦西北部、里海东部的水湾。面积1.2～1.3万平方千米。平均深度只有10米,蒸发速度快,因此海水盐度极高;来自里海的海水通过狭窄的沙嘴水道以200～300米^3/秒的流量注入该水湾,因此该水湾天然海盐储藏量居世界第一。

Kara-e　唐绘　意即中国式的绘画。在日本的美术中,装饰绘画从中国唐朝(618～907)的美术中脱胎而来,主要包括中国式的意境山水及描绘中国传说和故事的插图。这种画风盛行于奈良(645～794)和平安(794～1185)时代。尽管大和绘(发展中的本土画风)逐渐流行,但唐绘画风仍在10、11和12世纪为人们所运用,不过仅用于官方和宗教。

Kara Koyunlu　黑羊王朝　又拼Qara Qoyunlu。英语作Black Sheep。土库曼部族联盟。约1375～1468年统治阿塞拜疆和伊拉克。大约从1375年起,黑羊王朝成为巴格达和大不里士的贾拉伊尔王朝的藩属。自从卡拉·优素福(1390～1400;1406～1420在位)夺取大不里士以后,这个部族联盟获得独立。1400年卡拉·优素福被帖木儿击败,到埃及避难;但在1406年,他又重新占领大不里士。他巩固黑羊王朝的地位以抵制与它对抗的突厥人联盟——白羊王朝的威胁。1410年攻占巴格达。优素福死后(1420),黑羊王朝仍然牢牢保住自己的领土。1447年杰汉·沙阿(约1438～1467在位)兼并伊拉克的部分领土、阿拉伯半岛东部沿海地带和帖木儿帝国的伊朗西部。1466年,杰汉·沙阿企图夺取白羊王朝属地迪亚巴克尔,结果战败被杀。不出两年,黑羊王朝即为白羊王朝的优势兵力所灭。

Kara Mustafa Paşa, Merzifonlu　卡拉·穆斯塔法帕夏(1634,奥斯曼帝国梅尔济丰[今在土耳其]～1683-12-25,塞尔维亚贝尔格莱德)　奥斯曼首席大臣(1676～1683)。就任后,先后向波兰和俄国发动进攻,都以失败而告终。1678年匈牙利发生反对哈布斯堡王朝的起义,他趁机进攻奥地利。1683年,他指挥奥斯曼军队围攻维也纳,但被击败。苏丹下令将他斩首。

Kara Sea　喀拉海　北冰洋边缘海。邻西西伯利亚,西为新地岛,西北为法兰士约瑟夫地群岛,东为北地群岛。北接北冰洋海盆,西连巴伦支海,东连拉普捷夫海。面积约88万

平方千米。平均深度为127米，最深处620米。流入喀拉海的大河有：叶尼塞河、鄂毕河、皮亚西纳河和喀拉河。岛屿众多，主要聚集在北部。喀拉海位于西伯利亚的大陆架上，约40%的深度小于50米，仅有2%的深度超过500米。喀拉海是最后一次冰期中冰消过程形成的。含盐度差别大：近鄂毕河和叶尼塞河口为10‰～12‰；法兰士约瑟夫地为33‰。海域西南部和东北部分别有一反时针涡流。气候严寒。北部一年中低于0℃有9～10个月，南部有7～8个月。1月平均气温在-28～-20℃，最低-46℃；7月平均气温-1～6℃，最高16℃。冬季多暴风雪；夏季有雪、雪霰及雾。一年中大部时间海面结冰。鱼类有鳕、鲑、鲟等。哺乳动物有海豹、海兔、白鲸、海象和北极熊等。喀拉海处在俄罗斯北方航道上，主要港口为迪克森。运载的主要货物为木材、建材、毛皮和食物等。在鄂毕-叶尼塞地区发现大油田、气田以后，喀拉海航道的重要性日增。

kara-yō　唐样　即中国式风格。日本镰仓时代(1192～1333)三大主要佛教寺院建筑风格之一。唐样原以中国的结构形式为典范，在中轴线上保持严格的对称。唐样的唐字代表中国唐朝(618～907)，但其建筑风格似乎是体现南宋王朝(1127～1279)的官方建筑规范。日本运用这种规范始于13世纪中期，如圆觉、大德和建长等禅宗寺院。虽然这些寺院坚持完全准确无误地采纳同样的结构风格，但由于日本人的偏爱，原有的竖向状态仍被横向状态所冲淡。唐样的装饰花样和各部分参差复杂的程度是惊人的，其重要特点之一是，支持屋檐的不是柱轴，而是一系列托座(斗拱)。这种建筑是独出心裁的，其结构上的精巧手法常被装饰效果所掩盖，而斗拱本身有时也成为夸耀的手段。唐样建筑逐渐和本地建筑风格相结合，形成所有后来寺院建筑的基本模式。

Karabagh rug　加拉巴赫地毯　现伊朗边界北侧的加拉巴赫地区(亚美尼亚控制的阿塞拜疆)生产的一种手工铺地用品。图案和配色更接近波斯毯，纯毛，通常挺实而比较粗糙，毯面比高加索其他地区地毯厚。有的地毯为奎龙图案，卷曲的宽龙构成奎心；有的则按照早期精湛的波斯毯采用精巧的“奎柱”图案。明镜加拉巴赫地毯则采用法式图案，椭圆奎心中缀以花束。托列西地毯则可能是十分素净的深蓝大地，配以交互扎结的雅致的外饰边。著名的云鹰哈萨克图案即指加拉巴赫地毯。

Karabük　卡拉比克　土耳其西北部城镇。濒耶尼杰河。原为小村庄，1940年该地建成全国第一座大型钢铁联合企业后发展迅速。该厂在50和60年代扩充有焦化厂、高炉、铸造厂和制管厂，以及生产硫酸和磷酸盐的化工厂。安卡拉-宗古尔达克铁路经此，公路与安卡拉及卡斯塔莫努连接。人口105 373(1990)。

Karachayevo-Cherkesiya　卡拉恰耶夫-切尔克西亚　又拼Karachayevo-Cherkessiya。俄罗斯西南部的共和国。从大高加索山区的前沿平原穿过北部的山岭和交错的盆地与狭谷直到峰线，最高点栋巴依-乌耳根山海拔4 047米。切尔克斯克市为行政中心。山地有茂密的树林，往上有高山草甸和岩峰雪山，景色壮观。旅游业重要。卡拉恰耶-切尔克斯州最早系于1922年为**切尔克斯人**(**Circassian**)和突厥族的卡拉恰耶人而设。1926年该州分解为卡拉恰耶自治州和切尔克斯自治州。前者在第二次世界大战期间被撤销，当时卡拉恰耶人因所谓与德国有勾结而被放逐到中亚细亚，1957年返回家园并建立卡拉恰耶-切尔克斯自治州。在卡拉恰耶人被放逐期间，部分领土被并入格鲁吉亚苏维埃社会主义共和国。1991年成立共和国。现在卡拉恰耶人和切尔克斯人只占总人口的⅓略强，其余大部为俄罗斯人。大多数居民居住在农业发达的北部平原，牛羊成群。工业以农产品加工为主，但也开采有色金属矿和少量煤炭。面积14 100平方千米。人口约427 100(1991)。

Karāchi　卡拉奇　巴基斯坦最大城市和主要港口，位于阿拉伯海沿岸，紧靠印度河三角洲的西北部。该市是巴基斯坦信德省省府和卡拉奇县府所在地，也是一个主要的商业和工业中心。卡拉奇城的面积是228平方英里(591平方千米)，大卡拉奇市区面积则为560平方英里。

卡拉奇曾被称为卡兰吉(Caranjee)、克罗切(Crochey)、克罗特切(Krotchey)、卡拉契(Currachee)、库拉契(Kurrachee)等。这些名称据信均源自此地最早居民点的信德语称呼卡拉奇乔戈特(Kalachi-Jo-goth，意即部落首领卡拉奇的村庄)。

卡拉奇发展的最初动力是它作为印度河谷地和英属印度旁遮普地区的口岸。后来航空运输的发展又提高了卡拉奇的重要性。它也是内陆国阿富汗的出海口。

自然地理和人文地理

景观　*城市位置*　卡拉奇港位于该市所处的海岸边，是一个避风而优美的天然港口。吉马亚里岛、默诺拉岛和奥伊斯特岩矗立于港湾入口大部水段的西侧，保护着卡拉奇港免受风暴袭击。

港口沿岸是一条低洼地。海岸线后面的地势朝东和朝北方向平缓升高，形成一块大平原，海拔为5～120英尺(1.5～37米)，卡拉奇市就建造在此平原上。季节河默利尔河穿流市东部地区，另一条季节河勒亚里河穿越市人口最密集的北部地区。在城市的北部和东部，有几座山岭和孤丘；最高的山峰是芒戈比尔山，海拔585英尺。

1948年的巴基斯坦联邦首都区(实际上是卡拉奇大市区)的面积为560平方英里，其中约一半面积是城区和郊区，余下的332平方英里是农田和属政府所有的荒地。

气候　卡拉奇一年中大部分时间气候宜人。5、6月份天气最热，平均最高温度是34℃。5月和10月份有时出现闷热天气，温度可达41℃。最冷天气是1、2月份，平均最低温度在13℃左右。有时还刮寒冷的北风，温度可降到4℃。气候相对潮湿，最干燥的10月份湿度是58%，最潮湿的8月份达82%。年平均降雨量是203毫米；大部分降雨集中在6、7、8月份的9或10天内。

卡拉奇市存在一些污染问题。高湿度的气候使一些地方的淤水无法蒸发。尽管有海上和陆上风，但工厂和汽车排出的烟气仍造成空气污染。

动植物　自然植物较少。海草丛生，有些海岸边生长着红树林。平地和山坡上有杂草、仙人掌和蓖麻，谷地中可见枣树和椰子树。

常见的野生动物有狼、豺、瞪羚、豚鹿、野猫和野兔。家畜有绵羊、山羊、牛和马。飞禽有野鸭、野鹅、沙锥鸟、鹤、火烈鸟和朱鹭。还有各种蛇，特别是眼镜蛇、克莱特毒蛇、蝰蛇和大蟒蛇。

城市布局　卡拉奇市布局的最突出特点，是4条平行的东西向主路，即尼什特路(旧称劳伦斯路)、穆罕默德·阿里·真纳路(旧称班达尔路)、萨拉赫·利雅卡特路(即弗里里路)和楚德里加路(即麦克利奥路)。这4条主路穿越市中心，路端启于港口附近的梅里韦瑟塔。还有几条与主路相交叉的南北向路，如内皮尔路、齐亚·丁·艾哈迈德博士路(即库切里路)和加登路等。

卡拉奇老城位于港口附近直至真纳路北端，其方圆沿几条主路向外延伸1英里(1.6千米)多。城建无规划，使人联想到近东或欧洲的中世纪城市。城东部是德赖军营区、文官界(即高级文官住宅区)和萨达尔集市。这一带的城建呈方格型，带有欧洲城市风格。城东部有几条向外辐射的道路，沿路地段按街区格式发展，每一街区都有笔直的宽路与较小街道相通。

城市的土地利用格局复杂。中心地区以住宅为主，一般都形成自成一体的住宅区，区内设有各种功能机构和设施。但是，商业大楼明显地集中在真纳路和楚德里加路的西端。批发商业在老城，零售商业则分布在真纳路和萨达尔集市一带，政府机构坐落在靠近萨达尔集市的萨拉赫·利亚奎特路。中心区的外围地区主要是郊外住宅区，另还有军营(军队总部所在地)、农田、盐厂、机场、火车站和铁路编组车场等。

卡拉奇市内老旧的房屋，居住着中下收入阶层的人。市中心外围地区的房屋是现代式带游廊的平房，为较富有阶层人的住宅；再往外是工人居住区。

卡拉奇有各种样式的建筑。中心地区有公寓平房、军营房和多层楼房；外围区有平房、公寓楼房和居民住宅小房。英国殖民时期的建筑是石砌的，带西方建筑风格；市中心区其他石砌建筑则为东西方混合风格，有塔楼、圆顶、立柱、拱门、挂式阳台和方形院等。外围区的建筑是用水泥预制构件建造的，除少数外，多数建筑的设计各异。有些是当代北美式的，其他则带有传统的穆斯林建筑特征。

人民　市民中无一民族占过半多数。文化和社会活动基本上围绕宗教进行。市民几乎全是信仰伊斯兰教的穆斯林，但也有少量人信基督教、印度教、印度袄教、佛教和耆那教。大多数穆斯林是印度或巴基斯坦人后裔，但是“莫克兰人”和“什迪人”还带有一些黑人血统，这些民族是在英国殖民统治前的贩奴时代出现的，当时卡拉奇是一个重要的奴隶交易中心。基督教徒中，有些有印度-巴基斯坦人血统，其他则是葡萄牙人或其他欧洲民族的后裔。人口5 208 132(1981)。

经济 工业 主要工业制品是纺织品和鞋，其次是金属制品、食品、饮料、纸张、印刷品、木材、家具、机械、化工和石油产品、皮革、橡胶和电器等。卡拉奇也是一个重要的手工艺品和家庭手工业中心，生产土布、花边、地毯、黄铜和青铜(一种铜锡合金)制品、陶瓷、皮革和金银绣制品等。巴基斯坦和内陆国阿富汗的全部海上贸易都经由卡拉奇。

金融 卡拉奇有25家以上银行，其分行遍布全国；主要银行有巴基斯坦国家银行、哈比卜有限银行、巴基斯坦国民银行、联合有限银行、巴基斯坦工业开发银行和巴基斯坦农业开发银行。它也是巴基斯坦保险业中心，约有24家保险公司，从事大量投资业务，如投资电力发展、住宅建设、股份公司、政府借贷证券和储蓄债券，故在国家经济发展中起重要作用。

卡拉奇有一家股票交易所，经办绝大多数的政府证券、大部分主要工业和金融机构的股票交易。

运输 卡拉奇至白沙瓦公路是到内地的交通线，卡拉奇至奥马拉公路沿海岸延展。卡拉奇至扎赫丹公路还通往伊朗及其他中东国家。市中心往外有几条高速公路，还有支线公路联接高速公路和街道。

卡拉奇是巴基斯坦铁路网的总站，主要运输卡拉奇和内地的来往货物。也有客运列车。市东部和北部有一条环城铁路，运送旅客以及港口与工业区的来往货物。

卡拉奇机场开办有国际和国内航线。卡拉奇港是苏伊士河以东最繁忙港口之一。

行政与社会状况 政府 卡拉奇市由5个机构负责行政管理，机构负责人由政府任命。卡拉奇城市自治体成立于1852年，负责涉及大卡拉奇3/4以上人口的大量市政工作。戈伦吉-兰提、德赖-默利尔两市政委员会分别于1966和1970年成立，负责为1948年之后开发的市郊区提供市政设施。卡拉奇军营局是军队所驻地区的行政管理机构。卡拉奇港口托拉斯负责管理港口事务和海港的发展和修护工作。

公用事业 市供水有3个主要来源，即离市55英里外的哈勒吉湖，湖水源自印度河；18英里外的默利尔河干河床中的机井；60英里外的卡尔里湖，也源自印度河。尽管市供水总管道延展数英里，但外围地区有些地方，如兰提、默利尔、新卡拉奇和毛里布尔依然严重缺水。

卡拉奇供电公司负责供电。公司在市内建有数座电厂，所使用的能源是天然气、柴油或二者兼用。在天堂之地还有一座核发电厂。

卡拉奇城市自治体有一车队，用于收集垃圾、夜间清厕、捕狗、防疟疾和灭苍蝇等事务。公司雇佣清洁工打扫街道。市区污水由两条地下水道排泄，有两座污水处理厂分别处理市区和市郊的污水。

保健和保障 城区有20多家综合性医院和数家专科医院，如结核病、皮肤病、麻风病和传染病医院。还有几家儿童福利中心和诊疗所。市郊也有几家综合性医院。

有若干装备优良的救火站；铁路沿线设有独立的救火队。此外，港口托拉斯和巴基斯坦国际航空公司也有救火队，火灾发生时，亦可调用。市警察属信德省政府管辖，警察局共有1 100多警官和警员。整个城市划分为40个警区。

教育 卡拉奇有900多所中小学，小学占大多数。半数以上中小学是私立的，其余为公立。各种宗教社团也开办学校，基督教会办有卡拉奇中学、圣约瑟夫修女学校、圣帕特里克高中等；印度祆教也有一所学校；穆斯林有信德马德拉沙中学。

卡拉奇大学是主要高等教育机构，有20多个人文和自然科学研究生系和一所商业管理研究生院，还有约75所附属学院，设置有法律和商业等各类学科课程。此外，还有一所医学院、两所工程学院、一所工业学院、一所家政学院和两所师范学院。

文化生活 巴基斯坦艺术委员会是市主要文化机构，负责组织艺术展览等文化活动，还提供音乐教育。甘什雅姆艺术中心和布尔布尔学院从事巴基斯坦舞蹈推广及其他文化活动。

卡拉奇无设备优良的剧院，但卡特拉克厅经常举行业余戏剧和其他各种表演。市民较喜欢看电影，市内有50多家电影院。

市内有一个小博物馆，馆内藏有早期印度河谷地文明的文物和犍陀罗(古代印度一地区，现属巴基斯坦西北部)的希腊-佛教艺术品；还有反映巴基斯坦各地区生活的一些人种学收藏物。

卡拉奇大学图书馆是该市最大图书馆，此外还有收藏大众化书籍的其他图书馆。英国委员会图书馆、美国中心图书馆和利雅卡特纪念图书馆收藏着较有学术性的资料。巴基斯坦国家银行各部门的图书馆、巴基斯坦发展经济学研究所和国家档案馆收藏有经济学和国家事务方面的书籍。

市内露天场地和公园较少。甘地花园和法蒂玛·真纳(伯恩斯)陵园是有名的公园。卡拉奇有许多良好的游泳和捕鱼的海滩，如天堂之地、霍克湾、桑德斯皮特、默诺拉和克利夫顿等。卡拉奇动物园位于甘地花园内，园内有各种野兽、飞禽和爬虫类动物。

市体育和竞赛场所、设施大多数由卡拉奇运动协会、帕西运动协会、阿迦汗运动协会和基督教青年会等提供。各种组织和学校都有自己的运动场所。最大体育场所是国家运动场，内设有板球场、马球场、足球场和网球场。还有划艇、帆船和飞行俱乐部。

历史

18世纪初一批商人从附近衰败的卡拉克-班达尔港迁居到卡拉奇时，它只是一个小渔村。除有防御雨季风暴的天然屏障外，默诺拉角还提供了保护海港的最佳地点。1795年托尔普拉酋长国亲王们从格拉德汗手中夺取卡拉奇后，建造了一座永固的要塞。居住地从此迅速扩展，到1839年被英国人占领时，已是一个要地。1842年英国吞并卡拉奇和信德省。此后，卡拉奇成为英国的一个陆军总部，并开始从小渔村发展成为印度河流域的首要港口。

1843年卡拉奇至印度河上游约500英里的木尔坦开通河上轮船航运。1854年以后，港口设施不断改善。1861年卡拉奇至戈特里铁路落成，戈特里位于印度河上游90英里的右岸，与海得拉巴隔岸相对。1864年卡拉奇开通与内地及伦敦的直接电报通信。1869年苏伊士运河凿通后，卡拉奇的重要地位又提高，成为完善的海港，到1873年已拥有一个效率高、管理好的港口。

1878年卡拉奇至戈特里铁路延伸到木尔坦，与德里至旁遮普铁路接轨，从此卡拉奇与内陆有了直接交通联系。1886年，港务权力机构卡拉奇港口托拉斯成立，1888年开始修建长达18.6万英尺的东码头，1910年竣工。19世纪90年代旁遮普成为印度粮仓后，卡拉

卡拉奇市的清真寺
美国不列颠百科全书公司供图

奇也成为其主要口岸,到1914年已成为大英帝国的最大粮食输出港。

第一次世界大战后,卡拉奇的制造业和服务业开始发展。1924年卡拉奇的第一座机场建成后,成为进入印度的主要航空港,1936年又立为信德省省会。

1947年巴基斯坦立国后,卡拉奇成为首都和全国最大港口,以及工商和行政中心,该城的经济地位吸引了大量的来城务工的农民,使该城人口在20世纪80、90年代翻了一番,给城市基础设施带来巨大压力。到21世纪初,提供基本城市服务仍是一个难题。

在20世纪的最后25年,城市暴力和犯罪问题严重恶化。当地"什迪人"与来自印度的新移民之间的种族暴力严重,无组织和有组织的抢劫也有所增加。因此,政府于1992年开始用军队镇压犯罪,但直到8年后才见到较显著效果。

Karadagh rug　加雷达地毯　参阅**Karaje rug 喀拉吉地毯**。

Karadeniz(Europe-Asia)　参阅 **Black Sea 黑海**。

Karadeniz Boğazi(Turkey)　**卡拉代尼兹海峡**　参阅**Bosporus 博斯普鲁斯海峡**。

Karadenizereğlisi(Turkey)　**卡拉代尼赞雷格利西**　参阅 **Ereğli 埃雷利**。

Karadjordje　卡拉乔尔杰(1762-11-14,塞尔维亚维舍瓦斯～1817-07-25,拉多万耶)　塞尔维亚-克罗地亚语作 Karađorđe。原名乔治·彼得罗维奇。塞尔维亚人民摆脱土耳其人统治,争取民族独立斗争的领袖。卡拉乔尔杰王朝的创始人。农民出身,青年时代放猪牧羊。1787年去奥地利参加军队,对土耳其人作战时屡树功勋。奥土战争结束后,他定居托波拉城,以买卖牲畜致富。1804年春塞尔维亚人奋起反抗土耳其占领军,推举他为起义首领。1805年,他发动独立战争,打败土耳其人,解放了祖国。当俄国开始与土耳其作战时(1807),塞尔维亚人更得到了强大的盟友,但是俄国只提供了一支象征性的队伍。1808年塞尔维亚国务委员会颁布第一部宪法,宣布卡拉乔尔杰为"塞尔维亚最高世袭领袖"。1813年土耳其人从三面包围塞尔维亚,他无力抵抗,匆匆逃往奥地利。1815年,另一民族领袖M.奥布廉诺维奇举行反土耳其起义成功。卡拉乔尔杰去俄国小住以后,秘密回国。奥布廉诺维奇心怀畏惧,遣人将其杀害,并把他的首级送往君士坦丁堡,以取悦于苏丹。

Karadjordjević　DYNASTY　**卡拉乔尔杰王朝**　塞尔维亚-克罗地亚语作 Karađorđević。塞尔维亚起义领袖卡拉乔尔杰建立的王朝,19世纪为控制塞尔维亚而与奥布廉诺维奇王朝抗争,1842～1858和1903～1945年统治该国及其后续国家塞尔维亚人-克罗地亚人-斯洛文尼亚人王国(1929后称为南斯拉夫)。卡拉乔尔杰之子亚历山大于1843～1858年在位。此后由奥布廉诺维奇王朝统治将近半个世纪。亚历山大之子彼得一世于1903年即位,1921年去世后,由子亚历山大一世即位。1929年改国名为南斯拉夫。其子彼得二世1934～1945年在位,后废除君主制。

Karađorđe(Serbian leader)　参阅**Karageorge 卡拉乔尔杰**。

Karađorđević　DYNASTY　参阅 **Karageorgević dynasty 卡拉乔尔杰王朝**。

Karadžić, Vuk Stefanović　卡拉季奇(1787-11-06,奥斯曼帝国塞尔维亚特尔西奇～1864-02-06,奥地利维也纳)　塞尔维亚语言学者,塞尔维亚民间文学研究的创始人,曾改革西里尔字母以适于塞尔维亚语之用,创造了一种最简明、最科学和最合乎逻辑的拼写系统。在古老的特罗诺沙寺院(在其故乡附近)受启蒙教育。塞尔维亚第一次起义期间(1804～1813),担任起义军领导人的书记,有时也当教师为祖国效力。起义失败后,他未追随卡拉乔尔杰及其他领导人亡命俄国,而流亡维也纳。开始致力于斯拉夫语言和文学,收集诗歌和民间歌曲,撰写塞尔维亚语语法,还想编一本词典。卡拉季奇确认,塞尔维亚语有30个不同语音,西里尔字母对其中6个语音无法表示,而另有18个字母则为塞尔维亚语音所无,于是引入6个新字母,同时废除18个旧字母。此项改革尽管遭到教会和文人强烈反对,但政府终于在1859年批准采用卡拉季奇所修正的字母刊印书籍。1818年,卡拉季奇首先出版巨著《塞尔维亚语大词典》,系塞尔维亚语-日耳曼语-拉丁语对照本,共收26 270个单词和许多重要民间传说间接资料。该书第二版(1852)增补为46 270个单词,是一部经典著作,1934年重印。他为收集民间文学,曾多次旅行于塞尔维亚、波斯尼亚、克罗地亚及这一地区的其他地方。其成果主要收入四卷本《塞尔维亚民间诗歌集》(1823～1833)中。另著有民间故事(1821),塞尔维亚成语集(1837)及《新约》塞尔维亚语译本(1847)。

Karaga(people)　**卡拉加人**　参阅 **Tofalar 托发拉尔人**。

Karaganda　卡拉干达　哈萨克斯坦中部一州。面积117 900平方千米。大部分在哈萨克高地的干燥草原,地势向东逐渐升高,最高点在卡尔卡拉里山区,海拔1 559米。主要河流有西部穆斯贝尔低地的努拉河和萨雷苏河。属大陆性气候(趋于极端气候),干燥,严冬常有持续的暴风雪和大旋风。虽有锰、钨、钼、铅、锌等矿,但主要经济来源是卡拉干达煤田。其他矿藏资源有重晶石、镍、铁和铜。种植春小麦和饲草,西部干燥地区养殖羊、马和骆驼。各地均有乳制品业,都种植蔬菜和黍类,但需额尔齐斯-卡拉干达运河的水灌溉,卡拉干达市的工业用水也不例外。虽然1930年才开始大规模的工业化(部分地通过强制劳动),但首府**卡拉干达(Karaganda)**市现已是哈萨克斯坦主要工业中心。主要城市还有铁米尔套、沙赫京斯克、萨兰、阿拜和卡尔卡拉林斯克。城市人口约占85%。主要民族是哈萨克族,还有俄罗斯人和多因遭苏联政权放逐而背井离乡的乌克兰人、德国人、鞑靼人以及白俄罗斯人。人口约1 339 900(1991)。

Karaganda　卡拉干达　哈萨克斯坦卡拉干达州城市和首府。位于卡拉干达煤田中部。为共和国第二大城市。1856年开始有人定居,1857年建小煤矿,为附近的炼铜厂供煤;20世纪20年代停止开采,但1931年随铁路通车得到迅速发展。政府规定卡拉干达煤田要作为全国主要采煤区予以发展,以供应乌拉尔工业区。1934年成为市,1936年成为州首府。1939年人口增至166 000。城市发展中广泛使用了强制性劳动。第二次世界大战期间,当德军占领顿巴斯时,帕尔霍缅科煤矿机械厂等迁到该城使其地位更为重要。采煤和采煤机械制造业至今仍是该市主要工业,市内还有钢铁厂、大型水泥厂、食品和其他轻工业。1972年修建了额尔齐斯-卡拉干达运河,以解决供水问题。城市由几十个分散的居民区组成,面积约800平方千米。旧城是早年自然形成的,包括20多个煤矿居民区;南面的新城于1934年开始兴建,为文化和行政中心。市内有高等院校、研究所、博物馆、剧院、电视中心和植物园。人口约608 600(1991)。

Karagöz　卡拉格兹　土耳其语意为"黑眼睛"或"吉普赛人"。土耳其皮影玩偶戏类型,由其定型主角卡拉格兹而得名。其剧本根据剧情提纲临时拼凑,多为滑稽喜剧,在咖啡馆、私人宅邸、公共广场和客栈庭院里演出。卡拉格兹戏到16世纪在土耳其得到高度发展,并在希腊和北非流行。20世纪这种戏已很少演出。卡拉格兹是个心地善良的受迫害者,他跟他的朋友哈吉沃特等以冷嘲热讽而又极俚俗的妙语进行对话。

Kāraikāl　加赖加尔　印度东南部泰米尔纳德邦东部境内,科罗曼德尔海岸本地治里中央直辖区城市。靠近阿拉萨拉尔河河口。该城为加赖加尔地区的主要城市、前法属殖民地。地处高韦里河三角洲,土地肥沃,是泰米尔纳德邦最重要的水稻生长区。1954年起成为中央直辖区的海滨游览胜地。人口约61 875(1991)。

Karaïskákis, Geórgios　卡赖斯卡基斯(约1780,伊庇鲁斯阿格拉法马夫罗马蒂[希腊]～1827-05-05,雅典)　在希腊独立战争中起过重要作用的绿林好汉,以其反复无常和骁勇善战而闻名。其出生地是一个以盗贼和造反者而知名的地区;曾在民兵中服役,参加过土耳其当局和反叛的帕夏阿里·帕夏之间的斗争。曾任阿里的卫士(1808～1820),但当1822年2月帕夏战败和阵亡时,他又转向土耳其一边。此后数年他同希腊爱国者并肩作战,但每逢独立斗争处境危难时,他就向土耳其人投降。尽管他反复无常且有个人野心,但他是一名勇敢的战士,是土耳其人真正畏惧的少数希腊将领之一。在得到纳夫普利亚的希腊中央政府赦免之后,他镇压了伯罗奔尼撒的一次地区性叛乱(1824年秋)。1826

年4月，他作为民兵司令试图解救对迈索隆吉翁的第二次包围，但由于生病和民兵缺乏纪律而使他无法给迈索隆吉翁以有效的支援，结果守城者突围时几乎全部被歼。1827年他在解雅典卫城之围时阵亡。

Karaism 卡拉派 又拼Qaraism。犹太教的一派，不承认口传律法，主张一切教义和习俗都应以希伯来《圣经》为唯一根据。该派认为《塔木德》是人为的，不能以之代替上帝直接启示的律法书，因此与正统犹太教处于对立状态。该派于8世纪兴起于波斯，其信徒不多，但流传到埃及、叙利亚等地，后又经西班牙和君士坦丁堡传入欧洲。目前卡拉派约有1万人，居住在特拉维夫-雅法城外拉姆拉附近以及波兰和俄罗斯个别地区。卡拉派礼拜仪式较为简单，不常用诗歌，但大量诵读经文。

Karajá(people) 参阅 **Carajá** 卡拉雅人。

Karajan, Herbert von 卡拉扬(1908-04-05，奥地利萨尔茨堡～1989-07-16，萨尔茨堡附近阿尼弗) 奥地利出生的管弦乐队和歌剧指挥家，20世纪中叶世界最杰出的音乐界人物。自幼为钢琴神童，曾就读于萨尔茨堡莫扎特纪念馆。1929年在萨尔茨堡作首场职业性指挥演出，同年晚些时候应聘在德国乌尔姆任指挥之职，1934年应聘去亚琛任指挥直至1941年；在此期间偶尔指挥柏林国家歌剧院演出。1944年逃往意大利。1948年协助创办伦敦爱乐乐团。1955年成为柏林爱乐乐团音乐总监。作为一名纳粹党党员(1933～1942)，在第二次世界大战后卡拉扬被同盟国特别法庭宣布无罪，但是1955年他在美国的

美国不列颠百科全书公司供图

首演却引起公众的抗议。不久他成为维也纳国家歌剧院和萨尔茨堡节的首席指挥(1956～1964年还曾任维也纳国家歌剧院总监)；以后他积极参加这个一年一度在8月份举办的音乐节。他也是米兰拉斯卡拉歌剧院的主要指挥之一，并任纽约爱乐乐团客座指挥。1967年创办萨尔茨堡复活节音乐节。1969～1970年间指挥巴黎管弦乐队，1977年返回维也纳国家歌剧院。在卡拉扬指挥生涯中，柏林爱乐乐团始终是他的音乐活动的中心，虽然在1982年后由于一系列争论而使乐队队员和卡拉扬之间有所疏远。1989年4月(他去世前几个月)他辞去指挥之职。卡拉扬的音乐演释以准确、客观著称。但在70和80年代，他的指挥带有更多个人风格。

Karaje rug 喀拉吉地毯 阿塞拜疆边界南侧伊朗大不里士东北加雷达地区的喀拉吉村或其附近手工生产的铺地用品。最有名的图案为3个几何图案奎心，略似高加索地毯。

19世纪晚期的喀拉吉地毯
美国不列颠百科全书公司供图

中间的奎心为销栓钩形，其他两个奎心为八角星形，颜色与中间的奎心也不相同。纯毛，拴土耳其吉奥狄斯扣。加雷达长条毯和加拉巴长条毯近似，但外观更像波斯毯。

Karajī, al- 卡拉吉(约980，[出生地很可能是波斯卡拉季，而不是伊拉克巴格达附近的瓦尔卡赫]～1030) 别名al-Karkhī(卡尔赫)，全名Abū Bakr ibn Maḥammad ibn al-Ḥu-sʿal-Karajī。数学家和工程师，巴格达官员(约1010～1015)，或许曾升至大臣。有三部主要著作：《辉煌的代数》、《伟大的算术》和《算术全书》。还在一部失传的著作中首次描述了之后众所周知的帕斯卡三角。他的数学阐述结合了传统和创新。像他的阿拉伯前辈一样，他没有使用符号系统——仍旧把数字写成词汇而不是印度数字(除了很大的数和数表以外)。然而，阿拉伯代数随着他的作品开始摆脱了对公式和方程采用图形描述和几何求解的早期传统。作为他职责的一部分，卡拉吉编写了《算术全书》。这是一本给公务人员的算术课本，用来计算整数和分数(包括十进制和六十进制)、求平方根以及确定面积和体积。他还编写了一本代数基础的小册子。《辉煌的代数》和《伟大的算术》是更高等的代数教材并且包含了大量的习题集。《伟大的算术》一书记载了关于亚历山大的丢番图(活动时期约250年左右)的基本代数方法的简介。虽然他的很多工作来自于别人的著作，但卡拉吉毫无疑问是一个有才能并影响后世的数学家。不过他研究的成果质量参差不齐，如同在《算术全书》中的结束语里承认的那样，他似乎工作得很草率。离开巴格达前往波斯之后，卡拉吉还写了一本关于打井和修建水渠的书。

Karak(Korean tribal league) **驾洛** 参阅 **Kaya** 伽倻。

Karak, Al- 卡拉克 又拼Kerak。约旦中西部城镇。濒卡拉克河，在死海以东16千米。该镇建于海拔约950米的陡峭小孤山上。据《圣经》记载，该镇为古摩押人京城之一。曾被以色列、犹大、埃多姆(旧译以东)三方联军围攻，摩押王米沙将其嗣子在城上献为燔祭之后，三军撤围。该镇在《圣经》时代以后的各个时期均有人居住，被3世纪古典地理学家托勒密称为卡拉克莫巴。拜占廷时期设为主教区。今名最早见述于13世纪的伊斯兰编年史。19世纪后期至20世纪初期，该镇是贝都因部落反抗土耳其统治的起义中心。现为周围人烟稀少地区的集镇，设有地方商会、地区政府机构和法院。并有几座拜占廷教堂的遗迹。人口约49 770(1990)。

Karakalpakstan 卡拉卡尔帕克斯坦 又拼Kara-Kalpakstan或Qaraqalpaqstan，又作Karakalpakiya，乌兹别克语作Qoraqalpoghistan。乌兹别克斯坦的共和国。位于咸海东南和西南。东部为克孜勒库姆沙漠的西半部，茫茫荒原，流沙遍布；中部为阿姆河流域和三角洲地带，地势低洼，土壤为灰色草甸土，水道、渠道、湖泊密布；西部属乌斯秋尔特高原东南部，地势起伏不大，土壤为灰棕壤或白碱土，有独特的平顶山脊，海拔约292米。大陆性气候(以极端状况为特征)，年平均温度10～13 °C，年平均降水量仅75～100毫米。卡拉卡尔帕克人和哈萨克人有密切的血缘关系。和许多其他突厥族一样，卡拉卡尔帕克人起源不明。其早期史料可追溯到16世纪末期。18世纪定居阿姆河一带。1873年部分属俄国统辖，1920年全部并入苏联。1925年设为哈萨克苏维埃社会主义自治共和国的一个自治州。1930年隶属俄罗斯苏维埃联邦社会主义共和国，两年后成立自治共和国。1936年成为乌兹别克苏维埃社会主义共和国的一部分，自治地位保持不变。居民主要为卡拉卡尔帕克人、乌兹别克人、哈萨克人，并有少数土库曼人、俄罗斯人。城市人口占总人口48%。主要城市为首都努库斯、霍哲利、比鲁尼、塔希阿塔什、钦拜、图尔特库尔、阿尔特基尔。经济以农业为主。工业很少，有轻工业、炼油(原油来自附近的油田)、船舶修造(霍哲利城有一造船厂)和若干建筑材料工厂(利用当地的石灰岩、石膏、石棉、云石和石英岩等矿产)。塔希阿塔什有一座发电站，向全国供电。主要农产品棉花生产地为阿姆河流域南部，其加工地为钦拜、昆格勒、比鲁尼、塔赫塔库佩尔和曼吉特诸城。境内有优良的灌溉沟渠系统为作物供水。除棉花外，还出产苜蓿、水稻和玉米。克孜勒库姆沙漠饲养牛和卡拉库尔羊。阿姆河三角洲为著名的麝鼠养殖

区。许多农民从事养蚕业，并有饲养马和骆驼的畜牧场。咸海沿岸渔业很重要。昆格勒有铁路通土库曼的查尔朱。大城市之间有公路相通，并有班机通莫斯科、塔什干、阿什哈巴德等城市。面积164 900平方千米。人口约1 311 000(1992)。

Karakhan Manifesto 《加拉罕宣言》 新成立的苏维埃共和国的外交部成员列夫·加拉罕于1919年7月25日发表的宣言。他在宣言中表示苏维埃政府愿意放弃俄国沙皇政府在中国取得的一切特权和优惠。这一建议(即使它后来作了某些修改)给中国留下了良好的印象，它是欧洲国家首次单方面向中国作出的友好表示和平等相待的意愿。1920年9月，加拉罕重申了向中国提出的建议，并表示以此作为两国谈判的基础。在经过连续的谈判后，1924年5月31日终于签订了一项条约；条约实际上再次确认了前沙皇政府在中国北方的大部分立场。根据条约，俄国放弃了他们在中国的治外法权：即外国人在中国受本国领事审判和管辖的权利。但俄国人坚持由中苏双方共管中东铁路，这条铁路从西伯利亚经中国东北诸省到俄国在日本海的不冻港符拉迪沃斯托克(海参崴)。该铁路原为俄国人在世纪之交修筑的，俄国内战期间由西方列强的一个委员会管理，现在俄方重申收回它，不过，原则上同意由中国购买此条铁路。条约还提出维护苏联对外蒙古这个至关重要的边界国家的影响；承认加拉罕为全权大使，从而使他成为驻中国的最高外交使节。

Karakhanid DYNASTY 参阅 **Qarakhanid dynasty 喀喇汗王朝**。

Karakitai 喀拉汗国 中国古代突厥、回鹘民族建立的汗国。又称葱岭西回鹘或黑汗王朝。始祖称毗伽阙·卡迪尔汗。最盛时疆域包括巴尔喀什湖以东以南、七河流域、河中地及今新疆西部。政治文化中心在八拉沙衮(唐碎叶故城东)和喀什噶尔。汗国是新疆第一个信仰伊斯兰教的突厥回鹘王朝，对新疆塔里木盆地南部地区的突厥化，特别是伊斯兰化起过巨大作用。实行由汗分封的军事采邑制度。10世纪初沙土克·波格拉汗首先崇信伊斯兰教，经过数十年战争，继喀什噶尔与叶尔羌之后，和田地区人民在11世纪初最终放弃了佛教。汗国原来同时使用回鹘字母和阿拉伯字母的文字，后来前者逐渐被后者代替。八拉沙衮诗人玉素甫·哈斯·哈吉甫的长诗《福乐智慧》和喀什噶尔人马哈穆德编著的《突厥语辞典》是回鹘文化在这一时期的主要成果。汗国在1211年灭于西辽。

Karakol 卡拉科尔 又称普尔热瓦尔斯克(1889～1921，1939～1991)。吉尔吉斯斯坦伊塞克湖州东部城市。位于泰尔斯凯-阿拉套山脉北麓，海拔1 770米，濒临卡拉科尔河。1869年始建，为俄国军事和行政前哨。曾以1888年死于该地的俄国探险家N.M.普尔热瓦尔斯基的名字命名。现有食品工业和其他轻工业，并有师范学院、剧院和博物馆。人口约64 300(1991)。

Karakoram Highway 喀喇昆仑山公路 连接中国的喀什与巴基斯坦的伊斯兰堡的公路。工程艰巨，耗时约20年(1959～1978)，全长约800千米，行经亚洲最崎岖而难以通行的地带。沿途邻近或经过的有：兴都库什山、昆仑山脉、喀喇昆仑山，以及喜马拉雅山最北端。此公路乃中国和巴基斯坦的联合计划工程，动用24 000名技术人员。泥崩、落石和其他类的山崩经常发生，而由于该区的冰川活动难以预测，公路建造尤为困难。即使在完工后该公路仍需要庞大的保养费。然而依据报道，该公路对居住于山区的维吾尔、塔吉克和吉尔吉斯等民族，在经济方面有重要影响。

Karakoram Range 喀喇昆仑山 世界中、低纬度山岳冰川最发达的大山脉，中亚著名山脉之一。主要位于中国新疆维吾尔自治区和克什米尔(巴基斯坦和印度两国实际控制区)界上。西北-东南走向，东南部伸入中国西藏自治区境内，长约400千米，平均海拔6 000米以上，有4个高峰超过8 000米。主峰乔戈里峰海拔8 611米，为世界第二高峰。山地西南迎风坡降水量较多，高山带年降水量变化于800～2 400毫米之间。雪线海拔5 000

喀喇昆仑山
中国大百科全书出版社供图

米左右，是世界中、低纬度最大的山岳冰川区，世界著名的6条长50～70千米的高山冰川都集中于此。冰川融水汇流入印度河。山系北坡干燥，雪线上升。乔戈里峰北坡的音苏盖提冰川长约40千米，冰川末端降至4 200米，伸入叶尔羌河上游克勒青河谷。有时冰川前进截断水流，拦蓄河水成湖，湖水壅高又冲开冰坝，是形成叶尔羌河周期性特大洪水的主要原因。红其拉甫达坂(山口)为中国、巴基斯坦间主要交通孔道。其西70千米处的明铁盖达坂(山口)是古丝绸之路所经之处。

Karakorum 哈拉和林 又拼Khara-Khorin。蒙古帝国古都。遗址在蒙古中北部，傍鄂尔浑河上游。约750年建居民点。1220年成吉思汗建都于此。1267年忽必烈迁都大都(今北京)。1368年元顺帝被逐出北京，返回哈拉和林。1388年明太祖入侵蒙古，俘获7万人，夷平哈拉和林。1585年在原址上所建额尔德

哈拉和林的额尔德尼寺前的石龟
美国不列颠百科全书公司供图

尼寺现为一陈列馆。1889年哈拉和林的确切位置被两名俄国东方学家发现。1948～1949年，苏联科学院对遗址进行了考察，发现了窝阔台王宫和佛教寺院遗迹。

Karaköse (Turkey) **卡拉库塞** 参阅 **Ağrı 阿勒**。

Karakul 卡拉库尔绵羊 主要为提供羔皮而饲养的绵羊品种，原产亚洲中部或西部。被毛紧密、卷曲、黑色，具有光泽，皮毛业中称之为波斯羔皮。成年卡拉库尔绵羊的毛是粗、细纤维的混合物，被列为制地毯的毛类，15～25厘米长，毛色从黑到各种深浅不同的褐色和灰色。卡拉库尔绵羊于1909年首次输入美国。

Karakum Canal 卡拉库姆运河 俄语作Karakumsky Kanal。土库曼斯坦的水道。其主要河段于1954年开工，1967年完工，长约840千米。从阿姆河沿卡拉库姆(原意为"黑沙")沙漠边缘延伸到阿什哈巴德西面的盖奥克泰佩。20世纪70年代和80年代延伸到里海海滨地区，全长1 400千米。其中450千米适于航行。河水主要用于灌溉。运河捕鱼业也已有所发展。

Karakum Desert 卡拉库姆沙漠 又拼Kara-Kum，土库曼语作Garagum或Gara Gum，俄语作Karakumy(原意为"黑沙")。中亚细亚大沙漠区。面积约350 000平方千米，位于土库曼斯坦境内。土库曼卡拉库姆沙漠北接萨雷卡梅什盆地；东和东北以阿姆河(古时称奥克苏斯河)为界；东南为卡拉比尔高地及巴德希兹干旷草原区；南和西南与科佩特山平行延伸；西和西北以近里海的古乌兹博伊河谷为界。此名称亦用于哈萨克斯坦境内。咸海东北的另一小沙漠称为阿拉尔卡拉库姆。土库曼卡拉库姆的地势起伏非常明显并且界线分明，可再细分成3部分：北部高起的外温古兹卡拉库姆，表面已被风蚀；中卡拉库姆低地平原；由一系列盐沼泽贯穿的卡拉库姆东南部。区内半定型风积沙脊之高度介于75～90米之间，视其年代和当地风速而定。大新月形沙丘(有的高过9米)占该地区约1/10弱的面积。

土库曼卡拉库姆属大陆性气候，夏季漫

长炎热，冬季温暖，气候多变。年平均降雨量北部70毫米，南部150毫米。植被类型颇多，主要有草、矮灌木、灌丛和丛林。有些植被可作冬天骆驼、绵羊及山羊食用的干草。居民由土库曼人组成，以前大多为游牧民族，后来定居从事农业或在里海海滨捕鱼。灌溉使得沙漠可以大规模饲养家畜，尤其是卡拉库尔绵羊。绿洲上生长优质长绒棉。第二次世界大战后加强经济发展，为卡拉库姆带来工业革命，工厂、石油和天然气输送管道、铁路和公路以及发电厂由此建立。

Karamanlis, Konstantinos 卡拉曼利斯（1907-03-08，奥斯曼帝国马其顿塞雷附近普罗蒂[今希腊]～1998-04-23，希腊雅典） 又拼Constantine Caramanlis。希腊政治家，首相（1955～1963，1974～1980）和总统（1980～1985）。贫苦教师家庭出身。在当地好心人的帮助下得以入学。1932年在雅典大学取得法学学位，在雅典当律师。他参加人民党，1935年当选为国会议员，后继续当选。1952年他参加帕帕戈斯政府任公共工程大臣，1955年10月帕帕戈斯去世，国王保罗任命他为首相。他不仅组成政府，还创建了国民激进联盟（ERE）。1956年2月的议会选举中，该联盟取得了300个议席中的161席，在1958和1961年的大选中也保有多数。他改善了希腊同南斯拉夫的关系，但同土耳其和英国的关系依然紧张，这是因为塞浦路斯的希腊人和土耳其人之间关系紧张造成的。为了恢复同北大西洋公约组织各国的友好关系，卡拉曼利斯在土耳其和英国同意下在岛上建立一个独立的共和国（1960），来解决棘手的塞浦路斯问题。1963年6月11日他因国王保罗拒绝他的关于国王推迟对伦敦正式访问的建议而辞职，隐居巴黎。1974年7月24日军人政府垮台后，他返回雅典任首相，他使军队从属于文官政府并且在不丧失威信的情况下避免同土耳其就塞浦路斯问题发生一场灾难性的战争。同年11月的议会选举中他的新民主党获得了300个议席中的220席。1980年5月，卡拉曼利斯辞去首相职务当选为总统。1985年3月，社会主义运动首相A.帕潘德里欧撤回对他竞选连任的支持后，卡拉曼利斯辞去总统职务。

Karamay 克拉玛依 又拼K'o-la-ma-i。中国新疆维吾尔自治区辖地级市。新兴石油工业城市。位于准噶尔盆地西缘，加依尔山东麓。地名意为黑油。《魏书·西域传》中已有黑油流地数十里的记述。1906年发现石油，1956年开始建设油田。1958年设市。辖克拉玛依、独山子、白碱滩、乌尔禾4区，面积7 734平方千米。有输油管道通至乌鲁木齐，217国道纵贯南北，乌伊公路途经独山子，独库公路穿越天山可通往南疆各地，民航直达乌鲁木齐。南部独山子镇为1950年以前新疆唯一产油、炼油基地，正在建设大型乙烯工程。北部乌尔禾区风蚀地貌发育，形似城堡，被称为"风城"，为旅游胜地。地当北疆风口，每年有8级以上大风75天以上，年水分蒸发量3 500毫米，为北疆最高纪录。人口260 000（2005）。

Karamojong 卡拉莫琼人 又称卡里莫琼人（Karimojong），乌干达东北部尼罗河流域以畜牧为主的民族。它是文化上和历史上有联系的诸民族（如乌干达的杰人、台索人、多多斯人、拉布沃尔人及邻国肯尼亚的图尔卡纳人）中最大的一支。他们都使用一种东尼罗语，属尼罗-撒哈拉语系沙里-尼罗语族。半游牧的卡拉莫琼人曾遭受各种不幸：动物流行病使大批牛群死亡，蝗虫和干旱成灾使农业歉收，造成饥馑，各种流行病也猖獗一时。象牙吸引了19世纪的斯瓦希里商人和欧洲商人，他们当中有些人控制并掠夺了卡拉莫琼人。牛群是卡拉莫琼人最有价值、最受重视的财产。牛群分开饲养，少数专供挤奶，饲养在永久性的家宅里；多数则放牧在远处草原上，由年轻人管理，这些人则以食牛奶和牛血为生。各部落间抢劫牛只长期以来已成风习。不过定居务农者也日渐增多。土地通常由男子犁耕，但由妇女管理，种植玉米、黍稷、花生和南瓜。每个家宅围以环形木栅栏，作为防护物。夫、妻（或妻妾）、子、媳，或兄弟们共住一个家宅。氏族是父系制的，妻子加入丈夫的氏族，牛群也烙有明确的氏族标记。村庄由许多家宅组成，居民的氏族关系混杂不一。村内有经济和宗教方面的协作组织。25到30年为一代人，有一个确定的名称，有一个公认的领袖；每一代人又分为3个年龄组，这些年龄组跨越亲属关系和居住关系。妻子和女儿加入其丈夫和父亲的年龄组，并佩戴各年龄组的装饰物，以示区别。

Karamzin, Nikolay Mikhaylovich 卡拉姆津（1766-12-12[旧历12-01]，俄罗斯辛比尔斯克米哈伊洛夫卡～1826-06-03[05-22]，圣彼得堡） 俄国历史学家、诗人和记者，俄国文学感伤派的主要代表。曾在西欧各国旅游，后在他的《一个俄国旅行家的书信》（1789～1790）一书中描述了自己的印象。《书信》是他在J.-J.卢梭和L.斯特恩的影响下，以揭示自己内心世界的文体写成的，它有助于把当时在西欧流行的感伤主义文体介绍到俄国。小说《苦命的丽莎》（1792）描写一个村姑在一场爱情悲剧之后自杀的故事，发表不久即成为俄国感伤派的著名作品。1803年亚历山大一世委任他为宫廷史官。晚年从事12卷的《俄罗斯国家史》（1816～1829）的撰写工作。这种对俄国历史的首次全面评述，虽然是以独创性的研究为依据，但与其说是一部学术性著作，不如说更像一部文学作品。这部史书实际上是为俄国专制制度进行辩护。该书在他去世时尚未完成，仅写至M.罗曼诺夫即位（1613）。普希金的剧本《鲍里斯·戈都诺夫》借用了该书中的许多史料。他撰写的《俄罗斯国家史》也被认为对俄罗斯文学语言做出了重要贡献。

Karankawa 卡兰卡瓦人 几个已经灭绝的北美印第安居民集团，原来居住在墨西哥湾沿岸，其地约自加尔维斯顿湾至科珀斯克里斯蒂湾一带。17世纪末，法国探险家拉萨尔第一次遇到卡兰卡瓦人。19世纪20年代至30年代，随着S.奥斯汀及其他白人移民的来到，卡兰卡瓦人迅速减少。在得克萨斯独立战争中，卡兰卡瓦人支持得克萨斯人。他们以狩猎及采集野生植物为生。除了他们有战时领袖和世袭酋长这些情况以外，外人对他们的社会或政治结构几乎一无所知。

Karaosmanoğlu, Yakup Kadri 卡拉奥斯曼奥卢（1888-03-27，开罗～1974-12-13，安卡拉） 土耳其作家、翻译家，现代土耳其文坛最著名的人物之一，以描绘20世纪土耳其生活的研究性作品著称。先在开罗的一所法国学校学习，后去伊兹密尔。1908年定居君士坦丁堡（今伊斯坦布尔）。他杰出的散文诗引人注目，并和"未来的曙光"文学派有联系。该派是在"青年土耳其革命"后形成的。1913年发表第一部短篇小说集。1919～1922年土耳其解放战争期间，他是个记者，又当过议员，有广泛的外交经历（1934～1954）。他的小说是对共和国成立后的土耳其社会所作的研究性作品，影响巨大。《审判之夜》（1927）描写1908年宪法实施后的党派斗争；《戈莫尔的女儿，莱伊拉》（1928）描写第一次世界大战后被占领的君士坦丁堡的生活；《陌生人》（1932）也许是他最好的作品，描写土耳其农民和城市知识分子间的隔阂。他还写诗和其他散文随笔作品。

Karası DYNASTY 卡拉西王朝 统治安纳托利亚西部巴勒克埃西尔-恰纳卡莱地区的土库曼人王朝（约1300～1360）。王朝创建者卡拉西是在塞尔柱人宗主权下的一个边境地区统治者。他所创建的公国分为两部分，中心分别设于巴勒克埃西尔和帕加马。在卡拉西的儿子中，德米尔汗为奥斯曼统治者奥尔汗打败，巴勒克埃西尔被兼并（约1345）。恰纳卡莱-特洛伊沿海地区由卡拉西·苏莱曼统治。约1360年，他的地区并入奥斯曼帝国。

karat 开 又作carat。黄金成色（纯度）的单位。在美国以外地区拼作carat，但不应与衡量宝石重量的单位克拉（也写作carat）相混淆。纯金占某一金合金的1/24或4.1667%称1开。一种金合金的纯度用所含纯金开数表示。如某物含金16份，含其他金属8份，则称为16开金；纯金则为24开金。这种指出黄金所占份额的体系源于中世纪称做马克的硬币。一马克重24开（此时开与衡量宝石重量的克拉相同，理论上等于刺桐种子的重量）。纯金太软不能用来制作硬币，所以加入铜或其他金属使成为较硬的合金；当时硬币的纯度便是用黄金实际所占开数表示的。

Karatau 卡腊套山 天山的西北支脉，在哈萨克斯坦南部。该名系突厥语，意为"黑山"。沿锡尔河绵延420千米，最高处海拔2 176米，平均海拔1 000～1 525米。山顶浑圆；春季有雪水补给沿陡峭山坡流下的溪流。在东坡的札纳塔斯和科克忠有蕴藏量丰富的磷灰石矿，现已开采。在奇姆肯特、江布尔和新江布尔有金属加工业。在阿奇赛和肯套开采并冶炼铅、锌。

karate 空手道 日本技击法。不用兵器而用拳脚，或打或踢，或用臂、腿拦挡。要领是把全身力量尽可能集中于打击点和打击瞬间。攻击用的部位包括手（特别是指关节和掌外侧）、拇趾根、脚跟、前臂、膝和肘。通过叩击软垫或木头练功，使这些部位变得坚硬，不用任何器械就能把几寸厚的松木板打断。在空手道比赛和对练中，拳击和脚踢都不接触对方身体，最好在距打击目标一英寸处收住。还可举行套路比赛，由选手各自表演一套规定的动作，模拟一人对数人的攻防，像体操比赛一样由一组裁判员评分。空手道在东方已有几个世纪的历史，到17世纪在冲绳形成体系。20世纪20年代传入日本，发展为几种流派。空手道像其他各种东方武术一样，注重武德、精神修养、礼仪和服装，并有复杂的等级制，等级用腰带颜色区别。

Karatepe　黑山　赫梯王国晚期的要塞城市遗址（公元前8世纪），在土耳其中南部的托罗斯山麓。1945年由H.T.博塞特和H.坎贝尔发现。要塞有多边形城墙和上下两个巨大

黑山遗址处的浮雕
美国不列颠百科全书公司供图

的城门。门洞内墙上镶有雕刻的石块，足以表明亚述和埃及-腓尼基的特色和影响。黑山所以重要，是由于它留下许多铭文。在开始发掘时，发现一很长的腓尼基铭文。在城门口，又发现这一铭文是用腓尼基文字和赫梯人的象形文字对照刻写的，这样一来，考古学家就能够大大增加他们对赫梯人的文字和语言的知识。根据铭文，人们了解到要塞的创建者和统治者是达努尼亚国王阿西塔万达斯。约公元前700年，黑山城为亚述人所毁。

Karatsu　唐津　日本九州佐贺县城市。濒临唐津湾。名称出自日语"唐"（中国）和"津"（港口），说明当地在古代为与中国和朝鲜进行贸易的港口。20世纪初建煤矿。第二次世界大战后，城市西部以渔港为中心发展起工业区，生产化工和陶瓷制品。东部多古迹和风景区，为玄海国定公园旅游中心。人口78 945（2000）。

Karatsu ware　唐津陶器　日本九州约在室町时代晚期（16世纪上半叶）生产的陶瓷器，来源于朝鲜。唐津是多种陶瓷制品的总称。采用的陶土是沙性的，含铁量很高。通常，所有的器皿都涂上灰釉、长石釉或天目釉。这些器皿可分为两类：一类除涂以素灰泥浆釉外，别无装饰；另一类绘有图画，或带有装饰，是用含铁质的釉下彩描画的。由于采用泥条盘筑法制造和人工拍打成形，因而器形简单质朴，但强度很高，富有自然感受力。把全新的技术从朝鲜汲取到日本，促进了唐津陶器的发展。最早的唐津陶瓷无疑具有朝鲜风格，并按照朝鲜的技术制造。有些同时代的朝鲜陶器和唐津陶器简直无法区分。16世纪最后几年中的两次入侵朝鲜之后，一些朝

江户时代的唐津陶罐
美国不列颠百科全书公司供图

鲜工匠被带到日本，这就有力地推动了唐津陶器的发展。这种发展在很大程度上还得益于当时风靡日本的茶道的普及。朝鲜风格的陶器被认为十分适合闲寂茶派正式品茶之用。

Karavelov, Lyuben Stoychev　卡拉维洛夫（1834，鲁梅利亚科普里夫什蒂察［在今保加利亚］～1879-01-21，保加利亚鲁塞）　保加利亚作家和革命家，曾为保加利亚走向民族觉醒做出贡献。23岁移居俄国，在莫斯科研究人种志，深受俄国进步思想的影响。不久即开始为各种杂志撰稿。因同革命党人来往危及安全，遂迁居塞尔维亚。但在这里又因参加自由主义派的反政府活动而被逐。后去布加勒斯特，先后主编《自由》（1869～1872）和《独立》（1873～1874）杂志，高举保加利亚革命的旗帜。然而由于革命的失败、个人的困窘以及同志的出卖，意气终于消沉下来。他是保加利亚文坛上的重要人物，著有长篇小说《旧日的保加利亚人》（1867）和《宠儿》（1875）。

Karawanken　卡拉万克山脉　意大利语作Caravanche。阿尔卑斯山脉东部支脉。自意大利塔尔维西奥沿斯洛文尼亚-奥地利边界向东延伸80千米。东部的霍赫施图尔山海拔2 238米。主要由石灰岩构成。有8千米长的隧道横穿山脉，连接奥地利的菲拉赫和斯洛文尼亚的耶塞尼采。登高远眺，北部沃尔特等湖泊景色尽收眼底，该山脉因此驰名。

Karbalā'　卡尔巴拉　又拼Kerbela。伊拉克中部城市。在巴格达西南88千米处，有铁路与其相连。为国内最主要的圣城。680年在伊斯兰教逊尼和什叶两派的卡尔巴拉战役中，什叶派领袖侯赛因被杀，在卡尔巴拉市，侯赛因的墓地成为什叶派最重要圣地和朝拜中心之一。又因该派穆斯林认为死后葬于卡尔巴拉市是通向天堂的可靠途径，当地辟有大面积的公墓。该市为贸易中心和赴麦加朝觐的启程点。城市旧区建有围墙，新建筑物在其南面。约半数市民为伊朗人后裔，卡尔巴拉之西为乌海迪尔城堡遗址。对其建造时间与意图尚有争议，但可能建于8世纪晚期，为萨珊风格。该城一直是反中央政府势力的核心，第一次海湾战争（1990～1991）后，市民的反抗遭残酷镇压，在第二次海湾战争（2003）期间，该市几乎未受破坏。但之后却不断发生社会动荡和暴力事件。人口约380 000（1997）。

Karbalā', Battle of　卡尔巴拉战役（680-10-10［回历61年正月初十］）　先知穆罕默德的外孙、哈里发职位的觊觎者侯赛因·伊本·阿里与伍麦叶哈里发耶齐德一世所派遣的军队在卡尔巴拉进行的一场为时很短的交战，侯赛因战败被杀。这场战役巩固了伍麦叶王朝的地位，但侯赛因的追随者什叶派穆斯林每年回历正月初十（或称阿苏拉斋日）为他举行哀悼会。680年春，耶齐德一世继承父亲的哈里发职位后，穆罕默德已故女婿阿里的许多虔诚信徒在库费城起事，请侯赛因一同避难，应允拥立他为伊拉克哈里发。此时，耶齐德得知库费什叶派的反叛事态，派巴士拉总督欧贝德前往平叛。欧贝德于是召集各部落酋长，要他们负责管好他们的人民。侯赛因不顾一切仍携家眷从麦加出发，期望受到库费市民热烈欢迎，但他到达幼发拉底河西岸卡尔巴拉便与欧贝德派遣的由库费城奠基者的儿子欧麦尔·伊本·萨德率领的军队相遇。侯赛因发起进攻，期望得到库费方面应允的支援。但他期望落空，全家及其追随者几乎全部丧生。这虽是一次鲁莽的军事行动，但涉及了先知的外孙并因而涉及了先知其他许多家庭成员。库费城的侯赛因虔诚信徒自觉他们的建议是造成此次灾难的主要原因，认为这是一场悲剧，于是事件逐渐获得传奇性神圣色彩。欧麦尔、欧贝德，甚至耶齐德开始被看作杀人凶手，他们的名字一直被什叶派穆斯林诅咒。什叶派将正月初十作为公众哀悼日加以纪念；是日，在卡尔巴拉，尤其是伊朗人，上演殉教故事剧，表演阿里一家的不幸命运。他们将被斩首的殉教者侯赛因在卡尔巴拉的陵墓看作是最神圣的地方。

Kardelj, Edvard　卡德尔（1910-01-27，奥匈帝国斯洛文尼亚卢布尔雅那～1979-02-10，卢布尔雅那）　南斯拉夫革命家和政治家、J.B.铁托的亲密战友和选定的接班人，为南斯拉夫马克思主义即铁托主义的主要理论家。铁路工人之子。毕业于卢布尔雅那师范学院。16岁时参加地下的共产党。1930～1932年因参与工会与党的活动而被监禁。1934年逃亡国外，终于取道捷克斯洛伐克前往苏联，在那里接受地下活动方法的训练。1937年回国，此后数次被捕并遭监禁。1941年德军占领南斯拉夫以后，他参与组建斯洛文尼亚抵抗阵线，后随铁托打游击。战后于1946年起草南斯拉夫联邦宪法，并且成为南斯拉夫的主要理论家和法学家，指导后来所有宪法（1953，1963，1974）的起草工作。1948～1953年任外交部长。他始终是南斯拉夫共产党集体领导的一个关键性人物。他是社会主义自治理论的主要设计师。这是南斯拉夫政治和

经济体制的基础，与苏联体制不同。在对外事务中，他力主南斯拉夫在西方与苏联之间实行不结盟主义。

Karder (Zoroastrian priest) 参阅 **Kartēr** 卡提尔。

Kardhítsa 卡尔季察 希腊商业城镇和卡尔季察州首府。在色萨利平原西南部帕米索斯河附近。城镇呈长方形，为土耳其人建造。现主要为农产品的购销中心，附近产沼气。西南偏西19.5千米品都斯山脉中的阿谢洛奥斯河支流迈格佐瓦河上建有水库和水电站。人口32 252(2001)。

Kǎrdzhali (Bulgaria) 参阅 **Kǔrdzhali** 克尔贾利。

Karelia 卡累利阿 俄语拉丁字母转写作Kareliya，芬兰语作Karjala。俄罗斯西北部的共和国。北临坎达拉克沙湾，东濒白海，南临拉多加湖，西接芬兰。全境地表以波罗的海古结晶岩地盾的一部分为基础，是经过冰期强烈作用的宽阔平地和沼泽平原。南部狭长冰积山之间有指状湖泊和沼泽低地；北部由于冰川作用，地表沉积受冲刷而留下数千个淤塞湖洼地和岩石露头，而在许多短小河流中形成无数急流。森林覆盖面积约占一半，有茂密的泰加森林，主要有生长在瘠薄的灰化土地区的松树、云杉和白桦。沼泽地区多水藓泥炭沼泽。冬季气候寒冷，温湿气团从西部进入使冷期缓和，而北极气团侵入则带来严酷的寒潮。2月气温最低，南部平均为-10 ℃，北部-14 ℃。夏季短而凉爽，常有霜冻，平均气温南部为16 ℃，北部为14 ℃。降水大部分为雪，北部年降水量400毫米，南部600毫米。拉多加地区积雪1 000毫米。

东部从1323年起成为俄国的一部分。西部则是1721年彼得大帝按条约得自瑞典。19世纪行政上与芬兰公国重新合并，当时俄国已获得对整个芬兰的宗主权。1917年俄国发生革命，芬兰宣布独立以后，1920年根据和平协定，东部留给苏联，西部交给芬兰。但西部在1939～1940年俄芬战争期间被胜方苏联兼并。1947年苏联与芬兰和平协定认定该兼并后，西部的芬兰居民几乎全部迁移到芬兰。

1917年十月革命后，卡累利阿的政治地位几经变化。1923年成立自治共和国；1940年将西部并入后成为正式的加盟共和国。1956年恢复为现在的地位。居民以俄罗斯人为主，约占70%，其余有卡累利阿人、白俄罗斯人、乌克兰人和芬兰人。但国内人口稀少。

工业以采矿、冶金、木材采伐和加工为主，也有电力工程、机器制造和食品加工业。矿业主要开采铁、铜、云母、钛和伟晶岩。冶金业主要集中在与芬兰接壤的边界附近的彼得罗扎沃茨克和维亚尔特西利亚。最大的工业是木材采伐和加工业。产品有锯材、坑道支柱、枕木、纸张和纸浆、家具、胶合板以及预制房屋材料。农业用地不到土地面积的3%，其中多用于放牧，以饲养奶牛等家畜或繁殖毛皮兽水貂和北极蓝狐。湖泊、河流及白海沿岸渔业很重要。

首府彼得罗扎沃茨克(Petrozavodsk)有铁路通往圣彼得堡、摩尔曼斯克和国内诸城市(大多处在铁路线上)。同等重要的是1931～1933年开凿的白海-波罗的海运河(长227千米)，远洋轮船可从白海之滨的别洛莫尔斯克驶至波罗的海之滨的列宁格勒(圣彼得堡)。面积172 400平方千米。人口约716 700(2002)。

Karelian Isthmus 卡累利阿地峡 位于拉多加湖和芬兰湾之间的狭长地带。该地峡曾受古代冰河作用，其蜿蜒的冰碛山(南部海拔可达175米)有无数湖沼点缀其间，泥土砂石均呈冰河沉积状。多覆盖常绿林。俄罗斯声称自9世纪起即拥有该地峡。17世纪初被瑞典占领。1918年独立的芬兰亦争其所有权，并于1929年构筑横贯地峡的工事防御苏联对地峡的觊觎。后经历时4个月的俄芬战争(1939～1940)，芬兰被迫放弃地峡及其他领土。13～14世纪防御工事及瑞典在维堡所建要塞均为名胜，沿岸城市均为游览胜地。1906～1917年间列宁总部数次设于此地。艺术家列宾1902～1930年间居此。

Karelian language 卡累利阿语 属乌拉尔语系芬兰-乌戈尔语族，通行于俄罗斯西北部卡累利阿共和国以及相邻的芬兰共和国的卡累利阿人中。卡累利阿语有两种方言：卡累利阿语及奥洛涅茨语。卡累利阿共和国东南部的小方言群卢茨克语，常被看作卡累利阿语和维普斯语的混合语。卡累利阿语4行残篇书面文献可溯至13世纪。16和17世纪出现卡累利阿语的诗歌译文和俄语-卡累利阿语词汇表。P.帕莱萨著《所有语言和方言的比较词典》有300个卡累利阿语词。参阅 **Finno-Ugric languages**。

Karen 克伦人 缅甸南部诸不同部落民族，操汉-藏语系的语言。就民族意义而论，他们不是一个统一的群体，语言、宗教、经济等方面都不相同。一种划分法将他们分为白克伦人和红克伦人。白克伦人再分为斯高人和普沃人；红克伦人则有布雷人、帕当人、因保人和扎延人。他们的分布地区是：缅甸东南部萨尔温江下游两岸；与缅甸毗连的泰国部分地区；南缅甸的勃固山脉一带；缅甸南部沿海伊洛瓦底江三角洲。他们是缅甸位居第二的少数民族。1948年缅甸获得独立后，在政府和持不同政见的自称为克伦人的各集团之间，不时发生内战。到20世纪80年代初期，克伦人诸部落之间一个重要的团结因子是对缅甸政府怀有一种共同的不信任感，因之克伦族问题始终是这个国家的一项紧迫的政治问题。

Karen languages 克伦诸语言 通行于缅甸南部和泰国边境地区的语言，一般分为3个语群：北部语群(包括唐图语)、中部语群(包括布韦语和格巴语)和南部语群(包括勃语和斯高语)；只有南部语群的勃语和斯高语有文字。一些学者认为克伦语与汉-藏语系有关，但关系并不密切。克伦语受傣语系和南亚语系语言的影响很大。克伦语的特征是：以声调区别具有同样辅音和元音的词义，将动词置于主语和宾语之间(其他藏缅语言的动词则在主语和宾语之后)。

karez (water-supply system) 参阅 **qanāt** 坎儿井。

Karg-Elert, Sigfrid 卡格-埃勒特(1877-11-21，德国内卡河畔奥伯恩多夫～1933-04-09，莱比锡) 德国当时主要的管风琴音乐作曲家。曾在莱比锡音乐学院学习，1919年起在该院任职。早期音乐受德彪西、斯克里亚宾和勋伯格影响。此后在印象派、文艺复兴和巴罗克复调音乐影响下，形成独创风格。作为一位管风琴演奏大师，他也在巡回音乐会上弹奏簧风琴。最闻名的作品有：33首为簧风琴写的风格练习曲、《66首众赞歌即兴曲》和《20首为管风琴写的众赞歌前奏和后奏》。

Kariba 卡里巴 津巴布韦北部城镇。位于赞比西河南岸，建在并列的两个小山上，俯瞰卡里巴峡谷和卡里巴湖(世界最大人工湖之一)。城镇1957年由联合电力商会建立，为建设水坝的职员和迁此居民安居。现为津巴布韦主要旅游胜地之一。有国际机场。人口12 364(1982)。

Kariba, Lake 卡里巴湖 非洲中部湖泊。位于赞比亚和津巴布韦之间，由水坝在卡里巴峡谷拦截赞比西河而形成。1960年以后，该坝水电工程向赞比亚各城镇、哈拉雷(索尔兹伯里)地区和布拉瓦约地区以及津巴布韦南部地区供电。湖面面积约5 200平方千米，向上游伸展280千米至德弗尔峡谷，最宽为48千米。岸线呈锯齿状，湖中多岛屿。湖水深度不一，靠近大坝处深90米。总容量为1 806亿立方米。湖区有4个码头，一个居民区。年产鱼1.5万吨。

Kariba Dam 卡里巴水坝 混凝土拱坝，位于赞比亚和津巴布韦边界卡里巴峡谷，横跨赞比西河，1959年建成。高128米，坝顶长579米，体积103.2万立方米。拦蓄河水，形成卡里巴湖，每年可发电67亿度。建坝时曾迁移3万多名赞比亚牧民和数以千计的野生动物，受到非洲人的反对，把它看作是不得人心的罗得西亚和尼亚萨兰联邦的象征(1963，联盟分裂成如今的津巴布韦和赞比亚)。它为赞比亚的炼铜业提供了廉价的电力。

Kariera 卡列拉人 西澳大利亚土著部落，是研究土著社会结构和宗教的典型群体之一。他们原来居住在黑德兰港附近以及尤尔河和特纳河一带的沿海及其邻近的内陆地区，由20～25个地方居民集团组成，各有自己的区域(260～320平方千米)，平均每个集团约30人。采用父系制，实行族外婚。地方居民集团的成员经常聚集一起，过野营生活，每个由父母子女组成的家庭则有自己的帐幕。他们之中有4个部落分支，各有自己的名称。如果一个分支的男子同另一个分支的女人结婚，所生子女就成为第三个分支的成员。地方居民集团以动植物命名，并组成宗教的或图腾的单位；各个区域都有举行仪式的场地或图腾中心，由男子参加各种仪式。男人狩猎、捕鱼，女人采集野生植物的种子和块根。

Karīm Khān Zand (Moḥammad)　卡里姆汗·桑德(约1705～1779-03，伊朗桑德设拉子）　伊朗桑德王朝第一代统治者。出身微贱。初为军事将领。1757年拥立伊斯梅尔三世，因国王年幼，实权操在他的手中。1760年打败所有敌手，除呼罗珊外，控制了整个伊朗。在他统治期间，伊朗从40年战祸中恢复过来。他以设拉子为首都，兴修许多壮丽的建筑物。曾改革财政制度，减轻农民负担。对外采取开放政策，1763年批准英国东印度公司在波斯湾的港口布希尔建立贸易站。为了推行他的发展贸易政策，1775～1776年占领奥斯曼帝国的波斯湾巴士拉港口。卡里姆汗死后发生内战，直至1796年卡札尔王朝建立方才终止。

Karīmnagar　格里姆讷格尔　印度南部安得拉邦北部城市。为粟、稻米、油籽和棉花等农产品的贸易中心和公路枢纽。市郊为德干高原上主要的农业地区，属哥达瓦里河流域。人口148 349(1991)。

Karimojong　参阅**Karamojong**卡拉莫琼人。

Karina, Anna　卡林娜(1940-09-22，丹麦哥本哈根～　　）　原名 Hanne Karin Blarke Bayer。丹麦美女演员，20世纪60年代在法国影片中有出色表演，尤其在丈夫J-L.戈达尔导演的影片中。高中毕业后学习舞蹈并为时尚杂志做模特，拍过几部工业影片，包括曾在戛纳电影节上放映的著名短片《女孩和鞋子》(1959)。1959年到巴黎，与法国新浪潮导演戈达尔相识，在戈达尔导演的《小兵》中演出。1961年两人结婚，6年后离婚，共合作7部影片，包括60年代最有影响的一些影片。她扮演各种类型的角色，包括《女人就是女人》(1961)中的夜总会舞女、《随心所欲》(1962)中的妓女、《另外一帮》(1964)中准备抢劫的年轻人。1965年主演了三部重要法国影片：《阿尔法城》、《狂人皮埃洛》和《修女》。尽管还有与其他大牌导演合作的影片，如《异乡人》(1967)和《中国轮盘》(1976)等，但以与戈达尔合作的影片最为知名。1973年开始尝试创作剧本和导演，但导演的《共同生活》不太成功。同年主演最后一部重要的影片《面包和巧克力》。1978年与导演D.杜瓦尔结婚，此后银幕形象日趋暗淡。

Kariotákis, Kóstas　卡里奥塔基斯(1896，希腊特里波利斯～1928-07-20，普雷韦扎）　Kariotákis又拼Karyotákis。希腊诗人。曾受19世纪法国象征主义诗人的影响。在克里特岛度过他孤独的童年。后在雅典学法律，1920年获诗歌奖。获学位后，在雅典当公务员，同青年女诗人M.波利杜里建立了友谊。后来被调到帕特雷，从那里又调到普雷韦扎，在普雷韦扎开枪自杀。卡里奥塔基斯的两卷诗集显示出他受到雅典新派诗歌的影响。

Karisimbi, Mount　卡里辛比山　非洲中东部维龙加火山山脉最高峰(4 507米)，位于刚果(金)和卢旺达两共和国边界上，在刚果(金)的戈马东北29千米处的维龙加国家公园内。该山是大猩猩的栖息地，并以奇异的植物而闻名；从山麓的茂密森林到荒芜的火山中心部分，有4条植被带。

Kariya　刈谷　日本本州爱知县城市。在名古屋东南。1533年建为城堡镇。1888年设铁路站。与邻近的丰田联系密切。生产汽车零件、纺织机、农用机械和陶瓦。人口120 121(1990)。

Karkar　甲加　又拼Qarqār。叙利亚西部哈马省西北的奥龙特斯河畔的古代堡垒。它是哈马省的前哨战略要塞。公元前853年，在阿拉米联盟与亚述的撒缦以色三世的战斗中，阿拉米联盟曾据守此地。公元前720年，阿尔帕德、西米尔腊、大马士革和撒马利亚联合哈马王伊奥比迪，在此地与亚述萨尔贡二世交战。萨尔贡打败联军，甲加被焚毁。

Karkavítsas, Andréas　卡尔卡维查斯(1866，希腊莱谢纳～1922-10-10，阿马鲁西翁）　希腊小说家。作品主题为乡村生活。曾在雅典学医，后成为军医，并以这个身份到过各省的许多农村。他的短篇小说谈的是农村的生活、传统与传说。他是民族语言协会会员，该组织一直致力于把通俗语言或口语用于文学。所著短篇小说很有影响，但最大成就被认为是现实主义长篇小说《乞丐》(1899)。

Karl Marx Peak　卡尔·马克思峰　俄语拉丁字母转写作Pik Karla Marksa。帕米尔高原西南端的山峰，在塔吉克斯坦共和国戈尔诺-巴达赫尚自治州境内。海拔6 726米，为沙赫达林山脉的最高峰。山脉大致作东西走向，北面是沙赫达拉河谷，南面是喷赤河谷。1946年9月苏联登山运动员首次从沙赫达拉河谷地登上峰顶。

Karl-Marx-Stadt (Germany)　卡尔·马克思城　参阅**Chemnitz**开姆尼茨。

Karle, Jerome　卡尔勒(1918-06-18，美国纽约州纽约～　　）　美国晶体学家，因与H.A.豪普特曼合作发展出由晶体X射线衍射图形推断出化合物分子结构的数学方法，而共获1985年诺贝尔化学奖。两人为纽约市立学院同学，同于1937年毕业。卡尔勒继于1943年获密歇根大学物理化学博士学位；1943～1944年参加曼哈顿工程；1944年加入海军研究实验室，1967年成为该室研究物质结构的首席科学家。第二次世界大战后，两人开始在该实验室合作研究晶体结构，设计出一套数学方程来描述晶体的X射线衍射后在底片上所呈现众多点的排列情形。根据对各点强度的分析，可通过方程定出晶体分子内各原子的位置。该法于1949年发表后被忽视了若干年，经卡尔勒的化学家妻子伊莎贝拉努力指出其深具潜力的应用，才渐引导晶体学家开始用此法确定数千种小生物分子(包括许多激素、维生素与抗生素)的三维结构。在卡尔勒与豪普特曼发展其方法前，查出一个简单生物分子的结构须花两年时间，而到了80年代，用功能强大的电子计算机完成该法所要求的复杂计算，大约只需两天左右。

Karlfeldt, Erik Axel　卡尔弗尔特(1864-07-20，瑞典福尔卡尔纳～1931-04-08，斯德哥尔摩）　瑞典诗人，他的地方性和以民间传说为基础的诗作极受读者欢迎。1931年去世后获诺贝尔文学奖，而在1918年他曾拒绝接受该奖。部分原因是他当时是颁发该奖的瑞典学院的秘书。卡尔弗尔特与他家乡农村文化的牢固联系对他的一生有极大影响。依照他的描写，农民的生活是与自然和四季相和谐的。他最重要的作品是6卷诗歌：《荒原和爱情之歌》(1895)、《弗里道林之歌》(1898)、《弗里道林的乐园》(1901)、《福罗拉和波莫那》(1906)、《福罗拉和柏洛娜》(1918)，以及在他去世前4年发表的《秋天的号角》(1927)。

美国不列颠百科全书公司供图

Kārli　加尔利　印度中西部马哈拉施特拉邦村庄，位于浦那西北方约51千米处，以石刻的佛教圣殿而闻名。圣殿呈正规半圆形，长38米，宽14米，柚木的扇形穹顶高约13.5米，落成于2世纪的第一个25年中，是小乘佛教(坚持早期教义)最大、最精美的洞窟庙宇。加尔利圣殿与早期圣殿不同之处在于它的入口影壁不是柚木制作的莲饰窗户，而是用石头雕刻的；中殿的柱子拥有精工制作的瓶饰底座；钟形柱顶冠以一群骑象的人物。建筑造形给人的直观印象是朴实而庄重，标志着印度西部石刻艺术早期时代的登峰造极。影壁上的浮雕，描绘菩萨的形象，表明圣殿转为皈依大乘佛教(后期，崇拜菩萨)的时间可能在6世纪。

Karlik Shan　哈尔里克山　中国新疆维吾尔自治区东部山脉。为天山的最东段。西北-东南走向，海拔4 000米左右。主峰托木尔提海拔4 886米。山地顶部平坦，有小面积冰川分布。山南断陷为哈密盆地。山北断陷为巴里坤盆地，盆地中有巴里坤湖。山地向东降低，逐渐没于戈壁之中。

Karloca(Serbia)　考尔洛曹　参阅**Sremski Karlovci**斯雷姆斯基卡尔洛夫齐。

Karloff, Boris **卡洛夫**（1887-11-23，英国伦敦～1969-02-03，西萨塞克斯米德赫斯特）英国演员。因在经典恐怖片《弗兰肯斯坦》（1931）中成功地扮演了既令人同情但又使人毛骨悚然的巨怪而蜚声世界。他独为恐怖片之王约有20余年，在百老汇饰演的各种邪恶人物中，也同样获得成功。1909年移居加拿大，1910年加入巡回剧团。1918年起，既是电影临时演员又是舞台演员。1930年曾在百老汇扮演角色。好莱坞第一部重要的怪物恐怖片《弗兰肯斯坦》使其一夜成名。他在此片的两个续集《弗兰肯斯坦的新娘》（1935）和《弗兰肯斯坦的儿子》（1939）中饰同类角色。此外，还演过其他一些著名的角色，这种角色均为不会说话的、机器人式的类型，如《老黑屋》（1932）中又聋又哑的杀人犯和《木乃伊》（1932）里的干尸。1941年重返舞台，在百老汇演出《砒霜和老花边》，后又在《彼得·潘》（1950）中饰胡克船长。还常演广播剧和电视剧。

Karlovac **卡尔洛瓦茨** 德语作Karlstadt（卡尔施塔特）。克罗地亚城市。位于萨格勒布西南、科拉纳河和库帕河合流处。有东正教、天主教大教堂及克罗地亚最古老的公共图书馆。是重要的铁路和公路枢纽，木材、谷物、葡萄酒、烧酒及蜂蜜的过境贸易相当活跃。市内有毛纺厂、制革厂、制鞋厂及化工厂。有1579年所建用以抵抗土耳其进军的碉堡。人口约59 999（1991）。

Karlovy Vary ˊ **卡罗维发利** 德语作Karlsbad或Carlsbad（卡尔斯巴德）。捷克共和国西部西捷克州温泉疗养城市。位于布拉格以西113千米、泰普拉河沿岸。周围高地曾经常有火山活动，因此附近有温泉。十几眼活跃的温泉中，最著名和温度最高者为弗日德洛泉，它喷出的热水（72 °C）柱达11米高。该温泉胜地可能对古罗马人很著名，约于1358年被神圣罗马皇帝查理四世所发现或再发现并扩建；1370年设镇。这些碱性的硫磺泉，对消化不良和肝病有疗效，受到许多中世纪统治者、王公、贵族和神职人员的光顾；来宾签到簿可追溯到1569年。19世纪建起一些主要的浴室、柱廊、旅馆和疗养院，温泉胜地的声名大噪。第一次世界大战前，为欧洲富有的患者聚集的场所。与附近采煤业的扩大相联系的工业的发展，已导致空气污染，严重威胁到温泉胜地。工业制品有瓷器、玻璃器皿、纺织品和手套；还生产华夫饼干和疗效饼干及矿物盐。人口约53 857（2001）。

Karlowitz（Serbia） **卡尔洛维茨** 参阅 **Sremski Karlovci** 斯雷姆斯基卡尔洛夫齐。

Karlowitz, Treaty of（1699） 参阅 **Carlowitz, Treaty of**《卡尔洛维茨条约》。

Karlsbad（Czech Republic） **卡尔斯巴德** 参阅 **Karlovy Vary** 卡罗维发利。

Karlsbad Decrees（1819） 参阅 **Carlsbad Decrees**《卡尔斯巴德决议》。

Karlsburg（Romania） **卡尔斯堡** 参阅 **Alba Iulia** 阿尔巴尤利亚。

Karlsefni, Thorfinn（Icelandic explorer） **克尔塞夫尼** 参阅 **Thorfinn Karlsefni** 托尔芬·克尔塞夫尼。

Karlskoga **卡尔斯库加** 瑞典中南部厄勒布鲁省城镇。位于维纳恩湖北端。1940年设镇，现已是现代工业城镇。古迹仅有一座教堂（约1400）。有铁路通斯德哥尔摩和奥斯陆。有公路干线穿城而过。附近有原属阿·诺贝尔的兵工厂。现以生产防空和反坦克炮著称。人口：城市区约33 649（1992）。

Karlskrona **卡尔斯克鲁纳** 瑞典南部布莱金厄省省会和港口城镇。濒波罗的海。建于1679年，一直是瑞典的重要海军基地。为瑞典最大的渔港之一。是具有文艺复兴风格的城镇规划的突出典范。保存有全国最大的木教堂等古迹。生产电话、瓷器、帽子等。人口：城市区约59 279（1992）。

Karlsruhe **卡尔斯鲁厄** 德国西南部巴登-符腾堡州西北部行政专区，西临法国和莱茵兰-普法尔茨州，北界黑森和拜恩（巴伐利亚）州，东连斯图加特和蒂宾根专区，南接弗赖堡专区。面积6 919平方千米，约与较大的巴登（**Baden**）历史地区北部之范围相当。1952年，为新建立的巴登-符腾堡州之一区，至1973年称作北巴登。该行政专区得名于区内第二大城市及行政中心。

莱茵河形成卡尔斯鲁厄的西界，与法国和莱茵兰-普法尔茨州隔河相望。莱茵河由南向北流贯上莱茵平原。该平原为一低地，宽32～40千米，覆盖肥沃的冲积土与黄土，气候温和，是一个富饶的农业区，盛产蔬菜、水果，以芦笋最著名。该平原又是主要工业区。卡尔斯鲁厄南部的黑林山北段从上莱茵平原隆起一条峻峭的陡崖，高达1 150米，高地宽广的沙岩山脊2/3以上覆盖着浓密的枞树林。风景如画的黑林山山道起于西坡山麓国际休养胜地的巴登-巴登，经过黑林山北部著名的矿泉区和休养胜地，止于弗罗伊登施塔特。克赖希地区为高原西部的低地平原，位于莱茵河与内卡河之间，黑林山北部。该平原高低起伏，覆盖着非常肥沃的黄土性壤土，3/4以上土地业经垦殖，主要种植谷物、甜菜和蔬菜。克赖希地区以北的奥登林山诸高地形成与黑森和拜恩两州的天然边界，大部分为红棕色沙岩风化的薄层土壤所覆盖，不适于农牧业，但山毛榉树林浓密。

上莱茵平原北部是卡尔斯鲁厄行政专区人口最稠密之地。曼海姆位于运河化的内卡河与莱茵河的会合处，为该区第一大城市，欧洲最大内陆港之一，制造业有电器产品、汽车、机械和化学品。卡尔斯鲁厄生产电器设备、钢铁产品和机械，有大型炼油厂，有油管连接马赛—因戈尔施塔特。德国最古老的大学鲁佩特·查理大学（1386）设在著名旅游城市的海德堡。普福尔茨海姆位于黑林山北缘，为德国珠宝业和钟表工业的中心。

黑林山北部本地居民为阿勒曼尼人后裔，讲下阿勒曼方言。北卡尔斯鲁厄的法兰克尼亚人为法兰克人后裔，讲南方法兰克语。新教徒和天主教徒人数大致相等。黑林山和奥登林山的乡村聚落形式为散居的农庄和成列的小村落，克赖希地区和上莱茵平原农业区以密集村落为主。人口约2 532 487（1991）。

Karlsruhe **卡尔斯鲁厄** 德国西南部巴登-符腾堡州城市。在黑林山北缘，离莱茵河只有几英里。该城历史可上溯到1715年。曾为巴登州首府，联邦法院所在地。教育机构有音乐学院、美术学院和德国第一所工科大学弗利德里奇大学（1825，诺贝尔化学奖获得者F.哈伯和以研究电磁波著名的H.赫兹都曾在此任教）。名胜有博物馆、体育场、体育学校、造币厂和作为本城象征的集市广场上的金字塔等。有工业港口（1901）、核反应堆和核研究中心。炼油厂建在附近莱茵河滨，有专用港口设备，还有始于1961年的超铀元素研究所与欧洲原子能共同体合作。有输油管通法国马赛多瑙河边的因戈尔施塔特等地。生产和出口电器、机械、钢制品、建筑设备、摩托车、自行车、香水、珠宝和医药等。人口约282 595（2003）。

Karlstad **卡尔斯塔德** 瑞典中部偏西南韦姆兰省省会。位于廷瓦拉岛上，在维纳恩湖北岸，克拉尔河河口。1584年设市。1905年解散瑞典挪威联盟的谈判在此举行。十三拱的东大桥（1761～1770）横跨克拉尔河，十分壮观。卡尔斯塔德大学建于1970年，是哥德堡大学分校。工业以林产品和重型机械为基础。经哥德堡和北海通大洋。进出口贸易量大。人口：城市区约76 467（1991）。

Karlstadt（Croatia） **卡尔施塔特** 参阅 **Karlovac** 卡尔洛瓦茨。

Karlstadt, Andreas Rudolf Bodenstein von **卡尔施塔特**（约1480，维尔茨堡主教区卡尔施塔特～1541-12-24，瑞士巴塞尔） 德意志神学家。1505年任维滕贝格大学教授，讲授托马斯哲学。关于赎罪券的争论公开以后，他在1519年的莱比锡辩论会上支持路德，反对赎罪券制度。比至1521年末即已成为著名的激进派宗教改革家。1522年1月维滕贝格市政当局推行改革，这些改革的起因，一部分是路德的主张和他的建议。同年所著反对崇拜圣像的小册子《论摒弃圣像》出版，选帝侯腓特烈传讯他。卡尔施塔特逃走，化装成农民，自称安德烈亚弟兄，抨击学术等级差别。1523年退隐于奥拉明德，提出自己的宗教改革纲领。次年8月在耶拿与路德重逢，路德向他投以金币以示公开绝裂。卡尔施塔特行为过分，终至被放逐。他又撰写一批小册子，鼓吹基督只是象征地临在圣餐礼之饼与酒中，此点对路德的事业打击甚重。关于圣餐礼的争论继续在宗教改革运动中进行，他的小册子《我们是否应当缓行?》为激进派争相传阅，这些激进派就是日后再洗礼派的先驱。卡尔施塔特收回自己某些观点，得路德允许自1525～1529年在维滕贝格避险。1534年任巴塞尔大学《旧约》神学教授，主张地方教士服从大学校规并先获得博士学位才能获得正式资格，从而又引起争论。他本来反对学术等级，反对教士求知，现在却为了加强巴塞尔大学的地位，转变自己的立场。

Karm, Dun 卡姆（1871-10-18，马耳他戈佐岛泽布季～1961-10-13，瓦莱塔） 原名卡梅洛·普萨伊拉。马耳他民族诗人，有时被称为“马耳他吟唱诗人”或“马耳他的乔叟”。他的作品既接近浪漫主义，又接近古典主义。他对大自然和祖国的热爱以及他的宗教感，成为前者的例证；他喜用传统韵律，在他的优秀诗作十四行诗中尤其是如此，这是后者的例证。23岁时任牧师，后任神学院讲师及主教区中学的教员，直至1921年被教会当局解职为止。后任国家图书馆馆长助理至1936年退休。继之编修官方的英马词典，1945年，马耳他皇家大学授予他文学博士学位。他影响了几代马耳他作家。1934年马耳他语被采纳为该岛的官方语言。他被认为对此做出了贡献。国歌《马耳他颂》(1923)的歌词出自他的手笔。他的著作被译成英、法、阿拉伯语和世界语。

Karm Island 卡姆岛 挪威西南部罗加兰郡风景优美的吕菲尔克地区一岛屿。位于博肯峡湾口正北方北海中。主轴南北向，长约31千米，最宽处约10千米，面积176平方千米。与本土隔狭窄的卡姆海峡相望。岛上多山。有许多可以追溯到石器和青铜器时代的坟丘和墓地。挪威第一位基督教国王奥拉夫一世(995～约1000年在位)曾在岛北端的阿瓦尔斯内斯住过，附近有一13世纪的教堂和一高8米称“圣母马利亚之针”的铭文碑。岛上居民多住在沿海渔村；捕鱼（鲱鱼、鲭鱼和龙虾）、种植（谷物和水果）及开采铜矿是主要职业。科佩尔维克是最大的城镇。岛北端对岸是本土上的港口海于格松。人口约35 179(1991)。

karma 业 梵语作karman，意指行为。在印度哲学中，指一个人的过去行为对他的来生或再生的影响。“业”的学说反映出的信念是：今生只是生命锁链（轮回）中的一环，它是人在前生的行为所决定的。这种看法被认为是一种自然法则，无须深入探讨。每个特殊行为的道德能量被保存下来，并在来生自动地获得果报，而在一个人的阶级、本性、气质和性格中表现出来。这个过程是自动的，不受神的干预（但后期一些比较极端的有神论者的看法是例外）。这样，“业”的规律就说明了在生物中间所看到的那种不平等的情况。在生命轮回中，一个人可以改善自己，直至达到梵天大神的高位；否则贬损自己，以致转生为畜牲。过去的行为不仅影响来生的境况，还决定今生和来生之间的一段时间里是否幸福——是在天堂里度过，或是在地狱里度过，直到业的果报差不多消耗了，而余下的那一部分为他创造新的一生。佛教和耆那教都吸取印度哲学中“业”的概念。佛教专限于伦理道德的因果关系；耆那教则把业不视作轮回过程而视作一种精致的微粒状物质，乃是宇宙间因果与生死的一个大锁链。

Karma-pa 噶玛派 中国藏传佛教噶举派的一个分支。由都松钦巴创建。1185年都松钦巴在前藏粗朴地方建立噶玛派主寺。在噶玛派内形成几个活佛转世系统，一个叫“沙玛”（红帽系），另一个叫“沙纳”（黑帽系），均因帽色不同得名。15～17世纪早期，噶玛派的红帽系曾与后来占统治地位的格鲁派进行争夺权力的斗争。

Karmah 卡尔马 又拼Kerma。苏丹中北部市镇，位于栋古拉以北48千米，第三瀑布上方，尼罗河右岸。1913～1915年，美国哈佛大学考察团曾在这里进行大规模发掘工作。20世纪70～80年代瑞士人的发掘工作极大地增加了关于该遗址的知识。在遗址周围的富饶农业地区，一种曾被错误地认为是埃及文化边远分支的当地尼罗文化曾盛极一时。除农产品外，财源还有东部沙漠出产的黄金、放牧牲畜和尼罗河沿岸的贸易。埃及国王塞索斯特里斯一世（公元前1918～前1875在位）首先提到该地区，称之为库施。塞索斯特里斯三世约于公元前1826年与库施人交战。在衰微的第十三王朝时期，公元前1630年左右，卡尔马王公们袭击了埃及本土。第十七王朝底比斯统治者进攻喜克索人，喜克索国王寻求与卡尔马结盟。但底比斯人挫败了该计划，图特摩斯一世（公元前1493～约前1482）发动攻势占领卡尔马，摧毁库施国家。卡尔马的统治者葬在巨大的多室陵墓中。他们横卧在床上，周围有成百名殉葬的廷臣。他们的陶器中有一个十分光滑、坚硬、黑顶红身的器皿。在最富丽堂皇的陵墓中还发现喜克索人的陶器、印玺和圣甲虫像。陵墓中带有埃及图案的华美镶嵌物，是卡尔马遗址中的手工作坊制造的，这说明工匠中可能有埃及人。另外还有在侵袭埃及时掠夺来的中王国手工艺品。

Karmal, Babrak 卡尔迈勒（1929-01-06，阿富汗喀布尔附近～1996-12-03，俄罗斯莫斯科） 阿富汗政治人物、总统（1979～1986）。20世纪50年代在喀布尔大学时参加马克思主义政治活动，被监禁5年。释放后先入军队，后回学校学法律。1965年参与成立阿富汗人民民主党。1965～1973年任国民大会议员。1967年人民民主党分成两派——人民派和卡尔迈勒领导的亲苏的旗帜派。1973年达乌德发动政变推翻君主政府，卡尔迈勒任副总理；后因内部纷争改任驻捷克大使。其时各地叛乱不断，占绝大多数的穆斯林反对世俗的马克思主义路线。人民民主党内讧，阿明杀死塔拉基，取得政权。1979年苏联军队入侵，推翻阿明，召回卡尔迈勒任总统。但穆斯林游击队进行叛乱，从西方，特别是美国那里得到支持，坚持打击共产主义政权。于是阿富汗成为冷战阵地。莫斯科方面开始视他为负担，甚至公开加以谴责。卡尔迈勒于1986年12月辞职，不久移居莫斯科，在那里度过余生。

Kármán, Theodore von 卡门（1881-05-11，布达佩斯～1963-05-06，联邦德国亚琛） 20世纪美国伟大的工程学家，开创了数学和基础科学在航空、航天和其他技术领域中的应用。他所在的加利福尼亚理工学院的实验室后来成为国家航空和航天局的喷气推进实验室。他的父亲是布达佩斯大学教授，卡门幼

美国不列颠百科全书公司供图

年就表现出数学才华。1902年毕业于布达佩斯皇家工业大学，1903～1906年在工业大学任教，并在匈牙利主要的发动机制造厂任顾问。他在材料强度方面的研究对后来飞机结构设计做出了重要贡献。后来应邀到德国格丁根大学从事2年的研究工作，并攻读博士学位。但未及获得学位便赴巴黎大学，他目睹了法国航空先驱H.法尔芒驾驶飞机完成2千米航线飞行后，立志献身航空航天科学。后应邀重返格丁根大学协助现代流体力学开拓者L.普朗特研究飞艇，并继续攻读博士学位。1911年完成了著名的卡门涡街的研究。这一理论后来解释了1940年华盛顿州塔科马海峡桥在大风中倒塌的原因。1912～1930年在德国亚琛任航空研究所所长。第一次世界大战期间应征服役，曾在奥地利菲沙门德军用飞机制造厂负责研制系留直升机。1930年应邀到美国领导加利福尼亚理工学院古根海姆航空实验室和古根海姆飞艇研究所。两年后创建美国航空科学研究所，为美国企业和政府提供咨询。1936年入美国籍。他在流体力学、湍流理论、超声速飞行、工程数学、飞机结构和土壤风蚀方面，都有重要贡献。1936年当科学界对火箭推进技术普遍表示怀疑时，他却支持他的学生研究这一课题。为了研究用火箭提高飞机的性能，特别是缩短从地面或从航空母舰上起飞的距离，1940年他和F.J.马利纳第一次证明能够设计出稳定持久燃烧的固体火箭发动机，不久就研制出飞机起飞助推火箭的样机，这种火箭也是美国“北极星”、“民兵”与“海神”远程导弹上固体火箭的原型。1941年他参加创办美国制造火箭发动机的通用航空喷气公司，1944年又参与组建现属国家航空和航天局的喷气推进实验室。1944年赴华盛顿建立隶属于H.H.阿诺德的陆军航空队科学顾问团，此时他已在火箭技术领域取得很多重大成果，如固体和液体起飞助推火箭、火箭发动机飞机、自燃点火液体推进剂（这种推进剂25年后用于“阿波罗”指令舱和登月舱上）。他热心于国际科学合作，主持召开过空气动力学、流体力学、航空和航天方面的国际会议。在他的倡导下，成立了国际航空科学理事会(1956)和国际航天学会

(1960)。1963 年,他荣获肯尼迪总统授予的美国第一枚国家科学勋章。

karmasthāna(Buddhism) 参阅 **kammaṭṭhāna** 业处。

Karmatian(Islāmic sect) 参阅 **Qarmatian** 卡尔马特派。

Karmi'el 卡尔米埃勒 又拼 Carmiel。以色列北部城镇。位于上、下加利利两地区交界处的贝特凯拉姆谷地,地近阿卡一采法特东西干线公路。该镇为当地阿拉伯人居住区内的第一座犹太城镇。有被住宅区和工业区包围的商业中心,全城绕以环形公路。高低错落的房屋紧靠加利利小山的山坡。现有纺织、建材及金属加工等工业。人口约18 800(1987)。

Karnak 卡尔纳克 尼罗河东岸古埃及中王国、新王国时期首都底比斯遗址的北半部,阿蒙大神庙废墟所在地,位于今上埃及基纳省卡尔纳克村。根据20世纪的发掘,这里最早

卡尔纳克的阿蒙大神庙
美国不列颠百科全书公司供图

的小聚落属于格尔津时期(约公元前 3400 ～前 3100)。后来此地成为古代大城诺韦的北部,主要建筑是该城神庙的北群。卡尔纳克遗址面积很大,至今仍很壮观,但古时建在神庙区周围的住房、花园、宫殿等等,现已荡然无存。最北面的神庙区是战神蒙特的神庙;南面是阿蒙之妻穆特的神庙,主要系阿孟霍特普三世所建,该庙有一马蹄形圣湖。在这两个神庙区之间有国神阿蒙的大神庙,这是埃及最大的神庙,也是全世界最大神庙之一,实际上它是一个神庙群。此庙原先建于中王国时期,随后曾多次扩建或改建,结果形成缺乏统一的格局。这里至少有 10 座塔门,其间隔有庭院和大殿,现今编号的 9 号门、10 号门形成庄严的门道,与神庙主轴成直交,通向南面的穆特神庙,再往南经斯芬克斯大道与 3 千米外的卢克索遗址相连。阿蒙神庙最突出的建筑是拉美西斯一世所建的圆柱大厅。大厅位于 3 号门与 2 号门之间,面积达4 850平方米,是古代世界七大奇观之一。厅内有 14 根大圆柱,每根高 24 米,使中央屋顶高于周围屋面,光线和空气能通过侧窗进入厅内。大厅的每一边各有 7 道侧廊,使立柱的数量增至 140 根。大厅外墙的历史浮雕表现了塞提一世在巴勒斯坦的胜利和拉美西斯二世在卡迭什战役中打败赫梯人的业绩。阿蒙大神庙的围墙内还有其他一些小祠小庙,如南面的月亮神庙和它旁边的河马女神庙。1979 年被联合国教科文组织列为世界遗产。

Karnāl 格尔纳尔 印度西北部哈里亚纳邦东中部城市。位于亚穆纳河西岸、西亚穆纳灌溉渠东。有公路和铁路通德里和阿姆利则。为谷物、盐、金属和棉花等的贸易中心。工业有榨油、硝石加工、酿酒、香料制造业和轻型制造业。每年有马市。1867 年设市。有两家医院,一个乳制品研究所和古鲁格舍德拉大学的几所学院。人口约173 742(1991)。

Karnāl, Battle of 格尔纳尔战役(1739-02-24) 波斯统治者纳迪尔·沙阿与印度莫卧儿皇帝穆罕默德·沙之间的战斗,战场在德里北 111 千米的格尔纳尔。纳迪尔·沙阿的军队约 5.5 万人,穆罕默德·沙的军队 1.5 万人。莫卧儿军因众寡悬殊,遭到惨败。纳迪尔·沙阿向德里进军,对德里居民大肆屠杀后,携掠得物撤走。从此莫卧儿帝国一蹶不振。

Karnaphuli River 戈尔诺普利河 孟加拉国吉大港专区的主要水道。发源于印度米佐拉姆邦的卢夏丘陵,长 270 千米,流向西南偏南,经孟加拉国东南部地区,在距吉大港 19 千米处注入孟加拉湾。轮船可上溯兰加马蒂,广泛用于棉花和林产品的运输。该河的戈尔诺普利水电站为茶叶、黄麻、烟草和棉花加工工业提供电力;水库为广大农业地区提供灌溉用水。

Karnātaka 卡纳塔克 1973年以前称迈索尔。印度共和国的一个邦,位于西南海岸。北与果阿邦和马哈拉施特拉邦接壤,东连安得拉邦,东南接泰米尔纳德邦,南邻喀拉拉邦,西滨阿拉伯海。首府为班加罗尔。

在坎纳达语中,卡纳塔克意为"高地"。迈索尔的名称意为"水牛镇",源出女神卡蒙达降水牛妖马希萨苏拉的神话故事。关于这一地区的史前情况,只有关于入侵的雅利安人与原住居民在印度南部进行斗争的传说而已。千百年来有不同的王朝统治过这个地区,但是没有一个王朝能够统治操坎纳达语的人民所占据的全部领域。1831 年起由英国专员统治,直至 1881 年迈索尔成为一个王侯邦为止。1953 年和 1956 年两次由政府划给迈索尔更多的土地,使操坎纳达语的人民得到了统一,使一个内陆的邦有了出海口,并大大扩展了它的边界。1973 年采用"卡纳塔克"作为邦名。

卡纳塔克分成 4 个自然地理区——沿海平原、山区(西高止山脉)、卡纳塔克高原(东部)和植棉黑土地带(西北部)。除非走海路,很难到达沿海地区。由海岸向东,地势骤高,直指西高止山坡,平均海拔 760 ～ 915 米。高原地区平均海拔约 800 米。

卡纳塔克的居民主要是达罗毗茶人。达罗毗茶人为印度的原住居民,与马来半岛、苏门答腊、马达加斯加的人民有血缘关系。约 7/10 的人操坎纳达语,在贸易与事务中也常用印度斯坦语(印地语与乌尔都语的一种混合语)。主要宗教为印度教,但历史上一度盛行的耆那教和佛教依然保留一部分。约 3/4 的人口为乡村人口,随着工业化的进展,城市化的趋势也日益显著。

卡纳塔克邦的印度教庙宇
中国大百科全书出版社供图

约 80% 的人口从事农业。沿海平原实行精耕细作,以水稻为主要粮食作物,以甘蔗为主要商品作物。其他粮食作物有高粱和黍类;另外的商品作物有棉花、烟草、腰果、小豆蔻和葡萄。在西高止山脉有咖啡和茶的种植园。印度咖啡大多产自卡纳塔克邦。茶生长在较高的丘陵上。东部地区的水浇地上生长有香蕉、柑橘和一些橡胶,还有甘蔗。卡纳塔克有丰富的林业产品,如柚木、竹子、檀香木,以及鞣料、树胶、紫胶(用于清漆)和象牙。

卡纳塔克是印度唯一有金、银矿藏的地方。其他矿藏有铁矿石、锰、云母、铬、铜和铝土。这些矿藏成为珀德拉沃蒂的钢铁工业和班加罗尔的重型机械厂的原料供应基地。其他工业有棉纺、制糖、纺织、化肥、水泥和造纸。迈索尔市和班加罗尔都有历史悠久的制丝工业,生产印度大部分的蚕丝。

卡纳塔克有充足的水力发电,并将剩余的能量供给邻近各邦。有铁路约3 200千米。邦内贸易主要依靠公路运输,但在西半部每当雨季有许多公路不能通行。班加罗尔有国家公路东通马德拉斯,北通海得拉巴,西北通孟买,向西穿过哈桑直达海港门格洛尔。班加罗尔、贝尔高姆和门格洛尔均有航空港。

卡纳塔克邦门格洛尔城郊的稻田
美国不列颠百科全书公司供图

卡纳塔克拥有历代王朝积累下来的丰富文化遗产,它所培育的各种宗教和哲学对文学、建筑艺术、民间传说、音乐和绘画都产生了影响。在距迈索尔 90 千米的斯拉瓦那·比尔哥拉可以见到孔雀帝国的建筑艺术,那里有一座耆那教救世主巴胡巴利(戈马代斯沃拉)的巨石雕像。耆那教的巨大独石雕像是坎纳达文化的特点。

卡纳塔克是印度教育比较发达的诸邦之

一，有中小学3.6万余所。高等教育方面，在迈索尔有迈索尔大学；在胡布利-塔尔瓦特有卡纳塔克大学；在古尔伯加有古尔伯加大学；在门格洛尔有门格洛尔大学；在班加罗尔有班加罗尔大学、农业科学大学和印度科学研究所。卡纳塔克邦面积191 791平方千米。人口约52 733 958(2001)。

Karnātaka 卡纳塔克 又称Carnatic(卡纳蒂克)。印度西南部德干高原上的一个语言区。范围大致相当于卡纳塔克邦(前迈索尔邦)。为坎纳达语(加拿拉语)流行区。1953～1956年，坎纳达语民族发起印度语言区划改组运动，结果从孟买邦、海德拉巴邦和马德拉斯邦分出一部分地区组成迈索尔邦。1973年改称卡纳塔克邦。

Karnātaka Coast 卡纳塔克海岸 印度西南部卡纳塔克邦西部沿海低地。位于阿拉伯海(西)、西高止山脉(东)、贡根地区(北)与喀拉拉平原(南)之间。南北长约140英里(225千米)，最宽约40英里。面积约1万平方千米。历史上曾是印度商人与欧洲、非洲商人交往地带。1789年英国人兼并海岸地区。沿海为沙岸，有岩石陡崖海岸。地势由西向东上升，依次为沙丘、沼泽、河谷平地、侵蚀台地和海拔300英尺(90米)至1 000英尺的孤丘。许多河流在该区切出狭窄河谷并向西流去。南部有冲积地，其余部分为贫瘠红壤。南部即门格洛尔地区有椰子与木麻黄种植园，北部即乌迪比地区产稻米和豆类。工业多集中在门格洛尔(重要咖啡港)和乌迪比。许多港口因内地铁路运输的发展而失去价值。门格洛尔和加尔瓦尔已建成深水港以出口矿石。

Karnātaka Plateau 卡纳塔克高原 位于印度西南部卡纳塔克邦。面积约7.3万平方英里(18.9万平方千米)，平均海拔约2 600英尺(800米)。它由火山岩、结晶片岩、花岗岩组成的塔尔瓦尔岩系构成。主要河流有哥达瓦里河、克里希纳河、高韦里河、栋格珀德拉河、舍拉沃蒂河和皮马河。舍拉沃蒂河上有830英尺高的焦格瀑布，为印度最高瀑布。瀑布为该区最大动力资源和重要旅游点。高原南部为尼尔吉里丘陵。年降雨量由南部的80英寸(2 030毫米)减至北部的28英寸。檀木出口；柚木和桉木主要用于制作家具和造纸。开采锰、铬、铜、铝土矿。巴巴布丹丘陵有大量铁矿藏，戈拉尔有金矿。主要农作物有高粱、棉花、水稻、甘蔗、芝麻、花生、烟草、水果、椰子和咖啡。主要工业有纺织、食品、烟草加工和印刷等。工业主要集中在班加罗尔(卡纳塔克邦首府)。重要城镇还有迈索尔、贝尔高姆、古尔伯加、贝拉里和比贾布尔。

Karnatic music 参阅**Carnatic music卡纳蒂克音乐**。

Karnatic temple architecture 卡纳塔寺庙建筑 南印度卡纳塔克邦普遍采用的建筑形式。12世纪中叶曷萨拉王朝时代，结合南印度原有的形式，发展成一种独特的风格。这个王朝寺庙的特点是极其富丽堂皇的雕饰及众多神龛围绕着的中央殿堂。庙中高大的石柱基石上，水平排列着精细的雕饰，有花

卡纳塔克邦赫莱比德的曷萨拉庙
美国不列颠百科全书公司供图

卉、走兽，由近及远，直至尽头。墙上有一列列神和半神的雕像，各自安置在叶状的帏幕下。当地有丰富的绿泥石，开采时柔软，见风后硬化。这种岩石有利于发展这种华丽而精湛的雕饰。赫莱比德双神龛的曷萨拉庙，是12世纪卡纳塔寺庙建筑艺术的典型。其丰富多彩的雕刻，精细的技法，以及独到的功夫，令人赞佩。

Karnatic Wars 参阅**Carnatic Wars卡纳蒂克战争**。

Karnian Stage 卡尼阶 三叠纪的年代地层单元(三叠纪始于约2.45亿年前，终止于2.08亿年前)。位于拉丁阶之上，诺利阶之下，是上三叠统最低的阶。最初在欧洲阿尔卑斯山作过研究，该地层主要由不同水深沉积的海相地层组成。德国巴伐利亚州内，有独特化石形态的浅海砂岩，而在卡尼克阿尔卑斯山脉，以珊瑚灰岩和较深水沉积的白云岩为主。该期的沉积纪录复杂，代表许多沉积环境。

Karnische Alpen(Austria-Italy) **卡尔尼施山** 参阅**Carnic Alps卡尔尼克山脉**。

Kärnten 克恩滕 又称卡林西亚(Carinthia)。奥地利南部一个州。北界萨尔茨堡州、东北邻施泰尔马克(施蒂里亚)州，南与斯洛文尼亚、意大利接壤，西接东蒂罗尔州。境内河流有德拉瓦河、盖尔河、默尔河、古尔克河和拉万特河。面积3 681平方英里(9 533平方千米)。大部为阿尔卑斯山区，并有克拉根福盆地。州的东半部较低，称下克恩滕，西半部多山，称上克恩滕。西北的大格洛克纳群山中有全国最高点(3 797米)和最长冰川帕斯泰岑冰川(10千米)。州内有魏森湖、米尔施塔特湖。当地曾是克尔特人的诺里库姆王国的核心部分。公元前16年诺里库姆成为罗马一个省。罗马统治崩溃后，条顿人、阿瓦尔人、斯拉夫人和巴伐利亚人先后入侵。8世纪隶属巴伐利亚。976年成为公爵领地。1276年归日耳曼国王鲁道夫一世所有。1918年建州。第一次世界大战后，该州的128平方英里的土地割给南斯拉夫，172平方英里割给意大利。该州90%以上人口为日耳曼人，斯洛文尼亚人约占4%。居民绝大多数信奉天主教。主要城镇为首府克拉根福、菲拉赫、沃尔夫斯堡和施皮塔尔。主要经济活动为农业和林业，各占土地总面积的40%强。饲养业发达。克拉根福盆地和拉万特河流域种植小麦、裸麦、燕麦；盖尔河流域种植玉米；湖滨地区产水果。森林多为私有，砍伐速度超过自然生长。许腾贝格有铁矿开采，菲拉赫西部开采铅-锌-钼矿，施皮塔尔郊区开采菱镁矿，拉万特河流域开采褐煤。默尔河流域、施瓦贝格、拉瓦明德均建有水电站。工业不甚发达，集中于菲拉赫、沃尔夫斯堡和克拉根福。木材是最主要工业原料，用以造纸和生产纤维素。其他工业产品有金属制品、化工原料、纺织品等。主要铁路枢纽在菲拉赫。人口552 421(1991)。

Karo, Joseph ben Ephraim 卡洛(1488，西班牙～1575-03-24，巴勒斯坦塞费德[今以色列采法特]) Karo又拼Caro或Qaro。又名马朗。犹太教律法编纂家。西班牙于1492年驱逐犹太人，卡洛随父母移居土耳其，1536年前后又迁往巴勒斯坦塞费德，当时这里是学习《塔木德》的中心。犹太人逃离西班牙后，犹太人中间发生分裂，各国《塔木德》学者各执一词，卡洛乃立志寻求犹太教习俗和律法的统一，为此撰写《约瑟之家》，评注雅各·本·亚设所著《四类书》。由于《约瑟之家》内容复杂深奥，于是卡洛又于1565年编写出简明通俗的《布就筵席》。波兰籍拉比以瑟利斯指责这部著作偏重西班牙系犹太人的传统而忽视德系犹太人的习俗。1571年以瑟利斯针对此种偏向著《台布》，评注卡洛的著作而使之适应两系的要求。从此《台布》与《布就筵席》并刊。

Károlyi, Mihály, Gróf 卡罗伊(1875-03-04，奥匈帝国匈牙利福特[在今匈牙利]～1955-03-20，法国旺斯) 匈牙利政治家，第一次世界大战前渴望调整奥匈帝国的外交政策，与德国之外的国家建立友好关系，主张向匈牙利的非马扎尔族臣民让步。战后于1919年任匈牙利民主共和国总统，未能保住前王国的土地。出生于匈牙利最富有和最著名的贵族家庭之一。1910年作为保守派议员选入匈牙利国会，不久左转。他提出的分配大庄园土地、实行普选、各民族一律平等、在奥匈帝国内实行最大限度自治以及亲斯拉夫等政策，对战前保守的匈牙利来说是很进步的。1918年10月，他建立由他的一派、资产阶级激进派和社会民主党人组成的民族委员会。国王查理四世(也是奥地利皇帝查理一世)随即任命他为匈牙利首相，承认匈牙利独立，可以拥有自己的军队。1919年1月任匈牙利民主共和国总统，他想与协约国缔结有利的和约，没有成功。捷克斯洛伐克、罗马尼亚和南斯拉夫肢解匈牙利。当协约国提出进一步的领土要求时，他于3月辞

职,7月流亡国外。1946年作为左派社会党人回国。1947～1949年任驻巴黎大使。以后再次去外国。

Karonga 卡龙加 马拉维北部城镇。位于马拉维湖(尼亚萨湖)西岸。原为石器时代居民点。后由原始农民居住。1877年成为阿拉伯奴隶贩子姆劳济的据点。现城镇建于1883年。为英国商埠。1895年英国探险家约翰斯顿控制此地,终止了西岸的奴隶贸易。后发展成当地农产品贸易中心。沿湖一带产棉花和稻米,西部产咖啡和牲畜;也有渔业。人口:城镇约23 572(1993)。

Kárpathos 卡尔帕索斯 意大利语作Scarpanto(斯卡潘托)。希腊岛屿。在爱琴海佐泽卡尼索斯群岛。面积301平方千米。主要城镇皮加贾在岛南部,邻近皮加贾湾。1306～约1540年被威尼斯人统治。后被土耳其人占领。1912年为意大利所有。第二次世界大战后归属希腊。岛上多岩石,除南部以外无树木。居民大多从事农业、园艺和畜牧业,有少量渔业。当地语言中兼有古代多里安语和现代意大利语词汇,近似罗得岛和塞浦路斯方言。北部地区男人仍穿传统服装从事劳动。人口4 645(1981)。

Karpov, Anatoly Yevgenyevich 卡尔波夫 (1951-05-23,苏联俄罗斯兹拉托乌斯特～) 苏联国际象棋大师。20世纪70年代中期至80年代中期在世界比赛中独占鳌头。自幼天资颖慧,4岁起学下棋,9岁即被列为一流选手。1969年在斯德哥尔摩获世界少年冠军,一年后成为世界上最年轻的国际大师。1971～1974年在比赛中节节胜利,使他成为美国世界冠军费希尔的正式挑战者,争夺1975年王位。由于费希尔坚持按自己的条件比赛,结果卡尔波夫不战而胜。1978和1981年两次胜苏联选手科尔奇诺伊,保持冠军称号。1984～1985年败给另一苏联棋手卡斯帕罗夫,失去冠军称号。

Karre Mountains 卡雷山 法语作Monts Karre。中非共和国西部的山脉。其中加乌山高达1 420米,为该国最高点。为西南-东北走向的断面所劈开的这座花岗岩山脉向西延伸,越过边界进入喀麦隆境内。向南向东延伸的支脉都有巨大的鹅卵石。该山脉构成南部刚果河和北部乍得湖盆地之间的部分分水岭。博卡兰加附近恩戈河有朗克勒农瀑布。年降雨量约1 500毫米,支持了畜牧业。北麓出产棉花。主要城镇为布阿尔、布阿拉和博卡兰加。

Karrer, Paul 卡勒(1889-04-21,俄国莫斯科～1971-06-18,瑞士苏黎世) 瑞士化学家,因对类胡萝卜素、黄素及维生素A、B_2结构的研究而与W.霍沃思共获1937年诺贝尔化学奖。父母是瑞士人,他出生于俄国。1911年在苏黎世大学获博士学位。在苏黎世化学研究所工作一年后,在美因河畔法兰克福与P.埃尔利希共事。6年后回苏黎世大学任化学教授,1919年任化学研究所所长。1926年始研究植物色素,尤其是黄色的类胡萝卜素,阐明其化学结构,证明其中数种在动物体内可转变为维生素A,1930年测定维生素A主要前体的化学式,随后又确定维生素A的分子结构。证实了A.圣·捷尔吉关于维生素C结构的设想,证明核黄素是维生素B_2的一部分,又研究过维生素E。所著《有机化学教材》(1928)的德文版及英文版在20世纪30及40年代再版多次。

Karroo 卡鲁 又作Karoo。南非开普省内陆的干旱与半干旱地理区域,以1英尺(0.3048米)至数英尺的间隔生长的各种肉质植物和低矮灌木丛的植被是说明这种干旱的最好例子。卡鲁没有地表水,其名称来源于科伊桑语,意为"干旱的土地"。其亚区包括开普省南部海拔较低地区的山间谷地小卡鲁和大卡鲁,以及横跨开普省中部广阔高原台地和大陆崖北部与东部的主卡鲁(或上卡鲁)。卡鲁共占地约395 000平方千米,为南非总面积的1/3左右。卡鲁通常放牧不同种类的羊以获得羊肉、羊毛或羊皮,在灌溉地区则主要种植柑橘类作物。

Karroo System 卡鲁系 Karroo又拼Karoo。地质上指非洲地层的一个系,从赤道向南到好望角,出露面积156万平方千米以上。卡鲁系跨越的时间范围从二叠纪或石炭纪(约2.86亿年前)延续到晚三叠世(2.30亿年前至2.08亿年前)。卡鲁系地层最厚处超过10 500米。因其含有煤层以及一些石油而具有重要经济意义。具有科学意义的是卡鲁系提供的爬虫类生物尤其是似哺乳动物的兽孔类爬虫类(在其同类中将出现真正哺乳动物的祖先)几乎是独一无二的。卡鲁系分成4个统,从新到老依次是:①斯托姆博格统(晚三叠世),②博福特统(晚二叠世至早三叠世),③埃卡统(早二叠世),④德维卡统(早二叠世)。卡鲁系是非海相沉积物,其中有页岩、红层、粉砂岩和大量火山喷发物。卡鲁系的植物群和动物群是陆生的,而且似乎是记录了气候向干旱程度越来越高的逐渐变迁。德维卡统中的冰川堆积物与南美、印度以及澳大利亚的同期沉积物相类似。

Kars 卡尔斯 土耳其东北部城市。位于海拔1 750米的高原,濒阿拉斯河支流卡尔斯河,邻近亚美尼亚边界。河北为旧城,河南为新城,其间有塞尔柱土耳其人所建古代桥梁相通。9～10世纪为独立的亚美尼亚公国,后曾被塞尔柱人、蒙古人、奥斯曼帝国和俄国占有。1877～1878年正式被俄国兼并。1918年归还土耳其。历史建筑有昆贝特清真寺,原为亚美尼亚教堂改建,现为小型博物馆;奥斯曼时期的浴场;可俯瞰卡尔斯河的古城堡,可能是16世纪后期的军事哨所。该市为重要牲畜贸易中心,以乳酪闻名。也产粗纺毛织品、地毯和毡制品。为军事要地,有铁路与公路通全国各大城市。卡尔斯周围地区古代为亚美尼亚王国一部分,有许多该时期的遗址。卡尔斯城东的阿尼在10世纪时是巴格拉提德的都城。人口79 789(2000)。

Karsavina, Tamara (Platonovna) 卡尔萨温娜(1885-03-09或10,俄国圣彼得堡～1978-05-26,英国白金汉郡比肯斯菲尔德) 俄裔英籍芭蕾舞女演员。她在M.福金的先锋派芭

卡尔萨温娜在《彼得鲁什卡》中的剧照
美国不列颠百科全书公司供图

蕾舞剧中与V.尼任斯基的合作表演有助于恢复西欧对芭蕾舞的爱好。她是著名舞蹈家P.卡尔萨温之女,在圣彼得堡的帝国芭蕾学校从切凯蒂、C.约翰森和P.格尔德特等人学舞,1902年毕业。在担任玛丽亚剧院的芭蕾舞女演员时,上演过《吉赛尔》和《天鹅湖》。1909～1922年担任S.佳吉列夫的俄罗斯芭蕾舞团的女主角,颇享声誉。1909～1914年间她与尼任斯基合作(至1913年)扮演了福金的新浪漫派主义舞剧剧目的大部分著名角色,其中包括《仙女》、《玫瑰精灵》、《狂欢节》、《火鸟》、《彼得鲁什卡》和《塔马尔》。她在马辛的《三角帽》和《普契涅拉》中也扮演了主要角色。1918年,卡尔萨温娜和英国外交家H.J.布鲁斯结婚后到伦敦,在那里她帮助建立了皇家舞蹈学校(1920),并为这个学校组织了教师训练班和卡玛戈学会(1930)。她还辅导过M.芳廷。著作有为《舞蹈时代》杂志撰写论述舞蹈技艺的文章;自传《剧院街》(1930)和教科书《古典芭蕾舞:流畅的动作》(1962)。

Karsh, Yousuf 卡什(1908-12-23,土耳其马尔丁～2002-07-13,美国马萨诸塞波士顿) 土耳其出生的加拿大摄影家,以拍摄当代名人肖像而闻名。卡什是住在土耳其的亚美尼亚人,青年时遭受迫害,生活贫困。16岁(1924)移居加拿大去找他的叔父,一位魁北克舍布鲁克的摄影家。1928～1931年,他在美国跟一个卓越的波士顿画家和人像摄影家当学徒,并在一个艺术学校短期学习。1932年回到加拿大,为一个渥太华摄影师所雇用。该摄影师退休后,他租用了这家照相馆。1935年,他被任命为加拿大政府官方人像摄影师。1947年成为加拿大公民。1941年他在渥太华给邱吉尔拍摄的肖像,鲜明地表达了这位英国战时领袖的顽强决心,使他第一次

在世界闻名。他继续为世界许多著名人物摄像,包括王室成员、政治家、艺术家和作家。他还继续拍摄世界许多领袖的肖像。他作为人像摄影师的风格是严谨的。用光细致,

卡什自摄像,1988 年

美国不列颠百科全书公司供图

惟妙惟肖地拍出对象的面容,呈现出与他们公开形象相符的有永久价值和理想的人像肖像。他的著作有《决定命运的人》(1946)、《伟人肖像》(1959)、《伟人探索》(1962)、《卡什代表作》(1967)、《当代名人》(1971)、《卡什人像作品》(1976)、《卡什的加拿大人像》(1978)、《卡什:五十年作品展》(1983)和《卡什:六十年作品展》(1996)。

Karshi 卡尔希 乌兹别克斯坦南部城市。位于卡尔希绿洲,卡什卡达里亚河畔。该城至少有1 000年的历史。地处从撒马尔罕、布哈拉通往阿富汗、印度的通商大道上。14 世纪前建为要塞时称纳赫舍布或内塞夫(今名系突厥语,意为"防备")。后属布哈拉汗国,为统治者居住地,并从事谷物、羊毛、植物油和干果生意。现为铁路枢纽。有农产品加工和生产乌兹别克优质无绒地毯等工业。20 世纪 60 年代成为建设卡尔希草原主要灌溉工程的基地,人口增加一倍。设有师范学院和剧院。人口约177 000(1993)。

Karşiyaka 卡尔舍亚卡 土耳其西中部城镇。位于伊兹密尔湾北岸,在伊兹密尔市西北。为有港口设施的造船中心,伊兹密尔都市区的一部分。周围地区主要经营农业。城镇制造业有棉纺和毛纺、烟草加工、水果蔬菜罐头、化工、制鞋和家具制作等。人口约 421 351(1990)。

karst 喀斯特 又称岩溶。通常指岩石裸露、草木不生,具有洞穴、落水洞、地下河而缺乏地表河流和湖泊为特征的地区。是地下水对可溶性块状石灰岩溶蚀的结果。这个术语原先用于亚得里亚海达尔马提亚沿岸的石灰岩区喀斯特,但经过推广,现已用于类似的一切地区。喀斯特分布在世界上极为零散的地区:法国的科斯、中国的广西地区、墨西哥的尤卡坦半岛以及美国的中西部、肯塔基州和佛罗里达州等地。促使喀斯特发育的条件是:①地表附近有节理发育的致密石灰岩;②中等到较大的降雨量;③地下水循环通畅。石灰岩(碳酸钙)在略有酸性的水中更易于溶解,而这种水在自然界中广泛存在。雨水沿水平的和垂直的裂缝渗透,将石灰岩溶解,并以溶液形式带走。由于地表物质带走而产生石灰岩喀斯特面。沿节理发育的垂直裂隙逐渐加宽、加深,形成石骨嶙峋的地形。当雨水沿地下裂缝流动时,就不断使裂缝加宽、加深,直到终于形成洞穴系统或地下河道,狭窄的垂直纵向竖井与这些河道联通。世界上的大洞穴区,大多数(但非全部)都是喀斯特区。岩沟、天生桥、石灰岩孤峰之类都是喀斯特区的特有地形。如果洞穴足够大、且其顶部延伸至接近地表,则洞顶会坍塌。这就产生名叫落水洞的洼地,落水洞是喀斯特地形一种最有代表性的特征,常常合并成更大的凹陷,叫做坡立谷(灰岩盆地),它常常是平底的,并由石灰岩中不溶残余物形成的土壤所覆盖。这大概是唯一能够进行耕种的地区。不过,石灰岩在溶解度方面和所含不溶性组分的比例上差别很大,因此,有些喀斯特区的一般地表是可以耕种的。可能在很广的地区内完全没有地表河流,事实上,在一些降雨量大的喀斯特地区,所有降水都那样完全地消失在地下,甚至家庭生活用水都很难找到。另一些地方,地表则可能出现大泉,以河流形式流过地表,然后再次消失到地底下。在干旱地区,渗流的地下水常常将细小土粒冲刷掉,而形成无数小管道,而后注入冲沟的源头。当这些管道崩塌时,就形成了假喀斯特地形,其中甚至出现一些落水洞,不过并不像许多真正的落水洞那样延伸到潜水面以下。参阅 **thermokarst**。

Kartēr 卡提尔(活动时期3世纪,伊朗)又拼 Karder。琐罗亚斯德教有影响的高级祭司,他的目标是清除伊朗的其他一切宗教,尤其是摩尼教。对卡提尔的少许认识系来自崖面上的铭文,这些铭文大部分是沙普尔一世在位时期(241 ～ 272)所刻。他曾在 700 多个悬崖上宣示琐罗亚斯德教的基本教义。卡提尔是在国王阿尔达希尔一世统治时期(224 ～241)开始宗教活动的,他恢复了玛兹达教(琐罗亚斯德教)的纯洁性。在沙普尔一世治下,他得到助理祭司的称号。后来,在另一位国王霍尔密兹德治下,他被提升为祭司长。巴赫拉姆一世(273 ～ 276 在位)登基后,卡提尔终于得到驱除一直受沙普尔保护的主要敌手摩尼的机会。摩尼被巴赫拉姆监禁,终于死于狱中。卡提尔着手重建正统的琐罗亚斯德教,开始迫害所有其他的宗教,尤其是坚持以自己的思想解释《阿维斯伦》的曾特克斯派(系琐罗亚斯德教的异端派别,或称佐尔文派)。卡提尔死后,又逐渐开始一定程度的宗教宽容,为卡提尔创设或由他攫取的许多称号都归还其他祭司。

karting 卡丁车运动 驾驶骨架式后引擎微型汽车,或利用这种汽车进行竞赛。20 世纪 50 年代起源于美国。这种汽车一般没有防护车身,驾驶座距地面只有几英寸。有些车时速可超过 100 英里。比赛车道与其他汽车比赛所用车道相似,但总长度只有约

英国希舍姆奥尔顿公园内的卡丁车比赛

美国不列颠百科全书公司供图

1 000码。卡丁车按汽缸工作容量分为 100 和 200 立方厘米两组。

Kartini, Raden Adjeng, (Lady) 卡尔蒂妮(1879-04-21,爪哇马琼[印度尼西亚]～ 1904-09-17,爪哇南望区) 爪哇贵族女子,其所写的书信使她成为印度尼西亚争取独立和女权运动的重要象征。父为爪哇贵族,在荷兰殖民当局工作,任贾帕拉县长。她进入荷兰学校,接触西方思想,善操荷兰语。少女时期常与荷兰校友通信。她在书信中讲述印度尼西亚人民在荷兰殖民当局统治下的种种苦难以及印度尼西亚妇女在社会上所受到的一切束缚。她决心为解放事业贡献自己的一生。1903 年与爪哇南望区一名进步官员结婚。婚后计划开办女校。25 岁时,在生第一个孩子之后病故。1911 年,教育、宗教与工业系前主任 J.H.阿本达农把她的书信整理出版,题为《从黑暗到光明》。此书享有盛名。1922 年出版印度尼西亚文译本。她的诞辰是印度尼西亚的一个节日。

Kārttikeya(Hindu god) **羯提计耶** 参阅 **Skanda** 塞犍陀。

Kartvelian languages 卡特维尔诸语言 又称南高加索诸语言或伊比利亚诸语言,包括格鲁吉亚语、斯万语、明格列尔语及拉兹语,通行于高加索山脉主脉以南地区。在这个语族中,只有格鲁吉亚共和国官方语言格鲁吉亚语有古代文学传统。格鲁吉亚语溯自公元 5 世纪,它也是操另外几种语言的人们的共同书面语,因为那些语言都没有文字。有些学者认为,明格列尔语和拉兹语是一种语言的两种方言而非独立的语言。南高加索诸语言的语言学特征表明均源自共同的原始母语。卡特维尔诸语言的音位系统相当一致,虽然斯万语有几个具区别性的元音。其他的语法特征,如词的屈折变化系统、派生规则、句法以及通用词汇都显示出很大的一致性。从这些共同特征出发,语言学家们推论存在着一个具有一定特征的原始卡特维尔语,显然地与印欧诸语言处于平行地位,他们继而推论斯万语的特点是保留了大量古语。在其早期发展阶段即自另外三种语言分离出来。参阅 **Georgian language**; **Svan language**; **Mingrelian language**; **Laz language**。

Kārūn River 卡伦河 古称乌拉伊。伊朗西南部河流,发源于伊斯法罕以西的巴赫蒂亚里山,河道蜿蜒曲折。全长 829 千米,但从

源头到与阿拉伯河汇合处的直线距离仅290千米。流域面积57 059平方千米，其中18 130平方千米属主要支流迪兹河。全部河道分三段：从发源地到加特万德；从加特万德到迪兹河汇合处班德吉尔；从班德吉尔流经阿瓦士入阿拉伯河。除阿瓦士约有3千米的险滩外，直到河口都可通航。阿瓦士以下有时河水过浅不利航行，特别是在枯水期。该河最低水位在10月，最高水位在4月。1888年，河口至阿瓦士段开放为国际航道，后来在阿瓦士与班德吉尔之间开设班轮。由于石油工业的发展，卡伦河下游的水运日益重要。为增加对伊斯法罕的供水，1971年在河上建成水坝和隧洞。

卡伦河上的水坝
美国不列颠百科全书公司供图

karuna　悲无量心　梵文；佛教中的悲悯圆满功德。参阅 **brahmavihāra**。

Karuzi　卡鲁济　布隆迪中部城镇。为一市场中心。公路通穆因加和基特加。地处布隆迪中央高原，海拔1 250～2 000米。周围地区有鲁武布河及其支流流过。大部地区饲养牛、山羊、绵羊，并种植香蕉、木薯、豆类、玉米、高粱和咖啡。

Karve, (Maharishi) Dhondo Keshav　卡夫（1858-04-18，印度舍拉瓦里～1962-11-09，浦纳）　印度社会改革家、教育家，以支持妇女教育和组织印度寡妇再嫁联合会而闻名。1891～1914年在浦纳弗格森学院任数学讲师时，卡夫就想打破印度教不许寡妇再嫁的落后习俗。他的第一个妻子于1891年去世；1893年他建立寡妇婚姻联合会，当年与一位寡妇结婚从而使舆论哗然。卡夫也在浦纳建立了一个教育机构“印度寡妇之家”（1896），如果寡妇不能再嫁，该机构就帮助她们自谋生计。当他从弗格森学院退休后，于1916年开始创办撒克赛女子大学。后来他进一步扩大社会改革范围，成立乡村初级教育协会和废除种姓制度协会。卡夫百岁诞辰时，被授予印度最高荣誉印度宝石勋章。自传出版于1915年。

Karviná　卡尔维纳　捷克共和国北摩拉维亚州矿业城市。位于俄斯特拉发以东，在奥尔谢河东岸，靠近波兰边界。1949年并入弗里什塔特镇，扩大了市区。生产优质煤，其他工业有化工品（化肥为主）、铁制品，还有煤气厂。人口约68 368（1991）。

Karyotákis, Kóstas　参阅 **Kariotákis, Kóstas** 卡里奥塔基斯。

Karzai, Hamid　卡尔扎伊（1957-12-24，阿富汗坎大哈～　　）　阿富汗政治人物，该国第一个民选总统。为坎大哈地区波帕尔查伊普什图部族首领之子，1982年于印度喜马偕尔邦立大学获政治学硕士学位。毕业后参加抗苏斗争。1992年4月纳吉布拉共产主义政权倒台，穆贾迪迪建立联合政府，卡尔扎伊出任副外长。1994年辞职。1997年移居巴基斯坦。1997年7月其父遭亲塔利班分子枪杀，他成为波帕尔查伊部族首领。2001年9·11事件后，美国开始军事打击以阿富汗为基地的塔利班及恐怖主义分子。卡尔扎伊返回阿富汗协助美军开展军事行动。2001年12月5日，卡尔扎伊被出席阿富汗问题波恩会议的各派代表一致推举为临时政府主席。2002年6月在阿富汗大国民会议投票选举中当选为阿富汗过渡政府总统。他面临众多挑战，包括控制阿富汗传统势力和防止塔利班重掌政权。他还寻求重建这个受战争重创的国家。暴力事件仍在继续，他本人也多次成为暗杀目标。2004年1月阿富汗通过新宪法，根据该法国家总统须通过直接选举产生。同年，阿富汗举行首次总统选举，卡尔扎伊当选。

Kasai River　开赛河　非洲中部河流，刚果河主要南部支流。在马莱博湖（斯坦利湖）上游200千米刚果（金）境内的夸穆特汇入刚果河。是刚果河流域南部水系最长的河流。源出安哥拉境内的中央高地，全长2 153千米。上游向东流402千米，后折向北流近483千米，形成安哥拉和刚果（金）之间边界。该河段海拔600～900米，其间有数处壮观的急流和瀑布。往下，再经过一些急流和瀑布，河床渐宽渐深，可以通航。金沙萨至伊莱博（前称弗朗基港）一段河上运输尤为繁忙。吃水浅的船只可驶达乔库蓬达。下游进入赤道雨林。在与宽果河汇流处下游形成韦斯曼湖。以后称夸河。

Kasanje　卡桑杰　非洲历史上的一个王国，位于今安哥拉境内宽果河上游，约1620年由隆达的武士卡桑杰领导族人创建。其居民和邻国雅加的居民通称因班加拉人。17世纪中叶，王国与隆达及其他内陆国家贸易殷盛，还与大西洋沿岸的葡萄牙商人通商，在首都卡桑吉的市场上，用奴隶交换葡萄牙的布匹和枪支。因班加拉人从17世纪50年代至19世纪50年代一直垄断葡萄牙同非洲之间的贸易。19世纪中期曾击退过葡萄牙远征军，1910～1911年终被占领，并入葡属安哥拉。其最东部的地区被刚果自由邦兼并，成为今刚果（金）的一部分。

Kasaoka　笠冈　日本本州冈山县西南部城市。临濑户内海。德川时代其港口兴旺前原为一寺庙镇。通铁路和建立纺织厂后，于20世纪初成为吉备高原的商业中心。有花卉和水果种植。1965年起不断填海造陆以发展农业、工业和住宅区。人口59 618（1990）。

Kasatkin, Ivan Dmitrovich（Orthodox saint）**卡萨特金**　参阅 **Nikolay Kasatkin, Saint** 尼古拉·卡萨特金，圣。

Kasavubu, Joseph　卡萨武布（1910?，比属刚果切拉～1969-03-24，刚果博马［今在刚果（金）］）　政治家，1960～1965年任独立的刚果共和国第一任总统。在刚果接受天主教传

美国不列颠百科全书公司供图

教士的教育后，成为一位世俗教师，1942年担任政府文官，后升任首席文书，这是比利时殖民地政府为刚果人所设的最高职务。作为早期刚果独立运动的领袖，40年代末期，他在刚果文化团体和校友会中担任重要职务，这些实际上都是政治组织，不顾比利时当局的命令而展开活动。作为刚果最大的部族之一的强大的巴刚果族的一员，他于50年代争取建立具有联邦结构的独立的刚果，以确保巴刚果获得一定程度的自治。1955年卡萨武布任巴刚果势力强大的政治文化协会阿巴科（巴刚果人民联盟）的主席。1957年阿巴科候选人在利奥波德维尔（今金沙萨）比利时当局允许的第一次市政选举中大获全胜，卡萨武布当选为丹戴尔市长。1960年在刚果首届全国选举中，卢蒙巴的党得到的选票超过卡萨武布的阿巴科及其同盟者，但双方都未能构成议会多数成立联合政府。卡萨武布与卢蒙巴勉强结成合作关系，由他任国家元首，卢蒙巴任总理。国家独立后不久，发生军队哗变，刚果遭到破坏，比利时军队进行干涉以保护留下的比利时居民。冲伯统治下的加丹加省宣布独立。联合国的援助被证明对恢复国家秩序是无效的。在蒙博托上校领导的军队支持下，卡萨武布免去卢蒙巴的职务，重新组阁。接着卡萨武布心照不宣地支持蒙博托于1960年末发动第一次政变，后策划冲伯于1964年就任总理。但随着蒙博托于1965年第二次发动政变并最终推翻政府后，卡萨武布在刚果政治舞台上的作用实际上已经结束，随后隐退于下刚果博马农庄。

kasb 取得 伊斯兰教义学家艾什尔里提出的一条教义，介乎先定论和自由意志论之间。他认为，一切行为，无论善恶，都来自真主，但经过人取得。有人指责这种理论是把邪恶归之于真主，艾什尔里解释说，恶固然是真主所创造，但真主不是行恶者。他用“取得”一词以避免把创造一词用之于真主以外的任何对象。艾什尔里的主旨是维护关于真主全能的教义，同时又承认人应当在一定程度上为自己的行为负责。

Kaschau（Slovakia） **卡绍** 参阅 **Košice** 科希策。

Kaschnitz, Marie Luise 卡施尼茨（1901-01-31，德国卡尔斯鲁厄～1974-10-10，意大利罗马） 德国诗人和小说家，以其众多作品中乐观和仁爱的观点著称。完成学业以后，成为罗马一个书商。婚后与她的考古学家丈夫到处旅游。对地中海历史遗迹的探访，使她对过去古代世界有了认识。这种认识对她后来的写作影响极大。她在第二次世界大战之前，出版过两本小说，一本是《初恋》（1933），另一本是《艾丽莎》（1937），都是描写少女的恋爱问题。但在战后，她成为一位重要的抒情诗人。她使传统诗体与现代诗体相结合，文字新颖独特。在诸如《死亡之舞与时代之诗》（1947）和《未来音乐》（1950）等作品中，她表达了对现代世界痛心而坚定的看法，但这种看法又为她的谨慎的乐观情绪和希望所冲淡。从诸如《你的沉默，我的声音》（1962）等后来的诗集看，既有丈夫过世后感到的忧伤与寂寞，也有她对此后自己生命的意义与安定感的探求。卡施尼茨写有自传性小说《今后我何去何从》（1963）和短篇小说集《长长的影子》（1960）。她也写过论说文以及广播剧与舞台剧。

Käsebier, Gertrude 卡塞比尔（1852-05-18，美国艾奥瓦得梅因～1934-10-13，纽约州纽约） 原名 Gertrude Stanton。美国艺术摄影师，摄影决裂者组织创办人之一，以其令人产生美好回忆的女子形象和家庭情景摄影为人称道。1864 年随家人移居纽约市布鲁克林。10 年后与德国移民商人 E.卡塞比尔结婚。1889～1896 年在布鲁克林普拉特学院学习艺术，很快为摄影所吸引。其作品不久即为人们所赏识，并经常展出。1896 年于波士顿摄影俱乐部举行第一次个人展览，次年即在纽约市开设摄影室。1898、1899 及 1900 年其摄影作品均进入费城摄影沙龙，也见于多本杂志和《摄影作品》第一期。与同时期的其他运用绘画风格的摄影师一样，她也提倡摄影是一种艺术。为此，她与 A.施蒂格利茨、C.H.怀特和 E.施泰肯组成摄影决裂者组织。1916 年，她与施蒂格利茨分道扬镳，与怀特共同创办美国艺术摄影者协会。她也是纽约职业摄影师协会成员，以及美国摄影师协会妇女联合会的共同创始人。约在 1927 年，她关闭了其肖像摄影室。1929 年，布鲁克林艺术与科学研究所举办了摄影作品回顾展。她以对母爱的敏锐描绘和众多的肖像最为著名。她在所有的作品中都试图捕捉其主题的有代表性，却又给人以亲切感的印象。与许多运用绘画风格的摄影同行一样，她也常对其照片进行处理以适合她的艺术意向。

Kāshān 卡尚 伊朗中西部城市，在伊朗中央山脉东麓。位于一度重要的商队路线和横贯伊朗铁路的支线上，是一座古城，西南 3 千米处是史前时期的泰佩锡亚勒克遗址。卡尚也是波斯制陶业中心，生产的装饰陶器和釉瓦出口近东。尤以虹彩陶瓷器著名。出产优质毛织和丝织毯，但现代工业发展缓慢。人口201 372（1996）。

Kāshān carpet 卡尚地毯 伊朗中西部城市卡尚或其附近手工制做的羊毛或丝织铺地用品，长期以来以质地优良而著称。有三类16世纪萨非王朝时期的纯丝毯据信是出自卡尚。第一类中包括现在存世的三块大毯，中有奎心，中心和四角之间为各种狩猎图。其中最有名的两块属于世界上最精致的地毯之列。第二类以十几块小毯为代表，丝织毯面，以红色为主体。大多数均有奎心，有四块图案是成行的小兽或斗兽。第三类是开立姆丝毯，做工极为精细，壁毯织法，常加有少量金属线，用以提色闪光，图案则有人物或天使。20 世纪初开始进行羊毛毯及丝织栽绒毯的大批量商业性生产，均属上等波斯地毯，有的图案极为精致，奎心雅致，蔓藤加花，蜿蜒曲折，花瓶处处，插花朵朵。收藏家的珍品中有人物图案毯、象征图案毯和华丽的祈祷毯，这些都是波斯其他地区不常见的品种。卡尚地毯拴波斯生纳扣，丝底或棉底，根据毯面用料而定。

16 或 17 世纪的卡尚地毯
美国不列颠百科全书公司供图

kāshēr（Judaism） 参阅 **kosher** 合礼。

kashf 我识 伊斯兰教神秘主义苏非派用语。指神秘主义者通过个人体验与直接感受真主而获得的奥秘知识。我识无法传给没有亲身体验的人。苏非派认为，我识可以取代知识（即运用认主学、逻辑学和思辨哲学研究真主性质的学问）。伊斯兰法学家和教义学家加扎利（安萨里）在转向苏非派神秘主义后，得出结论说：我识是取得真正的、可靠的知识的唯一途径，是真主用以照耀信徒之心的光。

Kashgai rug 参阅 **Qashqā'ī rug** 卡什加地毯。

Kashgar Range（China） 参阅 **Muztagata Shan** 慕士塔格山。

Kashgar rug 喀什地毯 中国新疆维吾尔自治区喀什地区生产的手工织毯。喀什地毯与和田地毯、莎车地毯在市场上统称撒马尔罕地毯。喀什地毯与另两种地毯的主要区别在于色调深，织毯工艺与镶边图案都接近波斯地毯。

Kashi 喀什 又拼 Kashgar, K'a-shih。中国新疆维吾尔自治区喀什地区辖县级市，地区行政公署驻地。维吾尔族地名喀什噶尔，是南疆第一大城市。位于喀什噶尔河谷绿洲上。水源丰富，河渠纵横，是南疆肥沃而古老的绿洲。面积555平方千米。西汉为疏勒国，神爵二年（公元前 60）隶西域都护府。唐贞观二十二年（648）置疏勒镇，为安西四军事重镇之一。上元二年（675）设疏勒都督府，属安西都护府。北宋为黑汗王朝南部农业中心。南宋属西辽，称可失哈儿（即喀什噶尔）。元代以来一直为南疆政治、经济、文化中心和交通枢纽。明称“哈失哈尔地面”。正德九年（1514）曾被察合台后王赛德汗攻占，短期内成为可失哈儿汗国都城。清乾隆二十四年（1759）设喀什噶尔参赞大臣，管理塔里木盆地。光绪九年（1883）置疏勒州，光绪二十九年升为府。清末析置疏附县。1952 年由疏附县析置喀什市。农业开发历史悠久，盛产优质棉花、谷物、瓜果。传统手工艺品有小花帽、乐器、小刀、地毯等。现代工业有机械、水泥、纺织、化工及食品加工等。为南疆重要交通中心和南疆西部农畜产品集散地。古代为“丝绸之

喀什市东湖公园八角亭
中国大百科全书出版社供图

路”南道西段的分道点，现有314、315国道过境，公路可通中亚及巴基斯坦等地。民航通达乌鲁木齐和阿克苏。市内及附近文物古迹众多。市中心艾提尕尔寺建于1788年，是新疆最大的清真寺。市郊霍加墓始建于1640年，是维吾尔式家墓建筑。疏附县境的三仙洞始凿于东汉，是喀什附近仅存的佛教遗址。人口350 000(2005)，是新疆人口最密集的地区。

Kāshī, al-　卡西（约1380，波斯卡尚～1429-06-22，乌兹别克斯坦撒马尔罕）　伊斯兰世界最伟大的数学家和天文学家之一。卡西一生中已知最早的事情就是他对1406年6月2日发生在卡尚的月食观测。他流传下来的最早的著作是《天国的阶梯》(1407)，这是题献给当地官员的天文学论文。约1413～1414年，完成了他第一个重要的工作《修正的伊儿汗历》。还在1416年完成了两部著作《观像仪器讲解》和《天象盘构造方法》，描述了他发明的一种用来确定行星位置的仪器（类似行星定位仪）。1417～1420年，兀鲁伯在撒马尔罕建立了马德拉撒（宗教大学）以招揽王国内伟大的学者。1420年卡西来到这里，毫无疑问地成为这个新学校的领袖级的天文学家和数学家。在1449年兀鲁伯被暗杀，以及之后的政治压迫出现之前，撒马尔罕是伊斯兰世界最重要的科学中心。卡西在到达撒马尔罕之后做出了他最伟大的数学工作。1424年，他完成了名著《圆周论》，在书中他将2π的值精确到了9位（六十进制）。他最著名的作品《算术之钥》完成于1427年并题献给兀鲁伯。这部百科全书式的著作传授了天文学、测量学和金融学中大量问题的解法，使用了卡西自己定义的算法，作为“一种从已知性质推知未知结果的科学规则”。后世的大量传抄本印证了《算术之钥》的精彩的教学方法。在他第三部杰作《论弦与正弦》中，他把1°的正弦值精确计算到了10位（六十进制）。这个精度是《兀鲁伯天文历》准确性的基础。

Kashihara　橿原　日本本州奈良县城市。在奈良盆地南端。从史前时期起，该城文化地位一直很重要，现为日本重要考古地区。市内橿原宫据信为日本第一位皇帝神武登基的地方，1889年宫址上建立神社。其他历史古迹有神武和其他早期皇帝的陵墓及藤原家族宫室遗迹等。市东、北的亩傍山、耳成山和天香久山为旅游胜地。人口125 016(2000)。

Kashiwa　柏　日本本州千叶县城市。在东京东北，常盘铁路线上。1954年由柏、小金町和两个小村庄合并而成。德川时代为小驿镇。第二次世界大战前为铁路和地方行政中心。1951年通电气化铁路，后成为东京-横滨都市区的居民卫星城。人口327 868(2000)。

Kashiwazaki　柏崎　日本本州新潟县城市。临日本海。德川时代为著名的佐渡岛—江户（今东京）黄金交通线上的驿镇。西山油田和铁路建成后，于20世纪初建起炼油厂。其他产品有机械、工业玻璃和木材。该市亦为温泉疗养地。人口88 419(2000)。

Kashku（ancient Anatolian people）　参阅 **Kaska** 卡斯喀人。

Kashmir（India-Pakistan）　**克什米尔**　参阅 **Jammu and Kashmir** 查谟和克什米尔。

Kashmir, Azad（Pakistan）　参阅 **Azad Kashmir** 自由克什米尔。

Kashmir, Vale of　克什米尔谷　风景优美的山间谷地。位于印度西北部大喜马拉雅山（东北面）和比尔本贾尔岭（西南面）之间。为杰赫勒姆河上游的古湖盆。长85英里（140千米），宽20英里，海拔5 300英尺（1 620米）。西南季风被海拔1.2万～1.6万英尺的高山阻挡。为克什米尔地区的人口聚居区。斯利那加为查谟和克什米尔印度控制区的首府。谷地肥沃冲积土出产稻米、玉米、水果和蔬菜。风景如画的山岳和湖泊（尤其是伍勒尔湖、达尔湖）吸引了众多游客。

克什米尔谷地的水稻梯田
美国不列颠百科全书公司供图

Kashmir Śaivism　克什米尔湿婆派　又称认知派（Pratyabhijñā）。印度一种重要的宗教哲学派别系，以湿婆作为最高的神祇崇拜。这一派与实在论和二元论的湿婆悉檀多派不同，是依据唯心论和一元论的。该派认为湿婆是唯一的实在，是宇宙的物质因和效力因。他的力量有5个方面：意识、欢乐、愿望、知识和行动。该派信徒认为，解脱的途径是专心沉思大神和认知个人灵魂和大神的同一性。

kashmir shawl　克什米尔披巾　在克什米尔织的羊毛披巾。相传是15世纪克什米尔的统治者宰因-乌尔·阿比丁从土耳其斯坦引进这种工艺。最早的披巾巾面素净，巾边的花纹是大束的花饰、花瓶和松果。全部或部分用山羊毛（叫做帕希姆）织成。19世纪，披巾分为帕希姆·塞拉（用家养的山羊毛织成）和阿丝里·土斯（用野生山羊毛织成）两种。克什米尔披巾当时在欧洲也深受欢迎。为了迎合外国人的趣味，传统的式样改为由外商提供的式样。法国和英国并开办生产披巾的机械化工厂，其披巾仿效克什米尔披巾，并全用机织，真正的克什米尔披巾无法与这种廉价生产的制品竞争。1870年前后，克什米尔的披巾工业几乎完全破产。到20世纪中叶政府才力图恢复。

18世纪晚期的克什米尔披巾
美国不列颠百科全书公司供图

Kashmiri language　克什米尔语　通行于克什米尔山谷及其周围地区的语言。就其来源来说，应属达尔德语，但就其特点来说，已完全是印度-雅利安语。克什米尔语的词汇兼容并包，其中有达尔德语、梵语、旁遮普语和波斯语的成分。宗教信仰的不同反映在词汇和字母的选择上。穆斯林娴熟地使用波斯语和阿拉伯语词汇，并用波斯字母记写克什米尔语。然而波斯字母并不真正适用于克什米尔语，因为它缺乏许多用于表现克什米尔语元音的符号。印度教徒多数受过教育，喜欢用源出梵语的词汇，并以萨拉达字母记写克什米尔语。印刷品使用天城体字母。克什米尔语只有少量文学作品。主要方言有基什特瓦尔语、波古里语、兰巴尼语。

kashruth　饮食教规　特指犹太教关于饮食的规定，一方面禁止食用某些食物，另一方面规定用特殊方法处理某些食物。饮食禁忌多见于《旧约》中的《利未记》、《申命记》、《创世记》和《出埃及记》。概略地讲，谨守饮食教规的犹太人的饮食范围，在鱼类为有鳍有鳞者，在鸟类有分别规定，在肉类则为反刍分蹄者。可食用的鸟兽鱼等必须按教礼屠宰，否则不宜食用。动物的血不可食，因此按教礼屠宰后，须经过浸泡和盐渍以清除血液。在食用和烹饪方面，都必须把肉食与乳类严格分离。对于蔬菜和水果没有禁忌。极端正统派犹太教徒不饮有非犹太人参加酿造的酒。过逾越节时食物不得含有酵母。

Kaska　卡斯喀人　又拼Kashku。古代安纳托利亚民族名。他们居住于赫梯王国北部边界和黑海之间的谷地。卡斯喀人既无文字，也未建起城市。仅由赫梯文记载中知道这个民族，记载称他们纺织亚麻布和养猪。约公元前1600～约前1193年间，他们一再与赫梯人交战。由于他们有严密的部落组织和巧妙的游击战术，尽管赫梯人多次讨伐，也未能将其彻底征服。穆尔西利斯二世在位时期（约前1346～约前1320）不得不沿王国北界广筑堡垒防御卡斯喀人不断的袭击。到下一代国王穆塔瓦里斯时期，就因迫于卡斯喀人的压力不得不放弃其首都哈图沙什城，而此城很可能已遭到卡斯喀人的洗劫，其时间约为公元前1300年。有关卡斯喀人的最晚的记载是说他们于约公元前700年曾与亚述帝国的萨尔贡二世作战。

Kaskaskia 卡斯卡斯基亚 美国伊利诺伊州西南部兰道夫县村落。在切斯特之西，密西西比河上的卡斯卡斯基亚岛上。1703年始建，1818年设建制为村。原为法国人的商站和农业社区。1763年由英国占领。1733年法人所建卡斯卡斯基亚堡于此时为村民所毁。1778年属美国。1809年设为伊利诺伊准州首府，1818～1820年为州首府。1844年后因密西西比河改道，城址逐渐被淹没，形成孤岛。1881年的大水又将孤岛全部淹没。现村址在原址以南。村北有卡斯卡斯基亚堡旧址。人口约9(2000)。

Kaskaskia River 卡斯卡斯基亚河 美国伊利诺伊州中南部河流，部分可通航。源出尚佩恩县的厄巴纳附近，西南流向，在兰道夫县切斯特以北注入密西西比河。全长515千米。该河在源头附近流经谢尔比维尔湖，后又穿过由卡莱尔坝蓄成的一水库。此河水量变化不定。19世纪在河口曾发生大洪水，将第一个州首府卡斯卡斯基亚淹没。变迁的密西西比河选用卡斯卡斯基亚河的河床，形成现今的卡斯卡斯基亚岛。

Kasparov, Gary 卡斯帕罗夫（1963-04-13，苏联阿塞拜疆巴库～ ） 全名Garri Kimovich Kasparov，原名Garri（或Harry）Weinstein。苏联国际象棋大师。1985～2000年国际象棋世界冠军。其父是犹太人，母亲是亚美尼亚人。卡斯帕罗夫6岁开始下国际象棋，13岁成为苏联青年冠军，1979年16岁时首次参加国际比赛并获胜，1980年成为国际特级大师。1973～1978年他拜前世界冠军M.博特温尼克为师，后来他的教练员是A.尼基京。卡斯帕罗夫在比赛中不断取胜，使得他有资格在1984～1985年的一次比赛中向当时的世界冠军A.卡尔波夫挑战。卡斯帕罗夫在前9局中输了4局，后来他步步为营改取守势，与卡尔波夫连连下成和局；待这位世界冠军精疲力尽时，卡斯帕罗夫最后赢了3局。在进行了48局后，国际象棋联合会中止了这次系列赛，卡斯帕罗夫对此决定提出抗议。1985年两人重赛，结果卡斯帕罗夫在24局系列赛中险胜卡尔波夫，从而成为国际象棋史上最年轻的冠军。进入90年代以后，他在国际象棋世界锦标赛中继续获胜。1997年，在世界闻名的"人机大战"中败给由IBM专门设计的象棋电脑"深蓝"。2000年，在一场16局的锦标赛中败给俄罗斯棋手V.克拉姆尼克。

Kasperle 卡斯佩勒 德国和奥地利最著名的木偶戏主角。在德国和奥地利，该词与木偶剧同义。这个角色是在17世纪后期根据维也纳民间流传的戏剧人物——一个狡诈的雇农汉斯武斯特而发展起来的。18世纪早期它有了现在的名字，它被巡回演出的木偶戏演员带到了德国，并在提线木偶剧《浮士德》的演出中成了一个虽属客串性质却深受大众喜爱的角色。19世纪中叶，当卡斯佩勒被赋予工人的身份，并穿起了缀有黄边的传统性红茄克衫时，他就被制定为布袋木偶了。和英国"庞奇"木偶剧一样，卡斯佩勒也以笑料迎合当地观众，并用击板敲打他的伙伴。今天，他的表演在德国又有很大提高。

1860年制作的卡斯佩勒
慕尼黑木偶剧博物馆供图

Kasprowicz, Jan 卡斯普罗维奇（1860-12-12，普鲁士希姆博热［今在波兰］～1926-08-01，波兰扎科帕内） 波兰第一位农民出身的伟大诗人和翻译家。曾把大量欧洲古典文学和现代文学介绍给波兰读者。最早的诗作描写农民的苦难、穷困和无知，特点是对社会正义的关注。其后，在《野玫瑰丛》(1898)中，他以抒情手法描绘了塔特拉山区的波兰农村。组诗《致一个垂死的世界》(1901)表达了他对人类的苦难和奥秘渴望的关注。其译著范围极为广泛，包括莎士比亚、埃斯库罗斯和欧里庇得斯的全集，雪莱、拜伦、斯温伯恩、布莱克、布朗宁和叶芝的作品。还译过大量德语、法语和意大利语作品。

Kassa（Ethiopian emperor） **卡萨** 参阅**Tewodros II**特沃德罗斯二世。

Kassa（Ethiopian emperor） **卡萨** 参阅**Yohannes IV**约翰尼斯四世。

Kassa（Slovakia） **考绍** 参阅**Košice**科希策。

Kassa, Pact of(1374) 参阅**Koszyce, Pact of**《科希采条例》。

Kassák, Lajos 考沙克（1887-03-21，奥匈帝国匈牙利埃尔谢库伐尔～1967-07-22，布达佩斯） 诗人、小说家，匈牙利第一个重要的工人阶级作家。20岁开始徒步漫游欧洲，眼界广阔。作为第一次世界大战时的一名和平主义者，他于1915年创办《行动报》，以表达他的看法。作为一名社会主义者，他欢迎1919年由库恩·贝拉领导的第一个为时很短的共产党政权。最重要的作品是长达8卷的自传《一个人的生平》(1928～1939)。第二次世界大战后，他在匈牙利受到共产党政府的欢迎。在他生命的最后10年，受到官方的充分肯定。

Kassalā 卡萨拉 苏丹中东部传统地区。东临埃塞俄比亚。尼罗河重要支流阿特巴拉河呈西北向流经卡萨拉，在夏季暴雨时节引起季节性洪泛。中部主要是多石沙漠，北部是布塔奈多沙黏土平原，间有长满矮草、灌木丛和刺槐的低山。南部努比亚沙石层上生长着茂密的刺槐树和高草。由南向北降雨量稳步下降，最南端年降雨1 000毫米而在卡萨拉镇只有330毫米。卡萨拉和加达里夫为该地区主要居民点。约公元前590年，该地区被埃及第25王朝即库施王朝控制。后来库施王朝被阿克苏姆王朝征服，居民大多成为基督教徒。埃及马木路克王朝统治时期(1250～1517)，穆斯林侵入该地区。16世纪初阿拉伯阿卜达拉比王朝统治该地区时，居民改信伊斯兰教。随后，森纳尔的穆斯林芬吉王朝于1618～1619年间以此为根据地与埃塞俄比亚交战。1821年，该地区为埃及穆罕默德·阿里所征服，成为埃及苏丹国的一部分。1881年，苏丹政治领袖、宗教改革家马赫迪反抗埃及成功后，该地区一直由马赫迪主义者统治，直至1898年被英国和埃及联军击败。1902年卡萨拉与英国缔结条约，由此结束了与埃塞俄比亚的长期边境争端。1956年苏丹独立前，该地区一直是英国与埃及共管领土的一部分。卡萨拉居民大多务农，当地出产谷类、油籽、棉花和花生。北部和南部地区饲养牛和骆驼。工业有轧棉、纺织、制糖、榨油和制皂。开采铁、锰、瓷土、石棉、铬、钨、蛭石和菱镁矿。卡萨拉镇有公路和铁路通加达里夫和埃里巴。居民多为阿拉伯人，少数民族有贝贾人和努比亚人。

Kassalā 卡萨拉 苏丹东北部城镇，靠近埃塞俄比亚边界。建于1834年。1885～1894年为马赫迪派占据，1940～1941年被意大利军侵占。地处加什河内陆三角洲，海拔495米。本为棉花中心，后衰落。现有广泛的市场贸易，有些果园。有公路、铁路和航空线通喀土穆和苏丹港。人口141 429(1983)。

Kassándra 卡桑德拉 希腊马其顿哈尔基季基半岛三个突出部位中最西的一个地峡。伸入爱琴海中，是哈尔基季基州的一部分。约公元前600年，科林斯人在今新波提狄亚村一带建立了港口。希腊独立战争(1821～1829)前，居民多为牛羊牧场主。独立战争中，当地许多居民因参加起义被土耳其人杀戮。半岛自然风景秀丽，有优良的海滩，现为希腊北部最重要的旅游中心。

Kassebaum, Nancy Landon 卡斯鲍姆（1932-07-29，美国堪萨斯托皮卡～ ） 婚前名南希·兰登，1996年起称南希·卡斯鲍姆·贝克。美国第一位女参议员。堪萨斯州州长A.M.兰登之女，堪萨斯大学政治学学士(1954)，密歇根大学外交史硕士(1956)。1956年与P.卡斯鲍姆结婚，开始任卡斯鲍姆通讯公司副董事长。1975年和丈夫分居后，到华盛顿协助堪萨斯参议员J.B.皮尔逊做社会工作。1979年皮尔逊退休后，她经选举接替皮尔逊的职位，并任预算、外交和劳工与人类资源等委员会委员。她处理其他共和党参议员不愿管的事，以坚毅闻名。支持社会福利改革、学生贷款与财务资助改革和《国家艺术捐赠法》，还关注卫生保健问题。80年代致力于结束南非的种族隔离。1996年退休，与前田纳西参议员H.贝克结婚。

Kassel 卡塞尔 德国中部黑森州北部行政区，是黑森三个区中最大者，面积8 288平方千米。1945年建为新黑森州两个行政区中最北的一个区。1980年行政改组时划出西南一小部分并入新成立的吉森区。卡塞尔与本区最大城市和首府同名。有两条南北通道贯穿卡塞尔区，均为连接德国南部和北部低地及其海港的主要交通要道。较大通道西黑森洼地土壤肥沃，生产大量甜菜、马铃薯和谷类，成为黑森州主要的农业区之一。西黑森洼地的西面为一片广阔的沙岩高原，高原南部为树木茂密的凯勒林山。流经高原的埃德尔河北面为瓦尔德克地区，有牧场和可耕田。第二条通道较窄，为东黑森洼地，东有图林根林山和卢恩高原的火成玄武岩高地。两洼地之间为克尼尔和迈斯纳兰沙岩丘陵。卡塞尔是黑森州主要的文化、经济和铁路中心，制造火车头和重型商用汽车。富尔达是银行和金融中心，主要生产纺织品。卡塞尔煤田开采褐煤，主要用于发电。德国最大的钾碱田在威拉河谷。人口中多为黑森法兰克人后裔，操莱因法兰克方言。近3/4为新教徒，约1/4为天主教徒。2/3以上人居住在城镇或村庄。乡村居民点模式为不规则而紧凑的村庄，在气候较为严峻的高地区，孤立的农场和小村庄则较为普遍。卡塞尔大学是本区的高等教育中心。人口约1 317 140(1989)。

Kassel 卡塞尔 又拼Cassel。德国中部黑森州城市。临威悉河的通航支流富尔达河。位于美因河畔法兰克福东北145千米处。913年首见记载，称为卡萨拉。在欧洲中世纪后期一般拼作Casle，源自拉丁-法兰克语中的castella（“要塞”之意）。1180年设建制，可能为法兰克诸国王的都城。约1277年成为黑森地伯的居住地。后扩建新城，圣马丁教堂(14世纪)成为该城中心。17世纪为胡格诺派难民修建上新城。1567～1866年间，卡塞尔是黑森-卡塞尔（后为黑森选侯领地）都城。亦为短命的威斯特伐利亚王朝(1807～1813)都城。1866年后（至1944年）是普鲁士的黑森-拿骚省首府。第二次世界大战中一直是德国飞机和坦克制造中心。几乎全部毁于同盟国轰炸。现已经锐意重建。卡塞尔历史名胜有卡尔佐埃公园内的奥林治宫(1701～1711)，有据称是德国最古老的鄂图纽姆剧场（1604～1607，大部重建于1697年），现为自然史博物馆。卡塞尔有许多博物馆，包括黑森地方博物馆、德意志壁纸博物馆（有非同寻常的壁纸收藏）、腓特烈博物馆（位于多库门塔，国际艺术展览在此举办）和格林兄弟博物馆。有多所理工学校和一所实用美术学院。市西威廉山有一宫殿（1786～1801），藏有国家艺术收藏品。附近是著名的梯级瀑布。瀑布最高处有250多年来一直为该市象征的赫丘利斯塑像。该市为重要的铁路枢纽和工业中心。生产运输设备、光学和精密仪器以及纺织品等。人口约194 322(2003)。

Kassem, Abdul Karim 参阅**Qāsim, ʿAbd al-Karīm** 卡赛姆。

Kasser Said, Treaty of 《卡赛尔·赛义德条约》 参阅**Bardo, Treaty of**《巴尔杜条约》。

Kasserine (Tunisia) 参阅**Qaṣrayn, Al-** 卡塞林。

Kassite 喀西特人 古代民族，主要以建立巴比伦第二王朝或中王朝闻名。据信（可能是错误的）他们发源于伊朗扎格罗斯山脉。在公元前第3千纪后期埃兰的楔形文字中

埃雷克的伊南那神庙砖雕——喀西特人供奉的水神

美国不列颠百科全书公司供图

首见记载。公元前第2千纪侵入美索不达米亚，被汉穆拉比之子击退，但在巴比伦北部边境的底格里斯-幼发拉底河流域建立据点，后来建立巴比伦第二王朝。编年史及帝王名号录都不确切，传统上认为喀西特诸王统治巴比伦576年，但很有可能早期喀西特诸王与巴比伦第一王朝的末期诸王同时统治巴比伦；所以说，喀西特第一代国王甘达什很可能是在公元前18世纪中叶开始其统治，但地点不在巴比伦。喀西特诸王似乎曾是一小批军事贵族，显然也是治国能手，颇有名望。他们建都于杜尔-库里加勒祖。马被奉为圣兽，大概是此时最先在巴比伦尼亚使用的。喀西特人留下的资料不多，主要是尼普尔城的档案，档案说明他们在公元前14～前13世纪似已出现封建制。喀西特人的一项发明是界碑，它是国王向宠信者授予土地的证据。它不仅具有经济和宗教意义，还具有艺术价值。喀西特诸王营造或重建的庙宇，主要是因袭巴比伦的传统。但喀西特人的另一项发明就是用模子造砖在砖面形成浮雕人像。公元前12世纪，他们为埃兰人所灭。公元前第1千纪，喀西特人撤退到扎格罗斯山脉，抵抗亚述军队向东扩张。他们向波斯进贡。后为亚历山大大帝征服，但以后又重获独立。

Kastamonu 卡斯塔莫努 历史上作Castamon。土耳其北中部城市。濒格克河。位于人口密集的黑海沿岸平原以南的人烟稀少的高盆地。为重要拜占廷城镇，11世纪晚期被塞尔柱土耳其人占领。1393年被并入奥斯曼帝国。城内著名建筑有拜占廷堡垒遗址、经学院、清真寺和济贫院(16世纪)组成的宗教建筑群，及有彩色顶棚的市场(16世纪)。该市以产铜器闻名，并有制糖厂、小型博物馆和师范学校。人口46 986(1985)。

Kastellórizon 卡斯泰洛里宗 意大利语作Castelrosso（卡斯特尔罗索）。正式名称Megiste（迈伊斯蒂）。希腊爱琴海佐泽卡尼索斯(**Dodecanese**)群岛最东端岛屿。邻近土耳其西南海岸。面积7.3平方千米。岛上种有葡萄和橄榄树，主要经济项目是打捞海绵。海岸岩石陡峭，只有东侧卡斯泰洛里宗村处可以登陆。1512～1915年，该岛几乎一直被土耳其占领，是该群岛中唯一没有在1918年划归土耳其的岛屿。第一次世界大战期间被法国占领，后划归意大利。1920年起与佐泽卡尼索斯群岛其他岛屿共命运。人口：岛222(1981)。

Kastler, Alfred 卡斯特勒(1902-05-03，德国盖布维莱尔[今在法国]～1984-01-07，法国邦多勒) 法国物理学家，因发现并发展观察原子内赫兹共振的方法而获诺贝尔物理学奖(1966)。1920年入巴黎高等师范学校就读，在法国的波尔多和克莱蒙费朗、比利时的卢万任科学教职后，回到巴黎高等师范学校任教(1941～1968)。在得诺贝尔奖时是该校教授和物理实验室主任。在长时间且富有成效的教学生涯中，他培养了一代新的法国物理学家。从1968年一直到1972年退休，他担任

美国不列颠百科全书公司供图

着国家科学研究中心的研究主任。他在和平运动及反对核扩散的组织中很活跃。卡斯特勒获诺贝尔奖的研究工作促进了使用原子在光和无线电波激励下的辐射来研究原子结构的方法。他把这种将某物质的原子激励到较高能级的办法，叫做“光泵”。由于用以激励原子的光能重新被放射出去，因此光泵显示为发展微波激射和激光的一个重要步骤。

Kästner, Erich 凯斯特纳(1899-02-23，德国德累斯顿～1974-07-29，慕尼黑) 德国讽刺作家、诗人和小说家，尤其因所著儿童读物而知名。在柏林的知识分子刊物《世界论坛》的撰稿人中和20年代中期的新客观派运动中，他是坚持机智、简练文体时间最长的人。曾在罗斯托克、莱比锡和柏林求学，后成为教

师。1927年成为自由作家。1933年以前，发表了4本文笔轻松而实为严肃的诗集，还著有优秀悲剧小说《法比安》(1931)。他最著名的儿童读物是《埃米尔捕盗记》(1929)，曾多次被改写成剧本和拍成电影。由于纳粹禁止他的作品在德国发表(1933～1945)，他只得将作品在瑞士付印。战后任慕尼黑《新报》编辑，并创办儿童报纸。1952～1962年任"笔会"德国分会主席。他战后的作品更加强调社会哲学，但是并没有因此而牺牲其优雅和娱乐的性质。这些作品包括《口是心非的洛特兴》(1950)、《交到可靠人手里》(1950)以及剧本《独裁者的学校》(1956)和《当我年少时》(1957)。

Kastoría　卡斯托里亚　希腊北部马其顿区卡斯托里亚州城镇和州首府。在伸入卡斯托里亚湖西岸的地峡上。湖的四周为石灰石山所环抱。当地人长期以来从事海狸皮交易。

卡斯托里亚镇的圣马利亚教堂
美国不列颠百科全书公司供图

现在则以貂皮贸易为主。约1385～1912年一直被土耳其统治，后划归希腊。当地现有54座拜占廷时代和中世纪教堂(其中许多已经过重建)，使卡斯托里亚成为研究教堂建筑和壁画的中心。人口：城镇20 660；城市区53 169(1981)。

Kastrioti, George　卡斯特里奥蒂　参阅 **Skanderbeg** 斯坎德培。

Kasugai　春日井　日本本州爱知县城市。在县首府名古屋东北。约在1939年建立兵工厂。第二次世界大战后，军用地改为工业用地，有大型造纸厂等工厂。东部土歧河的冲积平原有桃园。现为名古屋的居民卫星城。人口约262 168(1987)。

Kasungu　卡松古　马拉维中部城镇。经济以烟草生产为主。1970年面积将近2 367平方千米的卡松古国家公园开放后，旅游业发展。附近农庄为该国第一任总统班达的出生地。大部为棕壤覆盖的沙地，土地贫瘠缺水。人口：城镇6 488(1977)；区约248 300(1984)。

Kasūr　卡苏尔　巴基斯坦旁遮普省拉合尔专区城市。靠近印度边界。1976年起为新建卡苏尔县县治。1867年设市，是由26个俯瞰比亚斯和萨特莱杰两河冲积谷地的设防村庄组成。有公路通往阿姆利则和菲罗兹布尔，铁路通往拉合尔和卡拉奇。为一地方贸易中心。有制革、轧棉、榨油、纺织和革制品加工等工业。建有一所医院和旁遮普大学的一所学院。卡苏尔县由卡苏尔和久尼扬的税区组成，面积3 996平方千米。包括平坦的冲积平原，西北以拉维河为界，东南以萨特莱杰河为界。5条灌溉用水渠流经该县。以农业为主，产稻米、甘蔗、棉花、水果和蔬菜。1864年开始在钱格-门格植树造林。现产丝织品、蜂蜜和蜂蜡、姜黄和干燥木料。人口：市155 523；县1 528 002(1981)。

Kataastasan Kagalang - Galang Na Katipunan Nang Manga Anak Nang Bayan (Philippine organization)　**最崇高、最受尊敬的菲律宾儿女协会**　参阅 **Katipunan** 卡的普南。

katabatic wind　下吹风　又称下降风、下坡风(downslope wind)或重力风(gravity wind)，是因重力而沿山坡向下吹的风。当夜间山坡上的空气因辐射而冷却使密度变得比同高度上的坡外空气的密度大时，便出现这种风，沿山坡向下流动。这种过程在空气稳静时最为明显，因为风能使空气混合，并阻碍局部冷区的形成。当下降风在下沉过程中因压缩而出现增温时，便称为焚风。当大范围的下降风迅速下降而不及增温时，便称为下落风。在有下落风的区域，房屋和果园都坐落在山坡上，因为在低地有冷空气积累。

Kataev, Valentin (Petrovich) (Russian writer)　参阅 **Katayev, Valentin (Petrovich)** 卡达耶夫。

Katagum　卡塔古姆　尼日利亚北部包奇州城镇和世袭酋长国国名。濒临贾马里河北岸。该镇曾为一富拉尼"圣战"军人约于1809年创建的一酋长国首府。1814年建城。19世纪20年代博尔努人夺回该地区。1826年富拉尼人被迫撤离该镇。同年卡塔古姆和包奇两酋长国联军击败卡努里人的军队后，富拉尼人重新统治该酋长国。19世纪50年代与哈代贾酋长国交战，国势日衰。1903年英军攻陷卡诺诚，该酋长国成为卡塔古姆省的一部分。1926年划归包奇省。现当地居民主要为富拉尼、卡努里、豪萨、曼加瓦、贝德、卡雷卡雷、恩吉津和希拉瓦人，以种植花生、高粱、粟、稻、牛豆、棉花、靛青、阿拉伯树胶为业，也饲养牛、羊、驴等。该镇现为地方政府参议会所在地。人口约188 127(1991)。

Katahdin, Mount　卡塔丁山　美国缅因州最高点(1 606米)。在该州中东部皮斯卡特奎斯县米利诺基特西北30千米处，州立巴克斯特公园内，是阿巴拉契亚小道北端，有许多高峰，以巴克斯特峰最高。除冬季外人们可在此旅游和野营。

Katanga　加丹加　参阅 **Shaba** 沙巴。

Katangan Complex　加丹加杂岩　非洲中部，特别在刚果(金)的加丹加省(现在的沙巴区)前寒武纪晚期重要的地层单元(前寒武纪开始于46亿年前，终止于5.7亿年前)。加丹加杂岩是多种沉积岩和变质岩构成的错综复杂的地层组合，包括页岩、石英岩、灰岩、砂岩、白云岩和板岩，厚度大于7 000米。加丹加杂岩的放射性测定年龄大于6.2亿年。在经济上很重要，富含铜、钴、铀、锌及其他有价值的矿物。

Katanning　卡坦宁　澳大利亚西澳大利亚州西南部城镇。1898年规划。现为附近小麦带(**Wheat Belt**)的农、牧业产品集散地和服务中心。有面粉厂、燕麦磨粉厂、肉类包装厂和大型牲畜市场。与西北250千米处的珀斯通公路、铁路。人口4 035(1996)。

katauta　半诗　日本诗的一种形式，由17或19个音节组成，分成三个诗行，每行分别为5、7、5个音节或5、7、7个音节。过去这种诗的形式用于写情诗，单首半诗被认为是不完整的或只是半首诗。这种诗加以转换便组成较长的问答诗。约在公元8世纪后这种诗的形式便极少使用。

Katay Don Sasorith　坎代(1904-07-12～1959-12-29，老挝万象)　别名W.拉比特。老挝民族主义者。青年时写过一些富有说服力的抵抗运动小册子。后多次担任政府职位。1954～1956年出任首相。1926～1945年在老挝的法国殖民政府当文官。第二次世界大战时期与他人联合发起老挝伊沙拉(自由老挝)运动，先抗击日本人，后抗击法国人。1945年成立临时政府，他出任财政部长。1946年他被迫逃往泰国，保持流亡政府。1949年回到万象。1951年选入国民议会。1954年老挝获得独立时，他出任首相。1955年失去议会的支持，让位于梭发那·富马亲王。

Katayev, Valentin (Petrovich)　卡达耶夫(1897-01-28[旧历01-16]，俄罗斯帝国乌克兰敖德萨～1986-04-12，莫斯科)　Katayev又拼Kataev。苏联小说家、剧作家。他对革命后的社会环境进行了轻松愉快、讽刺挖苦的描述，超过了一般单调乏味的正式苏联文体。1916年开始写短篇小说，1922年去莫斯科，在《汽笛》报编辑部工作。长篇小说《盗用公款者》(1926)，是按果戈理的风格，以流浪汉小说体裁描写两个冒险家的故事。喜剧《无法解决的问题》(1928)描写两对夫妇由于缺少住房而同居一室。长篇小说《雾海孤帆》(1936)通过两个敖德萨学童的视点来叙述1905年的革命，成为苏联同名电影的蓝本。他描写工人们努力建设一座巨大钢铁厂的《时间呀，前进！》(1932)，被认为是关于苏联五年计划的最值得一读的长篇小说。20世纪50和60年代中，卡达耶夫主编《青春》杂志，向青年一代中最有前途的文学天才提供发表园地，其中包括Y.叶夫图申科和B.阿赫玛杜林娜。1966年文学杂志《新世界》发表了他的《圣井》，是一部值得注意的抒情和哲理性作品，描述作者在一次手术麻醉中所产生的梦幻经历。在M.普鲁斯特、J.乔伊斯和F.卡夫卡的影响下，卡达耶夫将他的家庭、友人、情人、苏联的历史事件，以及他在美国的旅行，编排成一部意识流自传。这是一部关于他的生涯的概括性著作。他的丰富的想象力、灵透敏感和独创性使他跻身于苏联杰出作家之列。

Katayev, Yevgeny Petrovich 卡达耶夫 参阅 **Ilf, Ilya; and Petrov, Yevgeny** *伊里夫和彼得罗夫*。

Katchli rug 参阅 **Hatchlu rug** *哈其鹿地毯*。

Kateb Yacine 卡泰布（1929-08-06，阿尔及利亚君士坦丁～1989-10-28，法国格勒诺布尔） 阿尔及利亚诗人、小说家、剧作家，北非文坛泰斗之一。《娜吉玛》(1956)是他的第一部小说，对北非法语文学的发展进程无疑起了最大的影响。它以法国殖民统治下阿尔及利亚四分五裂、暴力横行的社会为背景，写宗族内部的冲突。它吸收了当地传说和民间宗教故事，以一种神话方式来写一代阿尔及利亚人的复国斗争，在风格上它与在此以前的北非小说一向沿用的现实主义依次平铺直叙的写法彻底决裂。它的不连贯的时间程序和多人叙事的手法对年轻一代的摩洛哥作家有极大影响。卡泰布一直在法国殖民学校求学，直至1945年塞提夫群众起义遭血腥镇压后才告结束。此次起义与镇压为卡泰布提供了写作《娜吉玛》和其他作品的重要素材。他的行踪遍及阿尔及利亚并远至欧洲、远东，为谋生曾做过多种职业工作。另一部小说《星斗满天的波利贡》(1966)、一组剧本《报复的循环》(1959)以及他的许多诗作用的都是和《娜吉玛》相同的主题和人物。后期的剧本则改用不同题材，其中有主人公为胡志明的《穿橡皮凉鞋的人》(1970)。后期作品的一个重要主题为工人阶级反对资本主义的斗争。他的好几个剧本曾在法国和阿尔及利亚上演。他在本国领导一个颇受欢迎的剧团。

Kateríni 卡泰里尼 希腊北部马其顿地区皮埃里亚州城镇、州首府，是皮埃里亚平原农作物及烟草的贸易中心。其港口帕拉利亚是当地海岸线上为数甚少的港口之一。沿岸有希腊最大的盐田。市内有面粉厂及铁路轨枕厂。铁路线经卡泰里尼通往拉里萨和塞萨洛尼基。人口43 613(1991)。

kathak 卡塔克舞 印度6种主要古典舞蹈中的一种，也是主要形式之一。其余5种是婆罗多舞、卡塔卡利舞、曼尼普里舞、库奇普迪舞和奥蒂西舞。卡塔克舞起源于印度北部，在印度和穆斯林文化影响下发展。其特点是具有复杂的步法和准确的节奏，舞蹈者要控制约100个发出清晰音响的踝铃。这种舞蹈的动作源自生活，将其格式化，再加上复杂的节奏。男、女均可跳此种舞蹈，常用于表达爱情。

kathākali 卡塔卡利舞 印度6种主要古典舞蹈中的一种，其余5种为婆罗多舞、卡塔克舞、曼尼普里舞、库奇普迪舞和奥蒂西舞。卡塔卡利舞产生于印度西南部的喀拉拉邦，取材于印度古代梵语叙事诗《罗摩衍那》和《摩诃婆罗多》以及湿婆教的文学故事。此种舞蹈在室外举行。演出通宵达旦。舞蹈演出时有人吟唱故事，舞者轻声相和。伴乐的舞蹈配有震耳欲聋的鼓声，增强表演的气氛。传统的卡塔卡利舞专由男子和男童演出，他们既扮演男角亦扮演女角。舞蹈者终生以此为业。卡塔卡利舞的舞蹈动作活泼雄壮，其格式化的姿势和面部表情按婆罗多舞的规则。其动作幅度大而有力，舞蹈者身体快速转动，双臂随身体旋转划大圆圈，然后一手指指向前方。卡塔卡利舞舞蹈者的面部化妆似画成的面具。其服饰为：长裙、厚上衣、许多花环、项链和一顶高耸的头饰。

Katharevusa Greek language 纯正希腊语 希腊语作 Katharevousa。"语言纯洁主义者"所制定的现代希腊语。1976年以前一直是希腊官方书面语言，用于公文、议会、法庭、大多数报刊及科技作品。1976年通俗希腊语取代纯正希腊语而成为官方语言，纯正希腊语现仅限用于科技刊物。纯正希腊语起源于19世纪，是努力"纯化"地方方言中的外语因素和用古希腊语词根及许多古典屈折形式以使其词法系统化的结果。其句法和通俗希腊语无很大区别，但外来语借词很少。许多纯正希腊语成分也出现在通俗希腊语中。1828年希腊从土耳其人手中获得解放后，纯正希腊语在雅典浪漫主义文学流派中臻于盛期，可证之于兰加贝所写的古典颂歌、赞美诗、民歌、叙事诗、悲剧和喜剧，亦可证之于帕拉什柯斯的词采华丽、充满矫饰的爱国激情的诗作。到19世纪80年代，通俗希腊语成为最流行的文学语言，代替了纯正希腊语。参阅 **Demotic Greek language**。

Katherine 凯瑟琳 澳大利亚北部地方中北部城镇。临凯瑟琳河。镇东北35千米的凯瑟琳山峡景色秀丽，石英岩壁红、棕色相间，现辟为国家公园，是著名旅游地。城镇为许多养牛场和农扬(种植高粱和干草)的服务中心。位于斯图尔特公路、澳大利亚北部铁路和横贯大陆电话线的交会点。加工牛肉出口。人口9 372(1991)。

Kāthiāwār Peninsula 卡提阿瓦半岛 印度中西部、古吉拉特邦西南部半岛。北接卡奇小兰恩沼地，西北临卡奇湾，西南滨阿拉伯海，东临坎贝湾。面积6万平方千米。一条北东向古老砂岩横贯半岛，大部分砂岩为熔岩覆盖。沿岸地区的东西岸有黏土和灰岩，南岸有冲积层与风成细粒灰岩；该岩是风积沙结核，称作博尔本德尔石，广为应用的建筑材料。坎贝湾沿岸多冲积土。海拔多在180米以下。吉尔纳尔丘陵和孤立的吉尔丘陵海拔分别为1 117米和647米，干热地区自然植被多为热带旱生林。沿海低洼地区有成片红树林。吉尔森林中有印度仅存的狮子及其他野生动物。半岛经济以农业为主。主要作物有小麦、小米和棉花。包纳加尔为主要港口和城市。

Kathiri sultanate 卡迪里苏丹国 阿拉伯半岛南部哈德拉毛内陆区(现属也门)的国家。首都赛文，疆域一度从季节河哈德拉毛向北扩展到巨大的南阿拉伯鲁卜哈利沙漠。

也门赛文的苏丹宫
美国不列颠百科全书公司供图

从1500年左右到19世纪早期，卡迪里部落一直统治哈德拉毛。1967年并入独立的南也门(北也门与南也门于1990年合并)。居民主要从事农业、牲畜饲养和手工业。

Kāthmāndu 加德满都 又拼 Kātmāndu 或 Kantipur。尼泊尔首都。邻近巴格马蒂河与维什努马蒂河的汇合处，海拔1 324米。723年由古纳卡马德瓦国王建立。原名曼朱-帕坦。今名意为"木庙"。木庙据传说是由拉贾·拉奇米纳·辛格国王于1596年用一棵树为木料建成。中央广场有一座最早的建筑物，专供圣人居住之用。1768年起成为廓尔喀族统治者沙赫家族的驻地。现为全国最重要的实业和商业中心。几百年来国内仅有小路运输。20世纪70年代新公路的修筑和空运业务的扩大使该城成为国家运输系统的枢纽。有许多居民从事农业。特里布文大学成立于1959年。城内有两条大街与老城区的许多小巷及雕花门窗的砖房形成鲜明对照。1934年遭地震破坏后出现了许多现代建筑。该城最著名的建筑物是古香古色的马拉国王王宫，其中有1549年由马亨德拉马拉国王修建的塔勒朱庙。首都东面有通迪赫尔阅兵场，重要的政府声明均在此先向军队发布。加德满都郊区有许多由拉纳家族修建的宫殿，其中最突出的是狮宫，现在是政府的秘书

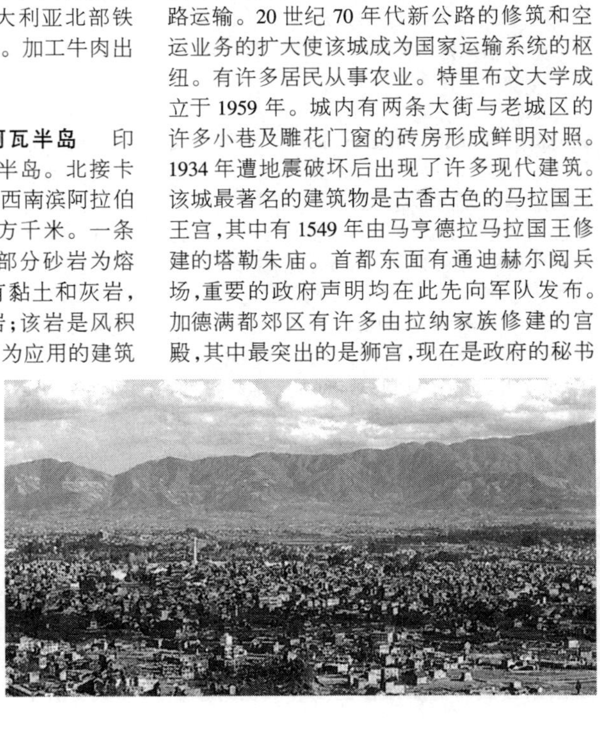

加德满都，背景为小喜马拉雅山脉
美国不列颠百科全书公司供图

处。加德满都东北约5千米有巨大白色穹顶的佛教圣庙博德纳特，为西藏佛教徒所崇敬。加德满都的节日有：春季的锡伐拉特里节和马琴德拉贾特拉节；晚夏的盖贾特拉节（母牛节）和早秋的英德拉贾特拉节。人口671 846（2001）。

Katif（Saudi Arabia） 参阅 **Qaṭīf，Al-**盖提夫。

Katihār 格蒂哈尔 旧称萨夫甘杰。印度比哈尔邦东北部城镇。位于恒河支流绍拉河东。为公路和铁路枢纽，农贸市场。有铁路工厂。其他工业有碾米、制黄麻纤维、榨油和磨粉。有数家医院。地处比哈尔北部平原最东部，属卡默拉河与绍拉河流域。附近地区经济以农业为主，出产小麦、高粱、玉米和油籽。人口135 436（1991）。

Katiola 卡蒂奥拉 科特迪瓦（象牙海岸）中部城镇，位于阿比让至布基纳法索（前上沃尔特）首都瓦加杜古的公路和铁路线上。卡蒂奥拉是鲍勒人、塞努福人和迪尤拉人进行薯蓣、烟草、牛羊贸易的传统市场。设有几所学校。以陶器手工艺著名，陶器运阿比让销售。人口33 813（1988）。

Kâtip Çelebi 卡蒂布·切莱比（1609-02，君士坦丁堡～1657，君士坦丁堡） 别名哈吉·哈里发。阿拉伯语拉丁字母转写作Khaṭīb Shalabī。土耳其历史学家、地理学家、文献学家。作为军队职员，参加多次东方战役。因继承财产而在君士坦丁堡永久定居。除在政府任职外，他将全部时间用于搜集书籍，进行研究和写作。主要著作有《书籍和科学名称考释》、《世界鸟瞰》、《土耳其人海战记》和《经济改革方案》等。

Katipunan 卡的普南 全名最崇高、最受尊敬的菲律宾儿女协会。菲律宾民族主义组织，1892年成立，反对西班牙统治。有10～40万名会员。领导人为民族主义者阿奎纳多。这一组织曾同西班牙人战斗，取得成功。成员多为他加禄族人。

Katkov, Mikhail Nikiforovich 卡特科夫（1818-11-13，莫斯科～1887-08-01，莫斯科附近的兹纳缅斯科耶） 俄国新闻工作者，在亚历山大二世（1855～1881）和亚历山大三世在位期间（1881～1894）的俄国政府的范围内曾产生巨大的影响。1838年毕业于莫斯科大学，1840～1841年在柏林大学留学。1845～1850年在莫斯科任哲学副教授。1851年主编《莫斯科新闻》（日刊），1856年主编《俄罗斯通报》杂志。他最初支持亚历山大二世的自由改革（如解放农奴和司法独立），希望把俄国的专制制度改变成君主立宪制。1863年波兰起义后成为顽固的沙文主义分子。他不仅写一些对国内外反动政策有利的文章，而且还鼓励亚历山大三世限制下层社会阶级的学生进入中学。

Katmai National Park and Preserve 卡特迈国家公园和自然保护区 在美国阿拉斯加州西南部，阿拉斯加半岛顶端，临舍利科夫海峡。1918年建立。面积165.5万公顷。1912年火山爆发变绿谷为荒山，称万烟谷，后火山口形成一湖。园内有湖泊、河流、山地、森林、沼泽，多野生动物。沿海有峡湾、峭壁、港口和瀑布，景色秀丽。参阅 **Ten Thousand Smokes, Valley of**。

Kātmāndu（Nepal） 参阅 **Kāthmāndu**加德满都。

Katna 卡特那 又拼Qatna。即今马什腊法赫。叙利亚古城。公元前2千纪时很繁荣。1924～1929年进行考古发掘，发现有一座供奉苏美尔人女神宁埃迦勒的神庙。还有埃及阿门内姆哈特二世（公元前1929～前1895）女儿伊塔奉献的狮身人面石像，说明当时的外来贸易和影响。还有一些迈锡尼人制造的水瓮。公元前1375年该城被赫梯国王苏皮卢利乌马斯摧毁。

Katō Hiroyuki, DANSHAKU（BARON） **加藤弘之**（1836-08-05，日本旧但马国出石～1916-02-09，东京） 引进西方思想的日本作家、教育家和政治理论家。幕府倒台后是政策的主要制定人之一。19世纪50年代末至60年代初在蕃书调所工作，对西方事物发生兴趣。1864年任开成所教授。明治维新后为天皇侍读，并在教育和外交部门任要职。著《真政大意》（1870）和《国体新论》（1874），向国人介绍欧洲关于政府、民主和人权的理论。但在1880年左右，日本的民主运动开始抬头时，他却改变了观点，反对召开议会，认为为时尚早。1889年颁布的《明治宪法》持“人权并非天赋，而是由国家授予的特权”立场，与他在所著《人权新说》（1882）一书中的立场如出一辙。1890年任东京帝国大学首任校长。1900年封男爵。1906年任枢密顾问官。1893年在德国出版《竞争、强者的权利、进化》，从此得到国际学术界的承认。

Katō Kiyomasa 加藤清正（1562，日本旧尾张国中村～1611-08-02，旧肥后国熊本） 日本武将，协助丰臣秀吉和德川家康统一日本。狂热佛教徒，曾领导取缔基督教的斗争。丰臣秀吉的亲属。早年屡立战功。1592年丰臣秀吉侵略朝鲜时，他打头阵，作战极为勇猛，朝鲜人称之为“恶鬼”。1598年秀吉死，他回日本协助秀吉幼子的首席摄政德川家康粉碎大名的联盟。他因功被授予熊本封地的世袭领主。以筑城和治水闻名。

Katō Takaaki 加藤高明（1860-01-25，日本名古屋～1926-01-28，东京） 日本首相，其政府和政策在二战前最为民主。大学毕业后即进入三菱财团。他在政界一直以三菱财团为靠山，因而始终维护这一财团的利益。1887年任外务大臣大限重信的私人秘书，后在大藏省任局长。1894～1899年任日本驻英国大使。1900和1906年当过几个月外务大臣，后因反对有损三菱财团利益的铁路国有化而辞职。1908年再度任驻英国大使。1913年第3次出任外务大臣。同年改组桂太郎创建的立宪同志会，改名为宪政会，由他担任总裁。在他的领导下，宪政会成为同立宪政友会对立的主要政党。1914年4月再次任外务大臣。1915年1月18日向中国提出所谓“二十一条”。同年3月选举后，因抗议大限重信在计算选票中的舞弊作法而辞职。1924年6月任联合政府首相。翌年，由于宪政会赢得国会多数席位，他组成清一色的内阁。他采取一些民主措施，如实行男子普选，裁减大量军队，削弱军部势力，减少贵族院的权力，采取温和的社会立法等等。但另一方面他又制定法律，规定凡有意改变日本“国体”或废除私有制者，一律处以重刑，并规定中学和高等学校设军训课，实行军队现代化。死于任上。

Katona, József 考托瑙（1791-11-11，奥地利哈布斯堡王朝领地匈牙利凯奇凯梅特［今在匈牙利］～1830-04-16，凯奇凯梅特） 匈牙利律师、剧作家。1815年写有历史悲剧《邦克总督》。该剧被认为是匈牙利19世纪的最佳剧本，但直到他死后才受到重视（根据该剧本改编的一个歌剧在匈牙利依然流行）。因在文学方面未能取得成功，他在失望之余只好从事法律工作。晚年在故乡任总检察长。

Katoomba 卡通巴 澳大利亚新南威尔士州中东部城镇。在蓝山山脉中，海拔1 017米。附近有高245米的瀑布，山区风景秀丽。经济以旅游业为主。1947年并入蓝山市，现为该市行政管理中心、地区商业中心。位于大西部公路线上，有电气火车通悉尼。产苹果和木材。城镇生产服装、皮革制品和家具。人口（包括文特沃思福尔斯）17 700（2001）。

Katowice 卡托维兹 原波兰中南部的省（1975～1998），现主要为西里西亚省的一部分。

Katowice 卡托维兹 德语作Kattowitz（卡托维茨）。波兰中南部西里西亚省城镇和省会。位于上西里西亚煤田中央。1598年始见记载。1865年享有自治市权利，称为卡托维茨。19世纪60年代该地区开始采煤，该镇迅速发展。1922年该镇隶属波兰后，便不断合并周围各村。经济依赖采煤业和重工业。为铁路枢纽，有飞机场。约翰煤矿是世界第一座全自动化矿山。胡塔-卡托维兹冶金联合企业是波兰20世纪70年代重点发展工程项目之一。该城镇也是文化中心。人口约327 222（2002）。

Katsina 卡齐纳 尼日利亚中北部一州，部分地区包括古代卡齐纳王国和酋长国。王国于10或11世纪创建。15世纪50年代传入伊斯兰教。15世纪末叶商业发达。1513年为桑海人征服。1554和1570年卡齐纳先后击败了桑海人和卡诺人。1591年后臣服于博尔努王国。18世纪初进入鼎盛时期，成为豪萨人的主要通商国。其首邑取代廷巴克图而成为西非伊斯兰教研究中心。后因与戈比尔人交战，国势始衰。1806年富拉尼人攻占首邑卡齐纳城，建卡齐纳酋长国。该酋长国受索科托苏丹的监护。1903年由北尼日利亚的英国殖民当局统治。1904年英、法划定尼日尔和尼日利亚国界线后，该酋长国的面积缩小至21 531平方千米，并被划入卡诺省。1931年卡诺和扎里亚两省并成卡齐纳省。1967年为中北部州的一个区。1976年改属卡杜纳州。1987年卡杜纳州被划分，成立卡齐纳州。面积约24 131平方千米。现居民主要为豪萨和富拉尼人，还有少数马古扎瓦人，种植花生、棉花、粟、高粱和蔬菜，饲养牛羊。境内有卡诺—马拉迪干线公路通过。人口约4 336 363(1995)。

Katsina 卡齐纳 尼日利亚北部卡齐纳州省会。1100年前后创建。为卡齐纳的豪萨国王的住地。约1513～1554年属桑海帝国，16世纪末叶至18世纪末叶成为豪萨人最重要的文化中心和撒哈拉商队贸易中心。1815年其显赫地位为卡诺城和新开辟的几内亚湾沿岸贸易路线所取代。镇内有清真寺、宫殿和18世纪的高塔。原有22千米古城墙，现大部分已废圮。现为州首府，是花生和皮革的集散中心及农产品(高粱、粟、花生、靛青、羊、牛和棉花)销售中心。居民主要是豪萨人，传统手工业有织布、染布、鞣革、金属、彩陶、刺绣和葫芦雕饰。20世纪70年代发展现代化工业，其中包括榨油和轧钢，并成为地区教育中心。设有卡齐纳艺术与科技学院(1974)、州立卡杜纳法学研究院和联邦伊斯兰教师范学院。也是地方政府参议会所在地。位于卡诺至马拉迪的公路上，是公路枢纽。人口约206 500(1996)。

Katsu Kaishū, HAKUSHAKU(Count) **胜海舟**(1823-03-12，日本江户[今东京]～1899-01-21，东京) 又名胜义邦。日本海军将领。他改造了日本的海军，并在明治维新中起调解作用。他是在新天皇政府中被录用的少数幕府高级官员之一。曾受海军军官训练，1860年奉命指挥日本驶往西方的第一艘航轮“咸临”号到达美国，回国后，他努力使日本海军现代化，加强日本的海防。他成为德川幕府内恭顺派的首脑。他为减少天皇派与将军派之间的摩擦所进行的努力没有成效，不过，他继续与天皇派保持友好关系。1868年5月，天皇的军队兵临江户城下，他不战而降，并说服天皇派宽大对待前将军。1872年应邀参加新政府，任海军大辅。

Katsu Shintarō 胜新太郎(1931-11-29，日本东京～1997-06-21，千叶县柏市) 日本男演员，在系列影片和电视《座头市》里塑造了一个盲侠，不仅名声大噪，而且影响了香港和台湾的同类影片。胜新太郎自1962～1973年主演了25部《座头市》影片，成为日本电影史上最受欢迎的角色。他有时还兼做制片人，如介绍阿里生平的美国纪录片《拳王阿里》(1975)。

Katsura Imperial Villa 桂离宫 位于日本京都西南郊的一组建筑物。17世纪初建于桂川之滨，原为王子邸宅。约占地6.5公顷。1590年赐予智仁亲王，他在1629年去世前曾不断加以修整。以后其子智忠亲王又进行了修建，使之成为现在的形状。他在原有的主要部分以外，增建了两栋品茶阁以及花园里的许多假山。邸宅区完全用高矮竹篱围起。主建筑位于风景如画的地段，包括衔接成套的三栋建筑，即古书院、中书院和新书院。它们形成典型书院风格的梯形建筑，屋顶交叉，内部空间可灵活利用。因为地形倾斜，为了使中书院和新书院整栋建筑处于水平状态，使用了高大的木桩以支承地板。由于两亲王都热衷于茶道，邸宅区设有春夏秋冬四个茶室。茶室用料简单，但结构十分复杂精致。

Katsura Tarō, KŌSHAKU(Duke, or Prince) **桂太郎**(1848-01-04，日本旧长门国萩～1913-10-10，东京) 日本军人、政治家，首相。曾参与明治维新，后去德国学习军事。他是山县有朋的亲信。1886年任陆军次长，曾参加中日甲午战争(1894～1895)。1898年任陆军大臣，1901年任首相。在任期间(1901～1906)曾同英国缔结同盟，战胜帝俄军队。在朝鲜问题上，他与伊藤博文对立。伊藤力求建立较温和的统治，他则坚持主张立即吞并，并于1910年第二次任首相时实行。1912年大正天皇即位后，任掌玺大臣，封公爵。同年12月他第三次任首相，创建立宪同志会。但任职仅7周即在反对他的寡头政治和扩军计划动乱中下台。

katsura tree(*Cercidiphyllum japonicum*) **连香树** 连香树科(Cercidiphyllaceae)唯一的一种现存植物。原产于中国和日本。乔木，栽培者树高达15米，树形美观，从下部开始分枝，树冠卵形，叶近心形，初红紫色，后变绿色，将落叶时变黄至鲜红色。常栽培供观赏。病虫害少，是美化环境的优良树种。在日本，其木材用于一般建筑。其变种银叶连香树(*C. japonicum sinense*)的树干至数英尺以上方分枝。

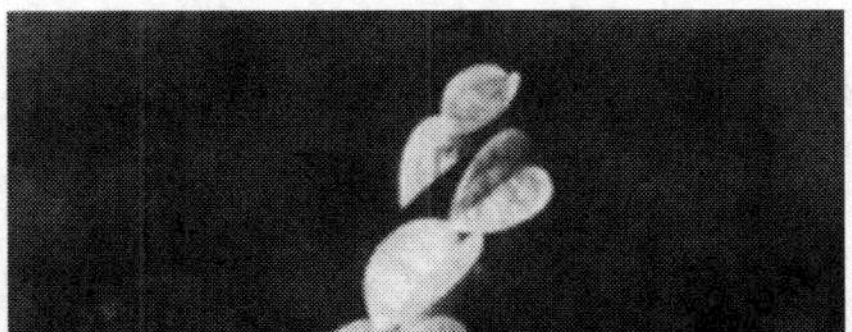

连香树(*Cercidiphyllum japonicum*)
美国不列颠百科全书公司供图

Katsushika Hokusai(Japanese artist) **葛饰北斋** 参阅 **Hokusai** 北斋。

Katsuta 胜田 日本本州茨城县城市。濒临那珂川，在县府水户东北。20世纪90年代与那珂湊市合并为常陆那珂市，市内有大量港口设施。1940年后作为日立公司的工业点迅速发展起来。主产电气机车和其他电动机械。人口：常陆那珂市约146 750(1995)。

Kattakurgan 卡塔库尔干 乌兹别克斯坦撒马尔罕州城市。位于泽拉夫尚流域人烟稠密的绿洲。18世纪始建为商业和手工业中心。现有加工本地农产品的多种轻工业工厂。附近的泽拉夫尚河上的卡塔库尔干水库有供灌溉、游览之利。设有乌兹别克歌剧院。人口约59 600(1991)。

Kattegat 卡特加特海峡 丹麦的日德兰半岛(西)、西兰岛(南)以及瑞典(东)之间南北向的海峡。北经斯卡格拉克海峡与北海连接，南由松德海峡和大、小贝尔特海峡与波罗的海相通。面积25 485平方千米，南北长220千米，宽60～142千米，平均深度26米。来自波罗的海的表面淡水流将海峡水的含盐度降到30‰。峡内有丹麦的莱斯岛、安霍尔特岛和萨姆斯岛。主要港口有瑞典的哥德堡和哈尔姆斯塔德，丹麦的奥胡斯。这一海峡为重要贸易通道，也是消夏胜地。

Kattowitz(Poland) **卡托维茨** 参阅 **Katowice** 卡托维兹。

Katwijk 卡特韦克 荷兰西部南荷兰省城市。由卡特韦克安泽和卡特韦克安登莱茵两部分组成。位于旧莱茵河入北海处。前者1848年以来为海滨胜地，有17世纪灯塔和圣安德鲁教堂(1574)。曾发掘出1和7世纪的罗马和法兰克人居民点遗迹。卡特韦克安登莱茵的15世纪教堂有17世纪荷兰巴罗克雕刻大师R.韦胡尔斯特雕刻的纪念碑。人口约40 585(1999)。

katydid 树螽 螽斯科数个亚科的昆虫，尤指树螽亚科(Pseudophyllinae)昆虫。绿色，翅长，生活于树上、灌丛和草丛中。不飞，但短距离跳跃时振翅。触角长，丝状为辨认依据。产卵器剑形。卵扁而大，产于树皮内、枝条上或叶内。植食性，有的也吃其他昆虫。树螽属(*Pterophylla*)的种类称为真树螽，见于北美东部，被认为大型的鸣虫。仅于夜间鸣叫：左前翅的音锉和刮器相摩擦发出“katy-did, katy-didn't”的声音。各个种发出的声音不同。Phaneropterinae亚科的昆虫称为假树螽，能发

叉尾灌丛树螽(*Scudderia furcata*)
美国不列颠百科全书公司供图

出一系列高音调的滴答声或沙沙声，包括灌丛树螽、圆头树螽及角翅树螽。叉尾灌丛树螽（*Scudderia furcata*）具长而窄的覆翅（革质的前翅），常舐净其爪垫。圆头树螽（*Amblycorypha* 属）翅卵圆形，较灌丛树螽宽。棱翅树螽（*Microcentrum* 属）翅似大叶，产卵于小枝上，卵成行，互相重叠，飞行时其翅的位置好像滑翔机。

Katyk（Ukraine） **卡特克** 参阅**Shakhtyorsk** 沙赫乔尔斯克。

Katyn Massacre **卡廷屠杀案** 第二次世界大战期间，苏联对波兰军官的集体处决。大屠杀的发现促使苏联与设在伦敦的波兰流亡政府断绝外交关系。1939 年纳粹德国与苏联缔结互不侵犯条约，以及德国从西面入侵波兰以后，苏军占领了波兰的东半部。这一占领的结果是几万名波兰军人落入苏联手中，被关进苏联境内的俘虏营。但是，在德军 1941 年 6 月入侵苏联之后，波兰流亡政府（设在伦敦）和苏联政府同意共同抗击德国，决定在苏联境内建立一支波兰军队。波兰的安德尔斯将军开始组织这一军队，但是当他请求把苏联人曾经关押在斯摩棱斯克附近的几个俘虏营中的 1.5 万名波兰战俘交给他指挥的时候，苏联政府于 1941 年 12 月通知他说：这些战俘大部已经逃往中国东北，下落不明。失踪战俘的命运始终是一个谜。后来，在 1943 年 4 月 13 日，德国人宣布：他们已在俄罗斯苏维埃联邦社会主义共和国西部斯摩棱斯克附近的卡廷森林中发现大片波兰军官的坟墓。共找到4 443具尸体，显然是从身后射击，然后成堆埋葬的。调查者确认这是曾经关押在斯摩棱斯克附近一个苏联俘虏营中的波兰军官的尸体，并指控苏联当局于 1940 年 5 月处决战俘。苏联政府在回答这一指控时，声称波兰人 1941 年还在斯摩棱斯克以西的地区从事建设工作，他们是入侵德军于 1941 年 8 月占领该地区之后被残杀的。然而，无论是德国人还是红十字会，在检验卡廷的尸体后都得到确凿的物证：大屠杀是 1940 年初进行的，当时那个地区还在苏联控制之下。设在伦敦的波兰流亡政府请求红十字会国际委员会检查那些坟墓，并且要求苏联政府提出正式报告，说明尚无下落的战俘的命运。苏联政府拒绝这些要求，1943 年 4 月 25 日，苏联人与设在伦敦的波兰政府断绝外交关系。随后，苏联人着手建立由波兰共产党员组成的波兰流亡政府。在战争的后期及战后，卡廷屠杀案给波苏关系留下了一条很深的伤痕。几十年来，苏联一口咬定在卡廷发现的波兰军官尸体是入侵德军在 1941 年杀害的。直至 80 年代末苏联允许一个非共产主义联合政府在波兰执政为止，波兰历届共产党人政府都接受这一解释，没有异议。1989 年 3 月，波兰联合政府正式宣布卡廷屠杀案不是德国人搞的，苏联秘密警察——人民内务委员部应负罪责。后来的调查证实：苏联安全当局确实在 1940 年春天处决了那些波兰人。

Katz, Sir Bernard **卡茨**（1911-03-26，德国莱比锡～2003-04-20，英国伦敦） 德国出生的英国生理学家。研究了神经介质乙酰胆碱从神经末梢释放并传导神经冲动到肌肉纤维的机制，因此与 J. 阿克塞尔罗德、U. 封·奥伊勒共获 1970 年诺贝尔生理学或医学奖。1934 年获莱比锡大学医学学位，1938 年获伦敦大学学院哲学博士学位。1939 年在澳大利亚悉尼医院加入 J. C. 埃克尔斯领导的研究小组。第二次世界大战期间在澳大利亚皇家空军中服役。1946 年回大学学院，1952 年任生物物理系教授及系主任。1978 年退休。他与同事们在关于神经传导的化学方面有许多发现，包括发现钙离子在促进神经介质的释放方面的作用，这些物质以不定的间隔持续地释放。

Katzir, Ephraim **卡齐尔**（1916-05-16，俄国乌克兰基辅[今属乌克兰]～2009-05-30，以色列雷霍沃特） 原名 Ephraim Katchalski。俄国出生的科学家、政治人物，以色列第 4 任总统（1973 ～ 1978）。9 岁时举家迁往巴勒斯坦。耶路撒冷希伯来大学毕业后任该校理论化学及大分子化学系助教（1941 ～ 1945）。在此期间还担任美国哥伦比亚大学研究员，并兼任犹太地下军事组织哈加纳科学顾问。1949 年先后任雷霍沃特魏茨曼科学研究所生物物理部代理主任、主任。是研究蛋白质的公认权威，首位当选美国国家科学院院士的以色列人（1966）。1966 ～ 1968 年任以色列国防部首席科学顾问。工党党员，1973 年当选以色列总统，致力于弥合西班牙裔犹太人、东方犹太人和德系犹太人在教育及社会福利方面的巨大差异，增进以色列犹太人与邻国阿拉伯人之间的相互了解。1978 年卸任总统职务后重返教学及科研工作。

Kauai **考爱岛** 美国夏威夷州考爱县火山岛。在瓦胡岛西北 116 千米处，夏威夷群岛最北端。面积1 430平方千米。植被茂盛，有“花园岛”之称。据说1 000年前第一批波利尼西亚人到此定居。现主要城镇有利乌伊（县城）、卡帕阿和哈纳佩佩。农产以甘蔗为主。生产旅游商品等。考爱县亦辖附近的尼豪岛（面积 189 平方千米）和无人居住的考拉、莱胡阿两小岛。人口：考爱县约58 463（2000）。

Kaufbeuren **考夫博伊伦** 德国南部拜恩州城市。临韦尔塔赫河。约建于 800 年。约 1220 年建制。1286 ～ 1803 年为帝国自由城市。1803 年划归巴伐利亚。有古城墙、城楼和城堡的遗迹。著名的文物建筑有哥特式圣布拉希尼斯小教堂，其雕刻祭坛（1518）极为著名，还有圣马丁教堂（1443）等。每年举办儿童节（始于 16 世纪）。生产酒、纺织品、加布隆玻璃器皿和珠宝等。为阿尔高地区乳品销售中心。人口约42 105（1999）。

Kauffmann, (Maria Anna Catharina) Angelica **考夫曼**（1741-10-30，瑞士库尔～1807-11-05，教皇国罗马[意大利]） 瑞士新古典主义风格初期女画家，以绘制R. 亚当设计的住宅墙壁装饰画最著名。其父是画家 J. J. 考夫曼。她自幼聪颖，12 岁时已展露音乐和绘画的才能。早期作品受 H. 格拉韦洛和 F. 布歇的法国洛可可风格的影响。1754 和 1763 年访问意大利，在罗马时受到 A. R. 孟斯的新古典主义影响。1766 年去伦敦，受到当地人士的友好接待，与 J. 雷诺兹成为挚友。她在访英期间所作的众多肖像画和自画像大多

考夫曼自画像

美国不列颠百科全书公司供图

受雷诺兹肖像画风格的影响。在建立皇家学院的请愿书签名者中亦有其名，并于 1769 年被列入第一期院士名单。18 世纪 70 年代她成为亚当室内设计的装饰画艺术家小组成员之一。80 年代早期她与第二位丈夫威尼斯画家 A. 祖基隐退到罗马。考夫曼对田园和神话的构图，以优美雅致，略乏生趣的方式描绘男女众神。她的绘画色调和处理方式是洛可可式的，但人物的姿势和衣饰则为新古典主义风格。她的最佳作品中还有妇女肖像画。

Kaufman, Denis Arkadyevich **考夫曼** 参阅 **Vertov, Dziga** 维尔托夫。

Kaufman, George S(imon) **考夫曼**（1889-11-16，美国宾夕法尼亚匹兹堡～1961-06-02，纽约州纽约） 美国剧作家、新闻记者。20世纪20年代中期以后，考夫曼导演了自己

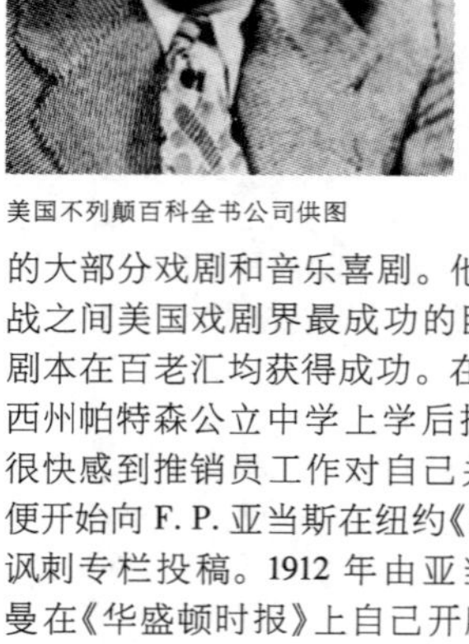

美国不列颠百科全书公司供图

的大部分戏剧和音乐喜剧。他是两次世界大战之间美国戏剧界最成功的巨匠，他的许多剧本在百老汇均获得成功。在匹兹堡和新泽西州帕特森公立中学上学后担任推销员，但很快感到推销员工作对自己并不适合，于是便开始向 F. P. 亚当斯在纽约《晚邮报》主编的讽刺专栏投稿。1912 年由亚当斯推荐，考夫曼在《华盛顿时报》上自己开辟专栏。1917～

1930年担任《纽约时报》戏剧评论员。他的第一部成名剧本《达尔西》(1921年首演)是与M.康内利合写的,这是一部以亚当斯专栏中心人物为基础的喜剧。描写舞台演出的讽刺剧《卖奶油和鸡蛋的人》(1925)是他独立写作的唯一一部剧本。与康内利合写的剧本还有:《马背上的乞丐》(1924),一部讽刺低效率的表现主义剧作;《电影界的默顿》(1922),最早批评好莱坞的讽刺剧之一。同其他作家合写的剧本有:与M.里斯金德和I.格什温合写的《我歌唱你》(1931),由G.格什温配乐;与E.费伯合写的《八点钟的晚餐》(1932)和《土地是光明的》(1941);与H.泰克曼合写的《纯金的卡迪拉克牌大轿车》(1953);以及与M.哈特合写的许多风行一时的剧本,其中包括《一生中只有一次》(1930)、《你不能拿走》(1936)和《来赴宴的人》(1939)。考夫曼是两次普利策戏剧奖得主,这些得奖剧本均为他与别人合写。

考夫曼的写作领域相当广泛,与合作者变换不同的风格,而明快的嘲讽和深邃的机智始终是他独具的特色。他常应邀为别的作家修改剧本,以便作出最后努力使剧本适合于在舞台上演出。

Kaufmann, Konstantin Petrovich　考夫曼 (1818-03-02,波兰登布林附近马伊丹尼～1882-05-16,俄罗斯帝国塔什干[今在乌兹别克斯坦])　俄罗斯帝国将军,他征服了中亚广阔疆域并统治俄罗斯土耳其斯坦达20年之久。考夫曼接受过工程师的训练,其早期军事生涯(18世纪40年代)是在高加索服役,克里米亚战争(1853～1856)期间,担任坑道工兵营营长,随后在陆军部任职。1865年任立陶宛总督,1867年调到土耳其斯坦,当时俄罗斯在该地推行积极扩张政策。考夫曼在担任土耳其斯坦第一任总督期间指挥了对邻国的作战,1868年占领撒马尔罕城,同年使布哈拉汗国(位于阿富汗北部)成为俄罗斯的保护国。1873年,又占领希瓦汗国(位于布哈拉和里海之间),俄国夺取了汗国阿姆湖以北的全部疆域。1875年,考夫曼占领了浩罕汗国(布哈拉东北),俄国又于1876年将其兼并。英国认为俄国的扩张使其在阿富汗的利益受到威胁,因此,考夫曼的军事胜利引起英国政府的抗议,俄皇亚历山大二世拒绝支持考夫曼的进一步扩张计划。虽然考夫曼仍在继续进行规模有限的扩张活动,但其主要精力集中在提高其管理技能上了。他进行了广泛的改革,包括土地改革,至死都对土耳其斯坦进行着强有力的统治。

Kauikeaouli(Hawaiian king)　**考伊克奥乌利**　参阅 **Kamehameha III 卡米哈米哈三世**。

Kaukauveld　卡乌卡乌台地　卡拉哈里沙漠的西向延伸部分,在纳米比亚及博茨瓦纳的西北端,当地称为沙质台地。面积约83 000平方千米。位于赫鲁特方丹镇东,北、南以两条大致向东流的间歇性浅河(考敦、埃普基罗)为界。台地之西没入中央高地的石质台地中,东则与奥卡万戈沼泽毗邻。地表多平坦,有时沙粒被风吹聚成90米高的沙丘。大部分地区降雨很少,也不规则,因此只有一些灌丛、金合欢矮树散生在零星的干草地间;北部降雨较多,能见到猴面包、扇叶葵及松脂树。居民主要为桑人(布须曼人),目前虽大部分在偏远农场放牧牛羊,仍有部分靠游猎与采集为生。纳米比亚的楚姆奎已设为示范区,负责教导桑人耕作与饲养动物。

Kaulbach, Wilhelm von　考尔巴赫(1805-10-15,黑森-卡塞尔阿罗尔森·贝·卡塞尔[德国]～1874-04-07,慕尼黑)　德国浪漫主义油画家、插图画家和壁画家。1822年在杜塞尔多夫学院从P.冯·科内利乌斯学画。1849年任慕尼黑美术学院院长,达25年之久。其作品包括为《列那狐的故事》(1841)以及为F.G.克洛卜施托克、J.W.冯·歌德和W.莎士比亚的诗歌所作的精美插图。他还运用后期拉斐尔和A.丢勒的风格,在慕尼黑和柏林为建筑物绘制壁画。其历史画如《耶路撒冷的毁灭》、《匈奴人的战斗》、《十字军》和《宗教改革》,人物虽有英雄姿态,但缺乏艺术想象力。

Kaulun Peninsula(Hong Kong)　参阅 **Jiulong Bandao 九龙半岛**。

Kaunas　考纳斯　旧称科夫诺(Kovno)。立陶宛南部城镇,涅曼河(立陶宛语称涅穆纳斯河)通航段的起点,支流维利亚河(立陶宛语称内里斯河)汇流处。1030年建为要塞。1317年设镇。1408年获半自治。1795年划归俄国。1842年成为州中心。19世纪末通铁路后商业繁荣,工业开始发展。1920～1940年为独立的立陶宛首府。1940年被苏联兼并。第二次世界大战期间遭严重破坏。战争前后有许多居民被放逐。苏联统治时期,该镇人口的立陶宛人比重(20世纪末占80%以上)较之维尔纽斯(占40%)和克莱佩达(占60%)皆高,故仍为立陶宛民族情感的中心。1972年一名大学生为了表示对苏联统治的抗议而自焚;葬礼后爆发民族主义骚乱。有许多古建筑物,包括城堡遗迹。这里是重要工业中心,生产金属铸件、机械器具、收音机、家具、毛丝织品等。由涅曼河的一座水电站供电。也是公路、铁路和水路枢纽,重要的文化教育中心。设有工艺学院、医学院、农学院、兽医学院和体育学院,还有剧院和博物馆。人口约378 943(2001)。

Kaunda, Kenneth　卡翁达(1924-04-28,北罗得西亚钦萨利附近卢布瓦[今赞比亚]～　)　全名Kenneth David Kaunda。赞比亚政治家。领导赞比亚于1964年获得独立,并担任该国总统直至1991年。卡翁达之父为一名教师,原籍尼亚萨兰(今马拉维),其母亦为教师,是赞比亚殖民地时代第一位执教的非洲妇女。两人均在赞比亚北部班巴族人中教书,卡翁达幼年亦在那里接受早期教育,于20世纪40年代初完成了中学学业。与赞比亚殖民地时代大多数具有一定中产阶级地位的非洲人一样,他中学毕业后也开始教书,先在赞比亚,后于40年代中期去了坦噶尼喀(今坦桑尼亚)。1949年回国。

同年,他成为北罗得西亚议会议员、开明的白人殖民者戈尔-布朗的翻译和非洲事务顾问,学到了有关殖民地政府的知识,也学到了政治本领,这对他同年稍后加入非洲人国民大会(ANC)都大有用处。该党是北罗得西亚第一个主要的反殖民主义组织,卡翁达于50年代初成为该党总书记,担任其主要的组织工作,这一职务使他与这个运动的广大成员建立了密切的接触。因此,当1958～1959年非洲人国民大会领导层因政见不同发生冲突时,卡翁达得以率领其大部分机构另立一个新的组织,即赞比亚非洲人国民大会,并任这个新组织的主席。他巧妙地利用这一组织制订出富有战斗性的政策,反对英国将三个中非殖民地(南罗得西亚、北罗得西亚和尼亚萨兰)组成联邦的计划。非洲的一些领导人反对并惧怕任何这种形式的联邦,因为这将使最高权力落入少数白人殖民者手中。卡翁达运用赞比亚国民大会作为工具,执行他所谓的"积极的非暴力行动",这是民间反对联邦政策的不服从方式。他的运动产生了两项主要结果:其一,英国政府修改了联邦政策,并最终同意予以放弃;其二,对卡翁达和其他富有斗争精神的领导人的监禁,使他们成为人民心目中的民族英雄。于是,从1960年以后,赞比亚独立运动得到了全国范围的支持,而且卡翁达在这一运动中取得了支配地位。

美国不列颠百科全书公司供图

卡翁达于1960年1月8日获释。当月底即当选为联合民族独立党(UNIP)主席,该党系由M.乔纳于1959年10月组建。乔纳是一位极富战斗精神的民族主义者,对较老的非洲人国民大会已不抱幻想。联合民族独立党的发展引人注目,至1960年6月已号称有党员30万人。1960年12月,英国殖民当局邀请卡翁达和联合民族独立党的其他几个领袖去伦敦参加商谈三个殖民地的地位问题。翌年年初,英国政府宣布即将开始赞比亚的正式非殖民化进程。1962年10月举行了导致最终非殖民化的第一次主要选举。根据制宪建议有关选举的规定,北罗得西亚的欧洲殖民者在选票中占有不成比例的份额。然而两大非洲人政党,即联合民族独立党和非洲人国民大会,获得了大多数的选票。联合民族独立党在选举中获胜,赢得了新议会37席中的15席。联合民族独立党的成功大部分应归功于卡翁达的领导。他的圆通一方面能解除欧洲殖民者担心一个非洲人的政权将不公平地忽视他们的利益的忧虑,一方面又能平息该国大部分黑人中盛行的宗派主义情绪。

凭着这种才能，卡翁达得以折冲樽俎，进一步在制宪问题上取得进展，赞比亚终于在1964年获得独立，卡翁达当选总统。与非洲其他一些领导人一样，卡翁达面临着独立后的许多复杂问题，尤其是部族主义问题。他成功地继续就此问题进行调处，使赞比亚避免了部族间内战的损伤。虽然如此，党派间的政治暴力事件在1968年大选期间时有发生。经过大选，卡翁达和他的政党重新掌权。为了对付暴乱，卡翁达于1972年在赞比亚强制推行一党专政，1973年实行新宪法，保证了他的政党的无可争议的统治。

70年代，卡翁达的政府取得了该国铜矿开采经营的大部分股权，并且承担了其他工业的管理。在对矿业部门大量投资的同时，政府忽视了农业，故不得不日益以大量的资金用来贴补城市贫民获得食品。这些政策减少了农业生产，增加了赞比亚对铜的出口和外债以及国外援助的依赖。从70年代开始，这些政策使得赞比亚愈发贫困，失业增加，生活水平日益下降，教育和其他社会服务日渐衰退。在外交方面，卡翁达领导南部非洲其他国家反对罗得西亚和南非的白人少数政府。他在70年代以损害本国经济的极大代价对罗得西亚实施了经济制裁，而在70年代末，他又允许J.恩科莫领导的黑人民族主义游击队以赞比亚为基地。

1976年卡翁达动用了紧急权力，在1978和1983年的大选中，他都作为唯一的候选人当选为总统。80年代初，几起试图颠覆他的政变均被敉平。由于世界铜价下降（铜是赞比亚的主要出口产品），油价上升（石油是赞比亚的主要进口产品），发达国家停止援助，撤回投资，以及卡翁达政府内部腐化加剧，赞比亚的经济情况继续恶化。在公众不满情绪日增、受信任的政治反对派正在形成的情况下，卡翁达于1990年给反对党以合法地位，为1991年的自由多党选举做了准备。1991年末进行的选举中，卡翁达和联合民族独立党被多党民主运动以压倒多数击败。卡翁达的继任者于1991年11月2日就职。

Kaunitz, Wenzel Anton von　考尼茨（1711-02-02，奥地利维也纳～1794-06-27，维也纳）　七年战争（1756～1763）至1792年对革命的法国发动联合战争的数十年里任奥地利首相，负责哈布斯堡王朝的外交政策，女皇玛丽亚·特蕾西娅及其继承人的主要外交顾问。学习法律后，1740年进入奥地利外交界，1742年任驻撒丁王国宫廷公使。很快就为玛丽亚·特蕾西娅所赏识，派他至尼德兰任查理（洛林的）及其妹玛丽亚·安娜的首席大臣。毕生敌视普鲁士，1748年代表奥地利出席亚琛（今在德国）和会，会上他开始制定一项政策，这项政策数年后改变了欧洲传统的联盟体系。他想拆散奥地利同英国和联省共和国的联盟，因为它们与普鲁士友好，并想把法国和俄国纳入哈布斯堡帝国的轨道，但这一愿望在他任驻巴黎大使期间（1750年起）未能实现。1753年任奥地利首相，由于他的努力，1756年奥地利与法国签订了凡尔赛防务条约，翌年俄国加入。联盟关系的这一向相反方向的变化，是他最大的外交成就，结果使普鲁士在欧洲大陆陷于孤立状态。但盟国在接着发生的七年战争中未能征服腓特烈大帝，考尼茨终于在1763年于巴黎议和。1764年被封为考尼茨-里特贝格亲王。玛丽亚·特蕾西娅的丈夫、神圣罗马帝国皇帝弗兰茨一世去世后，考尼茨的影响更大。他参预1772年对波兰的第一次瓜分，并谋求与普鲁士实现缓和。但在巴伐利亚王位继承战争（1778～1779）中，奥地利再次与普鲁士作战。他的影响扩大至国内事务，1760年成立国务会议治理国家，并主张对哈布斯堡帝国的许多领地的政府进行改组和实行中央集权。考尼茨与玛丽亚·特蕾西娅之子、她的共同摄政者和继承人约瑟夫的关系远非亲密。在后者于1780年即位成为约瑟夫二世后，外交大臣的权力大大下降，自负而偏执的考尼茨日益被推向幕后。法国革命结束了考尼茨所坚持的联盟体系，新皇帝利奥波德二世复与普鲁士靠拢。这位年迈的大臣在皇帝弗兰茨二世治下于1792年8月19日辞职。

Kaura Namoda　考拉纳莫达　尼日利亚北部索科托州东北部城镇。濒临加盖雷河。原为马古扎瓦人小居民点。属赞法拉王国。约1806年赞法拉人被富拉尼人击败，许多赞法拉人逃至此镇。1929年与扎里亚通铁路后发展迅速。现为花生和棉花的主要集散地。销售粟、高粱、牛豆、稻米、甘蔗、烟草。当地的豪萨和富拉尼人饲养牛、羊、驴、马和骆驼。该镇为地方政府参议会的所在地。为拉各斯至哈科特港铁路干线的西北终点站。有公路通古绍和吉比亚。人口约47 880（1983）。

kauri pine（*Agathis australis*）　**考里松**　又作dammar pine。又称达马松。即南方贝壳杉。南洋杉科材用针叶乔木。原产于新西兰的北岛。株高可达45米，直径可达7米。含树

考里松（*Agathis australis*）
美国不列颠百科全书公司供图

脂。考里树脂（贝壳杉脂）就是贝壳杉属植物形成的琥珀状沉积物，挖自从前有森林的地点，质硬，坚固，用于制造清漆、漆和油毡等。

Kauriālā（central Asia）　**高里亚拉河**　参阅 **Ghāghara River** 卡克拉河。

Kāʾūsīyeh DYNASTY　**考西耶赫王朝**（665～约1006）　巴文德王朝的一个分支，统治太巴里斯坦（今伊朗的马赞达兰）。来源和早期历史不明。创建者为巴夫（665～680在位）。王国首府费里姆，位于萨里西南山区，因地理上与外界隔绝，地势险峻，王国得以幸存。约1074年，这一王朝由巴文德王朝的另一分支埃斯帕珀迪耶赫取代。它统治马赞达兰和吉兰直至1210年。

Kauṭilya　考底利耶（活动时期公元前300）　印度政治家和哲学家，著有经典专著《政事论》，这是一部止于他所在年代的关于印度政事（财产、经济或物质成就）的汇编。婆罗门种姓出身。在呾叉始罗受教育。以精通医学和占星学闻名。某些学者认为他是拜火教徒，至少受过这一宗教的强烈影响。在孔雀王朝的帝国中，他曾任国王旃陀罗·笈多（约公元前321～约前297在位）的顾问和导师，协助旃陀罗·笈多推翻强大的难陀王朝。所著《政事论》成为旃陀罗·笈多的一部行动指南。该书共分15篇，每篇讨论一个政治问题，他将政治概括为"惩罚学"。他公开提倡建立精密的特务网，深入社会的一切阶层，并怂恿进行政治谋杀。许多人把他比作马基雅弗利，另一些人又把他比作亚里士多德和柏拉图。有人指责他残暴不仁和诡计多端，也有人称赞他足智多谋和通晓人性。但是所有学者都同意这一点：旃陀罗·笈多和后来阿育王（约公元前265～约前238在位）统治下的孔雀帝国之所以成为有效政府的典范，主要是他的功劳。

Käutner, Helmut　考特纳（1908-03-25，德国杜塞尔多夫～1980-04-20，意大利卡斯特利纳）　德国演员、戏剧与电影导演和编剧。曾就学于慕尼黑大学和科隆艺术学院。在从影之前，曾是小酒店的歌手。1939年导演了第一部影片。战争时期他拒绝与纳粹合作，他的影片《小调浪漫曲》（1943）曾被J.戈培尔斥为颓废主义和"失败主义"。战后，在英国占领当局的允许下，他重操旧业，拍摄了《在以往的日子里》（1947）以及其他一些有关纳粹时代的影片。其中如《最后的桥》（1953）和《魔鬼将军》（1955）使他获得世界声誉。他曾短期居住在好莱坞（1957），拍摄了两部平庸的影片。

Kautsky, Karl　考茨基（1854-10-16，布拉格～1938-10-17，阿姆斯特丹）　马克思主义理论家、德国社会民主党领袖之一。在维也纳大学读书时加入奥地利社会民主党。1880

美国不列颠百科全书公司供图

年前往苏黎世，在政治理论家E.伯恩施坦（1850～1932）的影响下成为马克思主义者。在伦敦结识F.恩格斯，两人一直保持着亲密的友谊，直至恩格斯于1895年去世。1883年创立并主编马克思主义的《新时代》杂志，在

苏黎世、伦敦、柏林和维也纳发行，直至1917年。他是社会民主党1891年通过的《爱尔福特纲领》的起草人，这个纲领使社会民主党成为马克思主义的渐进派，拒绝R.卢森堡的激进主义和伯恩斯坦的社会主义进化论。德国社会民主党承认他是党内马克思主义的权威，直至第一次世界大战时他加入独立社会民主党少数派反对战争。俄国十月革命后，他反对暴力革命和少数人社会主义专政，使他更孤立于独立社会民主党人之外。在许多独立社会民主党人加入共产党后，由于考茨基的努力，其余的独立社会民主党人与德国社会民主党的多数派重新联合。1918年后，他汇编德国外交部档案，发表了关于战争起源的秘密文件。自1924年起，他在维也纳从事写作，直至1938年德军占领维也纳，他被迫逃亡。他的著作有《卡尔·马克思的经济学说》(1887)、《托马斯·莫尔和他的乌托邦》(1888)以及《新时代》上的许多文章。

kava 卡瓦酒 又拼ava或cava。一种以南太平洋多数岛屿所产胡椒树(主要是麻醉椒)之根为原料制成的不含酒精的兴奋性饮料。其色黄绿，味略辛，主要成分显然为生物碱。这种饮料在举行卡瓦庆典时饮用，这种宗教仪式有严格规定，内容有调制和饮用卡瓦酒以及宴会。

Kavadh I 喀瓦德一世(？～531-09-13) 又拼Qobād。波斯萨珊帝国的国王(488～496和498或499～531在位)。菲鲁兹之子。488年继叔父巴拉什登上王位。最初主要由封建主扎米尔把持朝政。由于除掉这个太上皇引起了贵族们的反对，再加上亚美尼亚和伊朗西部的部族骚乱，他只好把王位让给自己的兄弟杰马斯普，而被幽囚到苏塞纳的城堡里。后来逃往哌哒境内，与国王的女儿结婚，并得到一支强大的军队。498或499年恢复在波斯的王位。他曾与拜占廷作战，率军进攻安纳托利亚，夺取了埃尔祖鲁姆和迪亚巴克尔城。当查士丁一世继承拜占廷皇位(518)后，他主要关心其爱子霍斯罗夫顺利继位问题。约与此同时，他深受异端玛兹达教派的影响，但后来被说服这种异端的危险，他于是把他们聚而歼之。生前他规划的税制改革为其后继者赢得声誉。

Kaváfis, Konstantínos Pétrou 卡瓦菲斯 参阅 **Cavafy, Constantine** 卡瓦菲。

Kavála 卡瓦拉 又拼Kaválla，史称Neapolis。希腊马其顿地区商业城镇和现代化海港，卡瓦拉州首府。濒临爱琴海北部的卡瓦拉湾。自1924年起为菲利波伊(古菲利皮)大主教区以及内亚波利斯和萨索斯岛的行政中心，也是希腊一个陆军师的总部。该城建造在萨索斯岛对面一个海角上，海角南部伸入海湾。城内土耳其区正坐落于小海角，周围筑有拜占廷式城墙，最高处为一拜占廷城堡。新建市镇伸展至主港湾北面，港湾是第二次世界大战后筑成的两条长防波堤围成的。卡瓦拉一直又称为内亚波利斯，公元前42年的菲利皮战役前，布鲁图的船队驻扎于此，使徒保罗从萨莫色雷斯往菲利皮途中即于此登陆。在拜占廷统治时期，该城又称为克里斯托波利斯。1387年该城属土耳其人所有，直至1912年加入希腊王国为止。一向垂

卡瓦拉镇的古罗马高架输水渠
美国不列颠百科全书公司供图

涎卡瓦拉，欲得之为出海口的保加利亚人于1912～1913、1916～1918和1942～1944年3度占领该市。卡瓦拉现为希腊北部地区烟草种植业的主要仓库及出口港。市东排干的沼泽地种植水稻及瓜类，养蜂业亦发达。葡萄园生产食用葡萄。旧城边有古罗马高架输水渠遗迹，还有许多古罗马人和拜占廷人的遗物，其中一大部分收藏于1965年落成的市内考古博物馆中。人口：城镇58 576；州135 747(1991)。

Kavanagh, Patrick 卡瓦纳(1905，爱尔兰莫纳亨郡因尼斯基恩附近～1967-11-30，都柏林) 爱尔兰诗人。以长诗《大饥饿》而跻身于当代爱尔兰诗人的前列。早年自学文化，曾在家乡务农。长篇小说《塔里·弗林》(1948)即取材于农场生活，该书后来被改编成剧本在都柏林的阿比剧院上演。迁居都柏林后，一生大部分时间充当新闻记者。1942年写成《大饥饿》，这是描述爱尔兰农场一个少年的叙事诗，包含一些充满激情的讽刺段落，使人想起D.H.劳伦斯。此后出版诗集《出卖的灵魂》(1947)和《来与基蒂跳舞》(1960)。1964年出版《诗集》，1967年出版《散文集》。早期自传有《小傻瓜》(1939)。卡瓦纳不仅由于诗作在爱尔兰国内外享名，他所写的一些评论当代人物和教会的文章也为他赢得了声誉。

Kavango 卡万戈 又作Okavango(奥卡万戈)。纳米比亚东北地理区。北面主要以奥卡万戈河与安哥拉分界，东北包括卡普里维地带西部，东南邻博茨瓦纳，西与奥万博(即奥万博兰)区相接。面积41 700平方千米。地势大致平坦，海拔约1 100米，通常年降雨量为500～600毫米。灌丛与乔木散生在高草地间，并于东部形成罗得西亚柚木、桃花心木与松脂树森林。富大型野生动物，包括象、水牛、马羚与黑斑羚，奥卡万戈河中有鳄鱼和虎鱼。聚落几乎全部沿着时常泛滥的奥卡万戈河分布，也有一部分位于注入该河的许多间歇性浅河畔。区内主要居民为操班图语的卡万戈人，分属6个不同部族。因尚未利用河水灌溉，仍以旱作法种植谷物。此外也养牛。桑人(即布须曼人)则住在卡普里维地带西部。芬兰的信义会及荷兰、德国的天主教会在奥卡万戈河聚落有许多教育、医疗与宗教机构。木刻为当地重要手工艺。奥卡万戈河的主要聚落伦杜有一锯木厂及细木工业。伦杜有公路与西南240千米处的赫鲁特方丹镇相通。

Kavaratti 卡瓦拉蒂 印度拉克沙群岛中央直辖区首府、城镇和岛屿。位于阿拉伯海，在印度南部马拉巴尔海岸卡利卡特西南偏西约346千米处。岛长5.6千米，一端仅为一点，另一端最宽处达1.2千米。岛西侧有一浅潟湖，北侧种植椰子。该镇以清真寺的雕刻木柱和屋顶以及墓地的雕刻石块而闻名。城内有行政机关建筑物、一家银行、多座清真寺和一座水族馆。人口：城镇约8 664(1991)。

Kāverī (India) 参阅 **Cauvery River** 高韦里河。

Kavieng 卡维恩 巴布亚新几内亚新爱尔兰省主要港口。濒临岛北端的巴尔盖湾。为岛与岛间和至澳大利亚航线的停靠港。转运椰干、可可、马蹄螺和绿蜗牛贝壳(制扣)。有通往该国其他各处的航空设施。人口6 486(1990)。

Kavīr Desert 卡维尔盐漠 伊朗中部大片盐碱荒地，在厄尔布尔士山东南，宽约390千米。由于缺雨和强烈的地表蒸发使盐碱板

卡维尔盐漠
美国不列颠百科全书公司供图

结，覆盖在盐沼上。盐沼地几乎无人居住，只在四周高山上有居民点。

Kavirondo (people) 参阅 **Luo** 卢奥人。

Kavkazsky Nature Reserve 高加索自然保护区 在俄罗斯西南部。为进行自然科学研究而开辟。位于高加索山脉西端，包括小拉巴、大拉巴、姆济姆塔、沙赫诸河上游地区。建于1924年，面积262 500公顷。地处受粒雪冰川作用的褶皱山区，岩石多为结晶花岗岩和片麻岩。海拔由低到高分别为山毛榉和橡树林带、冷杉林带、山杜鹃和高山草甸。野生动物有野猪、山猫、野山羊、狼、棕熊、赤鹿、小羚羊、欧洲野牛。鸟类有高加索乌鸡、雪鸡和

红嘴山鸦。目前在此进行欧洲野牛对当地再适应性的研究以及高加索动植物群的保护工作。

kavvanah 专诚 又拼kawwanah(希伯来语,意为"意欲"或"奉献")。犹太教用语,指人在履行宗教义务特别是在祈祷时应有的正确态度或心灵状态。12世纪哲学家迈蒙尼德认为,人在祈祷时必须在心灵中直接面对上帝,摒弃一切俗念,才能达到专诚。根据犹太教奥秘主义喀巴拉派体系指全神体会祷词中的单词和字母的秘义,缺乏专诚的祈祷等于没有灵魂的肉体。哈西德派则认为,在宗教生活中,专诚所起的作用主要在情感方面,而不在理性方面。

Kavya 宫廷史诗体 印度梵语文学中一种高度矫揉造作的体裁,纪元初几百年间的印度宫廷史诗用此体裁。在现代印度的语言和文学中仍有影响。它的特征在于精巧而华丽的韵律、措词和夸张手法,主题则来源于早期流行的史诗。

Kaw (North American Indians) 参阅 **Kansa** 坎萨人。

Kawa (people) **卡瓦人** 参阅 **Wa** 佤人。

Kawa 凯沃 古埃及在库施(今苏丹)的殖民地,位于尼罗河东岸、栋古拉以北6~8千米处。1930~1936年发掘。卡尔马文化时期所建,为该地区仅次于卡尔马的第二重要城市。埃及国王阿孟霍特普一世(公元前1514~前1493在位)灭库施人国家之后,占领此地。阿孟霍特普三世(约公元前1390~前1353在位)在此建造第一座阿蒙神庙。公元前23年,凯沃遭罗马大将佩特罗尼乌斯·阿尔比特洗劫,此后一蹶不振。

Kawabata Yasunari 川端康成(1899-06-11,大阪~1972-04-16,日本逗子) 日本小说家,1968年获诺贝尔文学奖。他的忧郁的抒情风格通过现代的习惯用语反映了一种日本古老

美国不列颠百科全书公司供图

的文学传统。孤独感和渗透于他的许多成熟作品的对死亡的关注来自他童年时期的孤独(他很早便成了孤儿,还在青年时代便失去了所有的亲人)。1924年毕业于东京帝国大学。以半自传体的《伊豆的舞女》(1926)步入文坛。作品发表在《文艺时代》上,这是他同作家横光利一共同创办的杂志。该杂志成了同川端早就有联系的新感觉派的机关杂志。据说这一文学流派的美学观点主要来自第一次世界大战后的达达主义和表现主义这样一些法国文学思潮。它们对川端作品的影响可以从突然的转变,从把不一致的印象混为一体而往往使人吃惊的形象,从他把美与丑的事物加以并列这一情况中看出来。但是在17世纪的日本散文和15世纪的连歌中也有同样的特点。川端晚年的小说似乎更接近于连歌。川端的许多作品没有一定的结构,使人联想到连歌的形式。

川端康成最著名的长篇小说《雪国》(1948)是1935年开始写作的;在几易结尾后,终于在12年之后完成。《千只鹤》一半作为《雪国》的续集于1949年开始动笔,但始终未完成。这些作品和《山之音》(1949~1954)被认为是他最出色的小说。川端接受诺贝尔奖时,他说他试图通过自己的作品美化死亡并且试图寻求人、自然和空虚之间的和谐,还说他终生一直在追求美。他在友人三岛由纪夫死后不久自杀。

Kawagoe 川越 日本本州崎玉县城市,位于武藏野高原北部。15世纪建城堡,后发展为驿镇和河港。德川时代以冶炼铸造业和生产精致家具闻名。1895年与东京(东南37千米)通铁路后发展成为商业中心。现有纺织和食品加工业。为东京-横滨都市区的居民卫星城。人口约316 313(1993)。

Kawaguchi 川口 日本本州崎玉县城市。在荒川的冲积平原上,东京正北。德川时代为驿镇和商业集市。20世纪初金属铸造业发展迅速。第二次世界大战后发展起纺织、精密仪器制造和酿造业。人口约451 345(1993)。

Kawai Gyokudō 川合玉堂(1873-11-24,日本爱知县~1957-06-30,东京) 原名川合芳三郎。日本画家。1887年去京都从四条画派大师幸野楳岭(1844~1895)学画,后又去东京在狩野派画家桥本雅邦(1835~1908)门下研究绘画。对西洋画风也有研究,尤其在风景画方面发展了高度个人风格。代表作有《初二之月》、《去矣春》、《峰之夕》和《暮雪》等。

Kawai Kanjirō 河井宽次郎(1890-08-24,日本岛根县安来町~1966-11-18,京都) 日本陶瓷家。曾探索现代陶瓷生产方法与日本和英国的传统设计相结合的途径。1914年毕业于东京高等工业学校后,曾在京都研究院短期工作,从事陶瓷研究。1920年在京都自建陶瓷窑,并开始举行展览。早期作品显示出其对中国和朝鲜技术的兴趣。1925年联合柳宗悦和浜田庄司发起民间艺术运动,采用古老的日本和英国的民间艺术形式,发展日用陶瓷。第二次世界大战后,致力于发展具有手工艺品特点的大批量陶器生产,例如他所采用的一种称为"泥上刷痕"的技术,就是在黏土上仿制出用毛刷刷成的印痕。其主要作品有:青瓷花瓶(1924),瓶上绘有血红色人物;陶罐(1937),罐上绘有铜红或铁青色花草;以及内挂釉的扁平罐(1962)。

Kawaíb 卡瓦伊夫人 又拼Cawahíb。巴西马托格罗索州的南美印第安人。18世纪和19世纪初,他们被好战的蒙杜鲁库人赶出塔帕若斯河上游的老家,并在特利斯皮里斯河和马德拉河之间分裂为6个独立的居民集团。马德拉河沿岸的帕林廷廷人和日帕拉纳河上游的图皮-卡瓦伊夫人都是卡瓦伊夫人最广为人知的幸存者。所有的卡瓦伊夫居民集团都讲图皮语。帕林廷廷人的经济是典型的热带森林经济,兼营农业、狩猎、采集和捕鱼。帕林廷廷人不断同外族人作战。他们既是食人生番,也是猎头者。他们与蒙杜鲁库人、巴西殖民者及皮拉哈人作战,1922年讲和时只剩下250人。少数存活下来的人们后来迁往伊加拉佩·伊皮舒纳河一带生活或在马代拉河的橡胶园做工。图皮-卡瓦伊夫人的经济和文化同帕林廷廷人一样。欧洲疾病对土著居民的悲惨影响可由图皮-卡瓦伊夫人的塔夸蒂普氏族的人口统计数字来证明:1915年是300人,1928年还有59人,到1938年只剩下7个人。

Kawaihae 卡韦伊哈伊 美国夏威夷州夏威夷岛西北岸深水港。临卡韦伊哈伊湾,在长64千米海滨游览区"黄金海岸"的北端。19世纪为捕鲸和商业港口。20世纪末改建成该岛第二大港,主要装卸糖和牲畜。港口以南的普科霍拉有保存最好的祭祀战神的夏威夷庙宇。附近普阿科周围有描绘波利尼西亚早期生活的大片浅石刻。

Kawakami Hajime 河上肇(1879-10-20,日本岩国~1946-01-30,东京) 新闻记者、诗人、大学教授,日本最早的马克思主义理论家。1902年毕业于东京大学。曾翻译E.R.A.塞利格曼的《历史的经济解释》,这在日本是第一部阐明辩证唯物主义的著作。1913年去欧洲深造。1915年回国,任京都帝国大学经济学教授。1928年因从事政治活动被迫离职。他在京都创办《社会问题研究》杂志,向学生和工人传播马克思主义经济学说。所著《经济学大纲》和《资本论入门》对二三十年代的日本经济学理论的发展起过决定性作用。20年代开始直接参加政治活动,曾作为无产阶级政党候选人竞选国会议员失利,还从事过被宣布为非法的日本共产党活动,后被捕。1937年出狱,开始写《自传》,讲述他从信奉托尔斯泰民族主义发展到信仰马克思主义的思想演变过程。遗有诗集4卷于1946年出版。

Kawanabe Gyōsai 河锅晓斋(1831-05-18,日本古贺~1889-04-25,东京) 日本画家与漫画家。曾向最后一位日本彩版大师歌川国芳学画,后又在狩野洞白的画室接受训练。但很快摒弃了这位大师的拘谨传统,而趋向流行学派的豪放自由。后深受北斋影响,热衷于速写人物,仅寥寥几笔,便表达出人物神态与动作。1867年政治革命期间及以后,晓斋以漫画抒发见解,常遭监禁,但甚获公众好评。其速写与5册鹰画均已出版。他以精灵与动物生态为主题的速写富有独创性与幽默感。晓斋酷嗜米酒,其著作、版画和速写均署名惺惺(醉)晓斋。

Kawanishi 川西 日本本州兵库县城市。东临猪名川。利用河水发展染布和鞣革业。南部沿河台地种植水果、花卉及园艺植物。1910年通铁路后，成为大阪-神户都市区的卫星城。附近县立天然公园吸引众多游人。人口约141 743(1992)。

Kawartha Lakes 卡沃萨湖群 加拿大安大略省东南部的14个湖泊。分布于佩得伯勒县和维多利亚县境内。面积为5～47平方千米。主要由特伦特运河将它们连接起来。过去是伐木业中心，现为避暑胜地。湖名为印第安语，意为"清亮的水与乐土"。

Kawasaki 川崎 日本本州神奈川县港口城市。濒临东京湾，在京滨工业区内。城市于第二次世界大战时被破坏，战后重建。沿海一带为重工业区；市中心为汽车、机械和工

川崎市的平间寺
美国不列颠百科全书公司供图

具制造业区；西北部为化学工业区。1976年发生大火，后重建并广泛采用了防火技术。市内有佛教庙宇平间寺。人口约1 249 851(2000)。

Kawasaki Heavy Industries, Ltd. 川崎重工业公司 川崎工业集团重要成员。总部在日本神户。企业原系1878年川崎设立的造船厂。1886年川崎在神户设立另一家船厂，又在1896年合并了两家，组成川崎造船公司。该厂生产扩展至铁路设备、钢板、飞机及机械后，1939年采用现名。第二次世界大战后，公司被占领当局遣散，但与以往两家附属机构1969年合并后，又成为一重要的公司。产品范围广泛，有船只、火车头、铁路车厢、飞机及导弹等。它最著名的产品川崎摩托车向全世界出售，在总销售量中占绝大部分。

Kawasaki Steel Corporation 川崎制铁公司 日本钢铁制造者，川崎工业集团主要成员。总部在日本神户。公司原是川崎重工业公司的附属机构，1950年成为合股公司。它在第二次世界大战后建立的新工厂及现代化技术使之成为日本战后工业恢复的一个重要因素。该公司主要生产钢铁产品，包括：厚薄钢板、结构钢、钢管制品、铸件、锻件、电焊条等。它在很多国家有制造工厂。

Kawasaki syndrome 川崎氏综合征 又称黏膜皮肤淋巴结综合征。为一原因不明的少见病。但为儿童获得性心脏病的主要原因之一；1967年首见于日本。多侵及5岁以下儿童。主要症状有长期发热、眼结膜充血、唇及口腔黏膜病变、颈淋巴结肿大、皮疹、手掌及足底发红、肢端肿胀，并有冠状动脉病变。螨、细菌、立克次氏体感染或化学物质中毒都曾作为病因作过调查。80年代后期，有人又提出病毒感染说，但也未能找到确切的证据。用大剂量阿司匹林可缓解患者的发热和皮疹，但因冠状动脉病变而导致心脏功能减弱的患者约占病人总数的1/5。

Kawatake Mokuami 河竹默阿弥(1816-02-03，日本江户～1893-01-22，东京) 原名吉村新七。日本多才多艺而且多产的歌舞伎脚本作家，作品以富有诗意和情节新奇而为人重视。在为江户市村座写作时，在漫长的学徒期间写过多种脚本。40多岁时以写"世话物"(市民剧)和《白浪物》(以义贼为题材的剧本)而声誉鹊起。此后，从1867年明治维新时代起，创作历史剧。强调史实的准确性。他开创写作直言明治维新早期市民生活现代化与西方化的市民剧的先河。他决心在1881年65岁时退出剧坛，并写一部可以集他所有作品之大成的剧本——《千鸟月下逐白浪》。1882～1893年上演近松门左卫门的剧本，并为市川团十郎九世写舞剧、为尾上菊五郎五世写剧本。在所写的360多部剧本中，最为人铭记的几部是：《白浪五人男》、《庆安太平记》、《三人吉三》、《连狮子》、《土蜘蛛》等。

Kawkaw(Mali) **卡夫卡夫** 参阅**Gao**加奥。

Kawm al-Aḥmar(Egypt) **考姆艾哈迈尔** 参阅**Hierakonpolis** 希拉孔波利斯。

Kawm Umbū 考姆翁布 又拼Kum Ombu或Kôm Ombo。上埃及阿斯旺省城镇。濒临尼罗河东岸，通河谷主干公路和开罗—阿斯旺铁路。为农业市场、甘蔗加工和纺棉中心。位于阿斯旺高坝以北48千米处。由于修筑阿斯旺高坝(1959～1970)造成纳赛尔湖，6万余努比亚埃及人迁至河谷周围新开垦的土地上。古翁布斯城在现考姆翁布西南偏南不远处，以其托勒密时期和罗马时期独有的供奉鳄鱼神塞贝克和鹰头神何露斯的双神庙而著称。人口约52 506(1986)。

Kawoela(Indonesia) **卡武拉** 参阅**Lomblen Island** 龙布陵岛。

Kay, John(English humanist and physician) 参阅**Caius, John** 凯厄斯。

Kay, John 凯(1704-07-16，英国兰开夏贝里附近～1764?，法国) 英国机械师和工程师，飞梭的发明者，这项发明是向自动化织机迈出的重要一步。他对梳棉机、弹絮机和梳毛机都做了许多改进。1733年5月26日，他获得松毛梳毛机的专利，在松毛梳毛机上装有他所发明的著名的飞梭。织机在加装飞梭后可使工人以两倍以上的效率织出任何幅宽的织物。织造商很快采用了这项发明，但他们组织保护俱乐部，以逃避支付专利使用费。在维护专利权的诉讼中，凯的资财耗费殆尽。后移居法国，据说在默默无闻和贫困中死去。

Kay, Ulysses(Simpson) 凯(1917-01-07，美国亚利桑那图森～1995-05-20，新泽西英格伍德) 美国作曲家，新古典主义学派卓越代表人物。童年开始演奏爵士乐萨克斯管，后习钢琴、小提琴并作曲。1938年在亚利桑那大学获学士学位，又在伊斯曼音乐学院(1940年获文硕士)、伯克音乐中心和耶鲁大学(师从作曲家P.兴德米特)及哥伦比亚大学学习。第二次世界大战期间，作为演奏家、作曲家和舞蹈乐队编曲家服务于海军，后定居纽约，创作室内乐合奏《弦乐队组曲》(1947)、管弦乐《协奏曲》(1948)，并为影片《沉默者》(1949)作曲。1949～1952年在罗马工作。1958年作为第一个美国作曲家代表团的成员访问苏联。自1968年起在纽约市立大学任音乐教授。凯的旋律富于抒情性，围绕着某一指定的音写成并辅以半音体系手法，即采用半音音阶中的所有的音，无论它们是否属于某一特定的调。后期作品也采用4度和弦。作有许多影片和电视片音乐(如为纪念肯尼迪总统而作的《逝世散文》，1964)。除大型管弦乐作品(如《交响乐》，1967和《南方和声》，1975)外，还作有室内乐、合唱(如《耶利米之歌》，1945)、管风琴和钢琴音乐、管乐队小品以及两部独幕歌剧。

Kay-Shuttleworth, Sir James(Phillips) 凯-夏特沃斯(1804-07-20，英格兰兰开夏罗奇代尔～1877-05-26，伦敦) 原姓kay。医生、公共卫生改革者和英国公费初等教育制度的主要创建人。提倡的改革包括：给教师以专门训练；由政府官员视察学校。还创始"小先生"制——让13～18岁的聪明有为的少年在小学教书，同时接受中等教育。1839～1840年间，和E.卡尔顿·塔夫内尔在伦敦巴特西创办圣约翰学院，这是英格兰最早的师范学校之一。

Kaya 伽倻 又称驾洛(Karak)。日语称任那(Mimana)。公元3世纪前在朝鲜南部洛东江以西地区形成的部落联盟。据传说建于公元42年，但很不可靠。这个联盟有时也以其中最大的部落驾洛闻名。伽倻西有智异山，北有伽倻山，与半岛的其他地区隔绝。它大多经过海上与乐浪和倭国通商。据考古学发现：伽倻文化不太落后于近邻新罗王国。在该地出土的各种陶器的模式与新罗大不相同。伽倻人还发明一种独特的乐器伽倻琴，并产生一位著名的伽倻琴师于勒。在朝鲜半岛上，伽倻夹在新罗和百济两个大国之间，条件极为不利。它的政治和社会发展被打断，未能成为中央集权的国家。新罗于532年占领其东半部，562年又吞并其西半部。

kaya(tree) 参阅**Japanese torreya** 日本榧。

kayak 海豹皮船 用于娱乐和体育的两种普通赛艇之一。曾为格陵兰和阿拉斯加的爱斯基摩人所使用。艏艉均呈尖形，无龙骨，除

桨手坐处外，其余均加蒙皮。桨手面向前方，使用双叶桨。通常只供一人乘坐，也可设计供2～3人之用。爱斯基摩人造这种船是用海豹皮或别的兽皮蒙在海上漂浮的木材或鲸骨的构架上，再涂以动物油，使蒙皮防水，他们用这种船渔猎。到了20世纪，已逐渐为摩托艇所代替。

kayakeum　伽倻琴　又拼 kayagum 或 kayakum。朝鲜的板形齐特琴。有12根丝弦，琴马可移动，上部表面成凸形。琴身为长方形(约1.5米长)。虽然它同中国和日本的古琴、筝这类乐器有关系，但其演奏法为朝鲜所特有。

kayāl　卡亚尔　又拼khayal。印度斯坦音乐(**Hindustani music**)中的音乐形式，以二部结构的印地歌曲为基础。演唱时在旋律上和节奏上加以周而复始的即兴发挥。在正规的演出中，慢板卡亚尔后紧接一个较短的快板卡亚尔，它们都用同一种拉加。卡亚尔与称为“德鲁帕德”的较长的旋律模式有联系，但所受限制较少。

Kayan　卡扬人　婆罗洲中部土著居民，与克尼亚人及其他一些小居群同族，或合称巴豪人。20世纪末，卡扬人约有2.7万，定居在沙捞越的巴拉姆、民都鲁及拉让等河的中游地区。在印度尼西亚婆罗洲地区，卡扬人主要住在卡扬河源头以及马哈坎河和卡普阿斯河的中游一带。卡扬人沿河而居，房屋长形，每所可容50个家庭；数座长房可合为一个村落。他们有一种以轮垦为基础的自给自足经济，在雨林垦地上种植山稻，以西谷米为辅助作物；其他重要经济活动是渔猎及采集。卡扬人有许多精巧铁匠。从前有猎头风习，常同伊班及其他达雅克部落发生冲突。卡扬人传统宗教是信仰多神和万物有灵，并有诸如萨满教和占卜之类的仪式。沙捞越的卡扬人有很多是基督教徒。

Kaye, Danny　凯(1913-01-18，美国纽约州纽约～1987-03-03，加利福尼亚洛杉矶)　美国电影、电视及舞台演员和喜剧明星。后来以参与慈善事业闻名。乌克兰移民之子。20世纪30年代先在纽约州卡茨基尔山的旅馆里任喜剧演员，后在各地夜总会表演喜剧及舞蹈。在此期间他开创了后来成为其特色的哑剧、快速演唱和滑稽动作。以《草帽时事讽刺剧》(1939)和《黑暗中的女士》(1940)为开端，他在百老汇舞台上很快取得成功。第二次世界大战期间他曾为美国军队服役人员演出。1944年在影片《准备作战》中初次登上银幕，随后又主演《布鲁克林来的小子》(1946)、《沃尔特·米蒂的秘密生活》(1947)、《监察主任》(1949)、《在里维埃拉》(1950)、《安徒生传》(1952)、《白色圣诞节》(1954，又译《银色圣诞》)和《上校与我》(1958)等影片。他的基本银幕形象是个温顺谦和、笨手笨脚而又无能的人，可在剧终时却总是个胜利者。60年代，他主持每周一次的电视综艺节目。晚年，他到一些发展中国家旅行，为儿童进行喜剧表演。1955年获奥斯卡终身成就奖。

Kaye, Nora　凯(1920-01-17，纽约市～1987-02-28，洛杉矶)　原名Nora Koreff。美国戏剧芭蕾舞女演员，被称为“舞蹈界的杜丝”。师从M.福金和G.巴兰钦之后，1939年加入刚成立的芭蕾剧院(现为美国芭蕾剧院)。她的第一个较大的成就是在A.图德的《火柱》(1942)中扮黑格，接着又在图德的《紫丁香花园》、J.罗宾斯的《牢笼》中出神入化地饰演主角。1951～1954年在纽约市芭蕾舞团演出，1954～1960年返回芭蕾剧院。1961年退出舞台后帮助其夫H.罗斯为音乐喜剧编舞。1965年被任命为美国芭蕾剧院院长助理。1977～1983年为美国芭蕾剧院副院长。1977年为影片《转折点》执行制片人，1980年为影片《尼任斯基》制片人，两片的导演都是她的丈夫。

凯的舞姿
美国不列颠百科全书公司供图

Kayes　卡伊　马里西部城镇。位于塞内加尔河航道终点。也是马里大铁路枢纽站。1855年法国人于此建梅丁要塞。以农业为基础，最主要作物是花生，也饲养牲畜。人口：城镇61 650(1996)。

Käyri(ancient Finnish feast day)　参阅 **Kekri 凯克里节**。

Kayser, Heinrich (Gustav Johannes)　凯泽尔(1853-03-16，黑森宾根[德国]～1940-10-14，德国波恩)　物理学家，发现地球大气圈中的氦。早期致力于声性质的研究。他与德国物理学家兼数学家C.D.T.龙格合作详尽地测绘了大量元素的光谱，并发现存在线系，或者一组密集的谱线，谱线的间隙和强度呈规则性变化。1883年他们提出了一个能表示出这些谱线间关系的数学式。大致与此同时，瑞典物理学家J.R.里德伯用其他研究者的数据也确立了一个类似的公式。1895年，利用新发展的光谱分析技术，凯泽尔在地球大气圈中发现氦，以前只知道它存在于太阳和某些矿物中。

Kayseri　开塞利　罗马时代称凯撒里亚卡帕多西亚。土耳其中部城市。位于埃尔吉耶什山麓下一平原上。海拔1 043米，在安卡拉东南偏东265千米处。有许多罗马时代和中世纪遗迹。有一保存完好的城堡，原由东罗马皇帝查士丁尼修建，后由塞尔柱人和奥斯曼人重修。13世纪塞尔柱艺术的几个杰出典范建在此地，包括几座圆形和八角形陵墓，最闻名的多纳陵墓以精致装饰著称。城内有许多清真寺和经学校，其中以库尔顺卢大清真寺、萨希布耶经学校及13世纪的胡安德经学校(现为省博物馆)最为著名。开塞利市设有全国最早(13世纪初)的医学学校之一。城内还有油饰华丽的市场。该市新城区建在堡垒以北通往火车站的林荫大道周围。开塞利为广大腹地的重要农业市场。工业发展很快，有糖、水泥、纺织品、家用器具和飞机零件制造等行业，也是首饰、地毯业中心。1978年设埃尔吉耶什大学。由于地理位置重要，开塞利为交通中心，这里有空中航线通伊斯坦布尔，铁路和公路通安纳托利亚各主要城镇。开塞利东北的灰山发掘出公元前3千纪的赫梯-亚述古城坎内什。人口454 000(1994)。

开塞利市13世纪的商队旅舍大院
美国不列颠百科全书公司供图

Hazak　哈萨克族　中国少数民族。主要分布在新疆维吾尔自治区，少数分布在甘肃省部分地区。人口1 250 458(2000)。语言属阿尔泰语系突厥语族西匈语支。原有阿拉伯字母的拼音文字，1959年设计了拉丁字母的新文字，1982年决定全面使用哈萨克老文字。先世可追溯到公元前1世纪伊犁河流域的乌孙和13世纪前后天山以北的突厥、契丹和蒙古部落。成吉思汗西征时一度西迁，15世纪60年代返回巴尔喀什湖以东以南地区。由于反抗钦察汗国的统治，得名“哈萨克”(意为脱离者)。中国哈萨克族大多属于哈萨克族的鄂尔图部和乌拉部。主要从事畜牧业，善育名马。“阿乌尔”是游牧聚落的最小生产单位，由10

哈萨克族男子
中国大百科全书出版社供图

户左右父系后裔组成,首领由牧主或年长辈高者担任。家庭中男性家长掌权,妇女无财产继承权。牧民住圆形白色毡房。饮食以乳、肉为主,喜用马肉熏制腊肠,夏季饮马奶酒。节日举行刁羊、摔跤、赛马。信仰伊斯兰教,但仍有萨满教和自然崇拜等遗俗。行土葬。音乐舞蹈具有独特风格,用二弦琴"冬不拉"伴唱。民间歌手"阿肯"在群众中享有极高声誉。1954年建立了伊犁哈萨克自治州,先后在新疆、甘肃成立了3个自治县和13个民族乡。

Kazakh 哈萨克人 突厥-蒙古民族,主要住在哈萨克斯坦和与之相邻的中国新疆维吾尔自治区。哈萨克人是由8世纪前后进入河间地带(阿姆河以东锡尔河以西地带)的突厥

哈萨克摔跤者

美国不列颠百科全书公司供图

人和13世纪中进入这一地区的蒙古人混居结合,于15世纪形成的民族。操突厥语,体形则属于蒙古人种。20世纪晚期在哈萨克斯坦约有660万人,在中国(主要在新疆)约有110万人,在乌兹别克斯坦约有80万人,在俄罗斯约有60万人,在蒙古约有11.3万人。哈萨克人是中亚操突厥语的、仅次于乌兹别克人的第二大民族。哈萨克人是传统的游牧民族,终年住在可移动的圆顶帐篷里(叫做蒙古包),其构造是:在可拆卸的木架上面覆盖以毛毯。毛毯紧贴在木架上,使帐篷内外舒适整洁;毛毯还可用来做斗篷。皮革用来做衣服、容器和皮带、皮鞭;马毛可编绳而牛羊角可做勺子和其他用具。哈萨克人按季节移居为其牲畜(包括马、绵羊、山羊、牛和少数骆驼)寻找牧场。日常食品主要是乳制品辅以羊肉。发酵后的马奶(马奶酒)和马肉极为珍贵,但通常只有富人才能享用。哈萨克人自称源自同一祖先。始祖有三子,因以形成大、中、小三个哈萨克游牧部落,分别占居原先的哈萨克汗国(即今日的哈萨克斯坦)的东、中、西三部分。游牧部落再分为更小的集团,社会的基本单位是大家庭,不仅包括父母和未婚子女,也包括已婚儿子及其家庭成员,全家人都聚居在帐篷里。部落中各层次的集团传统上均设有首领;但作为全民族,甚至一个游牧部落,难得联合在一个共同的首领之下。由于定居后的农业侵占了牧场,哈萨克人的游牧生活逐渐衰落。19世纪,沿边境的哈萨克人开始种植庄稼者愈来愈多。俄国革命后许多富裕的哈萨克人带着牲口逃往中国新疆或阿富汗,留下的游牧民终于组织起畜牧集体农庄而定居。绝大多数哈萨克人现在成为定居的农牧民,畜养羊群等牲畜并种植庄稼。到1934年,在苏联只剩下一个游牧群体。但在中国新疆还存在许多游牧群体。

Kazakh language 哈萨克语 阿尔泰语系突厥语族语言,属西匈语支或基普查克语支,主要通行于哈萨克斯坦和中国的新疆维吾尔自治区,在蒙古人民共和国和阿富汗也有操这种语言的人。中国哈萨克族语言主要分布在新疆维吾尔自治区伊犁哈萨克自治州;使用人口约90万。分西南和东北两种方言。哈萨克语(塔城)语音特点:有24个辅音音位,其中包括双唇、舌尖中、舌根塞音分浊、清送气两套;有小舌清送气塞音;舌叶塞擦音分浊和清送气;双唇、舌尖前和小舌擦音各分清、浊两套,还有舌叶清擦音和喉门浊擦音,有双唇、舌尖中、舌根鼻音、颤音和边音各1个;有双唇、舌面半元音。有9个元音音位;重音都落在最后一个音节上;元音和谐律分前后元音和谐和圆唇元音和谐两种;辅音同化现象较多。词类有名词、形容词、数词、代词、动词、副词、后置词、连接词、语助词、语气词、感叹词、摹拟词12类。有丰富的黏着性形态变化。名词有数(单数、复数)、领属性人称和格(主格、领格、与格、宾格、位格、从格、助格);动词有人称、数(单数、复数)、态(主动态、交互态、反身态、被动态和使动态)、式(叙述式、命令式、条件式、愿望式)、时(现在时-现在将来时、现在进行时;将来时-不定将来时、肯定将来时;过去时-确定过去时、完成过去时、传闻过去时、曾经过去时)等语法范畴;句子主语在句首,谓语在句末,宾语在主语、谓语之间;其中间接宾语又位于直接宾语之前。定语位置在被修饰语前;状语如直接说明动作和状态则位于动词前,如说明全句则位于句首。有阿拉伯字母的文字。

Kazakh rug 哈萨克地毯 居住在阿塞拜疆高加索基安扎地区的半游牧土耳其族人手

19世纪末的哈萨克地毯

美国不列颠百科全书公司供图

工制作的铺地用品。这种美丽的地毯继承龙毯的传统,图案粗犷,配色鲜明,大地图案繁多,但多为三奎心;布局紧凑,如中间为八角奎心,四周是四星格子。有的图案为抽象的菱形花纹,或取自约鲁克地毯中的销栓钩形花纹。小祈祷毯的图案简单,往往带有一个方形的突出部分,伸入祈祷神龛图案的底部。哈萨克地毯大多以羊毛织制,拴土耳其吉奥狄斯扣。在所有高加索地毯中,这种地毯毯面毛绺最长,并且大多是平躺着的。哈萨克地毯织工虽较粗,但有光泽。

Kazakh Uplands 哈萨克高地 哈萨克语作Sary-Arka(萨雷-阿尔卡,意为"黄色山脊",因高地植被受日晒呈枯黄色)。哈萨克斯坦中部和东部的丘陵高地。占共和国面积1/5左右。为准平原,由古生代的山地逐渐被侵蚀,到中生代早期成为起伏的平原,低矮丘陵是其特色。在宽阔的凹地上有田吉兹湖和其他湖泊。在卡尔卡拉里和乌卢套山中部矗立着多座块状孤山,系新地壳运动的产物。属大陆性气候,年降水量仅100～300毫米。河网不发达,春季才有许多小溪。北部主要是草原,南部是半沙漠,山坡有松树林。多处地方有重要的矿藏。

Kazakhstan 哈萨克斯坦 全称哈萨克斯坦共和国。中亚地区最大的国家,1991年脱离苏联获得独立。东与中国接壤,南邻吉尔吉斯斯坦和乌兹别克斯坦,西临里海和土库曼斯坦的一小部分,北与俄罗斯交界。首都阿斯塔纳。面积2 724 900平方千米。人口约14 884 000(2002)。

自然地理和人文地理 哈萨克斯坦是一片辽阔的高原,包括卡拉库姆沙漠,南部地势突起,成为沿吉尔吉斯斯坦边界的高山。低地占土地总面积的1/3以上,起伏的平原和高原约占一半,其余部分为山区。属明显的大陆性气候(昼夜温差十分明显),平原和谷地尤其如此,夏季炎热冬季寒冷。景观以草原和沙漠为主,后者的植被包括蒿属和柽柳属植物,几乎没有森林。年降水量各地区不同,北部约250毫米,南部山区450毫米,沙漠地区则少得多。哈萨克斯坦东部的额尔齐斯河和其他大河流向西北进入西伯利亚,西部的乌拉尔河注入里海,南部的锡尔河几乎很难流到咸海。南部和西部许多地区由于灌溉农业用水过多,致使锡尔河受到化学污染并趋于枯竭,故而需要补充水源。咸海的一部分位于哈萨克斯坦中西部,因锡尔河和其他支流改道而日趋缩小。

哈萨克斯坦以哈萨克族名命名,该族属突厥语民族,在该地区已居住了好几个世纪,但由于19世纪和20世纪大量俄罗斯人迁入,致使其人口数量仅占总人口的2/5左右。俄罗斯人几乎占总人口的2/5,日尔曼人和乌克兰人则占1/10。俄罗斯人主要集中在北部平原,大多居住在城市,而哈萨克人则散居在全国其他地区的农村。在苏维埃政权的强制下,哈萨克人逐渐放弃了传统的游牧生活方式,如今多数已定居从事农业和饲养牲畜。他们几乎全都是逊尼派穆斯林。

采矿和农业在哈萨克斯坦经济中都占有

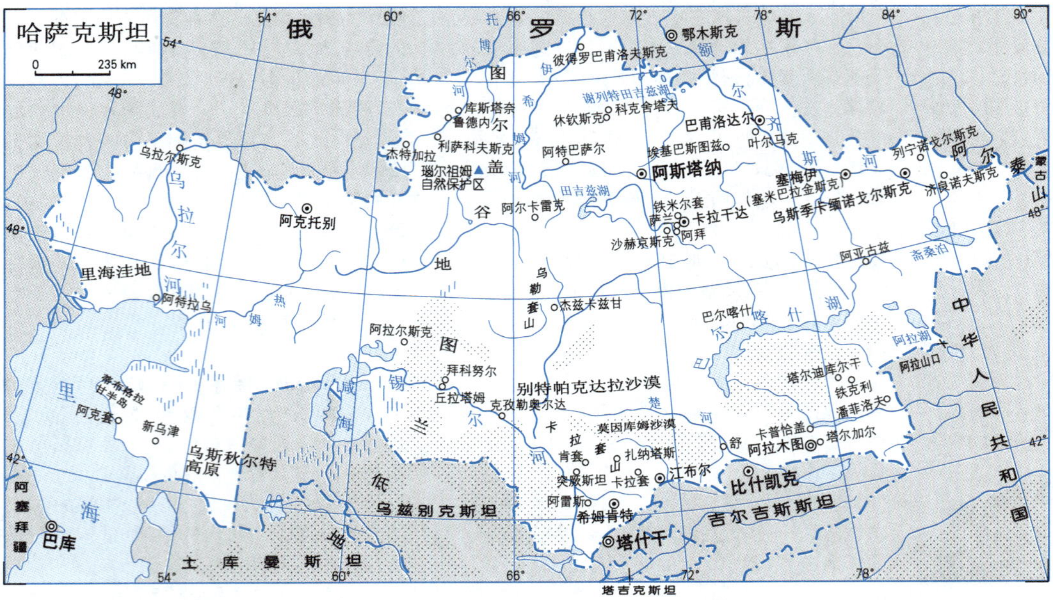

美国不列颠百科全书公司供图

重要地位。在苏维埃时期，哈萨克斯坦是原料和粮食的主要供给区。该地区已发现有多种矿藏，如铜、铅、锌、银、钨、锡、铬、镍、钴、钒、金、铁和煤等。20 世纪晚期国家已着手开发重要的石油资源。第二次世界大战期间，苏联的一些工厂为免遭战争破坏从西部迁往哈萨克斯坦境内各地，当地制造业得以发展。现代工业产品有生铁、轧钢、水泥、化肥和多种食品。

北部土地肥沃，种有大面积小麦和其他谷类作物。该国大部分农田用于放牧，其余部分种植谷物、饲料或经济作物，另有一些果园和葡萄园。北部主要种植小麦，南部由于灌溉便利大都种植水果、蔬菜、甜瓜、甜菜、水稻和葡萄。主要牲畜包括绵羊、山羊和牛。

1991 年苏联解体，哈萨克斯坦获得独立，国内共产党更改了名称并在首次自由选举中获胜。1992 年该国对 1978 年颁布的苏维埃时代的宪法做了修改。哈萨克斯坦是以总统为元首的共和国。最高立法机构是哈萨克斯坦最高苏维埃，每年召开两次简短会议，选举主席团和部长会议（内阁）以便在休会期间行使职能。

各级教育实行免费制，7 ～ 17 岁未成年人须接受义务教育，教学语言主要是哈萨克语和俄语。1989 年宣布哈萨克语为共和国官方语言。国内有一所国立大学和一所师范学院以及各种技术、农业、职业、兽医和医科学校。哈萨克斯坦有根深蒂固的穆斯林传统，并且有与世俗教育体系平行的穆斯林教育体系。

20 世纪后半叶人口增长率很高，这主要是由于医疗卫生条件得到改善，婴儿死亡率有所降低，平均预期寿命得以延长，但出生率并未降低，尤其是哈萨克人的出生率。其结果是住房建筑和医疗事业的发展跟不上人口的迅速增长。苏联在各地区遗留下来的问题造成了严重的健康问题。东部地区由于核武器的试验和研制，使水、土壤和食品受到辐射污染。咸海地区和其他地方的土壤也受到农药和化肥污染，造成对人体健康的危害。

历史 在若干世纪的过程中，哈萨克斯坦的不同地区分别是属于中亚各帝国（如蒙古人诸帝国）的一部分。15 世纪中叶有大量的乌兹别克人在蒙古人的保护下迁入今哈萨克斯坦地区，成为哈萨克人（Kazakh 意为“不受约束的人”或“漂泊者”）。他们在那里采取游牧的生活方式，与其乌兹别克祖先的定居耕作的生活方式形成对照。15 世纪末期和 16 世纪初期，各地哈萨克人联合成一个游牧帝国。1488 ～ 1518 年，这个哈萨克帝国实际上控制了整个草原地区，而随着这个汗国逐渐分解成由部落酋长和部落首领统治的小部族，即所谓部落，这种联合日趋衰落。17 世纪期间，哈萨克汗国因遭卫拉特人的侵袭而进一步衰落。俄罗斯人从北方的进入，起初被认为是帮助抗击卫拉特人，但实际上却最终导致俄罗斯人在该地区的统治和汗国的消亡（1848）。俄罗斯人和其他欧洲人大批涌入俄国统治下的哈萨克斯坦。1917 年俄国君主政体垮台，哈萨克人在随后爆发的国内战争中并不是主要参加者。1919 ～ 1920 年红军占领了哈萨克斯坦，该地区成为由苏维埃当局于 1920 年建立的吉尔吉斯自治共和国的一部分；1925 年该实体更名为哈萨克苏维埃社会主义自治共和国。1927 年以后苏维埃政府开始强迫过游牧生活的哈萨克人定居组成集体农庄和国营农场。各级苏维埃继承沙俄政府的政策，鼓励大批俄罗斯人和其他斯拉夫人定居该地区。20 世纪 50 年代，各级苏维埃的“开发处女地和空闲土地计划”号召在哈萨克斯坦未获充分利用的广阔草原上大力发展农业，导致大批俄罗斯人涌入该地区。这一地区由于大力发展农业和被用作核武器试验场，在 20 世纪末出现了严重的环境污染问题。1991 年苏联解体，哈萨克斯坦与其他加盟共和国一道获得独立。同年加入独联体。在第一任总统努尔苏丹·纳扎尔巴耶夫的领导下，取得了政治上的独立。但到 21 世纪初，其政府独裁性日益增强。

Kazakov, Yury　卡扎科夫（1927-08-08，苏联俄罗斯莫斯科～1982-11-29）　苏联短篇小说家。遵循 A. 契诃夫和 I. 布宁的古典俄罗斯抒情文体写作。原系爵士音乐家，1952 年开始发表短篇小说。1958 年毕业于高尔基世界文学学院，20 世纪 50 和 60 年代，广泛游历苏联北部地区。早期的短篇小说舍弃塑造英雄典型和通过角色进行道德说教，明显背离了社会主义现实主义信条。收录在《曼卡》（1958）、《小车站上》（1959）、《路上》（1961）和《蓝与绿》（1963）等小说集中的短篇，着重于描写一些乡下人处于灵悟、神交、背叛或失落时刻微妙而复杂的情绪反应。卡扎科夫擅写良心问题，强调个人与自然和谐共存的重要性。

Kazan　喀山　俄罗斯西部鞑靼斯坦共和国首府。位于伏尔加河萨马拉水库上游东岸，与卡赞卡河汇流处。喀山城延伸约 25 千米，位于丘陵地带，多为沟壑切割。13 世纪鞑靼人金帐汗国灭亡伏尔加河中游的保加尔王国，遂建喀山城，其址在卡赞卡河口上溯 45 千米处，14 世纪迁到河口。15 世纪金帐汗国解体，喀山成为独立汗国的首府，商贾云集，贸易频繁。集市贸易每年在伏尔加河中一岛上举行。1469 年伊凡三世攻占喀山，立一傀儡汗统治该城。此汗于 1504 年尽杀城中俄罗斯人。1552 年伊凡四世（雷帝）经过长时间围困攻克喀山。这个鞑靼人的古老堡垒得以改建，一如俄罗斯人之克里姆林宫，其白墙及高塔今日犹历历在目。1773 ～ 1774 年喀山发生叛乱，全城几乎夷为平地。叶卡捷琳娜二世重建喀山，其整个布局采取格状结构。圣彼得大教堂和圣保罗大教堂均建于 18 世纪。由于对西伯利亚进行开发，喀山乃成为贸易繁荣工业发展的地区，18 世纪开始发展工业，到 1900 年已成为俄国重要制造业城市之一。工业增长速度继续加快。工业产品多种多样，有些久负盛名的产品，仍然得到大批量生产。传统工业产品有肥皂、皮革、靴鞋和毛皮。新工业部门有石油冶炼、电机和精密机械、化工、麻纺织以及食品加工。1920 年成为鞑靼苏维埃社会主义自治共和国（后为俄罗斯鞑靼斯坦）首府。喀山亦为一重要的文化和教育中心。喀山大学创立于1804年，数学家N.I.罗巴切夫斯基曾于1827～1846年间担任该校校长。L.托尔斯泰、作曲家M.A.巴拉基列夫和列宁都曾在该校学习。喀山设有科学院分院、音乐学院和其他高等学校，还有鞑靼歌剧和芭蕾舞剧院、交响乐团和著名的鞑靼博物馆。人口约1 090 200(2001)。

Kazan, Elia 卡赞(1909-09-07，土耳其君士坦丁堡～2003-09-28，美国纽约州纽约) 美国导演、作家。以导演T.威廉斯和A.米勒的剧作而闻名，导演电影也很受评论界赞赏。出身于希腊移民家庭，4岁时被带往美国。曾在马萨诸塞州威廉斯学院学习，后就学于耶鲁大学戏剧系。1932～1939年在纽约市斯特拉斯伯格和克勒曼领导的同仁剧团当演员，同时也在一些影片中担任角色。1934年在纽约市开始其导演生涯。作为一个百老汇导演，他以《我们牙齿的表面》(1942)、《欲望号街车》(1949)、《推销员之死》(1949)等剧在全国赢得声誉。1944年起导演电影，影片《绅士们的商议》(1947)和《滨水区》(1954)为他赢得奥斯卡奖。1960～1964年，在纽约市林肯中心轮演剧目剧院任合作导演。影片《美国，美国》(1964)根据他1962年自传体小说改编。他还写有《调解》(1967，影片1969)、《杀人犯》(1972)、《临时替角》(1974)等。他的自传《伊利亚·卡赞——一种生活》于1988年出版。他在书中为自己的决定进行辩护，他曾顺从非美活动委员会的要求，透露了同仁剧团其他成员中秘密共产党员的名字。他与该委员会的合作激怒了很多好莱坞人士。1999年被授予奥斯卡终身成就奖，这也颇受争议。

Kazanlŭk 卡赞勒克 希腊语作Seuthopolis(赛夫索波利斯)。保加利亚中部城镇，位于卡赞勒克盆地、登萨河以北3千米。该地区以盛产玫瑰著名，玫瑰用于香水工业制造玫瑰油。该工业发展于17世纪，现用地约8 000公顷，除玫瑰外还种植薰衣草、薄荷和除虫菊。该镇为古老手工艺中心，现代工业有纺织、食品加工、家用器具和乐器制造等。1944年在郊区发现卡赞勒克墓，是公元前4或前3世纪一位不知名的色雷斯统治者的墓葬。镇内有博物馆、剧院、歌剧院和美术馆。人口约65 184(1991)。

Kazantzákis, Níkos 卡赞扎基斯(1885-12-02，克里特伊拉克利翁～1957-10-26，西德布赖斯高的弗赖堡) 希腊作家。他的数量巨大和种类繁多的作品是对现代希腊文学的最大贡献。生于克里特反抗奥斯曼土耳其人统治时期，一家曾短时期逃往希腊纳克索斯岛。他曾在雅典大学攻读法律(1902～1906)并在巴黎从柏格森学习哲学(1907～1909)。此后他前往西班牙、英国、俄国、埃及、巴勒斯坦和日本等地游历，第二次世界大战前定居埃伊纳岛。1945年，在希腊政府中任部长，1947～1948年在巴黎联合国教科文组织中任职。这之后他移居法国的昂蒂布。他的作品涉及的范围很广，包括哲学散文、游记、悲剧等。曾将但丁的《神曲》和歌德的《浮士德》等古典名著译成现代希腊语。他还写有抒情诗和史诗《奥德赛》(1938)，后者是《荷马史诗》的续篇，全诗33 333行，充分阐述了卡赞扎基斯的哲学。卡赞扎基斯之所以知名也许还在于他的被广泛翻译的小说。这些小说包括《阿勒克西·卓尔巴斯的一生》(1946)，它描写的是一个热爱生活的穷人哲学家；《米海利斯上尉》(1950，又名《自由或死亡》)，此书描写的是19世纪克里特的希腊人反抗统治他们的土耳其主人的斗争；《希腊的激情》(1954)和《基督的最后诱惑》(1955)是对耶稣基督持修正论的心理学研究。他的自传性质的《写给希腊的报告》(1961)在他死后出版。

Kazaure 卡扎乌雷 尼日利亚北部卡诺州西北部城镇和传统酋长国。自1819年起，该镇即是酋长国首府。由富拉尼族武士、圣战领袖奥斯曼·丹·福迪奥的14名旗手之一丹·敦库所建。他在此建立酋长国，名义上臣属卡诺。与卡诺埃米尔的纠纷导致一系列战争。1824年，索科托(西北一城镇)的富拉尼苏丹准许卡扎乌雷酋长国独立。丹·敦库的儿子和继承人丹宝酋长统治期间(1824～1857)，酋长国范围扩大，建起卡扎乌雷城镇的围墙和宫殿。1906年卡扎乌雷城为英国人占领，酋长国1300平方千米地区被并入卡诺省。1968年成为卡诺州的一部分。该镇现为花生收购地(以便出口)，也是该地区产黍类、高粱、洋葱、花生、棉花、牛、山羊、绵羊、珍珠鸡、驴、皮革和毛皮的主要贸易中心。设有农业培训所、诊所和卫生机构。人口：城镇4 361(最新统计)。

Kazeh(Tanzania) **卡泽赫** 参阅**Tabora**塔波拉。

Kazembe 卡曾贝 又拼Cazembe。中非隆达族(参阅**Luba-Lunda states**)的最大国家，约1740年建立。卡曾贝还是该国统治者的称号。由于征服和兼并邻国领土，到鼎盛时期(约1800)，该国版图已囊括沙巴地区(在刚果[金])和赞比亚北部地区。1850年以后发生争夺王位的内战。约1890年为东方诸部落摧毁。卡曾贝国有9代国王，其中最伟大的是卡曾贝二世(约1740～1760在位)，国土的大部分是他取得的。他还在辽阔的国土上建立起复杂的商路网。其孙卡曾贝四世(1805～1850在位)鼓励与葡萄牙人通商。卡曾贝曾是非洲中部国家和葡萄牙人以及东海岸阿拉伯人之间的贸易中心。

Kāzerūn 卡泽伦 伊朗西南部城镇。位于石灰岩山脊环绕的平原上，城镇广阔，房屋建筑良好。地处公路干线旁，四周是椰枣树、柑橘园、麦地和烟田，亦产稻米、棉花及葡萄。城北19千米有古城遗址，在一山洞中有沙普尔一世(241～272)的雕像。城东南的高丘上有盖巴尔斯城堡遗址。人口73 444(1986)。

卡泽伦镇郊外的柑橘园
美国不列颠百科全书公司供图

kaziasker 军法官 奥斯曼帝国司法界仅次于教长的第二位最高级官员。苏丹穆拉德一世(1360～1389在位)任命钱达尔利·卡拉·哈利勒为第一个军法官，此人随军出征，在军营中执行《教律》。1453年苏丹穆罕默德二世(1444～1446，1451～1481在位)征服伊斯坦布尔以后，将军法官增为两名，一名驻在鲁梅利亚，一名驻在安纳托利亚。他们都有权在主管地区任命法官和神学院的教授，但伊斯坦布尔、布尔萨和埃迪尔内除外。他们审理继承和婚姻案件，并在国务会议上占有席位。然而，在17世纪期间，鲁梅利亚的军法官剥夺了安纳托利亚的军法官的大部分权力，并开始审理有关穆斯林的所有继承案件，还把他的权利扩充到处理地产、国债、财政利益上。他的权威扩充到了三个柏柏里(北非)国家，而他对克里米亚的法官们的管辖权得到《凯纳甲湖条约》(1774)的承认。

Kazin, Alfred 卡津(1915-06-05，美国纽约布鲁克林～1998-06-05) 美国教师、编辑和文学评论家。父母是俄国移民，他曾在大萧条时就读于纽约城市学院，后成为为各种期刊撰写书评的自由作家。27岁时，写了一部研究美国现代文学的历史性论著《植根故土》(1942)，使他一举成名。此书追述了激励美国文学各个发展阶段的社会和政治运动。后来的作品谈及驱使一个人从事写作的动力，他认为，随着技术在社会中的主宰地位日益加强，文学作为个人成长和政治学说的工具，其重要性已经减少。他的批评虽然严厉，但始终是宽容的，把作家描述为正在同艰难时世作斗争的并非完美的个人。所写文学名人的特写披露了作家和他们所处时代的大量轶事。他所编辑的作品有《布莱克手册》(1946)、《德莱塞的境界》(1955)和《安妮·弗兰克作品集》(1959)。其他著作有《始于30年代》(1965)、《描写生活的光辉著作》(1973)、《纽约的犹太人》(1978)和《美国队列》(1984)。

Kazinczy, Ferenc 考津齐(1759-10-27，匈牙利埃尔塞姆嫩～1831-08，塞福洛姆) 匈牙利文人，对匈牙利语言的改革和文风的改善有巨大影响。出身富裕家庭。1794年12月因参与政治密谋而被捕，虽非重要角色，仍被判处死刑。后改判监禁，于1801年6月被释。作为一个开始新生活的中年人，他决心为革新匈牙利文学而献身。当时的政治、社会条件都不利于有生命力的文化发展，工作十分困难。他想通过和其他作家的大量通信以及他自己的作品，去扫除他认为的文学上一切庸俗粗卑的东西。考津齐这种自封的检查员的地位，使他卷进无休止的论战漩涡。最有名的一次论战是关于语言改革的斗争，他着手对匈牙利语言的文法、拼音和文体进行改革，使匈牙利语变成出色的文学表现工具。1830年被选为科学院院士。

Kāziranga National Park 加济兰加国家公园 印度东北部国家公园。在阿萨姆邦锡布萨格尔县。位于布拉马普特拉河与米吉尔丘陵之间,距焦尔哈德97千米。1908年辟为猎物保护地。1974年成为国家公园。面积430平方千米。多沼泽,间有芦苇丛生的大水塘、象草地、疏林和灌木丛。野生动物有印度独角犀、虎、豹、象、野猪、豚鹿、沼鹿、水牛、鹈鹕、鹳及其他水禽。

kazoku 华族 日本1869～1947年由天皇赐予爵位的贵族统称。它作为明治维新西方化改革的一部分于1869年设立。旧"大名"、"公卿"等合并称华族。1884年按欧洲封建爵位设公、侯、伯、子、男五个等级。凡对国家有特殊功勋者,可膺此荣誉。1889年后由华族阶级组成日本议会的贵族院。1947年宪法废除华族。

Kazvin 加兹温 又拼Qazvīn。伊朗北中部中央(德黑兰)省城市。位于厄尔布士山南麓开阔而肥沃的平原上。约公元250年为萨珊王朝沙普尔一世所建。繁荣于穆斯林时代(7世纪)早期,为弘扬伊斯兰教的基地。成吉思汗将该城夷为平地。但萨非王朝的塔赫马斯普一世(1524～1576在位)把首都从大不里士迁到加兹温后,该城得以重振。1796年卡扎尔王朝的阿迦·穆罕默德·汗重建加兹温,为对里海、波斯湾及小亚细亚进行贸易的主要基地。19世纪由于俄英两国干涉伊朗内政及这个国家的专制统治,导致动荡和民族主义运动发展。1909年加兹温市被来自拉什特的民族主义者军队占领。20世纪20年代英国在该市建立军事总部,1921年从加兹温市发动政变,使伊朗统一于礼萨·巴列维领导下。在1978～1979年的伊朗革命期间,当地人民与伊朗军队曾进行战斗。加兹温为该地区交通中心,有铁路和公路通德黑兰市和大不里士,并有公路通里海沿岸和哈马丹市。工业有织布、轧棉、羊毛加工、磨面、食品加工和电器设备制造等。也有热电站和家禽饲养联合企业。加兹温东北60千米处高山上有阿萨辛时代城堡遗迹。人口291 117(1996)。

K.B.E. 大英帝国二等男爵士 knight commander of the British Empire 的缩写。大英帝国勋位中次高阶级者。参阅 **British Empire, The Most Excellent Order of the**。

K.C.B. 巴思二等爵士 knight commander of the Bath 的缩写。巴思勋位中次高阶级者。参阅 **Bath, The Most Honourable Order of the**。

K.C.M.G. 圣米迦勒与圣乔治二等爵士 knight commander of St. Michael and St. George 的缩写。圣米迦勒与圣乔治勋位中次高阶级者。参阅 **Saint Michael and Saint George, The Most Distinguished Order of**。

K.C.V.O. 维多利亚二等爵士 knight commander of the Royal Victorian Order 的缩写。维多利亚勋位中次高阶级者。参阅 **Royal Victorian Order**。

Ke Ga, Point 嘎那角 旧称Cape Varella。在越南富庆省南部海岸。伸入南海。为全国东南端点,海拔2 316英尺(706米)。属长山山脉的延伸段,山脉的母子峰海拔6 663英尺。1936年角上开凿了多条隧道(其中一条长0.75英里[1.2千米]),使西贡(今胡志明市)—河内海岸铁路的最后一段得以建成通车。

ke-yi (Chinese Buddhism) 参阅 **geyi 格义**。

Kéa 凯阿 又拼Kéos。又称恰(Tziá)。爱琴海中希腊**基克拉泽斯**(**Cyclades**)群岛西端的一个岛,位于阿提卡南端以东海域。面积130.6平方千米,地势平缓地从沿海向中部升高,升至普罗菲蒂斯伊利亚斯峰(海拔561米)。坐落于西北岸尤利斯古城旧址上的凯阿镇是岛上的主要城镇。凯阿岛自青铜器时代已有人居住。1566年由土耳其统治,1912年并入希腊王国。农产品有葡萄、柑橘和蜂蜜,有一家铝制炊具工厂,出口大鳞栎木。岛上古代卡尔萨亚遗址上有一座多里安人的神庙和其他古建筑。人口1 648(1981)。

kea 啄羊鹦鹉 鹦鹉科啄羊鹦鹉亚科(Nestorinae)鸟类。产于新西兰。参阅 **parrot**。

Kean, Charles(John) 基恩(1811-01-18,爱尔兰沃特福德郡沃特福德～1868-01-22,伦敦) 英国演员兼剧院经理。以重演莎士比亚剧作而知名于世。他是著名演员E.基恩之子,曾就读于伊顿。1827年在伦敦首次登台演出,饰《道格拉斯》中的诺瓦尔。曾在外省广泛巡回演出。1830年的访美巡回演出首次获得人们普遍赞扬。返回英国后,演技益精,声誉渐增。最著名的表演是《还老债的新法》中的奥弗理奇爵士以及在《哈姆雷特》和《理查三世》中的角色和《皆大欢喜》中郁郁不乐的杰克斯。他声音不响亮,形体也欠佳,但每次演出都力求完美无缺,因而弥补了这一不足。作为伦敦公主剧院经理(1850～1859),成功地重演了莎士比亚的剧作,均以注重历史真实而著称。1856年上演的《仲夏夜之梦》则特别为观众所欢迎。1828年曾在《布鲁图斯》中与其父首次同台演出。1833年与其父同台演出《奥瑟罗》,他饰伊阿古,这是其父退出舞台前的最后一次演出。他常常与埃伦·特里(1805～1880)配戏,他们于1842年结婚。

Kean, Edmund 基恩(1789-03-17?,伦敦～1833-05-15,伦敦) 英国最伟大的悲剧演员之一,尤擅长扮演莎士比亚的《奥瑟罗》。是一个采用自然主义表演风格的革新艺术家,他的表演主要依靠活泼敏捷的演技,而不是当时流行的僵化的表演姿势。关于他的出生虽然没有正式记载,但普遍认为他是伦敦街头卖艺的女演员A.凯里的私生子。由于在心理上不平衡,基恩22岁时曾经试图自杀。他的成长过程充满各种传奇,少年时期对轻蔑的敏感、对赞扬的渴望以及不获成功便自我毁灭的个性在成年后更加有所发展。

他15岁时已能自立,于是开始征服舞台,这是他所熟悉的唯一世界。他加入肯特

美国不列颠百科全书公司供图

郡希尔内斯的杰罗尔德剧团,参加一整轮的"悲剧、喜剧、歌剧、闹剧、插剧和哑剧"的全面表演。随后10年里的奋斗对他来说特别难以忍受,不仅是因为一个巡游演员要经历的生活困苦,还因为他的雄心壮志受挫而造成的痛苦被一再延长。

1808年与同一剧团的女演员M.钱伯斯结婚。她出身于下层中产阶级,很难理解基恩的雄心和抱负,但为他生了两个儿子。在基恩终于接到伦敦的聘书后几天,他心爱的长子却死了。长期的学徒生涯给基恩留下了痕迹,尤其是常常借酒浇愁,养成酗酒的习惯,但丰富多样的经历对他取得艺术成就又是不可缺少的。按照当时的标准,他不适合演伟大的悲剧角色。那时流行的做作的朗诵式表演风格的主要代表人物J.肯布尔是一个标准的美男子演员,身材魁伟,声音洪亮。基恩虽然形象英俊,眼睛特别富有表现力,但身材矮小,声音有力但音调不够优美。他永远不可能希望按肯布尔的条件与之竞争,因此他只能训练自己成为创新者或艺术巨匠。1814年1月26日当他在特鲁里街剧院首次登台扮演夏洛克时,他取胜的手段不是要盖过肯布尔而是使肯布尔显得过时。

他恢复了所谓自然主义的表演风格,摒弃僵化的姿势,采用活泼灵敏的表演动作,用无限的表演激情取代漂亮的朗诵;他表现出一个人物"存在"的幻觉,而不只是在"扮演"这个人物。然而他的表演又不是即兴式的,在演技上做出精心细致的安排。据说他扮演奥瑟罗时,声音的轻、重、缓、疾、抑、扬、顿、挫,无不恰到好处,就像从乐谱中读出来的一般。诗人柯尔律治评价他以"闪电的光芒"再现莎士比亚的作品。他还在《旧债新还》中扮演了一个贪婪的勒索者,神情惟妙惟肖,诗人拜伦为之捧腹大笑;可是他扮演罗密欧却平淡无奇。他对表演艺术具有一种深刻而持久的影响,他吸引观众的魅力和支配舞台的能力可以说是无与伦比的。

虽然基恩是个受到热情赞赏的演员,但作为公众人物却变得日益不受欢迎。为保持在英国舞台上的头等地位,他恶意中伤心目中的敌手。已有的声誉和财产(平均年收入1万英镑)满足不了他的欲望,竟与一批流氓

为伍,组织旨在"摧毁所有贵族绅士"的半政治性秘密集团。1825年因与某高级市政官员之妻通奸而被起诉,遭到新闻界猛烈攻击,并引起英国和美国(当他去美旅行时)公众的示威,在他心灵上留下无法医治的创伤。尽管他勇敢地经受住了这种困扰并且终于使其平息下去,但从此他再也没有从这种打击中恢复过来。他一生最后8年是以滥饮和其他放纵行为进行慢性自杀的过程。

1833年3月25日在科文特加登剧院扮演奥瑟罗一角,与他儿子扮的伊阿古同台演出,表演中他晕倒在舞台上。几周之后他在萨里郡里士满自己的家中去世,除姓氏之外什么也没有给他儿子留下。然而事实证明,这个姓氏对查尔斯·基恩(1811～1868)来说就是一笔极有价值的资产。查尔斯成为现实主义演技的先驱,从这个意义上说,他被看做是亨利·欧文爵士的先行者。

Kean, Ellen 基恩(1805-12,爱尔兰～1880-08-20,伦敦) 原名埃伦·特里。英国女演员。被人们认为是当时最佳女演员之一。1823年在伦敦科文特加登剧院首次登台演出,在莎士比亚的《第十二夜》中饰奥莉维亚。尔后,在巴斯剧院(1824～1826)、伦敦的特鲁里街剧院(1826～1829)和科文特加登剧院(1829～1836)演出。曾饰罗密欧,而朱丽叶则由英国著名女演员F.肯布尔饰演。1836～1839年到美国巡回演出。1839～1842年又回到科文特加登剧院工作。1842年与查尔斯·基恩结婚,婚后相敬如宾,同台演出。1845年他们到美国巡回演出,带去的轮演剧目甚多。1850年与人合伙租下(直至1859)伦敦的公主剧院,他们的大多数演出便在此举行,而他们夫妇的声誉亦在此剧院的演出中达到顶峰。他们由于在莎士比亚戏剧的演出中探索现实主义的表演方式而得以名垂不朽。在莎剧中,她的拿手好戏是饰演乔特鲁德(《哈姆雷特》)和薇奥拉(《第十二夜》)。查尔斯1868年去世后她便退出剧坛。

Kearney 卡尼 美国内布拉斯加州中南部城市,布法罗县县城。位于普拉特河北岸。瑞典移民于1865年来此定居。1873年设市。因附近的军事哨所卡尼堡(1848)而得名。19世纪90年代经过牲畜业和航运业繁盛时期后,发展成农业中心,有一些轻工业。玉米、苜蓿、马铃薯、大豆、甜菜是当地主要农作物。所产主要工业品为汽车用阀和过滤器。设有州立卡尼学院(1903)。市东南有州立卡尼堡历史公园。人口约26 216(1994)。

Kearny, Stephen Watts 卡尼(1794-08-30,美国新泽西纽瓦克～1848-10-31,密苏里圣路易斯) 美国军官,在墨西哥战争中征服新墨西哥并参与夺取加利福尼亚。曾参加1812年战争,此后30年间大部分执行边防任务。墨西哥战争开始时,他受命率远征队从堪萨斯州出发,前去夺取新墨西哥和加利福尼亚。因兵员不足,他采用外交手段,说服圣菲小道上阻拦进军的3 000墨西哥人撤退,于1846年8月18日顺利开进圣菲。他立即宣布成立全区文官政府,许诺实行民主,从而受到普遍拥护。当时加利福尼亚已为R.F.斯托克顿海军准将和J.C.弗里蒙特中校所征服(斯托克顿自立州长,拒绝卡尼的领导),卡尼以团结为重,接受现实,随率斯托克顿所部陆海军开

美国国会图书馆供图

赴洛杉矶,先后于圣加布里埃尔(1847-01-08)和梅萨(01-09)击败墨西哥裔加利福尼亚人的叛乱,结束了抵抗行动。在增援部队抵达后,他进一步绥靖加利福尼亚,建立稳定而有效的文官政府,并将抗命不遵、觊觎权位的弗里蒙特押解华盛顿交付军法审判。卡尼后受命赴墨西哥先后任韦拉克鲁斯与墨西哥城军事指挥官。

Keating, Paul 基廷(1944-01-18,澳大利亚新南威尔士悉尼～) 全名保罗·约翰·基廷(Paul John Keating)。政治家,澳大利亚工党领袖,1991年12月至1996年3月任澳大利亚总理。基廷成长于悉尼郊区工人阶级聚居区班克斯敦,14岁离开学校,除从事其他职业外,60年代曾经营摇摆乐团。他涉身于工会活动,随波逐流地卷入劳工政治,1969年以25岁之年华当选为众议院议员,因擅长于政治谩骂辞令和对党忠诚而享有声誉,被霍克总理于1983年选定为联邦司库。基廷善于表演,对对手抨击凶猛,村言鄙语,无所不用其极,另一方面对经济学中比较玄妙的问题善于发挥辩才,解释说理娓娓动听。在全国严重经济衰退之时,霍克于1991年12月19日辞职,基廷是他选定的接班人。这时基廷47岁成为澳大利亚历史上最年轻的总理。上台伊始,他立即推行以全国振兴为目的的财经计划。1993年因经济恢复而再次当选总理,但他的政府在1996年3月2日大选中被自由党和民族党的联盟所击败,结束了澳大利亚工党13年的执政。

Keaton, Buster 基顿(1895-10-04,美国堪萨斯皮奎～1966-02-01,加利福尼亚伍德兰希尔斯) 美国无声片演员和哑剧式喜剧导演。创造了与机器怪物发生冲突的、毫无表情的经典性人物形象。父母均为"三人基顿班"的杂艺演员,该剧团是个集杂技和哑剧表演于一体的滑稽剧团。孩提时基顿即已掌握恰到好处的跌倒动作,滑稽可笑,而其永无笑容的脸相则成了他终生的标志。所拍第一部电影是《屠夫的儿子》(1917),尔后便与喜剧明星"胖子"阿巴克尔合拍了十多部短片。1920～1928年,他已成为作家、导演兼明星演员,此间拍了19部短片和10部故事片,如无声片杰作《航海家》(1924)、《七种机会》(1925)、《将军》(1926)、《小斯提姆波特·比尔》(1928)和《摄影记者》(1928)等。当有声对话取代了哑剧时,基顿的事业衰退了,又为个人问题所苦,但他却终于逐渐重振起自己的事业,拍了诸如《圣迭戈,我爱你》(1944)、《落日大街》(1950)、《舞台灯光》(1952)及《疯狂世界》(1963)等影片。20世纪40年代后期以来,随着重映他的无声喜剧片,他重新获得了一定程度的欢迎。

Keaton, Diane 基顿(1946-01-05,美国加利福尼亚洛杉矶～) 原名Diane Hall。美国电影女演员、导演。曾在加利福尼亚圣安娜学院和纽约的街坊剧院学习表演。20世纪60年代中期在夏季轮演剧团的剧院演出,1968年演出百老汇舞台剧《毛发》(1968),并与W.艾伦一同演出《呆头鹅》(1969),后来再度在该剧1972年的电影版本中演出。她在《教父》(1972)包括续集中担任配角,演出多部艾伦的电影,如《傻瓜大闹科学城》(1973)、《安妮·霍尔》(1977,获奥斯卡奖)、《我心深处》(1978)和《曼哈顿》(1979)等。其他电影尚有《寻找顾巴先生》(1977)、《烽火赤焰万里情》(1981)、《铁窗外的春天》(1984)及《大老婆俱乐部》(1996)等。在《烽火赤焰万里情》中饰演记者,曾获得奥斯卡奖提名。导演过几部电影。

Keats, John 济慈(1795-10-31,英国伦敦～1821-02-23,教皇国罗马[意大利]) 英国浪漫主义抒情诗人,也是19世纪最伟大的诗人之一。他把26年短暂的一生献给了借助于

美国不列颠百科全书公司供图

逼真的意象、极大的感性美和通过神话传说以表达哲理而探索诗的完美境界的艺术生涯。早年父母先后去世。他和两个弟弟由外祖母收养,生活清贫,无力求学深造。曾入医院学医,并考取内科医生执照,但1817年后完全致力于写诗。诗人L.亨特主编的《检察者》杂志于1816年5月发表了他的十四行诗《孤寂》,同年12月又全文引用济慈的第一首成熟诗作《初读查普曼译荷马史诗》,对此倍加赞扬。在此期间,济慈先后结识亨特、雪莱、华兹华斯等著名诗人。他的第一部诗集包括《睡眠与诗》,发表于1817年3月,未引起公众注意。1817～1818年间在完成他的第一部长诗《恩底弥翁》后不久,完成取材于薄伽丘《十日谈》的叙事长诗《伊莎贝拉》,但

此时不幸染上肺病。1818年夏与文学爱好者C.布朗在英格兰北部湖区和苏格兰徒步旅行时又患重感冒，身体大受影响。1818年5月发表第一部长诗《恩底弥翁》，以希腊神话中月亮女神爱上凡人恩底弥翁的故事为题材。因他和L.亨特关系密切，这一作品发表后受到反对亨特的三家杂志的攻击，但这些并未使他灰心，他说："我想我死后定能名居英国诗人的行列。"他开始写《许佩里翁》的前两章。约在此时，他结识芳妮·布劳尼，并与之相爱。1819年4月初，芳妮移居伦敦北郊，与济慈为邻。两人约于1819年10月订婚。他最优秀的诗作《莱米亚》、《圣爱格尼斯之夜》、《论懒惰》、《希腊古瓮》、《普绪喀颂》、《夜莺颂》、《哀感》和《秋颂》都写于1819年。它们的共同特点是从不同的角度咏叹了青春、美和生命的瞬息即逝。他还写了十四行诗《梦》、抒情诗《无情的美人》。但好景不长，他不久陷于经济拮据，又逢弟弟乔治讨债，为了急于赚些稿费，写了叙事诗《莱米亚》，和C.布朗合写剧本《奥托大帝》，还订了其他计划。但从1820年2月起他几次咯血，秋后遵医嘱到意大利养病，次年2月23日死于罗马。按照他的嘱咐，墓碑上刻着"此地长眠者，声名水上书"。为悼念他的逝世，雪莱写了《阿多尼斯》。济慈的诗中对人、物和情景的描绘给人以直接的，如画的印象。这是按照他自己的理论，即诗人应像变色龙一样反映各种经验的色泽，而不让自己的个性干涉感觉的传递。他的书信显示了对生活和艺术的十分成熟的观点。他内心极易激动，但能加以克制，达到平静，此更见其性格之可爱。他对19世纪以来的诗歌有很大影响。

Keb(Egyptian god)　**凯布**　参阅**Geb**盖布。

Kebbi River(Nigeria)　**凯比河**　参阅**Sokoto River**索科托河。

Kebiishi　检非违使　日本平安时代(794～1185)的警察官。810年始设，816年列为正式编制，并赋予巡查任务。最后检非违使成为唯一有效的执法团体，代替宫廷警卫与征募的军队。检非违使扩大到全国各地，还兼掌司法大权。

Keble, John　基布尔(1792-04-25，英格兰格洛斯特郡费尔福德～1866-03-29，汉普郡伯恩茅斯)　基督教安立甘宗牧师、神学家、诗人。1816年受按立。曾在牛津大学求学，1818年任该校辅导教师。1823年协助父亲处理教区

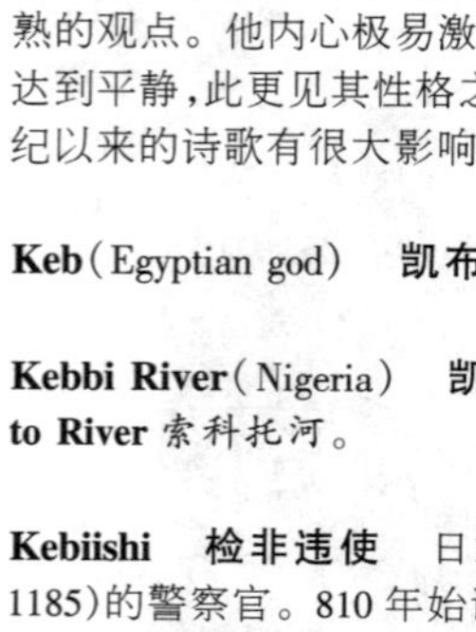

美国不列颠百科全书公司供图

凯奇凯梅特附近的农民在脱谷
美国不列颠百科全书公司供图

工作。1827年出版《基督周年》，刊一年各星期日和节日教会所用诗歌。自1831～1841年任牛津大学诗歌教授，1841年将授课讲义编订出版，从其中可见他的思想接近于浪漫派诗人的自然主义。但1833年他成为牛津运动领导人之一，撰写小册子9种，鼓动安立甘宗教士反对国家控制教会，鼓励研究早期教父的著作。J.H.纽曼于1845年改奉天主教，威胁到牛津运动的继续存在，幸赖基布尔和皮由兹努力使之延续下去。

Kebnekaise　凯布讷山　瑞典北部北博滕省山脉。距挪威边界40千米，在北极圈以北约166千米处。其中凯布讷山峰(2 111米)是瑞典最高峰。山区形状近三角形，占地约47平方千米，除低矮的桦树林外，一片荒凉，渺无人烟。最著名的山峰为火山状的图奥帕古尔尼峰(1 690米)。由于纬度高，冰川景色极佳。塔法拉湖是该山区的名胜，一岸有克布内帕克特冰川形成的18米高冰墙。

Keck Observatory　凯克天文台　建在夏威夷岛中北部的冒纳凯阿休眠火山之巅(海拔4 200米)的天文台。装有世界上最大的两台直径10米的巨型光学望远镜。凯克天文台兴建的首批资金由石油大亨W.M.凯克设立的凯克慈善基金机构提供。第一个望远镜凯克Ⅰ建成于1992年；第二个望远镜凯克Ⅱ于1996年问世。天文台由加州理工学院、加州大学、夏威夷大学和国家宇航局协同管理。凯克Ⅰ和凯克Ⅱ的直径10米的主镜由36块直径1.8米的多角镜片镶嵌拼合而成，镜片材料为零膨胀系数微晶玻璃。主镜焦距17.5米。望远镜的基架为地平式装置，结构紧凑，极大地缩减了观测室的大小和费用。凯克天文台建成之初配备的附属仪器计有：摄谱仪、分光计、近红外相机。科研重点是早期宇宙演化、星系的形成和成团、恒星诞生、太阳系外行星搜索等。90年代末，凯克Ⅰ和凯克Ⅱ联线组成一个超级光学干涉仪，并由于实现了优化成像质量的自适应光学系统，使之达到相当于直径85米单一望远镜的光学分辨率。

Kecskemét　凯奇凯梅特　匈牙利中部巴奇-基什孔州城镇和首府。很早就为手工业和养牛业中心，现葡萄栽培、蔬菜和水果也很重要。周围的农用土地平坦、多砂，常被称为"匈牙利的果园"。此地生产的水果(主要是杏)占全国水果产量的25%，并生产大量的蜜饯、果子露、利口酒(特别是凯奇凯梅特杏子白兰地酒)。该镇始建于阿尔帕德王朝，14世纪为享有特权的城镇之一。镇内多边形大广场周围，现有公共建筑物、天主教大教堂和方济各会隐修院。镇内还有许多其他教堂、博物馆和具有建筑学和历史意义的建筑物。主要工业，除水果加工外，还有纺织业、农机和消费品制造业。该镇在布达佩斯东南80千米，位于通往塞格德的铁路和公路大动脉线上。人口约105 606(2000)。

Kediri　谏义里　古时作Kaḍiri。印度尼西亚爪哇东部传统地区名和现代县名。11～13世纪，谏义里是统治爪哇东部的王国，以海军和贸易的强盛及文学的成就闻名。境内有高山，其中利曼山海拔2 563米，克卢德山1 731米。森林产柚木，平原土地肥沃，出产水稻、甘蔗、棉花、木薯、玉米、花生、椰子、大豆，种植园出产咖啡、可可、奎宁、烟草和蓝靛。县中主要城市为谏义里市。人口1 343 125(1990)。

Kediri　谏义里　古时作Kaḍiri。印度尼西亚爪哇东部东爪哇省城市。地处布兰塔斯河畔，维利斯山脚，泗水西南105千米。为蔗糖业中心和农产品(如咖啡、烟草、水稻、木薯等)贸易中心。轻工业有纺织厂、锯木厂和机械厂。城郊多印度教遗迹。人口249 807(1990)。

keel　龙骨　船的主要结构部件和沿大船或小船的船体底部中线通连船首和船尾的纵向主骨架。可用木材、金属或其他坚硬材料制作。一般说来它是两边连接肋骨的主骨架，船首柱和船尾柱也固定在上面。另一种主要的龙骨——又称"肥线型龙骨"或"压舱龙骨"——是船体垂直向下的附加部分，呈狭V形，通常是给船压舱和加重的，以保持平稳和横向阻力。主骨架龙骨可用其他龙骨加以辅助。"中插板"——又称下坠龙骨或滑动龙骨——是船体中部的一个伸缩式龙骨，可以下降以增加横向阻力和防止侧滑。"艉鳍"是

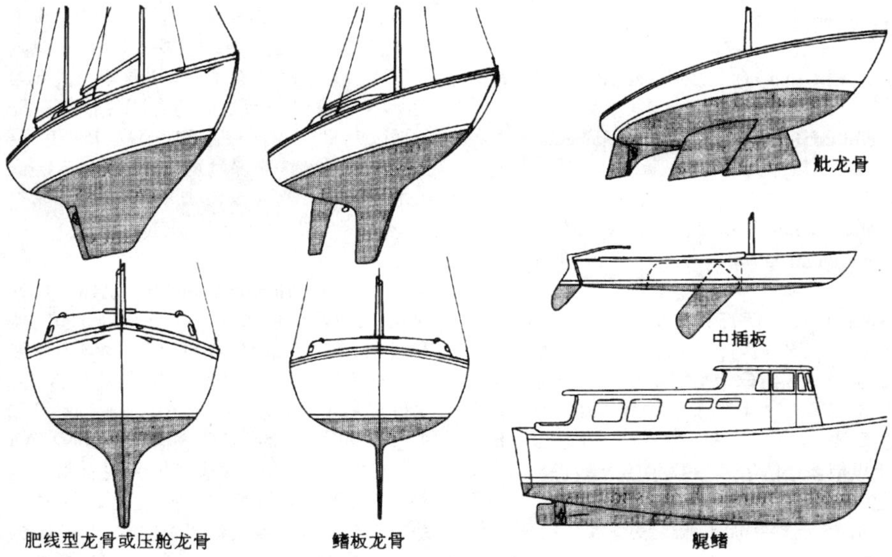

不同类型的龙骨

龙骨向后方的附加部分，用以使船保持直线行进并保持螺旋推进器和舵不在水下遭到破坏。“鳍板龙骨”是一块（木材、金属或其他材料制作的）狭窄的板，在船体中部固定在一只吃水浅的船（例如赛艇）的龙骨上，并向下方突出，以提供横向阻力。其用途是使船保持平稳和容易掌舵。“舭龙骨”是一对纵向板，这对纵向板同鳍板一样，从大船或小船的两侧伸出，与龙骨中线平行，可制止滚动。在大船上，舭龙骨向外突出部分很小，但在小船上可能相当深地向外突出。

Keeler, James (Edward)　基勒（1857-09-10，美国伊利诺伊拉萨尔～1900-08-12，加利福尼亚旧金山）　美国天文学家，因证实土星环并非固体盘而是由许多微粒组成而著称。他自幼喜好天文，1881年成为宾夕法尼亚州匹兹堡阿勒格尼天文台著名天文学家S.P.兰利的一名助手。自1886～1891年，他在加利福尼亚州哈密尔顿山利克天文台工作，领导光谱分析研究。他所取得的突出成果有测定猎户座星云的膨胀速度和证明它位于银河系内。1891年，基勒任阿勒格尼天文台台长，从事关于土星环的研究。1898年，他回到利克天文台任台长，利用新购置的克罗斯利91厘米反射式望远镜对12万个星系进行照相观测。这项研究证实，反射式望远镜是拍摄光度暗弱天体的最佳仪器，而且还表明，在可观测到的宇宙中，旋涡星系是最常见的一类星系。

加利福尼亚州圣克鲁斯市利克天文台档案馆供图

Keeler, Wee Willie　基勒（1872-03-03，美国纽约布鲁克林～1923-01-01，布鲁克林）　美国职业棒球外场手。左手击球传球。1892～1910年棒球大联赛中达到0.341或0.345的平均击球率。1894～1898年为全国棒球联盟巴尔的摩黄鹂队队员，1897年一个赛季最高击球率达到0.424或0.423，获棒球大联赛击球冠军；1898年又以0.379或0.385的成绩蝉连冠军。1939年人选美国棒球名人堂。

Keeling Islands（Indian Ocean）　**基林群岛**　参阅 **Cocos Islands 科科斯群岛**。

Keelung（Taiwan）　参阅 **Jilong 基隆**。

Keely, John E(rnst) W(orrell)　基利（1827-09-03～1898-11-18，美国宾夕法尼亚费城）　骗取发明家称号的美国人。幼年成为孤儿，据说曾做过乐队指挥、马戏团演员和木匠。1873年他宣称发现一种新的物理力，如果加以利用，就会产生闻所未闻的动力。他举例说，用1夸脱水就足以产生使一列由30节车厢编组的火车从费城行驶到约纽市所需的燃料。他开始制造一种发动机以实现他的伟大发明，并于1874年预展。为了给他发明的“从以太分子间的振动”获得动力的机器保守秘密，他大耍花招。科学家和工程师对他的这种无稽之谈，无不嗤之以鼻。在费城筹建基利发动机公司时，将股票出售给约3 000名股东，并一度得到费城一位富有的女赞助人的支持。在他死后，人们进行了调查，经检查发现他的机器不是由所谓的新物理力，而是由空气压缩管或水力开动的。

Keen, William Williams　基恩（1837-01-19，美国宾夕法尼亚费城～1932-06-07，费城）　美国第一位脑外科医师。1888年成功地切除了一个脑瘤，为首先切除脑瘤的医生之一。1893年协助约瑟夫·布赖恩特切除美国总统G.克利夫兰患恶性肿瘤的左上颌。手术在长岛海峡的一艘游艇上秘密进行，结果十分成功。1900年任美国医学协会主席，1906～1913年主编了《外科原理与实践》（8卷）。

Keene　基恩　美国新罕布什尔州西南部城市，切希尔县县城。濒阿什威勒特河。1733年创建，1753年设镇，1874年设市。1840年波士顿—缅因铁路修通后开始发展工业。现有滚珠轴承、光学仪器、家具、纺织品和靴鞋等制造业。为冬季体育运动胜地和莫纳德诺克地区商业中心。设有州立基恩学院（1909）。人口约22 563（2000）。

Keene, Charles Samuel　基恩（1823-08-10，英国米德尔塞克斯霍恩西～1891-01-04，伦敦）　英国油画家和插图画家。1851～1890年一直为英国《笨拙》周刊工作。他以简单明快的手法，温和地讽刺中、下层社会。准确地再现了19世纪的时代精神。1842～1847年学木刻，1851年首次在《笨拙》发表作品，9年后人该杂志社，1859年开创《每周一次》栏。其最著名的作品是为C.里德所著《一次漂亮仗》（后改名为《隐修院和家》）及G.梅瑞狄斯所著《伊万·哈林顿》两书所作的插图。1872年结识J.克劳霍尔，此后多年受其启发，在为《笨拙》工作的最后20年中画出至少250幅成功的作品。1881年，他将为《笨拙》所画的作品集成一册，以《我们的人民》为题出版。

Keene, Laura　基涅（约1826，英国伦敦～1873-11-04，美国新泽西蒙特克莱）　美国女演员和美国第一个重要的女剧院经理。曾在歌唱家、演员兼剧院经理维斯特里斯夫人门下学习。1851年演员兼经理沃利克于伦敦奥林匹克剧院观看了她的演出，遂邀她加入他的纽约剧团。1852年她在沃利克剧团首演获得成功，但很快即离开该团去经营巴尔的摩的一所剧院，后又率该院剧团到旧金山和澳大利亚巡回演出。1855年返回纽约，1856年开始经营她自己的剧院，为时8年。她在英国经典喜剧中所饰演的高雅的贵妇人和在当时的情节剧中所扮演的哀婉动人的女主角，都很受人们赞赏。她获得成功的喜剧之一是泰勒的《我们的美国表兄》（1859）。在该剧中，萨森和杰斐逊亦曾首次获得巨大成功。林肯总统遇刺的当天晚上，其剧团正在华盛顿（哥伦比亚特区）的福特剧院上演此戏。1872年曾帮助创立并编辑过一个月刊——《美术》杂志。

美国不列颠百科全书公司供图

Kees, John　参阅 **Caius, John 凯厄斯**。

Keeshond 凯斯狗 又称荷兰货船狗(Dutch barge dog)。长期饲养在荷兰货船上以充守卫和伴侣的狗。原为劳动人民所养,是18世纪荷兰爱国党的象征,从该党领导人凯斯·德

凯斯狗
美国不列颠百科全书公司供图

格利斯莱尔的狗凯斯而得名。祖先为萨莫耶德狗、挪威猎犬、狐狸狗及波美拉尼亚狗。凯斯狗面似狐,尾羽状,立于背上。被毛长而厚,灰色上层毛带黑尖,下覆一层颜色较淡的底毛。成年狗体高43～46厘米,体重14.5～18千克。

Keesom, Willem Hendrik 凯索姆(1876-06-21,荷兰泰瑟尔岛～1956-03-24,乌赫斯特海斯特) 荷兰物理学家,专攻低温学,并最早使氦固化。凯索姆1904年在荷兰的阿姆斯特丹大学取得博士学位以后,便去莱顿大学在K.昂内斯的指导下进行工作。1917年他到乌得勒支兽医学校任教,6年后又回到莱顿大学任实验物理学教授。就在昂内斯实验室里,他在1926年成功地使氦固化。1932年,他又获得了-272℃的低温,这个温度仅比绝对零度约高华氏2度。他的著作《氦》于1942年出版。

Keetmanshoop 基特曼斯胡普 纳米比亚东南部城镇。位于首都温得和克南面约460千米处,有公路相通。1866年建为德国路德教传教点,并以传教团著名成员J.基特曼的名字命名。1894年德军在此驻扎后成为城镇。被认为是南纳米比亚的中心城市,是重要的交通枢纽和经济中心。工业有卡拉库尔羊皮加工、食品加工和制革。镇南勒文河上有瑙特水坝。人口约15 000(1991)。

Keewatin 基韦廷 加拿大努纳武特地区西南部的行政区,占原基韦廷区一部分和马更些区的东部。20世纪70年代初建为西北地区行政区。1999年4月成为新建立的努纳武特地区的一部分。范围从西北地区的东部边界到马尼托巴省北部边界,再到基蒂克美奥特区南部边界,北至北极圈上方,东北接巴芬区。包括哈得孙湾西北海岸、南安普敦岛、科茨岛及哈得孙湾西北部若干其他岛屿;还有伸向内陆远至西面的塞隆河的地区,几乎全在加拿大地盾范围以内,全部位于永久冻土带。主要居民点有贝克莱克、兰金因莱特(行政中心)和爱斯基摩波因特。居民以诱捕毛皮兽、猎捕海豹和制作手工艺品以及采铜、采金为业。该区区名为克里人印第安语,意为"北风"。多数居民为因纽特(爱斯基摩)人。人口6 868(1996)。

Kef, El-(Tunisia) 参阅 **Kāf, Al-** *卡夫*。

Kefallinía(Greece) 参阅 **Cephallenia** *凯法利尼亚*。

Kefar Naḥum(Israel) **纳侯姆村** 参阅 **Capernaum** *迦百农*。

Kefar Sava 萨瓦村 以色列中西部城市。地处沙龙平原南部。最早见述于犹太教塔木德经。1903年建为沙龙南部第一个犹太人定居点。第一次世界大战中和1921年阿拉伯人暴动中遭严重破坏。1922年重建。1962年设市。经济依靠柑橘种植、混合经营的农业、乳制品生产及轻工业,主要工业有柑橘罐头制造、铝制品加工等。设有大型肺病专科医院。人口约65 800(1994)。

Keffi 凯菲 尼日利亚中部高原州西部城镇。约1800年由富拉尼人创建,为臣属扎里亚的凯菲酋长国首府。19世纪一直向扎里亚以奴隶纳贡,并屡遭掠奴者的侵扰。1902年英国将纳萨拉瓦省首府迁至该镇,以保护从贝努埃河至北方的商队贸易。后因英国驻凯菲一位行政官员遭扎里亚派驻的官员杀害,该官员逃往卡诺,英国于1903年袭击并打败卡诺。现居民以关达拉人为主,从事农业和锡、铌矿开采业。当地出产黍类、高粱、薯蓣和棉花。镇内有师范学校、清真寺、酋长邸宅及地方参议会。地处公路枢纽以西,可通阿布贾、纳萨拉瓦、阿宽加的公路干线及拉菲亚的铁路干线。人口约63 860(1991)。

Kegalle 凯格勒 斯里兰卡中西部城镇。镇郊出产石墨、宝石、橡胶和农产品。附近政府设有平内瓦拉大象孤儿院,收养被遗弃或失去母亲的幼小野象。人口约18 000(1990)。

Kegon 华严宗 日语,意谓"花饰";汉语拼音为Huayan。日本奈良时期(710～784)由中国传入日本的佛教宗派或佛教哲学传统。现今华严宗在日本虽已不被看做倡导某一特殊教义的活跃的宗教信仰派别,但仍以奈良东大寺为"总本山",管理着这座名刹。华严一名,源自梵语avataṃsaka,意为"饰物或花环",是仿照这个宗派的主要经典《华严经》(Avataṃsakasūtra)之汉译名称而定名的。《华严经》现存汉、藏两种译本,内容论述大佛毗楼遮那(Vairocana;日语称毗卢舍那或卢舍那)的教义。华严宗主张,认识的最高境界是万物成为一个和谐的整体,互相关联,互相依存,而以毗楼遮那佛为其中心,"光明遍照"于每一事物。此说认为,万事万物莫能脱离其总体而单独存在,而是每一事物都在反映其余所有事物的存在,故宇宙是自我创造的过程。华严宗于6世纪末和7世纪时首创于中国,始祖为法顺(又称杜顺);7世纪末至8世纪时,由名僧法藏进一步发扬光大,盛行至10世纪,此后衰落。华严宗教义约于740年前后传入日本,法藏的弟子审祥和道璿以及南印度僧人菩提仙那(Bodhisena)都是最早的传播者。华严宗的教义富于统摄一切的色彩,引起当时圣武天皇的重视,以为这一原则适于统治其臣民。圣武天皇以营建东大寺为世所称,分享这一荣誉的还有印度僧人菩提仙那以及日本圣僧行基和良弁。752年,圣武天皇铸造毗楼遮那巨型青铜像于东大寺,供奉为大佛。当时奉献典礼所用法器及礼器,现藏于该寺珍品库正仓院。

Kehew, Mary Morton Kimball 凯休(1859-09-08,美国马萨诸塞波士顿～1918-02-13,波士顿) 美国改革家,致力于19世纪中期波士顿妇女的工作条件和生活条件的改善。1886年加入早期妇女慈善组织波士顿教育和工业妇女联盟;1890年任联盟理事,1892年1月继任主席,着力将联盟发展为更有组织性和更有效的社会组织,从事就业指导、法律援助等工作。1905年组建研究机构,对波士顿妇女的工作、生活条件进行全面研究,并帮助拟定工资工时、工厂检查、消费者保护等方面的立法草案。1910年成立职业介绍所。此外,还鼓励妇女参加工会。1892年在装订女工、洗衣女工、卷烟女工、成衣女工中成立产业工人进步联盟。1903年当选全国妇女工会联盟首任主席。此外,还参与若干教育与慈善组织的组建和管理。精力充沛,管理能力强,善于与各阶层人士合作,一直是波士顿改革与进步活动的核心人物。任联盟主席至1913年,1914年起任代理主席直至去世。

Kei, Great 参阅 **Great Kei River** *大凯河*。

Kei Islands(Indonesia) 参阅 **Kai Islands** *卡伊群岛*。

Keidanren 经团联 全称经济团体联合会(日语拉丁字母转写作Keizai Dantai Rengōkai,英语作Federation of Economic Organizations)。日本企业组织的社团,1946年成立,宗旨是协调各会员产业间的分歧,并对经济政策及有关事项向政府提供咨询建议。被认为是日本最有权势的组织之一。日本努力改组战后社会中的工商企业部门,经团联作为其中一部分被创建起来,开始时影响微不足道。1952年势力渐增,1955年成为创建自由民主党的重要力量,迄今影响着日本社会许多方面的变化。自1975年以来,政治捐款的控制较严,许多日本企业的跨国公司性质日渐增强,因之经团联的影响也有所削弱。经团联代表约800家公司,会员中有诸如采矿、金融、运输等各式各样产业。内部结构复杂,由若干咨询机构和常设委员会组成,可在贸易政策和太空探测之类事情上向政府提出意见;还举办非官方的国际经济会议。

Keien(Japanese poet) **桂园** 参阅 **Kagawa Kageki** *香川景树*。

Keighley 基斯利 英格兰约克历史郡西约克都会郡布拉德福德都会自治市城镇。地处沃思河旁的一个深谷中,邻近该河与艾尔河汇合处。19世纪随毛纺和纺织机械工业迅速发展起来。该镇有霍沃思村庄,是勃朗特

家族的故乡。人口:城市区49 567(1991)。

Keigwin, Richard 凯格温(?~1690-06-21,圣基茨) 英国海军军官、东印度公司官员,作为于1683年在孟买举行的反对该公司的"凯格温叛乱"的领袖而著称。原任英国皇家军舰"援助"号副舰长,1673年5月4日袭击南大西洋上荷属圣赫勒拿岛,他登陆处迄今仍称凯格温礁。1676年前往孟买经商,不久进入东印度公司。1679年在对马拉塔海军作战时任指挥官。后因抗拒裁减孟买军团和解散骑兵,被召回国。他再回到孟买时已是海军中校,并成为东印度公司理事会理事。但由于与公司的关系恶化,最后被撵出理事会,乃于1683年12月率众发动反对公司统治的叛乱。将近一年时间,他以英王的名义牢牢控制孟买。在为自己及其追随者获得特赦后,1684年在英王的命令下将孟买交给公司。1685年回国。后在指挥英舰"援助"号袭击利沃德群岛的圣基茨岛时阵亡。

Keihanshin Industrial Zone 京阪神工业区 又称京都-大阪-神户工业区。日本中南部工业区,位于大阪-神户大都会区。西南临大阪湾,跨淀河两岸,地处冲积平原,间有丘陵。其他河流有武库河、大和河、伊那河。是日本最老的工业区并包括较小的大阪-神户工业区。它包括大阪市区、部分京都市区和兵库、志贺两县。京都和大阪自古即是政治、农业、工业、文化中心。传统工业有纺织和瓷器,明治时期工业生产机械化。水泥、钢铁、玻璃和橡胶工业也在神户兴起。甲午战争后,产品销往亚洲大陆。20世纪20年代,该区重工业开始生产金属制品、蒸汽机车和机动车辆。轻工业则生产电器设备、自行车、化学产品。第二次世界大战前发展军火工业,连同分散到大阪周围的其他工业,成为日本最主要的经济区。战后军事工业转产钢铁、机器、运输设备、电器用品。60年代以来工业扩展的空间不足,以及因地面下沉、大阪的城市疏散等带来的一些其他问题,京阪神已失去其经济主导地位,开始逊于京滨工业区。

Keihin Industrial Zone 京滨工业区 位于东京-横滨大都会区的中心,包括东京都和神奈川县部分地区。川崎-横滨港区(沿东京湾西北岸的大工业地带)为该工业区心脏。德川时代东京区开始发展,主要是外地产品的消费区;工商业集中于京都和大阪(后来称京阪神工业区)。明治维新后,日本经济激增,京滨地区与京阪神相互匹敌。第二次世界大战后京滨逐渐成为主导。战后日本经济复苏的核心是川崎-横滨港区的轧钢、石油精炼、石化、造船等重工业。腹地生产汽车、机械、电器设备、纺织,加工食品。东京是出版业中心,大银行、大公司的基地和全国金融中心。但该地区有人口过密、运输力不足、环境污染等问题,因而工厂大多外迁至千叶、茨城两县的沿海地区及其他地区。

京滨工业区炼油厂
美国不列颠百科全书公司供图

Keiō University 庆应大学 日本东京的一所私立高等学校。其前身是日本开明教育家福泽谕吉于1858年建立的一所私立学校,1900年才开始发挥大学职能。由国家至上和专制的政府所控制的大学当时正效忠于国家的利益、培训未来的政府领导人,而不是培育自由探索的精神;福泽谕吉办学的初衷正是要创造出一种与此相对立的可供选择的途径。在1919年以前,庆应并未被文部省正式承认为大学。因此庆应免受国家监督,从而具备更为自由的学术环境,比政府办的学校如东京帝国大学(今东京大学)更加注重个人发展。由于在政府任职的机会自19世纪末期以来就已大多局限于由公立大学毕业生分享,庆应便集中力量开展面向私营部门工作的学科(如工商业和法律)并现已培养出许多银行业和企业的领导人员。20世纪末期庆应大学已有商业贸易系、经济系、工程系、法律系和文学系,以及医学和工商管理研究生院。该校还附设有庆应文化和语言研究所。

Keiser, Reinhard 凯泽(1674-01-09,萨克森魏森费尔斯附近托伊谢恩[德国]~1739-09-12,汉堡) 德国歌剧主要作曲家,上承17世纪末巴罗克风格,下开18世纪初洛可可风格。曾在莱比锡托马斯学院学习。1697年左右定居汉堡。写过120多部歌剧,其中有《屋大维娅》(1705)、《使人愉快的诡计》(1707)、《克罗伊斯国王》(约1711),还有喜歌剧《可笑的约德莱特王子》(1726)。与同事J.马特森和G.P.泰勒曼一起,试图创立纯德国式巴罗克歌剧。早期作品完全使用德语,但在越来越受欢迎的那不勒斯派的影响下,晚期歌剧中也出现了意大利语的咏叹调。最后一部歌剧《女魔》(1734)中有21首德语咏叹调和23首意语咏叹调。作品中的芭蕾舞场面表现出法国的影响。他精于旋律,许多咏叹调的华丽唱段都可与意大利咏叹调媲美。1728年在汉堡大教堂任乐长。晚年谱写比较严肃的教堂音乐,包括经文歌、康塔塔和歌剧性的清唱剧。其风格对巴赫和韩德尔均有影响。

Keita, Modibo 凯塔(1915-06-04,法属苏丹巴马科[今在马里]~1977-05-16,马里巴马科) 社会主义政治家、马里第一任总统(1960~1968)。早年在达喀尔被培养成为教师,在其家乡法属苏丹参加政治活动。1945年参与创建苏丹联盟并成为总书记。1946年苏丹联盟与另一个反殖民主义政党——非洲民主联盟合并,组成苏丹联盟-非洲民主联盟。1946年法国人曾将他短期投入监狱。两年后他赢得了法属苏丹领地议会议席,1956~1958年当选为法国国民议会议员,并成为该议会第一个非洲人副议长。同时,凯塔出任苏丹联盟-非洲民主联盟主席,并任巴马科(首都)市长。当时苏丹联盟-非洲民主联盟是法属苏丹的最重要政党,在1957年选举中该党赢得压倒性胜利。在1958年法属西非的公民投票中,他为苏丹在法兰西共同体内成为自治国家而奔走游说,并取得成功。1958年11月苏丹共和国成立。尽管他渴望将前法属领地组成西非联邦,但他最后仅能将塞内加尔和他自己的家乡苏丹组成马里联邦。1959年1月,凯塔成为这个短命的联邦总统。1960年8月联邦因苏丹和塞内加尔间的意见分歧而解散,凯塔继续任苏丹总统。是年9月执政的苏丹联盟-非洲民主联盟代表大会宣布成立独立的马里共和国。作为一个直言不讳的马克思主义者,凯塔在马里独立后的最初8年中采取社会主义的政策,对经济的关键部门实行了国有化,并与共产主义国家建立起紧密的关系。尽管实行了镇压,他的政体看来已牢固地建立起来;但到1967年马里遇到的经济和财政困难不断增加。凯塔试图谋求法国支持马里货币,但这一行动引起党内的不满和激进支持者的背叛。为了安抚支持者,凯塔于1967年8月发动一场毛式的文化大革命,但不断激化的清洗和专制的方式很快遭到多数民众的离弃。1968年11月19日他被一批下级军官发动的一场不流血政变推翻,在监禁中度过余生。

Keita, Salif 凯塔(1942-12-06,马里巴马科~) 马里足球运动员,1970年获非洲足球先生称号。15岁就参加职业球队,但在1965和1966年的锦标赛、1965年全非联赛,以及1972年非洲国家杯的历次决赛中,他所在的各队都未能夺冠。1967年加盟法国圣艾蒂安队,是一名快速、简练、能够得分的前锋。在他参赛的5年间,该队3次获联赛冠军(1968~1970),2次赢得法国杯(1968,1970)。1972年加盟马赛队,但他的灵巧风格与教练所要求的粗野风格相抵触,加之不愿意按俱乐部的要求入法国国籍,1973年与西班牙巴伦西亚俱乐部签约。此后先后参加葡萄牙里斯本竞技队和北美新英格兰茶商队,1980年退役。

Keitel, Wilhelm 凯特尔(1882-09-22,德国海尔姆谢洛德[今巴特甘德斯海姆]~1946-10-16,纽伦堡) 德国陆军元帅,第二次世界大战期间德国最高统帅部长官。希特勒的最忠实和最信赖的将领之一,后成为元首府参谋长,参与指挥第三帝国在第二次世界大战中的多数战役。第一次世界大战期间任参谋,后在魏玛共和国(1918~1933)担任行政工作。1935年被擢升为武装部队参谋长(相当于陆军部长),1938年又升任武装部队最高统帅部的长官,最高统帅部是希特勒建立的德国军事行动的中央控制机构。1940年6月凯特尔宣布法国投降的条件。第二次世界大战后,他因犯有批准枪决人质和其他一些违犯国际法的罪行，被纽伦堡国际战争罪犯审判法庭判处死刑。普遍认为，凯特尔是一个软弱无能的军官，缺乏战术作战经验，主要是给希特勒当走卒。

Keith, Sir Arthur　基思（1866-02-05，苏格兰阿伯丁郡阿伯丁～1955-01-07，英格兰肯特道恩）　英国解剖学家和体质人类学家，对人类化石有专门研究，从事早期人类形体的修复工作，主要是对欧洲和北非出土的人骨化石以及今以色列境内卡尔迈勒山出土的重要骨架进行过修复。基思曾获医学、科学、法律等学科的博士学位。1908年任伦敦英国皇家外科医师学会教授，1918～1923年任伦敦皇家协会生理学教授，1930～1933年任阿伯丁大学校长。主要著作有《人类的远古时代》（1915）、《关于人类的起源》（1927）以及《人类进化新论》（1948）。他的有关进化的著作，倾向于强调竞争因素，认为种族和民族偏见是与生俱来的。1921年受封为爵士。

Keith, Benjamin Franklin　基思（1846-01-26，美国新罕布什尔希尔斯伯勒～1914-03-26，佛罗里达棕榈滩）　美国歌舞剧团经理，杂耍表演史上最强大的剧场联营组织创建人。1885年与阿尔比共同经营波士顿宝石剧院。然后，这两个伙伴又在全美国开设许多剧院，吞并了大部分较小的联营字号。

Keith, James（Francis Edward）　凯特（1696-06-11，苏格兰阿伯丁彼得黑德附近因弗鲁吉～1758-10-14，萨克森霍赫基希）　苏格兰詹姆斯党人，普鲁士腓特烈二世的军事指挥官。由于参加斯图亚特争夺英格兰王位的活动（1715和1719），被迫流亡国外。他一度在西班牙军队中服役，1728年前往俄国。他在波兰王位继承战争、俄土战役和俄瑞（典）战争中功勋卓著。1747年进入普鲁士军界，腓特烈大帝授予他陆军元帅称号。在七年战争中，他曾指挥普军围攻布拉格（1757），成功地抗击奥军而保卫了莱比锡。后在霍赫基希战役中阵亡。1868年，普鲁士的威廉一世为凯特在苏格兰彼得黑德竖立纪念碑。

Keith, William　基思（1839-11-21，苏格兰阿伯丁旧梅尔德拉姆～1911-04-13，美国加利福尼亚伯克利）　苏格兰出生的美国油画家，以描绘加利福尼亚风景闻名。1859年定居加利福尼亚。其作品受到艺术评论界的承认，1869～1870年出国学习。在以后的40年里，他在旧金山建立了画室，以描绘内华达山脉、加利福尼亚州天然橡树林和约塞米蒂国立公园景色为基础，创造了数以千计的森林、山景画。晚期作品受C.柯罗和G.英尼斯的影响颇深。

Keiyō Industrial Zone　京叶工业区　日本中东部的工业区。为东京-横滨大都会区的一部分。位于房总半岛千叶县境内，东京东面，东京湾东北岸。东京湾沿岸原是海藻采集、捕鱼和旅游地。1952年开始在千叶兴建钢厂，发展重工业。此后京滨工业区工业疏散，一些钢铁、化工（包括石化）、造船工厂跨越东京湾迁入该区，同时建起深水港和热电厂，开垦了京叶区东京湾地区的大片土地。20世纪60年代进一步发展。70年代中叶，京叶区重金属工业和化工业的产品质量、数量在日本各工业区中为最高。区内工业城市有千叶、船桥、木更津、君津等。铁路和公路运输发达。

Keizan Jōkin　莹山（1268-11-13，日本越前～1325-09-22，能登）　日本佛教曹洞宗僧人，全名莹山绍瑾，勅谥常济大师（Jōsai Daishi），12岁出家，从大乘寺高僧彻通义介得法，又受教于孤峰觉明，返回大乘寺，弘传曹洞宗教义10年，后任石川县诸岳寺住持。莹山改寺名为诸岳禅总持寺，1321年该寺加入曹洞宗，后醍醐天皇在位期间成为官寺。1898年毁于大火，后在横滨现址重建。莹山现称大宗，尊为曹洞宗的中兴人。

Keizo Obuchi　小渊惠三（1937-06-25，日本本州群马县～2000-05-14，东京）　毕业于早稻田大学。1963年，26岁的小渊在群马地区议会选举中获胜，成为当时最年轻的议员。1985年自民党组建"创政会"，小渊同桥本龙太郎、小泽一郎等人共事。1991年他接替小泽一郎担任自民党干事长，1992年竹下派分裂后组成小渊派并担任会长，1994年就任自民党副总裁。小渊自1979年进入内阁后，曾任总务厅长官、冲绳发展部长和内阁官房长官等职。1997年9月开始出任外相。1998年7月30日当选为日本第84任首相。

keju　科举　英语作 imperial examination。中国古代封建王朝用考试选拔官员的制度。公元587年隋文帝开始设科取士，隋炀帝始置进士科，成为制度。唐代增置秀才、明法、明书、明算等科。武则天创行殿试，并增设武举。明代的科举制度更为完备。省每3年举行乡试，中者称举人。京城3年举行举人会试，中者称贡士。贡士参加皇帝主持的殿试，分三甲取录。一甲3名，赐进士及第。第一名通称状元，第二、三名通称榜眼、探花。二甲若干人，赐进士出身。三甲若干人，赐同进士出身。分别授翰林院修撰、编修、庶吉士等官。清沿明制。1905年推行学校教育后科举制废除。

Kekchí　凯克奇人　居住在危地马拉中部潮湿而崎岖不平的高地和低地上的马雅印第安人。凯克奇人务农，主要种植玉米、豆类。用掘土杆（尖棍）耕作，土地烧荒。播种期间，禁止性生活，举行丰收仪式。住房为草顶木柱结构，无窗户，睡吊床。纺织、制陶业呈下降趋势。十分流行穿用商品布。凯克奇人名义上信仰天主教，但有一种由在俗信徒组成的团体，负责村社的主保圣人节庆祝活动和保护圣像。他们完整地保留了天主教之前的对神灵的崇拜。

Kekkonen, Urho K（aleva）　吉科宁（1900-09-03，芬兰皮耶拉韦西～1986-08-31，赫尔辛基）　芬兰总理（1950～1953，1954～1956）、总统（1956～1981），以其与苏联友好的中立政策而闻名。北部伐木人之子，在赫尔辛基大学学习，于1928年获民法学士学位，1936年获民法博士学位。任律师时，从20年代起，日益卷入农民运动，1927～1932年任农业部文官，1936～1956年代表农民党（后改名中间党）选入议会。最初对苏联采取强硬路线，是反对将任何芬兰领土割让给苏联的仅有的两位议员之一。但到1943年，鉴于德国将在战争中失败，认为芬兰如要保持自己的独立，则必须对苏联采取中立友好政策。在几度担任部长和立法职务后，在巴锡基维总统任内，于1950年任总理，1956年巴锡基维去世后任总统。芬兰对苏友好的审慎的外交政策称为巴锡基维-吉科宁路线。他多次连选连任（1962、1968、1978）。1973年议会将他的第3次总统任期从6年延长至10年。1981年因健康原因辞职。

Kekri　凯克里节　又拼 Keyri 或 Käyri。古代芬兰宗教节日。它标志农事季节结束，恰巧也是牲畜进舍过冬之时。此节原来恰好与9月29日米迦勒节一致，后来改在11月1日万圣节举行庆祝。按古代人看来，凯克里节是新旧年之间祖先灵魂造访从前住所的重要时日。人们届时以酒饭供奉神灵，浴室生火加温，奉死者为"圣者"。通常节庆活动仅限于家人，但有些地区也有全村人杀羊共祭的。

Kekule von Stradonitz,（Friedrich）August　凯库勒（1829-09-07，黑森达姆施塔特～1896-07-13，波恩）　化学家。为有机化学现代结构理论做了奠基工作。他进入吉森大学时原想成为建筑师，后来在J. von 李比希的影响下转向化学。他获博士学位（1852）后，在巴黎学习，在那里遇到C.-F.热拉尔，在他的有机结构类型论的基础上，凯库勒发展了自己的思想。1856年任海德堡大学讲师，1858年任比利时根特大学化学教授。1865年移居波恩。早期在建筑方面受到的训练，也许有助于其结构理论的形成。1858年他指出碳是四价的，碳原子能相互连结形成长链。这一想法打开了对脂肪族化合物了解的途径，几乎同时A.S.库珀也宣布了同一想法。1865年的一个晚上凯库勒梦见苯分子像一条蛇咬着尾巴旋转。从这一幻象使他产生了六个碳原子苯环的概念，从而使当时已知的有机化学事实得到了解释。他还在雷酸汞、不饱和酸和硫代酸等方面做了有价值的工作，著有4卷本有机化学教科书。受封为贵族时，他在自己的名字上加了 von Stradonitz。

Kelaa des Srarhna, el-　斯拉格奈堡　又拼 El-Kelaa des Sraghna。摩洛哥西部坦西夫特地区的省（1973年建立）、省会和城镇。城镇位于马拉喀什东北约75千米处，为该省东部的贸易中心。城镇围有土墙，内有花园和橄榄林点缀，景色优美。斯拉格奈堡省面积10 070平方千米。为该国阿特拉斯山脉以西最干旱的地区。省的西部为相当贫瘠的石英岩和页岩高原，年降雨量约200毫米，自然植被稀少，有枣树。当地居民半农半牧，种植粮食作物并放牧绵羊和山羊。省西部本杰里尔镇附近磷酸盐矿藏丰富。省东部的泰索特河谷有大阿特拉斯山脉冲刷下来的肥沃淤积土；1971年阿伊特阿迪勒水坝竣工后，河谷得到灌溉，精耕细作，种植橄榄、柑橘和谷物（小麦、大麦）。人口：城镇51 404（1994）；省约715 000（1998）。

Kelang 巴生 旧称克朗。西马来西亚雪兰莪州中西部城镇。濒临巴生河，在吉隆坡—巴生港铁路线（长64千米）上。1880年前为州首府。现为橡胶和水果产区的行政中心。19世纪采锡热期间为进入中央地区的港口。从前以咖啡闻名，19世纪90年代咖啡价格下跌，又大力发展橡胶生产。工业产品有菠萝罐头、胶鞋和除莠剂。在康诺特大桥附近建有大型热电站。人口：镇243 698；大都会区368 228（1991）。

Kelantan 吉兰丹 西马来西亚东北部的州。为山地丛林环绕。西北接泰国，西邻霹雳州，南界彭亨州，东邻丁加奴州。面积14 931平方千米。几乎全部在吉兰丹河流域。该河由南部丘陵地区的几条支流（加勒斯、宁吉里、利比尔河）汇成，北流240千米在通帕港注入南海，有130千米河段可航行汽艇。农业集中在人口稠密的三角洲和沿海平原上（产椰子、水稻和橡胶）。境内与彭亨州交界处的大汉山海拔2 187米，有橡胶和油棕榈种植园。沿海沙坑和环礁湖种植椰树。近岸海水很浅，小轮船需离岸约1千米停泊。有沿海渔业。10～次年1月，季风几乎使所有海运停顿。11～12月，暴雨使三角洲洪水泛滥。工业集中在首府哥打巴鲁（**Kota Baharu**）周围，有造船、锯木、胶合板、碾米等工厂和各种手工业（腊染花布和银器）。州内还开采铁、锡和锰矿。除沿海平原密集的公路网外，有通泰国的铁路和沿双溪吉兰丹河谷的东海岸铁路。首府有机场。吉兰丹的重要城镇还有巴西马士、瓜拉吉来和马樟。人口约1 447 000（1997）。

Kell, Joseph 凯尔 参阅**Burgess, Anthony 伯吉斯**。

Kellar, Harry 凯勒（1849-07-11，美国宾夕法尼亚伊利～1922-03-10，洛杉矶） 美国本土生长的第一个大魔术师。1896～1908年，在魔术界一直居统治地位，被称为“魔术前辈”和“历史上最受敬爱的魔术师”。12～18岁随I.H.休斯巡回演出，当助手学习魔术。1884年在美国开办夜场演出。他以演出精益求精著称，仔细推敲每句台词、每个动作。不久他在公众中的声望就与赫尔曼相匹敌。1896年赫尔曼死后，他成为美国第一流魔术师。1908年由H.瑟斯顿继承其衣钵。

Kellas, Eliza 凯勒斯（1864-10-04，美国纽约福克斯～1943-04-10，纽约特洛伊） 美国教育家，以她在特洛伊艾玛威拉德学校有力而又卓有成效的领导为世人所铭记。1889年毕业于波茨坦师范学校（今纽约州立大学波茨坦学院），留校任教。1891年被任命为普拉茨堡师范学校（今纽约州立大学普拉茨堡学院）实习学校主任，1895年任该校校长。1901年辞去校长职务。1905年进入马萨诸塞州剑桥拉德克利夫学院，1910年毕业，继续攻读研究生课程一年，后经退休院长A.欧文推荐，于1911年2月出任艾玛威拉德学校（1895年前为特洛伊女子学校）校长。其时该校标准已远远达不到创始人之愿望。她下决心恢复其学术与行为举止的高标准水平，并成功地在校友中筹募资金修建新校舍。她个人的性格和品德在学生中蔚为典范，成为重要的力量，几年内就使学校居全国领先地位。经她建议并由塞奇捐资，艾玛威拉德学校旧校园于1916年9月重建为拉萨尔塞奇实用工艺学院，专门从事女青年的职业培训。凯勒斯从学院成立即出任院长，并继续担任艾玛威拉德学校校长。学院发展很快，1920年颁授第一批学位。1923年在学院中成立护校。1928年从学院院长职位上退休，把全部精力用于艾玛威拉德学校，担任校长至1942年退休。

Keller, Ferdinand 凯勒（1800-12-24，瑞士马塔伦～1881-06-21，苏黎世） 瑞士考古学家及史前史学家。1831年在苏黎世任英语教授，试挖史前坟丘。1832年与其他热心者组织苏黎世文物工作者学会。在苏黎世周围广泛发掘，收集许多燧石石器、青铜器和陶器。发表文章学术价值极高，从而取得考古学名誉博士称号，被誉为瑞士重要考古学家。1854年瑞士奥伯迈伦农民在淹没大量木桩的大片泥泽地挖泥，发现燧石、骨骸和青铜首饰，送交凯勒。凯勒立刻组织实地考察，收获超乎寻常。除耐久的手工制品外，还获得篮筐、布料、网罟碎片。骨堆中杂有家畜骨骼。凯勒据此推论为：石器时代或青铜器时代村落，曾建于木桩上，后来沉入湖底。初步调查结果公布后，轰动一时。考古者竞相寻找其

瑞士国立图书馆供图

他遗址进行发掘。1866年凯勒发表英语论文《瑞士和欧洲其他地区的湖上居所》。其他发掘者把报告汇交凯勒，他以大量时间把湖上居所这一课题加以论证。待到1879年他发表第8篇报告时，瑞士已有核实遗址161处。奥地利、法国和意大利均开展有类似工作。

Keller, Gottfried 凯勒（1819-07-19，瑞士苏黎世～1890-07-16，苏黎世） 19世纪后期现实主义一派中最伟大的瑞士德语小说作家。父亲早逝，意志坚强的母亲扶养并供他上学。因在中学搞恶作剧被开除，于是开始学画风景画。曾在慕尼黑学习两年（1840～1842），成效甚微，遂返回苏黎世。1846年发表第一批诗作。1848～1850年，苏黎世市政府资助他去海德堡大学求学，在那里深受哲学家L.费尔巴哈的影响。1850～1855年住在柏林。长篇自传体小说《绿衣亨利》（1854～1855）是他的成名之作，1879～1880年被彻底改写成教育小说。书中描写绿衣亨利（因为他勤俭的母亲总是用一匹绿布给他做衣服，故名）要外出去当一名艺术家，在经历了一些成功和许多失望以后，回到自己的故城，任一名小小的行政官并获得一些人们的尊重和满足。同绿衣亨利一样，凯勒本人也于1855年回到苏黎世，并成为该州秘书（1861～1876）。他的短篇小说也很出名，其中有些收集在《塞尔特维拉的人们》（1856～1874）和《七个传说》（1872）之中。最后一部长篇小说《马丁·萨兰德》（1872）描写他那个时代的瑞士政治生活。

Keller, Helen (Adams) 凯勒（1880-06-27，美国亚拉巴马塔斯坎比亚～1968-06-01，康涅狄格韦斯特波特） 美国女作家及教育家。她又盲又聋。对她的教育和训练，代表了严重

美国不列颠百科全书公司供图

残疾人特殊教育的非凡成就。由于重病，出生19个月就失去视力听力，不久又变哑。在她约6岁时，父母就她的教育问题向A.G.贝尔求教，结果，安妮·曼斯菲尔德·沙利文（后为约翰·A.梅西夫人）从1887年3月2日开始教她。当时沙利文20岁，原也盲目，经治疗后恢复部分视力，是波士顿珀金斯盲人学校毕业生。在一个月之内，她已开始通过将手语字母按入凯勒掌心，教她各种物件的名称；凯勒后来通过将自己的手指放在沙利文的喉头，“听”其振动学习说话。在沙利文的不断教育下，并通过在波士顿霍勒斯·曼聋哑学校及纽约市赖特-赫马森唇语学校的学习，凯勒学会用布拉耶盲字读写，并异常熟悉普通教育课程。1904年以优异成绩毕业于马萨诸塞州剑桥拉德克利夫学院。海伦·凯勒终生致力于聋盲人的公共救助事业。为此，她曾到过世界各地。她写了很多部书，包括《我的一生》（1902）和《海伦·凯勒日记》（1938）。她童年时受教于沙利文的情况，由威廉·吉布森写成剧本《奇迹创造者》，于1960年获普利策奖，1962年被拍成电影。

Kellermann, Bernhard 凯勒曼（1879-03-04，德国菲尔特～1951-10-17，波茨坦） 德国新闻记者、作家，以所著科技幻想小说《隧道》（1913）闻名。开始写作前是一名画家。早期小说有《耶斯特和李》（1904）、《英格博格》（1906）和《傻子》（1909），以新浪漫主义印象派风格写成。《隧道》写成后，随后又发表了《十一月九日》（1921），受1918年德国革命的感召

而写；《蓝丝带》(1938)，根据远洋客轮"泰坦尼克"号沉没事件写成；以及《亡灵舞》(1948)。第一次世界大战期间任《柏林日报》驻外通迅员，写过两本新闻小说《西线的战事》(1915)和《阿戈纳森林之战》(1916)以及一些游记。

Kellermann, François-Christophe, DUC (duke) DE VALMY **克勒曼**（1735-05-28，法国斯特拉斯堡～1820-09-23，巴黎） 法国将军，1792年9月在瓦尔米击败普鲁士军，消除了对法国革命政权的威胁。出身贵族，1752年在法国陆军中任军官。在七年战争期间(1756～1763)抗击英军和普鲁士军，战绩优异，后负外交使命前往东欧。他拥护翌年爆发的法国革命。1792年升中将，同年9月19日，他在瓦尔米与北方前线司令官迪穆里埃会合，次日，他即在炮战中击溃入侵的普鲁士军。奥、普军队被迫从法境撤退。同年11月，他任阿尔卑斯集团军司令。翌年秋收复萨伏依，但于同年11月，他被雅各宾政权怀疑不忠，被捕下狱。1794年7月雅各宾派垮台后获释，1795～1797年恢复原职。1799年拿破仑掌权，克勒曼任元老院议员。1804年封为法国元帅，4年后封为瓦尔米公爵。国王路易十八第二次复辟(1815)后，任贵族院议员。他的儿子F.-E.克勒曼是拿破仑军队中最有才华的骑兵军官之一。

Kelley, Florence **凯利**（1859-09-12，费城～1932-02-17，费城） 女社会改革家。她对美国的州与联邦劳工和社会福利法规的发展做出了贡献。1882年在康奈尔大学获学士学位。后又赴苏黎世大学学习，成为热情的社会主义者，将F.恩格斯之《英国工人阶级状况》一书译成英文。1891年加入由J.亚当斯领导的社会改革团体"芝加哥赫尔大厦"，成为其中的一员。她的调查工作对1893年的一项伊利诺伊州法令起了一定作用。该法令对拥挤不堪的血汗工厂的劳动条件、女工工时及童工等问题均作出调整。同年她被任命为伊利诺伊州第一位首席工厂视查员。1899年她担任全国消费者联盟干事。联盟倡导使用消费者抵制手段来支持工人对正常工作条件的要求，为此，她走遍美国各地，宣传联盟的宗旨，并在各州组织联盟分支机构。她的工作对于在美国制定最低工资法、童工法及工时法均有所贡献。她主张妇女参政，是全国有色人种促进协会(1909)的创始人之一，也是国际妇女争取和平和自由联盟(1919)的一位组织者。

Kellgren, Johan Henrik **谢尔格伦**（1751-12-01，瑞典弗洛比～1795-04-20，斯德哥尔摩） 瑞典诗人。被认为瑞典启蒙时期最伟大的文学家，曾被称为瑞典的"民族良知"。青年时才华过人，很快即获准出入国王古斯塔夫三世宫廷，一个时期任国王的私人秘书。1786年瑞典文学院成立，他被任为该院首批院士之一。他的最早的作品为情诗，发表于1773年，但使他成名的是1778年发表的讽刺诗《我的嘲笑》。18世纪80年代，他创作了一些由古斯塔夫构思的诗剧。两人的合作以爱国主义歌剧《古斯塔夫·瓦萨》(1786)最为成功。次年他写了公认为他的最佳诗作《新的创世，或想象中的世界》(1790)，在推崇想象力的同时，抒写了他的丰富的浪漫爱情的经历。从1778年起直至他去世，谢尔格伦始终和有影响的文艺刊物《斯德哥尔摩邮报》保持密切关系。1780～1784年和1788～1795年间，他任该报编辑。他运用他的文艺手段抨击迷信，批评种种社会恶习。

Kellogg **凯洛格** 美国爱达荷州北部肖肖尼县城市。在比特鲁特山脉科达伦矿区。1893年建为勘探营地，1897年设镇，1913年设市。凯洛格为铅、锌、银的开采和冶炼中心。这里的邦克希尔矿是世界上最大的铅矿之一。市东的桑夏恩矿为美国最大的银矿之一。1972年后一场大火曾烧死91名矿工。由于全球金属业市场的低迷，20世纪80年代，当地大量人口失业，生产也受到限制。当地的采矿活动使之成为美国"最大、最复杂的废弃有毒物场地之一"。世纪之交，开始了清理工作。附近的银山是著名的滑雪胜地，有世界上最长的单站式高山滑雪缆车。人口2 395(2000)。

Kellogg, Clara Louise **凯洛格**（1842-07-09，美国南卡罗来纳萨姆特维尔［今萨姆特］～1916-05-13，康涅狄格新哈特福德） 美国歌剧演员，最早在欧洲获得成功的美国印第安

美国不列颠百科全书公司供图

人歌剧女主角。成长于康涅狄格州伯明翰，1855年移居纽约市。14岁起学习音乐和唱歌。1860年开始在美国各地巡演，最远到密歇根州底特律。1861年2月在纽约音乐学院首演《弄臣》；一周后在波士顿上演G.唐尼采蒂的《夏莫尼的琳达》，获得一定成功。尽管受到美国内战的影响，在接下来几年间仍然坚持歌剧演出。1863年11月，在纽约音乐学院首演C.古诺的《浮士德》，饰马格丽特。1867年11月在伦敦首演该剧。1868～1873年在美国各大歌剧院巡演，并于1872年与奥地利首席歌剧女演员P.卢卡共同创办一个歌剧团。1873～1876年创办并严格管理自己的英语歌剧团。1880～1881年再次作为独唱演员在俄国巡演，取得成功。虽然鼎盛时期声音嘹亮、形象甜美，但由于早年训练不当导致嗓音恶化，事业走向下坡。1887年与剧团经理C.斯特拉科什结婚，不久退休。1913年出版《一位美国歌剧女主角的回忆录》。

Kellogg, Frank B(illings) **凯洛格**（1856-12-22，美国纽约波茨坦～1937-12-21，明尼苏达圣保罗） 美国国务卿(1925～1929)，1928年旨在禁止以战争作为国家政策手段的多边

美国国会图书馆供图

协议《凯洛格-白里安公约》是他最重要的外交成就。1929年获诺贝尔和平奖。曾学习法律，1877年取得律师资格。在反托拉斯诉讼案中，他作为代表美国政府的律师而闻名。1917～1923年为美国参议员，1923～1925年任驻英国大使。在柯立芝总统任内任国务卿时，对欧洲事务一般奉行孤立主义政策，1927年参与组织日内瓦国际会议以寻求限制海军军备，但未能取得成功。1928年法国外交部长A.白里安提出缔结双边公约，宣布将战争作为国家外交政策的工具为非法。凯洛格将这项公约搁置数月，部分原因是担心两国因此而纠缠不清。在国内"战争非法化"运动推动下，凯洛格把签约国扩大到62个国家(世界列强均在其内)。这一公约虽然受到广泛赞誉，但漏洞百出，并且缺乏有效的实施手段。凯洛格1930～1935年任国际常设法庭法官。

Kellogg, John Harvey **凯洛格**（1852-02-26，美国密歇根蒂龙～1943-12-14，密歇根巴特尔克里克） 美国医师、保健食品的创始人。研制出早餐用的谷类干制食品，促进谷物干片工业的建立。1875年获纽约市贝尔维尤医院医学院医学博士学位。他研制了各种坚果和蔬菜制品以丰富病人的食物，其中包括格拉诺斯麦片和玉米片。虽然玉米片并不是新东西，但是以往从来没有用做早餐食物。其弟W.K.凯洛格建立了自己的谷物公司。疗养院的一位患者C.W.波斯特也建立了后来非常著名的谷物公司。凯洛格是安息日复临会信徒和素食主义者。1876年任安息日复临会西部康复研究所负责人，该机构后为巴特尔克里克疗养院，1959年又改名巴特尔克里克保健中心。凯洛格是巴特尔克学院创办人和第一任院长(1923～1926)。1931年，他在佛罗里达州的迈阿密斯普林斯开办迈阿密-巴特尔克里克疗养院。他还著有许多医学书籍。

Kellogg, Louise Phelps **凯洛格**（1862-05-12，美国威斯康星密尔沃基～1942-07-11，威斯康星麦迪逊） 全名 Eva Louise Phelps kellogg。美国历史学家。1882年毕业于密尔沃基女子学院(现为劳伦斯大学的一部分)，后在私立

学校任教数年。1895 年插班威斯康星大学三年级，1897 年毕业，继续研究生学业，师从 F. J. 特纳，攻读美国历史。1898 ～ 1899 年在巴黎大学及伦敦经济学院学习。1901 年获威斯康星大学博士学位，1903 年发表论文《美国殖民地宪章》。协助威斯康星历史学会的 R. G. 思韦茨编辑出版该学会收集的文献近 40 卷。1913 年后单独完成多部关于美国西北地区的历史著作。1930 年当选密西西比河谷历史学会（后为美国历史学者学会）首位女主席。

Kellogg, W(ill) K(eith)　凯洛格（1860-04-07，美国密歇根巴特尔克里克～ 1951-10-06，巴特尔克里克）　美国工业家、慈善家，1906 年创办 W. K. 凯洛格公司以制造美国广泛用做早餐食品的谷物产品。其兄 J. H. 凯洛格曾任巴特尔克里克疗养院院长，在该处鼓吹以谷物产品为保健食品。兄弟合作一阶段之后，W. K. 凯洛格创办公司，开始只生产烤玉米片，以后才增加其他产品。1930 年，凯洛格设立 W. K. 凯洛格基金会，捐助巨款来支持社会改良活动，特别是儿童福利事业。

Kellogg-Briand Pact　《凯洛格-白里安公约》　又称《巴黎公约》。1928年8月27日签订的旨在将摈弃战争作为推行国策手段的多边协议。是第一次世界大战后一系列维护和平努力中最辉煌的一次。当时法国外长 A. 白里安针对德国的侵略可能死灰复燃，希望把美国拉入一种防御同盟体系中，于 1927 年春倡议缔结一个双边互不侵犯公约。美国国务卿 F. B. 凯洛格在美国"战争非法化"运动的鼓舞下，同时又受到那些对美国未能参加国际联盟而失望的人们的支持，建议该公约由双边改为多边。法国表示同意。后来，几乎所有国家终于接受《凯洛格-白里安公约》，同意摈弃战争作为推行国策的手段，而用和平方法解决一切国际争端。但签署国各自对公约作了种种限制和解释，同时公约并不禁止自卫战争或由于国际联盟盟约、门罗主义或战后的同盟条约所规定的某些军事义务，加上公约对破坏公约条款的行为并未规定制裁措施，结果人们对公约的有效性不抱任何希望。

Kellogg Company　凯洛格公司　美国公司，谷物制方便食品及其他食品的主要生产商。凯洛格的玉米片是美国最早的，现在仍是最受欢迎的早餐谷物产品之一。总部设在密歇根州巴特尔克里克。1900 年由凯洛格弟兄（W. K. 凯洛格和 J. H. 凯洛格）所创建，称萨尼塔斯食品公司。两人共同开发生产松脆、美味谷物薄饼，给 J. H. 凯洛格医生的巴特尔克里克疗养院病人提供一般早餐食物。W. K. 凯洛格最终在 1906 年买下哥哥的股份，成立凯洛格烤玉米片公司。经过创新的广告及质量上的改进，公司兴旺起来。1922 年公司改用现名并生产玉米片以外的食品。1969 年公司开始转向多种经营并于该年买入萨拉达食品公司，使生产线上多了茶和甜食。1970 年买入国际费恩公司，生产汤、酱油及其他食品。1976 年购入史密斯夫人馅饼公司；1977 年购入包装食品公司，制作非乳品冷冻食品。

Kells (Ireland)　凯尔斯　参阅 **Ceanannus Mór** 锡厄南努斯莫尔。

Kells, Book of　《凯尔斯书》　饰本福音书（都柏林圣三一学院图书馆收藏，手稿 A. I. 6 号），华美的爱尔兰-萨克森风格手抄本饰画杰作。约 8 世纪后期在爱尔兰艾奥纳隐修院开始绘制，因海盗袭扰，抄本转移到米斯郡凯尔斯隐修院，可能于 9 世纪初完成于该院。手抄本复制本于 1974 年出版。

Kelly, Ellsworth　凯利（1923-05-31，美国纽约纽堡～　　）　美国画家及雕刻家，"硬边"风格的主要倡导者。先后在波士顿博物馆美术学校（1946 ～ 1948）及巴黎美术学院（1948 ～1949）学习。1951 年在巴黎举行首次个人展览。曾将其绘画（《红蓝绿》，1963）的简单几何图形线条用到着色金属片雕刻中，例如《门》（1959）。其几何图形雕刻有许多是用工业方法制作的。曾承作费城运输大楼（1957）及纽约世界商品博览会纽约州展览馆的雕刻（1964 ～ 1965）。

Kelly, Emmett (Lee)　凯利（1898-12-09，美国堪萨斯色当～ 1979-03-28，佛罗里达萨拉索塔）　美国马戏团小丑，以扮演"劳累的维利"出名。这是个凄惨的流浪汉角色，穿着一

美国不列颠百科全书公司供图

套破旧的工作服，脸上化妆出胡须和圆头鼻子。他最早以一个漫画形象创造出这个人物。后来，加入豪氏大伦敦马戏团当高秋千演员。1923 年把他漫画中的人物变成活的小丑。1942 年加入林林兄弟和巴纳姆-贝利联合马戏团，和他们一起演出到 50 年代末。在电影《人间第一奇观》（1952）中，"劳累的维利"首次登上银幕。1954 年自传《小丑》出版。1979 年他死于林林兄弟和巴纳姆-贝利联合马戏团在纽约开演的那一天。

Kelly, Gene　凯利（1912-08-23，美国宾夕法尼亚匹兹堡～ 1996-02-02，加利福尼亚贝弗利希尔斯）　原名 Eugene Curran Kelly。美国舞蹈家、演员、编导和电影导演。他在刚健有力的舞蹈风格中融入古典芭蕾的技巧，改变了歌舞片的面貌，也改变了美国观众对男演员的概念。毕业于匹兹堡大学经济系。从事过多种工作后到百老汇。1941 年在歌舞剧《伙伴乔伊》中的表演引起观众赞扬。1942 年进入电影界。他在电影歌舞片中自然而健美的风格，使他成为 20 世纪 40 ～ 50 年代最受欢迎的影星之一，为此于 1951 年获得电影艺术和科学学会特别奥斯卡奖。他表演并合作导演的影片有：《封面女郎》（1944）、《起锚》（1945）、《一个美国人在巴黎》（1951）、《雨中曲》（1952）和《邀舞》（1956）等。美国电影研究院称《雨中曲》为所有歌舞影片中最优秀者。

Kelly, George (Edward)　凯利（1887-01-16，美国费城～ 1974-06-18，宾夕法尼亚布林莫尔）　美国剧作家、演员、导演。他写的 20 年代美国中产阶级的剧本生动和准确地反映了这个阶级的弱点。他最初跟随兄长沃尔特学习作歌舞杂耍演员，自编自演滑稽短剧。其中《火炬手》（1922 上演）使他在百老汇崭露头角。该剧讽刺当时美国盛行的小剧院运动的社会主张和美学观点。第 2 个剧本《爱吹牛的人》（1924）是美国喜剧名著，曾于 1926、1934 和 1946 年 3 次拍成电影，并多次在舞台上重演。凯利在《克雷格的妻子》（1925）中把视线转向中产阶级的上层，剧中女主角为占有财产牺牲丈夫，最后落得人财两空。他还写过几个其他剧本，但都不太成功。他编写的电影脚本有的是根据自己剧本改编的，例如《克雷格的妻子》（1936），后又修改为《哈里特·克雷格》（1950）。

Kelly, Grace　凯利（1929-11-12，美国宾夕法尼亚费城～1982-09-14，摩纳哥蒙特卡洛）　1956 年起又称摩纳哥格雷斯王妃。美国电影和电视女演员，以演端庄娴静的美丽女主角而闻名。主演了 11 部影片后，于 1956 年告别好莱坞影坛，与摩纳哥的兰尼埃亲王结婚。生于费城富有的爱尔兰天主教家庭（叔父是剧作家乔治·凯利），在私立学校学习后于 1947 年进纽约市美国戏剧艺术学院。1949 年 7 月在剧团于固定剧院上演的夏季剧目中作初次职业演出，同年 11 月在百老汇初次登台，并经常在电视中露面。她在好莱坞 6 年（1951 ～ 1956）的鼎盛时期中，演出的影片有：《十四小时》（1951），这是她的首次电影演出；《正午》（1952），饰演贾利·库珀的妻子；《摩甘波》（1953），男主角是克拉克·盖博；《乡下姑娘》（1954），饰演平·克罗斯比的粗鄙的妻子，为此而获得了奥斯卡最佳女主角奖。但是她的最令人难忘的演出也许还是希契科克导演的影片，诸如《电话情杀案》（1954）、《后窗》（1954）和《捉贼记》（1955）等。凯利是最完美的希契科克型女主角，拥有希契科克所描绘的"性感的高雅"的气质。拍完《天鹅》（1956）和《上流社会》（1956）之后，她嫁给兰尼埃亲王，成为摩纳哥的王妃。他们有 3 个孩子：卡罗琳公主、艾伯特王子和斯蒂法妮公主。夫妻忠贞不渝，家庭关系良好。格雷斯王妃后因车祸去世。

Kelly, Hugh　凯利（1739，爱尔兰都柏林？～ 1777-02-03，英国伦敦）　英国剧作家、评论家、新闻记者。他的与 O. 哥尔德斯密斯的《好脾气的人》抗衡的剧本《华而不实》（1768 首演）大获成功后，一度成为哥尔德斯密斯在伦敦戏剧界的真正对手。1760 年移民伦敦，并开始向那里的几家杂志投寄散文。1761 ～

1765年编辑《宫廷杂志》,1767年出版信札体短篇小说《一个从良妓女的回忆录……》。《忒斯皮斯》(2卷集,1766～1767)确立了他论战评论家的声誉。在D.加里克的赞助下上演的他的第一部剧本《华而不实》的完全成功使他失去了与哥尔德斯密斯的友谊,并使他永远被为哥尔德斯密斯的剧本作序的S.约翰逊怨恨。他的另一部喜剧《太太学堂》(1773)和一部在正剧后加演的小喜剧《一小时的爱情》(1774)也获得成功。但最后一部喜剧《理智的人》(1776)不受欢迎。因他在1774年已成为律师,于是退出戏剧界而从事法律。凯利成为成功剧作家的法则是将滑稽和讽刺场景与真正富有感情的材料融为一体。

Kelly, John B.　凯利(1889-10-04,美国宾夕法尼亚费城～1960-06-20,费城)　美国赛艇运动员。1919、1920两年内连续126次获单人双桨赛艇赛冠军,其中包括1920年奥运会上一项冠军。此外又与表兄弟科斯特洛共获1920和1924年奥运会双人双桨赛冠军。自1907年起当建筑工人,1919年自办砌砖公司。由于他的职业,英格兰亨利划船比赛会不许他参加1920年钻石型单人双桨赛艇赛。他的儿子杰克在1947和1949年在该比赛会上获冠军。

Kelly, Ned　凯利(1855-06,澳大利亚维多利亚贝弗里奇～1880-11-11,墨尔本)　澳大利亚19世纪最著名的绿林好汉。凯利一伙人于1878～1880年在维多利亚-新南威尔士交界地区进行的一系列大胆的盗贼活动引起了公众的想象。有些人认为凯利是经济萧条时期工人们反对大地主的斗争的拟人化。1877年,凯利的兄弟丹·凯利因盗马被一个警察追捕,凯利枪伤了该警察。兄弟俩逃入丛林,与另外两个人结成一伙。1880年6月在进行了几次枪击警察和抢劫之后,这伙人占领格伦罗恩小镇,但在那里被警察包围。凯利受伤被俘,同伙全部被杀。他被解往墨尔本监狱绞死。

Kelly, Walt　凯利(1913-08-25,费城～1973-10-18,洛杉矶)　美国连环画画家,所作《波戈》以意味深长的幽默、含蓄的构思和时而十分辛辣的政治讽刺著称。父亲是舞台布景画家,教过他绘画,所以他在高中时就是校刊的连环画家。1935年,到好莱坞为迪斯尼电影制片厂画动画片。40年代,在纽约积极从事商业美术,作品之一是1943年左右发表的一本连环画,其中一个人物是波戈。1948年又以波戈为中心人物为《明星报》画每天连载的连环画。1949年该画由《邮报》刊登;不久,许多其他报纸也予刊载。《波戈》中的角色都是些生活在佐治亚州奥克弗诺基沼泽地的动物。波戈自己是谦卑的负鼠,其他角色有猫头鹰、鳄鱼、海龟等。动物常常画得很像著名政界人物。自《波戈》画集(1951)以后,又有许多连环漫画集。

Kelly, William　凯利(1811-08-21,美国宾夕法尼亚匹兹堡～1888-02-11,美国肯塔基路易斯维尔)　美国铁器制造商。发明空气吹炼炼钢法,即将空气吹入熔融生铁以氧化脱除有害的杂质。英国H.贝塞麦当时也取得此项专利。这种方法生产了最早的低成本钢,这种钢成为工业时代萌芽期的主要结构材料。在19世纪40年代初期,凯利是匹兹堡经营织物和运输业的麦克沙恩-凯利公司的合伙人,他在一次采购旅行中,对肯塔基州埃迪维尔周围的炼铁业发生兴趣,后来说服他哥哥和他合作建立铁厂。他们买了炼铁炉和约5 700公顷森林和矿区,铁厂营业很兴旺。随着森林和不含碳的铁矿石逐渐耗掉,凯利就寻求更有效的方法炼铁。他注意到空气流会使铁液灼热发光,确信向铁液吹风,不仅能脱碳,且将使熔液温度升高,而无需再加热。1850年前后,凯利经过几次失败之后,用他的方法生产铁和钢获得成功,不过钢的质量极不稳定。他没有立即申请专利,而是继续研究。1855年,贝塞麦取得空气吹炼法的英国专利,次年也得到几个美国的专利权。凯利听到贝塞麦的专利后,就提出了优先权申请,并于1857年取代贝塞麦获得了美国的专利。炼钢法的继续革新,特别是经英国R.马希特和瑞典G.约兰松的改进,使空气吹炼法得到实际应用。凯利在1857年经济危机中破产之前,把专利权卖给父亲。1859年,他在宾夕法尼亚州约翰斯敦的坎布里亚铁厂恢复试验。1862年,他获得足够资金,在密歇根州怀恩多特创办钢厂,两年内生产出用凯利法炼的第一批商品钢。1863年,凯利空气吹炼公司成立,后来在纽约州特洛伊也成立了一家使用贝塞麦专利的公司。1866年合并经营,钢产量迅速扩大。凯利虽然从凯利公司稍得盈利,但直到专利在1871年延长之后,他才从发明中获得巨额报酬。

keloid　瘢痕疙瘩　瘢痕内纤维组织过度增生的一种皮肤病。通常仅侵犯真皮层,而不见于黏膜或较深部组织的瘢痕。有人将瘢痕疙瘩看作纤维瘤,但多数病理学工作者认为它不是肿瘤。

Kelowna　基洛纳　加拿大不列颠哥伦比亚省南部城市。位于奥卡诺根湖东岸,温哥华东北偏东457千米。1859年设于一传教点周围。市名为一讹传的印第安语,意为"灰熊"。现为加拿大最大果树种植区之一的中心。主要从事伐木、水果转运、水果罐头、酿酒和机械加工业。1906年开始,每年夏季举行一次国际划船竞赛。旅游业已成为日益重要的收入来源。1905年设市。人口96 288(2001)。

kelp　大型褐藻　海带目(Laminariales)大型海藻,约30属,见于冷海域中。直至19世纪早期一直是钾碱和碘的重要来源。海带属(*Laminaria*)的种类长1～3米,于太平洋沿岸及不列颠群岛十分丰富,为碘的来源,经发酵可产生乙酸。海带有柄,形似陆生植物的茎,能生活数年,但其扁而长的叶片每年死亡。所有大型褐藻的柄和叶片之间是生长区。巨藻属(*Macrocystis*)的种类富含矿物质并能产生褐藻胶(一种多糖),可用于轮胎制造及各种工业,做冰淇淋时用以防止冰晶形成,也用做悬浮剂和乳化剂。该属是已知最大的大型褐藻,长达65米,只能在低于18～20 °C的温度下繁殖,故分布局限。其外形复杂,与高等植物相似,以大的根状固着器固着于海底。茎状柄长,中空,具分枝,用以转运有机物,上生有叶片,用气囊保持漂浮。*Nereocystis*属的种类俗称海獭菜,一年生,主要生于深水及水流急的潮路。长度可达40米。其内部结构似巨藻;外形上其茎状柄鞭状而强韧,连接巨大的气囊。又生有叶片,用以进行光合作用及繁殖。

kelp crab　矶蟹　太平洋的蜘蛛蟹(**spider crab**)。

Kelsen, Hans　凯尔森(1881-10-11,奥匈帝国波希米亚布拉格[今在捷克共和国]～1973-04-20,美国加利福尼亚伯克利)　奥地利出生的美国法律哲学家、法律教授、法学家和国际法著作家。他系统地阐述了一种被称为法律"纯粹理论"的实证主义。曾在维也纳、科隆、日内瓦以及布拉格的德意志大学任教授,起草了1920年通过的奥地利宪法,担任过奥地利最高宪法法院的法官(1920～1930)。1940年移居美国,在哈佛大学、伯克利加利福尼亚大学以及罗得岛州纽波特海军军事学院任教。他的"纯粹理论"首次在《国际法学说的主要问题》(1911)一书中进行了介绍。他认为,一种法律理论应使法律本身能成立和具有条理。他所说的"纯粹"是指法律理论应当在逻辑上自圆其说并且不应依赖于法律以外的标准。法律体系最基本的东西是被社会大多数人所接受的某种假定(基本规范)。然而他还是承认社会学和伦理学对立法过程和法律内容有关联。晚期著作有《法律和国家的一般原理》(1945)和《联合国法》(1950～1951)。在《国际法的原则》(1952)这类著作中,他设想一个法律下的世界统一体,这种法律是凌驾各国内部法律秩序之上的。

Kelsey, Henry　凯尔西(约1667,伦敦附近东格林尼治～1724-11-02入葬,东格林尼治)　英国海员和加拿大平原的探险家,在创建哈得孙湾公司方面起了重要作用。截至1684年,为哈得孙公司(1670注册)学徒。从这年起沿哈得孙湾西岸进行探险。1689年参加一个小队去丘吉尔河地区旅行。开始精通印第安语,1690年公司派他率领公司探险队往西去扩展和印第安人的贸易,并深入到萨斯喀彻温河及更远的地方。据信他可能是探测加拿大中央平原的第一个白人。他几次前去鼓励印第安人与英格兰人进行交易。他担任过一艘快速帆船的船长,在哈得孙湾和印第安人进行贸易。1718～1722年任哈得孙湾公司海外经理。在他的许多报告中,一部分是用韵律写的。

Kelso　凯尔索　苏格兰东南部罗克斯堡历史郡苏格兰边境行政区小城市和农业市场中心。在特威德河左岸,默斯的顶端。有重要的市场以销售春季羊羔而闻名。在中世纪遭受英格兰和苏格兰边界战争的破坏。13世纪中叶建成的隐修院曾为苏格兰最有势力的

凯尔索附近的弗洛尔斯城堡
美国不列颠百科全书公司供图

隐修院之一,后遭英格兰人多次破坏,1545年成为废墟,1919年收归国有后开始修复。1634年建市。1754年在特威德河上架桥后,成为伦敦至爱丁堡大道的驿站。1803年于特威德河上新建的一座五孔桥是著名伦敦桥(1811)的模型。人口5 989(1991)。

Keltic languages 参阅 **Celtic languages** 凯尔特诸语言。

Kelvin 开尔文 国际单位制(SI)中热力学温度测量的基本单位。定义为纯水三相点(固相、液相和气相之间平衡)的1/273.16。开尔文(符号为K,不带度的符号[°])也是开尔文温标的基本单位。开尔文温标是绝对温标,以英国物理学家开尔文男爵的名字命名,开尔文原名威廉·汤姆孙。此温标的零点为绝对零度。这是一个理论温度,在此温度下物质的分子具有最低能量。采用绝对温标能更简单地表示许多物理学定律和公式,因此采用开尔文温标作为科学测量温度的国际标准。开尔文温标与摄氏温标有关。水的凝固点和沸点之间的温度差,两种温标均为100度,所以开尔文与摄氏度的幅度相同。

Kelvin (of Largs), William Thomson, Baron 开尔文(1824-06-26,爱尔兰安特里姆郡贝尔法斯特[今在北爱尔兰]~1907-12-17,苏格兰艾尔郡拉格斯附近内瑟霍尔) 原名威廉·汤姆孙。1866年受封爵士,1892年由于他在

美国不列颠百科全书公司供图

工程和物理方面的贡献而升为贵族(拉格斯的开尔文男爵)。他是为现代物理打下基础的英国科学家中的首要人物。他在科学方面的贡献包括:发展热力学第二定律;建立绝对温标(用开尔文度量);提出热的动力论;提出电磁学的数学分析,包括光的电磁理论的基本思想;地球年龄的地球物理测定;以及流体动力学的基础研究等。他在海底电报的理论研究和海底电缆方面的发明,使英国在19世纪的世界通信中处于领先地位。

汤姆孙在科学和工程方面的风格和性格反映他有很活跃的个性。在剑桥大学当学生时,他在单座划艇比赛中赢得了一对银橹奖。他一生喜欢旅游,在欧洲大陆上花过很多时间从事旅行,也曾几次去美国。在晚年生活中,他经常来往于伦敦老家和格拉斯哥之间。汤姆孙曾多次冒着生命危险装设第一条大西洋海底电缆。

汤姆孙的世界观有一部分是基于下列信念:他认为一切引起力的现象,如电、磁和热等,都是看不见的运动物质所产生的结果。这一信念把他推向不同意力是由于无重量流体所产生的那些科学家的对立面。在19世纪末,汤姆孙坚持他的信念,使他面向实证论者的反对,而他们正是20世纪量子论和相对论的先驱者。他的世界观最后使他处于世界科学发展的主流之外。

但汤姆孙经常会在一些研究领域中提出一些新的基本观念。他把物理学中一些完全不同的领域,如热学、热力学、力学、流体动力学、磁学和电学等放在一起,因而在19世纪科学的最后伟大综合过程中,他占有举足轻重的地位,这一综合把一切物理变化都看成是和能量有关的现象。汤姆孙首先提出在各种能量之间,存在着数学上的类比性,他把各种理论通过能量成功地综合起来的这一贡献,使他在19世纪物理学中所占有的地位,可以和牛顿在17世纪物理学中所占有的地位,以及爱因斯坦在20世纪物理学中所占有的地位相媲美。所有这些伟大的综合者们,都为科学的下一步大跃进创造了活动场地。

早年生活 威廉·汤姆孙家有7个孩子,他排行第四。他6岁丧母。父亲詹姆斯·汤姆孙是一位教科书作家,教数学,先在贝尔法斯特,后来是格拉斯哥大学的教授;他教几个儿子学习最新的数学,许多内容还未列入当时英国大学的教学大纲。在严厉的父亲和顺从的儿子之间有着密切的关系,这种关系帮助威廉发展了异常的才华。

威廉10岁、他的哥哥詹姆斯11岁时,他们都在1834年考试及格后,进入格拉斯哥大学。在大学内,他开始接触到J.-B.-J.傅里叶的进步而又有争议的观点,一位教授借给他一本傅里叶的开拓性著作《热的分析理论》,这本书用抽象的数学技巧研究热流经任何固体的问题。他最早发表的两篇论文是在16岁和17岁时写的,他为傅里叶辩护,这时傅里叶的工作正受到英国科学家的围攻。汤姆孙首先提倡一种观点,即虽然傅里叶的数学只用来研究热的流动,但也可用来研究其他形式能量的流动,不论是流体的运动还是电线中电的流动等。

汤姆孙赢得了格拉斯哥大学的许多奖。他在15岁时写的《论地球形状》的论文获得了金质奖章,在这篇论文中,他显示了异常的数学才能。这篇论文在分析方面有很高创见,为他一生提供了科学思维的源泉。在83岁临终前的几个月内,他还翻阅思考了这篇论文。

汤姆孙1841年进入剑桥大学,4年后以优异成绩获得学士学位。1845年,乔治·格林把自己的论文《论数学分析应用于电磁理论》送给了他,汤姆孙从这篇论文和傅里叶的书中形成了他的世界观,也帮助格林创造性地完成了电学和热学的数学关系的综合工作。在剑桥大学完成学业后,汤姆孙到了法国,进入物理学家和化学家H.-V.勒尼奥的实验室,获得了实用和实验的经验来补充他所受理论教育的不足。

1846年,格拉斯哥大学自然科学(后改为物理学)的讲座缺职。汤姆孙的父亲进行了一场有计划且有力量的竞选活动,提名他的儿子充任这一职务,最后威廉·汤姆孙以22岁的年龄获得全体一致通过当选。不论剑桥大学怎样哄诱他去剑桥,汤姆孙终生留在格拉斯哥。他在75岁时(1899)辞离大学讲座,他和格拉斯哥大学有长达53年的富有成果而且愉快的协作。他说他辞职是让位给青年人。

汤姆孙的科学工作一直由一种信心控制着,他相信处理能量和物质的各种理论一定能会聚为一个伟大而又统一的理论。然而他怀疑在他活着的时代能达到这一目标,也有可能永远达不到这一目标。汤姆孙的信心来源于各种形式的能量之间相互关系的那些实验,他从这些实验中积累了很深刻的印象。到19世纪中叶,已证明磁和电以及电磁现象和光之间有联系。汤姆孙通过数学比拟证明,流体动力学现象和电流通过导线之间也是有联系的。J.P.焦耳也宣称,在机械运动和热之间有个关系式,而焦耳的观点后来成为热力学科学的基础。

1847年,在英国科学促进会的会议上,汤姆孙第一次听到了关于热与运动相互转换的焦耳理论。焦耳理论直接反对当时业已被普遍接受的知识,那时认为热是不可称量的物质,不可能如焦耳所说的那样,是一种运动的形式。汤姆孙非常坦率地和焦耳讨论其新理论的涵义。那时,虽然他还不能接受焦耳的观点,但汤姆孙愿意保留这种意见,特别是因为这种热和机械运动相关的观点和他自己关于力的本源的看法是一致的。1851年,汤姆

孙公开认可了焦耳理论，而且是很慎重地在数学巨著《论热的动力论》中予以认可的。汤姆孙这一巨著也包括了他对热力学第二定律的描述，这在科学理论的统一工作上迈进了一大步。

汤姆孙在电和磁方面的研究也是从剑桥大学的学生时期开始的。很久以后，J.C.麦克斯韦决定对电和磁进行研究时，他读了汤姆孙有关该题的所有的文章，而且选了汤姆孙作为导师。麦克斯韦在他尝试综合电、磁、光的一切已知的相互关系中，发展了他的不朽之作“光的电磁理论”，这是19世纪最有意义的成就。这一理论起源于汤姆孙，而且麦克斯韦很快就承认了这种恩惠。

汤姆孙在19世纪中的科学贡献不胜枚举。他改进了其他科学家包括M.法拉第、傅里叶、焦耳的想法。汤姆孙把实验科学家的成果改成数学分析，而且证明了这些实验成果都有其普遍意义。他用公式表述了概念，最后推广到能量的动力学理论。他也和当时的不少科学家中的领袖人物合作，其中包括G.G.斯托克斯、H.von亥姆霍兹、P.G.泰特和焦耳等。在这些同事的协作下，他在好几门科学（尤其是流体动力学）领域里，推进了这些科学的前沿阵地。汤姆孙还创立了固体中热流和导线中电流的数学比拟律。

虽然汤姆孙的性格温和，但他亦曾多次陷入论争，一次关于有无可能在大西洋铺设海底电缆的争论，竟使他在专业工作上改了行。他陷入这场争论是开始于斯托克斯的采访询问。斯托克斯是一位长期从事科学新闻工作的记者，他在1854年就一条长程电缆中电流通过时似乎有所迟滞一事采访汤姆孙，询问是否有理论解释。为了答复这一询问，汤姆孙引用1842年他自己发表的论文《论均匀固体中热的均匀运动以及它和电的数学理论的联系》。汤姆孙关于热流和电流的数学比拟律的想法恰好可以用来分析在4 800千米长的电缆中输送电报的问题。他认为，所采用的描写固体金属线中热流的数学方程同样可以用来解决电缆中电流的流动速度问题。

汤姆孙给斯托克斯的复信发表以后，引起了大西洋电报公司主任电气工程师E.O.W.怀特豪斯的反驳。怀特豪斯声称，实践经验证明了汤姆孙的理论结果是错的，而且在当时，怀特豪斯的意见征服了公司的董事会。不管他们之间有多大分歧，汤姆孙仍以总顾问的身份参加了早期铺设电缆的冒险性远征队。1858年，汤姆孙取得了电报接收器的专利权，这个接收器称镜式电流计，是用于大西洋电缆的。这种工具和改型后的虹吸管记录仪一起，以后被广泛用于海底电缆的全球网络。最后大西洋电报公司的董事会解雇了怀特豪斯，采用汤姆孙的电缆设计而且决定采用镜式电流计。这样做了以后，公司节省了数年时间，也节约了大量资金。1866年鉴于汤姆孙的工作成就，维多利亚女王授予他爵士位。

晚年生活 在成功地铺设了横跨大西洋的电缆以后，汤姆孙成为两个工程顾问公司的合股人。这些公司在世界电报通信网疯狂扩大发展的时代，在计划和铺设海底电缆的工作中担任了主要角色，正是他们建设了全世界的电报通信网。在这一过程中，汤姆孙变成了富翁，他家有一条126吨的游艇和一所男爵庄园。

汤姆孙的科学兴趣广泛，不仅对电学、磁学、热力学和流体力学有兴趣，而且对地球物理问题也有兴趣，其中包括潮汐、地球形状、大气电、地热研究、地球绕其轴的旋转以及地磁等。他相信所有科学一定会具有同样的解析严密性，他毫不迟疑地投入对C.达尔文进化论的论争。汤姆孙站在“神的一边”，反对达尔文。

汤姆孙向那些地质和生物变化的早期均变论者（包括达尔文）的观点进行挑战。均变论者认为地球和它的生命业已进化了无法计算的年代，在这些年代里，自然界的各种力一直像现在这样作用着。根据热力学理论与傅里叶的研究，汤姆孙于1862年估计，100万年以前太阳的热和地球上的温度一定比现在高得多，这种条件在地球上一定会引起剧烈的风暴和洪水，而且有完全不同种类的植物。他的观点发表在1868年，引起了达尔文支持者们的愤慨。T.H.赫胥黎利用1869年伦敦地质学会年会的机会以主席的身份发表演讲回击了汤姆孙。虽然汤姆孙对于地球和太阳的年龄的推测是不准确的，但他成功地提出他的争辩：生物学和地质学的理论必须和物理学中业已完善地建立的理论一致。

1884年，汤姆孙在约翰斯·霍普金斯大学曾就科学知识的状况作了一系列讲演，并对光的波动理论在解释某些现象上的失败感到惊异。即使在休息时间，汤姆孙仍在询问答案。他在他的游艇“莱拉洛基”上游玩时，对海发生了兴趣，从而在日后获得了许多专利：一种罗盘仪，后来被英国海军所采用；一种比拟计算器，可测量港口潮汐，也可计算不论过去和将来任一小时的潮汐表；还有一种测深设备。他创办了一个公司，制造这些设备和一些电测仪表。和他的父亲一样，他出版过一本教科书，书名为《自然科学论说》（1867），这是和泰特合著的物理学著作，是为帮助下一代物理学家形成思想而写的。

汤姆孙的称号很多，有人说他的称号之多在整个英国没有人能赛得过他。他在全球各主要大学接受各种名誉学位，还获得许多工程学会和科学学会的尊称。他在1851年当选为皇家学会的会员，1890～1895年任皇家学会会长。他共发表了约600多篇论文，获得很多专利权。

Kemal, Mustafa（Turkish statesman） **凯末尔**

参阅 **Atatürk, Kemal** 凯末尔·阿塔图尔克。

Kemal, (Mehmed) Namık **凯马尔**（1840-12-02，奥斯曼帝国泰基尔达～1888-12-02，萨基兹［今希腊希俄斯］） 土耳其散文作家、诗人，对青年土耳其和土耳其民族主义运动影响极大，对土耳其文学西方化做出了广泛的贡献。出身贵族家庭，在私立学校上学，学过波斯语、阿拉伯语和法语，1857～1858年在奥斯曼政府的翻译局工作。结识诗坛领导人物后，开始写作奥斯曼古典风格诗歌。后受作家兼《思想写照》报编辑易卜拉欣·希纳西影响颇大。希纳西长期在欧洲，热衷于西方的生活方式和思想，1865年逃往法国，凯马尔即任该报编辑。1867年，该报强烈的政治色彩导致奥斯曼政府的干预，凯马尔和其他“青年奥斯曼”党人逃往伦敦，后转到巴黎、维也纳。他学习并翻译法国名作家雨果、卢梭、孟德斯鸠等人的作品并创办《自由报》。1871年“青年奥斯曼”党人返回君士坦丁堡。凯马尔任《教益报》编辑，继续从事革命著述活动，写出他最负盛名的剧本《祖国》（或称《锡利斯特拉》）。该剧围绕着1854年锡利斯特拉之围进行描述，他在剧中阐述爱国主义和自由主义思想。该剧遭受奥斯曼政府指责，1873～1876年他被关在塞浦路斯。获释后又被流放。1888年成为萨基兹（希俄斯）行政长官。作为社会改良家，他以宣传“祖国”和“自由”这两种基本概念著称，并把这些思想概念引进土耳其词语之中。尽管他是个自由思想家，但从不在他的改革计划中摒弃伊斯兰教。他确信宗教能够同仿照英国建立符合宪法的现代化的土耳其共存。最出名的小说有《警觉》（或称《阿里·贝的经历》，1874）和《杰兹米》（1887或1888），描写16世纪克里米亚鞑靼可汗阿德勒·吉拉伊的生平；以及拥有广大读者的社会作品《梦》，表达他希望有一个免受压迫的土耳其。

Kemal, Yashar **凯末尔**（1922，土耳其赫米特～　） 原名Kemal Sadik Gogceli。土耳其小说家，具有库尔德人血统，因描写乡村生活的小说和为被剥夺财产的人仗义执言而闻名。5岁时他在清真寺看到父亲被人杀害，自己将一只眼弄瞎。上中学两年后离校，干过各种杂工。1950年因政治活动入狱，1971年再次入狱，1996年法院因他发表煽动性言论，指责土耳其政府压迫库尔德人，将其关押。1955年他发表了一部中篇小说《锡盆》和小说《瘦削的梅梅德》，后者讲述一个强盗和民间英雄的故事，被译成20多种语言，包括英语。1983年改编成电影。其他小说包括三部曲《平原之风》（1960）、《铁地，铜天》（1963）、《永生的草》（1968）以及中篇小说《斩蛇》（1976）。

Kemalpaşazâde **凯末尔帕夏扎德**（约1468，奥斯曼帝国埃迪尔内～1534-04-16，君士坦丁堡） 又称塞姆塞丁·艾哈迈德·伊本·苏莱曼·伊本·凯末尔帕夏。诗人、学者，公认的奥斯曼帝国最伟大的历史学家之一。军人家庭出身，早年当兵。后师事著名宗教学者，不久即在宗教学院执教。奥斯曼苏丹巴耶塞特二世委托他用土耳其文编写一部历史，即《奥斯曼王室编年史》。1516年左右任安纳托利亚军法官，并随谢里姆一世出征埃及。在此期间，他从阿拉伯文翻译埃及历史学家艾布·迈哈辛·伊本·泰格里比尔迪的著作。但在失宠后，回到故乡埃迪尔内执教，后被召回任一宗教组织首脑直至去世。尽管他以史学家闻名，但他还是一位伟大的学者和天才的诗人。

Kemble, Adelaide **肯布尔**（1814?，伦敦～1879-08-04，英国汉普郡沃尔萨什豪斯） 著名女歌唱家、著名的肯布尔戏剧家族成员。

1835～1842 年为职业歌手。曾就读于意大利，在威尼斯首演歌剧时饰诺尔玛一角获得辉煌成功。后在欧洲各国巡回演出，返回英国后参加音乐会和歌剧的演出，赞美之词纷至沓来。1842 年，在一次音乐会后作了简短的演说后便离开舞台，嫁给 J.萨托利斯，从此不再作公开演出。其声誉经久不衰，且由于不时为朋友举行私人演出而有所增强。

Kemble, Charles 肯布尔（1775-11-25，威尔士布雷克诺克郡布雷克诺克～1854-11-12，伦敦） 第一个在英国舞台上采用恰当而细致的历史性布景和服装的剧院经理。他又是演

美国不列颠百科全书公司供图

员，以在莎士比亚几部剧作中扮演的配角而闻名，最擅长演喜剧。有记录的首次登台演出是在 1792 或 1793 年，在设菲尔德剧院饰莎士比亚《皆大欢喜》里的奥兰多。1794 年 4 月 21 日在伦敦首演，剧目为《麦克白》，他演马尔科姆，其兄弟、悲剧演员和剧院经理菲利普·肯布尔则出演麦克白。在喜剧演出中，他常与其妻德坎普同台演出，并得她助力不少。后为伦敦科文特加登剧院经理，但为此却几乎破产，幸亏他女儿范妮·肯布尔于 1829 年于该剧院首次登台演出并取得成功。他与女儿于 1832 和 1834 年两度到美国访问演出，大受赞誉。由于听力日趋衰退，于 1836 年 12 月退出剧坛，但常举行莎士比亚剧作朗诵会，直至 1840 年。退休后被授予剧本检查员之职，1840 年辞职后推举儿子米切尔（著名语言学家）继任。J.威廉森所著《查尔斯·肯布尔：戏剧人》一书于 1970 年出版。

Kemble, Elizabeth（actress） **肯布尔** 参阅 **Whitlock, Elizabeth 惠特洛克**。

Kemble, Elizabeth 肯布尔（夫人）（1763?，伦敦～1841-01-20，英格兰达勒姆郡达勒姆附近） 母家姓萨切尔。英国很有才华的女演员。其一生事业从属于其丈夫 G.S.肯布尔。她是个很有天分的演员，1783 年与肯布尔结婚，尔后同台演出多年，评论界一向认为其演技更胜一筹。当她的丈夫应聘到外地剧院去，她牺牲了自己的事业陪他前往。

Kemble, Fanny 肯布尔（1809-11-27，伦敦～1893-01-15，伦敦） 英国女剧作家、诗人和回忆录作家。其回忆录记有许多 19 世纪英国剧坛和社会史方面很有价值的资料。她还是一个在喜剧和悲剧方面均十分受人欢迎的演员。但她讨厌演戏和以戏剧为职业，因此只是在需要用钱时才偶尔演出。她是演员兼剧院经理肯布尔和演员兼剧作家德坎普的长女，在其父经营的伦敦科文特加登剧院面临

美国国会图书馆供图

破产时才开始演戏，以帮助其父。1829 年 10 月 25 日首次登台，在莎士比亚《罗密欧与朱丽叶》中饰朱丽叶。此举获得极大成功，尔后 3 年，她使科文特加登剧院生意兴隆，观众如云。其间她主要饰演过《造谣学校》中的蒂茨尔夫人、《威尼斯商人》中的波希霞、《无事生非》中的比阿特丽丝。在 J.S.诺尔斯专门为她所作的《驼子》中，她成功地创造了尤莉娅一角。1832 和 1834 年与其父两度赴美巡回演出并获得成功。在她第 2 度赴美时，嫁给了一个南方种植园主并退出剧坛，1848 年离婚。离婚前一年重返英国舞台并获得成功。此后，她在英国和美国成功地举行过一系列莎士比亚剧作朗诵会。1868 年 10 月，她在纽约市最后一次登台演出。其很有价值的《日记》于 1835 年问世，1863 年出版续集。她还写有自传《一个姑娘的记录》（1878）、《后半生的记录》（1882）和《1848～1883 年的补充记录》（1890）。

Kemble, George Stephen 肯布尔（1758-04-21，英国赫里福德郡金斯敦～1822-06-05，达勒姆郡达勒姆附近） 英国演员和剧院经理。他出生的当夜，其母正在扮演《亨利八世》中安妮·博林（怀孕的），匆忙地走下舞台将他生下来。父母本希望他成为一个药剂师，但年轻的肯布尔拒绝当学徒而加入了一个巡回剧团。借助于他大姊西登斯的名声，很快与人订立聘用合同。1783 年娶演技明显高他一筹的女演员伊丽莎白·萨切尔为妻。尔后两人同台演出，演出海报把她名字标为伊丽莎白·肯布尔。在一段时间里，他实际上已停止演戏而热衷于经营剧院。在其子 H.S.肯布尔首次登台饰罗密欧时，他已是特鲁里街剧院经理。其女曾是一个成功的演员，但因婚姻而离开舞台。

Kemble, Henry Stephen 肯布尔（1789-09-15，伦敦～1836-06-22） 英国受欢迎的演员，但成就平平。是著名的肯布尔戏剧世家的一员。与其父出生情形相似，他母亲在台上刚演完玛格丽特王后一角他就降生了。父母本希望他不再从事戏剧生涯，但他在剑桥上学两年后，便在其父剧团所在的怀特黑文剧院一试身手。其才华有限，其父在特鲁里街剧院任经理时，分配给他的角色实为他力所不及，因而成为评论界的挞伐对象，尽管他个人很受观众欢迎。作为一个喜剧性格演员，他获得一定成功。

Kemble, John Philip 肯布尔（1757-02-01，英国兰开夏普雷斯科特～1823-02-26，瑞士洛桑） 伦敦特鲁里街剧院和科文特加登剧院很受欢迎的演员兼经理。他在这两个剧院所作的改革改进了职业戏剧的演出状况。他在当时流行的造作而又庄重的剧作中饰演过许多角色，最有名的有莎士比亚《尤利乌斯·凯撒》中的布鲁图斯和《哈姆雷特》、《科利奥拉奴斯》两剧中的主角。他是一个演员家庭的长子，在舞台上度过童年。1776 年首次登台演出。在外省剧团演出数年之后，于 1781 年 11 月 2 日在都柏林饰演哈姆雷特，1783 年 9 月 30 日于伦敦特鲁里街剧院首次登台饰演同一角色，但观众反应不一。而 1785 年 3 月 31 日与他姐姐、伟大的悲剧演员西登斯同演的《麦克白》却使他一举成为极受

美国国会图书馆供图

欢迎的演员。1788 年被任命为特鲁里街剧院经理，在服装、布景和剧院管理等方面进行重大的改革，并首次把活的动物和下雨效果引进舞台。1803 年出任科文特加登剧院经理，并且是 6 个股东之一，因此，当该剧院于 1808 年 9 月 20 日毁于大火时，他损失惨重。该剧院重建于 1809 年，揭幕演出时由于提高票价，导致了骚动，实际上使演出拖迟了 3 个月之久。由于患痛风病，又由于伟大的浪漫主义演员基恩声誉日隆，1817 年 6 月 23 日他举行告别演出，饰科利奥拉奴斯一角，然后退休并赴欧洲大陆。

Kemble, Maria Theresa 肯布尔（夫人）（1774-01-17，奥地利维也纳～1838-09-03，英国萨里彻特西） 法语作 Marie-Thérèse Kemble。母家姓德坎普（de Camp）。英国歌唱家、舞蹈家和演员。英国演员兼剧院经理 C.肯布尔之妻。原是法国一个音乐工作者之女，童年时被带到英国。1786 年在特鲁里街剧院找到一份演员工作，尔后便一直扮演各种各样的配角，其中一些是歌唱角色。1806 年嫁给肯布尔，与他在科文特加登剧院同台演出多年，主要演他的配角。他们的两个女儿后亦成名，她们是剧作家兼演员范妮·肯布尔和歌剧演员兼歌唱家阿德莱德·肯布尔。

Kemble, Priscilla 肯布尔（夫人）（1756，英国伦敦～1845-05，沃里克郡利明顿） 英国著名女演员。演员兼剧院经理 J.P.肯布尔

之妻。出生于一个戏剧家庭，1772 年随 D.加里克的剧团在特鲁里街剧院首次登台演出。数年后，她与该团另一演员 W.布里尔顿结婚，1787 年丈夫去世，她又嫁给肯布尔。不久肯布尔便成为特鲁里街剧院经理。她则一直演戏，主要饰配角，1796 年退出剧坛。

Kemble, Roger 肯布尔（1721-03-01，英国赫里福德～1802-12-06） 英国演员、剧院经理和著名的肯布尔家族奠基人。1752 年肯布尔对他在坎特伯雷遇上的剧团着了迷，经过一番努力，参加了这个剧团，但起初并不是一个成功的演员。后来，他来到伯明翰，说服了那里的剧院经理 J.沃德，将他收留。在此期间他的演技也有了某种程度的提高。他与沃德之女萨拉的婚姻曾使她的父亲恼火，因为沃德不愿意让女儿嫁给一个演员，但聊以自慰的是肯布尔并非一个演员，他成为成功的剧院经理。在他和萨拉的 12 个孩子中，有 8 个活到成年，其中 5 个进入戏剧界，孩子们经常在肯布尔创立和经营的巡回剧团中演出。

Kemble, Sarah（English actress） **肯布尔** 参阅 **Siddons, Sarah 西登斯**。

Kemeny, Zoltan 凯麦尼（1907-03-21，奥匈帝国巴尼卡［今在匈牙利］～1965-06-14，瑞士苏黎世） 匈牙利出生的瑞士戏剧性金属浮雕雕刻家。学习过家具制造和建筑艺术，一度从事时装设计。早期浮雕使用粗糙材料，多为金属碎片、电线、钉子和弹簧，与其流畅的雕刻风格形成尖锐的对比；形象仿佛在表面上增大和浮动。在作过铅、锌、锡、铁和铝的实验之后，决定以铜和黄铜为其主要材料；坚持合成各种偶得材料。《意志力伸张造物》（1958）是一件主要作品，《金属的魅力》（1963）显示出东方的影响。1930～1940 年住在巴黎，1942 年后住在苏黎世。第二次世界大战后名声大振，在欧洲各大城市举办了多次个人作品展览。1964 年在威尼斯双年展获雕刻一等奖。1966 年在巴黎国家现代艺术博物馆举办作品回顾展。

Kemény, Zsigmond, Báró（Baron） **凯梅尼**（1814-06-12?，匈牙利奥尔温茨～1875-12-22，普斯陶考毛拉什） 匈牙利小说家，尤以细致的心理分析驰名。他还是一个对该国政治生活颇有影响的新闻记者。1855 年任《佩斯日报》主编，将该报办成匈牙利政界最有影响的报纸。作为政治家 F.戴阿克一派的战友，他在报刊上为匈牙利和哈布斯堡王朝达成妥协（1867）大声疾呼。他举止一向古怪，后精神失常，1868 年不得不放弃主编职位。他写过一些历史小说，如《久拉伊·帕尔》（1847）、《寡妇和女儿》（1855）、《狂徒》（1858～1859）和《严峻时世》（1862）。这些小说描绘多于情节，气氛压抑，文风艰涩，读起来很沉闷。其描写当代生活的长篇小说《夫与妻》，也笼罩着同样的悲剧气氛。凯梅尼对主题思想的熟练掌握和对历史背景的敏锐挖掘，得到评论家和部分读者的赞许，但是他的长篇小说却从未广泛流行。

Kemerovo 克麦罗沃 俄罗斯中南部一州。位于托木河流域，面积95 500平方千米。流域为南北向延伸的谷地，东侧是库兹涅茨克山脉，西侧为较低的萨莱尔岭，南部是戈尔纳亚绍里亚高地（托木河发源地），北部有草原。大部分地区都覆盖着茂密的针叶林。海拔更高处为草甸。库兹涅茨克富煤田位于两侧山脉之间，自 20 世纪 30 年代以来已发展为重工业区。城镇人口约占 90%，从事采矿、钢铁、有色冶金（主要在新库兹涅茨克）、重型机械制造和化工业。南部铁米尔套和塔什塔戈尔附近出产铁矿和少量铅、锌、重晶石、砷和黄金。木材加工业（尤其是矿井木柱生产）高度发展。农业仅在北部较重要。首府为克麦罗沃市。人口约3 176 800（1993）。

Kemerovo 克麦罗沃 俄罗斯中南部克麦罗沃州城市和首府。位于库兹涅茨克山麓，托木河畔。19 世纪 30 年代建村，名为克麦罗沃。1918 年与谢格洛沃村合并为谢格洛夫斯克市。随着库兹涅茨克煤田的开发而迅速发展。1932 年恢复原名。现为大型采煤中心，矿井遍及城内和周围地区。也是俄罗斯最重要的化工生产城市之一，生产氮肥、塑料、合成纤维原料、苯胺染料、油漆、苛性钠、氨和药剂。机械制造业生产采煤设备、农机具。锯木业和木材加工业也重要。有矿业学院和师范学院。人口约517 000（1993）。

Kemi 凯米 芬兰西北部拉皮省城市，濒波的尼亚湾，临凯米河口。位于奥卢西北偏北方向。1869 年建市。但此前 300 年早已有人居住。现为纸浆生产和木材工业的主要中心，也是波的尼亚湾畔出口贸易的最大海港。附近的伊索哈拉水力发电站为芬兰北方 2/3 地区提供电力。该市在托尔尼奥—奥卢铁路线上，市西北有机场。人口约25 158（1993）。

Kemi River 凯米河 芬兰最长河流。位于北部拉皮省。发源于俄罗斯边境附近，大致向西南流，在凯米市注入波的尼亚湾。全长 550 千米。河上建有水电站，鲑鱼捕捞业和木材运输业也很重要。

Kemmuna（Malta） **凯穆纳** 参阅 **Comino 科米诺**。

Kemnitz, Martin 参阅 **Chemnitz, Martin 克姆尼茨**。

Kempe, John 肯普（约1380，英格兰肯特阿什福德附近～1454-03-22，伦敦） 英格兰神职人物和政治家，亨利六世国王在位期间党派斗争中著名人物。初为律师，后被亨利五世起用执行外交任务。亨利六世继位后，他在摄政会议中起主要作用。他在温切斯特主教博福特与格洛斯特公爵汉弗莱的争权斗争中支持博福特。1426 年任约克大主教和英格兰大法官。1432 年格洛斯特得势，他被迫辞职。1439 年任枢机主教。1450 年再次任大法官。他迅速镇压 J.凯德在肯特的叛乱，成为亨利六世的兰开斯特派的领袖。1452 年任坎特伯雷大主教和圣鲁菲纳枢机主教。

Kempe, Margery 肯普（约1373～约1440） 英国宗教神秘主义者，其自传是英国文学中最早作品之一。林恩市长之女，1393 年嫁给 J.肯普。1414 年起到耶路撒冷、罗马、德意志、西班牙等地朝拜，以朴实无华的散文，记叙旅途见闻和朝圣中得到的虔诚的喜悦感。她显然不识字，《肯普之书》是大约在 1432～1436 年口授给两个书记记录下来的。第一次现代英文版于 1936 年出版，中世纪英文版于 1940 年出版。

Kempeneer, Pieter de 肯珀内尔（1503，勃艮第布鲁塞尔［今在比利时］～1580） 又称 P.卡姆帕纳。佛兰德斯宗教画家和挂毯设计家。1537 年定居于西班牙塞维利亚，直到 1563 年前不久就任布鲁塞尔挂毯厂厂主。最重要的作品是西班牙塞维利亚大教堂的《下十字架》（1547）和《圣母洁身礼》（1555）。

Kempenland 肯彭兰（地区） 法语作 La Campine。史称达仙德里亚。比利时东北部的高原地区，包括安特卫普省大部和林堡省北部。气候干燥，土壤贫瘠，有林地、草地和石南属植物丛生的荒地。这里在中世纪已有商业城镇和隐修院，但直到 19 世纪居民仍不多。目前在各大公园和步行游览区还保留荒野景色。19 世纪末期，东部亨克周围发现煤矿，第一次世界大战后开始采掘。后出现化工厂和其他以煤为原料的工业。1939 年阿尔贝汽轮运河建成，进一步促进工业发展。主要城镇有蒂伦豪特、海伦塔尔斯、海尔、莫尔和亨克。热韦尔（1883～1975）在小说和诗歌中常提及该地区。

Kempff, Wilhelm 肯普夫（1895-11-25，德国于特博格～1991-05-23，意大利波西塔诺） 德国钢琴家，特别擅长演奏 19 世纪德国古典派与浪漫派曲目，尤其是贝多芬奏鸣曲和肖邦的音乐。出身于著名教堂音乐家家庭，初从父学钢琴，9 岁入柏林音乐学院学习作曲与钢琴，后又攻读哲学与音乐史。1916 年开始钢琴演奏生涯，随柏林大教堂唱诗班在德国和斯堪的纳维亚巡回演出；1917 年与柏林歌唱学院合作首次以独奏家身份登台；其后又赴欧洲、南美洲和日本巡回演出。1924～1929 年任斯图加特音乐学院院长，1931～1941 年间在波茨坦的马莫宫教暑期钢琴班。1951 年在伦敦首演，1964 年在美国首演。1981 年在巴黎举行最后一次独奏会。除作有各种不同体裁的乐曲外，他还写过一本自传：《在铙钹星下：一个音乐家的发展》（1951）。

Kempsey 肯普西 澳大利亚新南威尔士州东北部城镇。在麦克利河口上游 40 千米处。建于 1836 年。现为该河流域主要城镇。为附近乳品、玉米、饲料产区和林区的服务中心。地处太平洋公路、悉尼—布里斯班铁路线上。生产乳品、家具、胶合板、管材等。每年 10 月举办春季竞技表演会，4 月举办地区农业展览会。人口9 049（1991）。

Kempten 肯普滕 德国南部拜恩州城市。在阿尔高地区的中心，濒临伊勒河。原为阿勒曼尼人各公爵和法兰克国王的驻地。建有本笃会隐修院。1289年成为帝国自由城市。17世纪,隐修院附近兴起新城镇(1712年建制)。1818年两城合并。历史文物建筑有圣劳伦兹隐修院教堂(1652)、兼任隐修院长的公国君主住宅(1651～1674)、石建市政厅(1474)等。当地阿尔高博物馆曾是18世纪谷物交易所,藏有罗马时代文物。为阿尔高地区经济、文化、交通中心和乳品市场。有酿酒、机械、纺织业和造纸业等行业。人口约61 504(2003)。

Ken, Thomas 肯(1637-07,英格兰赫特福德郡伯克姆斯特德～1711-03-19,威尔特郡沃明斯特附近) 基督教安立甘宗主教、赞美诗作家。1680年任国王查理二世的随身牧师。1685年任巴斯和韦尔斯主教。1688年国王詹姆斯二世重申特赦令,表面上宽容不赞成圣公会的新教徒,实际上意在争取他们信奉天主教。肯与其他6名主教拒绝在教区印刷这份命令,而是印发请愿书。他们被囚于伦敦塔,以煽动闹事罪受审,后被宣判无罪。1688年发生革命,威廉(奥兰治的)率军从尼德兰到英格兰支持新教,1691年詹姆斯二世出逃,威廉就国王位。1691年肯因拒绝宣誓效忠新政权而被撤职。

Kenadsa 凯纳德萨 阿尔及利亚西北部城镇和烟煤煤田。地处撒哈拉沙漠西北边缘。在贝沙尔以西24千米处。当地煤田于1907年发现,1917年开采。20世纪40年代(特别是第二次世界大战期间)和50年代产量最高。后因运输成本高,产量逐渐下降。现还开采少量铅、锰和铁矿砂。人口:城市区约9 822(1987)。

kenaf(species *Hibiscus cannabinus*) **槿麻** 又称洋麻。锦葵科生长迅速的植物,其纤维属韧皮纤维,主要用做黄麻的代用品。槿麻野生于非洲,在该处其纤维有时称为几内亚大麻。自古以来栽培于印度次大陆,通常称为槿麻或南方型洋麻。18世纪后期槿麻制的绳索和麻袋布方销往欧洲。但槿麻一直只是次要的麻袋布材料。第二次世界大战期间及战后,黄麻及其他纤维缺乏,人们对槿麻重新感到兴趣,这种情况一直持续到战后,因为其他纤维的供应依然不足,价值仍高,古巴、美国等国政府鼓励种植槿麻,并使生产日益机械化。槿麻是一年生草本植物,主茎高可达5.5米,纤维主要集中在主茎的下部。叶由5枚披针形裂片组成,主要生长在主茎顶部。花朵为淡黄色,花心为紫色,长在叶柄和主茎之间的短柄上。槿麻适应各种土壤但最宜生长于排水良好的沙质土壤,喜温暖、潮湿、无暴雨和强风的热带或亚热带气候。某些品种在整个生长季节里,每天至少需要12小时的日照。槿麻对土壤的要求较黄麻低,可与其他作物轮种,除留种外,一般采用密播方法。用手工收割,盛花期纤维最优。一般用机械方法分离纤维,有些地区仍在沤麻后用手工剥麻。纤维束长约0.9米,灰白色,有光泽,强度与黄麻相近。槿麻在国际贸易上还是新产品,主要用于制造绳索、粗帆布和麻袋布,现已逐步推广到制造地毯底布和新闻纸等。主要生产国有印度、泰国和中国。始于20世纪50年代的研究表明,在不足6个月的时间内达到成熟高度的槿麻较易加工,产量较高,纤维强度亦高于木屑。

Kenai Fjords National Park 基奈峡湾国家公园 在美国阿拉斯加州南部,基奈半岛南岸,距苏厄德不到32千米。1978年建立。面积271 100公顷。园内有哈丁冰原和沿海峡湾、活冰川、岛屿。森林茂密。栖息有海狮、海獭、海豹和各种海鸟。

Kendal 肯德尔 英格兰坎布里亚行政郡南莱克兰区一城镇(堂区)。属威斯特摩兰历史郡。为该郡最大城镇和行政中心。地近伦敦—卡莱尔—苏格兰公路干线,并处在去湖区的旅游干线上。当地集市贸易早在14世纪就见于记载。1331年后发展起毛纺织业,该镇的格言是:“羊毛就是我的面包”。地毯和毛纺厂仍很重要。还生产鞋靴和鼻烟。有纸制品业、食品加工业、工程设计业。名胜古迹有罗马要塞遗址、圣三一教堂(1200)、有带14世纪城楼的锡泽城堡和都铎大厦等。人口25 461(1991)。

Kendal, Ehrengarde Melusina, Duchess of 肯德尔女公爵(1667-12-25,萨克森埃姆登～1743-05-10,英格兰米德尔塞克斯艾尔沃思肯德尔豪斯) 即舒伦堡女伯爵。英王乔治一世的情妇,乔治在位期间具有很大政治影响。舒伦堡伯爵古斯塔夫·阿道夫之女。1690年成为乔治的情妇。1714年乔治即王位时,随乔治去英格兰。乔治任意封她爵位。她以贪得无厌和缺乏姿容出名。她买卖南海公司股票、任意利用她对英王的影响卖官鬻爵和出售专利权而大发横财。她与英王生有2女。

Kendal, Dame Margaret; and William Hunter (Grimston) 肯德尔夫妇(肯德尔夫人1849-03-15,英国林肯郡克利索普斯～1935-09-14,赫特福德郡乔利伍德;肯德尔1843-12-16,伦敦～1917-11-07,伦敦) 肯德尔夫人母家姓玛格丽特·沙夫托·罗伯逊,别名马奇。英国夫妇,皆为演员和经理。他们在私生活和职业上所树立的典范,使演员在社会上有了地位。他们的剧团训练了许多后来成名的演员。马奇·肯德尔是一个善于表达感情的、才华横溢的女演员,她和当时大部分演员不同,演出非常自然。她的舞台成就胜过了丈夫,这一方面是由于她的演技比他高超,另一方面是由于她丈夫善于为她选择最能表现她伟大天才的戏剧。威廉·肯德尔的贡献就不那么显著,他非常专注于生意,在选择剧目方面很有眼力。由于他具有一种十分细腻的艺术感,所以他设计的服装和布景既豪华又精细。马奇出身演员家庭,孩提时即随父母在舞台上演出。成年后,1865年在伦敦首次扮演《哈姆雷特》中的奥菲利娅,从此成名。以后几年,扮演了莎士比亚戏剧中其他的角色,包括苔丝德蒙娜和麦克白夫人。威廉·肯德尔是一个艺术家的儿子,1861年首次在格拉斯哥登台演出,随后在外省巡回演出。1866年加入伦敦的草市剧团,扮演从莎士比亚剧到滑稽剧中的各种角色。1868年在伦敦的一次义演中,与马奇在C.西伯的《她愿意和她不愿意》一剧中分别扮演屋大维奥和希波利塔,一年以后他们结了婚,从此就在事业上并驾齐驱。1874年起他们开始了每年的巡回演出,并一直坚持到1908年退出戏剧界为止。1879～1888年他们和约翰·黑尔爵士共同经营伦敦的圣詹姆斯剧院。1888年以后,他们在美国进行了几次极为成功的巡回演出。1926年肯德尔夫人被封为英帝国勋章女爵士,1927年又获英帝国大十字勋章。

Kendall, Edward Calvin 肯德尔(1886-03-08,美国康涅狄格南诺沃克～1972-05-04,新泽西普林斯顿) 美国化学家。因研究肾上腺皮质激素的结构和生物效应而与P.S.亨奇和T.赖希施泰因共获1950年诺贝尔生理学和医学奖。毕业于哥伦比亚大学。1910年获哲学博士学位,1914年开始在明尼苏达州罗切斯特梅奥基金会任职。早期研究工作是关于分离甲状腺激素的活性组分(甲状腺素),他还结晶化和测定了谷胱甘肽(一种对生物氧化-还原反应起重要作用的化合物)的化学性质。他最重要的研究工作是从肾上腺皮质分离出甾族激素可的松(他原先称之为化合物E,1935)。1948年他和亨奇成功地使用该激素治疗类风湿性关节炎。他1945年担任梅奥基金会生物化学部主任至1951年退休,后任普林斯顿大学的化学访问教授。

美国不列颠百科全书公司供图

Kendall, Henry 肯德尔(1839-04-18,澳大利亚新南威尔士米尔顿附近亚特亚塔～1882-08-01,悉尼) 澳大利亚诗人。他的诗是战胜艰苦生活的记录。早年丧父,生活贫困,童年时随母移居农村。1854年随叔父出海,当过2年海员。17岁回悉尼当店员并开始写作,受到一位律师的注意。后者将肯德尔安排在他的事务所工作并让这位青年诗人阅读他的藏书。第一首诗发表在地方杂志上,后收入诗集《诗与歌》(1862)中。此后又出版了《澳大利亚森林之叶》(1869)。最后一卷诗集《山歌》于1880年出版。

Kendall, Henry Way 肯德尔(1926-12-09,美国马萨诸塞波士顿～1999-02-15,佛罗里达瓦库拉泉国家公园) 美国核物理学家。因首先用实验证明亚原子粒子夸克的存在而与J.I.弗里德曼和R.E.泰勒共获1990年诺贝尔物理学奖。肯德尔曾在马萨诸塞州的阿默斯特学院学习,1950年获文学士学位,后在麻省理工学院(MIT)进修,1955年获哲学博士学位。他在MIT担任美国国家科学基金会会员之后，到斯坦福大学任教并从事研究（1956～1961）。1961年，他回MIT任教，1967年成为正教授。肯德尔和他的合作者于1967～1973年同在斯坦福直线加速器中心工作，获得了被诺贝尔奖评议委员会誉为"对物质认识的突破"的成就。他们证实了1964年由加利福尼亚理工学院的科学家们首先提出的夸克假设中夸克的存在。肯德尔也从事原子核结构、高能电子散射以及介子和中微子物理学的研究。他是热心于公众事务的科学家联合会的发起人。

Kendari　肯达里　印度尼西亚东南苏拉威西省城镇、县和省会，在西里伯斯岛东南部。肯达里镇为班达海肯达里湾港口，在乌戎潘当（望加锡）东北约370千米。居民大部分是望加锡人和布吉斯人。有主要公路与西面的科拉卡相通。还建有机场。工业有食品加工、纺织和造纸。手工业生产金银首饰、金银丝饰器、编织品和木制品等。黄金珠宝业大部分由华人经营。主要出口木材、松香和藤条。第二次世界大战时期曾被日军占领，是日本战时主要海军基地之一。人口：城94 825（1990）。

Kending National Park　垦丁国家公园　又作Kenting National Park。中国台湾地区第一座及唯一拥有海域的国家公园。位于台湾最南端的恒春半岛南部，东濒太平洋，西临台湾

垦丁国家公园远景
台湾中华书局供图

海峡，南面巴士海峡，北抵南仁山北侧。1984年1月1日建立，面积约32 631公顷，包括陆地17 740公顷及海域14 900公顷。陆地范围：由西面龟山一带向南至红柴的台地崖和海滨地区，经龙銮潭南面的猫鼻头半岛、南湾、垦丁公园至鹅銮鼻半岛，沿太平洋海岸北上至佳乐水、出风山、南仁山区域直抵九棚湾。海域范围：由龟山至猫鼻头间，经南湾抵鹅銮鼻附近，至佳乐水、南仁湾一带海域，距海岸线1千米内的区域均划入。该园区的生态景观包括陆地动物、陆地植物及海洋生物3种。陆地动物方面，据调查区内鸟类、蝴蝶类（其中黄裳凤蝶为特有种）、爬虫类、淡水鱼类繁多，其他昆虫类亦随处可见；哺乳类较少，南仁山区估计约有15种，包括台湾猕猴、穿山甲、赤腹松鼠、白面鼯鼠、山羌等。陆地植物可分为下述四大植物群落：①水生及湿生植物群落，以萤兰、银莲花、野荸荠等为主，多分布于龙銮潭、南仁湖一带；②草原植物群落，以印度鸭嘴草、过山龙为主，分布于迎风坡地的草原地带；③灌木丛植物群落，以野牡丹、五节芒、草梅桐等为主，分布于草原边缘区、较陡山坡或近海滨地带；④森林植物群落，以岭南青刚栎、长尾栲等乔木为主，伴生有大头茶、大叶树兰、山龙眼等矮树，分布于迎风山腰、迎风坡面下侧及山顶迎风面，并有莎草蕨、蝴蝶兰等珍稀植物。海洋生物计有：200余种石珊瑚和种类少而数量多的软珊瑚、约400种珊瑚礁鱼类、150余种贝类、82种藻类（绿藻、红藻、褐藻等），以及多种棘皮动物（海星、海胆等）、节肢动物（龙虾、蟹类等）、爬虫类（玳瑁等）。该园区依据不同的资源特点及分布情况，划分为下列各分区：①生态保护区，包括南仁山区、龙坑、砂岛、热带海岸林等处；②特别景观区，包括垦丁森林石灰岩洞、社顶自然公园、猫鼻头经雷打石至后壁湖海域等处；③史迹保存区，园区的史前遗址多达60余处，包括石牛溪东畔、鹅銮鼻灯塔附近、外南仁区等地；④游憩区，包括龟山、后湾、龙銮潭、佳乐水、垦丁海水浴场等处；⑤一般管制区，是不属于上述分区而准许维持原土地利用型态的其他地区。

kendo　剑道　日语拉丁字母转写作kendō。日本传统的用双手挥舞木剑的击剑方式，源于古代武士格斗术。1600年左右日本统一后，实际用剑格斗的机会大多已经不复存在，因此，武士们把剑术转成培养纪律、耐性和技艺的一种修身方法。18世纪采用练习盔甲和竹刀（一种竹制的剑），使实演剑术而无伤人危险。在日本的学校中，学习后来所称的"剑道"间或甚至成为必修课。1952年盟军占领结束后，立即成立了日本全国剑道联合会，1970年成立了国际剑道联合会。剑道比赛在9～11米见方的场地上进行。比赛者着传统的上装（短上衣）、袴（裤裙）、胴（胸铠）、垂（腰铠）、面（面具）和笼手（棉手套）。竹刀长度110～118厘米不等，由风干的4节竹子制成，以蜡绳缠捆。一切砍击均用竹刀的"锋刃"，不过这个刃并不锐利。竹刀通常用双手握持。击中头的左右侧和顶部、腕的右或左侧、躯干的右或左侧以及刺中咽喉，均得分。除此而外，不得分。凡攻击者在击中得分时，必须同时喊出得分的部位，并由几名裁判证实。首先得两分的击剑者为胜。日本的学生（中学为必修课）、警察和军队普遍演习剑道，美国、加拿大、英国和巴西也有人习练。参阅**martial art**。

Kendrew, John Cowdery　肯德鲁（1917-03-24，英格兰牛津郡牛津～1997-08-23，英国剑桥郡剑桥）　英国生物化学家。因测定了肌球蛋白的结构而与M.佩鲁茨共获1962年诺贝尔化学奖。他曾用特殊的X射线衍射技术及电子计算机描述了肌球蛋白螺旋结构中氨基酸单位排列的三维模型。1949年获剑桥三一学院博士学位。1947～1975年为剑桥彼得豪斯学院研究员，又是剑桥医学研究理事会分子生物学实验室副主任，1971年后任防务科学顾问理事会主席。1981年任牛津圣约翰学院院长。

Keneally, Thomas　基尼利（1935-10-07澳大利亚悉尼～　）　澳大利亚作家，以撰写历史小说闻名。17岁入天主教修道院，但在按立圣职之前即离开。这一经历影响了他的早期小说，包括《惠顿的宫殿》（1964）和《为圣灵欢呼三次》（1968）。《云雀和英雄的到来》（1967）为他确立了历史小说家的声誉，写的是有关澳大利亚早期为英国罪犯流放地的事情。《吉米·布莱克史密斯的圣咏》（1972；1980年拍成电影）为他赢得国际声誉，这是以真实的故事为基础，写的是一个混种原住民为反抗白人的种族主义而成为杀人狂的故事。《奇耻大辱》（1998）的灵感来自他的先祖，通过19世纪被送到澳大利亚的爱尔兰囚犯的视角娓娓叙述了爱尔兰的80年历史。虽多数作品明显带有澳大利亚色彩，但其写作范围还是很宽广的。广获好评的《森林低语》（1975），通过一个富有思想的、人道的德国谈判者的眼光审视了第一次世界大战的停战协议。在《联盟》（1979）中，他对美国南北战争的处理手法也令人赞赏。后来的小说包括《家族疯狂》（1985）、《到阿斯马拉》（1989）、《飞航英雄》（1991）、《内海女人》（1992）、《杰科》（1993）和《洪布什男孩》（1995）。最著名的作品《辛德勒的名单》（1982；1993拍成电影）讲述的是德国实业家辛德勒的真实故事，他从纳粹手里拯救出1 300多名犹太人。该书获得小说类布克奖，但也有人认为该作品仅是一份历史报告。

Kenema　凯内马　塞拉利昂东南部城镇。位于铁路线上，是金刚石矿区的中心，设有政府金刚石管理局（1959）。也是重要的农产品市场和木材工业中心，生产可可、咖啡、棕榈

凯内马的金刚石矿
美国不列颠百科全书公司供图

油、棕榈仁、家具、木雕并转运到弗里敦出售或出口。是政府所在地，有中学、天主教妇女师范学院、技术学院、公立图书馆和私立医院。人口52 473（1985）。

Keneset ha-Gedolah（ancient Jewish assembly）参阅**Kneset ha-Gedola**　大会堂。

Kenite　基尼人　游动的金工部落，公元前13～前9世纪时，在阿拉伯谷地来往经营，其

范围约当加利利海至亚喀巴湾之间的地区。基尼一名源自该隐，据信他们就是该隐的后裔，《旧约》屡次提到他们。基尼人居住在以色列人、亚玛力人和迦南人中间，显然逐渐同化于以色列人的犹大支派；一部分思想保守的基尼人保留了游牧生活和固有信仰习俗。但其中一个支派利甲人（见《列王纪》下）却与造反者、以色列未来的国王耶户（约公元前842～约前815在位）协同作战，反对暗利王朝和那些崇拜迦南神巴力的人们。

Kenitra　盖尼特拉　阿拉伯语称哈桑塔尼港，1932～1958年称利奥泰港。摩洛哥北部港口城市，在塞布河口上游16千米处。居民点和港口是根据利奥泰元帅的命令于1913年建立的，为农产品、鱼、木材、铅和锌的转运中心。工业区在港口上游。与西迪卡塞姆和梅克内斯通公路、铁路。与卡萨布兰卡和拉腊什通公路。在盖尼特拉以北的大西洋沿岸可捕鱼。腹地产谷物（主要是小麦），饲养牛羊。是柑橘属水果主要产区。人口292 627（1994）。

Kenmure, William Gordon, 6th Viscount　肯穆尔子爵（第六）（1672以前?～1716-02-24，英格兰伦敦）　即W. 戈登。苏格兰詹姆斯党人，支持老王位觊觎者J. 爱德华，反对乔治一世国王的1715年叛乱中的不称职领袖。其父肯穆尔子爵亚历山大·戈登支持威廉三世，曾与老王位觊觎者之父、被废黜的詹姆斯二世作战。但他的青年时代却在流亡法国的斯图亚特王朝宫廷中度过，成为詹姆斯党人。他毫无军事才能，却在1715年领导苏格兰南部的暴动。同年10月11日宣布老王位觊觎者为苏格兰国王詹姆斯三世。随后参加T. 福斯特在诺森伯兰的叛乱。进军兰开夏失败后被俘。1716年1月受审，后被处死。

Kennan, George F(rost)　凯南（1904-02-16，美国威斯康星密尔沃基～2005-03-17，新泽西普林斯顿）　美国外交家和历史学家，尤以第二次世界大战后成功地主张对苏联的扩张主义采取"遏制政策"而著称。1925年毕业于普林斯顿大学后进入外交界。1929年国务院送他进柏林大学，专攻俄罗斯思想、语言和文化，1931年毕业。1933年随美国大使W. C. 布利特去莫斯科，两年后调往维也纳。30年代后期在布拉格和柏林工作。第二次世界大战初曾被纳粹拘留，1942年获释后在里斯本和莫斯科任职。1946年2月从莫斯科发出电报，阐明遏制政策，同年返美，1947年被任命为国务院政策规划研究室主任。凯南关于遏制的观点在其著名的、具有高度影响的、署名"X"的一篇文章中（发表在1947年7月《外交》杂志上）得到详尽的阐述。他在文章中对美国试图对苏联进行安抚和姑息是否明智提出质疑。他认为，苏联人根本反对与西方共处，他主张在苏联威胁要进行扩张的地方，美国施加反压力，这种反压力将导致苏联愿同美国进行合作，或最终引起苏联政府内部发生崩溃。这一观点随后成为美国对苏政策的核心。1949年凯南出任国务院顾问，翌年辞职，到普林斯顿高级研究院工作。1952年任驻苏联大使，但次年就被苏联宣布为"不受欢迎的人"而回美国。1956年回普林斯顿高级研究院任历史学终身教授，其间除1961～1963年担任驻南斯拉夫大使外，一直任教。20世纪50年代后期，他修正了遏制政策的论点，主张代之以美国在同苏联发生冲突的地区"脱身"的计划。他后来断然否认遏制政策也是针对世界其他地区（例如越南）发生的不同情况的。作为一位多产的备受称赞的作家，他的《俄国脱离战争》（1956）和《回忆录，1925～1950》（1967）曾同时获得普利策奖和全国图书奖。

Kennebec River　肯纳贝克河　美国缅因州中西部河流。源出穆斯黑德湖，向南注入大西洋，长240千米。1607年建于该河航道起点的圣乔治堡是州内最早的英国人居民点。沿河在宾厄姆、斯考希根、沃特维尔、奥古斯塔和加德纳等地建有水电站。与主要支流安德罗斯科金河汇流后形成梅里米廷湾。

Kennebunkport　肯纳邦克波特　美国缅因州西南部约克县城镇。在大西洋沿岸肯纳邦克河口，东北距波特兰47千米，与肯纳邦克相邻。1629年始有人定居，1653年设为镇。与毗邻的肯纳邦克镇同为18世纪时兴旺的航运和造船中心。现为避暑胜地。以文学、艺术家聚集地闻名。海滨有轨电车陈列馆展有200多辆老式有轨电车。面积53平方千米。人口3 720（2000）。

Kennedy, Anthony M(cLeod)　肯尼迪（1936-07-23，美国加利福尼亚萨克拉门托～　）　美国最高法院大法官（1988年起）。1958年毕业于加利福尼亚州斯坦福大学，1961年获哈佛大学法律学位。1962年取得律师资格，后在旧金山市和萨克拉门托市执律师业。1975年福特总统任命他为联邦上诉法院法官。1987年，他已成为填补美国最高法院空缺的最有潜力的人选，而里根总统却提名R. H. 博克充任。因博克对宪法持极端保守观点，遭到参议院否决。沉着冷静的肯尼迪最后获得提名并得到批准。从他早期法院工作纪录中证明他是个明显的保守派。就任初期，他有90%以上的表决票与强硬路线的同僚W. H. 伦奎斯特和A. 斯卡利亚站到一起，随后趋向于投票否定有权堕胎及其他自由主义政策。

Kennedy, Edward M(oore)　肯尼迪（1932-02-22，马萨诸塞布鲁克莱恩～2009-08-25，马萨诸塞海厄尼斯港）　别名Ted Kennedy。美国参议员（1963年起），20世纪70年代起民主党和自由派政治中的著名人物。J. F. 肯尼迪总统最后一个健在的弟弟。他是罗斯和约瑟夫·肯尼迪最小的孩子，1956年毕业于哈佛大学，后就读于海牙国际法学院，1959年获弗吉尼亚大学法律学位。1960年总统选举中，他曾为其兄约翰竞选。1962年代表马萨诸塞州选入总统以前在美国参议院的席位。1964年改选时虽因受伤未能积极参加全任期的竞选，仍以绝大多数票得以连任。1969年初当选为参议院多数党首领，并一举成为争取1972年民主党总统提名的前茅人物。嗣后于1969年7月18日因驾车意外地从马萨诸塞州马撒葡萄园岛附近的查帕奎迪克岛一座未设标记的桥上坠落，其车中28岁的女友科贝琴淹死，肯尼迪被认为犯有离开

美国不列颠百科全书公司供图

事故现场罪。1970年再次被选入参议院，但他宣布不再谋求1972年的总统职位。1976年肯尼迪第3次当选连任参议员，他曾认真角逐1980年的民主党总统提名，但在民主党大会上退出竞选。1982年他第4次连任，继续在参院任职，但因私人生活多少有些放荡，使当选总统的前景渐趋渺茫。肯尼迪一直是与他的家族名声有关的各项政策的卓越发言人（如支持社会福利立法和积极参与世界事务）。在参院的许多争取自由事业中，其中包括选举权、公平住房、保护消费者及全国健康保险等方面，他成为主要的倡导者。

Kennedy, John F(itzgerald)　肯尼迪（1917-05-29，美国马萨诸塞布鲁克莱恩～1963-11-22，得克萨斯达拉斯）　美国第35任总统（1961～1963），上台后面临许多国外危机，特别是古巴危机和柏林危机，但取得了缔结《禁止核试验条约》和成立进步联盟等成就。在达拉斯乘车行进时遭暗杀身亡。

早年生活　他是约瑟夫·肯尼迪和罗斯·菲茨吉拉德的第2个孩子，在一个要求孩子们进行激烈的体力和智力竞赛的家庭中长大，接受过天主教教义和民主党政治的熏陶。1940年毕业于哈佛大学，他将毕业论文扩充改写成为一本畅销书《英国为何沉睡》（1940）。1938年他曾当过他父亲6个月的秘书，当时其父任美国驻英大使。1941年秋，肯尼迪参加美国海军，两年后被派至南太平洋。1945年复员时，他的兄长乔在战争中阵亡，其父原希望乔成为肯尼迪家族中第一个竞选公职的人，这个希望就寄托到他的身上，他原打算从事教学或新闻工作。肯尼迪在战争中死里逃生。日本的一艘驱逐舰在所罗门群岛将他指挥的一艘鱼雷艇击沉，他严重受伤。他和士兵们被困于敌后的一座荒岛上，但他仍率领他们安全返回。他被授予海军和美国海军陆战队奖章。但自少年时起就一直折磨着他的背部的病痛并没有真正痊愈。他还患有艾迪生氏病（从未公开）。他虽于1944、1954和1955年作过手术，但在一生中的许多时间里，都处在疼痛之中。而肯尼迪家族，包括他自己在内，谁也不认为他将选择比政治轻松

的工作。

众议员和参议员 1946年他竞选美国众议员，战胜共和党候选人，时年29岁。肯尼迪在众议院当了3届议员（1947～1953）。他

美国不列颠百科全书公司供图

主张改进劳动条件，建造更多的公共住房，提高工资，降低物价，减少房租，以及给予老人更多的社会保障。在外交政策方面，他是冷战政策的早期支持者。他支持杜鲁门主义和马歇尔计划，但尖锐批评杜鲁门政府在亚洲的政绩。他指责国务院试图迫使蒋介石与毛泽东联合。1952年肯尼迪在马萨诸塞州竞选美国参议员，他以7万张选票的多数击败颇受欢迎的在职参议员H.C.洛奇。翌年9月，他与杰奎琳结婚。他以对选区提出的要求迅速作出反应而很快赢得声誉。但他并不像自由派民主党人希望的那样，对参议员麦卡锡的蛊惑人心的过火行为作出敏锐的反应，麦卡锡在50年代初期发起对被指控为共产党员的政府工作人员进行监视和搜捕的运动。他不赞成麦卡锡，但在1954年参议院就谴责麦卡锡的所作所为进行表决时，他却缺席。事实是，当时他住在医院里，刚做完背部手术，情况危急。养病期间，他开始写《勇敢者传略》（1956），该书于1957年获普利策奖。

回到参议院后，肯尼迪领导了反对取消选举团提案的斗争，从事劳动改革运动，并日益投身于民权立法斗争。50年代后期，作为参议院外交委员会委员，他主张给予非洲和亚洲新兴国家大量的援助，并呼吁法国同意阿尔及利亚独立。在这期间，他的政治观点逐渐左倾。

总统候选人和总统 1956年他差一点成为史蒂文森的副总统竞选伙伴。他在电视上发表让步的讲话，把他带进约4 000万个美国家庭。一夜之间，他成为这个国家的最著名的政治人物之一。1960年1月，他正式宣布竞选总统候选人提名。他在新教的西弗吉尼亚州的预选中获胜，给认为天主教徒不能参加总统竞选的这一宗教忌讳以沉重的打击，使他的主要对手汉弗莱退出竞选。他在第一轮投票中获得提名后，选择约翰逊作为他的竞选伙伴，以便使民主党总统候选人名单有所平衡。他在接受提名的演说中宣告："我们正站在新边疆的边缘上。"从此"新边疆"一词就写入他的政纲。肯尼迪赢得了大选，以微弱多数击败共和党候选人、在职副总统尼克松。竞选运动中的一个起着重要作用的因素是两人之间别开生面的4次电视辩论，约有8 500万到1.2亿美国人观看了辩论。两人都紧紧抓住这一时机，但镜头中肯尼迪漂亮的外貌和英俊潇洒的风度使许多观众相信他赢得了辩论的胜利。

肯尼迪是当选美国总统的最年轻的人和第一位天主教徒。他的政府存在了1 037天。在就职演说中，他号召美国人"负起漫长的黎明前的斗争的重担……反对人类共同的敌人：暴政、贫穷、疾病和战争本身"。他断然说："美国同胞们：不要问你的国家能为你做些什么，而要问你能为你的国家做些什么。"他的政府的第一次外交较量是一场灾难。**猪湾入侵**（**Bay of Pigs invasion**）遭到彻底的失败。肯尼迪对这场失败独自承担了责任。

1961年6月，他与苏联部长会议主席赫鲁晓夫在维也纳会晤。赫鲁晓夫下令在东、西柏林之间筑墙，并威胁要与东德单独签订和约。肯尼迪下令动员国民警卫队和后备部队，赫鲁晓夫遂放弃单独媾和的威胁。1962年10月美国发现苏联在古巴设置近程和中程核导弹。肯尼迪要求拆除导弹，下令对古巴实行"隔离"——实际上是实行封锁，制止苏联船只进入古巴。一场核战争似迫在眉睫。13天后，赫鲁晓夫宣告将从古巴撤出进攻性武器（参阅 **Cuban missile crisis**）。10个月后，赫鲁晓夫、英国首相麦克米伦和他一起签署禁止核试验条约，肯尼迪赢得了他最大的一次外交胜利。

肯尼迪小心翼翼地与国会打交道。国会通过了他的关于成立拉美"进步联盟"的计划，以及建立"和平队"的计划，但他的大量削减所得税的立法和大规模的民权立法直到他去世后才通过。

遭暗杀 肯尼迪成为在国内外广受欢迎的总统。他认为，1964年大选，他的共和党对手将是参议员戈德华特，但他相信，他将把戈德华特埋葬在他将得到的如雪崩般的选票之中。一个障碍是约翰逊副总统的家乡所在州得克萨斯州州长康纳利与参议员亚尔伯勒之间的长期不和，他们两人都是民主党人。为显示团结起见，肯尼迪决定偕同两人在该州巡游。1963年11月22日他携夫人杰奎琳乘敞篷汽车率车队缓缓经过达拉斯闹市区。中午12点30分，一个狙击手向他开枪，一颗子弹击中他的颈部，另一颗击中头部，送至医院时他已死亡。下午2点38分，副总统约翰逊宣誓就任总统。1968年10月20日，杰奎琳与希腊船王奥纳西斯结婚。

Kennedy, John P(endleton)　肯尼迪（1795-10-25，巴尔的摩～1870-08-18，美国罗得岛纽波特） 美国小说家、政治家，以其历史小说著称。1816年进入马里兰州律师界。1821～1853年，先后担任两届马里兰州众议院和三届美国国会议员，并在菲尔莫尔总统的内阁中任海军部长，在任职期间，安排了佩里准将对日本的访问。与此同时，他以笔名马克·利特尔顿写了一些历史小说，包括《燕子仓》（1832）和《盗碗记》（1838），前者是讲述革命后弗吉尼亚农场绅士们的生活，后者是关于殖民地时期马里兰新教徒推翻天主教徒统治的故事。《关于威廉·沃特生平的回忆录》（1849）是他的一部重要的非小说著作，描写在审判A.伯尔叛国罪时提出诉讼的那个律师。他还与人合编讽刺杂志《红书》（1818～1819），并为《国民报》撰写政论文章。但他的主要成就仍为长篇小说。虽然这些小说的风格并无独特之处，不过是模仿欧文和库珀的作品而已，但却写得很有文彩和富于想象力。

Kennedy, Joseph P(atrick)　肯尼迪（1888-09-06，美国马萨诸塞波士顿～1969-11-18，马萨诸塞海恩尼斯港） 美国商人和金融家，曾任职于首都华盛顿各政府委员会（1934～

广宇图片公司供图

1937），后任驻英大使（1937～1940）。美国总统J.F.肯尼迪的父亲。他本人的父亲是马萨诸塞州的政治家，祖父为爱尔兰移民。于1912年毕业于哈佛大学，两年后娶波士顿市长J.F.菲茨杰拉德的女儿罗斯为妻，有子女9人。他于25岁当上银行总裁，30岁已是百万富翁。他成为船舶制造商、电影界大亨以及民主党的重要资助者。在海登-斯通公司的股票部门当了5年经理（1929～1934），精通操纵证券交易的技术。他投身证券业后，成为20世纪20年代股票市场中的杰出投机家；1929年初退出时，他已有足够的财力，为每个孩子设立100万美元的信托基金。1934～1935年出任F.D.罗斯福总统政府的证券交易委员会主席，宣告曾使自己致富的投机手段为非法。随后担任美国海事委员会的主席，1937年成为第一位出任驻英大使的爱尔兰裔美国人。1940年11月辞去大使之职；他深信英国注定要被纳粹征服，美国唯有采取孤立政策才能自保。任大使时，他的子女在父母的激励下，既竞争又团结。他们在划船、足球、网球及其他激烈的竞技中争胜。他不想培养儿子们成为职业运动员，他期望他们为公职生活做好准备，期望女儿们准备好嫁给会"归化"为肯尼迪家成员的杰出人士。他鼓励孩子们幼年时便阅读《纽约时报》；在餐桌上不准大家闲聊。全家只讨论国家大事，肯尼迪曾指望长子乔竞选公职，但乔1944年死于战争。肯尼迪家的政治旗手落在次子J.F.肯尼迪（**Kennedy, John F[itzgerald]**）的身上，他原曾打算进入学术界或新闻界，后投身政界，在遭暗杀前入主白宫1 037天。J.F.肯尼迪的弟弟R.F.肯尼迪（**Kennedy, Robert F[rancis]**）曾任美国司法部长及由纽约州选出的参议员，1968年3月中旬宣布角逐美国总统，但不到3个月便遭到枪击而丧命。肯尼迪晚年因中风而在海恩尼斯港休养了好几年，卒年81岁。罗斯在丈夫去世后还活了25年，于1995年1月22日

在海恩尼斯港逝世,卒年104岁。

Kennedy, Robert F(rancis)　肯尼迪(1925-11-20,美国马萨诸塞布鲁克莱恩～1968-06-06,洛杉矶)　美国司法部长及其兄约翰·肯尼迪总统(1961～1963)的顾问。后任美国参议员(1965～1968),在争取总统候选人提名的竞选活动中遭暗杀。第二次世界大战期间,他中断在哈佛大学的学业,进美国海军服役,之后返回哈佛,于1948年毕业。1951年取得弗吉尼亚大学法学院的法学学位,次年在马萨诸塞州开始政治生涯,负责其兄约翰竞选参议员的活动,取得成功。1953年开始在全国出名,当时他在麦卡锡主持的参议院常设调查小组委员会中担任助理法律顾问。1957年出任参议院特别委员会的首席法律顾问,负责调查敲诈勒索劳工的行为,因而导致他和国际卡车司机兄弟会主席J.R.霍法的长期不和。1960年辞去委员会的职务,为其兄统筹竞选美国总统的活动,1961年被肯尼迪总统任命为司法部长。1963年11月22日,肯尼迪总统在得克萨斯州达拉斯遭暗杀,罗伯特继续任司法部长,直到1964年9月辞职。他主持司法部共44个月,作为法律政治家对工作有过许多改进。当他在1961年5月20日获悉一群怀有敌意的群众在蒙哥马利威胁民权运动领袖M.L.金及其1 200名支持者后,派出400名联邦执法官前去保护他们。他领导了一场强大而富于想象力的反对有组织的犯罪的运动。他最引以自豪的成就之一,是收集证据将霍法定罪。他的著作有:《内部敌人》(1960)、《正义的朋友和勇敢的敌人》(1962)和《追求正义》(1964)。1964年11月,他轻而易举地当选为纽约州联邦参议员,两年内成为一位重要的政治人物。他是民主党自由派的主要发言人,曾批评约翰逊总统的越南政策。1968年3月16日,他宣布参加竞选美国总统候选人提名。到6月4日,他已赢得6个州中的5个州的预选,包括当天在加州举行的预选。午夜过后不久的6月5日清晨,他在洛杉矶大使饭店对支持者发表演说后穿过厨房门厅离去时,遭到一名巴勒斯坦移民S.B.西尔汉狙击,伤重不治。葬于阿灵顿国家公墓其兄的墓旁。

Kennedy, Walter　肯尼迪(约1460～约1508)　苏格兰诗人。主要因和诗人W.邓巴的对骂诗而为世人所知。在《邓巴和肯尼迪的对骂》这本诗集中,两位诗人轮番用措词极为激烈的语言互相指责,是16世纪苏格兰诗人所喜爱的消遣的突出例子。其生平不详,仅知1476年毕业于格拉斯哥大学,1478年获硕士学位。邓巴在《对骂》中对肯尼迪富有诗意的描绘甚为奇形怪异,这可能是逼真的漫画艺术,但邓巴对他的生平描述也许缺乏真实感。肯尼迪的其他作品主要是有关宗教方面的。

Kennedy Channel　肯尼迪海峡　北冰洋水道。位于加拿大埃尔斯米尔岛(西侧)与格陵兰西北部(东侧)之间,宽26～39千米。从凯恩海盆向北延伸180千米到达霍尔海盆。其南部有通北大西洋的巴芬湾,其北部有北冰洋的一部分林肯海。肯尼迪海峡为这两者之间的水道。夏末和秋季有时可通航。1871年由美国的F.霍尔首次发现。

Kennelly, Arthur Edwin　肯涅利(1861-12-17,印度戈拉巴～1939-06-18,美国波士顿)　美国电气工程师,在电子学分析方法上作了革新,特别是把复数理论确定地应用到交流电路上。最初在伦敦一所工程协会做勤杂工,后来做电工,又在电缆工程船上工作。1887年在新泽西州西奥兰治任T.爱迪生的主要助手,直到1894年。然后和E.J.豪斯顿在费城合伙成立肯涅利和豪斯顿咨询机构。直流电路的数学分析是很简单的。但是分析交流电路要复杂得多。肯涅利的论文《阻抗》发表后,立即使工程界得以把复数技术用于交流电路。1901年肯涅利发现用G.马可尼的接收方法在纽芬兰接收从英国发来的无线电信号,比无线电波理论的预期效果好得多。次年他假设无线电波能被大气层上部的电离层反射回地面。以后不久,英国物理学家O.亥维赛独立地提出了相同的理论。这个层叫做肯涅利-亥维赛层(现称电离层的E区)。

Kennelly-Heaviside layer　肯涅利-亥维赛层　参阅 **E region** E区。

Kenner mission　肯纳出使　美国历史上,南部邦联在1864年以废除南部奴隶制为条件换取欧洲各国承认的秘密尝试。D.F.肯纳是路易斯安那州一个富裕的糖业种植园主和良畜饲养业主,南北战争中始终是该州的南部邦联众议员。1864年肯纳说服南部邦联的国务卿J.P.本杰明派遣一名特使前往欧洲,以废奴为条件换取英法两国的承认。J.戴维斯总统决定不通知南部邦联的国会,派肯纳单独赴欧。肯纳以全权公使衔,于1865年2月11日乔装经纽约启航赴欧。但当他到达目的地时,南部邦联已被彻底打败,他未能完成使命。

Kennet　肯尼特　英格兰南部威尔特行政、历史郡一区。面积967平方千米。在郡的中东部,约处于布里斯托尔和伦敦之间。为白垩高地的农区。北部和东北部有莫尔伯勒丘陵,南部和东南部属索尔兹伯里平原,中部为肥沃的皮尤西河谷。肯尼特区有许多史前遗迹,许多地方被政府辟为"奇美区"。附近锡尔伯里山丘被认为是欧洲史前最高的土墩。莫尔伯勒丘陵地区养牛羊,种植饲料作物。莫尔伯勒是这个地区唯一重要的堂区(城镇)。在肯尼特西南的大部平原辟为军事训练用模拟战场。该区东南部有萨弗纳克森林,有许多高大的栎树和山毛榉,许多树木生长于18世纪。首府迪韦齐斯。人口约79 500(1998)。

Kenneth I　肯尼思一世(?～约858,苏格兰维奥特堡)　又称肯尼思·麦卡尔平。达尔里阿达人与皮克特人联合后第一代苏格兰国王。其统治地区在苏格兰福斯河及克莱德河一以北。其父阿尔平生平不详,但据说他曾与皮克特人作战获胜,3个月后(约834)又被皮克特人杀死。肯尼思在达尔里阿达继位,并统治皮克塔维亚,共达16年。从843年起,显然是由于联姻,两个王国逐步实行联合。按照皮克特人的婚姻制度,继承权传给女性。但他也许曾征服东皮克特某些地区,并可能侵犯洛锡安,焚毁邓巴和梅尔罗斯。死后葬于爱奥纳岛。

Kenneth II　肯尼思二世(?～995,苏格兰费特凯恩)　皮克特人与苏格兰人的联合国王(971年起)。马尔科姆一世之子。即位之初就对不列颠人进行掳掠,也许是复仇行动。据传973年在彻斯特有一批北方小邦君主归顺盎格鲁-撒克逊国王埃德加,肯尼思也在其中。编年史作家温多弗的罗杰曾说,不久以后,肯尼思从埃德加获得称做洛锡安(在特威德河与福斯河之间)的全部土地。这是首次提到特威德河是英格兰与苏格兰之间公认的边界。肯尼思后在梅恩斯的费特凯恩被其臣民所杀。

Kenneth III　肯尼思三世(?～1005,苏格兰蒙齐维尔德)　苏格兰人的国王(997年起)。达布之子,马尔科姆一世之孙。可能在杀害其堂兄弟康斯坦丁三世后继承了王位。他本人被马尔科姆(肯尼思二世之子,后成为马尔科姆三世)在蒙齐维尔德杀死。

Kenneth, SAINT　肯内斯,圣(515或516或者521或527,爱尔兰德里郡格伦吉芬～599或600,莱克斯郡阿赫博伊)　又作Canice或Kenny,拉丁语作Canicus。大隐修院院长。据传曾在米斯郡克洛纳德、都柏林郡格拉斯内文、格拉摩根郡兰卡凡等地学习。545年在兰卡凡接受神职。曾访问罗马。他是艾奥纳的科伦巴的密友和同事,陪同他前往苏格兰内地向皮克特人传教。据传他也曾在苏格兰沿岸的赫布里底群岛进行广泛的传教活动。约577年返回爱尔兰,建立隐修院多处。肯内斯也是诗人。

Kennewick　肯纳威克　美国华盛顿州东南部本顿县城市。位于里奇兰东南,濒哥伦比亚河,与帕斯科隔河相对。1892年规划,1904年设建制。附近出产苜蓿、玉米、豆类、甜菜、葡萄和樱桃。哥伦比亚河上的水力发电站和能源研究与发展管理局的汉福德工程对该市经济有重大影响。有化工和农产品加工业。1996年7月,在当地的哥伦比亚公园发现了9 400年前的人类遗骨。头骨长而宽,表明是欧洲血统,而非亚洲血统。人口:市54 693;里奇兰-肯纳威克-帕斯科都会统计区191 822(2000)。

kenning　代称　以简明的复合词或形象化的词组,去代替一个普通名词。特别是在古日耳曼语、古斯堪的纳维亚语和古英语的诗歌中,此种用法甚多。代称常是一个单纯的普通的复合词。例如,在英语中以whale-path(鲸鱼道)或swan road(天鹅路)代替sea,以God's beacon(上帝的灯塔)代替sun(太阳),或以ring-giver(颁赐指环者)代替king(国王)。许多代称,都属暗示。因而到了后代便晦涩难懂了。一种非日耳曼语的对应形式，是荷马诗中的修饰语，如 rosy-fingered dawn，以“红霞漫射如五指的黎明”来摹写晨曦景色之绚丽。参阅 **skaldic poetry**。

Kenny, SAINT 参阅**Kenneth, Saint**肯内斯，圣。

Keno 基诺 一种赌博法。最常见的形式为赛马基诺(又称内华达基诺)。每人领1张卡片，上面绘有80个方格，排成10行，各格标以从1～80的号码，可以押任何一个号码或几个号码，最多不得超过15个号码，在卡片上标明。收齐赌注以后，赌场管理人员就照各人卡片进行登记，然后开动压气机喷射标有1～80号码的乒乓球20枚，决定中彩号码，以定输赢。

Kenora 凯诺拉 加拿大安大略省凯诺拉区城镇。濒临伍兹湖，在桑德贝西北480千米处。1890～1891年采金业取代了伐木业。1882年为一铁路枢纽站，成为马尼托巴省一个镇。后并入安大略省，1883年为安大略省一个乡，1892年设为镇。现有纸浆、造纸、面粉、鱼类加工、造船等工业。兼有旅游业。东北13千米有一机场，湖畔有一水上飞机基地。每年8月举行丰富多彩的伍兹湖国际联欢节。人口9 782(1991)。

濒临伍兹湖的凯诺拉镇
美国不列颠百科全书公司供图

Kenoran orogeny 肯诺造山运动 25亿(±1.5亿)年前，加拿大地盾上的一次前寒武纪热力事件。这次事件影响到的岩石是一些北美最古老的岩石，它们分布在：①围绕哈得孙湾南面和东面的苏必利尔地区；②加拿大西北部的大奴湖地区；③拉布拉多东北部海岸的小东奈因地区。在地盾范围以外，年龄与肯诺期岩石相当的岩石，分布在怀俄明和布莱克山。苏格兰的刘易斯片麻岩，有好多部分测定出时代在24亿～26亿年前，所以这些岩石可能与肯诺热力事件相关联。

Kenosha 基诺沙 美国威斯康星州东南部城市，基诺沙县县城(1850)。在伊利诺伊州边界北，派克河注入密歇根湖的河口处。1835年始建。1850年设市。为圣劳伦斯航道港口。生产乐器、工具、汽车、家具、服装和金属制品。有食品加工业。有卡西奇学院(1847)、盖特韦理工学院基诺沙分校(1912)和威斯康星大学帕克塞德分校(1966)。1849年开办威斯康星州第一所公立学校。哈莫尼剧场是美国巴伯四重奏演唱协会总部所在地。人口：市约90 352；都会统计区约149 577(2000)。

Kensett, John Frederick 肯塞特(1816-03-22，美国康涅狄格切希尔～1872-12-14，纽约市) 美国风景画家，哈得孙河画派第二代领导人物。1840年和A.B.杜兰德、J.W.卡西利尔、T.P.罗西特同赴欧洲，通过旅行、观摩、拜访主要艺术家等方式接受艺术教育。1847年返美时，他已因从欧洲寄回的作品而享有声誉。1849年人全国设计院，并成为纽约大都会艺术博物馆创办人之一。其绘画色调低沉，呈银灰色。观察缜密，感觉敏锐，作品富有真实感。

肯塞特绘《乔治湖上的暴风雨》(1870)
美国不列颠百科全书公司供图

Kensington and Chelsea 肯辛顿-切尔西 英格兰内伦敦郡敕许自治市。属米德尔塞克斯历史郡。位于泰晤士河北岸，威斯敏斯特城西面。为伦敦西区的一部分，主要是住宅区。面积12平方千米。南部街巷两旁时装店、店铺、餐馆、公寓、营业所和旅馆鳞次栉比。经巴特西(1887～1890)、艾伯特(1873)和切尔西(1934～1937)三桥与泰晤士河南岸连接。名胜有肯辛顿宫(1819年维多利亚女王在此出生，现仍为王室宫邸)、俯瞰着肯辛顿花园的皇家花园饭店(1965)、联邦学院(1962)、伦敦大学切尔西学院、伯爵广场展览厅、不列颠自然史博物馆、维多利亚和艾伯特纪念馆、科学博物馆和地质博物馆等。市南部是艺术家、作家、音乐家和政治家的荟萃地。人口约169 900(1998)。

Kensington Gardens 肯辛顿公园 英国伦敦威斯敏斯特区内的公园，占地111公顷。西邻肯辛顿宫，北靠贝斯沃特，南接南肯辛顿，东与和海德公园相邻。从北边的维多利亚门到南边的亚历山德拉门，一些蜿蜒的道路将肯辛顿公园和海德公园分开。以前是王室猎场，18世纪成为富人休闲散步的场所，19世纪中叶向公众开放。园内有19世纪的艾伯特纪念碑、圆池(1728)、大喷泉，以及彼得·潘和斯皮克的雕像。

Kensington Palace 肯辛顿宫 位于伦敦肯辛顿-切尔西自治市的皇家宫殿。东边连接广阔的肯辛顿花园。这座宫殿最初是在17世纪由G.科平修建的，诺丁汉伯爵买下它后就变成诺丁汉宅邸。自1689年起威廉三世派C.列恩去监督它的扩建，从此这里就成为一座主要的皇家领地。花园中的橘园是1704年为安妮女王修建的，乔治一世指派W.彭生取代列恩的工作去修改宫殿本体。1798年后J.韦艾特进行了进一步的设计变化。W.肯特装饰了天花板和楼梯。安妮女王(1714)、乔治二世(1760)都在这里过世，1819年维多利亚女王出生于这座宫殿。1912～1924年伦敦博物馆使用了宫中的国家套房，在市中心的伦敦博物馆开馆以前再次使用了此地(1950～1975)。周围都是宏伟的19世纪宅第，现在许多都是大使馆和外交人员的住宅。肯辛顿宫现仍是英国王子和公主们的居所。威尔士王妃戴安娜去世前就住在这里。

Kensington Stone 肯辛顿石碑 一件据推断为14世纪斯堪的纳维亚探险队在北美腹地留下的石碑，多数学者认为是赝品，因为刻文并非当时风格；有些学者如康奈尔大学前教授R.A.小霍尔则认为可能是真品。碑身为硬砂岩，重90千克，镌有如尼文字，据传1898年在明尼苏达州肯辛顿附近农场中出土。铭文刻于1362年，大意为石碑是从文兰(纽芬兰)来的挪威和瑞典探险队所立，当年他们曾考察过北美五大湖。石碑现藏明尼苏达州亚历山德里亚一专门博物馆里。

Kent 肯特 盎格鲁-撒克逊时代英格兰的诸王国之一，地理上约相当于现肯特郡。盎格鲁-撒克逊人最早在这里登陆。肯特以独特的社会和政治结构闻名。据传说，约在5世纪中期，亨吉斯特和霍萨率领第一批移民在肯特的埃博斯湾登陆，亨吉斯特建立王国，后又传给儿子埃斯克。560～616年由艾特尔伯赫特统治。595年，艾特尔伯赫特成为亨伯河以南所有王国的最高宗主。597年，教皇格列高利一世派奥古斯丁率传教团到艾特尔伯赫特宫廷。艾特尔伯赫特信奉天主教后，将坎特伯雷作为传教团驻地，从此坎特伯雷成为英国教会最高大主教教座。他的曾孙埃格伯特曾经兼任萨里和肯特两国国王。8世纪中叶，麦西亚国王奥发占据肯特，直到825年被韦塞克斯国王埃格伯特所征服。10世纪中叶，韦塞克斯王成为全英格兰的国王，肯特变成他的一个省。肯特的社会结构具有许多特点，说明其居民不同于盎格鲁人和撒克逊人，而是朱特人。它与韦塞克斯和麦西亚不同，只有一个贵族阶级，而农民则拥有更多的资产。自由土地允许分开继承。行政上分成小区，显然以王室的市镇为中心。

Kent 肯特 英格兰一行政、地理和历史郡。位于不列颠群岛东南端，濒英吉利海峡。行政郡面积3 543平方千米，地理郡面积3 748平方千米。自西到东是一列白垩丘陵形成的本郡隆起带。下设阿什福德、达特福德、多佛、吉灵厄姆等14个区。沿海有浅滩和陡崖。公元43年被罗马人征服。5世纪初叶被朱特人和撒克逊人侵占。后成为盎格鲁-撒克逊不列颠人七个王国之一。597年肯特王迎入圣奥古斯丁所派遣的基督教传教团。奥古斯丁在坎特伯雷建隐修院，后又在此建大教堂。T.贝克特大主教在坎特伯雷大教堂被杀(1170)后，许多朝圣者前来瞻仰他的圣祠。乔叟的《坎特伯雷故事集》描写过当地14世纪朝圣的情况。肯特郡有“英格兰花园”之称。北部的梅德韦谷地出产苹果、樱桃和蛇麻子。谷地和肯特北部有众多商品菜园。重要农作物有大麦、小麦、燕麦和马铃薯。罗姆尼沼泽是世界最优良草场之一，以其绵羊而闻名。达伦特和梅德韦两河沿岸有造纸业。泰晤士河沿岸有机械制造和化工业。梅德韦河下游和斯韦尔河沿岸生产塑料、砖瓦和水泥。格雷恩岛有炼油工业。阿什福德有铁路工厂。1973年英国加入欧洲经济共同体后，肯特东南部与欧洲大陆间的联系加强，东部发展成为仓库区和海陆运输中心。人口：行政郡1 332 000；地理郡1 574 600(1998)。

Kent 肯特 美国俄亥俄州东北部波蒂奇县城市。在阿克兰东北，濒临凯霍加河。约1805年始有人定居，1867年设村，1920年设市。1910年州立师范学校(后为州立肯特大学)的创立促进了城市的发展。1970年，肯特大学在反对越南战争的活动中有4名学生死亡，引起国际关注。肯特的制造业生产旅宿汽车、电动机、机床和各种机器。人口27 906(2000)。

Kent, Edmund Plantagenet, 1st earl of 肯特伯爵(第一)(1301-08-05，英格兰牛津郡伍德斯托克～1330-03-19，汉普郡温切斯特) 即E.金雀花。别名伍德斯托克的埃德蒙。英格兰国王爱德华二世的幼弟，支持爱德华二世直到丧命。曾在苏格兰和法国参加作战。1327年爱德华三世即位后，成为王室会议成员。不久与伊莎贝拉王后及其情夫R.莫蒂默发生争执。他参加使爱德华二世(实际上已在1327年9月被谋杀)复位的密谋，被捕后斩首。

Kent, James 肯特(1763-07-31，纽约帕特南县弗雷德里克斯堡～1847-12-12，纽约市) 美国法学家，他所作的判决和书面评论形成了美国建国初期的普通法。作为纽约衡平法法院法官(1814～1823)，据说是他使衡平法法理第一次在美国法律史上生效。并且影响了英国和其他普通法国家的法理学。从1785年起在纽约州波基普西当律师，1790年起任纽约州立法议员，1793年迁入纽约市，当时他被任命为哥伦比亚大学第一位法学教授。他于1798年成为纽约州最高法院法官，1804年成为该院首席法官，并于1814年成为该州的衡平法法院法官(当时是纽约州最高级的司法官员)。他再次在哥伦比亚大学担任法律学教授(1823～1826)，并将讲稿修订和加工成为《美国法律评论》(共4卷，1826～1830)。该书的内容涉及国际法，美国宪法和联邦制度，美国各州的法律，人权，财产法(包括动产和不动产)。在内容和形式上，该书都不同于与它相对应的伟大的英国著作，即威廉·布莱克斯通的4卷本《英国法律评论》(1765～1769)。作为法官和评论家，肯特尽可能多地

美国史密森学会供图

依赖古老的英国法律。当普通法的判例不适当或者没有这方面的判例时，他转向(来源于罗马法的)大陆法。在美国、英国和其他地方，凡是引用肯特的著作的普通法法院不可避免地要采用许多来源于大陆法的原则。

Kent, Nun of 肯特修女 参阅**Barton, Elizabeth** 巴顿。

Kent, Odo, earl of 肯特伯爵 参阅**Odo of Bayeux** 奥多(巴约的)。

Kent, Rockwell 肯特(1882-06-21，美国纽约塔里敦海茨～1971-03-13，纽约普拉茨堡) 美国画家和插图画家，20世纪上半叶美国最著名的艺术家之一。曾在哥伦比亚大学学建筑，后改学绘画。早期作品多是抑郁的风

肯特绘《压路机》(1909)
美国不列颠百科全书公司供图

景画和海景，色调对比强烈，如《压路机》等。曾从事多种职业，游历许多地方。这些经历为其绘画和游记提供了素材。曾给梅尔维尔、莎士比亚、乔叟和其他作家的作品作过插图，也为自己写的书画了不少插图。1966年被选为苏联美术研究院院士。

Kent, Thomas Holland, 3rd earl of 肯特伯爵(第三) 参阅**Surrey, Thomas Holland, duke of** 萨里公爵。

Kent, William 肯特(约1685，英国约克郡布里德灵顿～1748-04-12，伦敦) 英国画家和建筑师、帕拉弟奥建筑风格的主要大师，“自由式布局”的英格兰花园的首倡者。少时当过学徒，后到罗马学习绘画，结识了帕拉弟奥古典建筑风格(帕拉弟奥主义)的主要倡导者伯林顿伯爵。伯林顿伯爵把肯特带回伦敦装饰皮卡迪利大街的伯林顿大厦。与伯林顿伯爵的交往，使肯特相当严肃的建筑风格产生了明显的变化。肯特对后来的新古典主义建筑师有一定的影响。其主要建筑物为诺福克的霍尔克姆大厅(1734年开始建造)。他亲自设计内部装饰和家具，成为最早追求整体设计的建筑师之一。他的一些最知名的作品如皇家马厩(1732)、怀特霍尔的国库大楼(1734～1736)、怀特霍尔的骑兵禁卫军大楼(1750～1758，肯特去世后才完成)等，都是作为伯林顿宏大计划的一部分，企图更紧密地追随古典主义的先贤，以改变英国建筑的可怜状态。肯特可能在其所设计的花园中——设计成自然环境的样式，以便与正规的房屋形式形成对照——得以最自由地发挥其创造性。他设计的牛津郡罗夏府邸和白金汉郡斯托住宅的花园，将弯曲的小径布置在错落有致的树丛之间，小径终端及树丛开阔处则出现建于空地上的古典式小型教堂。英国作家H.沃波尔在论及肯特抗拒把花园设计成正规格式时说，肯特认为“大自然的所有景色都是花园”。这种风格不久即从英国流传至欧洲大陆，在18世纪下半叶对法国产生重大影响。

Kent and Strathern, Edward Augustus, duke of 肯特与斯特拉森公爵(1767-11-02，伦敦白金汉宫～1820-01-23，英国德文郡锡德茅斯) 英王乔治三世的第4子，维多利亚女王之父。终生任军职，以军纪严厉而著称。1790年指挥驻直布罗陀的皇家火枪团，1791年率领该团前往加拿大，在魁北克驻留两年。1793年晋升少将，率领一旅近卫军，攻下法国的马提尼克岛和圣卢西亚岛，然后回到加拿大，直到1798年因负伤而被迫返回英国。1799年封肯特与斯特拉森公爵、都柏林伯爵，擢升为北美英国驻军总司令。由于健康不佳，他未能长期住在加拿大。1802年任直布罗陀总督。1805年成为陆军元帅。1815年退隐布鲁塞尔。1818年与同居20年的情妇圣洛朗夫人分手，和萨克森-萨尔费尔德-科堡公主玛丽·路易莎·维多利亚公主(1786～1861)结婚，生女即后来的维多利亚女王。

Kentau 肯套 哈萨克斯坦中南部奇姆肯特州城市。位于卡拉套山中部山坡上。1955年由几个居民点合并而成。肯套，哈萨克语意为“矿山”，是一座迅速发展的矿业城市。有多金属矿选矿厂、钢筋水泥厂、变压器厂和挖掘机厂。有公路通塔什干—奥伦堡铁路沿线上的突厥斯坦火车站。人口约65 100(1991)。

Kentigern, SAINT 肯蒂格尔恩，圣(?，法夫郡卡尔罗斯～约612，大约卒于格拉斯哥) 别名芒戈(Mungo)。大隐修院院长，早期传教士。传说他曾同贝拉基异端派别进行斗争。550年到格拉斯哥，向不列颠各部族传教，建立教会。相传斯特拉斯克莱德国王支持他的传教事业，他为该国王建立格拉斯哥主教区。继位的基督教国王里德列被信异教的反对派推翻，肯蒂格尔恩逃走，政局扭转后返回格拉斯哥。传他曾同科伦巴(艾奥纳的)合作。现代格拉斯哥大教堂有肯蒂格尔恩所建教堂的遗址，其中有肯蒂格尔恩墓。

Kenton, Stan 肯顿(1912-02-19,美国堪萨斯威奇托～1979-08-25,洛杉矶) 美国爵士乐队领队、钢琴家和作曲家,曾委托创作和推广许多现代作曲家-改编者的作品,并努力把正规教育和大乐队爵士乐一起揉进了20世纪60和70年代的舞台(或称音乐会)乐队运动,此运动牵涉了数以千计的高中或大专院校音乐家。肯顿少年时就开始创作音乐。30年代担任伴舞乐队的钢琴手和乐曲改编者。1940年组成自己的乐队,巡回演出直到去世。肯顿的很多音乐更像非摇摆乐的20世纪音乐会音乐,而不像爵士或舞蹈音乐。肯顿也给一些杰出的爵士乐即兴演奏家以显著地位,但重点不在即兴,而在一些刻意经营的改编,它经常采用早期爵士乐中不常见的乐器。他对拉丁美洲音乐也表现了极大的兴趣,最具特色的是由小号演奏带有5音或6音密集和弦的强烈音响,以及由长号演奏的开放和声。用16分音符写的萨克斯管乐段也是其特点之一。一些评论家把他的音乐列入"冷静爵士乐"的范畴。因他来自加利福尼亚州,他的许多同事都被称为"西海岸爵士乐派",这是"冷静爵士乐"的一个支派。从1970年起肯顿开设了自己的由唱片公司、出版社和广告网构成的联合企业,取名"创造性的世界"。最著名的作品是《节奏中的艺术》,这是他的乐队的主题曲。最受欢迎的唱片有《幕间即兴连复段》、《殷勤的人》和《花生小贩》等。

Kent's Cavern 肯特洞 英格兰德文郡托基附近的石灰石大洞穴。1825～1829年麦克内里研究洞内上层堆积,认为这里所出早期证据表明,人类曾与现已灭种的动物在此共居。1865～1880年彭杰利的发掘完全证明了这一事实。肯特洞地层自上而下分为6层:罗马时代、铁器时代和青铜器时代陶片;新石器时代陶器及石笋;烧焦骨头和灰烬;红色土;石笋底板;骨和角烁岩卵石。除最下层有穴熊遗骨外,动物主要在红色土层,属晚更新世。出土动物有猛犸、披毛犀、野牛、驯鹿和巨鹿。还发现人类残骸,但尚未确定其考古分期。出土工具在类型学上分为5期:阿舍利、莫斯特、中奥瑞纳、原始梭鲁特、马格德林。

Kentucky 肯塔基 美国中南部一州。该州长期以来一直是印第安人各部族的家园,1769年D.布恩及其他边疆开拓者来此定居。州名很可能是从易洛魁人表示"大草原"的一个词衍变而来。当肯塔基于1792年被接纳为美国第15州(阿巴拉契亚山脉以西地区第一个加入联邦政府的州)时,该州已吸引了近7.5万移居者。人口4 041 769(2000)。

该州除南部一条长约685千米近似笔直的边界与田纳西州相接、东南部多山的边境与弗吉尼亚州为邻外,其余边界均依河流划定。该州在东部和东北部隔塔格河和大桑迪河与西弗吉尼亚州相望。从大桑迪河注入俄亥俄河之处起,其最北部边界呈不规则曲线,顺俄亥俄河的流向依次与北部的俄亥俄州、印第安纳州和伊利诺伊州相望。在俄亥俄河流入密西西比河之处,该州短短的西部边缘即以密西西比河为其与密苏里州之间的界河。该州面积为104 659平方千米。州府法兰克福,位于列克星敦同俄亥俄河畔的路易斯维尔两大城市之间。

肯塔基在人们心目中的形象是多种多样的,其中包括煤矿,波旁威士忌酒(以过去开发出而现在还在制造这种酒的波旁县命名),在夏日游廊品尝冰镇薄荷酒、身穿白制服的上校们及他们的夫人,山地人及走私威士忌酒的商人,养马场和肯塔基马赛。的确,肯塔基州包含着贫与富、美与丑、南方与北方的奇妙混合。数百人已在肯塔基的煤矿里丧生,露天开采造成无数山坡水土流失。然而,似乎无边无际的白栅栏马圈和围场,作为列克星顿周围绵延起伏的六月禾地区的特色,却象征着一种悠闲和高雅的生活方式。这使肯塔基看起来更像是在南北战争之前的南方而不是处在美国工业大发展的地区。形成更强烈对照的是,以日尔曼人传统和郊区发展模式为主的肯塔基最北部地区,却属于俄亥俄州的辛辛那提大都会区。该州既是美国第16任总统林肯的诞生地,又是那次战争中南部邦联总统J.戴维斯的诞生地。

自然地理和人文地理

土地 *地形* 肯塔基部分地域位于美国3大自然地理区内:阿巴拉契亚高地、内陆低地和滨海平原。根据地下岩层构造,该州可分为6个小地区:山区、丘陵带、六月禾生长区、薄荷生长区、西部煤田区、购地区。

超过25 900平方千米的肯塔基最东部位于山区,为坎伯兰和派恩山脉的一个倾斜高原。区内风景优美,河谷狭窄,尖峰陡峻,并有横向山脊。大布莱克山为该州最高点,海拔1 264米。该州东部多深邃峡谷、天然石拱及小谷地农场,有3条主要河流——大桑迪河、坎伯兰河和肯塔基河——及众多支流。穿过这些高山迷宫的天然通途,有时就是曲折迂回的山口,如历史上有名的坎伯兰山口,或者是些水口,其中有景色如画的桑迪裂缝。坎伯兰河从高原倾泻而下,形成落差约21米的坎伯兰瀑布,此瀑布以月虹而闻名,是北美洲唯一出现这种现象的地方。肯塔基的东部大煤田位于山区,虽然该地区在整个20世纪一直是主要产煤区,但东部山区中仍埋有几十亿吨煤矿。

丘陵带为一狭长地区,形似不规则的马蹄铁,两端均靠近俄亥俄河,内侧是六月禾生长区,东部是山区,西部是薄荷生长区。丘陵带景观多锥形或圆形小山丘和古陡崖。风化的页岩土并不肥沃,且易遭侵蚀,宜林不宜耕。在欧洲人来此定居之前,某些较低的地面曾生长着藤丛,引来了大群水牛和鹿。布恩国家森林公园的大部分位于丘陵带东部。

有一句俗语说,当东部肯塔基人死后,他们都想到六月禾生长区的首府列克星敦去。六月禾生长区位于肯塔基的地理中心,也是其传奇中心。其20 720平方千米的土地为丘陵带和俄亥俄河所包围。区名得自那里生长茂盛的长茎草。地下埋藏的石灰岩富含磷酸盐,那里生长的牧草成为世界一些最出名的养马场用的饲料。

面积20 200平方千米的薄荷生长区,同除了六月禾生长区以外的几个区相接:东面与山区交界,北面的曲折边界连接丘陵带、俄亥俄河及西部煤田区,西面与购地区相邻,南面与田纳西州接壤。该区名源自当地人对一种植物的读音,这种植物属薄荷科,在该地区十分丰富。该区有树木覆盖的岩石山坡、小型畜牧场、悬崖峭壁以及一片曾被称作"荒地"的空地——这种状况系由印第安人持续燃烧森林植被,为养水牛扩大草地面积而造成。最值得注意的是,该区是个溶岩洞区。地表和地下充沛的水源与地质

肯塔基州列克星敦附近的农场
美国不列颠百科全书公司供图

史上的早石炭世期间(3亿多年以前)沉积的石灰岩,共同创造出这个被称作“万洞之地”的地区,以及像马默斯溶洞这样出名的地下通道。这个巨大的地下溶洞有3条河和3个湖,洞穴通道在5个不同层次上的总长度超过483千米。洞内温度常年稳定在12°C。薄荷生长区地下还有许多其他岩洞。沿该区西部边缘的肯塔基湖和巴克利湖分别是田纳西河和坎伯兰河的拦堵蓄水库,两湖之间是一个孤立的长有树林的半岛,名为“湖间地”,由田纳西河流域管理局辟作一个有教育意义和娱乐性的公园。

西部煤田区为薄荷生长区和俄亥俄河所围绕,有格林河流经,面积12 120平方千米,不及东部煤田面积的一半,只比六月禾生长区的一半稍大一点。不过,该区整个范围内有许多煤层,区内某些起伏不平的高地及河滩地都很肥沃,所以该区既是一个矿业区,又是一个农业区。

购地区又称杰克逊购地区,位于该州西南角,面积仅6 654平方千米。西界为密西西比河,北界为俄亥俄河,东界为被拦堵的田纳西河。其南面边界为该州与田纳西州漫长边界尽西头的“沉没”地段。从地质上看,购地区为墨西哥湾滨海平原最北部的延伸。区名指的是根据同奇克索部族签订的条约于1818年对该区的购买,A.杰克逊是该条约签字人之一,后成为美国第7任总统。该区为肯塔基州地形最低的地区,但又并非非常平坦。宽阔的泛滥平原间有一些低矮的小山,这些可能是古海洋中的沙坝。陡岸、沼泽和潟湖形成地形的一部分,该地区的软岩石又迅速受到侵蚀,改变了地貌景观。该地区是肯塔基州土壤最肥沃的地区之一,以农作物及杨树、山核桃和栎树的树林而闻名。

肯塔基-田纳西边境上的里尔富特湖(面积73平方千米),由1811年12月份开始并持续到1812年3月份为止的一系列地震运动而形成。这是美国历史上最猛烈的地震,估计强度在里氏8.4～8.8。总计共有约1 800次地震和余震,最强烈的一次地震连首都华盛顿和纽约市都有震感。据报道,地震如此强烈,以致密西西比河水倒流了数小时之久,因为河底变形并急剧上升;一些大的岛屿消失了,密苏里州的新马德里镇下沉了3.7米,并被水淹没,形成了一个长22.5千米的湖——里尔富特湖。地震是由地壳中一条64.4千米宽的古老裂谷引起的,裂谷长约322千米,走向从孟菲斯沿密西西比河谷进入密苏里和伊利诺伊州,很长一段在肯塔基州边境。这条裂谷名为新马德里断层,科学家们预报,该地区还会发生多次地震。

水系 除了形成肯塔基州边界的密西西比河、俄亥俄河及大桑迪河以外,流经该州的还有7条大河:利金河、肯塔基河、索尔特河、格林河、特雷德沃特河、坎伯兰河及田纳西河。注入俄亥俄河的几条大河已筑起大坝,形成几个大水库;肯塔基湖和巴克利湖之间有一条运河相连。格林河是该州境内最长的河流,发源于薄荷生长区东部,流经595千米,最后注入俄亥俄河。

土壤 肯塔基州的地貌也像该地区生长的生物那样种类繁多,从早古生代岩层的有褶皱的露头,一直到肯塔基湖3 700千米长的湖岸线。沿河两侧分布着富饶的冲积土层,而该州其余部分的土壤则来源于基岩层长期缓慢的崩裂和分解。

气候 该州气候温和,雨量充沛,土壤各具特色,三者结合,创造出了多种多样的植被、动物和地貌景观。年平均温度13～16°C。作物生长期为每年176～197天。该州年平均降水量约1 143毫米,全年分布均匀。在南部地区和东北部之间,年平均降水量差异最大:南部平均每年高达1 219毫米,东北部则可能只有1 016毫米。主要刮南风和西南风,但冬季的北风和西北风则常常带来骤寒。

动植物 该州为美国阿勒格尼山脉到西部大草原的阔叶林区的一部分。该州的3/4地区一度长满黄杨、栎树、栗、悬铃木和胡桃树。不过,在19世纪结束之前,这些原始森林,除一小部分以外,全都被砍伐。现在,州内到处仍然有生长茂盛的乔木、灌木及许多种植物,东部山坡上长有本地阔叶树和松树,西部河边沼泽长有树姿优美的秃柏,全州到处可见槭树、山毛榉和木兰。杜鹃花、月桂、狗木、紫荆和延龄草,是可在肯塔基山脉里见到的几十种显花植物中突出的几种。

肯塔基州的鸟类和哺乳类包括原产于南方腹地以及加拿大南部的种类。一度曾在该州生活的许多种有蹄动物——美洲野牛、美洲赤鹿、驼鹿和鹿,现在只有鹿还继续存在。狼和豹也同样已绝迹。可在该州见到的许多小型动物有兔、松鼠、狐、浣熊、负鼠、美洲旱獭,在许多洞穴里还有蝙蝠和啮齿动物。格林河在该州西北角注入俄亥俄河,该地区是世界大批候鸟迁飞路线之一。频繁往来于该地区的鸟类超过200种,而在该州全境见到的鸟类接近300种。肯塔基-田纳西边境西南部的那些草泽,是美洲白鹭、大蓝鹭和双冠鸬鹚等水禽的繁育之地。少数野火鸡仍在该州存在,使人回想起过去拓荒者的岁月。该州湍急的山间溪流、宽阔的江河以及人造湖泊为100多种鱼类的自然栖息提供了良好的生态环境。北美狗鱼可在巴伦河和格林河里见到,这种鱼是狗鱼族中体型最大的一种,常被认为生活在五大湖区。

住区模式 肯塔基州从一开始就是一个由小城镇和路口集市构成的、乡村气息很浓的州。只有路易斯维尔和列克星敦有很多人口聚居。城市人口部分居住在列克星敦、卡温顿、欧文斯伯勒、帕迪尤卡和法兰克福等小城市里。第二次世界大战以后,许多年轻人离开农村涌向州内外的各大城市,造成了严重的经济、教育和文化问题。

大多数肯塔基人的生活节奏同美国其他许多地区的情况相比,仍然比较悠闲。六月禾生长区的肯塔基人形象在一般人心目中就是悠闲的上校和快马、冰镇薄荷酒和一种叫“剥骨”的炖野味肉热汤;而山地肯塔基人则可能被理想化为胡乱弹奏着洋琴,能编造古老的英格兰韵文和朴实格言的人。事实上,每种形象在某种程度上都是根深蒂固的,而且,尽管肯塔基人现时正在丧失其许多独有的特色,但个人主义的色彩和情趣仍有部分存在。

人民 肯塔基的早期移民来自北卡罗来纳、弗吉尼亚、马里兰及宾夕法尼亚州,他们大多是英格兰人和苏格兰-爱尔兰人后裔。D.布恩的几度迁徙反映了他的许多同乡的迁徙情况。他从出生地宾夕法尼亚州顺弗吉尼亚大河谷南行,进入北卡罗来纳并在那里定居,直到后来带领新的移民穿过坎伯兰山口到达肯塔基。那时最好的可耕地在六月禾生长区,所以这里是第一个定居区。东部山区是最后才有人定居的。在美国独立战争期间和之后,尽管有边远蛮荒林区战事的恐惧,但向六月禾生长区的迁移一直没有中断。除了坎伯兰山口这条路以外,密西西比河还将早期的法兰西移民从新奥尔良送至路易斯维尔地区,而在19世纪中叶,许多德国移民和其他移民顺着俄亥俄河从新英格兰地区和大西洋沿岸中部诸州,经匹兹堡来到此地。那时该州黑人人口也很多,虽然在1833年以后有所减少。南北战争前不久,为帮助把逃亡奴隶运送到自由土地,该州的“地下交通网”发展很快,在战争期间和战后也有相当多的黑人移居州外。该州黑人人口现在约占全州人口的7%,主要集中在较大的城市区和薄荷生长区的西南部。

经济 肯塔基州经济依靠制造业、农业、矿业、旅游业、服务业和商业维持平衡。不过,州内各个地区的收益并不完全相同。六月禾生长区是一个富裕地区。薄荷生长区也同样有多种经营和比较繁荣,但两个煤矿区的经济状况则随市场对煤的需求而波动。购地区基本上依靠农业,旱灾或农作物价格下跌都会使该地区受损害。制造业是该州收益最好的部门。

资源 烟煤的庞大储量使肯塔基州一直为美国的主要产煤区。按现在的生产率计算,其储量可望维持200多年。该州众多的河流和水库提供了超过2 100千米的通航水道以及制造业和娱乐业用的淡水。六月禾生长区、薄荷生长区、西部煤田区和购地区的土壤对农业都极为适宜,只有该州东部缺乏适合耕种的土地。东部和薄荷生长区东部有大量森林保护地,主要是阔叶树。两个煤田地区和薄荷生长区地下都有石油和天然气蕴藏,但储量不大。除多种多样的黏土和丰富的石灰石以外,该州还发现了好几处脉石矿物的小矿床。

农业、林业和渔业 1950年以前,该州被认为是一个农业州。自那时以来,农场数目和专供农业用的土地一直在减少,但农场的平均规模却得到扩大。主要农作物有烟草、玉米、大豆和干草。土壤最肥的六月禾生长区在养马、养牛和烟草种植方面已高度专业化。薄荷生长区生产多种农作物和家畜。西部煤田区和购地区专门生产玉米、大豆和烟草,但也有一些家畜和种植面积较小的其他作物。林业在该州东部和薄荷生长区东部十分重要,采伐的木材大都是阔叶树。该州几乎没有商业性渔业,但州内的河流和水库则为钓鱼比赛提供了极好的机会。

矿业和工业 煤是肯塔基州目前最重要的矿产。东部煤田区的煤属炼焦等级,西部煤田区的煤含硫量较高,主要用于蒸汽发电和家用。现代化开采方式只用少数几个工人就可生产出大量的煤,所以这两个煤田区的失业率很高。西部煤田区的几座大型热电厂——最大的一座位于帕拉代斯——每日耗煤达数千吨。

制造业虽然分布较广,但都集中在城市区内。路易斯维尔地区有全州25%的工厂,近1/3的在制造业就业的人员。与五金有关的工业近年来在该州的工业增长中居主导地位。纺织厂往往建在肯塔基州较小的社区内,拥有制造业就业人数的10%。田纳西河口附近的卡尔弗特市是化工业最集中的地方。

对于州内的许多县府所在地来说,商业和服务业居重要地位,尽管几乎所有的县都有制造厂。该州旅游设施完善,尤其是在湖区附近和较大的城市里。

俄亥俄河沿岸的城镇有强大的工会组织,美国联合矿工工会在该煤矿区内有影响。该工会同该州东部的煤矿主们之间早期的斗争造成了悲剧式的暴力。“血腥的哈伦县”这个名字就是为纪念20世纪20和30年代该县强调工作和生活条件的劳工斗争,当时普遍认为这些条件应同全州的水平一样。许多民谣诉说了有关煤矿工作引起的冲突和死亡的历史。

运输 数条州际公路由南到北、由东到西穿过肯塔基州。这些公路又有园林式大道、国家级公路和州级公路组成的公路体系进行补充,使乘汽车或卡车在州内各地旅行相对比较容易。所有大城市都有铁路相通,货运十分便利。大宗货物通常由驳船运输,该州的通航水路起了重要作用。三处主要机场分别在路易斯维尔、列克星敦和该州北部,为肯塔基中部地区提供服务。北部的大辛辛那提机场提供国际航班。几个中等城市有航线相连。

行政与社会状况 *政府* 根据1891年通过的宪法,州政府由行政、立法、司法3个部门组成。州长由选举产生,任期4年,不得连选连任。州议会逢偶数年召开一次,为两院制,设参众两院。参议院有38名参议员,任期4年,众议院有100名众议员,任期2年。税收法案必须在众议院产生。州法院系统分几个级别,包括地方治安法庭和由7名法官组成的州最高法院。最高法院、上诉法院及巡回法院的法官均由选举产生,任期8年。地区法院法官由选举产生,任期4年。

该州有120个县,各县由一名县长领导,他有很大的任命权并负责筹划预算和估计收入。县政府为各县的行政和决策机构。县级官员由选举产生,每届任期4年。肯塔基州无区的建制,但有一个地方行政区的体制。行政区按人口分为6类。市政府有3种形式:市长市议会制、委员会制及城市经理制。市长市议会制使行政权和立法权相分离,是最受欢迎的一种形式。

教育 肯塔基州的第一所学校是1775年在哈罗德堡建立的。7～16岁的未成年人须接受免费义务教育。该州平均受教育水平低于全国平均水平,但近几年已有提高。该州最早用于支持教育的税款是1904年征收的。县一级的小学、初中和高中大多数已经合并,并拥有现代化设备。该州大多数私立学校靠教会资助。

该州有许多州立大学及私立2年制和4年制学院,并且还有许多职业学校和州立社区学院。设在列克星敦的特兰西瓦尼亚大学创立于1780年,是阿勒格尼山脉以西地区最古老的高等学府。肯塔基大学也设在列克星敦,是该州规模最大的大学,并附设有多所社区学院。路易斯维尔大学由市议会于1798年建立,是该州最古老的公立大学,1970年成为州立大学系统的组成部分。伯里亚学院于1855年建立,原来是为召收阿巴拉契亚山区的贫困学生,现已变成一个传统手工艺的区域中心。

保健和福利 人力资源部是州政府中最大的部门。它下设的许多机构分别管理预防医药、药品检验和发放许可证、贫困者的医疗保健、慢性病控制、上下水道的卫生、公共援助以及儿童福利规划等方面工作。列克星敦和路易斯维尔两市都有一些综合医院和专科医院,并各有一所设有医学院和牙科学院的大学。大多数县城都有医院,但比较偏僻的地区则缺少医疗人员和牙科医生。在较小的城镇和农村地区,医疗设备有改进的必要,那里的大夫和牙医通常必须采取的是矫正性的措施,而不是预防性的保健手段。该州医疗保健工作的一个特点是1925年创建的“边疆护理服务队”,该机构在该州东部的偏僻山区提供一般性护理和助产服务。全州有各种各样向老人和残疾人提供保健的计划。

文化生活 肯塔基州的生活方式与俄亥俄河以北诸州的情况相比,南方味儿更浓,但差异很小,而且多数情况都是由于聚居人口较少以及更多乡村气息造成的结果,而并非由于种族上的差异。六月禾生长区的较大城市都是艺术中心,拥有多种多样的博物馆、剧院、画廊和音乐团体。该州的数所大学和学院也位于这一地区,他们的乐团、剧团、音乐会和系列讲座等,为当地增添了接受文化熏陶的机会。列克星敦是世界良种马繁育中心,马匹展览会和马赛都是六月禾生长区举世闻名的传统。该州北部虽是六月禾生长区的组成部分,却在教堂、餐馆、家族姓氏以及一年一度的“十月节”方面反映出辛辛那提大都会的日尔曼人传统。

肯塔基州以其民间艺术(尤其是在农村地区)继续对美国民族文化做出特殊贡献。从伊丽莎白时代流传下来的令人难忘的民谣同叙述近代悲剧或遗弃的哀歌结合起来,在山区人当中创造出一种与众不同的音乐生活。世代相传的手艺仍然在制作美丽的家纺布、手工雕刻的家具、碎布拼缀的棉被以及坚实的陶器。尽管受到机械化、标准化世界的包围,肯塔基民歌和手工艺仍保留着同往昔岁月的联系。每年5月在该州西部的本顿举行的一年一度“大歌唱”已有100多年的历史,以纪念形状音符唱法,即“法-索-拉”唱法。在全国著名的作家当中,R.P.沃伦、W.贝里和B.A.梅森都出生在该州。

该州拥有美国最完善的州立公园系统之一。该系统中的一些公园是游乐园,园内设有草屋小旅店、农舍式别墅、野营地以及各种各样的娱乐设施。该州还拥有3座国家公园:马默斯洞、坎伯兰隘口和林肯诞生地国家历史遗址。每年8月在路易斯维尔举行一次州商品交易会。各县每年也都有各自的商品展销会、节日和马匹展览会。纯种马挽车马赛在该州好几处举行,六月禾生长区的养马场吸引了许多参观者。自1875年以来,每年5月的第一个星期六在路易斯维尔的丘吉尔丘陵草原上举行的肯塔基马赛,是纯种马三王冠赛的第一场。该州东部的布恩国家森林和西部的湖间地国家游乐区,是两个非常吸引人的地方。该州全年大部分时间的气候有利于进行户外运动。

历史

探险和殖民 在欧洲人到来之前,肯塔基地区是北方的肖尼族和南方的切罗基族这样一些印第安部落的狩猎地和战场。甚至还有更早的农业民族和狩猎民族留下的埋葬土墩和其他遗迹。法兰西和西班牙的探险家们必定从密西西比河流域的诸条河流上望见过肯塔基,而商人们在18世纪初就从东面的那些殖民地进入了该地区。在18世纪50和60年代期间,印第安人的抵抗和地势的险峻阻碍了对该地区进行成功的探险。但是,D.布恩于1769年深入到了中央高原区,即六月禾生长区。

在18世纪70年代,殖民地的发展迅猛,尽管一位愤怒的切罗基族酋长“拖拉独木舟”的预言——布恩和其他白人势必会发现肯塔基是“一块黑暗、血腥的土地”——大部分都已实现。在美国独立战争期间,英国军官煽动印第安人进行袭击,特别是1777和1778年对布恩斯博罗的袭击,以及1782年在布卢利克斯的一次血腥伏击,而且移居者还遭到多次围攻、挑衅和小规模冲突。这场战争结束之后,移民们从坎伯兰山口顺流而下,经“莽原路”来到这一地区。移居者建起了城镇,不久即开始要求将肯塔基司法区与弗吉尼亚州脱离。18世纪80年代在丹维尔召开的几次建州会议,受到J.威尔金森和其他人的“西班牙阴谋”的骚扰,他们要使该地区与西班牙结盟,但会议最终使肯塔基在1792年6月1日加入联邦,并在列克星敦一家小酒馆里宣布州政府成立。

建州时期和危机 导致1800年制定第二部州宪法的事件揭示出肯塔基州内部的分裂,这是该州一贯的特点。农场主将他们的谷物、皮革及其他农产品用平底船沿密西西比河运送到西班牙人控制的新奥尔良,他们同其他反奴隶制的力量结成同盟,以反对奴隶主和生意人。企图控制对政府的批评而通过的1798年联邦《客籍法》和《镇压叛乱法》,遭到强烈的反对。带头反对的主要人物之一是青年政治家H.克莱,作为“伟大的妥协者”,他的人品理应在该州和国家的政治舞台上留下印迹。

肯塔基州率先参加了1812年战争,战争主要是在邻近西北地区进行,抗击英国和印第安人的联合军队。继此次战争之后,地价暴涨,投机和通货膨胀亦随之而来,新开办的40家独立银行在州内滥发纸币,在1819年全国经济大恐慌期间引起了财政危机。在救济债务人问题上的尖锐矛盾造成克莱的辉格党人与A.杰克逊的民主党人的分裂。然而,

1820～1850 年该州仍然取得了一些进步，其中包括在路易斯维尔开通运河、包租铁路及扩大制造业。南北战争爆发之前，奴隶制问题一直是最主要的问题。少数大奴隶主大多住在六月禾生长区和薄荷生长区的种植园里，但到 1833 年，当州议会禁止贩卖奴隶时，该州人口已有 1/4 是黑人。在南北战争爆发前，拥护奴隶制的势力一直保持着对政府的铁腕控制，并阻止任何对其财产有危害的宪法改革。

南北战争及其后果 肯塔基在南北战争期间是个处在分裂之中的州。该州政府通过继续克莱的妥协政策，寻求避免战争。大约有 9 万士兵为北方联邦作战，同时有大约 4 万士兵为南部邦联作战，然而该州战后的民众强烈拥护南方。继邦联军的 B. 布拉格将军于 1862 年在佩里维尔战败后，该州内的唯一军事行动是游击战。

进入东部煤田区的新铁路的开通和烟草经济的引进，使该州在 19 世纪最后几十年内活跃起来。三 K 党引起了恐惧和憎恨，但被解放的黑人有了选举权，并作为佃农或城市工人定居下来。然而，那时的黑人还不能成为头等公民。列克星敦及俄亥俄河畔的一些城市——路易斯维尔、欧文斯伯勒、帕迪尤卡和卡温顿——迅速发展起来，该州被深深地卷入了那一时期的平民党土地政策中。烟草种植者同烟草垄断企业之间的冲突，致使在一个时期内出现了焚毁库房及类似的行为，以保持烟草价格上升。

持续的多种经营是 20 世纪的标志，尽管大萧条和美国联合矿工工会发动的罢工在许多部门引起了严重的问题和公开的斗争。该州人口动向也和全国的趋势一样，由农村流向州内外的工业城市。1966 年，露天采煤区的废地因一项要求恢复地貌和重新造林的法律而得到了部分改善。

20 世纪 70 年代早期，全国范围的能源短缺造成了对煤矿的更多需求，该州的煤田因此繁荣了将近 10 年。不过，随着石油价格逐渐趋于稳定，煤的市场需求开始减少。汽车工业的不景气也减少了对钢材的需求，而这又反过来降低了对炼焦用煤的需求。环保问题增加了产煤和用煤的成本。煤矿经营者为降低生产成本，引进了可代替部分人力的现代化机械。煤田的失业现象成了一个重要问题。该州东部的内地几乎没有农业和工业，许多家庭收入都降到了贫困线以下。

肯塔基的农场在 1935 年总共达到 27.9 万家，到 80 年代末，已减少到不足 10 万家，主要是由于农产品价格下跌、机械化程度提高和发生过几次干旱。烟草这种给该州带来最大收益的作物，被宣布对健康有危害，使这种作物的前景并不乐观。工业扩大和教育改革是本世纪 80 年代肯塔基州历届政府，包括 1984 年选出的第一位女州长 M.L. 科林斯领导的州政府优先考虑的两件事。

Kentucky coffee tree（species *Gymnocladus dioica*） **肯塔基咖啡树** 又称加拿大肥皂荚。豆科乔木。原产于纽约州、加拿大安大略省南部至俄克拉何马州树林。殖民时期常用其种子代替咖啡。也栽作观赏植物。高约 30

肯塔基咖啡树（*Gymnocladus dioica*）
美国不列颠百科全书公司供图

米。二回羽状复叶。花绿白色，长约 1 厘米，聚生，花簇大。荚果暗棕色，长 5～25 厘米。种子凸镜状，宽约 2.5 厘米。

Kentucky Derby **肯塔基大赛** 美国传统马赛之一。1875 年创始，每年 5 月第一个星期六在肯塔基州路易斯维尔市丘吉尔丘陵草地举行，与每年 5 月中旬举行的普利克内斯有奖赛及 6 月初举行的贝尔蒙特大奖赛合称美国马赛中的三王冠赛。仅限用3龄马。赛

1971 年的肯塔基大赛
丘吉尔·当斯跑马场供图

程原为 1.5 英里，1896 年起减为 1.25 英里（约 2 000 米）。该赛事常被称为“体育界最激动人心的两分钟”。参阅 **Sporting Record**: Horse racing。

Kentucky Lake **肯塔基湖** 世界最大人工湖之一。在美国肯塔基州西南部马歇尔、卡洛韦、莱昂、特里格等县境内。南端在田纳西州。1944 年由田纳西流域治理系统最大水坝肯塔基坝（高 63 米，长2 567米）拦截田纳西河而成。湖长 296 千米，环湖岸边长达3 700千米。当地有两座州立公园，湖中养鱼多种。与东部巴克利湖之间有多林木的峡地。重要的游乐区和保护区，并为环境保护－教育中心。

Kentucky Resolution **《肯塔基决议》**（1798～1799） 参阅 **Virginia and Kentucky Resolutions**《弗吉尼亚和肯塔基决议》。

Kentucky River **肯塔基河** 位于美国肯塔基州中北部的俄亥俄河支流。由北、中、南 3 条源流在利县贝蒂维尔附近汇合而成，在肯塔基州卡罗尔顿注入俄亥俄河。由于增建水闸，航段长达 417 千米。北源流源出莱彻县坎伯兰山，西南流 270 千米折向西北；中、南两源流分别出自莱斯利县和贝尔县的坎伯兰山区，均大致北流分别 156 和 120 千米后进入主流。

Kenya **肯尼亚** 全称肯尼亚共和国。濒临印度洋的非洲国家，面积582 646平方千米。首都内罗毕。位于东非沿岸，地跨赤道，北与埃塞俄比亚和苏丹接壤，东为索马里和印度洋，南与坦桑尼亚相连，西与乌干达交界。人口约30 340 000（2000）。

土地 全境可分为五个差异明显的地区。第一个地区是西南端的维多利亚湖盆区。该区从维多利亚湖向东延伸至东非大裂谷高地，为一平坦高原，平均海拔1 070米。

东非大裂谷高地自北向南纵贯肯尼亚西半部，被大裂谷分为两部分：西面的马乌陡崖和东面的阿伯德尔山及其附近的高地。西部的马乌陡崖海拔2 740米，自坦桑尼亚边界向北延伸至中西部与乌干达之间的边界，长达 320 千米以上；东部的阿伯德尔山构成大裂谷的东部边缘，海拔达3 050米，从内罗毕附近向北延伸至莱基皮亚高原；肯尼亚山是全国最高峰，海拔5 199米，在阿伯德尔山正东。

肯尼亚东半部大多为广阔的东部高原的前沿地，蜿蜒于西面的中央高地与东面的海岸带之间，地势逐渐向海面倾斜。肯尼亚北部大多为半干旱和干旱区。

最后一个主要地区是海岸带，沿印度洋海岸延伸约 400 千米，其西侧以低丘陵地为界。肯尼亚水系由小河和溪流构成，通常水浅，流量随季节而变。塔纳河为境内最主要的河流，源于中央高地，最后注入印度洋，流域面积约42 200平方千米，约占国土总面积的 7%。肯尼亚北部雨量少，但南部地区雨量充沛。沿海和近海内陆日平均最高气温约为 32 °C。通常东北部地区较为暖和，高地较为凉爽。肯尼亚有两个雨季：3 月下旬至 5 月为长雨季，10～12 月则为短雨季。高地的独特景观为广阔的竹林草地，有小片常绿林散布其间。高地的东、西两侧植被为禾草高 1.5～2.4 米的草地，其间长有矮树。北部海拔 915 米以下的半沙漠地带长有带刺的灌木，其间有粗干的猴面包树。在沿海地带，茂密的高灌木丛与小片林区和林中空地交替分布。肯尼亚以野生动物闻名，境内有狮、豹、野狗、大象、水牛、犀牛、斑马、羚羊和瞪羚、河马以及鳄鱼等。可耕地仅约占国土总面积的 4%，几乎已全部耕种，玉米等谷物为主要作

物。牧草地约占土地总面积的7%，主要放养牛、山羊和绵羊。

人民 肯尼亚境内有30～40个不同种族群。他们在语言和文化方面均有明显差异。最大的种族有基库尤人、卢赫亚人、卢奥人、坎巴人、卡兰津人和马赛人。境内各种族所操的语言分属三大语族：班图语、尼罗语和库施特语。斯瓦西里语和英语为官方语言。3/4的居民信奉某种基督教，约1/5信仰万物有灵，其余则为穆斯林或印度教徒。

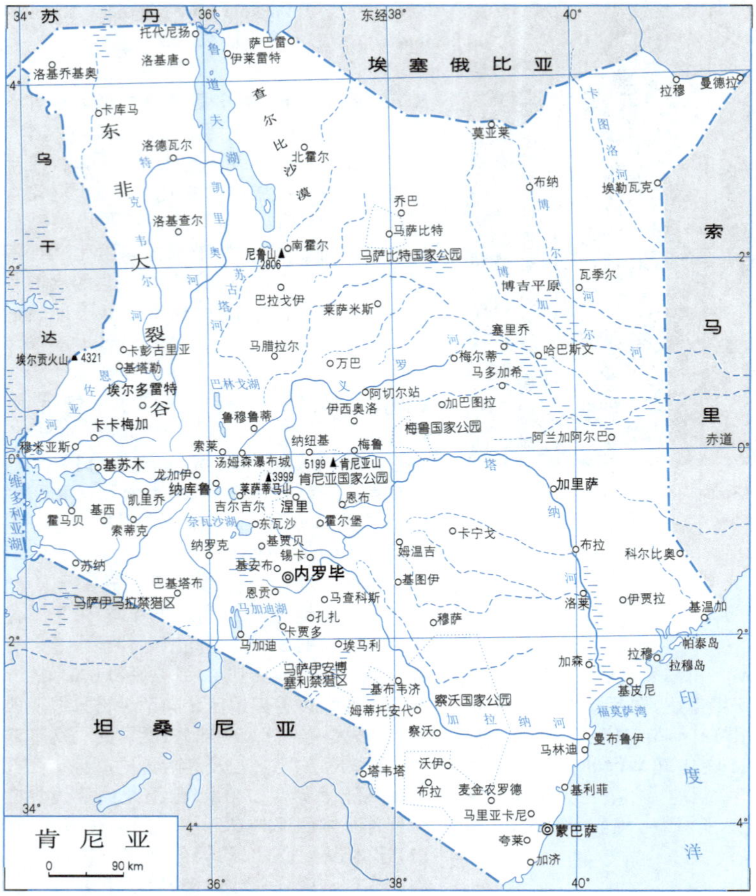

美国不列颠百科全书公司供图

肯尼亚为非洲撒哈拉沙漠以南地区人口最多的国家之一。人口最稠密的地区在维多利亚湖附近、该国中部以及印度洋沿岸一带。北部干旱地区人口稀少。肯尼亚的人口出生率远超过其较高的死亡率，致使人口自然增长率极高。人口的增长迄今尚无减缓迹象。人口呈年轻化趋势，3/4的人口不足29岁。由于艾滋病的传播，至20世纪80年代，平均预期寿命男性为48岁，女性为49岁。大多数居民生活在乡村地区，但从20世纪70年代初以来，城市人口增长迅速；城市居民已占全国总人口的1/4。

经济 肯尼亚的经济属发展中的市场经济，主要以农业为基础。尽管从1963年独立以来，该国经历了非洲国家中最令人瞩目的经济增长率之一，但迅速增长的人口所带来的对就业机会、土地和社会服务不断增长的需求，给经济造成巨大压力。失业为一大难题，而通货膨胀率又随政府开支的增加而有所升高。独立以来，人均国民生产总值增长缓慢，仍属非洲各国最低之列。

农业约占国内生产总值的1/3，占用1/5的劳动力，灌溉面积很小，作物产量主要取决于天气。农业总产量约有一半作为口粮，玉米、小麦和牛奶偶有短缺时尚需进口食品。茶叶和咖啡(主要为阿拉伯咖啡)为主要出口商品，这类农产品的世界价格的波动使该国经济深受影响。其他重要作物包括甘蔗、马铃薯、木薯、小麦、西沙尔麻、除虫菊、菠萝、青豆等蔬菜以及籽棉。养有牛、山羊和绵羊。

工业约占国内生产总值的1/10，占用1/8的劳动力，使该国成为东部非洲工业化程度最高的国家。电力大部分来自水力发电。为满足国内需求，进口的原油在蒙巴萨炼油厂进行精炼。主要制造业产品包括食品与饮料、烟草、纺织品、组装车辆、水泥和石油产品等。在工业投资中外资约占1/2。

服务业约占国内生产总值的1/10不到，雇用近1/2的劳动力。虽然有安全上的顾虑，但旅游业仍是该国最大的外汇来源之一。

燃料进口价格和政府开支日益增加，再加上茶叶和咖啡的产量与价格波动不已，造成巨额预算赤字。主要贸易伙伴有英国、德国和美国。

肯尼亚有广泛的运输系统，包括蒙巴萨的港口设施，蒙巴萨和内罗毕的国际机场以及庞大的公路网。80年代末，在外国援助下实施了一项旨在改善铁路的重大工程。为了提高铁路的效率，在21世纪初，开始了铁路系统私有化的过程。

政体与社会状况 肯尼亚为一个独立的共和国。1963年通过的宪法时有修正，设有一院制的立法机构，即国民议会，议员大多由直接选举产生。总统必须是国民议会的议员，由普选产生，任期5年。总统从国民议会的议员中任命副总统和各部部长，并共同组成内阁。肯尼亚上诉法院为全国最高司法机构，伊斯兰习惯法为各法院所接受。

1964～1992年，肯尼亚实为一党制国家，由先后以J.肯雅塔和D.莫伊为首的肯尼亚非洲民族联盟执政。1992年，莫伊决定实行多党制，同年举行了近30年之内的首次多党选举。

医疗服务由政府机构和私人开业医生提供。疟疾、肠胃炎、性病、腹泻与痢疾和沙眼等疾病仍为主要的健康问题。由于人口增长过快，住房供给成为各城镇的一大难题。

全国教育体制属非义务制，包括三级教育：8年的小学教育、5年的中学教育和大学教育。私立学校获得政府资助。内罗毕大学(1956)现为该国一流高等学府。新闻独立，但媒介一般进行自检以避免和政府发生抵触。广播和电视机构均属政府所有，节目以斯瓦希里语和英语播出。许多节目系由美国和英国进口。

文化生活 音乐和舞蹈在肯尼亚的社会与宗教生活中具有主要作用。观赏艺术主要局限于成批生产的木雕工艺品。斯瓦希里语的口头文学和书面文学在形式和内容上均保持着传统特色；当代小说则主要描述传统社会与现代社会之间的摩擦。国家博物馆藏有野生动物标本、出土文物和该国物质文化的器物。

历史 有关肯尼亚历史的最早记录涉及肯尼亚的沿海地带，数世纪以前这里就同阿拉伯半岛南部有贸易往来。至于肯尼亚内陆的情况，则在19世纪阿拉伯人和操斯瓦希里语的人组成商队(为寻找象牙)从蒙巴萨来到维多利亚湖和埃尔贡山之前，很少为外人所知。这条路线由于穿越塔鲁平原的沙漠，路途艰难，且会遇到怀有敌意的马赛人，不如更往南的几条商队小径受欢迎。马赛人可能在18世纪从北方来到肯尼亚中部。约在1830年，马赛人向南推进时受到坦桑尼亚的赫赫(瓦赫赫)人的牵制，但马赛人仍四处劫掠。约在同一时期，一个更强大的种族基库尤人自霍尔堡地区的领土向北、西和南三个方向扩展。到19世纪末叶，基库尤人已推进到北面和南面的马赛人领土以及西面阿伯德尔山的上坡。

第一批深入肯尼亚内陆的欧洲人是英国圣公会传教会德籍工作人员，19世纪初期，他们在拉巴伊建立起一个布道站。后来，德国人和英国人先后控制了这块马赛人曾经蹂躏但从未统治过的土地。1890年该地成为英国的保护地；1920年成为英国直辖殖民地，由英属东非公司从商业上进行控制。1948年东非高级委员会成立，总部设在内罗毕，管理有关肯尼亚、乌干达和坦桑尼亚共同利益的事务。它由三地的总督组成，肯尼亚总督出任主席。50年代爆发"茅茅起义"，肯尼亚宣布处于紧急状态。起义仅限于基库尤人，且旨在反对肯尼亚境内的欧洲人。60年代初期紧急状态终止。

1963年肯尼亚完全独立，一年后，选举成立肯尼亚共和国政府，由肯雅塔担任该国首任总统。在他执政期间，国内政局稳定，经济持续增长。1978年肯雅塔逝世，莫伊继任总统和执政党肯尼亚非洲民族联盟领袖。随后数年，肯尼亚一直忙于应付因进口石油价格上涨和人口增长率高于就业机会而造成的诸多经济问题。肯尼亚非洲民族联盟多年无竞争的统治最终导致政府腐败；1992和1997年莫伊迫于西方援助国的压力，准许举行总统职位和国民议会的多党选举，莫伊及其政党在大选中获胜。到21世纪初，腐败仍然是影响该国政治、经济信誉的主要问题。

Kenya, Mount 肯尼亚山 肯尼亚中部的火山。在赤道正南方。主要山峰有巴蒂安山(5 199米)，内利翁山(5 188米)和莱纳纳山(4 985米)。山体已受很大侵蚀，最高峰由堵

肯尼亚山中的刘易斯冰川
美国不列颠百科全书公司供图

塞前火山口的结晶状霞石正长岩构成，中央几个高峰呈放射状延伸的几条支脉，彼此间被7条大河谷分开。山上有12条小冰川，其中刘易斯冰川和廷德尔冰川最大。南部和东部由矮树高草草原围绕。一茂密环形森林带覆盖山坡，向上延伸约3 200米。在海拔约4 600米高度，岩石裸露，白雪覆盖。肯尼亚山国家公园有许多大型猎物如大象和野牛。公园还包括森林保护区和3 300米以上的高沼地。较低的山坡土壤肥沃，被基库尤人、恩布人和梅鲁人所开垦。英国地理学家H. J. 麦金德于1899年首次攀登该山顶峰。

Kenya African National Union(KANU) 肯尼亚非洲民族联盟 肯尼亚政党，简称肯盟。1960年组建，是为了准备肯尼亚独立而建立的两大政党之一。当时的另一大政党，肯尼亚非洲民主联盟，最终在独立后并入了肯盟。该党由J. 肯雅塔领导，主张建立强大的社会主义中央政府。1963年肯尼亚独立后，肯盟在头几次选举中均以明显优势获胜，肯雅塔成为总理，1964年成为总统。肯盟合并了其他主要反对党，肯雅塔成为政府象征，反对派遭到破坏或禁止。在1969年的选举中，肯盟的候选人在没有反对党参选的情况下当选。到1974年，只有该党党员才能获得公职。1978年，肯雅塔去世，莫伊上台，他继承了前任在党内外排除异己的政策。1982～1991年，肯尼亚为正式的一党制国家，而政府以腐败和残忍而闻名。面对来自国内外的压力，莫伊被迫于1991年同意采取多党制，肯盟内部出现分裂，其他党派陆续建立。在1992年的选举中，肯盟在国家议会的选举中获得多数席位，但远远少于以前的席位。肯盟在1997年的选举中获胜，当时参选的党派有十多个。其胜利主要是因为反对派内部的混乱。在作为执政党40年之后，肯盟终于在2002年的总统选举中败给了全国彩虹同盟。在第二年的议会选举中再次惨败。

Kenyah 克尼亚人 沙捞越和印度尼西亚婆罗洲的土著民族，与卡扬人常划为同一部族或统称为巴豪人。20世纪末，克尼亚人有23 000人。他们居住在江河源头附近，与卡扬人交往密切，二者在文化方面共同处很多而语言迥异。克尼亚人的传统经济以在丛林空地上种植旱稻为主，砍伐森林，燃烧后就在灰烬中种植稻谷。克尼亚人的村庄往往就是一座巨大的长达400码的公用住房。住房建于一些木桩之上，后部有一排家用房间；还有一有顶棚的宽阔的走廊，可供作大众工作的场所或村庄的街道。酋长由选举产生，但前任酋长之子可优先入选。克尼亚人有猎头习俗。参阅**Dayak**。

Kenyatta, Jomo 肯雅塔(约1894，英属东非伊贾韦里[今在肯尼亚]～1978-08-22，肯尼亚蒙巴萨) 原名Kamau Ngengi。非洲政治家、民族主义者，肯尼亚独立后首任总理(1963～1964)、总统(1964～1978)。

早年生活 肯雅塔为恩根吉之子，出生时名卡莫，生于东非高原肯尼亚山西南的伊贾韦里。父亲原是一个农业小部落基库尤的

美国不列颠百科全书公司供图

首领。早年为教会的寄宿学生。他学习《圣经》、英语、数学和木工，以在一欧洲居民家中任仆役和厨师的工资支付学费。1914年8月受洗礼，取名约翰斯通·卡莫。他是基库尤族中最早脱离其自身文化束缚的人之一。和其他许多人一样，卡莫不久即为内罗毕的城市风光所吸引，离开了教会生活。

在内罗毕，他在公共工程部谋得一职员位置，并取名肯雅塔。肯雅塔一词在基库尤语中是指他所系的花式腰带。在高级法院当翻译之后，转到内罗毕市议会工作。大约即在此时，他结婚成家。在肯尼亚，第一个反对白人居民控制的政府的非洲政治抗议运动开始于1921年，是由一位受过教育的年轻基库尤人H. 苏库领导的东非协会。肯雅塔于次年加入。东非协会的主要目标之一就是收复在肯尼亚成为英国直辖殖民地时(1920)所失去的基库尤土地。非洲人被逐出家园，土地只准白人居民租种，建立了土著保留地。1925年在政府压力下，东非协会被迫解散，其成员另组基库尤中央协会。3年后，肯雅塔成为这个组织的总书记，不过这样一来他不得不放弃他在市议会的职务。

全力投入政治活动 1928年5月，肯雅塔创办基库尤文月报《统一者》，宗旨是争取基库尤族各界的支持。该报言论温和，宣传自我完善，故为政府所容。但不久即出现了新的挑战。一个英国委员会建议3个东非地区(肯尼亚、乌干达和坦噶尼喀)建立更紧密的联盟。英国殖民者领袖支持这一提议，期望随之而来的是内部自治。在基库尤中央协会看来，这一前景对基库尤族的利益将是灾难性的。1929年2月肯雅塔去伦敦陈述反对这一计划的意见，但在伦敦，英国殖民大臣拒不接见。1930年3月肯雅塔致函伦敦《泰晤士报》，提出了极具说服力的基库尤中央协会5点政见：①欧洲殖民者归还占用的土地，但保留其使用权；②增加教育设施；③取消向妇女征收茅屋税，这一做法曾迫使一些妇女以卖淫挣钱；④立法会议应有非洲人的代表；⑤不准干涉传统习惯。他最后说，如不采取措施，不可避免地要造成危险的爆炸性局势，这是所有神智清醒的人都希望避免的。

1931年肯雅塔就3个殖民地结成较紧密联盟问题所陈述的意见，尽管得到了下院中自由派人士的帮助，仍遭到拒绝。不过最后政府还是暂时放弃了其进行联合的计划。1932年肯雅塔曾设法在卡特土地委员会听证会上为基库尤人提出归还土地的要求作证。委员会决定对一些被占用的土地给予补偿，但“白人占有高地地区”的政策原封未动，将基库尤人限制在过分拥挤的保留地内。肯雅塔后来访问了苏联(在国立莫斯科大学进修两年)并去欧洲广泛旅行。回到英国后，在伦敦经济学院从马林诺夫斯基研究人类学。他的论文经过修订于1938年出版，书名《面向肯尼亚山》，这是一部研究基库尤人传统生活的著作，极具见地并富有浪漫主义色彩。这本书又使他改了另一个名字，称为乔莫(意为燃烧的矛)·肯雅塔。30年代，肯雅塔还曾一度参加共产党，会见其他黑人民族主义者和作家，并组织反对意大利侵略埃塞俄比亚的抗议活动。第二次世界大战的爆发暂时切断了他与基库尤中央协会的联系，该协会被肯尼亚当局以有潜在颠覆危险而取缔。肯雅塔留在英国，从事教学工作，当过农业工人，继续出版政治小册子宣传基库尤的事业。

肯雅塔曾参与组织1945年10月15～18日在曼彻斯特召开的第5届泛非大会。大会主席为美国的杜波伊斯，后来成为加纳领袖的恩克鲁玛也出席了这次会议。会议就大规模的民族主义运动通过了决议并讨论了计划，要求从殖民统治下获得独立。

返回肯尼亚 肯雅塔于1946年9月返回肯尼亚，领导新成立的肯尼亚非洲人联盟，并于1947年6月当选为同盟的主席。肯雅塔从他领导的作为替代政府教育机构的肯尼亚非洲人教师学院组织起一个大规模的民族主义政党。但他必须拿出实际成效才能赢得

其追随者的忠心。而在肯尼亚的殖民政府仍以毫不退让的殖民者利益作为首要考虑。他在1930年预言的基库尤人中的“危险的爆炸局势”终于在1952年爆发为“茅茅起义”,其矛头直指肯尼亚欧洲殖民者的存在和他们的土地拥有权。1952年10月21日肯雅塔被捕,罪名为领导茅茅运动。尽管政府竭力想把对他的审判定为刑事案件,它却被作为一场政治诉讼而在全世界传开。1953年4月,肯雅塔被以“操纵茅茅恐怖组织”罪判刑7年。他在当时及以后均否认犯有此罪,坚持认为肯尼亚非洲人联盟的政治活动与茅茅的暴力行为并无直接关系。

英国政府对非洲人所提要求的反应是逐渐引导该国走向非洲人多数统治。1960年作出让步,同意一人一票的原则。肯尼亚民族主义领袖姆博亚和奥廷加组成肯尼亚非洲民族联盟(KANU),缺席推选肯雅塔为主席(这时他虽已刑满但仍在监),他们因肯雅塔仍被监禁拒绝与英国人合作。在记者招待会上,肯雅塔答应“欧洲人只要以普通公民自居,他们在将来的肯尼亚就能找到应有的地位”。

肯雅塔于1961年8月获释。在1962年初的伦敦会议上,他参加了导致肯尼亚独立的立宪谈判。1963年5月,肯尼亚非洲民族联盟在独立前的大选中获胜,组成了临时政府。肯尼亚于1963年12月12日庆祝独立,肯雅塔任总理。一年后,主要反对党自动解散,肯尼亚成为一党制的共和国。同时按照一项新的宪法修正案,肯雅塔成为肯尼亚第一任总统。在这个职位上,他领导着一个强有力的中央政府,接连几次修宪增加了他的权力,例如,授权他逮捕政治反对派,如果他认为这些人对公共秩序来说是危险人物,不经审判即可加以拘禁——这一权力他虽不经常,却能有效地运用。为了防止任何出自部落的反对,肯雅塔坚持在政府中任用各种族集团的成员,尽管他主要依靠的还是基库尤族人。一般说来,在肯雅塔统治下,肯尼亚的政治保持出色的稳定,尽管由于思想意识上的分歧和部族间的竞争,在肯尼亚非洲民族联盟的政治领导层内时而出现一些矛盾。

肯雅塔在早期即排斥了财产国有化的社会主义主张,转而宣扬一种鼓励个人努力和企业家精神的原则,以他的口号“团结一致”为其代表。除了主要依靠自由市场经济外,还鼓励来自西方和其他国家的外国投资。主要由于他的政策,肯尼亚的国民生产总值在1971～1981年几乎增长了5倍,在它独立后的头20年中,肯尼亚的经济增长率在非洲大陆位于最高之列。尽管经济增长使很多的人民受益,但是也带来了严重的财富不均,而财富主要是掌握在肯雅塔家族及其亲信手中。这样的财富集中,加上极高的人口增长率,就意味着在肯雅塔领导下大多数肯尼亚人并没有相应地大大提高他们的生活水准。

在对外政策方面,肯雅塔的政府一直是对西方友好的。他一直是比较亲英的非洲领导人之一(尽管他曾为英国当局监禁)。在他的领导下,肯尼亚成为最稳定的黑非洲国家,也是经济最有活力的国家之一。1978年肯雅塔在蒙巴萨去世后,由莫伊接任总统,继续奉行他的大部分政策。

Kenyon, Dame Kathleen (Mary)　凯尼恩 (1906-01-05,英国伦敦～1978-08-24,威尔士克卢伊德雷克瑟姆)　英国女考古学家。在杰里科所作发掘一直追溯至石器时代,证明该地是迄今所知最早的绵延不断的人类居住地。1929年和女考古学家G.卡顿-汤普森同在南罗得西亚津巴布韦遗址(今津巴布韦)工作。之后致志于古代不列颠遗址的研究工作,1930～1951年曾研究遗址多处,发表成果多篇。1962～1973年曾任牛津大学圣休学院院长。1951～1966年任耶路撒冷英国考古学院院长期间,对约旦苏丹山史前遗址即《旧约》中的杰里科进行研究,确定约公元前7000年该地已有农业经济,建有石墙、巨塔,并发现自公元前7千纪起已有复杂房屋建筑。1961～1967年间转而研究耶路撒冷。有关著作有《杰里科发掘记》(1957)、《杰里科发掘报告》(1、2卷分别于1960和1965年出版)、《亚摩利人和迦南人》(1966)和《耶路撒冷发掘记》(1974)。

Kenzan (Japanese potter)　**乾山**　参阅 **Ogata Kenzan** *尾形乾山*。

Keohane, Nannerl Overholser　基奥海恩 (1940-09-18,美国阿肯色布莱斯维尔～　)美国学者与行政管理者,当她成为北卡罗来纳州达勒姆杜克大学第一位女校长时名声大振。1961年获得韦尔斯利学院学士学位。此后两年在英国牛津大学就读,获第二学士学位。1967年获耶鲁大学政治学博士学位。后在斯沃斯莫尔学院(1967～1973)和斯坦福大学(1973～1981)任教。1981年被任命为韦尔斯利学院院长,兼政治学教授。1993年离开韦尔斯利学院,出任杜克大学校长兼政治学教授。1995年入选全国妇女名人堂。其在增加少数民族学生入学和促进教师成分多样化方面的努力受到表彰。著有《法兰西哲学与国家:启蒙运动的复兴》(1980),并与人合编《女权主义理论:思想评论》(1982)。基奥海恩演说选集《当之无愧的群体》于1995年出版。

Keokuk　基奥卡克 (1790?,罗克河沿岸[今美国伊利诺伊罗克艾兰附近]～1848?,[今堪萨斯富兰克林县])　美国索克族印第安人演说家和政客,通过将印第安人的土地割让给白人以赢得白人的支持,并通过反对自己部族内主张抵抗的领袖,而成为酋长。出身于部族的福克斯一支,早年体力过人,思想敏锐,具有雄辩天才。在部落议事会上崭露头角。1812年战争期间,他趁黑鹰离开索克村庄与英军共同作战之机,企图夺权,从而开始了这两位领袖之间终生的斗争,他们对如何对付白人将拓居地不断向前推进所提出的挑战意见完全不同。黑鹰主张抵抗,基奥卡克则主张和解和让步。当白人殖民者向罗克河沿岸古老的部落领地越来越逼近时,他要求印第安人忍耐。19世纪20年代后期,他鼓吹依从美国政府提出的索克和福克斯部族向西迁移的要求。黑鹰率众抵抗白人的侵犯,基奥卡克则提出议和和投降,甚至向驻罗克艾兰的美国印地安事务代理人通报黑鹰准备作战的情况。1832年白人入侵时,他主张不抵抗投降。美国政府立他为索克族的酋长。他把索克和福克斯部族在伊利诺伊的土地割让给白人,并将部族迁移到艾奥瓦州,作为回报。此后他继续让出部落的土地,直至索克和福克斯部族最后被迫住在堪萨斯的保留地内。因此,他不齿于本族人民,终于可耻地在保留地内死去。

Keokuk　基奥卡克　美国艾奥瓦州东南端利县城市。在密西西比河畔(有桥通伊利诺伊州的哈密尔顿),得梅因河河口处,西北距达文波特193千米。1836年有人定居,1837年设镇,1847年设市。1877年在得梅因急流周围开挖运河,1910～1913年河上建坝蓄成基奥卡克湖,有发电、航运、防洪多种效益。现从事大规模批发贸易,有农产品加工业和制造业,主要生产橡胶制品和铸钢件。设有东南社区学院(1953)。“G.M.维尔蒂”号艉明轮现保存为河上轮船博物馆。城北20千米处有该州第一座校舍(1830)的仿建物。人口11 427(2000)。

Keonjhar　盖翁切尔　印度东部奥里萨邦北部城镇。为农、林产品贸易中心。手工织布居重要地位。镇内有一座古代王宫。有乌特卡尔大学几所学院。该区有拜塔拉尼河提供灌溉。水稻为主要农作物。林区产木材、竹子和虫胶。镇北丘陵区有丰富铁矿与其他矿藏。独立前为奥里萨土邦之一部,1948年并入现在的邦。人口51 832(2001)。

Kéos (Greece)　参阅 **Kéa** *凯阿*。

Kepes, Gyorgy　凯佩斯 (1906-10-04,匈牙利塞尔彼～2001-12-29,美国马萨诸塞剑桥)匈牙利出生的美国画家、设计师、摄影家、教师和作家。因对光和色彩的独特见解而在设

凯佩斯与人合作设计的《火焰果园》(1972)
美国不列颠百科全书公司供图

计的多种领域有着较大的影响。1928年毕业于布达佩斯皇家美术学院,后从事过“物影照片”和“摄影图画”等实验。1930～1936年在柏林及伦敦从事电影、舞台和商业展览等设计。1937年赴美,任芝加哥“新包豪斯”(后改名设计学院)光色系主任。1946年任麻省理工学院视觉设计教授。1967年后任高级光学研究中心主任。著有《视觉语言》(1944)和《艺术与科学之新展望》(1956)。

Kepler, Johannes　开普勒 (1571-12-27,符腾堡魏尔德施塔特[德意志]～1630-11-15,雷根

斯堡） 文艺复兴时期的天文学家和占星学家，以发现行星运动三大定律而闻名。通过这些定律，他廓清了太阳系的空间结构，此外还通过提出人类如何能看到外界的最早正确

美国不列颠百科全书公司供图

解释而确立了近代光学。他率先准确阐明光线进入望远镜后的情况并设计出一种特殊的望远镜。他的观念使天文学从古代的几何描述过渡到近代动力天文学的阶段，并在后者中引入自然力的概念。

早期生活 他是一个早产儿——一个不幸婚姻的后代。其父是一名庸碌的雇佣军人，母亲则是一小酒馆老板的爱吵嘴的女儿。开普勒身材矮小，体弱多病，但天性聪慧，即使在孩提时期就已显露智力高人一筹。他出身贫寒，要不是符腾堡公国的君主实行开明政策，为其贫穷臣民的聪明子女提供丰厚的奖学金，他是无法接受教育的。

正是这种资助使他能在1587年进蒂宾根大学就读，并有幸在M.麦斯特林教授指导下研习天文。麦斯特林教授在当时可能是独一无二的，因他坚信哥白尼提出的天文体系是基本正确的，即地球是一颗行星，它每天绕自身的轴自转一周，每年绕太阳公转一周。开普勒早年所受的哥白尼天文学的教育对他此后一生的事业影响极大。

主要成就 开普勒在1588年获文学士和1591年获文学硕士学位后，想当一名路德派的牧师。但就在他于蒂宾根即将修完神学课程的1594年，奥地利格拉茨路德派高级中学的数学教师逝世，蒂宾根神学院大力推荐他去奥地利补此空缺。于是，开普勒便未修完蒂宾根神学课程，而于该年前往格拉茨任教。1595年夏季的一天，当他讲课时忽然闪现一个奇妙的念头。古希腊的几何学证明，规则的立体（或所谓“柏拉图体”）有5种：正四面体（角锥体）、正立方体、正八面体（由8个等边三角形构成）、正十二面体（有12个正五边形）和正二十面体（有20个等边三角形）。古人知道这5种立体均能内接于球体，此外就再也没有其他规则的立体了。由于受天空“数学和谐”观念（该观念导源于柏拉图的哲学和毕达哥拉斯的数学）的影响，开普勒企图把行星的轨道和几何图形联系起来。

按哥白尼天文学的说法，天空中有6颗行星，其轨道由看不见的一些球体的旋转来调节。但是，为什么它们只有6颗而不是9颗或100颗？莫非宇宙的结构是这样的：在每对携带着6个哥白尼行星的看不见球体之间是一个属于上述5种规则立体的多面体？这种一层套一层的规则立体和行星的结构是开普勒发表于1596年题为《宇宙结构的秘密》一书的主题。该书是蒂宾根神学院出资赞助发表的。尽管柏拉图和毕达哥拉斯的哲学和数学使开普勒天空和谐构思的形成有神秘色彩，但它们无疑促使开普勒发现了现在用他名字命名的行星运动三大定律。

开普勒将其首篇重要论著的副本送给许多科学家，其中包括不久成为神圣罗马帝国皇家数学家的第谷。第谷虽不赞同开普勒所写的那本以哥白尼体系为基础的《宇宙结构的秘密》一书，但他还是被作者的天文学知识和数学技巧所打动，于1600年邀请开普勒来布拉格附近的贝纳泰克（今为伊泽拉河畔的贝纳特基）天文台，参加他所领导的研究工作。翌年第谷逝世，开普勒很快被任命为皇家数学家的接班人。他在布拉格发表的首篇论著《占星术的可信基础》摒弃那种认为星体主管人世间吉凶祸福的迷信观念。尽管如此，他的那种深深相信宇宙和谐的思想，包括那种认为宇宙和个人是和谐的信念以及进行占星预卜的高超技巧都深受公众的欢迎。

1604年10月，当开普勒正在观测一种罕见的天象——火、木、土三星相合时，出现了一颗维持17个月可见的超新星。这一事件证明了，恒星世界并非像自古以来所说的那样纯净和永不变化，而是能够确实感知其变化的。他将其观测结果写在1606年出版的《蛇夫座脚下的新星》一文中。

开普勒这时已有机会利用第谷独一无二的天文观测资料，这些资料是最伟大的天空肉眼观测家和许多资深天文学家小组的领导人几十年不断辛勤劳动的结晶。作为这个集体的成员，开普勒曾被指派研究火星。但开普勒感到在开始采用这些原始资料之前，有必要先解决大气折射的问题，即从距离遥远、密度稀薄的外空而来的星光在进入地球周围稠密大气时是如何弯曲的？

他把研究的结果写进一本书中，并谦虚地取名为《对维泰洛的补充，天文光学阐释》。维泰洛撰写了中世纪最重要的光学论著。但开普勒所做的远超过对维泰洛论著的补充。他对视觉的过程进行分析，为所有进一步了解人眼的结构和功能提供基础。开普勒写道，在视场中的发光体上的每一点都朝四面八方发射光线，但只有落在瞳孔（其功用有如光阑）上的光线才能进入眼睛。他阐明从一单独的发光点发出的光线形成一个圆锥体，其圆底位于瞳孔内。在正常的眼睛中，所有这些光线经过折射又都汇集到视网膜上的一个单独点。开普勒把视网膜看成是眼睛最敏感的接收器。如果眼睛不正常，则第二个短光锥的点就不会落在视网膜上而落在它的前或后，造成视觉模糊不清。用眼镜改善老人的视力已有300多年之久，但没有一人能在开普勒之前说明那些弯曲的小镜片为什么有此功用。

当发明望远镜的消息传给伽利略后，伽利略便立即用它来从事各种令人震惊的发现。开普勒则用有关光学的同样思想来说明望远镜的工作原理。虽然伽利略的发现通常受到怀疑和嘲笑，但开普勒则在1610年发表的 *Dissertatio cum Nuncio Sidereo Nuper ad Mortales Misso a Galilaeo Galilaeo* 一文中对这位意大利学者的成就加以赞扬。

伽利略对这种赞扬没予回报，他对开普勒前些年发表的那些划时代的成果不予理会。在1609年发表的《新天文学》中，开普勒论证了火星的轨道是一椭圆。虽然行星作为一种天体自古以来就被认为是完美无缺的，因而只能在正圆形或它们组合的轨道上运行，但哥白尼还是正确地把地球归为行星之一，而且深信它远非“完美无缺”。开普勒把哥白尼的这一论断推广到其他行星并率先宣称，其他行星也和地球一样，都是由物质构成的天体。非完美无缺的物质天体和轨道不必是正圆的结论，是开普勒在多次想用各种正圆形的组合来使火星的轨道与第谷的观测相合失败以后做出的。由于没有一种能够相合，他才尝试用非圆形轨道，直到找到了正确的答案：火星绕椭圆轨道运行，太阳位于其两个焦点之一。

开普勒之前的教条——行星的轨道只能是正圆——必然引出匀速运动的概念，即在相等时间内，运动的物体或质点必须走过相等的弧。在椭圆轨道中，这种沿弧段作匀速运动的概念当然不再适用。不过，开普勒找到另一种均匀的形式，即在相等时间内扫过相等的面积。这就是说，行星沿椭圆边绕位于椭圆一个焦点的太阳运行时，在相等时间内所扫过的椭圆面积相等，而不是沿椭圆周边所走过的弧段相等。

1619年，即在开普勒发表了这头两个行星运动定律（椭圆轨道和等面积）10年后，他出版了《宇宙和谐律》，在该书中阐述了第三定律。这是一个把行星到太阳的平均距离与行星沿椭圆轨道绕太阳一周的时间联系起来的定律，即距离的立方与绕转一周的时间的平方的比值，对所有行星都是常数。这一定律（有时也称为3/2比值定律）的发表说明开普勒研究行星运动已大功告成，并为I.牛顿提出与整个自然界所有物体有关的万有引力铺平道路。

晚期生活 就在这时，开普勒的庇护人神圣罗马皇帝为其兄弟所迫而退位，开普勒只好离开后来成为首都的布拉格。继任的皇帝后来虽也任命他为皇家数学家，但他还是移居奥地利的林茨。他的第一个妻子在布拉格逝世，1613年开普勒重新结婚。有一次，他为新家上街买食品，对商人们用粗糙的办法估计酒桶的液体容量很不满意，因为他们所用的容器的曲度多种多样。开普勒便开始寻找确定容器体积的数学方法。他按照古代最有才能的数学家阿基米德建立的模型，研究了近100种阿基米德没考虑过的旋转体（即二维平面绕其一轴旋转而成的几何体）。他从研究普通酒桶入手，并极大地扩展了阿基米德结果的应用范围。他不像阿基米德那样，只研究圆锥曲线（由平面截圆锥而成的曲线）绕主轴所成的几何体，而是研究了绕圆锥曲线平面上非主轴的直线旋转而成的许多

形体。

在林茨期间，开普勒发表其《哥白尼天文学纲要》(1618～1621)。这个书名是他模仿以前蒂宾根的麦斯特林教授在多次再版其著名的天文学入门一书中所采用的做法。但是，麦斯特林因考虑在其教学用的基础教科书中不宜出现哥白尼主义的内容，以免招惹麻烦，故将以前书名取为《天文学纲要》；开普勒则不然，他通过增加引起争议的"哥白尼"的称号强调他对新宇宙学的公开支持。

1620年，开普勒在林茨听说他母亲被指控犯女巫罪。这种被告常会受严刑拷打，而且一旦被确认有罪，就往往会被烧死在火刑柱上。如果他母亲遭此厄运，则他作为神圣罗马帝国皇家数学家和上奥地利(奥地利北部一个省)数学家的形象将会受到无法挽回的伤害。因此，他匆忙赶赴现场为她辩护。他这样做不仅是出于孝心，也是出于维护自身的利益。正是由于他的出面和灵巧的辩护，其母才免遭折磨和处死。

开普勒还想在林茨出版《鲁道夫星表》，以纪念他的第一位皇家庇护人鲁道夫二世。但这部经过不断思考和辛勤计算才完成的星表却因农民造反(为强迫他们回归天主教和苛捐杂税所激怒)而不能在该地出版。开普勒只好另找住地和庇护人。

曾经在三十年战争期间将其私家军队归皇家统帅的弗里德兰和扎甘的君主 A.von 瓦伦斯坦(他是一位成功的并有大量财富的军人)答应给开普勒以经济资助。因此开普勒去西里西亚的扎甘，以便在该处能建起自己的印刷厂。在开普勒于1628年去扎甘之前，《鲁道夫星表》已于1627年在德国乌尔姆出版。但后来证明瓦伦斯坦是一个靠不住的人。

开普勒把家留在扎甘，自己向西去取两张他存入奥地利银行的期票的利息。在旅途中，他在雷根斯堡停留，当时帝国议会正在开会。他突患重病并于1630年11月15日去世。后来他的坟墓在使德国饱受创伤的三十年战争中被毁。

Keplerian telescope 开普勒望远镜 观察远方物体的仪器。它是现代折射望远镜的基础，因伟大的德国天文学家 J.开普勒而得名。它的目镜是凸透镜(会聚透镜)，置于焦点之后。这种望远镜产生的是倒像(实像)。在目镜和物镜之间加一会聚透镜，可把像正过来。这样，望远镜就必须做得很长，镜筒通常做成可伸缩的。

Kepler's laws of planetary motion 开普勒行星运动定律 描述太阳系各行星运动的3个定律，是天文学和经典物理学的研究内容。这些定律是由德国天文学家 J.开普勒导出的。通过分析16世纪丹麦天文学家第谷的观测资料，使他能够在1609年发表头两个定律，1618年发表第三定律。开普勒本人并没有给这些定律编号，也没有在他的另外一些发现中特别突出它们。开普勒的行星运动3定律可表述为：①所有行星都在椭圆轨道上绕太阳旋转，太阳位于椭圆的一个焦点；②联结太阳到任何行星的向径在等时内扫过等面积；③行星(公转)的恒星周期的平方同它到太阳的平均距离的立方成比例。这些定律，特别是第二定律(即面积定律)对 I.牛顿于1684～1685年建立地球与月球和太阳与行星之间的著名万有引力定律起了关键性的作用。牛顿认为万有引力定律对宇宙万物都适用。他还指出，在中心引力的作用下，物体的运动不一定总是遵循开普勒第一定律所规定的椭圆轨道，而是可以遵循其他不封闭的圆锥曲线所规定轨道，运动是沿抛物线或双曲线要视物体总能量多大而定。因此，一个具有足够能量的天体(例如彗星)在飞入太阳系后又可以永不复返地飞离太阳系。从开普勒第二定律还可得出，任何行星绕通过太阳并垂直于轨道面的轴线的角动量也是不变的。开普勒定律也适用于天然和人造卫星的运动以及无动力航天器在行星附近的轨道运动和双星运动。当然，由开普勒建立的这些定律并没有考虑各个行星的相互作用(即摄动效应)。精确预测两个以上天体在它们引力作用下的运动这一普遍问题十分复杂。除几种特殊情况外，三体问题的分析解迄今仍无法求得。值得指出的是，开普勒定律不仅适用于万有引力，也适用于其他一切平方反比的力，而且在适当考虑相对论和量子效应的情况下，还可适用于原子内部的电磁力。

Kepler's Nova 开普勒新星 又称蛇夫座1604新星。银河系(太阳系即位于其内)中已知少数几颗超新星(激烈爆发的恒星)之一，J.开普勒的助手 J.布鲁诺夫斯基于1604年10月首先观测到它。开普勒一直研究这颗超新星，直到1606年初肉眼不能再看到它为止。它最亮时(目视星等约为 -2.5等)比木星还亮。在这颗超新星的方位上虽有星云状物质的痕迹，却看不到恒星的遗迹。像第谷新星一样，开普勒新星在当时证明了恒星具有可变性。

Keppel (of Elvedon), Augustus Keppel, Viscount, Baron Elden 凯佩尔(埃尔维登的) (1725-04-25～1786-10-02，英格兰萨福克埃尔夫登霍尔) 英格兰海军上将和政治家，在美国独立战争期间，因一场政治原因的纷争而

英国格林尼治国家海洋博物馆供图

结束了他作为一名航海指挥官的事业。凯佩尔从10岁起即当海员，曾由始至终积极参加七年战争(1756～1763)。1762年他曾在海军上将乔治·波科克爵士率领的攻取哈瓦那的英国远征军中任职，并因此而获得2.5万英镑的奖赏。他于1762年晋升海军少将，1770年晋升海军中将。1761～1780年任下议院议员，是辉格党的坚强支持者。当他于1778年作为西方分舰队司令与法国交战时，他认为当时的海军大臣桑威奇伯爵(第四)愿意看到他失败。海军部的官员休·帕利泽爵士与他一道出海，担任他的下属指挥官。凯佩尔认为他在(布列塔尼附近)韦桑岛外与法军之战(1778-07-27)之所以未分胜负，部分是由于帕利泽有意不理睬他的命令。作为报复，帕利泽要求将凯佩尔交付军事法庭审判，罪名是指挥不当和玩忽职守。舆论纷纷指责，导致审判虽进行但宣判凯佩尔未玩忽职守，亦未判帕利泽不服从命令。虽然凯佩尔于1779年被解除指挥职务，却于1782年因美国在战争中获胜促使诺思勋爵的托利党内阁倒台而出任海军大臣，并受封为子爵，但他于1783年辞去了海军大臣的职务。他从未结婚，死后封号无人继承。

Keppel Bay 克佩尔湾 太平洋小海湾。凹入澳大利亚昆士兰州东岸。长约48千米，宽约19千米。湾畔有伊谬公园和耶蓬等游览地。沿岸出产热带水果(菠萝和香蕉)。产对虾、扇贝、鲑鱼等。

Keppler, Joseph 凯普勒(1838-02-01，奥地利维也纳～1894-02-19，美国纽约州纽约) 奥地利出生的美国讽刺画家，美国第一份成功的幽默周刊《顽童》的创办人。在维也纳学习艺术。1867年投奔早已移居美国的父亲。此后3年中先后办幽默周报和德语《顽童》周刊，都告失败。1876年以前一直为《弗兰克·莱斯利画报》画封面漫画。该年与莱斯利决裂，第二次创办德文版《顽童》，非常成功，遂于1877年发行英文版直到1918年，在德文版停刊后继续发行了22年。凯普勒最初为《顽童》画所有的卡通画，尽管后来有许多艺术家接着画，但他的影响一直最大。

Ker 凯尔 古希腊宗教中，指起破坏作用的精灵。民间认为人所以死亡和生病是这种非人力量在作祟，在谈到他时常用复数。凯尔也用来指一个人的毁灭，和宿命的意思相似。在雅典的安塞斯特里昂节，人们把亡灵从家屋驱出，称之为凯尔，有些学者认为这是该词的原义。

Ker, Sir Robert 凯尔爵士 参阅 **Somerset, Robert Carr, Earl of** 萨默塞特伯爵。

Kerak(Jordan) 参阅 **Karak, Al-**卡拉克。

Kerala 喀拉拉邦 印度的一个邦。位于印度半岛西南部马拉巴海岸。北连卡纳塔克邦，东接泰米尔纳德邦，西濒阿拉伯海。首府特里凡德琅。第一次述及喀拉拉是在公元前3世纪印度阿育王的一个石碑上。当时该地区是一个独立的达罗毗荼王国，称喀拉拉普特拉。这一时期印-欧混血种移民传入印度教。7～8世纪阿拉伯商人传入伊斯兰教。在杰尔王朝时期(9～12世纪)，说马拉雅拉姆语为其特征。杰尔王朝衰败后，喀拉拉处于各大小王国战争割据状态。1498年葡萄牙人入侵卡利卡特(科泽科德)，喀拉拉是印度

首先遭受欧洲人侵略的地区。17 世纪荷兰人赶走葡萄牙人。1741 年特拉凡哥尔王国的马尔撒达·瓦尔马王公粉碎了荷兰的扩张主义阴谋。18 世纪 90 年代特拉凡哥尔和邻近的柯钦成为英属马德拉斯省的保护国。1947 年印度独立后，该地区定名为特拉凡哥尔-柯钦邦。1956 年重新划定邦界，包括大部分说马拉雅拉姆语的地区，改为现在的名称。地形从东部高山（西高止山的最南端）向西部低沿海平原倾斜。森林密布，为世界最大的椰林和棕榈林之一。贝里亚尔、潘巴、贾拉库迪、珀勒塔普普札等许多河流向西注入阿拉伯海。气温季节变化很小，平原地区年平均气温为 27 ～ 32 °C，高地降至 21 °C。受西南和东北季风影响，许多地区的季节降雨量超过 3 000毫米。喀拉拉是印度人口最稠密的邦，虽然土地占全国面积的 1%，但人口却占全国的 4%。种族也很复杂，主要有马拉亚尔族，属于远古印度土著达罗毗荼族。一小部分是来自北部的印-欧混血种移民的后代。某些山区部族则和东南亚的类黑人种有亲缘关系。大部分喀拉拉人是印度教徒，也有很多基督教徒和伊斯兰教徒，有少数耆那教徒和犹太教徒。马拉雅拉姆语为官方语言。农业是邦的主要经济部门，大部分人没有受到工业化的影响。经济作物豆蔻、腰果、椰子、咖啡、姜、胡椒、橡胶和茶叶占耕种面积的 40%，并换取外汇。但是集中生产商品经济作物导致粮食短缺，不能满足当地需要，而不得不进口。商业性的家禽饲养业发达，出口蛋品。喀拉拉也是印度的主要产鱼邦。林产有乌木、红木、柚木等贵重木材和竹（用于人造丝工业）、木浆、木炭、树胶和松香等工业原料。从事编棕、腰果加工与纺织等手工业的人数占工人总数的 3/5。大工业以食品和纺织工业为主，其他有化工、化肥、铝、钛、电气设备、造船、胶合板和合成纤维等部门。3 大主要港口为科钦-埃尔讷古勒姆、阿勒皮和卡利卡特（科泽科德）。特里凡德琅有一个国际机场，卡利卡特和科钦有国内机场。喀拉拉是印度教育最发达的邦，识字率达 80%。妇女享有很高的社会地位，参与各方面的活动。邦内有许多工艺和工业培训学校、艺术和科学学院、各种专业学院和大学。各种宗教建筑展示了该邦丰富文化传统的一个方面：有镀铜屋顶的古印度教庙，有晚些时候建的马拉巴尔三角形伊斯兰清真寺和葡萄牙殖民者建的具有巴罗克风格的教堂。精美的绘画，尤其是壁画，体现了当地独特的传统和风格。户内和户外各种奇特的照明装置使喀拉拉有灯之乡的美名。克达克里古典舞保留至今。面积 38 863 平方千米。人口约 31 838 619（2001）。

Kerala Plains　喀拉拉平原　印度西南部阿拉伯海沿岸狭长地带。西临阿拉伯海。几乎包括喀拉拉邦全境和马拉巴尔海岸（**Malabar Coast**）的大部分，面积约 2.8 万平方千米。多潟湖和沙坝。沙岸覆盖有椰林。平原海拔不超过 10 米。北窄南宽，长约 530 千米，宽 19 ～96 千米。东侧有西高止山丘陵、尼尔吉里丘陵和南高止山。平原河流众多，纵横交错，印度内陆航线约 1/5 集中于此。最重要河流为贝里亚尔河。约半数土地已开垦，主要种植水稻和木薯以及甘蔗、姜、谷草、花生和芝麻。经济作物有椰子、胡椒、槟榔、豆蔻、橡胶、咖啡和茶树。工业有茶叶加工、渔产加工、造纸和生产水泥、铝、人造丝、电器、椰皮纤维制品、胶合板等。平原人口密集，方言为马拉亚兰语。主要城镇有科钦、特里凡德琅、卡利卡特（科泽科德）、阿勒皮、德里久尔和奎隆。

Kerang　克兰　澳大利亚维多利亚州北部城镇，濒洛登河。1857 年始有人定居。名称源于土语，意谓“凤头鹦鹉”、“寄生者”或“月亮”。1871 年设郡，1888 年成为来自新南威尔士州边境昆德鲁克的铁路终站。目前位于通往墨尔本（在其东南方 240 千米处）的铁路线上，为集约灌溉区（由图鲁姆巴利堰供水）的中心，该区产谷物、羊毛、柑橘及乳制品。又位于墨累河谷与洛登公路交会点，为家畜运输的重要铁路接运点。拥有铁与黄铜铸造厂、锯木厂、面粉厂、农产品加工厂、工具厂和制衣厂。人口约4 080（1989）。

keratin　角蛋白　毛发、指甲、角、蹄、羽毛和皮肤最外层的上皮细胞中的纤维性结构蛋白质。其多肽链通过氢键连在一起，排列成平行的片状。角蛋白的氨基酸中，胱氨酸多达 24%。胱氨酸形成大量二硫键，因此角蛋白极为稳定，完全不溶于热水或冷水，并且不受蛋白水解酶的作用。角蛋白纤维的长度取决于其含水量，完全水化（含水约 16%）时其长度增加 10% ～ 12%。

keratitis　角膜炎　角膜的炎症。有几种类型。角膜与结膜时常同时发炎。角膜干燥可引起两种角膜炎：①干性角膜炎，亦称舍格伦氏综合征（**Sjögren's syndrome**）或干性角膜结膜炎，由于泪液分泌不足而致角膜、结膜干燥发炎。②兔眼性角膜炎，眼球突出或闭合眼睑的肌肉麻痹而闭眼不完全，引起角膜干燥、发炎；据说兔眼不能闭合，本病由此得名。化学性灼伤（特别是酸、碱灼伤）可引起角膜炎症，血管长入角膜区域，甚至导致角膜完全混浊而失明；标准的处理方法是及早用淡盐水或直接用自来水冲洗，因为损害的程度在很大程度上取决于化学药品在眼内存留时间的长短；碱性灼伤最为严重，若不迅速去除，可在几个月或几年内引起进行性损害。间质性角膜炎是角膜深层的炎症，原因可为先天性梅毒、结核菌、带状疱疹病毒，甚至眼部的物理性损伤；多见于儿童；患眼疼痛、流泪和畏光；治疗应针对原发病。树枝状角膜炎（或称树枝状溃疡）是单纯疱疹病毒感染所致，病变为树枝状分布的小疱，破溃后形成溃疡面，角膜感觉往往减退，患者可不觉痛苦。酒渣鼻性角膜炎是酒渣鼻的并发症，患者面部皮肤首先明显潮红，继而形成结节及脓疱；并发角膜炎时引起剧烈疼痛与角膜瘢痕，损害视力。神经麻痹性角膜炎继发于三叉神经感觉冲动传导障碍，角膜失去感觉后更易受到外伤与感染，患此种角膜炎时容易出现角膜溃疡、前房积脓和视力损害，并可导致眼球穿孔；治疗应大量使用抗生素。

keratitis, infectious　传染性角膜炎　参阅 **bovine infectious keratoconjunctivitis** 牛传染性角膜结膜炎。

keratosis　角化病　由于表皮过度增生而在皮肤上出现隆起损害的一种疾病，损害的主要成分为角蛋白，于角质化细胞内合成。角化性皮肤病的病因和损害特点多种多样，可分为近 20 种类型。常见的几种如下：①掌蹠角化病。一种先天性的掌蹠皮肤角质层增厚的疾患，有时因形成裂隙而疼痛，常为遗传性。②毛发角化病。亦称毛囊性鱼鳞病、毛发性苔藓或毛囊性干皮病。一种局限于毛囊的异常角化，呈分布稀疏的小型毛囊性丘疹，最常见于上臂和大腿的外侧。③脂溢性角化病。一种良性的皮肤肿瘤，通常表现为小型的黄色或褐色边界清楚略高出皮肤的隆起，覆盖以薄层油性鳞屑。这些损害由角化细胞异常增加所致，恶性病变或自行消退均极少见。④老年性角化病。表现为界限清楚、灰至灰黑色、轻度隆起的扁平丘疹，一般与年老和日晒有关。多见于阳光充足的地区，好发于外露部位，但若既往曾用胂剂，则皮损多出现于掌、蹠和躯干。某些患者的皮损（尤其是唇部及其他黏膜部的皮损）可癌变。参阅 **wart; callus**。

Kerbela（Iraq）　参阅 **Karbalā'** 卡尔巴拉。

Kerch　刻赤　拉丁语作Panticapaeum（潘蒂卡派）。乌克兰南部克里米亚共和国港市，濒临刻赤海峡西岸一个小海湾。建于公元前 6 世纪，逐渐发展为贸易中心，5 世纪成为博斯普鲁斯王国首府。后属罗马帝国。375 年遭匈奴人劫掠。1318 年由蒙古人让给热那亚人。15 世纪为突厥人所占，1771 年归俄国。进入亚速海货船的转运站。这里丰富的铁矿资源于 19 世纪末开始开采，大量的矿砂运往顿涅茨煤田。第二次世界大战期间该镇遭严重破坏，建于 1897 年的冶金厂被毁。现有大型矿砂烧结厂、船舶修理厂，生产铸铁管道。渔业和鱼类加工业占有重要位置。人口约 178 300（1991）。

Kerckring, valve of（anatomy）　**克尔克林氏瓣**　参阅 **plica circularis** 环状襞。

Kerensky, Aleksandr Fyodorovich　克伦斯基（1881-05-02，俄罗斯辛比尔斯克～1970-06-11，美国纽约州纽约）　俄国温和的社会革命党人，1917 年 7 ～ 10 月（旧历）任俄国临时政府总理。在圣彼得堡大学攻读法律时，克

美国不列颠百科全书公司供图

伦斯基为民粹派所吸引。毕业(1904)后,他参加社会革命党(约 1905),并成为著名的律师,经常为被控犯有政治罪的职业革命家进行辩护。1912 年他被选入第四届杜马。与一些更激进的社会党人不同,他支持俄国参加第一次世界大战。当二月革命爆发时(1917),他极力主张取消帝制,热情地接受了彼得格勒工人和士兵代表苏维埃副主席和由杜马组成的临时政府司法部长的职务。他成为革命领导阶层中最为驰名和最孚众望的人物之一。同年 5 月,克伦斯基转任陆海军部长,成为新政府中的主要人物。当临时政府在 7 月再次被迫改组时,克伦斯基出任总理。尽管他努力联合所有的政治派别,但由于将总司令科尔尼洛夫将军免职并由他个人取而代之(9 月),他不久就为温和派与军官团所疏远;同时由于拒绝实施左翼激进的社会和经济纲领,由于显然图谋个人具有独裁权力,他也失掉了左翼的信任。结果,当布尔什维克夺取政权时(十月革命,1917),逃往前线的克伦斯基未能纠集兵力维护他的政府。1918 年他流亡西欧,专心写作谈论革命的书籍,并主编流亡者的报纸杂志。1940 年移居美国,在一些大学中讲课,并继续写作讲述他的革命经验的书籍。

Kerensky Offensive (World War I) **克伦斯基进攻** 参阅 **June Offensive** 六月进攻(1917)。

Keres, Paul 克列斯(1916-01-07,俄罗斯帝国爱沙尼亚纳尔瓦～1975-06-05,芬兰赫尔辛基) 爱沙尼亚国际象棋大师。3 次荣获苏联国际象棋冠军,3 次荣获欧洲冠军,4 次在国际象棋奥林匹克赛中夺魁。克列斯 4 岁起就通过观看其父与人对弈来学习下棋,到 13 岁时便公开参加比赛。他在少年时代就在比赛中得奖,1934 年获得爱沙尼亚锦标赛冠军。虽然他是学数学和新闻的,但他最后还是选择了国际象棋作为他的正式职业。他在 1947、1950 和 1951 年 3 次摘取苏联锦标赛桂冠,并且参加了几次重大国际比赛,包括第 10～15 届的国际象棋奥林匹克赛(1952～1962)。克列斯虽然从未夺得过世界冠军,但是他在第二次世界大战后十几次国际比赛中打败过诸如米哈伊尔·博特温尼克、泰格朗·彼得罗相、鲍里斯·斯帕斯基等世界冠军。他的著作有:《国际象棋开局理论:开放性开局》(第 1、2 部分,1949～1952),其第 3 部分名为《法兰西防御》(1958);他所写的最后一本书是《实用国际象棋残局》(1947)。

Keresun (Turkey) 参阅 **Giresun** 吉雷松。

Kerguelen cabbage (species *Pringlea antiscorbutica*) **凯尔盖朗甘蓝** 十字花科植物。外形似普通甘蓝,因产于凯尔盖朗岛而得名。叶内有淡黄色、味极辛辣的精油,富含维生素 C,食之可防治坏血病。这种植物是 J. 库克船长于其首次航行(1776)中发现,但首次报道是英国植物学家 J.D. 胡克于 1839～1843 年搭"阴阳界"号及"恐怖"号到南极探险返航后发表的。他乘"恐怖"号探险时曾在该岛逗留,每日取凯尔盖朗甘蓝为蔬菜,单独烹食或与船中所带牛肉、猪肉、豆汤料同煮。该植物虽属虫媒传粉的十字花科,但已演变成风媒植物,雄蕊变长伸出,雌蕊柱头上有线状突起,似乎为对岛上缺乏有翅昆虫环境的适应。

Kerguelen Islands 凯尔盖朗群岛 南印度洋中群岛。行政上为法属南部及南极领地的一部分。由凯尔盖朗岛和近 300 个小岛组成。总面积约6 200平方千米。凯尔盖朗岛上冰川极为发育。岛长约 160 千米,有活动的冰川。山峰海拔1 965米。1772 年被法国航海家凯尔盖朗-特雷马克发现,后由英国航海家 J. 库克船长考察。1950 年主岛的法兰西港建立永久性基地和科学中心。人口:法兰西港约 75(1987)。

Keriya He 克里雅河 中国新疆维吾尔自治区塔里木盆地南部河流。长530千米。源

克里雅河下游的日出景观
中国大百科全书出版社供图

出昆仑山脉,北流经于田绿洲后消失于塔克拉玛干沙漠中。

Kérkira (Greece) **克基拉** 参阅 **Corfu** 科孚。

Kerkrade 凯尔克拉德 荷兰东南部林堡省城镇。在荷德边界城市马斯特里赫特东面。为欧洲最古老的煤矿城镇之一。自 1113 年起直至 20 世纪 70 年代初期停止采煤以前一直是煤矿中心。古迹有罗尔迪克旧隐修院(1104)和奥德埃赫伦斯泰恩古堡。欧罗巴普兰公园中定期举行国际音乐比赛。凯尔克拉德都会区与海尔伦(**Heerlen**)相邻。人口约 53 353(1983)。

Kerll, Johann Caspar von 克尔(1627-04-09,萨克森阿多夫～1693-02-13,慕尼黑) 巴罗克中期南德意志天主教作曲家中居领导地位的大师。1645 年由斐迪南三世派送到罗马师从卓越作曲家 G. 卡里西米和 G. 弗雷斯科巴尔第。在意大利的学习对他的影响很大,他的作品很多是意大利风格的。1656～1674 年在慕尼黑任宫廷歌剧指挥。1677 年在维也纳宫廷和圣斯蒂芬大教堂任管风琴师。1684 年返回慕尼黑。其教堂音乐引用了歌剧的戏剧表现手法,作有弥撒曲、安魂曲和尊主颂等,常为复式合唱风格(即同时使用两三个合唱队)。在他的器乐伴奏中,乐器与人声形成对抗,以求得戏剧性的对比,也就是所谓的"复协奏(唱)风格"。克尔为在德国建立这种风格起了十分重要的作用。宗教剧《虔诚和坚强的妇人》(1677)也是通篇按歌剧样式创作的。他是位很有影响的导师,其作品曾被后来的作曲家们(包括巴赫和韩德尔)模仿和学习。

Kerma (Sudan) 参阅 **Karmah** 卡尔马。

Kermadec Islands 克马德克群岛 南太平洋中一火山群岛。在奥克兰东北1 000千米,属新西兰。由拉乌尔、麦考利、柯蒂斯诸岛和埃斯佩朗斯岩礁组成。陆地面积 34 平方千米。拉乌尔岛最大,面积 29.3 平方千米,林木茂盛,土地肥沃。拉乌尔岛上气候温和,年降雨量1 450毫米。群岛地处克马德克海沟西缘,常有地震。因与外界十分隔绝,不利于常年居住。拉乌尔岛上 1937 年建立气象-通讯站,现仍存在。

Kermadec Trench 克马德克海沟 南太平洋底的沟槽。长约1 200千米,构成克马德克海岭东缘。两者共同组成汤加-克马德克岛弧的南半部。最大深度10 047米。

Kermān 克尔曼 又拼 Kirmān。伊朗东南部省份、省会和城市名称。克尔曼市位于丘陵脚下的沙质平原上,海拔1 749米。北部和东部有高山环绕。气候凉爽,春秋季多沙暴。居民多是讲波斯语的伊斯兰教徒,有少数信奉拜火教。为伊朗最大地毯出口中心(参阅 **Kermān carpet**)。城市早先以生产妇女用围巾闻名,此行业现已被地毯业超过。20 世纪 70 年代中期发展成工业中心,有水泥厂、纺织厂、冷冻厂和热电站。有公路通阿巴斯港和马什哈德。建有一机场。克尔曼城可能为萨珊王朝的阿尔达希尔一世(224～241 在位)所建。10 世纪时成为萨非王朝统治下的省会。1509年被乌兹别克人劫掠。1720年被

公元 3 世纪阿尔达希尔一世修建的克尔曼城堡遗址
美国不列颠百科全书公司供图

阿富汗人占领。后经卡扎尔王朝的开创者法塔赫·阿里·沙阿(1797～1834 在位)重建。该城有大型市场和一些古老清真寺。市场西端为以前的卡扎尔王朝城堡。克尔曼省面积 186 472平方千米,东界俾路支斯坦和锡斯坦省,北接亚兹德省,东北邻呼罗珊省。境内有伊朗中部荒漠(卢特荒漠)的南部地区。卢特

荒漠南部较干燥，东部有沙丘，西部有山岭；其他地方有单面山，当地称沙赫尔卢特。西北-东南走向的山脉横贯全省。拉莱扎尔山（4 374米）和哈扎兰山（4 419米）为死火山。哈利勒河是该省唯一重要河流。最低洼地在夏季是世界上最干热的地方。大部分高地山谷气候宜人。丘陵现几乎完全裸露。居民点和耕地分布在绿洲和内地山脉低山脚下。高地出产谷物、棉花、甜菜、油籽、水果和蔬菜。海拔1 100～1 400米以下温暖地区种植水稻、玉米、散沫花、水果等。有大量阿月浑子出口。采集黄蓍胶。畜产品主要有羊毛和科尔克柔软羊毛用于编织克尔曼围巾。该市矿产资源丰富，有铜、煤、铬、铅、锌、铀和铝，因交通困难不能大规模开采。当地已发现石油。阿巴斯港和克尔曼市之间有天然气管道和电力输送网，促进该省工业发展。除克尔曼市外，大城镇有巴夫特、巴姆、拉夫桑詹、沙赫尔巴巴克、埃斯马伊拉巴德等。人口：城市311 643；省约789 992（1991）。

Kermān carpet　克尔曼地毯　Kermān又拼Kirmān。伊朗南部克尔曼城或其附近的手织铺地用品。16 世纪以来克尔曼是图案严谨的高级地毯的原产地。16和17世纪生产的

19 世纪晚期的克尔曼地毯
美国不列颠百科全书公司供图

地毯品种很多，有花瓶地毯、饰有一行行小树图案的地毯、阿拉伯花饰地毯、最精巧的花园地毯，还有一组结构类同的动物奎心图案地毯，都拴森纳结，在棉经上把粗硬的毛纬绷直，中间穿以较松的丝纬或棉纬，形成“双经”，后道经线几乎和前排经线重叠并列。配色丰富多彩。19 世纪末和 20 世纪，克尔曼地毯不断翻新，在上乘精品中有的临摹法国绘画上的清真寺和尖塔的建筑图案。在卡尚和大不里士也织造有象征性图案和人物图案的地毯。不少近代地毯在某种程度上采用了法国图案，边饰设计可突然隐没入画面，或仅保留洛可可式的地毯框边。底色则趋向米色，均为棉底，但仍拴森纳结。

Kermanshah（Iran）　克尔曼沙阿　参阅 **Bākhtarān 巴赫塔兰**。

kermes　虫胭脂　蚧（*Kermes ilicis*）或由此种昆虫的干体而得的鲜红色染料的通称。从前这种染料常常作为向罗马军队征服者的贡物。中世纪用以向地主交纳地租。它是已知最古老的红色染料，类似胭脂虫红，但质量较次，为古埃及人所使用。

Kern，Jerome（David）　克恩（1885-01-27，纽约市～1945-11-11，纽约市）　美国音乐喜剧主要作曲家之一。其《演艺船》开创了在美国剧院中演出严肃音乐歌舞剧的先例。原在纽

美国不列颠百科全书公司供图

约学习音乐，1903 年去德国海德堡学习，后在伦敦获得舞台作品经验。1905 年返回纽约后任钢琴师，为几家音乐出版商当推销员，并在一些欧洲轻歌剧重演时为之谱写新曲。1912 年创作《红裙》，这是第一部完全由他作曲的音乐喜剧。1915 年《好埃迪》的成功超过前者。其后的音乐歌舞剧有《好家伙!》（1917）、《莎莉》（1920）、《阳光》（1925）、《演艺船》（1927）、《猫与提琴》（1931）和《罗贝塔》（1933）。1933 年移居好莱坞，成为一位活跃的电影音乐作曲家。他的音乐以节奏自然流畅和旋律富有民歌音韵而闻名，这些旋律具有一种难以言喻，但却又是确切无误的美国特色。歌曲有《这首歌就是你》、《堕入情网》和《老人河》等，成为经典名曲。1946 年上映一部克恩的传记影片，名为《乱云飞渡》。

Kern，Johann Conrad　凯恩（1808-06-11，瑞士图尔高贝尔林根～1888-04-14，苏黎世）　瑞士长期驻法国公使，1848 年瑞士联邦宪法起草人之一。作为律师和法学博士，1837 年后成为图尔高州政府，特别是司法部门的主要领导人。在全国议会议员任内，1838 年他几乎是单独反对引渡 L.-N.波拿巴的。波拿巴是拿破仑的侄子，他企图推翻法国政府。凯恩反对持不同政见的 7 个天主教州的分离主义者联盟的教权主义政策，1847 年 11 月建议以武力进行镇压。在接着爆发的分离主义者联盟战争后，1848 年凯恩和瑞士西南部沃州的 H.德律埃一起起草一部新联邦宪法。在该宪法获批准后，他出任联邦最高法院院长。1857 年被派往巴黎去说服法国政府出面调停纳沙泰尔争端，在该争端中普鲁士国王腓特烈·威廉四世放弃对该州的权利。1857 年凯恩任瑞士驻法国公使，直至 1883 年。

kernel　核　出现在积分方程中积分号下的已知函数。在瑞典数学家 I.弗雷德霍姆的方程

$$f(x)=g(x)+\int_a^b K(x,y)f(y)\mathrm{d}y$$

中，$K(x,y)$是核函数，它与 $g(x)$都是已知的，而 $f(x)$是要求的函数。例如研究质点受重力作用在垂直平面中运动的轨迹曲线的阿贝尔方程（它的形式是意大利数学家维他里的第一类积分方程）：

$$f(x)=\int_0^x \frac{s(t)\mathrm{d}t}{\sqrt{2g(x-t)}},$$

这里核函数是 $1/\sqrt{2g(x-t)}$，其中 t 是时间，g 是重力加速度。数学中常见的两个核是狄利克雷核与费耶尔核，它们都与**傅里叶变换（Fourier transform）**有关。参阅 **integral transform**。

Kerner，Justinus Andreas Christian　克尔纳（1786-09-18，符腾堡路德维希堡～1862-02-21，魏恩斯贝格）　德国诗人和唯灵主义作家。与诗人乌兰德共同创立晚期浪漫主义诗人的所谓“士瓦本派”。父亲死后，在布厂做工，后在蒂宾根大学学医。在那里结识了乌兰德，以大部时间读书和写诗。后为开业医生并于 1818 年定居魏恩斯贝格，经常招待当时的大诗人。他更多的是以人品影响当代人，而非以他的作品。第一本书《江湖皮影戏：谈皮影戏表演者卢克斯》（1811）的特点在于诗和散文、严肃和诙谐的典型浪漫主义的混合。第一本《诗集》出版于 1826 年，显示出一种抑郁而又神秘的求死欲望。“民歌”的影响在这本诗里也是很清楚的。由于对梦游病发生兴趣，他从 1826～1829 年对梦游病患者和预言家豪费进行了研究，研究结果发表在《普雷福尔斯特的女先知》（1819）中。1856 年发表了一部关于医生、施催眠术者梅斯尔默和动物磁性的著作。诗集的扩大版《叙情诗集》发表于 1854 年。

kernicterus　核黄疸　出生时或刚出生后组织内胆红素浓度异常而引起的严重脑损伤。在大脑性麻痹的病因中一度占 10%。自从用换血疗法及光照疗法治疗新生儿黄疸后，核黄疸的发病率已大为降低。核黄疸的病因可为母儿血型不合所致溶血性贫血和溶血性黄疸，如**胎儿幼红细胞增多症（erythroblastosis fetalis）**。核黄疸的其他常见病因为药源性和早产。

kernite　贫水硼砂　又称斜方硼砂（rasorite）。一种硼酸盐矿物，为含水的硼酸钠（$Na_2B_4O_7\cdot 4H_2O$），以前是制取**硼砂（borax）**的主要来源。它形成巨大晶体，厚常达 60～90 厘米，见到最大的晶体达 240 厘米×90 厘米。晶体无色、透明，但通常被不透明的白色三方硼砂的表面薄膜所覆盖。贫水硼砂与其他硼酸盐矿物伴生，以矿脉、不规则块体和晶体等形式嵌在如美国加利福尼亚州克恩县、阿根廷卡塔马卡省的页岩中。关于详细的物理性质，参阅 **borate mineral**（表）。

kerogen 干酪根 又称油母质或油母。主要含碳、氢，也含有氧、氮、硫的大分子化合物的复杂混合物。它是油页岩的有机组分，故油页岩又称油母页岩。干酪根不溶于水，受热时分解成气态和液态的石油状物质，可被回收。它可能含有压实的有机物，如藻类和其他低级植物、花粉、孢子、孢衣，还含成虫和幼虫。这个名称最早用于苏格兰的含油页岩。

kerosine 煤油 又拼kerosene，又称石蜡油、煤馏油。淡黄或无色油状可燃液体，有不难闻的特殊气味。由石油获得，用于灯具、家用取暖器或家用炉，用作喷气发动机燃料或其组分、润滑脂及杀虫剂的溶剂。煤油占原油总量的10%～25%。煤油可用物理分馏方法同其他组分分离，也可用化学方法在常压和高温下裂化或分解矿物油中挥发性较低的组分生产。最初是于19世纪50年代以煤焦油和页岩油为原料制造煤油。1859年E.L.德雷克在宾夕法尼亚钻出第一口油井后，石油便成为煤油的主要来源。煤油因用于灯具(参阅 **kerosine lamp**)，在汽车使汽油成为重要产品以前，一直是炼油厂的主要产品。从化学上看，煤油是多种烃的混合物。其化学组成虽取决于来源，但通常由约10种不同的烃组成，每种烃分子含10～16个碳原子。组分包括正十二烷、烷基苯、萘及其衍生物。煤油挥发性比汽油小，沸点约为140～320℃。

kerosine lamp 煤油灯 注入煤油后用灯芯燃烧而发光的灯具。从19世纪60年代煤油供应开始充裕直到电灯出现以前，这种灯一直被广泛应用。与其他油灯相比，煤油灯安全、高效且使用简便。煤油通过毛细作用直接送上灯芯，仅仅需要一个调节旋钮控制灯芯的高低以调节火焰的大小和灯的亮度。煤油灯上安一个玻璃罩就使它的火焰比以前任何一种灯都更稳定、更明亮也更干净，因而也用得更广、更有效。煤油灯的发明人已无从考证，但有数以百计的人申请改进煤油灯的专利。1865年出现了一种双芯灯，它有两根扁平的灯芯，互相靠得很近以增加火焰的热度和亮度。在欧洲，带圆柱型灯芯的阿尔甘灯(**Argand burner**)曾经用得很广。参阅 **lamp**。

Kerouac, Jack 凯鲁亚克(1922-03-12，美国马萨诸塞洛厄尔～1969-10-21，佛罗里达彼得斯堡) 美国诗人、小说家，避世运动(**Beat movement**)的领袖和发言人。加拿大法语家庭后代。第二次世界大战期间因患类精神分裂症被海军解职，后在商船上当水手，漫游美国和墨西哥。做过铁路工人、看林员等多种工作。1950年发表第一部小说《小镇与城市》。他打破小说的陈规陋习，提倡自发的、一挥而就的新写法。《在路上》(1957)仅用三个星期脱稿，是这种新写法的产物。该书不拘形式，写一群穷年轻人到处漫游。他们爱好生活、美、爵士乐、性、麻醉品、速度和神秘主义，对闹钟、时刻表、行车地图、抵押贷款、退休金及美国工业界的各种传统奖赏则极端蔑视。这部小说引起公众对广为流传的地下文学的注意，这种地下文学是一批诗人、民歌手、避世运动成员、神秘主义者和怪人搞起来的，其中有A.金斯堡、G.柯尔索、W.巴勒斯、J.C.霍姆斯、P.奥洛夫斯基、G.斯奈德和P.惠伦，他们都是避世运动的重要作者。凯鲁亚克的所有作品，包括《达摩流浪汉》(1958)、《地下之人》(1958)、《萨克斯医生》(1959)、《寂寞的旅客》(1960)和《孤独的天使》(1965)都带自传性质，并且大多以避世运动的其他著名作家为角色。

Kéroualle, Louise-Renée de 凯鲁阿尔 参阅 **Portsmouth, Louise de Kéroualle, duchess of** 朴次茅斯女公爵。

Kérouané 凯鲁阿内 几内亚东南部凯鲁阿内区首府和城镇。周围热带稀树草原地区所产水稻、黍类、家畜的贸易中心。居民主要是穆斯林马林克人，自20世纪50年代以来，当地河流是钻石的重要产地。东部的锡芒杜山脉有铁矿矿床。人口：镇6 200；行政区106 872(1983)。

Kerr, Deborah 克尔(1921-09-30，苏格兰丹巴顿夏海伦伯格～) 原名Deborah Jane Kerr-Trimmer。英国电影和戏剧演员，以在刻画复杂人物性格中展现的泰然和安详而闻名。是对美国电影业做出重大贡献的英国女演员之一。曾在英国布里斯托尔学习舞蹈。17岁在英国首次演出芭蕾舞。出演《芭芭拉少校》(1940)和《黑水仙》(1947)之类的英国电影后，移居好莱坞。在好莱坞，她常饰演端庄正经的角色，不过在《乱世忠魂》(1953)里所演的角色却背离淑女形象。晚期电影包括《国王与我》(1956)、《茶与同情》(1956)、《荒山仙窟日月情》(1957)、《鸳鸯谱》(1958)、《游牧客》(1960)及《巫山风雨夜》(1964)。1969年退休。她7次获得奥斯卡奖提名，1994年获得奥斯卡终身成就奖。1997年被授予英帝国勋章。

Kerr, Jean 克尔(1923-07，美国宾夕法尼亚斯克兰顿～2003-01-05，纽约怀特普兰斯) 婚前名Jean Collins。美国作家。因所写的剧作以及就家庭主题所写的幽默的散文至今仍令人怀念。1943年毕业于斯克兰顿的玛丽伍德学院。同年8月与W. F.克尔结婚。克尔先生当时是华盛顿哥伦比亚特区美国天主教大学的戏剧教授。1946年3月克尔夫妇根据F.魏菲尔的长篇小说《贝尔娜德特之歌》改编的话剧于百老汇上演。她本人写的《珍妮吻过我》于1948年12月上演。与E.布鲁克合作写了喜剧《红桃老K》，由她丈夫任导演，于1954年4月上演，连演279场。1957年出版一部描写家庭生活的喜剧短剧集《乔迁之喜》。该书为畅销书，改编成电影后也很受欢迎。后拍成同名电视系列片。《玛丽，玛丽》于1961年3月在百老汇上演，大获成功，连演1 572场。接下来的剧作《润色》从1973年2月演到7月。她写的最后一部话剧《午餐时间》于1980年上演。

Kerr, Sir John Graham 克尔(1869-09-18，英格兰赫特福德郡阿克利～1957-04-21，巴利) 英国胚胎学家、军舰伪装倡导者。1914年他首先建议用"眩饰法"(色调对比强烈的斑纹)伪装军舰。曾学医科，1889年参加阿根廷探险队，到过巴拉圭的皮科马约河。1950年发表根据这次经验写成的《一个博物学家的见闻录》。1891年入剑桥大学基督学院，毕业后带领第二次巴拉圭探险队去研究美洲肺鱼(1896～1897)。后回剑桥任职，1902年在格拉斯哥任博物学钦定教授，1903年任动物学教授，至1935年被选为代表苏格兰各大学的下院议员方辞去教职。1909年任伦敦皇家学会会员，1919年受封为爵士。他从形态和系统发育方面研究动物学，对脊椎动物的进化问题贡献甚多。主要著作有：《不包括哺乳类的胚胎学教程》(1914～1919)、《医科学生用动物学》(1921)、《进化》(1926)等。

Kerr, Roy P(atrick) 克尔(1934-05-16，新西兰库劳～) 新西兰数学家。1963年求出描述旋转黑洞的爱因斯坦场方程的解，为天体物理学中的场研究中的一个重大贡献。克尔在原新西兰大学获得科学硕士学位，并于剑桥大学取得博士学位。随后，成为新西兰克赖斯特彻奇的坎特伯雷大学数学教授。原来，在爱因斯坦的相对论提出以后不久，史瓦西(**Schwarzschild, Karl**)于1916年从爱因斯坦场方程出发，得出一个描述静态无旋转的黑洞及其引力对周围时空的影响的公式。但理论家们推测，黑洞可能并非静止不动。既然黑洞按理论是由大质量恒星在消亡过程中坍缩而成，而且星体实际上都有自转，黑洞也可能在旋转。克尔得出的数学公式正表述了理论家们想在空间中发现的这种旋转黑洞。这种公式被称为克尔度规或克尔解。旋转黑洞有时也称克尔黑洞。在最近的一篇与A.希尔德共同署名的论文中，他提出一类称为克尔-希尔德解的新解。该解对寻求爱因斯坦场方程精确解具有深远影响。

Kerr electro-optic effect 克尔电光效应 当沿光束的横向施加强电场时，在透明物质中的光就感生出双折射。在双折射中，沿电场方向振动的光的折射率以及波速就会与垂

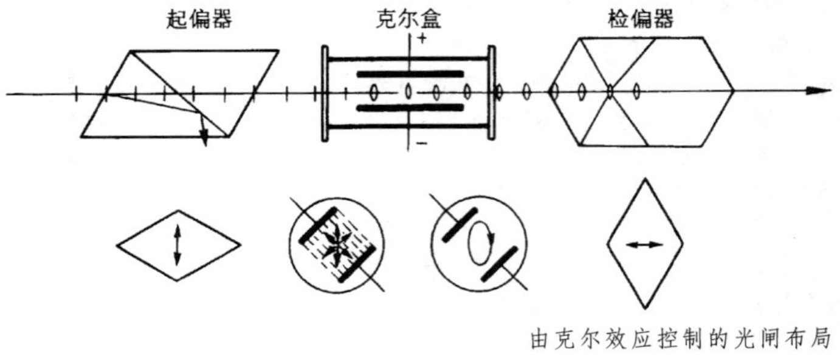

由克尔效应控制的光闸布局

直于电场方向振动的光的折射率稍有差异。从光学看，此物质的性状很像其光轴与电场平行的晶体。这一效应是19世纪后期苏格兰物理学家J.克尔发现的。在固体中，同样的性状有时称为泡克耳斯效应。克尔盒，又叫克尔电光闸，是应用克尔效应的快速遮光快门，速度可达10^{10}次/秒。如图所示，线偏振光通过有透明壁的盒内的某种液体（如硝基苯）后，光束被一个与偏振面成90°角的检偏器所遮挡。在盒内两个极板间加上电压，当电场与偏振面成45°角时，平面偏振光就分成与电场平行和垂直的两部分。由于这两部分以不同的速率传播，因而有相差，所以从盒中出射的是圆偏振光。因此光束部分地透过检偏器。克尔盒用于瞬变现象的照相、测量光速，对激光和通信研究也有用。

Kerrier 凯里厄 英格兰西南部康沃尔行政、历史郡一区。在英格兰西端附近，北濒圣乔治海峡，南临英吉利海峡。面积473平方千米。北部沿海和中部地区起伏高原有奶牛饲养和饲料作物种植业。海岸背风谷地和海湾一带产蔬菜、水果和花卉供应伦敦市场。自18世纪初北部边境温德龙沼泽及其邻近高原就是康沃尔的主要锡矿区，但20世纪末已极大地衰落了。小集合城市坎伯恩-雷德鲁斯生产采矿设备。区首府为坎伯恩和赫尔斯顿。人口约92 517(2001)。

Kerry 凯里郡 爱尔兰西南部芒斯特省的郡。面积4 807平方千米。首府特拉利。濒大西洋。主要高地有爱尔兰最高山峰。爱尔兰西南部六个大西洋半岛有三个和一个的一部分在凯里郡。当地冬季气候温和，植物全年生长，冬季可放牧。年降水量大，泥炭沼泽中可见到从气候较干燥时期残留下来的树林。多史前遗迹。古教堂遗址有阿德费特大教堂和一些中世纪的修士教堂。操盖尔语居民集中在丁格尔半岛上。约1/3人口住在城镇和村庄。最大城镇为特拉利和基拉尼。2/3农田小于20公顷，主要作物有燕麦和马铃薯，小牛和绵羊是现金收入主要来源。特拉利有腌肉厂和制靴厂；*基拉尼*（**Killarney**）有鞋袜厂，经济以贸易和旅游为主。郡内有机械厂和起重机厂。其他城镇是小商业中心。渔业在丁格尔和瓦伦西亚较为重要。人口132 527(2002)。

Kerry, John 克里（1943-12-11，美国科罗拉多丹佛～　）全名John Forkes Kerry。美国参议员，2004年美国民主党总统候选人。父亲为第二次世界大战美国飞行员和外交家，母亲为马萨诸塞湾殖民地总督后代。1966年耶鲁大学毕业后入伍海军，越南战争中任炮艇艇长。1969年回国时为海军上尉，获银星奖章、铜星奖章和三枚紫心勋章。1970年退役，与他人一起成立越南战争退伍军人反战组织，1971年到参议院外交委员会作证。翌年当选众议院议员，并登记海军预备役。1976年毕业于波士顿法律学院，任米德尔塞克斯县地区检察官助理，以对有组织犯罪的强硬立场而闻名。1979年起当过几年私人律师，后重新参政。1982年当选马萨诸塞州副州长，1984年当选参议员。后又三次当选（1990，1996，2002）。他致力于财政改革、公共教育投资和降低赤字，组织两党国会委员会关于伊朗门事件的听证会，并帮助澄清战俘与失踪人员问题，促进与越南关系正常化。1970年与J.索恩结婚，1988年离婚；1995

美国不列颠百科全书公司供图

年与参议员J.海因茨的遗孀结婚。2004年由民主党提名，与J.爱德华兹搭档，以降低失业率和国家赤字，增加医疗保健拨款为口号，竞选总统，但以微小差距失败。著有《新战争：威胁美国安全的有组织犯罪》(1997)和《奉献的号召》(2003)。

Kerry blue terrier 凯里蓝色㹴狗 一个役用㹴狗品种。具多方面的能力，可用于狩猎、从水中或陆上衔回猎物、放牧牛羊。原产于爱尔兰凯里郡。体高44.5～49.5厘米，体重13～18千克。被毛软而呈波浪形。毛色特殊，出生时黑色，以后变成石板蓝色至蓝灰色。体方形如盒状，略似艾尔谷㹴狗。以活泼、感情外露、耐劳、长命为特征。

Kerschensteiner, Georg 凯兴斯泰纳（1854-07-29，巴伐利亚慕尼黑［德国］～1932-01-15，德国慕尼黑） 德国教育理论家和教育改革家，德国职业教育发展的一位领导人。曾在慕尼黑学习物理和数学，并在纽伦堡和施韦因富特教过数学。1895～1919年任慕尼黑公立学校监督。1920年起任慕尼黑大学教授，提倡以实用主义态度对待初等和中等教育，将文科学习与手工劳动结合起来。在慕尼黑发展了职业学校体制。多次著文论述包括体育活动在内的全面教育的必要性和纯粹职业教育的价值。晚期主要著作为《学校组织理论》(1933)，书中总结了他的许多理论。

Kertanagara 格尔达纳卡拉（活动时期13世纪） 爪哇新柯沙里王国的末代君主（1268～1292在位）。作为最伟大的国王之一，迄今深受爪哇人的崇敬。他统一了爪哇，把势力扩展到苏门答腊，并抵制蒙古对王国的索贡企图。出身王室，1254年成为国王，但因年龄太小，直到1268年方才亲政。他信小乘佛教，认为人间充满动乱、恐怖和灾难，而他作为众生的主宰，将去拯救这个世界。在位时正值忽必烈汗向东南亚扩张，他认为只有联合或征服邻近诸国和运用宗教力量才能抗御忽必烈的侵略。1275年他几度派遣使臣去摩罗游（苏门答腊），1284年他征服了巴厘。格尔达纳卡拉笃信佛教，往往以佛教作为达

约14世纪早期的格尔达纳卡拉石雕像

美国不列颠百科全书公司供图

到其政治目的的辅助手段。1289年忽必烈派遣特使去爪哇索贡，遭到他的拒绝。忽必烈大怒，兴兵讨伐。但未待蒙古大军到达，格尔达纳卡拉已被藩王在一次坦陀罗仪式的宴会上杀死。

Kertész, André 凯尔泰什（1894-07-02，匈牙利布达佩斯～1985-09-27，美国纽约州纽约） 匈牙利出生的美国新闻摄影记者，他的那些自然的、非做作的照片，对杂志摄影产生

凯尔泰什自拍像，1927年

本人供图

了重大影响。1912年在布达佩斯证券交易所任职员时，他开始拍摄周围的世界。第一次世界大战期间在匈牙利军队服役，经历了中欧大多数战斗，并受重伤。战后复员，偶尔在杂志上发表摄影作品。1925年离开匈牙利去巴黎，在那里，他与许多先锋派艺术家、作家和电影制片人过从甚密，成为巴黎20和30年代文化界的摄影历史学家，不久就为欧洲几家主要报纸拍摄照片。1928年，他买了一架最先生产的灵活轻巧的莱卡照相机，以适应其摄影风格的需要。1936年到美国纽约市，在一家商业摄影室工作一年。第二次世界大战爆发后，他留在美国，为几家主要杂志

从事商业摄影，主要是时装摄影。1944年成为美国公民。1962年前后，他重又开始按从前的创造性风格工作。1964年，他的作品在纽约市现代艺术博物馆展出。他出版的摄影画册有《巴黎的日子》(1945)、《摄影家安德烈·凯尔泰什》(1964)和《安德烈·凯尔泰什：摄影生涯60年》(1972)等。

Kertész, Imre　凯尔泰斯(1929-11-09，匈牙利布达佩斯～　)　匈牙利作家，以描述德国纳粹对犹太人大屠杀的半自传体小说闻名。2002年获诺贝尔文学奖。14岁时随匈牙利的其他犹太人被押往纳粹占领下的波兰奥斯威辛集中营。后被押往德国的布痕瓦尔德集中营。1945年5月获得释放。回到匈牙利后在一家报社当记者。后转而从事翻译谋生。专门翻译德语作家的作品，译作受到高度评价。最为人熟知的著作是他的第一部也是最受欢迎的一部长篇小说《命运无常》。小说完成于20世纪60年代中期，但直到1975年才出版，几乎没有得到评论界的任何关注，但却使他成为当代匈牙利文学内部持不同政见的亚文化中独一无二的、令人振奋的声音。1989年"宁静的革命"后，匈牙利共产主义政权倒台，凯尔泰斯重新活跃于文坛。《命运无常》一书后以十几种语言出版。此书是他反映大屠杀的半自传体三部曲的第一部，在另外两部小说《可笑的结局》(1988)和《为未出生的婴孩吟诵的悼念文》(1990)中接着介绍《命运无常》中主人公的命运。其散文和演讲稿被收录在《大屠杀文化》(1993)、《行刑队装填子弹时的片刻沉默》(1998)和《流放的语言》(2001)。

kerygma and catechesis　初传福音和口授教理　基督教神学名词，前者指最先宣讲福音；后者指以口头方式向已接受福音的人在受洗礼前讲授教义。初传福音主要指《新约》中记载的众使徒的传教活动。他们讲：耶稣基督奉上帝派遣宣传上帝之国必将降临，他死了，埋葬了，从死人中复活，被提到天上坐在上帝的右边，而这一切都应验了《旧约》的预言。相信这种信息的人的奖赏，是得救、脱离罪恶。人要参加教会首先要悔改，弃恶从善。早期基督教的口授教理主要是劝告准备受洗的人走"生命"之道，弃绝"死亡"之道。口授教理区别于人受洗后所受的更深一步的教义教育。口授教理时往往要求人认罪悔过和为他驱魔。在其后几个世纪，婴儿洗礼逐渐普遍，受教义教育与受洗之间的关系也逐渐不明显。教义教育本来是主教的重要任务，后来基本上由父母和堂区司铎进行。中世纪初，在进行教义教育时，强调背诵《使徒信经》和《主祷文》，还经常采用排号条列的方式(多半是7条)，由此可见，当时讲究死记硬背。在东派教会，崇拜礼文与教义教育内容一直互相关联；西派教会则不然，崇拜礼文和神学用拉丁语，而只有少数人懂拉丁语。16世纪路德所发动的宗教改革运动重新强调讲道本身，但是，不论是新教还是天主教，都开始广泛使用手册，叫做教理问答(例如路德的《小教理问答》)。到了19世纪，口授教理一词指除崇拜礼文和讲道以外的一切宗教教育。从20世纪的趋势可以看出，学习心理和教学法更加受到重视，圣礼神学和《圣经》研究也重新振兴。针对最近几个世纪的口授教理活动的抽象化，有些人士提出"宣讲福音的神学"，多讲耶稣基督拯救罪人的事业，少讲科学思辨神学理论。虽然这两者之间的区别还未经公认，但是人们已经再一次认识到基督的福音应当是体验的对象，不是学习对象。这种运动的影响使宗教教育调整方向，重新回到《新约》时代教会的初传福音和口授教理方法。

kēryx　信使　古代希腊不受侵犯的使者。在荷马时代，信使不过是酋长的心腹随从或侍从。但是信使的作用后来扩大，包括在国与国之间甚至在战争期间充任不受侵犯的使节，宣布议会、民众大会和法庭的会议，在这些场合宣读祈祷经文，并召唤人们出席。赫耳墨斯本人是神的信使，他又是信使们的守护神，手执传令者之杖。信使一词往往只指传唤人。在依洛西斯秘密仪式中也有一群信使各司其职。

Kesennuma　气仙沼　日本本州宫城县城市。临太平洋。海岸线曲折，有港湾和渔港。海洋渔业重要，养殖牡蛎，生产纺织品、橡胶和革制品。沿海风景区划入陆中海岸国家公园。人口61 025(2002)。

Keshab Chunder Sen　盖沙布·钱德尔·森(1838-11-19，加尔各答～1884-01-08，加尔各答)　印度教哲学家和社会改革家，他试图把基督教神学成分引入印度教教义。他的家族虽不属于婆罗门种姓，但在加尔各答颇有声誉。他受过良好的教育，19岁加入梵社。他采用灵活有力而切合实际的基督教传教方法，实行印度迫切需要的社会改革。他组织济贫运动，创办儿童学校和成人学校，大量发行廉价书刊。他谴责童婚，由于他的努力，梵社的婚礼仪式于1872年获法律当局承认。他提倡寡妇再嫁，赞成不同种姓通婚。1870年在英国许多地方讲学，曾受到维多利亚女王的接见。返回印度后，他又成立新律社，继续宣讲融合印度教哲学和基督教神学的新教义。他恢复了吠陀时代的许多古老习俗，派遣12门徒四出传教，所执旗帜绘有新月、十字架和三叉戟。

kesi　刻丝　又拼k'o-ssu。中国传统的丝织工艺品。又称缂丝。是将绘画移植于丝织品上的特种工艺。织造时各色纬丝在图案花纹需要处与经丝交织，并不贯穿全幅，即所谓"通经断纬"。其成品的花纹两面如一。今存最早的缂丝是唐代(618～917)制品。南宋(1127～1279)时缂丝业兴盛，明、清两代(1368～1911)尤为流行。刻丝题材多仿古代人物、山水、花鸟等绘画。近代刻丝工艺逐渐衰落，中华人民共和国建立(1949)后才恢复生产。

宋代朱克柔的刻丝《莲塘乳鸭图》
中国大百科全书出版社供图

Keski-Suomi　中芬兰省　芬兰中南部一省。中芬兰省总面积19 356平方千米，包括派延奈湖系和凯泰莱湖系的大部分地区。全省主要是平坦农地和林地，有许多湖泊镶嵌其间。中芬兰省工业以农、林产品为基础，多数城镇从事木材加工工业。省会于韦斯屈莱。中芬兰省西南部大城镇有耶姆赛，东部有艾内科斯基与苏奥拉赫蒂。人口约257 716(1995)。

Kesselring, Albert　凯塞林(1885-11-20，德国巴伐利亚马克德斯泰德～1960-07-16，西德巴特瑙海姆)　德国陆军元帅，第二次世界大战时担任德军南线总司令，成为希特勒高级防御战略家之一。凯塞林为一城镇教育官员之子，1904年作为军校学员参加军队。在第一次世界大战中服役后，在魏玛共和国时期继续担任军职。其后于1935年转入空军服役，一年后晋升为中将和空军参谋长。第二次世界大战初期，他先后指挥德国在波兰(1939-09)、法国(1940-05～06)的航空队，不列颠战役期间(1940～1941)任空袭英国的航空队指挥官。根据轰炸华沙和鹿特丹等居民中心的经验，他极力支持戈林转向轰炸伦敦的决定。这是一个关系全局的决定，由于停止攻击英国机场而使皇家空军战斗机司令部赢得时间恢复实力，终于击败德国对英国的空中攻势。在参加进攻苏联(1941年夏)之后，凯塞林被调任为南线德军总司令(1941年末)，支持意大利军队在北非作战并进攻马耳他，虽然未能攻占这个战略岛屿，但他和隆美尔共同指挥了轴心国在北非的战役。盟军于1943年夏攻入西西里和意大利后，凯塞林的防御战术取得成功，阻止盟军在该战区取胜达一年以上。1944年10月负伤。1945年3月继陆军元帅伦德施泰特任西线德军总司令，但未能阻止英美联军长驱直入德国，1945年5月7日率领南线德军向盟军投降。他一直对希特勒效忠到底。1947年，英国在威尼斯的军事法庭审讯并认定凯塞林犯有战争罪行——因报复意大利游击队员袭击德国士兵，在1944年3月的所谓阿尔迪蒂内洞窟屠杀事件中下令枪杀335名意大利平民人质。1947年5月6日凯塞林被判死刑，后被减刑为终身监禁。1952年被赦免获释，其后积极从事退伍军人团体的工作。著有《戎马终生》(1953)，英译本名为《陆军元帅凯塞林回忆录》。

Kesteven, Parts of　凯斯蒂文(南、北区)　原为英格兰林肯郡3个行政区之一。1974年当地政府改组后分成南凯斯蒂文和北凯斯蒂文两个郡级区，均属林肯郡管辖。主要为农区。

kestrel 红隼 隼科隼属(*Falco*)几种小型猛禽。以猎食时有翱翔习性而著名。捕食大型昆虫、鸟和小哺乳动物。呈两性色型差异,这在鹰中是罕见的;雄鸟的颜色更鲜艳。红隼产于旧大陆,仅一种——美洲红隼(*F. sparverius*,美国叫雀鹰)——在南北美洲很普遍。美洲红隼体长约30厘米;下体白色或淡黄色,上体红褐色和石板灰色相间,头部有颜色斑。普通红隼(*F. tinnunculus*)分布于旧大陆大部分地方,有时叫旧大陆红隼、欧亚红隼或欧洲红隼。它比美洲红隼稍大,但颜色不那么鲜艳,是英国仅有的红隼。顶着风寻觅地面猎物时有翱翔习性。澳大利亚红隼(*F. cenchroides*)也俗称雀鹰。

雄性普通红隼(*F. tinnunculus*)
美国不列颠百科全书公司供图

Kęstutis 凯斯图蒂斯(约1300～1382-08-15,立陶宛克里阿瓦斯?) 波兰语作 Kiejstut。立陶宛大公(1381～1382)。曾抗击条顿骑士团,保卫本国西部疆界。立陶宛大公格迪米纳斯(1316～1341在位)之子。1345年,凯斯图蒂斯拥其兄弟阿尔吉达斯为立陶宛大公,自己与之共同实行统治。凯斯图蒂斯在阿尔吉达斯向东、南扩展疆土的同时阻止邻邦条顿骑士团征服立陶宛,使之免于成为该骑士团波罗的海东部领地的中心。其后,条顿骑士团改变策略,不断骚扰立陶宛。他率领远征军深入条顿骑士团的老巢普鲁士,1370年在鲁达瓦战役中使骑士团遭到重大损失。同年还取得对加利西亚和沃伦地区的控制权。1377年阿尔吉达斯死后,由子亚盖沃继位。1380年亚盖沃与骑士团缔结秘密条约来反对他。他得悉后,于1381年逮捕亚盖沃,自立为立陶宛大公。次年亚盖沃越狱,攻占维尔纽斯和特拉卡伊,将他杀死。

Keswick 凯西克 英格兰坎布里亚行政郡阿勒代尔区一堂区城镇。属坎伯兰历史郡。位于德文特湖北端,斯基多峰脚下。为湖区国家公园北部的运输中心、旅游胜地和商业中心。当地博物馆收藏地质、民间和艺术文物。人口4 836(1991)。

Ket 凯特人 西伯利亚中部的土著,居住在叶尼塞河流域。1979年总共约1 100人。凯特人的某些特征表明其原为南方民族。凯特语是该地区通用的叶尼塞语族中仅存的语言,通常被划为古西伯利亚语,不过这一小语系与其他语言的关系并未确立。凯特人的传统泰加林地经济以狩猎为主,猎捕松鼠、黑貂、狐、鹿、麋、熊、兔等,用兽皮与俄罗斯商人交易。交通工具是驯鹿拖拽雪橇。夏季住帐篷,冬季住在半地下建筑中。凯特人分成两个族外婚亲属集团(或称胞族),各胞族在宗教仪式上和各种典礼上具有重要作用。胞族又分成若干氏族,氏族是地域和经济单元,又是互助集团。萨满司沟通神灵。凯特人受到俄罗斯人和邻近土著的强大影响。几乎所有凯特人都说俄语,可见文化移入程度之深。有些人还说塞尔库普语。在苏维埃时期,他们已实现集体化,继续发展渔猎,驯鹿饲养也日渐重要。

Ket, Robert 凯特(?～1549-12-07,英格兰诺福克诺里奇) 又拼 Kett。1549年英格兰诺福克起义(后称凯特起义)的领导人。原为制革工人,更有可能是小土地主。起义因抗议圈占公地而引起。1549年7月在怀门德姆进行节日活动时发生骚乱,凯特率领群众向诺里奇进军。他在毛斯霍尔德荒野设营,实行正规的军事纪律。据说其麾下有1.6万人。8月1日攻占诺里奇,但为时不久即被沃里克伯爵J.达德利统帅的军队赶出城市。8月27日,达德利进攻起义军大本营达森戴尔。凯特及其兄弟威廉被俘,押解伦敦。兄弟二人因叛逆罪分别在诺里奇和怀门德姆被处死。

Keta 凯塔 加纳东南部城镇。濒临沃尔特河河口附近的几内亚湾。在欧洲人于15世纪到来以前,该地区属非洲的安洛王国。居民点为买卖奴隶、象牙、香料和黄金的港口,到18世纪前半叶为止大部分地区被阿散蒂帝国控制。1850年成为英国殖民地。现为沃尔特盆地商业中心和行政区首府,有渔业及鱼肉加工业,亦出产海盐、椰子和青葱。人口约12 700(1984)。

Ketch, Jack 凯奇(?～1686) 英格兰刽子手,以残忍著称。他死后将近200年,人们仍用他的诨名称呼所有的英格兰行刑吏。1663年凯奇成为刽子手。据记载,1683年他用极为残忍的方法处决了W.罗素勋爵;1685年在处决蒙默思公爵J.斯科特时,他至少砍了8斧。

Ketchel, Stanley 凯彻尔(1886-09-14,美国密歇根大急流城～1910-10-15,密苏里康韦) 原名 Stanislaus Kiecal。美国职业拳击运动员。1903年16岁时开始拳击生涯。世界次重量级拳击冠军瑞安退出拳击界后,他于1907年9月2日在旧金山以32回合击倒托马斯,可以算是该等级的世界冠军。1908年2月22日在加利福尼亚州科尔马以一回合胜沙利文而成公认的世界冠军。1903～1910年共参加61场比赛,胜49场,其中46场击倒对方取胜。仍保持次重量级冠军称号时,在一次与别人争吵中被枪击致死。

Ketchikan 凯奇坎 美国阿拉斯加州东南部城市和进口港。位于亚历山大群岛的勒维拉格吉多岛。原为渔民栖息地。19世纪90年代淘金热时曾为矿工供应中心。1900年设建制。通航空线,在内海航道上。现经济以捕鱼、罐头、伐木、纸浆和旅游业为主。设有凯奇坎社区学院(1954)。附近的萨克斯曼图腾公园和图腾海湾均有大量的印第安人的图腾柱。人口约7 922(2000)。

凯奇坎市的伐木工人为纸浆厂准备圆木
美国不列颠百科全书公司供图

ketchup(tomato condiment) 参阅 **catsup** 调味酱。

Keteleeria 油杉属 松科的一属,2或3种,原产中国(大陆和台湾均有)。针叶常绿乔木。形似冷杉,但5～10个小孢子叶球在具鳞片的短梗上簇生;幼树的叶具刺尖;芽有多数重叠鳞片,在枝基部围绕成鞘;球果成熟时鳞片不脱落。

ketene 烯酮 含有$C=C=O$官能团的一类有机化合物的总称。其中最为重要的是乙烯酮$CH_2=C=O$,用于制取醋酸酐和其他工业有机化学品。烯酮这一名称意味着不饱和酮,但其化学性质则和羧酸酐类似。把乙酸或丙酮加热到约700 ℃可制得乙烯酮。乙烯酮具有很强的反应性,它与含有一个易被取代氢原子的化合物化合生成乙酸衍生物,与醛和酮反应可生成烯醇的乙酸酯或β-内酯类。当反应性物质不存在时,乙烯酮本身化合生成双烯酮,一种β-内酯,用于工业上制取乙酰乙酸乙酯和乙酰乙酰胺等乙酰乙酸衍生物。虽然甲基烯酮和二甲基烯酮可依次由丙酸酐和异丁酸酐制取,但高级烯酮通常由酰氯脱去氯化氢而合成。取代烯酮的化学反应与烯酮相似,但活泼性较低。长链单烷基烯酮的内酯二聚物用作纸张上浆剂。乙烯酮为无色、刺激性、有毒气体,对呼吸道有缓发性危害作用。所有烯酮都具很强的反应性,因而多少总有点危险性。

ketone 酮 一类有羰基存在的有机化合物,其中碳原子以共价键连接一个氧原子,剩余的两个键与其他碳原子或烃基(R)相连:$R-\overset{\overset{\displaystyle O}{\|}}{C}-R'$。酮类具有较高的活性,虽然低于与它密切相关的醛;它们的化学活性主要由羰基的特性所决定。酮类易发生许多化学反应,一个主要的原因就是羰基具有很强的极性,即它的电子分布不均匀,使得碳原子带

有局部正电荷而易被亲核试剂侵蚀，成为吸引亲核试剂的正电中心。典型的反应包括氧化还原反应和亲核加成。羰基的极性也影响酮的物理性质。酮类可以用很多方法合成。因为容易制备、相对稳定和具有高活性，酮类是比较理想的化学中间体。许多复杂的有机化合物都是用酮类作为结构单元合成的。只有少数的酮类进行大规模的工业化生产。它们最广泛地用作溶剂，尤其用于工业化制造炸药、油漆、涂料和纺织物。酮还用于鞣革，作为防腐剂，以及用于液压流体。最重要的酮是丙酮（CH_3COCH_3），一种有点芳香气味的液体。它主要用作涂料和油漆中的溶剂，并用于制作纤维素塑料。酮化合物有重要的生理特性，它们存在于数种糖类和药用化合物（包括天然的和合成的甾类激素）中。消炎剂可的松的分子中含有3个酮基。

ketosis　酮症　一种代谢性疾病，以组织和体液（包括血液、尿）中酮体水平增高为特征。血糖、肝糖原减少，肝内脂肪和氨基酸蓄积，从而产生更多的糖原。酮症可见于糖尿病（**diabetes mellitus**）。牛患酮症时体重减轻、产奶减少。对具体的牛只根据其特殊的需要调整饮食有助于避免酮症。

ketou　磕头　又作kowtow。中国人旧时一种下对上表示恭敬的礼仪。这种跪拜仪式最常用于宗教礼拜、大臣叩见皇帝或百姓有求于地方县令，外国官吏使节觐见皇帝亦曾执行。到了明代（1368～1644），这种礼仪尚包括三跪九叩，尤其在皇帝祭天、祭祖的时候。外国代表寻求与中国通商和建立关系，向中国皇帝磕头表示该国家承认中国皇帝为“天子”及中国为世界的中央王国。因此，18世纪末，磕头礼仪渐为西方贸易国所排斥。1793年英国特使马嘎尔尼（**Macartney, George Macartney, Earl**）出使乾隆皇朝拒不遵行磕头礼仪或许是最著名的例子。马嘎尔尼拒绝磕头，只跪一膝，如向英国统治者行礼一样。鸦片战争后，要求西方特使磕头的规定被废止。1911年清王朝灭亡，磕头礼仪在中华民国政府部门也随之废止。

Kett, Robert（English rebel）　参阅**Ket, Robert** 凯特。

Ketteler, Wilhelm Emmanuel, Freiherr von（baron of）　**凯特勒**（1811-12-25，威斯特伐利亚明斯特～1877-07-13，巴伐利亚布格豪森）天主教社会改革家。有人认为他是德国19世纪天主教杰出的主教。1844年凯特勒受神职为司铎，1850年任美因茨主教。1848年任法兰克福议会议员，1871～1872年任德国议会议员。他关心工人阶级，认为教会有义务为工人阶级谋福利。他反对教皇永无谬误论，在1869～1870年第一次梵蒂冈会议上是不趋时派的主要人物。1864年凯特勒发表《劳工问题与基督教》，阐明他的社会改革思想，该书激起德国天主教徒对社会问题的注意。

Kettering　凯特林　英格兰北安普敦历史、行政郡的城镇、区和自治市。面积234平方千米。17世纪起为呢绒、丝绸和长毛绒的生产中心。产业革命后发展起制革和鞋袜制造业。1950年后发展起现代工业。通公路、铁路。人口：镇约47 186（1991）；区约81 842（2001）。

Kettering　凯特林　美国俄亥俄州西南部蒙哥马利县城市。在迈阿密河谷，代顿正南。原有采石工人定居，1841年建乡，1952年设村，1955年设市。主要是住宅区，工业生产电动机、发电机、精密工具、汽车及飞机部件和建筑材料等。设有凯特林医学院（1967）、科克斯冠心病研究所和以医学研究设备而闻名的C.F.凯特林纪念医院。人口约57 502（2000）。

Kettering, Charles F(ranklin)　凯特林（1876-08-29，美国俄亥俄劳登维尔～1958-11-25，俄亥俄代顿）　美国工程师，他的各项发明（包括电起动器）对现代汽车的发展起了重要作用。1904～1909年，凯特林在设于代顿的国家现金出纳机公司工作并研制出第一台电动现金出纳机。他和E.A.迪兹创办代顿工程实验室公司，设计汽车的电气设备。他改进了照明和点火系统，并研制出第一个电起动器，于1912年应用在卡迪拉克牌汽车上。1920～1947年任通用汽车公司的副总经理和研究主任。1914年还创建代顿-赖特飞机公司，在第一次世界大战时期，该公司研制出荷重为200磅炸弹的螺旋桨驱动导弹。在与美国化学家T.小米奇利合作研制汽车快干油漆、抗爆汽油和加铅汽油中，凯特林都卓有贡献。他研制并改进高速二冲程柴油机，1951年还研制出具有革新意义的高压缩比汽车发动机。他关心科学，在纽约市癌症纪念中心设立斯隆-凯特林癌症研究所，并为研究叶绿素和光合作用设置了凯特林基金。

Ketterle, Wolfgang　克特勒（1957-10-21，德国海德堡～　　）美籍德裔物理学家。由于在新的物质超冷状态，即玻色-爱因斯坦凝聚态（BEC）研究中的贡献，与A.A.康奈尔和C.E.维曼共获2001年诺贝尔物理学奖。1986年获得德国慕尼黑大学和马克斯·普朗克量子光学研究所的博士学位，1993年担任麻省理工学院的教职。同时是麻省理工学院、哈佛大学和美国国家科学基金会联合组建的超冷原子中心的研究员。20世纪90年代早期，开始研究由A.爱因斯坦和S.N.玻色预言的“玻色-爱因斯坦凝聚态”。在研究小组协助下，克特勒开发了一种捕获并且冷却原子的技术，在1995年9月成功地制备出钠原子的“玻色-爱因斯坦凝聚态”。与维曼和康奈尔所得到成果相比，克特勒的“玻色-爱因斯坦凝聚态”包含了更多的原子，可以实现进一步的研究，包括为“玻色-爱因斯坦凝聚态”的相干性提供直接证据的实验。克特勒的工作洞察了物理定律的本质，并且指出了“玻色-爱因斯坦凝聚态”的潜在用途。

kettle　锅穴　又作kettle hole。在地质学上，指冰水沉积中的洼地，是脱离冰川而整体或局部被埋藏的死冰川冰体融化的产物。这些离散的冰体之存在，被认为是在不规则冰川尾部上端冰碛物逐渐积累的结果。直径为5米至13千米不等，深可达45米。潴水成湖称锅穴湖。因死冰块融化时具有变圆的趋势，故锅穴多呈圆形；歪歪扭扭的或分支复杂的洼地可能是由于冰体极度不规则的结果。锅穴可分为两类：①由部分埋藏的死冰体形成的洼地，系因失去支撑的堆积物滑入融冰留下的空间而成；②由完全埋藏的死冰体形成的洼地，系上覆堆积物塌陷的结果。上述任一过程中，形成小型锅穴的冰块并非后退时所遗留，而是后来在很浅的融水河流中漂浮来的。锅穴可单个存在，也可成群出现，锅穴群集时，丘盆起伏，称为锅穴和冰砾阜地形。参阅**kame**。

kettle gong　锅形锣　中国、印度支那和印度尼西亚青铜器时代文化的打击乐器。主要用于祈雨仪式中。有些北越的锅形锣产生于公元前5～前3世纪。演奏时把锣吊起，因此它的击面（头）是竖立的。

kettledrum　锅鼓　打击乐器。用绷紧的皮膜蒙在一个半球形的鼓身上，鼓膜通常是用绳索和调整松紧的螺旋或各种器械制作的箍来绷紧。某些类似的锅鼓用绳索直接穿过鼓

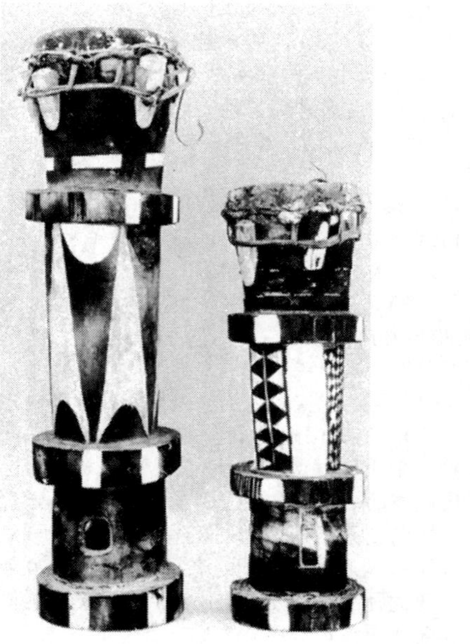

19世纪刚果盆地的非洲锅鼓
美国不列颠百科全书公司供图

皮，或者把鼓皮用皮带绑好。当用鼓槌或手（比较少见）敲击时，鼓皮发出有固定音高的音。锅鼓发源于中东，但确切的年代不详。最早的大型深锅鼓的图片见于12世纪的美索不达米亚。锅鼓随着伊斯兰文化传到非洲、中亚、南亚和欧洲。在这些地区，它常同小号在一起使用，成为国王权势的象征。通常用一对鼓来演奏，两个鼓定不同的音高。大型的鼓在团队（包括欧洲的骑兵和炮兵）中成对地放在马、象、骆驼上，非军队的仪式也是如此。比较小型的鼓可以用于室内乐（如印度的塔布拉鼓）和舞蹈伴奏。小型成对的锅鼓于13世纪通过十字军传入欧洲。15世纪中叶，奥斯曼土耳其大型成对的锅鼓主要经匈牙利和德国带到欧洲。及至16世纪在

铜制的鼓身周围加上螺钉以控制小牛皮鼓面的张力和调音。那时最显赫的贵族府邸都雇有号手和鼓手。16 世纪的锅鼓音乐无乐谱流传，因为其演奏技术和曲目都是口传和保密的。小号和锅鼓音乐的一个早期的例子是蒙特威尔地的歌剧《奥菲欧》(1607)中开头的音乐。17、18 世纪锅鼓的击鼓技巧发展成一种精巧而豪华的仪式艺术，所用的复杂的鼓点是以小号手的多种运舌技巧为基础的。17 世纪中叶锅鼓被管弦乐队采用。管弦乐中的锅鼓通称*定音鼓*(**timpani**)。

ketubba 婚书 特指犹太教的婚书，用阿拉米语书写，婚前订立，保证新娘一部分未来权利。根据犹太教律法，男子随时可以任何理由休妻，因此自古以来就实行婚书制以维护妇女的权利而使休妻者付出昂贵代价。婚书中的条件还规定寡妇有权继承亡夫财产。因此犹太妇女婚后妥善保存婚书，不是为了证明婚姻关系，而是为了未来的利益。正统派和保守派犹太教规定教徒必须先订立婚书才能结婚。中世纪婚书印有花边，本文用手书写。现代婚书则为印就格式，留有空白以备记录具体条件之用。

Ketuvim 《圣录》 英语作 Writings，希腊语作 Hagiographa。希伯来《圣经》(即《旧约》)的第三部分。又细分为四部分：诗歌(《诗篇》、《箴言》、《约伯记》)；弥基录(《雅歌》、《路得记》、《耶利米哀歌》、《传道书》、《以斯帖记》)；先知书(《但以理书》)以及历史(《以斯拉记》、《尼希米记》、《历代志上》、《历代志下》)。《圣录》内容复杂，有礼仪诗歌、世俗情诗、智慧文学、史著和启示文学，还有短篇小说和浪漫主义长篇小说各一篇。

Kevin, SAINT 凯文，圣(?，都柏林附近～618-06-03，爱尔兰威克洛郡格伦达洛) 盖尔语作 Caemgen，拉丁语作 Coemgenus。爱尔兰基督教教士、都柏林的主保圣人之一，格伦达洛隐修院的创办人。有关他生平的最早传记(10、11 世纪?)表明，他是爱尔兰古国伦斯特王室后裔，青年时就在格伦达洛隐修，后来在该地创建隐修院，自任院长。该院成为爱尔兰主要隐修中心之一。他的几部传记记载的传闻多于史实，往往把他写成牲畜的保护者。

Kew Gardens 基尤植物园 正式名称为皇家植物园。位于伦敦里士满区前皇家种植园旧址基尤。17 世纪后期，卡佩尔勋爵开始植物收集工作。至 19 世纪末面积已达 117 公顷。W.钱伯斯设计了一个柑橘园(这是乔治时代建筑的极好范例)和一座中国式建筑——高 49.7 米的宝塔(用作标志)。1841 年该园变为国家所有，很快成为重要的植物研究机构。园内有 4 万多种植物，植物标本 650 万件，藏书 23 万余卷。所属三个博物馆主要展出经济作物产品，有一个植物发生学和植物分类学实验所。所收集的热带兰花、肉质植物、热带蕨类植物和澳大利亚植物品种尤为齐全。基尤植物园首创了橡胶种植业，至今仍在植物引进方面发挥着重要作用，同时还是一个隔离检疫站。该园出版《基尤学报》和《基尤植物目录》，每 5 年出版一册增补本，书中记录了自林奈时代以来所有描述过的高等植物。

Kewanee 基瓦尼 美国伊利诺伊州西北部亨利县城市。1854 年通芝加哥—伯灵顿—昆西铁路后创建。1872 年设村，1897 年设市。现经济以农业(主要为养猪)和制造业(主要为供热设备，农具及工作服)为主。设有布莱克霍克学院东院(1969)。人口 12 944(2000)。

Keweenaw Bay 基威诺湾 苏必利尔湖南部一小湾。凹入美国密歇根州上半岛 22 英里。最宽处达 12 英里，湾口为基威诺水道的东出口。沿湾诸村是避暑胜地和著名的钓鱼区。南岸有朗塞印第安人保留地。

Keweenawan System 基威诺系 北美晚前寒武纪时间地层单元(前寒武纪开始于约 38 亿年前，终止于 5.7 亿年前)。此系地层厚约 10 700米，位于休伦系之上，寒武系之下。有人推测，基威诺系地层中最年轻的实际可能年龄是寒武纪。在苏必利尔湖地区，基威诺系由微红砂岩、粉砂岩、页岩和一些砾岩组成；也出现巨厚的熔岩流，有人估算曾产生大约 10 万立方千米的熔岩，熔岩巨大负载引起地壳沉陷，产生现在为苏必利尔湖所在的盆地。基威诺系可分为下、中、上 3 个统，熔岩主要集中在中基威诺统，而下基威诺统以沉积岩为主。基威诺系是根据密歇根湖基威诺角研究过的露头命名的。

key(island) 参阅 **cay** *砂礁*。

key 钥匙 开锁(**lock**)的工具，通常用金属制成。古罗马人发明了金属锁和钥匙以及靠锁芯保证安全的系统。数百年间，唯有这一系统能保证只有正确的钥匙才能在锁孔里转动。锁芯指锁膛内锁孔周围的突出部，使一般钥匙不能在孔内转动。但若钥匙上开的槽能与这种突出部吻合的话，就能越过突出物，在孔内转动，并将锁簧拨开。若干世纪以来，许多锁匠挖空心思设计锁芯，因此一些钥匙的设计十分复杂。尽管如此，要造一只能穿越锁芯的工具并不困难。这就是所谓"撬"锁之道。在 18 世纪之前，锁和钥匙的机械结构甚少改进，其后经过一连串的改良，终于在 19 世纪 60 年代发展出圆柱形的耶尔锁和可千变万化、细薄且又便利的钥匙。这种钥匙有一些设计各异的横截面，因此只有特定形式的钥匙才能与相应的锁孔吻合。这实际上是另一种锁芯。其钥匙上的细齿边可将销钉制栓抬至正确的高度，使圆柱得以转动并拨开锁簧。尽管撬开耶尔锁并非绝无可能，这种既小巧又便利的锁仍能提供一定的安全保障，到了 20 世纪晚期，成为最常用的正门锁，世界各地的锁匠都制造这类锁。如果使配有不同钥匙的各个锁，全部可由一把钥匙开启(如旅馆的主人或看管人所用的)，则可采用一套特别、有主钥匙的保险锁。唯因这一套锁只靠锁芯保障安全，故其所选用的主钥匙多半是能避开锁芯的万能钥匙。除此之外，可采用的方法也有多种，例如采用两个锁孔的锁(副钥匙和主钥匙各用一个)、两套制栓或杠杆的锁，或在耶尔锁中采用两个同心圆柱等。

key 键 一种机械器件，在机器结构中用于阻止机器零件(如齿轮和滑轮)相对于其安装轴的转动。常见的一种键为一方条，其一半安装在轴的槽(键槽)内，另一半装在邻接的机器零件键槽内。若轴和键是同一种材料，且键的宽度和深度是轴直径的 1/4，则键的转矩负载量与长度为轴直径 1.57 倍的实心轴相同。这些尺寸的比例与实际很接近。

key 调 在音乐中，由某些与西方大、小调自然音阶概念有联系的音调准则所形成的具有一定功能关系的和弦体系。西方音乐中使用的任何音高或乐音，均可作为大调或小调的基音或主音。因此，G 大调指从基音 G 开始的、以 G 大调音阶各音为基础的一组有固定关系的和弦。在乐谱上调用调号(谱表开始处的一组升记号或降记号)表示。调的概念是调性体系(围绕一个中心音而形成的音、和弦与调的组织)所必不可少的。不同的调之间的关系有近有远，这决定于它们的自然音阶中共有的音的数量：C 大调和 G 大调音阶的 7 个音中有 6 个是共同的，因此是近关系调。C 大调和升 C 大调没有共同音，因此是远关系调。

Key, David M(cKendree) 基(1824-01-27，美国田纳西格林县～1900-02-03，田纳西查塔努加) 律师，南北战争时期南部邦联军官，R.B.海斯在 1876 年有争议的选举中当选为美国总统后为实现其在竞选中作出的承诺而任命他为美国邮政总局局长(1877～1880)。1850 年取得律师资格后，在查塔努加当律师，积极参加民主党政治活动。起初反对南部脱离联邦，致力于使田纳西州留在联邦内，但当田纳西州加入南部邦联后，他对南部忠诚不渝。1861 年被委任为南部邦联军官，战争结束前夕，擢升为中校。1862 年在维克斯堡受伤被俘。战后努力平息地区的不满，恢复全国的统一。1870 年任出席州制宪会议代表，当选为州首席法官。1875 年被指派为美国参议员，接替前总统 A.约翰逊留下的参议员空缺，但两年后竞选连任失败。在 1876 年有争议的总统选举中，基支持 S.J.蒂尔登以战胜海斯。当将问题提交特设的选举委员会解决时，海斯为回报南方的支持，作出承诺，其中答应将任命南方的一位民主党人在他的内阁里任职。海斯拟任命南部邦联将军 J.E.约翰斯顿为陆军部长，这一提议在党内引起强烈的批评，于是他选中南部邦联知名度较小的代表基，1877 年任命他为邮政总局局长。基于 1880 年辞职，任美国田纳西地方法院法官，直至 1894 年退休。

Key, Ellen (Karolina Sofia) 凯伊(1849-12-11，瑞典松斯霍姆～1926-04-25，斯特兰德) 瑞典男女平等主义者、作家。她有关性、爱、婚姻及道德行为的先进思想影响深远，被誉为"瑞典的雅典娜"。其父艾米尔·凯伊(1822～1892)是一位地主兼政治家。在 19

世纪 70 年代末，家庭的不幸迫使她在斯德哥尔摩教书。其后 20 年间，也在那里的工人学校兼课。她写的《儿童的世纪》(1909)使她闻名全世界。这本书和她的许多其他关于婚姻、母性和家庭生活的作品，被译成多种文字。1903 年，她开始出国讲演，主要是到德国。她还以大量通信方式宣传其见解，许多青年作者深受她的影响。她有关文化生活领域中的自由和激进观点曾引起争议，尤其是在爱情和婚姻等方面争议更多。

Key, Francis Scott　基(1779-08-01，美国马里兰弗雷德里克县～1843-01-11，巴尔的摩)美国律师，以美国国歌《星条旗之歌》歌词的作者而闻名。1814年9月英军火烧华盛顿

美国不列颠百科全书公司供图

城后，他奉派赴切萨皮克湾营救在美军战败于布莱登斯堡后被俘的 W.比恩斯时，被英军扣留。9 月 13～14 日英军猛轰麦克亨利要塞(保卫巴尔的摩的要塞之一)，基忧心如焚；当他在第二天早晨遥遥望见美国国旗仍飘扬在要塞上空时，突生灵感，写下了《星条旗之歌》诗篇。原题《麦克亨利要塞保卫战》，9 月 20 日在《巴尔的摩爱国者报》上匿名发表。后以英国祝酒歌《献给天国里的阿那克里翁》配曲，遂风行全国，先后为陆军和海军正式采用为国歌，1931 年经国会正式批准定为国歌。

Key, V(aldimer) O(rlando), Jr.　基(1908-03-13，美国得克萨斯奥斯汀～1963-10-04，马萨诸塞剑桥)　美国政治学家，以研究美国政治活动程序以及对于发展着重于经验和行为的政治科学有所建树而著称。1930 年获得克萨斯大学文学硕士，1934 年获芝加哥大学哲学博士，在洛杉矶加里福尼亚大学任教。1936～1938 年在社会科学研究委员会和国家资源计划委员会工作。1938～1949 年在约翰斯·霍普金斯大学任教。第二次世界大战时，在预算局任职。1949～1951 年在耶鲁大学任教，1951 年起在哈佛大学任教。他在所著《政治、政党和压力集团》(1942)中分析了有组织的利益集团在政治活动程序中的作用。在《南方政治在各州和全国的作用》(1949)中首倡使用数量分析方法，是一部研究地区政治的优秀著作。在《舆论与美国民主》(1961)中，他分析了变化中的舆论模式与政治制度的关系。他有力地反对认为投票人的选择是由社会决定的这一思想。在他死后出版的著作《负责的选民：1936～1960 年总统选举的合理性》(1966)中，他对舆论数据与选举结果进行分析，以表明他相信投票人所作选择的合理性。他的其他著作有《政治学统计入门》(1954)和《美国各州政治介绍》(1956)。1958～1959 年任美国政治学协会会长。

key bed (geology)　**标准层**　参阅 **marker bed** *标志层*。

Key deer　低岛鹿　*白尾鹿*(**white-tailed deer**)的亚种。

Key Islands (Indonesia)　参阅 **Kai Islands** *卡伊群岛*。

Key Marco carving　基马尔科雕刻　从佛罗里达州的基马尔科岛发掘出来的一组雕刻品，是现存北美印第安人 15 世纪木刻中的最优秀的作品。这些高度现实主义和极为微妙的动物雕刻品，被认为是现已绝灭的卡卢萨印第安人的作品。这些雕刻品有着色的痕迹，可能供仪式上使用过。雕刻品的某些细部，如鹿的耳朵，原来是用皮条联结可以活动的；镶嵌贝壳作为眼睛。这些雕刻品所达到的现实主义的程度，在墨西哥以北地区首屈一指。有些学者据此推断，佛罗里达群岛印第安人与墨西哥印第安人之间可能已有商业来往，但尚无确证。

key pattern (architecture)　参阅 **fret** *回纹饰*。

Key West　基韦斯特　美国佛罗里达州西南部城市，门罗县府所在地(1824)，是美国大陆边缘的最南部居民点。坐落在离美国本土 160 千米的砂质珊瑚岛上，岛约 6.5 千米长，2.4 千米宽，在佛罗里达群岛西部。此地名是英语对 Cayo Hueso(“骨岛”)的讹传，而骨岛是西班牙探险者在此发现有人类遗骨因而起的地名。西班牙国王把该岛赠与一位西班牙军官萨拉斯，他又在 1822 年将岛售与阿拉巴马州莫比尔的西蒙顿。是年，在佩里率领下的美国军队占领了该岛，不久波特在此设立了海军站作为对付海盗的基地。1886 年一场大火摧毁了城市的大部分。近海公路(1938 年开通)以 42 座桥和几英里的长度越过辽阔的海面把各珊瑚礁连接起来。城市独一无二的特点是兼有古巴、西印度群岛、巴哈马和美国的情调。有大量同性恋人口。旅游业和捕鱼业是主要的收入来源。历来为海军活动基地，附近有美国海军航空站。是佛罗里达群岛社区学院(1965)的所在地，作家海明威与博物学家奥杜邦的故居受到妥善保管。1828 年设建制。人口25 478(2000)。

keyboard instrument　键盘乐器　通过触动在演奏者身体前面排成一列的键、按钮或平行杆而发声的乐器的总称。在西方音乐中，键盘乐器所发的音是相连的半音，从左面的低音进行到右面的高音。虽然“键盘乐器”这一术语可广泛用于任何带键盘的乐器，包括小型手提风琴(如手风琴)和打击乐器(如钢片琴和大钟琴)，但通常人们都认为它指的是管风琴、钢琴、拨弦键琴和击弦键琴。不过，大多数乐器史学家都按发声方法而不是演奏方法进行乐器分类。因此键盘乐器可以分成 3 个基本大类：①气鸣乐器，它们靠振动气柱而发声，如管风琴、美国式簧风琴、簧风琴；②弦鸣乐器，它们靠振动弦线而发声，或拨弦(如拨弦键琴)，或击弦(如击弦键琴、钢琴)；③电子乐器，它们靠电或电子手段而发声，如电子风琴、音乐合成器。

早在古代即已有过某种类型的键盘，但资料残缺不全。在欧洲以外也只制作过少数几架简陋的键盘乐器。因此键盘是西方音乐的特征，它对西方音乐影响巨大。如果没有可以同时奏出许多音的乐器，没有键盘乐器所激发的平均律体系(两键之间的音程按半音计数，每一半音调成八度的 1/12)，很难设想西方和声学能发展到如此错综复杂。最早的键盘用于管风琴，通常为自然音的(包含 5 个全音和 2 个半音，如 C 大调音阶所见)。至 14 世纪开始引用半音的键盘。但这时的键通常为数厘米宽，因此乐器只能奏出最简单的和声，而且最好速度慢些。直到 16 世纪，键盘才开始按照至今仍被视作标准的规格制作，键盘音乐才开始发展起来。一个八度被确定为跨越 16.5 厘米的距离，从而使它可以相当于一只手的跨度；自然音的键漆成白色，半音的键往里装，漆成黑色(但那时也有在颜色上反其道而行之的情况)。键盘的这一现代化过程与拨弦式新乐器(如拨弦键琴、斯皮内琴和维金纳琴)的研制齐头并进。所有这些乐器最早被提及是 15 世纪，但 16 世纪初期以前的琴现已无可稽考。拨弦键琴及其亲缘琴类普遍流行则肯定是 16 世纪后半叶的事。于此同时键盘音乐开始大量涌现，键盘技巧开始得到开拓。作曲家们发现了在键盘乐器上可以比在其他乐器上更加运用自如的分解和弦、颤音和其他装饰音的效果。在 17 世纪和 18 世纪初，键盘乐器和键盘音乐继续发展，但无重大变革，18 世纪中拨弦键琴逐步让位于钢琴。钢琴的特点是不用拨弦而代之以击弦，从而使演奏者可以变化起奏的分量而取得不同音量。最早的钢琴于 1700 年左右由 B.克里斯托福里在佛罗伦萨制成，但直到 18 世纪下半叶才引起人们注意。第一架成功的低矮立式钢琴于 1800 年由费城的 J.I.霍金斯推出。19 世纪的钢琴变得更大更重，钢琴音乐也有了相应变化；拨弦键琴基本上销声匿迹，直到 20 世纪初才得到复兴。电子键盘乐器包括电子风琴(1935 年由美国的 L.哈蒙德最早投放市场)、电子钢琴和以多种形式出现的音乐合成器。即使是在这一新的音响世界中，键盘乐器的存在也可以使人们感觉到自 16 世纪以来西欧人所知的那种与音乐的密切关系。

Keyes, Alan　凯斯(1950-08-07，美国纽约州纽约～　)　全名 Alan Lee Keyes。美国外交官、电台评论员和政治人物，20 世纪末、21 世纪初最著名的保守派非洲裔美国人之一。获哈佛大学学士学位(1972)和政治学博士学位(1979)。1978 年进入国务院，1983 年任美国驻联合国经济及社会理事会大使。1985～1988 年任负责国际组织事务的助理国务卿。两次(1988 和 1992)由共和党提名竞选马里兰州参议员失败。1994 年开始参加广播电台谈话节目。1996 和 2000 年两度争取共和党总

统候选人提名未果。2004年共和党提名他竞选伊利诺伊州参议员，但最终败给了民主党人士B.奥巴马。

Keyes (of Zeebrugge and of Dover), Roger John Brownlow Keyes, 1st Baron 凯斯(泽布吕赫的和多佛的)(1872-10-04，印度图恩德尼福特～1945-12-26，英国白金汉郡白金汉) 英国海军将领。他在第一次世界大战中计划并指挥了1918年4月22～23日对比利时泽布吕赫德国海军基地的袭击行动，使德国潜艇无法通过多佛尔海峡。1885年进入皇家海军。1900年因到中国积极镇压义和团运动而晋升海军中校。后任潜艇舰队准将指挥官(1910～1914)。1914年8月英国在黑尔戈兰湾战役中取得胜利，部分归功于他。1915年任参谋长，远征达达尼尔海峡未获成功。1917年任海军部计划署署长。他开始准备封锁通往泽布吕赫和奥斯坦德的通道的作战行动。首次行动仅在泽布吕赫取得成功，两周后他派遣"报复"号前往奥斯坦德封锁成功，使绝大多数德国潜艇难以活动。停战后，他受封为男爵，并得到1万英镑赏金。1930年成为海军元帅。1934年起成为下院议员，直至1943年进入上议院。1940年5月因对张伯伦的第二次世界大战的指导方针提出批评而再次出名。著有《凯斯海军元帅海战回忆录》(2卷，1934～1935)和《征战陆海》(1939)。

Keyhole Nebula (astronomy) **钥匙孔星云** 参阅 **Eta Carinae** *船底座η*。

Keynes, John Maynard 凯恩斯(1883-06-05，英国剑桥郡剑桥～1946-04-21，苏塞克斯弗尔) 英国经济学家、财政家和报刊撰稿人，因针对长期失业提出革命性经济学说(凯恩斯经济学)而知名。其最重要的著作《就业、利息和货币通论》(1935～1936)鼓吹通过政府制订充分就业政策以解救经济衰退。

美国不列颠百科全书公司供图

背景 出身于相当富裕的高级专业人员家庭。父亲为受人尊敬的经济学者，后为剑桥大学的理事。母亲为开明牧师之女，为剑桥大学第一届女毕业生。

年轻的凯恩斯才气横溢，接受了上层和中上层社会儿童所常有的教育。他从预备学校升至英国最负盛名的伊顿公学——只收男生的私立学校。看来与诸如作家G.奥威尔和C.康诺利这类有才华的英国人惨痛的学校阅历绝然相反，凯恩斯在伊顿公学每时每刻无不春风得意。他体质稍嫌文弱，不爱体育运动，然而他却是个出类拔萃的数学家和古典文学学者。他的论文的各种主题(如克吕尼的贝尔纳、斯图亚特君主们的性格、东西方的不同点等)赢得了许多赞赏。他待人接物和蔼谦恭，管理学生团体才能出众，使他赢得了桀骜不驯的同龄人的尊敬和赞赏，这是他最大的功绩。同班同学敬爱他，将其选入联谊辩论俱乐部，这在传统上是可以参加管理伊顿公学事务的学生组织。

凯恩斯1902年进入剑桥大学，在此他更是一帆风顺。国王学院是剑桥大学最古老的、捐赠基金最富足的学院之一，他在这学院"很快便建立起"——正如一位传记作家所说的——"在伊顿公学对同龄人所取得的那种优势。"他发展成为辩论家，出任大学协会主席，而大学协会是大学生的众议院。由于受到剑桥主要经济学家A.马歇尔的影响，他逐渐地对数学的兴趣消失了，而对政治学和经济学的爱好加深了。

剑桥将凯恩斯带进一个重要的作家和艺术家圈子。布卢姆斯伯里团体是文化名流所特有的圈子，其成员有L.吴尔夫和V.吴尔夫夫妇、画家格兰特和艺术评论家C.贝尔。该团体的早期历史是环绕剑桥和非凡人物L.斯特雷奇而展开的。斯特雷奇比凯恩斯早两年进入剑桥，他将比他年轻的凯恩斯引进人们简称为"学会"的独占性私人俱乐部。学会的正式和非正式成员(其中有些人像凯恩斯一样是同性恋者)都是布卢姆斯伯里团体的主要人物。凯恩斯终生都珍视这帮自由人的感情并对他们的感化力作出回应。

早期生涯 凯恩斯自剑桥毕业后成为文职官员，到白厅印度事务部工作。根据此地的工作经验，他写成第一部主要著作，该著作现仍为第一次世界大战前印度金融和货币的权威性调查。后来回到剑桥，1915年前一直讲授经济学，成绩卓著。第一次世界大战开始后，他回到政府(这次是财政部)任职，英国财政部比美国财政部权力更大。他每天为战争的经济管理而忧虑，专职负责与协约国联络并保护英国有限的外币供应。

凯恩斯的工作情况显示出他要飞黄腾达，然而凡尔赛和会却要改变他的前程。他以经济顾问身份陪同首相L.乔治赴法，很快他对政治会议中尔诈我虞和强加于战败国德国的赔款政策的不切实际深感忧虑，以致其健康恶化，他对即将到来的"欧洲的毁坏"(引自他的致父信)心情十分沉重，遂辞去其职务。

凯恩斯总是个活动分子，他将个人忧虑改变成公众的抗议。他利用暑期两个月将人们对凡尔赛协议的不满编写成《凡尔赛和约的经济后果》一书，到1919年圣诞节与读者见面。这篇辩论文的永久价值在于它对赔款给德国经济带来过重负担和对缺乏相应的偿付赔款的可能性所作的经济分析。保证该书取得很大成功的是W.威尔逊、G.克列孟梭和凯恩斯的老上司L.乔治所作的尖刻的简介。结果，在白厅的某些人士中，凯恩斯毕生就是一个不十分受信赖的人，一个破坏传统的斗士，极愿摇晃这只自己被冒失邀请登上的船使之遭受危险。

现在凯恩斯回到剑桥，这里他的声誉迥异。他简直被推崇为马歇尔和A.C.庇古最有才华的弟子，马歇尔和庇古是对竞争市场如何作用、工商企业如何运作和消费者如何开支作出权威性解释的两位剑桥经济学家。虽然20世纪20年代凯恩斯主要著作偶尔带有怀疑语气，可是他对那一时期将自由放任(仅用维护公共利益政策稍作调节)视作可能最好的社会安排这一传统观念并未直接提出挑战。

凯恩斯有两种意见确实预示了20世纪30年代他所领导的理论革命的到来。1920年他反对恢复战前1英镑等于4.86美元比率的金本位制；还有，远在大萧条很久之前，他就为英国煤矿、造船和纺织工人的持久的失业感到忧虑。此次，他与L.乔治(未再官复原职)重归于好，支持自由党公共工程计划，取消失业者的救济福利，使其参加有益的工作。可是正统的经济学者仍信赖自由市场预期的自动调节，财政部仍执着于教条主义观点，认为政府赤字的增加在私人投资上就肯定会有等额的减少，因而公共工程必然是无用的。由于凯恩斯还不能对同事们的意见给予理论性的驳斥，他所鼓励的公共工程在政治上效果甚微。

他的私生活较为称心如意。1925年他与有才干而妩媚动人的芭蕾舞女演员L.洛波科娃结婚。尽管剑桥的保守派们对他向"歌舞队女演员"求婚是否明智表示了怀疑，而婚姻却幸福美满。确实如同经济学家马歇尔的遗孀所断言的，这是"凯恩斯曾经做过的最出色的好事"。他与布卢姆斯伯里一帮人的友谊发展了。他很容易地从成功率很高的证券投机的收入中购买了一套舒适的伦敦公寓。凯恩斯惯于早晨晚起，他在床上早餐时便从容地处理了投资事宜。作为撰稿人，他为左翼刊物《新政治家》(后来他加入了该刊董事会)以及大报《泰晤士报》和《曼彻斯特卫报》(现称《卫报》)写稿，提高了声誉。

凯恩斯与大萧条 再一次改变凯恩斯在公众中的声誉，并使其迅速赢得不朽美名的是他对30年代经济悲剧所作的反应。除去少数明显的例外，政治家和经济学家普遍被事态发展弄得晕头转向，对传统政策毫无信心。陈腐的经济理论，不顾相反的例证日益明显，仍然认为如果政府不试图控制经济，时间和自然情理定会使经济恢复繁荣的。无论如何，失业者若愿为低一些的工资而工作，总会有事可干的。商人若采用大幅度削价的平行战略，是定会恢复其销售额的。在事物发展过程中，较软弱的同仁无疑也会被一扫而光。然而，若是所有的群体都接受竞争调整的准则，复兴、繁荣和较高的工资都会很快来到的。

不幸的是，这种医治药方在哪里都不起作用。1932年美国总统选举中F.罗斯福大获全胜而H.胡佛一败涂地，这就证明自由放任主义在政治上破产。这一切都急需有新的阐述和新的对策，而凯恩斯就提供了。他在30年代初期不朽的功绩是他编写了一部最有影响的专著，可同亚当·斯密《国富论》(作为知识大事件而论）和马尔萨斯《人口原理》（作为维护公共利益准则而论）相媲美。专著于1935～1936年间问世，名曰《就业、利息和货币通论》，它是一部专业技术很强、甚至玄奥难懂的著作；它所阐述的新观念，有一部分在1930年《货币论》中早已预示过。其中心思想很容易解释为两个强有力的论点。第一个论点宣称当时的失业理论是毫无价值的胡说，根据凯恩斯的意见，工资非常低并不能消灭失业，因此将失业者困境归咎于失业者自身是居心险恶的。第二个论点是对失业萧条的起源应另有新的解说，这集中于总需求（即消费者、企业投资者和公共机构的总）开支上。当总需求降低时，销售额和就业便萎缩；当总需求增高时，则万事大吉。

从这些一般性原则便产生了强有力的无所不包的经济行为观点。消费者的开支是受收入大小制约的，消费者本身并不是导致经济周期变化的根源。具有能动力的作用者是企业投资者和政府。在萧条之中，要做的事是增大私人投资或创造公共投资以代替私人投资之不足。在轻度经济萎缩之中，利用较宽松的信贷和较低的利率的货币政策就可能刺激企业投资和恢复充分就业的总需求。较严重的萎缩，需要利用公共工程或对受害群众进行补贴的周详的公共赤字的较严厉的补救措施进行医治。

在极短的时间内，凯恩斯使其大多数同行们改变而相信了他的信念。在第二次世界大战期间及战后，西方民主国家一个接一个地确定了自己维持高就业的新承诺。美国1946年《就业法案》还正式赋予总统和国会以维持繁荣的责任。

后期生涯 《通论》是凯恩斯最后的主要著作。1937年他患了严重的心脏病。两年后，他虽未完全康复，却回到剑桥讲课，写了3篇论战时财政的文章，题为《如何为战争付款》的文集，并再一次到财政部任职，充当全面的顾问。当战争接近胜利时，凯恩斯将注意力转移到规划设立旨在阻止萧条扩张的国际金融机构上来。他在1944年布雷顿森林会议中起了显著作用。但是根据会议所建立的机构国际货币基金组织和世界银行——80年代仍然存在的两个机构——打上了当时美国财政部正统学说的印记，受凯恩斯思想影响较少。

他最后一项主要公务是参加1945年夏季和初冬美国给予英国数十亿美元贷款的出色的谈判。到这时英国的当权派非常乐意欢迎这位游子返乡。现在他既是英格兰银行董事会的成员，又是有权占有上院议席的贵族——称为蒂尔顿的凯恩斯勋爵。按布卢姆斯伯里藐视习俗的旧传统，凯恩斯富于幽默感地评论道："我不敢肯定我们两个当中的哪一个要成为声誉卓著的女人——老夫人（英格兰银行通俗的别称）呢，还是我？"但这种担心是没有必要的。因为这时凯恩斯的宿敌早已匍伏于他这位英国最高英才之一的面前了。凯恩斯为战时工作而操劳过度，于1946年逝世。

Keynes, John Neville　凯恩斯（1852-08-31，英国威尔特郡索尔兹伯里～1949-11-15，剑桥郡剑桥）　英国哲学家、经济学家。为20世纪最有影响的经济学家J. M. 凯恩斯之父。先后受教于伦敦大学和剑桥大学，1875年在剑桥毕业后任该校道德科学讲师（1884～1911）和注册员（1910～1925），曾积极倡建剑桥大学经济学荣誉学位考试。从逻辑学和方法论方面对经济学做出贡献。1884年发表《形式逻辑的学习与练习》，1891年发表《政治经济学的范围与方法》。凯恩斯综合当时德国经济学派（强调演绎法）和奥国学派（强调归纳法）的两种对立的经济思想，采用了既有归纳法又有演绎法的研究方法。

Keynes, Richard Darwin　凯恩斯（1919-08-14，伦敦～2010-06-12，剑桥）　英国生理学家。第一个应用放射性钠和钾在神经冲动传递时示踪钠和钾的运动。1949年获剑桥大学博士学位，后在该校任教。1960～1964年任农业研究委员会在巴布拉厄姆的动物生理学研究所生理学研究室主任，1968～1973年任所长。1981年起任国际理论与应用生物物理学联合会主席。1959年成为伦敦皇家学会会员。曾在科学杂志上发表过许多论文，讨论组织中离子的转运及某些鳗鲡等鱼类电器官的生物化学和热力学变化。

keynote（music）　参阅 **tonic** 主音。

Keyri（ancient Finnish feast day）　参阅 **Kekri** 凯克里节。

Keys, John　参阅 **Caius, John** 凯厄斯。

Keyser, Hendrick de　凯泽（1565-05-15，西班牙哈布斯堡领地乌得勒支［今在荷兰］～1621-05-15，尼德兰阿姆斯特丹）　荷兰雕刻家、建筑师。其作品形成了荷兰文艺复兴时期的装饰风格与17世纪古典主义之间的过渡。1594年被任命为阿姆斯特丹市的石匠和雕刻家，1612年成为该市的建筑师。他所设计的建筑大多在阿姆斯特丹，其中有：尼德兰第一座新教教堂南教堂（1606～1614）、东印度商社（1606）以及他所设计的最大建筑西教堂（1620～1638）。雕刻方面的杰作是沉默者威廉之墓（1614～1621），坐落在代尔夫特新教堂。其赤陶胸像与F. 哈尔斯的17世纪肖像画一样，真率生动。英格兰雕刻家N. 斯通是他的女婿和名徒。他的儿子T. 凯泽是著名的肖像画家。

凯泽设计的阿姆斯特丹西教堂（1620～1638）
美国不列颠百科全书公司供图

Keyser, Thomas de　凯泽（约1596，阿姆斯特丹～1667-06-07）　荷兰巴罗克画家和建筑师，以画阿姆斯特丹市政领导人肖像著名。也有历史和神话题材的作品。其人物肖像性格显著，色彩浓艳，运用了伦勃朗式的明暗对照，其设计的主要建筑物是阿姆斯特丹市政厅的钟楼。

凯泽绘《康斯坦丁·惠更斯和他的秘书》（1627）
美国不列颠百科全书公司供图

Keyserling, Hermann Alexander, Graf von（Count of）　**凯泽林**（1880-07-20，俄罗斯帝国立沃尼亚柯努～1946-04-26，奥地利因斯布鲁克）　德国社会哲学家。他的主张在第一次世界大战后甚为流行。曾在欧洲几所大学学习。1911年开始环球旅行，这次旅行为他最著名的作品《一位哲学家的旅行日记》（1919）提供了材料。他研究哲学的方法主要是非学院式的；他的思想集中于精神的新生这一主题上，而这种思想往往是平凡的或难解的。其他著作有：《不朽》（1907）、《创造性的认识》（1922）、《新生》（1927）、《被解放的美国》（1929）和《南美冥思》（1932）。

Keystone Kops　启斯东警察　从1914年至20年代初在M. 森纳特的滑稽笑剧默片中经常出现的一队愚蠢而且无能的警察，他们总是穿着不合身的、邋遢的制服，成了美国电影史上真正的民间艺术角色，他们的喜剧魅力是基于人们天生的抗上情绪。启斯东警察虽然缺乏头脑，却特别卖力，他们时而徒步飞奔去追捕什么人，时而乘上一辆破汽车（全队只有一辆）快速飞驰而去。不管在街角处自己人跟自己人撞在一起，还是被缠绕在晾衣绳上、绊倒在梯子旁或折叠帐篷上，他们总是保持着那种威风凛凛的面部表情。

Kezilahabi, Euphrase **凯齐拉哈比**(1944-04-13, 坦噶尼喀乌凯雷韦[今在坦桑尼亚]～) 坦桑尼亚斯瓦希里语小说家、诗人和学者。1970 年在达累斯萨拉姆大学获文学学士学位,当过教员后回校从事研究,并在斯瓦希里语系当教师。在美国威斯康星大学完成研究生学业。小说《罗莎·米斯蒂卡》(1971)获得巨大成功,被坦桑尼亚、肯尼亚采用为中学标准读本。其他作品有《水源》(1974)、《世界是个混乱之地》(1975)和《蛇皮》(1979)。所写小说的经常主题是:在一个不仅由于发展和城市化、而且也由于 60 年代后期在坦桑尼亚试验非洲社会主义而引起种种紧张的社会里,个人适应社会的困难。其诗《切肤之痛》(1974)和一些诗歌评论文章,在斯瓦希里语文学界引起争论。他同斯瓦希里语诗的形式传统决裂,为无韵诗开辟了道路,成为第一个进行这种革新的斯瓦希里语作家。

K.G. **嘉德爵士** 全称knight of the Garter。指独有爵士的身份或地位的成员。参阅 **Garter, The Most Noble Order of the**。

Kgama III(African chief) 参阅**Khama III 卡马三世**。

KGB **克格勃** 俄语全称拉丁字母转写作 Komitet Gosudarstvennoy Bezopasnosti,意为"国家安全委员会"。苏联的政治警察和安全机构,也是 1917～1991 年苏联的主要间谍和反间谍组织。在苏联存在时期,克格勃的任务不仅有国内的,而且有国际的,除从事公开的和隐蔽的间谍和反间谍活动外,还包括保护苏联政治领袖、使用特种国内安全部队、监督边防部队、保守国家和军事机密、防止骚乱和颠覆活动、监督新闻检查和控制进出苏联的旅行。

克格勃建立于 1954 年。该机构可追溯到 1917 年 12 月布尔什维克政府刚建立时成立的契卡(俄语全俄肃清反革命及怠工特设委员会的简称)。契卡的任务开始是对反革命和破坏行为进行初步调查,但很快就自行承担了逮捕、监禁和处决"国家敌人"的工作。它的管辖范围在国内战争(1918～1920)期间又扩大到所有布尔什维主义的敌人,包括资产阶级、前贵族和教士。在粉碎反苏维埃的喀琅施塔得和安东诺夫叛乱及镇压私商中起了协助作用。契卡的权力和自主程度越来越大,布尔什维克政府认为有必要在 1922 年将其废除但"对它的英勇业绩表示感谢"。

契卡随即被国家政治保安局(GPU)所代替。保安局的任务是镇压反革命和从事间谍活动,其第一任局长是原契卡首脑捷尔任斯基。1923 年苏维埃社会主义共和国联盟成立时,新的秘密警察机构改名为国家政治保安总局(OGPU),其权限明确定为及于整个联盟——即是全国性的——并包括其他诸如管理劳动改造集中营和行使新的广泛调查权和司法权等任务。国家政治保安总局在 30 年代初强制推行了大规模农业集体化和驱逐富农的政策。它在 1928～1933 年间上演了有声势的对孟什维克和其他"破坏者"的审讯。到 1931 年,国家政治保安总局不仅包揽了全苏警察职能,而且还拥有自己的军队;在工厂、政府机关和红军中设有庞大的情报网,及一个迅速增长的监狱和强迫劳动营网络。

1934 年改组时,国家政治保安总局并入新的内务人民委员部(NKVD),该部利用其所继承下来的调查权和司法权来进行苏联领袖斯大林 30 年代的清洗运动。内务人民委员部实行了 1934 年和 1937～1938 年的大清洗,有成百万人遭到逮捕,在强迫劳动营中结束了他们的生命。在 30 年代遭受内务人民委员部迫害的人们中,还有其本身最初的两位首脑雅戈达(他曾短期担任国家政治保安总局的首脑)和叶若夫。他们的继任者是贝利亚。

1941 年将国家安全职能由内务人民委员部中分出,另立国家安全人民委员部(NKGB)。这两个机构于 1946 年成为内务部和国家安全部。贝利亚仍主掌内务部(当时为 MVD),而由阿巴库莫夫任国家安全部(MGB)部长。后一机构在第二次世界大战期间曾以各种不同身份为掩护,进行苏联的间谍和反间谍活动,管理战俘营,在军队中进行政治监督,并全面负责国内安全工作。

战争结束之后,在斯大林的晚年,国家安全部的范围扩大到整个苏联集团,它通过在卫星国警察机构中作为太上皇的地位和通过对反共、反苏和独立集团的渗透和摧毁,迫使东欧各卫星国严格服从苏联。在这些国家中和在苏联一样,常有公民被国家安全部不经过任何正式法律程序即行逮捕、刑讯、监禁和处决。被认为政治上不可靠的人们大批遭到逮捕和监禁。国家安全部(和以前的内务人民委员部)在战前实行了对诸如卡拉恰耶夫人、卡尔梅克人、车臣-印古什人、克里米亚鞑靼人、巴尔卡尔人和伏尔加日尔曼人(1941～1944)等少数民族的驱逐;实行了对列宁格勒事件(1948)中日丹诺夫的支持者们的处决和监禁,以及对在医生阴谋案(1953)中被认为是图谋反对国家的犹太医务人员进行了清洗。

1953 年 3 月斯大林去世不久,国家安全部又并入内务部,置于老牌斯大林主义者贝利亚之下。夏季到来之前,斯大林死后的苏联领导层转而反对有权力野心的贝利亚,和他的至少两个前任一样,他被罢免并被处决。经过一直持续到 1956 年的一系列审讯和处决,清除了他的一些高级同僚。同时,成百万的政治犯在斯大林死后的自由化时期从庞大的强迫劳动营系统中得到释放。这个被称为古拉格(Gulag)的劳动营系统因而也就随着内务部警察恐怖组织一起而大大失势了。内务部被逐渐降低地位,并于 1960 年被撤销。

在此之前,1954 年成立了克格勃来负责国家安全,与其前身不同,它一直被置于共产党的严格控制之下。这个新机构在清洗贝利亚支持者的斗争中起了重大作用,而这次清洗的范围和效力,总的来说,也使安全警察名誉扫地,曾经开展了一场广泛的运动来改善秘密警察——在其新的克格勃招牌下——在苏联公民心目中的形象。从前否认从事任何在外国的间谍活动的政策被放弃了,而一些苏联间谍活动的英雄,如第二次世界大战时被日本处决的佐尔格和第二次世界大战后在美国活动的间谍大师艾贝尔都被介绍给公众并在苏联的新闻媒介中大肆赞扬。到 60 年代中期,克格勃日益成为党的安全守护者,而它的首脑安德罗波夫被选入政治局(1973)和继任国家领导(1982～1984),即反映出它作为社会和政治控制工具的价值。

克格勃在苏联改革派领导人戈尔巴乔夫统治下处境已不如前。开始时,他的扩大个人自由和使苏联政治体制民主化的努力并没有直接影响到克格勃,虽然它也不得不稍稍收敛它的秘密警察职能,并在国内和国外树立它在公众中的形象,但是克格勃仍然庞大的秘密警察机构和它继续支持共产党对苏联社会进行控制的做法,终于使它成为越来越多的民主改革者攻击的主要目标。在当时的克格勃首脑于 1991 年 8 月参与领导一次反对戈尔巴乔夫的未遂政变后,克格勃即被彻底剥夺了它的国内安全职能和大批军事组织。

1991 年苏联解体,克格勃受俄罗斯政府控制。它的广泛作用被并入两个主要部门,一个管理国内安全,另一个从事国外间谍和反间谍活动。乌克兰、白俄罗斯和其他前苏联共和国维持他们自己的国外情报部门,并和俄罗斯情报部门有联系。

在它的顶峰时期,克格勃是世界上最大的秘密警察和间谍组织,专业能力受到广泛的注意,在共产党和苏联政府中的权力和影响极大。其组织包括 17 个独立机构,其中有几个主要的局,负责诸如反谍报活动、国外情报(或间谍)活动和国内安全。边防警卫队总监控制着约 30 万装备有装甲车、火炮和军舰的部队,负责苏联边境的安全,使来犯者不能侵入、苏联公民不能越出。下面还有级别较低的局分别负责武装部队中的保安工作、技术活动、行政管理、人事、监察、通讯以及密码和警卫工作。另有几个独立部门负责特别调查、财务、行动分析、人身安全以及注册和档案。

在第二次世界大战后 40 年间它的顶峰时期,克格勃从事的是世界上所有国家中规模最大的间谍活动。其特工人员利用苏联国际贸易组织、塔斯通讯社以及更为传统的外交身份为掩护进行活动。根据西方当局的说法,除美国中央情报局之外,每一个主要西方情报机构都已被克格勃所渗透。克格勃并不负责搜集纯军事情报,该项任务是由"格勒乌"(GRU,苏联总参谋部情报总局)负责。在其鼎盛时期,克格勃是世界上最大的秘密警察和外国情报收集组织,工作人员达 480 000 名,包括 200 000 边防警察。苏联情报人员人数大约有几百万人。苏联领导人都依赖克格勃获得情报、监督重要的精英人物和控制大众。共产党、军队、克格勃构成了苏联统治权力的三角。克格勃在苏联的外交政策中发挥着重要作用,外国情报的收集使得苏联在核武器和其他武器发展方面与西方基本上处于均势。但克格勃在国内的作用却是险恶的,很多人认为克格勃应对数千万人的死亡负责。

Kgositsile, Keorapetse **科西齐莱**(1938-09-19,南非约翰内斯堡～) 南非诗人、小

品文作家。作品以泛非解放为中心。其诗歌将南非本土传统与美国黑人诗歌的结构及修辞传统卓绝地结合起来。曾为南非政治周刊《新时代》撰文,该杂志后遭查禁。1961年开始在坦桑尼亚达累斯萨拉姆过流亡生活,为《矛头》杂志写文章。1962～1975年住在美国,先后在不同大学当研究生、教师或驻校诗人。返回坦桑尼亚后在达累斯萨拉姆大学用英语讲学。诗作有《未被束缚的精灵》(1969)、《为了梅尔巴》(1970)、《现今是个危险的生活区》(1974)、《地点和血迹》(1975)和《心灵的痕迹》(1981)等。

kha-btags　哈达　中国藏族和部分蒙古族在迎送、馈赠、敬神和日常交往礼节中奉献的丝巾,表示敬意和祝祷吉祥。一般为白色,也有红、黄、浅蓝等色。按对方品级使用不同质料和尺寸的哈达。

Khabarovsk　哈巴罗夫斯克　又拼Chabarovsk。俄罗斯远东地区一边疆区。面积82.46万平方千米(包括犹太人自治州)。位于阿穆尔河(黑龙江)下游地区。南部为锡霍特山脉,北部是布列亚山地和濒临鄂霍次克海的朱格朱尔山脉。除南端有落叶林外,其余均为茂密的沼泽森林或泰加林(落叶松、云杉、冷杉)。人口绝大多数为俄罗斯人,有少数犹太人和土著居民(那纳人、埃文克人和乌尔奇人、尼夫赫人和奥罗克人)。富煤、铁、锰、锡、金、钼和钨等矿藏。主要经济部门有木材加工(在阿穆尔河流域)、狩猎、渔业(在沿岸地区)和锡矿开采(在索尔涅奇内矿区)、冶金和炼油(在首府哈巴罗夫斯克和共青城)。农业限于阿穆尔河流域,种植小麦、大豆、燕麦和蔬菜。首府哈巴罗夫斯克(伯力)。人口约1 850 700(1991)。

Khabarovsk　哈巴罗夫斯克　俄罗斯远东地区哈巴罗夫斯克边疆区城市及行政中心,因俄国探险家E.P.哈巴罗夫得名。位于阿穆尔河(黑龙江)与其支流乌苏里江汇合处的下游。1858年建为前哨基地。地处西伯利亚大铁路与阿穆尔河交会点,为俄罗斯远东地区重要交通枢纽。曾辖白令海峡以内整个地区。现城穿越许多走向垂直于阿穆尔河的小型山谷和山岭。有诱人的滨水公园和草地、现代建筑、工厂与古老木制小屋。现为大型工业中心,企业多位于上游区,有机械制造、石油加工、木材加工、家具和许多轻工业部门。设有工学院、农学院、医学院、师范学院和铁路工程学院以及一些科研机构。人口约613 300(1991)。

哈巴罗夫斯克市中心广场上的喷水池
美国不列颠百科全书公司供图

Khābūr River　哈布尔河　幼发拉底河的重要支流。源出土耳其东南部山区,流向东南,在叙利亚的哈塞克接纳主要支流杰格杰盖河,南下汇入幼发拉底河下游。全长约320千米。为叙利亚东北部肥沃的杰济拉地区的重要灌溉水源。第二次世界大战后建筑新水坝,改进水道网,使全部耕地面积增加到160万公顷以上。流域现成为国内主要小麦产地,亦产棉花、大麦、稻米、芝麻和蔬菜。

Khachaturian, Aram　哈恰图良(1903-06-06,俄罗斯帝国格鲁吉亚梯弗里斯[今格鲁吉亚第比利斯]～1978-05-01,苏联莫斯科)　全名Aram Ilich Khachaturian。苏联作曲家。以《钢琴协奏曲》(1936)和芭蕾舞剧《加雅涅》(1942)而知名,流行的节奏活泼的《马刀舞》即出自该剧。就学于莫斯科格涅辛国家音乐师范学院和莫斯科音乐学院,1951年成为该两院教授。青年时期,受西方现代音乐,特别是拉威尔的影响。后对亚美尼亚民族民间音乐以及格鲁吉亚、俄罗斯、土耳其、阿塞拜疆民间传统发生兴趣。1935年的《第一交响曲》和其后的作品便体现了这一兴趣的影响。1943年的《第二交响曲》是为纪念俄罗斯革命25周年而作。其他作品有:一首交响组曲《假面舞会》(1944)、芭蕾舞剧《斯巴达克思》(1953)和《幸福》(1939)、《第三交响乐》、一首大提琴协奏曲、一首小提琴协奏曲和无数短小作品。曾两次获斯大林奖,是亚美尼亚国歌的作曲者。亦写作电影音乐和戏剧配乐。1948年同D.肖斯塔科维奇和S.普罗科菲耶夫一起受到苏共中央批判,罪名是音乐中的资产阶级倾向。他承认了自己的错误,显赫地位得以恢复。但1953年斯大林逝世后,他公开谴责中央委员会对他的指控。1954年获苏联人民艺术家称号,1959年获列宁奖。

Khadafy, Muammar　参阅**Qaddafi, Muammar al-** 卡扎菲。

Khadījah　赫蒂彻(?～619,阿拉比亚麦加[今在沙特阿拉伯])　伊斯兰教创始人穆罕默德的元配夫人。原为富有的寡妇,善于经商。她雇用穆罕默德为她经营,终于以身相许。她过去曾婚嫁两次,均生有子女。根据大多数资料,她嫁穆罕默德时大约40岁,而穆罕默德仅有25岁,但她为穆罕默德生子女6人,由此可见她或许并非如此年长。自穆罕默德初次奉到真主启示后,她就予以支持和鼓励。穆罕默德遭到麦加许多重要人物反对时,她坚贞不渝。她在世时穆罕默德没有娶其他妻子。

Khaḍir, al-　参阅**Khiḍr, al-** 黑德尔。

Khadzhi-Tarkhan　哈吉-塔尔汉　参阅**Astrakhan** 阿斯特拉罕。

Khafre　海夫拉(活动时期公元前26世纪末期)　希腊语作Chephren。埃及第四王朝(约公元前2575～约前2465)第四代国王,吉萨3座金字塔中第二座的建造者。国王胡夫

海夫拉雕像,脑后有隼形何露斯神像
美国不列颠百科全书公司供图

之子,继承杰德夫拉(大概是他的哥哥)为国王。海夫拉与他的妹妹迈列桑赫三世结婚,另外大概还有两个王后。他的金字塔几乎与父王的大金字塔一样巨大。海夫拉庙用巨大的花岗石块砌成,供奉着国王的一些精彩的雕像。这些雕像是用从努比亚沙漠采石场运来的闪长岩刻成的。在从海夫拉庙通往金字塔的道路旁边,有大狮身人面像,其五官具有海夫拉的特征。

Khai Dinh　启定(?～1925-11-06)　越南皇帝(1916～1925),名阮宝岛。鼓吹与法国殖民当局合作。同庆皇帝的长子,1916年即位。他认为越南技术落后,不能自立于现代国家之林,在国家独立之前必须了解法国的文明和西方的科学知识。1922年参加马赛殖民地博览会并作为越南第一个在位的君主出访欧洲,还鼓吹建立法属的自治越南。他的亲法态度被越南人认为是民族的叛徒。

Khaibar Pass　参阅**Khyber Pass** 开伯尔山口。

Khairpur 海尔布尔 巴基斯坦中南部信德省城市。位于米尔瓦运河畔，在印度河南18千米处。海尔布尔始建于1783年，现为交通中心，与白沙瓦和卡拉奇通铁路，与苏库尔和卡拉奇通公路。1947年巴基斯坦建国后，工业有所发展，建有纺织、丝织、皮革、挂毯、制糖和磨粉厂。有公园、王宫、医院、图书馆、体育场和信德大学几所学院。前海尔布尔土邦于1832年得到英国承认。1843年英国兼并信德后允许保留其政治实体。1955年10月海尔布尔土邦加入巴基斯坦。海尔布尔南25千米的果德迪吉为一重要考古中心，当地发现了与印度河谷文化(约公元前3000)同期以及更早的文化层，有使用石器与陶器的社区的遗址。人口61 447(1981)。

海尔布尔市南的果德迪吉考古现场
美国不列颠百科全书公司供图

Khajurāho 卡杰拉霍 又拼Khajrāho，古时称Kharjuravāhaka。印度中央邦北部的古城，著名的旅游圣地和考古地址，以当地有精美雕刻的供奉湿婆、毗湿奴和耆那教创始人的庙宇而闻名。卡杰拉霍是昌德拉国王统治时期的首府之一，昌德拉国王从9～11世纪曾逐步建立一个很大的王国杰贾卡布克蒂(吉乔蒂)。鼎盛时期几乎占据现今的整个中央邦，中心在现在的本德尔汗德，最早的首府占地21平方千米以上，有在950～1050年间几个统治者先后建造的大约85座庙宇。在11世纪后期的动乱和衰退时期，昌德拉人迁移到了卡杰拉霍境外的山间城堡里。卡杰拉霍在宗教方面的重要地位持续到14世纪，但尔后在很大程度上被淡忘。可能是由于卡杰拉霍所处地区偏远使它得以免遭穆斯林或莫卧儿征服者普遍施加于印度纪念物的亵渎。1838年，受雇于设在加尔各答的亚洲学会的英军上尉伯特，发现了一些资料，使他在卡杰拉霍的丛林薮地重新找到了这批庙宇。在该地区最早建成的85座庙宇中，有大约20座仍旧保存得相当完好。除少数几座外，均系用坚硬的河底砂石建成。庙宇内外均有大量精美的雕刻，其中多数雕刻耽于肉欲，更有几例明显地描绘两性关系。庙宇分成三个群体，西面的是规模最大最有名的一群，其中包括雄伟的湿婆教庙宇亨达里厄默哈代瓦，约建于1000年，这是一座由门廊至角楼最后达于塔尖高35米的混然一体的建筑。今天的卡杰拉霍是一个小村庄，以该村所设的旅店和喷气飞机场为旅游者提供服务。附近最近的火车站距它117千米。卡杰拉霍的名字来自该地区随处可见的卡杰尔树，或称椰枣树。人口约6 541(1991)。

毗湿奴和与他为伴的吉祥天女，见于印度中央邦卡杰拉霍东部庙宇群中的巴湿伐那陀殿，约950～970年
美国不列颠百科全书公司供图

Khakasiya 哈卡西亚 又拼Khakassiya或Khakassia。俄罗斯中部的共和国。位于叶尼塞河上游广阔的米努辛斯克河盆地的西半部。叶尼塞河支流阿巴坎河流经中部。阿巴坎河谷南部是西萨彦山脉，最高点卡拉戈什山海拔2 930米。北部为阿巴坎山和库斯内次克阿拉套山地，最高峰上朱布山海拔2 178米。封闭盆地干燥的大陆性气候造成低地的干草原和森林草原植被，但大部分草地已被开垦。山地植被有松树、冷杉和云杉。哈卡斯族属西伯利亚突厥语部族，原为游牧民族，但现在俄罗斯人占总人口的绝大多数(约80%)。绵羊和山羊饲养业仍为主要经济部门。由于低地兴建水利灌溉工程，牧场的牲畜容量、作物面积和产量均有所增加。主要农作物为小麦、燕麦、小米和马铃薯。采矿业自从18世纪俄国殖民者首次对铜感兴趣后，采矿业成为重要部门。阿巴札和杰亚开采丰富的铁矿，丘雷姆河上游采金，切尔诺戈尔斯克采煤。此外还有几个钼矿和钼-铜-钨矿产地。森林有伐木业。首府阿巴坎(**Abakan**)。20世纪80年代和90年代初在叶尼塞河畔的萨彦诺戈尔斯克城建造俄国最大的水电站之一，装机容量达640万千瓦，可为米努辛斯克盆地的主要工业发展提供电力。面积61 900平方千米。人口约585 000(1995)。

Khakass 哈卡斯人 俄罗斯一民族。俄罗斯中部哈卡西亚共和国即以该民族命名。哈卡斯人包括5个说突厥语的集团，即：卡钦人(哈斯人)、萨盖人、别尔蒂尔人、克孜尔人和科伊巴尔人。他们的种族渊源不同，而且文化和日常生活也千差万别。俄国革命前，卡钦人是半游牧民族，饲养牛、羊、马。克孜尔人居住永久性村庄，兼营农牧。萨盖人的种族成分及族源混杂，由渔猎转为农牧。别尔蒂尔人长于陷阱捕兽及铁工，后来也以农牧为生。科伊巴尔人并非部落而是地方居民集团，一直保留其卡钦语言，但已选择俄罗斯农民生活方式。20世纪末，俄罗斯境内有8万哈卡斯人。

khaki 卡其布 由棉、毛或与合成纤维混纺制成的浅土灰色织物。像哔叽一样，有各种织法。卡其布军服是H.B.拉姆斯登为英国驻印度殖民军设计的，在野外值勤和作战中特别适用，印度兵变期间(1857～1858)曾被广泛采用，后来正式成为英国军服，并为其他国家采用。南非战争(1899～1902)中因气候条件不同改用粗纺和精纺毛哔叽。第一次世界大战期间开始采用橄榄绿色，以降低在荒原和绿叶背景下的可见度。卡其布也用于称呼某些褐色军服织物。

Khalaf, Ṣalāḥ 哈拉夫(1933，巴勒斯坦雅法[今以色列特拉维夫-雅法]～1991-01-14，突尼斯) 又称Abulyad。巴勒斯坦政治激进主义者。为巴勒斯坦解放组织法塔赫派系的创始人之一，也是巴解组织领导人阿拉法特的密友。在1948年以色列独立的冲突中逃往加沙地带。1951年到开罗大学学习。50年代后期帮助阿拉法特和瓦齐尔创建法塔赫。1970年9月约旦军队驱逐巴勒斯坦游击队时被捕，并被判处死刑，但未执行。约旦事件后，据说哈拉夫化名阿布利亚德，组织一个名为黑九月的组织，在约旦等地从事恐怖行动；筹划了多次行动，包括1972年在联邦德国慕尼黑奥运会上杀死11名以色列运动员。然而，1973年赎罪日战争后他开始寻求和平解决巴勒斯坦问题。虽然支持在西岸和加沙地带以色列占领区的巴勒斯坦起义，但1988年他敦促巴勒斯坦全国委员会承认以色列的存在，致力于成立巴勒斯坦国。瓦齐尔死后，他接任革命武装力量副司令。他反对阿拉法特与伊拉克领导人萨达姆·侯赛因的密切关系，因而触怒某些人，被极端组织阿布尼达尔的成员杀害，据说暗杀是受伊拉克的指使。

Khaldūn, Ibn 赫勒敦 参阅**Ibn Khaldūn**《伊本·赫勒敦》。

Khalépa, Pact of 参阅**Halepa, Pact of**《卡勒帕公约》。

Khālid 哈立德(1913，阿拉比亚利雅得[今在沙特阿拉伯]～1982-06-13，沙特阿拉伯塔伊夫) 沙特阿拉伯国王(1975～1982)，1975年其同父异母兄长费萨尔国王遇刺身亡后，继承王位。哈立德对中东政治的影响力不大，且个性孤僻，国家大政多交由其另一同父异母兄弟法赫德王子处理，法赫德后来继哈立德为国王。哈立德生于当时为沙漠小镇的利雅得，为其兄长沙特和费萨尔最亲密的支持者。14岁时，哈立德被其父伊本·沙特(沙特阿拉伯王朝的创始者)派往沙漠各部族察访，代表父王倾听他们的苦况。1934年加入由其兄费萨尔领导的远征也门的行列，此后因他喜好沙漠生活胜于政治或外交活动而被称为“沙漠之子”。1939年首度离开沙特阿拉伯前往伦敦参加未获成功的巴勒斯坦问题会议，会后即兼程返回。他与其他兄弟不同，从未在国外接受较高教育。他一心关注贝都因人的问题，对于利用地下水开垦沙漠的工程特别有兴趣。他在利雅得期间，多致力于慈善工作。由于其性格谦恭、夙负说理平和的名声，因而成为庞大王室家族中各种争端的主要调停者。这些个性和品格使他能在1964年11月沙特国王被废黜及费萨尔继位时被立为王储，而他的更为有力和野心勃勃的兄弟法赫德和苏丹则没有被选上。1970年以后，由于疾病缠身，他在社交界的活动减少，并带来了他是否能继承王位的问题。然而，费萨尔国王遇刺后，他还是继承了王位并受到民众、尤其是贝都因人的拥护。哈立德对于埃及总统萨达特与以色列谋和一事反应温和，并因1979年英国女王伊丽莎白二世的造访与他在1981年回访成功而获益。

Khālid al-Qasrī　哈立德（？～743-11，伊拉克库费）　伍麦叶哈里发治下的一位伊拉克总督。710年步入仕途，由哈里发瓦利德任命为麦加总督。715年苏莱曼继位后将他解职。他一直过退隐生活。但至724年被授以伊拉克总督要职，上任后残酷施暴，以求达到不为任何不满表现干扰的行政效率。他还试图发展伊拉克的农业，使其繁荣起来。沼泽地的水被排干，大片的处女地得到开垦，境内保持没有兵荒马乱。然而，他却无法减缓卡伊人与也门人两大阿拉伯部落联盟间的紧张局势。由于母亲是基督教徒，他为了取悦慈母而在库费建造一座教堂，这就使得他的处境更加困难了。在哈立德的敌人们的强大压力下，哈里发希沙姆于738年将他解职，甚至以贪污罪名下狱，但一年后获释，并在希沙姆统治期间允许他安居大马士革。在希沙姆的继位者瓦利德·伊本·耶齐德治下，他被押送库费处决。

Khālid ibn al-Walīd　哈立德·伊本·瓦利德（？～642）　在伊斯兰教先知穆罕默德及其直接继承人艾卜·伯克尔和欧麦尔取得巨大成功的伊斯兰教扩张中的两大将军之一。号称“真主的宝剑”，629年参加穆罕默德对麦加的征服。后在阿拉伯半岛指挥过一系列的征战。穆罕默德死后，他收复许多脱离伊斯兰教的省，然后挥师东向，侵入伊拉克，越过沙漠帮助征服叙利亚。在叙利亚和巴勒斯坦，他统率军队与拜占廷军队作战，并在包围后占领了大马士革城（635-09-04）。在耶尔穆克河战役（636-08-20）中，他率较少军队击溃赫拉克利乌斯指挥的拜占廷大军，杀敌5万人，为伊斯兰教的其他征服战争扫清道路。

Khalīfah, Tall al-（Jordan）　**塔勒哈利发赫**　参阅 **Ezion-geber** 以旬迦别。

Khalīj-e Gavāter（Iran and Pakistan）　参阅 **Gwādar Bay** 加瓦特尔湾。

Khalīl, Al-（West Bank territory）　参阅 **Hebron** 希伯伦。

Khalīl, al-Ashraf Ṣalāḥ ad-Dīn　哈利勒（？～1293）　埃及马木路克王朝的苏丹，完成其父盖拉温发动的把法兰克人赶出叙利亚的战争。1291年春攻克阿卡（在今以色列），同年末收复十字军据守的其他要塞。他属下的埃米尔们惧怕他的野心，将他杀害。

Khalil, Patrona　参阅 **Halil, Patrona** 哈利勒。

Khalīl ibn Aḥmad, al-　哈利勒·伊本·艾哈迈德（约718，阿曼～776至791之间，伊拉克巴士拉）　阿拉伯语文学家，曾编纂第一部阿拉伯语词典并被推崇为阿拉伯诗体学规则的创立者。他移居巴士拉时，脱离伊斯兰教易巴德派（在其家乡广为流行），改宗逊尼派（最大的伊斯兰教派），他在巴士拉以教书为生，生活简朴虔诚，他的学生中包括有声望的西拜韦。其词典《阿因书》中部分可能出自其门生呼罗珊的莱斯·伊本·穆宰费尔手笔。该生一度曾担任过阿拔斯王朝巴尔马克家族诸大臣的秘书。该词典系按字母发音新顺序排列而以字母“阿因”为首，故名。另著有《诗体学之书》一书，已佚，但若干例句留传至今。

Khaljī DYNASTY　**卡尔吉王朝**（1290～1320）　印度德里穆斯林苏丹国第二个统治家族。久居阿富汗，但和先前的奴隶王朝一样，祖先为土耳其人。其三个国王以奸诈、残忍和对印度南方的渗入而著称。开创者查拉-乌德-丁。他即位时年事已高，而且极不得人心。其女婿朱纳汗率兵进入德干高原，攻占埃利奇布尔，掠取大量金银财宝。班师回朝后，杀岳父成王。朱纳汗统治20年，先后占领伦滕波尔（1301）、吉多尔（1303）、马尔瓦（1305）和印度教王国古吉拉特。1308年派马利克·那伊布南征，占领瓦朗加尔和马杜赖，推翻克里希纳河南岸的曷萨拉·巴拉拉王国。1311年返回德里。此后卡尔吉王朝日趋衰落。1320年最后一代国王顾特卜-乌德-丁·穆巴拉克·沙被首席大臣杀死。

Khalkha　喀尔喀人　蒙古民族中最大的一支，占蒙古人口的75%。他们的语言是喀尔喀语，蒙古国90%的居民以及别处许多蒙古人也懂喀尔喀语。传统上喀尔喀人是游牧民族，成吉思汗及其继承者统治时曾组成一个军事帝国。其后几个世纪，他们在不断扩张的俄罗斯帝国和满族人所建帝国之间受挤压。喀尔喀东部诸集团臣服于满族，成为中国的一部分，即今中国的内蒙古。20世纪20年代开始，西部集团越来越处于当时苏联的影响之下。喀尔喀人古代社会结构以亲属集团为主，组成氏族和部落，实行父系制。领袖由个人能力为决定条件。分为贵族和平民两个阶层。传统上大多数喀尔喀人逐水草而居，一年迁移四、五次。共产党政府试图对游牧民实行集体化，增加牲畜生产，但遭到很大阻力。此外，还曾设法使游牧民从事工农业。20世纪70年代末，25%以上喀尔喀人住在首都兼工业城市乌兰巴托。传统住所是蒙古包，到20世纪末蒙古包还是乌兰巴托普遍居住形式，该市人口增长超过了公寓住宅的兴建。食物几乎完全是肉、乳之类，马奶是最受欢迎的饮料。喀尔喀人从17世纪起信仰喇嘛教。20世纪初期，寺院拥有很大权力和财富，但是到60年代，多数寺院关闭或改作他用。土著宗教是萨满教。到90年代，对佛教的兴趣再次升温。

Khalkidhikí（Greece）　参阅 **Chalcidice** 哈尔基季基。

Khalkís（Greece）　参阅 **Chalcis** 哈尔基斯。

Khālsā　卡尔沙教团　印度锡克教中的主要教团。锡克教男女儿童达到青春年龄大都参加卡尔沙教团。参加教团的典礼由五名团员主持，他们一面用双锋短剑搅拌糖水，一面诵唱赞歌。入团者共用一杯轮流饮糖水，象征消除种姓差别。这个教团是1699年莫卧儿人残害锡克教徒时由祖师哥宾德·辛格在阿南德普尔创立的作战组织，成立几天之内就有8万多人参加。不久这个教团在教内取得领导地位。未参加此教团而继续不留须发的锡克教徒称为萨哈达里斯派即随便派，两派至今彼此有别。

Kham Um（Tai chief）　**金雍**　参阅 **Deo Van Tri** 刁文池。

Khama III　卡马三世（约1837，贝专纳兰穆舒［今博茨瓦纳］～1923-02-21，塞罗韦）　又拼Kgama。与英国殖民者勾结的南部非洲酋长。1860年改信基督教。1875年任恩瓜托人的大酋长。1885年宣布贝专纳兰为英帝国保护国。利用英国的支援，北拒罗本古拉恩德贝勒王国（在今津巴布韦）的侵犯，东防布尔人德兰士瓦共和国（在今南非共和国）的入侵。1893年援助英国击败罗本古拉。1895年前往英国，反对英国将贝专纳兰并入英国南非公司领地的计划，取得成功。

Khama, Sir Seretse　卡马（1921-07-01，贝专纳塞罗韦［今在博茨瓦纳］～1980-07-13，博茨瓦纳哈博罗内）　前贝专纳保护地脱离英国获得独立后博茨瓦纳的第一任总统（1966～1980）。卡马三世（好人）之孙，19世纪后期卡马三世的贝专纳王国与英国殖民者结盟。卡马4岁时继承其父巴曼瓦托族酋长之职。在南非接受教育后，在牛津大学学习法律。1948年与一位英国妇女结婚，在英国和贝专纳引起很大争议，成为英国政府强迫他离开贝专纳的理由之一，直至1956年他同意放弃酋长职位为止。在以平民身份回到贝专纳后，他于1962年创建民主党，1965年成为总理参与谈判关于博茨瓦纳独立的条件。1966年受封为爵士。作为博茨瓦纳总统，他促进实现其多种族民主的理想，在博茨瓦纳实行大学免费教育，争取振兴国家经济，并促使其多样化。他终生蝉联博茨瓦纳总统。

Khāmastāshar Māyo, Madīnat　哈马斯塔沙尔　埃及开罗省居住区城镇。位于工业城镇赫勒万以北3千米处。20世纪70年代末为疏散开罗市和尼罗河谷人口而建。80年代以赫勒万为中心修建循环水工程，利用再循环水灌溉该地周围沙漠地区的蔬菜作物。1981 年春开放居住。有公路、铁路通开罗和赫勒万。

Khambhāt(India) **肯帕德** 参阅**Cambay** 坎贝。

Khambu 参阅 **Rai** 拉伊人。

Khamenei, Ali **哈梅内伊**(1939-07-15?,伊朗麦什德～) 伊朗什叶派神职人员和政治人物,伊朗总统(1981～1989),1989 年后为国家最高领袖,被奉为阿亚图拉。在库姆神学院学习时受教于霍梅尼。自 1963 年起积极参与反君主政府活动,与流亡的霍梅尼保持密切联系,曾数次被捕。1979 年革命后,先后任革命委员会委员、国防部副部长和霍梅尼在最高国防委员会的私人代表。他坚持"法基赫的监护"的理念,在 1981 年恐怖分子针对伊斯兰共和党高层制造的一次爆炸中受伤。在另一次爆炸中,伊斯兰共和党总书记被杀,哈梅内伊继任总书记。1981 年当选总统,1985 年再次当选。1989 年霍梅尼死后,成为最高领袖。90 年代早期与总统拉夫桑贾尼合作良好,但与 1997 年当选的改革派总统穆罕默德·哈塔米关系紧张。

Khamīs Mushayṭ **海米斯穆谢特** 沙特阿拉伯西南部城市。位于艾卜哈东北 27 千米。地处土壤肥沃的多山内陆。传统上的商业中心。khamīs(周四)一词指的是穆谢特族在周四进行的集市。城南建立的陆军和空军基地,使该市迅速扩大。除日益增长的军事意义外,农业仍为经济的一个重要方面。当地主要作物有小麦、稻米、咖啡和散沫花。人口 217 870(1992)。

Khammam **坎曼** 印度南部安得拉邦中北部城市。位于瓦朗加尔东南,在中央铁路线上。为贸易和商业中心。周围地区出产稻米、高粱、玉米、豆类、煤、石榴石、铁矿和滑石。人口:城市127 992;都会区 149 077(1991)。

khamseh **五卷诗** 波斯语和突厥语族文学中一组 5 部对句韵诗长诗。"五卷诗"由内扎米(**Nezāmī**;1209 卒)写的称之为"五卷诗"的 5 部伟大史诗而得名。均由对句韵诗组成。具有广泛影响的第 1 部是说教诗《秘密宝库》;另外 3 部是爱情传说故事。第 5 部是《亚历山大故事》,记载了亚历山大大帝的冒险经历。其他一些有名望的诗人,包括德里的阿密尔·霍斯陆(活动时期约 1300)和察合台突厥的阿里·希尔·纳瓦伊(活动时期约 1485)在内,都以内扎米为榜样,也用波斯语和突厥语写作五卷诗。

khamsin **喀新风** 又拼 khamseen 或 chamsin。冬末春初出现在北非和阿拉伯半岛的一种干热多尘的南风或东南风。其持续时间可达三四天,温度常达 40 °C以上,随后就有很冷的空气流入。当低气压系统在撒哈拉或南地中海上向东移动时,就会发生喀新风。在低气压中心的前边,含有大量尘沙的干热空气向北移出沙漠,在中心的后边,则是冷空气从地中海移向南方。khamsin 一词来自阿拉伯语"50"的意思,表示每年这种风出现期大约为 50 天。

khan **商栈** 中东地区按商队客店形式设置在城市中的小旅店,在方形庭院四周设置联排的住房,常为二层并有拱廊。虽有时也附设马厩,但主要是供商人住宿。现代的汽车旅游旅馆可认为是从商栈发展而来的,商栈的设计在进出房间方便以及提供存放交通工具的位置上是成功的。

Khan, Abdul Ghaffar(Pashtun leader) 参阅 **Ghaffar Khan, Abdul** 伽法尔汗。

Khan, Ali Akbar **汗**(1922-04-14,印度孟加拉希布尔[今孟加拉]～2009-06-18,美国加利福尼亚) 作曲家,萨罗德琴演奏大师以及老师。他积极将印度传统音乐介绍给西方听众。其音乐植根于印度音乐的印度斯坦(北方)传统。受教于其父阿劳丁·汗,14 岁开始演出,不久即成为焦特布尔邦邦主的宫廷乐师。1955 年应小提琴家 Y. 梅纽因之邀赴纽约市演奏,此后常去西方演出,并与著名锡塔尔琴演奏家兼作曲家,即他姐夫拉维·申卡尔一起登台。作为作曲家他以其电影音乐和许多拉加闻名。曾在加尔各答(1956)及美国加利福尼亚州的马林县(1967)创办音乐学校。1919 年获麦克阿瑟基金会奖。

Khan, Fazlur R. **汗**(1929-04-03,印度达卡[今在孟加拉国]～1982-03-27,沙特阿拉伯吉达) 达卡出生的美国土木工程师,在高层建筑的结构方面有所创新。1950 年毕业于达卡大学。后在印度公路局任助理工程师,又在达卡大学任教。1952 年获奖学金,入美国伊利诺伊大学深造,获应用力学和结构工程硕士学位以及结构工程博士学位。回国后在卡拉奇开发局任主任工程师。后再度赴美。1955 年进入芝加哥著名的 SOM 建筑事务所,1967 年加入美国国籍。他设计了多座世界上最高的大楼。他在设计中采用由若干细钢柱组成粗簇柱,以节省钢材;而且内部不须使用抗风支柱(由周围的簇柱承受风力),并使内部空间的布置更为自由。晚期设计包括有风格迥异的沙特阿拉伯吉达国际机场大楼(1976～1981)和吉达阿卜杜勒·阿齐兹国王大学(1977～1978)。

汗设计的芝加哥西尔斯大厦(1973)
美国不列颠百科全书公司供图

Khan, Nusrat Fateh Ali **阿里汗**(1948-10-13,巴基斯坦莱亚尔普尔[今费萨拉巴德]～1997-08-16,英国伦敦) 巴基斯坦歌手,被认为是最伟大的卡瓦里乐歌手之一。卡瓦里乐是苏菲派穆斯林敬神的音乐,特点是旋律简单、节奏强劲,可随意即兴创作,使听众精神愉快。他的父亲和两个叔叔都是著名的卡瓦里乐歌手。他跟随父亲学习音乐,但直到 1964 年在父亲的葬礼上演唱后,才开始投身于卡瓦里音乐。两年后首次参加公演。20 世纪 70 年代初期已成为巴基斯坦家喻户晓的著名卡瓦里乐歌手。1985 年在英国的一次世界音乐会上演唱,声名远扬,此后经常在欧洲各地演出。1989 年到美国。90 年代为许多卖座的影片创作音乐。卡瓦里乐源于 12 世纪的波斯,歌词以中世纪的诗歌为基础,经常采用浪漫的爱情描绘来表达深厚的宗教信仰。传统的男性卡瓦里乐歌手将不同诗歌的词句重新组合,创造出新的表达方式。卡瓦里乐传统上在神殿表演,以热情的呼喊和舞蹈为特点。在精神上和美国的福音音乐类似。他演唱卡瓦里歌曲时常以手鼓、簧风琴与和声伴奏,声音嘹亮而高亢,以创作优美的歌曲和旺盛的精力闻名。

Khānaqīn **哈奈根** 伊拉克东北部城镇,离伊朗边界 8 千米,位于一条铁路的终点和一条干线公路上,有海关。在 1980 年伊拉克与伊朗战争爆发前,这条公路是伊朗穆斯林到伊拉克和阿拉伯各圣城朝圣的通道,后边境封锁。该镇处在阿勒万德河沿岸一片肥沃而精耕细作的种植区内,是当地农畜产品的交易中心。附近有油田,炼油厂在距哈奈根 5 千米的阿勒万德。但当地的石油生产和城镇经济在 20 世纪 80 年代被战争严重破坏。人口约30 848(最新统计)。

khandha(Buddhist philosophy) 参阅 **skandha** 蕴。

Khandwa **肯德瓦** 印度中央邦西南部城镇。地处自印度北部通往德干高原地区的重要公路线上。一般认为该镇即希腊地理学家托勒密所称的科戈纳班达,据传说四周曾有肯达瓦森林,正如印度古代梵文叙事诗《摩诃婆罗多》中所描述的。12 世纪为重要的耆那教礼拜中心。今为公路和铁路枢纽。经营棉花、木材、谷物贸易。有轧棉、榨油和木材加工业。1867年设市。有养蚕实验场和索加尔大学几所学院。人口约171 196(2001)。

Khangai Mountains(Mongolia) 参阅 **Hangayn Mountains** 杭爱山脉。

Khaniá 干尼亚 又拼 Canea。希腊干尼亚州首府。1841～1971期间为克里特岛首府。位于干尼亚湾东端,在干尼亚湾和苏扎湾之间的半岛上。1252年被威尼斯人占领,1645年落入土耳其人之手,1912年并入希腊王国。现为克里特岛的主要港口,输出以柑橘、橄榄油和葡萄酒为大宗。旅游业也非常重要。市内保存下的古迹有威尼斯时代的古城墙和一座军械库。人口:市约53 373;州约142 292(2001)。

Khaniá, Gulf of 干尼亚湾 希腊干尼亚州克里特岛西北岸海湾。是干尼亚州的一部分。为东西两侧的阿克罗蒂里和罗佐波斯半岛环抱。两半岛海角间宽约30千米,水深200米。阿克罗蒂里半岛上的干尼亚是海湾主要居民区。另有近海小岛圣塞奥佐罗斯。

khānqāh(Islām) 参阅 **zāwiyah** 扎维亚。

Khansā', al- 韩莎(?～630后) 突玛迪尔·宾特·阿姆尔·伊本·哈里斯·伊本·沙里德的别名。阿拉伯最伟大的诗人之一,以其挽歌闻名。在伊斯兰教出现之前,她的两个兄弟相继去世,引起她极大的悲痛。为兄弟和父亲写下的挽歌,使她成为当时最著名的诗人。其后不久,她和部族人一起入宗伊斯兰教,但仍坚持为死去的兄弟佩带异教的哀丧标志。据传,她的4个儿子在卡迪西亚战役(637)中阵亡后,哈里发欧麦尔为他们的英勇奋战遣书称誉,并拨付恤金。她的诗集(1895年由L.谢胡编集,1889年出版法文版)反映了伊斯兰教以前时期阿拉伯部族的异教宿命论,诗歌都比较短,对于人死不能复生,诗句充满了强烈和传统的绝望感。她的挽歌,虽谈不上新颖独创,但也很有影响,对后世挽歌作者来说尤其如此。

Khant and Mansi 汉特人和曼西人 汉特人又称奥斯加克(Ostyak)人,曼西人又称沃古尔(Vogul)人。西伯利亚西部的民族。主要居住在俄罗斯中部鄂毕河流域;因语言属乌拉尔语系乌戈尔语支,故皆称为鄂毕-乌戈尔人。20世纪末,人口约28 600。他们是公元头一千年的中期从南乌拉尔草原迁入该地区的民族的后裔。奥斯加克一词虽也用来指别的群体,但准确的用法仅指汉特人。汉特人和曼西人现在居住在乌拉尔山脉以东鄂毕河及其诸支流沿岸,从乌拉尔山脉和狭窄的山麓地带起直到渐向北冰洋倾斜的广阔低地。该地区的某些地方,无论高地或低地都布满长有苔藓、泥炭、莎草和矮松树的大片沼泽。气候恶劣:冬季持续6个月,有2米厚的积雪;夏季洪水泛滥,河水(鄂毕河、额尔齐斯河及其诸支流)形成一片汪洋。汉特人和曼西人在居住、经济、社会组织和传统诸方面都有共同之处。主要生活来源是狩猎(传统使用弓箭和矛,后来用枪)、设陷阱捕兽和使用渔网、鱼梁、拖拉大围网和下箔捕鱼;通常以放牧驯鹿为副业,这大概是在15世纪从邻近的涅涅茨人那里学来的。鄂毕-乌戈尔人传统上或过游牧生活,或过定居生活,视生计模式而定。他们在夏季猎场一般住帐篷,永久性的冬季房舍是木屋。运输工具为小船、雪橇、马橇或驯鹿橇。以前汉特人和曼西人分为许多部落,部落又由若干地方部族组成。任何部落的成员都必定属于两个胞族之一,并且应该与其所属胞族以外的人结婚。胞族由若干氏族组成;氏族各有其祖先或祖先英雄的名号、符号或标记以资识别氏族财产、内部组织、祖先崇拜对象和圣地。西伯利亚北部各民族中只有汉特人和曼西人有弦乐器:一种为五弦的齐特琴,另一种为弓拉的单弦或双弦乐器(琴弓象小型弓箭的弓,以马尾毛作弓弦)。两种乐器的琴弦均用麋筋制成。在苏维埃政府执政期间,汉特人和曼西人被定居于集体农庄。除发展土著经济外还引进了畜牧业、毛皮兽饲养业和农业等新的经济活动。

Khanty-Mansi 汉特-曼西 俄罗斯中部秋明州一自治区。1930年为汉特人(奥斯佳克人)和曼西人(沃古尔人)而建,但今居民多为俄罗斯人;1977年民族区成为自治区。面积52.31万平方千米。位于西西伯利亚平原。西北边境为乌拉尔峰线,最高峰纳罗达山海拔1 895米。多泥炭沼泽、草原沼泽或沼泽森林。20世纪60年代以后,由于鄂毕河沿岸(尤其是苏尔古特和下瓦尔托夫斯克)发现巨大的石油与天然气田,人口迅速增加,经济发展。首府汉特-曼西斯克。人口约1 326 200(1995)。

Khanty-Mansiysk 汉特-曼西斯克 又拼 Chanty-Mansijsk,1940年前称苏联奥斯佳克-沃古尔斯克。俄罗斯秋明州汉特-曼西自治区城市和行政中心,地处西西伯利亚平原,靠近鄂毕河与额尔齐斯河的汇流处。1950年由汉特-曼西斯克居民点(1931年建)与萨马罗沃村合并而成。木材加工和鱼类罐头加工为重要经济部门。设有师范学院和医学院。人口约34 300(1995)。

Khāqānī 哈加尼(约1106,塞尔柱帝国希尔凡[今阿塞拜疆]～约1190,伊朗大不里士) 全名阿夫扎勒·奥丁·巴代勒·伊卜拉欣·伊本·哈加尼·希尔凡尼。波斯诗人,擅长宫廷诗、讽刺诗和警句。父为木匠,信奉伊斯兰教,母为基督教聂斯脱利派信徒。幼家贫,得到学识渊博的叔父的教诲,青年时期,写出抒情诗《真理的追求者》,后进入希尔凡王曼努切尔宫廷。1156或1157年,因苦于个人间的争执和宫廷阴谋,去麦加朝觐,写下名作对句韵诗长诗《两个伊拉克人的礼物》,分5部分,描述旅途见闻。回国后被监禁,原因不详。不幸的遭遇使他写下《狱中谣曲》,该诗是这类文体中的佼佼者。1171年再去麦加朝觐,后又回希尔凡宫廷,找他的保护人曼努切尔之子阿赫萨坦。1175年他的儿子和爱妻死后,他又去朝觐,定居大不里士,为他的诗集增添不少诗歌。他的作品晦涩,一般读者不易懂,但在诗中写进许多基督教的比喻则是波斯诗人中少有的。

Khara-Khorin(Mongolia) 参阅 **Karakorum** 哈拉和林。

Kharagpur 克勒格布尔 印度东北部西孟加拉邦南中部城市。在卡赛河南岸。原先仅为米德纳布尔的铁路郊区,今已成为重要的铁路枢纽,有铁路工厂和精心设计的大片铁路住宅区。碾米、化工、制鞋和丝织品制造为重要行业。有一座穆斯林圣殿受到穆斯林和印度教徒的崇拜。1911年设市,有博物馆和印度理工学院。人口:市177 989;都会区264 842(1991)。

kharāj 哈拉吉 7、8世纪伊斯兰教要求新入宗的穆斯林缴纳的特别税。根据伊斯兰教律,只有正宗穆斯林或改宗的教徒有权拥有土地。新入宗的自耕农只纳什一税,原则上其土地不再纳税,但由于面临日益增多的财政问题,7、8世纪伍麦叶王朝的各代哈里发要求新入宗教徒除纳什一税外另纳哈拉吉。此举引起伊朗东北部呼罗珊一带人民的不满,747年发生阿布·穆斯里姆叛乱,加速伍麦叶王朝的覆灭。继起的阿拔斯王朝初掌权时废除哈拉吉。

Kharg Island 哈尔克岛 波斯语 Jazīreh-ye Khārk。波斯湾北部小岛,在布什尔港西北55千米处。属伊朗。15世纪荷兰人曾在岛上建立贸易站。但其影响短暂。1766年,该岛被海盗盘踞,此后岛上长期荒无人烟。进入20世纪后,随着伊朗矿业的繁荣,该岛是伊朗石油冶炼中心,地位日益重要。至20世纪60年代,成为输油管终端,装船方便。此后,超级油轮多愿在此装货。从该岛装运的还有化肥、液化天然气和其他石油产品。20世纪80年代伊拉克与伊朗战争期间,油管终端遭到破坏。

Kharga, el-(Egypt) 参阅 **Wāḥāt al-Khārijah, al-** 哈里杰绿洲。

Khargon 克尔冈 又拼 Khargone。印度中央邦西南部城镇。位于贡迪河东岸。为农产品与木材市场。有轧棉、碾米和榨油等行业。莫卧儿时期相当重要,现有一座古堡和几处王宫。设有图书馆和维克拉姆大学分校。人口约66 786(1991)。

Kharia 卡里亚人 山区民族,住在印度东北奥里萨邦和比哈尔邦的焦达纳格布尔地区,20世纪末约有人口88 000,是蒙达部落之一,说南亚语系蒙达语的一种方言。族源不明确,可能是蒙古人种,或南亚人种。卡里亚人有3个支系:山地卡里亚人、德尔基人和杜德人。全都采用父系制,部落政府由祭司、头人和村长组成。杜德人最多,也最先进;居住在桑克河及南科埃尔河沿岸地带。德尔基人集中居住在冈普尔附近。这两部分人都在村庄定居,结成村际联盟,宗教是崇拜太阳神。

山地卡里亚人居住在奥里萨邦辛利帕尔山脉的边远地区，聚居的群体不大，实行轮作制种植稻谷和黍稷，但一向面临缺地问题。山地卡里亚人也采集蚕茧、蜂蜜和蜂蜡供贸易之用。

Khārijah, Al- 哈里杰 埃及新河谷省省会，哈里杰绿洲主要城市。始建于埃及第二十五王朝（公元前约 750 ～前 656）。波斯、罗马帝国统治时期一度繁荣。现市郊仍有波斯、罗马时代遗址。其他遗址表明该城古代居民曾信奉基督教。后因沙漠部族袭击而衰落。今城位于哈里杰绿洲北部中心地带。居民多为讲阿拉伯语的柏柏尔人。20 世纪 70 年代政府鼓励尼罗河沿岸居民到此定居，人口有所增长。椰枣、小麦、稻米、橄榄、葡萄、柑橘、牛与家禽等在此集散。粮、肉自给。开采页岩、生产砖、瓦。许多居民在绿洲西面的阿布泰尔图尔磷矿中工作。运输磷矿铁路通尼罗河流域的纳杰哈马迪。由艾斯尤特至纳杰哈马迪的公路经此。城东有飞机场。人口约38 531（1986）。

Khārijite 哈瓦利吉派 阿拉伯语拉丁字母转写作 Khawārij。伊斯兰教中历史最悠久的派别。起源于就哈里发问题所发生的教义和政治纠纷。叙利亚总督穆阿威叶声称为第三代哈里发奥斯曼报仇，攻击继奥斯曼之位的阿里，于 657 年 7 月发动绥芬战役。阿里表示愿意接受公断人的仲裁，阿里部下一部分人对此举不满，在伊本·瓦海卜率领下撤到哈罗拉村，成为哈瓦利吉派。后来情况证明仲裁果然不利于阿里，于是有更多的人在奈赫赖万附近加入这一派。哈瓦利吉派主要来自伊拉克，以游牧为生，不承认阿里的哈里发资格，也反对穆阿威叶的权力要求，并抨击一切与他们观点不同的穆斯林。他们进行骚扰和恐怖活动。在 658 年的奈赫赖万战役中，伊本·瓦海卜及其大部分追随者被阿里消灭。但哈瓦利吉派仍不断举事，并暗杀了阿里。哈瓦利吉派不断骚扰各地穆斯林政府，并非出于怨仇，而是履行宗教信仰。他们认为，只要具备一定的条件，即信仰虔诚、行为端正，任何人甚至黑人奴隶都可被选为哈里发。一度流行于巴士拉地方的阿扎里加派是哈瓦利吉派中的极端派，他们与一切穆斯林派别断绝关系，誓杀一切罪人及其家属；较温和的易巴德叶支派今仍存在于北非、阿曼和桑给巴尔等地，约有信徒 50 万人。

Kharj, Al- 海尔季 沙特阿拉伯中东部绿洲。在首都利雅得东南。环绕着一系列深水池塘。附近发现大量古墓。20 世纪 30 年代末政府在此设试验农场，后发展成繁盛的农业绿洲。出产谷类、椰枣、蔬菜、水果。其他经济活动有饲养牲畜、家禽等。1981 年建立当时中东地区最大的肉类和乳品加工联合企业。使传统的乳制品工业大为扩展。20 世纪 80 年代发展城市建设，建成后可容纳 10 万人。有铁路通利雅得、波斯湾。

Khārk Island（Iran） 参阅 **Kharg Island** 哈尔克岛。

Kharkiv 哈尔科夫 俄语拉丁字母转写作 Kharkov，又拼 Char'kov。乌克兰东北部一州。面积31 400平方千米。顿涅茨河流域纵贯全境，还包括中俄罗斯高地南端。大部地区为草原带。西北部为栎树和其他落叶树木的森林草原带。土地十分肥沃，绝大部分已被开垦。（冲沟侵蚀严重，尤其是高地）。粮食生产以冬小麦和玉米为主，占农作物种植面积的 2/3，甜菜、向日葵、大麻和烟草是重要经济作物。饲养大量的牛、猪和家禽，乳制品业发达。但经济却蒙上了阴影，因为哈尔科夫市及其卫星城的人口已占全州人口的一半。其他城镇都比较小，主要经营农产品加工。舍别林卡和叶夫列莫夫卡有丰富的天然气，通过管道输往乌克兰和俄罗斯许多城市。人口约3 088 400（1996）。

Kharkov 哈尔科夫 又拼Char'kov。乌克兰东北部哈尔科夫州城市和行政中心。位于乌德河、洛潘河和哈尔科夫河汇流处。1656 年建为军事要塞以对抗俄罗斯南部边境地区；

哈尔科夫市体育文化公园内的雕塑
美国不列颠百科全书公司供图

有克里姆林宫古城墙遗迹。地处沃土地区中部，18 世纪迅速移民，很快发展为重要的贸易和手工业中心。1732 年为州首府。19 世纪末开发顿涅茨煤田，1869 年率先建成铁路通煤田，使该城枢纽地位提高。工业，尤其是机械制造业迅速发展。1917 年俄国革命后，建立了乌克兰苏维埃社会主义共和国，哈尔科夫曾为其首府，1934 年让位于基辅。第二次世界大战中，这一重要枢纽地区进行了激烈的争夺战，几经易手，遭到极为严重的破坏。今天，哈尔科夫仍然是交通中心，是乌克兰最大的铁路枢纽，为八条干线交会处，并拥有三个干线火车站；也是乌克兰和俄罗斯公路网枢纽，有公路通莫斯科、基辅、乌克兰西部地区、扎波罗热、克里米亚、顿河畔罗斯托夫和高加索。有大型机场。为乌克兰第二大城市，是由 20 个卫星城组成的大市区。哈尔科夫的工业结构以机械制造为主，繁多的机械产品包括内燃机车、机床、矿山机械、拖拉机和其他农业机械、自行车、发电机组、蒸汽涡轮机以及各种电器制品。轻工业生产食品和其他消费品。工业用能源和城市供热均取自天然气。乌克兰最主要的文化和教育中心之一，设有一所大学（1805 年创立）和多所高等院校，包括工业、医学、农业以及各种工程学院。此外还有许多科学研究机构、一座体育场、一个植物园、一个音乐厅、数座剧院（其中最古老的一个建于 1780）、一座天文馆和几个博物馆。1975 年地铁投入使用，人口约 1 555 000（1996）。

Kharoṣṭī 佉卢文字 约公元500年前通用于印度西北部的文字体系。现存最早的佉卢铭文溯至公元前 251 年，最晚的约自公元4 ～ 5 世纪。这种文字可能是公元前 5 世纪印度西北部在波斯人统治下时从阿拉米字母派生而来。不过阿拉米字母是一种闪米特字母，有 22 个辅音，而佉卢文字则是音节文字，用 252 个不同的符号表示辅音和元音的组合。佉卢文字为草体，从右到左书写，常用于商业和书法中，最终为当时的另一种印度文字，婆罗米文字所取代。

Khartoum 喀土穆 苏丹首都。在青、白尼罗河会合点南侧，与北喀土穆和恩图曼有桥相连，形成苏丹最大的集合城市。1821 年为埃及兵营，1885 年被马赫迪派包围并摧毁，1898 年为英埃共管的苏丹的首府，1956 年为独立的苏丹共和国首都。为主要贸易和交通中心，铁路通埃及、苏丹港和欧拜伊德，有青、白尼罗河的航运业和国际机场。主要建筑物有宫殿、议会厅、苏丹国家博物馆。设有喀土穆大学（前戈登纪念学院，1902）和开罗大学喀土穆分校（1955）。有天主教、英国圣公会、

喀土穆市的共和国宫
美国不列颠百科全书公司供图

希腊正教和马龙派教堂及清真寺。除商业外，生产纺织品、树胶和玻璃，也是印刷和食品加工中心。喀土穆与苏丹港之间油管于 1977 年建成。人口：市924 505（1993）；都会区约1 950 000（1990）。

Khartoum, Siege of 喀土穆之围（1884-03-13 ～ 1885-01-26） 马赫迪派对英国将军 C. G. 戈登所指挥的驻守苏丹首都喀土穆的埃及军队的围攻。马赫迪占领该城，杀死守军及戈登，招致公众对于英国索尔兹伯里政府不采取行动的做法的抗议。1884 年初马赫迪取得一系列胜利之后，埃及政府任命戈登为苏丹总督。2 月 18 日戈登到达苏丹首都喀土穆。此后英国政府拒绝戈登所有的求援请求。3 月 13 日马赫迪军开始围城。同年 8 月政府方同意派去援军但却一再拖延。1885 年

1月下旬，马赫迪军破城而入，全歼驻军，并击毙戈登。英国救援队在两天之后于1月28日到达，与守城的马赫迪军稍一交锋，就从尼罗河上撤走。但在不久之后，马赫迪也放弃了喀土穆，以恩图曼作为自己的首都。

Khartoum North 北喀土穆 苏丹中东部城市。濒尼罗河东岸，有桥通向姐妹城市喀土穆和恩图曼。全国主要工业中心，有造船厂、船用和铁路器械修造厂和锯木厂。为棉花、粮食、水果和牲畜贸易中心。另有制革、酿造、制砖、纺织和食品加工业。居民大多操阿拉伯语。人口879 105(1993)。

Khartsyzsk 哈尔齐斯克 又拼Charcyzsk。乌克兰东部顿涅茨克州城市。位于顿涅茨克市以东25千米处。在克里尼奇纳亚—伊洛瓦伊斯克铁路线上。1869年初建。1938年设市。工业以冶金为主(生产金属丝、钢丝绳、钢管和管道以及铸件)。还有机器和电枢制造业以及农产品加工联合企业。设有冶金技校。人口约70 000(1994)。

Khāsā (people) **卡萨人** 参阅**Pahāṛī** 帕哈里人。

Khasavyurt 哈萨维尤尔特 又拼Chasavjurt。俄罗斯西南部达吉斯坦共和国的哈萨维尤尔特区城市和首府。临亚雷克苏河。地处植棉区。有轧棉业和水果、蔬菜罐头业。有农学院和师范学院。人口约84 300(1995)。

Khasekhemwy 哈塞赫穆伊(活动时期公元前27世纪) 又拼Khesekhem。埃及第二王朝(约公元前2775～约前2650)最后一代国王，结束了第二王朝中期的内部斗争，重新统一国家。他可能是从上埃及的一个基地开始扩展势力，直至控制整个王国。他的纪念物上记载有对"北方人"进行战争的资料，显然是指他统一上下埃及的行动。其他的铭文又记载，他曾袭击尼罗河第一瀑布以南的努比亚。在黎巴嫩也发现过他的名字，这表明他可能与叙利亚人有贸易往来。他是第三王朝国王左塞的祖先。

Khāsi 卡西人 印度梅加拉亚邦卡西和贾因蒂亚丘陵的民族，卡西人有独特的文化。财产继承和部落头目的继位都沿母系，由母亲传给最小的女儿。然而办事机构和财产管理都由这些妇女认可的男子掌握，而不由妇女本人掌握。由于很多卡西人改奉基督教，传统宗教与新宗教要求不同和人们有权对自己财产作出遗嘱，这一制度已有所变更。卡西人操南亚语系孟-高棉语，分为若干氏族。水稻提供主要的口粮，种植在谷地和山坡梯田里。很多农民仍然采用刀耕火种方法。根据20世纪50年代在这一地区建立的行政管理制度，卡西人选出的议事会在地区专员指导下享有一定程度的政治自主权。在邦议会和国会里也保留有卡西人代表的席位。

Khāsi Hills 卡西丘陵 印度东北部梅加拉亚邦中部自然地理区。大部为丘陵，也包括西隆高原。有布拉马普特拉和苏尔马河支流流经。南部的乞拉明齐区是世界降水量最多的地区之一。西隆丘陵景色优美，常被誉为"东方的苏格兰"。西隆(梅加拉亚邦首府)以外地区居民多从事农业，种植水稻(最重要农作物)。其他地区则实行轮垦烧荒，耕种一二年即迁徙他处。为终止这种农业生产方式，政府鼓励定居和固定式农业。卡西族实行母系社会制度，但已受到外来宗教和近代法律的影响。许多丘陵区居民信奉基督教。卡西语为孟-高棉语族仅存方言之一。

Khāsi language 卡西语 又拼Khasia、Khassee、Cossyah或Kyi。属孟-高棉语族。操卡西语者超过20万人，居住在印度阿萨姆邦中部的卡西和贾因提山区的中南部。卡西语有许多借词，特别是借自孟加拉语和印地语的词。卡西语为澳斯特罗亚细亚语系孟-高棉语族中两种未归类的语言之一(另一种是高棉语)。

Khasis (Semitic god) **卡西斯** 参阅**Kothar** 科塔尔。

Khaskovo 哈斯科沃 又拼Haskovo。保加利亚南部城镇。在罗多彼山脉东北部山麓。约1385年建立。位于索非亚—伊斯坦布尔公路和贝尔格莱德—索非亚—伊斯坦布尔铁路干线上。居民中有许多马其顿和爱琴海-色雷斯来的逃亡者。工业有丝、棉织品、烟草加工、蔬菜包装、金属器皿等。镇西数英里为温泉的疗养胜地。周围为肥沃的农业区，栽培葡萄、种植烟草和棉花以及养蚕为主。有美术馆、剧院、博物馆。人口约79 404(1997)。

Khatami, Muhammad 哈塔米(1943-09-29，伊朗阿尔达克～) 伊朗政治领导人，1997～2005年为伊朗总统。生于一个著名的宗教教师家庭，曾在圣城库姆一个传统的穆斯林学校学习，后在该校教书。1961年库姆神学院毕业后，进入伊斯法罕大学修习哲学并参加政治活动。伊朗革命期间在德国汉堡领导一个伊斯兰教机构(1979)，1980年回到伊朗参选国会议员。两伊战争期间出任政府公职，任当时的总统H.拉夫桑贾尼的文化顾问，并任国家图书馆馆长(1992～1997)。1997年以69%的得票率当选总统，他支持与美国增加接触，但国内的反对力量阻碍了两国之间的修好。2001年连任，由于该国宪法禁止总统再次连任，2005年离职。

Khatâ'na (Egypt) **海塔纳** 参阅**Per Ramessu** 培尔拉美苏。

Khaṭīb Shalabī 参阅**Kâtip Çelebi** 卡蒂布·切莱比。

Khatibi, Abdelkebir 哈提比(1938，摩洛哥杰迪代～2009-03-16，拉巴特) 摩洛哥文学批评家、小说家，60年代愤怒青年一代。作品率先向马格里布新独立国家的社会政治规范方面的许多准则提出挑战。在摩洛哥上完中学后，去巴黎大学攻读社会学，1968年发表博士论文《马格里布小说》。他提出一个有事业心的作家如何使本人不致变成宣传员的问题，尤其是在革命后的社会里。他的第一部小说《刺有花纹的回忆》(1971)以半自传体方式写文化渗入与非殖民化这一典型的马格里布主题。他的社会学论著广泛，包括《摩洛哥社会学总论》(1968)、《摩洛哥社会研究》(1971)等。他认为使用"抒情的恐怖"可以超越西方文化中的矛盾。他和马格里布其他青年作家一起，用摧残和改造法语的手段，也就是用他所谓的"野蛮文学"，从内部来攻击法国文化的核心。这些理论手法都反映在剧本《艺术家之死》(1964)、《戴面纱的预言家》(1979)和小说《血书》(1979)中。《一千零三夜》出版于1980年，小说《两种语言的爱》(1983)描写了一个北非男子和一个法国女人之间的爱情，其中大量运用了象征手法。

Khatr-Eddine, Mohammed 哈特尔-埃迪纳(1941，摩洛哥泰夫劳特～) 摩洛哥法语诗人、小说家。他对语言的运用使他在独立后追求新的鲜明的摩洛哥诗风的本国作家中居于领导地位。其作品深受阿尔及利亚人K.亚辛在文体上的试验的影响，以及本国前辈作家什拉伊比的愤激的语调的影响。其写作风格常被称为一种"语言的游击战"，特点是使用新造的和转借自阿拉伯文的词，破除常规句法，采用强烈的对抗性意象，以及故意混淆不同的文学体裁(往往将诗、报告文学、戏剧和个人自白合为一体)。哈特尔-埃迪纳在卡萨布兰卡完成中学学业后，在阿加迪尔帮助政府进行地震后恢复秩序的工作。这段经历导致他创作小说《阿加迪尔》(1967)。其他作品有小说《我是个坏脾气的家伙》(1970)、《掘墓人》(1973)、诗集《这个摩洛哥》(1975)等。

Khattic language 参阅**Hattic language** 哈梯语。

Khattusas 哈图萨 又拼Hattusa、Hattusas或Hattusha。在今博阿兹柯伊(**Boğazköy**)所在的古赫梯城市。

Khawārij (Islāmic sect) 参阅**Khārijite** 哈瓦利吉派。

Khawr Fakkān 豪尔法坎 又拼Khor Fakkan或Fakkān。阿拉伯联合酋长国沙迦酋长国的飞地和港口城镇。位于阿曼岬东岸，临阿曼湾。将富查伊拉酋长国隔成两部分。因濒临天然海湾，在中世纪即为重要港口。现为阿拉伯联合酋长国中少数天然港之一，也是沙迦酋长国第一良港。由于位置孤立和政治原因，对此著名的集装箱港口只进行了少量改建投资。阿拉伯联合酋长国独立时(1971)，豪尔法坎已为沙迦酋长国最繁忙港口，专事黄金和奢侈品的走私。建有水泥厂和管材厂。为弥补收入不足，1964年起大量发行印有"豪尔法坎"字样的邮票，专售集邮者。人口22 594(1995)。

khayāl (dance) 参阅**khyāl** 喀亚尔。

Khaybar Pass(Pakistan) 参阅 **Khyber Pass** 开伯尔山口。

Khayin(Semitic god) **卡因** 参阅 **Kothar** 科塔尔。

Khazʿal Khan **哈扎尔汗**(1861,伊朗加贾穆罕默拉～1936-05-25,德黑兰) 穆罕默拉城(今霍拉姆沙赫尔)的阿拉伯谢赫,曾企图在盛产石油的伊朗胡齐斯坦地区建立独立国家。1897年其兄被杀后成为穆罕默拉城的统治者和胡齐斯坦阿拉伯诸部族的最高首领。他的谢赫领地虽然名义上归属德黑兰的中央政府,但因文化和种族的差异,实际上享有完全的自治权,只不过每年向中央政府纳贡而已。1898年起他向英国政府表示,愿以维持该地区的公共安全换取英国支持他实行自治,一旦中央政府解体,使他能得到独立的地位。1908年一家英国公司在胡齐斯坦发现石油,加强了他与英国的关系。1910年英国封他为爵士。第一次世界大战爆发后,他积极支持英国政府。1919年他的权力达到顶峰。1921年英国在伊朗建立保护国失败后,哈扎尔汗地位削弱。他反对礼萨·汗,抵抗中央政府。1924年他的军队被击溃,次年被押往德黑兰,后在软禁中死去。

Khazar **哈扎尔人** 6世纪下半叶建立商业大帝国的突厥语部族联盟的成员。地域在今俄罗斯欧洲部分的东南部。哈扎尔人起初可能居住在北高加索一带,是西突厥帝国的

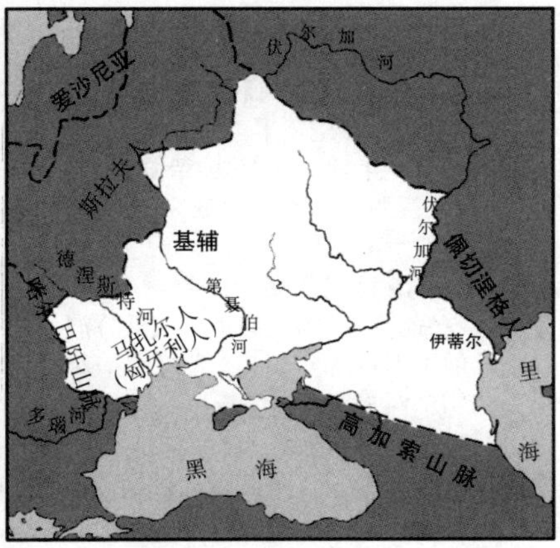

9世纪的哈扎尔帝国

W.谢泼德绘制,选自纽约哈珀和罗出版公司(巴恩斯和诺布尔图书公司)《历史地图集》第9版;修订版版权(1964)为巴恩斯和诺布尔公司所有

一部分。6世纪中期同波斯人有过接触,7世纪时曾帮助拜占廷皇帝同波斯人打仗。7世纪中叶至8世纪中叶同阿拉伯帝国进行过一系列的战争。661年被阿拉伯人赶出杰尔宾特。685年哈扎尔人反攻,向南渗入今格鲁吉亚、亚美尼亚和阿塞拜疆等地。8世纪20年代,他们与阿拉伯人在亚美尼亚交战,互有胜负。后来阿拉伯人反攻把哈扎尔人逐出北高加索。哈扎尔人的最初胜利是重要的,它阻止了阿拉伯人向北扩张进入东欧地区。737年以后哈扎尔人在伊蒂尔(伏尔加河口附近)建都,以高加索山脉作为南部边界。同一时期向西扩张。8世纪下半叶达到顶峰,国土西起第聂伯河,东至伏尔加河下游和里海。阿兰人和其他北高加索人、顿涅茨河地区的马扎尔人、克里米亚的希腊人殖民地以及伏尔加河流域的保加利亚人和许多斯拉夫部族都承认哈扎尔人的宗主权并向之纳贡。哈扎尔人国家与欧亚中部的其他突厥人帝国很少相似之处。它由与世隔离的半宗教性的最高统治者汗为元首(很少实权),通过部落头人进行统治。哈扎尔人倾向过定居的生活,他们建造城镇、要塞,耕种土地,开辟苹果园和葡萄园。贸易和贡赋是主要的收入来源。约740年汗和大多数统治者信奉了犹太教,同时允许宗教信仰自由,因此哈扎尔帝国内异教徒继续繁荣。此外,它和拜占廷皇帝们保持紧密的关系。10世纪,由于佩切涅格人势力在北方和西方的兴起,以及基辅一带俄罗斯人的壮大,哈扎尔人开始衰落。

Kheda **凯达** 又称盖拉。印度中西部古吉拉特邦中东部城市。位于萨巴尔马蒂河与默希河之间低地上。5世纪即有此城,1803年沦于英国。为农产品贸易中心,有一些轻工业。位于公路和西部铁路线上,距艾哈迈达巴德32千米。该城所在地区大部分为平原,略向西南倾斜,有萨巴尔马蒂河与默希河流经。主要作物有谷物、豆类和棉花。工业有印刷、染色、玻璃以及棉纺织等。以合作化牛奶生产中心著称。公路、铁路网相当发达。人口约21 798(1991)。

khedive **哈蒂夫** 1867年奥斯曼苏丹阿卜杜勒·阿齐兹授予埃及世袭帕夏伊斯梅尔的头衔,伊斯梅尔的继承者陶菲克和阿拔斯·希勒米二世沿用这一称号。1914年埃及成为英国保护国时,改称苏丹。

Khem-Beldyr(Russia) **赫姆别尔德尔** 参阅 **Kyzyl** 克孜勒。

Khemisset **海米萨特** 摩洛哥中北部城镇。海米萨特位于拉巴特和梅克内斯两个帝国城市之间,摩洛哥高地边缘。为当地曾穆尔柏柏尔人的贸易中心。北部为沙土高原,生长栓皮栎树和桉树林;城镇周围地区种植小麦、柑橘等,还饲养绵羊。曾穆尔柏柏尔人编织席子和毛毯,善于制作木雕品。人口58 925(1982)。

Khenifra **海尼夫拉** 摩洛哥中部城镇。跨乌姆赖比阿河,海拔1 000米。19世纪末,当地柏柏人首领建海尼夫拉镇。1914年法军占领该镇,但直至1921年当地首领被杀害后,法国人才控制这一地区。周围居民为扎扬柏柏尔人,以马术闻名。人口38 840(1982)。

Khensu(Egyptian god) 参阅 **Khons** 柯恩斯。

Kheperkheprure Ay(Egyptian king) 参阅 **Ay** 阿伊。

Kheraskov, Mikhail Matveyevich **赫拉斯科夫**(1733-11-05[旧历10-25],俄罗斯帝国乌克兰波尔塔瓦省佩列亚斯拉夫～1807-10-09[09-27],莫斯科) 俄国叙事诗人、剧作家和俄国古典主义有影响的代表人物,被认为是俄国的荷马。定居俄国的瓦拉几亚贵族的儿子。1763年任莫斯科大学校长。他决定为俄国写作一部民族史诗。《俄罗斯颂》(1771～1779)是以伊凡雷帝夺取喀山(1552)为依据;《弗拉基米尔的再生》(1785)讲述圣弗拉基米尔将基督教引入俄国的事。赫拉斯科夫写了20个剧本,包括悲剧和喜剧,体现了戏剧艺术的古典主义原则。他还编辑文学杂志。他的说教诗《科学的成果》(1761)驳斥卢梭对科学进步的攻击。他的作品在18世纪很受崇敬,但在19世纪被否定,现只有专家阅读他的作品。

Kherson **赫尔松** 又拼Cherson。乌克兰南部一州。面积28 500平方千米,包括下第聂伯河到黑海、锡瓦什湖和亚速海沿岸一带。以其首府名为名。全区地势平坦,除第聂伯河水外几乎没有地表水。该区处在草原带,但在南部广大的新阿斯卡尼亚自然保护区尚留有原始草原。气候干燥,州内土地多已开垦,但农业受到干旱的严重危害。卡霍夫卡水电站拦河坝的修建,在北部第聂伯河上形成了一个大水库,有一灌溉系统将水从这里输向其他地方。该州是乌克兰人口密度最低的州。人口约1 270 000(1993)。

Kherson **赫尔松** 乌克兰南部赫尔松州城市和行政中心。位于第聂伯河下游右(西)岸,距入海口约25千米。1778年由军事首领、政治家格里戈里·波将金初建为要塞,以保护所获得的俄罗斯黑海前沿地区,并成为俄国在黑海的第一个海军基地和造船中心。现仍为重要造船中心,有机械工业、炼油和纺织工业。设有师范学院、农业学院和农业灌溉研究所。人口约371 000(1993)。

Khesekhem(Egyptian king) 参阅 **Khasekhemwy** 哈塞赫穆伊。

Khibinogorsk(Russia) **希比诺戈尔斯克** 参阅 **Kirovsk** 基洛夫斯克。

Khiḍr(Ottoman admiral) **黑德尔** 参阅 **Barbarossa** 巴尔巴罗萨(红胡子)。

Khiḍr, al- **黑德尔** 阿拉伯语"绿色人"(al-Khaḍir)的缩约形式。又译赫迪尔。伊斯兰教传说中的人物。他长生不死,是声誉甚高的圣者,特别受海员和苏非派崇敬。有关黑德尔的神话和故事甚多,源出于《古兰经》(第18章第60～82节)所述穆萨(摩西)和仆人经历艰苦前往"两海相交处"之事。两人途中失去所带之鱼,安拉的一位仆人出现,表示愿意帮助他们寻找鱼,但此人一路却做出似乎甚为悖谬的事——凿沉一条船,杀死一个青年,又为不友好的城市修补一堵墙。穆萨问那人为什么做这些事,那人给予了令人满意的答复。但是穆萨却因为提问丧失那人的卫护。阿拉伯注释家们对这段故事加以发挥润色,称真主的这位仆人为黑德尔,谓他投进生命之泉后通身变绿,另说黑德尔就是植物的象征。

Khimki 希姆基 又拼Chimki。俄罗斯西部莫斯科州一个区的首府。位于莫斯科西北面,在莫斯科—圣彼得堡铁路线上。1939年设建制,从一个小小的夏季避暑别墅区成为重要的工业中心。现有机械、砖瓦和玻璃工业。人口约135 000(1993)。

Khíos(Greece) 参阅 **Chios 希俄斯**。

khirqah 赫克 伊斯兰教神秘主义苏非派导师赠与新道徒以嘉许其忠实虔诚的毛料长袍。根据大多数史料可知,赫克是经过补缀的毛布,至于颜色和形状则众说纷纭。一说是蓝袍,因为蓝色表示哀悼,取戒绝世俗享乐之意;另说为白色以象征纯洁。着赫克是表示安于贫穷,誓绝俗世,以投身于真主之爱。新道徒必须在导师(谢赫)监视下殷勤工作3年,然后为他举行典礼,授予赫克,象征他走上真理之路。

Khitan 契丹 中国古代民族。源出于商代的东胡。4～5世纪时游牧于今辽河上游,以名马与北魏互市。其地东接高丽,西邻奚,南至营州,北连靺鞨、室韦。以游牧、狩猎、捕鱼为业。唐初形成部落联盟,隶属突厥。628年归附于唐,置松漠都督府(今辽宁巴林右旗南)和10个州,以契丹首领为都督。唐末迭剌部首领耶律阿保机统一契丹和邻近各部,于916年建立辽朝(916～1125)。据有燕云十六州,势力达到今河北、山西北部,后以南北地区经济文化水平各异,分"北面官"和"南面官"两系统统治,亦即"胡汉分治"。契丹原以畜牧为主,后受汉族影响逐渐定居,发展农业、手工业。10世纪中叶辽海地区已"编户数十万,耕垦千余里"。具有契丹民族特点的文化表现在绘画、建筑等方面。辽道宗清宁二年(1056)所建山西应县木塔五层六檐八角形,高达67米。从契丹贵族墓葬中出土的鸡冠壶仿皮袋容器,为辽代特有陶瓷器。契丹文有大、小字形两种,用汉字偏旁拼合、简笔或增笔而成。信萨满教,敬天神。后期佛教大盛,刻印佛经甚多。1125年,辽为金所灭。辽亡前夕宗室耶律大石率部分契丹人西迁,自立为王,建都虎思斡耳朵(今吉尔吉斯斯坦托克马克以东),史称西辽。1211年为乃蛮王屈出律夺取,仍袭西辽国号。1218年为成吉思汗所灭。

khitān 割礼 又译海特乃。伊斯兰教用语,指对男子施行的割礼。广义也包括对女子所行的割礼(严格地说是阴蒂切开术)。据圣训载,割礼起源于伊斯兰教兴起之前的阿拉伯人习俗,与剪髭须、剪指甲、用牙签剔牙等事归为一类。然而,对于割礼的重要性,伊斯兰教法学派的意见并不一致。沙斐仪学派规定割礼是男女应尽的职责,而马立克学派虽承认割礼是值得称道和应予倡导的,但认为并非必须施行。关于施行割礼的年龄也没有一致的意见,有的建议在出生后的第7天施行,有的禁止在10岁之前施行,有的只是要求在成年之前施行即可。宗教信徒对割礼重要性的认识远远超过法学家。在各穆斯林国家里,割礼施行的具体情况互不相同,但在所有地区,割礼都是一个主要的和值得庆贺的仪式。

Khiuma(Estonia) 参阅 **Hiiumaa 希乌马岛**。

Khiva 希瓦 又拼Chiva。乌兹别克斯坦花剌子模州城市。位于阿姆河以西,临帕尔万运河。南为卡拉库姆沙漠,东北是克孜勒库姆沙漠。据考古资料,6～8世纪时即已建立,

希瓦市的集市
美国不列颠百科全书公司供图

10世纪由两位阿拉伯旅行家首次记载。16世纪中叶为希瓦汗国首府。1920年在苏联红军援助下推翻汗国,成立花剌子模苏维埃人民共和国,定为首府。1924年并入乌兹别克斯坦后政治上不再占有重要位置。现主要工业为轧棉,仍有织毯、刺绣、木刻、石刻等传统古老生产工艺。古老有城墙的内城伊昌-卡拉,有各式各样的宫殿、清真寺、神学院、尖塔和陵墓。人口约41 300(1991)。

Khlebnikov, Velimir Vladimirovich 赫列勃尼科夫(1885-10-28[新历11-09],俄罗斯通杜托夫～1922-06-28,苏联诺夫哥罗德州桑塔洛沃) 俄国诗人、俄国未来主义流派创始人。他的奥秘诗歌在他去世后对苏联诗歌仍产生过重要影响。出身科学世家,在大学时期攻读数学和语言学。此时已有改革诗歌语言的想法。1912年前后,遇到诗人马雅可夫斯基,两人成为未来派文学运动(反对神秘主义和目光短浅的象征主义,并将艺术看作一种社会功利)的核心人物。与其他未来主义者不同,他保有一种关于事物和词汇的,而不是思想和象征的神秘主义。通过他的语言实验,他在自己的诗歌中创造出"词汇的新天地",这使他的诗歌鲜明、生动,但难以普遍为读者接受。他是一个有诗才的诗人,他影响别的诗人,使他们在其更易为人接受的诗歌中扩展了他的实验。他又是一个斯拉夫文化优越论者,热爱俄国和俄国语言。他的声誉在革命后开始衰落,最后死在诺夫哥罗德省一个偏僻的村子里。第二次世界大战后,他被攻击为"形式主义者"和"颓废派",他的名字完全被人遗忘。斯大林去世后,他的名誉恢复得较晚。直到20世纪80年代初还没有出版他的著作全集的新版本。

Khlesl, Melchior 参阅 **Klesl, Melchior 克勒斯尔**。

Khmelnitsky, Bohdan 赫梅利尼茨基(约1595,乌克兰奇吉林～1657-08-06[新历-08-16],奇吉林) 又拼Bogdan Chmielnicki。扎波罗热哥萨克人首领(1648～1657),曾组织反对波兰统治的叛乱,结果使第聂伯河以东的乌克兰由波兰转归俄罗斯统治。在波兰受教育。曾参加波兰军队对土耳其人作战。后成为捷赫林的哥萨克首领。因与当地波兰总督发生冲突,1647年流亡到扎波罗热哥萨克人的堡垒。1648年4月在克里米亚鞑靼人的支持下进攻波兰,10月占领勒武夫(今利沃夫)。次年与新即位的波兰国王卡齐米日议和,订立《兹博罗夫和约》。和约规定:他可以在乌克兰建立一个实质上独立的哥萨克公国。1654年他率领所部哥萨克人向俄皇宣誓效忠。参阅 **Pereyaslav Agreement**。

Khmelnytskyy 赫梅利尼茨基 俄语拉丁字母转写作Khmelnitsky。1954年前称卡缅涅茨-波多利斯基(Kamenets-Podolsky)。乌克兰一州。面积20 600平方千米。从沃伦-波多利斯克高地向南,地势逐渐下降,直到德涅斯特河。森林草原植被几乎全被垦伐,土壤侵蚀严重,纵横交错的冲沟遍布各地。经济以农业为主,大约1/2的人口住在农村。该州是乌克兰主要甜菜产区之一,粮食主要有冬小麦和玉米。向日葵、蔬菜和烟草也占重要位置。乳制品工业、养猪业和果树种植很发达,尤其是德涅斯特河流域。除首府赫梅利尼茨基外,其他城镇都比较小,主要从事农产品加工业,特别是制糖业。人口约1 525 500(1994)。

Khmelnytskyy 赫梅利尼茨基 又拼Chmel'nickij。俄语拉丁字母转写作Khmelnitsky;1954年前称普罗斯库罗夫(Proskurov)。乌克兰西部赫梅利尼茨基州城市和行政中心。位于南布格河上游。原为波兰军事要塞,建于15世纪末期。17世纪中期,被哥萨克人占领。1793年根据第二次瓜分波兰条约划归俄国。1795年设市,现为敖德萨—利沃夫和切尔诺夫策—科罗斯坚铁路线的交叉点。拥有轻型机械制造、食品加工和消费品工业。设有一所工业学院、一个剧院和一个音乐厅。人口约256 000(1994)。

Khmer 高棉人 又称柬埔寨人,是柬埔寨人口中人数最多的一个种族语言集团。少数高棉人也生活在泰国的东南部地区和越南南方湄公河三角洲一带。高棉语属于澳斯特罗-亚细亚语系的孟-高棉语族。高棉人有悠久的历史,其中建于公元12世纪的吴哥窟寺庙群就是一处光耀千秋的真实纪录。高棉人主要以农为业,食有鱼米,聚为村落,每村约有数百人。其他经济活动有纺织、制陶、金工等。住房都是用木或水泥建成,有人字形屋顶。家家户户多以核心家庭为主,有其他近亲同住的情形则属偶见。高棉人信奉小乘佛教,其中又分为达摩育特派和摩柯尼加派两支。这两个宗派共同与先佛教时期的万物有灵论信仰并存,也和巫术驱邪的习俗互相融和。从历史上看,高棉艺术、文学以及群众的科学概念曾深受印度文化的影响,正如其语

言中表达这些领域的词汇多源于印度的一样。

Khmer language 高棉语 又称柬埔寨语，是一种孟-高棉语支语言，在柬埔寨作为官方语言，绝大多数人使用它；在泰国东北及东南部，操此语者约130万人；在越南南部使用人数也超过百万。文献记载始于7世纪，采用源于南印度的文字。古代高棉帝国首都吴哥所用语言为古高棉语，现代高棉语直接源于古高棉语。在柬埔寨、越南南部及泰国部分地区曾发现大量7～15世纪碑铭，说明古高棉语通行范围之广。古高棉语对该地区影响甚大，可由泰语、老挝语、占语等的高棉语借词证实，而高棉语也有大量借词，尤以梵语、巴利语有关哲学、行政及技术方面的借词为多。

Khmer literature 高棉文学 东南亚主要是柬埔寨高棉各族人民的大量文学作品。

古典文学 柬埔寨古典文学由16世纪到19世纪中叶记录下来的用诗歌写成的作品组成。许多反映出印度的文化影响。可分成三大类：史诗类、诗歌体小说类和行为准则类。最著名的史诗是《罗摩的荣誉》，它是印度伟大史诗之一《罗摩传》的柬埔寨语（即高棉语）的翻版。现存的文本可上溯到16或17世纪。在柬埔寨，罗摩的故事不仅存在于文学领域，还扩展到了所有艺术领域：从雕塑到舞蹈、戏剧，从绘画到旅游、艺术，无所不包。另一部史诗《吴哥窟传》写于17世纪初，颂扬位于吴哥的宏伟寺庙建筑群。诗歌体小说从18世纪初期开始涌现。一般篇幅较长，最长的可达8 000个诗节。大部分是基于佛教本生经的故事，叙述佛陀前生功德之事，广泛见于东南亚文学中。最著名的一部诗歌体小说是《塔姆蒂耶芙》，是一部爱情悲剧，据信是以发生在17世纪的真实事件为基础的。故事口头世代相传，最终在19世纪由诗人桑瑟·莫克记录下来。这个家喻户晓的故事已被编为学校教材。

行为准则是指教诲诗，由僧人写成，用于进行道德教育。现存最早的教诲诗可上溯到17世纪。一般较短，最短的只有29个诗节。教诲诗为各种各样日常活动提供使用的准则，从家政学指导、教育到性别角色和管理，包罗万象。在传统的柬埔寨社会，僧人将教诲诗作为教科书供儿童阅读、抄写和背诵。

法国的影响 安东国王在位期间（1841～1860）文学很繁荣。国王本人就是著名诗人。他把作家召集到宫廷创作作品，修订古老的手抄本，并将佛陀经文由巴利语译成高棉语。1863年柬埔寨沦为法国的保护国后，王家宫廷仍为文学创作中心。法国学者开始对柬埔寨文化产生兴趣。1930年他们参与建立佛经学院，作为保存和发展柬埔寨民族文化的中心。佛经学院迅即成为国家主要的出版机构，将此前只见于棕榈叶上的手抄本印成书，供广大读者阅读。法国文化的影响、教育的发展以及印刷媒体的成长，都为20世纪30年代后期柬埔寨诗歌体小说的出现提供了便利条件。此外还要加上另一个因素——民族主义的动力：几位早期的小说家都急于向街头书摊被中文和越南文小说所充斥的现象发起挑战。

黎金的小说《苏》写于1938年，1941年在越南出版，但直到1942年1月才在柬埔寨国内出现。它被普遍认为是柬埔寨“第一部”长篇小说。书中讲述一个穷小子和一个富家小姐的爱情故事。主人公苏遇到了一系列障碍、误解和难以置信的巧合事件。直到后来他才得知自己并不是穷苦的孤儿，而是贵族出身。在小说结尾苏与他深爱的姑娘（他父亲的养女）成为幸福的夫妻。金哈克的《洞里萨湖水》（1939）也被称为“柬埔寨第一部现代小说”，但其流行程度和得到的赞誉都不及《苏》。同时期还有两部经典小说像《苏》一样被改编成电影并被收入教材：诺克蒂姆的《拜林的玫瑰》和努哈克的《凋谢的花朵》。到1953年柬埔寨作为法国保护国的地位结束时，已有48部长篇小说出版。1954～1969年间共出版了500多部长篇小说。包办婚姻和恋爱受阻挠等主题仍很流行。哈紫霍克的畅销小说《致命的烟》讲述了富有的女主人公欣然遵从了父母的选择，抛弃了曾救过她命的穷学生；小伙子因此病倒，考试不及格，最后一命呜呼。20世纪60年代后期，柬埔寨内部的政治形势恶化，文学创作急剧衰退。

1975年红色高棉攻占金边，在将近4年的统治期间，除普及革命歌曲外，几乎没有从事促进文学的工作。逃亡在外的，尤其是逃亡在法国的柬埔寨难民却写了长篇小说、短篇小说和诗歌，描述人们在冒着生命危险从柬埔寨逃亡之前和逃亡期间所遭受的苦难，以及流亡在外与亲人、祖国分离的痛苦。红色高棉政权倒台后，柬埔寨国内的文学开始复苏。20世纪80年代出版的小说中有许多写了红色高棉的暴行、人民大众的苦难，以及包括越南人在内的与红色高棉军队作战的人们的英雄业绩，反映了官方对刚刚过去的这段历史的态度。20世纪90年代初期，这种明显的政治小说被更受大众欢迎的伤感小说和犯罪小说所取代。譬如，毛松南的获奖小说《浪潮》（1996）中女主人公克服了一系列的障碍，最终找到了爱情和幸福。这种典型情节几乎流行了半个世纪。这部小说与同类小说的不同点在于：它更多地依靠对话和次要人物以及次要情节，这反映出作者的职业是电视剧编剧。

Khmer Rouge 红色高棉 又作Khmers Rouges，英语作Red Khmer。通过游击战争赢得政权后1975～1979年统治柬埔寨的激进的共产主义运动组织。它是在1967年作为柬埔寨共产党的军事部队建立起来的。柬埔寨共产主义运动起源于柬埔寨人民革命党，该党系1951年在越南的越盟主持下组成。其曾在法国留学的该党马克思主义领导人后来将它改名为柬埔寨共产党。50年代末期，该党成员进行了反对西哈努克亲王政府的秘密活动，但许多年来，从他们处在边远的丛林地带和山区的根据地所进行的活动很少进展，部分由于西哈努克个人在农民中的声望，而共产党人则意欲鼓动这些人起来造反。但自1970年右翼发动的军事政变将西哈努克推翻之后，红色高棉即与他在政治上形成联合，并开始在柬埔寨农村吸引越来越多的支持者，美国在70年代初在柬埔寨进行的狂轰滥炸又加速了这一趋势。此时红色高棉也得到在西哈努克当政时期一度停止的来自北越的援助。自1970年开始的连续将近5年的内战中，红色高棉逐渐扩大了他们在柬埔寨乡村的控制区。最后红色高棉部队于1975年4月发动了对首都金边的进攻，大获全胜，建立了一个全国政府来统治柬埔寨。他们在后来4年对柬埔寨的统治中，表现出20世纪中任何马克思主义政府所没有的一些最为过火的行径，有多至150万柬埔寨人惨死，该国的专业和技术阶层人士几乎全部灭绝。红色高棉政府于1979年被入侵的越南军队和他们的柬埔寨共产主义盟友推翻，他们支撑起一个由越南的援助和专家支持的傀儡政府。红色高棉退入边远的地区，恢复了游击战争，这一次是从靠近泰国边境的基地进行的，并得到了来自中国的援助。1982年他们参加了与两个反对越南支持的中央政府的非共产主义高棉集团的脆弱联合（名义上是在西哈努克的领导之下）。在这个联合中红色高棉成为最强大的伙伴，他们进行游击战争。红色高棉反对联合国主持的和平协议和1993年举行的多党选举，他们继续进行游击战争，反对选举后建立的非共产主义联合政府。

Khmuic languages 克穆诸语言 语支，主要通行于老挝境内琅勃拉邦周围地区及泰国和越南北部部分地区，属澳斯特罗-亚细亚语系孟-高棉语族。克穆语为该语支最大语言，操此语者有10万人，居于老、泰边界。这个语支还有考语、拉棉语、博克语、西褐语、信语、云布里语。

Khnum 赫努姆 又拼Khnemu。古埃及丰产神，与水和生育之功有关，从第一王朝（公元前约2925～前2775）到公元最初几个世纪，赫努姆一直受到崇奉。其像为公羊，两角横出而屈折，或为人身而有公羊头。据说，赫努姆用泥土创造人，其法如陶工，因此后世有画显示此神造人之功，伴有陶工旋盘。此神的最早崇拜中心是埃及中部阿尔阿希姆奈茵附近的赫维尔，但是，从新王国时代（公元前1539～前1075）以后，他即为今阿斯旺附近的埃利潘蒂尼岛之神，为尼罗河第一瀑布一带之主。在埃利潘蒂尼岛，此神与萨蒂及阿努琪丝两位女神联立而为三联神。赫努姆在底比斯以南的伊斯纳也甚受崇拜。

Khobar, Al-（Saudi Arabia） 参阅 **Khubar, al-** 胡拜尔。

Khobdo（Mongolia） 参阅 **Hovd** 科布多。

Khodzhent（city and *oblast*, Tajikistan） 参阅 **Khudzhand** 苦盏。

Khoei, Abolqasem al- 胡伊（1899-11-19，伊朗霍伊～1992-08-08，伊拉克库费） 又拼Abū al-Qāsim al-Khūī。伊朗出生的宗教人士，伊拉克圣城纳杰夫的大阿亚图拉，数百万什叶派穆斯林的精神领袖。自幼学习波斯诗文与宗教。13岁时被送往纳杰夫学习伊斯兰法律，后留在该处，成为当时最重要的什叶派教士。1970 年取得“创始者”地位，是 20 世纪末多位最重要宗教人士的导师。他创立国际慈善基金，称为“胡伊慈善基金”，并著有 90 余部有关什叶派的宗教著作，包括《古兰经注释义》。他虽公开批评伊朗巴列维政权，但拒绝支持霍梅尼和他的伊斯兰革命，并被普遍认为是“无为主义者”的主要发言人，这些人认为宗教阶级应避免卷入政治。他在1980～1990 年两伊战争中也拒绝支持任何一方。1990～1991 年海湾战争后，什叶派反对伊拉克政权的起义失败，伊拉克政府对其实行软禁。他死后伊拉克政府不准为其举行公开葬礼，但伊朗和伊拉克两国政府都正式宣布予其三天哀悼期。

Khōī(Iran)　参阅 **Khvoy** *霍伊*。

Khoikhoin　科伊科伊人　又称霍屯督人(Hottentots)，是第一批欧洲探险者在偏僻的内地所发现的非洲南部居民，现在有些人住在欧洲人殖民区另一部分住在南非或纳米比亚的保留地。科伊科伊(意为“人中人”)一名系其自称；霍屯督一名则是荷兰移民(后来的阿非利堪人)对他们的称呼，大概是出于模仿他们语言中的吸气音而构拟的名字。战争、疾病以及被好望角有色人种诸社区同化，已使大多数科伊科伊土著居民四分五裂，其传统经济和社会组织从而发生剧烈变化。从前，他们采取放牧、狩猎和采集的经济生活方式。现在，虽然某些独立家庭仍旧从事游牧生活，但绝大多数已定居下来，靠出卖劳力为生，并采取其欧化乡村环境的物质装备、衣着、语言和一般生活方式。据称，大多数科伊科伊人已成为基督教徒。过去以族长统治为基础的游牧单元目前在乡村仍可见。氏族原由头人议事会管理，现改由酋长及头人管理。

Khoikhoin languages　科伊科伊诸语言　又称霍屯督诸语言。科伊桑语系的语族，与中部桑语诸语言关系最密切。某些学者把它们划为科伊桑中部语支或科伊语支。科伊科伊诸语言中最重要的是纳马语，操该语的有科伊科伊人、伯格达马人和一小部分桑人(布须曼人)，均在纳米比亚。虽然有些科伊桑语有语言学家和传教士的文字记载，可是只有纳马语才是本族人使用的书写形式。其他的重要科伊桑语还有科拉语(亦称科拉纳语)和已消亡的格里夸语。科伊科伊语最显著特征像其他科伊桑语言一样，广泛使用吸气音。科伊科伊诸语言用后缀表示数、性、格。它们通常有 3 个语法“数”的范畴：单数、双数和复数。名词有 3“性”或 3 类：阳性、阴性和通性。语助词和词的变化部分很少用吸气音，这些音几乎全都包括在词根中。动词、名词和形容词词根含有(或以前含有)两个音节。过去，有些学者基于文化的考虑，而未从语言学立场出发，认为科伊科伊诸语言与从前的含米特语族有关系，不过随着对这两个语族知识的增长，大多数专家已放弃这种主张。

Khoisan languages　科伊桑诸语言　又称为吸气音诸语言，为科伊科伊人、桑人以及南非某些非班图语部族所操语言的语系。这个语系通常被分为三个语支：科伊桑语北部语支(亦称桑语北支)，包括克洪语和奥恩语；科伊桑语中部语支(也称科伊语支)，包括科伊科伊诸语言(其中有：纳马语、科拉语以及格里夸语等)和中部桑语诸语言(其中有：纳洛语、古依克霍伊语、加那克霍伊语)；科伊桑语南部语支(也叫桑语南支)，包括奥尼语、克晃语和克霍玛尼语。有些学者把科伊桑语南支和北支合并在一起称为桑语支。此外，坦桑尼亚一些小部族所操桑达韦语及哈扎语通常也归入科伊桑语系。科伊桑诸语言最明显特征是语音系统中有一系列吸气辅音(参阅 **click**)。基本吸气音的数目(每个都按照发吸气音时气流从肺部排出的方式而划分)，少的如桑达韦语里有 3 个，多的如某些布须曼语里达到 7 个。桑达韦语有齿龈音吸气音(通常写作≠)，边音吸气音(写作//)，腭音吸气音(通常写作!)。此外，霍屯督语和哈扎语还有齿音吸气音(通常写作/)。某些桑语中还有唇音吸气音，喉音吸气音，半唇音吸气音。这个语系的所有语言都是声调语言，据研究报告说有多至 5 个声调。语法体系虽存在一些相似点，但是几乎没有整个语系共同的特征。

Kholmogory　霍尔莫戈雷　1972年前称科尔莫戈雷(Kolmogory)。俄罗斯西北部阿尔汉格尔斯克州霍尔莫戈雷区首府、港口和村庄的名称。濒临北德维纳河，位于阿尔汉格尔斯克市东南 75 千米处。1355 年始建时是至白海水路的港口。15～16 世纪发展成为商业中心。18 世纪科学家、诗人罗蒙诺索夫诞生在邻近的米沙宁斯卡亚(今称罗蒙诺索沃)村。后随阿尔汉格尔斯克市商业的发展而地位衰落。现为养牛业中心。当地最主要行业是饲养奶牛。霍尔莫戈雷牛产奶量高，特别适应俄罗斯北部地区的寒冷气候。设有州种牛场和畜牧技术学院。人口不到15 000(20 世纪 80 年代初)。

Khomeini, Ruhollah　霍梅尼(1900?-05-17，伊朗霍梅恩～1989-06-03，德黑兰)　伊朗伊斯兰教什叶派领袖。他领导的革命于 1979 年推翻了巴列维国王，其后 10 年间他是伊朗最高的政治和宗教领袖。父祖均为什叶派宗教领袖。曾在伊斯兰学校学习。约 1922 年定居库姆。有很多关于伊斯兰哲学、法律和道德观的著作。20 世纪 50 年代被公认为阿亚图拉。60 年代初接受大阿亚图拉的称号，成为伊朗什叶派的最高宗教领袖。1962～1963 年对国王土地改革计划中的缩减教会地产和解放妇女公开提出指责，一度被监禁。1964 年 11 月 4 日被逐出伊朗。后定居伊拉克什叶派圣城纳杰夫。1978 年 10 月 6 日移居巴黎郊区，宣传推翻国王和建立伊朗伊斯兰共和国的主张。1979 年 1 月 16 日国王被迫出国。霍梅尼于 1979 年 2 月 1 日回德黑兰，4 天后组成政府，3 月 1 日再次定居库姆。12 月举行公民投票，建立伊斯兰共和国。他成为伊朗政治和宗教的终身领袖。他利用巨大的政治和宗教权力，利用穆斯林原教旨主义根深蒂固的保守思想，利用对国王的胜利来鼓励人民新的热情。他坚决把伊朗改变为一个神权主义统治的伊斯兰国家。他的政权采取政治报复手段，将成千名为前伊朗国王效劳者处死，镇压剩下的反对派，加以监禁或杀害，命令伊朗妇女必须戴面纱以及按伊斯兰法律规定的惩罚从重实施。他外交政策的基点是反对国王的亲西方政策，对两大超级大国采取敌对态度，同时将伊斯兰教旨主义有意地输出到邻近的穆斯林国家。他批准占领美国驻德黑兰大使馆，扣留美国外交官作为人质，他在两伊战争中拒绝同伊拉克讲和，直到 1988 年才同意停战，在他统治下，伊朗的经济发展计划失败。但他对伊朗什叶派群众仍具有巨大魅力。他一直是国家最高的政治与宗教领袖直至去世。

Khoms(Libya)　参阅 **Khums, Al-** *胡姆斯*。

Khomyakov, Aleksey Stepanovich　霍米雅科夫(1804-05-01[新历05-13]，俄国莫斯科～1860-09-23[10-05]，莫斯科附近的梁赞)　19 世纪俄国斯拉夫派运动(赞扬俄国生活方式的优越性)的奠基者、诗人，俄国东正教一位有影响的世俗神学家。生于几代人均为沙皇效力之家。他多才多艺，是一位有才能的作家和卓越的辩论家。他涉猎的学科范围很广，不但写诗，还写一些有关哲学和政治的随笔，以及有关经济学、社会学和神学的论文。他还是一个自学成才的医生，曾为他庄园内的许多农民治病。霍米雅科夫的重要性，在于他能在西方文明胜利前进的时代，认识到西方的一些严重缺点，并建议作出根本的改变。由他领导的斯拉夫派坚持俄国应该以彼得大帝之前的文化为基础，走自己的发展道路。他的目标是把西欧派和斯拉夫派的优秀分子联合起来，但他所提倡的社会制度是与西方的个人主义相对立的。他既批评资本主义，也批评社会主义，认为二者均渊源于西方的观点。他认为在一个尊重自由和自己成员的有组织的社会里，一个人能够最好地达到精神上和智力上的成熟，真正的进步并不像在西方那样取决于竞争，而是取决于合作。因此他主张教会的任务就是教导人类如何在团结与自由中生活。他把俄国农民理想化，赞扬他们的谦卑和手足之情，认为他们比那些进取心较强的西方民族更适合于实现一种基督教的社会秩序。他的博学多才，他的文学天赋，他的正直诚实以及他的说服力，本可以使他有一个显赫的政治生涯和学术生活，但他生活在尼古拉一世的暴虐统治下，没有机会利用自己多方面的才干为公益事业服务。他到死仍然只是一个退役骑兵上尉。他为患霍乱的农民治病，被传染而死亡。

Khon Kaen　孔敬　泰国东北部呵叻高原的城镇。是稻米贸易中心，位于那空叻差是玛—乌隆铁路线上。设有孔敬大学和泰德理工学院。河流有栖河和庞河。在庞河建有水坝，有灌溉和发电之利。主产稻米和淡水鱼。人口约131 472(1989)。

Khond　孔德人　又拼 Kandh 或 Kond。印度奥里萨邦山区和丛林中的民族，人口估计有80万，其中约55万人使用达罗毗荼语音的库伊法及其南部方言库维语。多数孔德人现在都种植稻谷，但有些群体，如库提亚孔德人，仍在从事刀耕火种的农业。许多世纪以来，孔德人与其西部、北部和东部操奥里雅语的邻族以及南部操泰卢固语的群体一直保持着接触，渐渐采用了邻族的语言和风俗习惯。这种同化过程到20世纪后期进展迅速。

Khone Falls 南孔瀑布 法语作Chutes de Khone。老挝国境内湄公河上的一系列大瀑布，位于老挝与柬埔寨的边界上。南孔瀑布是湄公河通航的主要障碍，它阻碍了湄公河南岸柬埔寨平原上的柬埔寨人和北岸的老挝人对湄公河的经济开发和利用。为便利瀑布周边地区的交通，一度曾建起窄轨铁路。南孔瀑布因受玄武岩河床阻拦而形成两列，落差14米，河水落入一个海拔82米的水潭。使河水形成瀑布的岩层还造成了一些岛屿，其中最大的一个岛屿孔埠拥有一个因瀑布周边地区的物资运输而形成的小港埠。南孔瀑布是世界上水流量最大的瀑布，每秒流量9 500 000升，比美国的尼亚加拉瀑布多将近一倍。

Khons 柯恩斯 又拼Khonsu、Khensu或Chons。古埃及宗教所崇奉的月神，其像多为青年男子，金字塔文（约公元前2350）载有与天象有关的神祇柯恩苏，或许与柯恩斯为同一神。据古埃及神话，柯恩斯为阿蒙神与穆特女神所生之子。在新王国末期（约公元前1100），底比斯附近凯尔奈克地方建有奉祀此神的大庙。在一般画法中，柯恩斯为青年男子，头发偏披，顶戴圣蛇（翘首的眼镜蛇）和月盘。这种复合图形可能象征月的盈亏。柯恩斯又与狒狒有关，有时与另一位同狒狒有关的月神透特相似。

Khor Fakkan（United Arab Emirates） 参阅 **Khawr Fakkān** *豪尔法坎*。

Khorana, Har Gobind 科拉纳（1922-01-09，印度赖布尔～2011-11-09，美国马萨诸塞康科德） 印度出生的美国生物化学家，因研究细胞核内遗传物质控制蛋白质合成的机制而与M. W. 尼伦伯格、R. W. 霍利共获1968年诺贝尔生理学或医学奖。他于20世纪60年代早期合成了精确结构已知的核酸分子。所合成的核酸分子可编码氨基酸原料合成蛋白质。将这些蛋白质与核酸的结构加以比较，便可知蛋白质中各部分的“密码”位于核酸的哪一片断，1970年他首次人工复制成酵母基因。科拉纳出生于印度，家境贫寒。曾于拉合尔的旁遮普大学学习，后得政府奖学金入英国利物浦大学学习，1948年获哲学博士学位。1951年于剑桥大学师从亚历山大·托德开始研究核酸，后曾在瑞士联邦理工学院、加拿大不列颠哥伦比亚大学、美国威斯康星大学、麻省理工学院任教及研究。

Khorāsān 呼罗珊 又作Khurasan。历史地区。地域广阔，包括现今伊朗的东北部、土库曼斯坦的南部和阿富汗的北部。该历史地区的范围是北面从阿姆河（奥克苏斯河）到里海，南面从伊朗中部沙漠的边缘到阿富汗中部的山脉。有些阿拉伯地理学者甚至认定该区一直延伸到印度边界。该地区的历史可溯至远古时代，是公元前6世纪和前5世纪的阿契美尼德帝国和公元前1世纪的安息帝国的一部分（呼罗珊有时被认定为安息的同义词，这并不确切）。呼罗珊最初由萨珊人命名（始于公元前3世纪）；萨珊帝国共分4个大区（按东西南北4个方位分别命名）；呼罗珊按其字义为“太阳之地”。公元651～652年被阿拉伯征服后，该名被保留下来，既是确切的省名，又具有代表一个地区的模糊含义。起初，阿拉伯人将此区作为边疆，即驻防地之用。但不久，阿拉伯大规模移民迁入，尤其是梅尔夫周围地区。穆斯林文化与伊朗东部文化结成一体。后来，呼罗珊在塔希尔、萨法尔和萨曼诸王朝期间（821～999）重新获得实质上的独立。相继成为伽色尼、塞尔柱和花剌子模沙诸王国的一部分。1220年为成吉思汗所占，1383年左右为帖木儿所占。伊朗萨法尔诸国王（1502～1736）曾为保护该地区抗击乌兹别克的侵略。1722～1730年为阿富汗人所占。生于呼罗珊的纳迪尔·沙阿粉碎了阿富汗霸权地位，并以麦什德为其伊朗帝国首都。《王书》一书作者菲尔多西、著名诗人和哲人欧玛尔·海亚姆均生在本区。呼罗珊的现今伊朗边界是于1881年划定的，并且被列入了1893年7月8日的协定中。呼罗珊由于经历了纷扰不安的漫长岁月，居住着许多民族：西北部的土库曼人；布杰努德和古昌附近的库尔德人；东部的蒂穆里人和贾姆希迪（恰恰尔艾马克）人，其中一些人仍过游牧生活；西南偏僻区的海达里人以及东南部的俾路支人。库海斯坦还居住着前伊朗血统的永久居民。城镇到处都有蒙古血统的贝尔贝里人、阿拉伯人、吉卜赛人和一些犹太人。在麦什德布周围及其西北村落成群，耕地成片，有重要城镇古昌、希尔凡和布杰努德。通用土耳其语、波斯语和库尔德语。呼罗珊地区伊朗部分的北部有两条平行的山脉，即厄尔布尔士山脉的东延部分和独立的科彼特山。岩层以石灰岩、火成岩和变质岩为主。高峰有哈札尔马斯杰德峰（3 146米）和比纳卢德峰（3 211米）。有着流沙般沼地的卡维尔盐漠从西部伸入，沙丘广布。有许多绿洲，北部的绿洲大而密集，南部的绿洲小而零星。气候夏季凉爽、冬季寒冷。北部和西北部雨量充沛，有利于草原和桤、栎、桧、鹅耳枥等灌木生长。南部植被稀少。常年有水的河流只有阿特拉克河、穆雷赫河、舒尔河和卡沙夫河等，其下游河水或多或少都含有盐分。今呼罗珊主要为农业区，产水果、谷物、棉花、烟草、油料作物、藏红花和少量蚕丝。畜牧业发达，出口羊毛、羔羊皮和山羊毛，亦饲养家禽。矿藏有绿松石、盐、铁、铜、铅、锌、铬、锰和煤。工业有水泥、食品加工、轧棉、梳理羊毛、炼糖、制药、动物饲料和纺织等。手工业品有珠宝、挂毯、地毯、皮货、玩偶、玻璃器皿和手织布匹。有铁路和公路连接繁荣的麦什德和伊朗首都德黑兰两市。

Khorāsān carpet 呼罗珊地毯 伊朗东北部呼罗珊省的手织铺地用品。在繁花密叶之下，掩映着连续的网格图案，大边图形是一对对分开的、呈平滑曲线的阿拉伯花饰。棉底，在4根经线上拴一个约夫特波斯生纳扣。麦什德、比尔詹德以及附近村镇生产的铺盖整个房间的地毯，其图案特点是奎心特别圆，大地模仿赫拉特传统地毯中的盘卷花茎，大边由许许多多窄道组成。多数这类地毯也拴约夫特波斯生纳扣，染胭脂红色，并加大量蓝色，使地毯略呈紫色色调。由于掺用柔软的羊毛，而且结构又不紧密，因此这类地毯不大耐用。

19世纪晚期的呼罗珊地毯
美国不列颠百科全书公司供图

Khorat（Thailand） **呵叻** 参阅**Nakhon Ratchasima** *那空叻差是玛*。

Khorat Plateau 呵叻高原 又拼Korat Plateau。泰国东北部碟形台地。面积15.5万平方千米，海拔90～200米，向东南倾斜。有栖河和蒙河流经，北和东以湄公河为界，西为碧差汶山和庞会山，南为帕依东拉山脉。土层不易渗水，雨季（4～11月）洪水泛滥，旱季龟裂。居民饲养牛、马和猪，种植棉花、水稻、花生等。当地主要城市有廊开、坤敬、呵叻和乌汶，均与曼谷有铁路相通。

Khorezm-Shāh DYNASTY 参阅**Khwārezm-Shāh dynasty** *花剌子模沙王朝*。

Khorog 霍罗格 又拼Chorog。塔吉克斯坦中南部城市。位于帕米尔高原西南部，海拔2 200米。临贡特河与喷赤河汇流处。公路通奥什和杜尚别。班机可达杜尚别。原为两个村庄，现有一水电站、几家小工厂、一座剧院。附近有帕米尔生物站、帕米尔植物园。人口约20 900（1991）。

Khorram-dīnān 快乐派 又译胡拉米叶派。伊斯兰教的神秘教派。信仰什叶派教义，但又与大多数什叶派有所不同。主要异同是，相信伊玛目学说，但认为伊玛目应由呼罗珊地区革命运动的领导者阿布·穆斯里姆继承。据传，快乐派精神首领巴巴克自称是阿布·穆斯里姆的后裔；一说，巴巴克声称是该派前领导人贾维丹·伊本·萨赫勒的灵魂转世。816年，他领导此派信徒在阿塞拜疆起事，反对巴格达的阿拔斯王朝哈里发。这次起事持续20余年，到837年才被镇压下去。巴巴克于838年被处死。起事虽然失败，但快乐派作为教派，一直存在到11世纪。

Khorramābād 霍拉马巴德 又拼Khurramābād。伊朗西部城市，俯临洛雷斯坦山脉一条河流的峡口，胡齐斯坦至高原的公路干线从此经过。为游牧部落卢尔族的夏季市场。有活跃的集市和坚固的要塞。在城市和河流之间的山岭上有黑堡遗址，是1155～1600年历届洛雷斯坦总督驻地。人口208 592(1986)。

Khorramshahr 霍拉姆沙赫尔 旧称穆哈姆默拉。伊朗西南部城市和港口。在卡伦河右岸，距波斯湾72千米。亚历山大大帝时期即已存在，塞琉西、萨珊和伊斯兰教时期为繁荣的贸易中心。1837年被土耳其人摧毁。1847年划给伊朗，实际仍由当地酋长统治。1924年归属中央政府。改称霍拉姆沙赫尔。第二次世界大战期间，由于与横贯伊朗铁路衔接，港口设施有很大改善。20世纪60年代已成为重要商港。附近地区广种枣椰树。80年代伊朗-伊拉克战争期间，城市和港口受到严重破坏。后港口经过部分重建，90年代初再次接纳船舶运输。人口140 490(1976)。

Khorsabad(ancient Assyrian city) **豪尔萨巴德** 参阅 **Dur Sharrukin 杜尔舍鲁金**。

Khosrow 霍斯罗夫 亦作Khosrau，Khosru或Khusrau，希腊语为Chosroes(科斯罗埃斯)，阿拉伯语作Kisrā。波斯萨珊帝国国王之名，按年代顺序分列于后，并各以●为标记。

● Khosrow I 霍斯罗夫一世(?～579) 在古文献中亦称科斯罗埃斯。波斯萨珊帝国国王(531～579)，以伟大的改革者及学者、艺术赞助人而闻名。早年情况仅见于传说。

6世纪水晶大纪念章上的霍斯罗夫一世像
美国不列颠百科全书公司供图

据说他父亲喀瓦德在逃往伊朗东部哌哒人处避难时，途中与农家女子结合生下了他。父王死后，他未即位。后来在争夺王位的斗争中得胜，杀死了诸兄弟。登基后，首先恢复社会秩序，然后实行挽救萨珊帝国的各项改革，最重要的是改革税收方法。过去，萨珊帝国是根据田地的产量征租。而他则确定固定的数量，不是每年改变租税额。另外还整顿了萨珊王朝的官僚机构，据说以首席大臣领导的国务院体制是他所首创的。在传说中，他的首相勃佐格迈尔以能干闻名。霍斯罗夫还整编军队，任命4名督军分别镇守各个边界。他多次同拜占廷交战，540年征服了安条克城，从安条克带回大批俘虏，安置在首都泰西封附近的新城中。他同中亚的突厥人结盟，征服了哌哒人。在位期间，萨珊帝国的东部边界一直达到奥克苏斯河。他还派兵到亚美尼亚和高加索地区作战，并且征服了也门。除了征战而外，霍斯罗夫也保护文化。529年雅典学院关闭，很多希腊哲学家移居萨珊帝国，他都热情地接待。后来著名的贡德沙布尔医校可能创建于霍斯罗夫时代。据说，著名的医生伯佐是由霍斯罗夫派往印度收集梵文学术著作并译为中古波斯语。象棋比赛据说也是由他从印度传来的。天文学和占星术在霍斯罗夫宫内大为发展，据说有一份星图就是在霍斯罗夫统治时期制作的。古代伊朗的故事和传说相传是在霍斯罗夫时代汇编为《列王之书》的。

● Khosrow II 霍斯罗夫二世(?～628) 波斯萨珊王朝末代国王(590～628)。在他统治下完成了帝国的最大扩张，但最后败于拜占廷人。他为宫廷革命所推翻并被处决。

590～628年钱币上的霍斯罗夫二世像
美国不列颠百科全书公司供图

霍尔密兹德四世之子。590年即位。后因宫廷政变逃往美索不达米亚。由于拜占廷皇帝莫里斯提供军队，他才得以击败对手，杀死叛将巴赫拉姆·楚宾。随后，他的军队侵入亚美尼亚和美索不达米亚，604年攻占达拉、阿米达和埃德萨。后又跨过幼发拉底河，占领了赫拉波利斯和贝罗亚(阿勒颇)。613年，他手下的大将沙尔巴拉兹率兵对美索不达米亚进行第2次入侵，同年攻占大马士革，614年陷耶路撒冷城，毁掉圣墓，把真十字架送至泰西封。616年和617年先后攻占亚历山大和卡尔西登。622～627年间霍斯罗夫的征服浪潮受挫于赫拉克利乌斯。626年霍斯罗夫集结军队，并联合阿瓦尔人包围君士坦丁堡。628年他的另一支军队被赫拉克利乌斯击败。由于宫廷革命，霍斯罗夫被处决。其幼子和继承人亦被杀害。霍斯罗夫很喜爱他的亚美尼亚人妻子西琳。12世纪著名诗人内扎米写过一篇《霍斯罗夫和西琳》，吟咏这段风流韵事。他大力提倡艺术。在他统治时期，银器制造和地毯业达到了顶峰。

Khosrow Carpet, Spring of 参阅 **Spring of Khosrow Carpet 霍斯罗夫之春地毯**。

Khotan(China) 参阅 **Hotan 和田**。

Khotan rug 和田地毯 中国新疆维吾尔自治区和田地区产手工织毯。在中亚市场上曾称撒马尔罕毯。地毯采用中亚图案设计和西方的艳丽色调，全丝和田毯局部用金银丝织成，工艺受波斯早期地毯的影响。装饰一般为花格图案配以串枝花朵。这种图案也用于织毛毯。

Khotchino(Russia) **霍特奇诺** 参阅 **Gatchina 加特契纳**。

Khouribga 胡里卜盖 摩洛哥中部行政区的城市、省会和省份名称。位于中阿特拉斯山脉西面的贫瘠高地上。因附近1921年开采磷酸盐矿而发展起来。与西北约110千米处的卡萨布兰卡通公路、铁路。胡里卜盖省面积4 250平方千米，为世界磷酸盐储藏量最大的地区之一。市东面瓦迪宰姆镇也为一磷酸盐开采中心。该省北部的阿伊特阿马尔有铁矿。出产小麦、大麦，放养绵羊和山羊。大西洋港口朱尔夫拉斯法(在卡萨布兰卡西南)专门输出该省产磷酸盐矿。人口：市127 181(1982)；省约513 000(1988)。

Khrapovitsky, Antony 赫拉波维茨基 参阅 **Antony Khrapovitsky 安东尼·赫拉波维茨基**。

Khrebet Kopet-Dag(Iran and Turkmenistan) 参阅 **Kopet-Dag Range 科佩特山脉**。

Khroumirie(Tunisia) 参阅 **Kroumirie 克鲁米里**。

Khrushchev, Nikita (Sergeyevich) 赫鲁晓夫(1894-04-17，俄罗斯帝国乌克兰卡里诺夫卡～1971-09-11，莫斯科) 苏联共产党第一书记(1953～1964)、苏联部长会议主席(1958～1964)，他的非斯大林化的政策在共产党世界产生广泛的反响。

矿工之子，祖父曾是农奴，在沙皇军队中服役。在村里读书后，随家前往尤佐夫卡(今顿涅茨克)，15岁开始当管道工。第一次世界大战期间，因是工厂雇工，未被沙皇军队征召入伍。1917年十月革命前，即成为工人组织的活跃分子。1918年成为俄国共产党(布尔什维克)党员。1919年1月参加红军，1920年在反对白军和入侵的波兰军队的战役中任下级政治委员，不久因妻子加林娜死于饥荒而复员。1922年进入尤佐夫卡新开办的一所苏维埃工人学校接受中等教育和上党课。他成为学生政治领袖，被任命为学校党委书记。1924年与第二个妻子、学校教师N.彼得罗芙娜结婚。

美国不列颠百科全书公司供图

1925年担任专职党务工作，任尤佐夫卡彼得罗夫斯科-马林斯克地区党的书记。他很快受到乌克兰党中央委员会总书记卡冈诺维奇的赏识，派他作为无投票权的代表陪同他出席在莫斯科举行的党的第14次代表大会。此后4年，他先后在尤佐夫卡、哈尔科夫和基辅积极从事党的组织工作。1929年获准去莫斯科进入斯大林工业学院学习冶金，并被任命为学院党委书记。1931年在莫斯科复又专职从事党的工作，1933年任莫斯科地区党委第二书记。他监督建成莫斯科地铁，为此于1935年获得列宁勋章。这一年他成为莫斯科党组织第一书记，实际上成为莫斯科市长。在此前一年，在第17次党代表大会上，他当选为70人的苏共中央委员会正式委员。在这些年里，他是斯大林的热烈支持者，参加在党的领导层进行的清洗工作。1935年任最高苏维埃主席团候补委员，1936年任宪法委员会委员，1937年任最高苏维埃外交委员会委员。1938年任党中央委员会政治局候补委员，派往基辅任乌克兰党组织第一书记，1939年成为政治局正式委员。

苏军占领波兰东部后，赫鲁晓夫于1940年主持这一地区与苏联“结成一体”的工作。他的主要目标是消灭波兰和乌克兰的分裂主义运动，恢复在清洗中被破坏的共产党组织。1941年6月德军进攻苏联，这一工作中断。战时分配给他的第一个任务是尽量将乌克兰的工业设备撤至东部。之后以中将军衔加入苏军，他的主要任务是动员民众进行抵抗，并与斯大林保持联系。保卫斯大林格勒期间，任叶廖缅科元帅的政治顾问，库尔斯克坦克大会战时任瓦图京中将的政治顾问。

1944年乌克兰解放后，赫鲁晓夫致力于恢复民政管理。1946年的饥荒可能是乌克兰历史上最严重的饥荒，赫鲁晓夫致力于恢复谷物生产和粮食供应的分配工作，不同意斯大林所坚持的在乌克兰进行更大规模的生产以供应其他地区。1949年斯大林把他召回莫斯科，他重又担任莫斯科市委第一书记，兼全苏中央委员会书记。1949～1953年对赫鲁晓夫来说，远不是一个愉快的时期，他感到他不过是斯大林宫廷政治的一个卒子。他日益注意农业，着手实行其“农业城镇”的计划。

斯大林去世和部长会议副主席、国家保安部门首脑贝利亚被处死后，赫鲁晓夫与斯大林的当然继承人马林科夫展开夺权斗争。1953年9月，他取代马林科夫成为第一书记，1955年免去马林科夫部长会议主席的职务，拥立由其一手挑选的布尔加宁元帅取代。1955年5月，当赫鲁晓夫初次出国与布尔加宁一起访问南斯拉夫时，开始表现出他的灵活性，他为斯大林于1948年谴责南斯拉夫共产主义向铁托道歉。后来在访问日内瓦、阿富汗和印度时，开始显示出他的粗鲁的和外向性的个人外交作风。在1956年莫斯科苏共第20次代表大会期间，他于2月24～25日发表秘密讲话，揭露斯大林一人统治的暴行，攻击这位已故的苏联统治者的“不能容纳异己、他的残忍和对权力的滥用”。共产党第一书记揭露30年代大清洗中的非法处决和苏联警察镇压的暴行，产生了赫鲁晓夫始料不及的深远影响。非斯大林化运动在东欧共产党国家激起反响。1956年10月波兰爆发反政府起义。匈牙利不久也随之骚乱。10月19日赫鲁晓夫飞抵华沙，默然同意波兰领导人哥穆尔卡的共产党全国解决办法，准许波兰人民享有更多的自由。但他同时决定用武力平息匈牙利革命，主要是因为匈牙利总理纳吉决定退出华沙条约。而除了血腥镇压这一点外，赫鲁晓夫准许欧洲共产党享有较多的自由。东欧的紧张形势在苏共党内形成了反对赫鲁晓夫的派别。1957年他终于使马林科夫、莫洛托夫等人永久失势，给他们扣上了反党集团成员的帽子。10月他免去朱可夫元帅国防部长的职务，1958年3月他自己出任苏联部长会议主席。

赫鲁晓夫在他的权力巩固之后，广为宣扬他的“和平共处”论。与共产党的老式教条相反，他宣告“战争并不是注定地不可避免的”。1959年他对美国的访问无疑是成功的。他与艾森豪威尔总统举行会谈后产生的“戴维营精神”，使苏美关系达到一个新的高度。但长期准备的与艾森豪威尔于1960年在巴黎举行的最高级会议，却因赫鲁晓夫宣布在苏联领空击落一架美国U-2侦察机和机上的飞行员被捕而流产。1961年他与美国新总统肯尼迪在维也纳举行会议，但在紧迫的德国问题上没有达成协议，此后不久他就筑起了柏林墙。1957年苏联发射世界上第一颗人造卫星获得成功后，开始大量制造导弹。1962年赫鲁晓夫尝试在古巴安置中程导弹。10月美苏严重对抗，当两国显然都站在战争边缘上时，赫鲁晓夫宣布同意撤出导弹，条件是美国承诺不再企图推翻古巴共产党政权。这一解决办法激起了中国共产党人对苏联的攻击。于1959年开始的中苏分裂，1960年达到公开谴责的程度。1963年苏联与美国签订禁止核试验条约，中国进一步谴责苏联的“修正主义”。但赫鲁晓夫政府的主要危机是农业。他在西伯利亚开垦了7 000多万英亩的处女地，成千上万的劳动者被派去进行耕作。他的计划没有获得成功，苏联不久即被迫又从加拿大和美国进口小麦。

农业的失败和与中国的争吵，加上他的独断专行的工作作风，是他下台的主要因素。1964年10月14日，中央委员会接受他退休的请求。此后将近7年，作为领取苏联政府特殊养老金的人，他安静地在莫斯科和乡间别墅生活。1970年他的回忆录在美国和欧洲出版。他死后48小时才向公众宣布。没有为他举行国葬，也没有同意把他埋葬在克里姆林宫墙下。他被悄悄地埋葬在莫斯科新圣母公墓。对于苏联和全世界整个共产主义运动来说，他是政治和社会变化的重要推动者。在当权的7年中，他在事实上和传统上打破了斯大林的独裁统治，为苏联共产主义中的自由化倾向奠定了基础。他是彻底的政治实用主义者。他对马克思主义生搬硬套，但在政治危机时刻会毫不犹豫地调整他的信仰。对他的去世的谨慎处理反映出在生命的最后几年，他成为日益受欢迎的人物，无论是在苏联国内还是在国际社会上。他连贯一致的，偶而略显粗暴的和平共处外交政策与苏联后来的领导人的更有局限性的保守政策形成鲜明对比。虽然有人认为他古怪、粗鲁、庸俗、善变，但他仍算得上是一位君子。正如其子在简短的悼文中所说：“有人爱戴他，有人仇恨他，但没有人会忽略他。”

Khuang Aphaiwong 宽·阿派旺（1902-05-17，柬埔寨马德望～1968-03-15，曼谷） 泰国政治家，3次任泰国首相。曾创立和领导泰国最强大的反对党。巴黎留学。回国后参加1932年的不流血革命，推翻泰国的君主专制而建立一个立宪政府。第二次世界大战期间（1941～1945）任商业交通大臣，是内阁中少数不亲日的成员之一。1944年8月任首相，作为战时领袖，一方面巧妙应付日本人，一方面鼓励地下活动。1946年辞职，创立民主党，这是泰国新议会中第一个大的反对党。1946～1948年间又两次出任首相，组织短命的文人政府。1948年在军人派系的压力下被罢官，但他仍是一位受尊敬的人物。他强烈反对泰国的军人政权，一直到死。

Khubar, al- 胡拜尔 又拼al-Ḳhobar。沙特阿拉伯东部地区绿洲和港口城市。濒临波斯湾。在通往约旦的公路干线上。为工商业中心，有扩建的港湾和海水淡化工厂。当地水土条件好，农业物产丰富。生产椰枣、西瓜、南瓜和其他蔬菜。人口141 683(1992)。

Khubilai Khan 忽必烈汗 参阅 **Yuan ——：** *元朝帝王序列下* **Yuanshizu Kublai** *元世祖忽必烈*。

Khubsugul Dalai（Mongolia） 参阅 **Hövsgöl Lake** *库苏古尔湖*。

Khuc Thua Du 曲承裕（活动时期10世纪初） 越南统治者（906～907）。在906年起事成功后执政，他是越南人争取独立的最早的志士之一。原为富有的地主。根据旧越南编年史，他“以善良和慈悲而受人尊敬”。906年在今越南北部红河三角洲周围地区领导反对中国总督的起事。中国人被迫承认他为合法都护，他死后这个职位由其子继承。

Khudai Khitmatgar（Indian history） **上帝的仆人** 参阅 **Red Shirt Movement** *红衫运动*。

Khuddaka Nikāya 《小部》 佛教经籍中的一部，是巴利文经藏的第五部也是最后一部。

其中固然收有十分古老的作品，但成书较其他 4 部为晚，其形式与内容也更为丰富多彩。巴利文典籍的歌偈全在此部。《小部》所收内容不尽相同，因时因地而异。流行于斯里兰卡的《小部》包括：

①《小诵》，其内容有 9 项，包括佛法要点、专为沙弥规定的 10 条戒律、一首歌颂佛陀的颂诗以及祭奠亡灵时所用的歌偈。

②《法句经》(**Dhammapada**)。

③《自说经》，佛陀的 82 条教导，大都写成偈颂，并附有发出教导时的情景。

④《如是语经》，每段发端都是"如是我闻"，故名。包含佛陀的 112 条简短道德教导，或有韵，或无韵。

⑤《经集》(**Suttanipāta**)，介绍一位隐士的纯朴信仰。

⑥《天宫事经》，85 首歌偈，叙述转生于天界的人士的福乐以及他们得此善报的善行。

⑦《饿鬼事经》，51 首形式与前列一书相似的歌偈，述人行恶而死后受苦。

⑧和⑨《长老偈》，一部为 264 位僧人述说自己的内心体验，另一部为 100 位比丘尼述说自己的日常生活。

⑩《本生经》，佛陀前世经历。

⑪《义释经》，分两部，从哲学上评述《经集》的最后两段(第 4、5 段)。

⑫《无碍辨道经》，包含 30 章"论"(Abhidhamma)，解释一些教义上的概念。

⑬《警喻经》，是关于佛教诸圣的传说。

⑭《佛史经》，是叙事歌偈，佛陀述在他以前的 24 佛生平。

⑮《若用藏》，35 则本生故事，为韵文，强调成佛的波罗蜜多条件。

此外，缅甸的《小部》还包括《弥兰陀问经》。

Khufu　胡夫(活动时期公元前26世纪初)　希腊语作 Cheops。埃及第4王朝(约公元前 2575 ～约前 2465)第 2 代国王。吉萨大金字塔的建造者，这是当时唯一的大建筑物。据希腊历史学家希罗多德记载，胡夫和他的儿子海夫拉实行了 106 年的虐政。但是，这和胡夫死后被誉为埃及英明统治者的声誉很不相符。他是斯奈夫鲁国王与王后希太费蕾斯之子和继承人，可能结过 4 次婚。其子杰德夫拉和海夫拉依次继承他的王位。

胡夫象牙雕像

美国不列颠百科全书公司供图

Khulna　库尔纳　孟加拉国西南部城市。傍派罗布河，为重要河港和商品集散贸易中心。有水路、公路和铁路与恒河三角洲南部主要城市相通。造船厂位于南面 5 千米的卡齐巴查河河畔。有孙德尔本斯等地区供应林产品。工业有黄麻、榨油、棉纺、造纸等。有锯木厂、火柴厂和新闻纸厂。1884 年设市，设有拉杰沙希大学的几所学院。周围地区为恒河三角洲南部冲积平原。人口：市约601 051 (1991)。

Khums, Al-　胡姆斯　又拼 Homs 或 Khoms。利比亚西北部城镇。临地中海。在的黎波里东南 97 千米处。由土耳其人创建。1870 年后因输出茅草(可制鞋，造纸)而增加其重要性。现经济活动有金枪鱼加工、茅草加工、制皂和出售椰枣、橄榄油和鱼类。是前往具有大量罗马遗迹的莱普提斯古城的旅游基地，有土耳其式建筑。同的黎波里至开罗的沿海公路相连。人口约120 000(1990)。

Khurasan(Iran)　参阅 **Khorāsān** 呼罗珊。

Khuri, Bishara al-　扈里(1890-08-10，奥斯曼帝国贝鲁特[今在黎巴嫩]～1964-01-11，贝鲁特)　黎巴嫩总统(1943 ～ 1952)。官僚子弟。曾在巴黎学习法律，善讲法语。他一心谋求黎巴嫩的独立，反对阿拉伯民族主义者关于与阿拉伯国家结成联邦的号召。1920 年 2 月任黎巴嫩山区政府(今黎巴嫩国家的前身)秘书长。旋任新成立的行政委员会委员。1922 年重操法律业务。1926 年返回政界，任内政部长。此后 3 年曾三度出任总理。1926 ～ 1932 年间与另一政客埃德争权夺势，把黎巴嫩的内政搞得乌烟瘴气。第二次世界大战期间，他积极同英国保持密切接触。1943 年法国人举行选举，实现他们给予黎巴嫩独立的诺言。他当选总统，他的政府对宪法进行了修改，取消了法国对黎巴嫩残余的政治影响。1948 年他操纵国家议会修改宪法而使自己连任。1952 年 9 月因群众反对他通过不正当手段使自己连任总统加上政风腐败、任人唯亲等行为而被迫下台。

Khurīyā Murīyā　库里亚穆里亚　又拼 Kuria Muria。阿曼的群岛。位于阿拉伯海，距该国东南岸 40 千米。由 5 个花岗岩岛屿组成。总面积 73 平方千米。由西到东为哈西基耶岛、索达岛、哈拉尼耶岛、盖尔扎维特岛和吉卜利耶岛。其中最大的、唯一有居民的是哈拉尼耶岛，由于海盗袭击，1818 年岛上全部居民离去。后来群岛被大陆的阿拉伯人控制，继而被阿曼苏丹控制。1854 年苏丹将其割让给英国。1937 年英国将其并入亚丁殖民地。1967 年归还阿曼。现在人数很少的居民为渔民，他们仍然同古代一样用吹了气的动物皮做筏子。

Khurramābād(Iran)　参阅 **Khorramābād** 霍拉马巴德。

khutbah　呼图白　伊斯兰教用语，特指在星期五聚礼、两大伊斯兰教节日、圣纪庆祝活动中以及其他特殊场合所作的讲道。虽然没有宗教上的前后关系，呼图白很可能起源于海推布的讲演。海推布是伊斯兰教兴起以前阿拉伯半岛一个著名的部落发言人。他用优美的散文形式表达他自己的意思，他赞颂其部落成员的高贵和业绩，对部落仇敌的虚弱表示轻蔑。630 年攻克麦加后，甚至穆罕默德都以海推布的身份讲道。早期的四任哈里发和伍麦叶王朝的哈里发以及省督们在他们各自的统治地区都作呼图白，然而演讲的内容不再是严厉的劝戒，而是涉及政府的实际问题和有关政治问题，有时甚至包括直接的指令。在阿拔斯王朝时期，哈里发们自己不再讲道，而将海推布的职责交由宗教法官去履行。阿拔斯人在消除伍麦叶人的伊斯兰教世俗主义方面所持的坚决主张，对于增强呼图白的宗教色彩或许起了一定推动作用。

Khuzama, Al-(Morocco)　**胡塞马**　参阅 **Alhucemas** 阿卢塞马斯。

Khuzdār　胡兹达尔　又拼 Hozdar。巴基斯坦西南部俾路支省城镇。临科拉齐河，在伯布岭狭窄山谷的顶端，海拔1 237米。地处通往阿拉伯海的古商道上，周围多果园。为羊毛市场。附近有重晶石开采业。砖墙堡垒建于 1870 年。位于格拉德至卡拉奇的公路干线上。周围地区多山，气候较干燥。人口 30 887(1981)。

Khūzestān　胡齐斯坦　又拼 Khuzistan，旧称阿拉贝斯坦。伊朗西南部地理区域。位于波斯湾湾头，西临伊拉克，以石油资源著称。公元前 6000 年左右，来自札格洛斯山区与苏美人有近亲关系的一个民族到此定居。公元前 4 千纪时，美索不达米亚最早的城市诞生了，差不多同时，胡齐斯坦的都市中心也纷纷出现。该地区后成为埃兰王国的中心地区，首都为苏萨。自传说中的恩米巴拉格西(据一则用楔形文字书写的铭文记载，他"掠夺了埃兰邦的武器")于公元前 2700 年左右开始掌政以来，苏美人、阿卡得人、巴比伦人、喀西特人、新巴比伦人和亚述人因埃兰人干涉巴比伦人的政治，陆续前来侵犯。公元前 646 ～前 639 年，亚述巴尼拔摧毁埃兰王国及其首都苏萨。公元前 639 年左右胡齐斯坦并入亚述帝国，在亚述瓦解之后，又为阿契美尼德王朝所控制。公元前 539 年，在居鲁士大帝征服巴比伦之后，成为波斯帝国一省，苏萨则为波斯帝国 3 大首都之一。公元前 331 年的高加梅拉战役结束不久，亚历山大大帝占领苏萨，公元前 311 ～前 148 年，成为塞琉西帝国一省(称苏西阿那)，帝国首都为攸列乌斯河畔的塞琉西亚。公元前148～前113年之间，由安息人控制；公元226年左右受萨珊人统治。是罗马-拜占廷帝国和安息-萨珊帝国之间的边境地区；642年左右，最终为阿拉伯人所占领。其后成为相继统治伊朗的萨非王朝和卡札尔王朝的一部。

到了20世纪，随着油田的开发，横贯伊朗铁路的建造，阿巴丹和霍拉姆沙赫尔两港口的扩建，胡齐斯坦再度繁盛起来。1980年当伊朗因伊斯兰革命陷于混乱时，伊拉克为了兼并这块富藏石油的地区，出兵侵占其包括霍拉姆沙赫尔城在内的西半部地区，并轰炸阿巴丹的炼油厂。但是伊朗的抵抗迅即加强，1982年已夺回失地。但直到1990年两伊战争结束后，该地区的经济复苏和石油及天然气生产才获得了推动力。

胡齐斯坦为美索不达米亚平原向东南延伸的地区，东北部包括札格洛斯山脉的部分林山。数条河流流经此山区，其中最重要的是流入阿拉伯河的卡伦河和卡尔黑河。这些河流和其他河流冲积成大冲积扇及部分盐土沼地，在波斯湾附近形成受潮水影响的沼泽地带。孤立的哈姆林山为此山麓地带及其广大的碎石平原的界山。

胡齐斯坦的平原属沙漠气候，夏季十分干热，冬季多雨，雨量在平原地区为300～500毫米不等，山地雨量较高。经灌溉可种植枣椰树、柑橘树和其他果树、小麦、大麦、棉花和稻、高粱、芝麻、瓜类和蔬菜。20世纪70年代引进的作物有甘蔗、油籽、木蓝和豆类。

半数以上的人口为住在平原区的阿拉伯人，其余是巴赫蒂亚里人、其他芦尔人（西波斯的几个民族），以及许多住在城市里的波斯人。一些巴赫蒂亚里人和芦尔人仍是游牧民族。

1908年，在马斯吉德苏莱曼城发现石油，开始开发油田，随后成为伊朗巴勒维王朝主要的工业。油产量来自7个油田，但主要产区为阿迦贾里。所有的油田都有油管与阿巴丹炼油厂相连。胡齐斯坦油田生产的天然气最高时占全国总产量3/4强。布什尔港外的哈尔克岛是1961年后的主要石油输出站。

1962年在迪兹富勒的迪兹河上游建起水坝，其他数条河流的灌溉计划吸引了国内其他地区的人来此定居。因此，胡齐斯坦近阿瓦士城的农村人口和农业生产都大幅增长。工业生产纸、水泥、石油化学产品、加工食品和轻工产品。公路网连接阿瓦士与迪兹富勒、霍拉姆沙赫尔、阿巴丹、布什尔港和班达尔柯梅尼等地。有一条铁路线穿过该地区西部，把阿瓦士与迪兹富勒、阿巴丹连接起来。苏萨和乔加米什是重要的考古地点。

Khvoy　霍伊　又拼Khoī。伊朗西北部城市。城市布局完善，街道宽广、整齐，溪流清澈、垂柳成行。城内有清真寺、市场、客店和几座花园。该城是一贸易中心，具有重要战略地位。1911年曾被土耳其军队占领，后被俄国军队占领（1917撤出）。第二次世界大战期间至1946年，苏联军队占据该地。城防工事亦被拆毁。周围地区土地平坦宽广，灌渠密布，农业发达。盛产谷物和水果。人口115 343（1986）。

Khwae Noi River　奎内河　又作Kwai River，泰语作Mae Nam Khwae Noi。夜功河支流，全部在泰国西部地区。奎内河发源于多山的缅-泰边界上的三塔山口，沿边界线流向东南，在北碧城附近注入夜功河，夜功河在沙没颂堪注入泰国湾。奎内河在国际上由于第二次世界大战期间盟国战俘在日军逼迫下架设河上的大桥而闻名。当时日本人要修一条连接曼谷和缅甸毛淡棉的铁路，因此铺设沿奎内谷地到三塔山口的铁轨。在修建这条铁路和这座桥梁的过程中数千名英国和盟国其他国家的战俘死亡。北碧城为纪念这些死亡战俘修建了一座墓地；作家布尔也因此著有小说《桂河桥》（1952），该小说后被改编成同名电影（1957）。奎内河地区已成为泰国主要的旅游点和观光地，不过，当年修建的铁路大部分在战后已被拆除。

Khwāja ʿAbd-uṣ-Ṣamad　参阅 **ʿAbd-uṣ-Ṣamad, Khwāja** 阿卜杜勒-萨马德。

Khwāndamīr, Ghiyās ad-Dīn Muḥammad　华恩达米（约1475，呼罗珊赫拉特［今在阿富汗］～1534或1537，葬在印度德里）　波斯历史学家，当时最伟大的历史学家之一。波斯历史学家米赫万德的曾孙。1507年，当乌兹别克的统治者穆罕默德·昔班尼占领赫拉特城时，他作为使臣前去觐见昔班尼。他亦曾目睹伊朗国王夺取赫拉特，击败乌兹别克人（1510）。此后开始写作。1528年前往印度，到达阿格拉后，为印度莫卧儿王朝第一位伟大的统治者巴伯尔服务。巴伯尔死后，又为其子胡马雍效劳。在一次长途步行归来后病逝。华恩达米是一位多产的著作家，最杰出的著作是《故事精华》（1499～1500写作）、《人物列传》（1524完成）、《纯洁的花园》最后一卷亦即第7卷（前6卷为他的曾祖米赫万德所撰）以及描述莫卧儿大帝国的建筑和风俗的《胡马雍书》。

Khwārezm　花剌子模　又拼Chorezm，Khorezm，又称Chorasmia（乔拉斯米亚）。古地区名，在今土库曼斯坦和乌兹别克斯坦境内阿姆河两岸地区。公元前6～前4世纪属波斯帝国。7世纪时被阿拉伯人占领，传入伊斯兰教。11世纪末至13世纪初建立独立王朝，由花剌子模沙王朝统治。此后又相继被蒙古人、帖木儿王朝和昔班尼王朝统治。16世纪初成为希瓦汗国中心。1717年和1839年击退俄罗斯帝国的入侵。1873年成为俄国的保护国。1917年俄国革命后汗国被废除，代之以花剌子模苏维埃人民共和国（1920～1924）。后被灭亡而并入苏联。

Khwārezm-Shāh DYNASTY　**花剌子模沙王朝**（约1077～1231）　又拼Khwārazm-Shāh或Khorezm-Shāh。统治中亚与伊朗的王朝，初为塞尔柱人的附庸，后来独立。创始者阿努什特金·加拉恰伊原为奴隶，约1077年由塞尔柱统治者马利克沙阿委任为花剌子模（**Khwārezm**）总督。他的子孙代替塞尔柱人管辖花剌子模。1141年塞尔柱苏丹桑贾尔被黑契丹击败，花剌子模的统治者被迫承认黑契丹的宗主权。1200年花剌子模沙获胜，阿拉丁·穆罕默德（1200～1220在位）创建帝国，其疆域自印度边境起一直到安纳托利亚的边境。1220年，成吉思汗征服河间地带。1231年末代花剌子模沙杰拉勒丁·明格布尔努（1220～1231在位）战败，领土悉归蒙古人。

Khwārizmī, al-　花拉子密（约780，巴格达～约850）　全名是穆罕默德·伊本·穆萨·花拉子密。阿拉伯数学家和天文学家，其主要著作把印度、阿拉伯数学和代数的概念介绍到欧洲数学界。在伊斯兰科学的第一个黄金时代他住在马蒙和穆阿台绥姆统治下的巴格达。关于初等数学的著作*Kitab al-jabr wa al-muqābalah*，12世纪时被译成拉丁文，书名的意思是"还原（或移项）和化简的科学"或"方程式的科学"，后来aljabr衍变成了algebra（代数学）一词。这部著作是一次、二次方程的算术解法，初等几何以及按比例分配遗产问题的规则等的杂汇，它汲取了古巴比伦数学及其后的希腊、希伯来和印度的数学论著的内容。这部著作由于浅显实用而得以流传下来。他的另一部关于印度和阿拉伯数学的著作只有拉丁文译本，书名是*Algoritmi de numero Indorum*（《花拉子密论印度的算术》），Algoritmi是他的名字的另一音译，这个字以后衍变成algorithm（算法）一词。他还编了一套天文表。

khyāl　喀亚尔　又拼khayāl。印度斯坦仅有的几种民间舞蹈剧之一，流行于印度西北部拉贾斯坦邦。始于16世纪，题材取自民间传说和传奇文学。是专供男子表演的舞蹈剧，以示壮健有力的形体、动作，并且还包括哑剧和说唱。喀亚尔舞有打击乐和弦乐伴奏。

Khyber Pass　开伯尔山口　又拼Khaybar或Khaibar。阿富汗与巴基斯坦之间最靠北而且最重要的一个山口。连接喀布尔与白沙瓦。山口两侧山梁各有一条小河发源，其河

开伯尔山口
美国不列颠百科全书公司供图

床构成开伯尔峡谷。峡谷在600～1 000英尺高的陡崖之间曲折延伸，在距巴基斯坦贾姆鲁德数英里的沙迪巴吉阿尔谷口进入开伯尔丘陵。山口南端阿里马斯吉德要塞海拔3 174英尺。向上5英里成为宽不足600英尺的隘路，两侧为雄伟峭壁。在津塔拉村北山谷宽1英里以上，有堡垒、村庄，并散布小块耕地。兰迪科塔尔要塞为山口最高点

(3 518英尺),由此经欣瓦里至兰迪卡纳,经另一峡谷至多尔汗进入阿富汗,更蜿蜒 10 英里到洛亚达卡。山口有古商道和硬面公路穿过。穿过山口的铁路(1925 通车)连接贾姆鲁德与靠近阿富汗边界的兰迪卡纳,有 34 个隧道与 94 座桥梁和涵洞,使该地区交通大为改善。该山口可经由一条公路岔道绕过。该岔道起自贾姆鲁德以北约 9 英里处,通往洛亚达卡平原。山口长期具有战略重要性,经历许多历史事件。历史上穿过该山口的有波斯人、希腊人、蒙古人和阿富汗人。曾是英国控制阿富汗边境与附近好战部落的要地。

Ki Seto ware　黄濑户陶器　从室町时代(1338 ～ 1573)晚期开始在日本岐阜县美浓一带制作的带黄色的陶器。用优质白陶土制成,外涂铁灰釉。黄濑户主要可分为两种。一种有光亮的黄绿色,烧制时温度较高。另一种釉面呈柔和、暗淡的纯黄色,系在低温下烧成。室町后期的优质黄濑户陶器,估计是在久尻(Kujiri)、五斗莳(Gotomaki)、定林寺(Jorinji)和赤沙场(Akasaba)等窑烧制的。在这些窑里也烧制天目釉碗。其后在安土-桃山时代(1574 ～ 1600),黄濑户陶器的黄色加深,并以此种美妙的暖色驰名。除茶具外,还烧制各种类型的盘、碗和花瓶等。一种称为托盘的陶器,表面有装饰图案,上涂淡绿铜釉,极受茶道爱好者的欢迎。

Ki Tsurayuki　纪贯之(?～约945)　Ki又拼作 Kino。日本平安时代(794 ～ 1185)的宫廷贵族、政府官员和著名文人。在主持御书所期间,曾对编纂第一部敕选集《古今和歌集》(905)起了很大作用。在用散文写的该集序言中,他曾谈到和歌的本质及该集所收歌人的风格。他本人就是一位多产的、颇受尊敬的和歌作者,他是 8 ～ 10 世纪最有才华的"三十六歌仙"之一。他于 936 年写了《土佐日记》。当时男人均用汉文来写日记,他这篇游记却是用假名文字写成的。有关纪贯之的生平和品格我们没有什么现成的资料。看来他把一生主要献给文学。他的儿子纪时文是在 951 年编集了第二部官方和歌集《后撰集》的五歌人(后来被称为"撰和歌所梨壶[又名昭阳舍]五人")之一。

Kiama　基亚马　澳大利亚新南威尔士州东部城镇。位于米纳穆拉河附近。原为雪松运输港。1839 年设镇。1859 年建市,1954 年有所扩大。位于悉尼以南 88 千米处的王子公路线上。现为附近乳品产区、混合性农业区以及煤和玄武岩矿开采区服务。景色优美的海滩和多岩石海滨颇吸引游客。人口7 717(1981)。

Kiamichi River　凯厄米希河　位于美国俄克拉何马州。源出勒弗洛尔县的沃希托山,阿肯色州边界附近,向西南流至安特勒斯转向东南,在陶森堡南面汇入雷德河。全长 266 千米。河上建有雨果蓄洪水库。

Kian(China)　参阅 **Ji'an** 吉安。

kiang　骞驴　中国西藏地区对于亚洲野驴的俗称。参阅 **ass**。

Kiangsi(China)　参阅 **Jiangxi** 江西。

Kiarostami, Abbas　基亚罗斯塔米(1940-06-22,伊朗德黑兰～　)　伊朗电影导演,以试验现实与虚拟之间的界限而闻名。1969 年受雇于"青少年心智发展协会"建立一个制片部门。该机构曾推出他执导的第一部抒情短片《面包与小巷》(1970),这部短片描写出他拍片的要素:即兴表演、纪录片题材和真实生活的律动。第一部影片《旅人》(1974)描述的是一个青少年的烦恼。20 世纪 80 年代创作考察伊朗学童生活的纪录片。90 年代他通过如《特写镜头》(1990)之类的影片揭开电影和真实生活之间的重叠部分。电影《白气球》(1995)通过一个 7 岁小女孩的眼光来看德黑兰的生活,获得国际影评家的赞誉。

Kibaki, Mwai　齐贝吉(1931-11-15,肯尼亚加图亚伊尼～　)　全称 Emilio Mwai Kibaki。肯尼亚政治人物,总统(2002 ～　)。基库尤人,曾获乌干达马凯雷雷大学学士(1955)、伦敦经济学院理学士(1959)。先当教员,后积极从事肯尼亚独立斗争,1960 年参与创建肯尼亚非洲民族联盟(简称肯盟)。1963 年肯尼亚独立后任国民议会议员,后任财政部长(1969 ～ 1982)、副总理(1978 ～ 1988),但与总统莫伊政见不合。1991 年退出肯盟,成立民主党。在 1992 和 1997 年总统选举中两次挑战莫伊,均失败。2002 年 9 月组成全国彩虹同盟(简称全盟),成为总统候选人。选举前数周因车祸受重伤,坐轮椅继续竞选,最终当选总统。议会选举中全盟也大胜肯盟。齐贝吉承诺消除毁灭国家经济的政府腐败。尽管成立了反腐法庭,但却未能通过反腐法案。2003 年立法人员投票通过大幅增加他们自己的工资,说这样可以打击受贿行为。然而,此举受到公众批评。当政同盟的各党相互争斗,在起草新宪法,特别是设置总理的问题上,尤为激烈。全国彩虹同盟的进一步分裂拖延了新宪法的制定,并导致公开骚乱。

kibbutz　集体农场　复数形式kibbutzim,希伯来语 qibbutz。以色列的集体居民点,一般从事农业,但往往也工农业并举。农场财产为共有,收益在居民中的食、衣、住以及社会福利、医疗卫生等费用分配之后便用于再投资,以扩大农场经营。成人有私人住所,但儿童则集体居住,由人照看。炊事和用膳都是共同的。1948 年以色列建国以来,在各集体居民点中,人身和财产更趋向私有化。农场由犹太国民基金会分配土地,每周召开全体会议,成员共同决定农场事项,选举管理人员。第一座集体农场于 1909 年建于巴勒斯坦代加尼亚,以后逐年增设,到 20 世纪末,以色列已拥有集体农场 200 余所,人口超过 10 万。早期建于巴勒斯坦的农场,实为合作社(kevu ẓot)性质,逐渐才发展为集体农场。集体农场在巴勒斯坦新犹太居民点的开创期起过重大作用,农场的民主、平等性质对整个早期以色列社会影响强烈,迄今仍对以色列经济及其领导层发挥作用,不过相形之下,农场人口在全国所占比重就显得很小。

Kibi Makibi　吉备真备(约693,日本旧备中国～ 775-10-31,奈良?)　早期遣唐使,致力于将中国文化传入较不发达的日本。717 年到中国留学。回国后受到孝谦女帝赏识,又派他任遣唐副使来中国。二次回国后成为孝谦女帝的顾问,协助她制订新的立法和改革措施。766 年任右大臣。

kiblah(Islām)　参阅 **qibla** 朝向。

Kıbrıs　参阅 **Cyprus** 塞浦路斯。

Kiburg　参阅 **Kyburg** 基堡伯爵领地。

Kichibē(Japanese printmaker)　**吉兵卫**　参阅 **Hishikawa Moronobu** 菱川师宣。

Kichizan　吉山(1352,日本淡路岛～1431-09-26,日本)　别名明兆,人称兆殿司。日本最后一位重要佛像画家。京都东福寺僧。在他为该寺所绘的佛画中,《圣一国师像》最为有名。该画着重表现人物面部和袍服的真实感,线粗色浓,独具一格。这幅肖像充分显示了他的画风。并且他也被认为是日本杰出的水墨山水画家。

Kickapoo　基卡普人　操阿尔冈昆语的印第安人,与索克人(**Sauk**)、福克斯人(**Fox**)族源较近。17 世纪末,欧洲人对这个部落的最早记载表明,基卡普人住在福克斯河与威斯康星河之间的陆上运输线附近,相当于现在的威斯康星州哥伦比亚县。他们尚武好斗,令人生畏,劫掠活动遍及广大地区,东南至佐治亚及阿拉巴马,西南至得克萨斯及墨西哥,东至纽约及宾夕法尼亚。18 世纪初,这个部落的部分居民曾在密尔沃基河流域附近地域定居,约 1765 年伊利诺伊人被消灭后,这部分居民又向南迁至皮奥里亚。其中一个宗族远至桑加蒙河流域,以草原宗族著称;另一支则向东移到沃巴什,名为弗米利恩宗族。1809 及 1819 年,基卡普人在白人移民的压力下,将其伊利诺伊州土地让与美国,移往密苏里州,然后又去堪萨斯州。约 1852 年一大部基卡普人迁往得克萨斯州,由此再往墨西哥,1863 年与其他部落联合在一起。有些人在 1873 年及以后的时间里又回到印第安准州,其余部分则在墨西哥北部的奇瓦瓦州东部得到一块居留地。大约 3 500 基卡普人住在美国俄克拉何马州、得克萨斯州及堪萨斯州。基卡普人生活在固定的村落里,往返于夏季住所与冬季住所之间;种植玉米、豆类、南瓜,也猎捕平原水牛。其社会由父系氏族组成,各有自己的族名,实行族外婚制。基卡普人自与欧洲人接触时起,就尽量保持旧有生活方式,排斥外族在经济、政治和宗教的文化渗透。

Kicking Horse Pass　基金霍斯山口　加拿大落基山中的一个山隘。在艾伯塔省和不列颠哥伦比亚省的交界处,海拔1 627米,为加拿大太平洋铁路的最高点。东为鲍河河谷,西端开凿两个环形隧道(1911)。1858 年 J.赫克托发现。赫克托在此山隘被马踢,故名。20 世纪 60 年代横贯加拿大公路由此通过。

Kid Gavilan　加维兰(1926-01-06,古巴卡马圭～ 2003-02-13,美国佛罗里达迈阿密)Gerardo Gonzalez 的别名。古巴职业拳击手。首创上击拳,融合了钩拳和上钩拳两种拳法。1943 年开始职业拳击生涯,是一个勇猛而巧妙的拳击手,在 1946 年到美国之前就有很好的成绩。1949 年在 S.R.鲁宾逊的次中量级卫冕中,加维兰数点落败。1951 年 S.R.鲁宾逊升到中量级后,加维兰以 15 回合数点击败 J.布拉顿,成为次中量级冠军。1952 年和 1953 年各 3 次成功卫冕。1954 年试图打进中量级,数点输给 C.奥尔森。同年 10 月 20 日次中量级卫冕,以有争议的数点输给 J.萨克斯顿。许多在拳台旁的新闻记者认为是加维兰赢得胜利,怀疑事先已有"内定"。其后,加维兰开始走下坡路,1958 年 9 月退役。1966 年入选《拳坛》杂志拳击名人堂。

Kidd, William　基德(约1645,苏格兰伦弗鲁郡格里诺克～ 1701-05-23,伦敦)　别名 Captain Kidd。17 世纪英国私掠船船长,半传奇性的海盗。成为英国文学作品中前所未有而极富色彩的亡命徒形象。后世寻宝者一直想找到他埋藏的珍宝但迄无所获。基德早年生平不详。据信年轻时便航行于海上。1689 年以后成为英国合法的私掠船船长,为英国在西印度群岛和北美沿岸劫掠法国船只。1690 年,他成为纽约市富有的船长和船主,并在当地购置产业;多次受命于纽约州和马萨诸塞州,驱逐沿海敌方的私掠船。他于 1695 年在伦敦接受英王任命,前往红海和印度洋搜捕骚扰东印度公司船只的海盗。1696 年 2 月 27 日,基德驾驶自己的"冒险"号海船从德特福德起航,在普利茅斯稍事停靠后,于同年 7 月 4 日到达纽约市,补充船员。他们避开海盗出没地区航行,于 1697 年 2 月到达东非科摩罗群岛。由于基德在那儿长期未捕获私掠船,便转而进行劫掠活动。1697 年 8 月,劫击由也门装运摩加咖啡的船只未成,后来只捕到几只小船。两个月后,他不准攻击一艘荷兰商船几乎引起部下哗变,并在一次忿怒争吵中将自己的炮手 W.穆尔打成重伤致死。1698 年 1 月,他捕获满装财富的亚美尼亚人的船只"奎达夫商人"号,凿沉了自己装备很差的"冒险"号。1699 年 4 月,当他到达西印度群岛的安圭拉岛时,得知他已被指控为海盗,便把"奎达夫商人"号留在伊斯帕尼奥拉岛(大概在此把船凿沉;因为船及赃物从此不知去向),并买了一条新船"安东尼奥"号驶往纽约市,企图劝说当时纽约殖民地总督贝洛蒙伯爵,请他为自己开脱。但是贝洛蒙将他解往英国审判。1701 年 5 月 8 日和 9 日,他被指控杀害穆尔和进行过 5 次劫掠,宣告有罪。在审判中,有关两起劫掠案的重要证据被隐瞒了。后来一些观察者对于宣告他有罪的证据是否充分曾提出过质疑。基德被判处绞刑,在长岛附近的加德纳斯岛上还发现他的部分财物。基德的财产及其所掠"安东尼奥"号的财货经变卖后拨给慈善机关。此后多年,船长基德这个名字与西方小说中那种传奇化的不可一世的海盗之概念几乎成为同义语。在有关他埋藏财宝的若干小说中,埃德加·爱伦·坡的小说《金臭虫》最为著名。

Kidder, Alfred V(incent)　基德尔(1885-10-29,美国密歇根马凯特～ 1963-06-11,马萨诸塞坎布里奇[剑桥])　美国考古学家,为当时考察美国西南部和中美洲的著名学者,也是主张用全面、系统方法进行北美洲考古的中坚人物。1907 年开始从事田野工作,先后在犹他州、科罗拉多州和新墨西哥州开展研究。因首创与美国西南部史前考古有关而效果良好的陶器类型学,1914 年获哈佛大学哲学博士学位。同年赴犹他州和亚利桑那州考察,1915 ～ 1929 年主持马萨诸塞州安多弗城菲利普斯学校在新墨西哥州佩科斯印第安人村落的发掘工作,其间为促进美国西南部各大学人类学研究和考古学研究、为创办科研团体和博物馆做了大量工作。所著《西南考古学导论》(1924)为权威著作。1927 年提出佩科斯考古分类体系,为以后研究普埃布洛地区的学者所广泛采用。基德尔是华盛顿卡内基学会(1927 ～ 1950)及哈佛大学皮博迪博物馆(1939 ～ 1950)成员,曾为学会制订多学科研究规划,对墨西哥和中美洲的旧马雅帝国和新马雅帝国的文化史作过深入调查。

Kidderminster　基德明斯特　英格兰伍斯特行政、历史郡怀尔森林区城镇。濒临斯陶尔河和斯塔福德郡-伍斯特郡运河。736 年首见记载。曾有重要的毛纺织业首见记载于 1334 年,1735 年为地毯业取代。人口 54 644(1991)。

Kiddush　圣日前夕祝祷　又拼 Qiddush。犹太教礼仪,在安息日前夕或节日前夕晚饭前举行。包括诵读祝词和祷文,宣告圣日开始。通常由家长诵读,家中其他成员或全体成员也可以参加,风俗因地而异。祝祷时人人右手握杯,杯中盛葡萄酒,祝福后人人饮酒。根据德系犹太人传统,案上置有两饼,上覆以布,象征当年以色列人在旷野迁徙期间安息日上帝降下双份吗哪之事。如无酒可用,也可以饼代替。

Kidepo Valley National Park　基代波河谷国家公园　位于乌干达东北部。设于1962 年。面积1 399平方千米,地跨基代波河和拉鲁斯河,有多树木的草地和山地风光。东有莫龙戈莱山,北有苏丹境内的洛图库山脉。

Kiderlen-Wächter, Alfred von　基德伦-韦希特(1852-07-10,符腾堡斯图加特～1912-12-30,斯图加特)　德国政治家、外交大臣,以在第一次世界大战前第 2 次摩洛哥危机(1911)中所扮演的角色而为人们所忆及。参加普法战争(1870 ～ 1871)后攻读法律,1879 年进入普鲁士外交界。他拥护俾斯麦以后的强硬外交政策。1898 年任驻布加勒斯特公使,后出使君士坦丁堡,支持修建柏林—巴格达铁路。1908 年被任命为外交副大臣,在奥地利吞并波斯尼亚-黑塞哥维那后的危机中,他从中斡旋,使俄国不去支援塞尔维亚。从此时起,他就奉行好战的外交政策,他的成功却以俄国的敌视为代价。1910 年新首相贝特曼-霍尔韦格任命他为外交大臣。他反对与英国保持海军均势,主张通过 3 国同盟(德国、奥匈帝国和意大利)牢固地树立德国在欧洲的领导地位。他的事业在 1911 年达到顶峰。在法国占领摩洛哥城市拉巴特和非斯后,他在原则上不反对法国在摩洛哥的霸权地位,但要求给予德国补偿。他鼓励煽动当地的德国人在西摩洛哥进行干预,并派炮艇"豹"号前去阿加迪尔示威,因而引起所谓阿加迪尔危机。1911 年 11 月与法国达成协议,德国从法属刚果获得两块狭长地带,而法国则将摩洛哥作为它的保护国。基德伦-韦希特在第 2 次摩洛哥危机中的粗暴而强硬的态度,极大地加剧了国际紧张局势,这种紧张局势终于导致爆发第一次世界大战。

Kidinnu　西丹努斯(活动时期约公元前 379,巴比伦尼亚)　又拼 Kidenas 或 Cidenas。天文学家和数学家,可能曾发现岁差,即地球自转轴的缓慢变动造成年长度产生微小变化的现象。当他在西巴尔主持天文学校工作时,可能在公元前 383 年把 19 年置闰法引进了巴比伦历。在这种历法中,每年有 12 个太阴月,而每 19 年外加 7 个月。这种 19 年置闰法后被犹太人采纳并一直应用。他还曾发展一种更精确的历法系统(称为 B 系统),被巴比伦人用来描述太阳行星的运动。该系统通过不断增值和减值来计算行星的位置。他计算求出朔望月(从新月到新月)的长度为 29.530 614 天,与今值相差不足一秒。

kidnapping　绑架　指违背他人意志,以暴力或欺骗手段加以劫持或带走或者非法加以羁留和拘禁。绑架的主要动机是把被害人置于某种形式的非自愿的奴隶状态,使他暴露于针对他实施的进一步的犯罪行为的侵害,或者为了勒索释放他的赎金。更近一些时候,为了勒索而进行的绑架已经成为政治革命者或恐怖分子谋求从一个政府获得让步的一种策略。所有的国家都认为绑架是一项严重罪行,应处长期徒刑或死刑。在早些时候,绑架将一个人带到另一个国家,将其置于非自愿的奴役状态。绑架还指诱骗或胁迫男人当兵或当水手。诱拐年轻妇女出售作妾或充当娼妓,也被视为绑架的形式之一。现代关于绑架的法律是为了禁止以勒索巨额赎金或谋求让步而实施的绑架罪。20 世纪 20 年代和 30 年代,绑架在美国时常发生。1932 年国际知名的美国飞行员林白上校的幼子被绑架一事促使立法机关规定对把被绑架者运出州界的人处以死刑。在大多数国家中,绑架罪包括非法监禁。把受害人带到另一地方加以非法监禁,是加重的非法监禁,视为绑架,因而要受更重的刑罚。

kidney　肾　脊椎动物和某些无脊椎动物维持水的平衡和排除代谢废物的器官。原始的肾和胚胎时期的肾由两列特化的小管组成,通入两条集合管——沃尔夫氏管(**Wolffian duct**)。爬行类、鸟类和哺乳动物成体的肾(后肾)较先进,是一对实体器官,其功能单位称为肾单位,能过滤来自血液的初尿,重吸收水分和营养物质,分泌废物,产生终尿。爬行类和鸟类的肾由许多小叶组成,鸟类的小叶再组成3个或更多的大叶,各小叶的集合小管通入输尿管的分枝。爬行类肾单位数较少(在蜥蜴为3 000～30 000),而鸟类肾单位数甚多(在鸡约为200 000,为相应大小哺乳动物的两倍)。哺乳动物的肾具有包括肾小球和肾曲小管的颗粒状外层(皮质)和包含亨勒氏襻和集合管的光滑的有纹的内层(髓质);输尿管通向肾处扩大成腔,称为肾盂,尿即从集合管进入肾盂;肾单位极多(小鼠有20 000)。人的肾长约10厘米,位于膈下腹膜后,每肾含1 000 000～1 250 000个肾单位,每45分钟能过滤血液中5夸脱(4.7升)的水分,一天相当于160夸脱(151升),其中仅1.5夸脱(1.4升)排出体外,其余部分全被肾单位重吸收。肾受损伤后分泌一种酶,称为肾素(高血压蛋白原酶),能刺激血管收缩,若最初的肾损伤由高血压所引起,则因血管收缩,血压升高,进一步引起肾损伤。

kidney failure　肾功能衰竭　又作renal failure。肾脏功能部分或全部丧失的一种病理状态。按其发作之急缓可分为急性和慢性两种。急性肾功能衰竭导致少尿,血内氮、钾、硫、磷等异常升高,而血钠、钙及二氧化碳低于正常;患者通常于6周左右恢复。肾功能衰竭的病因包括由药物或有机溶剂(如四氯化碳、丙酮、乙二醇)引起的肾曲管破坏、金属(如汞、铝、铀)盐类中毒、物理损伤或大手术引起的大量失血和血压降低、严重烧伤、输入不相容的血液等。某些能破坏肾皮质的疾病、肾脏严重的细菌感染、可造成肾髓质坏死的糖尿病、肾内含钙过多等亦能引起肾功能衰竭。肾动脉阻塞、肝病、尿路梗阻能导致急性肾功能衰竭。偶尔肾功能衰竭可无明显症状。肾功能衰竭的并发症包括心力衰竭、肺水肿及血钾过多。慢性肾功能衰竭通常为肾脏疾病迁延所致。表现为酸中毒、骨骼脱钙,亦可发生神经退行性变。肾脏病变进展缓慢者,即使肾功能丧失约90%,仍能维持生命。当大部分肾组织受累时,剩余部分加强活动以代偿其损失。若切除一侧肾脏,则对侧肾脏体积增大,功能增强,以适应其过重的负担。双侧肾功能衰竭的治疗往往需要应用人工肾进行透析。使患者的血液流经人工肾过滤后再回到人体,如此不断地循环往复。在肾功能衰竭不太严重的情况下,透析疗法能使肾脏本身得到休息和修复。若肾脏功能不能充分恢复,则应考虑肾移植。

kidney function test　肾功能试验　为评价肾脏各方面功能活动情况并帮助诊断肾脏疾患而作的一些临床和实验室检查。可分以下几类:①廓清试验,用以评价肾小球滤过率(参阅 **inulin clearance**)和肾血流量(参阅 **phenolsulfonphthalein test**);②浓缩和稀释试验——在限制饮水或大量饮水之后,按照规定的时间间隔测定尿的比重,以此判断肾脏保留水分的能力;③尿液的物理检查——记录尿的物理性状(如颜色、总量和比重)及判明有无脓、透明管型和红、白细胞等的存在。蛋白尿经常是肾脏病最早出现的异常所见;④测定尿中各种物质(主要为葡萄糖、氨基酸、磷酸盐、钠和钾)的浓度,借此判断与这些物质重吸收有关的肾脏专门机构的情况。除临床和实验室检查外,X射线和放射性同位素对肾脏疾患的诊断也有价值(参阅 **urography**)。

kidney stone　肾结石　又作renal calculus。矿物质及有机物在肾内沉淀形成的坚硬如石的物质。其体积常大到足以损害肾脏的功能。尿内溶解着多种盐类,若其浓度过高,过剩的盐类即沉淀为固体颗粒,称为结石。若结石的形成无感染、梗阻等明显的原因,则称为原发性,在出现肾脏感染或功能紊乱后形成的结石,称为继发性。某些情况可促使结石形成。尿量减少或尿内矿物质浓度剧增均足以搅乱溶液与其溶质之间的微妙的平衡状态。一旦结石开始形成,便会继续增大。尿盐沉淀的核心可为成团的细菌、退行性变的组织、脱落的细胞或小血块。开始矿物质围绕这些异物颗粒沉积并包绕之,随着结石的增大,其他矿物质得以沉积的表面积亦不断增加。较大的肾结石能造成尿路梗阻,促成感染并引起肾小管痉挛-肾绞痛。肾绞痛发作时,剧痛从肾区向下放射到腹部及腹股沟部。结石亦可引起肾盂、输尿管或膀胱的梗阻。许多肾结石患者并无明显症状。有些患者可有肾区剧痛、感染及炎症。肾结石的治疗包括处理并发的炎症,试用药物溶解结石。体积较大而不能溶解的结石,则需手术取出。

kidney transplant　肾移植　又作renal transplant。用健康的异体肾脏来替代患病或损伤肾脏的手术。被移植的肾脏可取自活的亲属或其他刚死的患者。虽然早在20世纪50年代后期就进行了肾移植,但直到1963年,发现了免疫抑制药硫唑嘌呤并用以抑制人体免疫系统对移植器官产生的排异反应后,临床上才开始有效地应用这种手术。因为受者对亲属肾产生的排异反应较少,所以活体亲属肾移植较尸体供肾更易成功。但目前尸体肾还是移植的主要来源,原因是比较容易获得,同时也可避免对活的供者所造成的危害。在移植前应仔细检查和分析受者的免疫学特性,并尽可能选择在免疫方面与之相近的供体。要判断配型是否良好,可测定血型和组织标记。若移植肾选自活的供体,则受者在移植前数周即可接受透析治疗,以便控制已有的肾病。因为尸体肾取出后保持功能的时间甚短,所以受者不太可能在手术前进行透析治疗。如果受者有任何感染灶,则由于应用免疫抑制药可能导致感染扩散,所以不能进行肾移植术。供肾应移植在髂窝处,通常将右肾置于左髂窝,左肾则反之,以便于血管吻合。供肾的肾动脉及肾静脉分别与受者的髂动脉及髂静脉吻合。供肾的输尿管或与受者原有的输尿管吻合,或直接与膀胱吻合。过去,受者的两个肾脏在移植前常需摘除,而现在除非该病肾有感染或体积大到影响新肾的移植,否则就将其仍保留在原处。目前移植后的排异反应率仍然甚高,特别是尸体肾移植,有的患者移植过2～3个肾脏以后手术才算成功。排异反应可在移植后数分钟之内即开始出现。急性排异反应可在移植数年后才发生,但术后最初三个月内最为常见。此时移植肾组织为免疫系统破坏而突然丧失功能。也可以发生慢性排异,表现为肾功能逐渐衰退。大剂量免疫抑制药与阻止血块形成的药物联合应用,能够抑制排异反应,挽救移植的肾脏。若药物治疗无效,则应在发生感染或其他合并症之前将移植肾切除。活体供肾通常能立刻恢复功能,而尸体肾的组织调整和恢复功能可能需要两周的时间。若术后无并发症及排异征象,则患者在两个月内就能恢复正常生活,但仍需持续服用免疫抑制药数年。由于免疫抑制药能降低机体对感染的抵抗力,其他系统的并发症可能随之发生。

kidney vetch(*Anthyllis vulneraria*)　**疗肾野豌豆**　又作ladies' fingers。即疗伤绒毛花。豆科多年生草本植物。原产于欧洲和北非的草甸、高山牧场和干燥地带。植株矮,被毛,高15～40厘米。叶狭,长1.4～3.8厘米。花黄色、淡红色或白色。曾用来治疗肾脏功能失调,故名。现常栽培于岩石花园。

Kido Takayoshi　木户孝允(1833-08-11,日本长门地区长州藩～1877-05-26,东京)　推翻德川幕府264年统治、将大政归还天皇的明治维新的杰出人物之一。1868年王政复古后,成为新政府最得力的官员之一。出身于拥有权势的武士家庭,很早就活跃于他的采邑长州藩政界。作为吉田松阴的门生,与长州藩领导倒幕运动的一批人交往甚密。长州藩激进分子开始掌权后,他于1862年任长州藩政要职。因害怕长州藩激进分子的权力日益扩大,德川幕府于1865对长州进行讨伐,在长州组成保守政府,木户被罢黜。激进分子组织起自己的武装,在德川军队撤出后,重又攫取政权,并成功地击退了德川幕府的第二次讨伐。作为长州藩政府的首脑,木户开始与萨摩藩激进的武士举行会谈。木户与萨摩的大久保利通和西乡隆盛成为明治维新3巨头。3人一起领导了终于把将军推翻的政变。木户成为新政府中最有权力的官员之一。他与其他官员一起,负责将京城从京都迁至江户(改名东京),说服大名奉还版籍,小藩主纷纷效法。木户还参与制定计划,在全国废藩置县,由中央政府任命的官员治理。1871年木户随代表团访问欧洲,回国后及时阻止政府侵略朝鲜的计划。1874年他反对远征台湾的意见遭到否决后,退出政府。在将日军召回后,他重返政府,着手按照西方模式制订宪法,但因体弱多病,只得在政府中从事较轻的工作。

Kidston, Robert　基德斯顿(1852-06-29,苏格兰伦弗鲁郡毕晓普斯顿豪斯～1924-07-13,威尔士格拉摩根郡吉尔法克戈克)　英国古植物学家,因发现和描述泥盆纪植物化石而闻名。曾在爱丁堡大学攻读植物学,1880年成为英国地质调查局名誉古植物学家。

1904年以前一直研究古生代化石植物的区系学、分类学及地层学的特点，研究水平甚高，得到广泛承认。曾为各种机构（包括不列颠博物馆）制订古生代植物目录。在第二阶段（1904～1922）主要研究形态学。同曼彻斯特维多利亚大学的W.H.兰一起研究过泥盆纪赖尼燧石层的硅化植物。他们发现了维管隐花植物的一个新纲和三个新属，该发现被誉为对泥盆纪植物研究的最伟大的贡献之一。他直至去世前仍在撰写《英国石炭纪地层的化石植物》（6部分，1923～1925）一书。

Kiecal, Stanislaus (boxer) 参阅 **Ketchel, Stanley** 凯彻尔。

Kiefer, Anselm 基费尔（1945-03-08，德国多瑙埃兴根～ ） 德国画家。20世纪晚期成为新表现主义艺术运动最主要的人物之一。原在弗赖堡大学攻读法学，1966年放弃学业追求艺术。后来曾入弗赖堡、卡尔斯鲁厄和林塞尔多夫等地的美术学院进修。1970年在杜塞尔多夫市成为概念艺术家J.博伊斯的学生。在老师的鼓励下，他很早就用象征的摄影形象讽刺性地记录20世纪德国的历史。博伊斯又鼓励他作画。在《德国神圣英雄》（1973）和《海狮行动》（1975）等巨幅绘画作品中，他能够创出一系列足以用于讽刺挖苦德国历史和文化（特别是纳粹时期）的某些悲剧场面的象征图形。这些画用色既俗丽又阴沉，构图既粗糙又单纯，但是由于对纳粹主义的冷讽热嘲极富有想象力而得到强烈的效果。20世纪70年代，他还画了一系列林荫路景，表现德国乡村布满车辙的阴郁风光，用线性透视法取得巨大的戏剧性效果。他在80年代所作的风景画和室内画，由于使用透视手段，并给画布表面增加特殊纹理，而具有强烈的实体感。虽然基费尔在《内景》（1981）等画中继续表现昔日德国的纳粹，但是他的主题范围已经扩大，包括取材于古代希伯来和埃及的历史，如巨幅油画《俄赛里斯和伊希斯》（1985～1987）便是如此。

Kiejstut (Lithuanian ruler) 参阅 **Kęstutis** 凯斯图蒂斯。

Kiel 基尔 德国北部石勒苏益格-荷尔斯泰因州首府、城市。波罗的海西部基尔峡湾两岸的海港。位于基尔运河东端。建于1242年。1284年加入汉萨同盟。1773年成为丹麦的一部分。1866年连同石勒苏益格-荷尔斯泰因其余部分划归普鲁士，并于1917年成为该省的首府。第二次世界大战中城市大部被毁。现已重建并有大片绿化区。修复的古迹有圣尼古拉斯教堂（约1240）和沙皇彼得三世诞生地荷尔斯泰因-戈托尔普公爵宫（约1280）等。1665年建立的基尔克里斯蒂安-阿尔布雷希茨大学设有著名的世界经济学院。大学旧址附近有德国最早的美术馆和植物园。现代建筑有市政厅（1911）、市剧院（1907）、展览厅和议会厅（1950）以及新大学建筑物。基尔运河船闸1895年启用。建有大型商业港口和游艇设施。渡轮往返于峡湾两岸。造船和机械为主要工业，也有印刷、冶金业、酿酒业和纺织业等。每年6月举办名为"基尔周"的国际船赛和文化节。人口约233 039（2003）。

基尔市及其港口

美国不列颠百科全书公司供图

Kiel, Treaty of 《基尔条约》（1814-01-14） 拿破仑战争时期，结束丹麦和瑞典两国战争行动的和约。根据和约，丹麦将挪威割让瑞典，从而大大削弱丹麦作为波罗的海强国和欧洲大国的地位。挪威决心以武力抵制这一和约，迫使瑞典承认它的宪法，即与瑞典形成君主联盟的关系。丹麦虽仍保留挪威的格陵兰、冰岛、法罗群岛等旧有领地，但丧失挪威以后，在政治和经济方面都遭到致命的打击。

Kiel Canal 基尔运河 德语称Nord-Ostsee-Kanal（北海-波罗的海运河），在德国的北部，从布伦斯比特尔科格（在北海易北河口）向东延伸98千米到达霍尔特瑙（在波罗的海基尔港）。河宽338英尺（103米），深37英尺，有7座高桥（约140英尺高），成为北海和波罗的海之间最安全、最便利、最短和最经济的船运路线。运河建于1887～1895年，原先供军用，德国舰船可不再向北绕道丹麦半岛航行。1907～1914年加宽，以容纳大型军舰。第一次世界大战前运河属德国政府所有，《凡尔赛和约》的规定实际上把运河国际化了。希特勒于1936年推翻上述条款。第二次世界大战后又重新实现自由通航。这条运河现在仍是波罗的海航运的重要路线。

Kielce 凯尔采 原波兰东南部的省（1975～1998）。现主要为圣十字省的一部分。

Kielce 凯尔采 波兰东南部圣十字省城市和省会。地处圣十字山区，在华沙—克拉科夫铁路线上，是重要的工业中心，有冶金、机器和食品加工设施。11世纪末始见记载，1360年建市。14～16世纪发展成为本地区工业和宗教中心。1795年割予奥地利，后又受俄国统治。1918年归还波兰。第二次世界大战中，德国在此设立4个灭绝集中营。现有17世纪巴罗克式建筑和教堂。人口约212 429（2002）。

Kielland, Alexander Lange 谢朗（1849-02-18，挪威斯塔万格～1906-04-06，卑尔根） 挪威小说家、剧作家。与易卜生、比昂松、J.李合称19世纪挪威文学"四杰"。1878年去巴黎，翌年出版短篇小说集。曾广泛阅读19世纪的自由主义文学，并将他的创造精力贡献于社会批判和改革。他是当时第一流的文体家。他在作品中流露的机智俏皮和嘲讽语调多少缓和了他的社会批判的锋芒。他的最重要的长篇小说《加尔曼和沃尔塞》（1880）描绘故乡斯塔万格的生活。他的小说抨击的主要对象是官僚政治（如《工人》，1881）及教士（《圣约翰节》，1887）。他对教会及牧师的敌视是受克尔恺郭尔的影响。不过他攻击的不是基督教，只是教权主义。

Kieran of Clonmacnoise, Saint 参阅 **Ciaran of Clonmacnoise, Saint** 西亚朗（克朗马克诺伊斯的），圣。

Kierkegaard, Søren 克尔恺郭尔（1813-05-05，丹麦哥本哈根～1855-11-11，哥本哈根） 全名Søren Aabye Kierkegaard（瑟伦·奥比厄·克尔恺郭尔）。丹麦宗教哲学家和理性主义的批判者，被认为是存在主义哲学的创始人。他以对自成体系的理性哲学、特别是黑格尔主义的批判驰名，其论据是：实际生活不能被包含在一种抽象的概念体系之中。他采取这一立场的目的是为充分研究信仰，从而为研究宗教（特指基督教）扫清道路。

美国不列颠百科全书公司供图

早年生活 克尔恺郭尔的父亲是迈克尔·彼得森·克尔恺郭尔，曾对儿子的性格有很大影响。老克尔恺郭尔最初的谋生之道是在日德兰半岛西部不毛的高沼地当穷苦的佃户帮工。有一天，他因神不关心他的困苦贫穷而暴怒，绝望之余，就站在一座小山上庄严地诅咒上帝。不久，他被送到哥本哈根，投奔经营毛织品的一位叔父。从那时起他财运亨通，临终时已是一个大富翁，在首都有5所房屋，1807年英军炮轰哥本哈根期间均奇迹般地未遭摧毁。另外，他把全部资产都投入金边证券，而在瑟伦出生的1813年国家破产时，他是极少数未受重大损失的人之一。因此，这位老翁在1838年去世时给克尔恺郭尔和他的弟弟留下很大一笔财产，使克尔恺郭尔能够一生埋头著述，不为金钱发愁。

但是，从他作为一个人和一位著述家的发展后果来看，克尔恺郭尔得到的精神遗产却比金钱遗产尤其重要。他的父亲一方面严格遵循正统的路德主义，一方面又喜爱形式论证的逻辑，但是，在他设法对自己最才华横溢的儿子进行严格的宗教和智力训练时，总是用一种迷人的想象搞得生动活泼。克尔恺郭尔始终没有摆脱开他父亲的强悍个性的影响，也没有甩掉在他父亲的虔诚表面下边总是蠢蠢欲动的那种强压下去的忧郁气氛。克尔恺郭尔在童年时就觉察到把他的父亲压垮的沉重内疚，后来他了解到其原因是父亲少年气盛曾经咒骂上帝，此时他备感震惊，自名曰“大地震”。得知父亲的罪过之后，他惊恐万分，投身于放荡生活。尽管如此，由于老克尔恺郭尔确信上帝必降祸于全家，他依然十分烦恼。而克尔恺郭尔的母亲和6个弟兄姐妹中的5个相继死去，似乎证明父亲的想法是正确的。他入哥本哈根大学学习神学，但是忽视这一学科而爱上了哲学。

1838年父亲去世，使克尔恺郭尔的头脑清醒过来。他重新钻研神学，两年后得硕士学位。不过，他恢复原来的志趣还有另外一个原因：他与一个叫作丽金·奥尔森的姑娘陷入情网，并且跟她订了婚。然而不出几天，他就开始觉得自己犯了一个错误，尽管他仍然感到自己一往情深。问题在于，他越来越觉察到双方之间的鸿沟，姑娘年轻，白璧无暇，缺乏经验，而他自己背着犯罪意识的旧有包袱，又对人类精神的复杂性具有独特的感觉，这些东西永远无法向丽金谈清。正如他在日记中所写：“我太老啦，简直比她大一千岁。”

因此，他决定解除婚约。但是，丽金在热爱他，他越劝她把他甩掉，她越缠住他不放。结果，他不得不主动断绝关系，但是，为了保全女方的名声，他巧妙地演了一场鲁男子的把戏，使人看了是她摈弃了他。达到这一目的之后，他逃往柏林住了半年。这段小小的浪漫史，虽然仅仅在轮廓上似乎有点小说的味道，但对克尔恺郭尔却具有深远的影响，为他的几部著作提供了借以抒发和评论的素材。

最初几部哲学著作 他从柏林回国时，提箱里装着大量手稿，即《非此即彼：生活的一个断片》(1843)。克尔恺郭尔的著作几乎全是用假名出版，依照每本著作的特性虚构名字，这一怪癖的目的在于告诉读者不要把他所发表的理论当作权威人士的意见，而是提供各种不同的生活方式供读者判断、特别是供读者选择。实际上，这正是标题《非此即彼》的意义所在，即对人生观提供一种美学的或一种伦理的(或伦理-宗教的)抉择的余地。克尔恺郭尔认为每一个人都有必要在人生提供的各种条件中作出完全自觉和负责的选择，这一信念后来成为一切存在主义著作和思想的基础。

克尔恺郭尔与丽金交往的不幸经验显然在《非此即彼》中起着巨大的作用，的确，第一卷的收尾部分复述他在日记中所记载的自己恋爱故事的许多详情细节。这部书可以看作是致丽金的一封秘函，目的在于解释他对她采取的态度，并辩明其正确性。在他的所有著作中，到处都存在这类秘函。克尔恺郭尔一而再、再而三地反复谈论他对于自己所做的事情的责任问题。《非此即彼》是一部具有高度艺术价值的作品；另外，它为当代文艺思潮提供一个重要的实例，那时，浪漫主义正在发展它日后的几种主要倾向(社会现实主义和个人心理学)，浪漫主义对事物的看法变得更加悲观和不自然。在克尔恺郭尔随后连续不断的著作中也见到这些因素。

在这些著作中，应该提到的是《恐惧和战栗》(1843)和《反复》(1843)，二者均讲述信仰和牺牲的观念。《恐惧和战栗》的起始点是亚伯拉罕和以撒的故事。克尔恺郭尔再一次仔细考察他与丽金破裂的含意：正如亚伯拉罕的行动那样，为了遵从更高的使命而作出牺牲，同时也像亚伯拉罕情愿杀自己的儿子一样，这一行动违反伦理法则。问题是：我们能否想象在什么情况下一个更高的权威也就是上帝可以把伦理束之高阁，而上帝本身又必须被看作是一切伦理范畴的本质和要素？克尔恺郭尔称这个问题为“目的论的伦理标准之搁置”，由此得出结论，认为信仰实质上是矛盾的。《反复》与《恐惧和战栗》有密切联系，因为它给这些想法提供心理学的论证。

1844年，《哲学片断》和《敬畏的概念》问世。前者是试论基督教如果有任何意义，它应该是什么样子。其目的特别在于说明基督教是一种以自由意志为先决条件的存在形式，没有自由意志，一切事情都变成毫无意义。这是对风行一时的黑格尔哲学的攻击，黑格尔哲学采用浮夸的历史透视法，个人在历史中被吸收掉，如一粒尘埃似的无影无踪。实际上，克尔恺郭尔这时正在准备与黑格尔哲学进行最后论战，但是在此之前，他觉得有必要把他关于自由哲学的思想扩展到心理学的领域。结果就写成《敬畏的概念》。此书立论特别深刻，可能是现有第一部深蕴心理学著作。

在这部著作中，克尔恺郭尔把他所称的“敬畏”与惧怕和恐怖截然分开，前者是一种没有确定对象的感情，后者则来自一种客观的威胁(例如一匹野兽，一个持枪歹徒)。克尔恺郭尔的思想与他的生活如何盘根错节地交织在一起，摘录他的一段日记便会看得很清楚：

> 但是，如果我把事情向她(丽金)作解释，我就必须告诉她一些可怕的事情，我与我父亲的关系，他的愁思，笼罩着我的漫漫长夜，我的绝望、七情六欲和过分行为，这在上帝看来也许算不上十恶不赦；因为，是“敬畏”使我迷了路。

这段话的结尾部分正是《敬畏的概念》的出发点和关键所在。克尔恺郭尔认为自由不能从哲学上证明，因为任何证明都会含有与自由对立的一种逻辑必然性。讨论自由不属于逻辑学的领域，而是属于心理学的领域，心理学不能讨论自由本身，但是可以描述使自由可能得到证明的精神状态。这种精神状态是敬畏。通过对敬畏的体验，人从无罪一跃而到有罪，如果按照基督教的要求时，则是从有罪一跃而到信仰。因此，敬畏是犯罪的前奏，而不是如人们起初所想那样为犯罪的后果。

1845年，克尔恺郭尔的新著《人生道路上的各阶段》问世，这是一部长篇巨著，可能是他最成熟的艺术伟绩。从某种意义来讲，它再次申述了《非此即彼》的思想，如两书的标题所指明那样。但是有一个极其重要的差别——在新作中，宗教阶段或领域不仅与美学领域分开，而且与伦理领域也有别。这一发展实际上是他以前所有著作中体现的思想的一个逻辑上必然的结果，因为那些书的目的在于揭露以人类伦理学作为人生道路的不足之处。因此，在《非此即彼》中只有美学的和伦理的两个领域，而在《人生道路的各阶段》中则有三个。在本书的第三即最后部分“有罪耶？无罪耶？”中，克尔恺郭尔从一个新的角度仔细分析他解除婚约的故事。在美学阶段，爱情的悲剧意味着由于外来力量的阻碍，一对情侣不能成为眷属；罗密欧和朱丽叶的故事就是一个典型的例子。在伦理阶段，障碍在于他们属于不同的存在范围，一方从审美观点来理解爱，另一方则按照伦理意识来解释情。只有一方把另一方提升到自己的存在范围才能克服此种障碍，但这样的事有如凤毛麟角。在宗教阶段，障碍的症结之点在于：其中一人素质不同，他认为自己命苦，只有忍受痛苦才能使他从此时此地得到超脱，并使自己为永生做好准备。美学上的英雄的对立力量在他自身以外；宗教上的英雄在自身之内发现对立力量。美学上的英雄通过征服而变成伟大，宗教上的英雄通过苦难而达到崇高。但是，为“理念”服务的苦难恰恰就是理念在宗教存在范围中的实现。克尔恺郭尔写《非此即彼》时并未提出这一论点，因此，他必须把这部书重写一遍。

这一论点显示出对人生和对整个人类的看法不断增加悲哀的调子。一系列不愉快的事情使他的情绪发生变化。丽金嫁人了，从而粉碎了一种浪漫主义的幻想。他原来觉得两个人是在保持一种神圣婚姻，高高在尘寰之上，只等待上帝使不可能的事情变为可能。实际上，这就是《恐惧和战栗》和《反复》两书的基本思想。现在，一切全都化为乌有了，在题为“在真实的美酒中”或“华筵”的《人生道路的各阶段》的第一部分中，明显透露出幻灭的情绪。这一部分以柏拉图的《飨宴篇》为模式，谈论同样的主题——爱情、性欲、交欢、女人，并反映出对一切女人的辛辣讽刺和极端蔑视。

对黑格尔主义的抨击 克尔恺郭尔还有另外一些扫兴的事情。他与一些文艺批评家发生争吵，那伙人不理解他的著作的意旨，或者更糟糕的是，已经理解了意旨，却仍然要拿他当成笑柄。在这些小小的战斗中，他总是大获全胜，但是负伤很重，对人类感到极大的厌恶。在他日后所写的大部分作品中都流露出这种苦痛心情。但是，他的另一部书却是例外。这部书的标题给人留下深刻的印象：《对于哲学片断的非科学的附言的结论。一部模拟的、拙劣的辩证作品，一篇存在主义文稿》(1846)；署名克里马库斯(Johannes Climacus)著，克尔恺郭尔刊行。

这是克尔恺郭尔的典型的反语法，他把最富哲理的重要著作以一本书的附言形式发表，篇幅仅占全书五分之一左右。另外，克尔恺郭尔称他的这部著作为"一篇存在主义文稿"，是向读者强烈表明他自己的哲学立场；其目的是要跟当时占主要地位的哲学，即已经席卷欧洲的黑格尔哲学算账。克尔恺郭尔对黑格尔将整个存在体系化的企图提出诘难，宣称不可能建立起存在的体系，因为存在是不完全的，它在不断地发展。他进一步指出，黑格尔将流动概念引入逻辑学的企图所造成的逻辑谬误，从而揭示了范畴混合所造成的混乱。黑格尔认为他创造了知识的客观理论；克尔恺郭尔则推出主观性为真理的命题，用他自己的定义来说，就是"在最热情的献身精神中坚持客观的未定性就是真理，也就是对存在着的人的最高真理"。

这些已经成为现代存在主义的基石的信条不仅戳破了黑格尔对自己哲学所称的"体系"，而且使所有的哲学体系都显得难以凭信。"体系"的建造者永远也不会理解，凭理智去了解存在是不可能的。黑格尔把存在和思维等同起来，这样就不给信仰留有余地了。因此，基督教显得仅仅是体系中的一个段落、是一般事物中的一个例子；而照克尔恺郭尔的说法，这乃是对宗教的侮辱。克尔恺郭尔并不曾感到自己有责任去劝说人们信奉基督教，但是他肯定觉得有义务去使同代人理解基督教的真相。另外，他感到上帝派给他一个特殊任务，他必须完全放弃写作。

向教会宣战　克尔恺郭尔不能放弃写作，这时，"使命"要开始付诸行动。他认为上帝指派他向同代人揭示基督教的本质，并使丹麦国教会的丑闻曝光，那就是教士们已经背叛他们的宗教信仰而享受世俗社会的富贵荣华，一言以蔽之，就是由基督的信徒变成了政府的官员。

很明显，克尔恺郭尔的宗教思想以及他此时写出的作品，都在向更加禁欲苦行的方向移动。特别是《爱的作品》(1847)、《基督教的讲道》(1848)、《对死的厌倦》(1849)和《基督教徒的品德培养》(1850)，都把基督教描述得更为严格和毫不妥协，为前此作品中所未曾有。《基督教徒的品德培养》一书也是对丹麦教会领袖们的一种隐蔽攻击。到1855年，他已经确信上帝授权他要无情地抨击国教会及其神职人员，便立即开始发表许许多多薄本书和小册子，甚至出版一种叫做《契机》的杂志，对教会进行谴责；杂志10期的稿子全是他一个人执笔的。

这种激烈的宣传活动过于紧张，严重损害了他的健康。将近两年以后，他垮下来了，被送入医院，1个月后在那里与世长辞。此时他已耗尽自己的财产。他把余下的一点点有价值的东西遗赠他所爱过的女人丽金，当时她住在丹麦属西印度群岛，嫁给了总督。

对现代存在主义的影响　克尔恺郭尔去世几十年之后，他的著作的哲学的和艺术的价值才开始受到充分的重视。1877年，丹麦文艺评论家布兰代斯出版了第一部谈论克尔恺郭尔的书，对他的思想和生活作了精辟的分析。德国研究克尔恺郭尔的兴趣很普遍，在第一次世界大战之前，翻译了他所写的全部作品。但是，直到两次世界大战之间的年代，对他的著作的理解才普遍起来。瑞士新教神学家巴特的神学，正如雅斯贝斯和海德格尔以及犹太宗教思想家布贝尔的哲学思想那样，也对存在主义思想的普及起到了推动作用。

在第二次世界大战后的年代，对克尔恺郭尔著作的领会有关键性的突破，似乎对"敬畏"和"受苦"等状态达到了鞭辟入里的理解程度。现在，对克尔恺郭尔的研究兴趣已非常普遍，在他孤零零地死去一百年之后，他的理论成为后世学者的研究对象，克尔恺郭尔时代终于来临了。

kieselguhr　参阅**diatomaceous earth 硅藻土**。

Kiesinger, Kurt Georg　基辛格(1904-04-06，德国埃宾根～1988-03-09，西德蒂宾根)　德国保守政治家，德意志联邦共和国总理(1966～1969)。曾反对与苏联集团的重大和解行动。曾在柏林和蒂宾根受教育，后当律师。1933年希特勒上台后，他参加纳粹党，但在1938年拒绝参加国社党律师公会。第二次世界大战期间任外交部广播局副局长。战后参加阿登纳的基督教民主联盟。1949～1958年为联邦议院议员，曾任议会外交政策委员会主席。在议会中，他为阿登纳的亲西方外交政策和保守的国内方针辩护。1958～1966年任巴登-符腾堡州总理，1962～1963年为联邦参议院议长。1966年12月1日他继艾哈德任总理，继续执行前任的亲西方外交政策，但稍微缓和了与苏联集团的紧张关系。

Kiesler, Frederick John　基斯勒(1892-09-22，奥地利维也纳～1965-12-27，美国纽约州纽约市)　奥地利出生的美国建筑师、雕塑家、舞台美术设计师，以他设计的子宫形的自由形体结构"无尽屋"著称。在维也纳技术学校和美术学院学习，后随建筑师A.洛斯担任维也纳贫民窟改建工作。20世纪20年代初开始舞台设计。1924年担任维也纳国际音乐戏剧节的建筑师和这一活动的主任，设计了可能是最早的露天圆剧场。1926年他接受两个戏剧团体的邀请赴美。1933～1957年，任纽约朱利亚德音乐学院的布景指导。他为大都会歌剧院设计的布景，想象丰富，造价低廉。1936～1942年，任哥伦比亚大学建筑学院设计研究室主任。他的"无尽屋"，没有正式建造，但有一大型混凝土模型陈列在纽约现代艺术博物馆中(1960)。该模型由一组建在柱墩之上相互连接成环形的薄壳结构组成，既可用作无间隔的空间，又可用作界限分明的分开的房间。最后作品是以色列的圣书神坛(1959～1965)，内藏《死海古卷》。

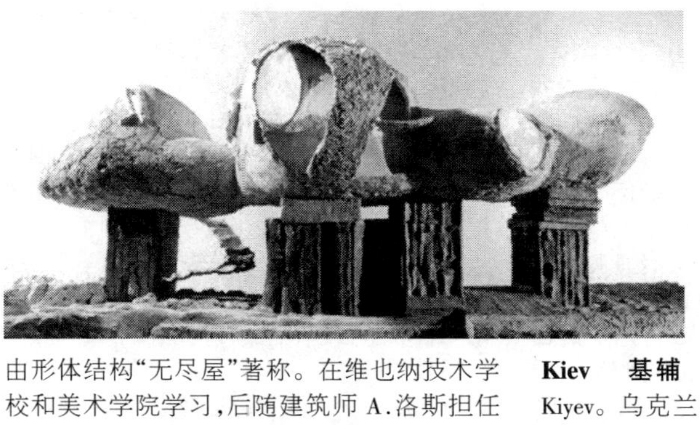

基斯勒设计的"无尽屋"模型，1958～1959年

美国不列颠百科全书公司供图

Kieślowski, Krzysztof　凯希洛夫斯基(1941-06-27，波兰华沙～1996-03-13，华沙)　20世纪70～90年代波兰著名纪录片、故事片和电视片导演，他通过影片探讨了当代的社会问题和道德问题。毕业于波兰国立戏剧和电影学院。1968年开始拍摄纪录片。第一部重要影片《砌砖工》讲述一位失意政治家重操旧业的故事。70年代拍摄的著名纪录片有揭露波兰卫生系统阴暗面的《医院》(1976)。《伤疤》(1976)是他执导的第一个舞台剧。《影迷》(1979)讽刺波兰的官僚主义和审查机构，获得广泛关注。1984年开始与K.皮谢维奇长期合作，编撰影片剧本《永无休止》。后又编电视剧《十诫》(1989)，1989年在威尼斯电影节上放映，被评为当代影片的杰作。另一部《两生花》(1991，又名《双面薇若妮卡》)不仅获得商业上的巨大成功，还赢得评论界的赞许。凯希洛夫斯基的"颜色"三部曲——《蓝》(1993)、《红》(1994)、《白》(1994)的三种颜色代表了法国国旗的颜色。这三部影片分别探讨了自由、友爱与平等。三部影片问世的时间相差三个月，虽然各自独立，但设计上乃是浑然一体。凯希洛夫斯基去世时皮谢维奇说他们正在合作一个新的三部曲《天堂》、《地狱》和《炼狱》。

Kieta　基埃塔　巴布亚新几内亚布干维尔岛东南岸城镇。位于阿拉瓦湾。原为布干维尔岛首府。现为沿海和至澳大利亚的海运线停靠港。转运椰干、可可和少量黄金。贴邻的托尼瓦和奈罗维两个新居民点亦被认为是该镇一部分。1988年在布干维尔岛爆发的动乱带来了大范围的破坏，特别是在阿拉瓦和基埃塔地区。2001年签署和平协议，4年后成立布干维尔自治区。人口3 491(最新估计)。

Kiev　基辅　乌克兰语作Kyyiv，俄语作Kiyev。乌克兰中北部的一个州。20世纪90年代中期，基辅州的行政管理与基辅市的行政管理相分离，基辅市虽然是该州的首府，但却是基辅州管辖区外的自治市。面积28 100平方千米，横跨第聂伯河两岸，河西地区较大。大部分地区为第聂伯河和普里皮亚季河下游低洼的冲积平原，河西地区的南部延伸到第聂伯高地。首府基辅以南，高地接近第聂伯河，形成陡峭的河岸。整个高地为若干河谷和侵蚀冲沟所切割。20世纪60年代，本州境内的第聂伯河被基辅水电站和卡尼约夫水电站的大坝拦成辽阔的水库。北部地区地势较低，自然植被多为芦苇、沼泽草地或栎树和松树林；南部高地为森林草原带，生长着栎树丛。由于伐木清林，开垦沼泽地，大部分自然植被遭到破坏，加速了高地的侵蚀。农业十分发达。北方主要种植亚麻、马铃薯，并生产乳制品。南方主要产粮食和甜菜，有许多小型制糖厂。基辅市郊有供其市场需要的集约化菜园。农业虽很重要，但该州经济主要依靠基辅市的资金和工业。其他城市，除白采尔科维外，均为较小的农业和农产品加工中心。人口约1 828 000(2001)。

Kiev 基辅 又拼Kiyev，Kyiv。乌克兰首都和主要城市，基辅州首府。第聂伯河港口和铁路枢纽，具有悠久而光荣的历史。作为第一个东方斯拉夫国家基辅罗斯的中心，1 000年前即已获"罗斯城市之母"之称。第二次世界大战中遭严重破坏，但到50年代中期已完全恢复，70年代成为经济与文化生活充分发展的现代化繁荣城市。90年代初乌克兰成为独立国家，基辅亦恢复其作为一个欧洲主要都城的地位。

自然地理和人文地理

景观 位置 基辅位于第聂伯河畔，紧靠该河与杰斯纳河汇合处下方，距该河黑海入海口591英里(951千米)。旧城区在第聂伯河高耸陡峭的右岸，最高处巴捷耶瓦山高度为平均河面以上330英尺(100米)。隔第聂伯河相望，河岸危立，绿树成荫，教堂和钟楼的金色穹顶和尖塔高耸，现代高层住宅楼林立，景色美丽宜人。第二次大战后，基辅向左岸广阔低平的泛滥平原扩展。

气候 基辅为温和大陆性气候。1月平均气温 -6 °C，冬日气温通常在冰点以上，如遇持续北方和东北气流，温度会骤降，有记录的最低温度为 -33 °C。从11月中至次年3月底通常为白雪所覆盖；无霜期平均180天，有些年份超过200天。夏季温暖，7月份平均气温20 °C，有记录的最高温度为39 °C。平均年降水量635毫米，降雨最多的为6月和7月。

布局 基辅城区面积第聂伯河两岸共780平方千米，划分为12个行政区。市中心在雄踞第聂伯河高岸之上的旧城区上城。中心区虽大部分是战后的建筑，但仍保留了旧街道的格局，而且保存下来的历史性建筑大都在此，包括圣索菲亚大教堂(现为博物馆)。它建于11世纪，尽管在18世纪作了一些巴罗克风格的修改，但仍旧是早期俄罗斯-拜占廷式教堂建筑中最杰出、最美丽的典范之一。有中殿1座，耳堂4座，冠以5个穹顶。内部壁画和镶嵌装饰富丽堂皇。雅罗斯拉夫陵墓位于此教堂，教堂建于他在位期间。

紧挨着的是巴罗克风格的圣安德烈教堂，由拉斯特雷利设计，建于18世纪中期，位于河岸陡峭斜坡之巅，成为陆上明显标志。中心区的其他历史遗迹有：金门遗址(亦建于11世纪雅罗斯拉夫统治时期)；扎博罗夫斯基门建于1746～1748年；杰夏蒂纳教堂(意为什一税教堂，989～996年圣弗拉基米尔所建)的遗址等。

以前的老城区内外有许多城市博物馆、剧院、公共建筑和大型商店(包括中央百货商店和有棚顶的市场)。其中轴线为沿一条小山谷底而建成的称为赫列夏季克的大街，两侧街心花园、现代化高层办公楼和住宅楼错落有致，风景宜人。绿色的园林，整齐的街树，十字街口的广场——所有这一切加上色彩斑斓的砖墙，红色和灰色的花岗石，以及装饰性的陶瓷砖瓦，使赫列夏季克大街景色迷人，为基辅居民所称赞。这条大街上的重要建筑物中有市议会大厦，800名当选的代表在此举行会议。

基辅市一角
中国大百科全书出版社供图

从赫列夏季克大街右转弯与之交叉的是宽阔的、两旁白杨成行的塔拉斯·谢甫琴科林荫大道，有着醒目的红墙的大学校园即在这条大道上。大道上还有建于1850～1896年的圣弗拉基米尔大教堂(现仍为教堂)，其建筑风格为拜占廷式，有维克托·瓦斯涅佐夫和其他俄罗斯画家的令人难忘的绘画。基辅市中心众多的雕像中著名的有哥萨克领袖赫梅利尼茨基和乌克兰诗人谢甫琴科的雕像。

旧城中心北部原为贸易和犹太人区波多尔，街道均呈直角交叉，有建于1817年的旧商业交易场所"商约馆"。此处现有河港。中心南部为沿河岸顶部的佩切尔斯基区。区内有许多乌克兰政府的主要建筑，包括1936～1939年建成的玻璃穹顶大厦，苏联时代为乌克兰苏维埃社会主义共和国最高苏维埃所在地，和部长会议10层大楼。附近有引人注目的马林斯基宫，系1752～1755年为女沙皇叶利扎维塔所建，1870年重建，现作为政府迎宾馆。

此区南端为基辅-佩切尔斯卡修道院，或称洞窟修道院，建于11世纪初，是这一地区历史上最著名和最重要的修道院之一。修士涅斯托尔即在此撰写了现存最早的东方斯拉夫国家罗斯的编年史。修道院内的圣母升天大教堂虽在1941年被炸毁，但建于同一时期的三一教堂得以保存。院内还有17世纪的万圣教堂和高达315英尺的18世纪的钟楼。该修道院一个主要特色是在地下有一系列墓窖，早年一些修士和圣徒(包括涅斯托尔)的遗体木乃伊葬在其中。该修道院虽作为博物馆向公众开放，但仍用作修道院。

在佩切尔斯卡修道院以南，尚有建于11世纪的维杜别茨基修道院，也在第二次世界大战中遭严重破坏。

沿陡峭河岸，面对上城和佩切尔斯基区，有景色优美的公园俯瞰第聂伯河。公园中有露天剧场、体育馆、餐厅，并有缆索铁道可攀上300英尺陡坡。公园中尚有许多纪念物：北端矗立着俄罗斯人改宗基督教的弗拉基米尔大公的雕像。雕像标志着988年基辅人集体受洗礼的地方。公园南端称光荣公园，有雄伟方尖碑高耸于无名士兵墓和一个纪念英烈的花园。公园中尚有1943年解放基辅的苏军司令尼古拉·瓦图丁将军的陵墓；另有一圆形建筑物，据称为早期瓦朗吉亚人首领阿斯科德之墓。

中心区四周为工厂和住宅区形成的广阔郊区。由于斯大林时代未将住房问题置于优先地位，所以大部分郊区是在他死后所兴建。住宅楼群形成的单元称为小区，包括可容2 500～5 000人居住的公寓住宅楼群，以及基本服务设施、商店、一所健康中心、影院和小学。60年代末以来，公寓住宅楼通常为12～20层的预制构件建筑。大部分套房只有两三个房间，因此人口密度在新居民区与在老中心区一样大。随着私人拥有的轿车的增加，在新区存车的空间成为问题。第二次世界大战后发展的一个特点是该城市在第聂伯河左岸以前几乎无人居住的低地迅速扩展。左岸与基辅主要部分有一座铁路桥和雄伟的Ye.O.帕通公路桥相连，桥长4 920英尺，以其设计者的名字命名。

住宅楼区之间有大片的公园和绿化带，包括乌克兰科学院的很大的植物园和面积较小的大学植物园(建于19世纪中叶)。在西南郊则有占地甚广的永久性乌克兰经济展览。城市外围有数处林区，成为居民游乐好去处。南郊是以落叶树为主的戈洛西耶夫斯基森林公园，其北面则是面积近4 450公顷，以松柏树为主的普夏-沃季察森林公园。诸多因素——地理位置及其地形的明显起伏和第聂伯河两岸广阔的视野，市内外绿树成荫，许多令人留连的美丽的历史性建筑——使基辅成为引人入胜的城市。人口约2 607 000(2001)。

经济 工业 作为乌克兰首都，基辅有着重要的行政职能，在负责经济事务的各部中有大量办公人员。该市也是重要工业中心，有门类繁多的制造业。工厂遍布全市，但主要集中于市中心以西和第聂伯河左岸。

制造工业以第聂伯河河湾地区的钢铁厂生产的金属和顿巴斯煤田为基础，居于首要地位，包括成套机械装备、精密机床和仪器的生产。基辅的各工厂制造化工设备，如硫化橡胶传输带、油毡和化肥工厂的设备，并生产金属切削机床。其他制造品有飞机、水力升降机、电气仪器、电枢、河运和海运船舶、摩托车和电影设备。

另一重要部门是化学工业，生产树脂制品、化肥、塑料和化纤，后者由位于左岸的达尔尼查黏胶丝厂生产。木材加工和砖及钢筋混凝土构件的生产也很发达。消费品生产有照相机、热水瓶、针织品、鞋类、各种食品和手表等。基辅还是大的出版中心。

许多企业的能源供应来自从乌克兰西部

基辅市的圣安德烈教堂
美国不列颠百科全书公司供图

达沙瓦用管道送来的天然气和第聂伯河上的基辅水电站发的电。电站位于距城市不远上游的维什格罗德，建成于1968年。基辅东南25英里处有发电量更大的特里波列热电站。

运输 工业和整个城市的交通运输有便利的交通网。铁路干线和全天候公路可由基辅通往莫斯科、哈尔科夫和顿涅茨煤田(顿巴斯)、乌克兰南部和奥德萨港、乌克兰西部和波兰。由于建造了一系列拦河坝和水库，第聂伯河航运能力得到改善。鲍里斯波尔航空港与许多乌克兰城镇，以及国际间可与罗马尼亚、保加利亚和俄罗斯直接通航。市内有地下和地上铁路、公共汽车和无轨电车，交通便利。

社会和文化生活 基辅作为文化中心有悠久传统，至今具有勃勃生气。以国立基辅大学为首，有20个高等教育机构，著名的有综合技术学院(1898)、农业科学院，以及医药、艺术和建筑学院等。

有许多所普通中学、成人夜校和专业技术学校。乌克兰科学院下设许多研究机构，其图书馆为基辅许多图书馆中之最大者。基辅在医学和控制论研究方面成就突出。科学院设有叶·奥·帕通电焊研究所，说明对应用科学研究的重视。

有数座剧院，以谢甫琴科歌剧舞剧院最著名。列夏·乌克兰因卡剧院和伊万·弗兰科剧院分别专门演出俄罗斯和乌克兰的话剧。话剧也常在有4 000座位的文化宫和可坐12 000人的体育宫上演。此外有青年、露天和音乐喜剧等剧院。基辅有一座马戏院和130多所电影院，一所制片厂摄制影片。柴可夫斯基音乐学院定期举行音乐会。众多的博物馆中最重要的有基辅国立历史博物馆、基辅国立俄罗斯艺术博物馆和基辅国立乌克兰艺术博物馆。

基辅体育设施完备，15座体育场中最大的中央体育场可容纳10万人。水上运动在维什格罗德基辅大坝水库和市中心对面第聂伯河上的特鲁哈诺夫岛举行，该岛有优良的河滩和水上运动中心。基辅卫生设施齐全，有多所综合医院和专科医院以及地区综合医院，后者为住宅区的居民服务。由于大部分妇女就业，因此为学龄前儿童设有许多幼儿园和托儿所。在郊区设有许多休养所、疗养院和儿童度假营地。

历史

早期 *起源和建立* 基辅历史悠久，丰富多彩，有时风云激荡。其起始已不可考。考古发现的石器和骨器、用树木和兽皮建成的原始居处的遗存和大量的猛犸象遗骨表明，人类最早居住在附近地区可追溯到旧石器时代晚期(约15 000～40 000年前)。早在新石器时代的公元前3000年，以及随后在新石器时代末期的库库特尼-特里波里文化时期，从事农牧的部落即已生活在今基辅一带。经发掘继续在铜器、青铜器和铁器时代的居住地出土了许多工具。这一地区的部落与南方草原的游牧民族、西徐亚人、萨尔马特人以及后来的哈扎尔人进行交易，另外也与位于黑海岸的古希腊人聚居地进行交易。

根据12世纪的编年史《编年纪事》(亦称《罗斯早期编年史》)，基辅系由东斯拉夫人的波利安人部落首领基伊、谢克和霍里夫兄弟3人所创建。3人各在一座小山上建立自己的部落，形成基辅城，以长兄基伊的名字命名；而以他们的姊妹的名字利别德命名附近的小河。编年史中的记载虽属传说，但同时代的拜占廷、德意志和阿拉伯历史学家和地理学家的著作中亦均提到过基辅。考古学证据表明基辅建于6或7世纪。

第一个罗斯国都 9世纪中叶瓦朗吉亚人占据了基辅，有了比较可靠的编年纪事。像在北面的诺夫哥罗德一样，形成了一个斯拉夫-瓦朗吉亚人的统治核心。基辅高踞陡岸之上，易守难攻，而且是富庶的农业区和一些早期斯拉夫人城镇的中心，开始具有重要地位。约882年，诺夫格罗德统治者奥列格占领基辅，奠都于此，成为第一个东方斯拉夫国家基辅罗斯的中心。该城的繁荣主要是通过第聂伯河沿岸的贸易，南至拜占廷，往北则通过水陆联运到达流入波罗的海的各河流，即所谓的"瓦朗吉亚人到希腊人之路"或称"水路"。贸易亦达里海和中亚。

988年，基督教传入基辅，该地作为罗斯人的宗教中心，地位更显重要。据编年史记载，至12世纪时该地已拥有400多座教堂，足见其富裕及在宗教上的重要地位。作为基辅-佩切尔斯卡修道院组成部分的圣索菲亚大教堂和现存的金门遗址，证明当时基辅的恢弘已达到登峰造极的地步，以其艺术、教堂的镶嵌工艺和壁画、银器工艺和许多产品的质量而闻名。基辅作为欧洲主要城市之一，与拜占廷、英国、法国、瑞典等国建立了外交关系。旅游者曾写道，其人口达数万人。

但在整个基辅罗斯时期，该城市先后与哈扎尔、佩切涅格和波洛伏齐(即钦察)等南方草原勇武的游牧民族连续作战。这些战争削弱了该城市，而为害更烈的是罗斯人分裂成的各公国之间无休止、复杂的自相残杀。1169年，罗斯托夫-苏兹达尔的安德烈·博哥柳勃斯基公爵夺取并洗劫了基辅。至12世纪末叶该城市势力衰微，13世纪时已无力抵抗蒙古人日益强大的力量。1238年，成吉斯汗之孙拔都率蒙军入侵罗斯，劫掠罗斯中部城镇，1240年围攻并占领基辅，城市多半被毁，居民大部遭杀害。6年后意大利旅行者卡皮尼报道称基辅仅有200所房屋残存。

立陶宛和波兰统治时期的基辅 1362年立陶宛占领基辅，该城残存部分及周围地区遂落入此强大而扩张的大公国控制之下。此后很长时期，基辅仅仅是立陶宛与以克里米亚为基地的草原鞑靼人之间不确定的边界上的一个要塞和小市场。常受鞑靼人的攻击。1482年克里米亚汗缅格列-吉列劫掠该城。基辅昔日的辉煌仅剩下作为东正教一主教区的所在地。1516年西格蒙德一世大公爵颁给基辅自治特许令，激励了贸易，方才使之向前发展了一步。

1569年，立陶宛与波兰实现卢布林联合，将基辅和乌克兰领土划归波兰。基辅成为反对以耶稣会大力推动的改宗运动为先锋的波兰罗马天主教影响扩大的东正教中心之一。17世纪，一个乌克兰人的宗教团体在基辅和乌克兰其他城镇建立，推动这一反对活动，鼓励乌克兰民族主义。1633～1646年为基辅主要神学家和大主教的莫吉拉在基辅创办学院(后称基辅学院)成为与罗马天主教进行斗争的主要中心。

17世纪时，基辅第聂伯河下游的扎波罗热哥萨克人中间骚乱日烈，他们与波兰王室的斗争亦更为激烈。1648年，波格丹·赫梅利尼茨基在克里米亚鞑靼人帮助下率其哥萨克叛军攻入基辅，叛乱达到极点。在波兰军队的重压下，赫梅利尼茨基和哥萨克于1654年签订佩列亚斯拉夫协定，将乌克兰归属莫斯科，此后长期陷入混乱，战争与破坏不止，结果于1667年签订《安德鲁索沃条约》，基辅和乌克兰第聂伯河左岸部分成为在莫斯科宗主权和保护下的哥萨克自治国家。随后又与土耳其人进行斗争，哥萨克人经常改变立场并自相残杀。1686年基辅最终被波兰让予俄国，成为俄国在第聂伯河右岸唯一的前哨基地。

近代城市的演变 *沙皇统治时期的基辅* 1793年，在叶卡捷琳娜大帝统治时期波兰被第二次瓜分，乌克兰第聂伯河右岸地区归属俄罗斯帝国，基辅由于1754年俄罗斯与乌克兰之间关税壁垒的废除，在商业方面的地位日益重要。叶卡捷琳娜统治时期废除了旧行政体制和哥萨克首领的职位，并将乌克兰划分为新的行省，基辅成为行省之一的中心，后又成为管辖3省的一个总督辖区的中心。

19世纪上半叶,基辅发展成为乌克兰民族主义的主要活动中心,但由于沙皇政府的残酷迫害,该运动被迫将活动的主要力量转移至奥地利统治的乌克兰地区的利沃夫。在基辅和俄国其他城市,秘密革命活动(以19世纪初的十二月党人为起始)最终发展到一系列罢工和游行示威,导致1905年的革命。在这一革命运动中基辅大学(建于1834年,现称国立基辅塔·格·谢甫琴科大学)的学生起了重要作用。

19世纪乌克兰的经济地位不断提高,特别是谷物出口的日益增加,促进了基辅的贸易发展。现代工业出现,除兵工厂(早在18世纪即建立)外,增加了木材工业和内河船只制造业。农产品加工业——皮革、烟草、酒、啤酒和纺织——得到长足发展。19世纪60年代末,铁路将基辅与莫斯科和黑海港口敖德萨贯通,更增加了其工商业和行政中心的作用。第二次世界大战爆发时,人口约350 000。

革命时期 1917年俄国革命爆发后,基辅工人选举成立了革命苏维埃中央拉达(拉达意为委员会),主要由孟什维克和社会革命党人组成,受到乌克兰民族主义组织强有力的支持。1918年1月,拉达宣布成立独立的乌克兰国家,以基辅为首都。主要集中在兵工厂的布尔什维克工人举行小规模起义,遭到镇压,但红军于1918年2月8日进入基辅,支持了他们。

3月3日布尔什维克政府与德国签订《布列斯特-立托夫斯克条约》,根据条约新成立的苏维埃政府承认乌克兰独立,但德军旋即占领乌克兰。德国人在基辅建立乌克兰傀儡政府,但1918年11月德国向协约国投降,德军撤走,该政府即垮台。在彼得留拉领导下,于基辅再次宣布乌克兰独立,但此政权短命而动荡,乌克兰民族主义者、白军和红军之间进行了一系列的斗争。1919年11月,基辅最后被红军占领前曾短时被邓尼金将军指挥的白军攻占。及至俄波战争爆发,基辅仍未实现和平。1920年5月,波军曾占领基辅,但在一次反攻中被赶出。

苏联时期 基辅成为乌克兰民族主义者活动中心,导致苏联政府将新成立的乌克兰苏维埃社会主义共和国的首都迁至哈尔科夫,直至1934年基辅才恢复首都地位,被破坏的经济同时得到恢复。1928～1940年头两个五年计划期间,建立起机床、电力和化学工业。至1939年人口已达846 724。1941年德国入侵又造成极大损失和破坏。经过80天激战,德军于1941年9月19日攻入该市。几日内仍留在该市的3万多犹太人、苏军战俘和游击队员被屠杀在附近一个称为巴比沟的沟壑中。另有许多居民被送去强迫劳动或关入集中营,包括几乎所有战前大的犹太人居住区。1943年,进攻的苏军渡过第聂伯河,经激战后于11月6日解放基辅。该市遭受巨大破坏,包括40%多的建筑和大约800个工业企业。后苏联政府授予基辅以列宁勋章、英雄城市称号和金星奖章,以表彰其在战争中的功勋。在战后第一个五年计划,迅速展开重建工作。

20世纪中期和后期,基辅继续发展并加强其工业基础。基辅作为国际政治实体的地位,虽在苏联时期受莫斯科的影响而大为贬低,但90年代初乌克兰独立,又使基辅重返国际政治舞台。

Kigali 基加利 中部非洲卢旺达城市和首都。地处全国中心,濒临卢甘瓦河。1962年卢旺达独立时定为首都。城市发展迅速,市东北是居住区,东南是工业区。轻工业有制鞋、油漆制造、无线电装配和制革等。为锡石开采公司和卢旺达、布隆迪及坦桑尼亚的卡盖拉河盆地联合开发组织总部所在地。有公路通国内主要城市和各邻国。有国际机场和技术学院。人口356 000(1996)。

Kigen Dōgen(Buddhist leader) **希玄道元** 参阅 **Dōgen** 道元。

Kiheiji(Japanese painter) **喜平次** 参阅 **Miyagawa Chōshun** 宫川长春。

Kii Peninsula 纪伊半岛 在日本本州。东、南临太平洋,西面为纪伊水道和濑户内海。半岛由纪伊山地构成,山峰延伸至海边,陡峻的峭壁直下海底。地质构造从北向南分别为古生代、中生代和第三纪岩层带。各主要山脊与此构造垂直并按经线方向排列。半岛地处台风和气候锋行进路线上,为日本最潮湿地区之一。南端潮岬附近冬季温和。生长有榕树、棕榈等亚热带植物和温带桂树林。内地多山,盛产日本雪杉。许多佛教、神道中心(包括高野山、吉野和熊野)都坐落于纪伊半岛上,日本最主要的神社伊势位于它的东端。和歌山、奈良和三重3县在纪伊半岛境内。

Kija 箕子 传说中的朝鲜国王。原籍中国,率领5 000名会种植水稻、大麦的难民迁入朝鲜,把中国文化和作物引进朝鲜。据传这批难民是于公元前1111年周朝推翻箕子所属商朝后逃离中国的。根据大量传说,箕子实行多种革新,其中包括颁行法典,规定杀人者偿命。又传箕子把文字传入朝鲜,此说可信,因当时中国已有十分完备的文字。还有的传说把巫术和朝鲜民族的平顶宽边帽子的式样与箕子的名字联系到一起。

Kikládhes(Greece) 参阅 **Cyclades** 基克拉泽斯。

Kikuchi Kan 菊池宽(1888-12-26,日本高松～1948-03-06,东京) 日本戏剧家、小说家。日本最大的出版社之一的创办者。毕业于京都大学。他是一位多产作家,其最优秀的作品大多是1917～1920年写成的。菊池在作品中不大进行心理分析,他更关心的是以写实和简洁明快的笔调直接陈述一个特定的伦理主题。《忠直卿的行状》(1918)曾引起广泛注意。其他名作有戏剧《父归》(1917)和《屋顶上的狂人》(1916),以及长篇小说《珍珠夫人》(1920)。他是个精神饱满、颇有魄力的人,1923年创办通俗文艺杂志《文艺春秋》,后来发展成一家大出版社。菊池通过这份杂志向日本新作家颁发日本最有威望的两个文学奖——芥川奖和直木奖。

Kikutake Kiyonori 菊竹清训(1928-04-01,日本久留米市～) 日本建筑师。1950年毕业于早稻田大学,曾在几所建筑事务所工作,1953年自行开业。1958年为自己设计住宅——天居,用4根柱子架着一间房间引起国际建筑界的注目。在1960年东京举行的世界设计会议上,他是代谢主义小组的主要人物,并对建筑理论作出了实质性的贡献。最受重视的设计作品是一座城市的设计方案,其住宅塔楼从巨型混凝土排基延伸入大海。他所设计的房屋有出云大神社行政楼(1963)、都城市中心(1966)、茅崎太平洋旅馆(1967)和久留米市中心(1969)。

Kikuyu 基库尤人 又称吉古尤人(Giguyu)、吉科约人(Gekoyo)或阿吉科约人(Agekoyo)。居住在肯尼亚中南部、靠近肯尼亚山的高原地区,操班图语。20世纪后期人口

准备为咖啡豆过磅的基库尤青年
美国不列颠百科全书公司供图

440万以上,占肯尼亚全国人口的20%,是肯尼亚最大的种族集团。经济原以集约锄耕农业为主,种植黍稷(主食)、豆类、高粱和甘薯。现在的主要经济作物为咖啡、玉米、水果和蔬菜。有一些地区的基库尤人采用了灌溉和梯田技术,并以畜牧业为主要副业。基库尤人传统上各家分居,户外围以篱笆或栅栏,每个妻子都有自己的棚屋。但在20世纪50年代茅茅起义期间,英国殖民政府为安全起见把基库尤人移入村庄,村居及土地合并的经济利益使得许多人在事变之后仍聚居在一起。村社是父系单元,由夫妻及子女构成,少者数十人,多者数万人。村社之上是9个氏族和许多亚氏族。他们实行按年龄分组制度,以年龄组作为主要施政机构。他们信奉万能的造物主恩加衣和祖灵再现。

基库尤人忿恨欧洲农人及其他殖民者侵占了他们的高原地区,所以他们是20世纪20～30年代在肯尼亚首先掀起反殖民主义宣传的本地民族集团。1952年他们发起茅茅反英起义,并且是争取肯尼亚独立的先锋军。肯尼亚独立后,基库尤人成为政治、经济实力阶层。肯尼亚的第一任总理(1963～1964)和第一任总统(1964～1978)J.肯雅塔就是基库尤人。

Kikwit 基奎特 刚果(金)西南部城镇和河港，在奎卢河畔。1901年始建欧洲人居住区。约1910年成为殖民地行政中心。棕榈油和核果、木薯、花生和玉米已取代橡胶为主要农产品。有食品加工业。设有飞机场。20世纪后期经济衰落。1995年，埃博拉病毒爆发，250名居民死亡。人口约182 142(1994)。

Kilauea 基拉韦厄 世界最大的活火山体，位于美国夏威夷州夏威夷岛东南部。基拉韦厄(意为"大大扩展")为夏威夷火山国家公园的中心特色，呈细长形穹丘，由中心火山口及

基拉韦厄火山喷发
美国不列颠百科全书公司供图

向东和向西南的裂缝或裂隙延伸的两行火山口喷出的熔岩所造成。高1 250米的火山顶部已崩塌成一个破火山口，形成一片长约5千米、宽约3.2千米的浅洼地，面积超过10平方千米。基拉韦厄的山坡在西面和北面同附近的冒纳罗亚火山的山坡汇合。

在19世纪，基拉韦厄破火山口的主要底板经历了若干次熔岩填满期和崩塌期。到1919年才呈现出现在的深度——150米。铺着近代熔岩流的火山口底板上有哈勒冒冒(Halemaumau，意为"蕨屋")坑，它是个内火山口，是基拉韦厄火山最活跃的排放口。哈勒冒冒是传说中的夏威夷女火神佩利的家。夏威夷火山观测站设在哈勒冒冒附近基拉韦厄西沿上的尤韦卡胡纳。

基拉韦厄频繁的喷发通常是非爆炸性的，而且仅在哈勒冒冒范围内，形成一个沸腾的活跃熔岩湖，熔岩有时顺着破火山口的底板和边帮上升并溢出。但在1790年，一次突如其来的蒸汽爆炸竟把正在该破火山口附近行军的一支夏威夷部队的一部分人炸死了。1924年的一次猛烈程度低些的爆发把哈勒冒冒火山口扩大到了400米的深度。1955年东裂隙中的一次伴有一连串猛烈地震的喷发是夏威夷有史以来最有破坏性的火山喷发之一，熔岩从裂隙中涌出持续整整88天，摧毁了一个村庄以及超过16平方千米的宝贵的甘蔗田和果园。1975年的一次持续时间短些的类似的喷发之后接着是一阵破坏性的海啸。1983年开始的一连串的喷发中，基拉韦厄造成一条流动的熔岩河，一直流到火山以南48千米的海里。

1959年，基拉韦厄正东的一个火山口，小基拉韦厄(Kilauea Iki)惊人地喷发了，造成一个120米深的熔融的熔岩湖，并在其南沿附近造成一座火山渣锥——普乌·普埃(Puu Puai，意为"迸发的山")。东裂隙带保持着许多坑状火山口，末端一个是马考普希，深305米。位于西南裂隙带上的、距基拉韦厄9.5千米的小冒纳(Mauna Iki，高924米)是沙漠地区中的一座低矮的火山穹丘。

基拉韦厄周围有冒纳罗亚火山(西面和北面)、卡乌沙漠(西南面)、艾纳侯大牧场(南面)，还有一片热带的蕨类丛林(东北偏北)。滨海的卡乌沙漠的组成中有荒芜的熔岩，有带硬皮的火山灰，还有高3～9米、由风吹来的火山灰和浮石所构成的移动沙丘。此破火山口以东的瑟斯顿熔岩管道，长135米，是当熔岩河的外壳变硬而内里熔融的熔岩仍继续流动时形成的。西北方的普奥拉熔岩围孤岛(Kipuka Puaula，也叫'鸟园')是一片点缀着寇阿相思树、马六甲蒲桃、无患子树、金斑鸻树和黄叶槐等各种树丛的绿色草原，有一条充满野趣的、通往一处开阔森林的崎岖的小径，森林里有许多种当地土生的乔木。

Kilburn, Thomas 基尔伯恩(1921-08-11，英格兰约克郡迪斯伯里～2001-01-17，曼彻斯特) 英国工程师和第一代计算机内存的发明者之一。他还设计制造了第一台预装程序计算机，并在以后的25年带领一个团队制造出一系列开创性的计算机。1942年毕业于剑桥大学，获数学专业学位。但在加入F.威廉斯的战时雷达集团之后，立即转向电子学研究。1946年12月威廉斯离开战时雷达集团到曼彻斯特大学当教授，基尔伯恩跟随前往以便帮助开发电子计算机的电子存储系统。他们根据阴极射线管发明了一个存储装置，后称威廉斯管。1947年工作样机完成，到1948年6月他们把该装置安装在一个小型电子计算机里。这台计算机当时被称作小型试验机或"婴孩"。这是世界上第一台运行的预装程序计算机，威廉斯管成为世界各地计算机使用的两种标准存储方式之一，直到20世纪50年代中期发明磁芯存储器。1949年4月小型试验机发展成为一台全尺寸机器，1949年10月又加装了第二代存储器。1951年基尔伯恩正式领导威廉斯电子工程部的计算机小组。该小组用晶体管而不是电子管组装了一台试验计算机。1954年该小组研制成MEG，该机提供浮点运算，1957年由弗兰提公司生产。1956年基尔伯恩开始其最雄心勃勃的项目MUSE，1959年弗兰提加入该项目后改称Atlas。该机一次可运行多个程序，是第一台使用虚拟存储技术的计算机，Atlas于1962年投入使用，大概是当时最先进的计算机。1964年基尔伯恩在英国创办第一个计算机系。1966年着手进行他的最后一个计算机项目MU5。该机于1972年投入使用，其开创的设计符合高级语言的要求。1960年成为该系第一位教授，1965年当选为英国皇家协会会员。1981年退休。

Kilby, Jack 基尔比(1923-11-08，美国密苏里杰佛逊城～2005-06-20，得克萨斯达拉斯) 全名Jack St. Clair Kilby。美国工程师，集成电路的发明者之一。2000年与另外两人共获诺贝尔物理学奖。其父是一位电气工程师。第二次世界大战中，基尔比在美军担任电子技术员。1947年获伊利诺伊大学厄巴纳-香槟分校的电气工程专业学士学位。毕业后进入威斯康星州密尔沃基的全球联合公司中心实验室，负责设计和研制微型的电子电路。1952年，该实验室送他去新泽西州默里山的贝尔实验室总部学习有关晶体管的知识。1958年转到另一家有贝尔许可证的公司得克萨斯州达拉斯市的得州仪器公司工作。不久，基尔比就有了具有划时代意义的"单片设想"。1959年2月公司为他邮票大小的样品申请了专利，这就是世界上第一个集成电路。虽然原始的集成电路是他最重要的发明，但那只是他的50多项专利之一。其中的许多专利是关于集成电路设计和制造方法的改进。1965年发明了半导体的热敏式打印机。1967年设计了第一台用集成电路的电子计算器并申请了专利，这是所有袖珍计算器的核心技术。到1976年，袖珍计算器已经把计算尺送进了博物馆。1970年开始请假离开公司从事独立研究。他还在得州农机大学主校区担任电气工程学教授(1978～1984)。1997年得州仪器公司把在达拉斯新建的研究和开发大楼命名为基尔比中心。瑞典皇家科学院改变它只承认理论物理学家的倾向，将2000年诺贝尔物理学奖奖金的一半授予基尔比，奖励他在应用物理学方面做出的贡献。

Kildare 基尔代尔郡 爱尔兰语作Cill Dara。爱尔兰中东部伦斯特省的郡。包括威克洛山脉西面低地的一部分和爱尔兰中央低地的一部分。面积1 694平方千米。利菲河在波拉夫卡形成峡谷并向西流入基尔代尔低地。巴罗河构成西部很长一段郡界。大部分地区覆盖着冰川沉积，土壤类型复杂。4/5以上土地是农田。多古代居民的遗迹。基尔代尔城镇很早便是基督教徒的聚居地，镇内有一座圆塔。卡斯尔德莫特、塔吉哈道和老基尔卡伦有其他古迹。此外还有100多座诺曼时代石砌或栅栏围成的城堡以及一些中世纪隐修院和教堂的遗址。1296年时基尔代尔建郡。人口近一半住在城镇和村庄。郡议会设在内斯。多数农庄规模较大，低地农庄一般在40公顷以上。大农庄主要现金收入来源是养菜牛；绵羊饲养也重要。主要农作物有小麦、大麦、燕麦。艾伦伍德有用泥炭作燃料的电站。有农机、纺织、地毯、医药、冶金和餐具制作等行业。大运河和从都柏林通往科克和戈尔韦的铁路穿过该郡。人口135 000(1996)。

Kildare 基尔代尔 爱尔兰基尔代尔郡集市城镇。镇内有1229年建新教大教堂，其附近有古代十字架和圆塔，另有13世纪城堡和隐修院遗址等。人口4 268(1986)。

Kildare, Thomas Fitzgerald, 10th Earl of 基尔代尔伯爵(第十)(1513,伦敦～1537-02-03,伦敦) 即T.菲茨杰拉德。又称奥法利勋爵。爱尔兰反对英王亨利八世大起义的领袖,起义失败结束了他的家族享有的爱尔兰总督的继承权,导致英格兰强化对爱尔兰的控制。英王驻爱尔兰代表、基尔代尔伯爵第九之子。1534年其父因被指控对国王不忠而被召往伦敦接受审查时,由他代行职务。在听到关于其父被处死的谣言以后,他宣布效忠罗马教皇,起兵反对亨利八世,占领了都柏林。亨利八世另任W.斯克芬顿爵士为驻爱尔兰代表。斯克芬顿收复都柏林,并于1535年3月直捣基尔代尔伯爵的据点梅努斯城堡。基尔代尔伯爵于1535年8月投降,后与其5个叔父以叛逆罪被处绞刑。

Kildonan 基尔多南 加拿大马尼托巴省南部温尼伯市中有历史意义的地区。在雷德河两岸,由4个旧市组成。原为苏格兰慈善家T.道格拉斯创建的雷德河移民区的堂区之一。他以苏格兰萨瑟兰地区中的同名地命名之。1972年并入温尼伯。

kilesa(Buddhism) **烦恼** 参阅**āsrāva 漏**。

Kilgore 基尔戈 美国得克萨斯州东北部城市,是东得克萨斯油田中部朗维尤-基尔戈-格莱德沃特-泰勒石油工业区的一部分。1871年建为密苏里太平洋铁路终点。始有人定居;1931年设市。原收入来源主要为木材和棉花。1930年发现巨大的东得克萨斯油田后,成为产油和供油中心。有井架1 200座以上。也有制造业(管道固定装备和服装为主)。基尔戈专科学校以其兰格雷特精密钻床和舞蹈队驰名全国。东得克萨斯残疾人治疗中心(1962)设于本市莱尔德纪念医院。人口11 301(2000)。

Kili 基利 太平洋中西部马绍尔群岛拉列克列岛的珊瑚岛。面积约93公顷。岛民均为自美国原子弹试验基地比基尼岛迁来。出产椰子。有水产冷冻设施和现代化港口联合体。人口489(1980)。

Kilian, Saint 基利安,圣(约640,爱尔兰卡文郡马拉?～约689,法兰克尼亚维尔茨堡[德国]) 传教主教。他与科尔曼和托特南前往图林根和东法兰克尼亚传教。相传他曾劝化维尔茨堡公爵戈兹伯特信教,并为他施洗礼,但约689年三人被戈兹伯特下令斩首,共同殉教。

kilim 开立姆地毯 又译基里姆地毯。安纳托利亚、巴尔干国家或伊朗部分地区按挂毯工艺用手工编织的地毯。大多数在两种颜色垂直交接处均有一道裂缝,但加拉巴赫或南高加索产的同类地毯,少数采用联锁方法以减小裂缝。已知精美绝伦的开立姆地毯是16、17世纪卡尚产的丝毯,近代编织最密、最精致的开立姆地毯产自生纳附近。土耳其人生产的开立姆地毯尺寸最大,通常是由两块狭长的毯子缝在一起,但也生产小尺码的祈

19世纪的开立姆地毯
美国不列颠百科全书公司供图

祷毯。图案中的白色部分通常是用棉线织成,小花则是织锦的。巴尔干南部的开立姆地毯最初是仿照安纳托利亚格式编织的,但后来逐步发展成自己独特的风格,皮罗特的黑、红、白3色开立姆地毯就是一例。罗马尼亚各地也有种种不同的开立姆地毯,根据地理位置不同而各异,离土耳其越远,配色和图案的东方色彩也就越少。

Kilimanjaro 乞力马扎罗 坦桑尼亚东北部的大火山体,邻近肯尼亚边界。其中央火山锥称基博峰,海拔5 895米,是非洲最高点。乞力马扎罗位于东非大裂谷以南约160千米,在内罗毕以南约225千米。该山的主体沿东西向延伸将近80千米,由3个主要的死火山——基博、马文济和希拉构成。基博时代最新,也最高,还保持着典型的火山锥和火山口的形状,并且同马文济(海拔17 564英尺)在海拔约4 600米(15 000英尺)处的一段长11千米(7英里)的鞍状山脊相连,马文济是先前的一座高峰的较老的核心。希拉(海拔12 395英尺)仅仅是较早的一个火山口的残余。鞍状山脊以下,乞力马扎罗的主体以典型火山曲线向下面的平原倾斜,平原的高度

乞力马扎罗火山口黎明景色
美国不列颠百科全书公司供图

约海拔900米(3 000英尺)。

基博虽然看来像个盖着积雪的穹丘,但其南侧却有个破火山口,直径2千米深约300米。此破火山口里有个显示残余火山活动的内火山锥。和基博峰的有规则的锥形大不相同的是,马文济峰是经过强烈侵蚀的,山势崎岖而且陡峭,并且被东西向狭谷劈开。基博的冰盖沿冰盖边缘残存下来,形成分散的大冰块。在基博的西南坡上,冰川终止于4 270米处,在其北侧则只下降到其峰顶以下很短距离。马文济山上不存在永久冰,也几乎没有积雪地。

乞力马扎罗具有顺序相继的几个植被带,其组成(自山麓至山顶)为:周围高原的半干旱的灌木丛;南坡水源充足的农田;茂密的云林;开阔的沼地;高山荒漠;苔藓和地衣的共生带。该山体中生存着各种大小动物。

乞力马扎罗山坡上的年平均降雨量为1 780毫米。南坡和东坡上的水流供给潘加尼河、察沃河和吉佩湖,而北坡上的水流则供给安博塞利湖和察沃河。帕雷山脉从乞力马扎罗峰向东南延伸。

乞力马扎罗所在的地区是坦桑尼亚的淡咖啡、大麦、小麦和蔗糖的主要产区之一;其他作物有西沙尔麻、玉米、各种豆类、香蕉、金合欢(Acacia)树皮、棉花、除虫菊和马铃薯。该地区的居民有察加人、帕雷人、卡赫人和姆布古人(Mbugu)。当德国传教士J.雷布曼和L.克拉普夫于1848年到达乞力马扎罗时,那里的地层就为欧洲人所知了,不过关于离赤道很近(在南纬3°)就有峰顶积雪的山脉的消息,过了很久之后才为人相信。基博峰顶是德国地理学家H.迈耶和奥地利登山家L.普尔柴勒于1889年首次攀登上去的。马文济峰是1912年由德国地理学家F.克卢特最先登顶的。位于乞力马扎罗南麓的莫希市是主要贸易中心和登山基地。

Kilis 基利斯 土耳其南部城镇。靠近叙利亚阿勒颇北面的边界。在亚述文献中常被当作基利斯古城提及。第一次世界大战后被法国占领,1921年归还土耳其。周围土地肥沃,产橄榄、葡萄和阿月浑子坚果。主要工业为丝、棉纺织。位于阿勒颇至加济安泰普和卡赫拉曼马拉什的公路干线上。人口82 882(1990)。

Kilkeel 基尔基尔 爱尔兰语作Cill Chaoil。北爱尔兰原唐郡纽里-莫恩区渔港和海滨胜地。位于基尔基尔河口,莫恩山脚下。有花岗岩开采和加工业。附近有中世纪教堂和13世纪诺曼要塞等遗迹。为莫恩山区的主要市场中心。人口6 024(1991)。

Kilkenny 基尔肯尼 爱尔兰语作Cill Chainnigh。爱尔兰东南部奥索里地区伦斯特省的郡,面积2 062平方千米。境内主要河流有巴罗河、舒尔河和诺尔河等。气候温和,森林覆盖面大,有几处国有森林。多史前遗迹。南部的哈里斯城有爱尔兰最大的史前巨石墓。1210年基尔肯尼成为伦斯特的一个郡,但其重要地位已有几个世纪的历史。郡内的许多城堡有爱尔兰人建的,也有盎格罗-诺曼人建

基尔肯尼郡托马斯敦附近的杰波因特隐修院遗迹
美国不列颠百科全书公司供图

的。基尔肯尼和卡洛两郡联合派代表参加爱尔兰议会，但基尔肯尼在行政管理等方面是一独立实体。农业种植谷物和蔬菜。西南部以出产苹果闻名。牛肉和乳品和绵羊、猪、家禽的饲养在经济上重要。羊毛贸易在经济中也相当重要。13世纪起当地便生产淡色啤酒和大麦酒。有各种食品加工业以及农业机械工业、服装业和手工艺品制造业。开采无烟煤矿。人口73 635(1991)。

Kilkenny 基尔肯尼 又拼Cill Chainnigh。爱尔兰基尔肯尼郡的市、自治市和首府。位于诺尔河两岸，古代奥索里王国首府，城堡建于100英尺高地俯瞰诺尔河。市内圣·卡尼克大教堂约于1192年在6世纪建教堂的遗址上建造。圣马利亚天主教大教堂(1843～1857)是十字形建筑，有200英尺高的钟楼。1225年建多明我会隐修院现仍在使用。其他古迹有13世纪建圣马利亚教堂和圣约翰主教座堂、希救济院(1594)和格雷斯老城堡(1210)，现用作法院。为附近农区的市场中心和铁路终端。有啤酒生产、印刷、手工艺行业及工程业和信息产业。人口8 591(2002)。

基尔肯尼市隐修院街的布莱克弗雷伦大门，背景为布莱克隐修院的钟楼
美国不列颠百科全书公司供图

Killaloe 基拉卢 爱尔兰语作Cill Dalua。爱尔兰克莱尔郡的城镇。位于香农河西岸，在伯纳岭和阿拉山之间有桥梁通河对岸巴利纳。城内圣·佛兰南大教堂(大部分为12世纪建爱尔兰教堂建筑)建在6世纪教堂的遗址上。为狩猎和钓鱼胜地。有纺织业和采石场。人口1 174(2002)。

Killanin (of Galway), Michael Morris, 3rd Baron 基拉宁(1914-07-30，伦敦～1999-04-25，爱尔兰都柏林) 爱尔兰著作家和实业界人士。1968年任国际奥林匹克委员会副主席，1972年继布伦戴奇任主席。1950年当选爱尔兰奥林匹克委员会主席。1952年任国际奥林匹克委员会爱尔兰代表。1967年任国际奥林匹克委员会执行委员会委员。布伦戴奇退休后，他力排万难，尽力使奥林匹克运动会摆脱政治和国际紧张局势的影响。在解释业余体育运动的意义这一方面，较布伦戴奇圆通。曾在巴黎大学(1932)和剑桥大学马格达莱纳学院(1935年获文学士学位)学习，后任伦敦《每日快报》、《每日邮报》和《星期日快报》的军事记者，采访中日战争和第二次世界大战新闻。因参与诺曼底登陆作战有功而受帝国勋章。任许多英国公司的董事。著有《四天》(1938)、《奥林匹克运动会》(1976)和《我的奥林匹克时光》(1982)等书。

Killarney 基拉尼 爱尔兰语作Cill Airne。爱尔兰凯里郡的集市城镇。在风景秀丽的基拉尼湖区附近。生产金属装饰件、起重机、花边、毛纺织品、切削工具、针织品和鞋。出售

基拉尼镇附近的莱恩湖和托米斯山
美国不列颠百科全书公司供图

瓶装矿泉水。三个主要的湖是下湖、中湖和上湖。西面有陡峭的托米斯-紫红山(835米)；麦吉利卡迪山是爱尔兰最高的山脉。最北的下湖有2 023公顷，是3个湖中最大者。其30个岛中有一个英尼斯弗伦岛，岛上有9世纪的隐修院。中湖与上湖之间有宽阔多树的水道。湖周围树林主要有杨梅树以及橡树、桦树、冬青树和山楸等。湖东岸石灰岩、侵蚀形成奇形怪状的洞穴。湖水经过劳恩河注入大西洋。人口12 087(2002)。

Killarney Provincial Park 基拉尼省立公园 加拿大安大略省东南部荒野公园。在休伦湖乔治亚湖湾北岸。1964年建。基拉尼省立公园面积342平方千米。包括加拿大地盾地带。内有白桦和松树林以及白色石英岩石山峦。以湖湾原一毛皮商站村庄之名命名。

killdeer (*Charadrius / Oxyechus vociferus*) **双领鸻** 鸻形目鸻科的美洲滨鸟，常出现于多草泥滩、牧场和田野。体长约25厘米，背褐色，腹白色，胸有两条黑色带。飞行时显现出黑白相间的翅和褐色的尾。鸣声嘹亮，连续不断。英文名系其鸣声的象声词。繁殖于整个北美洲和南美洲的西北部(有少数定期飞往冰岛和西欧)。迁徙原因仅为避雪，春天早于大多数鸣禽返回繁殖地。以甲虫、蝗螽类、蜻蜓和其他昆虫为食。在地面上挖浅坑为巢，内垫以石块。雄鸟造几个巢，而雌鸟从中选择一个。每窝产卵4枚，呈淡灰色，具黑色斑纹。双亲交替孵卵，孵卵期24天，共同照料幼雏，幼雏出壳后不久即自己行走进食。若有入侵者走近其巢，亲鸟即在地面上跛行或拍打翅膀，装成受伤的样子，把敌害从营巢地引开，这种行为称为“折翅”。

双领鸻(*Charadrius vociferus*)
美国不列颠百科全书公司供图

Killeen 基林 美国得克萨斯州中部贝尔县城市，南距奥斯汀105千米，在坦普尔之西。1882年始建，1908年设市。约1942年建立胡德堡前，为小型农牧业社区。1951年胡德堡重建后，迅速发展成军营服务中心。市西有西胡德堡和R.格雷陆军航空兵机场。市内有中得克萨斯专科学校(1967)和美利坚理工大学(1973)。人口：市86 911；基林-坦普尔都会区237 974(2000)。

killer whale (*Orcinus orca*) **逆戟鲸** 又作grampus。又称虎鲸、恶鲸。海豚科哺乳动物，分布于从北极到南极的所有海洋。是海洋海豚中最大的种类。雄性最大体长约9.5米，重约5 000千克。雌性远较雄性为小。体黑色，腹部、眼的上方和两胁为白色。吻钝，颌上生有40～50枚圆锥形大齿。鳍肢为圆形，背鳍为三角形。雄体的背鳍、鳍肢和尾鳍随年龄而增大，背鳍高度最后可达1.8米。逆戟鲸成群生活，每群通常约有50个个体。

逆戟鲸(*Orcinus orca*)
美国不列颠百科全书公司供图

游行时常编成队形,或排成一线,或组成一列,有时还跳出水面。以鱼、头足类动物、企鹅以及海豹、海豚、鲸等海生哺乳动物为食。其体型、牙齿、有力的颌部肌肉以及群猎的有组织的习性均有利于捕猎。可豢养,经训练可在大型水族馆中表演。尚无逆戟鲸攻击和伤害人类的记录。

killifish 鳉鱼 又作 egg-laying topminnow。又称卵生顶游米诺鱼。银汉鱼目鳉科数百种通常细长的鱼类的统称。广布于世界各地,尤以热带非洲及美洲最多,生活于半咸水、咸

鳉鱼(*Fundulus chrysotus*)
美国不列颠百科全书公司供图

水和淡水,包括某些荒漠温泉。体长最多达15厘米左右,许多种类要小得多。在水面寻食,以动、植物为食。鳉鱼皆卵生,而近缘的花鳉科种类为卵胎生。某些鳉生活在每年干涸的坑塘里,卵埋在坑底呈休眠状态,直到池塘再度有水时才开始发育;这些鳉类生活于南美及非洲,由于生活周期从生到繁殖及死不超过一年,因之又称为一年生鱼。很多鳉鱼,包括一些一年生鱼,体色美观,为养鱼爱好者蓄养于家庭水族箱。一些属最受欢迎,其中包括旗鳉属(*Aphyosemion*,琴尾鳉)、扁鳉属(*Epiplatys*)和溪鳉属(*Rivulus*)。鳉类也是其他大鱼的食物,可作钓饵,又能控制蚊虫,因为它们吃这些害虫的幼虫。鳉属(*Cyprinodon*)的种类栖于加利福尼亚沿岸水域及某些西部咸水湖泊周围地区。特科帕鳉(内华达鳉,*C. nevadensis*)是一个著名的种,体长0.6厘米,很久以来一直认为是濒危种,1987年宣布绝灭。其他鳉属种类也正式列入濒危种类。

Killigrew, Thomas 基利格鲁(1612-02-07,英格兰伦敦~1683-03-19,伦敦) 英国剧作家和剧院经理。虽然他的《牧师的婚礼》(约1640年上演)中的一些笑话受到剧作家W.康格里夫的欣赏,但他的风趣比他的剧作更为人知。1641年出版两本悲喜剧:《囚徒》和《克拉拉西拉》,大概1636年以前都曾上演过。1647年随查尔斯亲王一起被放逐,王政复辟以后被委任宫中各种职务。1660年与W.戴夫南特爵士得到开设两家新戏院的许可证,演出免受宴乐长H.赫伯特爵士的检查。结果与赫伯特发生争执,但基利格鲁慷慨让步,单独演出。他的戏班叫作"王仆剧团"。1663年创建伦敦特鲁里街皇家剧院。1664年,他的剧本全部出版。1673年任宴乐长。

Killy, Jean-Claude 基利(1943-08-30,法国巴黎附近圣克卢~) 法国滑雪运动员。1965~1968年男子高山滑雪国际比赛中的优胜者。1965年首获欧洲冠军。1966年获世界综合滑雪比赛冠军。1966~1967年参加多项降下滑雪比赛,所向无敌,达到225的最高分,获第一届男子滑雪世界杯。在1968年冬季奥运会上连获男子滑降、回转和大回转比赛3项金牌,成为继奥地利运动员扎伊勒之后奥运会史上第二名囊括高山滑雪各项比赛的全胜者。

Kilmarnock 基尔马诺克 苏格兰东南部艾尔历史郡东艾尔政务会辖区工业城镇。濒临基尔马诺克河,格拉斯哥大都会综合区南面。1591年已为自治市,但直至17世纪生产苏格兰睡帽后才日趋兴旺。后以生产地毯闻名,但也从事轻工业、威士忌酒配制和乳品业。市内凯伊公园有彭斯纪念碑和纪念馆。他的诗于1786年在此首次印刷。人口44 307(1991)。

Kilmer, (Alfred) Joyce 基尔默(1886-12-06,美国新泽西新不伦瑞克~1918-07-30,法国塞兰热附近) 美国诗人,主要以其12行诗《树》闻名。曾就学于拉特格斯大学和哥伦

美国国会图书馆供图

比亚大学。第一部诗集《爱之夏》(1911)表明他深受叶芝等爱尔兰诗人的影响。改信天主教后,诗作试图仿效C.帕特莫尔和17世纪玄学派诗人的诗。《树》1913年发表于杂志《诗刊》。因它将情感和朴素哲理融成一体,立即获得成功并流传颇广。其他著作有《树及其他诗篇》(1914)、《马戏团及其他杂文》(1916)、《大街及其他诗篇》(1917)以及作家访问记《创作中的文学》(1917)。1913年进入《纽约时报》社。1917年编成现代天主教诗歌集《梦想与幻象》。在第一次世界大战中阵亡,被追授予十字军功章。

kiln 窑 用来焙烧、干燥、烘烤、烧硬或烧制某种材料,主要是黏土材料的炉,过去还用来烘烤谷粒和粗粉。砖窑是古代技术的一项重要进展,因为窑制砖比早期单靠日光晒制的砖要坚硬得多。用窑在现代陶瓷业中烧制陶器和瓷器,在冶金业中冶炼铁矿石、煅烧石灰石和白云石,还用来烧制硅酸盐水泥。现代的窑用耐火砖砌造,或完全用耐热合金建造。窑分两类:一类是焙烧材料在窑中与火焰接触;另一类窑中的炉体在烧制物的底部或周围。石灰窑属于第一类,砖窑和陶瓷窑属于第二类。后一类还包括干燥炉,如啤酒花干燥炉。

kilogram 千克 米制基本质量单位,等于国际千克原器的质量。原器是一个铂铱圆柱体,保存在巴黎附近的国际计量局实验室里,其质量非常接近于1 000立方厘米水的质量。英制磅定义为0.453 592 37千克。按最初的规定,计量一定体积水的质量被证明是不精确的,因此18世纪末用一个人工制作的铂圆柱体作千克标准。1889年改用现在的千克标准,仍为实圆柱体,其直径与高度相同。参阅**metric system**;**International System of Units**。

kilometre 千米 又作 kilometer。俗称公里。米制长度单位,等于1 000米(**metre**)。

Kilpi, Volter 基尔皮(1874-12-12,芬兰库斯塔维~1939-06-13,图尔库) 芬兰小说家、社会评论家和散文作家,现代实验小说派的代言人。早期是"唯美派"小说家,后改而描写19世纪芬兰的岛屿生活。代表作是《在阿拉斯塔洛的客厅里》(1933),一部长达900多页的小说,书中运用内心独白、长的追叙故事和准确细腻的叙述等手法,描述了6小时内发生的一件事。他将实验小说手法用于描绘没有特定时间的等级社会制度的画面,广阔而逼真。

Kilsyth(Scotland) **基尔赛斯** 参阅**Cumbernauld and Kilsyth** 坎伯诺尔德-基尔赛斯。

kilt 短褶裙 男人穿的长及膝盖的裙状服装,为苏格兰传统民族服装的主要组成部分。(苏格兰传统男人服装高地服装的另一主要组成部分是将一块长方形衣料披挂在左肩上,称为方格呢披肩。)短褶裙是一块在中段打摺定型的长幅毛料,穿时围在腰上,使褶子集中在穿着者背后,两端未打摺部分重叠成双层在穿者前面。短褶裙和披肩均为格子花呢(参阅**tartan**)制成。短褶裙和披肩的整套服装是17世纪苏格兰从"整洁舒适的方格呢大衣"发展起来的,原是一长块羊毛料,打褶的半块围在穿着者的腰间,未打褶的半块包住上身,松散的末端就甩在左肩上。17世纪时这种服装变成两块衣料,穿着目的相同,短褶裙和披肩遂成为分离开的服装。这种形式的服装是唯一在英伦三岛上的普通民族服装,并非有什么特别目的而穿着。高地服装

又是英国军队中苏格兰军团的制服，甚至在第二次世界大战的战斗中士兵们都穿短褶裙。

Kilwa 基卢瓦岛 坦桑尼亚南部沿海岛屿上的前伊斯兰城邦。10 世纪末由阿拉伯和伊朗移民建立，为非洲东岸最活跃的商业中心之一。被葡萄牙人短期占领（1505 ～ 1512）后逐渐衰落并最终荒芜。现有大面积废墟，包括清真寺、葡萄牙堡垒以及巨大的胡苏尼·库勃瓦宫殿（13 ～ 14 世纪）。

Kim Chŏng-hui 金正喜（1786，朝鲜庆州［今在韩国］～1856，朝鲜北青岛［今在朝鲜］） 号秋史、阮堂，19 世纪朝鲜最著名的书法家。金正喜出生在知名的官僚知识分子家庭，年轻时就陪同父亲去北京旅行，结识当时许多中国学者。回朝鲜后历任要职，同时继续提高自己的艺术才能。在书法方面，他脱胎于汉隶，自成一家，称“秋史体”，迄今仍为朝鲜主要书体。1840 年以涉嫌叛逆流放南方的济州岛，弟子及仰慕者数百人趋而就教；1851 年再度流放北部寒冷的北青岛，困阨而死。

Kim Chong Il 金正日（1941-02-16，苏联西伯利亚～ ） 又拼 Kim chong Il。朝鲜政治领导人，前朝鲜首相和朝鲜劳动党总书记金日成之子。曾在东德航空学校学习两年，1963 年毕业于金日成大学。在担任其父的秘书前，在党内的许多机构中工作过。1973 年 9 月任党的书记，主管组织工作和宣传鼓动工作。1980 年 10 月朝鲜劳动党会议正式指定他为其父的接班人。1990 ～ 1991 年被授予全国武装部队指挥权，并在党中央委员会、政治局、党的书记处中担任高级职务。1994 年金日成死于心脏病发作，金正日成为朝鲜事实上的领袖。1997 年 10 月 8 日就任朝鲜劳动党总书记。1998 年 9 月正式成为国家最高领导人，被再次选举为国防委员会委员长，而该职位的权力也相应扩大。面对国家严峻的经济形势，金正日表示愿意支持改革，特别是改变朝鲜一直以来的孤立政策。20 世纪 90 年代到 21 世纪初，寻求与多个国家改善关系。在美国同意放松对朝鲜的经济制裁后，于 1999 年停止了远程导弹实验。2000 年 6 月与韩国总统金大中见面，这是两国领导人第一次峰会。双方就实现最终统一达成协议。与澳大利亚和意大利也建立起了关系。然而，2002 年美国总统 G. W. 布什把金正日的政权描述为“邪恶轴心国”（伊拉克和伊朗两国也被列在其中），朝美两国关系随之恶化。第二年金正日正式宣布退出《核不扩散条约》，并开始发展核武器。这一举动被广泛认为是一个谈判策略，意在获得美国的经济援助和签订一个不侵犯协定。此后进行了一系列会谈，但几乎没有取得任何进展。

Kim Dae-gŏn 金大健（1821-08-21，朝鲜～1846-09-16，朝鲜汉城附近［今在韩国］） 朝鲜历史上第一位天主教司铎。出身于天主教家庭，曾在葡萄牙占领下的澳门接受宗教培训。1845 年在上海受神职，往返于中国和朝鲜之间执行教务。1846 年他为赴朝传教士勘探新航路，被当局逮捕。由于反对朝鲜的闭关锁国政策，因而先被监禁，后被处死。1925 年 7 月 5 日，他与 78 位其他朝鲜殉道者一同被宣福。1949 年，罗马教皇确认他为朝鲜罗马天主教神职人员的主守护圣徒。1984 年被封圣。

Kim Dae Jung 金大中（1925-12-03，朝鲜木浦［今在韩国］～ 2009-08-18，首尔） 韩国政治家，朴正熙总统任内的著名反对派领袖。1998 ～ 2003 年任韩国总统，2000 年获诺贝尔和平奖。1943 年中学毕业后在一家日本人的公司里任职员。1945 年他接管该公司，成为富商。朝鲜战争期间被北方军队俘获并被判处枪决，但他设法逃脱。1954 年他进入政界，反对李承晚总统的政策。经过 5 次选举后，1961 年他终于成为国会议员。40 岁时，金大中已被誉为韩国最有天赋的演说家和最具领袖气质的政治家之一。他日益成为朴正熙政策的批评者。1971 年即金大中成为韩国民主党党魁一年以后，他在全国性的总统大选中和朴正熙角逐，虽然赢得超过 40% 的选票，但遭到失败。那时，他直言不讳地批评朴正熙政府的镇压政策。1973 年金大中在东京所住的旅馆中遭韩国中央情报部绑架，并被强行押送回韩国，此举造成日本和韩国关系紧张。1976 年金大中因鼓吹要求恢复民主，再次被捕。1979 年在朴正熙于 10 月间被暗杀前获释。1980 年 5 月，金大中以煽动暴乱和阴谋罪名被捕，并被判处死刑，但朴正熙的继任人——全斗焕总统将死刑减为终身监禁，后又减为 20 年。1982 年 12 月，金大中获准离开韩国前往美国就医。1985 年他获准重返韩国，继续作为政治上反对派的主要领袖之一。1987 年他竞选总统，因与反对派对手金泳三竞争，分散了反政府的选票，遭致失败。1992 年他再次竞选总统，但败于金泳三。1997 年竞选总统获胜，当选韩国第 15 届总统。他成为韩国第一个当选总统的反对党领袖。上任后推出“阳光政策”，允许韩国公民去朝鲜看望亲属，并放松了限制韩国在朝鲜投资的政策。1998 年，两国开始了 4 年来的第一次直接对话。2000 年 6 月金大中与朝鲜领导人金正日会面，这是两国领导人第一次会面。在这次会议上，双方同意了促进两国最终统一的目标。由于选举规则禁止连选，于 2003 年离任。2000 年，因为推动韩国的民主与人权，促进与朝鲜的关系而获得诺贝尔和平奖。

Kim Hong-do 金弘道（1745？，朝鲜～？） 号檀园。最先在作品中刻划平民形象的朝鲜画家。出身官僚家庭，很早就入官场，并成为图画署画员。思想激进，与同僚格格不入。是多种风格的大师，画风俗画时运用古代白描法，而其名作《古代诸神》则转为豪放的英雄格调，赋予诸神以粗犷、魁梧的形象。擅长风景画，追随上世纪已开始的风气，走出画室，实地写生，对自然景色中的人民生活深感兴趣。其刻划普通人物的作品中，常隐含对上层阶级的批评。特别明显的是些秋收图，辛勤劳动的农民和懒惰的地主形成强烈对比。

Kim Il-sung 金日成（1912-04-15，朝鲜平壤附近～ 1994-07-08，平壤） 原名金成柱。朝鲜民主主义人民共和国 1948 ～ 1994 年的共产党首领。1948 ～ 1972 年任首相，1949 年起任执政的朝鲜劳动（共产）党中央委员会委员长。1972 年起任国家主席。1925 年他一家因躲避日本人在朝鲜的统治而逃往中国东北。他于 1931 年加入朝鲜共产党。30 年代参加朝鲜抗日游击队作战，因受到苏联军事当局赏识，被送到苏联学习军事和政治。在苏联时，改用一位早期传奇式的朝鲜游击队抗日英雄的名字。第二次世界大战期间任苏联红军朝鲜支队支队长，少校军衔。1945 年与其他一些在苏联受过训的朝鲜人一道回国，在北方建立以苏联为后台的共产主义临时政府。1948 年成为新成立的朝鲜民主主义人民共和国的第一任首相。朝鲜战争中，他在中国人的支援下击退了联合国军和韩国军队。1953 年朝鲜战争结束后，他粉碎残余的国内反对派，消灭共产党内部与他争权的最后对手，成为本国绝对的统治者，开始把北朝鲜转换成一个严酷的、军国主义的和高度兵营式的社会，一意追求两个互相联带的目标：一是工业化，一是朝鲜半岛在北朝鲜支持下的重新统一。他还大规模发动对他自己的个人崇拜。他加强与苏联和中华人民共和国的密切关系，依然坚持对韩国和美国的敌对态度。在依然控制朝鲜劳动党的情况下，他辞去首相职务，1972 年 12 月当选为国家主席。1980 年他把自己的儿子金正日提升到党和军的高级职位，实质上是指定小金为他的接班人。

中国大百科全书出版社供图

Kim Jae Kyu 金载圭（1926，朝鲜庆尚北道［今在韩国］～ 1980-05-24，韩国） 韩国军官，中央情报局局长，1979 年 10 月 26 日暗杀韩国总统朴正熙。他是朴正熙的终生至交和心腹。两人原为韩国陆军大学同班同学。曾任陆军保安司令官和中央情报局副局长，后晋升为中将。当美国国会调查韩国的影响时，韩国中央情报局局长在华盛顿叛变，金被任命为局长（1976），掌握很大的实权。1979 年他在为朴正熙举办的私人宴会上开枪打死朴，他随即被郑昇和将军逮捕。调查表明，这是一场精心策划的暗杀。在审讯中，金坚称，他之所以打死他的朋友，是为了避免发生朴已策划好的对其对手的大屠杀，同时，只有打死朴，才有可能在韩国恢复民主。全斗焕将军领导的政府调查认为，金打死朴完全是为了保全他自己的权力，他被判处死刑，与情报局的4个助手一起随即被绞死。

Kim Jong Il（Korean leader） 参阅 **Kim Chong Il** 金正日。

Kim Young Sam **金泳三**（1927-12-20，朝鲜釜山附近巨济岛［今在韩国］～ ） 韩国政治家、温和的反对党领袖，1992～1997年任韩国总统。1952年毕业于国立汉城大学，1954年首次选入国会。作为一位中间派自由主义议员，他一再连选连任，直至1979年由于反对朴正熙而被驱逐出国会。他的被驱逐（10月9日），激起了骚动和示威，成为朴于10月26日遭暗杀的先导。为抗议金被开除，国会全体66名反对派议员实行总辞职。朴去世后，原认为金泳三将成为总统大选中的竞争者，但全斗焕于1980年5月接管政府，排除了这一可能性。1980年5月金被软禁，接着于1980年11月被禁止参加政治活动8年。他的党也遭取缔。1983年6月金的软禁被取消，并于1985年恢复其政治活动。这一年他重又宣布担任与全斗焕总统对立的温和的反对党领袖职务。1987年竞选韩国总统，由于与其对手、另一反对派领袖和总统候选人金大中瓜分反政府的选票，因而失败。1990年金泳三同意将他的统一民主党与卢泰愚总统领导的执政的民主正义党合并，组成一个可以控制韩国政治的中右政党。金在1992年12月18日举行的总统选举中获胜，1993年2月25日正式就任韩国第14届总统。上任后，他严格限制军队干政，并推行旨在消除政治腐败和滥用权力的改革，以便使政府更加向选民负责。

Kimbangu, Simon **钦班古**（1889?-09-24，刚果自由邦蒂斯维尔附近恩坎巴［今刚果民主共和国姆班扎恩加恩加］～1951-10-10，比属刚果伊丽莎白维尔［今刚果民主共和国卢本巴希］） 刚果宗教领袖，创独立教派钦班古会。他曾受英国浸礼宣教会传教团培养，1921年4月在下刚果的巴刚果族中突然名声远扬，数千人听他布道，称他为"恩古扎"（先知）。尽管他的布道并无重要的政治内容，但比利时当局害怕他引起动乱，于是年9月将他逮捕，并判以死刑，后减为无期徒刑，终身囚禁在伊丽莎白维尔监狱。他的徒众在比属刚果和邻近的法属刚果、安哥拉继续活动，称"钦班古分子"。在20世纪50年代非洲民族主义动乱中，先知幼子率领的一批来自恩坎巴的钦班古分子建立了钦班古教会并于1959年9月获得正式承认。

Kimbanguist church **钦班古会** 非洲规模最大的独立基督教会，也是最早（1969）参加世界基督教协进会的非洲教会。为下刚果地区浸礼会教理教员钦班古（1889～1951）所创建，故名。1921年钦班古为人祈祷治病，宣讲《圣经》，发起群众运动，不久被比利时殖民当局以叛乱罪判处无期徒刑。该会在1959年被承认合法，在中非广泛流传。该会回避政治，强调持守言行，反对暴力、一夫多妻制及魔法巫术，禁绝烟酒和舞蹈。该会发展农业、开展医疗和教育事业以及青年工作和合作化工作。由于这些广泛的社会活动，该派已成为拥有100万～300万信徒的现代化组织。中非一些规模较小组织、较松散的教会也尊钦班古为上帝的特派先知。

Kimbe **金贝** 巴布亚新几内亚新不列颠岛中北部海岸港口。临斯德丁湾。棕榈油在附近加工厂提炼，经港口运销外地。椰干、可可生产及伐木业在经济上也重要。人口8 363（1990）。

Kimberley **金伯利** 澳大利亚西澳大利亚州北部高原地区。北起西北海岸，南至费茨罗伊河，东达奥德河。面积约36万平方千米。主要由砂岩构成，多河流切割的深谷。西北部降雨量较多，东南部年平均降雨量仅380毫米。1879年后定居人数开始增加。两年后发现金矿，出现短暂的淘金热。现放牧仍为欧洲移民的主要活动。西北部有肉牛饲养。温德姆和德比有肉类加工业。奥德河（**Ord River**）和菲茨罗伊河（**Fitzroy River**）的灌溉工程使当地可以种植甘蔗、水稻、棉花和其他亚热带植物。库努纳拉现为发展该地区的服务中心。高原发现有金伯利岩（含金刚石的岩石）和石油等矿藏。现在阿盖尔有金刚石矿开采。当地居民中有数千名土著人。人口约23 550（1993）。

Kimberley **金伯利** 加拿大不列颠哥伦比亚东南部城市。属东库特内区，近圣玛丽河，在克兰布鲁克西北。建于起伏不平的沙利文山和北斯塔山的斜坡上，为全国最高城市（海拔1 116米）。1892年开发沙利文铅锌矿时建居民社区，1896年以南非采矿中心之名命名。有沙利文选矿厂、肥料厂及钢铁厂，还有原木加工及锯木业。冬季运动发达。每年2月庆祝金伯利雪节。1944年建市。人口6 531（1991）。

Kimberley **金伯利** 南非开普省东北部城市和金刚石开采中心。邻近奥兰治自由邦。1869～1871年发现金刚石矿，矿区以英国殖民部大臣金伯利伯爵之名命名。1878年建镇。1880年并入开普殖民地。1885年有省铁路通开普敦。1912年建市。世界上产量最高的金伯利金刚石矿于1915年关闭，但仍有几个矿在开采。开采和加工金刚石仍是主要行业。亚历山大麦克雷戈纪念博物馆藏有科伊桑的重要手工制品。达根-克罗宁班图人美术馆藏有20世纪初非洲矿工的图片。有英国圣公会教堂和天主教大教堂及北开普技术学院。该城是西格里夸兰的重要城市，当地繁荣的农业灌溉区和养牛区的贸易和服务中心。附近开采铁、盐和石膏。人口170 432（1996）。

kimberlite **金伯利岩** 又称蓝地（blue ground）。是一种深色的、重的、常常经过蚀变和角砾化的（破碎的）侵入岩，是已知的唯一在母岩中找到原生金刚石的岩石。具斑状结构，斑晶粗大，往往圆化，为细粒状基质所包围。它是一种云母橄榄岩，含量最多的矿物是橄榄石。其他数量多的矿物有金云母、富含铬的和富含镁铝的石榴子石的斑晶、含铬的透辉石（特别是在非洲的金伯利岩中）、钛铁矿、蛇纹石、方解石和磁铁矿。金伯利岩产于大陆地台的隆起中心。在南非的金伯利地区，它形成岩筒（横切面近似椭圆形的漏斗，深度越大，漏斗越细），偶尔形成岩墙。其他产状有美国纽约州的伊萨卡、南非金伯利和澳大利亚阿盖尔湖区的岩墙和坦桑尼亚伊斯维细山的熔岩。

Kimbolton, Edward Montagu, Baron **金博尔顿男爵** 参阅 **Manchester, Edward Montagu, 2nd earl of** 曼彻斯特伯爵（第二）。

Kimbundu 参阅 **Mbundu** 姆本杜人。

Kimch'aek **金策** 旧称城津，北朝鲜东部咸镜北道城市。濒临南大川江湾，近咸镜南道边界。当地海湾有岬角作为屏障，为天然良港。原为贫困渔村，1899年成为开放港口后，开始发展，出口农产品、水产品、牛皮和林产品等。20世纪30年代附近开采矿产，发展为工业城市。有炼铁、镁加工和大理石加工等工业。设有金策工业大学。人口约179 000（1987）。

kimchi **朝鲜泡菜** 又拼作kimchee。朝鲜膳食中不可缺少的有香辛味的发酵腌制食品。最常用的是芹菜、卷心菜、中国萝卜和黄瓜；将这些菜蔬洗净切片，用大量红辣椒、洋葱、大蒜调味，放入大陶罐中用盐水发酵。干虾仁、鳀鱼酱和蚝常用作添加的调味品。发酵期视气候条件不同而有长短，一般约一个月。泡菜罐常部分或全部埋入地窖或专门的荫棚底下。

Kimch'ŏn **金泉** 韩国中南部庆尚北道城市，位于大邱西北69千米处。李王朝（1392～1910）期间为全国最重要集市之一。金泉市现为周围地区的服务中心。位于京北、京釜铁路与洛东江交叉处，为连接邻近各道的交通枢纽。汉城—釜山公路经该市。人口81 346（1990）。

Kimhi, David **基姆希**（约1160，法国图卢兹纳博讷？～约1235，纳博讷？） Kimhi又拼作Kimchi，Kimḥi，Qimḥi；别名拉达克（Radak，即Rabbi David Kimhi之缩略形式）；又称Maistre Petit。欧洲的希伯来语学者，其著述使希伯来语词典编纂学和语法学达于中世纪顶峰，声誉超过其父约瑟和其兄语法学家摩西。大卫·基姆希童年时在其兄指导下学习其父学说，后以教授学生犹太教主要经典《塔木德》维持生活。其巨著《完备之书》，原拟包括语法及词典，然而，词典以单行本《词根之书》问世。语法（由W.沙马基编译，1933年出版，1952年再版）亦因对动词进行全面探讨，包括全部变位、标点及重音规则，而与前此之语法书迥异，兼以简洁明了，数百年间为学者所推崇。词典也流传甚广，虽是以伊本·杰纳赫之词典及其父之著述为蓝本，仍不失为一独创性著作。该书引进许多新词源，把希伯来语同阿拉米语和普罗旺斯语分别进行比较，并包括对词根在《圣经》中的涵义所作的诠解。另一著作《律法师之笔》专讲《圣经》手稿标点和重音规则。大卫是其家族中最重要的圣经注释家，他对《创世纪》、《诗篇》以及旧约其他各篇所作的注释，因见于最早印制的希伯来语圣经诸版本而益显其重要性。其重要性仅次于中世纪伟大注释家拉希之注疏。这些注疏文字由多名学者进行整理并译成英语，于1919～1935年间作为哥伦比亚大学东方研究课题之一部分予以刊行。基姆希也是犹太哲学家迈蒙尼德的坚决支持者。他极善于反驳基督教徒对犹太教和犹太人的抨击。

Kimhi, Joseph　基姆希（约1105，西班牙～约1170，法国纳博讷？）　Kimhi又拼Kimchi，Kimḥi，Qimḥi；又称Maistre Petit或里克哈姆（Rikham，即Rabbi Joseph Kimhi之缩略形式）。欧洲语法家、圣经注释家兼诗人，与其子摩西和大卫同为希伯来语研究的奠基人。约瑟·基姆希曾把西班牙犹太人用阿拉伯语写的许多著作译成希伯来语，在推广希伯来语研究于欧洲其他地方的活动中起了主要作用。因精通拉丁语语法，乃能将前所公认的7个希伯来语元音划分为5个长元音和5个短元音。其综合语法著作《记忆之书》引进了一种动词词干分类法，沿用至今。另一种著作《论证之书》论述词典编纂学和《圣经》注释问题，曾被作为批评当时的《塔木德》权威学者J.塔姆的工具。在其所著《旧约》各书评注中，关于《箴言》和《约伯记》的两部分已出版；另有部分已散佚，学者认为其《圣经》评注方面的价值亦必甚大。另有《约书》，因包括关于犹太人在普罗旺斯的地位的历史资料而具有重要价值。他也是有一定成就的诗人，其诗常为后人所引用。他的《神圣的希伯来金币》一书于1919年出版，并附有英译文。

Kimhi, Moses　基姆希（？～约1190，法国图卢兹纳博讷？）　Kimhi又拼作Kimchi，Kimḥi，Qimḥi；又称雷马克（Remak，即Rabbi Moses Kimhi之缩略形式）。欧洲的希伯来语语法《知识之路》的作者。语法家兼圣经注释家约瑟·基姆希的长子，曾是其弟更有名望的大卫·基姆希之师，父子三人共同完成了希伯来语研究的开创工作。摩西·基姆希的语法因简明扼要而长期使用，1508年译成拉丁语，刊行数版，供信奉基督教的希伯来语言学家之用。他最先将paqad（命令）一词作为变位模式。并提出现今常见的诸词干形式的序列。在犹太大师注释的《圣经》中，后世误认摩西·基姆希所注《箴言》、《以斯拉记》和《尼西米记》为亚伯拉罕·伊本·以斯拉之作；后者亦为中世纪西班牙第一流犹太学者之一。

kimkhwāb　克姆克华帛　印度锦缎，用丝线与金线或银线织成。克姆克华帛一词来自波斯语，意为"小梦"，另一含意为"织花"，从常见的花卉图样来看，后一解释较为贴切。印度古代已有克姆克华帛，在吠陀文学（约公元前1500）中称为"金布"。在笈多王朝（4～6世纪）称为普丝帕帕泰，意即织花的布。在莫卧儿时代（1556～1707），克姆克华帛在富人中极为流行。当今最重要的生产中心为贝拿勒斯（瓦拉纳西）。克姆克华帛按使用的金、银线数量分类，有的完全用这两种贵金属线织成；有的使用少量色丝，以加强图案的效果；还有主要用丝线，只用少量金、银线的。最常用的图样有花纹、小枝花饰、松果、玫瑰花、阿拉伯花饰（错综的线条组成的复杂图案）和当时最时兴的罂粟花等。

kimono　和服　日文作"着物"。日本男女从奈良时代早期（645～724）迄今仍穿用的衣服，源自中国的长袍。基础和服是一种齐踝长的有宽大长袖和V型领的袍服，既无衣扣又无袢带，而是在胸前将左襟覆盖在右襟上，然后在腰部用称为**和服腰带**（**obi**）的宽厚饰带束牢。妇女穿的短袖和服（kosode）是一种外衣，在室町时期（足利幕府，1338～1573）便被采用。到17和18世纪，日本设计师对和服大加美化，使和服成为世界上最考究的服装之一。

Kimry　基姆雷　俄罗斯西部加里宁州城市和地区中心。旧城位于伏尔加河左（西）岸高地，是传统的手工业尤其是皮革、鞋袜业中心，也是河港。1917年设市。现有机械制造等多种工业部门。设有机械制造学院和医科学校。人口约62 000（1991）。

kin　亲属　又称血族。是由血缘、婚姻或血缘与婚姻两者共同联系起来的一些人们。参阅**kinship**。

Kinabalu, Mount　基纳巴卢山　马来语作Gunung Kinabalu。马来群岛最高峰，海拔4 101米。位于东马来西亚（北婆罗洲）西北，克罗克山脉中部。该山由平原平缓地升起，在石坡上陡然上升成为光秃、平顶、长0.8千米的宏大山岩，四周为黑色花岗岩峭壁。600米以下山坡已辟为耕地。山坡上的哥打贝卢以周末集市和赛马闻名。基纳巴卢国家公园（754平方千米）包括基纳巴卢山和克罗克山脉的一部分。

Kinabatangan River　基纳巴唐岸河　东马来西亚（北婆罗洲）东北部最长河流。源出东部的维蒂山脉，流向东北，大部流经广阔的密林平原，经过山打根和甘榜淡比山之间的三角洲注入苏禄海。全长563千米。从河口上行可通航约320千米。与支流瓜穆河和洛坎河一起构成沿海城市和森林地带的唯一交通途径。

Kincaid, Jamaica　金凯德（1949-05-25，安提瓜圣约翰～　）　原名Elaine Potter Richardson。加勒比裔美国作家。其散文、短篇小说和长篇小说对家庭关系和故乡安提瓜作了美好的描述。16岁离开故乡，定居美国纽约市。1974年开始向《纽约人》杂志定期投稿，内容大都是记述加勒比地区的文化。之后她的散文和短篇小说也发表在其他杂志上。1983年第一部短篇小说集《在河底》出版。《安妮·约翰》（1984）和《露西》（1990）这两部本质上是自传体小说。之后发表的作品也是强调母女关系。散文《弹丸之地》（1988）由三部分组成，继续描绘安提瓜并对安提瓜被掠夺的情况表示愤怒。在《我母亲的自传》（1996）和《我的弟弟》（1997，叙述了弟弟死于艾滋病的遭遇）两部小说中，她对家庭关系、人格以及殖民主义对人们的腐蚀影响等主题的处理达到了顶点。

Kincardine, James Bruce, 12th Earl of　金卡丁伯爵（第十二）　参阅**Elgin, James Bruce, 8th Earl of 埃尔金伯爵（第八）**。

Kincardine and Deeside　金卡丁-迪赛德　苏格兰东北部格兰扁行政区的一个区。1975年改划行政区域时新设，包括原金卡丁郡和阿伯丁郡的一部分，面积2 548平方千米。该区从东部海岸向西延伸至格兰扁山脉和凯恩戈姆山南侧，其海拔在915～1 220米之间。该区荒凉多山，格兰扁山南面陡峭，临迪河的北面山坡较平缓。迪河为该区北部边界。格兰扁山南面是一片土地肥沃宜于耕作的谷地，称为默恩斯河谷地，是斯特拉斯莫尔河谷的一部分。17世纪以来，区首府由金卡丁市改为斯通黑文，1975年后，斯通黑文继续为区的行政中心。在肥沃的山区谷地和默恩斯河谷地一带，经济以农业为主，地势较高的地区有许多永久性的牧场饲养乳牛、食用牛和绵羊。渔业已经衰落，小渔村成为旅游点；斯通黑文同时经营旅游业与渔业。制造业很少，农村和城市地区人口都减少，因此必须兴办轻工业与旅游业以遏止此种趋势。英国王室位于苏格兰高地的私人住宅巴尔莫勒尔堡即在该区内。人口约52 625（1991）。

Kincardineshire　金卡丁郡　亦称Kincardine或The Mearns，苏格兰东北部历史郡，沿阿伯丁以南北海海岸，是阿伯丁政务会辖区的一部分。为苏格兰东北角各郡之中最南的一个历史郡。在古代，此地为罗马人入侵不列颠北部的极限。其后成为皮克特人所建王国一部分。再后苏格兰国王将古金卡丁自治市建成要塞，旧郡遂得其名。1296年，在独立战争（Wars of Independence）中，英格兰的爱德华一世曾经过此城。17世纪50年代的共和政体战争（Commonwealth Wars）中，为了安全，曾把苏格兰国王王冠保存在斯通黑文南面的邓诺特堡中。1715年詹姆斯党起事时，老僭君詹姆士·爱德华曾到过斯通黑文附近的费特雷索堡，其后他的追随者拥立他为詹姆士八世国王。迪河谷地在旧郡北部，其中有许多著名建筑物，包括约建于1392年的邓诺特堡、许多建于17世纪的城堡和几座已经倒坍的教堂。

Kinck, Hans E(rnst)　欣克（1865-10-11，挪威厄克斯菲尤尔～1926-10-13，奥斯陆）　挪威多产小说家、剧作家、散文作家、新浪漫主义作家。在作品中注重描写过去，毕生探讨民族心理和创造性天才。所描绘的挪威农村生活，如在短篇小说集《从大海到高山》（1897）里所显示的那样，是一幅严酷的图景。他的作品以这类短篇小说以及那些发表在更为抒情的《蝙蝠之翼集》（1895）中的短篇小说最为出色。但他的主要著作是一部3卷本小说《雪崩》(1918～1919),描写农民与职业阶层之间的冲突。

Kincsem 金克森姆(1874年出生) 欧洲赛马。1876～1879年在54场比赛中获胜。它是平道赛马史上保持优胜纪录到20世纪80年代的英国纯种马。

Kindah 肯德人 5世纪晚期至6世纪特别著名的古代阿拉伯部落,是最早试图把阿拉伯半岛中部诸部落统一在一个中央政权之下的群体之一。他们发祥于阿拉伯半岛南部的哈德拉毛以西的地区。5世纪末由王朝奠基者胡杰尔·阿基勒·穆拉尔率领到达阿拉伯半岛中部和北部,将当地一些部落团结在一起,形成一个松散的联盟。胡杰尔的孙子哈里斯·伊本·阿姆尔最负盛名。他侵入伊拉克,占领了莱赫米国君蒙齐尔三世的首都希拉。约529年,蒙齐尔收复该城,杀死了哈里斯。哈里斯死后,王国分裂为4个部落,即阿萨德部、塔格利布部、卡伊斯部及基纳纳部,各由一名王子领导。4部落纷争不已,约6世纪中叶之后,地方部落迫使他们再次退到阿拉伯半岛南部。穆斯林时期,肯德王室后裔继续在朝廷官居要职。肯德部落的一支在西班牙取得很大权势。著名阿拉伯诗人伊姆鲁·卡伊斯(?～约540)即出自肯德部落。

kindergarten 幼儿园 又称幼儿学校(infant school)。补充初等教育的教育部门,招收4～6岁的儿童。幼儿园始创于19世纪初,是英国人欧文、瑞士人斐斯泰洛齐及其德国学生福禄培尔("幼儿园"一词系他所创)和意大利蒙台梭利等人的思想和实践的产物。它强调儿童情感和精神方面的天性,通过游戏活动和更大的自由促进儿童的自我了解,而不是强迫他们接受成人的思想。在英国,工业革命的环境有助于促进为父母和哥、姐都长时间在工厂工作的幼儿设立幼儿学校。这些学校中最早的之一,系由一名叫欧文的纱厂主为其雇员的子女在1816年创办于苏格兰的新拉纳克。它是按照欧文的两个理想——快乐、健康的环境和有趣味活动的生活——而建立的。后来英国的幼儿学校与欧文的不同,强调记忆力和道德的训练而限制儿童的活动自由。但在1836年,成立了按斐斯泰洛齐提倡的方法培训教师的国内及殖民地学校学会。1837年,福禄培尔在普鲁士的布兰肯堡开设了"一间用游戏方法对幼儿进行心理训练的学校"。在以幼儿园为学校命名时,他企求表达的印象是一个孩子们在其中像花草那样自由成长的环境。在福禄培尔逝世后的25年间,幼儿园扩展到欧洲、北美、日本和其他地方。在美国,幼儿园已被普遍承认为初等教育的第一教学单元。

Kinderlieb, Heinrich 金德莱布 参阅 **Hoffmann, Heinrich** 霍夫曼。

Kindī, Yaʿqūb ibn Isḥāq aṣ-Ṣabāḥ, al- 金迪(?～约870) 伊朗第一位杰出的伊斯兰教哲学家,号称"阿拉伯人的哲学家"。他涉猎范围不仅及于亚历山大的亚里士多德-新柏拉图派所探讨的哲学问题,而且还包括占星学、医学、印度算学、字谜、制剑、烹饪等。据说他写有270多部著作,许多至今尚存,有些被译成拉丁文。

Kindia 金迪亚 几内亚西部城镇,建于1904年。通铁路,为公路枢纽。是大米、牛、香蕉、菠萝、柑橘属水果、棕榈油及核仁贸易的中心。市内有国立农业学校(1961)、公立水果研究所(1961)、巴斯德研究所(1925,医学研究)、综合性医院、清真寺、天主教传教团总部(1908)、师范学院、中等专科学校。是重要铝土产区。周围地区居民为苏苏人和富拉尼人。人口约55 904(1983)。

Kindu 金杜 刚果(金)中东部城市。濒临卢阿拉巴河。位于刚果河航运线起点。长期为商业运输重镇。为该市与南面产铜区之间铁路北终点站。经济以铁路和水路运输业为主。有木材加工厂和农贸市场。附近出产咖啡和稻米。通公路和航空线。人口约86 791(1994)。

kinematics 运动学 物理学中经典力学的分支,只描绘物体或物体系几何上可能的运动而不考虑作为产生运动的因果的力。它是对运动的抽象研究,目的在于描绘运动物体上点的空间位置、运动点的速度和速度的变化率(加速度)。在不考虑原动力的情况下,只能描述点的约束运动,即在确定路径上的运动。在不受约束的运动(即自由运动)中,力决定路径的形状。对于沿直线路径运动的点,把点的一些位置和相应的时间列出来就成为描绘点的运动的适当图解。连续描绘就需要以时间表示位置的数学公式。当点沿曲线路径运动时,位置的描绘就复杂得多,需要二维或三维,用单个图解或单个数学公式是无法进行连续描绘的。例如圆上运动的点的位置可以用圆的半径的转动(就像一端固定于圆心而另一端系于点的辐条转动那样)来描绘。转动半径叫做点的位矢。如果把它与固定半径之间的夹角看作时间的函数,点的速度与加速度的量值就可以算出来。可是速度与加速度既有方向又有量值;速度方向总是与路径相切,而加速度方向有两个分量:一个与路径相切,另一个与切线垂直。

Kineshma 基涅什马 俄罗斯西部伊万诺沃州城市。濒临伏尔加河。建于16世纪。1917年十月革命后作为河港迅速发展,主要装运棉花、石油、木材和谷物。现也是重要的纺织、化工和机械制造中心。其卫星城,横跨伏尔加河的扎沃尔日斯克和纳沃洛基,分别生产化学制品和棉织品。人口约104 900(1991)。

kinetic energy 动能 物体或质点由于运动而具有的能量。外力的合力对物体做功(向物体传递能量)时,它就会加速,因而获得了动能。动能是运动物体或质点的特性,它不仅取决于物体的运动,还取决于物体的质量。运动可以是平移、绕轴转动、振动或运动的任何组合。物体的平移动能等于它的质量 m 与速度 v 的平方的乘积的一半,即 $1/2\,mv^2$。这个公式只适用于低速和相对高速的运动,对于极高速的粒子,它得出的值太小。当物体的速度接近于光速(3×10^8 米/秒)时,它的质量要增大,这时就必须应用相对论的定律。相对论性的动能等于粒子增大了的质量值乘以光速的平方。能量的单位是焦耳。2千克的质量以1米/秒的速度运动,就具有1焦耳的动能。1焦耳 = 10^7 尔格,1尔格相当于一个飞行中的蚊子的动能。在本书其他一些地方还用了更小的能量单位电子伏,它用于原子和亚原子尺度上。对于转动物体,转动惯量 I 相当于质量,角速度 ω 相当于线速度或平移速度。因此转动动能等于转动惯量乘以角速度平方的一半,即 $1/2\,I\omega^2$。物体或物系的总动能等于各种形式的运动所产生的动能之和。

kinetic sculpture 动态雕刻 一种雕刻,动是其最基本要素。在20世纪动态艺术已成为雕刻艺术的一个重要方面。N.伽勃、M.杜尚、L.莫霍伊-纳吉和A.考尔德是现代动态雕刻的先驱。大多数动态雕刻家的目的并不是仅仅给已完成的静止艺术品加上活动,而是使动态成为雕刻品设计整体的一部分。例如,考尔德的活动装置,是依靠在一定的时间和空间条件下发生的图像间相互关系的不断变化来达到其美学效果。当液体和气体被用作组成要素的时候,雕刻品的形状和大小就能发生连续不断的变化。烟的运动,带色的水、水银、油等的流动与扩散,由压缩空气操纵的膨胀与收缩以及泡沫团的运动等,都成为动态雕刻艺术的手段。N.舍弗设计的,复杂的由电子控制的"空间动态"和"光影动态"构造系统,主要特征是投射到空间的不断变化的灯光图案。

kinetic theory of gases 气体动理论 基于对气体分子的简化描述的一种理论,从中可以导出气体的许多总体性质。英国科学家J.C.麦克斯韦和奥地利物理学家L.玻耳兹曼首先在19世纪建立了这个理论,它已成为近代物理学的许多最重要的概念之一。最简单的分子运动模型建立在下述假设之上:①气体由大量作无规运动的完全相同分子构成,分子间的距离与分子的尺寸相比是很大的;②分子与分子或分子与容器壁发生的碰撞是完全弹性的(没有能量损失),除碰撞外分子间无相互作用;③分子作热运动,即气体的温度越高,分子运动得越快。这些简化假设使人们能用数学方法推导出气体的特性。这样的模型描述的是完全气体(**perfect gas**),对于真实气体也是一种合理的近似,尤其是对于密度极小和温度高的气体。但是这种简化模型对于解释密度大的气体的性态就不够精确了。根据气体动理论,作用在容器壁上的压强可归因于分子的无规碰撞,而分子的平均能量依赖于气体温度。因此,气体压强可以直接与温度和密度联系起来。这种理论还可以导出气体的许多其他宏观性质,如黏性、热传导和电传导、扩散、热容量和迁移率等特性。为了说明真实气体对于完全气体性态的偏离(例如凝聚),必须对假设作适当修改。在此修改过程中，人们对于分子相互作用和动力学性质已有较深的洞察。

kinetics 运动力学 又译动力学。经典力学的一个分支，研究力和转矩对具有质量的物体的运动所起的作用。采用运动力学这一术语的学者，把近乎同义的**动力学**(**dynamics**)一词运用于运动物体的经典力学。这是与静力学相对而言；静力学研究在平衡状态下静止的物体。这些学者认为动力学包括运动力学与运动学（用位置、速度与加速度描述运动，不涉及力、转矩与质量的影响）。不采用运动力学这一术语的学者，则把经典力学分为运动学与动力学，并将静力学包括在动力学内，视之为特例（其力的和与力矩的和均为零）。

Kinetoplastida 动质虫目 原生动物的一个目，旧称原滴虫目(Protomonadida)或原鞭毛虫目(Protomastigida)，其成员常称为原滴虫。参阅 **protomonad**。

Kinetoscope 电影视镜 电影放映机的前身，1891 年由美国的爱迪生和 W.狄克逊发明。影片在一片透镜和一个电灯泡中间快速通过，观者可以从窥孔观看。窥孔后面有一个带狭窄缺口的转盘，缺口起到光阀的作用，可使每秒钟以 46 格速度通过缺口的画面瞬息一现，使活动的人物栩栩如生地再现出来。爱迪生最初只在美国注册了专利，而未在别的国家取得专利。1894 年当电影视镜在纽约百老汇大街公开展出时，立即引起轰动。有若干台电影视镜出售到欧洲，成为最早的电影放映机的依据。参阅 **Cinématographe**。

king 国王 女性作 queen。一个国家或地区的最高统治者（君主），其地位高于除皇帝以外的任何世俗统治者。国王可能臣服于皇帝。王位可由选举产生（如中世纪的德意

国王、女王在其他语言中的同义词

	国 王	女 王
捷克语	král	královna
丹麦语	konge	dronning
荷兰语	koning	koningin
法 语	roi	reine
德 语	König	Königin
匈牙利语	király	királynö
意大利语	re	regina
拉丁语	rex	regina
挪威语	konge	dronning
波兰语	król	królowa
葡萄牙语	rei	rainha
罗马尼亚语	rege	reginä
俄 语	korol	koroleva
塞尔维亚-克罗地亚语	kralj	kraljica
西班牙语	rey	reina
瑞典语	konung	drottning

志)，但通常是世袭的。王权可以是专制的，也可以是立宪的，但通常采用君主制的形式。古斯巴达曾有过两个国王联合执政的现象。国王常作为中间人处于他的人民和他们的上帝之间，如古代苏美尔国王乃是上帝的代表。有时国王自视为神，是丰收仪式上的关键人物；这类宗教仪式常最终要求杀死国王或其正式代表以奉献给上帝。神性的概念源于希腊化时代的埃及，后由罗马皇帝们所复兴。基督教罗马皇帝们自称是代表上帝行使权力。在中世纪的政治学说中，王权早已被视为类同祭司之权，加冕礼上的涂油仪式具有重大意义。16～18 世纪的专制君主制常因建立国家教会而得到加强，但从 17 世纪开始，在英国及随后的其他国家，王权由宪法确定，王权与其说来自上帝，不如说来自人民。

King, B.B. 金(1925-09-16，美国密西西比印第安诺拉附近伊塔比纳～) 美国布鲁斯吉他演奏员。被公认为是“节奏与布鲁斯音乐”发展中的主要人物，一些著名流行音

美国不列颠百科全书公司供图

乐家都从他的风格中吸取灵感。金是在密西西比三角洲的黑人教堂音乐气氛中成长的，这种福音-灵歌的背景后来又受到一些乡村布鲁斯乐人和爵士吉他手的影响。多种多样的影响形成了他独特的风格，其特点为唱歌中的大声喊叫与吉他的精致抒情的应答互相平衡。一度在孟菲斯任电台流行音乐唱片节目广播员，当时名叫“比尔街的布鲁斯小伙子”。1949 年他录制了一张唱片，在“节奏与布鲁斯音乐”市场上畅销。此后他在全国黑人俱乐部和酒吧间里演唱达 20 年之久。坚持在一年中演出 300 场以上。他不愿为吸引更多观众而改变他的演出风格。因此一直在一些不引人注意的地方当一名受人崇拜的表演者。直到 60 年代末，一批深受其影响的摇滚乐吉他手将他介绍给白人观众。他的音乐影响了许多英国摇滚音乐家。

King, Billie Jean 金(夫人)(1943-11-22，美国加尼福利亚长滩～) 母家姓莫菲特。美国女子网球运动员。1961 年与汉茨合作获温布尔登赛双打冠军，开始引起国际注意。

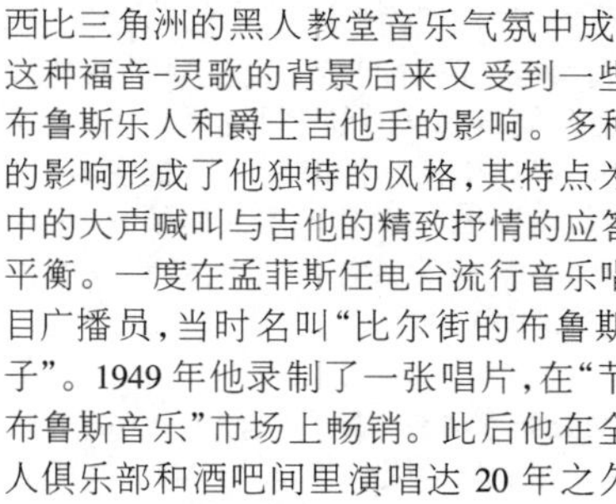
美国不列颠百科全书公司供图

其后创纪录地夺得 20 个温布尔登冠军。她也许是网球史上最杰出的双打运动员之一。1965 年结婚。1960～1979 年战绩辉煌，16 次被评为美国 10 名最佳选手之一，其中有 7 次名列榜首。1968 年起从事职业网球，1971 年一个赛季就赢得 10 万美元，成为第一个收入如此高的女运动员。1973 年，她在老年职业男选手里格斯击败女选手玛格丽特·史密斯·考特之后，与里格斯进行被大事宣扬的“两性之战”，击败对手后轰动一时。她为争取女运动员的权利进行了不懈的斗争，倡导女子网球比赛，争取商界资助。参加创建女子网球协会，并成为协会的首任主席(1974)。70 年代末创办《女子体育》杂志。

King, Carol Weiss 金(1895-08-24，美国纽约州纽约～1952-01-22，纽约) 婚前名 Carol Weiss。美国律师，精于移民法，专为移民的民权辩护。1916 年毕业于纽约市巴纳德学院，同年人纽约大学法学院。1917 年与作家 G.C.金结婚。1920 年法学院毕业，从事律师职业。起初为反极端主义歇斯底里的受害者辩护，后来转到移民案件，很快成为这一领域的卓越专家。她一般都只从事调查研究，撰写辩护状，而不出庭。她所参与由美国最高法院审理的案件有：关于驱逐外国人出境及其适当法律程序的一些案件，如“比洛库姆斯诉托德”案(1923)、“马勒诉伊比”案(1924)等；维护公正选定陪审团之权的“鲍威尔诉亚拉巴马州”案；根据“明显且即刻危险原则”推翻被俄勒冈州和佐治亚州极端分子定罪的“德容格诉俄勒冈州”案(1937)和“亨登诉劳里”案(1937)；为国际码头工人及库房工人联合会主席布里奇斯辩护，反对驱逐出境程序的“布里奇斯诉威尔森”案(1945)和“布里奇斯诉美国”案(1953)；抗辩根据《麦卡伦国内安全法》而起诉的“卡尔森诉兰登”(1952)和“齐道克诉巴特菲尔德”案(1952)，后者是她唯一一次出庭辩论的案件。1932 年创办和编辑《国际法学协会简报》至 1942 年。1952 年在“齐道克”案出庭后不久去世。

King, Clarence 金(1842-01-06，美国罗得岛纽波特～1901-12-24，亚利桑那菲尼克斯) 美国地质学家和采矿工程师。组织并主持了美国地质调查局在北纬 40°沿线的工作，即对计划中的联合太平洋铁路沿线的矿产资源进行充分研究。1863 年从东海岸出发，有时徒步，有时骑马，穿过大陆到旧金山，并在那里参加了加利福尼亚地质调查局的工作。在此后 3 年中，在内华达山脉南部发现了惠特尼山，并考察了加利福尼亚州南部和亚利桑那州的那些沙漠区。1867 年他说服美国政府同意为将来开发联合太平洋铁路经过地区的矿产进行地质研究。自此 10 年间完成了沿北纬 40°从科罗拉多东部到加利福尼亚边境的一条宽 100 英里的地带的调查。他的报告《系统地质学》(1878)被认为是一部杰作。此次调查期间，在考察沙斯塔山、雷尼尔山和胡德山等死火山时，发现了美国最早的几条冰川。当他得知科罗拉多州骇人听闻的金刚石矿场的消息时，极度担心，因为他当时对该地区的研究并没有给出宝石可以在该区存在的

显示。他走访了该地点，发现所谓宝石是用第二流的未加工石料来虚报的。他直接走到旧金山，揭穿了这一骗局，挽救了1 000多万美元的投资。1879年促成西部各调查局联合组成美国地质调查局，并同意担任首任局长。1881年辞去局长职务，致力于地质研究。他也曾为私人企业充当采矿工程师，并在矿山诉讼案件中担任顾问。他经常在杂志上发表论文，还著有通俗读物《内华达山区的登山运动》(1872)。

King, Ernest Joseph 金(1878-11-23，美国俄亥俄洛雷恩～1956-06-25，新罕布什尔朴次茅斯) 美国海军上将。1901年毕业于马里兰州安纳波利斯的美国海军学院。1903年加入

美国不列颠百科全书公司供图

海军。1933年任海军少将，1938年任中将。1941年1月任大西洋舰队司令。1941年12月7日日本轰炸珍珠港后数日，接替J.金梅尔上将出任美国舰队总司令，升为海军上将。1942年3月接任海军作战部部长。美国参谋长联席会议及英美参谋长联合委员会成员。负责策划太平洋战区对日作战，重点摧毁日本海军及商船。实施海上接力补给维修系统，使战舰出海时间长达数月。在其指挥下，1945年美国海军已拥有舰只92 000艘，兵力达400万人。1944年晋升五星上将。二战结束时美国舰队总司令职务被取消，1945年12月他将海军作战部部长一职交给尼米兹。1952年出版回忆录。

King, Frank 金(1883-04-09，美国威斯康星卡什顿～1969-06-24，佛罗里达温特帕克) 美国漫画家。1901～1905年为《明尼阿波利斯时报》作漫画。后就学于芝加哥美术学院，先受雇于《芝加哥考察家报》，后为《芝加哥论坛报》作《汽油胡同》，描绘在一条胡同中聚会的汽车迷，初次发表于1919年。

King, Franklin Hiram 金(1848-06-08，美国威斯康星怀特沃特附近～1911-08-04，威斯康星麦迪逊) 美国农业科学家，柱形塔式青贮窖的发明者。他还发明了乳牛舍的重力通风系统，该系统在电力吹风普遍使用前一直被广泛应用。1878～1888年他在福尔斯河国立师范学校教学时，与妻子C.H.贝克一起绘制了最早的自然地理和气象学用的大比例尺地形图。1888～1901年在威斯康星大学农学院任教，为该校造了柱形青贮窖(1889)，成为塔式青贮窖的原型。在20世纪20年代，欧洲几位建筑师，包括W.格罗皮厄斯，都从美国建造塔形青贮窖和各种形式的谷物升运器中得到启发，而把它们应用到其他用途上。曾有人认为住在麦迪逊的年轻人F.L.赖特所感兴趣的几何图样就受到金的设计的影响。1901～1904年金是美国土壤局土壤管理部门的领导。他所著《土壤》(1895)一书的中译本在中国曾为人们广泛学习。

King, Gregory 金(1648-12-15，英格兰斯塔福德郡利奇菲尔德～1712-08-29，伦敦) 英国系谱学家、雕刻家、统计学家，以所著《1696年的英国概况》一书著称。该书初版于1801年，翔实地记述了17世纪末英国人口及财富的状况。他多才多艺，编有《道路图册》，并监督该书的印制(还亲手刻制了若干幅)。他还协助绘制伦敦地图，又亲自绘制威斯敏斯特区地图。他负责伦敦索霍区街道和广场的布局，伦敦各地区第一批建筑的租约有许多也是由他起草的。他还是一位纹章学专家，曾在国内外的若干加冕典礼及其他庆典活动时受聘参与其事。他的自传发表在J.达拉韦所编《纹章学》(1793)一书中。

King, Henry 金(1592-01-16受洗，英格兰白金汉郡沃明哈尔～1669-09-30，苏塞克斯奇切斯特) 英国诗人、圣公会主教。所写哀悼其妻的挽歌被认为是最佳英语挽歌之一。曾在牛津大学受教育，多次获得待遇优厚的显赫职位。他是J.多恩的朋友和遗产保管人，诗作深受琼森和多恩的影响。1642年成为奇切斯特主教，但他的财产在王位空缺时期被没收，在王政复辟(1660)前与朋友和亲属过着不安定的退休生活。他的《诗歌、挽歌、反论及十四行诗》(1657)并非他本人所编，内夹有他人的诗作。他的著作的现代权威版本由M.克拉姆编辑(1965)。

King, Martin Luther, Jr. 金(1929-01-15，美国佐治亚亚特兰大～1968-04-04，田纳西孟菲斯) 全名马丁·路德·金。美国善于雄辩的浸礼会黑人牧师，他从50年代中期开始

美国不列颠百科全书公司供图

领导美国民权运动，直至1968年遇刺身亡。他的领导对该运动结束美国南方及其他地区合法的黑人种族隔离起到重要作用。他通过组织南方基督教领袖大会，以及提倡采取诸如向华盛顿大规模进军(1963)等非暴力行动来获得公民权利，赢得了全国声誉。1964年获得诺贝尔和平奖。美国国会决定，从1986年开始，每年1月的第3个星期一为纪念他的国定假日。

早年生活 金出身于一个具有南方黑人牧师传统的家庭，父亲和外祖父都是浸礼会传道士。他15岁时在一项培养天才学生的特殊计划的资助下，进入亚特兰大莫尔豪斯学院学习，1948年获学士学位。四年级时，如他父亲所极力劝说的那样，他决心成为一名牧师，他原先作为一名大学本科生对医学和法律的兴趣为此而被冲淡。此后3年，他在宾夕法尼亚州切斯特克罗泽神学院学习，1951年获神学士学位。金开始了解M.甘地的非暴力主义哲学，以及当代清教徒神学家们的思想。他被选为学生组织的主席。他以各课总平均分数全班第一的成绩毕业。接着进入波士顿大学学习，1955年获博士学位。在那里，为了给自己的神学和伦理学思想打下坚实的基础，他开始把注意力集中于研究人与上帝的关系的各种观念上。他在他的博士论文《保罗·蒂利希和亨利·纳尔逊·威曼思想中关于上帝的观念之比较》中得出的结论，完全是尼布尔派的。金本人把上帝设想为一个活跃的、人的实体；人类的拯救既不能从对社会进步的追求中找到，也不能从孤立无助的理性力量中找到；信赖上帝的指引是最基本的东西。

对蒙哥马利市公共汽车的抵制 金在波士顿时，认识了科雷塔·斯科特，她是亚拉巴马人，在新英格兰音乐学校学习。两人于1953年结婚，生有4个孩子。在金担任亚拉巴马州蒙哥马利市德克斯特大街浸礼会教堂的本堂牧师时，该市的一小群民权拥护者决定为反对当地公共汽车系统中的种族隔离而斗争。1955年12月1日，一位名叫罗莎·帕克斯的黑人妇女在公共汽车上拒绝把座位让给一位白人乘客，结果因违反该市种族隔离法而被逮捕。黑人积极分子组成蒙哥马利改进协会，抵制公共汽车系统，金被选为他们的领袖。他具有年富力强和训练有素的优点，并且刚到该市不久，尚未树敌；他受到普遍的尊敬，如果抵制失败，由于他的家庭关系和身份，他可以重新找到牧师的职务。

在作为主席向这个组织发表的第一篇演说中，他宣告：

> 我们除了抗议之外，别无其他选择。许多年来，我们已经表现出惊人的忍耐。我们有时候使我们的白人兄弟认为，我们安于如此地被对待。但是今晚我们来到这里，是要从这种忍耐中解救出来，它使我们在没有自由和正义的情况下一直忍耐了下来。

这番话向全国发出了一个新的声音，提供了一篇颇具策略性的讲话，介绍了一个令人鼓舞的人物，并及时提出了关于民权斗争的充满活力的新学说。虽然金的家被炸，家庭安全受到威胁，但他继续领导着这场抵制，直到一年又几个星期之后蒙哥马利的黑人达到了取消该市公共汽车上的种族隔离的目的。

南方基督教领袖大会 认识到利用蒙哥马利行动的这一胜利来开展群众运动的需要，金着手组织南方基督教领袖大会。这为

他提供了在整个南方进行活动的基地和向全国发表讲话的讲台。金到全国各地发表演说，与国内外的民权运动和宗教界领袖讨论黑人问题。1959年2月，金及其一行受到了印度总理贾瓦哈拉尔·尼赫鲁的热情接待。在与甘地的追随者们简单地讨论了甘地的“不合作主义”(“坚持真理运动”)思想之后，金比以前更加相信，非暴力抵抗是被压迫人民在争取自由的斗争中所能使用的最强有力的武器。1960年他回到家乡亚特兰大，与他的父亲一起成为埃比尼泽浸礼会教堂的两个本堂牧师之一。在这一职位上，他把他的大部分时间奉献给了南方基督教领袖大会和民权运动，宣告“当反对不正义的强烈运动带来巨大的、确实的成果时，使在心理上发生效果的最恰当的时刻就已经来到了”。不久，当他同意支持当地黑人大学生举行的静坐示威时，他的这一论点得到了证实。10月底，他同反对亚特兰大一家百货商店餐柜前的种族隔离的33名青年一起被捕。指控后被撤销，而金却被以违反缓刑规定为借口判处监禁，送至州立里兹维尔监狱农场，这一缓刑是他数月前因犯情节轻微的触犯交通规则罪而被判处的。这一案件引起全国轰动，人们对他的安全普遍表示关心，对佐治亚州无视法律程序义愤填膺，并使艾森豪威尔总统想要干涉的企图遭到失败。在民主党总统候选人肯尼迪的调停下，金获释。这一行动在全国黑人社区被广为宣扬，被认为对8天后肯尼迪在大选中以微弱多数获胜起了重大作用。

在1960～1965年的数年间，金的影响达到了顶点。积极的非暴力行动(静坐、游行示威)激起了全国各地许多黑人和自由主义白人的忠诚的献身精神，并获得了肯尼迪政府和约翰逊政府的支持。但也有明显的失败，如1961～1962年在佐治亚州奥尔巴尼市，金和他的同事们争取取消国家公园和其他场所的种族隔离的目标就没有能够达到。

从伯明翰狱中发出的信　1963年春，金在亚拉巴马州伯明翰市发起结束餐柜前和就业方面的种族隔离的运动，警察用警犬和消防水龙向示威群众进行攻击，引起了全国的关注。金与他的广大支持者包括数百名学龄儿童在内一起被捕。但他的支持者中并没有包括伯明翰的全部黑人牧师。一些白人牧师强烈反对他，他们发表一项声明，敦促黑人不要支持示威群众。金在伯明翰狱中写了一封十分雄辩的信，阐述了他的非暴力主义哲学：

> 你们有理由问：“为什么采取直接行动？为什么要静坐游行等等？难道谈判不是更好的办法吗？”你们要求谈判，这是很对的。其实这正是直接行动所要达到的目的。非暴力的直接行动正是为了制造一场危机或酿成一种紧张局势，使总是拒绝谈判的社团不得不面对问题。它使问题激化，以致不能再被忽视……。我们从痛苦的经历中知道，自由从来不会由压迫者自愿地赠予，它必须由被压迫者去争取。

在伯明翰的示威抗议运动快要结束时，为尽快把各种力量团结起来以争取和平改革，并把解决美国种族问题的重要性加以激化以引起全国乃至全世界的注意，金与其他民权运动的领袖们一起，组织了历史性的“向华盛顿进军”。1963年8月28日，20多万人汇集在林肯纪念堂附近，举行各种族间的集会，要求全体公民在法律面前一律平等。他的著名演说《我有一个梦想》所发出的感情上的力量和预言性，使与会群众意气昂扬。在这一演说中，金使用《圣经》的语言，强调了他的信念：所有的男人，总有一天要成为兄弟。

如金所希望的那样，民权运动日益高涨的浪潮，对全国舆论产生了强烈的影响，结果通过了1964年的《民权法》，授权联邦政府取消公共膳宿中的种族隔离，并宣布公营机构和就业方面的种族歧视为非法。这充满大事的一年，以12月在奥斯陆授予金诺贝尔和平奖而达到高潮。

最后几年的挑战　在1965年3月亚拉巴马州塞尔马市的示威游行中，民权运动内部开始显露出在策略上反对金的迹象，这一示威游行旨在强化制定联邦选举法的需要，以对南方黑人取得选举权提供法律支持。金组织了从塞尔马市到蒙哥马利州议会大厦的初次进军，但没有亲临指挥，游行队伍被州警察用警棍和催泪瓦斯赶了回来。他不顾联邦法院的禁令和华盛顿极力劝说他取消进军，决定领导第2次进军。他率领由1 500名黑人和白人组成的游行队伍出发，经过塞尔马郊外的佩特斯桥，来到州警察设置的路障前。他没有继续前进，追使对抗，而是领导队伍跪下祈祷，接着出乎意料地把队伍撤回。这一决定使金失去了许多青年激进分子的支持，他们本已批评他过于谨慎。认为与联邦政府和地方当局另有“安排”的怀疑(虽被断然否定，但未能完全令人信服)一直笼罩着塞尔马事件。尽管如此，全国群情激愤，终于导致通过了1965年的《选举权法》。

在全国各地，匮缺乏较大的实质性进展而产生的不耐烦情绪，促使黑人准备采取武力行动。特别是在北方大城市的贫民窟里，金的非暴力宗教哲学日益引起疑问。1965年8月洛杉矶沃茨区发生种族骚乱，显示出城市种族问题的严重性。为努力对付城市黑人聚居区的挑战，金及其伙伴于第2年年初在芝加哥发起了反对种族歧视的运动，其主要目标是反对在住房方面的种族隔离。经过一春一夏的集会、游行和示威，城市当局与由黑人、自由主义分子和劳工组织组成的联盟之间签署了一项协定，号召采取各种措施来加紧实施有关住房问题的现存的法律和条例，但这一协定影响甚微。认为金在芝加哥发起的运动之所以归于无效，一部分原因是该市强有力的市长R.J.戴利对此加以反对；另一部分原因是北方种族主义的出乎意外的复杂性。

在伊利诺伊州和密西西比州，那些热衷于武力的青年黑人对金进行挑战，甚至公开嘲笑他。面对日益高涨的批评，金作出的回答是，把斗争范围扩大到除种族主义外，包括对黑人的进步同样有害的各种事情。1967年4月4日，他在纽约市里弗赛德教堂和15日再次在该市大规模和平集会上不可改变地作出承诺，反对美国卷入越南战争。在这之前，即1966年1月初，他就曾谴责这一战争；美国政府的愤怒和黑人社区内部激烈的反对，使他缓和了下来。此外，他力求扩大他的阵地，组成各种族穷人的联盟，致力于反对贫困和失业等经济问题的斗争。这是一种类似人民党主义的主张，企图吸收照管房屋的工友、医院工人、季节性劳工和阿巴拉契亚的贫民，与学生中的好斗分子和和平主义的知识分子一起参加进来。但是，他在这些方面所作的努力，并没有获得各阶层人民的广大支持。

他组织贫民向华盛顿进军的计划，因1968年春他去田纳西州孟菲斯市支持该市清洁工人的罢工而中断。4月4日，当他站在他和他的同伙们所住的汽车旅馆阳台上时，遭狙击手枪击身亡。1969年3月10日，被指控的白人凶手詹姆斯·厄尔·雷对谋杀供认不讳，被判99年徒刑。

评价　马丁·路德·金对黑人自由运动所做的贡献，是一位领导人做出的贡献，他能够把抗议转化为改革运动，把地方性冲突演绎为全国关心的是非问题。他成功地唤醒黑人群众并激励他们采取行动，通过诉诸美国白人的良心，向美国联邦政府施加影响，从而赢得了他的最大胜利。但是，这一打碎南方种族隔离法律的战略，对解决其他地方的更为复杂的种族问题被证明是不够的。金去世时年仅39岁——这位中年领导人在坚持非暴力抵抗必须成为运动的基本策略方面从不动摇，并坚信所有美国人总有一天会在种族和经济方面获得公平对待。他一生写了许多书，其中使我们能够了解他的生平的最重要的著作是：《阔步走向自由：蒙哥马利城的故事》(1958)、《为什么我们不能等待》(1964)和《从这里我们往何处去：混乱还是共享?》(1967)。

King, Rufus　金(1755-03-24，马萨诸塞斯卡伯勒[美国]～1827-04-29，美国纽约杰梅卡)　美国制宪元勋之一，曾参与制定并促使批准联邦宪法。他是积极的联邦党参议员、

耶鲁大学美术画廊供图

干练的外交家，曾竞选副总统(1804，1808)和总统(1816)，均未成功。历任马萨诸塞州议会议员(1783～1784)，大陆会议代表(1784～1787)。1787年2月21日提出一项决议案，呼吁在费城召集会议制定新宪法。作为建立强有力的中央政府的雄辩提倡者，他曾在新宪法上签字，并为促使马萨诸塞州接受新宪法做出了重大的贡献。1785年在大陆会议上提出在西北准州禁止奴隶制的决议案——该条文被永久性地载入1787年法令。1788年到纽约，次年当选为该州最早的美国

参议员(1789～1796),成为国会公认的联邦党领袖。后出任驻英国大使(1796～1803,1825～1826),以坚定、机智著称。杰弗逊共和党执政时期,他再次当选为参议员(1813～1825)。

King, Stephen 金(1947-09-21,美国缅因-波特兰～) 英文全名 Stephen Edwin King。美国小说家。其作品被认为在20世纪晚期复活了恐怖小说这一体裁。1970年毕业于缅因大学,获英语文学士学位。他一面写作短篇小说,一面靠教课、当守门人维持生活。他的第一部小说《卡莉》(1976年拍成电影)写一个天生有心灵遥感能力、精神备受苦恼的少女,1974年问世后立即成为畅销书。此后金又创作了许多部小说,同样融恐怖、死亡、幻想和科学小说于一体。其中有《塞勒姆之命运》(1975)、《光亮》(1977,1980年拍成电影)、《立座》(1978)、《死寂区》(1979,1983年拍成电影)、《点火人》(1980,1984年拍成电影)、《柯乔》(1981)、《克莉斯汀》(1983,1983年拍成电影)、《它》(1986)、《苦楚》(1987,1990年拍成电影)和《黑暗的一半》(1989)。金的小说涉及题材广泛,凡足以引起恐怖的题材内容,从吸血鬼、狂犬、精神失常的杀手到纵火狂、鬼怪、超感官知觉、心灵遥感、生物战,甚至怀有恶意的汽车,他几乎无不尝试。他的作品虽常被贬为随心所欲,不求高雅,但他始终是一位才能出众的讲故事的人,他的小说细节真实生动,情节引人入胜,善于吸引读者。到20世纪90年代初期,金的小说已在全球销至一亿册以上,他的名字已成为恐怖小说的同义词。金写的短篇小说,后合为一集出版,取名《夜班》(1978),他也写过好几篇中篇和一些电影脚本。长篇小说有一些被德帕尔马、库勃里克和赖纳等名导演改编成电影。

King, W. L. Mackenzie 金(1874-12-17,加拿大安大略柏林～1950-07-22,魁北克金斯米尔) 加拿大总理(1921～1926,1926～1930,1935～1948)、自由党领袖,他帮助促进了加拿大英语和法语居民的团结。他的外祖父W.L.麦肯齐是1837年起义的领袖,这场起义的目的是要在上加拿大成立自治政府。他的母亲伊莎贝尔在麦肯齐因起义而被放逐时出生,为此在他小的时候,她就教育他长大要为外祖父昭雪。金求学于多伦多大学、芝加哥大学和哈佛大学,成绩优异。曾在芝加哥和伦敦从事社会安置工作,这对他的一生产生了深刻的影响。他是加拿大最早积极关心产业工人的政治家之一。1900年金没有接受哈佛大学的教职,却担任了文官的职务,成为渥太华新成立的政府机构劳工部副部长。在这一新的职位上,他主编《劳工报》,并表现出调解劳资纠纷的杰出才能。他的工作受到自由党总理W.洛里埃的赏识。1908年辞去文官职务,作为家乡区北滑铁卢(保守党据点)自由党议员候选人参加竞选。是年当选后,1909年加入洛里埃政府,成为加拿大首任专职劳工部长。1911年政府倒台,金也落选。此后3年间,从事党的宣传和组织工作,力图重返议会未果。1914年接受洛克菲勒基金会的职务,调查美国劳资关系,于1918年出版《产业与人道》一书。在担任这一职务期间,他坚持住在加拿大,在1917年选举中,作为洛里埃自由党人在北约克参加竞选失败。1919年洛里埃去世,金任自由党领袖。1921

美国不列颠百科全书公司供图

年选举中,保守党联合政府失败,金于12月29日出任总理,但他的党未能在议会中获得多数。次年因得不到议会多数的支持而辞职。保守党领袖A.米恩组阁,但两天后即在议会中被击败。米恩被授权解散议会。在1926年选举中,由于自由党与进步党在许多选区联合竞选,金第一次在议会中获得决定性多数。9月25日,金再次出任总理。1926年底,在金的疾呼下,伦敦帝国会议通过帝国各自治领地位平等宣言,后据此形成英联邦。金的政府在1930年选举中失败,他领导反对党渡过大萧条时期最糟的年月,并在1935年选举中获得压倒性胜利。从这时起直至1948年退休,金一直担任总理,成为加拿大政治生活中最重要的人物。他领导加拿大经历了6年战争和3年战后重建工作,从而在加拿大历史上占有显赫的地位。在此期间,他领导了一个在对外政策上长期分裂的国家,于1939年团结一致地投入战争,克服了在征兵问题上出现的两次政治危机,并在战后赢得选举的胜利。他领导的政府在军事上、工业上和财政上对这场战争做出了巨大的贡献,与此同时,为以后的经济和社会福利的顺利和迅速发展也做好了准备。金终身未娶,退休一年半后去世。

King, William (Maori chief) 金 参阅 **Kingi, Wiremu** 金吉。

King, William Rufus de Vane 金(1786-04-07,美国北卡罗来纳桑普森县～1853-04-18,亚拉巴马卡霍巴) 美国政治家,曾当选美国副总统,但却未能上任。1803年毕业于北卡罗来纳大学后,研习法律,1806年获得律师资格。旋即转入政界,进入州立法机关,后进入美国众议院,属"好战的鹰派"。1816年金辞去众议员职务,成为美国驻俄国全权公使W.平克尼领导下的公使馆秘书。1818年回国后迁居亚拉巴马州,重又进入政界,任亚拉巴马州第一届制宪会议代表,后成为该州最早的美国参议员之一。1836～1841年任参议院临时主席。1844年4月,J.泰勒总统任命金为驻法公使。他的任务是防止法国干涉美国从墨西哥手中兼并得克萨斯。1846年金返回美国,再次竞选参议员失败。1848年被指定填补任期未满的参议员空缺,继续留任至1852年。在这一年的民主党代表大会上,F.皮尔斯击败J.布坎南获得总统候选人提名,而金则成为受益者。他作为布坎南的支持者,被提名为副总统候选人,以安抚布坎南的拥护者们。皮尔斯和金搭档,赢得了大选的胜利,然而金却因严重的肺病未能参加1853年3月的就职典礼。他在古巴宣誓就职,他是为了寻求治疗而前往古巴的。数星期后,金回到亚拉巴马州,决定担当起他的重任,但在抵达他的种植园后的第2天便去世。

King Cotton 棉花国王 美国南北战争之前南方政客和作家常用的一个名词。自从发明轧棉机(1793)以后,棉花成为美国南方的主要经济作物,不久即占美国出口总值的一半以上。"棉花国王"一词首见于D.克里斯蒂《棉花就是国王》(1855)一书。他相信只要南方在国内外垄断了棉花,即使脱离联邦导致战争,南方也能成功。1858年J.H.哈蒙德参议员在参议院中狂言:"人们不敢向棉花开战!世界上没有任何力量敢于向棉花开战。棉花就是国王。"但是南方错了。北方精湛的外交手腕、英国反奴主义者的压力以及南方的军事失败,迫使英国采取了不干涉立场。英国宁愿在帝国的其他地方发展植棉业,也不愿介入战争和蓄奴州站在一边。单一作物经济给整个南方造成损失,直至20世纪的新政和第二次世界大战才鼓励南方经济多样化和工业化。参阅 **Confederate States of America; South, The**。

King Country 国王领地 又称西部高原。新西兰北岛的地理区。在陶波湖以西,哈密尔顿以南,占地18 000平方千米。与怀卡托河(东北)、塔斯曼海(西)、奥胡拉河(西南)及凯马纳瓦山脉(东南)交界。地形被强烈分割,有几座低山脉和河谷。延伸于本区中部的朗伊托托和豪洪加罗阿山脉,是芒阿图图、怀帕、芒阿凯沃、翁加鲁伊河及其他诸河的发源地。三座火山峰,汤加里罗(1 968米)、瑙鲁霍伊(2 290米)以及鲁阿佩胡(2 797米),是该地区汤加里罗国家公园的一部分。由于土地贫瘠不适宜农业,故鼓励畜牧和乳品业。伐木业也重要。塔拉纳基的铁沙有待开发。1865年毛利战争时,毛利国王塔威奥曾避难于此,故欧洲人称此地区为"国王领地"。重要的城镇有蒂库伊蒂、陶马鲁努伊及图朗伊。有数条自西面沿海地区通往东北和东南内地的公路经过该地区。

king crab (*Paralithodes camtschatica*) 王蟹 又作 Alaskan king crab(阿拉斯加王蟹)或 Japanese crab(日本蟹)。即堪察加拟石蟹。十足目海产甲壳类。可食用,见于日本和阿拉斯加沿岸浅水中,也栖息于白令海。为最大的蟹类之一,重5千克以上,味美,每年有大量商业性捕捞。王蟹一词又指节肢动物门剑尾亚纲的鲎(**horseshoe crab**)。

King-Crane Commission 金-克兰委员会 (1919) 巴黎和会期间,应美国总统W.威尔逊的要求而任命的委员会，旨在确切了解叙利亚和巴勒斯坦居民对于第一次世界大战后处理他们的领土的态度。该委员会以美国俄亥俄州奥伯林学院院长H.C.金和芝加哥实业家C.R.克兰为首，于1919年6月10日至7月21日巡视了叙利亚和巴勒斯坦，发现绝大多数阿拉伯人赞成实现一个独立的叙利亚，而1875份请愿书中有72%反对犹太复国主义者要在巴勒斯坦建立一个犹太民族家园的计划。于是，它建议对犹太复国主义者移民巴勒斯坦的纲领作重大修改。

King George Sound　乔治王湾　澳大利亚西澳大利亚州南岸最佳天然港湾之一。临印度洋。面积91平方千米。湾口宽8千米。西南侧为鲍尔德角，东北侧为温哥华角。海岸陡峭、多岩石。湾内有布雷克西和米切尔马斯两岛。1791年乔治·温哥华船长曾为该湾绘制地图，并以当时在位的英国国王的名字命名。该湾早在1801年就用作捕鲸基地，在第二次世界大战中是美国海军基地。

King George's War　乔治王之战（1744～1748）　奥地利王位继承战争期间，在美洲发生的一次战斗。这是法英两国争夺北美的第三次军事对抗。双方都借助印第安人进行攻击。1745年6月15日新英格兰人攻克布雷顿角岛上的路易斯堡。后来由于双方厌战，1748年签订《艾克斯拉沙佩勒和约》。互相收复被征服的领土但未能解决重要的殖民地问题。

King Island　金岛　在澳大利亚塔斯马尼亚州西北岸外巴斯海峡中。长约64千米，宽约24千米，面积1 098平方千米。1855年始有人定居。中部和北部有养牛和乳品业及豌豆种植业。格拉西零散开采白钨矿并运往西岸主要城镇柯里港。岛上亦有砂矿床。人口2 592(1981)。

King James Version　钦定本英文圣经　英文又作Authorized Version。1611年在英格兰国王詹姆斯一世赞助下出版的《圣经》英文译本。由经詹姆斯一世批准任命的54位学者参与其事，其中47人分成6组分别在3个地点参照已有各种英译本和各原文本进行校译，历时7年始完成。该译本对英语文风的形成有重大影响，300多年来一直是标准译本。

King Khālid Military City　哈立德国王军用城市　沙特阿拉伯东北部城市。20世纪80年代初期由美国陆军工程兵建造。为沙特阿拉伯军队提供驻地。位于盖苏迈以南75千米，米什阿卜角以西249千米。在人烟稀少的沙漠内。

King Leopold Ranges　利奥波德国王岭　澳大利亚西澳大利亚州北部山系，构成金伯利高原的西南缘。从科利湾向东南延伸240千米，平均海拔600米。其中奥德和布鲁姆两山海拔约915米。山岭被伊斯德尔、阿德科克、伦纳德、费茨罗伊等河切割成数段，山坡陡峭，峰顶平坦。

King Philip's War　菲利普王战争（1675～1676）　英属美洲殖民史上，17世纪新英格兰地区印第安人与英格兰移民之间最激烈的战争。1640～1675年，渴求土地的移民大批涌进马萨诸塞、康涅狄格和罗得岛地区的印第安人领地，激起印第安人奋起保卫领土的斗争。菲利普王（印第安名米塔科姆）得到新英格兰地区所有部落的拥护，建立联盟，抵制英人的进一步扩张。1675年6月英人处死3名万帕诺亚格人，战争突然爆发。印第安人对边境移民点发动了一系列猛烈袭击，殖民地民兵向印第安人的村庄进行野蛮的报复。到1675年底，许多边境殖民城镇化为废墟。印第安人在战争初期处于明显优势，然而到1676年春，由于庄稼被毁，饥馑迫在眉睫，英人又利用皈依基督教的印第安人当奸细，印第安人的士气遂衰颓不振。8月菲利普王去世，更使印第安人的抵抗进一步瓦解。菲利普王战争是殖民史上代价最高的战争之一。有600多名白人和3 000多名印第安人丧生，10多个移民点被夷为平地。白人屠杀整个的印第安人村庄或部落，幸存的印第安人逃往他乡。此后，移民开始穿越新英格兰南部，向印第安人的领地肆无忌惮地进行扩张。

King Ranch　金牧场　美国大陆的最大牧场，位于得克萨斯州东南部，由4片土地组成，总面积约333 800公顷。牧场创建者是1825年出生于纽约州奥兰治县的轮船船长R.金。墨西哥战争（1846～1848）中，金在格兰德河上驾驶轮船。战后，他购买轮船并与他的前指挥官肯尼迪上尉合伙经营，1852年金购买了以圣赫特鲁迪斯为名的西班牙赠地30 350公顷。1868年金和肯尼迪分道扬镳。金拥有的土地最终超过505 875公顷，主要饲养牛、羊和马。1885年金去世后，牧场继续饲养牛、马，种植高粱和小麦。约从1910年起，牧场开始繁育圣赫特鲁迪斯肉牛。这种肉牛是由婆罗门牛和短角牛杂交育成的。20世纪40年代第一次签订石油和天然气租让合同作为牧场的补充收入。70年代中期，牧场在澳大利亚、阿根廷、巴西、委内瑞拉和摩洛哥等一些国家拥有数百万公顷的土地，但到80年代因市场价格下跌，导致大量土地被抛售。

king salmon　(*Oncorhynchus tshawytscha*)　**王鲑**　又作chinook salmon（奇努克鲑），spring salmon（春鲑），quinnat或tyee。即大鳞大麻哈鱼。鲑科珍贵的食用和游钓鱼，产北太平洋。体重约10～20千克。银白色，具黑色圆斑。于春季生殖，成鱼回游上溯育空河3 200千米。幼鱼达1～3龄方入海。已成功地引进美国五大湖的密歇根湖，以代替为海七鳃鳗所消灭的湖鳟，使该处形成一个新的游钓场所。

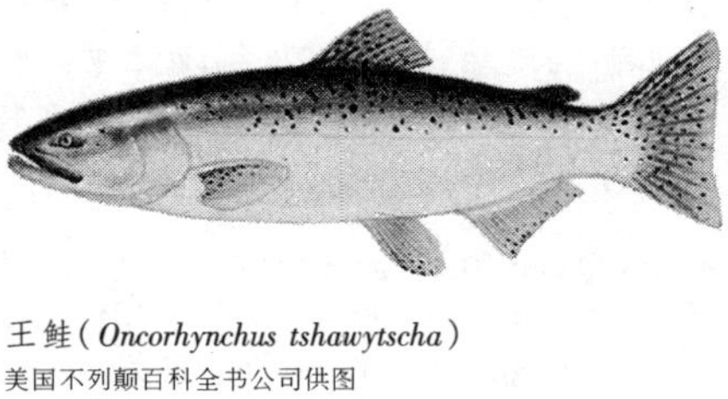

王鲑（*Oncorhynchus tshawytscha*）
美国不列颠百科全书公司供图

king snake　王蛇　游蛇科王蛇属（*Lampropeltis*）爬行动物，有7种。见于从加拿大东南部至厄瓜多尔的多种生境。因取食其他蛇类（包括毒蛇）而得名。借缠绞方式杀死猎物。大多数对蝮蛇毒有免疫力。亦取食小型哺乳类、两栖类、鸟类及鸟卵。王蛇属主要陆栖，行动缓慢，一次约产卵10枚。被逼于困境也反抗，但迅又转为驯顺。身上具醒目的斑纹，鳞片光滑，头、尾很小，一般体长不足1.2米。

普通王蛇（*L. getulus*）
美国不列颠百科全书公司供图

普通王蛇（*L. getulus*）广布美国和墨西哥北部；通常体色黑或深褐，带各式各样的黄或白色环纹或斑纹；有的个体体长近2.1米。普通挤奶蛇（三棱王蛇，*L. triangulatum*或*L. doliata*）见于本属大部分栖地，体长不足1.3米，身上有黑边的褐色环状纹或背纹，纹间为白色或黄色，传说能挤牧场上乳牛的奶而得名（这传说也涉及多种蛇类）；常潜入谷仓和地窖捕食鼠类，故又称家蛇。猩红王蛇（*L. elapsoides*，或认为是挤奶蛇的一个亚种）为美国东南部的小型种类。猩红王蛇和其他几种王蛇因身上有红、黄和黑色环斑，与珊瑚蛇的颜色斑纹相像，故常被称为假珊瑚蛇。

King Sound　金湾　澳大利亚西澳大利亚州北岸的印度洋小湾。长145千米，宽56千米。湾口西侧是勒韦克角，东侧有巴克尼尔群岛的4个岛群。费茨罗伊、梅达、伦纳德、梅、鲁宾逊等河河口均在其沿岸。有一半岛伸入湾内，把该湾分为内外两段。西岸有德比港。因潮水落差大（11米），多浅滩和礁石，航行困难。

King William Island　威廉王岛　加拿大努纳武特西部北极群岛中的岛屿。位于维多利亚岛和布西亚半岛之间。辛普森海峡将它和大陆的阿德莱德半岛隔开。长约175千米，宽约160千米，面积13 111平方千米。地面比较平坦，平均海拔91米，马西森山海拔137米。海岸曲折。东南岸约阿港是岛上唯一的贸易点。1830年J.罗斯发现此岛，以英王威廉四世之称命名。

King William's Town　威廉王城　南非开普省东部城镇。位于东伦敦西面，1826年建传教站。1861 年正式建镇。邻近的西斯凯，居民主要在该城就业，有一大纺织厂。以拥有杰出的学校而在全国闻名。博物馆藏有被认为是世界上非洲哺乳动物的最佳展览品。人口16 123(1985)。

King William's War　威廉王之战(1689～1697)　大同盟战争(英王威廉三世和奥格斯堡联盟对法王路易十四之战)在北美洲的延伸。由威廉·菲普斯爵士率领的英军占领阿卡迪亚(后称新斯科舍)罗亚尔港，但未攻克魁北克。弗隆特纳克伯爵指挥的法国人和印第安人进攻纽约斯克内克塔迪、萨蒙瀑布(在今新罕布什尔)和卡斯科湾(在今缅因)得手，但在进攻主要目标波士顿时失利。战争最终以签订《赖斯韦克条约》(1697)而结束。因印第安人大规模参战，故又称为第一次法国印第安人战争(总共4次)。

Kingaroy　金格罗伊　澳大利亚昆士兰州东南部城镇。位于南伯内特地区。始建于1886年。当地红壤肥沃，花生产量高。州花生销售局设在此。其他当地产品有粮食、大豆、乳品和肉牛。生产农业机械。有公路、铁路、航空线通布里斯班。附近班亚山区划入班亚山国家公园。人口6 672(1991)。

Kingbird　王霸鹟　霸鹟科霸鹟属(*Tyrannus*)鸟类，9种，因好斗而著名。虽然体长只有约20厘米，但能追逐乌鸦和鹰那样大的鸟类，甚至能站在它们的背上啄它们的头。上

东王霸鹟(*T. tyrannus*)
美国不列颠百科全书公司供图

体灰色，下体白、灰或黄色。各种王霸鹟都有平时隐匿但可竖立的羽冠(红、橙或黄色)。广泛分布于加拿大到阿根廷。在北美繁殖的如落基山的东王霸鹟(*T. tyrannus*)，上体暗蓝灰色，下体和尾端白色，常见于乡间路边，可袭击蜂房，因此当地又俗称"蜂雀"或"蜂燕马丁鸟"。美国西部大平原以西的西王霸鹟(阿肯色王霸鹟，*T. verticalis*)的上体浅灰，下体黄色，最外侧尾羽的边缘稍白。这两种王霸鹟的头冠上均有一红点斑(通常隐蔽)。

Kingdom of God　上帝之国　参阅**God, Kingdom of**。

kingfish　王鱼　许多种鱼类的统称，其中包括数种*鲭*(**mackerel**)和无鳔石首鱼属(*Menticirrhus*)的一种*石首鱼*(**drum**)。

kingfisher　翠鸟　佛法僧目翠鸟科(或翡翠科，Alcedinidae)鸟类，约90种，多以鱼为食。世界性分布，但主要在热带。头大，喙长而坚固。身体结实，长10～45厘米。腿短。大多数尾短或适中。羽衣鲜艳，有鲜明的斑纹；许多种类有羽冠。独居。发格格声或尖叫

带翠鸟(*Megaceryle alcyon*)
美国不列颠百科全书公司供图

声。在沙岸打洞为巢，有些热带种类在白蚁丘内打洞。翠鸟亚科(Alcedininae)的种类喙窄，会扎入水中捕捉小鱼，许多种类也捕食其他小型水生动物。唯一分布广的北美种带翠鸟(*Megaceryle alcyon*)属于这一亚科，体长约33厘米，顶部和胸部为淡蓝灰色，顶部下面为白色。翠鸟全靠鱼为生，头向前潜入水中捉鱼，将鱼向树枝重击数次后，整个吞食。笑翠鸟亚科(Daceloninae)的林翠鸟包括澳大利亚著名的*笑翠鸟*(**kookaburra**)，喙宽，不常水栖，以蛇、爬虫和小型鸟类为食。

Kingi, Wiremu　金吉(约1795，新西兰马努科里希～1882-01-13，凯英厄鲁)　又名特兰吉塔克或威廉·金。新西兰毛利族酋长，坚持反对殖民政府购买土著部落的土地，导致1860～1861年的第一次塔拉纳基战争，并鼓舞毛利人在整个60年代抵抗欧洲人在新西兰肥沃的北岛殖民。1833年金吉率领阿蒂亚瓦部落从祖居的北岛塔拉纳基省迁移至惠灵顿附近。他皈依基督教，最初对欧洲移民十分友好。但1847年总督乔治·格雷爵士想要占据塔拉纳基省怀塔拉地区的土地时，他断然拒绝，率族人重返祖居地。1860年总督G.布朗不顾金吉的反对，无视毛利族的利益，又悍然收购土地，从而引起第一次塔拉纳基战争。他与毛利国王运动(反对继续将土地出售给殖民者的部落联盟)领袖波塔托一世结盟，经过战斗退到该运动的中心怀卡托。1863年发生怀卡托战争，金吉率领族众与殖民军作战，直到1872年才归顺殖民当局。1863年殖民当局不得不承认金吉对怀塔拉土地的要求是合法的。1926年，新西兰政府向塔拉纳基各部落支付5 000镑年金，作为没收土地的报偿。

Kingis Quair, The　国王篇(约1423)　以早期苏格兰方言写的爱情梦幻寓言。据传为苏格兰的詹姆斯一世所作，它标志着苏格兰文学黄金时代的开始。国王篇有时被称为第一首"苏格兰乔叟式"诗歌，反映并确认了乔叟的影响。故事所述与詹姆斯一世的生涯相似：他被俘后在英格兰被囚禁18年，在英格兰遇到琼·博福特并娶她为妻。作者为国王的证据是他的名字出现在手稿上，还因为诗人熟悉当时在苏格兰还是鲜为人知的英国文学。

kinglet　戴菊　莺科戴菊属(*Regulus*)鸣禽，约4种。或另划为戴菊亚科(Regulinae)。体小而圆，喙短。常见于针叶林。巢高挂，形小，以苔藓织以蛛丝构成，每产5～10个卵，在巢内要排两层。体长约9厘米，体羽绿灰色，头顶有浅色斑纹。北美洲的金顶戴菊(*R. satrapa*)与欧亚大陆的金冠戴菊(*R. regulus*)常视为同一种：头顶都有斑(雄鸟红色，雌鸟黄色)，周围有显著的黑边。欧洲的火冠戴

金冠戴菊(*R. regulus*)
美国不列颠百科全书公司供图

菊(*R. ignicapillus*)似金冠戴菊，但有白色眼纹；台湾的黄腰戴菊(*R. goodfellowi*)可能是火冠戴菊的一个亚种。北美的红玉冠戴菊(*R. calendula*)仅雄鸟有表面红色的冠斑，常隐蔽不显。

Kingmaker, the　拥立国王者　参阅**Warwick, Richard Neville, 1st earl of** *沃里克伯爵(第一)*。

Kingman　金曼　美国亚利桑那州城市，莫哈维县县城(1887)。1882年起成为该州人烟稀少的西北地区商业和运输中心。1952年建市。经济现以旅游业、开采铜矿和畜牧业为主。从金曼可前往米德湖、莫哈维湖、哈瓦苏湖。市东有百万英亩的华拉派印地安保留地。莫哈维历史艺术博物馆有亚利桑那州西北地区的历史展出。设有莫哈维社区学院主校区(1971)。人口约20 069(2000)。

Kingman Reef　金曼礁　在太平洋中西部的北莱恩群岛。为美国无建制领地，位于檀香山以南1 480千米。为环形珊瑚岛，有一深潟湖(宽9千米，长15千米)。面积0.03平方千米。1922年属美国，1934年曾为美国海军用地。现无人居住。

Kingo, Thomas　金果(1634-12-15，丹麦斯朗厄鲁普～1703-10-14，欧登塞)　丹麦牧师、

诗人。其作品被誉为丹麦巴罗克风格诗作的最佳之作。祖父来自苏格兰,父亲是织布工。年轻时写过一些描绘乡村生活的诗歌。毕业于神学院。1677年国王腓特烈三世任命他为菲英岛主教。他的宗教诗汇编为《精神的合唱》(2卷,1674和1681),以晨歌和晚歌和《再见了,世界》最为有名。现在人们所以还记得他,主要是因为1699年问世的金果赞美诗集,其中至少收有他的诗作85首。金果的赞美诗展示了他对现世与天国之间对比的认识,而且在语言的真实和灵活运用方面具有深刻的个性。

Kings, books of 《列王纪》 又译《列王记》。《圣经·旧约》的两卷,与《申命记》、《约书亚记》、《士师记》、《撒母耳记》上下两卷同属成书于巴比伦囚虏时期公元前550年前后的“申典”。《列王纪》上下(有的天主教译本作4卷)述国王大卫死后以色列国的历史。书中有关宗教崇拜与神学的记事甚多。作者不是按政治得失而是用神学标准来评价各代国王。北朝以色列国诸王不承认耶路撒冷是崇拜雅赫维的唯一圣地,因此一律受到抨击。南朝犹大国诸王中只有希西家和约西亚得到全面好评,因为他们改革崇拜礼仪并坚守《申命记》所载上帝与以色列人所立之约。

kings, divine right of 参阅 **divine right of kings** *君权神授*。

Kings, Valley of the 国王谷 又称王陵谷。埃及底比斯西部的一条狭长山谷,是第18、19、20王朝(公元前1539～前1075)从图特摩斯一世到拉美西斯十一世的几乎所有法老的墓地。在达尔巴赫里后面丘陵上已经得知的60座陵墓,有各种不同的平面布局和装饰。新王国时期的国王们担心其丰富的随葬品被盗,便采取新的办法将其陵墓深藏在达尔巴赫里后面西部丘陵的荒凉山谷中。在深藏于山腹的陵墓里,埋葬着从图特摩斯一世起第18、19、20王朝的法老,以及一两个王后、几名高级官员和拉美西斯二世的众多儿子。陵墓的平面布局极为多样,但基本上都是由一条向下倾斜的墓道和几个以立柱支撑的墓室组成,墓道里掘有深坑以迷惑盗墓贼。墓道终端是安放国王木乃伊石棺的墓室和贮有供国王在阴间享用的物品、设备的储藏室。许多墓壁上覆盖着雕刻和彩绘,描述故王与诸神尤其是阴间之神相伴的场面,还有配图的巫术文书,内容与随葬的纸莎草纸文书类似,意在引渡死者前往阴间。埋葬死者的墓室往往在顶部绘有天象图,有些图像描绘女天神努特正穿越星空。谷中的陵墓在古代几乎都被盗过。有些在其继任者或其子孙在世时就被盗掘。在斯特拉博时代,希腊旅行者们就可以参观40座陵墓。只有位于谷底且被从稍晚的拉迈西德墓上倒下的石块堆掩盖的图特安哈门小墓免于被盗。从此墓中掘出的、如今收藏在开罗埃及博物馆的惊世宝物生动地表明王国全盛时期伟大法老的陵墓是何等富有。最长的第20号陵墓属于哈特谢普苏特女王,墓室距入口215米,深入岩体100米。国王谷中最大最复杂的陵墓是把

位于西底比斯的国王谷
美国不列颠百科全书公司供图

第19王朝最大国王拉美西斯二世(公元前1279～前1213年在位)的52个儿子中大部分死者的墓室都包含其内的大墓。此墓于20世纪80年代晚期发现,90年代进行过局部发掘。陵墓有两层,上层有一个中间以立柱支撑的大厅,不同的廊道由此至少通向67个墓室。

King's Bench, Court of (England) 参阅 **Queen's Bench, Court of** *王座法院*。

Kings Canyon National Park 金斯河谷国家公园 美国加利福尼亚州内华达山脉的风景区。毗邻红杉国家公园,以冰川切割成

金斯河谷国家公园内的金斯河南叉
美国不列颠百科全书公司供图

的、壮观的金斯峡谷著称。多巨型红杉。栖息有鹿、熊、大角羊和其他野生动物。

Kings County 金斯县 在美国纽约州东南部,范围与纽约市布鲁克林(**Brooklyn**)区相同。建于1683年,面积184平方千米。人口约2 271 000(1994)。

king's evil 国王病 *瘰疬*(**scrofula**,结核性淋巴结肿大)的一个俗称。传说本病经国王触摸即可治愈。这种触摸治疗最早始于英格兰国王忏悔者爱德华和法国的腓力一世。在英国进行这种治疗时要举行盛大仪式。从亨利七世时起,患者佩戴经国王触摸过的硬币,作为驱魔护身之物。这种习俗在王政复辟时代达到顶峰。据说1660～1682年查理二世触摸过9万多名患者。英国王室最后一个进行触摸治疗的人是安妮王后,她在1712年触摸了200名患者。在法国这种仪式延续到19世纪,查理十世于1824～1830年一度重新采用这种治疗。

King's Lynn 金斯林 英格兰诺福克行政、历史郡西诺福克自治市港口城镇。临沃什湾的大乌斯河口湾。1204年设为自治市。亨利八世曾于1524和1537年两次颁布特许证。城镇原有城壕防卫,现仍有旧墙遗迹,包括15世纪的南大门。海关(1683)和几座商人之家都令人想起该城镇的商业史和辉煌的过去时日。金斯林为一广袤而富庶农区的集市和服务中心,也是波罗的海至北海运输线上的小港。生产化肥、食糖、罐头和轻工业品。人口约41 281(1991)。

King's Lynn and West Norfolk 金斯林-西诺福克 英格兰东部诺福克行政、历史郡一区(自治市)。北濒北海,西北临沃什湾。面积1 426平方千米。地势低洼,西部为广阔、肥沃的开垦沼泽地;东部是瘠瘦的石南丛生带,但通过现代的农业技术处理,有时亦能提高生产;东南部为林区;北岸多沙丘。生产谷物、甜菜、水果蔬菜和花卉。金斯林和道纳姆马基特有许多食品加工厂。金斯林港在沼泽地边缘和大乌斯河口附近,有英格兰最大和最古老的商会馆之一圣乔治市政厅(1406)。金斯林以北32千米处的亨斯坦顿是海滨胜地。两地间的桑德灵厄姆是王室宫邸,乔治六世于1952年即在此去世。道纳姆马基特是农产品集散中心。区首府为金斯林。人口约133 500(1998)。

King's Men 国王供奉剧团 1603年起受詹姆斯一世国王赞助的剧团。该剧团原名“宫内大臣供奉剧团”。莎士比亚是该剧团的主要剧作家,R.伯比奇是该剧团主要演员。参阅 **Chamberlain's Men**。

Kings Mountain, Battle of 金斯山战役 (1780-10-07) 美国独立战争中,美军在南卡罗来纳击溃效忠派军队的战役。为补充查尔斯敦战役(1780-05)和卡姆登战役(1780-08)中的损失,并阻止英军进军北卡罗来纳,由大约2 000名殖民地边民组成军队。边民对P.弗格森少校所部1 100名纽约和南卡罗来纳效忠

派士兵怨恨尤深，于金斯山将其包围。效忠派军队或毙或俘，全部被歼。

Kings Peak 金斯峰 美国犹他州最高点，海拔4 123米。位于尤因塔山区和阿什利国家森林中，在盐湖城以东130千米处。

King's tomb of Nanyue 南越王墓 西汉南越国文帝赵眜(即赵胡)墓。位于中国广东省广州市象岗山。建于公元前122年左右，1983年发现并发掘。墓坐北朝南，方向为177度。墓道在南，为斜坡形，北接墓室。墓室全长10.85米，最宽处12.5米，用砂岩石板砌筑，分为前后两部分，共7室。前部3室，为前室、东耳室、西耳室；后部4室，为主室、东侧室、西侧室和后藏室。墓主的棺椁放置在主室内。墓道、前室、东耳室和东西侧室共发现殉人15个。墓主身穿的玉衣由2 291块玉片组合而成。玉衣头部、手部和足部的玉片用丝线编缀，其他部位的玉片系粘贴在麻布上，表面再以朱红色丝带粘连加固，称为“丝缕玉衣”，在考古工作中属首次发现。墓内出土随葬器物共1 000多件。包括铜、铁、金、银、铅、陶、玉、水晶、玛瑙、绿松石、玻璃、煤精、丝、麻、竹、木、皮革、象牙等制品，以及家禽、家畜、水产等动物遗骸和植物种子等，其中以铜器、铁器、陶器和玉器的数量为最多。铜器共500多件，其中以乐器、酒器、炊器和铜镜等最具特色。铁器共246件，其中以武器、工具、农具和大型越式鼎最为重要。玉器共240余件，数量大，品种多，工艺精湛，在已发掘的汉墓中是首屈一指的。其中以玉容器、玉剑饰、玉璧和成组的玉珮等最为精彩。墓主身上发现一枚龙纽金印，印文为“文帝行玺”，是墓主身份为第二代南越王的重要证据。墓中的随葬品除一部分带有地方特色外，多数与中原地区基本一致，说明汉初岭南地区与中原内地的物质文化交流是频繁的。墓中有些器物可能是从中亚或南亚等地输入的，表明南越国与海外已有通商贸易关系。

Kingsford Smith, Sir Charles Edward 金斯福德·史密斯(1897-02-09，澳大利亚昆士兰哈密尔顿～1935-11-08，赴澳大利亚海中) 澳大利亚飞行员，1930年6月24～25日和3人机组从爱尔兰的波特马诺克飞越大西洋到纽芬兰的格雷斯港，并第一次完成横越中太平洋的飞行。他曾在悉尼大教堂学校受教育并在悉尼工学院求学，从1917年起服役于皇家飞行队，受伤后任皇家空军教官。1924年任西澳大利亚航空公司正驾驶员。1927年他和C.T.P.厄尔姆在不到11天时间里完成环澳大利亚飞行。1928年他们又和另一个双人机组从加利福尼亚的奥克兰经檀香山、斐济飞往澳大利亚的布里斯班。1933年10月他用7天零5小时完成了从英国至澳大利亚的单人飞行。1934年他同P.G.泰勒从布里斯班飞抵旧金山。1932年封爵。1935年他和T.佩西布里奇由伦敦飞往澳大利亚，在飞越加尔各答后失踪。著有《从南翼飞越太平洋的故事》(1928，与厄尔姆合著)和《我的飞行生涯》(1937)。

Kingsley, Charles 金斯利(1819-06-12，英国德文霍尔内教区牧师住所～1875-01-23，汉普郡埃弗斯利) 英国圣公会牧师、教师和作家。他的小说在维多利亚时代被广泛阅读，

美国不列颠百科全书公司供图

对英国社会的发展很有影响。在教会人士中，他最早拥护达尔文学说。出身牧师家庭，在农村长大，喜欢研究自然和地质。剑桥大学马格达伦学院毕业后，1842年任埃弗斯利副牧师，两年后任该地堂区牧师。他是基督教社会主义运动的创始人之一。第一部长篇小说《酵母》(1851)描写地主同贫农之间的关系。第二部长篇小说《阿尔顿·洛克》(1850)写一个裁缝诗人反抗卑贱的血汗劳动和成为宪章运动领导人的故事。金斯利以炽热的笔调表达了他对穷人的同情。他的社会小说是直接说教式的，其目的在于唤起本阶级的成员认识对于工人应负的责任。他不赞成政治变革，而主张实行成人教育，改进卫生状况，发展合作运动来改善社会问题。他劝告工人除了谋求物质利益而外，还要谋求精神利益。不久，他开始撰写历史小说，主要有《希帕蒂亚》(1853)、《向西方!》(1855)、《踪迹至此》(1866)等。他的儿童读物《水孩儿》(1863)是受进化论思想写成，长期受人欢迎。1859年，任维多利亚女王的牧师，1860～1869年任剑桥大学近代史教授，1873年任威斯敏斯特大教堂教士。他鼓吹过民主政治，提倡过社会福利，但是他的主要影响在于接受达尔文物竞天择的进化论，并努力宣传关于自然的新知识。

Kingsley, Henry 金斯利(1830-01-02，英格兰北安普敦郡巴纳克～1876-05-24，苏塞克斯库克菲尔德) 英国小说家。他的小说曾流行达半个世纪，尤以所著《雷文休》(1861)和《希利亚家和伯顿家》(1865)而闻名。牛津大学毕业后，曾去澳大利亚淘金，没有成功。5年后返回英国，创作以澳大利亚生活为题材的长篇小说《哈姆林回忆录》(1859)。金斯利曾主编《爱丁堡评论》，1870～1871年普法战争期间任该刊战地记者。

Kingsley, Mary Henrietta 金斯利(1862-11-13，伦敦～1900-06-03，开普敦附近西蒙斯敦) 英国旅行家。她拒绝受当时习俗的束缚，前往西非和赤道非洲旅行，成为第一个进入加蓬某些地区的欧洲人。她是牧师兼作家查尔斯·金斯利的侄女，30岁之前一直过着与世隔绝的生活。30岁那年，她为了完成其父乔治·亨利·金斯利生前未完成的著作，决定去西非研究非洲宗教和法律。1893～1894年她访问了位于今刚果民主共和国和刚果之间的安哥拉的沿海飞地卡宾达、尼日利亚东南部的旧卡拉巴尔，及离喀麦隆海岸不远的费尔南多波岛(今为赤道几内亚的一部分)。在刚果河下游一带，她为不列颠博物馆收集了甲壳虫和淡水鱼标本。1894年12月重返非洲，访问了法属刚果，并在加蓬溯奥果韦河而上，经过以吃人闻名的芳人地区，几次死里逃生。接着访问了加蓬近海的科里斯科岛，登上喀麦隆山。她带着珍贵的博物收藏品回到英国后，在全国各地演讲其旅行经历(1896～1899)。她的著作对非洲黑人表示强烈同情，其中包括《西非记游》(1897)和《西非研究》(1899)。她在看护在布尔战争中受伤的战俘时逝世。

Kingsport 金斯波特 美国田纳西州东北部沙利文县城市。西南距诺克斯维尔145千米，弗吉尼亚州边界附近，临霍尔斯顿河。约1750年始建，1917年设建制。初为船舶码头。1909年通铁路。1915年后有计划发展工业。现工业多样化。有金斯波特出版社(全国最大书籍出版社之一)和田纳西伊斯曼公司(生产家用和商业用化工品)。其他产品有砖、纸张、炸药、玻璃、皮革、纺织品和机器。附近的山峦和人工湖为娱乐区。人口：市44 905；约翰逊城-金斯波特-布里斯托尔都会区480 091(2000)。

Kingston 金斯顿 澳大利亚塔斯马尼亚州东南部的城镇。濒布朗斯河，该河往下注入德文特河的河口湾。1804年首次移民定居，本地即以布朗斯河为名。1866年建镇时即通称金斯顿，1882年正式定名为金斯顿。为苹果及浆果产地的服务中心，也是观光胜地，可供游泳、钓鱼及打高尔夫球。是位于该州首府霍巴特以北13千米的住宅城镇。人口8 556(1981)。

Kingston 金斯顿 加拿大安大略省东南部城市，弗隆特纳克县县城(1792)。在安大略湖北岸，与圣劳伦斯河交界处。1673年建，为毛皮贸易站和军事要塞。1783年后成为安

金斯顿市的加拿大皇家军事学院
美国不列颠百科全书公司供图

大略湖上的主要海军基地。1841～1844年是上加拿大和下加拿大联合省省会，现在是繁忙的港口。工业很发达，生产铝制品、内燃机车、内燃机、船舶、采矿机械和陶器。市内

有女王大学(1841 年建)、圣乔治大教堂和圣玛丽大教堂、费姆国际曲棍球厅、加拿大皇家军事学院(1876)、国防学院和加拿大陆军参谋学院。1812 年战争期间建立、19 世纪 30 年代重建的亨利堡,现在是一个军事博物馆。1838年设镇,1846 年设市。1998 年与附近镇区合并,使该市人口几乎翻了一番。面积 450 平方千米。人口114 195(2001)。

Kingston 金斯敦 牙买加的首都和主要海港。城市沿本岛东南岸延伸,背靠蓝山山脉。以天然良港著名,有狭长的帕利萨多斯半岛作为屏障。半岛已经发展成娱乐和旅游地。

金斯敦市的罗克福德要塞
美国不列颠百科全书公司供图

港湾口的罗亚尔港毁于地震后,于 1692 年建金斯敦城。1703 年成为牙买加的商业中心,1872 年又成为政治首都。曾数次几乎毁于大火。1907 年 1 月遭地震破坏。在市内主要街道上,现代化建筑物与前数百年的建筑遗迹形成鲜明对比。市内东街有牙买加学院(有图书馆、博物馆和美术馆)。西印度群岛大学在距城 8 千米的莫纳。附近的霍普有著名的皇家植物园。至 20 世纪 80 年代,多数旧码头都已拆除,海滨区新建起旅馆、商店、事务所、文化中心以及游艇和货船码头。建在帕利萨多斯的机场通国内和国际航线。国有铁路从金斯敦通往牙买加 14 个区中的大部区。金斯敦和圣安德鲁联合区内住有全国 1/4 以上人口,是加勒比海英联邦国家中最大的城市联合区。人口约 103 771(1991)。

Kingston 金斯顿 美国纽约州城市,阿尔斯特县县城(1683)。北距奥尔巴尼 87 千米,在哈得孙河西岸朗道特河口。约 1610 年建毛皮贸易站。第一个永久性居民点为荷兰人 1652 年所建。1777 年定为第一个州府,第一届州立法机关、参议院、最高法院在此召开会议,第一部州宪法在此通过,G.克林顿在此宣誓就任首任州长。1776 年 10 月 16 日遭英军焚毁。社区居民仍留原地,1805 年设村,1872 年合并邻村而建市。特拉华-哈得孙运河的建成(1828)和铁路通车(19 世纪 60 年代)促进了该城的发展。早期有造船、石灰石开采及水泥制品工业,以后工业实现多样化,尤以制造计算机设备、机床、服装及家具著名。市郊多果园。为附近卡茨基尔游览区的基地。旧参议院(1676)现为博物馆并定为州历史遗迹,有 J.范德林的绘画。旧荷兰教堂建于 1659 年。附近有阿尔斯特县社区学院(1963)。属于纽约市供水系统的阿肖卡水库在市西北。人口约23 456(2000)。

Kingston 金斯顿 美国罗得岛州南部华盛顿县南金斯顿(**South Kingstown**)村庄。始建于 1700 年。1752 ~ 1800 年为县府所在地。该村未受工业革命的影响,保持着 18 世纪的古朴风貌。罗得岛大学(1892)的建立给该地带来新的生活。人口5 446(2000)。

Kingston, Maxine Hong 汤婷婷(1940 - 10 - 27,美国加利福尼亚斯托克顿~) 美国作家,其作品大部分基于她作为第一代华裔美国人的经历。出生在一个中国移民家庭,她是家中 6 个孩子的老大。其父是一名学者,1924 年离开中国移民到纽约;由于无法找到一个诗人或书法家的工作,在一家洗衣店工作。其母最初留在中国,1939 年才来到纽约与丈夫生活。汤婷婷靠奖学金进入加州大学伯克利分校念书,1962 年毕业。在伯克利,她遇到了有抱负的演员 E.金斯顿,二人于 1962 年 11 月结婚,1964 年育有一子。夫妇二人 1966 ~ 1967 年在加州海沃德教中学,后来移居夏威夷,她在当地又教了 10 年书。1976 年发表成名作《女勇士:一段鬼影憧憧下的少女回忆》。该书是一个少女童年的回忆录,把神话、家史、民间故事与在两种冲突文化中的成长经历的回忆串在一起。该书立即在评论界获得成功,赢得 1976 年全国图书评论家的非小书类最佳奖。在她的第二部回忆录《中国佬》(1980)中,汤婷婷通过她家里男人的经历讲述了中国移民的故事。该书运用《女勇士》的叙述技巧,讲述他们真实的奴役、孤独和歧视,获得美国图书非小书类奖。《孙行者》(1988)则讲述一位年轻华裔美国人的故事。她还发表过诗集、短篇故事和其他文章。

Kingston upon Hull 赫尔河畔金斯顿 又称赫尔。英格兰的单一政区和城市,属约克历史郡和约克郡东区地理郡。面积 71 平方千米。中世纪时仅为赫尔河西岸的羊毛港。18 世纪末以后迅速地向西、向北扩展,近期又向东发展。1897 年设市。现为全国主要港口之一。沿亨伯河口湾有 11 千米长的现代化船坞。1886 ~ 1970 年间在赫尔河东岸陆续建成的大码头可泊远洋巨轮。进口木材、谷物、油籽、粮食和羊毛,出口工业品。化工、木材、食品和饮料工业集中在老码头区,北部开阔地带发展其他轻工业。市内古迹有圣三一堂、威尔伯福斯大厦和三一大厦。老城附近有博物馆、美术馆、剧场、艺术中心和俯瞰着女王公园的高等教育学院,区北面则有一所大学。1981 年城西建成亨伯桥,提高了该市作为区域商务和文化中心的地位。人口约 261 800(1998)。

Kingston upon Thames 泰晤士河畔金斯顿 英格兰外伦敦自治市的敕许自治市。萨里历史郡的一部分。面积 38 平方千米。1200 ~ 1685 年期间接受过 30 个特许状。曾为 7 个盎格鲁-撒克逊国王的加冕地。伊丽莎白二世(1952 加冕)核准为敕许自治市。现主要为住宅区,但有一个伦敦外围地区的主要商业中心。有轻型机械工业和制造业。设有工业大学和艺术学院。泰晤士河桥建于 1828 年。现在的自治市包括莫尔登、瑟比顿和切辛顿等郊区。绍斯伯勒大厦为建筑师 J.纳什的杰作,建于 1808 年。18、19 世纪的小说家 F.伯尼经常来切辛顿居住。20 世纪剧作家和小说家 J.高尔斯华绥诞生于此的库姆镇。人口约147 273(2001)。

Kingstown 金斯敦 加勒比海东部圣文森特和格林纳丁斯群岛中圣文森特岛的首府和主要港口,位于岛的西南端。俯瞰金斯敦港湾。输出香蕉、竹芋粉、椰子和棉花。金斯敦自由图书馆藏有加勒比印第安人的遗物。1763 年所建植物园是西印度群岛中最早的一个,于 1793 年迎来了从太平洋地区带来的第一批面包树。人口约16 175(1999)。

Kingsville 金斯维尔 美国得克萨斯州南部城市,克莱伯格县县城(1913)。地处沿海平原,在科珀斯克里斯蒂西南 51 千米处。始建于 1903 年,1911 年设建制。为一牧区中心。金氏牧场在此,并在牲畜和农业研究工作中居领先地位。亦为石油中心,有大型天然气厂和石油化学厂。附近有美国海军航空站和得克萨斯农工大学(1925)。人口25 575(2000)。

Kingswood 金斯伍德 英格兰格洛斯特历史郡南格洛斯特单一政区的城镇。位于布里斯托尔市以东。原为萨默塞特煤田的职工住宅区。有印刷、轻型机械和毛刷制造业。人口约60 192(1991)。

Kinguélé 金盖莱 加蓬姆贝河瀑布和水电工程所在地。靠近坎戈。公路通首都利伯维尔。瀑布分上、下两段。上金盖莱为三级连续瀑布,落差 115 英尺。下金盖莱落差 148 英尺。两段以下还有长 1.5 英里的阶梯式小瀑布。1969 ~ 1973 年加蓬在法国援助下于下瀑布段建立金盖莱水坝和水电站。电站为加蓬河口地区(包括坎戈的大型纸浆厂及利伯维尔和奥文多的工业)提供电力。

Kinik(Turkey) **克讷克** 参阅 **Xanthus 桑索斯**。

kinkajou(species *Potos flavus*) **卷尾浣熊** 浣熊科动物,栖息于中美洲和部分南美洲森林中。有长而能卷曲的尾;毛软,色浅褐;脸小而圆,眼大,耳圆且位置很低。爪尖锐而弯曲,脚底上包着一层密密的短毛。体长42~

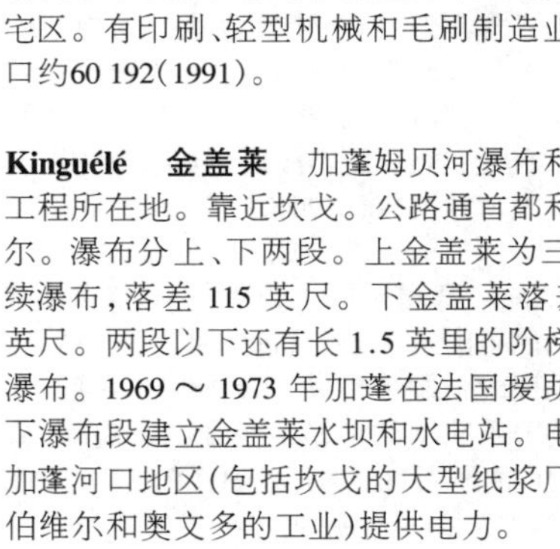

卷尾浣熊(*Potos flavus*)
美国不列颠百科全书公司供图

58 厘米,尾长 40 ～ 55 厘米,体重 1.5 ～ 2.5 千克。夜间活动,营树栖生活,独居或成对活动,很少离开树林。以果实、蜜、昆虫、小鸟及小兽为食。春季或夏天生育,一窝 1 ～ 2 仔。常被养作玩物,俗称"蜜熊"。受到善待时是很好的玩物,但愤怒或受惊时也会咬人。

Kinkel, Gottfried　金克尔(1815-08-11,波恩附近上卡瑟尔[德国]～ 1882-11-13,瑞士苏黎世)　德国诗人。主要由于同情 1848 年革命而获得声誉。1843 年发表《诗集》,并受到好评。他的故事诗《神枪手奥托》(1846)出过 70 多版,被视为 V.舍费尔所著《塞京根的号手》的前驱,在同时代人中影响很大。他的诗作的特点是 1848 年后德国文学中常见的感伤性。1845 年在波恩任艺术和文化史教授,1848 年转向新闻工作,创办《民主联合报》。他积极参加 1849 年在巴登的起义,并被判处无期徒刑。后来,他在 C.舒尔茨帮助下逃到伦敦,当了教授。他在伦敦的新闻活动表现了一种妥协与和解的倾向,受到革命哲学家恩格斯的嘲弄。1866 年在苏黎世任考古学和艺术史教授。

Kinki　近畿　日本本州中西部部分地区。包括兵库、奈良、志贺、和歌山、三重 5 县和京都、大阪 2 府。面积33 074平方千米。地貌特征主要为丹波山地、琵琶湖和纪伊半岛。该地区为日本人口、经济密集区之一。史前时期起即为日本文化的中心地区。现传统风俗习惯和西方生活方式结合,古老寺庙、神社和大工业企业并立。新干线铁路与东京和福冈相通。人口22 713 000(2000)。

Kinks, the　奇想乐队　20 世纪 60 年代具有影响力的英国乐队,将敏锐的社会观察和英国音乐厅的戏剧风格融入节奏与布鲁斯中,成为英国乐队中的典范。主要成员有 R.戴维斯、D.戴维斯、P.奎夫和 M.阿沃里。1963 年,戴维斯兄弟在伦敦北部组建乐队。第三首单曲《你真的得到我》取得了重大突破。该曲和早期滚石乐队的作品一起都被当作白人音乐人对节奏与布鲁斯创造性探索的里程碑,并且对早期的维人乐队、60 年代中期美国的车库朋克乐和 70 年代初的重金属音乐都有极大影响。在推出两首国际热门单曲《整日整夜》和《懒得等你了》后,迅速转变了音乐风格。1965 年创作出第一个成功融合西方流行乐和印度音乐形式的《见我的朋友》。其后在美国的影响逐渐减弱,主要在英国表演,推出评论社会问题的歌曲,如《受尊重的人》、《忠实的时尚追随者》和在 1966 年英国排行榜位居榜首的《阳光照耀的下午》。R.戴维斯善于将优美的曲调与机智、移情的抒情歌词结合在一起,在 1966 和 1967 年推出了杰出的三部曲:《死路》、《大黑烟》和乐队的招牌歌曲《滑铁卢的日落》。乐队在连续 12 次登上英国的单曲排行榜前 20 名后,于 1968 年开始滑坡。在接下来的两年里在美国向摇滚乐方向发展,打算重振雄风。1970 年凭《罗拉》重返英美音乐排行榜前 10 名。乐队受到朋克摇滚的影响,成功地推出了专辑《低预算》(1979)和《来跳舞》(1983)。此后,除了戴维斯兄弟,所有的最初成员都离开了乐队。乐队继续录制唱片并参加演出。

Kinnersley, Ebenezer　金纳斯利(1711-11-30,英国格洛斯特郡格洛斯特～ 1778-07-04,美国宾夕法尼亚费城)　英属北美殖民地开发者,与 B.富兰克林同时研究电,发明电的气温计(1755 前后),他也探索过建筑物的避雷方法。3 岁时被带到北美洲,随其父浸礼会牧师学习。曾被授以神职(1743),但从未举行教徒的集会。曾在费城学院讲授英语和演讲术,任过院长(1753 ～ 1773),并在该院获硕士学位(1757)。

kinnikinnick(shrub)　参阅 **bearberry** 熊果。

Kinnock, Neil (Gordon)　金诺克(1942-03-28,威尔士蒙茅斯郡特里迪格～　　)　英国政治人物,1983 ～ 1992 年的工党领袖。格温特郡贝德韦尔蒂金诺克男爵。矿工之子,在加的夫大学学院学习之后担任工人教育协会工业和工会课程的组织者和指导教师 4 年。1970 年代表贝德韦尔蒂被选入议会。不久,由于他的口才和党的领袖迈克尔·富特的提拔,1974 ～ 1975 年任就业大臣驻议会私人秘书,1978 年进入工党全国执行委员会。在这期间,他写了两本书:《威尔士和共同市场》(1971)和《如奈所说》(1980)。工党在 1983 年的选举中遭受 65 年来最惨重的失败之后,开始物色一位领袖来代替显然已无法统一党内各派的富特。虽然相对地说金诺克是个新手,并且连一个次要的部长职务也没有担任过,但一开始就被看中。1983 年 10 月在工党的年会上,他被选为工党领袖。金诺克起初支持党要求单方面裁减英国核武器,以及撤除美国在英国的所有核武器和军事基地的主张。1987 年普选中,工党虽然设法增加了一些议席,但仍败于保守党。1989 年金诺克说服他的党放弃其激进的裁军和大规模国有化政策。在 1992 年的大选中,虽然工党再度在议会增加了议席,但仍输给保守党,同年后期,金诺克辞去工党领袖一职。1995 年退出下议院,成为欧洲委员会成员,1999 ～ 2004 年担任该委员会副主席。2005 年受封为终身贵族。

kinnor　基诺尔琴　古希伯来人的里尔琴,是大卫王的乐器。据罗马的犹太史学家约瑟夫斯(1 世纪)说,它像希腊的基萨拉琴。希腊文《旧约全书》和拉丁文的《圣经》都把基诺尔琴译为"基萨拉琴"。中世纪著述家常将它误称为竖琴。基诺尔琴有 3 ～ 12 根肠衣弦,在古代晚期通常是 10 根弦。为歌唱和舞蹈伴奏时用拨子弹奏,用作独奏乐器时由手指弹奏。

Kino, Eusebio　基诺(1645-08-10,蒂罗尔塞格诺[今在意大利]～ 1711-03-15,墨西哥马格达莱纳)　耶稣会传教士、探险者。在皮梅里亚阿尔塔地区(现分划给墨西哥索诺拉州和美国亚利桑那州)建立许多传教机构。早年在德意志学习数学和天文学。1665 年加入耶稣会。1681 年被派往墨西哥城传教。1687 年 3 月在今索诺拉境内的印第安人中间建立第一个传教机构,名为努埃斯特拉-塞尼奥拉-德-洛斯-多洛雷斯(意为"多洛雷斯圣母")。1691 年第一次深入亚利桑那探险(以后共进行约 40 次),据说考察了格兰德河、科罗拉多河和希拉河的源头。他帮助皮马印第安人从事多种农业,反对墨西哥北部银矿以印第安人为奴隶。著有《基诺在皮梅里亚阿尔塔地区的历史回忆录》(1708)。

Kino Tsurayuki　参阅 **Ki Tsurayuki** 纪贯之。

kinorhynch　动吻类　袋形动物门动吻纲(Kinorhyncha, Echinodera),微小海生无脊椎动物。约 100 种,广泛分布于世界海洋,多生活在浅海泥底和海岸的沙中。体上有刺或毛

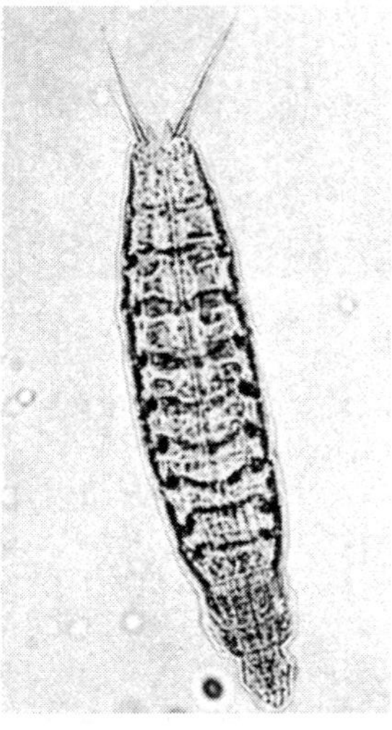

一种动吻类(*Echinoderesremanei*)
美国不列颠百科全书公司供图

刺。长 0.2 ～ 1 毫米。淡黄或淡褐色,体由 13 或 14 节组成。第一节较大,称为头,具口及弯曲的棘刺,组成明显的冠状;不活动时头可缩入体前端部。头部可交替地作前伸后缩,从而产生蠕动动作,借此在泥沙中钻孔。食硅藻、某些原生动物和有机碎屑。雌雄异体。

Kinoshita, Junji　木下顺二(1914-08-02,日本东京～　　)　日本戏剧家,他试图使第二次世界大战后的日本戏剧恢复活力。1939 年毕业于东京大学英文系。同年开始写处女作《风浪》,这是一部以明治维新时期为题材的历史剧,至 1947 年才发表。战争期间对书刊的检查日益严厉,他从当代题材和历史题材转向民间故事,创造了独特的文学体裁——"民间故事剧"。《夕鹤》(1949)是一个突出的例子,也是木下在这方面的代表作。战后他又重新对历史发生兴趣,写出《蛙升天》(1951)、《冲绳》(1961)和《审判》(1970)等戏以探讨罪行,特别是战争罪行的作用和人的行为的责任。后来写的《子午线之祭》(1977)是一部历史剧,剧本主人公代表的便是木下对戏剧主人公的看法。除了戏剧外,他还以研究日本语言著称,曾翻译莎士比亚等西方戏剧家的作品,并撰写关于戏剧的论文。

Kinoshita Keisuke　木下惠介(1912-12-05,日本静冈县滨松～ 1998-12-30,东京)　日本

最著名的电影导演之一，以拍摄社会讽刺喜剧片闻名。1933 年入松竹影片公司任摄影助理并学习写作脚本，1936 年任导演助理。独立导演的第一部影片《热闹的码头》(1943)获得极大成功。3 年后，《大曾根家的早晨》(1946)为他赢得巨大声誉，被认为战后最有才华的导演之一。在其最受欢迎的两部影片《卡门回故乡》(1951，日本的第一部彩色片)和《天真的卡门》(1952)中，他采用一个滑稽人物来讽刺社会的等级制度。他的每一部故事片都被推崇为电影艺术的杰作。描写日益削弱的日本家庭结构的影片《日本的悲剧》(1953)巧妙地运用故事情节交叉剪接和倒叙的手法。在影片《楢山节考》(1958)中，他因在古装片的传统结构中出色地运用彩色和宽银幕而备受推崇。影片《二十四只眼睛》(1954)使木下蜚声国际。为他赢得国际声誉的影片还有《你像一朵野菊花》(1955)。他的最新作品有《冲动杀人，儿子啊!》(1979)、《父亲啊，母亲啊!》(1980)。

Kinosternidae　动胸龟科　龟类的一科。有时被列为鳄龟科(咕龟类)的亚科。参阅 **mud turtle; musk turtle**。

Kinrossshire　金罗斯郡　苏格兰中部历史郡。位于珀思-金罗斯(**Perth and Kinross**)行政区。金罗斯为苏格兰第二小的历史郡。19 世纪前一直是个贫穷农区。现运用现代化耕作方法，生产大有改进。

Kinross　金罗斯　苏格兰金罗斯历史郡珀思-金罗斯政务会辖区内一个小自治市和城镇。位于利文湖畔。该市有公路和铁路通南面 50 千米的爱丁堡，为当地农产品集散中心。市内有毛纺厂和亚麻纺织厂。利文湖堡在湖中一岛之上，为1567～1568 年囚禁苏格兰女王玛丽之所。威廉·布鲁斯爵士设计的金罗斯宅邸(1685～1692)坐落在市镇东面半岛之上。人口4 552(1991)。

Kinsale　金塞尔　爱尔兰语作Cionn tSaile。爱尔兰科克郡的集市城镇和海港。濒临班登河口湾的金塞尔港。与附近村庄锡利和萨默湾同为旅游胜地，每年举办赛艇会。也是垂钓的中心。生产钢板、电器元件和划艇设备。也生产天然气。传统的手工店铺出售陶器、水晶和金属制品。人口 2 257(2002)。

Kinsella, Thomas　金塞拉(1928-05-04，爱尔兰都柏林～　　)　爱尔兰诗人。他所写的敏感的抒情诗涉及人类经验的本质方面。都柏林大学学院毕业后，1948～1965 年在爱尔兰行政部门工作。1965～1970 年在卡本代尔的南伊利诺伊大学任教，后来又在费城坦普尔大学任教。1956 年出版的《诗集》和1958 年出版的《另一个九月》使他一举成名。较晚的作品，如《顺流而下》(1962)等，常以战争或现代爱尔兰的政治和社会纷乱状态为主题。所译古盖尔语萨迦《夺牛长征记》于 1969 年出版。《新诗：1956～1973》(1973)和《诗一首及其他诗》(1979)巧妙地详细探讨了爱情、死亡和回春等主题。

Kinsey, Alfred Charles　金西(1894-06-23，美国新泽西霍博肯～1956-08-25，印第安纳布卢明顿)　美国动物学家、人类性行为的研究者。曾于鲍登学院及哈佛大学学习。1920 年后任动物学教授。他对人类的性生活很有研究，1942 年在印第安纳大学建立性研究所，并任所长至逝世。著有《男人的性行为》(1948)及《女人的性行为》(1953)，为收集材料调查过18 500人。研究结果表明，性行为的差异极大。

Kinsha Kiang (China)　参阅 **Jinsha Jiang** 金沙江。

Kinshasa　金沙萨　刚果民主共和国首都及最大的城市。旧称利奥波德维尔(1966 年之前)。位于刚果河(当地称萨伊河)南岸，距大西洋约 515 千米，为撒哈拉沙漠以南非洲最大城市之一，是相当于刚果(金)一个地区的特别行政单位，有自己的市长。该市居民一般被称为基诺人。

金沙萨之与众不同不仅在于为刚果(金)的首都，而且在于是塑造了该国在现代非洲的特点的那些强大而对立的影响的中心。该城是唯一不明确相同于该国某一特定地区的一个城市。它是一个持久的军政府(直至 1997 年)的所在地，这个军政府持久存在的基础一方面是因有武装部队的实力，另一方面又具有政治的和社会的妥协技巧，因而已取得大多数公民颇为勉强的协作。夹在豪华富有和大众贫困之间的大多数基诺人，不得不花很多时间争先恐后地搜取供应稀少的日用必需品。但他们仍然找到了办法，使金沙萨成为一个其精神文化与民间文化在整个非洲已有感受的独特影响的源泉。

自然地理和人文地理

景观　城市位置和气候　金沙萨在刚果河的展宽处——马莱博湖岸向南展布。该城所处平原的海拔为 280～350 米，平原四周部分地有较高土地环绕。市内人口最稠密地区面积约 150 平方千米。属于市政府管辖的总面积为9 965平方千米，其中大部分人烟稀少。

气候长年炎热，5～9 月为旱季，10 月至翌年 5 月为雨季。年平均降雨量略高于1 520 毫米。大暴雨时常出现，但很少持续二三小时以上。最热月份为 4 月，日平均最高和最低温度分别为 32 °C和 22 °C。最冷月份 7 月的对应数字为 27 °C和 18 °C。地势稍高的郊区比市中心略为凉爽。周围农村地区是高度垦植的稀树草原和沿河长廊林带；主要农作物是木薯、甘蔗、油棕榈、大蕉、玉米、花生以及各种豆类。

城市布局　金沙萨的建筑物多的地区分为工业区、住宅区和商业区。市中心区西缘的一片工业区(1966 年前称西区)在英国探险家 H. M. 斯坦利建立的第一个补给站遗址附近发展起来。位于其东侧的是贡贝滨河住宅兼行政区，里面住着欧洲人口和刚果(金)上层人士的大多数，中央政府的大楼和使馆区都设在那里。东部(1966 年前称东区)为一主要商业区，区内宽阔的 6 月 30 日大道是主要交通干线。沿金沙萨北缘的滨河地带排列着码头和大货栈。贡贝以东的恩多洛有许多港口设施和产业工厂。比较贫困的地区在城东和城西向南伸展。金沙萨东南方的卫星城恩吉利已成为一住宅区，而上游的卫星城金波科则已发展成一处外围港口。20 世纪 70 年代，富有的商人和政治家们在俯瞰市区的西山的一个地方——宾扎，建起了往往是富丽堂皇的别墅。

市内有多种多样建筑风格。高耸的公寓大楼，装饰豪华的银行、商店，以及各大公司的办事处和政府机构的办公厅，是市中心的特征。有些建筑，其历史可追溯到第二次世界大战之后不久，但最显著的则是在 20 世纪 70 年代初的经济繁荣期间建造的。其中有国会、总统府(由中国人建造)、国家广播公司总部、国际贸易中心、矿产销售代理公司总部，还有未完工的卢蒙巴纪念塔。树木成行、铺修良好的林荫大道两旁是宽敞的别墅，别墅周围有装饰性的灌木和花园，并常有高墙和铁栅栏，这便是上层人物的住宅区。不够富裕的社区内住宅往往是白铁皮顶、混凝土预制块的房屋和多单元的住房，街道未铺路面，车辆往往难以进出。再往外便是大片擅自占用区，仓促搭起的棚屋和崎岖不平的道

金沙萨大学校园
美国不列颠百科全书公司供图

路，许多最近迁来的移民住在那里。

人民 金沙萨的人口起初增长缓慢(由1889年的5 000人，到1923年的23 000人)，但1940年以后迅速增长；1950年以后，每5年就增长约一倍，到21世纪初，估计人口已超过500万，其中约1/3住在擅自占用区。人口增长的很大部分是由于人口的移入和政府的扩展，但城市边界的展宽也造成了人口的增长。金沙萨市的人口属于青年型，一多半人的年龄不足22岁，50岁以上的人口只约占3%。

独立之后，随着殖民地束缚的松弛，农业地区居民的移入大为增强。政治纷争和农业地区经济衰退、缺乏生活福利设施和机遇，同时还有城市的吸引等，都是造成这次农村人口大批脱离故土的原因。该城早期接受的移民来自西非和临近的中非各国；然而，自独立以来，大多数新居民来自国内，特别是西面的班敦杜以及东面和南面的下刚果的各个邻近地区。

经济 *工业和商业* 金沙萨是刚果民主共和国最重要的消费中心及其工商业活动的核心。该城是大型公有企业的总部以及私有实业公司和商业公司的总部所在地。它左右着该国的金融活动和商业活动，并且是几家大银行总行所在地。该市的主要工业有食品加工业以及生产啤酒、纺织品、鞋类、木器、纸张、包装箱、砖瓦、金属制品、烟草和化学品的行业。建筑及各种服务行业也是该市经济的组成部分。1997年扎伊尔政权垮台以后，国内政治动荡，导致该城经济活动逐渐衰退。

该市人口的迅速膨胀已造成严重的食物供应问题；存在着食品短缺的经常威胁，同时也是一个隐含的政治问题。90年代末的经济困境使得短缺情况更加严重。除繁忙的中心市场外，还有木制售货摊排列成行的郊区市场，和沿街叫卖、向过往行人兜售小商品的小商小贩。首都消费的食品至少有一半是由下刚果地区供应的，其余则来自国内各个更遥远的地区，或靠进口。对于承受得起的人，南非一直是用飞机运进肉类、水果和蔬菜的重要来源。然而，对于穷人，金沙萨有些像个过于庞大的村庄，村民们要到相当遥远的地方去搜索烧柴，在能找到优良土壤的地方种植菜园。这种庞大城市居民的需求已经在周围农村地区引起广泛的水土流失，土壤因过度种植而肥力耗尽，为烧木炭砍伐的树木又没有复植。

运输 金沙萨的运输系统在许多方面都不够充分。经济困难和外汇短缺已造成严重恶化，而且一直存在着缺乏备件和替换车辆的经常危机。金沙萨的道路是够多的，但该市人口稠密且迅速增长，造成大量拥塞。有一条沥青路面的公路把该市同马塔迪连接起来——后者是该国在刚果河口航运起点的主要港口；另有一条把该市同东面的基奎特连接起来。从马塔迪来的铁路线，绕过金沙萨以西的刚果河急流，把该国的大部分进口货物运来，其中有些随后就逆流向上游转运。刚果河可通航至上游1 600千米的基桑加尼，其支流有庞大的可通航段网络，各段由铁路连接，承担了内陆出口货的几乎全部运输量，货物顺刚果河而下，通过金沙萨港，用车运往马塔迪。东南方的恩吉利国际机场是非洲最大航空站之一。繁忙的渡船穿过马莱博湖将该市同刚果共和国首都布拉柴维尔相连。金沙萨市内的公共交通工具包括十分拥挤的公共汽车、小公共汽车、计程车及富拉富拉车(改装载客的运货卡车)。

金沙萨市一角
中国大百科全书出版社供图

行政与社会状况 *政府和服务业* 尽管政府宣布的政策是地方分权制，但首都仍然是作出一切重要行政决策之地；因此，首都是国家政治生活的中心。首都是国家政府所在地，有总统办公厅以及执行委员会和立法委员会。自1982年起，城市行政由总统任命的一位市长和两位副市长组成。他们领导由24个区长组成的市政务会，区长也由总统从各区当选的政务会委员当中任命。尽管有普遍的紧张感，但政治动乱一向很少。

行政部门无力向全市充分提供自来水、电、卫生设施等服务。城市规划机构和建设控制机构难以应付城市的迅速增长，市区的很大部分因此缺乏城市基础设施。有些地方苦于住房地基和道路被冲毁，露天排水沟堵塞，垃圾堆积如山。扎伊尔政权垮台后，暴力犯罪率开始增加。

保健和教育 由于人口膨胀，医疗设施也像其他城市公用事业一样无力应付。公共卫生系统的医院、诊所、配药房，数量不足，分布不匀，再加上交通困难，这就限制了他们能为公众提供的卫生保健。初等和中等教育体系也同样无力应付，缺乏足够的设备和师资，不能适应人口的增长。高等教育机构有金沙萨大学，是该国3所大学中最大的；一所师资培训学院；一所国立政法学校；一所电信学校；还有一所美术学院以及社会研究、政党思想教育、医疗培训、商业方面的一些学校。金沙萨的天主教神学院是国际上出名的。

文化生活 金沙萨是该国民间文化的强大中心，民间文化使用的语言是一种城市混合班图语——林加拉语。刚果(金)的民间音乐全非洲闻名，该国建立良好的歌舞乐队常到欧洲和南北美洲出国访问。民间音乐的名人高手受到广泛的注意，他们最新的流行歌曲使他们的名字成为妇女衣料的新潮样式的名称是常见现象，这是激烈社会竞争的一种媒体。道旁出售的绘画也同民间歌曲一样表现当代社会题材。全体居民都可读到几种日报(受到严密审查)和几种期刊。电视是面向人民的政府重要传播媒体，播放新闻、总统讲话、一种叫做“生机勃勃”的宣传娱乐形式的节目及民间乐队演奏，有时也播放旧的欧洲电影。无线电和电视用法语(官方语言)和几种地方语言播放。

现代金沙萨在小说、戏剧、诗歌方面靠当地作家创作了大量繁荣的文学作品。美术学院的美术家创作的绘画和雕塑在该院展览、出售。全国博物馆学会的收集品具有考古学、人种学、音乐学以及美学方面的巨大意义，而对于研究传统非洲艺术的学者更具有无比的重要性。虽然有价值的传统艺术品在市内也许不再能够买到，但郊区的车间能制造代表非洲各个地区的面具和雕塑的仿制品，还能制造象牙和孔雀石的雕刻作品。该市以有几家优越的菜馆而驰名，并设有许多夜总会和电影院。

历史

金沙萨得以发展的这片土地，像马莱博湖的所有岸边那样，古时已有人居住。现在的这座城市由两个村庄演变而成，一个叫恩夏沙，一个叫恩塔漠(后称金塔漠)。这两个村庄主要是巴泽布人，并经常有巴泰凯的渔民和商人往来。斯坦利于1877年来访时，与金塔漠的统治者，一位富有的象牙商，订立了一项同盟；而且，尽管法国人竭力在阻止他，但当他于1881年返回时，仍获得了一个设立贸易站的地盘。他以其资助者比利时国王利奥波德二世之名将这个贸易站命名为利奥波德维尔。虽然他利用机件重新装配汽轮，转到陆上运输，绕过下游的急流险滩，并将河运向北开拓远达斯坦利维尔(1966年起改称基桑加尼)获得成功，但在通往下游的马塔迪的铁路线于1898年完成之前，利奥波德维尔始终并不重要。一条将原油自马塔迪输到利奥波德维尔的上行汽轮上的输油管，于1914年完成，1920年在利奥波德维尔和斯坦利维尔之间开辟了航运业务。结果，原比属刚果的行政总部于1923年从博马迁到那里。

当各种工业建立起来时，各住宅区便在其周围发展起来。20世纪30年代，金沙萨、巴伦布、林瓜拉等居民区在港口附近发展起来。1950年以后，东南区建起了勒姆巴、马特特，以及恩吉利的几个部分，以容纳利梅特新工业区的工人，但位置更接近中心的几个公社(现称居民区)，如丹戴尔(现名卡萨武布)、班达伦瓜和恩吉里·恩吉里等，则成了该市的社会和政治中心。利奥波德维尔于1960年成为新共和国首都，于1966年改名金沙萨。该市在独立时期获得了繁荣，人口迅速增加。20世纪90年代中期，成为反扎伊尔反叛势力的中心。1997年，该政权垮台，但新建的政权仍受到造反者的困扰。再加上大量人口的涌入，该城市陷入了严重的经济困难之中。

kinship 亲属关系 一种文化中人们之间所存在的关系。这种关系可认为是生物学上的联系,或是由婚姻、收养或其他仪式而产生的一种身份,但都必须为社会所公认。

亲属关系范围很广,可以生而有之,可以后天形成,在人们所处的社会中具有约束力。尽管何种约束更为重要依习俗不同而不同,但它规范所有个人及社会所期望于他们的那种角色,这点则是共通的。

所有文化都承认核心家庭单元的重要性:那是获得合法性关系的男女双方(婚配夫妻)及他们的未婚子女共同组成的一种单元。新家庭之组成或旧家庭之扩大,要以新婚夫妇是另设新户或随新娘或新郎一方的近亲共同生活来定。按照不同家系的安排便产生了不同的家庭类别。所谓"元家"是指一个家庭中只留一名子女婚后仍在父母家中,照顾老人,耕作田地。这种模式在日本尤其普遍,那里土地狭小,无法在众多子女中进行分配。大家庭的构成是已婚子女仍与父母同住一处或将他人收养入户而成亲眷。已婚夫妇也可收养子女,履行他们的养父母的社会职责。

一切人都属于一个本原的家庭,由父母兄弟姊妹组成。大多数人属于一个生育或繁衍的家庭,由夫妻及其子女组成。虽然核心家庭单元无疑是最古老的社会组织形式,但一个富有生活情趣的家庭也可以是由任何一群亲戚和夫妇们一起组成的,他们共同就餐,往往同住一幢房舍。

家族关系可根据家谱来追溯,家谱有口传和书面两类,记载个人名字及彼此关系和辈分。谱系学依据一定社会内侧重一个家族的某一支系而有数种表现方式。父系传宗者根据家庭中男方来确定一个人的出身,母系传宗者按照家庭中女方来确定其子女的出身。表示血统关系的术语——父系和母系——源于同样的概念,即以父亲或母亲作为最早的祖先。在同一性质的社会中,人们承认对父、母双方都负有同等责任。所有通过亲子传承过程而与某一个人相联系的模式称作直系祖先(例如,祖父母及曾祖父母)。那些不由直接血统而联系起来的模式(例如,父母的兄弟姊妹或他们的子女)称作亲缘亲属。堂表兄弟姊妹、姑或姨、伯叔或舅、侄女或外甥女以及侄子或外甥,都属于这一范畴。

联系所有这些关系的一种共同纽带,就以"亲属"这个通名出现,它是得到社会承认的,也要在某种程度上受到社会的检查、控制和预期,特别对性关系是如此。有些婚姻是父母之命,另一些是自由恋爱而结合的。一夫一妻制在绝大多数地区流行;一夫多妻制在某些地区可以找到;一妻多夫制则属罕见。所有文化持有的一项普遍禁忌就是乱伦:即禁止一个男子与其母亲、姊妹、女儿或其他特定的亲属发生性关系。因此,尽管大多数文化认为近亲之间可以求婚,但男女必须在近亲家庭之外去找配偶。所以说,婚姻不但把两个人联系在一起,也把两个家庭联系在一起,使之成为完善的中介手段,以利于政治联盟和保证继承和继位的顺利实现。

继承是指有形财产的转让:金钱、土地、家产等均属于此类。继位指权力和地位的递嬗,有时只能依法传给亲属。在许多社会中,最常见的问题之一是裙带关系,这一问题的频繁出现,只能助长亲属关系所发挥的强大作用。

kinship terminology 亲属关系术语学 人类学中表述人们彼此在亲属范畴内的关系的名称系统。这种命名的可能性似乎是无限的,但是人类学家所确认的,只是世界所有社会中的少数基本名称系统或其变体。有6种系统都将自我(以假设的一个人作为计算家谱的起点)作为划分同代亲属的标准。还有4种术语系统是以自我的双亲一代为中心的。从历史上看,亲属关系术语学的系统研究,始于美国民族学家L.H.摩根。其开创性著作《人类家庭的血亲系统和姻亲关系》出版于1871年。摩根论述中的一个重要因素是将分类的亲属系统同描述的亲属系统区别开来。在分类的亲属系统中,一些旁系亲属也和嫡系亲属划在同一组术语里。嫡系亲属由自我的直系血统的亲属组成,旁系亲属则包括自我的非直系血统的亲属。在易洛魁人当中,对父亲和母亲的兄弟使用同一称谓。在许多社会中,随着单系血统(母系血统或父系血统)的存在,自我常用同一套术语指称自己的兄弟姊妹及平行从表,而用另一套术语去称谓交错从表。所谓平行从表就是那些家系关系要通过一名同性别的双亲一方去追索的,亦即通过父亲的兄弟或母亲的姊妹去追溯的那些从表兄弟姊妹们;所谓交错从表就是父亲的姊妹或母亲的兄弟的子女一代。这样称谓关系所强调的是,交错从表实际上与自我、自我的兄弟姊妹以及自我的平行从表都不是直系亲属。描述的亲属关系术语与分类的术语不同,在直系亲属与旁系亲属的称谓之间有所区分。这套术语系统因为最早证之于爱斯基摩人中,有时也被称作爱斯基摩系统。标准的欧洲人和美洲人的亲属关系系统,就是这种爱斯基摩型的一个变体。只要核心家庭在经济上和社会上作为相对自主的单元出现的地方,描述的亲属关系系统就是普遍存在的。在民族学的文献中,很少提到这种系统。各种亲属关系系统都包含重要的社会信息,尽管在人类学研究领域内,对于一般的理论模式以及某些特别分析,意见尚不一致。有关术语的实际意义以及术语的确切翻译问题,已经证明是难以把握的,例如,在某些系统中,把自我的父辈所有男子均称为"父亲",但此"父亲"们绝不应看作是核心家庭意义上的父亲。人类学家为避免误解,已使用一种精确的叙述语言,如父亲与其兄弟在术语中属于同一范畴时,就以"上辈的男性父系亲属"来说明父之兄弟的身份或辈分。自摩根开创亲属关系术语学的研究工作以后,数十年来在人类学的研究中,人们一直期望利用亲属术语来建立一种比较分析的研究体系。后来,在A.克罗伯影响下,亲属关系术语学被看作是了解合理的社会组织原则的钥匙。最近,根据克罗伯研究成果,在形式上把亲属关系分析为各个组成部分,这已成为人类学研究中的一个中心课题。

Kinston 金斯顿 美国北卡罗来纳中东部城市,勒诺县县城。位于纽斯河航道的起点。1740年始有人定居,1762年设市。南方联盟装甲炮舰"纽斯"号在此建造,1865年被其船员沉掉。其船体已于1963年捞起,现陈列在河岸上,列为州属名胜古迹。该市是烟草市场及农产品水运站,并有多种制造业。设有勒诺社区学院(1958)。人口23 688(2000)。

Kinta Valley 坚打谷地 在西马来西亚霹雳州东南部。是世界上产量最大和最易开采的产锡地区之一。坚打谷地位于凯莱当山脉和中央山脉之间。坚打河及其支流带来大量矿砂,积于地表。19世纪80年代锡矿便已开采。老矿多为露天矿,大部为华人经营。务边、巴都牙也、金宝和**怡保(Ipoh)**等城市因锡矿开采而兴起。砂砾层下和东面丘陵发现有石灰石。南面坚打河和霹雳河汇流处有大片沼泽。

Kinugasa Teinosuke 衣笠贞之助(1896-01-01,日本三重县龟山～1982-02-26,京都) 日本电影导演,他第一个在影片中从人物自身的角度叙述自己的故事,从而在电影中创造了一种主观的世界。他在运用倒叙手法和创造视觉气氛方面也是一个先行者。1922年导演第一部影片。5年以后的《疯狂的一页》(1926)卖座极佳,因为导演对观察角度的限定,使观众通过主人公的眼睛看到疯人院的情景。《十字路》(1928)是日本最闻名的无声片。他打破按时间顺序的结构而运用倒叙手法模拟主人公的意识状态;这部影片的另一突出特点是运用灰暗单调的背景造成阴郁的感觉,以及使用实验性摄影技术,即一次把注意力集中到一个重要的细部,例如一只手上。他最著名的影片包括《忠臣谱》(1932)和《两个灯笼》(1933),都是传统的古装片。他运用这类样式拍成的最早的有声片因出色的剪辑和音响效果而备受推崇。较晚的《地狱门》(1953)是国际上最著名的日本影片之一,代表他的古装片在细致地再现历史时代方面的高超技巧。他于1955年获奥斯卡最佳外语片奖。

Kinzie, Juliette Augusta Magill 金齐(1806-09-11,美国康涅狄格米德尔顿～1870-09-15,纽约阿马干塞特) 婚前名 Juliette Augusta Magill。美国拓荒者和作家,她对印第安人以及早期芝加哥和中西部移居者的叙述至今仍为人们所怀念。1830年与J. H. 金齐结婚。婚后住在温尼巴戈堡。1834年迁居芝加哥。很快便成了当地的社会和文化领袖。1844年匿名出版了《芝加哥大屠杀的记叙》,这是根据金齐家族的记录和回忆录编写的1812年迪尔伯恩堡大屠杀的记叙。她对该事件的叙述很快便成了标准版本。该文后收录进她的主要著作《瓦乌-包:在美国西北部的"早期岁月"》(1856)。该书将她的旅游见闻、在温尼巴戈堡的早年个人经历,包括1832年黑鹰战争与印第安人的传说,以及芝加哥更早期的历史结合了起来。该书对这一时期的描述不完全可靠,但是很有价值。在当时大获成功,不断重印出版。1869年出版长篇小说《华尔特·奥格尔比》。另一部长篇小说《马克·洛根——追求享受的人》在她去世后的1887年出版。

Kioga, Lake(East Africa) 参阅 **Kyoga Lake 基奥加湖**。

Kionga（Mozambique）. 参阅 **Quionga** 基翁加。

kiosk 凉亭 又称小亭。原为伊斯兰教建筑中的开敞圆亭，由一个顶盖和几根柱子组成。此词已应用于建筑的许多方面。土耳其苏丹的夏宫称为凉亭。一种早期波斯清真寺，中部盖有圆顶，称作"亭子清真寺"。在美国公园中常建有凉亭，它可以用作音乐台；在私人花园中，则用作眺台或凉棚。小亭也指地下铁道的入口、公用电话亭、报刊亭、布告亭、公共盥洗室，以及欧洲城市中用以张贴广告的独立而坚固的圆柱形结构。

Kiowa 基奥瓦人 北美印第安民族，操基奥瓦-塔诺安语系语言，居住在大平原南部，是最后向美国投降的平原部落之一。18 世纪的传闻似乎是说，他们生活的地方是在俄克拉西南部的西北面，自 1868 年起他们就与科曼切人（Comanche）共同生活在这块位于沃希托河和雷德河之间，以阿纳达科为中心的居留地上。基奥瓦人分为 7 个宗族（其中夸托人已灭绝），包括基奥瓦-阿帕切人在内。后者是一个小型的南部阿塔巴斯坎宗族，操阿帕切语。基奥瓦人是典型的大平原游牧部落。自西班牙人那里获得马匹之后，改用骑马猎捕水牛，没有耕作，居住在大型三柱兽皮圆锥帐篷里。组成若干武士会，其成员根据战功序级，战功不仅要杀敌，还要在战斗中与敌人肉搏。基奥瓦人相信梦幻能赋予他们一种神奇力量，可用之于战争、狩猎及医疗等方面。他们有 10 个据信可以保卫本部落的药袋，药袋成为太阳舞的中心。他们与科曼切人共同传播佩奥特教，该教使用一种仙人掌植物作为致幻剂。基奥瓦人亦以其图画文字记事著称，每年二次，记录部落大事，这些"历书历史"始于 1832 年，迄于 1939 年，以冬、夏为期，由该部落的一名艺术家，将图画文字绘于兽皮之上。根据 1990 年人口普查，9 400 基奥瓦人中有一大半生活在俄克拉何马州。

1894 年赴华盛顿的基奥瓦人代表阿皮亚坦
美国史密森学会供图

Kiparissía, Gulf of 基帕里夏湾 希腊伯罗奔尼撒半岛西侧的伊奥尼亚海海湾，宽约 55 千米。阿尔菲奥斯河口两侧沿岸有一系列环礁湖。其南面的奈扎河口将该湾分为不等的两部分，北为伊利亚州，南为麦西尼亚州。港口帕拉利亚附近的近海城镇基帕里夏为一农业中心，通过支线与连接卡拉迈和帕特雷的沿海铁路相通。

Kipchak 钦察人 一个松散的突厥部落联盟，11 世纪中叶之前占有欧亚大平原上大片广阔且地势起伏的地区，起自咸海以北，西向拓展，迄于黑海以北。联盟的某些部落大概源于中国边境地区，9 世纪迁至西伯利亚西部，再往西入外伏尔加地区（今哈萨克斯坦西部），11 世纪到达黑海以北的高原地带（在今乌克兰及俄罗斯西南部）。部落联盟的西部集团称为波洛夫切人（Polovtsy）或库曼人（Kuman），或其他名字。钦察人为游牧民族，住蒙古包，一直主宰黑海以北的大平原。1273 年蒙古人入侵其地，杀其东部可汗巴赫曼，联盟解体，土地及人民均并入金帐汗国。西部钦察人即库曼人逃往匈牙利，有些武士成为十字军或拜占廷帝国的雇佣兵。另一部分沦为伊斯兰世界的奴隶，称为马木路克，是阿尤布王朝军队骨干，在埃及与叙利亚历史上有过重大作用，曾建马木路克国家，延至 19 世纪。钦察人操突厥语，重要文献是 13 世纪后期的一本钦察语-拉丁语-波斯语对照的字典，题名《库曼字书》。在埃及，曾编纂有钦察语-阿拉伯语对照的字典和语法；它们是研究数种古突厥语的重要参考资料。

Kipling, Rudyard 吉卜林（1865-12-30，印度孟买～1936-01-18，英格兰伦敦） 英国小说家、诗人。他以颂扬英帝国主义，创作描述驻扎在印度的英国士兵的故事和诗，撰写儿童故事而闻名。在 19 ～ 20 世纪之交，吉卜林名噪一时。1907 年获诺贝尔文学奖。由于被普遍视为帝国主义侵略分子，在第一次世界大战后，他作为严肃作家的名声衰落。后来又享有较高的声誉。父亲是插图画家、学者、拉合尔博物馆馆长，对吉卜林后来的写作影响很大。《吉姆》的第一章对他父亲有所描述。吉卜林 6 岁时被送回英国，在绍斯西一家儿童寄养所住了 5 年，后来他把那里的可怕情景写进了《黑羊咩咩》（1888）。接着他又进了北德文韦斯特沃德霍一所低劣的寄宿学校，那里的情况后来被写进《斯托基公司》（1899）。1882 年重返印度，当了 7 年记者，他敏锐地观察印度的风土人情，把见闻写成小品文和轻快诗，登在他为之工作的报纸上。1886 年出版诗集《专栏小曲》、1888 年出版短篇小说集《山中的平凡故事》。1887 ～ 1889 年共出版 6 部平装本短篇小说集，其中有《士兵三人》、《幽灵人力车》（包含故事《将成为国王的人》）和《威·威利·温凯》（包含故事《黑羊咩咩》）。1889 年返回英国，不到一年就被誉为当时最杰出的散文作家之一。1892 年《军营歌谣》的发表，使他声誉倍增。自英国诗人拜伦以来尚无人如此迅速获得这样的声望。同年，结婚后迁居美国，后因不能或不愿适应美国的生活而重返英国。在美期间发表了《消失的光芒》（1890）、《勇敢的船长们》（1897）、《吉姆》（1901）、《丛林故事》（1894）和《丛林故事续篇》（1895）等。1902 年定居苏塞克斯伯沃什。苏塞克斯为他后期的《普克山的帕克》（1906）和《报酬与仙女们》（1910）等作品提供了背景。后来他在南非度过很长时间，和钻石大王、南非政治家 C.罗得斯交往，加强了他关于白人有使异教黑人开化的使命等帝国主义的信念。由于这些想法不合潮流，晚年日益孤立。尽管像 T.S.艾略特这样杰出的文学评论家曾想恢复吉卜林在英国诗坛的声誉，但吉卜林作为诗人的地位不很高。他为儿童写有许多成功的作品。在其各种作品中，更值得注意的是他早年所写游记《从大海到大海》（2 卷，1899）和死后出版的未完成自传体散文《关于我本人的某些事》（1941）。

美国不列颠百科全书公司供图

Kipping, Frederic Stanley 基平（1863-08-16，英国曼彻斯特～1949-05-01，威尔士卡那封郡克里基厄斯） 英国化学家。硅有机衍生物硅酮化学的先驱。1890 年成为伦敦城市同业公会协会的首席化学示教讲师，7 年后任诺丁汉大学学院的化学教授。1900 年后他从对旋光性化合物的研究扩展到对有机硅化合物的研究。一生成果载于 51 篇论文辑中。各种硅酮的耐水性和高温稳定性均佳，已广泛用作合成橡胶、防水剂、液压液和润滑剂。

Kipsikis 基普西基人 又误称为伦布瓦人（Lumbwa），操尼罗语系南方语族（卡兰津语族）语言的最大一个部落，居住在肯尼亚西南角凯里乔城周围的高地。和操南迪语的其他部落一样，发祥于鲁道尔夫湖（图尔卡纳湖）以北的高地，至少1 000年前南迁而来。20 世纪初，英国殖民者夺走了基普西基人的大片土地，后者留在当地，充当雇佣劳动力。有些人到肯尼亚其他地区白人的种植园谋生。殖民后期，基普西基人从共同耕作转向私人占用土地，培植作为经济作物的茶叶、除虫菊、玉米和咖啡，出售牛奶和其他畜产品。基普西基人没有村落。家宅坐落在田地中间，邻近的家园组成了小村子，叫"卡库埃特"，既是政治单位又是经济单位，它起协调农事的作用，当然，各家也有自己的小块土地。长老议事会是领导机构，其成员各有专责。英国殖民者迫使无首领的、无国家传统的基普西基人接受从他们自己人当中挑选出的首长，并引进了司法制度。男子和女子一生中先后属于不同的年龄组,每个年龄组都有相应的性的特权和各种责任。氏族及其支系按父系划分。军队一度存在,跨越了其他的社会集团。"阿莱普"从前是用来称呼战士,现在则指人进入成年期。

kipuka 熔岩原孤丘 面积从几平方米到几平方千米的孤丘。这里原来的火山岩或非火山岩完全被后来的熔岩流所环绕,但并未被覆盖。这种类型的地貌特征,常见于夏威夷群岛,"kipuka"这一术语就由当地语言而来,意思是"开放的"。突出于周围熔岩原之上的熔岩原孤丘被归类为*岩流竖趾丘*(**step-toe**);它是由于地形突起周围的熔岩流分支而产生的。它很容易同邻近的熔岩流加以区别,因为在它上面有植物生长。比周围熔岩原低的熔岩原孤丘是由于熔岩流不规则或两个不同来源的熔岩流汇合的结果而形成的。熔岩原孤丘很容易提供关于被埋在熔岩流之下的较老岩石的可理解的信息。

Kiraly, Karch 基拉伊(1960-11-03,美国密歇根杰克逊~) Charles Kiraly 的别名。美国排球运动员,是首位获得3枚奥运会金牌的排球运动员,被认为是最伟大的运动员之一,在室内排球和沙滩排球上都表现出色。父亲曾是匈牙利国家排球队队员,11岁就和父亲一起参加沙滩排球比赛。弹跳力达104厘米,在加州大学洛杉矶分校(1983年获理学士)学习时4次被评为全国最佳运动员,带领校队3次夺得全国冠军。作为美国国家队主攻手,帮助获得1984年和1988年奥运会排球金牌,并被选为最有价值球员。还赢得1982和1986年世界杯,以及1987年泛美运动会冠军。1986和1988年被国际排球联合会选为世界最佳运动员。1989年加盟意大利梅萨杰罗队,该队1991年获世界锦标赛冠军,他被评为最有价值运动员。后从事赚钱的沙滩排球,6次获得最有价值球员称号。1996年获奥运会沙滩排球金牌。到2003年共在140多个赛事中获胜。

Kirby, Rollin 柯尔比(1875-09-04,美国伊利诺伊加尔瓦~1952-05-08,纽约州纽约)美国政治漫画家,曾为漫画的日益简练、寓意日益深刻起了推动作用。年轻时在纽约市和巴黎学画,后来为杂志作插图,继而转向漫画。在《纽约世界报》工作18年(1913~1931),声名大著,3次获得普利策漫画奖(1921,1924,1928)。1931年该报与《世界电讯报》合并,他仍留任。1939年到《纽约邮报》,一直工作到1942年。后来就为《展望》和《纽约时报星期杂志》作画。他抨击华尔街、纽约的政治把头、帝国主义、法西斯主义和三K党,宣传公民权利、妇女参政权和新政。他认为,漫画创作的立意远比画法重要。还为报刊写诗、短剧、论文、社论和书评。

Kirby, William 柯尔比(1817-10-13,英国约克郡赫尔河畔金斯顿~1906-06-23,加拿大安大略尼亚加拉) 加拿大作家,他的历史小说《金狗》(1877)是加拿大古典文学名著。1832年移居美国,1839年到加拿大,定居尼亚加拉,任《尼亚加拉邮报》编辑(1850~1871),1871~1895年为税吏。他是强烈的亲英人士,赞成加拿大留在英帝国内,在19世纪40年代写了一些具有强烈亲英情绪的作品。他的内容翔实的历史著作《尼亚加拉编年史》(1896)和叙事诗《上加拿大的故事:诗十二篇》(1859)论述地方史。杰作《金狗:魁北克的传说》中有很好的性格刻画和对乡村与城市的细腻描述。在叙述路易十五时代英国在魁北克逐渐得势的经过时,他把法裔加拿大人传说中的史料融化在巧妙的情节之中。

Kirby-Smith, E. 柯尔比-史密斯(1824-05-16,美国佛罗里达圣奥古斯丁~1893-03-28,田纳西塞沃尼) 美国南北战争时期(1861~1865)南部邦联军将领。在密西西比河以西地区与南部其余部分隔绝后,他为南部邦联控制这一地区达两年之久。1845年毕业于西点军校,曾参加墨西哥战争(1846~1848)和对印第安人的作战。1860年成为少校。美国南北战争爆发后,他于1861年6月成为南部邦联军准将。同年7月,他在第一次布尔溪战役中任旅长,身负重伤。1862年在肯塔基战役中指挥先头部队,于里士满击败联邦军。同年10月晋升中将,次年2月任外密西西比军区司令。1863年7月维克斯堡陷落后,其辖区与东部地区隔绝,他身兼军事指挥官和行政领导,并使他控制的地区自给自足。1864年4月击败联邦军雷德河远征部队。1865年6月2日在得克萨斯州加尔维斯顿率南部邦联最后一支军队向联邦军投降。内战后任军事学院院长。1870~1875年任纳什维尔大学校长。后在南方大学教数学。

Kircher, Athanasius 基歇尔(1601-05-02,[图林根,今德国]富尔达修道院院长辖区盖萨~1680-11-27,罗马) 博学多才的耶稣会教士、学者,有时被称为最后一位文艺复兴人物,他的大量活动在传播知识方面占有重要位置。曾在富尔达的耶稣会学校学希腊文与希伯来文,在科隆等地学自然科学和人文科学,1628年在美因茨接受圣职。1631年为避开日益激烈的派系斗争和宫廷争斗而逃离德国,其后在阿维尼翁担任过不同的学术职位,1634年在罗马定居。他起着一种科学文化情报的个人交换中心的作用,搜集的资料不仅有欧洲的,也有分布极广的耶稣会教士网的资料。他的研究所涉及的学科包括地理、天文、数学、语言、医学和音乐;对任一学科,都引起了一种严格的科学好奇心,这种好奇心束缚于自然定律和自然力的神秘观念之中。他的方法从传统的学院式研究,直到大胆地进行实验。虽然人们有时候错误地把若干发现和发明(例如魔灯)归于基歇尔,他并没有作出任何至今认为重要的建树。更确切地说,是他的广泛的报道活动,才保住他在知识史上的地位。他大约写了44卷书,有2 000多篇手稿、信件保存下来。另外,他还收集了一批最早的自然史方面的收藏品。

Kirchhoff, Gustav Robert 基尔霍夫(1824-03-12,普鲁士柯尼希斯贝格~1887-10-17,柏林) 德国物理学家,与化学家R.本生一起,确立了光谱分析(一种通过分析受热物体所发的光进行化学分析的技术)理论。他曾用此法测定太阳的成分。1845年最早发表了基尔霍夫定律,可以用来计算电网络的电流、电压和电阻。扩展了德国物理学家G.S.欧姆的理论,概括出三维空间中电导体电流的方程式。在进一步研究中证实:电流信号在导体中是以光速传播的。1847年,任柏林大学名誉讲师,3年后接受了布雷斯劳大学特任物理学教授的职务。1854年任海德堡大学物理学教授,在该校与本生合作,创立了光谱分析。他们证实,每种元素在热至白炽时都发出标识性色光。这种光用棱镜分开,就有每种元素各自不同的由离散波长组成的图样。他们利用这种新的研究工具发现两种新元素铯(1860)和铷(1861)。他进一步把光谱分析用于研究太阳的成分,发现光通过气体时,气体会吸收它受热时发射的那些波长。他用这个原理解释了太阳光谱中大量的暗线(夫琅和费谱线)。这个发现标志着天文学新时代的开端。1875年,任柏林大学数学物理学讲座教授。最著名的著作有《数学物理学讲演集》(4卷,1876~1894)等。

Kirchhoff's circuit rules 基尔霍夫电路定则 关于多环路电路的两个定则,概括了电荷守恒定律和能量守恒定律,并用来确定电路的每一支路中的电流值。第一个定则是结点定理:流入电路中某一结点的电流的总和,等于从该结点流出的电流的总和。电荷是守恒的,电荷不会突然出现和消失,也不会在一结点堆集而在另一结点缺少电荷。第二个定则是环路方程:沿电路中的每一环路,电动势(包括电池和发电机)的总和等于电势降的总和,即该回路中每一电阻上电压的总和。电源传送给荷电载流子的能量,正好等于荷电载流子在做有用功中所消耗的能量和回路中所产生的热散逸。根据基尔霍夫这两个电路定则,可以写出多个电流方程,用代数方法求出各支路的电流值。基尔霍夫电路定则也可用于复数的交流电路,如加以变形,还可应用于复数的磁路。

Kirchmann, Jacob 参阅 **Kirkman, Jacob** *柯克曼*。

Kirchner, Ernst Ludwig 基尔希纳(1880-05-06,巴伐利亚阿沙芬堡~1938-06-15,瑞士达沃斯附近) 德国油画家、版画家,属于表现派,是*桥社*(**Brücke, Die**)组织人和领导人之一。深受德国后期哥特派美术家和丢勒的影响。接触了新艺术运动和挪威印象派画家E.蒙克的艺术作品后,其作画方式更加简练,作品色彩更加鲜明。1905年和E.赫克尔、K.施米特-罗特卢夫等一起创立桥社。他认为美术是将内心冲突转化成视觉形象最直接、最有力的手段。他将凡·高和蒙克激情化的作品作为艺术标准。从其作品《日本伞下的女郎》(1906,德国杜塞尔多夫市北莱茵-威斯特法伦艺术收藏馆藏)和《美术家和他的模特儿》(1907,汉堡美术馆藏)中,可以看出他是如何运用色彩来达到视觉效果的。其大部分作品是表现人的作恶心理和色情的，如《柏林街头》（1907，纽约市现代艺术博物馆藏）等。在第二幅《柏林街头》（1913，纽约市现代艺术博物馆藏）里，他加强了对令人生厌的柏林社会的讽刺。在石版画《男人头和裸体》（1908）里，他突出表现性的狂想。1911年，桥社成员迁到柏林，他为第一次世界大战前德国先锋派刊物《暴风雨》创作过不少木刻。为沙米索的小说《彼得·施莱米

基尔希纳绘《柏林街头》（1913）
美国不列颠百科全书公司供图

尔的奇妙故事》（1915）和表现派诗人G.海姆的诗《闲适生活》（1924）作的插图，被公认为20世纪最佳的木刻作品。后因精神和身体的崩溃迁居瑞士。在纳粹当局宣布其作品为“颓废”后，自杀身死。

Kirchner, Néstor（Carlos）　基什内尔（1950-02-25，阿根廷圣克鲁斯里奥加耶戈斯～2010-10-27，埃尔卡拉法特）阿根廷律师、政治人物、总统（2003年起）。曾在国立拉普拉塔大学攻读法律，为庇隆主义青年组织成

美国不列颠百科全书公司供图

员。1975年与同学C.费尔南德斯结婚。1976年毕业后二人回圣克鲁斯，从事律师行业。在军事独裁统治下曾因政治信仰短期入狱。1987年当选里奥加耶戈斯市市长。1991年当选圣克鲁斯省省长，连任三届。其妻费尔南德斯也是圣克鲁斯省很有影响的政治人物，2001年当选国会参议员。2003年基什内尔参加总统竞选，起初并不被重视，但由于巧妙的宣传和庇隆主义政党（又称正义党）关键人物，即将离任总统E.杜阿尔德的力挺，帮助他赢得公众的广泛支持。在第二轮投票前，前总统C.梅内姆退出竞选，基什内尔当选。就职后采取多项措施，受到公众欢迎。迫使最高级军官退休，废除妨碍引渡被控侵犯人权的军官的立法，抨击不得人心的最高法院和私营公共事业公司。2003年9月与国际货币基金组织谈判，达成调整阿根廷所欠29亿美元债务的协议。

Kirchwey, Freda　基尔希维（1893-09-26，美国纽约普莱西德湖～1976-01-03，佛罗里达彼得斯堡）　美国编辑和出版商，以其与自由派杂志《民族》的长期关系而为人们铭记。基尔希维是哥伦比亚大学法学院教授及院长之女。1915年毕业于纽约市巴纳德学院，成为《纽约电讯晨报》记者。1917～1918年为《每周》杂志写稿，1918年加入由O.G.威拉德主持编辑的《民族》，很快升为国际部编辑，1922年任该部总编辑。1933年接替威拉德任主编。1937年她买下该期刊。在她的管理下，《民族》继续成为主张自由政策的主要全国性论坛，发表对文学艺术以及社会有见地的评论和批评。第二次世界大战前的年月里，《民族》强有力地支持“新政”，反对孤立主义和中立政策，并在20世纪50和60年代公开反对以反对共产主义的名义进行歇斯底里的叫嚣和镇压。1947年她将该杂志的所有权转让给民族合伙公司，由她任总裁。1955年她从主编岗位退休，晚年大部分时间致力于世界裁军促进会、男子权利妇女国际联盟和全国有色人种促进协会等组织的工作。

Kireyevsky, Ivan Vasilyevich　季列耶夫斯基（1806-03-10［新历03-22］，俄罗斯多尔宾诺～1856-05-30［06-11］，圣彼得堡）　俄国哲学家、评论家和作家，俄国斯拉夫派知识分子运动的主要思想理论家之一。出身贵族之家，1830年在德国研习玄学，回国后于1832年创办文学杂志《欧洲人》，该杂志发行两期后即被政府查禁。在以后的5年中他皈依正教，丧失了青年时期的大部分西方观点。1845年，他接管《莫斯科人》的编辑工作，出版了3期。19世纪40年代初，他和A.S.霍米雅科夫一起明确表达了斯拉夫派的典型论点，他宣称俄国的生活方式比西方的优越，俄国应该在君主政体、中世纪俄国社会的共有精神和俄国东正教神圣传统的基础上走自己的发展道路。他抨击西方世俗的人文主义导致阶级冲突、社会革命和腐朽的实利主义。

Kirgiz　柯尔克孜族　中国少数民族。主要分布在新疆维吾尔自治区，少数分布在黑龙江省富裕县。人口160 823（2000）。语言属阿尔泰语系突厥语族。有以阿拉伯字母为基础的文字。居南疆者通晓维吾尔语，居北疆者通晓哈萨克语，居黑龙江者通晓汉语、蒙古语。先世分布在叶尼塞河上游，以“坚昆”之名见于《史记》、《汉书》。6世纪中叶称为“黠戛斯”，唐朝在其地设都督府。13世纪译称吉利吉斯，南迁至西部天山地区。清代称为“布鲁特”（准噶尔蒙古语，意为高原人）。主要从事畜牧业，少数兼事农业。部落的下属生产单位由有血缘关系的游牧户组成。历法用12种动物轮回纪年。毡房、马具多用牲

柯尔克孜族姑娘
中国大百科全书出版社供图

畜犄角图案装饰。喜尚红色，绘画和工艺品色彩鲜艳明快。流行以弹拨乐器“考姆兹”进行演奏比赛。有著名长篇英雄史诗“玛纳斯”，长达20多万行。人死行土葬，由男子送葬。信奉伊斯兰教，部分人信奉喇嘛教。节日有“肉孜节”（开斋节）、“古尔邦节”（宰牲节）、“诺鲁孜节”（新年）等。1954年在新疆成立了克孜勒苏柯尔克孜自治州。

Kirgiz language　柯尔克孜语　中国柯尔克孜族语言。属阿尔泰语系突厥语族东匈语支。主要分布在中国新疆维吾尔自治区克孜勒苏柯尔克孜自治州。使用人口约14万。分南北两个方言。此外还分布在吉尔吉斯斯坦境内。柯尔克孜语（文学语言）语音特点：有22个辅音音位，其中包括双唇、舌尖中和舌根浊和清送气塞音各2套和小舌清送气塞音共7个，舌叶塞擦音2个，唇齿、舌尖前、舌叶、舌根、小舌擦音共7个，双唇、舌尖中、舌根鼻音各1个，还有边音、颤音、舌面半元音各1个。有14个元音音位，8个基本元音、6个长元音，重音多落在词的最后一个音节上。元音有和谐的规律。词类有名词、形容词、数词、代词、动词、副词、后置词、连词、助词、叹词、象声词11类。有丰富的形态变化。如名词有数（单数、多数）、谓语性人称、领属人称、格（主格、领格、与格、宾格、位格、从格）；形容词有级（原级、比较级、最高级）；动词有式（陈述式、祈使式、条件式、愿望式）、人称、数、态（基本态、交互态、反身态、被动态、使动态）；句子主语在谓语前；宾语在动词谓语前；定语在中心词前；状语在动词谓语前。

Kirgiziya　参阅**Kyrgyzstan 吉尔吉斯斯坦**。

Kiriath-sepher　基列西弗　又称代比尔。即今泰勒贝特米夏姆。巴勒斯坦古城，在希伯伦（位于以色列占领的西岸）附近。据《圣经》说，此镇是由迦勒的女婿俄陀聂或约书亚本人从迦南人手里夺取的。考古发掘表明：这个公元前14～前13世纪的迦南城镇在公元前13世纪末遭以色列人破坏，约公元前588

年遭巴比伦人的破坏,成为废墟。

Kiribati 基里巴斯 全称基里巴斯共和国,英联邦内独立的共和国。由太平洋中部3个岛群组成。这些岛群自西至东分别为吉尔伯特、菲尼克斯和莱恩群岛(北莱恩3岛属于美国)。吉尔伯特群岛的离岛巴纳巴岛(原称大洋岛)亦属基里巴斯。首都为塔拉瓦环礁上的拜里基,位于吉尔伯特群岛北部。面积811平方千米。人口约75 000(1992)。

土地 除巴纳巴岛之外,基里巴斯所有岛屿均为低平的环状珊瑚岛,下面是沉没的火山山脉,四周有礁石环绕,海拔均不超过8米。巴纳巴岛是海拔约81米的珊瑚岛,原为磷酸岩覆盖。基里巴斯南北延伸1 600千米,东西长3 200千米,占赤道太平洋海域518万平方千米,包括广阔的渔业资源丰富的区域。

4～10月东北信风盛行,气候宜人,其余月份西风偶然带来大量降雨。雨量分布不均。吉尔伯特群岛年均降雨量北部3 000毫米,南部500毫米。虽然雨量不小,但由于岛上地势过低偶有严重干旱发生。气温一般在27～32 ℃之间,但亦有更高温度的记录。土地盐碱贫瘠,植物种类不多。椰树、露兜树和面包树最为普遍。

人民 菲尼克斯群岛无永久居民,仅有20个环状珊瑚岛有人居住。基里巴斯的当地居民多为密克罗尼西亚人,亦有少数波利尼西亚人及非太平洋岛民。95%以上的人口居住在吉尔伯特群岛,1/3以上住在塔拉瓦,人口密度很大。拜里基已逐步城市化,但多数人仍居住在传统的村落中,以独木舟为当地主要交通工具。人口出生率和死亡率相对较高,全国有2/5的人口不足15岁。

居民大多信奉基督教(其中一半为天主教,2/5为公理会新教),另有少数人信奉巴哈教。通用吉尔伯特语和英语(官方语言),但英语主要在塔拉瓦环礁使用。

经济 基里巴斯实行的是尚在发展中的自由企业制经济,主要以生存农业和渔业为主。虽然国民生产总值的增长高于人口增长,但人均国民生产总值仍低于世界其他国家。人民生活依赖于对海洋的过度开发及贫脊的环礁上有限的资源。主要食物有椰子、芋头、面包果、甘薯和香蕉。露兜树叶则用于盖茅草屋和集会室。亦饲养猪和家禽。居民额外收入来自在瑙鲁共和国的磷酸盐工厂及远洋船只上的工作。国家的收入主要靠出口椰干和鱼、旅游以及向日本等国的捕捞船出售捕鱼许可证。巴纳巴岛的磷酸盐矿为该国积累了大量资金,1979年停止开采,资金利息现作为政府的岁入。从澳大利亚、斐济和日本进口的物品主要有稻米、面粉、烟草、棉布和自行车等制成品。该国依赖外援严重,特别是英国的援助。

环礁之间距离较远,交通不便,主要交通工具为船和飞机,邻近环礁间则有堤道相连。主要港口位于塔拉瓦,基里巴斯亦有国际航线通往世界各地。

政体与社会状况 根据1929年颁布的宪法,基里巴斯总统为国家元首及政府首脑,由普选产生。一院制议会有39位民选议员,任期4年。另有一名任命的议员代表迁居拉

基里巴斯塔拉瓦环礁上的贝蒂奥小岛
美国不列颠百科全书公司供图

比岛(斐济)的巴纳巴岛民,该岛居民因岛上大量开采磷酸盐而迁居,但仍保留返回家园的权利。总检察长为议会当然议员。司法制度承袭英国体制,设高等法院及上诉法院和各岛之地方法院。有永久居民的各岛均有选举产生的岛屿委员会执行地方政务。

医疗由政府负担,实行免费制度。塔拉瓦有2家医院,每个环礁均有一家诊所,由护士或医疗助理负责。主要疾病有肺结核、婴儿痢疾、细菌性痢疾。平均预期寿命约53岁。

有人居住的环礁至少有一所小学(有些为教会开办)。基里巴斯亦建有数所中学、师范学校、技术学校和海事学校。基里巴斯亦加入总部设在斐济苏瓦的南太平洋大学。电台广播使用吉尔伯特语和英语。设有电话系统。

历史 据考古发掘,公元1世纪前,现今的基里巴斯各岛便有操澳斯特罗尼西亚语的人居住。斐济人和汤加人约于14世纪到此,并逐步同原居民融合,形成传统的基里巴斯-密克罗尼西亚社会及文化。

16世纪西班牙探险家可能已发现其中一些岛屿。1765年英国的布里翁发现尼摩瑙岛,1788年吉尔伯特发现塔拉瓦,马歇尔发现阿拉努卡。美国人和欧洲人在1798～1826年间到达其他各岛。主要群岛被命名为吉尔伯特群岛是在19世纪20年代。此群岛周围水域自19世纪初至19世纪70年代为美英船只捕捞抹香鲸之地。1837年欧洲人首次在此定居,1857年阿拜昂建成第一座教会。主要贸易商品原为椰油,19世纪初用椰干代替。

1892年英国将吉尔伯特和埃利斯群岛变为保护地,并于1900年发现磷酸盐后将巴纳巴岛并入。1916年成为英国政府直辖殖民地。圣诞岛1919年成为该殖民地的一部分。英国为菲尼克斯群岛与美国的冲突至1979年始告结束。1937年该岛成为殖民地的一部分。第二次世界大战期间遭到日本侵占(1942～1943),美日间几次激烈战斗即发生在塔拉瓦。除属美国的3岛外,1972年莱恩群岛并入殖民地。1976年,居民为波利尼西亚人的埃利斯群岛自行独立为图瓦卢国。1977年殖民地实行自治,1979年7月12日独立,成为基里巴斯共和国。

kirikane 贴金 日语汉字作“切金”。日本的装饰技术中,用于佛教绘画、木质雕像以及漆制品的装饰工艺。这种技术用于绘画和雕像时,将金箔或银箔切成细长条或很小的三角形或四方形,然后把它们放在涂好胶黏物的图案上。图案由直线或曲线、波浪

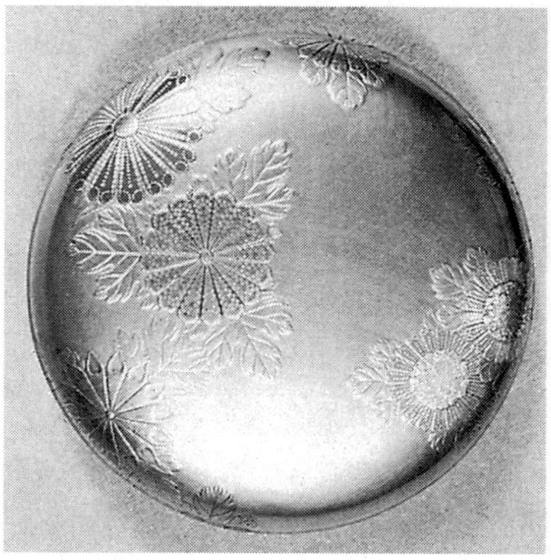

菊花图案的贴金香盒
美国不列颠百科全书公司供图

形垂直条纹或小花朵组成。贴金法从中国自唐代(618～907)传入。保存在奈良附近法隆寺金堂的木质四天王是现存最早的贴金雕像,据推测是飞鸟时代(552～645)后期或白凤时代(645～724)初期的艺术品。但是贴金技术于平安时代(897～1185)晚期才盛行。京都教王护国寺的12天神画像可以视为典型作品。贴金法也用于装饰漆器。这种技术稍有改变,小的方形银箔或金箔被排列在漆上,形成云、雾、堤岸或苔藓等图案。

Kırıkkale 克勒克卡莱 土耳其中部城镇。位于安卡拉-开塞利铁路线上。滨克孜勒河。原为村庄,20世纪50年代兴建钢厂使人口激增。钢厂属全国最大厂家,生产优质合金钢和机械。60年代增建化工厂。是克孜勒河谷所产谷物与畜产品市场。人口185 431(1990)。

Kirin(city, China) 参阅 **Jilin** 吉林。

Kirínia(Cyprus) 参阅 **Kyrenia** 凯里尼亚。

Kirishima-Yaku National Park 雾岛屋久国立公园 日语作 Kirishima - yaku Kokuritsu Kōen。日本九州岛南部的国立公园。以雾岛

火山群为中心，包括23座火山、15个火山口和10个死火山口湖泊。两座大山峰是火山韩国岳（1 700米）和高千穗峰（1 574米）。据日本神话，后者为天孙琼琼杵尊从天上降下来的神圣地方。有几座火山仍活动。公园西南部为雾岛温泉，周围有几处沐浴设施。总体来说，这是一个混合区域，其中有森林、湖泊、山峦、温泉、半岛、海湾，南面海上还有一个岛屿，名屋久岛，以巨大雪松的森林著称，树龄有些已逾千年。

Kirishitan　切支丹　特指16世纪和17世纪日本的天主教徒。1549年，以西班牙耶稣会士方济各·沙勿略为首的天主教传教士到达日本，经过一个世纪，发展信徒约50万。由于影响日大，引起政治疑虑，日本决定禁止除荷兰人、中国人和朝鲜人以外的各国商人入境。致力于统一日本的大名织田信长（1534～1582）为了抵制佛教的政治势力，鼓励天主教的发展。继织田信长而起的丰臣秀吉（1537～1598）于1587年下令驱逐外国传教士，10年后这项命令严格执行，有9名传教士和17名日本切支丹被杀。1614年德川秀忠再次取缔切支丹，驱逐传教士。对切支丹的迫害历时几十年，不放弃信仰者被流放或受刑。1637～1638年岛原半岛切支丹叛乱，后被平息。到1650年已暴露身份的切支丹都被流放或处决。转入地下的成为隐切支丹，主要在西九州岛。19世纪中叶日本放宽对天主教的禁令，1865年在长崎建立天主教堂，纪念1597年死难的26名切支丹。同年两万名隐切支丹转入公开。其中一部分信徒不放弃在长期隐蔽活动中已吸收的佛教及其他宗教教义，称为离切支丹。

Kiritimati Atoll　基里蒂马蒂环礁　又称圣诞环礁。世界最大的纯珊瑚环礁，面积388平方千米，位于太平洋中西部北莱恩群岛中。1856年美国宣布对该岛拥有主权。1888年归属英国。1936年美国提出异议，归属问题未定。1979年归属独立的基里巴斯。该岛有港口设施、机场和国营椰干种植园。1957～1958年，成为英国核试验基地，1962年，美国又在此进行核试验。由于这些核试验的影响，该岛部分地区至今一片荒凉。1975年成为野生动物保护区。人口约3 225（1995）。

Kiriwina Islands　基里维纳群岛　又称特罗布里恩德群岛。巴布亚新几内亚珊瑚岛群。位于太平洋西南部所罗门海新几内亚岛最东南边延伸部分以北145千米。地势低，均由珊瑚石灰岩构成，许多岛有环礁。包括基里维纳（特罗布里恩德）、凯莱乌纳、瓦库塔、基塔瓦4个大岛和一些小岛。总陆地面积约440平方千米。最大岛基里维纳为抬升环礁，长48千米，宽5～16千米，大部为沼泽，中央高地海拔30米。该岛1943年为盟军海空军基地，主要居民点为洛苏阿。基里维纳群岛较干旱地区产有蕃薯，运往其他岛上的种植园。人口约12 542（1990）。参阅 **Trobriander**。

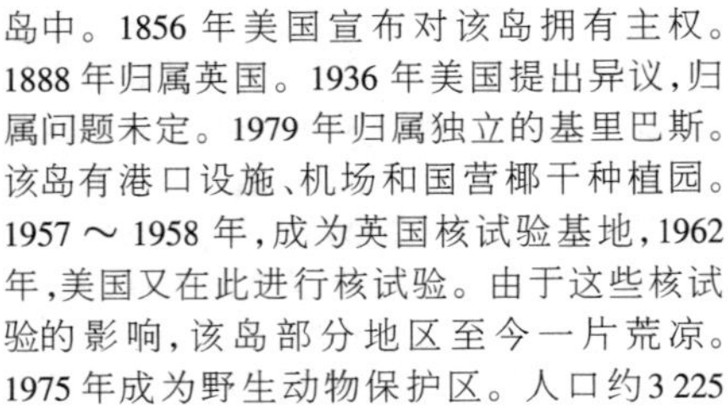

基里维纳群岛上的美拉尼西亚人棚屋
美国不列颠百科全书公司供图

Kirk, Sir John　柯克（1832-12-19，苏格兰安格斯阿布罗斯附近的巴里～1922-01-15，英格兰肯特塞文欧克斯）　苏格兰医生、探险家D.利文斯敦的伙伴和英国驻桑给巴尔行政官员。柯克是教士之子，曾在爱丁堡大学学医，克里米亚战争时为一名文职医务人员，1858年2月被任命为利文斯敦第二次探险队的医生和博物学家。其后5年，利文斯敦的大部分非洲之旅均有他伴随，是最早看到尼亚萨湖的4名欧洲人之一。后于1863年5月9日因伤病回国。由于他在非洲探险所获得的声誉，使他在1866年1月被任命为在桑给巴尔的政治机构的代理医官。1866年任驻桑给巴尔副领事，1868年成为政治副代表，1873年升任总领事兼政治代表。他尽力维护苏丹马吉德及其继承人巴加什的利益。1873年与巴加什签订反奴隶贸易条约。虽然由于他的劝告，英国政府遏制了埃及，使其不敢向东非海岸扩张（1875），但当1884年德国开始进行兼并时却未能说服英国政府保护桑给巴尔苏丹。柯克于1881年封爵士，1887年退休。

Kirk, Norman Eric　柯克（1923-01-06，新西兰怀马蒂～1974-08-31，惠灵顿）　新西兰总理兼外交部长（1972～1974）。木匠之子，仅受过正式的小学教育，曾干过学徒钳工和车工及在铁路部门担任工长。1943年参加新西兰工党，1953～1957年任凯厄波伊市长，于1957年进入议会。1964年成为工党领袖。在任总理时，柯克强调有必要发展区域经济，主张新西兰与澳大利亚团结一致奉行独立于美国的外交政策。1973年他强烈反对法国在太平洋地区进行核试验。

Kirk Range　柯克山岭　马拉维西南部高原。南北走向，北部悬崖俯瞰中央区高原，向南高度逐渐降低，与较低的希雷高地连接。为尼亚萨湖和莫桑比克之间的分水岭。18世纪大部地区无人居住。1850年后恩戈尼族人在此定居。主要经济作物是马铃薯，部分地区种植咖啡。恩特齐镇附近发现蓝晶石（一种硅酸铝）。姆瓦伊和代扎两地有森林保护区。

Kirkcaldy　柯科迪　原苏格兰东部法夫行政区的一个区（1975～1996）。现为法夫政务会辖区的一部分。

Kirkcaldy　柯科迪　苏格兰法夫政务会辖区和历史郡的城镇、海港。在福斯湾北岸。中世纪为繁忙的港口，1450年为一敕准自治市，1662年由查理二世确认其特许状。16世纪成为一重要的商业中心。此时食盐贸易居苏格兰首位。18世纪衰落。19世纪初兴办亚麻工业，经济再次繁荣。后工业萧条。现还有麦芽酒、亚麻布、绳索、家具和轻型电器等工业。1816～1818年，作家T.卡莱尔曾在此中学执教。政治经济学家亚当·斯密即诞生于柯科迪。人口47 155（1991）。

柯科迪镇的雷文斯克拉格城堡
美国不列颠百科全书公司供图

Kirkcaldy (of Grange), Sir William　柯卡尔迪（格兰吉的）　（约1520～1573-08-03）苏格兰军人，信奉天主教的玛丽女王在位期间的基督教新教徒领袖。曾参与1546年5月在圣安德鲁斯城堡谋杀枢机主教D.比顿的密谋。1550～1556年在法国给英格兰当间谍。1557年返回苏格兰。1559年与一些新教贵族共同反对玛丽·斯图亚特的母亲和摄政吉斯的玛丽。1561年玛丽·斯图亚特亲政后，他最初表示合作，但因反对玛丽与达恩利勋爵结婚，参加了新教徒的起事。1566年3月又参加谋杀玛丽的秘书意大利人D.里奇奥的活动。女王与涉嫌杀害达恩利的博思韦尔伯爵结婚后，他与新教贵族一起反对女王夫妇。1567年6月在爱丁堡城外的卡伯里山接受了玛丽的投降。玛丽逃跑后，他于1568年5月运用高超的战术，在格拉斯哥附近的朗塞德击败玛丽的军队。玛丽与博思韦尔离异后，他转而支持她，固守爱丁堡要塞反对支持她的幼子詹姆斯六世的一派人。1573年5月要塞失陷，3个月后他被处绞刑。

Kirkcudbrightshire　柯库布里郡　又作Kirkcudbright，前称东加洛韦（East Galloway），苏格兰西南部历史郡，属于邓弗里斯-加洛韦（**Dumfries and Galloway**）政务会辖区。旧柯库布里郡为历史上加洛韦大主教区的东部，东以尼思河、西以克里河为界。古罗马人离开此地后，屡受不列颠人、爱尔兰-苏格兰人、盎格鲁人、挪威人与丹麦人的入侵。800年前后，古斯堪的纳维亚人入侵，统治该地达300年之久。其后加洛韦与苏格兰其余地区不同，保有自己的法律制度直至14世纪后期，这种法制赋予地区贵族很大权力。1245年，巴利奥尔因娶加洛韦勋爵阿兰之女德沃尔吉拉为妻，通过世袭成为柯库布里领主。巴利奥尔家族在英国和法国都有大量领地产业，他们把诺曼文明中最优秀部分引入该郡中。柯库布里还有两座西多会大教堂，一座在斯威特哈特（1273～1605），是德沃尔吉拉捐款所建，另一座1142～1605年建于邓德伦南。现在都只剩下断壁颓垣。16 世纪中叶的苏格兰宗教改革运动中,柯库布里的宗教矛盾十分激烈。迪河河口岸边的柯库布里敕建自治市和旧郡郡城,现仍为该地区的重要城镇。其他重要城镇还有道格拉斯堡和达尔比蒂。

Kirkcudbright 柯库布里 苏格兰西南部柯库布里历史郡邓弗里斯-加洛韦政务会辖区城镇和敕准自治市(1455),斯图尔特里区行政中心;在邓弗里斯西南 40 千米。该城控扼迪河最下游处之渡口,距海 10 千米,为一商镇、乳品业中心及艺术家喜爱的游乐场所。柯库布里旧名 Kilcudbrit 由 Gaelic Cil Cudbert 转化而来,Gaelic Cil Cudbert 意为“库思伯特的礼拜堂”。因库思伯特的圣体从林迪斯法尔内掘出改葬于切斯特勒斯特里特之间的 7 年中,曾短期安放于此城中。迪河三角湾在其顶端附近被名为圣玛丽岛的半岛分隔开。港口为一良港,但因离海较远而不能充分利用。建于 1610 年的十字形建筑物在旧法院亦即监狱之前,美国海军英雄约翰·保罗·琼斯曾以犯杀人罪被囚禁于此。霍内尔博物馆藏有加洛韦文学中的珍品、许多手稿和艺术品。柯库布里城堡亦称麦克莱伦府第,建于 1582 年,在旧海伊街的尽头,俯瞰着港口,这是建于此城的第三座也是最后一座城堡,现已倒坍。邓德雷南隐修院在东南 7 千米,是 12 世纪著名教堂建筑家加洛韦勋爵弗格斯最伟大的作品。这是一座西多会教堂,仿照里沃隐修院建于 1142 年。现在的遗址只有耳堂和唱诗班坛,是早期尖顶建筑风格极难得的范例。人口约3 588(1991)。

Kirkintilloch 柯金蒂洛赫 盖尔语作 Caerpentulach(意为“山脊末端的堡垒”)。苏格兰中西部邓巴顿历史郡东邓巴顿政务会辖区城镇,在格拉斯哥都会区东北边缘,位于福斯-克莱德运河河畔。凯尔文河流经该城镇,与来自南面的勒盖水道汇合。该地有一罗马碉堡,为建于 142 年防御性的安东尼城墙的一部分。约于 13 世纪初,威廉王一世(狮子)赐予该城男爵领地自治市的建制。过去工业以煤炭开采、铸铁及重工业为主,第二次世界大战结束后,兴办了轻工业。人口 20 780(1991)。

Kirkland, Joseph 柯克兰(1830-01-07,美国纽约杰尼瓦～1894-04-29,伊利诺伊芝加哥) 美国小说家。毕生唯一作品是描写中西部拓荒者生活的三部曲,对美国现实主义小说的发展有贡献。他自认为受惠于英国现实主义作家哈代,同时受本身经历的影响也很深。他当过出版社职员、铁路审计员、军人、煤矿主和律师。晚年才开始写作。《朱里:斯普林县最卑贱的人》于 1887 年出版时,他已 57 岁。这是三部曲的第一部,以塑造农民朱里·普劳德的形象得到好评。三部曲的另两部是描绘乡村生活的《麦克维伊一家》(1888)和描写南北战争的《K 连连长》(1891)。

Kirkland, Lane 柯克兰(1922-03-12,美国南卡罗来纳卡姆登～1999-08-14,华盛顿[哥伦比亚特区]) 美国工会代言人和领袖,1979 年起曾任美国劳工联合会-产业工会联合会(劳联-产联)主席。1942 年毕业于美国商业海运学院,整个第二次大战期间在美国商船供职。后定居于华盛顿(哥伦比亚特区)。1948 年获得乔治敦大学外交学院的学士学位后,成为美国劳工联合会的在职研究员,后逐级提升,1960 年任劳联-产联主席乔治·米尼的执行助理。1969 年当选为劳联-产联秘书-司库,1979 年米尼退休,他继任劳联-产联主席。在他担任主席的 16 年间,苏联-产联的成员人数和政治影响力下降,主要是因为制造业雇佣人数的减少以及其他不利的经济趋势。

Kirkland, Samuel 柯克兰(1741-12-01,康涅狄格诺威奇[美国]～1808-02-28,美国纽约克林顿) 基督教公理会牧师,曾在印第安六部落(易洛魁联盟)地区传教。独立战争期间,是奥内达联盟与殖民地当局进行谈判的代表。他精通数种印第安语言,是图斯卡罗拉人和奥内达印第安人信赖的朋友。战时担任过殖民地部队的随军牧师,因对印第安人的外交事务成绩斐然而受到华盛顿将军的褒奖。后来创办哈密尔顿-奥内达学校,招收印第安人和白人青年入学。1791 年,他率领印第安人代表团参加在费城召开的国会,讨论有关种族平等问题。

Kirkland Lake 柯克兰莱克 加拿大安大略省东部蒂米斯卡明区城镇。在诺斯贝西北偏北 200 千米。自从 1911 年附近发现黄金,安大略北方铁路修通后,发展成为加拿大最大的黄金产地之一。1927 ～ 1928 年发现富矿脉时,沿所谓“一英里的黄金带”出现了几十个金矿。近年,旅游业日益重要。人口 9 905(1996)。

Kırklareli 克尔克拉雷利 土耳其西北部(欧洲部分)的城市。位于伊斯特兰贾山麓。该市主要因地处从北方到伊斯坦布尔穿越山区的最短通道上而得以发展。市内有许多奥斯曼时期的古迹。为重要贸易中心,主要经营乳品、谷物和烟草贸易。埃迪尔内-伊斯坦布尔铁路支线通此。该市所在地区北邻保加利亚;东濒黑海;北部有茂密落叶林,为全国木材工业主要产区;南部产小麦、大麦、甜菜、葡萄和烟草。南北两地区畜牧业发达。乳制品输出到伊斯坦布尔和其他城市。市南的吕莱布尔加兹有重要的奥斯曼时期建筑物,包括一座由著名建筑师锡南建造的 16 世纪清真寺。人口49 315(1997)。

Kirklees 柯尔克利斯 英格兰约克历史郡西约克都会郡都会自治市。面积 410 平方千米。从科恩谷的哈德斯菲尔德延伸到科尔德谷和斯彭谷;包括米菲尔德、赫克蒙德怀克、克雷克希顿、迪斯伯里和巴特利。其中迪斯伯里生产再生布,亦附带经营机械制造业。人口约390 900(1998)。

Kirkman, Jacob 柯克曼(1710-03-04,阿尔萨斯比什维莱尔[今在法国比什维莱尔]～1792-05,英国伦敦) Kirkman 又拼 Kirchmann。阿尔萨斯出生的英国拨弦键琴制造家,一个一直活跃到 19 世纪的乐器制造大家族的一员。原习细木工,18 世纪 30 年代初去英国,在伦敦一家拨弦键琴作坊工作。1763 年任女王的拨弦键琴制造师,技艺超群,遐迩闻名。约 1772 年开始制造钢琴。所制拨弦键琴现存 100 多件,多半完好无损。有的饰有丰富的镶嵌工艺。大多具有 3 套弦线,由一或两个键盘控制。英国大多数优良拨弦键琴都是柯克曼与他的竞争者 B.舒迪分别制造的。

Kirkpatrick, Jeane 柯克帕特里克(1926-11-19,美国俄克拉何马邓肯～) 婚前名 Jeane Duane Jordan。美国政治学家与外交家,里根总统的外交政策顾问和美国驻联合国大使。密苏里州哥伦比亚市斯蒂芬学院毕业(1946),获纽约市巴纳德学院学士,1950 和 1968 年先后在纽约市哥伦比亚大学获硕士和博士学位。曾在美国国务院情报研究局任研究分析员,后到巴黎政治科学院从事研究。曾在民主党的几个委员会中任职,并断断续续地在美国国防部工作。1967 年到华盛顿的乔治敦大学任教,1973 年升任正教授。70 年代,日益强烈地批评民主党。共和党总统候选人里根在 1980 年的竞选中邀请她做外交政策顾问。竞选胜利后任命她为美国驻联合国大使,任期 4 年。她具有内阁成员身份,并且是里根政府国家安全小组的成员。以其反共立场和对独裁政权的宽容而闻名。她曾被控接受贿赂、伪造证明苏联军队击落韩国喷气客机的录像带,以及鼓吹分解印度,对此,她全部强烈否认。1985 年退职后正式参加共和党;后返回乔治敦大学任教,但仍任参议院共和党党团的主要外交政策顾问。为保守派智库美国企业研究会的研究员,撰写过在多家报纸上同时发表的专栏文章,以及一些论文和书籍,包括《极权国家的消亡》(1990)和《善良的意图》(1996)。1993 年与他人共同成立了一个保守的公共政策组织“授权美国”。

Kirkpatrick, Ralph (Leonard) 柯克帕特里克(1911-06-10,美国马萨诸塞莱明斯特～1984-04-13,康涅狄格吉尔福德) 美国音乐学家,被誉为 20 世纪最有影响的拨弦键琴演奏家之一。6 岁开始学钢琴,1930 年开始弹奏拨弦键琴。1931 年毕业于哈佛大学,后又去巴黎深造。师承 W.兰多夫斯卡、N.布朗热及 A.多尔梅什等。1940 ～ 1976 年在耶鲁大学任教。虽以演奏 J.S.巴赫及 D.斯卡拉蒂的拨弦键琴作品特别闻名,但也演奏击弦键琴和早期钢琴(尤其是莫扎特的音乐)。其主要学术成就在于撰写斯卡拉蒂的详尽传记(1953),以及编订斯卡拉蒂全部键盘奏鸣曲的 18 卷影印本(1971)。

Kirksville 柯克斯维尔 美国密苏里州东北部城市,阿代尔县县城。濒临沙里顿河。1841 年建为县城,1857 年设镇,1873 年设市。为农牧区贸易、运输中心。有电气用具和服装等工业。设有密苏里州立东北大学(1867)。柯克斯维尔骨疗医学学院是美国骨疗术诞生地,由 A.T.斯蒂尔于 1892 年创办。

附近有州立千山公园。人口16 988(2000)。

Kirkūk 基尔库克 伊拉克东北部城市。在扎格罗斯山麓附近,与南面233千米处的首都巴格达通公路、铁路。为该国石油工业中心和周围地区农、牧产品集散地。出产纺

基尔库克市的旧城区
美国不列颠百科全书公司供图

织品。有输油管道连接黎巴嫩的特里波利和土耳其地中海岸的尤穆尔塔勒克。原油生产促进该市持续发展。市内居民以土库曼人为主,并有许多基督教徒。人口约418 624(1987)。

Kirkus, Virginia 柯卡斯(1893-12-07,美国宾夕法尼亚米德维尔～1980-09-10,康涅狄格丹伯里) 美国评论家、编辑和作家,以其独具创意、为图书销售商提供书评服务而为人们所铭记。1916年毕业于纽约州波基普西的瓦萨尔学院。在哥伦比亚大学师范学院进修后,前往特拉华一所私立学校任教(1917～1919)。后在纽约市从事一系列写作与编辑工作,1922年出版《妇女健康与个人美容》。1925～1932年主持哈珀兄弟出版公司儿童书籍部。1933年,她创办了柯卡斯书店服务社,与出版商约定事先得到书籍的校样,由她先阅读并对其文学价值和可能受欢迎的程度作出简短评价,以半月简报的形式发给订购书店,使书店经理得到有根据的公正意见,作为订购和推销的依据。与之约定的出版商最初只有约20家,最后几乎遍及整个行业。这项创新计划从一开始就取得成功,因为事实证明柯卡斯的评价有85%的时候是正确的,尤其是在发现滞销书方面。她每年阅读的书籍达到700本。此外,她还写了《周末的家》(1940)和《园艺第一册》(1956)。1962年从柯卡斯书店服务社退休。1980年服务社有订户4 600家,每年评阅的书籍达4 500册。

Kirkwall 柯克沃尔 苏格兰北端近海的奥克尼群岛(**Orkney Islands**)首府、敕准自治市和海港。深受古斯堪的纳维亚文化影响。城内主要建筑是12世纪的红色砂岩圣马格鲁斯大教堂。附近有伯爵府和17世纪房屋遗迹,城市景致优美。仅有造船和农产品加工业(酿制威士忌酒、鸡蛋包装、生产乳脂和干酪等)。北海石油开发之后兴办了近海石油服务和供给行业。主要为奥克尼群岛的服务业中心和该群岛区议会机关所在地。人口6 469(1991)。

Kirkwood gaps 柯克伍德空隙 小行星空间分布中出现的空区,在该区内的任何小天体的公转周期将与木星公转周期成简单比例。1860年前后,美国数学家和天文学家D.柯克伍德就注意到在小行星分布中有几个低密度区域(即空隙)存在,并把它们解释为木星摄动的结果:在空隙中运行的天体由于木星引力的摄动,终将转移到另一轨道上去。

Kirmān(Iran) 参阅 **Kermān** 克尔曼。

Kirmān carpet 参阅 **Kermān carpet** 克尔曼地毯。

Kirov 基洛夫 俄罗斯西部的一个州。几乎全部在维亚特卡河流域,面积120 800平方千米。为波状冰碛平原,地势从广阔的维亚特卡河中游流域,北至北部丘陵的切割灰岩高地,东至维亚茨基丘陵和上卡马高地逐渐升高。绝大部分地区都覆盖着沼泽森林或泰加森林(松、冷杉、云杉、白桦)。南端有落叶林(橡树等)。多泥炭沼泽和沼泽。人口多数集中在维亚特卡河谷。木材加工是主要经济部门;奥穆特宁斯克附近的铁矿从18世纪开始开采,会同乌拉尔矿产构成冶金工业基础。鲁德尼奇内开采磷矿。农业相对不发达,20世纪30年代以来,农村人口大量外流。首府基洛夫市。人口约1 648 000(1995)。

Kirov 基洛夫 1934年前称维亚特卡(Vyatka)。俄罗斯西部基洛夫州城市和首府。濒临维亚特卡河。1181年由来自诺夫哥罗德的商人们所建,原名赫雷诺夫。14～15世纪为俄罗斯人定居的维亚特卡地区中心。1489年为莫斯科公国占领。1780年改名为维亚特卡并为州首府,曾用作流放地。1934年以苏联官员基洛夫的姓氏重新命名。有铁路通彼尔姆、科特拉斯、沃洛格达和下诺夫哥罗德。曾以手工业著称。现已有大型、现代化工业,包括有色冶金、机械、轮胎和木材加工业。设有师范学校、农学院和由俄国革命领袖、作家赫尔岑于19世纪40年代在此流放期间创建的图书馆。人口约491 100(1994)。

Kirov, Sergey Mironovich 基洛夫(1886-03-27,俄罗斯维亚特卡州乌尔茹姆～1934-12-01,列宁格勒[今圣彼得堡]) 原名谢尔盖·米罗诺维奇·科斯特里科夫。苏联共产党领导人,他遭暗杀标志着苏联大清洗(1934～1938)的开始。基洛夫作为布尔什维克党员和组织者,在十月革命前因从事革命活动而数次被捕。他为扩大布尔什维克对外高加索的控制而奔走,1921年任阿塞拜疆党组织第一书记,随后参加建立外高加索苏维埃社会主义联邦共和国(1922年3月)。1926年党的总书记斯大林把他调到列宁格勒,领导列宁格勒的党组织。同年当选为政治局候补委员,由于忠诚支持斯大林对付右翼反对派,1930年当选政治局委员。作为列宁格勒党的第一把手,他促进了这个城市的工业发展和现代化。虽然他的形象是一位坚定的斯大林主义者,但30年代初,他在领导列宁格勒党组织的工作中日益表现出独立性,逐渐取得几乎与斯大林的权力分庭抗礼的地位。1934年12月1日在列宁格勒共产党总部被青年党员L.尼古拉耶夫暗杀。尼古拉耶夫和13名同谋嫌疑犯被枪决。随后,斯大林声称发现了反斯大林主义的共产党人的大阴谋,他们计划暗杀苏维埃的全部领导者。因此,他发动了大清洗,枪决了数百名列宁格勒公民,另有数千名被送进强迫劳动营,宣称他们是这一阴谋的同谋者。后来,赫鲁晓夫在他的《秘密报告》中有力地指出,策划暗杀基洛夫的正是斯大林本人。

Kirov Ballet 基洛夫芭蕾舞团 俄语拉丁字母转写作 Balet Imeni Kirova。俄罗斯杰出的芭蕾舞团体,圣彼得堡国立基洛夫歌剧舞剧院的一部分。继承了它的前身——俄罗斯帝国芭蕾舞团的传统,建立在像J.佩罗、A.圣-列翁、M.佩季帕这些19世纪编导大师,以及像M.塔里奥尼、O.普列奥布拉仁斯卡、M.克谢辛斯卡、A.巴甫洛娃、V.尼任斯基、T.卡尔萨温娜、M.福金、G.巴兰钦、M.丹尼洛娃这些舞蹈表演家的创作活动的基础之上。该团前身是一所1735年创办于圣彼得堡的舞蹈学院,十月革命前一直是俄国芭蕾的中心。十月革命后该团减员40%,但在教师A.瓦冈诺娃和艺术指导K.谢尔盖耶夫的领导下仍上演原有剧目,保持了原有的技艺水平。该团创作过一些英雄题材的新作品,也创作过像I.别尔斯基编导的《希望之岸》(1959)这样的实验性作品。1961年后该团先后访问过西欧、美国和加拿大。

Kirovabad(Azerbaijan) **基洛瓦巴德** 参阅 **Gyandzha** 甘贾。

Kirovakan 基洛瓦坎 亚美尼亚城市。参阅 Vanadzor 瓦那佐尔。

Kirovograd 基洛沃格勒 乌克兰中南部的一个州。面积24 600平方千米,从东北部的第聂伯河起,穿过第聂伯高地的起伏丘陵地,直到西南部的南布格河流域,土壤肥沃的禾草草原自然植被地区几乎全被垦为农田,由于经营不合理,普遍存在严重的土壤侵蚀现象。经济以农业为主,主要作物有小麦、玉米、向日葵、甜菜和亚麻。饲养大量的菜牛和奶牛。城市居民占人口一半以上。除州首府基洛沃格勒外,其他城镇较小,均以集中及加工农产品为主。季米特洛沃有露天褐煤矿,扎瓦里耶出产石墨。人口约1 246 300(1994)。

Kirovograd 基洛沃格勒 乌克兰基洛沃格勒州城市和首府。位于因古尔河上游。克列缅丘格-敖德萨铁路经过这里。1754年建为要塞。1765年设市,称伊丽莎白格勒(Yelizavetgrad),并发展成富饶农业区中心。1924年改名为季诺维也夫斯克,1936年更名为基洛沃,1939年又改用今名。现仍为该州农业中心,有食品加工、农机制造、机器制造和轻工业。设有师范学院。人口约280 000(1994)。

Kirovsk 基洛夫斯克 1934年以前称希比诺戈尔斯克(Khibinogorsk)。俄罗斯西北部摩尔曼斯克州城市。位于希比内山脉边缘。原为放养驯鹿的苔原地,1929年开始开采磷灰

石和霞石矿，迅速成为采矿城市。1931年设建制。有木材加工业。设有俄罗斯科学院科拉分院、植物园、矿业和医科学校。人口约47 500(1993)。

kirsch 樱桃酒 又作kirschwasser。由发酵的黑樱桃汁蒸馏而成的干型无色白兰地。樱桃酒产于德国的黑林山、莱茵河对岸的阿尔萨斯(法国)和瑞士一些讲德语的州中。制作过程仍保持传统的方法。其法是将熟透的樱桃在大木桶中捣烂成糊状，并令其自然发酵。上述过程完成后，即将由液体、果肉和樱桃核组成的全部物料置入罐式蒸馏器中蒸馏。在捣烂过程中，有些樱桃核释放出一些油和酸类，其中包括少量的氢氰酸，从而使饮料带有一种与众不同的苦杏仁口味。樱桃酒不陈化，按其流出蒸馏器时的清澈无色状态以90～100标准酒精度出售。这是一种具有鲜明特色的果酒白兰地，带有樱桃的醇香和苦杏仁味。像白兰地一样，樱桃酒既可以纯饮，也可用于调制鸡尾酒，还可用作烹饪调料。

Kırşehir 克尔谢希尔 土耳其中部城市。濒克孜勒河支流。海拔990米。14～18世纪为有势力的阿希兄弟会城堡。现存古迹有由12世纪塞尔柱人观象台改建的奇奇贝伊卡米清真寺、13世纪阿拉丁卡米清真寺和诗人阿舍克帕夏的陵墓。该市有公路连接安卡拉和内夫谢希尔。周围地区有克孜勒河和代利杰河流经。农产品有谷物与水果。地毯织造为重要经济活动。人口约74 546(1990)。

Kirshehr rug 克尔谢希尔地毯 位于安卡拉和安纳托利亚中部开塞利之间的克尔谢希尔制造的手织铺地用品，多采用祈祷图案。19世纪最典型的祈祷毯图案有精致的带台

约1900年的克尔谢希尔地毯
美国不列颠百科全书公司供图

阶的拱门(指明通向圣城麦加的方向)，下面是神龛，神龛周围的缘饰是康乃馨小花侧影，神龛中间有一个小神龛，中心与大神龛重合，周围花饰也相同，但颜色与大神龛成鲜明对比。配色极为丰富，有樱桃红、黄、紫、浅蓝、艳绿、赭石和黑棕。较近期的地毯有的带有法国宫廷色彩。

Kirstein, Lincoln 柯尔斯坦(1907-05-04，美国纽约罗切斯特～1996-01-05，纽约州纽约) 全名Lincoln Edward Kirstein。美国舞蹈界权威、舞团主办人、作家和实业家。和G.巴兰钦共同创办并主持过几个芭蕾舞团，最后为国际驰名的纽约市芭蕾舞团。1948～1989年，柯尔斯坦任该舞团团长。他还协助创办美国芭蕾学校，自1940～1989年任校长。柯尔斯坦出身富豪之家，早年即显露其美学才华。就学于哈佛大学(1930年毕业，获学士学位)时，创办并主编一文学杂志(1927～1934)，撰稿人有T.S.艾略特、E.庞德等人。经济独立后，他决定终身从事支持与促进艺术的事业。他初时对艺术的兴趣甚广泛，不久专注于芭蕾。他帮助R.尼任斯基撰写她丈夫的传记；1933年劝说佳吉列夫的俄罗斯芭蕾舞团的青年演员G.巴兰钦来美国，他与巴兰钦的艺术合作一直保持到1983年巴兰钦逝世。1934年他和巴兰钦共同创办美国芭蕾舞学校，巴兰钦任艺术指导，他任戏剧科学指导，1940年柯尔斯坦任校长。其后20年间，二人共同创办了几个舞团，虽存在时间不久，但对美国芭蕾的影响深远。1934年他们共同创办美国芭蕾舞团，巴兰钦任编导，已成为作家的柯尔斯坦为若干芭蕾舞撰写剧本。1936年又建巡回芭蕾舞团，柯尔斯坦任团长。1941年该舞团与美国芭蕾舞团合并，不久合并的舞团解散。柯尔斯坦在第二次世界大战中服役后返回纽约市，1946年创办芭蕾舞协会，巴兰钦任艺术指导。1948年协会首演巴兰钦改编的斯特拉文斯基所作《俄耳甫斯》，被公认为是现代舞蹈的里程碑。柯尔斯坦又与巴兰钦将协会改为纽约市芭蕾舞团，成为美国最有影响和富有革新精神的芭蕾舞团。从1948年创办开始，巴兰钦即为艺术指导(直至1983年)，柯尔斯坦为总经理(直至1989年)。柯尔斯坦的文学著作广泛多样。包括：《舞蹈》(1935，是标准的参考书)；与M.斯图尔特合著的《古典芭蕾舞》(1952)；《动作和隐喻》(1970)；《纽约市芭蕾舞团》(1973)；《尼任斯基舞蹈》(1975)和《在纽约市芭蕾舞团三十年》(1978)。从1942～1948年他主编《舞蹈索引》杂志，学术性强，并附有插图、注解，合订本为7卷，是供舞蹈学者使用的一部重要参考书。柯尔斯坦还出版诗集、剧本、长篇小说和回忆录，并在视觉艺术、电影、音乐和文学作品方面进行评论性研究。

kīrtana 颂神礼 印度教礼仪，为伴有音乐的礼拜或集体祈祷，主要流行于孟加拉的毗湿奴派。颂神礼通常先由领唱人在打击乐器的伴奏下唱一首偈颂，然后由合唱队随唱，有时则代之以朗诵圣诗、念诵神名或舞蹈。作为礼拜仪式的颂神活动是由孟加拉密修家查伊塔尼亚于15～16世纪推广的，查伊塔尼亚力图对神有更为直接的感情体验。

Kīrthar Range 吉尔特尔山脉 巴基斯坦南部的山岳地区。从东格拉德的穆拉河(俾路支)开始，向南伸延约300千米到卡拉奇以西阿拉伯海沿岸的穆阿里角(蒙泽角)。山脉由一系列平行的岩石的山岭组成，山岭的高度由南部的1 200米逐步升高至近2 500米。北部排水有戈拉奇(Kolāchi)河，南部排水有哈布(Hab)河和利亚里(Lyāri)河。居民主要是俾路支族、贾特族与布拉灰族部落，依靠放牧为生。

Kiruna 基律纳 瑞典北部北博滕省城市。位于北极圈以北，基律纳与卢奥萨两山之间卢奥萨湖东岸。始建于1899年，1908年成为市。1948年有大约20 699平方千米的土地，划入本市，因之据称是世界上面积最大的城市。采矿业为最主要工业。基律纳-纳尔维克港(挪威)铁路修通后(1902)，城市发展迅速。人口约26 173(1995)。

Kirwan, Richard 柯宛(1733-08-01，爱尔兰戈尔韦郡克拉夫巴利莫尔～1812-06-01，都柏林) 爱尔兰化学家，以在化学、地质、气象、哲学等科学领域的贡献而著称。柯宛出身于天主教徒家庭，1750～1754年就读于普瓦捷大学，1754年入法国圣奥梅尔的耶稣会修道院，但当本应继承家业的兄长于1755年因决斗身亡后，柯宛便离开圣奥梅尔返回爱尔兰。他曾短期执业律师，但很快发现这一职业并不适合他。1777～1787年柯宛定居伦敦，1780年在伦敦被选入皇家学会，并发表了一系列有关化学亲和势的论文，出版了《矿物学原理》(1784)及最著名的著作《燃素论》(1787)。1787年柯宛移居都柏林，协助创建爱尔兰皇家学会，1799年担任学会主席。除了化学方面的论文和著作外，柯宛还写了《地质学论》，对地质学家J.赫顿的开创性著作有所争议。其他还有一部比较气象学著作、两卷本的逻辑学著作和一卷形而上学的论文。

Kiryū 桐生 日本本州中部群马县城市。在关东平原边缘，东京西北。17世纪生产精纺丝绸，供武士和宫廷贵族穿用。20世纪成为生产出口锦缎和优质丝绸的中心。第二次世界大战后发展人造丝产品。其他产品有电气设备、机械和汽车零件。人口约121 858(1994)。

Kisangani 基桑加尼 1966年前称斯坦利维尔。刚果(金)东北部城市。在刚果河畔，是刚果(金)仅次于金沙萨的大河港。由欧洲人于1883年建立。自19世纪末起为刚果北部中心。工业有酿酒、家具、服装、印刷等。

基桑加尼市的卢蒙巴纪念碑
美国不列颠百科全书公司供图

附近地区以农业为主，产品有棕榈、大米、棉织品、咖啡、可可、橡胶、木材和奎宁等。1963年设立刚果自由大学，1981年改为基桑加尼大学。还有师范学校、农业学校和研究所。1974年国际机场通航。人口约417 517(1994)。

Kisarazu 木更津 日本本州千叶县城市。地处房总半岛西部海岸，小柜川三角洲。早期为地区性商业城镇和驿镇。德川时代获特许权，从事房总半岛西部与江户（今东京）的贸易。后随着蒸汽轮船的引进和从东京沿房总半岛海岸铁路线的开通，木更津于19世纪末衰落。20世纪70年代初，京叶工业区扩展至此。现生产化工品、钢铁和电机。东京湾最后的大片天然海滩在木更津，为一备受喜爱的游乐区。人口约125 510(1994)。

Kiselyov, Pavel Dmitriyevich 基谢廖夫 (1788-01-19[旧历01-08]，莫斯科～1872-11-26[旧历11-14]，巴黎） 俄国将军和政治家。1812年参加反拿破仑战争。1814年任亚历山大一世侍从武官。曾任乌克兰第二军参谋长(1819～1829)，在担任摩尔多瓦和瓦拉几亚的行政长官期间，实行过一些进步改革。1834年晋升上将，任国务委员会成员。其后20年间任沙皇尼古拉的主要顾问，参与对农民的管理，并帮助起草在农奴解放后向他们分配土地的管理办法。1837年任国家产业大臣，改革有关国家农民的法规，因此，那些专为国家农民子弟开办的学校就被称为"基谢廖夫学校"。1856～1862年任驻巴黎大使。

Kiselyovsk 基谢廖夫斯克 俄罗斯中部克麦罗沃州城市。20世纪30年代发展为工业和采煤业中心。煤多供炼焦用。机械工业制造钻井设备、卡车和地下运煤列车专用牵引车。人口约126 900(1991)。

Kisfaludy, Károly 基什法鲁迪 (1788-02-06，匈牙利泰特～1830-11-21，佩斯） 匈牙利第一个获得广泛成功的浪漫主义戏剧家。16岁便离开学校去当兵。生活一度漂泊无定。1811年在维也纳试写历史剧《匈牙利的鞑靼人》。该剧被埋没8年之久，后由一个轮演剧目剧团在外省演出。当他们在佩斯重演此剧时，基什法鲁迪才一夜成名。基什法鲁迪最主要的作品有悲剧《伊林娜》(1820)、喜剧《求婚者》(1817)。1822年他的文学年刊《曙光》出版，成为匈牙利下一代浪漫派作家M.弗勒什毛尔蒂、F.克尔切伊等人发表作品的主要阵地。

Kish 基什 美索不达米亚古城邦，即今泰勒乌海迈尔，在伊拉克中南部巴比伦以东。据古代苏美尔的资料，这是世界大洪水后第一个王朝的所在地。基什国王麦西里姆是现存最早的王室铭文的作者，他记述自己如何调解巴比伦南方城市拉加什与乌玛之间的边界纠纷。约公元前2660年，基什的末代国王阿加为乌鲁克第一王朝国王吉尔伽美什打败。王朝随之终结。尽管在古代美索不达米亚的大部分历史中基什仍处于重要地位，但是永远未能恢复昔日的光辉。

Kishangarh 吉申格尔 印度西北部拉贾斯坦邦中部城市。在贡德劳湖畔斋浦尔西南80千米处。1611年建立。为棉织品与农产品贸易中心，制造肥皂、挂毯和围巾。手工业有织布、染布与宝石加工。有公路、铁路与阿杰梅尔和斋浦尔相连。设有拉贾斯坦大学分校。人口约81 944(1991)。

Kishangarh painting 吉申格尔绘画 18世纪印度拉贾斯坦绘画风格的一个画派，兴起于吉申格尔（拉贾斯坦邦中部）。其肖像画特点是面部特征显著，呈现出对宗教虔敬的

18世纪中叶的印度吉申格尔绘画——罗陀与克里希纳

美国不列颠百科全书公司供图

表情。尖鼻子、尖下巴、弯弯的眼睛和卷曲的头发刻画出男、女神情活现的风貌，人物的活动往往以全景衬托。代表作有以拉特哈-克尔慈那为主题的一系列绘画。该画派的兴起主要归功于国君萨万特·辛格(1748～1757年在位)的奖掖。据说他的情侣巴妮·旃妮（意为"时尚夫人"）的容貌是这个画派的模特儿。该画派一直持续到19世纪。

Kishar (Mesopotamian mythology) **吉沙尔** 参阅 **Anshar and Kishar** 安沙尔和吉沙尔。

Kishi-mojin (Buddhist mythology) 参阅 **Hārītī** 鬼子母神。

Kishi Nobusuke 岸信介 (1896-11-13，日本山口县～1987-08-07，东京） 日本政治家，任首相期间(1957～1960)，爆发反对他的政府签订的新日美安全保障条约的强烈运动。本名佐藤信介，系日后担任日本首相的佐藤荣作的胞兄，过继给叔父后改姓。1920年毕业于东京帝国大学法律系，从此开始其成功的文职生涯。1936年任"满州国"政府实业部次长。1940年回国任商工省次官，致力于战时经济的组织工作。因试图加强政府对财阀的控制未果而辞职。1941年任东条英机内阁商工省大臣。1942年4月当选为众议员。之后任东条内阁军需省次官，但对东条不惜一切代价将战争继续下去的政策日益不满，促成了1944年东条内阁的垮台。1945年被盟军占领当局关进监狱，但未经审讯便于1948年获释。岸信介一度经商，后重返政坛。1953年当选为众议员，接着参与组织日本民主党，并促进该党于1955年与其他保守派合并组成自由民主党。翌年，在石桥湛山内阁中任外相。石桥病后，岸信介于1957年2月接替他任首相。作为首相，他强调日美之间的特殊关系，致力于缓和与东南亚和南亚国家之间的紧张状况，并于1957年出访这些国家，促使达成赔款协议和进行经济合作。1959年访问西欧与拉美。他曾在1957年访问华盛顿（哥伦比亚特区），1960年1月再度访问此地，签署修订后的日美安全保障条约。他发起对宣布战争为非法的颇有争议的日本战后宪法进行官方的研究，并鼓励日本国防实行自主。他乘反对党抵制国会会议之际，利用国会内保守派多数批准修订后的条约。这被视为是高压和非民主手段，从而引起了群众大规模的示威游行，导致美国总统艾森豪威尔取消访问日本的计划。结果岸信介辞职，由池田勇人继任首相。尽管宪法中宣布"发动战争的潜力"为非法的条款没有改变，但他却开始实施自由地解释这一条款的政策，准许自卫队拥有更多的装备。他在世时一直是自民党内的一个活跃人物。

Kishinyov (Moldova) **基什尼奥夫** 参阅 **Chişinău** 基希纳乌。

Kishiwada 岸和田 日本本州大阪府城市。临大阪湾。19世纪初成为主要港口。有传统制瓦业。第二次世界大战后发展起木材、纺织和金属加工业。农产品包括稻米，洋葱和花卉。人口188 553(1990)。

Kishon River (Israel) 参阅 **Qishon River** 吉雄河。

Kishorganj 吉绍尔甘杰 孟加拉中东部城镇。傍昆达利哈勒河。过去以织造平纹细布著称。曾是英国东印度公司贸易站所在地。1869年设建制。现有制糖厂、造纸厂。通公路和铁路。人口52 302(1981)。

Kisi 参阅 **Kissi** 基西人。

Kisii (people) **基西人** 参阅 **Gusii** 古西人。

Kisin (Mayan god) 参阅 **Cizin** 西津。

kiskadee (*Pitangus*) **食蝇霸鹟鸟** 雀形目霸鹟科两种相似的新大陆鹟类的统称。其英文名得自大蝇霸鹟的鸣声。大蝇霸鹟(*P. sulphuratus*)体长23厘米；背、翅和尾为浅红褐色，喉部白色，冠和头的两侧为黑色；冠部有一白带环绕，上有黄色冠斑；栖于从得克萨斯、路易斯安那到阿根廷一带的林地、稀树草原和潮湿地区；富于进攻性。能像伯劳一样，

大蝇霸鹟(*P. sulphuratus*)
美国不列颠百科全书公司供图

从栖处扑向猎物(昆虫和蛙类)，亦食果实，还潜入浅水捕鱼；以草筑圆顶巢窝。小蝇霸鹟(*P. lictor*)体较小，长19厘米；具与前者类似的斑纹；生活在巴拿马到玻利维亚一带，常傍水栖息；其鸣啭声似哨声，难以形容。

Kiskunfélegyháza　基什孔费莱吉哈佐　匈牙利中部巴奇-基什孔州城镇。位于多瑙河与蒂萨河之间名为基什孔萨格的地区，曾为该地区首府。该地区为重要农业中心(谷

基什孔费莱吉哈佐镇的巴罗克式教堂(1744～1752)
美国不列颠百科全书公司供图

物、烟草、水果和葡萄酒)，也有些制砖、采矿机械工业。该镇在16世纪被土耳其人摧毁，自18世纪中叶起重建为马扎尔人城镇。有布达佩斯至塞格德的公路和铁路经过该地，是重要的交通枢纽。人口约34 889(1989)。

Kislovodsk　基斯洛沃茨克　俄罗斯西南部斯塔夫罗波尔边疆区城市。位于高加索山麓，濒临波德库莫克河。1803年辟为矿泉疗养地，现为俄罗斯最大的疗养胜地之一，有7眼矿泉、40多个疗养和休养所。所产瓶装矿泉水运销全国各地。为作家A.索尔仁尼琴的出生地。人口约114 000(1989)。

Kismaayo　基斯马尤　又拼Chisimaio或Kismayu。索马里南部海港。濒临印度洋和朱巴河河口。1872年由桑给巴尔苏丹建立。1887年被英国人占领。后成为朱巴兰一部分，在意属索马里兰(1927～1941)境内。20世纪60年代港口设施在美国的援助下得到改进。有肉类加工厂。人口约80 000(1985)。

Kiss　吻　以嘴唇接触或抚摸另一个人的嘴唇、脸颊、手或脚以表示喜爱、致意、尊敬或性的吸引。以吻表示致意或敬礼在西方文明中有悠久的历史，可上溯到旧约时代、古希腊人、古罗马人和日耳曼系诸民族。早期基督教徒以吻互相致意，而这种"神圣之吻"在今日的天主教礼仪中仍占有地位，例如主教在祝圣司铎时要吻他，而主教自己在受祝圣时也受一吻。中世纪的骑士在受称号后也要接受一吻，而吻新娘几乎是西方婚礼中的普遍习俗。由此可见，在公开场合以吻为礼在西方由来已久，但在东方却很罕见，东方以鞠躬为通行的致意方式，吻仅限于男女之间私下表示亲昵。受西方影响，20世纪后期在公开场合以吻为礼在日本和中国已变得较为平常。在非西方文化中，男女接吻表示爱情形式不一。在因努伊特人(爱斯基摩人)和传统波利尼西亚社会中，男女接吻时两人的鼻子相互揉搓，而在印度东南部地区和欧洲拉普人中间，男女接吻时，在主动的一方吸气时，被动的一方则把鼻子紧紧压在对方的脸蛋上。把舌伸进对方口中深入探索是为深吻，通常是性爱过程中的内容，或者是表示情爱，或者是为了挑起对方的性欲。在灵长目中，以接吻作为性交的准备活动是人类所特有的，这或许是由于人类直立、男女双方可面对面相互传达感情，而且可以用上肢互相拥抱。

Kissavos(Greece)　**基萨沃斯**　参阅**Ossa 奥萨**。

Kissi　基西人　又拼Kisi。居住在几内亚、塞拉利昂和利比里亚交界处树丛被覆的热带草原。语言属尼日尔-刚果语系西大西洋语支。稻米是基西人的主食，其他食物有薯蓣、甘薯和芋头；咖啡豆和可乐果为出口农产品。他们的村庄是由一些圆锥顶泥草房组成的。

基西人的人像雕塑——跪女子
美国不列颠百科全书公司供图

每个村庄最多500人，实行族外婚父系制。每个家族以长者为首领。宗教信仰有农神、祖先和其他崇拜仪式。以前居民所制成的小型石雕人像可用来代表祖先，祖先是人们用以与造物之神进行信息交流的唯一渠道。

Kissidougou　基西杜古　几内亚东南部基西杜古行政区首府。位于公路交叉点。19世纪90年代建为法国哨所。该城是几内亚高地基西人大米、木薯、牲畜、棕榈油及核仁的贸易中心，也是森林覆盖的基西杜古区(面积8 868平方千米)的集散地，输出咖啡和可乐果。20世纪30年代开始开采钻石。有医院、中学和天主教会。人口：地区约160 000(1977)。

Kissinger，Henry A(lfred)　基辛格(1923-05-27，德国菲尔特～　　)　美国政治学家、国家安全事务顾问和国务卿。在1969～1976年尼克松总统和福特总统任内是决定美

白宫供图

国外交政策的一位有主要影响的人物。基辛格一家为了逃避纳粹对犹太人的迫害于1938年移居美国，他于1943年加入美国籍。曾在纽约城市学院学习会计学。第二次世界大战时期在美国陆军服役，战后在德国的美国占领区军事管制政府中工作。1954年获哈佛大学哲学博士学位，先在该校任讲师，后任政治学教授(1962)、防务研究计划主任(1959～1969)。1955～1968年间在艾森豪威尔、肯尼迪和约翰逊3届政府的各种机构中担任安全事务顾问。所著《核武器与对外政策》(1957)一书奠定了他作为美国战略政策主要权威的地位。他反对国务卿杜勒斯以"大规模核报复"对付苏联进攻的政策，主张将使用战术核武器与常规部队结合起来的"灵活反应"政策，并根据战略需要发展武器技术。该书与《选择的必要》(1960，书中把灵活反应限于常规部队并指出苏美之间的"导弹差距")对肯尼迪政府的活动产生巨大影响。1968年12月尼克松任命他为国家安全事务助理，后任国家安全委员会主任(1969～1975)和国务卿(1973-09～1977-01-20)。他很快就成为尼克松政府中具有影响的人物。他的主要外交成就涉及中国、苏联、越南和中东。他制订了使美国与苏联的关系转缓的政策——缓和政策，导致1969年举行限制战略武器会谈。在1971年末印度-巴基斯坦战争中，他确立亲巴政策。他促进与苏联通过谈判于1972年签订第一阶段限制战略武器协议，并促使美国

与中华人民共和国恢复邦交。他虽然起初主张在越南采取强硬政策，策划轰炸柬埔寨(1969～1970)，但后来在实现尼克松实行的越南化政策——即美军在南越退出战斗，而由南越部队代之——方面起了重要作用。在巴黎与北越政府谈判数月之后，于1973年1月23日草签停战协议，规定美军撤走和为两个越南达成永久性和解勾划出轮廓。为此他与北越谈判代表黎德寿共同获得1973年诺贝尔和平奖(黎德寿拒绝接受)。1973年阿以战争后，他进行穿梭外交，促使敌对军队脱离接触，促进交战国之间停战，并努力恢复1967年以来中断的埃及与美国的外交关系。1974年尼克松辞职后留任，在福特总统的政府中指导外交事务。1977年离任后，成为国际顾问、作家和教授。1983年里根总统任命他为国家中美洲问题委员会主席。后期的作品有《美国外交政策》(1969)、《白宫岁月》(1979)和《回忆录》(1981)等。

Kistna(India)　**吉斯德纳河**　参阅**Krishna River** 克里希纳河。

Kisumu　**基苏木**　肯尼亚尼安萨省省会。是肯尼亚西部地区的工商业和交通中心。因通水路和铁路，在维多利亚湖和蒙巴萨之间的贸易联系中起重要作用。1979年开始建一家啤酒厂和一座把糖浆变成动力酒精的工厂。为肯尼亚第三大城市。当地亚洲人曾一度占总人口的1/4以上，自从1963年独立后，这一比率下降。人口约192 733(1989)。

kiswah　**罩幕**　伊斯兰教用语，指覆盖麦加天房克尔白(**Ka'bah**)的黑色锦幔。罩幕每年更换，新罩幕在埃及预先制好，由朝觐者带到麦加。罩幕上用金线绣有清真言，并以金色《古兰经》经文为边饰。罩幕在每年大朝期间取下，代以与朝觐者的戒衣颜色相同的白布，以示受戒。朝觐结束时，克尔白换上新罩幕，旧罩幕割成小片，分售给朝觐者。

kit　**袖珍小提琴**　16～18世纪，舞蹈教师在衣袋中携带的发音柔和的小型提琴，中世纪雷贝克琴的最末一个"后裔"。通常是有

袖珍雷贝克琴和袖珍小提琴(右)
美国不列颠百科全书公司供图

3、4根弦的窄船形乐器，后来还制成窄的小提琴型。舞蹈教师在教舞步时用它来奏舞曲的旋律和节奏。乐器常精心雕刻，或镶以象牙、玳瑁壳或宝石。最常用的定弦是从中央C开始：c′-g′-d″。

Kita-Ibaraki　**北茨城**　日本本州茨城县北部城市。濒临太平洋。经济以农业(稻米)和渔业(沙丁鱼和鲭鱼)为主。当地原有煤矿现仅存一处，20世纪70年代人口不断下降。该市的日本美术学院闻名遐迩。人口52 074(1995)。

Kita-Kyūshū　**北九州**　日本九州福冈县城市。临下关和对马海峡。1963年由若松、八幡、户畑、小仓和门司5城市(现为5个市区，面积共466平方千米)合并而成，部分岸区划

北九州市的若户大桥
美国不列颠百科全书公司供图

入濑户内海国家公园。为日本制造业中心之一，以重工业为主。八幡为工业核心，生产钢铁、化工产品、水泥、玻璃。若松生产金属制品、机械、船舶、化工品；港口转运九州北部出产的煤。日本西部深海渔业基地之一的户畑也生产大量棉纺织品和金属加工品。小仓生产钢铁和机械。门司拥有本市主要港口设施，兼作煤、石油和渔业港。北九州与本州下关之间通海底隧道。中心工业区有若户大桥横跨。人口约1 063 600(1983)。

Kitabatake Chikafusa　**北畠亲房**(1293，日本～1354-05-10，日本旧大和国贺名生)　日本武士、政治家和影响巨大的政治史论文《神皇正统记》的作者。该书阐述一种神秘和民族主义的观点：即日本由于它的神圣统治世系绵延不绝，因此在世界各国中具有无比的优越性。1333年当后醍醐天皇从放逐地逃回，争夺失去的皇位时，北畠曾是他的顾问。后醍醐短暂的复位失败后，分裂成两个朝廷——在京都的北朝和后醍醐在吉野的南朝。这种时势导致北畠写作《神皇正统记》，企图证明后醍醐和他的世系是日本皇统的合法继承人。此书写成于1339年，出版于1369年。对以后几个世纪的民族主义神道教复苏影响颇大，对现代日本民族主义的兴起也有潜在的重要意义。

Kitahara Hakushū　**北原白秋**(1885-01-25，日本福冈～1942-11-02，东京)　日本现代诗人。原名北原隆吉。他的唯美的和象征的风格在当代日本诗坛上有较大影响。1906年参加"新诗社"，在该社的《明星》杂志上发表诗篇，这些作品使他一举获得后起之秀的美名。1909年他与当时在文坛中风行的自然主义唱对台戏，创立了"牧羊会"。他的第1部诗集《邪宗门》(1909)描写16世纪在日本活动的基督教传教士，由于富有异国情调，令人赏心悦目，为他博得很多喝彩；1911年他的抒情诗集《回忆》问世后，也受到盛赞。他给日本传统的31音的短歌体裁引进一种新的象征的和颓废派的风格，并组织多磨短歌会。

Kitaj, R(onald) B(rooks)　**基塔伊**(1932-10-29，美国俄亥俄克利夫兰附近查格林福尔斯～　)　美国出生的英国画家，以对波普艺术的创新贡献而著称。曾在纽约市库珀学院和维也纳美术学院学习艺术。在商船上当过海员，1955～1957年服役于美国陆军，此后定居英格兰，就读于伦敦罗斯金制图与美术学校和皇家艺术学院。60年代初期曾参与首倡英国波普艺术运动。他的作品把波普派油画的无个性特色与抽象表现主义的松散的绘画笔法融合到一起，但与同时期的波普画家那种复杂而又充满想象的作品不同。他的半抽象的绘画色彩鲜明，富于想象，描绘人物之间的困惑与暧昧的关系。他的作品大量描绘历史的、艺术的和文学的主题，具有高度的知识性。20世纪60和70年代，他在英国许多美术学校教授绘画，并经常举办画展。

Kitakami-sammyaku　**北上山地**　日本山脉。在本州东北部。从青森县南部沿太平洋岸线延伸，经岩手县和宫城县，止于牡鹿半岛。长约155英里，最宽处为50英里，近于楔状。最高峰早池山位山地中部，海拔6 280英尺(1 914米)。山脉西缘降入北上河谷，东边呈现两种构造，北部形成980英尺高的海洋台地，南部降为很深的海湾。山区有"日本的西藏"之称，是本州开发最早的边缘地区之一。当地旧农业生产方式如农奴(日本称名子)制，一直沿用到20世纪中叶。现水稻已取代谷子成为主要农作物。谷地放养奶牛。有两条铁路穿经南部。

Kitami　**北见**　日本北海道东北部城市。临鄂霍次克海。面积421平方千米。原为阿伊努人居住地。1897年始有日本移民定居。1942年设市，并改为现名。四周地区出产大豆、马铃薯、甜菜和薄荷。市内有日本最大薄荷加工厂。生产木材、纸张和钢铁制品。人口约105 428(1983)。

Kitami-sammyaku　**北见山地**　日本山脉。在北海道东北部。沿鄂霍次克海岸，长180英里(290千米)。山脉基本呈向上走向，只有西部陡然向下，直至天盐川河谷。海拔一般为2 500～3 100英尺，西南部石狩岳高6 500英尺。境内旭岳火山(7 510英尺)为北海道最高峰。北见山地是以粗切坡地和开阔谷地为特征的缓和地形。

Kitasato Shibasaburo　**北里柴三郎**　(1852-12-20，日本九州岛小国～1931-06-13，中津)

日本医师、细菌学家。1894 年香港鼠疫流行时，他与 A.耶尔森几乎同时发现鼠疫杆菌。1885～1891 年他在柏林 R.科赫的实验室与 E.贝林一同研究破伤风和白喉杆菌。1889 年第一个获得破伤风杆菌纯培养。1890 年和贝林从感染破伤风的动物取得血清，分级注射于另一动物，使之对破伤风产生被动免疫，从而证明抗毒素的防病价值。1892 年回日本，在东京附近建立实验室，与同事（包括 A.瓦色曼）一起证明死培养物可用于预防接种。他还研究了结核病的传染方式。1914 年建立北里研究所。

Kitay-gorod　基塔城　莫斯科市的一个区，东邻克里姆林宫，西接新旧广场，南临莫斯科河。范围包括红场（**Red Square**）区。11 世纪始有人在此居住。作为莫斯科一处郊区，14 世纪发展成为商业中心。随莫斯科的发展而繁荣起来，成为巨商的聚集地。16 世纪起被称为基塔城，虽曾于 1610 年和 1812 年两度被大火焚毁，但一直是莫斯科的商业中心。现为非居住区和莫斯科市主要游览地，建有商业和政府机构以及国家百货公司（1889～1893）。保存有 1555～1560 年建的圣巴西尔大教堂、1628～1634 年建的三一教堂及部分城墙和一个塔楼。

Kitchen midden（anthropology）　参阅 **shell mound** 贝丘。

Kitchener　基奇纳　加拿大安大略省东南部滑铁卢自治区城市。位于格兰德河谷，在多伦多西南偏西 95 千米。约 1807 年德国人在此建居民点；1916 年更名，以英国陆军元帅爵号命名。附近地区为全国人口最稠密的地区之一，该市为这一地区主要的工业中心、财政中心和物资集散地。有肉类加工、酿酒、制革、家具制造、纺织、制鞋、橡胶制品、机器设备等工业。市内有管弦乐队、合唱团、小剧院和艺术协会。1854 年设村，1870 年设镇，1912 年设市。人口：市 190 399；都会区约 414 284（2001）。

Kitchener（of Khartoum and of Broome），Horatio Herbert Kitchener，1st Earl　基钦纳伯爵（第一）（1850-06-24，爱尔兰凯里郡利斯托尔附近～1916-06-05，奥克尼群岛附近海上）　英国陆军元帅、殖民地行政官员，苏丹的征服者，南非战争中的英军总司令，第一次世界大战爆发时任陆军大臣，成为举国争取

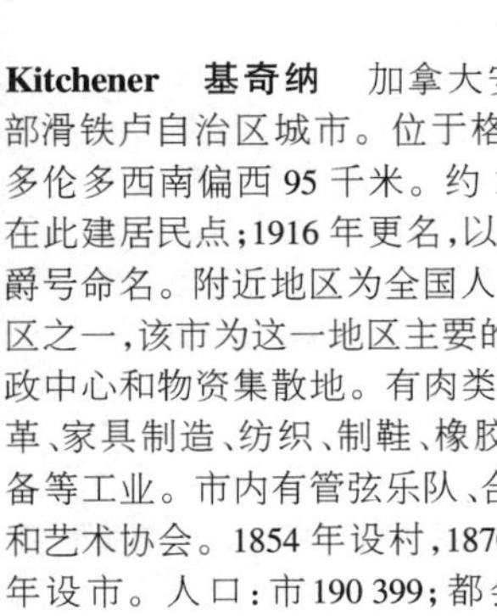

美国不列颠百科全书公司供图

胜利的象征。伍尔威奇皇家军事学院毕业。后任皇家工程兵军官。1874 年起在中东服役。1886 年任英国红海领地总督（驻苏丹的萨瓦金）。他精力充沛，办事认真，1892 年被任命为埃及陆军总司令。1898 年 9 月 2 日在恩图曼战役（**Omdurman，Battle of**）中粉碎马赫迪的苏丹军，然后占领喀士穆，并重建这个城市，使之成为苏丹英埃政府的中心。由于果断处理法绍达事件（**Fashoda Incident**），在英国声望大增。1898 年受封男爵。任苏丹总督一年后，于 1899 年 12 月参加南非战争，先任参谋长，1900 年 11 月任总司令。在南非战争的最后 18 个月，他为了对付游击队的抵抗，不惜采取一切残酷手段，如焚烧布尔人的农舍、把布尔人的妇女儿童赶进集中营。胜利后回国，被封为子爵（1902）。随即出任驻印度英军总司令，但与印度总督寇松爵士在控制驻印军队问题上发生争吵，至 1905 年，政府支持基钦纳，寇松辞职。基钦纳留在印度直至 1909 年。1911 年 9 月任埃及总督，直至 1914 年 8 月统治埃及和苏丹。1914 年 6 月受封伯爵，并被另封为子爵和男爵。第一次世界大战爆发后任陆军大臣并晋升为陆军元帅。他迅速征召大批志愿兵作为职业军人进行训练，使之成为崭新的“基钦纳军”。当他乘“汉普郡”号巡洋舰前往俄国时，该舰被德国水雷击沉，他也溺毙。

kite　鸢　鹰科鸢亚科（Milvinae）、白尾鸢亚科（Elaninae）、蜂鹰亚科（Perninae）多种猛禽的通称。鸢一般体较轻，头小，脸部分裸露，嘴短，翅和尾狭长。许多种类见于全球的温

燕尾鸢（*Elanoides forficatus*）
美国不列颠百科全书公司供图

暖地带。有些鸢以昆虫为食；另一些种类主要食腐肉，但亦吃啮齿动物和爬行动物；还有少数种仅吃蜗牛类。鸢飞时飘浮空中，慢慢拍翅，然后翅向后成一角度而滑翔。有几种鸢姿态优雅如燕鸥。真鸢（鸢亚科）喙较狭窄，上腭边缘呈波浪形。典型种如赤鸢（*Milvus milvus*，分布于欧洲、北美和中东）及黑鸢（*M. migrans*，或称黑耳鸢，分布于旧大陆大部分地区），均体大，体长约 55 厘米，颜色发赤（黑鸢色较深），头部稍有条纹，翅长而有角，凹形尾。栗鸢（婆罗门鸢，*Haliastur indus*，属于鸢亚科）分布于印度至澳大利亚东北部；除体前部白色外，余为红褐色；吃鱼和垃圾。澳大利亚的鵟鸢（黑胸钩嘴鸢，*Hamirostra melanosternon*，属于鸢亚科）体大，胸黑，主要吃野兔和蜥蜴，亦吃鸸鹋卵，据报道能将石块掷到卵上以打碎其壳。螺鸢有多种，仅见于新大陆，也属于鸢亚科；喙镰刀状，适于捕食蜗牛类。如大沼泽地鸢（*Rostrhamus sociabilis*），现于佛罗里达和古巴属稀有种类，而在墨西哥东部、中美和南美东部大部分地方还不少；体羽淡黑或石板色，体长约 50 厘米，眼红色，尾基白色。燕尾鸢（*Elanoides forficatus*）见于新大陆，属于蜂鹰亚科；体长（包括长的叉形尾）约 60 厘米，体黑白两色；在南美东部热带地区最常见，但也见自中美至美国。非洲的叉尾鸢（*Chelictinia riocourii*，属于白尾鸢亚科）体灰白两色，形小，分布自尼日利亚到索马里。白尾鸢（*Elanus leucurus*，属于白尾鸢亚科）分布自阿根廷到加利福尼亚，是北美仅见的数量增多的猛禽之一；体灰色，头、尾和下体白色，有明显的黑色肩斑；以啮齿类为食。白尾鸢属（*Elanus*）许多种见于热带非洲、亚洲和澳大利亚。鹃隼也是一种鸢，参阅 **falcon**。

kite　风筝　一种比重大于空气的腾空装置，用于体育运动或娱乐。用轻质材料做成各种形状的骨架，蒙上糊纸、塑料或布，系在用手牵引或绕在线轴上的线上，利用风力放到空中。一说风筝为公元前 5 世纪希腊科学家阿契塔所发明，但亚洲人自古以来已有风筝。放风筝一直是朝鲜人、中国人、日本人和马来人的一种游戏。据信夜间在房子上空放风筝能驱魔。亚洲的一些放风筝仪式至今仍有宗教意义。美国科学家富兰克林 1752 年在雷暴雨中将金属钥匙挂在风筝线上吸引空中电流，证明闪就是电。在气球和飞机尚未发明之前，人们早已用风筝将仪器送到空中记录气象资料。20 世纪初有人试用风筝观察军情。最常见的风筝有六角形、菱形和箱式，放风筝最好在野外，风速每小时 13～32 千米为最佳。

Kithairón（Greece）　参阅 **Cithaeron** 基塞龙山。

kithara　基萨拉琴　古罗马西塔拉琴（cithara）。弦乐器，古希腊里尔琴的两大类型之一。它有一个木制的音板和箱形琴身或共鸣箱，从共鸣箱伸出两个中空的琴臂，用一根

阿提卡双耳陶瓶图案中所绘的基萨拉琴演奏者
美国不列颠百科全书公司供图

横木连接。最初弦为3根，但后来多达12根，从横木连到乐器底端，中间通过音板上的琴桥。通常用拨子弹奏，左手指制住暂不使用的弦的振动，不时按弦使它产生泛音。在独奏中有时两手拨弦，由肩上的带子支持。许多乐器名称是由基萨拉一词派生而来，如吉他、西特琴和齐特琴。参阅 **lyre**。

Kíthira（Greece） 参阅 **Cythera** 基西拉。

Kitikmeot 基蒂克米奥特 加拿大努纳武特地区3个区中最西边的一个区。1981年由西北地区政府在史密斯堡行政区北部创建。1982年启用现名前，称北极中央区。基蒂克米奥特是爱斯基摩人给予该地的传统名称。它包括北极中部海岸，向南伸展至内陆的康特沃伊托湖，向东包括布西亚半岛，还包含北极中部维多利亚、斯蒂芬森、威廉王等岛屿以及威尔士王子与萨默塞特等岛屿的南部地区，位于几乎整个北极圈北部，以冻原植被为其风景特征。首府是维多利亚岛上的剑桥湾镇。居民以爱斯基摩人为主，大多从事传统的经济活动。商业性鲑鱼捕捞亦举足轻重。人口5 067(1996)。

Kitimat 基蒂马特 加拿大不列颠哥伦比亚西海岸区属自治镇。位于道格拉斯海峡顶端，自赫卡特海峡向内陆延伸129千米。有深水泊位。1954年加拿大铝业公司在此建成大型炼铝厂。经济收入主要靠制铝，也有林产综合加工厂和商业性渔业。1953年设为自治镇。以附近一印第安人同名村落命名。人口11 305(1991)。

Kition（ancient city，Cyprus） 参阅 **Citium** 基提翁。

Kitt Peak National Observatory(KPNO) **基特峰国立天文台** 1958年美国国家科学基金会(NSF)为满足美国东半部天文学家多年要求能在良好气象条件下进行高质量光学观测而建立的一座天文台。这座由大学天文学研究协会(AURA)和国家科学基金会共同管理的天文台位于图森西南80千米一个海拔2 100米的印第安人保护区内。台上有11架现代光学望远镜及其辅助设备，其中包括一架4米反射望远镜。尤为突出的是，天文台有一架世界最大的观测太阳的望远镜，以及另一个也用于研究太阳的真空塔式望远镜。KPNO以研究太阳系、银河系的恒星和星云以及河外星系著称。

kittel 基特尔袍 犹太教名词，指每逢岁首、赎罪日等节日由拉比、祈祷文吟诵者、号角手在会堂中着用的白袍。根据德系犹太人的习惯，凡成年男子都着用基特尔袍。这种白袍也由主持逾越节家庭晚筵的人穿着。极端正统派新郎须着此袍。虔诚信教的犹太人以基特尔袍装殓死者。

Kittery 基特里 美国缅因州西南部约克县城镇。在大西洋沿岸皮斯卡特奎河口，与新罕布什尔州朴次茅斯隔河相对。1623年始有人定居，1647年设为该州第一座城镇。独立战争后一直为造船中心，1777年第一艘升有美国国旗的“兰杰”号船在此下水。现在，当地的朴次茅斯海军船厂负责制造和维修核潜艇。结束日-俄战争的1905年条约亦在此签订。附近南贝里克是小说家S.O.朱厄特的出生地。面积46平方千米。人口9 543(2000)。

kittiwake 三趾鸥 又作black-legged kittiwake（*Rissa tridactyla*）。亦称黑腿三趾鸥。一种海洋鸥类，体白色，翕珍珠灰色，翅尖黑色，腿黑色，嘴黄色。营巢于北大西洋和南大西洋海滨。为了营巢于狭窄的悬崖突出部，演化出一些行为和结构的变化。红腿三趾鸥（*R. brevirostris*）与之近缘，具红色的嘴和脚，栖息于白令海峡地区。

三趾鸥（*Rissa tridactyla*）
美国不列颠百科全书公司供图

Kittl, Ema（soprano） **基特尔** 参阅 **Destinn, Emmy** 德斯丁。

Kittredge, George Lyman 基特里奇(1860-02-28，波士顿～1941-07-23，美国马萨诸塞巴恩斯特布尔) 美国文学研究者、教师，是他那个时代研究莎士比亚、乔叟和马洛礼作品的最权威人士之一。1882年获哈佛大学文学学士，1883～1888年在新罕布什尔的埃克塞特菲利普斯学校教授拉丁文。其间曾到国外学习一年。回国后于1888年到哈佛任教，直至1936年退休。他是英格兰和苏格兰民谣学者蔡尔德的弟子。1896年蔡尔德去世后，由他继续主讲民谣课。他以讲课才气横溢、漫无边际著称，还以才思敏捷和令人难忘的风度而出名。《乔叟及他的诗》(1915)被誉为第一部向现代读者揭示乔叟伟大之处的作品。另著有《高文和绿衣骑士研究》(1916)、《英语语话中的词及其用法》(1901；与J.B.格里诺合著)、《古代和现代英格兰巫术》(1929)，所辑《莎士比亚全集》(1936)，为学者所推重。

Kitty Hawk 基蒂霍克 美国北卡罗来纳州东北部达尔县城镇。位于面对大西洋的狭窄沙洲上，与阿尔伯马尔海峡相对。镇南的斩魔山南麓为怀特兄弟国家纪念地(1927)，纪念他们在1903年12月17日进行美国的首次动力飞机试飞。经济以旅游业为基础。人口2 991(2000)。

Kitwe 基特韦 东非赞比亚第二大城镇。位于铜矿带省，是产铜区的主要工业和贸易中心。建于1936年。铜矿的迅速发展促进了该市的兴盛。城市所需电力由卡里巴水坝供应。有铁路、公路和航空线与中部和南部非洲各主要中心连接。恩卡纳矿区1961年并入基特韦。1966年升为市。1970年建立赞比亚工学院。居民中有许多欧洲人。人口约348 571(1990)。

Kitzbühel 基茨比厄尔 奥地利西部城镇。属蒂罗尔州。在基茨比厄尔山区基茨比厄尔峰(1998米)下。1165年首见记载，1271年建市。16～17世纪，因开采银矿和铜矿而繁荣起来。镇内几座中世纪的城堡已改为旅馆。著名建筑物有圣安德烈亚斯堂区教堂(1435～1506)、14世纪的圣卡塔琳娜教堂和圣母教堂。基茨比厄尔是世界著名的冬季体育运动中心，也是避暑胜地。每到夏季，旅游业极为繁忙。附近有施瓦茨湖矿泉疗养地。人口8 657(2000)。

基茨比厄尔镇的圣母教堂
美国不列颠百科全书公司供图

Kitzbühel Alps 基茨比厄尔山 蜿蜒于奥地利西部的东阿尔卑斯山脉，东西走向，长65千米，最高点为西部的克罗伊茨约赫山峰，海拔2 558米。图恩山口把山脉分成两段。有连接基茨比厄尔与米特西尔的公路穿过山口。山中多避暑胜地和冬季运动中心。

Kiuchüan(China) 参阅 **Jiuquan** 酒泉。

kiva 地下礼堂 美国西南部美洲普韦布洛印第安人村庄中供作宗教仪式和社会活动用的地下礼堂，以壁画著称。由于地下礼堂与部落的家族起源有关，以及由于每个普韦布洛(**pueblo**)村社住有两个或两个以上的氏族，每个村庄至少总有两个地下礼堂。在地下礼堂的地板上(有时在一块厚的木板上)开一个小洞，小洞称作“西帕古”(sípapu)，作为部落起源地的象征。地下礼堂虽主要为举行宗教仪式的场所，但政治性集会或偶然召集的村民大会，也在这里举行。妇女几乎总是被排斥于地下礼堂之外。传统地下礼堂呈圆形，现代结构为方形或长方形。圆形礼堂反映出史前编筐文化的圆形地窖，霍皮人和祖尼人就由那种文化承袭而来(参阅**cliff dwell-**

ing)。礼堂的壁画描绘诸神和部落日常生活的情景，其风格倾向于几何图形，着重画直线。整个壁画沿墙布置成直线形，壁画是用本地丰富的矿物制成的暖色颜料画在黏土灰泥之上的。

kivela　基维拉　又拼kwela（祖鲁语，意为“攀登”）。流行在南非的都市舞蹈音乐。E.西索尔于20世纪40年代杜撰此词，用以表示祖鲁人声乐中的应答式合唱。50年代这一名词也用于街头乐队吹6孔玩具笛的音乐。这类乐队也在城镇舞会上演出，以后又加用了一两只没有电扩音的吉他和一把低音提琴。从50年代起，基维拉把北美的摇摆乐也包括在它的节目之中。

Kivi, Aleksis　基维（1834-10-10，俄属芬兰努尔米雅尔维［今在芬兰］～1872-12-31，图苏拉）　斯滕瓦尔的笔名。芬兰小说和戏剧之父。芬兰现代文学语言的创造者。1857年进入赫尔辛基大学。1860年在芬兰文学协会的戏剧评比中，以取材于芬兰民族史诗《卡勒瓦拉》的悲剧《库勒沃》获奖。他最著名的剧作是乡村喜剧《荒原上的鞋匠》（1864）及《逃亡者》（1867）。他的《七兄弟》（1870）是用芬兰文写的第一部小说，描绘了一群农村青年为了爱好自由而避居大树林中，过着冒险的生活；但终于逐渐成熟，接受了作为一个农业村社的公民应尽的责任。这部作品兼有现实主义和浪漫主义成分，笔调极为幽默。基维是芬兰第一位职业作家，他的作品被公认为是芬兰文学名著。他的诗集《异教徒的国土》（1866）别具一格，不受当时诗规拘束，直到死后近百年才为人们所赏识。

Kivu, Lake　基伍湖　东非大湖之一。西面为刚果（金），东面为卢旺达。海拔1 460米。面积2 700平方千米，长90千米，宽48千米。平均深度为220米，最深达475米。湖岸崎岖；湖中有许多岛屿，最大者为伊吉维岛。沿湖北岸火山溢出物形成一道屏坝把基伍湖和爱德华湖分开，使湖水向南经鲁济济河注入坦噶尼喀湖。1958年在该河出口处建成穆鲁

基伍湖上的渔民在张网捕鱼
美国不列颠百科全书公司供图

鲁水电站大坝。湖岸区人口稠密。主要城镇有刚果（民）的戈马和布卡武以及卢旺达的吉塞尼。1894年德国探险家阿道夫·冯·格岑伯爵成为第一个到达基伍湖的欧洲人。

Kiwanis International　基瓦尼斯国际　世界性成年男女的社区服务组织，1915年创建于美国密歇根州底特律。20世纪后期，在70个国家约8 000个俱乐部里拥有30多万名会员。其会员愿意向少年和老年人提供帮助，建立国际理解和友谊，发展社区设施，支援农业和自然保护，推行防止犯罪和消灭酗酒、吸毒的计划。基瓦尼斯这个名称源于美国印第安语，意为“自我表现”。每个地方基瓦尼斯俱乐部可从每一行业或职业里选择两名会员组成。该组织为男女青年设立的附属分会有：以中学生为服务对象的国际钥匙俱乐部和以大学生为服务对象的国际K环俱乐部。该国际的总部现设在印第安纳波利斯。

kiwi　几维　新西兰产的3种不能飞行的几维属（*Apteryx*）鸟类。灰褐色，大小如家鸡。与已绝灭的恐鸟有亲缘关系。特点包括：退化的翅膀被羽毛所覆盖；羽毛不具羽翈，柔

普通几维（*A. australis*）
印度《电影行列》杂志社供图

软，毛样；腿强健，肌肉发达；四趾均有大爪；鼻孔生在长而可以弯曲的嘴尖上（不是在嘴的基部）。眼小，在白日视力也不足；耳孔大而发达，嘴基部有很长的须（可能用于司触觉）居住在森林中，白天在隐蔽处睡觉，夜间寻食（蠕虫、昆虫和它们的幼虫、浆果等）。需要时奔跑迅速；被逼时，用爪自卫。每产1～2个卵。卵白而大，可重达450克，产于洞穴中。由雄鸟抱卵，孵化期约80天，几维的卵（按与身体的比例而言）是现存鸟类中最大的。孵出的幼雏长满羽毛，眼睁开。约一个星期不进食。几维数量虽不很多，但似乎无绝灭的危险，甚至已渐渐适应半牧场的环境。几维属构成几维目几维科。几维属有3个种：普通几维（*A. australis*）见于北岛、南岛和斯图尔特岛；南岛上有小斑几维（*A. oweni*）和大斑几维（*A. haasti*）。

kiwi（*Actinidia chinensis*）　**猕猴桃**　又作Chinese gooseberry。猕猴桃科（Actinidiaceae）藤本植物，果实可食。原产于中国（大陆及台湾），现在于新西兰及加利福尼亚有商业性栽培。果实卵形，外皮初被柔毛，后无毛，浅棕绿色，果肉坚实，绿色，半透明，中心有紫黑色可食种子。其果实味略酸，似醋栗或甜瓜。可生食或煮食，其汁液有时用作肉类嫩化剂。

Kiyev（Ukraine）　参阅 **Kiev** 基辅。

Kizel　基泽尔　俄罗斯中西部彼尔姆州城市。位于乌拉尔山西坡、基泽尔河畔。建于1788年。19世纪90年代通往彼尔姆的铁路建成后兴起。1926年设市。为基泽尔煤田工业中心，制造采矿设备。有矿业学院。人口约36 300（1991）。

Kizhi Island　基济岛　俄罗斯西北部卡累利阿共和国境内奥涅加湖中的岛屿。14世纪时地当诺夫哥罗德至白海的重要商路。是在16世纪中叶修建的斯帕斯克教堂附近发展起来的居民点。17世纪为防范瑞典和波兰入侵的关卡。1769～1771年叶卡捷琳娜二世在位期间在此爆发几次重要的农民起义。现尤以其历史和建筑博物馆（1960年开放）闻名。保存并修复有早期木结构谷仓、房舍、风车磨坊和一些教堂作为露天博物馆的一部分。主显圣容教堂高37米，分为3层，有22个圆顶，可与莫斯科红场的圣巴西尔教堂媲美。圣拉扎鲁斯教堂（建于1390）为卡累利阿共和国最古老的教堂，原在普多日地区，1961年移至此地重建。行业以旅游业为主。

Kızıl Adalar　克孜勒群岛　英语称普林塞斯群岛，史称代莫内西群岛。土耳其马尔马拉海中的9个岛屿，在伊斯坦布尔东南数英里处。最小的塞代夫岛和较大的比于克阿达、海伊贝利、布尔加兹、克纳勒四岛上均有常住居民。比于克阿达岛是苏联托洛斯基1929年被放逐后定居的地方。海伊贝利岛上有土耳其海军学院分院。拜占廷时期群岛上建有不少隐修院。因地点较闭塞，而又靠近京都，常作被废黜王公贵族的流放地。拜占

克孜勒群岛一座岛上的城镇马车
美国不列颠百科全书公司供图

廷的名胜有布尔加兹岛上的施洗约翰教堂，据说为狄奥多拉女皇所建（约842）。还有海伊贝利岛上的上帝生母教堂，为14世纪建筑。该岛上还设有希腊正教神学学校，1844年重建。群岛为伊斯坦布尔地区著名夏季旅游胜地。旅馆和其他旅游设施集中于最大的比于克阿达岛。该岛禁止行驶机动车，主要交通工具为马车。因缺少淡水，阻碍了群岛的发展。人口19 413（1990）。

Kizil caves　克孜尔石窟　中国古代佛教石窟寺。位于新疆维吾尔自治区拜城县东南。克孜尔是维吾尔语，为“红色”之意。主要是

4～8世纪遗存，已编号者236窟。这一带古属龟兹，是当时佛教石窟最集中地区之一。克孜尔石窟是其中规模最大的一处，分为僧人住的僧房窟和信徒礼拜的礼拜窟两类。前者约占2/3，后者占1/3。僧房窟一般有灶(壁炉)、炕和窗，多不画壁画。塑像和壁画都在礼拜窟内。礼拜窟中塑像已毁损无存，现仅存壁画。画的内容多是小乘佛教崇信的释迦像和佛本生故事、因缘比喻故事和佛传故事画，有的窟中有龟兹文题记。艺术风格具有鲜明的民族特色。人物形象注重人体结构和明暗表现。色彩鲜明，对比强烈，富有装饰趣味。20世纪初，石窟壁画的部分精品已被德、日等国探险家劫走。

克孜尔石窟8号窟
中国大百科全书出版社供图

Kızıl River　克孜勒河　史称哈利斯河。全程均在土耳其境内的最长河流。发源于安纳托利亚中北部海拔约1 980米的克孜勒山，在锡诺普与萨姆松间注入黑海。全长1 182千米。河床浅，水流量变化甚大，夏季水量最少，春季因融雪和降雨水量最大。不宜航行，但利于灌溉和发电。希尔凡勒和凯锡克普吕两大水电工程已动工，连同克勒克卡莱小水电站向黑海、马尔马拉海和爱琴海地区供电。濒临黑海靠近巴夫拉的克孜勒河大三角洲以产烟草闻名。

Kizilbash　红头　逊尼派土耳其人对7个土库曼部族的称呼，这些部族戴着红帽，表示对伊朗萨非王朝(1501～1736)的创建者的支持。后来，小亚细亚东部的什叶派教徒以及阿富汗的操波斯语的土库曼人都被称为红头。

Kizzuwadna　基祖瓦德纳　安纳托利亚东南部胡里人的王国，在今土耳其伊斯肯德伦湾附近。约公元前16世纪晚期与赫梯王国结盟，公元前1340年成为赫梯的臣藩。在著名的卡叠什战役(约公元前1299或前1291)中，曾出兵协助赫梯国王穆瓦塔利斯抗击埃及的拉美西斯二世。基祖瓦德纳虽是藩国，仍继续发挥文化影响，而且是冶铁和制铁中心，在赫梯王国的经济中起过重要作用。

Kjeldahl method　基耶达法　分析化学术语。广泛用于测定粮食、肥料和其他物质中氮含量的一种分析方法，1883年由丹麦化学家J.基耶达发明。把一定重量的试样用硫酸消化，使其中的全部氮转化成硫酸铵，将溶液碱化，生成的氨蒸馏入一定体积的标准酸中，再滴定过量的酸从而测定氨含量。

Kjellén, Rudolf　克吉伦(1864-06-13，瑞典图什岛～1922-11-14，乌普萨拉)　瑞典政治学家和政治家，他的保守主义的国家学说影响超越了瑞典国界。在乌普萨拉大学接受教育，1901～1916年在哥德堡大学执教，1916年起在乌普萨拉大学执教。他以其自成体系的著作而享有盛名，在这些著作中，他把现代国家看作器官系统，有其荣枯盛衰的过程。在《瑞典》(1917)一书中，他创造了几个专门名词："地缘政治"，研究一个国家由其地理特征形成的问题和状况；"生态政治"，说明经济因素足以影响国家政权；"人口政治"，研究国家的种族成分和由他们引起的问题。他在晚年分析了不同种类的国家宪法。并在瑞典议会中当了几届保守议员。他在德国的影响特别深远，他的《国家生物形态论》在德国广为流传，而在德国"地缘政治"一词的含意则与他的社会科学概念迥然不同。

Kjustendil(Bulgaria)　参阅**Kyustendil**丘斯滕迪尔。

Klabund　克拉邦德(1890-11-04，德国克罗森～1928-08-14，瑞士达沃士)　阿尔弗雷德·亨施克的笔名。表现主义诗人、剧作家和小说家。以翻译改写东方文学影响德国文坛。他对中国、日本和波斯文学作了随意和任凭想象的译述，其中著名的有《李太白》(1916)、《老子》(1921)和《灰阑记》(1929)。《灰阑记》是一个成功的剧本，被布莱希特改写为《高加索灰阑记》。原名亨施克，因患肺病在疗养院住过多年。他视自己为一个永远奔波求索的诗人，分别取Klabautermann(船怪)和Vagabund(流浪者)的起首音节和结尾音节作为自己名字(Klabund)。克拉邦德作品的特点是不平静和多面性。他以不同的形式作诗，并创立了一种新的散文形式，即"表现主义小说"。这类作品中值得注意的是他的自传体的"渴求小说"，其题材是疾病和爱情；传记体的"激情小说"，内有历史人物(如《沙皇彼得》，1923)的色情描写；以及他在散文方面最重要的成就，两本"应验小说"《布拉克》(1918)和《博尔吉》(1928)。

Kladno　克拉德诺　捷克共和国中捷克州矿业城市。在布拉格西北。原为两个村庄，1842年开始发展成为克拉德诺硬煤盆地的工业中心。有炼铁厂和轧钢厂，为大型钢铁基地。生产机械工业用成品部件、缆绳、自行车和半制成品，还生产合金钢和生铁。人口约70 301(1991)。

Klafsky, Katharina　克洛夫斯基(1855-09-19，奥地利帝国匈牙利森特亚诺什～1896-09-22，德国汉堡)　匈牙利戏剧女高音歌唱家。以扮演瓦格纳歌剧角色闻名。1874年在维也纳合唱队当歌手。后师从歌唱家兼教师M.马尔凯西夫人。瓦格纳《特里斯丹和绮瑟》首次在莱比锡演出时(1882)，由她扮演勃兰根内。1886～1895年成为德国最出色的歌唱家之一。还在莫扎特、贝多芬、贝利尼等人创作的歌剧中扮演角色。

Klagenfurt　克拉根福　奥地利南部城市，克恩滕州首府。位于卡拉万克山以北，沃尔特湖以东之盆地，临格兰河。12世纪建立，1279年设市。1518年起为克恩滕州首府，名胜有新广场的龙泉(1590)、17世纪的市政厅、天主教堂(1578～1591)、堂区教堂和兰德宫(1574～1590)。为交通枢纽和旅游中心。有五金、食品、化工等工业，并生产服装、靴鞋、皮革制品、烟草和电器等。设有克拉根福大学(1970)。人口89 415(1991)。

Klages, Ludwig　克拉格斯(1872-12-10，德国汉诺威～1956-07-29，瑞士苏黎世附近基尔希贝格)　德国心理学家和哲学家、性格学领域中的著名人物，也是一位现代笔迹学的奠基人。在慕尼黑大学学习化学、物理和哲学，并在该校任教。1895～1915年是德国生机论运动的倡导者，主张单用物理和化学法则无法解释生命。1905年在摩纳哥建立了研究人格学的中心——性格学科研究室。1919年将研究室迁至瑞士的基尔希贝格。克拉格斯相信人类区别于动物在于有灵魂；它支持着人思考和自制的能力。这种能力是人疏远世界成为自我的根源并渴望永生。他的研究在于寻求解释并构想出表现在不同的自我中的各种性格。下列著作可为例证：《性格学原理》(1910)、《心灵和生命》(1935)、《作为灵魂知识源泉的语言》(1948)。

Klaipėda　克莱佩达　立陶宛城市和港口。濒临连接库尔兰咸水湖、涅曼河和波罗的海的一条狭水道。为一古老居民点，1252年被条顿骑士团占领和破坏，并建成要塞，称梅梅尔堡。该镇亦称梅梅尔，成为东普鲁士的一部分。1923年归立陶宛，改称今名，经扩建成为重要外贸港口。1939年又割让给德国，1945～1991年为苏联所有。1991年立陶宛独立。现有大规模造船厂、拖网渔船和浮坞维修厂。有深海捕鱼船队和鱼罐头厂。其他工业有棉织品、纸浆和造纸、木材加工、收音机和电话机部件、琥珀宝石饰物。人口约192 954(2001)。

Klaipėda dispute　克莱佩达争端　参阅**Memel dispute**梅梅尔争端。

Klaj, Johann　克莱(1616，萨克森迈森～1656，法兰克尼亚维尔茨堡附近基青根)　Klaj又拼Clajus。德国诗人。在他的帮助下，17世纪中叶的纽伦堡成为德国文学中心。曾在维滕贝格学神学，后前往纽伦堡，1644年同G.哈尔斯德费尔建立文学团体"佩格尼茨会"。1650年去基青根教书和传道。擅写田园诗，往往以技巧的音响效果出众见长，曾经同哈尔斯德费尔合写《佩格尼茨牧歌》(1644)和《佩格尼茨牧歌续篇》(1645)。他也擅长写宗教清唱剧和神秘剧，如《耶稣基督复活》(1644)、《基督受难悲剧》(1645)以及《希律王》(1645)等。

Klamath 克拉马特人 参阅 **Modoc and Klamath 莫多克人和克拉马特人**。

Klamath Falls 克拉马斯福尔斯 美国俄勒冈州南部城市，克拉马斯县县城(1882)。位于喀斯喀特岭山麓，上克拉马斯湖南端。1867年始有人定居，1889年设镇，1906年设市。设有温内玛国家森林总部和俄勒冈理工学院(1947)。1906年克拉马斯灌溉工程竣工，1909年有铁路通此，该市发展为木材工业中心，牲畜、马铃薯、谷物的加工转运点。城北有火山口湖国家公园。人口约19 462(2000)。

Klamath Mountains 克拉马斯山 太平洋沿岸山脉的一部分。从美国俄勒冈州西南部向南延伸到加利福尼亚州中央山谷的西北侧，长约400千米。主峰埃迪山海拔2 755米。多支脉。为萨克拉门托河源头。大部划分为自然保护区，包括克拉马斯等6个国家森林的一部分以及俄勒冈洞窟国家保护区。地区经济以伐木、乳制品生产、果树种植、狩猎、捕鱼、旅游业为主。

Klamath River 克拉马斯河 源出美国俄勒冈州克拉马斯福尔斯以北的上克拉马斯湖。南流2千米称林克河，入依沃纳湖。出湖后称克拉马斯河并折向西南，在加利福尼亚州里夸附近注入太平洋。全长400千米。上游盆地区已有广泛的灌溉与开发。北加利福尼亚的科普科1号水坝(1922)用于发电。原与该河连接的下克拉马斯湖现已干涸，为野生动物保护区和农田。主要支流有沙斯塔河和特里尼蒂河。

Klammer, Franz 克拉默(1953-12-03，奥地利莫斯瓦尔德～) 奥地利高山滑雪运动员。1975年世界杯赛中9个滑降项目中他获得8个冠军。1976年奥运会上他和卫冕的瑞士选手B.鲁西对抗，一路上他一直以微小差距跟在鲁西后面，最后1 000米以似乎随时要跌倒的猛烈动作冲击，领先对手1/3秒夺得金牌。他是1975～1978和1983年世界杯的得主，还赢得1974年世界锦标赛高山组合的金牌和滑降的银牌。

Klang(Malaysia) **克朗** 参阅 **kelang 巴生**。

Klapka, György 克洛普考(1820-04-07，奥地利帝国匈牙利泰梅什堡～1892-05-17，布达佩斯) 匈牙利军人和民族主义者，1848～1849年革命战争中的领袖之一。1838年参加奥地利军队。1848年参加匈牙利国民军。1849年任军长，春季大反攻时以科马罗姆要塞为据点，对奥军进行不断的袭击。科马罗姆失陷后流亡英格兰和瑞士，积极从事使匈牙利脱离哈布斯堡帝国而独立的工作。奥地利与撒丁交战期间(1859)，他在意大利参与组织匈牙利兵团。普奥战争期间(1866)，他作为普鲁士少将，在西里西亚组织匈牙利军。1867年大赦后回国，当选为国会议员。1877年俄土战争迫在眉睫的时候，他曾参与改组土耳其的军队。著作有：《回忆录》(1850)、《匈牙利的民族战争》(2卷，1851)、《东方战争》(1855)等。

Klaproth, Heinrich Julius 克拉普罗特(1783-10-11，柏林～1835-08-28，巴黎) 德国东方学家和探险家，其主要著作《亚洲语言地图集》(1823)是早期东方语言调查总汇，尤详于高加索诸语言，也是几种已消亡的高加索语言的唯一原始资料。他是化学家M.H.克拉普罗特之子，以语言研究的声誉著称，由于语言研究方面的成就，受聘到圣彼得堡学院任教。1805年，克拉普罗特随俄国外交使团去中国，返俄后，对高加索地区进行了广泛的人种学和语言学调查(1807～1808)，出版二卷本《高加索游记》(1814)。1815年移居巴黎，1816年由普鲁士国王给俸，任亚洲语言文学教授。许多关于印度-伊朗奥赛梯语的知识均来自克拉普罗特，他的《多语言的亚细亚》一书，以后虽在某些方面为后来的研究成果所替代，但在当时却是东方诸语言分类的新的出发点。

Klaproth, Martin Heinrich 克拉普罗特(1743-12-01，勃兰登堡韦尔尼格罗德～1817-01-01，柏林) 德国化学家，发现了铀(1789)、锆(1789)和铈(1803)。他虽然没有获得纯金属状态的铀、锆和铈，但他把它们都描绘成截然不同的元素。他做过多年药剂师，后来在军队任化学教官，从1792年开始教化学，1810年柏林大学建校时被推选为化学教授。他是当时德国第一流的化学家和严谨认真的研究者，曾促进分析化学和矿物学的发展和系统化。他是法国以外拥护A.拉瓦锡反燃素学说最早的人物之一。他在钛首次被发现后约4年又重新发现了钛(1795)，并给它命名。他阐明了许多物质的成分，其中包括碲、锶、铍和铬的化合物。除发表了200多篇论文之外，还和F.B.沃尔夫一起出版了5卷本的化学辞典(1807～1810)和4卷补编(1815～1819)。

Klarsfeld, Beate and Serge 克拉斯费尔德夫妇(比阿特1939-02-13，柏林～ ；塞尔日1935-09-17，布加勒斯特～) 伉俪二人定居巴黎。以反纳粹、亲以色列的行动而闻名世界。比阿特出生于德国新教徒家庭。21岁时辞去柏林的秘书工作，前往巴黎学习法语；在那里结识塞尔日·克拉斯费尔德，1963年结婚。塞尔日是法籍犹太人，曾遭纳粹迫害。1943年，塞尔日的父亲被捕，他和母亲、妹妹为躲避盖世太保藏匿于尼斯。其父后在奥斯威辛死亡集中营中失踪。50年代，塞尔日在巴黎大学攻读历史，又获得巴黎大学的法律学位。当他结识比阿特时，他正在巴黎大学政治研究学院从事研究工作。1953年塞尔日在以色列的一个集体农场工作。1959年发表论文《以色列的合作经济》。1966年他前往奥斯威辛访问。1967年在以色列自行请缨参加六日战争。1967年比阿特在左派报纸《战斗》上发表一系列文章，抨击德国总理基辛格在第二次世界大战期间为纳粹进行宣传的行为。1968年基辛格在群众大会上演说时，她突然冲上讲台，给基辛格一记耳光。她遭到逮捕、审讯和判刑，但以缓刑释放。在此后的年代，夫妇俩公布其他纳粹党人及战时通敌者过去的劣迹，迫使一些居高位的人去职。他们极力要求起诉前纳粹犯罪分子，包括K.李奇卡、H.哈根、E.海因里希佐恩、J.勒奎、W.贝斯特、G.里希特、T.甘岑米勒、A.布龙纳及最著名的K.巴比。在他们进行斗争和示威的过程中，比阿特多次被捕并遭短期监禁。他们曾受多次死亡的威胁，他们的汽车被人炸毁。同时，比阿特又试图在阿拉伯的各大首都(如拉巴特、大马士革、贝鲁特)以及其他地方发起运动，控诉阿拉伯人的"野蛮行为"，呼吁他们允许以色列人"和平生存"。几乎每年夏天，克拉斯费尔德夫妇都会花费一个月的时间住在以色列的集体农场。克氏夫妇的工作由非营利性的"比阿特·克拉斯费尔德基金会"提供经费。

Klaus, Brother 克劳斯修士 德语作Bruder Klaus。参阅 **Nicholas of Flüe, Saint 圣尼古拉斯(弗吕厄的)**。

Klaus, Karl Karlovich 克劳斯(1796-01-23，俄国多尔帕特[今爱沙尼亚塔尔图]～1864-03-24，多尔帕特) 又作Carl Ernst Claus。德国出生的俄国化学家，由于在1844年发现钌而闻名。曾在多尔帕特学习并成为药剂师，后在多尔帕特和喀山的大学教化学和药物学。他以研究铂族金属锇、钯、铱和铑而闻名，并在圣彼得堡研究铂冶炼厂的残渣时发现钌。

klavier(musical instrument) 参阅 **clavier 键盘乐器**。

Kle 克莱 利比里亚西部城镇。是戈拉人传统的贸易中心。利比里亚的古德里奇公司在镇西修建了种植园、医院、发电站、住宅、学校和道路。1963年开始产橡胶。人口2 163(最新统计)。

Kléber, Jean-Baptiste 克莱贝尔(1753-03-09，法国斯特拉斯堡～1800-06-14，开罗) 法国革命战争中的将军，镇压1793年法国西部旺代地区的反革命叛乱。后来在拿破仑的埃及远征(1798～1800)中发挥重要作用。出身平民。1776～1782年任奥地利陆军军官。

美国不列颠百科全书公司供图

后在巴黎任建筑师。法国革命爆发后于1789年7月加入国民自卫军。1792年法国对奥地利和普鲁士交战。1793年4～7月，任中校的克莱贝尔曾巧妙地保卫美因茨，解除奥军的包围。1793年8月晋升将军，派往镇压旺代保王党领导的天主教叛乱。同年10月17日，他在绍莱重创旺代军。后又在12月13日的勒芒战役和10天后的萨维内战役中击溃叛军。1794年6月在法国征服比利时的弗勒鲁斯战役中战功卓著。1798年4月，他在拿破仑远征埃及的军队中任师长。同年7月法军在亚历山大登陆后，他在战斗中负伤。随后在亚历山大任总督数月。翌年4月16日，他在塔博尔山击败土耳其军。同年8月拿破仑返国，他便留下来指挥远征军。1800年1月他和英军签订协议，同意法国从埃及撤军。英国政府不承认这一协议，于是3月20日他在开罗附近击溃一支土耳其军，4月21日攻克开罗。他开始统治埃及后不久，于同年6月被一狂热分子暗杀。

Klebs, Edwin　克莱布斯（1834-02-06，普鲁士柯尼斯堡[今俄罗斯加里宁格勒]～1913-10-23，伯尔尼）　德国医师、细菌学家，以传染病的细菌理论而著名。1884年与F.勒夫勒一起发现了白喉杆菌。1861～1866年在柏林病理学研究所充当菲尔绍的助手，后在欧洲的几所大学和芝加哥拉什医学院（1896）任教授。他先于科赫研究了创伤感染的细菌学问题，1876年通过与一般感染相结合的机械方法成功地诱发了心内膜炎。又以牛奶为媒介使牛感染结核病。1878年（比梅契尼科夫和鲁的实验早25年）成功地使猴感染梅毒。还研究过疟疾、出血性胰腺炎和巨人症。除发表多篇专著及论文外，还编写过一本病理解剖学手册（1869～1876）和一篇关于普通病理学的专论（1887～1889）。

Klebsiella pneumoniae　肺炎克雷伯斯氏菌　又称弗里德兰德氏杆菌。肠杆菌科的一种细菌。存在于人类及其他动物的呼吸道、肠道及泌尿生殖道中。常致嗜酒者及消耗性疾病患者的肺炎，病死率高。亦见于鼻窦炎、咽炎、肝脓肿、腹膜炎、心内膜炎等患者体内。对多种抗生素均不敏感。

Klee, Paul　克利（1879-12-18，伯尔尼附近明兴布赫塞～1940-06-29，瑞士穆拉尔托-洛迦诺）　瑞士画家，作品用形、色、空间等直接表现个人情感，善于在绘画中借用音乐的形式，认为"艺术是创作的象征"。其绘画与理论对20世纪的现代派艺术有重大影响。母亲是瑞士人，父亲是德国音乐教师。幼时喜爱音乐和美术。少年时代酷爱绘画和拉小提琴，并写过一些诗歌和短篇小说。1900年入慕尼黑美术学院，一年后退学。后去米兰、罗马、那不勒斯等地，学习意大利文艺复兴艺术大师米开朗琪罗、波提切利、丁托列托等人的作品。1905年去巴黎参观美国画家惠司勒的作品展，并为印象派画家雷诺阿的艺术所倾倒。回国后选15幅铜版画送交展览，其中10幅入选，包括《树上处女》、《单翼英雄》、《两位谦卑的男人相遇》等，这些黑白版画富于讽刺和想象。1906年与音乐家莉丽·施通普夫结婚，移居慕尼黑，直至1920年。这期间，对塞尚、凡·高、马蒂斯、恩索尔等人的艺术发生兴趣，与表现主义画家康定斯基、马尔克等人交

美国不列颠百科全书公司供图

往，并于1912年参加了"蓝骑士"团体的展览。1914年与L.莫瓦耶、A.马克一起访问突尼斯，受北非风景的影响，对色彩的性质有了新的经验，画风从具像转变为抽象。第一次世界大战期间服兵役。1919年开始作油画，色彩厚重，富有创造性。1921年1月离开慕尼黑，应聘在魏玛的包豪斯（设计学校）任绘画教员。1925年其《教学笔记》出版。1928年底去埃及访问，所见所闻对其后创作颇有影响。1931年成为杜塞尔多夫学院院士，即不再从事艺术教学，专以卖画为生。1933年希特勒上台后，被驱逐出德国，去意大利、法国等地作短期旅行后回到伯尔尼定居。1934年在伦敦举办展览，次年在伯尔尼和巴塞尔展出重要作品。1937年纳粹在慕尼黑举办所谓"颓废艺术"展览，展出许多现代派名作，其中包括克利的17幅作品。其一生主要油画作品有：《动物园》（1918，伯尔尼克利基金会藏）、《少女的冒险》（1922，伦敦塔特美术馆藏）、《阿拉伯之歌》（1932，华盛顿菲利浦陈列馆藏）、《死与火》（1940，克利基金会藏）等。

Kleef（Germany）　参阅 **Kleve** *克莱沃*。

Kleene, Stephen Cole　克林（1909-01-05，美国康涅狄格哈特福德～1994-01-25，威斯康星麦迪逊）　美国数学家和逻辑学家，他的递归论研究有助于奠定理论计算机科学的基础。克林就学于阿默斯特学院，1930年获该学院文学士学位，1934年又获普林斯顿大学数学博士学位。在普林斯顿大学任教不久后，1935年到麦迪逊的威斯康星大学任讲师，并在1948年成为正教授。1979年退休。克林主要研究算法和递归函数（即通过有限组合步骤定义的函数）的理论。克林同A.丘奇、K.哥德尔、A.图灵等人一起发展了递归论。递归论使得证明某些类数学问题可解或不可解成为可能，而递归论本身又导致可计算函数理论（这个理论支配着用数字计算机能计算的那些函数）。克林是《元数学导论》（1952）和《数理逻辑》（1967）的作者。

Kleiber, Erich　克莱伯（1890-08-05，奥地利维也纳～1956-01-27，瑞士苏黎世）　奥地利指挥家。曾指挥许多20世纪作品，但以指挥莫扎特、贝多芬、瓦格纳和施特劳斯等人作品和对作曲家意图的确切理解闻名。在布拉格学习音乐。1912～1922年在几个德国歌剧院担任指挥。1923年任柏林国家歌剧院音乐总监，1925年首次演出A.贝尔格的作品《沃采克》。1935年离开德国。1936～1949年在布宜诺斯艾利斯指挥德国的歌剧，并加入阿根廷籍。1954年任柏林国家歌剧院首席指挥。写有钢琴、小提琴协奏曲以及管弦乐、室内乐、歌曲等。

Klein, A. M.　克莱因（1909-02-14，俄罗斯帝国沃利尼亚拉特诺[今在乌克兰]～1972-08-21，加拿大魁北克蒙特利尔）　加拿大诗人。他的诗反映他深受犹太文化和历史的影响，以富有生气、节奏强烈和率直为特色。为蒙特利尔派成员。先后在麦吉尔大学（1926～1930）和蒙特利尔大学（1930～1933）学习。随后在蒙特利尔做律师，并先后任《加拿大犹太新闻》编辑、麦吉尔大学讲师并积极参加联邦合作联盟（今新民主党）的活动。20世纪50年代中期患神经衰弱后退出法律界，并停止编辑和写作工作，与家人过退隐生活直至去世。他是犹太复国主义的热情支持者，他使犹太人的经历成为其艺术表现的工具。《没有一个犹太人……》（1940）、《诗集》（1944）和《希特勒祸害》（1944）描写俄国人和纳粹分子对犹太人的迫害。他访问以色列后所写《第二个卷册》（1951）描述以色列的诞生，是一部使人联想起J.乔伊斯写作技巧的象征性小说。他还是研究乔伊斯的权威。所著《摇椅及其他诗篇》（1948）写工业化给魁北克带来的变化。

Klein, Calvin(Richard)　克莱因（1942-11-19，美国纽约州纽约布朗克斯～　　）　美国时装设计师，以设计女装、男装、化妆品、床单等而著名。曾就读于纽约时装工艺学院，1962年毕业后在纽约服装区一个外衣和套服制造商那里当见习设计师。1968年自己开店。初以设计套服和外衣出名，逐渐着重设计运动服，特别是可互换穿的非配套服装。他是第一个3次连获科蒂女装奖（1973～1975）的时装设计师，并且是被选入科蒂荣誉厅的最年轻的成衣设计师（1975）。克莱因说他的设计原则是制作服装要"简单、舒适、新颖而不过分"。他设计的服装，价钱昂贵、高雅、清新、穿着方便，易使美国和其他国家的买主称心。其独树一帜的时装式样，体现了美国时装业的臻于成熟。

Klein, Felix　克莱因（1849-04-25，普鲁士杜塞尔多夫[德意志]～1925-06-22，德国格丁根）　全称Christian Felix Klein。德国数学家。他认为几何学就是研究在给定变换群下不变的空间性质，他的这种综合的观点对于数学的发展有深刻影响。1872年任埃尔朗根大学数学教授，在就职演讲中提出了上述观点，后称之为埃尔朗根纲领。这些观点来自他醉心于寻求群论的统一的可能性。他和挪威的S.李合作，最先把李的切变换系统化。1916年前不久，发现了新的几何不适合他的纲领，但是他的综合对于符合纲领的几何仍然是重

要的和有用的。他曾任莱比锡大学和格丁根大学教授。从1872年起任《格丁根数学年刊》主编。1895年编辑大数学百科全书,直到逝世。他在初等数学方面的著作有《从高的

格丁根大学图书馆供图

观点看初等数学》(1908)受到广泛欢迎。他的专业性著作中,《二十面体讲演集》(1884)、《自守函数论讲演集》(2卷;1897,1902)是两部最出色的著作。

Klein, Lawrence Robert 克莱因(1920-09-14,美国内布拉斯加奥马哈～) 美国经济学家,以提出宏观计量经济学模型而获得1980年诺贝尔经济学奖。1942年自伯克利加利福尼亚大学毕业后,在麻省理工学院从P.萨缪尔森学习,1944年获哲学博士学位。1944～1947年在芝加哥大学研究计量经济学。此后,1948～1950年在国家经济研究局、1949～1954年在密歇根大学测量研究中心、1954～1958年在牛津大学统计学院、1958年起在宾夕法尼亚大学沃顿学院从事研究工作。1968年任经济学和财政学教授。他在研究中提出了一系列日益详细的、复杂的经济活动的模型。沃顿模型在预计国民生产总值、出口、投资及消费方面有广泛的应用。林克工程结合从很多工业国、中央计划经济国家和发展中国家收集的资料以预测贸易及资本流动并测试改变政治经济政策的效果。

Klein, Melanie 克莱恩(夫人)(1882-03-30,维也纳～1960-09-22,伦敦) 奥地利出生的英国精神分析心理学家,以对幼儿的研究工作而闻名。她通过对自由游戏的观察,了解了儿童的无意识幻想生活,从而得以为2或3岁的幼儿进行精神分析。她是一位维也纳牙医的幼女,早年有志学医,但21岁结婚时放弃这一志趣。婚姻虽不美满,但仍生有3个子女。第一次世界大战前几年,她在布达佩斯对精神分析发生兴趣,师从S.费伦奇学习精神分析,他鼓励她研究幼儿精神分析。1919年,她写成这方面研究的第一篇论文。两年后应K.亚伯拉罕之邀到柏林精神分析研究所,在那里工作到1926年,后移居伦敦。1932年发表《儿童精神分析》一书,提出了她的儿童精神分析的理论和方法。她坚信:从某种意义上讲,儿童的游戏是一种控制焦虑的表现形式,所以,她把儿童用玩具所做的自由游戏看成是具有表达其内心冲动以及与其幼年生活内容有关的思想含义在内的活动。她的"客体相关论"主要讲述的就是儿童早期的自我发展和各种客体体验之间的关系,所有这些客体体验都和精神驱力有关。克莱恩认为在发育早期,儿童先是与局部而不是与对象整体发生联系,如首先是与乳房而不是与母亲联系。这种原始的不稳定的识别模式被称之为"偏执-精神分裂样模式"。在此之后出现的模式为抑郁模式,儿童开始学会认识整体事物,如父母等;在此期儿童的认识中开始出现对认识客体的情感矛盾,并可作出相应的调节。克莱恩认为:这两期中的儿童焦虑的内容不同。前期儿童主要为自我毁灭的恐惧所困扰;后期儿童的焦虑则主要表现为一种抑郁情绪,总是担心自己的冲动性行为会给客体造成伤害,尤其是心爱的东西或人物。从1934年起,她把她的成果用于成年患者,以阐述和发展她有关婴儿和儿童时期焦虑的思想,她在许多文章及《妒忌与感激》(1957)一书中提出自己的观点。她的遗著《儿童精神分析记事》以1941年期间的详细工作记录为基础,于1961年出版。

Klein bottle 克莱因瓶 把圆柱面的两端按照下述方式黏合起来所得到的拓扑空间,这种黏合方式与把圆柱面的两端黏合成环面的方式在方向上相反。这种曲面在三维欧几里得空间中不可能做出来,但是有一些有趣的性质,例如它像**麦比乌斯带**(**Möbius strip**)那样是单侧的,又是闭的,但不像环面或球面那样,它没有"内部",并且如果适当地剖成两片,就能得到两条麦比乌斯带。

Klein Karroo (South Africa) 参阅 **Little Karroo 小卡鲁**。

Kleinmeister 细密铜版画家 又称纽伦堡细密铜版画家。指1526～1550年间集于纽伦堡的一群铜版画画家。他们的形式和主题受丢勒作品的影响。其雕版很小,便于携带。技法上通常是完美的;作品强调主题性、说教性,并强调用大家所熟知的及为群众所喜闻乐见的题材。这一团体中最重要的成员有H.S.贝哈姆、其弟巴特尔、G.彭茨、H.阿尔德格莱弗尔以及J.宾克。

Kleist, E(wald) Georg von 克莱斯特(约1700,普鲁士波美拉尼亚?～1748-12-11,波美拉尼亚克斯林?) 普鲁士行政官员和牧师,1745年发现莱顿瓶,这是用来蓄电的基本电路元件,现在通称电容器。约在同时,P.穆申布鲁克也单独发现了莱顿瓶并作了比他更彻底的研究。

Kleist, Ewald Christian von 克莱斯特(1715-03-07,波美拉尼亚泽布林～1759-08-24,勃兰登堡奥德河畔法兰克福) 德国抒情诗人,以长诗《春》闻名。该诗以对大自然细致入微地描写、对一种新诗风格的发展作出贡献。曾受耶稣会会员的培养,学过法律和数学,后成为军官,先是在丹麦,1740年在普鲁士。由于格莱姆的影响和友情,他才成为诗人。一生中最幸福的岁月是1757～1758年;那时他成了作家莱辛的密友,并同莱比锡的文学界人士有所接触。他的有感于七年战争的经历而写的爱国诗和英雄诗《普鲁士军颂歌》(1757)和叙事短诗《策西德斯与帕赫斯》(1759)被视为他最精雕细刻的作品,都产生于这一时期。《春》(1749)是在苏格兰诗人J.汤姆逊所著《四季》的影响下写成,是他热爱大自然之美的代表性诗作,诗中以栩栩如生的形象表现了他内心的挚爱。在库纳斯多夫战役中负伤后,如他诗中所写,"为祖国捐躯"。

Kleist, (Bernd) Heinrich (Wilhelm) von 克莱斯特(1777-10-18,勃兰登堡奥德河畔的法兰克福～1811-11-21,柏林郊区万塞湖) 被认为是19世纪第一个伟大的德国剧作家。法国和德国的现实主义、表现主义、民族主义和存在主义运动的诗人全都把他奉为楷模。他以自己的非凡天赋预见到现代的人生问题和文学问题。早年的军旅生活使他厌烦,在"失去七个宝贵的年头"以后,辞去军职。康德的哲学使他对知识的价值失去信心。对理性感到失望,因而把希望寄托在情感上。但两者之间的冲突始终未能解决,并处于他作品的中心地位。他放弃学业后,前往巴黎和瑞士。在瑞士,他写下第一部悲剧《施罗芬施泰因一家》(1803),病理状况写得既清晰又无情。克莱斯特一再重现的主题,即人类知识的虚妄构成这种谬误戏剧的基础。此时他还在写未完成的剧本《罗贝尔特·居伊斯卡》。此剧意在把索福克勒斯式的悲剧和莎士比亚式的性格剧结合起来。后他又外出旅行到达巴黎,在失望之际把此剧手稿付之一炬(后来又部分重写),并想志愿加入法国陆军。在法国被驱逐出境后,前往东普鲁士和德累斯顿,本想继续写作,却被法国当局逮捕,当成间谍关押了半年。在德累斯顿(1807～1809),同哲学家A.米勒出版了文艺杂志《太阳神》,但只维持了半年。1808年出版剧本《彭忒西勒亚》,这是一出关于阿玛宗国女王热恋阿喀琉斯的悲剧。情节冷酷,感情强烈,使他在德国诗人当中占有独特的地位。1808年3月,克莱斯特的诗体独幕喜剧《破瓮记》由歌德在魏玛上演,但并不成功。该剧人物冲突描写生动,对话巧妙,带有世俗的幽默和含蓄的写实,是德国喜剧杰作之一。1808年年底,在反拿破仑起义激励下,他写了爱国政治悲剧《赫尔曼战役》(1821)。1810～1811年间,《海尔布隆的小凯蒂》(1810)——一出以中古时期的士瓦本为背景的剧本,在维也纳、格拉茨和班贝格上演。克莱斯特还写过8部技巧精湛的中短篇小说,其中《米夏埃尔·科尔哈斯》、《智利地震》和《O侯爵夫人》已成为世界名著。他最后一个剧本《洪堡王子弗里德里希》(1821)是一部出色的心理戏剧。难以捉摸的主人公是他刻画得最成功的人物,反映了他自己的英勇和懦弱、梦幻和行动之间的冲突。他曾编过《柏林晚报》6个月。该报停刊后,他失去生计,对自己一生感到失望,因不为同时代人尤其因不为歌德所赏识而感到痛苦。此时,他结识一个病入膏肓的女人H.福格尔,她乞求他把她杀死。这使克莱斯特最后决定了结束他自己悲剧性一生的念头。1811年11月21日,他在万塞湖滨开枪打死H.福格尔后自杀。

Kleist, Paul Ludwig (Ewald) von 克莱斯特(1881-08-08,德国兰河畔布劳恩费尔斯～

1954-10?,苏联弗拉基米罗夫卡营） 第二次世界大战时期的德国将军。德国军事学校毕业。第一次世界大战时期任轻骑兵中尉及团长。停战后担任各种高级参谋职务,1939 年退役。第二次世界大战爆发时应召服役,任军长。克莱斯特是进行闪电战的能手,参加过德国入侵波兰(1939)并指挥坦克军突破阿登森林,于 1940 年 6 月击败法国军队。在南斯拉夫战役中率领机械化部队夺取了贝尔格莱德(1941)。在苏联战役早期,他指挥坦克集团军率先攻打基辅,向乌克兰挺进。1941 年 11 月攻下罗斯托夫。一周后,由于苏军在 S.K.铁木辛哥将军指挥下发起反攻而撤走。在 1942 年重新发动的夏季攻势中,他指挥的德国第一坦克集团军长驱直入,到达高加索山麓的丘陵地带。1943 年晋升为陆军元帅,1944 年被希特勒免职。1945 年他被美军俘获。1948 年被判处 15 年徒刑,并解交苏联当局。最后死于苏联狱中。

Klem, Bill　克莱姆(1874-02-22,美国纽约罗切斯特～1951-09-16,佛罗里达科勒尔盖布尔斯） 别名 William Joseph Klem,原姓 Klimm。美国全国联盟职业棒球裁判员。据说用手势和臂部动作表示投手投球好坏或击球员所击球是否出界的作法是由他倡导的。他在执行裁判任务时,用鞋在地面划一道线,警告任何选手或领队,如向他提出意见,不得超越此线。由于善于判断投球和击球,所以 16 年之久一直专门担任司球裁判员。1941 年退出现场裁判,逝世前一直任联盟主任裁判。1953 年入选棒球名人堂。

Klemm, Gustav Friedrich　克莱姆(1802-11-12,萨克森开姆尼茨[德国]～1867-08-25 或 26,萨克森德累斯顿） 德国人类学家,曾发展有关文化的概念,被认为对英国卓越的人类学家 E.B.泰勒颇有影响。克莱姆一生中大部分时间任德累斯顿皇家图书馆馆长。他把文化进化分作 3 个阶段(未开化阶段、开化阶段和自由阶段),进而把人类分为活动种族和不活动种族两类,并认为各民族的智力和气质各不相同。在《普通人类文化史》(10 卷集,1843～1852)一书中,从社会组织、技术和信仰方面论述了人类的历史。在《普通文化学》(2 卷,1854～1855)中,描述了文化的物质基础。

Klemperer, Otto　克伦佩雷尔(1885-05-14,德国布雷斯劳～1973-07-06,苏黎世） 当时杰出的德国指挥家之一。曾在法兰克福和柏

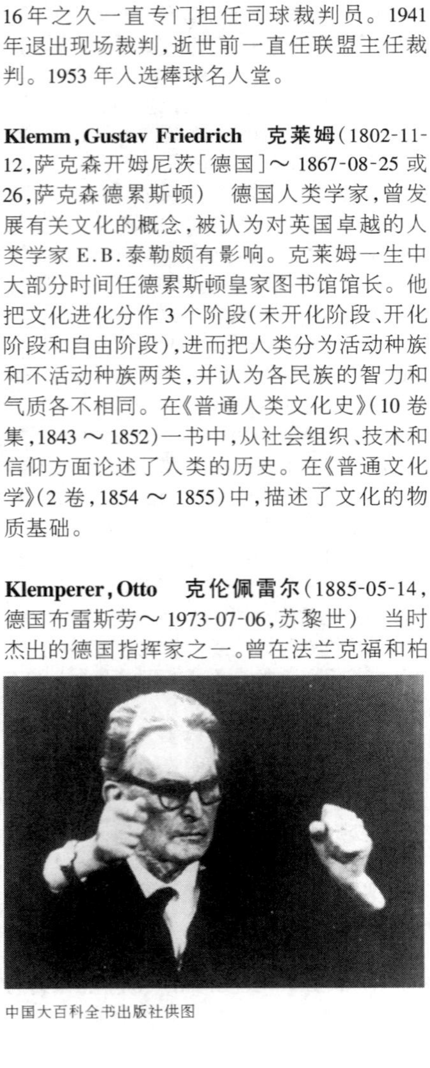

中国大百科全书出版社供图

林学习音乐。1907 年经 G.马勒推荐在布拉格任德国国家剧院指挥。1910～1927 年在汉堡、巴门、斯特拉斯堡、科隆和威斯巴登任歌剧指挥。1927 年任柏林克罗尔歌剧院指挥,上演了 P.兴德米特、E.克热内克和 I.斯特拉文斯基的作品。1933～1939 年任洛杉矶爱乐乐团指挥。1947～1950 年任布达佩斯歌剧院指挥。晚年克伦佩雷尔以指挥贝多芬和马勒的交响乐著称。著有合唱作品和歌曲集。

Klenze, Leo von　克伦泽(1784-02-24,汉诺威博克讷姆[德国]～1864-01-27,慕尼黑） 德国最重要的新古典主义建筑师。在柏林从 F.吉利学习。1816 年以后他的事业集中在慕尼黑,曾任巴伐利亚国王马克西米连一世和路德维希一世的宫廷建筑师。他热爱希腊建筑,设计了许多希腊复古式的杰作,如慕尼黑雕像馆(1816～1830)、慕尼黑纪念门(1846～1863)、瓦哈拉神庙(1831～1842,德国雷根斯堡附近)和新爱尔米塔什博物馆(1839～1849,俄国圣彼得堡)。风格上属于折衷主义,曾设计过一些文艺复兴式的建筑,如慕尼黑王宫(1826～1835)、庆典大厅(1833)和新拜占廷式的万圣教堂(1827)等。

Klephtic ballad　克莱夫特歌谣　任何颂扬在土耳其统治时期(1453～1828)像逃犯一样生活在山区的希腊民族主义者(称为克莱夫特)的冒险经历的诗或歌。这些诗歌,其中有些是现代希腊语中最优美和最动听的诗句,大多出自 18 世纪,以大众化语言写成,自然流畅,每行诗有 15 个音节,或押韵或不押韵。诗中弥漫着山野林泽的灵气,并且像许多受人喜爱的希腊诗歌一样,把树木、山岩和溪河都比拟为人。连高山峻岭也在歌颂克莱夫特们的英雄气概,哀悼他们的死亡,给悲恸欲绝的妻子和母亲以安慰。克莱夫特歌谣一直是激励近代希腊诗歌和希腊民族主义,使其青春永在的源泉。

kleptomania　盗窃狂　一种反复出现而又无法抑制的行窃心理状态,但对所窃物件的价值或用途并不予考虑。真正的盗窃狂是一种颇为罕见的精神错乱病态,但这种症状广为人知,故有时落网的窃贼常以此作为自身辩护的借口。盗窃狂者有时藏匿赃物,有时把脏物转送他人,有时则偷偷地把赃物送还失主,他(她)本人很少使用这些偷窃来的物品或将物品出售以牟利。盗窃狂者往往自己具有购买他们所偷窃的东西的经济能力,他们是从偷窃行为本身而不是从所窃得的赃物以获取满足和快慰。盗窃狂被归入一种冲动失控的障碍,也就是说,患者无法克服自己的偷窃冲动,并且愈想克制,冲动就愈强,直至为偷窃冲动所战胜,这种心理冲突才告停止。在某些案例中,赃物可能对盗窃者是具有一种象征性的意义或其他重要意义的东西,不过这种障碍并非总是与性问题相联系的。心理治疗对于减轻冲动失控的症状是有效的,不过几乎没有一个盗窃狂者会登门求医,除非他们在行窃时被捕,或是因为惧怕遭受逮捕的心理引起抑郁而需要治疗时,才被送到精神病医生那里去。

Klerksdorp　克莱克斯多普　南非德兰士瓦省西南部城镇和克莱克斯多普地区金矿主要产区。距约翰内斯堡西南约 130 千米。旧城 1837 年建在斯库恩斯普鲁伊特河畔。新城 1888 年建于对岸。是重要的农业、矿业(1932 年后,金和铀)和工业中心。20 世纪下半叶,新工业区和住宅区均有很大发展。人口48 947(1985)。

kleśa(in Buddhism)　**烦恼**　参阅**āsrāva 漏**。

Klesl, Melchior　克勒斯尔(1552-02-19,维也纳～1630-09-18,维也纳） Klesl 又拼 Khlesl。奥地利政治家,维也纳主教,后为红衣主教,在奥地利反改革时期,力求促进宗教宽容。耶稣会会士使他从新教改变信仰天主教后,成为杰出的传道士,16 世纪 90 年代起成为维也纳主教。在成为哈布斯堡大公、匈牙利和波希米亚国王马蒂亚斯最信任的顾问后,他协助他的这位保护人当选为神圣罗马帝国皇帝(1612-06-13),他被任命为枢密院主事,马蒂亚斯还授权他处理帝国的大部分世俗政务。1615 年被秘密地任命为红衣主教,翌年公开宣布。他希望帝国内部各宗教教派通过互相让步获得和解。他的这种和解的态度触怒了德意志信奉天主教的各诸侯,包括马克西米连大公和费迪南大公(后为皇帝费迪南二世)。当他建议对波希米亚新教徒作出让步时,两位大公将他逮捕,并把他投入监狱。1627 年费迪南二世准许他回维也纳当主教,并归还其大部分财产。

Kleve　克莱沃　又拼Cleve。荷兰语作Kleef。德国西部北莱茵-威斯特法伦州城市。离荷兰边境不足 8 千米。经一运河可通莱茵河。1242 年建制。法国大革命和拿破仑战争期间被法国占领,1815 年归属普鲁士。第二次世界大战中遭严重破坏。原公爵城堡天鹅堡(与传说中的天鹅骑士洛亨格林有关)现为法院。其两座高塔分别建于 1429 和 1440 年。其他名胜有学院教堂(1341～1426)和米诺里特教堂(1427)等。旅游业重要。生产机械、钢制品、机动车和计算机记忆存储装置。人口约49 105(2003)。

Klimt, Gustav　克里木特(1862-07-14,维也纳～1918-02-06,维也纳） 奥地利画家,"维也纳分离派"的奠基人。从维也纳装饰艺术学校毕业后于 1883 年开办一独立画室专门制作壁画。早期创作具有 19 世纪后期情节性绘画的特点。1888 年为维也纳城堡剧院和艺术史博物馆楼梯道所作壁画风格,既是自然主义的,又是学院派的。1897 年其艺术风格趋向成熟,创建"维也纳分离派"——一个反对学院派的画家集团。维也纳分离派追求高度装饰性效果,在风格上和**新艺术**(**Art Nouveau**)派相似。不久他为维也纳大学创作寓意性的壁画,作品采用色情的象征手法和厌世主义情调,被订件者拒绝接受。其《贝多芬雕像装饰壁画》(1902,维也纳奥地利画廊)和为布鲁塞尔斯托克莱特旅馆餐厅所作的壁

克里木特绘《弗里茨·里德莱尔夫人》(1906)
美国不列颠百科全书公司供图

画(1909～1911),大胆而随意地运用彩色的平面装饰纹样及金色的花瓣图案。后期作品如《吻》(1908,维也纳奥地利画廊)、《弗里茨·里德莱尔夫人》(1906,奥地利画廊)、《阿德列·布洛赫——鲍尔夫人》(1907,奥地利画廊)等,人物形象处理在没有阴影的轮廓之中用周围的装饰块面来加强肌体肤色富有诱惑力的肉感效果。

Klin 克林 俄罗斯西部莫斯科州城市。1234年首见记载。长期为莫斯科和特维尔二公国之间的贸易站。18世纪为莫斯科与圣彼得堡之间的运输中心。苏联时期成为化学工业中心,生产合成纤维、玻璃和实验室仪器。设有俄国作曲家柴可夫斯基纪念馆。人口约95 100(1993)。

Kline, Franz 克兰(1910,美国宾夕法尼亚威尔克斯-巴里～1962-05-13,纽约市) 美国画家。第二次世界大战后抽象表现主义运动的主要画家之一。1949年开始将黑白素描

克兰绘《马洪宁河》(1956)
美国不列颠百科全书公司供图

运用于大型抽象构图,创造出一种具有高度个人风格的抽象表现主义的画风,画出一些名作,如《尼津斯基(佩特鲁什卡)》(约1950年,纽约市大卫·奥尔夫妇收藏馆)。他用广告色和油漆用的大刷子,在白色的背景上用黑色宽线条组成鲜明的网状构图和明确的形象。如《马洪宁河》(1956年,纽约市惠特尼美国艺术博物馆藏)。其特点是画面巨大,具有庄严肃穆、气势磅礴的效果。

Klinefelter's syndrome 克兰费尔特氏综合征 较常见的人类性染色体疾病(500名男性活产婴儿中出现1例)。特征为:睾丸微小,不能形成精子;性成熟延迟,第二性征不

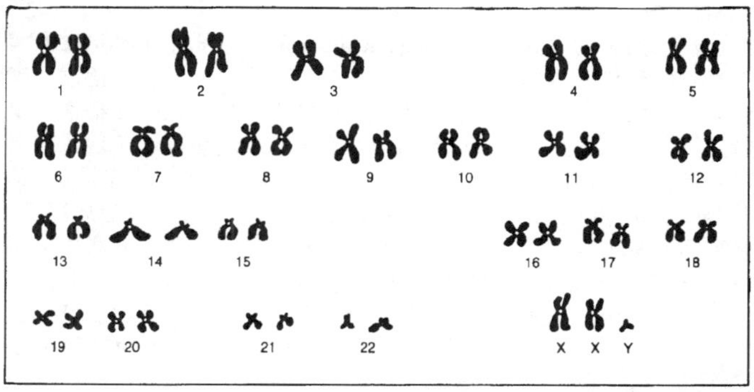

性染色体变异图示

显(但阴茎大小正常);四肢往往修长;有时呈男子女性型乳房;25%的患者有精神发育迟缓,行为异常更为多见。经雄激素治疗后会显示出正常的男性外貌及出现性驱力,但仍无生育能力。正常男性的性染色体为XY,而本病患者的性染色体为XXY。另一些罕见的基因型为XXXY、XXXXY、XXYY、XXXYY,这些患者的许多特征与本病相似,但畸形及精神发育迟缓的发生率随着基因型异常的加重而增高。确诊克兰费尔特氏综合征的患者中,40%的性染色体结构正常。XXXXY型患者常伴前臂及其他骨骼畸形、外生殖器发育不全、隐睾、智力发育迟缓等症状。另外,糖尿病、甲状腺肿、各种肿瘤的发病率也明显高于正常人群;甲状腺素和各种性腺激素功能也多见异常。

Klinger, Friedrich Maximilian von 克林格尔(1752-02-17,美因河畔法兰克福[德国]～1831-03-09,爱沙尼亚多尔帕特) 剧作家、小说家。作为德国文学界反对理性主义、主张感情主义的叛逆运动(狂飙突进运动)的代表而被人们所铭记。狂飙突进运动得名于他的剧本《狂飙与突进》(又名《混乱》,1776)。他早年鲁莽轻率、桀骜不驯的作风似乎就是狂飙突进运动的体现。他的许多剧本都是在灵感驱使下,以极快速度写成,通常围绕着一个普罗米修斯式的英雄构思;但是,它们缺乏盖然性、心理深度和戏剧形式。很多场景和事件借鉴于莎士比亚。悲剧《李生兄弟》(1776)是这些作品中的最佳者,描写当时人们喜爱的题材,即兄弟互相为敌。克林格尔于1780年加入俄国陆军,最后升至将军,娶叶卡捷琳娜女皇的私生女为妻,担任过几个重要官职及多尔帕特大学校长(1803～1817)。晚年,写了两个以美狄亚为题材的悲剧及9个传奇故事,表达了卢梭式的对简朴生活和绚丽的大自然的向往。

Klinger, Max 克林格尔(1857-02-18,莱比锡～1920-07-05,德国瑙姆堡附近) 德国画家、雕刻家、铜版画家。其具有象征性、富于幻想和梦幻情景的作品,反映出19世纪晚期人们心灵的敏感。他是对德·希里科有较深影响的美术家之一。曾在卡尔斯鲁厄艺术学校学习,1878年在柏林美术学院展出两组钢笔画:《基督》组画和《手套》组画,轰动一时。这些画大胆创新,引起人们的指责。但组画《手套》仍为柏林国立美术馆所购。这10幅画表述一个奇特的寓言:一个不幸的青年由于失去一只不可捉摸的、具有人性特点的手套而陷入困窘。1887年其画《巴黎的审判》由于抛弃一切传统,再次引起非难。这幅油画的意图不在于表现古典之美或现代的真理,而表现了一种色彩神秘、给人以深刻印象的残酷。《圣母哀悼耶稣》和《天堂中的基督》为其代表作。其蚀刻组画《罗马诗人奥维德所述的释放供献祭的人》、《对勃拉姆斯的幻想》、《前夜与未来》、《生命》和《死亡》等,富于怪诞色调,不追求技艺上的优异,而其表现力相当强烈。

克林格尔的晚期作品以雕刻为主,着意于材料及色彩。所作彩色裸体画具有明显的怪异感,雕像亦以希腊的黄金象牙雕像的风

克林格尔绘《剧痛》(1878～1880)
美国不列颠百科全书公司供图

格制作，例如：《贝多芬》（1902）、《扎洛莫》和《卡桑德拉》等。最后设计里查德·瓦格纳的大型纪念碑，未完成便逝世。

Klint, Kaare　克林特（1888-12-15，哥本哈根～1954-03-28）　丹麦建筑师、杰出的家具设计家，创造设计了极有影响的现代斯堪的纳维亚式家具。他又是一位人类工程学家，将生物学和工程学内容应用于人和机器相互协调的问题上，探索如何保证人所使用的工具、机器以及所做的工作与人相适应。他是丹麦20世纪早期主要建筑师P.V.J.克林特之子，起初从事建筑工作，后转向家具设计。1924年创办丹麦艺术学院，任该院第一位家具系教授。

克林特所设计的家具具有纯正、优雅、温馨的魅力。这些优点完全依靠手工工艺（与纯用机器制作的产品截然不同），但他并不炫耀手工制作的特点。他提倡借鉴传统的风格，但反对抄袭前人的作品，而主张从中学习其功能形式与构造方法。他不遗余力地研究人的需要和功能要求，将功能和形式美融为一体。1933年他所设计的柚木躺椅，不仅实用、舒适，而且美观大方。克林特在20世纪20、30年代的作品风格，对西方的设计家，特别是H.韦格纳和F.尤尔产生很大的影响；1945年以后，这种风格在整个欧、美享有很高的声誉。

klipspringer（*Oreotragus oreotragus*）　**山羚**　偶蹄目牛科动物，步履稳健的非洲羚羊，一般栖息在北至埃塞俄比亚和尼日利亚的岩峰上。山羚肩高约55厘米，毛厚而粗，黄灰相

山羚（*Oreotragus oreotragus*）
美国不列颠百科全书公司供图

间，有灰白花斑，几乎无尾。雄性有短而尖的角，有时雌性亦有角。山羚用钝而圆的蹄尖站立，以踩高跷般蹦蹦跳跳的姿态奔跑。跳跃敏捷，能像岩羚羊那样迅速在岩石间飞驰。

klismos　古希腊椅　古希腊人制造的一种灵巧而精美的椅子。到公元前5世纪，臻于完善；公元前4世纪，颇为盛行。有4条凹进的八字形腿，椅背横木呈曲线形，中间是一个狭窄的凹进的后架。椅背直柱和后腿常常由一块整木刻成，形成一条优美的曲线。椅座横木一般低于座面，在座面上常铺以编织物或兽皮。

Klitzing, Klaus von　克利青（1943-06-28，德国占领下的波兰希罗达～　　）　德国物理学家，因发现导电体的电阻在适当条件下呈现量子化（即阶跃地变化而非连续地和平滑地变化）而获得1985年诺贝尔物理学奖。第二次世界大战后，克利青随父母定居西德。1969年自不伦瑞克工科大学毕业。1972年又获维尔茨堡大学物理学博士学位。1980年任慕尼黑工科大学教授。1985年任西德斯图加特市的马克斯·普朗克固体物理研究所所长。

克利青利用霍耳效应证明，电阻是以非常精确的单位存在。所谓霍耳效应，表示将载流的薄带置于强大磁场的两极间时，薄带两边之间所形成的电压。此电压与电流的比值称为霍耳电阻。克利青首先发现，当磁场强度极大而温度极低时，霍耳电阻仅以阶跃的方式变化，跳跃的大小与精细结构常数有直接的关系。所谓精细结构常数，是指原子轨道最内层电子绕原子核运动的速度和光速的比值。克利青此项发现（1980）很快便受到重视。他的实验使其他科学家得以精确地研究电子的传导性。他的研究对精细结构常数精确值的测定和为测定电阻建立方便的标准都有很大的帮助。

Kliuchevskaya Sopka（Russia）　参阅**Klyuchevskaya Sopka 克柳切夫火山**。

Kliuchevsky, Vasily Osipovich　参阅**Klyuchevsky, Vasily Osipovich 克柳切夫斯基**。

KLM　荷兰皇家航空公司　荷兰文Koninklijke Luchtvaartmaatschappij nv的缩写。它是1919年10月7日创建的、世界上最老的连续营业的航空公司。总部设在阿姆斯特尔芬。该公司由金融和商业集团所创建，一直由荷兰飞行员A.普莱斯曼（1889～1953）生前所主管。1920年5月17日首次开通伦敦至阿姆斯特丹的定期航班后，该公司同年又开通经汉堡到哥本哈根的航线，1923年开通到布鲁塞尔的航线。该公司早在1921年就在阿姆斯特丹开设世界上第一个机票预订，售票处。普莱斯曼在1928年还组建荷兰-东印度航空公司（KNILM），该公司在1930年首开从荷兰到荷属东印度的巴达维亚（今雅加达）的定期航班，航程8 700英里；在1940年以前，这是世界上最长的定期航班航线。这家公司在1945年与荷兰皇家航空公司合并。20世纪20及30年代荷兰皇家航空公司航线遍及荷兰及欧洲。

但在第二次世界大战期间，大部分航线停业，只有1941年开通的西印度航线发展迅速，到1945年已扩展到加勒比和拉丁美洲的9个国家。1945年该公司恢复欧洲航班。1946年5月21日成为第一家开辟横渡北大西洋到纽约定期航班的欧洲航空公司。同年它又开辟了横跨南大西洋到库拉索岛和南美的航线。20世纪后期，该公司在全世界70个国家的100多个城市之间飞行。2004年，公司被法国航空公司收购，建立了世界上最大的航空公司之一的法荷航空。但根据收购协议，两家公司继续作为独立实体运作，保留自身的航运中心、航班和标识。

Kłodzko　克沃兹科　德语称Glatz（格拉茨）。波兰西南部下西里西亚省城市。6～10世纪是波兰边疆居民点。克沃兹科1327年并入波希米亚，后又相继并入奥地利和普鲁士，1945年归属波兰。波兰最古老的文学遗产、著名的15世纪《弗洛里安诗篇》就是在此地写成。克沃兹科现为周围地区的交通枢纽和著名旅游中心。该市的主要工业有木材加工、冶金、纺织和食品加工。人口约29 173（2002）。

Klondike River　克朗代克河　在加拿大育空地区西部，育空河支流。源出奥格尔维山脉，向西至道森汇入育空河，全长160千米。

克朗代克河
美国不列颠百科全书公司供图

1896年该河流域曾发现黄金，名噪一时，1966年采金业全部停止。河名来源不明。

Klong-chen rab-'byamspa　隆钦热绛巴（1308～1363）　中国藏传佛教宁玛派著名法师。遍学一切密法，著有《胜乘藏》等七大藏论，阐扬大圆满教义，是宁提法类重要论典。传承弟子很多。

Klonowic, Sebastian（Fabian）　克洛诺维茨（约1545，波兰苏尔梅济采～1602-08-29，卢布林）　笔名阿采尔努斯（Acernus）。波兰诗人。他用拉丁文和波兰文写的作品主要在文化史方面具有价值。《船工》（1595）用波兰语写成，生动地描述了维斯杜拉河流域和那里的放筏工人的生活习俗。在讽刺和教诲的拉丁语诗作《诸神的胜利》（1587）中，他认为决定高贵的不是出身，而是品格。

Kloos, Willem（Johan Theodoor）　克洛斯（1859-05-06，荷兰阿姆斯特丹～1938-03-31，海牙）　荷兰诗人、评论家。19世纪80年代荷兰文艺复兴运动的推动力量——《新向导》杂志创办者之一。他无情地批判只重词藻而毫无情感的荷兰传统作品，不断宣传美是艺术和生活最高价值的新美学观点。1882年出版了早逝的友人佩尔克的诗集。他在序文中写有这样一句名言“人生无诗，一文不值”，成了19世纪80年代文艺运动的宣言。克洛斯喜爱英国浪漫主义诗人济慈和雪莱的作品，

决心以新的自由格律使十四行诗重新成为有效的艺术形式。早年所写十四行诗收在《诗集》(1894)中,表明他运用这种体裁的娴熟技巧。在80年代运动的杰作——H.霍尔特的象征诗《五月》(1889)的启发下,他主张诗应该是"最有个人特色情感的最有个人特色的表现"。这一观点表明他停留在这一阶段不再前进。晚期诗作和评论文反映出他陷入了一种失去平衡的、顾影自怜的状态。

Klopstock, Friedrich Gottlieb 克洛卜施托克(1724-07-02,萨克森奎德林堡[德国]～1803-03-14,汉堡) 德国叙事诗和抒情诗诗人。他的主观想象标志着同支配着18世纪初期德国文学的唯理主义的决裂。在读了弥尔顿的《失乐园》的译本以后,克洛卜施托克为他在学生时代就打算写的叙事诗选择了一个宗教题材。1749年,他的最初3首《救世主》诗发表,诗文充满感情,引起轰动。为了更好地进行诗歌创作,他离开莱比锡大学,在图林根当私人教师。1750年前往苏黎世,同瑞士评论家J.J.博德默尔相处6个月。由于丹麦腓特烈五世的邀请和给予的年金,他前往哥本哈根,在那里住了20年。1754年娶汉堡的M.莫勒即颂歌中的"齐德莉"为妻。她的早逝使他悲伤过度,影响了他的创作才能。1771年发表《颂歌集》。1770年退休,回到汉堡,3年后完成《救世主》诗的最后5篇。尽管《救世主》诗很成功,被译成17种语言,但他还是因抒情诗而成名。颂歌的自由诗体形式使语言的使用更自由、更有表达力;他还为颂歌选择源于条顿民族神话中的爱国主题。这些都使他的作品成为浪漫派的滥觞。

Klosterneuburg 克洛斯特新堡 奥地利东北部下奥地利州城市。濒多瑙河西岸,在利奥波德斯堡峰(425米)下,邻维也纳森林北缘。原为罗马帝国的奥斯图里斯要塞。1298年设市。这里的科黑伦施蒂夫特隐修院是奥地利最古老、最富丽堂皇的隐修院之一,内有博物馆和图书馆。市内的联邦葡萄和果树栽培学院(1860)为全世界专门研究制作葡萄酒的少数学府之一。也是旅游胜地。生产木制品和化学品。人口22 975(1981)。

Kluane National Park and Reserve 克鲁安国家公园和自然保护地 加拿大育空地区西南部国家公园。位于怀特霍斯以西158千米处。西和西南与美国的阿拉斯加州接壤,东南与不列颠哥伦比亚省相连。该地区1942年是一个动物禁猎区,1972年成为国家公园,1979年被列为世界遗产保护地。占地约22 015平方千米,大部分为两个西北—东南走向的平行山系。著名景观洛根山是加拿大最高峰,也是北美地区的第二高峰,在该公园的西南角。克鲁安也是世界上一个庞大的冰河系统,野生动物丰富。山地森林覆盖了该公园的许多低谷和坡地。在过渡的亚高山带有低矮的柳树、桤木和矮白桦;高海拔地区的高山冻原包括各种五光十色的北极花朵。野大白羊是该公园数量最多的哺乳动物,许多被保护的灰熊也生活在该公园。其他野生动物包括麋、石山羊、鹿、狼、黑熊、北美驯鹿、狼獾、松鼠以及许多种鸟类。研究人员20世纪90年代在该地区的冰原鸟峰记载了相当多的动植物种类,包括鼠兔和蜘蛛。远足和垂钓是公园里常见的活动。

Kluck, (Heinrich Rudolph) Alexander von 克卢克(1846-05-20,普鲁士威斯特伐利亚明斯特[德意志]～1934-10-19,柏林) 德国将军,第一次世界大战开始时率德国第一军团进攻巴黎。曾参加过七周战争(1866)和普法战争(1870～1871)。1906年晋升步兵上将,1913年任总监。1914年第一次世界大战爆发时,他任德军右侧翼的第一军司令,任务是插入法国北部、袭击法军左翼、包围巴黎以迅速结束西线战争。这个计划终于流产,因为最高司令部不能控制局势,又逢法、英反攻。他几乎进抵巴黎,但在第一次马恩河战役(1914-09-06～09)中被英法联军击败,功亏一篑。1915年3月受伤,翌年退役。对马恩河战役,他在《进军巴黎与马恩河战役》(1920初版,1926再版)一书中有所描述。

Kluckhohn, Clyde K(ay) M(aben) 克拉克洪(1905-01-11,美国艾奥瓦勒马斯～1960-07-29,新墨西哥圣菲) 美国人类学家、哈佛大学人类学教授。他对人类学的贡献是多方面的:一是关于纳瓦霍人种志的研究;二是提出有关文化、部分价值系统及文化模式等方面的理论;三是作为一代宗师奖掖大批学子;四是在政府部门代表人类学界发言。1932年在牛津大学作为罗得斯奖学金学者进行研究工作,1936年在哈佛大学取得博士学位,其后一直在哈佛执教。克拉克洪对纳瓦霍人的长期研究工作始于1922年,其时因健康原因居住在新墨西哥州拉马附近一座农场里,于是他经常置身于附近的纳瓦霍人之中,学习他们的语言,熟悉他们的风俗习惯。著有《纳瓦霍人歌唱仪式的分类》(1938)、《纳瓦霍人圣歌演唱风习》(1940)(均与L.C.怀曼合著)及《纳瓦霍人的巫术》(1944),《巫术》一书被视为杰作。他对文化的基本思想见于《人镜》一书中,这一著作于1949年获得了麦格劳·希尔最佳科普作品奖。他认为,尽管在习俗上千差万别,但人的基本价值却为世界不同文化所共有,这是显而易见的。

Klug, Aaron 克卢格(1926-08-11,立陶宛～) 英国化学家。因研究病毒及其他由核酸与蛋白质组合而成的粒子的立体结构而获1982年诺贝尔化学奖。克卢格在生物学上的发现与他自己发展的晶体学电子显微镜技术有关,用它可拍摄一系列不同角度的电子显微照片,组合后成为粒子的立体影像。此法已广泛应用于蛋白质和病毒的研究。克卢格3岁时随父母自立陶宛迁居南非。他进约翰内斯堡的威特沃特斯兰德大学原拟攻读医学,却以科学学位毕业。后进入开普敦大学攻读晶体学博士学位,但在获得硕士学位后,接受了剑桥大学三一学院的研究员职位,1953年在该院获博士学位。后接受伦敦大学伯克贝克学院研究员之职,从事烟草花叶病病毒及其他病毒结构的研究,1958年成为该学院病毒结构研究室主任。1962年受F.克里克(该年获诺贝尔奖)之邀回到剑桥,成为该校医学研究理事会的成员。1978年被任命为该会结构研究部共同负责人。1988年被封为爵士。

Kluge, (Hans) Günther von 克卢格(1882-10-30,德国波森[今波兰波兹南]～1944-08-18,法国梅斯附近) 德国陆军元帅。第二次世界大战期间希特勒在东线最能干的指挥官之一,后来在1944年反希特勒密谋中动摇不定。旧贵族家庭出身。第一次世界大战时从军,战后仍任军职。第二次世界大战期间,他指挥入侵波兰、法国和苏联的初期战役,战功卓著。自1941年12月起,至1943年10月受伤止,在苏联战场上任中央集团军司令。1944年6月盟军在法国登陆之后,希特勒于7月3日任命克卢格接替陆军元帅伦德施泰特的西线总司令职务。克卢格是厌恶希特勒的军官团成员,与反对元首的密谋分子有联系,但不知道1944年6月20日的暗杀企图。希特勒怀疑他是同谋,于同年8月17日解除其职务。克卢格于第二天自杀。

Klüver, Heinrich 克吕韦尔(1897-05-25,德国荷尔斯泰因～1979-02-08,美国伊利诺斯奥克朗) 德国出生的美国实验心理学家、神经学家,在中枢神经和行为之间关系的研究方面做出了重要贡献。他的研究范围包括儿童的视觉记忆(1926)、南美仙人球毒碱引起的幻觉(1928)及人和其他动物知觉的神经机制的比较研究。1933～1963年任芝加哥大学教授,1933年所著《猴的行为机制》一书对行为和神经学的研究具有深远的影响。克吕韦尔-布西二氏综合征关系到猴脑颞叶切除后的行为和生理效应。他晚年致力于神经化学,特别是脑内游离卟啉的研究。他的神经组织染色技术为其他研究人员广泛采用。他还著有《南美仙人球与幻觉机制》(1966)。

klystron 速调管 利用电子流的可控速度进行工作的热发射电子管。电子先经几百伏电势差加速,再进入窄隙,这一窄隙是谐振腔系统的一部分,电子在腔中受到射频场的作用,产生聚束效应。随后电子流经过第二个谐振腔的窄隙时,处在聚束态的电子的调幅作用引起强的信号。速调管用于超高频电路中,产生短微波区段的400 000兆赫振荡。

Klyuchvskaya Volcano 克柳切夫火山 又拼Kliuchevskaya Sopka。俄罗斯远东地区堪察加半岛上的活火山,为世界最高的活火山之一。海拔4 750米,为堪察加半岛最高点。形状为一个截头火山锥,中央有一火口,下坡约有70个侧火口和火山锥。1700年以来,先后喷发50余次。1935年在山麓建有堪察加火山观测站。

Klyuchevsky, Vasily Osipovich 克柳切夫斯基(1841-01-28,[旧历01-16],俄罗斯奔萨省沃兹涅先斯科耶～1911-05-25,[旧历05-12],莫斯科) Klyuchevsky又拼Kliuchevsky。俄国历史学家,他的有关社会问题的探讨和俄国历史的研究、生动有趣的著作以及讲课风格使他成为当时最杰出的学者之一。他是乡村教士之子，1861 年入莫斯科大学攻读历史和语言学。他熟悉农村生活，精通斯拉夫旧教会和古代俄国的史料，曾经写出一系列论文，博得史学界的好评。后在亚历山大军事学校、莫斯科女子大学和莫斯科神学院任教，1879 年成为莫斯科大学历史学教授。曾出版讲义 4 卷(1904 ～ 1910)。

KMT（Chinese political party） 参阅 **Nationalist Party** 中国国民党。

Knaben Wunderhorn, Des 《男童的神奇号角》(1805 ～ 1808) 德国民歌集，副标题为《古老的德国歌曲》。因其恢复了人们对德国抒情诗中的民歌传统的热情，从而确立了它的编者布伦坦诺和阿尔尼姆作为浪漫主义运动领袖的地位。一般认为，真正的民歌可溯源至中古时期，许多则是由 17 世纪的诗人如 S.达赫和 H.J.格里美豪森匿名写成或由布伦坦诺和阿尔尼姆改写过的。此书保存了德国古老民歌中许多富于音乐性的、纯朴自然的语句和韵律。

Knapp, Seaman Asahel 纳普(1833-12-16，美国纽约斯克伦湖～ 1911-04-01，华盛顿［哥伦比亚特区］) 美国农学家。首创农场示范法，即把农业上的新发现、新技术，由专家一个农场一个农场地演示。毕业于纽约州斯克内克塔迪的协和学院(1856)，后教书多年。1866 年移居艾奥瓦，曾先后当过农场主、牲畜育种家、银行家。曾任艾奥瓦州立农业学院和农场(现为艾奥瓦州立科技大学)的教授(1879 起)和校长(1884 ～ 1886)。1882 年他协助起草的法案成为 1887 年《哈奇法案》的蓝本，该法案规定广泛传播农业科学资料和经验，并拨款给各州建立农业实验站。1886 年他迁居路易斯安那，指导了将水稻作为主要农作物的活动。1904 年棉铃象甲侵入得克萨斯州时，他作为美国农业部的代表主持了一项现场示范，证明良好的农业技术在控制这种害虫方面的效果。这样他便创立了美国农业部的农民合作示范计划，按照该计划，农业部的代表(通常称县特派员)与农民一起工作，帮助他们熟悉农业科学家的新发现。他制订的一套体系最后又包括家庭特派员以帮助农妇及为农村男女青少年服务的4 - H俱乐部(智心手体社)。J.C.贝利写的纳普传记于 1945 年出版。

Knappertsbusch, Hans 克纳佩兹布什(1888-03-12，德国埃尔伯费尔德～ 1965-10-25，慕尼黑) 德国管弦乐和歌剧指挥家。以表演 R.瓦格纳和 R.施特劳斯的作品著称。1908 年就读于科隆音乐学院，师承 F.施泰因巴赫和 O.洛泽。年轻时曾有几个夏季在拜罗伊特当 H.里希特的助手。1913 ～ 1918 年在埃尔伯费尔德任歌剧指挥，后转换到莱比锡和德绍。1922 年赴慕尼黑接任 B.瓦尔特在国家拜恩歌剧院的指挥职务。1934 年因指挥一部外国歌剧演出而受到纳粹当局斥责。两年后由于拒绝参加纳粹党而被撤职，希特勒指令撤销其常任指挥合同。他即离境去维也纳，任维也纳爱乐乐团和维也纳歌剧院指挥。1938 年纳粹德国占领奥地利，其工作又陷入困境。第二次世界大战结束后回慕尼黑任国家歌剧院指挥。使他啼笑皆非的是，美国军事管制政府以他曾为德国战争效劳为由把他列入黑名单。但他证明了自己对纳粹的反感，事实得以澄清。他常在拜罗伊特音乐节指挥，并录制了许多唱片。

Knaresborough 纳尔斯伯勒 英格兰北约克行政郡哈罗盖特自治市的教区(城镇)。属约克历史郡。濒临尼德河左岸。镇内的纳尔斯伯勒古堡(1070)毁于 1646 年内战期间。附近有一岩洞曾为 12、13 世纪的隐士圣罗伯特的修行地，现为天主教圣地。主要制成品有服装、家具和麻织品。当地旅游业日益重要。人口14 900(1998)。

Knave of Diamonds（group of Russian artists） 参阅 **Jack of Diamonds** 方块杰克。

Knebel, Karl Ludwig von 克内贝尔(1744-11-30，法兰克尼亚纳德林根附近瓦勒施泰因堡［德国］～ 1834-02-23，萨克森耶拿［德国］) 德国诗人。歌德的密友。新古典主义魏玛派的最有才能的成员之一。曾在普鲁士陆军服役，后做过家庭教师。他对品达罗斯的研究，以及所译普洛佩提乌斯和卢克莱修的作品启发了歌德，促使歌德去研究这些作家。作为优美的十四行诗作者，他还将所写诗篇收进《短诗集》(1815)和《对句诗集》(1827)。

Knee 膝关节 由股骨和胫骨之间骨联接形成的人体内最大的关节，属屈戎关节。它支撑了几乎全部体重，对重力型应力的承受力极强。胫骨是小腿骨中较大的一个。在膝部形成关节的股骨下端和胫骨上端的内、外二侧各有一髁突，类圆形、体积大。股骨下端内、外侧髁的下面是股骨关节面，呈凸形圆顶状；胫骨上端内、外侧髁的上面是胫骨关节面，呈凹形浅窝状。二组互相对应形成关节，可容屈戎动作。上、下二个关节面表层是滑液膜层，极为光滑。在滑液膜和骨实质之间还有一层软骨，极富弹性。二层关节面之间有一窄隙。因此，股骨和胫骨之间的接触实际上有二层软骨和二层滑液膜垫在其间。上述关节结构说明，膝关节是屈戎关节，允许小腿沿水平轴做前、后方向上的伸、屈动作。髌骨位于股骨下端的前面，当膝关节处于屈位时，可以防止胫骨的过度前向移位。膝关节借一套复杂的韧带系统联固，这些韧带的一端固附于股骨下端的内、外二侧髁，另一端固附于胫骨上端内、外二侧髁。整个膝关节，包括髌骨，被一关节囊包裹。此囊很大，不仅可容许膝关节的屈戎动作，而且可容许髌骨在股骨前面做上、下方向的自由移位。股四头肌收缩，膝关节伸展；其他大腿肌群收缩，膝关节屈曲。当膝关节位于屈位时，小腿可以完成某些旋转动作；但当其处于伸位时，因强大的侧韧带拉紧，小腿不能借膝关节沿垂直轴做旋转动作。虽然膝关节对重力型应力有极强的承受能力，但对侧力型应力的承受力却很弱，尤其在运动时更是如此。故，膝关节的稳定性取决于环状韧带和肌肉的强度。膝关节常见的损伤形式，如脱臼、软骨(半月板)撕裂，都是它对侧应力缺乏承受力的反映。

knee-jerk reflex 膝跳反射 又称膝反射。轻叩膝腱小腿立即反应性地作出前踢动作的一种反射。受试者可取坐位，双膝弯曲，将一条腿架在另一条腿上，上边的脚不能触地。急叩股四头肌腱固着部位。股四头肌反应性地收缩，使腿伸直，产生踢腿动作。膝跳反射亢进或消失都表明中枢神经系统可能受损。膝跳反射对诊断甲状腺疾患也有帮助。

Kneller, Sir Godfrey, Baronet 内勒(1646 或 1649-08-08，吕贝克［德国］～ 1723-10-19，伦敦) 原名 G.尼勒(Gottfried Kniller)。17 世纪末和 18 世纪初英格兰的主要肖像画家。初在阿姆斯特丹从伦勃朗的徒弟 F.波尔学画。1672 年去意大利，开始画肖像。1674 或 1675 年到英国，不久即以肖像画家驰名，成为国王的主要画师。1691 年被授与骑士爵位，1715 年受封从男爵。内勒的绘画风格粗放不拘，但性格描写深入。其最好的作品中，有为当时著名文学团体“凯特俱乐部”(今伦敦国立肖像画陈列馆)会员画的 42 幅肖像，大致作于1700 ～1720 年间，尺幅均为 36 × 28 英寸，从此“凯特尺码”成为一个通用名词。内勒生前，外籍艺术家占据着英格兰绘画领域；内勒死后，英格兰本土画家涌现出来并一直保持着主导地位。

Kneset ha-Gedola 大会堂 又拼 Keneset ha-Gedolah。又作 Anshe Kneset ha-Gedola。犹太教组织。公元前 539 年，犹太人自巴比伦获释，返回巴勒斯坦，犹太教领袖遂成立这个组织，促使犹太教进入一个新的历史阶段。大会堂自波斯统治时代即已存在，但缺乏史料记载。大会堂可能曾为进行审判的法庭。但近代学者认为它主要是立法和行政会议(也许仅有这种职能)，是讨论重大问题的松散的代议机关。有人认为，当前犹太教的一些仪式如圣日前夕祝祷和安息日礼是在这种大会堂里形成的。从大会堂所进行的全部工作看来，它是由最高宗教权威参加的长期会议，可能没有固定成员，没有固定人数。有些材料表明，大会堂还是研究与教育中心，成人或儿童都可以在其中学习。现代以色列国议会也称 Knesset。

Knesset 克奈赛 以色列的一院制议会，为最高权力机构。有议员 120 人，每 4 年按比例代表制选举产生。其选举方法确保最小的政党也能在议会占有代表席位。单一的政党通常不能在克奈赛中获得多数，政府须由若干政党联合组成。总统由克奈赛选举产生。政府总理由总统任命，并决定内阁成员。内阁的命运取决于克奈赛的信任票。阁员通常为克奈赛成员，但非成员亦可担任。克奈赛的许多议事规章与英国下院相似。首届克奈赛会议于 1949 年 2 月 16 日在耶路撒冷举行，是日选举 C.魏茨曼为以色列首任总统。

Knickerbocker school 纽约派 美国19世纪上半叶活跃在纽约及其周围地区的一个作家组织。该名称取自华盛顿·欧文的小说《纽约外史》(1809)。该派成员的结合主要是地区性的,而不是艺术上的,旨在发扬真正的美国民族文化,并使纽约成为其文学中心。该派最重要成员有欧文和他的朋友、小说家J.K.保尔丁、J.F.库珀和W.C.布赖恩特。其他与该派有联系的作家有废奴主义者和争取妇女选举权的斗士L.M.蔡尔德、编辑和政治家G.C.韦普朗克、学者和《圣诞节前夜》的作者C.穆尔,以及诗人和游记作家B.泰勒。

knife 刀 切割工具中数量最多的一种,通称*刀具*(**cutlery**)。

knifefish 长刀鱼 一些新大陆鲤形目裸背鳗亚目鱼类的统称,至少约50种。分布于中美和南美的静水湖泊和潟湖。分为3科:裸背鳗科(Gymnotidae)、翎电鳗科(Apteronotidae)、吻电鳗科(Rhamphichthyidae)。或将此三者与近缘的*电鳗*(**electric eel**)并为一科,即裸背鳗科;或认为应分为3个以上的科。长刀鱼体长,侧扁,呈刀片状;臀鳍长,几沿腹缘全长延伸,借此长臀鳍的波状摆动而游泳,能向前及向后游动。能发射出低压电,用以确定附近物体的位置。生活能力强,夜间活动,肉食性或植食性。体长最大约90厘米。较小种类如具黄条纹的裸背鳗(*Gymnotus carapo*)长30厘米,有时可养在家庭水族箱中。长刀鱼一名,有时也用于亚、非所产的驼背鱼科鱼类(参阅 **notopterid**)。

knight 骑士 现在是一种荣誉称号,但最初在中世纪是指正式受过训练的骑兵。最早的中世纪骑士是职业骑马战士,他们在领主军队中服役,从领主手中获得采邑;但有的也没有被授予土地。在10～12世纪授予土地并不是获得骑士称号的必要条件。获得骑士称号往往要有一定的过程。一般是在七八岁时给父亲当随从,12岁左右到父亲的领主家里接受进一步的教育,直到跟随主人出去作战。如果合格就被授予骑士的称号。随着骑士地位的演变,基督教关于骑士品行的理想开始被接受,如对教会的尊敬,对封建或军事上级的效忠以及对个人尊严的维护。最接近实现这个理想的事实就是十字军。它从11世纪末起使信奉基督教的欧洲的骑士们在教会的支持下团结起来。从11世纪末期到13世纪中叶,骑士爵位与封建制度之间的关系发生了变化。骑士爵位失去了它的军事意义。到16世纪它已经变成可以由君主随意授予的荣誉爵位,例如最高贵的嘉德勋位,金羊毛勋位,最卓越的圣米迦勒和圣乔治勋位,最古老的蓟花勋位,最崇高的巴思勋位等。

Knight, Frank Hyneman 奈特(1885-11-07,美国伊里诺伊麦克莱恩怀特奥克镇～1972-04-15,芝加哥) 美国经济学家,芝加哥学派创始人。先后受教于田纳西大学和康奈尔大学,1916年在康奈尔大学获博士学位。1919～1927年执教于艾奥瓦大学;1927～1952年任芝加哥大学教授,1952～1972年为名誉教授。对经济学颇多贡献,最重要的有1921年发表的《风险、不确定性和利润》。他将风险区分为可保的和不可保的两种,他认为利润就是在不确定环境中作出决策的企业家承担不可保风险所获得的代价。其专论《经济组织》已是微观经济学的名著。书中逻辑区分上的透彻性也许来自奈特早期哲学家的训练,这种训练使其对很多经济理论产生怀疑。他对奥地利学派及其关于资本的理论持批判态度。他还发表过很多文章,论述社会组织的自由形式,反对所谓社会工程的尝试。

Knight, John S(hively) 奈特(1894-10-26,美国西弗吉尼亚布鲁菲尔德～1981-06-16,俄亥俄阿克伦) 美国新闻工作者、报业发行人、美国主要报系之一——奈特报系创办人。曾在康奈尔大学读书,因第一次世界大战爆发而中辍,在法国前线服役。后回到阿克伦在其父所有的《灯塔报》任体育记者,1925年任主编,1933年其父死后接任发行人。他成为获奖的社论作者和野心勃勃的发行人。他先后购下的报纸有:《迈阿密先驱报》(1987)、《底特律自由新闻报》(1940)、《芝加哥每日新闻》(1944)和《夏洛特观察家报》(1954)等。1959年他把《芝加哥每日新闻》售出,但尽管如此,奈特报系1960年时总发行量仍在100万份以上。该报系的报纸经常获奖。1974年瑞德报系与奈特报系合并,组成奈特-瑞德报业集团(后更名为奈特瑞德公司)。该集团所拥有的其他报纸包括《费城调查者报》、《堪萨斯城市星报》、《圣荷塞水星报》、《圣保罗先驱报》。到21世纪初,奈特瑞德的报纸共获得80多个普利策奖。

Knight, Margaret E. 奈特(1838-02-14,美国缅因约克～1914-10-12,马萨诸塞弗雷明汉) 美国发明家,发明了一系列用于工业和日常用途的机器和机械装置。早年时即展现出在工具和发明方面的才能,据称她12岁时就设计了一种用来控制动力织布机上的梭子的保险装置。1868年发明了能制造底部为方形的纸袋折叠机的附加装置,1870年获得专利。为个人的多项发明申请了专利。虽然她不是第一个获得专利的妇女,但她是最多产的女发明家之一,值得赞赏的是她有约27项专利。然而她并没有从发明中大量赢利。奈特去世时,当地讣告尊称她为"女爱迪生"。

Knight, Sarah Kemble 奈特(夫人)(1666-04-19,美国马萨诸塞波士顿～1727-09-25,康涅狄格新伦敦) 美国殖民地时代教师、女商人。1704年独自从波士顿骑马到纽约,旅途中写的日记既生动又幽默,被认为是18世纪美洲殖民地生活的最真实记载之一。在丈夫和父亲去世后,积极经商和从事律师事务,并兼管一所学校。《奈特夫人日记》在她逝世后于1825年出版,以后出过多次修订本。1935年还出版了她的日记的手迹影印本。

Knight, Thomas Andrew 奈特(1759-08-12,英国赫里福德郡拉德洛～1838-05-11,伦敦) 英国园艺学家、植物学家,曾做植物适应性反应的实验和茎、根在生长方向上变化的实验,为后来研究植物向地性奠定基础。毕业于牛津大学,曾任皇家学会的约瑟·班克斯爵士的通讯员。他的科学著作最早发表在皇家学会的《哲学学报》(1795～1814)上。他完成了植物体内液体上升和下降的实验,并用环割实验证明了S.黑尔斯的树皮来源于边材的理论是错误的,同时也证明在树皮外部的液汁与边材中富于营养的液汁不同。1806年他在给班克斯的信中描述了离心力作用于发芽种子的实验,表明了地心引力对植物生长的影响。但他没有成功地用机械物理特性解释种子适应性的反应。

knight bachelor 最低级爵士 英国最古老的、也是等级最低的爵位,始于国王亨利三世在位时期。此爵位亦曾见于欧洲大陆,但目前仅英国继续存在和颁授。在历史上,这种爵士不属于任何一个骑士团,他或者是无法自己领兵作战的穷封臣,或者是过于年轻的骑士,还不能承担*方旗骑士*(**banneret**)的责任和荣誉。如果由于军功和拥有足够的土地而具备晋升的资格,最低级爵士可正式向战场指挥官申请方旗骑士的称号。17世纪时,大不列颠的詹姆斯一世创立最低级爵士的登记制度,但没有贯彻到底。1908年成立帝国最低级爵士协会,企图统一登记所有的爵士。最低级爵士的徽章图案为在两个马刺之间画一柄入鞘的剑,1926年通过并采用这一图案。

knight service 骑士服务 在欧洲封建制度中指为保有土地而履行的军事义务。这种服役可能是打仗或远征,也可能仅仅是骑马护卫或守护城堡。领主为了获得这种服务,要向直接服务的人或能够纠集一伙骑士前来投靠的人赐予封地。一般的服役期限是每年40天。在英国只向国王提供骑士服务。在法国,小贵族亦可要求这种服务,从而获得巨大的个人权力。随着时间推移,骑士服务的情况多有变化;到1300年,应召服务的骑士人数已大大减少。

Knight Templar 参阅 **Templar** *圣殿骑士*。

Knighton, Henry 奈顿(?～约1396) 英格兰编年史家。曾任莱斯特的梅多斯的圣玛丽隐修院奥古斯丁会牧师会成员。他的编年史分为历史与时事两个部分,历史部分前半部包括的年代为1066～1337年,是汇编过去的史书而成;后半部从1337年起,由他自己执笔。由于他的去世,只写到1366年的事件为止,全书未完成。1377～1395年的编年史,长期被认为另一位牧师所撰,其实乃是他的初稿。该书于1652年首次付印。

Knights Hospitaller of St. John of Jerusalem 耶路撒冷的圣约翰医院骑士团 参阅 **Knights of Malta** *马耳他骑士团*。

Knights of Columbus 哥伦布骑士团 天主教男信徒国际性友爱互利团体。由麦吉夫尼创办,1882年在美国康涅狄格州注册立案。哥伦布骑士团提供各种保险福利和社交机会,积极推行各种宗教、教育、战灾救济和社会福利计划。该团最高会议总部设在美国康涅狄格州纽黑文市。

Knights of Labor 劳动骑士团 1869年在美国建立的第一个重要的全国性劳工组织。骑士团的第一位领袖U.S.斯蒂芬斯（**Stephens, Uriah Smith**）把这个组织定名为高贵劳动骑士团。劳动骑士团原是一个秘密组织，旨在保护团员免遭雇主的报复。骑士团的纲领以所有生产者（店员、农民和工人）利益一致的信念为基础，同时提出用工人合作社制度取代资本主义。自从1879年选出T.V.鲍德莱为这个组织的工人领袖以后，它便不再保密了，也放弃了神秘的标志，同时还取消了名称上的“高贵”二字。由于鲍德莱不愿发起罢工或利用其他形式的经济压力以达到组织的目的，于是组织的有效控制权便转移到地区领导人手中。随着美国摆脱了19世纪70年代经济萧条的困境，骑士团的团员人数迅速增加，1886年达到70万人，这一年发生了1 600次罢工（往往是暴力的）以及芝加哥秣市骚乱。此后，骑士团的影响急剧下降，1886年12月成立了美国劳工联合会。

Knights of Malta 马耳他骑士团 又称医院骑士团（Hospitalers或Hospitallers），正式名称（自1961年起）耶路撒冷、罗得岛和马耳他的圣约翰独立军事医院修士团；又称（1113～1309）耶路撒冷的圣约翰医院修士团，或称（1309～1522）罗得岛骑士团，或称（1530～1798）马耳他独立军事骑士团，或称（1834～1961）耶路撒冷的圣约翰医院骑士团。天主教医院修会，11世纪成立于耶路撒冷，总部设于罗马，目前仍在世界许多地方执行人道主义任务，只是名称和隶属系统有微小差异。

11世纪，来自阿马尔菲的意大利商人在耶路撒冷开办医院，为患病的朝圣者服务，这就是骑士团的前身。在第一次十字军行动期间，十字军于1099年攻克耶路撒冷，医院的高级领导人杰拉德修士一方面加强在耶路撒冷的工作，另一方面在通往圣地途中的一些普罗旺斯和意大利城市开设招待站。1113年2月15日，教皇帕斯加尔二世发布诏书，正式承认这个修会并予以命名。德皮伊于1120年接替杰拉德，他废止奥斯定会戒规，代之以本笃会戒规，并加强这个机构的权力。它取得财富和地产，并且开展活动，兼顾照料病者及对伊斯兰教作战。医院骑士团与圣殿骑士团共为圣地最强大的军事修会。

1187年穆斯林重占耶路撒冷，医院骑士团先将总部迁到马盖特，1197年再迁到阿卡。1291年阿卡陷落，十字军所建国家遂不复存在，医院骑士团乃迁到塞浦路斯境内的利马索尔。1309年他们购得罗得岛，统治该地，使之成为独立国家，拥有铸造货币等主权。根据骑士团的规章，团长（约1430年以后称大团长）由选举产生（须经教皇批准），终身任职；团员中包括骑士、牧师和团务弟兄，一律不许婚娶。罗得岛骑士团经常骚扰东地中海区域的穆斯林航运，历时长达200多年。到15世纪，土耳其人取代阿拉伯人，继续推行强硬的伊斯兰政策，1522年奥斯曼帝国苏丹苏莱曼一世最后围困塞浦路斯。6个月后，骑士团投降，1523年1月1日乘船离开罗得岛，随行有自愿同时撤退的公民。骑士团团员没有基地，往来飘荡7年之久，1530年神圣罗马帝国皇帝查理五世终于将马耳他群岛赐给他们，其条件之一是每年由他们向驻西西里岛的御史献上猎鹰一只。1565年苏莱曼一世围困马耳他，企图将骑士团赶走，是历史上最著名的围困作战之一。骑士团大团长瓦莱特领导有方，大败土耳其人。在1571年的勒班陀战役中，土耳其海军残部又被包括马耳他骑士团在内的欧洲几国联合舰队痛歼而陷于瘫痪。于是骑士团着手兴建马耳他的新首府，为纪念瓦莱特，名之为瓦莱塔。他们在该地构筑大量防御工事，并且建有大医院，马耳他境外各地的普通病人和精神病人纷纷前往就医。

其后，骑士团在马耳他维持有主权的领地国家的地位，逐渐放弃作战功能，专注于行政和医疗事业。1798年，拿破仑进攻埃及途中强占马耳他岛，于是骑士团政权结束。亚眠条约（1802）将马耳他归还骑士团，但是巴黎条约（1814）又将该岛划归英国，骑士团再失该岛。1834年，马耳他骑士团以罗马为永久驻地。从1805年起，骑士团由副官主持，1879年教皇利奥十三世恢复该团大团长的职位。1961年公布该团新章程，更加明确地规定它的宗教地位和独立主权地位。1966年公布该团法典。骑士团虽然不再统治领土，但仍颁发护照。承认其主权地位的有罗马教廷以及其他一些天主教国家。骑士团对这些国家派出全权公使或具有外交人员身份的代表。在原有的骑士团地区性单位中，现存5个大分团，即罗马、伦巴第-威尼斯、那不勒斯-西西里、奥地利和波希米亚-摩拉维亚。在其他地方，骑士团按国别结成团体，名称不一。骑士团成员必须是天主教徒，中央机构实行贵族统治，负责人主要是由执法骑士组成的至尊阶层和牧师，他们必须是200年间至少4代尊贵骑士的后裔。妇女只能成为下级团员。

Knights of Saint Eulalia （Christian order）**欧拉利亚骑士团，圣** 参阅**Mercedarian** *慈爱圣母会会士*。

Knights of the Sword（Livonian order） 参阅**Brothers of the Sword, Order of the** *宝剑骑士团*。

Knights Templar 参阅**Templar** *圣殿骑士*。

Knightsbridge 骑士桥 英国伦敦的威斯敏斯特、肯辛顿和切尔西自治市之间的居住区。在海德公园之南，贝尔格莱维亚西北，伦敦西端。有许多大型宅邸和俱乐部，还有著名的哈罗德百货公司。中世纪时当地还是一个小村庄。17世纪起开始以众多的小酒馆、小客栈而闻名。

Kniller, Gottfried 尼勒 参阅**Kneller, Sir Godfrey, Baronet** *内勒*。

Knipper-Chekhova, Olga（Leonardovna） 克尼佩尔-契诃娃（1869，俄罗斯格拉佐夫～1959-03-22，莫斯科） 母家姓Knipper。世界著名的俄国女演员，剧作家A.契诃夫之妻。涅米罗维奇-丹钦科和斯坦尼斯拉夫斯基成立莫斯科艺术剧院时，她被邀成为该剧团最初39个成员之一。在莫斯科首演A.托尔斯泰的《沙皇费多尔·伊凡诺维奇》（1898）时第一次登台，饰伊林娜。在剧院上演契诃夫的《海鸥》（1898）时，她饰阿卡狄娜，此次演出使契诃夫、该剧和莫斯科艺术剧院名声鹊起。剧院后来上演的所有契诃夫剧作，她都参加演出，尤以在《三姐妹》（1901）中饰玛莎、在《樱桃园》（1904）中饰拉涅夫斯卡娅而获得特别成功。在莫斯科艺术剧院1943年庆祝后一剧上演300场时，仍由她饰此角。克尼佩尔和契诃夫的职业联系最后发展成爱情，他们于1901年结婚。虽然契诃夫于1904年去世，但他们的亲密关系由于加尼特（夫人）于1926年出版了他们的情书英译本而广为人知。1919～1922年她曾随莫斯科艺术剧院在全欧洲进行巡回演出。1923～1924年又随该团出访美国演出。她在莫斯科艺术剧院饰演的其他成功角色有莫里哀、屠格涅夫和高尔基戏剧中的人物，以及克雷格在该院演出莎士比亚《哈姆雷特》（1912）时她所饰的乔特鲁德。她获苏维埃人民艺术家的称号后，在1943年又被授予斯大林奖。

knitting 针织 用一根或一组连续纱线套接为成串的线圈以生产织物的方法。针织物的伸长能力常比机织物大。针织物分两大类：纬编针织物，包括平针、罗纹、双反面针织物和加固针织物等；经编针织物，包括经平组织针织物、拉舍尔经编针织物、米兰尼斯经编针织物。在针织物中，线圈纵行相当于机织物的经纱，线圈横列相当于机织物的纬纱。大多数纬编针织物都可以由手工或机器编织，线圈是基本的单元，针织线圈从正面穿过前一线圈，而双反面线圈则从反面穿过。某些纬编针织物容易裂开，当一个线圈断裂时，可能出现纵向脱散。纬编针织物在横列方向具有很大的延伸能力。平针针织物具有平整的表面，在反面可以见到横向弧圈。用变化的平针可编结成针织绒面织物，如拉绒织物和人造毛皮等。罗纹针织物具有由线圈纵行形成的、明显的凸条状纵向罗纹在织物的两面交替出现。这种针织物较厚，弹性良好，较平针针织物耐用。双反面针织物在织物的正反两面横列方向有隆起的条纹，使织物的两面可以互换。网眼针织套衫等提花针织物由改变针织线圈和双面线圈织法织成。各种提花针织物可由增加、减少、交替或横过线圈的方法制造。双面针织物厚实，很少脱散。它采用罗纹组织和双罗纹组织，用两根纱或两组织针编织，在两个方向形成线圈。经编针织物通常不脱散，比纬编针织物紧密和平整，弹性较小。经编织物是在链式织机上生产的，每根经纱都由单独的针控制。线圈沿织物的长度方向连结。经编针织物的特征是正面有细的纵向凸条，反面有横向凸条，它具有良好的悬垂性，常用于女内衣和层压织物的底布。拉舍尔经编针织物具有花边状的敞开结构，用较细纱线来固定较粗纱线的组织结构。它可以制造出各种类型不同厚度的经编针织物,通常只具有一定的弹性。米兰尼斯经编针织物用两组经纱编织,一组向下向左移动,而另一组向下向右移动;对角横过的纱线在织物的背面产生菱形效应,在织物的正面有细凸条。针织物以平面状和圆形两种形式生产。纬编针织物常常都是圆形的,经编针织物通常是平面状的;平面状纬编针织物可以由收放针工序来成形,圆形针织物由线圈的收紧或放松成形。

Knivsflåfoss(Norway) **克尼夫斯夫洛福什** 参阅 **Syv Systre** 絮夫絮斯特雷。

knocking 爆震 内燃机气缸中因压缩后的部分空气-燃料混合物过早燃烧而引起的刺耳声音。在正常工作的内燃机中,燃料从发火点开始随着火焰前沿平稳地跨过燃烧室而渐进燃烧。然而,在压缩比大的情况下,随着燃料成分的不同,有些燃料会在火焰前沿到达之前而以失控的方式自发点火,造成强烈的高频压力波。这种压力波迫使内燃机零件振动而发出可以听闻的爆震声。爆震可导致火花塞尖端过热,燃烧室表面腐蚀,内燃机运转不稳和效率降低。调整内燃机设计和运转的某些变量,如压缩比和燃烧时间等,可以避免爆震,但最常用的作法是使用辛烷值较高的汽油。

Knopf, Alfred A. 克诺夫(1892-09-12,美国纽约州纽约市~1984-08-11,纽约州珀切斯) 美国出版商,有声誉和影响的克诺夫出版公司的创建人和长时期的董事长。1912年毕业于纽约哥伦比亚大学,在道布尔戴和佩奇出版公司短期工作后,于1915年开始创立自己的公司。他对当代文学的鉴赏能力,以及他与国内外文学界的广泛接触,使他的出版公司获得成功。他本人也因出版的各国著作具有高度文学质量而著名。他之所以能吸引许多重要作家,在于他亲自负责处理这些作家的出版要求,以及他对出版质量一丝不苟的精神。到1984年克诺夫去世时,在他的出版社所出书籍的作家中,共有16人获得诺贝尔奖,27人获得普利策奖。克诺夫严格掌握书籍的编辑内容和商业推销方法,并特别重视书的装帧设计和印刷质量。1924~1934年,他兼任《美国信使》的发行人,这是一本有影响的期刊,由他与H.L.门肯和G.J.内森于1924年共同创立。1966年克诺夫出版公司成为兰登书屋(为美国无线电公司所拥有)的子公司。1980年兰登书屋为纽豪斯公司购得。1972年起,克诺夫任自己公司的名誉董事长。

Knorozov, Yury Valentinovich 克诺罗佐夫(1922-11-19,苏联乌克兰哈尔科夫[今乌克兰哈尔基夫]~1999-03-31,俄罗斯莫斯科) 亦拼作Knorosov。俄罗斯语言学家、金石学家、人种学家,在解读马雅象形文字工作中曾起过重要作用。第二次世界大战期间,克诺罗佐夫曾在苏军服役,战后于1948年毕业于国立莫斯科大学。在校期间,他对马雅象形文字发生兴趣,当时这种古文字仅有少数可被释读出来。克诺罗佐夫对这一问题的研究成果于1955年提出,因而获得历史学博士学位。其后他在列宁格勒(今圣彼得堡)的苏联科学院人种志研究所任高级研究员多年。克诺罗佐夫早在1952年就在苏联期刊《苏维埃人种志》中发表论文,对马雅象形文字的解读问题提出一项全新的见解,认为古代马雅印第安人刻写的象形文字符号或由语标(代表整个单词的符号)组成,或由音标组成;在后一种情况下,每一个符号代表一个"辅音-元音"的组合形式。他进而正确地判定,由一个"辅音-元音-辅音"组合构成的马雅单词是用两个象形文字符号刻写的,而第二个符号中的元音并不读出。因此,对应于tzu和lu的两个符号就读成tzul,即马雅语中的"狗"这个词。克诺罗佐夫使用这一方法解读了此前无法理解的大量马雅象形文字符号。1963年,他将研究成果写成《马雅印第安人的文字》一书发表,成为他的一部重要著作。他提出的这一语音学假说到20世纪70年代为学术界普遍接受,从而使许多古代马雅碑铭得以整段整篇地释读出来。

knorpelwerk(decorative arts) **软骨图案** 参阅 **auricular style** 耳形图案。

Knossos 克诺索斯 又拼Cnossus。古代克里特城市,传说中米诺斯王朝的首都,最早的爱琴文化米诺斯文化(**Minoan civilization**)的主要中心。克诺索斯位于克里特岛北岸内陆8千米处两条小溪交汇处的小山上。1900年在A.伊文思领导下开始发掘,出土了一座宫殿以及周围的建筑群,那是公元前1600~前1400年主宰爱琴文化的高度发展的青铜器时代文化的中心。

最早的克诺索斯居民大概在公元前7千纪来自安纳托利亚,并建立了以种植小麦和饲养家畜为基础的农业社会。米诺斯时代(公元前3000~前2000)早期,他们开始使用青铜,并制作上釉陶瓷、雕刻印鉴和金首饰。还发明了象形文字,并与埃及人进行贸易。第一座克诺索斯宫殿建于中克诺索斯时期(公元前2000~前1580),环绕长方形宫殿建有一个一个的建筑物。在此时期内,克诺索斯生产优美的以黑釉为底的多色陶瓷器皿。约公元前1720年,一次破坏性地震将克诺索斯大部夷为平地。宫殿重建时,有大量柱廊和多层阶梯连接位于小山之上的各个亭台楼阁。如今,在出土地点可以看见这所宫殿的废墟。宫殿的行政事务殿堂和礼仪事务殿堂在中央大院的西厢。中央大殿的觐见室还有一把克诺索斯国王坐的石膏座椅。宫殿区域内还有狭长的地下室,用来贮藏小麦、食油和贵重物品。劳作场所在中央大院的东北部,而住宅区位于东南部分。有精巧的排污管道和水管系统为宫殿提供用水和卫生服务。整个城市与其他城镇和港口均有铺了路面的道路相联接。克诺索斯壁画艺术达到当时的顶点,画面多是舞蹈、运动和捕捉海豚的场景,带有自然主义风格。米诺斯人还以一种称作"线性文字甲"的线性文字取代他们的象形文字。

大约公元前1580年,米诺斯文化和影响开始扩展到希腊大陆,在那里进一步发展并形成所谓迈锡尼文化。迈锡尼文化在公元前15世纪某个时候反而控制了米诺斯文化;"线性文字甲"也被另一种"线性文字乙"所取代。"线性文字乙"与迈锡尼所用的文字相同。而且,一般认为"线性文字乙"是希腊文的原型。在克诺索斯发现的用"线性文字乙"书写的详尽文书表明,在那时,该城的迈锡尼统治者控制着克里特岛的中部和西部的大部地区。

在大约公元前1400年后的某个时候,伊文思称之为克诺索斯的"最后的宫殿"被起因不明的一场大火焚毁,那场大火也摧毁了克里特岛上很多其他居民点。此后,克诺索斯衰败成一个普通城镇,爱琴世界的政治中心转移到了希腊大陆的迈锡尼。在后几个世纪,克诺索斯仍有人居住,但规模大不如前。

knot 结 捆扎技术名词,指通常为了把一物件与另一物件绑在一起而把一条或多条绳、缆或其他柔韧材料的一段绕束起来而形成的纽结。太古时代人利用藤蔓和如绳索一样的纤维把石头捆缚在木柄上造成斧,从那时起就有了结。结也用于织网和布罗网,但是,直到出现了早期帆船而用索具操纵风帆时,结才真正成为复杂的技术。打结成了海员的专门技术,他们在历史上为了多种功能设计出多种的结,表现出伟大的技巧和才能。后来有了蒸汽机驱动船舶,帆、索具和结的使用范围缩小了,即使在现代帆船上这种趋势也还在持续,因为有了特制的系绳铁角、绞车及其他新装置以操纵帆索。然而结在日常生活中仍然广泛使用,野营者、长途步行旅行者、登山运动员、渔人、织工以及其他人士也对于结有所依赖,人在系鞋带和打包裹时也离不开结。

好结的主要要求是打好之后不滑开,而且易结易解。把一条绳或缆与另一条固定在一起,或者把一条绳系在圆杆、环或其他物件上,有许多不同的方法。狭义地说,结是把绳扭转,使之穿过它自身所形成的环而造成的纽结,例如反手结就是这样。要把绳系在诸如圆杆之类的其他物件上,可以作套,要把一条绳系在另一条绳上可以打绑结。一切结、套和绑结的要领是越拉越紧,一经打好,其摩擦力使之长时间不松散。在绳上,从打结点到负荷点的一段称为"固定段"。下文介绍几种重要的结。

反手结(图中A)是最简单的结,用之于绳、索和线。它可用来打包裹、防止绳端被磨散,也可以作为打更为复杂的结——如外科结、平结的第一步。先把绳的一端折回,与固定段交叉,形成套,再牵绳端穿过这套,然后拉紧,即可打成反手结。如在打反手结时,穿过最初所作的套的不是绳端而是另一个套,即可打成滑结(B)。这种结,只要牵动其活端,即可很容易地滑开。人们往往在系鞋带时打双滑结。平结(C)是两个反手结相反地连套,拉紧时平贴,用于急救和捆包裹。外科结(D)是平结的一种而更为复杂,包括相背连套的两个反手结,而在第一个反手结之后多捻了几下,这样可使绳在打第二个反手结以前稳住不动。外科手术上用这种结缚扎切断了的动脉管,故名。

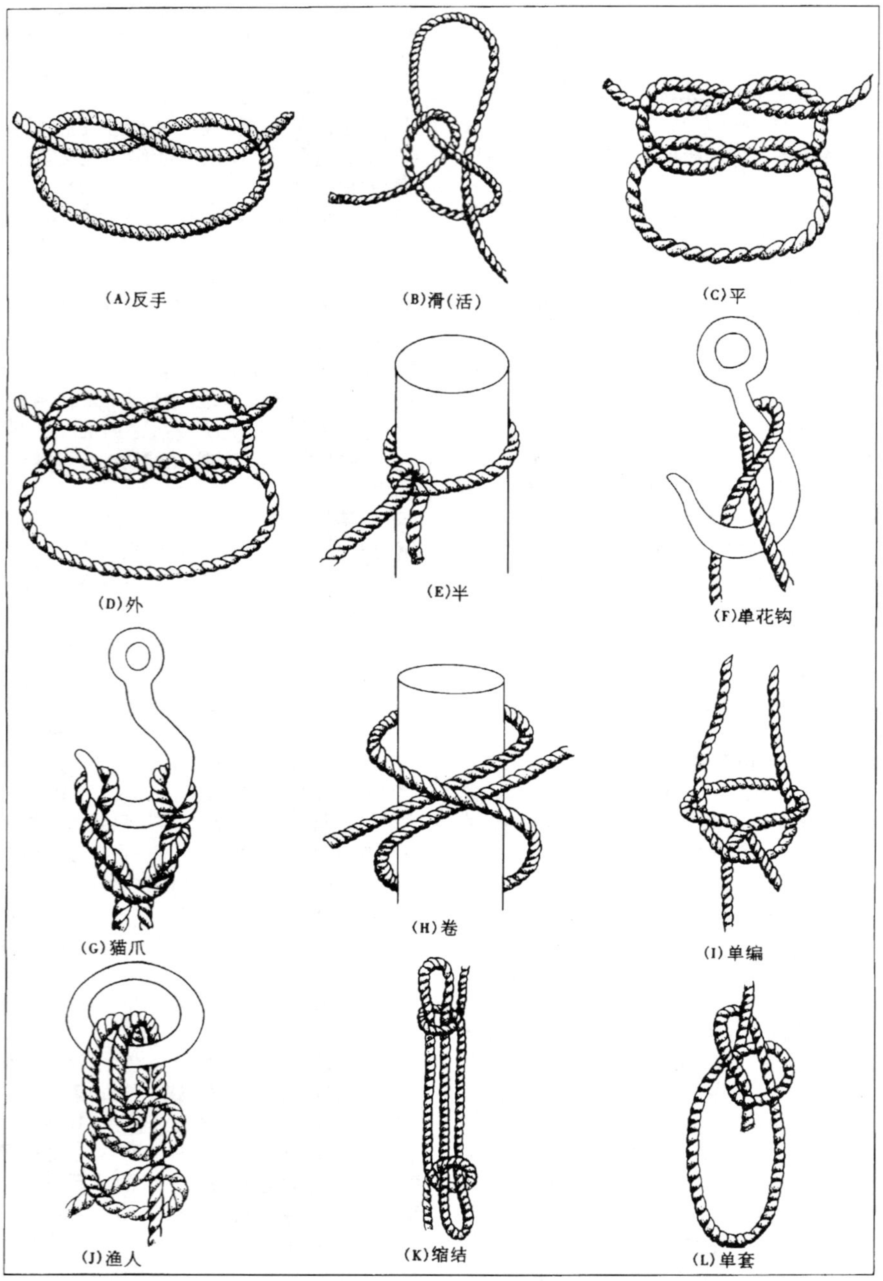

几种不同类型的结

半结(E)是最简单的一种套,实际是反手结的一种变型,打法是把绳端穿过绳的固定段,形成套,再穿过此套。其后在绳的固定段上作第二个半结,形成双半结;在把绳绕在环、桩或其他锚定设备上以后,可以用双半结把绳端固定在绳上。捆木索结——又称圆木结——的打法是把绳背绕至少三圈,是半结的一种变型,伐木工人用以捆绕树干,结扎便捷。如要把绳固定在钩上,则打单花钩结(F),其打法是在靠绳端部位把绳一折为双,形成套,然后把钩的钩杆穿入套中,于是套卡在绳的固定段与钩之间。要把绳固定在钩上,还有一种更为灵活的结猫爪结(G),其打法是把绳的两段相背扭曲,形成并列的两个"眼",使钩底穿过这两个眼,钩下形成吊索。这样打成的结与吊索之间的相对位置可以调整,因而得以以任何角度提升负荷物。卷结(又称建工结或绳梯结)(H)的打法是用绳端绕物件,再把绳端与绳的固定段交叉,形成一套,然后再用绳端绕物件,形成第二套,最后把绳端引过第二套。这种结的用途是把绳暂时系在圆杆、桅杆、树干等物件上。只要使这种结脱离物件即可解开。卷结不易松开,但反复牵扯会使它松动。

单编结(I)又称织布结,为海员所常用,其功用是连结粗细不同的绳。其作法是把一条绳的端头引过另一条绳所造的套,然后再用它绕缠这个套,继而穿过它自己的固定段之下。普通的渔网就是由无数的单编结组成的。渔人结(J),又称锚结,特别有力,容易作,无论怎样拉也不会卡死或滑松,而且不难解开;其功用是把绳系在环、钩、锚等物件上。它的作法是用绳绕物件两圈,再把绳端引过两圈之下,形成两个半结。渔人结如不承受拉力,而且不吃力的绳端未经固定,会逐渐滑松。

缩结(K)简单易作,用以临时缩短绳索。其作法是把绳折成两个套,两端各打一个半结。假如绳上有一段脆弱,就可以用缩结把它加强,其打法是把脆弱的一段置于两套的中部。缩结必须是在承受拉力而两个半结绷紧的情况下才有效。假如把物件穿过套的每一端,或者在两个套上各打一个反手结,即可使它牢固。

单套结(L)造成一个不会滑松的环套。在泊舟或提升物件方面,单套结是常用的结。其打法是先把绳端放在它的固定段上,在绳端上形成一个套,再把绳端绕过固定段的后面,穿过套。它的一个变型是活套结,用以套捕牛马。另一个变型是绳环单套结用以缒人上下,十分方便。

把两条绳的绳端各股拆开,再把两者织在一起,称为**捻接**(**splice**)。用第三条绳把两条绳扎在一起,称为**捆扎**(**seizing**)。

knot 节 航海测速单位,等于每小时1海里(英制 1 海里等于6 080英尺,国际海程制 1 海里等于1 852米或6 076.115英尺),约为每小时1.15法定英里。因此,船的航速 20 节时,约相当于陆上车行速度每小时 23 英里(37 千米)。节这个词可能来源于过去测量水中船速的测速绳(参阅 **log**),其长度即以节为单位。过去的测速绳每隔一段要打一个结,每一段或每一节长约 14.3 米(47 英尺)。将测速仪抛入水中时,它大体上保持不动,而当船向前行驶时,与测速仪相连的测速绳就从船中拖放出来。经过 28 秒之后计数拖放在水中的节数。在 28 秒时间内拖放的节数约等于以每小时海里计的船速值。

knot 细嘴滨鹬 鹬科滨鹬亚科(Calidritinae)*Calidris* 属大型鹬类。普通细嘴滨鹬(克努特滨鹬,*C. canutus*)体长(包括喙)约 25 厘米。繁殖期胸羽淡红色;冬羽淡灰。繁殖于整个北极地区干燥多石的苔原地带,并能远距离地迁徙到所有大陆的海滨。有些个体可南迁至澳大利亚和新西兰等地越冬。密集结

普通细嘴滨鹬(*C. canutus*)
美国不列颠百科全书公司供图

群,几乎一个挨一个地站在海滨,觅食时如同一层鸟毡在移动。大细嘴滨鹬(亚洲细嘴滨鹬,薄嘴滨鹬(*C. tenuirostris*)是稀有种,繁殖于西伯利亚。

Knott, Walter; and Knott, Cordelia 诺特夫妇(沃尔特 1889-12-11,美国加利福尼亚圣贝纳迪诺～1981-12-03,加利福尼亚比尤纳帕克;科迪莉亚 1890-01-23 ～ 1974-04-23,比尤纳帕克) 南加利福尼亚州一个农场和苗

圃——诺特浆果农场的创始人。此农场发展成美国历史最悠久、面积最大的主题娱乐公园之一。沃尔特是农场主之子,在加州波莫纳长大成人,在那里遇到中学朋友科迪莉亚并和她结婚。1920年他们在附近的奥兰治县比尤纳帕克租赁4公顷土地种植浆果,在路旁小摊上出售浆果并卖给当地杂货商。科迪莉亚还出售她自己做的蜜饯、开胃食品和糖果。1928年他们开的一间茶室和一个浆果市场,30年代发展成一家餐馆(特别以鸡餐闻名)和一座娱乐公园,公园最初有骑马和一个废弃的采矿鬼镇。他们去世时,诺特浆果农场已发展到60公顷。农场娱乐综合设施已经扩大,可庆祝以下这些主题:南北战争前的西部、早年的西属加利福尼亚、行动与衣着不受传统拘束的20年代,还有费城独立大厦的复制品。餐馆也扩大到20间餐室,可接纳1 800名顾客。一位阿纳海姆园艺家R.博伊森曾把罗甘莓、红树莓和黑刺莓杂交。1932年沃尔特培育博伊森嫁接成的6种杂交植物,此时诺特一家已和他们种植的家喻户晓的"博伊森莓"联系在一起。10年内博伊森莓产量大增。然而1960年比尤纳帕克浆果农场停止经营,完全成为娱乐公园。后来诺特一家在加州中部莫德斯托附近购置了广阔的土地种植浆果。

Know-Nothing Party　一无所知党　别名美国党,19世纪50年代盛极一时的美国政党,是19世纪40年代强大的反移民倾向,特别是反对天主教情绪的产物。当时日益增多的移民,主要是移居美国中西部的德意志人和移居东部的爱尔兰人,似已威胁到土生土长的美国基督教新教徒的经济和政治保障。1849年秘密的星条旗骑士团在纽约成立,其他主要城市迅速出现其分会。因其成员在问及他们组织时应回答自己一无所知,故称一无所知党。到50年代,随着成员人数和重要性不断增加,神秘色彩亦逐渐消除,作为一个全国性的政治团体正式定名为美国党。它主张限制移民,不准外国出生的移民参加选举或担任公职,外国人须在美国居住21年后才能成为公民。1855年12月3日国会开会时,有43名众议员公开承认自己是一无所知党党员。该党1856年在费城举行代表大会时因南方代表提出赞成奴隶制的纲领而发生分裂。此后该党陷于瓦解。反对奴隶制的党员加入了共和党,而南方的党员则聚集在民主党继续高举的赞成奴隶制的旗帜下。1860年该党的残部参与建立立宪联邦党,并提名田纳西州的J.贝尔为总统竞选人。在全国4人竞选中,贝尔居第4。70和80年代也分别出现过两个名为美国党的组织。其中一个1886年成立于加利福尼亚,主张从工矿企业中排斥华人和其他东方人。

Knowles, William S.　诺尔斯(1917-06-01,美国马萨诸塞汤顿～2012-06-13,密苏里切斯特菲尔德)　美国科学家,因最先研制出手性催化剂,与日本的野依良治和美国的K.B.沙普尔斯共获2001年诺贝尔化学奖。1942年获哥伦比亚大学博士学位,后在密苏里圣路易斯的孟山都公司从事研究工作,直至1986年退休。1968年诺尔斯最先研制出手性催化剂,用于不对称氢化反应。多种手性催化剂几乎都立刻应用于很纯的、所需左旋多巴对映体制剂。

Knowlton, Charles　诺尔顿(1800-05-10,美国马萨诸塞坦普尔顿～1850-02-20,马萨诸塞温琴登)　美国医生。他的节制生育的著名论文使避孕药物得到广泛使用。1824年毕业于新罕布什尔州汉诺威市达特茅斯学院,获医学博士学位。曾匿名出版一本向夫妇们介绍节制生育方法的读物《哲学的果实:或青年夫妇的密友》(1832),这是美国这类书中的第一部作品。此书第二版有作者姓名,于1833年出版。引起传统势力的反对,作者受到指控,在马萨诸塞州汤顿及剑桥遭到罚款、监禁(1832)。再次受控于格林菲尔德城,以无罪获释。《哲学的果实》在英国成为一个著名判决先例。在"英国女王诉C.布雷德洛和A.贝赞特"一案(1877)最后判决时,被告得胜。此次审判后,此书的销售额由一年不足1 000册激增至一年25万册。

Knowsley　诺斯利　英格兰兰开夏历史郡默西塞德都会郡的都会自治市。在利物浦东面。面积87平方千米。除18世纪重要的钟表制造业中心普雷斯科特外,大部分地区在20世纪发展起来。1930～1950年,海顿城因接纳利物浦过剩人口而迅速发展。1952年利物浦在一工业区周围建立新城镇时,柯比城、诺斯利和黑尔伍德兴起。1960年黑尔伍德成为新建汽车厂的厂址。其他工业有电缆、机械、食品加工和轻工等。诺斯利部分地区被辟为野生动物园。人口约154 600(1998)。

Knox, Fort　诺克斯堡　美国军事重地。位于肯塔基州北部米德、哈丁和布利三县,东北距路易斯维尔48千米。面积44 510公顷。1918年建为诺克斯兵营。1932年成为常设军事基地。1936年为确保美国金库的安全修建了一座坚固的正方形防弹建筑物,并配备机械防护装置,以存放国家大批黄金。第二次世界大战期间,金库被用以收藏《美国宪法》、《独立宣言》和《大宪章》等原件以及林肯的葛底斯堡演讲原稿。1940年起一直为美国装甲部队司令部,有多所训练学校。其巴顿骑兵及装甲兵博物馆展出美国南北战争期间使用的武器及缴获的敌军武器。人口12 377(2000)。

Knox, Henry　诺克斯(1750-07-25,美国马萨诸塞波士顿～1806-10-25,缅因托马斯顿)　美国独立战争时期(1775～1783)的将领,在美国宪法实施后首任陆军部长。诺克斯9岁时由于家庭环境所迫离开学校,到波士顿一家书店工作,21岁时开设了自己的商店。他在殖民地人民自卫队中很活跃,1775年在马萨诸塞州剑桥参加了大陆军。他被任命为上校,负责炮兵部队。1775～1776年冬他奉乔治·华盛顿将军之命,前往纽约州泰孔德罗加提取虏获的英国大炮。他出色地组织牛马和人力,在冰雪中跋涉480千米,将总重5.5万千克的大炮运到波士顿。这些武器被用来解除英国人对该城的围困,并奠定美国革命炮兵部队的基础。在1778年费城战役中,当时任准将的诺克斯先是在新泽西州的蒙茅斯(6月),后来又在弗吉尼亚州约克敦(1781)的决定性战役中指挥炮兵作战,屡建

美国不列颠百科全书公司供图

奇勋,晋升为少将。战后接替华盛顿任陆军司令(1783-12)。1784年初辞职,回到波士顿。1785年在根据邦联条例成立的政府中任陆军部长,1789年转入华盛顿总统首届内阁继续担任该职。1795年归隐缅因州托马斯顿的一个大农庄。

Knox, John　诺克斯(约1514,苏格兰洛锡安哈丁顿附近～1572-11-24,爱丁堡)　苏格兰宗教改革家。据传他曾在圣安德鲁斯大学从梅耶受业,1540年以前任司铎,1543年在

美国不列颠百科全书公司供图

哈丁顿地区任教会法公证人。两年后诺克斯为东洛锡安两位贵族任家庭教师,这两位贵族参与基督教新教的政治活动。苏格兰宗教改革家威沙特曾于1545年在这两位贵族保护下传教。诺克斯经常同他在一起,可能于此时改奉基督教新教。威沙特于1546年3月被圣安德鲁斯大主教比顿以异端罪判处火刑烧死。诺克斯率领门生辗转逃避才免于迫害或被捕。1547年4月他率领门生到安德鲁斯。3个月后,在那里成为公认的宗教改革运动倡导人和代言人。1547年6月末苏格兰总督获得法兰西的援助,迫使圣安德鲁斯城堡投降;诺克斯等人被押到法兰西囚船上服苦役。19个月后由于英格兰出面干涉,诺克斯获释,但从此体弱多病。不久,英格兰政府任命诺克斯为讲道员,派他到北方特威德河畔贝里克镇宣讲基督教新教教义。1551年初

调往纽卡斯尔，不久任六位皇室牧师之一。后任罗彻斯特大主教。1553年信奉天主教的玛丽女王登位，新教徒纷纷逃往欧洲大陆，诺克斯在苏格兰坚持到最后。1554年，在美因河畔法兰克福英格兰难民营（主要收容清教徒）任牧师，数月后转任日内瓦英格兰难民教会牧师，1559年返回苏格兰。同年春苏格兰局势严重。原来两年前信奉新教的贵族在诺克斯建议下缔结盟约，保证支持和捍卫"主的教会"及其教牧人员。此时，法兰西吉兹家族出身的玛丽王后摄政，召见新教神职人员，以他们为叛匪首领，新教信徒将诺克斯从日内瓦召回，双方矛盾激化。6月底，爱丁堡暂为新教徒所控制。这时法兰西国王亨利二世去世，权力落入吉兹派之手。法兰西对苏格兰的干涉势不可免。1560年4月英军参战，支援苏格兰新教徒。后英法两国签约停战，共同撤军，苏格兰完全由新教徒掌握命运。苏格兰议会举行会议，讨论宗教问题。由诺克斯和另外3人共同仓促写成《苏格兰信纲》，这份文件在措词上遵循加尔文主义而较为温和，同时比较着重圣礼；它经过议会讨论，定为国教纲领。诺克斯在一个委员会的协助下向议会提出《规章一书》规定教会的组织和财务原则。英格兰女王玛丽于1561年到苏格兰。诺克斯得悉玛丽女王准备嫁西班牙贵族卡洛斯，预见到这种婚配必定要严重威胁苏格兰及英格兰的宗教改革，于是竭力反对。1567年玛丽退位，诺克斯的好友斯图尔特执政。不久斯图尔特被害，苏格兰陷入混乱，女王派和执政派互不相让。法兰西新教徒在圣巴托罗缪惨案中遭屠杀的消息传到苏格兰，诺克斯不顾体弱多病，立即发表演说，唤起信徒关注这一惨剧。

Knox, Philander Chase　诺克斯（1853-05-06，美国宾夕法尼亚布朗斯维尔～1921-10-12，华盛顿［哥伦比亚特区］）　美国律师、三届政府阁员、美国参议员。1875年进入律师界，曾任卡内基钢铁公司法律顾问，在组建美国钢铁公司过程中发挥杰出的作用。1901～1904年任司法部长。1904～1909年为美国参议员。在T.罗斯福领导下，他依据《1890年谢尔曼反托拉斯法》提出一系列的起诉，其中最著名的一案导致解散北方保险公司（1902～1904）。曾任W.H.塔夫脱总统的国务卿，全力推行"金元外交"，即以增加对外投资为手段扩大美国在海外的政治影响。他劝说中美洲各国向美国银行借款，以减少欧洲干涉这一地区的危险。"金元外交"受到普遍责难。1917年回到美国参议院，成为反对国际联盟的首要人物。

Knox, Ronald（Arbuthnott）　诺克斯（1888-02-17，英国莱斯特郡基布沃思博尚～1957-08-24，萨默塞特梅尔斯）　英国作家、神学家和天主教会名流，因重译《圣经》闻名。出身于英国圣公会家庭，曾就学于牛津大学巴利奥尔学院，1912年被任命为牛津三一学院教士。1917年成为天主教徒。1926～1939年为牛津大学天主教教士。在《一些松动的石头》（1913）和《重聚在各处》（1914）中，他诙谐地表达了毕业后至改信天主教期间使他苦恼的事情。在《心灵的阿涅阿斯记》（1918）中，他记叙了他的奋斗及其结果。他的观点最终表现在《天主教徒的信仰》（1927）中。出有布道集6卷，其中包括《天堂与查灵克罗斯》（1935）和《被禁锢的激情》（1940）。他还写有独出心裁、情节复杂的侦探小说，其中最佳之作一般认为是《仍然静寂》（1934）。《新约全书》译本于1945年问世；《旧约全书》译本和《有关英译圣经的问题》出版于1949年；《新约全书评注》各卷于1953、1954和1956年相继问世。

Knox, Rose Markward　诺克斯（1857-11-18，美国俄亥俄曼斯菲尔德～1950-09-27，纽约约翰斯顿）　婚前名Rose Markward。美国女实业家，在推广和销售白明胶，使之广泛用于家庭和工业方面成绩卓著。1883年与推销员C.B.诺克斯结婚。1890年，二人将5 000美元积蓄投资在查尔斯家乡约翰斯顿，设厂制造白明胶。该处有数家制革厂，原料供应可有保障。从一开始，她即对业务细节及拓展白明胶市场的挑战颇感兴趣。多半是由于她的努力，白明胶才从一款美味的病人食品逐步变成家庭必需品。她的一本介绍亲手调制白明胶的小册子《精美甜品》（1896）引起妇女们对这一产品的兴趣。1908年丈夫去世后，她保住了生意，并加以改进，集中精力向美国家庭主妇销售白明胶。她的第二本小册子《食品家政》（1917）、有关食谱和窍门的报纸专栏"诺克斯夫人语"，以及在她自己的实验厨房及梅隆研究所持续进行的研究，使她的公司不断成长壮大。一座规模更大的工厂于1911年开工，到1925年该公司资产已达100万美元。1916年，诺克斯买进其白明胶供货厂家新泽西州卡姆登的金德与兰德斯曼公司一半股权，1930年，成为改组后的金德与兰德斯曼白明胶公司副总裁。1936年，她在卡姆登建了一座新厂，生产加香白明胶。她对员工极为热情、公平，员工对她也忠心耿耿。诺克斯公司一直是白明胶的主要制造商和分销商，产品60%售与家庭和机构消费者，40%售与工业（特别是摄影）和医药用户。诺克斯是美国食品杂货生产商协会的第一位女性会员，1929年成为其第一位女性理事。她被公认为是美国杰出的女实业家之一，在约翰斯顿的各类民间和慈善活动中都是积极分子。1947年退休，其子詹姆士出任诺克斯公司总裁，她则担任董事会主席。

Knox's Liturgy　《诺克斯礼仪书》　参阅 **Common Order, Book of**《公共礼仪书》。

Knoxville　诺克斯维尔　美国田纳西州东部诺克斯县城市和县城（1792）。濒临田纳西河。为一都会区（包括马里维尔、阿尔考和橡树岭）中心。1785年与切罗基印第安人签署的条约使这一地区向移民开放定居，建怀特要塞。1792～1796年为俄亥俄河南准州首府。1796～1812和1817～1819年两度为田纳西州首府。1815年设市。20世纪30年代田纳西河流域管理局的成立和40年代橡树岭（Oat Ridge）"原子城"的建立促进了该市的发展。现为田纳西河流域管理局总部所在

诺克斯维尔市的怀特要塞

美国不列颠百科全书公司供图

地。周围有几座大坝和水库，为工业提供电力并促进河运。现经济多样化，有农业（烟草和牲畜）、制造业（纺织品、服装、汽车坐位安全带、温控器和化工品等）、销售业、采矿（锌）、采石业（大理石）、木材加工业等。旅游业（大雾山国家公园和坎伯兰山）也有经济收益。设有田纳西大学（1794）、诺克斯维尔学院（1875）和田纳西聋人学校。古建筑有南部邦联纪念大厅和布朗特大厦。劳逊-麦格吉图书馆收藏有1.2万卷地方历史和谱系材料。1982年的世界博览会有大量重建的和新的建筑物。每年4月举行多格伍德艺术节。人口：市173 890；诺克斯维尔都会区687 249（2000）。

Knuckles　纳克尔斯　斯里兰卡山脉，南北走向，在马哈韦利河谷之北；其纳克尔斯峰海拔1 863米，位于瓦泰格默东北约10英里。山区年平均降水量2 500～5 000毫米，出产茶叶、橡胶、水稻、蔬菜和小豆蔻。山脉形状不规则，长约25英里，宽约15英里。

Knudsen, William S（ignius）　努森（1879-03-25，哥本哈根～1948-04-27，底特律）　丹麦出生的美国工业家，汽车大规模生产的有力协调者。1937～1940年任通用汽车公司

美国陆军部供图

董事长，第二次世界大战期间主持美国政府大量生产军备的计划。他于1900年移居美国，后在布法罗一家承造福特汽车公司零件的工厂里工作。1911年福特购买了这家工厂，他被调到底特律的福特汽车厂。1914年他入籍美国，开始监督福特公司在美国各地建立装配厂。第一次世界大战期间，负责该厂为美国海军制造用于反潜作战的巡逻艇和其他作战装备。1922年因与H.福特不和加入通用汽车公司。由于提高了汽车产量，1924年被任命为雪佛兰分公司董事长，1937年升任通用汽车公司董事长。1940年罗斯福总统任命他为国防研究委员会工业生产组组长。1941年任美国生产管理局主任，继续领

导军需物资的生产。1942～1945年，他以中将军衔负责陆军部的生产工作。1945年7月返回私营部门工作。

Knutsford 纳茨福德 英格兰柴郡行政和历史郡麦克尔斯菲尔德自治市的堂区（城镇）。位于曼彻斯特市西南柴郡平原上。1292年纳茨福德获得设置市场权、免费租地权（君王给与）和选举市长权，1332年的特许状又准其在一些节庆日举办博览会。占地12公顷的希思仍为一年一度五朔节欢庆的场所。主要购物街道为国王街和公主街，有许多具有历史意义和建筑学价值的建筑物。19世纪英国作家盖斯凯尔（夫人）就是以纳茨福德作为其小说《克兰弗德》（1853）的原型的。今日城镇主要为住宅区，有一些工业如造纸业、锯木业和核能设计实验室。东北8千米处的灵韦有具有国际重要性的曼彻斯特机场。人口13 352（1991）。

Knyphausen, Wilhelm, Freiherr von 克尼福森（1716-11-04，卢森堡～1800-12-07，黑森-卡塞尔卡塞尔［德意志］） 德意志军人。在美国独立战争中，指挥"黑森雇佣兵"部队为英军作战。身为一名有42年军旅生活经验的中将军官，他于1776年担任德国雇佣军司令L.冯·海斯特将军的副手，前往北美，协助英军作战。1777年冯·海斯特奉召回国，他晋升司令，曾参加宾夕法尼亚华盛顿堡和布兰迪万战役及新泽西蒙茅斯战役。1779～1780年间，H.克林顿离开纽约时，该战区亦由克尼福森指挥。克尼福森是位能干的军人，完成了指挥雇佣军使之团结一致的艰巨任务。1782年返回德意志，担任卡塞尔督军。

Ko 古流 又作Koryū。日本四个主要花道流派之一。其历史可溯自德川幕府时期（1603～1868）。古流流派发展了早期池坊流派的"生花"（shōka）风格，形成更加富有自然主义的布局。此派亦称其布局为"生花"（sei-

古流
美国不列颠百科全书公司供图

ka），但意为"活花"，同时保留了池坊流派所用的窄口高瓶。这种新模式叫做"析入"或"投入"法，清新自然而又不完全脱离古典结构的规则。

kō（in Japanese ethics） 参阅 **xiao** 孝。

Ko-chiu（China） 参阅 **Gejiu** 个旧。

Ko-erh-mu（China） 参阅 **Golmud** 格尔木。

Ko Hung（Taoist alchemist） 参阅 **Ge Hong** 葛洪。

K'o-la-ma-i（city, China） 参阅 **Karamay** 克拉玛依。

koala（*Phascolarctos cinereus*） **树袋熊** 又称考拉。结趾鼦科（Phalangeridae）有袋哺乳动物。澳大利亚东海岸的树栖"熊"。有时认为是一个独立的科（树袋熊科［Phascolarctidae］）。

树袋熊（*Phascolarctos cinereus*）
美国不列颠百科全书公司供图

身体肥硕，长约60～85厘米，实际无尾。毛浅灰或浅黄色。脸宽。鼻坚韧，大且圆。眼小，黄色。耳生有绒毛。爪强健，前足最里面的二趾和后足最里面的一趾与其他足趾能作对掌动作。树袋熊择食性专一，专吃桉树叶。每日食约1.3千克树叶，有约7米长的盲肠以助消化。与其他树栖有袋动物不同之处是树袋熊的育儿袋向后开口。每次产一仔，幼子在育儿袋内生活长达7个月，伏于母体背上直到大约1岁，然后用母体的粪便来断奶。树袋熊可活约20年。以前因人类捕杀以取皮毛，疾病又夺去许多树袋熊的生命，使其数量从几百万头下降至几十万头；因人类继续侵占其自然生境且疾病仍在蔓延，树袋熊的数量仍在减少。

Kōami FAMILY **幸阿弥家族**（活动时期15～19世纪） 日本漆器艺术家族，在室町、安土桃山和德川时代前后19代都享有盛名。道长（1410～1478）是幕府将军足利义政的私人随从，擅长漆器设计的两种技艺：一种叫高莳绘技术，用漆泥灰、白铅、灯黑、樟脑和金箔或银箔的混合物在漆底上制成浮雕花纹；另一种叫研出法，在用油漆的装饰花纹上撒上金屑或银屑，而后涂一层半透明的薄漆，烘干磨光，显出里面的图案。据说道长开始制图时是依照著名艺术家狩野元信、相阿弥、能阿弥的画描摹的。他的儿子道清（1433～1500）在为后土御门天皇（1465～1500在位）装饰漆器家具中创造了自己的图样。1614～1615年的大阪战争之后，这个家族暂时衰落，但因家族第8代的一个成员在江户（今东京）建立名闻远近的漆器流派而复兴，这个流派延续300年以上。这个家族的声誉在1637年达到最高峰，因为第10代出了一个叫永茂（1599～1651）的成员，有人认为，他所造的送给幕府将军德川家光女儿作为结婚礼物的那套礼品，是日本现存漆器中最精美的作品。

koan 公案 日本佛教禅宗，特别是临济宗，用以训练新信徒坐禅的表面自相矛盾的短句或问题。公案用禅师轶事中的典故。据说公案总共有1 700则。中国僧人圆悟于1125年编《碧岩录》，收公案100则；慧开于1228年编《无门关》，收公案48则。

kob 水羚 水羚属（**Kobus**）动物。

Kobayashi Hideo 小林秀雄（1902-04-11，日本东京～1983-03-01，东京） 日本文化界最有影响的评论家之一。1927年毕业于东京帝国大学法文系，专攻法国文学。30年代初他在《文学界》杂志上同小说家川端康成与横光利一有了联系。第二次世界大战前日本民族主义情绪日益抬头，该杂志主编被捕，小林于1935年任该杂志主编。当时小林感到文学应当同社会和负有社会责任的文艺评论家联系起来。战争期间，他从现代文学批评和社会评论转到研究日本古典艺术，随后又转向音乐和哲学。他的主要论著有：对陀思妥耶夫斯基、莫扎特和凡·高的研究，以及关于私小说（自传体小说）这一日本文学形式的研究。战后他的文学批评集中于人的精神潜力问题。

Kobayashi Issa 小林一茶（1763-06-15，日本信州柏原～1828-01-05，柏原） 又称小林弥太郎，原名小林一茶。日本俳句诗人，其作品语言朴素，浅显易懂，捕捉了普通人精神上的寂寥。他的很多作品的主题都是昆虫、小动物以及他自身的贫困。他一生坎坷，创作了一种感伤和朴素的诗，使日本人民倍感亲切。童年时由于难以同继母相处，于1777年被父亲送往江户（今东京），随诗人二六庵竹阿学习俳句。他于1793年取笔名一茶，遍游日本西南部，随后出版第一部诗集《旅途拾遗》（1795）。由于他目光敏锐，抱着批判的态度，语调中充满同情，在俳句中用朴讷的语言来描写平凡的题材，因而赋予这些作品以抒情性。其他重要作品有《父亲临终时的日记》（1801）和《我之春》（1819）。

Kobayashi Kiyochika 小林清親（1847-09-10，日本江户［今东京］浅草～1915-11-28，京都） 日本版画家。他采取了西方平版印刷术和雕刻术的效果，尤其是在他的木版画方面。初学日本画，后研习油画和摄影。先受浮世绘大师安藤广重（1797～1858）与歌川国芳（1797～1861）影响，后采用西方石版画、铜版画技巧创作木版画，画中光影交织。约在1882年以后，在日本民族主义思潮的影响下，他中辍了西洋画的绘制，转而根据历史题材创作有教育意义的漫画与版画。代表作有《东京近郊百景》。

Kobayashi Kokei 小林古径(1883-02-11，日本新潟县～1957-04-03，东京) 原名小林茂。画家。对日本现代绘画有巨大贡献。他很早成为孤儿，17岁去东京从梶田半古学日本画，成为日本美术院杰出成员。初期作品多为传统题材如《竹取物语》(1914)，但不久即转而画当代风光与静物画。作品明朗而具有传统的安谧感，擅长表达微妙感情而又极少夸张。名作有《阿弥陀堂》(1914)、《温泉》(1918)和《发》(1931)。

Kobayashi Masaki 小林正树(1916-02-04，日本北海道小樽～1996-10-04，东京) 日本电影导演，他的反战杰作、长达9小时半的三部曲《做人的条件》(第一部《没有更伟大的爱》，1959；第二部《永生之路》，1959；第三部《士兵的祈祷》，1961)是他的社会问题影片最出色的代表作。1942年被征入伍，后在冲绳被俘。1946年回到松竹影片公司担任助理导演。1952年拍摄第一部影片《儿子的青春》(1952)。接着又拍摄《我买你》(1956)，揭露日本棒球运动中的商业作风。《做人的条件》为他赢得了大导演的声誉。这部影片以及描写传统的武士制度的《剖腹》(1962)和荒诞不经的鬼怪故事《奇谈》(1964)都曾在国际电影节上获得好评。1974年又拍摄了《化石》，讲述了一个垂死的人对人生的重新审视。但《剖复》被认为是他最好的作品。

Kobayashi Takiji 小林多喜二(1903-10-13，日本秋田县～1933-02-20，东京) 第二次世界大战前日本无产阶级文学运动中最优秀的作家。曾就学于北海道小樽市高等商业学校，在校期间显示出文学才华。1924年毕业后，任银行职员，对文学更加有兴趣。小林受志贺直哉的作品影响很大，志贺的现实主义以及同志贺有联系的白桦派的人道主义为他本人对社会问题的理想主义关心提供了范例。1926年小林开始被吸引到小樽的工人运动和共产主义运动中去，并秘密参加几次佃农斗争和工人罢工。他曾被逮捕，对警察的野蛮行径了如指掌，并在《一九二八年三月十五日》中记载了警察在全国范围内进行的一次残酷镇压中发生于局部地区的事件。这篇小说和《为了市民》、《在外地主》、《蟹工船》使他成为首屈一指的新兴无产阶级作家。他被银行解雇，1930年赴东京。在该地他参加了日益高涨的政治运动，并被选为日本无产阶级作家同盟书记长。由于受到日益严重的警察迫害，1932年小林转入地下，仍继续用笔名发表文章。由于警察密探的告发，他被拘留传讯，次日即因残酷刑讯死于狱中。他成为工人运动的殉难者，但他对文学的贡献在于他试图通过用以表达他对社会不公正的深刻愤怒的有节制的现实主义，使政治宣传赋有文学价值。

Kobayashi Yatarō 小林弥太郎 参阅**Issa** 一茶。

kobdas 喀博达思鼓 拉普人的萨满僧(即"诺伊亚德")用以降神及占卜的魔鼓。魔鼓的构造是木架、圆环或碗状结构，其上覆盖一层驯鹿皮的薄膜。皮上通常用桤树皮汁涂绘出一些神像、诺伊亚德守护精灵及冥府的地点。魔鼓的下侧或外边镶着一些金属小饰品、碎骨头、牙齿或动物的爪子。占卜时，用一个驯鹿角制成的T型或Y型的锤子敲击喀博达思鼓，使一块称为阿帕的三角形的骨片或金属片沿着鼓面移动。阿帕的形状也可能是一个铜环或象征诺伊亚德的守护精灵的青蛙，守护精灵则外出寻找他所要知道的事物。诺伊亚德从阿帕的移动中，推测到疾病的性质和遗失或被窃物品的位置。在芬兰-乌戈尔民族集团中，只有拉普人、沃古尔人及奥斯加克人使用魔鼓。芬兰人及其他波罗的-芬兰民族集团也作类似的占卜活动，不过他们用的是筛子。

Kobdo(Mongolia) 参阅**Hovd** 科布多。

Kōbe 神户 日本本州中南部兵库县城市和首府。与附近的大阪和京都同为京阪神工业区(**Keihanshin Industrial Zone**)的中心。该工业区为日本第二大工业区。神户位于濑户内海东端大阪湾，大阪以西约32千米，介于北方六甲山脉和南方濑户内海间的狭长地带。气候温和，冬季凉爽，夏季湿热。年降雨量约1 360毫米。9月有台风侵袭，有时造成严重灾害。1995年1月17日大地震破坏了都会区内约10万座建筑物，伤亡逾5 000人。从神户的街道格局可见背山面海的地理环境，主要街道为东西走向，与南北较短的街道交叉。填海建设港口设施和工业改变了原来的海岸线。主要购物街道元町位于两个主要的火车站之间，主要商业区则在港口附近。神户一直是日本一个最重要的港口。20世纪70年代初期与大阪同属于一个行政区。除航运外，造船业和钢铁业也很著名。货运及上下班客运的铁路网分布稠密，包括新干线的特别快车。有高速公路连接大阪、京都和名古屋。神户有若干高等教育机构，包括神户大学、兵库教育大学。六甲山区的濑户内海国家公园乘汽车和缆车可到达；娱乐设施有高尔夫球场、游泳池，在有马还有一温泉。总面积545平方千米。人口约1 423 830(1995)。

Kōbe Steel, Ltd. 神户制钢所 日本的主要钢铁与机械制造厂商。总部在神户。在东京和大阪设有办事处。公司建于1905年，至20世纪60年代末期，为日本最大钢铁生产商。产品有钢材、钢管、铝和铝合金制品、铜和钢结构、有色金属铸件和煅件、切削工具及铜合金产品等。但颇有名气的是它所制造的各种机械设备，如焊接、化工、水泥、采矿、钢铁制造、橡胶及塑料加工、建筑及工厂装配的机械设备。公司也在外国投资好几个合营企业。

København(Denmark) 参阅**Copenhagen** 哥本哈根。

Koblenz 科布伦茨 又拼Coblenz。德国西部莱茵兰-普法尔茨州中部的行政专区。北界北莱茵-威斯特伐利亚州，东界黑森州，西南连萨尔州，东南接莱茵黑森-普法尔茨行政区，西界特里尔行政区。为莱茵兰-普法尔茨州三个行政专区中最大的一个，面积8 092平方千米，包括历史上更大的莱茵兰(**Rhineland**)和拿骚(**Nassau**)两地区的南部。现在范围是1969年行政改革时划定的，合并了原来的蒙塔鲍尔和科布伦茨两区。科布伦茨以该行政专区内最大城市和行政中心取名。

科布伦茨位于中莱茵高地，莱茵河中游河谷由东南向西北斜贯深切。河谷南部切穿坚硬的石英岩，狭窄陡峭，景色壮观；往北穿过较软的板岩，河谷渐宽。谷地温暖避风，保护了德国最北的葡萄酒产区。莱茵河中游以风景如画产酒的小村庄、梯田上的葡萄园和陡坡上的城堡废墟著称，为全国最著名的旅游区之一。自西南流来的摩泽尔河下游段与莱茵河在新维德盆地的科布伦茨市交会。新维德盆地为该区主要的农业区。盆地中浮石黄土干爽而肥沃，生产大量马铃薯和甜菜。兰河在摩泽尔河口以上不到11千米处与莱茵河汇合。两条支流沿岸的住区模式与莱茵河谷相比属于农村型。摩泽尔河河道蜿蜒，河谷狭窄，南向朝阳的斜坡上举世闻名的葡萄园成行成列，阻止了大城市和工业的发展。莱茵河、摩泽尔河与兰河把中莱茵高地分成四区。洪斯吕克高原形成中莱茵高地最南部分。高原大部分天然落叶林都被开垦用来牧牛。莱茵河将洪斯吕克高原与其以东很相似的陶努斯高原分开。新维德盆地和迈费尔德

科布伦茨市莱茵河畔的埃伦布赖特施泰因要塞

美国不列颠百科全书公司供图

形成至艾弗尔多树高地的过渡地带,平均高度600米。艾弗尔有星罗棋布的漏斗形火山口,其中大部分形成美丽的小湖泊,只适于林业和养牛。东北为韦斯特瓦尔德高原,高低起伏,主要由板岩和较高的浑圆形玄武岩丘陵构成。韦斯特瓦尔德北与工业发达的锡格河谷相邻,锡格河谷从北莱茵-威斯特伐利亚延伸进入科布伦茨。兰河汇流点以北的莱茵河谷为该区人口最稠密之地。炼铁厂和炼钢厂集中在科布伦茨市和新维德市周围。科布伦茨是重要交通枢纽,也是莱茵河上酒贸易的主要中心。新维德盆地浅矿坑开采浮石,用以制造建筑用的轻砖。韦斯特瓦尔德高原的卡南巴克区以陶器闻名。伊达尔-奥伯施太因市位于与洪斯吕克南部交界的纳厄谷地,为德国一个主要的宝石交易和珠宝工业中心。

科布伦茨本地居民为法兰克人后裔。法兰克人是日耳曼民族的一支,自3世纪起即定居在莱茵兰。洪斯吕克南部和陶努斯高原的居民讲莱茵法兰克方言,尔流域和北部高地则操摩泽尔法兰克方言。罗马天主教和新教在该地区势力相当。乡村住区模式主要为不规则形状的密集村落。人口约1 445 025(1993)。

Koblenz　科布伦茨　德国西部莱茵兰-普法尔茨州城市。在摩泽尔河与莱茵河会合处。四周环绕着艾弗尔、洪斯吕克、韦斯特瓦尔德和陶努斯等山脉的支脉。建于公元前9年,为古罗马城镇。6世纪曾为法兰克王室驻地。1214年建制。1824～1945年为普鲁士莱茵省首府。第一次世界大战后协约国间莱茵兰监督委员会(1919～1929)设在该市。第二次世界大战期间遭到严重破坏,但许多历史性建筑已被修复。1937年将莱茵河对岸的埃伦布赖特施泰因要塞和郊区并入。要塞初建于11世纪,1816～1832年重新建成为欧洲最坚固的要塞之一,现辟有历史和民俗博物馆。其他名胜古迹有摩泽尔河畔古要塞(1280～1287)、特里尔选侯宫(1780～1786)、圣卡斯托教堂(836)、圣母教堂(12世纪)、圣福罗林教堂(12世纪)、市政厅(1690～1700)和中莱茵博物馆等。鲍德温大桥横跨摩泽尔河。1953年,莱茵河与摩泽尔河交汇处的一块土地被辟为德意志角,以奉献给德国重新统一的事业。莱茵河畔的魏恩多尔夫村是德国酒贸易开发中心。有理工学院等教育机构。四周地区多林木与湖泊。为河运中心和会议、旅游胜地。科布伦茨很早即为重要商业中心,生产家具、服装和化工品等。其他工业集中在城郊。在摩泽尔河畔的港口是莱茵河中游较大石油港口之一。人口约107 608(2003)。

Kōbō Daishi (Buddhist saint)　**弘法大师**　参阅 **Kūkai** 空海。

kobold　地灵　日耳曼民间传说中的淘气精灵。善助人料理家务或其他劳务,但经常藏匿家庭用具或农具,还常踢弯腰的人们。性躁,供养不当辄发怒。有时给孩子们唱歌。有些地灵被称为洞穴精灵或矿井精灵。另一些则有专名,如:霍德肯(Hödeken)专门恐吓不忠实的妻子们,戈尔德玛(Goldemar)专门监视教士们的秘密罪行。参阅 **poltergeist**。

koboz　科鲍兹琴　又拼komuz或kobuz,土耳其语作qūpūz。中东地区的一种短颈诗琴,在拜占廷称潘杜里昂琴,通过伊斯兰国家的征战和迁徙从波斯传到邻近地区。西班牙的基督教徒称它为摩尔吉他琴,常被画入13世纪的西班牙袖珍画上。此琴由一块整木刻成,无明显的颈。弦轴箱向后弯成镰刀形,上有横向弦轴。弦架上张有3～5根弦。其罗马尼亚变种乐器科勃扎琴(cobza)是十分流行的乐器,琴体为曼多林琴形,面板上有小音孔,5～12根弦,用拨子或手指弹奏。

Kobuk Valley National Park　科伯克河谷国家公园　在美国阿拉斯加州西北部,全部处在北极圈内。1978年建立。面积69.23万公顷。园内为科伯克河谷自然景色。考古场地表明当地有人居住已达1万年之久。园当驯鹿迁徙路线,园中亦可见灰熊、黑熊、狐、驼鹿、狼和水禽。

Koburg(Germany)　参阅 **Coburg** 科堡。

Kobus　水羚属　偶蹄目牛科的一属。6种,包括非洲水羚、短鼻水羚、水羚、弯齿水羚。这个属的种分布于非洲撒哈拉以南的平原、林地、沼泽和冲积平原,群栖于近水处。

粗毛非洲水羚(*K. defassa*)
美国不列颠百科全书公司供图

肩高从75～100厘米(弯齿水羚[*Kobus vardoni*])到约130厘米(普通非洲水羚[*K. ellipsiprymnus*]和粗毛非洲水羚[*K. defassa*])。所有种的雄性均具有长而多脊的角,角向后然后向上弯曲。非洲水羚被毛蓬松粗糙。短鼻水羚鼻短,栖于沼泽,蹄长,尾长。肯尼亚水羚(*K. kob*)体形优美,毛短而光滑。弯齿水羚与之类似,但毛较长。水羚属毛色不一,有些种(如弯齿水羚)浅褐色;有些(如乌干达水羚[*K. k. thomasi*,亦称托马斯氏水羚])浅红褐色;其他(如普通非洲水羚)为浅灰色。有些种,如黑色短鼻水羚(*K. leche smithemani*)和尼罗短鼻水羚(大角短鼻水羚,*K. megaceros*),雄性为深黑褐色,雌性为淡红褐色。水羚属动物身上有斑纹,如普通非洲水羚臀部有白色环形斑,水羚的腿上有黑色斑纹。

kobuz (musical instrument)　参阅 **koboz** 科鲍兹琴。

Kocaeli　科贾埃利　土耳其西北部省份。面积3 698平方千米。北濒黑海,西临马尔马拉海。萨卡里亚河下游流经境内。曾是比希尼亚王国(公元前3世纪)的一部分。14世纪被奥斯曼土耳其人从拜占廷帝国夺取。省会和主要城市伊兹米特(**İzmit**)位于伊兹米特湾,为该省农业产品(以甜菜和烟草为主)、林业产品、工业产品(以水泥、纸制品、纺织品、石油为主)的主要输出口岸。人口约673 600(1983)。

Koch　科奇人　又称拉杰班西人(Rājbanśī)。分布在阿萨姆邦和孟加拉部分地区的博多民族的一个种族集团。他们原操藏-缅方言,在20世纪大部分群体操孟加拉语或其他印度-雅利安语。16世纪时,一个科奇族酋长建立了库奇比哈尔国,现在他们自称拉杰班西人(意谓"皇族"),憎恶以其原来部落名相称,并模仿印度风习。他们以高等级的刹帝利种姓自命,却得不到普遍承认,他们许多族内婚氏族属于印度种姓的低层。拉杰班西人主要务农,但也有木匠、铁匠和小商贩。这些人当中有些群体的印度化不如其他群体,彼此在习俗和地位上存在相当大的差异。16世纪初,库奇比哈尔成为科奇王国的中心,国王纳尔·纳拉扬扩展其势力于阿萨姆大部地区,又南向达到后来为英国占领的朗布尔地区。他的儿子向莫卧儿帝国纳贡称臣。1772年不丹人入侵,科奇王国向英国总督求援,并由西藏扎什喇嘛出面调停议和,结果科奇王答应每年把岁入的一半向东印度公司"纳贡"。

Koch, Frederick Henry　科克(1877-09-12,美国肯塔基卡温顿～1944-08-16,迈阿密滩)美国北卡罗来纳大学卡罗来纳剧本创作社创办人,被尊为美国民间戏剧之父。科克1900年获俄亥俄卫斯理大学学士学位,1909年获哈佛大学文学硕士学位。1905年开始在北达科他大学执教,1910年创建达科他剧本创作社。1918年应邀到北卡罗来纳大学任教,讲授戏剧创作并建立剧本创作社。其剧院成为美国第一座政府资助的剧院,并到东南部巡回演出民间戏剧。还在阿尔塔的班夫创办加拿大剧本创作学校。他的思想和活动对美国的小剧场运动和戏剧在大学课程中日益提高的地位有很大的影响。共主编出版了11部民间戏剧集。

Koch, Ilsa　科赫(1906?,德国德累斯顿～1967-09-01或02,西德艾夏赫)　绰号"布痕瓦尔德的女妖"。布痕瓦尔德集中营(1939～1942)长官之妻,以性变态和残酷而臭名昭著,她收藏用关人集中营的人死后的文身皮肤制作的灯罩、手套和书皮。她过去做过图书馆职员,1936年与当时任萨克森豪森集中营长官的党卫军上校卡尔·科赫结婚。1939年,科赫上校调到布痕瓦尔德集中营,她在这里用马鞭抽打囚徒，要求他们参加放荡行为，因而博得虐淫狂和慕男狂的臭名。1947 年，她被盟国军事法庭判处终生苦役，后以证据不足改为 4 年监禁。1949 年由西德法庭审理，又判处无期徒刑。1967 年的一个夜里，她在牢房自缢身死。

Koch，Johannes 参阅 **Cocceius，Johannes** 科齐乌斯。

Koch，Kenneth 科克（1925-02-27，美国俄亥俄州辛辛那提～ 2002-07-06，纽约州纽约） 美国教师和作家，尤以诙谐、超现实有时又很壮丽的诗作著称，亦是出色的剧作家。在哈佛大学获学士学位（1948），在哥伦比亚大学获硕士学位（1953）和博士学位（1959）。后留在哥伦比亚大学任教多年。1953 年出版第一部诗集《诗》后，成了所谓纽约学派的最主要诗人之一。作品以颇为怪诞的幽默和不寻常的并列手法著称。曾用八行诗形式写过两部拜伦式的史诗：《世上一季》（1959）和《复制品》（1977）。后来放在一起出版，书中长长的序言也是用八行诗写成的，书名为《世上四季》（1987）。还写过《与女人一起睡觉》（1969）和长篇散文诗《安娜在 1951 年的极度秘事》（1979）。1994 年出版两部专集：《在伟大的大西洋雨路：诗选（1950 ～ 1988）》和《一列火车》。1995 年获博林根诗歌奖。科克写过 24 部剧作，大多很短。有 10 部电影剧本被收录于《心的改变：话剧、电影和其他戏剧作品（1951 ～ 1971）》（1973）。其他戏剧集有《一千部前卫话剧》（1988）和《金本位制》（1996）。

Koch，Martin 考克（1882-12-23，斯德哥尔摩～ 1940-06-22，瑞典海德穆拉） 瑞典小说家，系第一批给读者以深刻印象的"无产阶级作家"之一。曾当过徒工，学过美术。1911 年第一部中篇小说《埃伦》问世。以后 10 多年里出版了很多作品，最重要的是三部小说《工人，一个仇恨的故事》（1912）、《森林之谷，一个文明的故事》（1913）、《上帝的美好世界，一个是与非的故事》（2 卷，1916）。去世前不久，他出版了自传体故事汇编《毛里茨》（1939）。

Koch，（Heinrich Hermann）Robert 科赫（1843-12-11，德国自由市克劳斯塔尔～ 1910-05-27，德国巴登-巴登） 德国细菌学家。1866年格丁根大学毕业，1870～1871年在沃尔斯泰因当外科医生，建立了一个简陋的实验室。先是研究水藻，以后研究病原微生物。他在亨勒、达万等人研究的基础上工作，用适合的培基培养出炭疽菌并置于载玻片上在显微镜下观察，证实炭疽菌发展成细丝，并在其体内形成卵圆形透明休眠的孢子，干燥孢子在外界可保持多年活力，在适当条件下可再发育成杆状菌而致病。1876 年在布雷斯劳他宣布并图示了炭疽菌的生活周期，首次证明了某种微生物与相应疾病的确切因果关系。1877 年著文叙述了细菌的保存、微热固定及细菌摄影等技术，并发明了悬滴检查法。1878 年总结了伤口感染的病因的研究成果。1880 年在柏林卫生署任职，建立了一个细菌研究室，在同事们的协助下，发明了用固体培基培养纯菌种的新方法以及通过改进染色法发现了结核杆菌，并认为该菌是引起各型结核病的原因。此后他去埃及和印度，发现了

斯德哥尔摩诺贝尔基金会供图

该地流行的霍乱流行病的病原和经水、食物和衣服用品的传播途径以及阿米巴痢疾和两种结膜炎的病原体。1890 年发现了结核菌素。1891 ～ 1899 年研究了麻风、牛瘟、腺鼠疫、伊凡斯氏锥虫病、得克萨斯热和疟疾，指出疟疾是由蚊子传播。1905 年因结核病研究工作获诺贝尔生理学或医学奖。

Koch，Rudolf 科赫（1876-11-20，德国纽伦堡～ 1934-04-09，奥芬巴赫） 德国书法家、铅字设计者和教师。科赫的父亲是纽伦堡巴伐利亚工业博物馆工作人员，科赫中学教育也在那里完成。青年时在哈瑙当金属工学徒时就在晚上学习艺术。他希望成为一名艺术教师但未如愿以偿，于是前往印刷业中心莱比锡。在从事几种工作和担任一段时间的自由设计师后，于 1906 年加入奥芬巴赫的克林斯波尔铸造厂工作，直到逝世。1908 年起他在奥芬巴赫新成立的工艺美术学校兼任刻字教师。在那段时间里，特别喜欢手抄本，还亲自手写许多样本。第一次世界大战前不久，设计了第一批铅字。大战期间，他在步兵中服役。1918 年科赫和他的学生组成了一个艺术团体，训练和培养了许多优秀的书法家，包括 F.克雷德尔和 W.夏佩尔。除了刻字和印刷活动外，科赫对手工艺很感兴趣。他设计的优美铅字中，有马克西米连铅字（1913）、新地铅字（1923）和卡贝尔铅字（1927）。

Koch Bihār（India） 参阅 **Cooch Behār** 库奇比哈尔。

Kochanowski，Jan 科哈诺夫斯基（1530，波兰瑟齐纳～ 1584-08-22，卢布林） 波兰人文主义诗人。出身贵族家庭。曾在克拉科夫的亚盖沃大学学习。其诗歌风格主导了文艺复兴时期的波兰文化。早期诗歌多为哀歌，用拉丁文写成，但不久就改用波兰文写作。当时还没有形成波兰文学语言，他遂创造了自己的诗歌格律和诗歌句法。悼念亡女的《挽歌》（1580）为其佳作。他还是波兰第一部悲剧《拒绝希腊使者》（1578）的作者。

Köchel，Ludwig（Alois Ferdinand），Ritter von 克谢尔（1800-01-14，奥地利克雷姆斯附近施泰因～ 1877-06-03，维也纳） 为莫扎特作品汇编出最完整编年目录的奥地利学者。全世界几乎一致采用字母 K（代表 Köchel）或 KV（其中 V 表示"目录"）加上作品在目录中的编号来代表这些作品。出身于财政官员家庭，在维也纳大学获法律博士学位。后连续在贵族家庭任私人教师，最重要的是 1827 ～ 1842 年间辅导大公卡尔的 4 个儿子。和他一起担任家庭教师的沙尔施米德博士，后来成为他终身的朋友。1842 年因所作贡献而被授予爵士勋位后主要靠继承的遗产为生，并随沙尔施米德一起作征税公务旅行。克谢尔在植物学和矿物学方面享有相当威望，但约自 1851 年起悉心研究音乐和莫扎特的作品。前后以 10 年左右时间编成重要的《莫扎特音乐作品全集编年主题目录》（1862）。莫扎特不像其他大多数作曲家，他没有一套连续的作品号来为自己的作品编号，所写作品也不总是标明日期，因此许多作品创作的先后和时间往往杂乱无章。克谢尔遂下决心要在这一片混乱中理出一个头绪来。在编目过程中，他利用了莫扎特从 1784 年开始为自己的作品所编写的一份清单；同时参考芬奇所编的一份不完全的目录（1837）和安德雷根据莫扎特的总谱手稿而编出的一份出版资料（1828）。他将莫扎特数以百计的未编号的作品归成 23 大类，并根据每部作品的风格和莫扎特记谱的笔迹而填上写作日期。经查证确为莫扎特所作的乐曲，编目为从 K1（钢琴小步舞曲，1762）到 K626（《安魂弥撒曲》，1791）。后来的版本——1905 年的瓦尔德尔塞版、1937 年的爱因斯坦版和 1964 年的吉格林版——为克谢尔信息库作了大量补充，并对 1784 年前某些作品的编号彻底加以修改（这一编号现在通常以 K-E 或 K6 表明）。在去世前两年，克谢尔说服并资助布赖特科夫与黑泰尔公司出版了莫扎特作品全集（1877 ～ 1905）。

Kocher，Emil Theodor 科赫尔（1841-08-25，伯尔尼～ 1917-07-27，伯尔尼） 瑞士富于创新精神的外科医师。由于对甲状腺的研究而获1909年诺贝尔生理学或医学奖。1872 ～

美国不列颠百科全书公司供图

1917 年任伯尔尼大学外科学教授，1876 年首次在该校切除了甲状腺以治疗甲状腺肿。到 1912 年已做过5 000例这种手术，并使手术死亡率由18％降低到0.5％以下。1883年发现

甲状腺全切除的患者有典型的克汀病样表现，但若手术中保留一部分甲状腺组织，则这种表现持续时间很短。他设计了肩关节复位的方法，改进了胃、肺、舌、颅神经及疝等手术的方法。在外科手术过程中采用J.利斯特倡导的完全无菌的操作原则。他设计了许多手术方法和手术器械。以其姓氏命名的钳和胆囊手术切口一直沿用至今。所著教科书《外科手术学》(1892)多次再版，被译成多种文字。

Kōchi 高知 日本四国南部县。成弧形围绕太平洋土佐湾。面积7 107平方千米，在四国为最大县份。人口集中在三面环山的土佐平原。交通不便，有一条铁路从首府高知通

高知县中村居民在晾鱼干
Shostal 供图

往濑户内海的香川县的高松。有飞机飞往本州的大阪和东京。出产农用机械、农具、珊瑚、加工水产品、纸张和生丝。首府高知市位于浦户湾顶，曾为前土佐省首府。高知城堡(1603年建，18世纪重建)被认为是日本最优雅的城堡建筑之一。人口：市约304 834；县约835 000(1983)。

Kochia 地肤属 藜科的一属。一年生，主要原产欧亚大陆。帚地肤(*K. scoparia*)普遍栽培于花园，有时称直立柏叶草。该种最有名的变种是扫帚菜(火丛、三叶扫帚地肤、毛

扫帚菜(*kochia*)
美国不列颠百科全书公司供图

地肤，*K. scoparia trichophylla*)，茎直立，分枝多，呈球状；叶狭窄，无锯齿，常被毛，黄、红或绿色，秋天均变为淡紫红色。常栽作夏季庭院绿篱。

Kochian Stage 高知阶 日本早白垩世最早的重要年代地层单元(白垩纪始于约1.36亿年前，延续约0.71亿年)。位于有田阶之前，与白垩系最低的世界性标准阶尼欧可木阶下部对应。以菊石类头足动物化石为特征。

Kochowski, Wespazjan 科霍夫斯基(1633，波兰加伊～1700-06-06，克拉科夫) 波兰诗人、历史学家。所著史诗《波兰颂诗》(1645)表达了他深厚的爱国主义感情，其主要主题是表明波兰在拯救世界中的救世主作用。在服军役期间(1650～1661)他参加过抗击哥萨克人和瑞典人的战斗。后成为约翰三世索别斯基国王的宫廷史官。

Kock, Charles-Paul de 科克(1793-05-21，法国帕西～1871-04-27，巴黎) 法国多产作家。所写描述巴黎生活的小说，稍有色情描写，当时流行于整个欧洲。其父为荷兰银行家、难民，大革命期间被送上断头台。1808年，科克任银行职员，同年自费出版他的第一本书《吾妻之子》。此后，他就抛弃一切经商致富的念头。他的全集出版于1835～1844年间。

Koçu Bey 科丘·贝伊(?，奥斯曼帝国科尔察～约1650，君士坦丁堡) 全名格里塞利·科丘·穆斯塔法·贝伊。土耳其大臣，改革家。原为阿尔巴尼亚人，在君士坦丁堡宫廷中受教育。后来侍奉奥斯曼的几代苏丹，尤其得到穆拉德四世和易卜拉欣一世的宠幸，给他们当顾问。著有《科丘·贝伊策论》，今天学者们公认它对奥斯曼帝国的衰败作出了精辟的分析。

Kōda Rohan 幸田露伴(1867-08-20，日本江户～1947-07-30，千叶县市川) 原名成行。日本小说家、随笔作家。他描写英雄人物的短篇小说在创造早年现代日本的新文学方面可与其对手尾崎红叶较浪漫的倾向比美。露伴早年曾受过日本和中国经典文学著作的坚实教育，因而尽管1884年毕业于技术学校，但不久便走上创作生涯，因《风流佛》(1889)一举成名。这是一篇充满诗意的故事，以理想化的神秘恋爱为主题。《五重塔》(1891～1892)写一个普通木匠苦心孤诣地献身于艺术，盖成一座巍峨的建筑。露伴的美学思想强调坚强的意志和想象力。《滔天浪》(1903～1905)，一部未完成的长篇小说，表现出更为现实的趋向。露伴对历史的兴趣随着岁月的流逝日益浓厚，他最后一部重要作品是给俳句大师松尾芭蕉的作品所作的注释，完成于他去世之年。

Kodagu(India) **科达古** 参阅 **Coorg 古尔格**。

Kodaikānal 戈代加讷尔 印度东南部泰米尔纳德邦马杜赖县城镇。在伯尔尼丘陵上，海拔2 225米。1845年由美国传教士和英国官员建为避暑地。风景美丽，有人工湖，为游览胜地。设有气象站。为蔬菜与水果集散

伯尔尼丘陵的巉岩
美国不列颠百科全书公司供图

地。人口20 446(1981)。

Kodaira 小平 日本本州东京都城市。位于武藏野台地，新宿铁路线上。17世纪中叶建成水利系统，农业有所发展。20世纪初期，在长方形的田野上种植桑树供蚕丝生产。第二次世界大战后成为东京-横滨都市区的居民卫星城。此后，该市大力发展工业，生产汽车轮胎和电机。人口约157 010(1983)。

Kodak Company 参阅**Eastman Kodak Company 伊斯曼-柯达公司**。

Kodály, Zoltán 科达伊(1882-12-16，匈牙利凯奇凯梅特～1967-03-06，布达佩斯) 卓越作曲家和匈牙利民间音乐权威。也是一位教育家，不仅培养了一些作曲家，而且培养了一些教师；通过他的这些学生，在匈牙利普及音乐教育方面做出很大贡献。1902年在布达佩斯大学学习作曲。曾在匈牙利全国旅行，收集民歌素材。1906年以题为《匈牙利民歌结构》的论文毕业于布达佩斯大学。后又在巴黎随作曲家、管风琴家C.维多尔学习一段时间，1907～1941年间任布达佩斯音乐学院理论和作曲教师。1906～1921年与B.巴尔托克合作出版一些民歌集。所收民歌成为《匈牙利民间音乐集成》(1951)的主要内容。他创造了一种由匈牙利民间音乐、现代法国音乐和意大利文艺复兴时期的宗教音乐衍生而得的独特风格，具有浪漫主义韵味，又不像巴尔托克那样的冲击性。其许多作品被广泛演奏，如：为庆祝布达和佩斯联合50周年而写的《匈牙利诗篇》(1923)、喜歌剧《哈里·雅诺什》(1926)、《玛罗谢克舞曲》(1930)、《迦兰塔舞曲》(1933)、《赞美颂》(1936)、《乐队协奏曲》(1941)、《简短弥撒曲》(1942)、歌剧《青卡·潘纳》(1948)、《C大调交响曲》(1961)以及一些室内乐作品。学术论著有《匈牙利民间音乐》(1956)等。

Kodama Gentarō 儿玉源太郎(1852-03-16，日本德山～1906-07-23，东京) 日本明治时代的陆军大将和政治家。儿玉源太郎生于武士之家，入大阪兵学寮之前曾参加数次作战。1881年任命为军官。在担任参谋本部局

长时，革新陆军体制并使其现代化。担任陆军大学校长期间，曾于 1891 年赴欧洲考察西方国家的军事训练方法。1892 年任陆军次官，1898 年任台湾总督。在伊藤的第四内阁（1900 ～ 1901）中，他担任陆军大臣。在桂太郎内阁中继续担任这一职务，还同时担任内务大臣和文部大臣。日俄战争（1904 ～ 1905）期间，任驻满洲日军参谋长，次年任日军总参谋长。

Kodiak bear（*Ursus arctos middendorffi*） **科迪亚克熊** 灰熊的一个亚种，栖息在阿拉斯加沿岸的科迪亚克岛，是最大的现存陆栖食肉动物。参阅 **grizzly bear**。

Kodiak 科迪亚克 美国阿拉斯加州南部科迪亚克岛上的城市。位于奇尼亚克湾，在科迪亚克岛的东北海岸。1792 年建立。最初称巴夫罗夫斯克加温，或称保罗港，是俄属阿拉斯加的第一个首府城市。该市被选作俄国各皮货商行总部的所在地后，在贸易重要性方面取代了三圣徒湾。1912 年靠近卡特迈火山的诺瓦拉普塔火山爆发，该市因被火山灰覆盖损失严重。第二次世界大战前，当地经济主要是养牛和捕捞鲱和鲑。战后，乳制品和收获有壳水生动物和王蟹在经济上也很重要。现为美国最大的捕鱼港之一，有许多鱼肉加工厂。科迪亚克是美国少有的几个俄罗斯正统神学院所在地之一。考古手工艺品陈列在阿卢蒂克博物馆和考古博物馆（1995 年开馆）。该市的历史保存在巴拉诺夫博物馆。美国海岸警卫队现在驻扎在 1939 ～ 1971 年美国海军建造和操练的兵营里。1940 年设市。人口6 334（2000）。

Koechlin, Charles 凯什兰（1867-11-27，法国巴黎～ 1950-12-31，瓦尔省滨海勒拉约勒-卡纳代勒） 作曲家兼教师。对同时代和年轻一代法国作曲家有强烈影响，其中包括法国“六人团”。曾在 J.马斯内、G.福莱和 A.热达尔热门下学习，受他们的影响而试用多调性、无调性和序列主义技巧进行创作。所作音乐中有许多具有强烈的中世纪调式音乐的韵味。著有论复调音乐、和声和管弦乐法的文章以及一篇有关多调性和无调性音乐的论文。作品有歌曲、钢琴曲、室内乐、交响乐、合唱曲、电影音乐和芭蕾舞剧，包括根据 R.吉卜林《丛林故事》里的一些情景而写的歌曲和交响诗（1925 ～ 1939），以及合唱作品《隐修院》（1899 ～ 1908）。

Koenig, Marie-Pierre(-Joseph-François) 柯尼希（1898-10-10，法国卡昂～ 1970-09-02，塞纳河畔讷伊） 法国陆军军官，第二次世界大战期间，戴高乐将军的自由法国军队的主要司令官之一。曾在第一次世界大战中服役，后在北非服役。第二次世界大战初期在挪威和法国指挥作战。1940 年 6 月撤至英国，加入戴高乐的自由法国军队并逐步升迁。在 1940 年征服加蓬和 1942 年在北非保卫比尔哈克姆等对德作战中战功卓著。后任陆军副参谋长，驻艾森豪威尔总部的法国代表。1944 年 6 月任被占区抗德部队法国内地军司令。战争结束时，任驻德国的法军总司令。1949 年任北非法军总监，1950 年任最高军事委员会副主席。不久后退休，作为戴高乐派被选入国民议会。1954 和 1955 年曾两次短期出任国防部长。

Koepang（Indonesia） 参阅 **Kupang** 古邦。

Koerber, Ernest von 克贝尔（1850-11-06，奥地利特伦特［今意大利特伦托］～ 1919-03-05，奥地利维也纳附近巴登） 政治家，奥地利首相（1900 ～ 1904），为哈布斯堡王朝实施一项雄心勃勃的经济发展计划，但由于未能解决波希米亚的捷克和德意志民族主义者之间的危机而失败。1874 年进入政界，1900 年任首相兼内务大臣。他未能在议会中取得多数，只得依靠紧急法令来维持统治。他是一个备受欢迎的人，鼓励发展工商业，并提出保证个人权利的法律。但波希米亚和匈牙利的民族危机促使他于 1904 年下台。第一次世界大战期间任奥匈帝国财政大臣，1916 年 10 ～12 月再度任首相。

Koerber, Leila Marie（American actress） **利拉·玛丽·柯伯** 参阅 **Dressler, Marie** 特雷斯勒。

Koestler, Arthur 凯斯特勒（1905-09-05，匈牙利布达佩斯～据说 1983-03-03，英国伦敦） 匈牙利出生的英国小说家、新闻记者和评论家，以其长篇小说《中午的黑暗》（1940）而闻名。西班牙内战期间，凯斯特勒任英国《新闻记事报》战地记者，曾被法西斯分子监禁。这一经历和那些导致他与共产党决裂的经历，均在《中午的黑暗》中反映出来。该书被译成 30 种文字，描述一个老布尔什维克在 30 年代斯大林的清党中开始否认，后又招认他不曾犯过的罪行。凯斯特勒这一时期的其他作品，如《斗士们》（1939）和《到达和离去》（1943），所描写的也是有关道德和政治责任这类问题。他在回忆录《蓝天中的箭》（1952）、《看不见的笔迹》（1954）中评述了这个时期。他后来的作品多涉及科学、创造力和神秘主义。《创造行动》（1964）也许是他这一时期最有名的作品。其他作品有《莲花和机器人》（1960）、《机器幽灵》（1967）和《第十三个部落》（1976）等。晚年患白血病和帕金森氏病，他和妻子相信安乐死，最后均采用这种方式死去。

Koetai（Indonesia） **库泰** 参阅 **Mahakam River** 马哈坎河。

Kōetsu（Japanese painter） **光悦** 参阅 **Hon'ami Kōetsu** 本阿弥光悦。

Koffka, Kurt 科夫卡（1886-03-18，德国柏林～ 1941-11-22，美国马萨诸塞北安普敦） 德国心理学家，格式塔心理学派的创始人之一。1911 ～ 1924 年与吉森大学合作，1912 年与克勒一起作为被试者参与了 M.韦尔特海梅尔的知觉实验。此后，他们 3 人强调整体性方法，认为心理现象不能解释为各种元素的联合，部分从整体而得到其意义，人们感知的是复杂的整体，而不是整体的组成元素。科夫卡做过大量实验工作，但最著名之处可能是将格式塔原则系统地应用于内容广泛的问题。1921 年出版其主要著作之一《心理的发展》把格式塔观点应用于儿童心理学研究。他认为儿童在周围刚刚可辨的世界中最早经验到的是有组织的整体。1922 年向美国心理学界发表《知觉：格式塔学说引论》。1924 年开始对美国几个大学进行一系列访问，1927 年后一直担任史密斯学院心理学教授。1935 年，发表重要著作《格式塔心理学原理》，涉及范围很广，从知觉到社会评价，但主要研究知觉、记忆和学习。

Köflach 克夫拉赫 奥地利南部施泰尔马克州城镇，在格拉茨之西。1170 年起为市场，1939 年建镇。现为铁路终端。生产玻璃和瓷器。附近有褐煤矿。人口11 276（1991）。

Kofoid, Charles Atwood 科福伊德（1865-10-11，美国伊利诺伊格兰维尔～ 1947-05-30，加利福尼亚伯克利） 美国动物学家。收集了许多海生原生动物新种并加以分类，从而为海洋生物学提供了一个分类学基础。1894 年毕业于哈佛大学。1900 年起与加利福尼亚大学保持长期关系，1910 年任该校教授，并任动物系主任至 1936 年退休。他在圣迭戈海洋生物站（今拉霍亚的斯克里普斯海洋学研究所）的建立中起了重要作用，1907 ～ 1923 年任助理站长。他研究了两类浮游原生动物（腰鞭毛虫目及居甲目）并因此闻名。为采集这些动物，发明了两种以他的姓氏命名的装置，即科福伊德氏水平网及科福伊德氏自动关闭桶。

Koforidua 科福里杜亚 加纳东南部城镇。为当地最古老的可可生产中心之一。1923 年阿克拉—库马西铁路建成后，成为重要的公路、铁路连接点。现在商业和行政中心的作用日益增强。工业较少。人口58 731（1984）。

Kōfu 甲府 日本本州山梨县县城。在东京西面。长期为养蚕业中心。生丝需求量下降后转而生产其他纺织品，并栽培葡萄和开

甲府市的竹田神社
美国不列颠百科全书公司供图

发附近温泉。当地盛产水晶矿石，是珠宝工业的基础，但现在的水晶矿石大部分靠进口。市内有竹田神社。人口约199 347（1994）。

Kofun（Japanese history） 参阅 **Tumulus period** 古坟时代。

Koga 古河 日本本州东部茨城县城市。在思川和渡良濑川会流处。重要的河港。德川时代(1603 ～ 1867)为城堡和驿镇。1891年东北铁路干线开通后成为周围农业地区的主要贸易中心。19世纪末兴起的缫丝业,现已让位于从京滨工业区引进的较重型工业。人口58 227(1990)。

Kogaku 古学 日本新儒学三大派别之一。兴起于德川时代(1603 ～ 1868)。参阅 **Neo-Confucianism**。

Kogălniceanu, Mihail 科格尔尼恰努(1817-09-06,摩尔多瓦雅西～1891-07-01,巴黎) 罗马尼亚政治家和改革家,现代罗马尼亚历史编纂学的奠基人之一。1840年出版文学评论杂志和历史科学杂志。1845 ～ 1852年间出版3卷古代摩尔多瓦编年史。1843年在雅西讲述民族史触禁。1848年发表民族主义的小册子《民族党在摩尔多瓦的愿望》后,不得不到布科维纳(当时属奥地利)暂时避难。1858年领导摩尔多瓦和瓦拉几亚两公国合并为罗马尼亚的斗争,他也是争取实现全国土地改革的杰出战士。1863年被库扎大公任命为罗马尼亚的第一任首相,协助大公没收寺院财产,实行土地改革和社会改革。1865年2月辞职。1876 ～ 1880年任外交大臣,曾出席柏林会议(1878 ～ 1879)。

Koganei 小金井 日本本州东京都城市。在东京西面的中央干线上。德川时代中期建立居民点。1926年通铁路后建起住宅和教育机构。第二次世界大战后成为东京-横滨都会区的居民卫星城。市西北原军事基地现有住宅区、研究所和东京文科大学等高等院校。人口约107 766(1994)。

Køge 克格 丹麦罗斯基勒州城市。位于西兰岛东部。濒临克格湾。11世纪首见记载。13世纪末成为鲱鱼渔场的贸易中心和基地。1677年N.尤尔海军上将曾在该海湾一场海战中大胜瑞典人。中世纪的遗迹包括圣尼古拉教堂(1324,约1500年重建)、市政厅(1570)和许多古老的木房屋(其中之一为市博物馆)。该市也是著名的海滨胜地。市内生产橡胶、油漆,有锯木和化工厂。人口约31 237(1990)。

Kogi 科吉 尼日利亚中部一州。1991年将夸拉州东部和贝努埃州西部一些地方划出而建立。东连贝努埃州,南接翁多州、埃多州、阿南布拉州和埃努古州,西邻夸拉州,北与尼日尔和高原州交界。阿布贾联邦首都区也在北面与科吉州接壤。该州为林木茂盛的大草原,被向南流的尼日尔河一分为二。尼日尔河的主要支流贝努埃河形成了该州东北部分边境的界河。尼日尔河以东的主要民族为伊格拉拉人,以西则居住有伊格比拉人和约鲁巴人。农业是经济的支柱。主要作物有薯蓣、木薯、稻、高粱、豆类、玉米和棉花。内河捕鱼也很重要。尼日尔河以东乌迪-恩苏卡高原北部的奥卡巴煤田出产煤炭,供全国分配。在州首府洛科贾以北的阿巴贾高原有全国最大的已探明的铁矿藏。洛科贾西北约32千米的贾库拉镇开采大理石,镇内还有一石灰加工厂。阿贾奥库塔镇是一家大钢铁厂的所在地。洛科贾位于尼日尔河西岸,有公路通向北面的阿布贾和西南面的贝宁城。伊达位于尼日尔河的东岸,为一重要的贸易与渡运港口。人口2 099 046(1991)。

kogok (jade ornament) 参阅 **magatama** 勾玉。

Koguryŏ 高句丽 古代朝鲜3个王国中的最大的一个。三国鼎立直到公元668年。过去一直认为是扶余族首领朱蒙于公元前37年在朝鲜北部的佟佳江流域所建。现代历史学家则认为可能是在公元前2世纪建立的。在太祖(公元53 ～ 146)时代,建立了世袭君主制。在小兽林王(371 ～ 384)时代,颁布了加强王室权力的法律和等级制度,使高句丽成为强大的贵族国家。在广开土王(391 ～ 412)、长寿王(413 ～ 491)时代,国家的疆域大大扩展。在其全盛时期,高句丽统治朝鲜半岛整个北半部、中国的辽东半岛以及中国东北相当大的一部分土地。中央官员分12级,最高为大对卢(首相),每3年由下级官员推选一次。全国重镇皆有驻军把守。372年由于中国的影响,传入佛教,作为新兴集权官僚政治的思想基础,同时又以儒学教育维护社会秩序。后来,道教也发展起来。现存的大量古坟壁画充分反映出高句丽人民的生活、思想和性格。668年,高句丽被朝鲜南部的新罗王国和唐朝的联军打败,整个半岛归统一新罗王朝(668 ～ 935)所统治。

Koguryŏ style 高句丽风格 朝鲜视觉艺术的一种独特风格,产生于三国时期高句丽王国(公元前37 ～公元668)。高句丽是骁勇善猎的北方民族,其艺术受慓悍尚武精神的影响。高句丽墓室壁画以其运动感和情感为特色,并不太重形式美和装饰效果。其用笔泼辣强劲,强化了它的跃动性和蓬勃的生气。佛像雕刻则倾向于示意的手法,致力于表现超凡入圣的气质。与新罗和百济相比,高句丽艺术富于男性气概,热情奔放,雄劲有力。

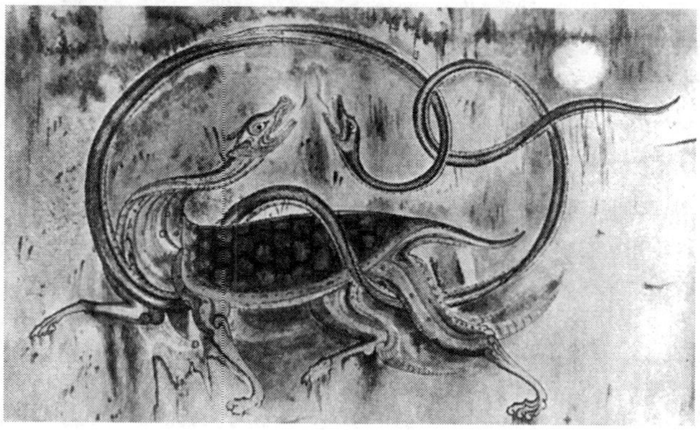

6世纪的高句丽墓室壁画——龟蛇图
美国不列颠百科全书公司供图

Koh Hui-dong 高羲东(1886,朝鲜～1965,朝鲜) 朝鲜美术家。引进西方绘画技法的先驱。第二次世界大战后南朝鲜李承晚政府的阁员。出身贵族家庭,1908年为朝鲜第一个赴日学习西方油画技法的学生。回国后,新的技法不为大家所接受,作品一再受非难,遂重按传统作画,但在运用明暗方面已显出油画技法的影响。1945年任南朝鲜美术家协会主席。1955年当选为韩国艺术学院院长。1960年成为参议院大臣。自此主要从政,李承晚政权被推翻后退出政界。

Koh-i-noor 科-依-诺尔钻石 又拼Kūh-e Nūr。现存宝石中历史最悠久的一颗钻石,虽然它早期的历史有争论。最初是莫卧儿琢型的宝石,缺乏火彩,重约191克拉;1852年在伦敦被再次琢磨加工,以增强它的火彩和多面型光泽,成为重109克拉的椭圆形钻石。有些专家认为,苏丹阿拉乌丁加吉于1304年从印度马尔瓦的拉贾手中夺取此钻石,而此钻石是拉贾家族数代人相传下来的。另一些著作家考证后认为,科-依-诺尔(意为"光明之山")钻石就是瓜廖尔的拉贾在1526年的巴尼伯德战役后献给印度莫卧儿王朝的奠基人巴伯尔的儿子的那颗钻石。甚至有另一些人认为此钻石最初采自克里希纳河的戈卢尔矿并于1656年进贡给莫卧儿皇帝沙贾汗。有些人称此钻石由1665年法国珠宝商让-巴蒂斯特·塔维尔尼耶描述过的莫卧儿大帝的钻石琢磨而成,但是科-依-诺尔钻石最初没有火彩,而其形状也使人认为它不像那颗钻石。它是伊朗纳迪尔·沙阿于1739年劫掠德里时的战利品之一,最为可能。纳迪尔·沙阿死后,该钻石又落入他的将军、阿富汗杜兰尼王朝的奠基人阿哈马德·沙手中。阿哈马德·沙的后代流亡印度时,被迫将该钻石献给锡克统治者兰季特·辛格。1849年旁遮普被并吞时,科-依-诺尔钻石为英国人所获得并被嵌入维多利亚女王王冠的宝石群中。1937年当乔治六世的王后伊丽莎白加冕时,成为她王冠上的中央宝石。

Kohala Mountains 科哈拉山 美国夏威夷岛北部的火山山脉。由怀梅阿向北到乌波卢角长21英里。最高点海拔5 505英尺。有一条0.5英里宽、3英里长的裂谷穿过峰顶;其穹窿长22英里、宽15英里,面积234平方英里。年轻的西坡与东坡不同,土层很薄。南坡因晚近的冒纳凯阿火山熔岩形成怀梅阿高原(2 875英尺)。科哈拉沟渠将水沿山顶引往北部的甘蔗田。

Kohāt 科哈特 巴基斯坦西北边境省中南部城镇。位于科哈特托伊河之北、科哈特山口入口处，有铁路、公路通往白沙瓦和拉瓦尔品第等地。生产隆吉斯（棉腰布）、头巾、纺织品、鞋和革制品。1873年设建制。建有医院、图书馆和白沙瓦大学一所学院。1967年兴建的坦达水坝工程为周围8 500公顷种植小麦和巴吉拉（珍珠粟）的土地提供灌溉。饲养骆驼和山羊。曾被锡克人短期占领，1849年被英国人并吞，1947年成为巴基斯坦一部分。人口77 604（1981）。

kohen（Judaism） 参阅 **cohen 祭司**。

kohen gadol 参阅 **high priest 祭司长**。

Kohīma 科希马 印度东北部那加兰邦首府和城镇。该城地处那加丘陵，距迪马普尔的铁路48千米。在第二次世界大战中，科希马是日本占领最远的英属印度的地点。1944年被日军短暂占领，直到被英国人收复。人口约78 584（2001）。

Kohistān 科希斯坦 巴基斯坦和阿富汗的多山地区。巴基斯坦西北边境省的科希斯坦位于齐拉斯（克什米尔）与加甘谷地西面，是人口稀少的地区。东部称印度河科希斯坦；西部跨斯瓦特科希斯坦与迪尔科希斯坦，延伸至阿富汗边境。科希斯坦地区境内有海拔3 700米的喜马拉雅山积雪山峦，有森林和草地覆盖的丘陵以及肥沃的印度河谷地。居民为突厥-伊朗人后裔，从事农牧业。巴基斯坦信德科希斯坦位于信德省西部，为荒芜丘陵地区，由吉尔特尔山脉的支脉组成。农耕只能沿雨后有水的山溪进行。畜牧为主要行业。阿富汗科希斯坦（库希斯坦）位于喀布尔东北方并延伸到兴都库什山，部分土地已经开垦。

Kohl, Helmut 科尔（1930-04-03，德国莱茵河畔路德维希港～ ） 联邦德国总理（1982～1990），统一后的德国首任总理（1990～1998）。出身于保守的天主教家庭。在战时的德国，他十余岁即被征召入伍，接受基本训练，但未及参加战斗，战争已告结束。他对政治的兴趣很早就显露出来：1947年开始在家乡的基督教民主联盟青年组织中工作。1958年获海德堡大学政治学博士学位。1959年选入莱茵兰-帕拉蒂纳特州议会，1969年当选为州长，不久便建立起能干的行政官的声誉。同年，他成为基督教民主联盟——的全国副主席，1973年当选为党主席。1976年科尔曾以基督教民主联盟及其在巴伐利亚的姐妹党——基督教社会联盟的总理候选人身份参加联邦选举，没有成功。1982年10月1日，基督教民主联盟、基督教社会联盟和那些改变立场的自由民主党员联手通过对施密特总理的不信任投票；在随后的新总理选举中，科尔获得当选总理所需的绝对多数票，施密特遂被迫离职。基督教民主联盟-基督教社会联盟-自由民主党的联盟赢得了1983年3月的大选，科尔政府继续推行中间政策，包括适度削减政府支出，大力支持西德对北约所作的承诺。1987年1月大选的胜利肯定了这些政策。当1989～1990年苏联放弃对东欧控制时，科尔领导了东西德迅速重新统一的运动。1990年3月东德举行首次民主议会选举，科尔奔走游说支持基督教民主联盟在东德的姊妹党，以便它们能组成承诺实现重新统一的政府。1990年5月科尔政府与东德签署了一项条约，合并两国的经济和社会福利系统，保证东德的无价值货币公平地兑换坚挺的马克。科尔发奋工作以赢得北约盟国和苏联双方对德国重新统一的赞同。同年10月3日，东德解体，其组成各州与西德联合形成重新统一的德国。是年12月在1932年以来的首次全德议会自由选举中，科尔及其领导的基督教民主联盟-基督教社会联盟-自由民主党赢得了议会中134席的多数。吸纳奄奄一息的东德经济导致更多的花费和空前的困难，科尔政府不得不增税并削减政府开支。1994年10月的议会选举反映出了选民的不满和对1992～1993年经济严重衰退的怨忿，科尔在议会中的多数减少到10席。德国的失业率居高不下，而且在科尔当政16年后，选民也开始对他感到厌倦，因此，在1998年9月27日的议会选举中，由施罗德领导的社会民主党击败了基督教民主联盟-基督教社会联盟。1999年，因为接受了100万美元的秘密竞选捐款和其他可疑的交易，科尔遭到调查。2000年，他辞去了基督教民主联盟名誉主席的职位。2001年2月，被处以高额罚款。

Köhler, Georges J.F. 克勒（1946-04-17，德国慕尼黑～1995-03-01，布赖斯高地区弗赖堡） 德国免疫学家。因设计出生产单克隆抗体的技术而于1984年与C.米尔斯坦和N.K.耶纳共获诺贝尔生理学或医学奖。1974年获西德弗赖堡大学生物学博士学位。1974～1976年在英国剑桥的医学研究理事会分子研究实验室与米尔斯坦共同从事研究工作。1975年他们因发现制造单克隆抗体的技术而闻名。1976～1984年克勒在巴塞尔免疫学研究所工作。1984年任弗赖堡大学马克斯·普朗克免疫生物学研究所三位主任之一。

Kohler, Josef 柯勒（1849-03-09，巴登奥芬堡［德国］～1919-08-03，柏林夏洛滕堡） 德国法学家。对法律哲学做出了重大的贡献，并促进了比较法制史的研究。曾在海德堡大学和弗赖堡大学学习，1873年获法学博士学位。一年以后，被任命为曼海姆的法官。1888年在柏林获得教授职位。他是社会学法学派的早期代表之一，这个学派强调法律的社会目的。其主要著作《法律哲学》（1908）是以黑格尔的历史哲学为基础的研究司法理论的著作。除了研究哲学和历史外，他还广泛地论述了德国的著作权法和专利法。写过几本诗集、一部小说和一些关于艺术史的文章。

Kohler, Kaufmann 柯勒（1843-05-10，巴伐利亚菲尔特［德国］～1926-01-28，美国纽约市） 德裔美国犹太教拉比、美国最有影响的改革派神学家。柯勒在博士论文《雅各的祝福》中力图调和传统信仰与现代知识，利用现代知识分析经文。他为此不能继续在德国讲道，只好移居美国，先后任底特律（1869～1871）、芝加哥（1871～1879）和纽约市（1879～1903）的犹太教改革会众的拉比。1885年他召集众拉比在匹茨堡举行会议，通过由他起草的纲领，就上帝、犹太人的使命和社会公义等问题阐明改革派主张。这份纲领至今仍是改革派的经典性文献，也是美国犹太教历史上的一个里程碑。1901～1906年任不朽巨著《犹太百科全书》的学科主编，撰写约300个条目。1903～1921年任俄亥俄州辛辛那提市改革派学府希伯来协和学院（今希伯来协和学院犹太宗教研究所）院长。

Köhler, Thomas 克勒 （1940-06-25，德国～ ） 德国小雪橇运动员。为体育史上最成功的小雪橇运动员之一，在其职业生涯中曾获两次奥运会冠军和3次世界锦标赛冠军。在东德政府培育下训练小雪橇，1962年获世界锦标赛单人小雪橇冠军。1967年再获冠军，并与K.邦扎克共获双人冠军。1964年冬奥会首次设平底雪橇项目，克勒获单人小雪橇金牌。1968年冬奥会上有两个德国队参赛，从一开始东德队的参赛就引起了不小的争议。东德女队在分组时被取消资格。其他队声称如果允许东德男队参赛，他们将退出。国际小雪橇联合会决定不停止东德男队参赛。但由于气候变暖，比赛只赛了3项，克勒赢得双人（还是和邦扎克组合）金牌和单人银牌。

Köhler, Wolfgang 克勒（1887-01-21，俄罗斯帝国爱沙尼亚塔林～1967-06-11，美国新罕布什尔恩菲尔德） 德国心理学家，格式塔心理学的创始人之一。主张把学习、知觉以及

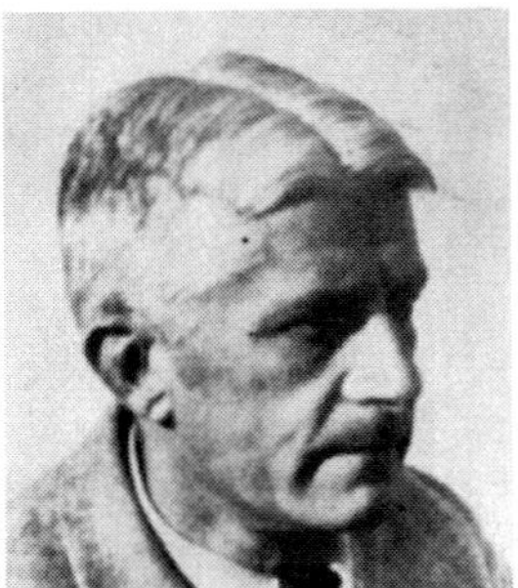

达特默思学院供图

各种心理生活的其他成分理解为有结构的整体。1909年获柏林腓特烈·威廉大学博士学位，博士论文涉及听觉研究，1911年在法兰克福大学继续研究听觉。1912年，他和K.科夫卡成为M.韦尔特海梅尔所作重要知觉实验的被试者，并从此开始了格式塔运动。此后，他们三人致力于赢得对这个新理论的承认。1913～1920年克勒任加那利群岛特内里费岛的普鲁士科学院类人猿研究站主任，进行了黑猩猩解决问题能力的实验，发现黑猩猩具有设计和应用简单工具和建立简单结构的能力。1924年将其发现发表于经典著作《人猿的智慧》中，导致学习理论的重大修正。1920年发表重要著作《休息和静止状态下的

物理格式塔》，意在查明神经组织中物理过程与知觉的关系（同形论原则）。该书认为，物理学是生物学的关键，生物学又是打开心理学门户的钥匙。1921年，克勒任柏林大学心理研究所所长和哲学教授，指导一系列涉及格式塔理论的各个方面的理论研究课题，并出版了《格式塔心理学》(1929)一书。他直言不讳地批评了希特勒政府，1935年赴美，长期任教和从事研究工作。

Kohlhase, Hans 科尔哈泽（约1500，勃兰登堡菲尔斯滕瓦尔德附近滕珀尔贝格［德国］～1540-03-22，柏林） 德意志商人，16世纪30年代末成为土匪，与萨克森公国为敌，造成相当大的混乱。1532年赴莱比锡集市的途中，他的两匹马被萨克森一贵族没收，但得不到萨克森法院的公断。两年后向抢马人和整个萨克森选侯国发出“战表”。此后6年，他率领其徒众在萨克森和勃兰登堡边境地区大肆劫掠。1540年被选侯约阿西姆二世捕获，同另一主犯在柏林被处以车刑。1810年，H.冯·克莱斯特写成小说《米夏埃尔·科尔哈泽》，赞颂这个因遭受不平转而犯罪的人。

kohlrabi (*Brassica oleracea*, Gongylodes group) **球茎甘蓝** 甘蓝的一个类型。16世纪始见记载，起源于欧洲。其最显著的特征是茎出土后即突然加粗。当球茎直径达5～6厘米，呈球状或稍扁时收获食用最好。若

球茎甘蓝（*Brassica oleracea*）
美国不列颠百科全书公司供图

任其继续生长，球茎就会变成长形。其味似萝卜，但较甜而温和。球茎甘蓝并无广泛的商业化栽培，但在一些地区普遍种植于菜园作为蔬菜，在欧洲则作为饲料。其球茎可烹食，嫩叶可作绿叶蔬菜。

Kohlrausch, Friedrich Wilhelm Georg 科尔劳施（1840-10-14，德国林特尔恩～1910-01-17，马尔堡） 德国物理学家，对研究和了解电解质（在溶液中传输离子引起导电的物质）的性质曾作出贡献。历任格丁根大学和法兰克福工艺学校物理学教授，1874年他证实了电解质具有确定而不变的电阻值。观察和研究溶液导电性和溶液稀释程度之间的关系，他测定了溶液中离子（带电荷的原子或分子）的迁移速度。1875年任维尔茨堡大学的物理学教授，1895年任柏林大学物理学教授。

Kohlu 戈赫卢 巴基斯坦俾路支省所属一部落特区。地处半干旱山区。植被大部为多刺灌木。居民多为俾路支游牧民，以养羊为生。乘四轮驱动汽车可达德拉布格蒂。人口约178 000(1981)。

Kohn, Fritz Nathan 科恩 参阅 **Kortner, Fritz 科特纳**。

Kohn, Walter 科恩（1923-03-09，奥地利维也纳～ ） 奥地利出生的美国物理学家，由于与J.A.波普尔各自在量子化学领域的计算工作，而共获1998年诺贝尔化学奖。该奖承认了科恩所提出的密度函数理论，该理论使量子力学的复杂数学得以应用于原子间化学键合的描述与分析。从奥地利移民后，1946年在多伦多大学（加拿大安大略省）获得硕士学位。1948年获得哈佛大学物理学博士学位，1948～1950年留校任教。1950年成为卡内基-梅隆学院的物理学教授，并先后在加利福尼亚大学圣迭戈分校（1960～1979）和圣巴巴拉分校（1979～1991）任教授，1991年成为荣誉退休教授。他的工作是利用量子力学来理解原子之间电子键合以形成分子的情形。他的方法（密度函数理论）大大简化了理解分子内原子间电子键合所需的计算。此法的简易性使研究人员连极大分子的几何结构也能画出，并预测复杂的催化反应等化学反应。

Kohtla-Järve 科赫特拉耶尔韦 又拼Kokhtla-Yarve。爱沙尼亚城市，邻近芬兰湾。1900年建立，1946年设市。在塔林—圣彼得堡公路和铁路线上。主要工业是加工本地油页岩。1948年页岩气管道铺设到列宁格勒（圣彼得堡），1953年到塔林。生产多种石油产品，还有化肥厂。人口约68 533(1996)。

Kohut, Alexander 柯胡特（1842-04-22，匈牙利费莱吉哈扎～1894-05-25，纽约市） 美籍匈牙利犹太教学者、拉比。精通匈牙利语言和文学，1867年任匈牙利全国学校总监，是任此职的第一位犹太人。1872年当选匈牙利境内芬太基兴城大拉比。他于此时着手编写《塔木德经词典》，以中世纪意大利犹太人拿单·本·耶希勒所编希伯来和阿拉米语《词典》为基础，加以修订，耗时近25年。1885年移居美国，在纽约州任某犹太教会堂拉比。1886年与莫赖斯拉比合作，在纽约市成立美洲犹太教神学院，兼授《塔木德》直至去世。其《塔木德经词典》第一卷于1878年出版，末卷于1892年出版。

koi (Egyptian religion) 参阅 **ka 护卫灵**。

Koidu 科伊杜 塞拉利昂中东部城镇。是水稻、棕油、棕仁和牛（来自几内亚）的贸易中心。位于金刚石矿区。已同毗邻的新森贝洪合并，成为塞拉利昂人口居第二位的城镇。人口约82 472(1985)。

Koil (India) **戈伊尔** 参阅 **Alīgarh 阿里格尔**。

koine 共同语 一种折衷语言，通常由一种语言的几个方言构成，但多以一种主要方言为其重点。共同语一名来源于希腊语koinē（共同）一词，作为专名词开始是指雅典希腊语。共同语的语言学特点是内容有所扩展，成为数种方言的混合体，作用也有所增长。事实上，语言规范化的开始阶段常被称为“共同化”过程。共同语从来也没有完全脱离所由产生的那些语言。就此来看，共同语和皮钦语及克里奥尔语（混合语）有所不同，后者的词汇量和语法变化方面显得非常贫乏，常无规范可循，而且是不同语言的混合体，这些语言又往往来自完全不同的语系。共同语既可能是书面语，又可能是口语。如马其顿标准语、14世纪末期那不勒斯的意大利语、7～10世纪中国华北通行的汉语等，即共同语的例证。一种当代共同语的例子是以贝尔格莱德为基地的塞尔维亚-克罗地亚语的标准变体。

Koine 古希腊共同语 公元前4世纪到公元6世纪希腊化时期，希腊口语和书面语的统一形式，通行于希腊、马其顿和受希腊人或希腊化统治者控制和影响的非洲部分地区和近东一带。古希腊共同语的基础主要是雅典方言，至2世纪时取代了古希腊其他方言。共同语是《旧约》译本（七十子译本）和《新约》译本的语言，是历史学家波里比奥斯和哲学家爱比克泰德著述用的语言，也是新希腊语的基础。古希腊共同语与古典希腊语各种规范的分歧现象，引起公元1世纪的一次语言净化运动，即所谓“雅典语风”之提倡。此次运动对日常口语几乎未曾产生影响，仅对书面语言造成其古典化倾向。

Koishikawa Botanical Garden 小石川植物园 隶属于日本东京大学的植物园和树木园。位于东京，占地16公顷。栽培6 000余种植物，最著名的室外植物有山茶、李、槭、报春、盆景树和高山植物。其特色之一是树木园，有大量东亚和世界其他地区的针叶树和阔叶树。东京大学的大植物标本室（有125万件蜡叶标本）正由该大学的植物博物馆陆续移交给小石川植物园。植物园于1638年由德川幕府建立以种植药草。1873年重新组织成今天的形式。4年后小石川植物园由东京大学理学院接管。在栃木县日光市还设有分园；日光植物园面积10.5公顷，以高山植物著称，也收集许多日本植物种以及李、杜鹃等品种。

Koiso Kuniaki 小矶国昭（1880-04-01，日本宇都宫～1950-11-03，东京） 日本陆军大将，第二次世界大战末期任首相。1900年毕业于陆军士官学校，1910年毕业于陆军大学。曾参加日俄战争。1930年任军务局长，1932年任陆军次官。后任日本陆军第5师团长和关东军参谋长。1935～1938年任朝鲜军司令官。小矶国昭曾在平沼内阁(1939)和米内内阁(1940)中任拓务大臣。第二次世界大战爆发后任朝鲜总督。1944年东条内阁倒台，他被任命为首相，继续进行战争。由于美军在冲绳登陆，他在1945年4月辞职。小矶国昭后作为战犯被判处无期徒刑，在服刑期间死亡。

Koiter, Volcher 参阅 **Coiter, Volcher** 科伊特。

Koizumi Junichiro 小泉纯一郎（1942-01-08，日本神奈川县横须贺～ ） 日本第三代政治家，首相（2001～2006）。父亲和祖父都曾担任过国会议员。1967年毕业于东京庆应大学，获经济学学位，然后入伦敦政治经济学院。1969年父亲去世后，他竞选该席位失败。1971年再次参选，终于成功。1992～1993年任邮电大臣，1988～1989和1996～1998任厚生大臣。1995和1998年竞选自由民主党（简称自民党）总裁位置未果；2001年4月森喜朗辞职后，小泉再次竞选获胜，不久即被确立为首相。这是自民党第一次举办党魁的直选。在党内和政府中，小泉都享有改革者的声誉，受到公众广泛欢迎。他的内阁无视传统的党派，还创记录地任命5名女性，其中由田中真纪子（前日本首相田中角荣的女儿）担任外相。他提出的经济目标包括：邮政系统私有化，减少政府开支，不再拯救衰败的企业，结果在国会中遭到反对。他在外交上采取保守态度，9·11事件后他坚定支持美国，每年参拜靖国神社，这引起了中国、朝鲜和韩国的抗议。尽管公众认为他的政策可能会在短期内加剧国家经济衰退，但他们还是支持小泉。然而，在2002年1月小泉把公开直言批评他的田中真纪子撤职后，这个素来受欢迎的改革家形象大打折扣。不过他个人的名望依旧很高，在2003年11月的全国大选中，他领导的自民党在国会选举中取胜，让他稳坐首相位置。小泉的邮政私有化计划遭遇到阻力。2005年9月，自民党在选举中获得决定性胜利。这也鼓舞了小泉，他发誓继续推进改革。2006年9月任期结束时离任，自民党总裁安倍晋三当选首相。

Kojiki 《古事记》 与《日本书记》同为日本最古老的史籍，其中一部分是神道教经典。该书于712年据口头传说编纂而成，内容涉及礼仪、风俗、占卜、巫术等，有神话、传说和自日本创国之初到628年推古天皇（女）在位时期的宫廷史实。该书全用汉字写成。本居宣长（1730～1801）著《古事记传》49卷，对该书的宗教价值和伦理价值做了重新发现和重新评价。《古事记》英译本首刊于1882年。

Kojong 高宗（?～1907-01-21，朝鲜汉城［今在韩国］） 原名李太王，朝鲜末代国君。高宗幼年登基，在位初期由父王大院君掌权。大院君试图重建和振兴这个国家，但于1882年被执押送中国后，大权旁落在高宗王后闵妃手中。她反对现代化的一切努力。1895年闵妃被日本人暗杀。2年后高宗改国名为大韩，并自立为皇帝，以示摆脱中国而独立之意。在日俄战争期间，日军侵入朝鲜，强迫高宗签订条约。条约规定：日本以朝鲜为军事基地，朝鲜要聘请日本人当政府顾问。日俄战争结束后，日本将朝鲜置于保护国的地位。1907年高宗让位于子。3年后，日本完全吞并朝鲜。

Kok Ⅲ, Adam 科克三世（1811，南部非洲～1875-12-30，开普殖民地姆津库卢附近［在今南非］） 格里夸国家的领袖，1837年继任操荷兰语的混血人格里夸族领袖。他同开普殖民地英国当局友好，1848年得到英国的承认。他受到奥兰治自由邦布尔人扩张的压力，因而接受英国的建议（1861），在开普殖民地东部重新安置格里夸人。他带领人民跋涉两年，横贯南非，到达南非东海岸，建立东格里夸兰。尽管他在一次战斗中曾帮助英国征服纳塔尔反叛的赫卢比部落（1874），他的国家仍在1874年10月为英国的开普殖民地所吞并。

Kök Turki alphabet 青帐突厥字母 公元6～8世纪中亚细亚操突厥语的各民族通用的文字体系。有时称为青帐突厥如尼文字，因为它的字母形状与日耳曼如尼文字有相似处。青帐突厥字母的书体有两种形式：碑铭体和草写体。书写自上而下或从右到左。碑铭体有许多符号类似如尼字母，但代表完全不同的语音因而这种类似完全是一种巧合。在新疆、蒙古西北部和西伯利亚中南部的许多碑文和一些手稿的残件中，都可以见到青帐突厥文字。铭文所用语言为突厥语的最早记载。字母表可能源自钵罗钵字母或粟特字母（由阿拉米字母衍生出的两种波斯文字）。青帐突厥语有38个字母，其中有4个元音；许多辅音都有几种形式，其变化视其前后的元音而定。

kokako（*Callaeas cinerea*） **垂耳鸦** 又作wattled crow。雀形目垂耳鸦科新西兰鸣禽。体长45厘米，体灰色，面部黑色，如面罩状，

垂耳鸦（*Callaeas cinerea*）
美国不列颠百科全书公司供图

嘴角有蓝色或橙色肉垂。残存于少数山林中，多以果实为食。鸣声柔和平稳。当地俗名"风琴鸟"、"钟声鸟"。

Kōkan（Japanese painter） **江汉** 参阅 **Shiba Kōkan** 司马江汉。

Kokand 浩罕 乌兹别克斯坦费尔干纳州城市，位于费尔干纳盆地西部。10世纪为古城哈瓦肯特所在地。地处印度和中国商队路线上。13世纪被蒙古人毁坏。1732年建为要塞。1740年曾为浩罕汗国都城。1876年被俄国征服。浩罕可汗统治时期为贸易和手工业中心及宗教中心。寺院多达300余所。1918年建立穆斯林政府，与塔什干苏联殖民政府对抗，遭武力镇压。现有纺织、食品、机械、化工等工厂。为费尔干纳盆地主要交通枢纽。设有师范学院和剧院。人口约184 000（1993）。

Kokchetav 科克切塔夫 哈萨克斯坦北部城市。1824年俄国控制范围扩大到哈萨克时建为行政边区村落，1868年成为区行政中心，1944年成为州首府。20世纪60年代因垦荒运动和兴建一些重要的新工厂而迅速发展，现已成为重要工业中心，也是哈萨克斯坦大铁路和中西伯利亚铁路的枢纽。市内有师范学院和多个博物馆。人口约131 900（1997）。

Kokemäen River 科凯迈基河 芬兰语作Kokemäenjoki。芬兰西南部河流。发源于皮海湖，先流向西南，后折向西北，在波里附近注入波的尼亚湾。全长145千米。河上建有水电站。

Kōken 孝谦天皇（718，日本奈良～770-08-28，奈良） 17世纪前日本的最后一位女皇，曾两次登基（749～758，764～770）。在孝谦之前，日本曾有过一些女性统治者。但因她第2次执政时，大权落入道镜之手，致使大臣会议决定，此后排除女子继承皇位。圣武天皇之女。749年8月即位。9年后让位给淳仁天皇。761年佛僧道镜在宫中讲经，得到她的宠信。764年废黜淳仁天皇，再次登上皇位，改称为称德天皇。道镜把持朝政。她死后道镜想成为天皇，被逐出京城。

Kokhba, Bar 科赫巴 参阅 **Bar Kokhba** 巴尔·科赫巴。

Kokhtla-Yarve（Estonia） 参阅 **Kohtla-Järve** 科赫特拉耶尔韦。

Kokka Shintō（Japanese cult） 参阅 **State Shintō** 国家神道。

Kokkola 科科拉 芬兰西部西芬兰省城市，在瓦萨市东北，濒临波的尼亚湾。1620年建立。18世纪成为东波的尼亚湾主要海港和贸易中心。著名建筑有15世纪卡尔莱拉教堂、市政厅（1845）、伦龙绘画展览馆。有铁路与市西的外港于克斯皮拉耶连接。工业有木材厂、金工车间、制革厂和国营磷肥厂。居民几乎有半数讲瑞典语。人口约35 492（1999）。

Koko 科科 尼日利亚南部城镇和港口。濒临贝宁河。为棕油、棕仁和木材的集散地。城镇为伊策基里人的农产品贸易中心。20世纪70年代末期整修码头，发展捕鱼和捕虾业。人口约19 994（1972）。

Koko Head 科科角 美国夏威夷州瓦胡岛东南岸海角和陆地标识。位于火奴鲁鲁县境内。与莫纳卢阿湾的戴蒙德角（东14千米）相对。科科角系1万多年前科奥劳岭多次小

规模的火山爆发所形成。卡韦霍阿角附近的科科角火山口海拔196米，其东北的科科火山口海拔370米。该地区东部为科科角天然公园(534公顷)，西部为居民区。海角东侧的哈劳拉湾由火山口侵蚀而成。湾北哈洛纳岬上有天然咸水喷泉。科科角西岸有夏威夷卡伊游览区。

Koko Nor(China) **库库诺尔** 参阅 **Qinghai Hu** 青海湖。

Kokomo 科科莫 美国印第安纳州中北部霍华德县城市和县城(1844)。位于印第安纳波利斯以北84千米，濒临怀尔德卡特河。1844年商人在此建立了科科莫村。1865年设建制。1886年河畔发现天然气后成为现代城市。其后10年的经济繁荣和工业发展因天然气枯竭而中断。后因生产机动四轮车，经济有所恢复。海恩斯的冶金试验为生产不锈钢和斯泰利特钴-铬-钨硬质合金等工业开辟了途径。第二次世界大战前夕再度成为制造业中心，生产机械、汽车部件、铝铸件。有科科莫印第安纳大学(1945)。人口：市46 113；科科莫都会统计区101 541(2000)。

Kokoschka, Oskar 考考斯卡(1886-03-01，奥地利珀希拉恩～1980-02-22，瑞士维勒纳沃) 奥地利画家、作家，著名的表现主义艺术家。3岁时父亲破产，全家迁居维也纳。

考考斯卡绘《风暴》(1914)
美国不列颠百科全书公司供图

1904年入维也纳工艺美术学校，不久即成为该校的助教。1907～1909年兼在维也纳工艺制作室接受订件。早期就对人体艺术表现出浓厚的兴趣，敢于违抗学校宗旨，在自己班上教学生画人物速写，并在装帧设计中采用人体装饰主题。1908年结识杰出的维也纳建筑家A.洛斯，两人成为志同道合的密友。这期间他所画的风景画，以激动流畅的线条和鲜明表现力的色彩，表现出有别于印象派的注重景物内在情调的追求。同时，他写了一批剧作，宣告新的表现主义戏剧的来临，其中最主要的是《扼杀妇女的希望》(1907)，以悲天悯人的人道主义哲学反映出现代生活的道德危机。1910年在柏林第一次展出作品。1911年回维也纳，与康定斯基、P.克列和F.马尔克一起举办素描、油画展览。因公众对他剧作的非议，被工艺美术学校辞退。第一次世界大战应征入伍。1919～1923年在德累斯顿美术学院任教。第二次世界大战期间，旅居捷、英等国。考考斯卡的肖像画，运用大笔触的混合色彩配上浓烈的轮廓线。他描绘自己和情人在波涛汹涌的海上驾着小舟的《风暴》(1914)即其代表作。在欧洲政治风云中，他成为激进的人道主义活动家。1920年发表《德累斯顿宣言》，谴责一切军事行动缺乏人道精神，第二次世界大战期间所画《我们为什么而战》(1943)是公开的反法西斯声明。他连续以政治宣传画揭露和抗议战争带来的恶果。直到60年代，其创作热情仍然不衰。著有自传《我的一生》(1964)。

Kokubunji 国分寺 日本本州东京都城市，位于东京京、中央干线上。原为8世纪所建佛教国分寺为中心的早期文化中心。明治时代经济以养蚕业为主。1923年关东大地震后发展成为东京-横滨都市区的居民卫星城。周围地区生产食品供应都市区。人口100 958(1990)。

Kokugaku 国学 17世纪末和18世纪盛行于日本的学术研究运动，强调日本古典学术。先是，日本的朱子学派重视中国古典经籍研究，例如水户学派取法中国史书编成具有划时代意义的《大日本史》。不久，国学运动兴起，主张排斥一切外国影响，包括佛教和儒学。神道教内出现复古派，其领导人物有贺茂真渊、本居宣长和平田笃胤，于是国学运动达到高潮。在明治时代(1868～1912)神道教复兴，国学运动和水户派的尊皇攘夷思想共同在恢复天皇权力和确立神道国教方面起了重要作用。

Kol(India) **戈尔** 参阅 **Alīgarh** 阿里格尔。

Kol Nidre 《柯尔·尼德里》 犹太教名词，指信徒在赎罪日前夕会堂礼拜开始时所唱悔罪祈祷曲。希伯来文本和阿拉米文本具有同样悠久的历史，但是无论是在德系犹太人或西班牙系犹太人中间，阿拉米文本都比较流行。这篇祷文开端为一年之内没有实践向上帝所发誓愿表示忏悔，其后是一般性的要求赦罪文。据有些史学家说，7世纪西班牙强迫犹太人信奉基督教，要求他们发誓，这些犹太人就唱《柯尔·尼德里》以表示这种誓愿无效。不过现在确切地了解到，这种祷文早在8世纪即已采用。中世纪狂热排犹分子利用这种祷文为根据，怀疑犹太人在基督教国家的法庭上所发的誓词。19世纪改革派犹太教为了避免误会，废除《柯尔·尼德里》，但1945年又将原词加以修改，重新采用。德系犹太人咏唱《柯尔·尼德里》的曲调，1880年由基督教新教作曲家布鲁赫据以谱写大提琴曲，因而闻名。此曲哀婉动人，流行甚广，各地形式大同小异。

kola nut 可乐果 梧桐科渐尖可乐果树(*Cola acuminata*)和光亮可乐果树(*Cola nitida*)的坚果，含咖啡因。原产热带非洲，在热带美洲广泛栽培。常绿乔木，高达18.3米，

光亮可乐果(*Cola nitida*)
美国不列颠百科全书公司供图

形似板栗树。坚果棕色，长5厘米，用手采集，晒干后销售。主要用作软饮料和药品的原料。但美洲及欧洲的软饮料制造商并不用可乐果，却制造一些人工合成的化学成分，其味道与可乐果相似。可乐果在产地被用作交换媒介。产地工人常嚼可乐果以减轻饥饿感及疲乏感。饭前嚼小片可乐果可助消化。在巴西及西印度群岛用涩味的可乐果治疗醉酒、酒醒后的不适感及腹泻。

Kola Peninsula 科拉半岛 俄罗斯远北地区摩尔曼斯克州的大海角。面积10万平方千米。介于白海与巴伦支海之间，地跨北极圈。东西长400千米、南北宽约305千米。

科拉半岛上的植物园
美国不列颠百科全书公司供图

最高峰希比内山海拔1 191米。多湖泊，河流湍急，水力资源丰富。

气候冬季严寒，夏季短而凉爽。几乎全部覆盖着沼泽冻土、地衣和矮小的北极白桦，南部有沼泽森林和泰加森林。水藓沼泽遍及整个半岛。土地瘠薄，开发甚少。有一植物

园。采矿业是主要经济部门,集中在希比内山区基洛夫斯克和阿帕季特两镇。有世界上最大的磷灰石矿,矿石含磷量高,用于生产化肥。也开采霞石岩(铝的源石)、锆、铌。半岛的坎达拉克沙有炼铝厂。位于半岛北岸狭长的科拉湾东岸的不冻港**摩尔曼斯克**(**Murmansk**)是最大城市。人口稀少,主要集中在沿海,以渔业为生。内地有数千名拉普人,经营驯鹿放养。南端有伐木业。

Kolār 戈拉尔 印度南部卡纳塔克邦(前迈索尔邦)东南部城市。位于戈拉尔戈德菲尔兹西北和戈拉尔县铁路线上(有铁路通班加罗尔)。工业有毛毯、皮革制品、铅笔、手工丝织与粗棉布等部门。设有几所公立学院。气候干燥。有灌木类植物宜于养羊。人口约83 219(1991)。

Kolār Gold Fields 戈拉尔戈德菲尔兹 印度南部卡纳塔克邦东南部城市。通铁路支线。经济以著名金矿为中心。地处长65千米的金矿区的南部。矿床长6千米,平均宽6千米,于1881年开始开采。两年内开采4条矿脉,最深者为海平面以下2 946米。有些年份产金量占全印度的95%以上;但已衰退,20世纪50年代为防止倒闭而收归国有。金矿附近有马里库帕姆工业区(生产砖瓦)与罗伯松佩特居住区。人口:市约72 481;都会区约156 398(1991)。

Kolarovgrad(city, Bulgaria) **科拉罗夫格勒** 参阅 **Shumen 舒门**。

Kolbe, Hermann 科尔贝(1818-09-27,汉诺威格丁根附近埃利豪森[德国]~1884-11-25,德国莱比锡) 德国化学家。最早实现用无机物合成有机物的化学家之一。跟从F.维勒攻读化学后,1842年在马尔堡大学担任R.本生的助手,稍后他在伦敦大学作L.普莱费尔的助手,1847~1851年应聘参加李比希和维勒主持的《纯化学和应用化学辞典》的编辑工作。他接替本生在马尔堡的职务后移居莱比锡(1865)。科尔贝认为,有机化合物可直接或间接地通过取代反应由无机物合成。他用二硫化碳经过若干步反应后制得了醋酸(1843~1845),从而证实了他的理论。他修正了结构基团的概念,对结构理论的建立作出了贡献。还预见到仲醇和叔醇的存在。科尔贝研究过脂肪酸和其他酸的盐类的电解,并制备了水杨酸(阿司匹林的一个基本组分)。他和E.弗兰克兰一起发现腈类能水解而生成相应的酸。从1869年起任《应用化学杂志》的编辑。常对别人的论文进行严格的批评。

Kolbe, Saint Maksymilian Maria 科尔比(1894-01-08,波兰罗兹附近兹敦斯卡沃拉~1941-08-14,奥斯威辛) 天主教方济各会司铎和宗教组织创建人。1907年加入方济各会置产派。1912年赴罗马,在教廷格列高利大学学习神学和哲学。1917年他创立无原罪圣母卫士团,1918年受神职为司铎。返回波兰后,1927年创立宗教活动中心无原罪圣母城。科尔比热情提倡对圣母的崇敬,后到日本和印度成立类似团体。返国主持无原罪圣母城和波兰天主教的主要印刷企业。他反对纳粹统治波兰,1939年被盖世太保逮捕,释放后又于1941年因援助犹太人和波兰地下活动而再次被捕。先囚于华沙,后押解到奥斯威辛集中营。他自愿代替难友受死刑。经过一段时期的饥饿,他被注射苯酚致死,遗体火化。1982年保罗二世将其载入圣者名册。

Kolberg(Poland) **科尔贝格** 参阅 **Kołobrzeg 科沃布热格**。

Kolchak, Aleksandr Vasilyevich 高尔察克(1874-11-16[旧历11-04],圣彼得堡~1920-02-07,西伯利亚伊尔库茨克) 俄国北极探险家、海军军官,1919~1920年间被"白卫军"奉为俄罗斯最高统治者,后被布尔什维克处决。第一次世界大战爆发时,高尔察克为波罗的海舰队旗舰舰长。迄1916年8月作为海军中将指挥黑海舰队。二月革命后,1917年6月被迫辞职,前去美国。后企图在中国东北地区整编白俄军队,未成功。1918年10月前去鄂木斯克,在此成为非布尔什维克政府的军事部长。1918年11月18日鄂木斯克发生军事政变,他得到绝对权力。高尔察克的军队虽然最初获胜,但终于被彻底打垮。当红军在1919年11月14日占领鄂木斯克时,高尔察克把他的司令部移到伊尔库茨克。1920年1月4日社会革命党人-孟什维克集团在伊尔库茨克掌握大权,高尔察克被迫辞职。他求得协约国的保护,但捷克人把他引渡给伊尔库茨克当局。后被布尔什维克捕获,立即处决。

Kolchugino(Russian S.F.S.R.) **科利丘吉诺** 参阅 **Leninsk-Kuznetsky 列宁斯克-库兹涅茨基**。

Kölcsey, Ferenc 克尔切伊(1790-08-08,神圣罗马帝国匈牙利瑟代迈特~1838-08-24,奥地利帝国匈牙利柴凯) 匈牙利浪漫派诗人。他的《颂诗》成为匈牙利国歌。早年成为孤儿,因失去一只眼睛而致残。他虽然学习法律,但真正的兴趣是在匈牙利的语言改革和文艺复兴上。19世纪20年代开始写爱国主义诗歌,后积极支持匈牙利独立,1832~1835年任国会议员。他的文学评论建立了匈牙利有系统的文学评论和美学;在政治上,他支持自由主义事业;在诗歌方面,他显示了道德感和对祖国的忠诚。他的第一部文集于1886~1887年出版。

Kold, Kristen Mikkelsen 科尔(1816-03-29,丹麦日德兰~1870-04-06,达莱姆) 丹麦教育家,在推动丹麦的人民中学运动中作出最大贡献。鞋匠之子,曾受师范教育,但发现自己不能适应非常正规的教育体制。1851年在吕斯灵厄创立一所寄宿学校,和学生共同过俭朴的生活,用口头进行大部分教学,强调德育重于智育。现代丹麦的许多国家领导人曾受教于他所创办的或类似的人民中学。最终在世界各地都出现了这类学校,尽管有所改动,但一般均体现了科尔的极富个人情感的教育方法。

Koldewey, Robert 科尔德威(1855-09-10,德国不伦瑞克哈茨山布兰肯堡~1925-02-04,柏林) 德国建筑师、考古学家,曾证实《圣经》中半传说性的巴比伦的地理位置和历史真实。其现场考古活动始于考察土耳其西部阿苏斯古城(1882)及其附近的莱斯沃斯岛(1885)。1897年由德国东方学会发起,在南伊拉克择定巴比伦遗址进行大规模发掘。1899年3月26日破土,工作18年几无间歇。科尔德威最使举世瞩目的发现之一是马尔都克神庙基址,为一金字塔式台形建筑,其上筑有天文台。当他发现一座拱形建筑,附近有一构造精巧的水井时,乃将其推测为世界七大奇迹之一的巴比伦空中花园遗址。还发掘出该城巨大碉堡墙垣,证明为著名的伊什塔尔门遗迹。另外,还发现朝拜马尔都克神庙的大道。发掘结果于若干年内陆续发表,部分译成英文,题名《巴比伦发掘报告》,出版于1914年。

Kolding 科灵 丹麦日德兰半岛东部瓦埃勒州城市,位于哈泽斯莱乌以北,科灵湾顶端。该地名出现于10世纪,已知最早的城镇始建于1321年。城镇是在一座边防城堡四周发展起来的。1808年该城堡因火灾受到严重损坏,现已部分修复。该市是铁路枢纽、出口中心和商业中心,有优良的港湾。工业包括造船、水泥、机械及纺织。人口:市约44 688(1990)。

科灵市的边防城堡
美国不列颠百科全书公司供图

Kolea 古莱阿 阿尔及利亚北部城镇。1550年建立。原居民为安达卢西亚摩尔人。1825年地震后按法国式样重建。有17世纪清真寺改成的医院,邻近的清真寺是重要的穆斯林朝圣地。以手工刺绣及花边而闻名。人口33 115(1987)。

Kolenté River(Sierra Leone, Guinea) **科伦泰河** 参阅 **Great Scarcies River 大斯卡西斯河**。

Kolguyev Island 科尔古耶夫岛 俄罗斯西北部阿尔汉格尔斯克州岛屿。地处巴伦支海域,距大陆72千米。面积5 200平方千米。多沼泽和冰碛山,植被为苔原。当地涅涅茨人饲养驯鹿。岛上有狐狸,夏季有鸟类(主要为水鸟)。人口约300(最新统计)。

Kolhāpur 戈尔哈布尔 印度西部马哈拉施特拉邦西南部城市。傍潘卡甘加河。曾是原戈尔哈布尔土邦的首府。为佛教中心,有9世纪建筑的佛寺。位于繁荣的农业区,为重要商业城市。工业有制糖、纺织与机械等部门。1962年建立希瓦吉大学。人口约405 118(1991)。

Koli 科利 居住在印度中部及西部山区的一个大种姓,20世纪末人口约65万。科利种姓的最大群体生活在马哈拉施特拉邦及古吉拉特邦。虽被认为是农民和工人,但很多人靠打柴和雇佣为生。夏季食物缺少,以浆果和芒果维持生活。居住在海滨的科利种姓靠捕鱼为生,有文化的成员也在孟买的学校或政府部门工作。科利种姓组成了几个理论上的族外婚氏族,大部分已改信印度教,不过仍保留过去某些万物有灵的信仰。传统上,他们曾被划为一个部落,后来又被重新列为一个低等级印度教种姓,包括阿格里及阿希里两个亚种姓。

kolinsky 科拉鼬 又拼kolinski。几种亚洲鼬的统称。参阅**weasel**。

Kolkhida 科尔希达 英语称科尔基斯低地(Colchis Lowland)。黑海东岸低地平原。在格鲁吉亚境内,其名源于古王国科尔基斯。由发源于北面的大高加索山脉和南面的小高加索山脉的里奥尼、因古里等河流共同冲积而成。平均高度100～150米,年平均降雨量约1 500毫米,属亚热带气候,自古以来宜于农耕。现仍多在平原周围地势较高的山麓丘陵地区种植柑橘、茶和桐树,中部低地较湿润,冷空气往往聚集,给一些作物带来霜害。

kolkhoz 集体农庄 英语作collective farm。苏联的农业合作企业,由若干户农民在国有土地上经营。这些农民是集体农庄的成员,按其劳动的质量和数量领取工资。集体农庄被认为是农民的自愿组织,它在1929年国家实行没收私人土地计划后成为农业企业的主要形式。政府指派农庄主席(名义上为选举),以及通过拖拉机站这一政治单位(1958年前)来领导集体农庄的经营管理。拖拉机站提供农机具,收取农产品作为报酬。个体农户得到保留。1935年国家允许农民拥有宅旁园地。1949年开始推行土地合并运动,使每个集体农庄由第二次世界大战前的平均约75户农民增加到1960年的平均约340户之多。1958年,拖拉机站撤销,集体农庄自行投资购置农机具。到1961年,国家采购委员会根据中央对每一地区规定的计划指标,与集体农庄订立合同规定生产定额,集体农庄按照国家规定的价格将产品售给国家机构。定额以外的和宅旁园地的产品在集体农庄市场出售,根据供求定价。随着1990～1991年苏联的崩溃,集体农庄开始实行私有化。参阅**collectivization**。

Kollár, Ján 科拉尔(1793-07-29,斯洛伐克莫索夫采～1852-01-24,奥地利维也纳) 斯洛伐克诗人。19世纪初曾在斯拉夫民族复兴和文艺复兴中起过重要作用。在耶拿大学受教育,后在佩斯(今布达佩斯)为斯洛伐克居民当牧师(1819～1849)。他生命的最后3年在维也纳任斯拉夫考古学教授。他在耶拿了解到德国对斯拉夫人领土的侵占情况,并亲眼看到德国人为取得国家统一和政治自由所作的努力。他致力于促进斯拉夫各族的文化统一,特别表现在他的抒情长诗《斯拉瓦的女儿》中。1837年发表一篇有影响的文章,提倡斯拉夫各族的文学合作。

Kołłątaj, Hugo 科瓦泰(1750-04-01,波兰沃利尼亚多德卡利维尔凯～1812-02-28,华沙) 天主教司铎、改革家、政治活动家。波兰被第一次瓜分(1772)后,他是国家复兴运动中的著名人物。曾在克拉科夫、维也纳和罗马学习,1775年回国,即在新成立的国民教育委员会(1773)中起领导作用。1782～1786年任克拉科夫大学校长。担任行政职务后,他与在学术上和政治上的追随者一起提出改革方案,引导"四年议会"(1788～1792)进行重建波兰的社会和政治体制。他所提出的原则成为1791年5月3日的宪法的基础。此后,他出任副首相。1792年波兰败于俄罗斯,其后,他被免职。他前往莱比锡和德累斯顿过流亡生活,但在1794年返回波兰参加塔代乌士·科斯丘什科领导的反俄起义。起义失败后,1794～1802年他在奥地利受监禁。获释后,他重新从事教育活动,在沃利尼亚创办克热梅涅茨学院。但是,1807～1808年又在莫斯科受监禁。他欢迎引进《拿破仑法典》进行改革,后来他又支持华沙公国的青年激进反对派。

Kollek, Teddy 科莱克(1911,奥地利维也纳～) Theodore kollek的别名。以色列政治人物,耶路撒冷市市长(1965～1993)。1934年迁居巴勒斯坦。在那里帮助建立艾因盖夫集团农场,积极参加贝塔尔犹太复国主义青年运动。第二次世界大战期间营救德国及其占领国家中的青年。作为犹太代办处的工作人员,与地下的犹太准军事组织哈加纳有密切关系,1942年负责联络欧洲犹太人的地下活动。1948年以色列建国后任驻美外交官。1952～1964年任总理本-古里安的办公室主任。1965年当选耶路撒冷市市长。当时耶路撒冷分以色列(西)和约旦(东)两部分。为恢复圣城的美丽,实行清洁计划,主持建造以色列博物馆。1967年六日战争后成为统一的耶路撒冷市市长,立即着手改善东部;致力于阿拉伯社区和以色列社区在物质和心理上的团结一致。1993年,80多岁的他第7次竞选耶路撒冷市市长落败。

Koller, Carl 科勒(1857-12-03,波希米亚许蒂休芬[今捷克共和国苏希采]～1944-03-21,美国纽约市) 出生于波希米亚的美籍眼科医师。1884年首用可卡因作为眼部手术的表面麻醉药,从而开创了现代局部麻醉的新纪元。他在维也纳综合医院任实习医师和住院医师时,同事S.弗洛伊德想戒除其友人的吗啡瘾,要求他对可卡因的一般生理作用进行检验和研究,希能用于戒瘾。通过实验研究,他认为,眼科手术采用全身麻醉早已证实不是妥善方法。可卡因能作为眼部手术的局部麻醉药。他1888年移居纽约,终生开业诊治眼病,取得很大成功。

Kolleru Lake 戈莱鲁湖 又称科莱尔湖。印度南部安得拉邦东北部湖泊。位于哥达瓦里河三角洲与克里希纳河三角洲之间,靠近埃卢鲁城。雨季高峰时面积可达260平方千米。有鲤鱼和大虾捕捞业。

Kölliker, Rudolf Albert von 克利克(1817-07-06,瑞士苏黎世～1905-11-02,德国维尔茨堡) 瑞士胚胎学家、组织学家,以细胞为单位阐述组织结构的创始人之一。1844年在苏黎世大学、1847年在维尔茨堡大学任生理学和比较解剖学教授,1849年任解剖学教授。在把维尔茨堡大学建成重要医学教育中心方面发挥了很大影响。1848年与K.冯·西博尔德合办《科学动物学杂志》。研究的范围甚广,包括头足类的发育、平滑肌的结构、红细胞的发育和分化、胚层在发育上的重要性等。他描述了精子的来源和性质,他认为在进化中起重要作用的是突然变化而非渐变。重要著作有《人体组织学手册》(1852)和《人与高等动物胚胎学》(1861)。

Kollontay, Aleksandra Mikhaylovna 柯伦泰(1872-03-31,俄国圣彼得堡～1952-03-09,莫斯科) 俄国女革命家,主张对俄国传统的社会习俗和制度进行根本的改革。后作为苏联外交家,成为正式担任驻外公使的第一位妇女。她是沙俄帝国军队中一名将军之女。1898年放弃享有特权的社会地位,加入俄国社会民主工党,在女工中进行革命宣传。1916年去美国旅行,发表演说,反对美国参加第一次世界大战。1917年十月革命后,任布尔什维克政府公共福利人民委员,利用这一职位对俄国社会进行改造。提倡自由恋爱,简化结婚和离婚手续,消除对私生子的社会和法律歧视,以及从各方面改善妇女地位。由于一场爱情风波,她被指控犯有渎职罪,经列宁出面干涉后,才免于被判处死刑。柯伦泰加入工人反对派——共产党(布尔什维克)内的一个组织,要求更多的党内民主和工人在党的事务中有更多的决定权——使她赢得了一般党员的欢迎,但却导致中央委员会企图把她开除出党。1922年进入外交人民委员部,历任驻挪威公使(1923～1925)、驻墨西哥公使(1926～1927)、再度任驻挪威公使(1927～1930)和驻瑞典公使(1930～1945)。1943年后领大使衔。1944年主持苏联和芬兰停战谈判,结束了两国在第二次世界大战期间的敌对状态。《A.柯伦泰选集》于1978年出版。

Kollwitz, Käthe 珂勒惠支(1867-07-08,东普鲁士柯尼斯堡[今俄罗斯加里宁格勒]～1945-04-22,德国德累斯顿附近) 母家姓施密特(Schmidt)。全名凯绥·珂勒惠支。德国女版画家和雕刻家。她为社会的不公正、战争和残暴下牺牲的人们大声疾呼,伸张正义。在柏林(1884～1885)和慕尼黑(1888～1889)学习绘画。1890年后,投身于版画艺术,创作铜版画、石版画、木刻及素描。1891年与卡尔·珂勒惠支结婚，其夫是医生，在柏林工人区开了一家诊所。她在那里获得了城市穷人悲惨生活的第一手资料。她的第一批重要作

珂勒惠支自画像，1910年
美国不列颠百科全书公司供图

品是铜版组画《织布工人暴动》(约1894～1898)和《农民战争》(1903～1908)。1910年后一度转向雕刻。1914年幼子阵亡，这使她极度悲伤。于是，保护孩子们的母亲和怀抱死去孩子的母亲的形象便成了创作的中心题材。为纪念死去的儿子，她雕刻了一个花岗石纪念碑。1932年这座纪念碑安放在佛兰德斯的一个墓地上，以纪念各国阵亡的青年。K.珂勒惠支满怀希望迎接1917年的俄国革命和1918年的德国革命。在魏玛共和国的岁月里，她被选为普鲁士艺术学院第一位女院士。1928～1933年间她任学院版画工作室主任，继续致力于创作对社会有益、易于为人们所理解的美术作品。1933年纳粹上台后，在1934年和1936年一再禁止展出她的作品。她的最后一组石版画《死亡》(1934～1936)以更为严酷并更具纪念碑般形式处理这一悲剧主题。1943年她的住宅和工作室被炸，毁掉了她一生中大部分作品。珂勒惠支是德国表现主义的最后一位实践者，也是20世纪第一位社会抗议的艺术家。

Kolmogorov, Andrey Nikolayevich 柯尔莫哥洛夫(1903-04-25，俄国坦波夫～1987-10-20，莫斯科) 20世纪最有影响的苏联数学家，对现代数学的许多分支的开创性工作做

美国不列颠百科全书公司供图

出了重大贡献。指导了许多青年数学家达到和他一样成熟的程度。17岁入国立莫斯科大学，听过N.N.鲁金、A.伏拉索夫、P.S.乌雷松的课，积极参加V.V.斯捷潘诺夫的三角级数讨论班。1921年秋开始了第一个研究成果的高产时期，紧密结合着莫斯科数学学派当时的基本研究方向实变函数论。1925年毕业于国立莫斯科大学，留校任研究助理，兴趣转向了概率论(**probability theory**)，与A.Y.辛钦合作发表了一系列著作，在大数律方面取得了进展。1929年发表的论文《测度的一般理论和概率论》在随后的50年中被人们作为概率论的完全公理化体系而接受。1931年他被选为莫斯科大学教授，两年后兼任数学研究所所长，开始了他的第二个科学活动时期(约25年)。在专著《概率论的解析方法》中详尽阐述了无后效的随机过程理论的原理，建立了马尔可夫过程(**Markov process**)的理论，标志着概率论发展的一个新时期。他对泛函分析(**functional analysis**)、拓扑学和湍流也作出了贡献。1939年被选为科学院院士，1940年和辛钦一起获苏联国家科学奖。20世纪50年代中开始他的科学活动的第三个时期，兴趣转向了信息论、动力系统理论、信息论和函数论的内在联系、经典力学、希尔伯特第13问题、有限自动机等方面，都得到了基本性的结果。他晚年非常重视中学的数学教育问题，领导制订新的数学教学大纲。他得过社会主义劳动英雄称号、列宁勋章、列宁奖金，是法国科学院、美国全国科学院、波兰和罗马尼亚科学院等的国外院士，又是伦敦皇家学会等许多国外科学社团的名誉会员。

Kolmogory(Russia) 参阅 **Kholmogory** 霍尔莫戈雷。

Köln 科隆 德国西北部北莱茵-威斯特伐利亚州西南部行政区。西与比利时和荷兰接壤。面积7 369平方千米，包括历史上莱茵兰(**Rhineland**)地区的中央部分。由其最大城市和行政中心科隆得名。有莱茵河流经。西部有埃尔夫特河和鲁尔河。高度工业化的科隆和波恩二市处在莱茵河流域。科隆市是德国最大交通枢纽之一和主要商业中心。波恩是国家政府所在地。两地有多样化工业，有炼油厂、石油化工厂、汽车厂、机器和电气设备制造厂。靠近大城市市场的谷地种植蔬菜和水果。莱茵河以西的下莱茵兰为平坦、肥沃的黄土平原，生产甜菜和小麦。莱茵河西侧山岭生产褐煤。雷尼施高地有艾弗尔和霍黑文高原，其四周坡地有奶牛场，为莱茵河流域都市区供应鲜奶和乳品。艾弗尔和霍黑文高原北侧的亚琛城市工业区也是著名矿泉疗养地，有欧洲最热的咸水泉。莱茵河东岸为贝尔吉施高原(中莱茵高地之一部)。莱茵河支流河谷中有农田和奶牛场，但经济以钢铁加工、工具和精密仪器制造为主。贝吉施-格拉德巴赫是该地区主要的城市和重要的造纸城市。艾弗尔和霍黑文高原人口密度每平方千米近50人，莱茵河流域和亚琛地区每平方千米逾1 000人。居民多数为莱茵法兰克人后裔，操里普阿里安方言。70%的人信奉天主教，25%信奉新教。科隆、波恩和亚琛均有著名大学。人口约3 905 797(1989)。

Köln(city, Germany) 参阅 **Cologne** 科隆。

kolo 科洛舞 巴尔干地区的一种集体舞。它的许多变体常在婚礼和其他喜庆活动时表演。该名称可能来自古斯拉夫语"轮子"一词。该舞可围成一圈跳，也可组成链条形单行或排成平行的两行跳。在有些变体中，独舞者在圈内展示舞蹈技巧。节拍在独舞中有时有变化，但一般是活泼、快速的。科洛舞可能是斯拉夫族到达巴尔干半岛很久以前在崇拜太阳神时跳的。这种舞与罗马尼亚的霍拉舞和保加利亚的霍罗舞有密切关系，它是欧洲古代遗留的许多链舞的一种。

Kołobrzeg 科沃布热格 德语称科尔贝格(Kolberg)。波兰西北部西滨海省城镇。濒临波罗的海帕尔森塔河口。为大港口和温泉疗养胜地，经济以渔业和旅游业为主。约建于8世纪，为斯拉夫要塞，10世纪并入波兰。13世纪成为重要商业中心。1648年被强行并入勃兰登堡选侯领地，第二次世界大战后归还波兰。该镇大部分毁于战争，现已完全重建。人口约44 947(2002)。

Kolokotrónis, Theódoros 科洛科特罗尼斯(1770-04，麦西尼亚[希腊]～1843-02-15，雅典) 希腊独立战争(1821～1830)中著名的希腊爱国志士。希腊革命组织"菲力克·希特里亚"(友谊社)的成员，曾在独立战争期间领导过摩里亚人的队伍。1822年8月他参加打败马哈茂德·德拉马利的奥斯曼军队的战役，这是他最辉煌的行动。曾因违抗中央政府而被关押，释放后参加了保卫摩里亚(伯罗奔尼撒)抗击埃及人的战斗。1825年他签署了希腊要求英国保护书，并请理查德·丘奇爵士担任希军总司令。1828年他支持卡波季斯蒂亚斯总统，成为亲俄派的领导人之一。在1831年10月9日总统被暗杀后，他成立了一个反对派政府，拥护巴伐利亚的奥托亲王为希腊新国王，后来他又试图推翻奥托国王的主要由巴伐利亚人组成的摄政机构。为此他在1834年6月7日被判处死刑，但缓期执行。

Koloman(Hungarian king) 参阅 **Coloman** 卡尔曼。

Kolomenskoye 科洛明斯科耶 莫斯科河右岸一处地方。早为皇家庄园。1960年起成为俄罗斯西部莫斯科市东南部一部分。科洛明斯科耶村在一个庄园(1339年首见记载)周围发展起来。16世纪成为王公的夏宫。17世纪在此发生过多次政治动乱。1606年为伊凡·博隆特尼克诺夫领导的农民起义的总部。1648年莫斯科人群拥向该村抗议沙皇阿列克谢增收盐税。1662年阿列克谢颁布铜币与银币等值令引起"铜币骚动"，其间许多抗议者在该村惨遭杀害。1682年彼得大帝在弓箭手叛乱中曾在此避难。庄园所在地现为一占地400公顷的保护区(内有600年的老橡树)的一部分。庄园大门、钟表、水塔和原始宫殿的一部分保存至今。科洛明斯科耶的其他名胜有带5个圆顶的卡赞教堂、塔式监狱(从西伯利亚迁来)、蜂蜜酒酿造场(建于17世纪，从普列奥布拉任斯科耶村迁来)和彼得大帝在此避难时住过的小木屋(从阿尔汉格尔斯克迁来)。最引人注目的建筑物是1532年建造的沃兹涅谢尼耶教堂(旧俄式红砖结构带帐

篷形顶建筑)。科洛明斯科耶庄园博物馆(1923年起为国家历史博物馆分馆),展有与1606～1607年农民战争和1662年"铜币骚动"事件有关的文物。

Kolomna 科洛姆纳 俄罗斯西部莫斯科州城市。位于莫斯科东南,莫斯科河与奥卡河汇流处附近。1177年首见记载,为莫斯科公国南部边界的要塞;曾遭鞑靼人四次劫掠。历史上是俄国最早的机车制造中心之一。现在生产内燃机、重型机械和合成橡胶。人口约163 500(1991)。

Kolomyya 科洛梅亚 又拼Kolomyia。乌克兰西部伊万诺-弗兰科夫斯克州城市。濒临普鲁特河。1240年首见记载。现为贸易中心,有多种轻工业,亦有农业机械制造业、造纸业和酿酒业。人口约66 200(1991)。

Kolowrat(-Liebsteinsky), (Franz) Anton, Graf von 科洛夫拉特(-利布斯泰因斯基) (1778-01-31,奥地利帝国布拉格[今在捷克共和国]～1861-04-04,奥地利维也纳) 奥地利政治家,长期任奥地利帝国负责国内事务的大臣(1826～1848),是梅特涅亲王的主要政敌。波希米亚贵族世家出身。1807年任布拉格市长,1809年任波希米亚总督。此后15年间担任这个王国政府的领导工作,培育发展按照文化传统开始形成的捷克民族主义。被召担任帝国政府政治部门领导人(1826),后任财政部门领导人(1827),在对奥地利帝国的国家事务施加影响方面,很快成为梅特涅最大的对手。从1835年奥地利皇帝弗兰茨一世去世至1848年3月革命的这段时间里,这两位大臣分担帝国政府的工作,但两人之间的敌对状态继续存在。处在梅特涅阴影之下的科洛夫拉特仅在1848年3～4月革命动乱时期短期担任首相,很快就被迫以健康不佳和年事已高为由而退休。虽然他是个温和的自由主义者,但他缓和了在旧式帝国制度统治下的暗淡年月里的某些反动暴行。

kolp'um 骨品 统一朝鲜的新罗王朝(668～935)用以排列官员等级的世袭身份制度。原为区分构成新罗联盟的6个主要部落成员的身份和职能的制度,后用于约束构成王国统治阶级大部分的首都居民。骨品附有各种特权和限制。除官阶以外,甚至住宅的大小和式样、家具、衣服等,都因身份高低而有种种不同。骨品分8级,即两个"骨"(圣骨与真骨)和6个"头品"。两个"骨"为王族出身。6～4等头品为一般贵族出身。3～1等头品为平民出身。最初只有圣骨能当国王。但是由于圣骨人数逐渐减少,真骨继承了这一特权。真骨垄断国家所有的重要官职,并且主持"和白"(国务会议)。6～4等头品占有较低官职。3等头品以下不能任官。

Kölreuter, Josef Gottlieb 克尔罗伊特 (1733-04-27,符腾堡叙尔茨[德国]～1806-11-12,巴登卡尔斯鲁厄) 德国植物学家,研究植物杂交的先驱。1694年R.J.卡梅拉里乌斯发现植物的性别,而他首先把该发现应用于科学实践。他先后就读于柏林大学、莱比锡大学,后获蒂宾根大学医学学位。1761年起发表一系列有关植物性别的论文,1764年任博物学教授和卡尔斯鲁厄植物园园长。他栽培植物,进行实验(尤其是用烟草),包括人工受精和种间杂交以培育能育的种间杂交种。他的实验成果为G.J.孟德尔的研究工作开辟了道路。他认识到昆虫和风作为传粉媒介在植物受精过程中起重要作用。他把C.林奈根据繁殖系统特征进行分类的方法运用于低等植物。他的研究成果直到他去世后很久才得到承认和赞赏。

Koltsov, Aleksey Vasilyevich 柯里佐夫 (1809-10-15,俄罗斯帝国沃罗涅日～1842-11-10,沃罗涅日) 俄国诗人。作品主要描写他所熟悉的俄国农民生活。父亲是牲口贩子,待他很苛,对他爱好诗歌十分反感。1831年开始在莫斯科的期刊上发表作品,引起著名文学评论家V.别林斯基的注意。1835年在别林斯基帮助下出版第1部诗集。虽然他的大多数作品都是模仿A.普希金和其他人的,但是他能成功地把真正的农民语言引入诗歌,并因此出名。所写主题均为农民生活的辛酸悲苦。

Kolwezi 科卢韦齐 刚果(金)东南部城市。邻近卢阿拉巴河的齐洛峡,在卢本巴希—洛比托公路和铁路线上。有空运通卢本巴希。在19世纪比利时人到达以前,当地人民已利用这一地区的矿藏。1906年成立上加丹加矿业联合公司后,该市成为铜矿中心。1978年科卢韦齐及其机场受到以安哥拉为基地的沙拜叛乱分子的袭击,铜矿被水淹。人口约417 810(1994)。

Kolyma River 科雷马河 俄罗斯远东地区西伯利亚东北部河流。源出科雷马山脉。全长2 129千米,流域面积647 000平方千米。上游流经峡谷,多急流,往下河谷逐渐变宽,在济良卡的下游进入宽阔、平坦和多沼泽的科雷马低地;后向东北流,注入东西伯利亚海。山下的全流程呈蛇曲辫状,有许多水道贯穿宽阔的泛滥平原。在下游段,尤卡吉尔高原边缘形成直立高岩河岸。尽管河口有沙洲障碍,但巴哈普恰河汇合处以下河段仍可通航,不过下游河水解冻期甚短,冰封期从9月底持续到6月初。由于上游地处偏南地区,解冻早,随同凌汛有大量流冰拥塞,故河水大面积泛滥。春末和夏初的河水流量几乎占全年流量的一半。整个流域有苔原或稀疏的矮树林覆盖。人口稀少,主要是雅库特人和拉穆特人,即埃文人。上游流域的采金业是唯一重要的经济活动。在苏联领导人斯大林统治期间,科雷马河上游流域的采金区曾是大型综合强制劳动营的所在地,1932～1954年间有100多万囚犯死于该营。

Kolyma Upland 科雷马山地 俄罗斯西伯利亚东北部山地,沿鄂霍茨克海东北部海岸伸展,将广阔的科雷马低地与鄂霍茨克海隔开,致使低地水系北流注入东西伯利亚海,山岭和高地纵横交错,多深切河谷和峡谷,有数座山峰海拔逾1 500米。地处冻土带,人烟稀少,科雷马河上游河谷采金业重要。

Kôm Ombo (Egypt) 参阅 **Kawm Umbū 考姆翁布**。

Komaki 小牧 日本本州爱知县城市。在名古屋北面。德川时代为驿镇和农贸中心。后为名古屋的住宅郊区。1965年至70年代初,工业发展迅速,建起100多座工厂,生产陶器、橡胶、机器和纤维。市南有名古屋机场。人口约129 267(1991)。

Komandor Islands 科曼多尔群岛 英文作Commander Islands。由4个岛屿组成。位于白令海西南部,属俄罗斯最东部的堪察加州。西距堪察加半岛约180千米。该群岛及其最大的岛屿均以1741年死于此地的俄国航海家、探险队长白令的姓氏命名。白令海和白令海峡亦以其姓氏命名。总面积1 848平方千米。最西端的白令岛长约88千米,宽40千米,岛上斯泰勒拉山海拔751米,尼科利斯科耶是最大的居民点。梅德内岛为第二大岛,长约56千米,宽6千米。群岛的另外两个岛屿是托波尔科夫岛和崎岖的阿雷罗克岛。该群岛气候寒冷,8月平均气温仅10 °C,2月平均气温 -4 °C,年降水量约500毫米。野生动物有海獭、海豹和大量海鸟。

Komárno 科马尔诺 德语称科莫恩(Komorn)。斯洛伐克共和国西南部西斯洛伐克州城镇。位于布拉迪斯拉发之下多瑙河与瓦赫河、尼特拉河汇合处,靠近匈牙利边境。匈牙利的科马罗姆镇濒临多瑙河南岸,与科马尔诺隔河相望。科马尔诺在多瑙河一岛屿的最东端,由于其地处数强劲河道的会合点,数百年间皆具有坚强的防御实力。古罗马人在此建筑堡垒,在马扎尔人历史中和奥匈帝国时期仍为著名的要塞。1848～1849年被马扎尔民族主义武装力量所占据;1866年当维也纳受到普鲁士威胁时,它是奥地利国家银行珍宝的隐藏处。到1914年,科马尔诺已扩大并延伸到多瑙河南岸。当1918年奥匈帝国崩溃时,多瑙河成为匈牙利和新生国家捷克斯洛伐克的界河。1920年,科马尔诺隶属于捷克斯洛伐克,而南岸居民区科马罗姆却划归匈牙利。现在二城镇仍息息相关。科马尔诺作为河港的作用已加强,最后已超过其作为要塞的作用。它是中欧和东南欧之间煤和石油贸易的重要转运港。其他经济活动有渔业、纺织业和机器制造业。人口约37 370(1991)。

Komárom-Esztergom 科马罗姆-埃斯泰尔戈姆 匈牙利西北部的州。该州从多瑙河和斯洛伐克边境向南伸展。经济以工农业混合经济为基础。重要农作物为甜菜和桃,阿奇有甜菜加工厂。州首府陶陶巴尼奥(Tatabánya)为匈牙利主要采矿(褐煤)中心。许多工业区都集中在多瑙河沿岸。拉巴特兰生产水泥、纸张、预制构件等。瑟尼有炼油厂。奥尔马什菲济特有炼油厂和炼铝厂,涅尔盖什新村专门生产塑料。多瑙奥尔马什开采石灰石，而舒多开采红色大理石。多罗格和俄罗斯拉妮是煤矿城。陶陶周围是林地和自然保护区，设有国家体育中心、训练营和体育学校等。科马罗姆城是铁路运输中心和多瑙河港口。全州面积2 251平方千米。人口约314 014(1991)。

Komarov, Vladimir Mikhaylovich 科马罗夫(1927-03-16，苏联俄罗斯莫斯科～1967-04-24，哈萨克斯坦) 苏联第一个在航天飞行中死亡的航天员。15岁时参加苏联空军。1949年成为飞行员。1959年毕业于茹科夫斯基空军工程学院。他曾任"上升"1号飞船的驾驶员(1964-10-12～13)，该飞船是第一艘多乘员飞船。1967年4月23日他单独在"联盟"1号中发射起飞，成为第一个进行两次航天飞行的苏联人。在第18圈轨道飞行期间，他试图着陆。据报道，当飞船在几英里高度时被它的主降落伞缠住而坠地。他的尸体被火化，骨灰埋葬在克里姆林宫墙内。

Komarov Botanical Institute 科马罗夫植物研究所 位于俄罗斯圣彼得堡的一个主要的植物研究中心。占地22公顷，有约6 700种植物，其中许多是由派往世界各地收集植物的科学考察团收集来的，最重要的植物种类包括各种苏铁、棕榈、杜鹃、红树林植物、百合、郁金香及藤本植物。植物园有27个温室，22个用于展出，5个用于提供服务。还有一个相当大的树木园。该植物园于1715年由彼得大帝创建，用以为其军队提供药用植物，但此后植物园扩大成为植物学的重要研究中心，有一座大型图书馆和一座植物标本室，标本室藏有500多万件标本，其中有大量采自俄罗斯和中亚细亚的极其重要的藏品。1931年，植物园联合会和市植物博物馆建立科马罗夫植物研究所，该所发表了30卷对苏联地区植物区系的研究，这是纪念碑式的巨著。以后又出版多种其他重要书籍，包括一部研究俄罗斯北极地区植物区系的著作。

Komati River 科马蒂河 葡萄牙语称因科马蒂河(Rio Incomati)。源出南非德兰士瓦省东南部的布雷滕附近。从一高原流下，在斯威士兰西北部穿切出一个900米深的峡谷后到达莱邦博山，在此与鳄鱼河合流。至科马蒂普特以下进入莫桑比克，称因科马蒂河。后转向北，穿舒阿利湖，在马普托(前称洛伦索马贵斯)东北约24千米处入海。

Komatsu 小松 日本本州石川县城市。临梯川，在金泽西南。1639年建为城堡镇。德川时代为驿镇。19世纪末起不断扩展。1919年以后生产采铜机械、建筑机械等。1940年设市。第二次世界大战后化学纤维产量超过蚕丝，人口约106 211(1991)。

Komatsushima 小松岛 日本四国东部德岛县城市。早期为小渔村和寺镇，1899年建港口，成为商业城镇。1913年起与神户、大阪、和歌山等市有班轮轮渡。1923年建立大型纱厂。1951年设市。度假业兴旺。人口43 179(1990)。

Kōmeitō (Japan) 参阅 **Clean Government Party 公明党**。

Komi 科米人 讲彼尔姆语的民族，主要住在俄罗斯北欧地区白海东南方的伯朝拉河和维切格达河之间，语言属乌拉尔语系芬兰-乌戈尔语族。科米人包括3个主要居民集团：科米共和国的科米-基连人；共和国南面的科米-彼尔米亚克自治州的科米-彼尔米亚克人；自治州以东和科米共和国以南的科米-亚孜瓦人。科米人的经济从北方的养驯鹿、渔猎、伐木到南方的农业、工业和矿业，各有不同，自14世纪起，科米人名义上是俄罗斯东正教信徒。因气候恶劣和地区偏僻，第二次世界大战前他们一直与外地隔绝。人口较稠密，民族较混杂；南部多已同化于俄罗斯，而同化现象在青年人中日益增多。

Komi 科米 俄罗斯西北部的共和国。首府*瑟克特夫卡尔*(**Syktyvkar**)。东起北乌拉尔山的峰线，西至季曼岭、梅津河和维切格达河上游盆地，大部分位于平坦的无特色的伯朝拉河流域。东北端植被为苔原植被，即苔藓、地衣和矮灌丛，向南矮树逐渐为茂密的泰加林或针叶林所替代。有大面积的沼泽和泥炭沼泽。土地普遍贫瘠。气候恶劣，冬季漫长且寒冷，夏季凉爽。瑟克特夫卡尔城1月平均气温为-15 °C，7月平均气温为17 °C。年降水量在伯朝拉河下游流域为500毫米，乌拉尔山地为610～760毫米。北极圈穿经北部。因此冬季昼短，夏季昼长。14世纪成为莫斯科公国一部分后，以毛皮兽为狩猎对象的俄国猎人渗入该地区。他们利用运费低廉、交通方便的水上通道或跨流域的陆上通道，作为穿越乌拉尔山进入西伯利亚的路线。由于毛皮兽资源的过度狩猎而减少，以及去西伯利亚的更为便捷的路线之发现，科米地区的重要地位有所下降；直至18世纪瑟克特夫卡尔城建成俄国殖民中心、开始开发科米的森林和矿物资源时，科米地区的地位又有所提高。1921年在该共和国建立科米人(芬兰-乌戈尔语民族)自治州；1936年又改建为俄罗斯共和国内的自治共和国。主要城市有瑟克特夫卡尔、沃尔库塔、乌赫塔和索斯诺戈尔斯克。工业集中于开发伯朝拉河流域的沃尔库塔和因塔地区的丰富的森林和煤矿、乌辛斯克、沃泽和乌赫塔地区的石油，以及武克特尔的天然气。木材加工产品有胶合板、活动房屋、驳船和江河中的船只。20世纪40年代初期，科特拉斯至沃尔库塔的伯朝拉铁路建成后，矿业成为主要经济部门。其他工业部门有化工、电力工程、机器制造、金属加工、轻工和食品加工。由于位置偏北、土地贫瘠，农业不发达，仅南部少数沿河地带种植黑麦、马铃薯、燕麦、大麦和蔬菜。畜牧业以养牛和驯鹿较重要。森林中普遍捕捉毛皮兽松鼠和北极狐。除众多的内河航运(结冰期停运，每年长达180～220天)外，伯朝拉铁路是主要交通线，有一支线通往瑟克特夫卡尔，还有几条伐木专用窄轨支线。瑟克特夫卡尔市有航空线通莫斯科、圣彼得堡和其他俄罗斯城市。面积415 900平方千米。人口约1 245 700(1993)。

Komi-Permyak 科米-彼尔米亚克 俄罗斯西部的自治州。该自治州系1925年为科米-彼尔米亚克人(操芬兰-乌戈尔语的科米人的一个分支)而设立。地处上卡马高地(有卡马河流贯)的波状起伏的冰碛低丘。除沿河的漫滩草地和洼地的泥炭沼泽以外，主要的景观是由冷杉、松树、云杉和桦树构成的茂密的沼泽森林或称泰加林。木材加工是唯一重要的经济项目。土地贫瘠，农作物很少，主要有黑麦和燕麦，交通不发达。首府*库德姆卡尔*(**Kudymkar**)濒临伊尼瓦河，是全区唯一的城市。面积32 900平方千米。人口约161 100(1993)。

Komisarjevsky, Theodore 科米萨尔热夫斯基(1882-05-23，意大利威尼斯～1954-04-17，美国康涅狄格达里恩) 俄国戏剧导演和舞美设计家，当时欧洲剧坛最富传奇色彩的人物之一。父母均为俄国人。他于1919年移居英国，1939年后主要生活在美国。曾在俄国和德国学习建筑。1907年开始在圣彼得堡他姐姐科米萨尔热夫斯卡娅的剧院中导演剧目。1909年与埃夫雷诺夫一起创办一所新剧院，演出带有斯坦尼斯拉夫斯基自然主义烙印的戏剧。曾任莫斯科帝国剧院和国立剧院导演，上演过多部世界闻名的传统剧目和歌剧，1919年以后，在英国先以舞美设计者、后以俄国和英国经典剧作的导演而获得声誉。他因将自然主义引入英国剧坛而被人称道。他是一个很有天赋和创新精神的舞美设计者。他采用现代化方式处理莎士比亚剧作，从而使埃文河畔斯特拉特福莎士比亚纪念剧院的保守观众大吃一惊，有时甚至火冒三丈。他所执导的《麦克白》(1933)，演出时穿的是20世纪的服装，而背景则是用铝片制成的布景。他在莎士比亚纪念剧院的登峰造极之作是《李尔王》(1936)。他与英国女演员阿什克罗夫特有过短期婚姻，她曾在他许多演出中担任主角。他写过有关舞台艺术的各种文章，其中包括一本论述戏剧服装的专著。

Komissarzhevskaya, Vera Fyodorovna, Countess (Grafinya) Muravyova 科米萨尔热夫斯卡娅(1864-11-08，俄罗斯圣彼得堡～1910-02-23，俄罗斯帝国塔什干[今在乌兹别克斯坦]) 俄国女演员兼戏剧演出人。其戏剧生涯衔接了贵族式的俄国戏剧与许多革命后出现的先锋派人物的戏剧。其父费奥多尔是著名歌剧明星、戏剧家和教员，也是斯坦尼斯拉夫斯基的老师。她1891年首次登台，演出《教育的果实》中的贝西一角，此剧由斯坦尼斯拉夫斯基执导，是托尔斯泰第一部在俄国演出的剧作。随后去外省巡回演出，1896年被邀加入圣彼得堡帝国剧院，在苏德尔曼《蝴蝶战争》中饰罗斯和在奥斯特洛夫斯基《没有陪嫁的女人》中饰拉里萨使她一举成名。尔后6年在该剧院演主角，如在圣彼得堡首次上演的契诃夫所作《海鸥》剧中演主角尼娜。由于与帝国剧院经理在美学观点上产生分歧，1904年在圣彼得堡建立了自己的剧院。此后5年主要上演高尔基、易卜生、梅特林克和勃洛克的剧作。由于经济上的失败，1908年去美国的巡回演出也未成功，被迫于

1909年关闭剧院。她对俄国即将到来的戏剧改革起了开创性作用。

Komitas 科米塔斯(1869-10-08,奥斯曼帝国屈塔希亚[今在土耳其]～1935-10-22,法国巴黎) 又拼 Gomidas。所罗门·所罗蒙尼恩的笔名。民族音乐学家、作曲家、亚美尼亚有特色的民族音乐风格的奠基者。11岁父母双亡,被送往亚美尼亚境内瓦加沙巴特(今埃契米阿津)的一所神学院修习礼拜仪式歌唱。1893年毕业,以7世纪时一位亚美尼亚赞美诗作家科米塔斯之名为名。此时他不仅对教堂音乐,而且对亚美尼亚民歌也发生兴趣。1896～1899年在柏林学习作曲期间,开始以亚美尼亚主题创作音乐。回亚美尼亚后立即悉心搜集亚美尼亚民歌,共积累数千首之多。他还曾就此题材发表大量论文,并在西欧举办音乐会,亲自演唱亚美尼亚民歌,从而引起国际上对他的祖国音乐的兴趣。1910年定居君士坦丁堡(今伊斯坦布尔),但1915年土耳其发生的亚美尼亚人惨案使他大为震惊,以致精神崩溃,1919年住入巴黎一家医院,直到去世。科米塔斯是最重要的亚美尼亚民歌收集者,他的详尽细致而一丝不苟的研究工作,在科学的基础上创立了亚美尼亚的音乐学。所作以民歌为基础的歌曲和合唱曲以及他的礼拜仪式圣咏,至今在亚美尼亚人中广为流传。许多亚美尼亚人认为他是最杰出的作曲家。

Kommamur Canal 科马穆尔运河 又称白金汉运河(Buckingham Canal)。印度东南部运河。流经安得拉邦东部与泰米尔纳德邦东北部。建于1806～1882年。从科摩林角向北到克里希纳河-哥达瓦里河三角洲,长1 100千米。因工程质量不高,虽屡经改建,只能通行吃水1米以下船只。但仍然是向泰米尔纳德邦马德拉斯城供应燃料、盐、鱼干等笨重货物的重要航道。

Kommunarsk 科穆纳尔斯克 1931年前称阿尔切夫斯克(Alchevsk),1931～1961年称伏罗希洛夫斯克(Voroshilovsk)。乌克兰卢甘斯克州城市。位于卢甘斯克至杰巴利采沃铁路线上。1895年随顿涅茨克-尤里耶夫斯基钢铁厂的修建而兴起,原钢铁厂在20世纪50年代和60年代经大规模扩建,现已成为大型钢铁联合企业。该市是重要烟煤开采中心。有焦化和金属加工工业。今城现代街区、工厂企业和旧平房混杂。人口约126 000(1991)。

Komodo 科莫多 印度尼西亚东努沙登加拉省小巽他群岛一岛屿。位于弗洛勒斯与松巴哇两岛之间萨帕海峡中。面积近520平方千米。多丘陵,最高海拔825米。唯一村落科莫多位于东岸一海湾畔,有竹舍数十幢。以出产大蜥蜴科莫多龙出名。人口30 407(1971)。

Komodo dragon(*Varanus komodoensis*) **科莫多龙** 又称科莫多巨蜥。蜥蜴亚目巨蜥科动物,现存最大的蜥蜴。产于印度尼西亚小巽他群岛的科莫多岛和邻近几个岛屿上。因捕猎濒于绝种,现已列为保护对象。体长可达3米,重达135千克,寿长约100年。能挖9米深的洞,产卵其中,至4或5月份孵出。新孵出的幼体长约45厘米,在树上生活几个月。成体吃同类的幼体,有时吃其他成体。运动迅速,偶尔攻击人类。但主要以腐肉为食。每天出洞到几千米以外的地方寻食。

科莫多龙(*Varanus komodoensis*)
美国不列颠百科全书公司供图

Komoé National Park 科莫埃国家公园 法语作 Parc National de la Komoé,Komoé 亦作 Comoé。科特迪瓦(象牙海岸)东北部的国家公园。1968年由前布纳科莫埃野生动物保护区扩建和改建而成。占地约11 500平方千米。为树木茂密的热带大草原,园内最大范围地集中了该国的野生动物。羚羊、河马、狮、猴等在野生环境中栖息,很少受人类干扰。洛比人散居在科莫埃地区,种植黍类和高粱,也进行一些非法狩猎活动。1983年被列为世界遗产。

Komoé River 科莫埃河 又拼 Comoé。西非河流,源于布基纳法索(前上沃尔特)博博迪乌拉索西南40千米处。形成布基纳法索-科特迪瓦界河。后进入科特迪瓦,往南流入几内亚湾。全长750千米。上游稀树草原区为布纳野生动物保护区的西部边界;中游为热带雨林;下游盛产木材、菠萝、咖啡、可可和香蕉。阿莱佩至海口48千米可以通航。

komondor 科蒙多尔牧羊狗 公元9世纪由马扎尔人带到欧洲的大型匈牙利牧羊狗,主要用于保护羊群而非牧羊。体粗壮有力,雄性体高至少69.9厘米,体重45千克或更多。雌性个体稍小一些。被毛厚而粗,蓬乱,白色,质地似羊毛,不梳理则纠结成团,匈牙利牧羊人任其被毛纠结成团,以防狼和其他食肉动物的尖牙咬伤。独立、勇敢,是忠实的守护者。

Komorn(Slovakia) **科莫恩** 参阅**Komárno 科马尔诺**。

Komotau(Czech Republic) **科莫陶** 参阅 **Chomutov 霍穆托夫**。

Komotiní 科莫蒂尼 希腊色雷斯西部农业城镇,罗多彼州首府。距保加利亚边界23千米。拜占廷时期又称库莫齐纳。1913年《伦敦条约》将它划给保加利亚,1919年根据《纳伊条约》又划归希腊。通铁路,是商业中心。有以生产服装为主的轻工业。人口约40 522(1991)。

Komparu Zempō 金春禅凤(1454,日本～约1520,日本) 日本能剧演员和戏剧家。能剧古典时期的最后一批戏剧家之一。以他祖父藏而不露且富有诗意的方式创作的剧本有《初雪》。其他剧作均为投合广大观众趣味而写,形式新颖,剧情曲折且布局奇巧。

Komparu Zenchiku 金春禅竹(1405,日本～约1470,日本奈良) 日本能剧演员和剧作家。也写剧评著作。是一个很有天分的演员,也是演员世阿弥戏剧技巧的传人,通过他将能剧技巧传给金春家族派。一生写有剧本20多部。他的评论作品是能剧发展的重要历史资料。

Komsomol 苏联共青团 全苏列宁共产主义青年团的俄语简称,英语作 All-Union Leninist Communist League of Youth。在苏联历史上,是14～28岁青年的政治组织,主要以传播共产主义思想,培养未来的共产党员为宗旨。与共青团密切相关的组织是9～14岁少年参加的少先队(全苏列宁少年先锋队)和年龄极小的儿童组成的小十月革命者。

共青团于1918年由以前参加过俄国革命的各种青年组织合并而成,许多组织还参加过国内战争。军事时期结束后,共青团于1922年确立了新的目标——组织成员参加卫生、体育运动、教育、出版等活动以及各项工业建设。共青团团员人数于70年代和80年代初期达到高峰,约有4 000万人。在苏联社会中,共青团员在就业、奖学金等方面常常比非团员享受优待。积极参加共青团也被认为是取得共产党员资格的重要条件。共青团各级基层组织的构成与党的基层组织相当。随着苏联解体,共产党政权的垮台,苏联共青团亦于1991年自动解散。

少先队和小十月革命者都是为儿童提供具有政治指导性的教育与娱乐活动以期最后参加共青团的预备组织。少先队组成大队,每个大队都隶属于一个共青团的基层组织。

Komsomolsk-na-Amure 阿穆尔河畔共青城 俄罗斯东部哈巴罗夫斯克边疆区城市。位于阿穆尔河(黑龙江)畔。1932年大批共青团员把彼尔姆斯科耶村建为城镇,因而得名。由于阿穆尔钢厂的建立成为迅速发展的大型工业中心,拥有重型机械制造、马口铁制造和船舶修造业。萨哈林岛(库页岛)开采的石油在此提炼。尚有渔业、木材加工业和轻工业。1975年建成阿穆尔河铁路大桥,使到符拉迪沃斯托克(海参崴)的西伯利亚大铁路线缩短960千米。设有师范学院和综合性工业学院。人口约300 000(1997)。

Komsomolskaya Pravda 《共青团真理报》 苏联共青团(14～28岁青年人的组织)中央机关报,在莫斯科出版,为每日晨报。创刊于1925年,总部一直设在莫斯科,和苏共机关报《真理报》的总部在一起,但有自己的编辑部。1953年开始采用比较活泼的版面,取材范围扩大。在当时的主编、赫鲁晓夫的女婿阿朱别伊的主持下，游记、体育新闻、短篇小说有所增加，官方宣传材料减少。在70年代和80年代初的高峰时期，发行量达到1 500多万份。1991年苏联解体后，该报继续发行。

Komura Jutarō, MARQUESS (Kōshaku) **小村寿太郎**(1855-11-05，日本日向～1911-11-26，叶山) 日本明治时代的外交家。毕业于美国哈佛法学院。1880年进入法务省，后转外务省。1893年任驻北京代办。此后相继驻在朝鲜、美国、俄国，并再次去中国。1901～1905年任外务大臣，为建立日英同盟(1905)进行谈判。1905年作为全权代表签订结束日俄战争的《朴次茅斯和约》。在第2次桂太郎内阁中再任外务大臣(1908)，他寻求与西方国家缔约，完成了兼并朝鲜。1910年封侯爵。

komuz (musical instrument) 参阅 **koboz** 科鲍兹琴。

Kon-Tiki **"康-提基"号** 挪威科学家T.海尔达尔等6人1947年从南美西海岸航行到塔希提以东群岛所乘之木筏。为证明古代人是否有可能从美洲到波利尼西亚开拓殖民

"康-提基"号
美国不列颠百科全书公司供图

地，他用秘鲁卡亚俄当地产的轻木制造了"康-提基"(传说中的印加神)号木筏。他乘木筏在三个半月内越洋航行了约8 000千米。该筏现保存在奥斯陆的一家博物馆。

Kon Tum **昆嵩** 又拼Kontum。越南语作Cong Tum。越南南方中部高原城市。1851年法国天主教传教士在昆嵩附近建立第一个越南居留地，在顺化南南东225千米。本城海拔524米，是皮张、马匹和芝麻的传统贸易中心，与波来古并列为最重要的两座高原交易中心。有几所医院和一个大飞机场，与波来古有条72千米长的主干公路联系，一条支线公路从昆嵩往东北通往章义和公伯陇。人口约34 063(1989)。

Kona (Hawaii, U.S.) **科纳** 参阅 **Kailua-Kona** 凯卢阿-科纳。

Konakry (Guinea) 参阅 **Conakry** 科纳克里。

Kōnan **江南** 日本本州爱知县城市。临木曾川，位于尾张平原北部。德川时代起一直为蚕丝业中心。第二次世界大战后成为重要的合成纤维和纺织品产地。并生产机械和加工食品，种植蔬菜、水果和花卉。人口95 521(1995)。

Konārak **戈纳勒克** 又拼Kanārak。印度东部奥里萨邦中东部历史名村。临孟加拉湾。有13世纪建筑的太阳庙，原称黑塔，是去加尔各答航海路线的地面标志。庙从未完

戈纳勒克村太阳庙正面的太阳神苏利耶的战车浮雕
美国不列颠百科全书公司供图

工，未及修复就已成废墟。是奥里萨派庙宇建筑的代表。原设计为太阳神苏利耶战车形，有12个巨大的雕刻石轮和7匹石马。外部雕饰有许多性爱情景。

Konarski, Stanisław **科纳尔斯基**(1700-09-30，波兰凯尔采附近扎尔奇采～1773-08-03，华沙) 天主教司铎，政治作家，在波兰的教育改革中颇有影响。1715年入虔诚学校会后，曾在罗马的拿撒勒人学院学习，1727～1729年在该院任教。后到巴黎研究教育方法。他熟读英国哲学家洛克的著作，接受洛克的教育理论。1731年返回波兰。1740年在华沙创建专供统治家族子弟求学的贵族学校，希望这个学校所培养的学生会进行迫切需要的宪法改革。他强调要教授过去被忽视的波兰语，重视学校的剧场，写了一出悲剧。由于他注意爱国主义的教育、波兰语的纯洁性和自然科学，结果使波兰的耶稣会也照此去改革该会所办的学校。他的爱国主义态度也影响了他的历史和政治著作。他的《波兰法律汇编》(8卷，1732～1782)现在依然是一种基本的原始资料。《论有效审议的手段》(4卷，1760～1763)反对"自由否决"的原则。

Konbaung DYNASTY (Myanmar[Burma]) **贡版王朝** 参阅 **Alaungpaya dynasty** 雍笈牙王朝。

Kond (People) 参阅 **Khond** 孔德人。

Kondílis, Geórgios **孔季利斯**(1879，希腊普鲁索斯～1936-01-31，雅典) 希腊将军，多次干预并阻碍希腊议会政治进程的军人之一。他虽然支持1924年宣布的共和国，但在1935年使国王乔治二世复位的活动中又起了主要作用。1896年入伍，翌年参加克里特反对土耳其统治的起义。巴尔干战争(1912～1913)和第一次世界大战时期他是军官，1922年升为将军。1923年10月他镇压了保皇派的叛乱。12月国王乔治离开希腊后，他也离开军队进入政界，组织了国家共和党。1926年8月他在一次不流血的政变中推翻了军事独裁者潘加洛斯，11月以首相身份监督选举。12月他拒绝成为军事独裁者而退出政界。他原来基本上支持韦尼泽洛斯领导的自由派，但后来他转而支持保守的人民党，从而在政治上引人注目。他在人民党政府中担任国防部长，还镇压了韦尼泽洛斯在萨洛尼卡发动的一次政变(1935-03)。孔季利斯成为希腊最有权势的人物，他着手清洗军政两界中有共和倾向分子并以缺席审判宣告韦尼泽洛斯的死刑。1935年11月由孔季利斯组织的一次公民投票表明大约有97%的人希望国王回来，尽管这数字很可能是由军官操纵的。11月25日乔治二世回国，任命孔季利斯为首相。后他因反对国王实行大赦而辞职。

Kondratev, Nikolay D(mitriyevich) **康德拉捷夫**(1892-03-04～1938?) 又译康德拉季耶夫。俄罗斯经济学家和统计学家，以其关于大(50年)商业周期——即所谓的康德拉捷夫波——的分析和学说而在西方经济学家中著称。曾在圣彼得堡大学学习。1917～1919年为俄国社会主义革命党的成员。1920～1928年在季米里亚泽夫农业学院从事教学并在企业活动研究所任主任。在此期间，他帮助制定了苏联第一个五年计划，同时还提出分析那些会影响苏联经济增长的因素的方法。他虽然同意新经济政策，可是他反对农业全盘集体化并批评斯大林计划中工农业不按比例发展。1928年被革除在研究所的职务。2年后被捕，1931年受审，被判8年监禁；1938年复审时被判以死刑。死亡的日期和地点不详。1987年，他与其他许多无辜者一起，被彻底平反昭雪。

Konev, Ivan Stepanovich **科涅夫**(1897-12-28，俄国洛代诺～1973-05-21，莫斯科) 第二次世界大战时期杰出的苏联将领之一，对德进攻作战的指挥员。他出身农民，1916年被征入沙皇军队。十月革命后参加共产党和红军(1918)。内战时期与高尔察克白卫军作战并组织游击队攻打日本军队。后参加过平息喀琅施塔得叛乱的战斗(1921)。1926年毕业于伏龙芝军事学院。1941年德国进攻苏联时任苏联陆军将军，领导第一次真正的反击战。他利用"科涅夫伏击"的战术击败了德国坦克战专家H.古德里安对莫斯科的进攻(1941-12)，这种战术就是中央部队有计划地退却，两翼部队则伏击冒进之敌。在关键性的1942年夏天，他率部阻击了增援进攻斯大林格勒的德军。他是参加反击德军第三次夏季攻势(1943)的数名将军之一，在科尔孙突出部俘获10万名纳粹军队后，于1944年3月晋升苏联元帅。1944年8月他最先率部渡过维斯图拉河，越过苏联边界发起进攻，横扫波兰后，他最先攻入德国本土。他的第一乌克兰方面军挺进奥得河与朱可夫元帅的部队会合，突入并攻占柏林。他的部队在托尔高与M.克拉克将军率领的美国军队会师。德国战败后，他成为苏联驻奥地利最高代表(1945)，继朱可夫之后任苏军地面部队总司令(1946～

1950)。后任华沙条约组织武装部队总司令(1955～1960)等职。1961年任驻东德苏军总司令,1962年免职后继续在国防部任职。

Kong Qiu 孔丘 参阅 **Confucius** 孔子。

Kong River 公河 老挝和柬埔寨境内河流。发源于越南中部顺化西南的安南山区。在老挝南部波罗芬高原和安南山之间向西南流480千米,在芒迈接纳支流苏河和卡曼河。入柬埔寨境内后向西南穿过柬埔寨高原北部,接纳桑河后在上丁以东与湄公河汇合。

Kong Shangren 孔尚任(1648,中国山东曲阜～1718,曲阜) 又拼K'ung Shang-jen。中国清代文学家、戏曲作家。字聘之、季重,号东塘、岸堂,自称云亭山人。孔子六十四代孙。

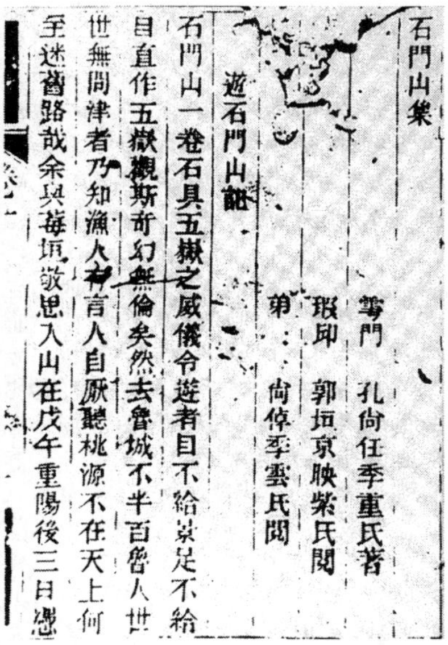
石門山集
雩門 孔尚任季重氏著
瑕邱 郭垣京映紫氏閱
弟：：尚倬季雲氏閱
遊石門山記
石門山一卷石具五嶽之威儀令遊者目不給衆足不給自宜作五嶽觀斯奇幻無倫矣然去魯城不半百舍人世世無問津者乃知漁人初言人自厭聽桃源不在天上何至迷舊路哉余與每垣數思入山在戊午重陽後三日憑

清刻本《石门山集》书影

中国大百科全书出版社供图

清圣祖南巡至曲阜时,奉召讲经,授国子监博士。曾至淮扬一带巡视水利,疏浚河口,访前朝遗迹,结识遗老。回京后即无心宦途,致力戏剧创作。康熙三十九年(1700)被免官后返乡。以十余年努力写成传奇《桃花扇》。《桃花扇》传奇通过侯方域、李香君爱情故事抒发兴亡之感,对南明王朝苟且偷安、腐化堕落多所揭露。全剧人物众多,头绪复杂,而结构严整,语言典雅。另有和顾彩合写的传奇《小忽雷》,诗文集《湖海集》、《石门山集》、《长留集》等,近人辑为《孔尚任诗文集》。

Kong Xiangxi 孔祥熙(1880-09-11,中国山西太谷～1967-08-16,美国纽约) 又拼K'ung, H. H.(K'ung Hsiang-hsi)。中国银行家,民国时期南京国民政府行政院长兼财政部长。与蒋介石、宋子文、陈果夫兄弟合称中国"四大家族"。字庸之,号子渊。祖籍山东曲阜。1901年赴美国留学,1907年获耶鲁大学理化硕士学位。回国后结识国民革命领袖孙中山,参与一些革命活动。孙中山逝世后孔一直追随蒋介石。1928年任国民政府实业部长,后接替宋子文任财政部长。上任不久取消货币的银本位制,使中国经济同国际货币体系联系。这一改革使中国在中日战争初

中国大百科全书出版社供图

期未产生严重经济后果。此后历任行政院长、中央银行总裁、中国银行总裁等要职。1947年移居美国。

Kongfu 孔府 参阅 **Qufu** 曲阜。

konghou 箜篌 中国多弦的拨弦乐器,有卧式和竖式两种。最早出现于汉朝(公元前206～公元220),当时为一种流行的管弦合奏或独奏乐器。直到大约14世纪,其重要性大致为其他乐器所取代。然而,在20世纪由于上海及中央民族管弦乐团的使用,箜篌再度流行。箜篌的共鸣箱与琵琶类似,但颈部饰以凤首。共鸣箱两侧各有一排弦柱,其上架伸着36根弦。弦柱有一装置,在弹奏按音、揉音、颤音及滑音时协调二组琴弦。其音域通常包括五个半的八度,以中央C为主音,乐音以由张力变化造成的装饰音、滑奏、琶音和弦以及音域对比为特色。

Kongmiao 孔庙 参阅 **Qufu** 曲阜。

Kongmoon (China) 参阅 **Jiangmen** 江门。

Kongo 刚果人 又称巴刚果人(Bakongo)。在语言和文化上互相联系的操班图语的民族集团,居住在非洲大西洋沿岸地区,北起刚果(布)黑角,南至安哥拉罗安达,东以宽果河为界,东北以刚果斯坦利湖为界,地跨刚果(布)、刚果(金)和安哥拉。20世纪末人口约有1 022万。语言属尼日尔-刚果语系贝努埃-刚果语族。刚果人种植木薯、香蕉、玉米、甘薯、花生、豆类、野芋、咖啡、可可、梵天花以及油棕;兼事捕鱼和狩猎。按母系继嗣,部落按家系组成。分散是刚果人社会组织的主要特点,邻村几乎不相往来,古王国(参阅 **Kongo kingdom**)遗迹也湮灭殆尽。刚果人的宗教以信奉祖先和精灵为主。20世纪曾兴起保护本族文化运动,以排外为其特征。

Kongo kingdom 刚果王国 中非西部主要操班图语的一个王国,横跨刚果河两岸,大致在14世纪建立。由国王统治,称"马尼刚果"。经济力量以象牙、皮革和奴隶贸易以及西非的一种贝壳货币为基础。1484年葡萄牙人进入王国后不久,第6代"马尼刚果"恩辛加·姆维姆巴(后为阿丰索一世)改宗基督教,并与葡萄牙人发展外交和经济关系。由于葡萄牙人扩大其掠夺奴隶活动,双方的协议很快就化为泡影。到1570年,刚果王国的势力开始衰落,国内局势日趋紧张。在关键性的姆布维拉战役(1665)之后,王国分裂成为一些相互争斗的酋长领地。

Kongque Dongnan Fei 《孔雀东南飞》 英语作 Southeast the Peacock Flies。中国东汉(25～220)末乐府民歌中的长篇叙事诗,原题《古诗为焦仲卿妻作》。后人多用原诗首句拟题,作《孔雀东南飞》。全诗353句,描写一个爱情悲剧。女主人公刘兰芝与丈夫焦仲卿感情深挚,但遭到夫家家长的梗阻,被迫分离,最后双双自杀殉情。死后合葬,据传说,他们夫妇坟上的松柏梧桐交枝接叶,鸳鸯相向和鸣。通过这幕悲剧抨击封建礼教对纯真爱情的扼杀,歌颂忠贞的爱情。故事后来改编为各种剧本,传诵不衰。

Kongs Fjord 孔斯峡湾 北冰洋斯匹次卑尔根岛小水湾,长26千米,宽6～14千米。峡湾顶端接纳冰川溶水。煤城新奥勒松坐落在水湾南岸。孔斯峡湾是许多极地飞行活动的基地。

Koniecpolski, Stanisław 科涅茨波尔斯基(约1591～1646-03-12,波兰布罗迪) 波兰军事和政治领袖,与土耳其人、鞑靼人和瑞典人作战取得重大的胜利。1619年任波兰军队战地指挥官,在策科拉战役(1620)中为土耳其人所俘,囚于君士坦丁堡3年。回波兰后1624年在马丁诺瓦打败鞑靼人,因而获得波兰议会的嘉奖,国王西格蒙德三世封他为桑多梅日的巴拉丁伯爵。1626年被调往普鲁士,波兰军队在那里与瑞典国王古斯塔夫斯二世阿道夫作殊死战。虽然1627年他在普茨克、哈梅尔茨丁和特切夫取得一系列的胜利,但是翌年他仍然被迫从波兰在普鲁士的战略要地撤走。尽管1629年6月27日在奇强卡打败古斯塔夫斯,但同年9月25日的波兰-瑞典《阿尔特马克休战协定》仍然承认瑞典是波罗的海南部海岸的头号强国。1632年科涅茨波尔斯基任波兰军总司令。1632年4月30日西格蒙德三世死后,在指导政治事务方面曾起重大作用,并且成为新王弗瓦迪斯瓦夫四世的得力顾问和克拉科夫的城堡主(1633)。他极力赞助弗瓦迪斯瓦夫执行反鞑靼的外交政策,1633年7月击退鞑靼人侵,在卡梅涅茨阻挡庞大的土耳其-鞑靼联军(1633-10),1644年又在奥奇马托夫彻底打败鞑靼军。他还征服了乌克兰叛变的哥萨克,于1635年修筑库达克要塞。他在乌克兰拥有大量土地,有10万多人在他的庄园里生活。他1633年曾兴建布罗迪市镇,筑有护城的城堡和棱堡,并在那里开办生产波斯式地毯的工场。在远征土耳其人的前夕去世。

König Rother (literary character) 参阅 **Rother, König** 罗特尔王。

Königgrätz (Czech Republic) **柯尼希格雷茨** 参阅 **Hradec Králové** 赫拉德茨-克拉洛韦。

Königgrätz, Battle of 克尼格雷茨战役(1866-07-03) 又称萨多瓦战役。普鲁士和奥地利之间的七周战争中决定性的战役,发生在易北河上游,波希米亚城市克尼格雷茨(又译柯尼希格雷茨)西北的萨多瓦村(今捷克共和国赫拉德茨-克拉洛韦)。普鲁士的胜利导致奥地利被赶出普鲁士统治的德意志。在波希米亚前线的奥军约有24.1万人。刚上任的司令L.奥古斯特将军(即贝内德克骑士)勉强接受任命,因为他对部队和当地地形都不熟悉。28.5万普鲁士军队分为三军,主要部署在从萨克森边境到西里西亚长270英里的弧形地带,由总参谋长毛奇将军统率。他决心要在这次战斗中试验他的新理论和新方法。在战场上取得一系列胜利后,毛奇在7月1日成功地把三军联合起来。普鲁士军队侦察失误,贝内德克找不到更有利的地形,两军都在不利的情况下于7月3日投入战斗。奥军损失约4万人,其中约半数被俘;普军损失不到1.5万人。贝内德克向东南退却,普军未能及时追击,使奥军能在摩拉维亚的奥尔米茨(奥洛穆茨)重新集结。正当两军准备在维也纳附近再战时,7月26日在尼科尔斯堡商议停战。

Königsberg(Russia) **柯尼斯堡** 参阅 **Kaliningrad** 加里宁格勒。

Königsberg, Albertus University of 柯尼斯堡阿尔贝图斯大学 普鲁士柯尼斯堡(今俄罗斯加里宁格勒)的一所高等学府,1544年由首任普鲁士公爵阿尔贝特创建。最初该校主要招收普鲁士、波兰和立陶宛的学生。三十年战争(1618～1648)之后,这所与新教徒有关的大学吸引了各德语国家的学生。1740年出生于柯尼斯堡的伊曼努尔·康德进入该校的神学院学习,他的兴趣很快转移到牛顿的物理学方面。他当了15年讲师,最后任逻辑学和形而上学教授。曾在该校执教的其他杰出人物尚有天文学家F.W.贝塞尔、数学家K.G.J.雅可比和科学家赫尔曼·冯·亥姆霍兹。第二次世界大战中,柯尼斯堡遭到严重破坏。1945年旧大学停办。嗣后,柯尼斯堡更名为加里宁格勒,成为俄罗斯苏维埃联邦社会主义共和国加里宁格勒州的一部分。1967年在该大学原址建立了国立加里宁格勒大学。设有物理、数学、历史和语文学、经济、法律、地理、化学和生物等系。

Königsmark, Maria Aurora, Countess(Gräfin)**von 柯尼希斯马克女伯爵**(1662-05-08,不来梅斯塔德[德意志]～1728-02-16,勃兰登堡奎德林堡) 萨克森选侯和波兰国王强者奥古斯特二世的情妇,她在很多年间是萨克森宫廷中有势力的人物。柯尼希斯马克女伯爵美貌多才,为在瑞典军队中服役的一德意志没落贵族之女。她在德累斯顿与萨克森选侯相遇,不久即成为选侯的情妇。1696年生一子,即日后的法国陆军元帅莫里斯·德·萨克森。1702年选侯已成为波兰国王,曾派她去与瑞典国王查理十二世进行和谈,没有成功。她失宠后任女隐修院院长和奎德林堡大教堂主监。但她喜欢宫廷生活,很少在教区居住。

Königsmark, Philipp Christoph, Count(Graf)**von 柯尼希斯马克伯爵**(1665-03-14,不来梅施塔德[德意志]～1694-07-01,汉诺威汉诺威) 据传是汉诺威选侯乔治(后为英王乔治一世)之妻索菲娅·多罗特娅的情人,这种关系导致他的死亡以及她被终生监禁。出身于一个在瑞典军队中服役的德意志贵族家庭。他的姐姐玛丽亚·奥罗拉是萨克森选侯腓特烈·奥古斯特一世(后为波兰国王强者奥古斯特二世)的情妇。他本人为汉诺威军队的上校,曾两度帮助心怀不满的索菲娅·多罗特娅从汉诺威其夫家里潜逃未果。1694年失踪,可能被人杀害。此后,乔治即与索菲娅·多罗特娅离婚,并将她终生监禁。

Königssee 柯尼希湖 又称巴尔托洛毛湖,英语称圣巴塞洛缪湖。德国南部巴伐利亚州的湖泊。位于贝希特斯加登正南的深谷中,长8千米,宽457米～1.6千米,最深188米。是贝希特斯加登山区最秀丽的湖泊之一。盛产鲑鱼。与湖岸周围地区同为联邦自然保护区。

Königswinter 柯尼希斯温特 德国西部北莱茵-威斯特法伦州城市。在七峰山地区,莱茵河右岸,波恩的南面。"龙岩"是一座高321米的小山丘,上有12世纪建的城堡遗迹。据《尼贝龙根之歌》记载,被英雄齐格弗里德杀死的恶龙曾躲在山中"龙洞"里。山坡上有采石场。附近有隐修院遗迹。该市为一游览区的中心。人口约40 625(2003)。

Konin 科宁 原波兰中西部的省(1975～1998)。现主要为大波兰省的一部分。

Konin 科宁 波兰中西部大波兰省城市。位于波兹南市以东61英里(98千米)、托伦市以南60英里,濒临瓦尔塔河两岸。在华沙—波兹南铁路线上,有化工、建筑材料和电气机械工业,有几家炼焦厂和一家制铝厂。13世纪首见记载,为商业中心。1331年被条顿骑士团毁坏,后重建时增建城墙与碉堡,成为纺织业和手工业行会的重要中心镇。1793～1806年由普鲁士人统治,1815年归还波兰。1923年设为市。市内观光景点有哥特式(建于14世纪)和巴罗克式教堂,还有19世纪的市政厅、共济会集会处和犹太会堂。人口约82 353(2002)。

Koninck, Philips 科宁克(1619-11-05,阿姆

科宁克绘《平原风景》(1664)
美国不列颠百科全书公司供图

斯特丹～1688-10-04,阿姆斯特丹) Koninck 又拼 coningh。荷兰巴罗克时期画家,以全景风景画闻名。最初受伦勃朗影响极大。作品有肖像画,圣经题材画和风俗景色画。代表作都是村落、树木及河流散布其间的平坦广阔乡景,常以彩云和阳光灿烂景色两相对照,赋予朴素画面以生命和变化。作品风格和伦勃朗十分相似,因而常被认为是后者所作。晚年风景画受H.塞赫尔斯影响,普遍呈淡黄和淡绿色。

Konishi Yukinaga 小西行长(?～1600-11-06,京都) 基督徒将军,1592年侵略朝鲜的先锋。堺市富商家庭出身。早年随父在丰臣秀吉手下任职,后成为秀吉最信赖的将领之一。1592年秀吉侵略朝鲜,他首先率兵在朝鲜登陆。因初战连胜,多次受奖。当1597年秀吉对朝鲜再次发动侵略战争的时候,他起先又获得胜利,但是后来遭到中国军队的迎头痛击,又兼秀吉死去,他引兵回国,参加决定秀吉继承人的内战。1600年在企图阻止德川家康控制国家的关原大战中败北。他和乃父是日本最著名的狂热基督徒。宗教信仰使他在失败蒙辱时拒绝自杀,而宁愿投降被杀。

Konkan 贡根 又称厄伯伦德。印度西部沿海平原。位于西高止山与阿拉伯海之间。北起孟买以北的达曼甘加河,南到代雷科尔河(马哈拉施特拉邦与果阿县的界河),长约330英里(530千米),宽28～47英里。包括塔纳、大孟买、赖格尔、勒德纳吉里等县。有季节性河流排泄萨希亚德里丘陵上的大量季风雨水。地形起伏不平。只有约1/3土地可以耕种。居民多住在靠近海岸比较肥沃的河谷,以及近年围绕孟买、塔那、科博莱、本韦尔发展的工业区。该区主要经济核心为大孟买工业综合体。开采铁矿与锰矿,并由雷迪港输出。主要农作物为水稻、豆类、蔬菜、水果和椰子。渔业与制盐亦居重要地位。在古代,香料贸易为这一地区的印度王国带来了繁荣。埃勒凡塔岛和根赫里的洞窟庙宇说明了当时的文化兴盛。然而贡根的港市虽继续发展,但已失去昔日的重要性。

Konkanasth(Indian caste) 参阅 **Citpāvan** 基帕冯。

Konkō-kyō 金光教 日本教派神道之一。该教创建人川手文治郎在1859年自称是金光大神(即传统观念中的凶神)与人之间的中人,能把信徒的痛苦和灾难转呈金光大神。川手文治郎死后其后人继任中人。金光教教义中主要强调神人相互依存犹如父子。1978年约有徒众48万人。

Konkouré River 孔库雷河 发源于几内亚富塔贾隆高原,向西流入大西洋,全长303千米。沿河的急流险滩和瀑布可用于水力发电。1954年在萨穆河大瀑布建成几内亚第一座水力发电大坝,供应科纳克里和金迪亚电力,并为国家铝土矿工业提供电力。在航道口瓦苏建有桥梁,沟通了科纳克里和博法及博凯两镇之间的陆路交通。

Konoe Fumimaro　近卫文麿(1891-10-12，东京～1945-12-16，东京)　政治领袖、日本首相(1937～1939，1940～1941)，力图限制军方的权力，以及不使日本同中国的战争扩大

东京国际教育情报学社供图

成为世界战争，但未成功。出身于五大家族中最早的一个家族。日本的摄政和关白都是从这些家族中产生的。其父笃麿为政界显要。先在东京帝国大学学习，后进入京都帝国大学，在日本参加第一次世界大战期间，毕业于该校法学部。与第二次世界大战前日本大多数官员不同，他并不是通过文官考试，或通过加入政党，而是由政界元老西园寺公望提携进入政界的(约1920)。第一次世界大战后，曾作为日本代表团随从出席巴黎和会。他凭借贵族身份进入日本国会上院，主张对上院和贵族制进行改革，并要求改革陆军参谋本部，以阻止陆军干预外交事务，他的目标是扩大议会政治。自1931年日本在满洲发动侵略中国的战争时起，他感到需要由政治领导人对日本军国主义的权力结构进行彻底的政治革新，以掌握国家的命运。任上院副议长后，于1933年任上院议长。1936年在西园寺的推荐下，天皇邀请他组阁，他未接受。但于1937年6月同意组成非党内阁，以期获得全国的支持。他一方面采纳军方最为合理的要求，一方面控制其胆大妄为的分子。7月卢沟桥事变后，中日随即进入全面战争。他作出各种努力以结束战争，没有成功，1939年1月内阁垮台。他被任命为枢密院议长，并在平沼骐一郎内阁中任职。他的第一次内阁为将政务与军部最高指挥权分隔开来所困扰。他认为，为限制军部权力和解决战争问题，需要有一个其政治权力来自全国性组织的政府。1940年6月，他辞去枢密院议长职务，计划开展这样的一个大规模的全国性运动。接着他被说服组成他的第2次内阁。同年晚些时候，他终于成立了"大政翼赞会"。是年9月，日本与德、意缔结军事同盟《三国公约》。1941年4月，他与苏联订立互不侵犯条约。面对日美关系进一步恶化和美国包围日本的形势，从1941年4月起，他集中精力与美国谈判。7月组成第3次近卫内阁，以排斥反对这一谈判的外务大臣松冈洋右。10月，因与陆军大臣东条英机政见不合而辞职。1944年他与其他政界重要人物合作，促使东条内阁垮台。战后，1945年在东久迩稔彦内阁中任副国务大臣。同年晚些时候，占领军当局对他发出战犯嫌疑的逮捕令，在规定报到的前一天即12月16日服毒自杀。

Konopnicka, Maria　科诺普尼茨卡(1842-05-12，波兰苏瓦乌基～1910-10-08，奥匈帝国伦贝格)　原名玛丽亚·瓦西洛夫斯卡。波兰女小说家、波兰文学中最重要和富有代表性的实证主义诗人之一。一生大多远离被俄国占领的波兰地区，过着流亡生活。她的强烈的爱国主义信念明显地表现在她的作品中。但是，她对受压迫农民的同情常使她陷入感伤主义情调。著有长诗《巴尔采尔先生在巴西》(1892～1909)，描写一个移居巴西的波兰农民对新世界的失望；组诗《意大利》(1901)中包括了她的一些最优美的诗篇。短篇小说《德国儿童》和《我们的老牝马》最有名。

Konotop　科诺托普　乌克兰北部苏梅州一个区的城市和中心。1652年建为俄国毗连波兰和克里米亚鞑靼人的边界要塞。1780年设市。20世纪初期通铁路后，发展迅速。现有铁路和电机工业。有建筑工程学院、医科学校和地方博物馆。人口约97 700(1991)。

Konovalov, Aleksandr Ivanovich　科诺瓦洛夫(1875，俄罗斯～1948，纽约市)　开明的俄国工厂主和政治人物，在临时政府中起着配角的作用，该临时政府在列宁和布尔什维克党指挥的1917年十月革命中被推翻。出身于从事纺织业的富家，在英格兰接受教育。他积极参加政治活动，是进步党领袖和第4届国家杜马代表，一度任杜马副议长。1915年8月参加建立杜马中自由主义党派的联合组织进步同盟，要求进行全面改革，沙皇及其大臣们予以拒绝。1917年3月沙皇退位后，他加入立宪民主党，在两届临时政府中任工商部长，在克伦斯基政府中任副总理。1917年11月7日与临时政府其他成员一起在冬宫被捕，但不久即被释放。苏联历史学家宣称他是俄国波罗的海舰队水兵发动的喀琅施塔得反苏维埃政府叛乱(1921)的组织者之一，但也有人对此表示怀疑。他离开俄国后，曾参加几个反苏的流亡组织。

Konrad von Marburg　**康拉德**(约1180，可能生于图林根马尔堡附近～1233-07-30，马尔堡附近)　英语作 Conrad of Marburg。德意志境内第一任异端裁判官。1214年奉教皇英诺森三世之命镇压活跃在欧洲西部的阿尔比派异端。为了完成任务，他大肆屠戮。他不断晋升，到了1226年已在图林根领主路易四世宫中担任要职。原来，1225年他任路易四世之妻匈牙利人伊丽莎白的告解司铎，对她施以残暴体罚。1231年伊丽莎白死，教皇格列高利九世任命他为德意志地区首席异端裁判官。他奉命扑灭异端，斥责结婚教士，整顿隐修院。因他手段残酷，德意志各主教纷纷请求教皇格列高利九世撤换他。1233年康拉德指控塞因伯爵亨利二世为异端分子。各主教和诸侯在美因茨举行会议，宣布亨利二世无罪。康拉德要求撤销这项决议，在骑马离开美因茨途中被杀。

Konrad von Würzburg　**康拉德·封·维尔茨堡**(约1225，维尔茨堡维尔茨堡～1287-08-31，瑞士巴塞尔)　中古高地德语诗人。在骑士制度衰亡期间，曾致力于维护高雅生活的理想。他出身低微，曾作为职业诗人侍奉过几个保护人，最后定居巴塞尔。其作品包括爱情诗、说教短诗和大型叙事体作品，如《帕托诺皮尔和梅利乌尔》和《特洛伊战争》。他最擅长写较短的叙事诗，如《恩格尔哈特》、《心的故事》和《长胡子的皇帝奥特》，以及宗教传奇《西尔韦斯特》、《亚历克修斯》等。康拉德作品的新颖之处在于形式胜于内容。他以高雅生活叙事诗大师之一的戈特夫里德·封·斯特拉斯堡为楷模。他的诗很复杂，具有明显的教育性质，这使他赢得同代人的尊重。一个世纪以后，工匠歌手称他为中世纪诗坛中"十二位大师"之一。

Konso　孔索人　居住在埃塞俄比亚西南部贫瘠高地上的文化语言集团。他们传统的界线分明的领地处在加拉诸民族土地的包围之中，故二者在语言和文化上密切相关。孔索人属于库施特民族，祖先是高加索与尼格罗混血人种。与大多数埃塞俄比亚人不同，孔索人居住城镇，由自治的长老议事会管理。亲属关系按照9个族外婚父系氏族及家族来计算，家族由祭司领导，财产继承要通过家族来决定。工匠自成一个阶级。虽采纳一夫多妻制，但男人娶一妻之后便无力另娶。孔索人经济依靠集约农业，有坡地灌溉和梯田，主要作物是玉米和各种高粱，也种植棉花和咖啡。他们圈养家畜，采用饲养和牧人监视的放牧方式，以保护耕地不受牲畜侵扰。孔索人饮用牛乳；所食肉类仅限牛、绵羊、山羊，其他均为禁忌。他们在耕地里施用厩肥。

Konstantinovka　康斯坦丁诺夫卡　乌克兰东部顿涅茨克州城市。濒临克里沃托列茨河。十月革命(1917)前还是有一家钢铁厂的小居民点，而在苏维埃时代发展为主要工业中心。除钢铁联合企业外，另有炼锌厂和生产硫酸和过磷酸钙肥料的联合化工厂。也是乌克兰最为重要的玻璃工业城市之一。人口约107 800(1991)。

Konstanz　康斯坦茨　法语作 Constance。德国西南部巴登-符腾堡州城市。在博登湖(康斯坦茨湖)畔莱茵河出口处。邻近瑞士的克罗伊茨林根。原为罗马城堡所在地。1183年，腓特烈一世(红胡子)在此与伦巴第各国议和。1192年成为帝国自由市。13世纪随亚麻贸易繁荣起来，14世纪成为强大的城市同盟的首领。1415年，波西米亚宗派改革者J.胡斯在此被判刑烧死。1547年新教徒失败，城市失去其帝国自由市地位，又成为笃信罗马天主教之地。19世纪时财物、档案被搬迁，教堂和隐修院被封，城防工事被毁，但仍为该地区的文化和经济中心。现存名胜古迹有考夫宫(1388，原为商人会堂)、文艺复兴式的市政厅、哥特式罗斯加顿博物馆(曾经为屠夫同业工会会馆)、英赛尔旅馆(原为中世纪多明我会隐修院，1838年飞艇创造者齐伯林伯爵出生于此)等。有美术馆和大学。现代

住宅区和工业区分布在莱茵河北岸的彼得斯豪森区和附近郊区。城市经济主要依靠化工、制药、机械制造、出版和零售业。为黑林山铁路和上莱茵铁路终点以及博登湖畔最著名的游览地。人口约80 716(2003)。

Konstanz, Lake(Switzerland) 参阅 **Constance, Lake** 康斯坦茨湖。

Konstanze(Holy Roman empress - consort) 参阅 **Constance** 孔斯坦塞。

Kontagora 孔塔戈拉 尼日利亚尼日尔州西北部城镇、世袭酋长国名。酋长国于1864年由富拉尼人创建,以该镇为首府。建国后至1876年期间先后征服卡穆库、坎贝里、达卡尔基、杜卡瓦、尧里、努佩和巴里等镇,抢掠大批奴隶,版图扩大。1880～1901年间因掠奴而使人口锐减,许多城镇废弃。1901年英军占领该镇。1903年酋长国设为孔塔戈拉省。1925年成为尼日尔省一区。1967年属西北州。1976年归尼日尔州。该镇临孔塔戈拉河南岸。在杰巴—卡杜纳公路线上,为公路枢纽。是棉花和花生的集散地,亦为高粱、黍类、豇豆、烟草、树脂黄油、阿拉伯树胶、可乐果、玉米、啤酒、黄铜器、黄金手工艺品、土布、牛、羊、鸡的销售中心。镇内有苏丹王宫、联邦高等师范学院、医院。人口:城镇约50 480(1991)。

kontakion 康塔基昂 最早的重要的拜占廷诗体。对早期拜占廷礼拜仪式音乐有重大意义。此种诗体似源于叙利亚,与叙利亚的"梅姆雷"和"马德雷谢"诗体极为相似。它是一种用诗体写成的布道文,由18～30诗节组成,用以歌唱,由副歌把所有的诗节连接成一整体。独唱者唱主要诗节,合唱队则答唱副歌。据信圣罗马诺斯·梅洛多斯(生活在6世纪上半叶)将康塔基昂引入拜占廷宗教仪式之中。在7世纪末和8世纪被新形式的正颂取代。

Kontsevich, Maxim 孔泽维奇(1964-08-25,苏联俄罗斯希姆基～) 俄罗斯数学家,1998年凭借在代数几何和代数拓扑方面的成就赢得菲尔兹奖。在获得波恩大学的博士学位(1992)之前,于1980～1985年在莫斯科大学学习数学。在德国波恩大学、美国哈佛大学、普林斯顿大学、加利福尼亚大学伯克利分校、拉特格斯大学以及法国高等科学研究所拥有职位。他的第一个成就是证明了菲尔兹奖得主E.维腾的关于代数曲线的模空间的猜想。之后他扩展了这些思想从而得到许多新的纽结和三维流形的不变量。他建立的关于"卡拉比-姚"三维流形上有理曲线数量的定理,在镜像对称理论(该理论统一了数学物理和经典代数几何理论)的发展中有决定性意义。

Kontum(town, Vietnam) 参阅 **Kon Tum** 昆嵩。

Konversationslexikon 《德国百科全书》 直译应为《交谈词典》。1796年开始由雷纳图斯·戈特黑尔夫·勒贝尔和C.W.弗兰克所编的德语百科全书,是《布洛克豪斯百科全书》的前身。原计划编成一部妇女用的百科全书,名为《妇女闺房百科全书》。这部百科全书内容包括历史、传记、博物学、艺术、科学和政治。勒贝尔虽于1799年逝世,但该书仍继续出版。第5卷出版于1806年。1808年F.A.布罗克豪斯从印刷商处购得版权,并出版了最后的第6卷。第13版改名为《布罗克豪斯百科全书》。自15版(1928～1935)起,又改名为《布罗克豪斯大百科全书》。

Konya 科尼亚 历史上称伊康(Iconium)。土耳其中部城市。位于中安纳托利亚高原西南边缘,周围是狭长富饶平原。西面背靠博兹克尔山,并被更南的托罗斯山脉中段内缘围绕。城市西南部经重新规划,宽阔的林荫道经西郊直通火车站。出土文物表明,至少在公元前3千纪此地已有人居住。该城是世界最古老的都市中心之一。按照关于大洪水的弗里吉亚传说,科尼亚是毁灭人类的洪水之后出现的第一个城市。赫梯帝国灭亡后,弗里吉亚人在此建大居民点。公元前3世纪起为自治城市,语言、教育和文化大部都希腊化。先后为阿拉伯人、拜占廷、蒙古占据。在作为塞尔柱人的鲁姆苏丹国首都时,改名科尼亚,臻于鼎盛,并留下大量建筑物,其中有些是现存塞尔柱艺术的最佳典范,如今用作

科尼亚市的毛拉维教团创始人加拉鲁丁·鲁米的墓
美国不列颠百科全书公司供图

博物馆。约1467年并入奥斯曼帝国后衰落,1896年后主要因有伊斯坦布尔—巴格达铁路经此而得以复兴。恰尔尚巴平原改善灌溉后,农业生产增加。1923年跃为安纳托利亚中部最重要城市,居安卡拉之上。工业现有甜菜糖厂、面粉厂、地毯厂、铝厂。有师范学校、1962年建的克塞克伊斯兰研究所、1975年创办的塞尔丘克大学。旅游业日益发展。为伊斯兰教圣地。基督教名胜有城内的安菲洛奇古教堂,城外有几座神庙。有空中航线通安卡拉,公路通国内各重要城市。周围地区由托罗斯山麓平原组成,平原上有许多绿洲,灌溉规划进一步扩大了耕地数量。小麦和棉花为平原上的主要农作物。城北的安纳托利亚草原无树木,为春季牧场,并有一些旱田,出产羊毛和牲畜。附近开采铅矿。人口约509 208(1990)。

Konya carpet 科尼亚地毯 土耳其中南部前塞尔柱人鲁姆苏丹国首都科尼亚城或其附近的手织铺地用品。科尼亚生产地毯的历史至少可追溯到13世纪,当时意大利旅行家马

科尼亚地毯
美国不列颠百科全书公司供图

可波罗曾报道这个地区生产世界上最好、最美的地毯。现存的7块精致的科尼亚地毯残片可能为当时的产品。19世纪属于科尼亚附近的地毯已无法辨认。有一种红、绿、黄3色组成的祈祷毯,图案为3柱拱门骑楼,圆柱纤细,是近期生产的最低档圆柱拉迪克地毯,这种祈祷毯的特点是用建筑物花饰装饰地毯图案。

Konza(people) 参阅 **Kansa** 坎萨人。

Konzertstück 小协奏曲 又作concertino或Concertstück。一种由独奏乐器与管弦乐团协奏的乐曲。通常是单乐章,连续不停的多乐章结构则比较少见。是协奏曲的旁系,始于浪漫主义时代初期(约1800)。无固定曲式,往往包含几个性格和速度均不相同的分段。韦伯的《钢琴与乐队小协奏曲》(1821)和《单簧管与乐队小协奏曲》(作品第26号),以及舒曼的《钢琴与乐队的引子和热情快板》(作品第92号)均为这一曲式的范例。

Koobi Fora remains 库比福勒化石遗存 肯尼亚国家博物馆的R.利基和美国加利福尼亚大学大批古生物学家,从1969年起沿着肯尼亚图尔卡纳湖东岸调查时发现的一批人科化石。库比福勒地区是迄今为止发现人科化石最多的地区之一。这批化石遗存包括:一具完整的骨架,几个完整的颅骨,几十块下颌骨、腿骨和臂骨碎片,还有一些牙齿。这批化石与其他非洲出土的化石,经鉴定为博伊斯氏南方古猿(*Australopithecus boisei*),估计其年代距今大约200万至100万年。博伊斯氏南方古猿是粗壮南方古猿(*A. robustus*)的变种,后者最初发现于南非。此外,利基和他的发掘队还在库比福勒发现了1470号人科标本,鉴定为能人(*Homo habilis*)。能人在距今

大约200万年以前生活在库比福勒地区，被认为是现代人即新人（*Homo sapiens sapiens*）的直系祖先。

Kook, Abraham Isaac 库克（1865，拉脱维亚库尔兰格赖瓦～1935-09-01，耶路撒冷）犹太教神秘主义者、积极的犹太复国主义者、国际联盟委任英国统治巴勒斯坦时期第一任大拉比。他曾先后在东欧几个小城市任拉比，1904年在巴勒斯坦境内雅法任拉比，开办犹太教学院。第一次世界大战时期，到德国访问时被扣留，经瑞士逃到英国，任伦敦马克基克·哈达思会堂拉比，号召犹太人拥护主张由国际联盟委任英国统治巴勒斯坦的1917年《贝尔福宣言》。战后1919年任耶路撒冷德系犹太教会堂拉比。1921年当选巴勒斯坦大拉比，在任终生。关于悔改的教义，库克认为，人与上帝之间的隔阂并非客观事实，仅是人忘记自己更高级的存在。因此，只要学习律法而痛悔前非，就能重新与上帝融为一体。他坚信神秘主义，认为犹太民族复兴是上帝加强犹太教反对异端思潮整个部署的一部分。

kookaburra（*Dacelo gigas*） **笑翠鸟** 又作laughing kookaburra或laughing jackass。翠鸟科的一种食鱼鸟，产于澳大利亚东部，以其鸣声似狂笑而得名。灰褐色，为林地留鸟。体长43厘米，嘴长8～10厘米；以无脊椎动物和小型脊椎动物（包括毒蛇）为食。已引入西澳大利亚及新西兰，在该处会袭击小鸡小鸭。整年保护自己的领域。在树洞中筑巢，单配性，产卵2～4枚，卵白色。幼鸟通常和亲鸟住在一起，并帮助喂养次年的幼鸟。因为笑翠鸟的鸣叫在凌晨或日落时可以听到，故有"林中居民的时钟"之称。其亲缘种蓝翅笑翠鸟（*D. leachii*）鸣声不似笑声，栖于澳大利亚整个北部地区。

笑翠鸟（*Dacelo gigas*）
美国不列颠百科全书公司供图

Kool and the Gang 库尔帮乐队 美国新泽西州泽西城的疯克乐和流行乐乐队，是20世纪70年代第一批成功的独立黑人乐队之一。主要成员有K.拜延、R.贝尔、C.史密斯、G.布朗、D.托马斯、R.米肯斯、R.韦斯特和T.泰勒。首张上榜单曲《库尔帮》是一首强节奏舞曲；1976年以前曾推出一系列类似的单曲。1973年的专辑《狂野与平静》在商业上大获成功，其中著名的单曲有《疯克精神》、《丛林里的黑人》和《好莱坞摇摆》，这些单曲全部登上节奏与布鲁斯排行榜前10名。他们的歌曲融合了爵士乐、黑人节奏和街头疯克，成为迪斯科时代来临之前黑人音乐的革新者。不过，当他们的单曲《芝麻开门》收入影片《周末狂热》以后，其演唱风格转向了流行乐和迪斯科。1979年，乐队增加了主唱T.泰勒和爵士唱片制作大师E.德奥达托，推出流行乐风格的跨界音乐单曲《淑女之夜》。接着又有许多热门歌曲，包括位居榜首的《欢庆》（1980）、伤感的流行歌曲《乔安娜》（1983）和《珍爱》（1985）。80年代，乐队的上榜流行单曲超过任何其他乐队。

Koolau Range 科奥劳岭 在美国夏威夷州。与瓦胡岛东岸平行，长60千米，平均宽21千米。由火山喷发形成，原破火山口（长10千米，宽6千米，为该州第二大火山口）现为卡内奥赫镇附近的山丘。1万多年前，该山最后一次喷发形成戴蒙德角和科科角。因位置当风，吸收降水，形成许多河流和瀑布。东部距海3千米处有锯齿状峭壁拔地而起，高150～750米不等，是本山脉最有特点的景观。山脉最高点为双峰，高960及946米。山脉西坡较缓，以其山麓丘陵的秀丽风光构成火奴鲁鲁的背景。西流的熔岩形成斯科菲尔德高地。有马鞍状山岭，长22千米，宽8千米与岛的西岸平行。

科奥劳岭
美国不列颠百科全书公司供图

Koolhaas, Rem 库哈斯（1944-11-17，荷兰鹿特丹～ ） 荷兰建筑师，以现代性的建筑作品和著作闻名。在成为建筑师之前，曾是一名记者。1968～1972年在伦敦的建筑协会学习，1972～1975年在纽约州的康奈尔大学学习。1975年同他人合伙建立了大都会建筑事务所，设在鹿特丹和伦敦。库哈斯最早出名并不是以建筑师的身份，而是作为城市理论家。1978年其著作《狂谵纽约》出版，引起关注。在该书中他认为，曼哈顿的建筑发展是由多种文化力量推动的有机增长过程，因此，纽约和其他大城市就成为了对当代生活的一种比喻。在这一时期，库哈斯和他的事务所主要在理论和概念层面上工作，设计的作品大多并没有付诸实践。最终建成的一大作品是位于海牙的国家舞蹈剧院（1984～1987），该剧院以波浪形的房顶和空间的明确分割而闻名。90年代，库哈斯和大都会建筑事务所进行了几个重要的建筑项目，包括日本福冈的核心住宅项目（1989～1991）、鹿特丹的当代美术馆（1992）、法国波尔多的私人住宅（1994～1998）以及荷兰乌特列支大学的多功能大厦（1993～1997）。库哈斯并没有独特的美学风格，而是重视使用最好的现代技术和材料来满足具体地点和客户的需求。他拒绝把历史建筑风格作为借鉴，而是选择展示现代世界的特点。库哈斯的理论著作，再加上他对不对称性的青睐，对空间的大胆探索和对色彩的大胆使用是很多人将他归类为解构主义者的理由，但他的设计并不过分依赖理论，而是具有强烈的人性感，关注建筑在城市日常生活中的作用。他从现实出发的精神尤其反映在他为法国里尔新城所作的总体规划（1985～1995），通过该规划将里尔改造成了商业、娱乐、居住中心。他的第二本书《小号、中号、大号、超大号》（1995）记录了大都会建筑事务所的发展历程和20世纪末的建筑发展。后设计了柏林的荷兰大使馆（1997～2003）、芝加哥伊利诺伊科技学院的学生中心（1997～2003）和西雅图公共图书馆（1999～2004）。1995年开始在哈佛任教。曾获普里兹克奖（2000）和日本艺术协会帝赏奖（2003）。

Kooning, Willem de（painter） **库宁** 参阅 **de Kooning, Willem** 德·库宁。

Koopmans, Tjalling C(harles) 库普曼斯（1910-08-28，荷兰格雷夫兰～1985-02-26，美国康涅狄格纽黑文） 美国经济学家。1975年与苏联坎托罗维奇共获诺贝尔经济学奖。各自开发一分配资源的合理方法，称业务活动分析，以对指定的标的物取得最低成本。曾在乌得勒支大学和莱顿大学学习数学和物理，1936年在莱顿大学获经济学博士学位。1940年赴美，第二次世界大战中就职于英国商船队。

库普曼斯关心美洲各地区所有航线的选择，以便将运输需要物资至英国指定港口的总成本降至最低程度。他说明，解出一系列并不复杂的方程式便可获得理想结果，方程包括材料的产地成本、各路线的运输成本。他发明一总的数学模型来获得需要的方程式。1944年库普曼斯加入芝加哥大学考尔斯经济研究委员会，在各种经济问题上发挥了他的技巧。1955年委员会迁至耶鲁大学，他随之转移并成为该大学的经济学教授。1957年发表的《关于经济科学现状之论文三篇》被读者广泛阅读。1946年库普曼斯入美国籍。

Kootenay（people） 参阅 **Kutenai** 库特内人。

Kootenay National Park 库特内国家公园 在加拿大不列颠哥伦比亚省东南部落基山脉西坡。毗邻艾伯塔省边界上的班夫及约霍国家公园。建于1920年,从班夫一文德梅公路向两侧延伸约8千米,总面积达1 378平方千米。库特内国家公园内有雪峰、冰川、瀑布、峡谷、温泉和青翠的河谷,风景如画。

Kootenay River 库特内河 在北美洲西部。源出加拿大艾伯塔省班夫以西的落基山区,向南穿过加拿大不列颠哥伦比亚省的库特内国家公园,流入美国蒙大拿州,迂回北折,经爱达荷州复入加拿大不列颠哥伦比亚省,展宽形成库特内湖,出湖向西汇入哥伦比亚河。全长780千米。有210千米在美国境内。部分河段可通航。

Kópavogur 科帕沃于尔 冰岛西南部城镇。位于法赫萨湾东南岸。为首都雷克雅未克南郊区发展迅速的现代住宅区。20世纪70年代初,已成为该国最大城市之一。市西湾内小半岛上的贝萨斯塔济建有该国总统官邸。人口约16 186(1990)。

Kopeisk (Russia) 参阅 **Kopeysk** 科佩伊斯克。

Koper 科佩尔 意大利语称卡波迪斯特里亚(Capodistria)。斯洛文尼亚海港,位于的里雅斯特西南。从前为一海岛,内堤道(1825)和排水工程与大陆连接。狭窄的街道和古老的房屋反映出威尼斯的影响。主要的铁托特尔克广场上矗立有大教堂和以前威尼斯总督府邸。古罗马人称为卡普里斯,随后7世纪该地区建有斯拉夫人聚居点。1279年被威尼斯人占据。1797～1813和1813～1918年分别由拿破仑法国和奥地利帝国占领,然后又被意大利占领。第二次世界大战后,成为的里雅斯特自由区的一部分,1954年才划归南斯拉夫。食盐就地取自海水。现有一新港口,工业有一无线电制造厂和一汽车装配厂。人口23 581(1981)。

Kopet-Dag Range 科佩特山脉 波斯语作Koppeh Dāgh;俄语作Khrebet Kopet-Dog。土库曼斯坦和伊朗交界的山脉。西北-东南走向,自里海附近至捷詹河绵延645千米。伊朗境

科佩特山脉脚下的农民收获马铃薯
美国不列颠百科全书公司供图

内的山岭露头区海拔较高,最高点为库赫古昌峰(3 191米)。山麓有土库曼重要城市、首都阿什哈巴德。

Kopeysk 科佩伊斯克 又拼Kopeisk。1928年前称乌戈利内耶科皮(Ugolnye Kopi)。俄罗斯中西部车里雅宾斯克州城市。位于南乌拉尔。建于1920年,1933年设市。现为车里雅宾斯克煤田褐煤开采中心之一。自20世纪60时代末后由于矿山实行机械化,人口一直减少。设有矿业学院和工业学院。人口约78 300(1991)。

Köpfel, Wolfgang 科普费尔 参阅 **Capito, Wolfgang Fabricius** 卡皮托。

Kopisch, August 科皮施(1799-05-26,西里西亚布雷斯劳～1853-02-03,柏林) 德国画家、诗人,以《诗集》(1836)和《神仙鬼怪》(1848)闻名。这些诗据民间传说和神仙故事写成,文笔朴实,引人入胜,颇受欢迎。曾在意大利学绘画和考古(1823～1828),1826年重新发现了罗马时代就为人所知但被遗忘了几个世纪的卡普里岛的蓝洞。1847年在波茨坦宫廷任职,撰述御花园的历史。所译但丁《神曲》的一些章节也很著名。

Kopp, Hermann Franz Moritz 柯普(1817-10-30,黑森-卡塞尔哈瑙～1892-02-20,巴登海德堡) 德国化学家和化学史家,在物理性质与化学结构关系方面的研究开创了物理有机化学。1841年,柯普在吉森大学任名誉讲师。同年开始写4卷本的《化学史》巨著(1843～1847),这是最值得称赞的成就之一。虽然他毕生为第二版收集材料,但是没能完成。1843年成为吉森大学化学特任教授,1863年任海德堡大学化学教授。他关于沸点、比重、比热和热膨胀的研究,表明化合物的不同物理性质取决于其结构的差异程度。

Kopparberg 科帕尔贝里 原瑞典中部省份。以锡利扬湖为中心。1647年设省。1997年重新命名为达拉纳省。

Koppeh Dāgh (Asia) 参阅 **Kopet-Dag Range** 科佩特山脉。

Köppen, Wladimir (Peter) 科本(1846-09-25,俄罗斯帝国圣彼得堡～1940-06-22,奥地利格拉茨) 德国气象学家和气候学家,以绘制世界区域气候图著称。70余年来,在气象学和气候学的发展中起了重要作用,他在实践和理论上的成就,对大气科学的发展产生了深刻的影响。20岁时离开俄国。祖父是德国医生,受叶卡捷琳娜(大帝)之聘到俄国改良医务工作,以后当了沙皇的御医。父亲P.von科本(1793～1864)是地理学家、统计学家、历史学家和圣彼得堡科学院院士。在父亲影响下,科本早年即从事克里米亚的地理研究。黑海沿岸丘陵地带的复杂地理环境为他早期的考查提供了有利条件。1858～1864年在辛菲罗波尔念中学时,当地丰富的植物区系和变化的气候,使他对植物世界及其与气候的关系发生了浓厚的兴趣。1864年科本就读于圣彼得堡大学,专攻植物学。他仔细观察了北方森林地带和亚热带克里米亚沿岸之间的自然景观之差别,在地理知识方面扩大了视野。1867年科本转入海德堡大学,完成关于植物生长与温度的关系的博士论文,1870年获博士学位。普法战争时(1870～1871)曾在野战卫生队服务,战后回到圣彼得堡任中央物理观测台助理。两年后受汉堡德国海军天文台之聘,任新建的气象电报、风暴预警和海洋气象处处长。1884年绘制了从北极到热带的全球温度带图。1900年科本创立了数值气候分类系统,根据温度和雨量,分为5个主要气候类型,使地理气候学进入全盛时期。此后,其他学者以此为基础创造了许多别的分类系统。1919年从汉堡天文台退休。1924年移居奥地利格拉茨。1927年和R.盖格编5卷本《气候学手册》。在他1940年逝世时,该书已接近完成。科本知识渊博,善于接受新的见解,对许多自然科学学科做出重大贡献。

Koppers, Wilhelm 科佩斯(1886-02-08,德国门策伦～1961-01-23,维也纳) 德国天主教司铎和文化人类学家,主张用历史比较法来理解文化现象,对狩猎和采集食物的部落的调查研究,产生了有关社会起源和发展的理论。早年在设于奥地利默德灵的圣加布里埃尔传教会神学院师事人类学家W.施密特司铎,协助后者编辑《人类》杂志达18年之久。后集中精力攻读人种学和梵文,1917年在维也纳大学取得哲学博士学位,1928年任人种学教授。两次任维也纳大学人种研究所所长(1929～1938;1945～1951),使该研究所成为欧洲最优秀的研究中心之一,培育了几名人类学的后起之秀,其中有C.克拉克洪和R.洛伊。科佩斯起初赞同文化圈学说,后又摈弃这一理论。1931年前,他已采用一种历史的方法论,认为此法适用于任何历史时期及人种学问题,可以评价各种文化现象。因此,他力图按照世界历史观点来阐明国家的起源和解释人类早期的社会发展。科佩斯曾到火地岛(1920～1921)和印度中部(1938～1939)实地考察。著有《印度中部的比尔人》(1948)和《原始人及其世界形象》(1949)等。

Kopřivnice 科普日夫尼采 捷克共和国东部北摩拉维亚州城镇。为塔特拉企业总部所在地和制造中心,以生产汽车和卡车著名,卡车多供出口。本镇和西面的什特兰贝尔克周围地区产建筑用石料、石灰和水泥。人口约24 108(1991)。

Köprülü Fazıl Ahmed Paşa 柯普律吕·法齐尔·艾哈迈德帕夏(1635,奥斯曼帝国安纳托利亚韦济尔克普吕[今在土耳其]～1676-11-03,色雷斯乔尔卢附近) 柯普律吕·穆罕默德帕夏之长子,继其父担任奥斯曼帝国苏丹穆罕默德四世的首相(1661～1676)。执政期间曾连续与奥地利(1663～1664)、威尼斯(1669)、波兰(1672～1676)打仗,取得克里特和波属乌克兰等领土。

其父柯普律吕为他选定了做学问的职业,16岁任教授,但在父亲担任首相时,他改任文职官员。在因父病而由他代理首相之前,他曾任埃尔祖鲁姆总督(1659)和大马士革总督(1660)。1661年11月1日成为首相。

在行政上，他与父亲一样精明能干。1663 年首次带兵出征奥地利时，他了解到秘书长、推举他父亲上台的集团的成员萨米-查狄·穆罕默德在策划反对他，他毫不犹豫地将其处决。在对抗那些贬低他和与他争权的人们时，他始终得到苏丹坚定不移的支持。当他离开京城时，妹婿卡拉·穆斯塔法就留在京城代理他的职务。另外，在战场上他也能得到库尔舒·穆罕默德、卡普兰·穆斯塔法和其他能干将领的密切合作。

由其父重振起来的奥斯曼帝国的声望极高，使他在中欧作战时能够统一指挥特兰西瓦尼亚、摩尔多瓦、瓦拉几亚和克里米亚汗国等附庸公国的辅助部队。他继续推行父亲的改革：缩编禁卫军（奥斯曼常备军的核心）和西帕希（奥斯曼骑兵），并重整军纪，使部队更加精锐。他也大力强调奥斯曼帝国一贯实行的保护非穆斯林纳税人的政策。这种保护政策只有在中央政府强有力时才有可能。1663 年 9 月他打败奥地利人，取得埃尔塞库伊瓦尔；1664 年 8 月 1 日在圣哥达战役中失败，名声受损；虽然如此，他却能在瓦斯瓦尔缔结一项有利于奥斯曼帝国的条约（1664-08-10）。苏丹在埃迪尔内接待他，予以殊荣。1669 年 9 月 27 日，在围攻 28 个月之后，他征服了克里特的干地亚（今伊拉克利翁），结束了这场与威尼斯之间漫长的、凶险的战争，这时他的声名达到了高峰。1672 年苏丹御驾亲征波兰，这是艾哈迈德的一大成就。同年 10 月 18 日签订《布克扎克兹条约》，将波多利亚划归奥斯曼帝国；乌克兰则割让与哥萨克人，宗主权仍归奥斯曼帝国。波兰尚需每年纳贡 2.2 万枚金币。但是，约翰·索别斯基领导的波兰人拒绝接受这些苛刻的条件，并展开反攻。这场战争因而又延续了 4 年，直至 1676 年 10 月 17 日签订《佐劳诺条约》才告结束。1674 年夏，因俄国人干预乌克兰事务，艾哈迈德遂带兵入侵这一地区。由于长期远征，加上饮酒过度，终致精疲力竭，一度卧病，于 1676 年逝世。当时的奥斯曼史料认为他具备一位东方政治家应有的全部优秀素质：博学、明智、公正和气度宽宏。他精通伊斯兰法律和波斯文学。死后留下一笔逾 30 万枚金币的财富。同其他帕夏一样，他拥有一支约 1 500 人的私人部队。

Köprülü Fazıl Mustafa Paşa　柯普律吕·法齐尔·穆斯塔法帕夏（1637，奥斯曼帝国安纳托利亚韦济尔克普吕［今在土耳其］～1691-08-19，塞尔维亚斯兰卡门）　奥斯曼帝国大臣，后出任首相（1689～1691）。曾帮助推翻苏丹穆罕默德四世，但他本人也在斯兰卡门战役（1691）中阵亡。他是首相柯普律吕·穆罕默德帕夏的次子，受过神学教育，但早年大部分时间随同兄长柯普律吕·法齐尔·艾哈迈德帕夏（继其父任首相）从军。1676 年兄长去世后，他的妹婿卡拉·穆斯塔法继任首相，但由于他以大军围攻维也纳（1683）失利，使前两位柯普律吕建立的帝国大厦完全崩溃。自 1680 年起出任大臣的法齐尔·穆斯塔法也被迫辞职。但是，后来另一位妹婿西亚沃夫斯出任首相，他又于 1687 年 10 月 2 日任副首相。他们两人是废黜苏丹穆罕默德四世的重要人物。然而，起事者未几即反对他们，法齐尔·穆斯塔法在新苏丹苏莱曼二世的庇护下，才保住性命。1689 年奥地利军队进入巴尔干半岛时，他被任命为首相。在 1690 年的战役中，他解放了敌人占领的尼什和贝尔格莱德。在斯兰卡门同巴登的路易率领的帝国军队交战时，因赶去支援右翼时阵亡。与奥地利联军在卡尔洛维兹缔结和约（1699）的责任，遂落在表侄安卡查狄·侯赛因帕夏（1697-09-13～1702-09-29 任首相）的身上。

Köprülü Mehmed Paşa　柯普律吕·穆罕默德帕夏（1575 至 1578，阿尔巴尼亚培拉特附近罗伊尼克～1661-10-31，奥斯曼帝国色雷斯阿德里安堡［今土耳其埃迪尔内］）　奥斯曼帝国苏丹穆罕默德四世在位期间的首相（1656～1661）。曾经平息叛乱、镇压敌对分子、重新整编军队、击败威尼斯舰队（1657），由此重建奥斯曼帝国中央政府的权力。他是一个显赫家族的奠基人，该家族在 17 世纪末和 18 世纪初，曾有几人任首相和奥斯曼帝国其他重要行政官职。

在 50 多年间，奥斯曼帝国的政权是由敌对集团之间的斗争和妥协的结果来决定的。首相本来应该代表苏丹的专制权力，但实际上却从属于宫廷显贵、禁卫军或外省军队，因此政令不行，陷入十分混乱状态。在面临危机时，宫廷显贵选中退隐的老臣柯普律吕·穆罕默德，由一个派系向苏丹的太后保举，说他是最足智多谋和富有经验的人，堪当重任。他出身于阿尔巴尼亚的农村，受过奥斯曼帝国训练宫廷侍从的特殊制度的洗礼。他在宫廷中供职与训练后，历任特拉布宗（1644）、埃里（1647）、卡拉曼（1648）、阿纳多卢（1650）各省总督。1652 年担任帝国议会大臣，一周后即被撤职。他退居于岳父的宅邸，即安纳托利亚北部的小镇柯普律，因而得到"柯普律吕"的绰号（柯普律吕意为柯普律的人）。他对奥斯曼帝国极其复杂的政局了如指掌，出任首相后就把他的支持者安插在重要岗位上，并无情地镇压敌对分子。当西帕希（奥斯曼骑兵）企图把另一个人（前安纳托利亚雇佣兵首领）扶植上台时，他在禁卫军和伊斯兰教教长支持下，将叛乱平息在萌芽之中。他的第二个考验是翌年夏天组织和指挥对威尼斯人的远征。1657 年 7 月 19 日在达达尼尔海峡击败威尼斯的海军。9 月 4 日收复特内多斯，11 月 15 日又收复利姆诺斯，这些战绩为他赢得树立威信的声望。在这次远征期间，他对玩忽职守的禁卫军和其他人员异常严苛。由于朝廷绝对信任他，他开始重建中央政府的权力，控制多瑙河外的一些臣藩以及阿纳多卢、叙利亚和埃及诸行省。1658 年征讨特兰西瓦尼亚大公乔治二世，代之以效忠朝廷的新大公。1660 年 8 月 1 日兼并亚诺瓦行省，8 月 27 日兼并瓦拉德行省。然而，在特兰西瓦尼亚扩张领土的行动，却使奥斯曼帝国和哈布斯堡王朝在尔后 40 年内纷争不已。

安纳托利亚与叙利亚的几位主要总督，为表示反对极其专制的柯普律吕政府，拒绝加入在特兰西瓦尼亚作战的皇家部队。1658 年秋，乘柯普律吕督师前线之际，他们揭竿而起，向首都进军。叛军首领阿勒颇的阿巴扎·哈桑帕夏作为安纳托利亚的剽悍的佣兵部队的领袖而掌权，却始终敌不过老谋深算的柯普律吕。1659 年 2 月，所有叛变的帕夏均被处决。同年夏，他派遣一位总督察去安纳托利亚，授权他把当地所有自称属于军人阶级的非穆斯林教徒纳税人自国家名册上删除。此项措施旨在镇压佣兵，重建起中央政府在当地的权力。到他去世时，他已成功地依照奥斯曼帝国古老的政府组织原则，在国境内恢复了中央政府的权力。

Köprülüzade　柯普律吕扎德　参阅 **Mehmed Fuat Köprülü** 穆罕默德·福阿德·克普律吕。

Kops, Bernard　考普斯（1926-11-28，英国伦敦～　）　英国剧作家和小说家，以作品中不加掩饰的伤感情绪著称。13 岁辍学，干过各种零活，后开始写作。第一部话剧《斯特普尼·格林的哈姆雷特》（1959）就使他站稳文坛。该剧将莎士比亚的《哈姆雷特》中描述的家庭关系颠倒了过来。结局是对人类精神的肯定。其他剧作有《彼特·曼的梦想》（1960），这是一部预示大难将临的戏剧作品，其中许多行动是作为梦出现的。考普斯早年贫困的生活及犹太人的背景都渗透到了他的许多作品中。长篇小说有《多米尼克·夏皮罗的异议》（1966）等。还写有自传体小说《世界是一场婚礼》（1963），以及若干广播剧和电视剧剧本。

Koptos（Egypt）　**科普托斯**　参阅 **Qifṭ** 吉夫特。

kora　科拉琴　西非长颈竖琴式诗琴，装有 21 根皮制或尼龙弦，共鸣箱呈葫芦形，共鸣板上覆以皮革，音域刚刚超过 3 个八度。甘比亚河流域是演奏这一乐器的主要中心之一。起源虽鲜为人知，但习惯上人们认为它与王室、统治阶级或宗教活动有关。主要作用是在讲故事、朗诵和为庇护人唱颂歌时担任伴奏。

Koraïs, Adamántios　科拉伊斯（1748-04-27，安纳托利亚士麦拿［今土耳其伊兹密尔］～1833-04-06，法国巴黎）　人文主义学者、近代希腊文学之父。提倡复兴古典主义，为希腊争取独立的斗争奠定精神基础。他对近代希腊语言和文化的影响堪与但丁对意大利、马丁·路德对德国的语言和文化的影响相比。他是商人之子，曾在法国学医，后从事文学。他最初的业绩是编订了古代医学作家、特别是希波克拉底的作品和哲学家泰奥弗拉斯托斯的《性格论》。主要文学业绩是 17 卷的《希腊文学丛书》（收集于 1805～1826）和 9 卷续编（收集于 1809～1827）。《丛书》包括古典作家写的历史、政治、哲学和科学著作，他用近代希腊文为之写序。他还编订了荷马史诗《伊利亚特》的前 4 卷，并把历史学家希罗多德的著作译成近代希腊文。科拉伊斯深信只有复兴古典遗产，现代希腊人才能找到力量和团结，因此他把自己的著述当做工具，以唤起他的同胞认识这种遗产对实现民族愿望的意义。他的不朽贡献是创造了新的希腊文学语言:清除普通话(通俗语言)中的外来成分,把它的精华同古典希腊文结合起来。他编著的《阿塔克拉》(1828～1835)是第一部近代希腊文字典,后来的希腊作家都因他在语言方面的革新而受惠于他。科拉伊斯是法国革命的目击者,他主要从启蒙运动中得到理性灵感并且从哲学家霍布斯、洛克和卢梭以及从史学家吉本那里吸取丰富的思想。吉本认为,黑暗时代过去之后,必将产生新的古典主义,这个论点对他特别有吸引力。他是世俗自由主义的倡导人,因此反对以拜占廷帝国的正统的基督教传统和教会的礼拜语言作为新希腊语文的基础。虽然他对希腊社会的影响很大,但他的宗教怀疑主义使他同希腊爱国者疏远,因为爱国者认为独立战争是一场恢复教会对穆斯林的优势和收复君士坦丁堡的斗争。他一生大半在法国度过。希腊独立战争期间,他撰写宣传小册子,筹集款项,并且是巴黎支持希腊独立运动协会的创始人之一。1830年法国七月革命期间他建议要求美国独立战争的英雄拉法耶特侯爵担任希腊总统。

Koran (Islāmic sacred scripture) 参阅 **Qur'ān 古兰经**。

Koraput 戈拉布德 印度东部奥里萨邦西南部城镇。位于东高止山区,在杰伊布尔东南,海拔900多米。周围地区大多数人口住在部族社区,多从事农业。水稻、甘蔗和油籽为主要农作物。富矿藏,包括铝矿、锰矿和石灰石。10至11世纪时属朱罗王朝,后为马德拉斯的一部分,1936年并入奥里萨邦。人口:城镇约34 780(1991)。

Korat Plateau (Thailand) 参阅 **Khorat Plateau 呵叻高原**。

Korbut, Olga Valentinovna 科尔布特(1955-05-16,苏联白俄罗斯格罗德诺[今属白俄罗斯共和国]～) 苏联女子体操运动员。1972年在慕尼黑奥运会上获平衡木、自由体操冠军和团体赛冠军。1969年首次参加苏联锦标赛,名列第5名。1970年在全苏运动会上获跳马冠军。在1972年奥运会上,她的小巧玲珑身材使观众为之倾倒,在慕尼黑她成为第一个在高低杠上做后空翻的人。1973年获俄罗斯和世界大学生运动会体操冠军及欧洲体操锦标赛亚军。1976年在蒙特利尔奥运会上为体操团体赛冠军队队员,并获平衡木银牌。1977年后退出奥运会比赛。1991年移居美国,教授体操。

Korçë 科尔察 又拼Kortcha,古斯拉夫语作Koritsa,意大利语作Corizza。阿尔巴尼亚东南部城市。13世纪为封建庄园。17、18和19世纪为商业和贸易中心。1912年被希腊占领;后经法国占据4年之后,1920年由国际边界委员会判给阿尔巴尼亚。阿尔巴尼亚共产党领导人恩维尔·霍查曾在1916年法国人创办的公立中等学校读书和任教。第二次世界大战期间曾被意大利用作对希腊作战的基地,1940～1941年被希腊占领,然后又被德国占领;1944年归还阿尔巴尼亚。科尔察位于海拔850米的肥沃的高原上,有高大而光秃的群山环绕。高原是阿尔巴尼亚主要小麦产区之一;这里还种植并加工甜菜、苹果和葡萄。市内有酿酒厂及其他食品加工厂,还有生产针织品和大小地毯的轻工业。市西北的马利奇镇有制糖厂。市南山区姆博里亚开采煤。人口:城镇约64 100(1989)。

Korchnoi, Viktor 科尔奇诺伊(1931-03-23,苏联列宁格勒[今俄罗斯圣彼得堡]～) 国际象棋世界冠军争夺者。1951年成为苏联国际象棋大师,1954年成为国际大师,1956年成为国际特级大师。1960～1970年赢得4次苏联冠军。1974年在竞争世界冠军B.费希尔的挑战者时输给A.卡尔波夫。1976年在荷兰请求政治避难,后成为瑞士公民。1978年以5胜6负(比赛的21次平局不计)再次输给卡尔波夫。1981年再战再输。1954～1990年参加70场国际比赛,其中赢得或分享冠军40场。一生只有7次在世界排名中未能跻身前3名。中年以后还参加特级大师赛。所著《象棋是我的生命:自传与比赛》对他的象棋生活和精彩棋局有引人入胜的描述。

Korčula 科尔丘拉 意大利语作Curzola(库尔佐拉)。希腊语作Corcyra Melaina(克基拉迈莱纳)。克罗地亚所属亚得里亚海岛屿,靠近达尔马提亚海岸。面积276平方千米,内地为丘陵(海拔568米)。公元前4世纪希腊人曾在此殖民,后被罗马人、哥特人、斯拉夫人、拜占廷人和热那亚人占据;还先后被俄国、法国、英国及奥匈帝国等列强占领。第一次世界大战后划归南斯拉夫,1944～1945年由南斯拉夫游击队从德国人手中光复。居民从事渔业、农业(种植葡萄和橄榄)及采石业(白大理石)。猎野豺为该岛一特有行业。主要居民点科尔丘拉位于岛东端附近的岩石陆岬上。旧镇全部围以城墙。1529年发生瘟疫,使该镇荒芜,居民死散一空。旧镇几乎完好无损地保留了16世纪威尼斯城镇的风貌。著名旅行家马可·波罗约1254年诞生于此,现为旅游胜地。人口18 399(1981)。

Korda, Sir Alexander 柯尔达(1893-09-16,匈牙利普斯陶图帕斯托～1956-01-23,英国伦敦) 匈牙利出生的英国电影导演和制片人,对英国电影事业的发展做出了重大的贡献。20岁前在布达佩斯当记者,1914年创办电影杂志《布达佩斯电影艺术》。1914年拍摄了他的第一部影片,1917年成为匈牙利最大的电影制片厂科文制片厂的共同所有人和经理,导演或制作了约20部故事片。1919年匈牙利发生政治动乱,柯尔达离开匈牙利前往维也纳,后赴柏林,在那里为乌发公司拍摄了几部影片,引起好莱坞的注意。1927～1930年,柯尔达在好莱坞导演影片,其中著名的有《特洛伊的海伦的私生活》(1927),这部历史爱情片使他在美国电影界获得声望。柯尔达1931年去英国,建立他自己的电影公司:伦敦电影制片公司。他的影片《亨利八世的私生活》(1933)赢得国际赞誉。继这一成功之后,柯尔达的公司拍摄了一系列耗资巨大的影片,著名的有:《叶卡捷琳娜女皇》(1934)、《鲜红的海绿花》(1935)、《象孩》(1937)、《鬼魂西行》(1936)和《伦勃朗传》(1936)等。1939年,柯尔达投资超出了自己的能力,失去了对德纳姆电影制片厂的控制。于是他前往好莱坞拍片。1942年回到英国,接受英国授予电影界人士的第一个爵士爵位。40年代中期,他重振伦敦电影制片公司,重又组织起一支富有才能的制片队伍。他的公司随后拍摄的影片有:《第三人》(1949)、《木马》(1950)、《到中午刚好七天》(1950)、《音障》(1952)和《理查三世》(1955)等,尽管再度遭受财政挫折,柯尔达继续制片,直至去世。

Kordestān 库尔德斯坦 又拼Kurdistan。伊朗西北部地理区域。北连伊朗阿塞拜疆地区,东接吉兰和哈马丹,南邻克尔曼沙汉,西与伊拉克交界。西部为扎格罗斯山区。东部高原上有一些火山锥,最高者可达3 700米以上。大部地区为有丘陵的沙石荒漠。扎格罗斯山较高坡有橡树、山毛榉和埃及榕树林及种类繁多的高山开花植物。低坡和谷地有胡桃、无花果和杏树。高原冬季不冷,夏季炎热,偶有尘暴。居民以伊斯兰教逊尼派的库尔德人居多,近数十年库尔德人已逐渐放弃游牧生活,移居城镇。在历史上他们对拥立伊朗君主和提供军队兵员起过重要作用。至今其社会组织仍保持着部落形式。该地区的少数民族有城镇中的伊朗人、犹太人和叙利亚基督教徒,以及戈尔韦周围村庄中的伊朗人和土耳其人。土地改革后建立起机械化大农场。出产小麦、大麦、稻米、玉米、烟草、油菜籽、蔬菜和水果。尽管农业仍占重要地位,但经济意义已下降。工业有制糖、食品加工、酒精提取以及电气设备和工具制造等。该地区主要城市萨南达季有机场,与马里万、巴内、比贾尔,戈尔韦、哈马丹、大不里士和马哈巴德等城市通公路。

Kordofan 科尔多凡 又拼Kurdufān。构成苏丹中部的一个地区,位于西边的达尔富尔和东边的白尼罗河流域之间。科尔多凡原先由操努比亚语的棕色人种居住,该地区的名字可能源于努比亚语的"科尔塔"(kurta)一词,意思为"人"。该地区可能从公元900年至1200年一直处于克里斯蒂安·通古尔王朝统治之下,此后成为非洲卡内姆-博尔努贸易帝国的一部分。到14世纪时,来自埃及的阿拉伯游牧民向南散布于整个科尔多凡,他们同化某些土著人,把其余的人驱赶到丘陵地带。17世纪穆萨巴哈特苏丹统治的王国在该地区建立。18世纪森纳尔的芬吉苏丹和达尔富尔苏丹都声称控制了科尔多凡,但没有持续多久。19世纪20年代初期,埃及人在此建立了自己的政府。科尔多凡的奴隶贸易一向占重要地位,直到苏丹总督查理·戈登爵士明令禁止才取消。这导致了1878年的短时叛乱。科尔多凡处于埃及的统治下一直到1882年。著名的穆斯林苏丹领导人马赫迪唤起苏丹人的反抗。1883年11月3日,派去镇压马赫迪叛乱的威廉·希克斯上校及其埃及部队就在科尔多凡的卡兹盖尔被歼灭。1899年,即恩图曼战役后的第二年,马赫迪的接班人去世,国家沦为英国和埃及共管,科尔多凡成为苏丹的一个省。科尔多凡占苏丹中部约39万平方千米的面积,北部是沙漠,多沙土,几乎没有地势起伏。长有一些金合欢灌木、沙漠禾本植物及多刺的灌木。地形愈向北愈空旷荒芜。科尔多凡的南部是平坦而略有起伏的泥土平原,平原东部散布着花岗岩的努巴丘陵,海拔约为900米。周围有较为充足的水,浇灌着树林和其他草木。科尔多凡北部,水资源严重缺乏,使农作物的生长受到限制,种植一些谷类和其他粮食作物,但干旱的土地更适合饲养骆驼、绵羊和山羊。传统的手工业是皮革制品、木制品和编织地毯。当地工业是用芝麻和花生油制造肥皂。科尔多凡南部是较为富饶的农业生产区,采用轮作法种植谷类、棉花、芝麻、高粱和阿拉伯树胶等。南部的工业有轧棉厂、榨油厂、肥皂厂和皮革加工。科尔多凡的居民大多数为阿拉伯人,此外还有努比亚人、贝贾人、达朱人、扎加瓦人和达尔芬人。北部主要城镇是欧拜伊德,南部主要城镇是卡杜格利。

Kordofanian languages　科尔多凡诸语言　根据分类方法,通常包括7～10种语言,主要通行于苏丹的南、北科尔多凡省,有时与尼日尔-刚果诸语言(Niger-Congo languages)并列共同组成尼日尔-科尔多凡语系。

kore　少女立像　无所依傍的少女雕像,大约始于公元前660年希腊纪念碑雕刻的同时,一直流行到公元前5世纪古风时期末叶。在此期间,少女立像仍保持着原有特征,但像所有的希腊艺术一样,它也由高度的风格化

约公元前650年的砂岩少女立像
美国不列颠百科全书公司供图

朝着自然主义方向演变。少女立像基本上是着衣的女像,用大理石雕成,两脚并拢直立,有时一只左脚略向前伸,手臂经常垂于两侧。也有的一只手臂置于身前或伸出,拿着供物,另一只手下垂,抓住服装的褶襞。最早出现的少女立像躯体呆板,很难显示出女性的柔美姿态,主要依靠服装褶襞来形成鲜明轮廓。后来,少女立像的头发也从早期披于脑后而发展成为自头顶分开在两侧梳成辫子。脸部表情最初带有古风式微笑,最终形成相当轻松的似笑非笑。这种程式是从埃及美术(较少程度上也是从美索不达米亚美术)获得启示的。埃及新王国时期的雕像与小雕像,是希腊少女雕像动态的原型。少女立像的身份还不清楚。从萨摩斯神庙或卫城发现的少女立像,都没有可靠的迹象足以说明她们是这些地方的女神形象,也很难把她们当作供养人,因为有许多少女立像是由男人奉献的。许多少女立像似乎是在献祭或感恩,因此不妨设想,她们多半是侍奉女神的年轻女子。

Korea　朝鲜　又称高丽、大韩,东亚的半岛古国。西临黄海,南濒朝鲜海峡,东滨日本海,北以鸭绿江和图们江为界与中国东北和俄罗斯接壤。石器表明,朝鲜半岛早在旧石器时代即有居民。传说"神裔"檀君于公元前2333年成为第一个国王。朝鲜历史始于公元前57年,即新罗(东南部)、高句丽(北部)、百济(西南部)三国鼎立时期。三国之间不时发生战争,直至7世纪末,最大的新罗王国在中国的援助下征服了另两个王国,统一了半岛。8世纪末,新罗开始分裂。后高句丽将军王建于918年攫取了政权,建立起高丽王国。1259年蒙古人征服高丽,统治达100年。1392年前高丽王国李成桂将军夺取政权,建立李朝,直到1910年,采取中央集权制,并以儒家学说作为正式道德体系。1593年在中国的帮助下打退日本的侵犯。其后实行闭关锁国。17世纪,满族打败明朝,朝鲜被迫向清朝纳贡。在整个19世纪一直是中日之间发生争端和冲突的地区。甲午战争后,日本在朝鲜的势力大增,1910年完全控制了朝鲜半岛。日本人强占土地和企业,建立工业。第二次世界大战后,苏军和美军分别占领了朝鲜三八线以北和以南地区。1948年苏军撤出,次年美军撤出。尽管联合国做出努力,但朝鲜未能达成统一。北方仍为前苏联扶持建立的共产党政权,南方则为民选的共和国。

Korea, North　朝鲜　全称朝鲜民主主义人民共和国。位于东亚朝鲜半岛北半部的国家,面积122 762平方千米。首都平壤。国土从西南至东北长约716千米,东西宽约360千米。北以鸭绿江和图们江同中国和俄罗斯分界,南与韩国(南朝鲜)接壤并临黄海,西南为朝鲜湾,东濒日本海。人口约22 466 000(2003)。

土地　山脉和高地约占朝鲜国土总面积的80%。东北部的盖马高原平均海拔1 000米,面积约10 360平方千米,为朝鲜半岛最大的高原。高原区内的白头山为火山,高2 750米,是该国最高峰。狼林山脉南北纵贯国土中部,咸镜山脉沿东部海岸延伸。平原和低地约占国土面积的1/5。平壤平原和载宁平原位于西南部,面积各约520平方千米,是该国的主要农业区,出产稻米、玉米、小麦、蔬菜和水果;饲养猪、牛及家禽。由于东海岸陡峭群山直逼大海,故东岸平原面积不太广阔。朝鲜的主要河流有鸭绿江(长806千米)和图们江(长520千米)。这两条河及朝鲜其他河流被用于农业灌溉和水力发电,下游还可通航,因此在该国经济上占有重要地位。

该国属温和的大陆性气候,冬季漫长寒冷,夏季湿润。年平均气温北部为6 °C,中部8 °C,南部10 °C。夏季季风期(6～9月)的雨量约占全年降雨量(1 000毫米)的2/3。初秋季节(8～9月)偶有台风。森林覆盖面积约占国土总面积的3/4,生长着针叶乔木(如西伯利亚冷杉、云杉、松和雪松),其间混有落叶乔木(如栎树、桤木和栗树)。朝鲜战争期间(1950～1953)曾进行大面积砍伐,政府的各项造林计划正在使这里的林地慢慢恢复。动物种类主要有鹿、羚羊、熊、虎、豹和黑豹以及包括苍鹭和鹤在内的许多候鸟水禽。

该国矿产丰富,其中以煤炭储量最大(约3/4为无烟煤),主要集中在平壤北部和东部盆地。低品位铁矿蕴藏大部分位于东北部和西部地区。朝鲜是世界上菱镁矿储量最大地区之一。其他矿藏还有东南部地区的铅矿和锌矿及中北部地区的铜矿和钨矿。

人民　该国人口的民族构成为单一的朝鲜族;据信这个民族是具有蒙古人种体型特征的某个单独血统种族的后裔。作为官方语言的朝鲜语可能是阿尔泰语系的一个语种,其中一些词语来自汉语。1945年以前,朝鲜大约居住着8万名中国人,目前数字不详,但估计不到5万人。

儒家的道德哲学、佛教、天道教和萨满教过去曾普遍流行,但自1945年起已被官方禁止。17～19世纪天主教和基督教新教传入,但第二次世界大战期间外国传教士全被驱逐出境。

朝鲜战争后,人口迅速增长,从1953年到1980年翻了一番。朝鲜政府最初鼓励提高生育率,但从1974年起已开始努力降低人口出生率,但与韩国相比,出生率仍较高。

1945年开始实施工业化,大量人口从农村迁往城市,到80年代中期,城市人口已占总人口的3/5以上。沿海城市区人口最为稠密。20世纪30～40年代期间人口曾由南向北迁移,朝鲜战争后人口的流动方向发生改变,大约有200万朝鲜人迁往韩国。

经济　朝鲜实行的是主要以重工业和农业为基础的中央计划经济,按世界水准衡量,其人均国民生产总值仍很低。

农业产值占国民生产总值的1/4,占用了1/3以上的劳动力。大部分农田由模仿中国的人民公社建立的农业生产合作社进行耕种,每个农户分配给一小块自留地。食品实行配给,玉米、小麦和乳品时常发生短缺。作为主食的稻米产量通常能满足国内需求。最主要的牲畜有猪、牛和家禽。水产不敷国内需求,须从俄罗斯进口进行补充。

采矿业以采煤为主,自1975年欠下若干外债后,煤炭成为朝鲜的重要外汇来源。

制造业雇用了1/4的劳动力,其中重工业占主要地位。日用消费品普遍短缺。经济计划侧重于农业和工业机械制造;钢铁、化学产品和化肥产量很大。大部分日用消费品由地方工厂生产。水力发电量占全国电力生产

的2/3，其余电力则依靠本国矿物燃料进行生产。

由于劳动力严重不足，政府鼓励居住在中华人民共和国、日本和俄罗斯的朝鲜人回国。朝鲜职业总同盟受朝鲜劳动党（共产党）严格控制。工资标准由政府统一确定。

由于朝鲜进口昂贵的原油、焦炭和包括数量日益增多的西方技术与机械在内的工业机械和设备，该国一直处于贸易赤字状态。朝鲜主要出口产品有铅、镁、锌、钢铁、有色金属、水泥和农产品。与中国（包括香港）、日本、韩国的贸易占朝鲜对外贸易的大部分，其他贸易伙伴包括印度和新加坡。

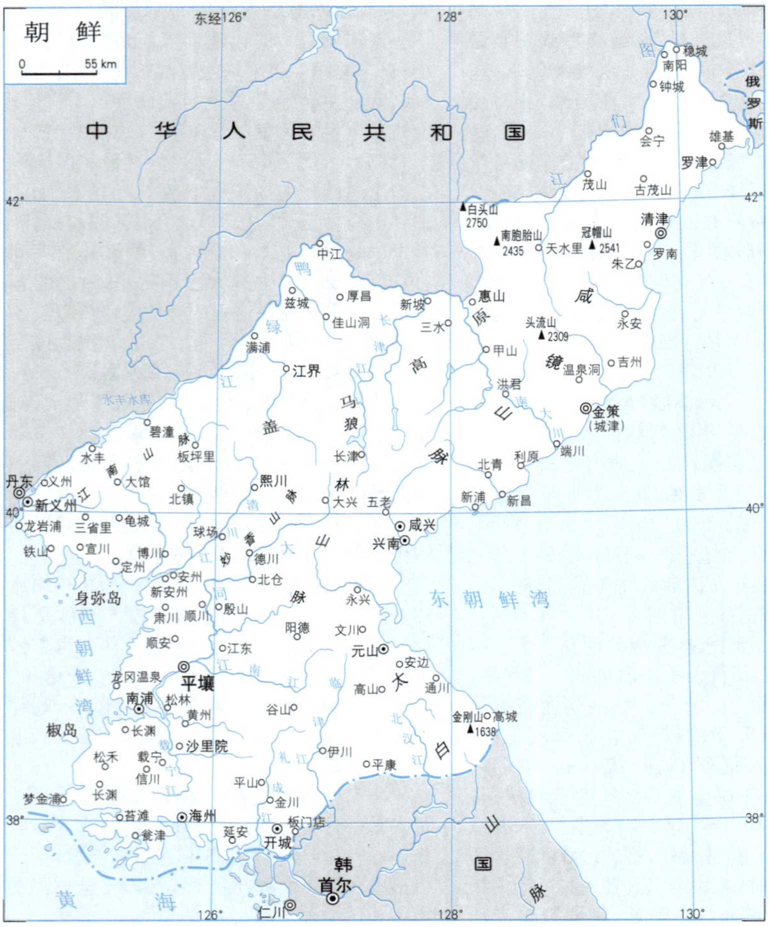

美国不列颠百科全书公司供图

政体与社会状况 朝鲜民主主义人民共和国是一个社会主义国家，由朝鲜劳动党执政。该国1972年颁布的宪法特别提出要以和平方式实现朝鲜统一。根据该宪法，一院制的最高人民会议是国家最高权力机关，由687名直接选举产生的议员组成，任期4年。由最高人民会议选举产生的常设会议是其常设机构。由国家主席（国家元首）任主席的中央人民委员会是政府的最高决策机构。政务院受命在中央人民委员会监督领导下行使行政权。但在实际上所有政府机构均从属于朝鲜劳动党，该党由以主席为首、39名成员组成的政治局领导。司法机构以中央法院为最高审判机关。

该国的社会保险计划在疾病、生育、意外伤害、老年、残疾和孤寡等方面提供各种福利。所有公民均享受免费医疗。这些规定为稳步提高人民的健康状况作出了贡献。国民平均预期寿命为71岁。各地区均建有现代化医疗设施，但医护人员经常短缺。尽管寄生虫疾病仍是农村地区的主要问题，但由于对预防性医疗措施格外重视，已使许多传染病得到控制。癌症、心脏病和高血压是目前存在的主要健康问题。

5～16岁未成年人须接受免费义务教育。学制分为1年学前教育、4年小学教育和6年中学教育。高等教育学制2～6年不等。主要高等学府有设在平壤的金日成大学（1946），以及众多的专业技术学校，特别是提供成人教育的专业技术学校。教育由国家直接管理，作为进行共产主义思想教育和培养实现政府经济目标所需人才的手段。

传播媒介归政府所有，实行严格控制。所有报刊均由政府、朝鲜劳动党及其所属组织机构出版。由国家经营的广播与电视机构在意识形态教育中起着重大作用。

文化生活 朝鲜的文化表现形式以严格坚持共产主义思想观念为特征。作家和艺术家致力于提高阶级觉悟和宣传优越、独特的北朝鲜文化，政府同时也鼓励重新采用那些能够弘扬正统社会主义精神的传统朝鲜艺术形式（如民间集体舞）。文学被认为是具有最重要地位的艺术形式，当代作品常以颂扬金日成主席或探索反对帝国主义为主题。

历史 朝鲜的历史始于第二次世界大战。日本在20世纪一直对朝鲜半岛实行统治，在第二次世界大战末投降时将朝鲜交给了同盟国（参阅 **Korea**）。从此朝鲜被沿着北纬38°线分成南北两个部分：苏联控制北部，美国控制南部。1948年9月3日，朝鲜民主主义人民共和国（北朝鲜）成立。

1950年6月25日，朝鲜战争爆发。主要由美军组成的联合国军站在韩国方面，而中国则站在朝鲜一方。1953年7月27日签署了停战协定。

朝鲜战争对朝鲜造成严重破坏，在苏联和中国的援助下完成了重建。自朝鲜成立至1994年，金日成在该国政治和政府事务中一直处于主导地位。在任首相（1948～1972）和主席（1972～1994）期间，金日成一贯强烈主张南北朝鲜统一和美国从韩国撤军。在国内，金日成使朝鲜成为世界上社会约束最多和管制最严格的国家，由朝鲜劳动党控制国内一切社会生活，警察对哪怕最轻微的反对或反抗行为也要实行严厉镇压。朝鲜的高度中央计划和国有经济体制经常不能保证向本国国民提供足够的食品和日用消费品。饥荒严重，特别在90年代中期。在联合国和一些国家的援助下，情况有所缓解。同时，朝鲜投入大量资源开发远程导弹。金日成大力树立对自己的个人崇拜，并于80年代指定其子金正日作为他的政治接班人。金日成1994年逝世。金正日1997年10月8日正式出任朝鲜劳动党总书记。1998年9月就任国家的最高领导职务。朝鲜的核武器问题引起了很大争议，使朝鲜与韩国于1991年签订的协议以及两国领导于2000年进行的对话黯然失色。

平壤革命博物馆前的金日成雕像
美国不列颠百科全书公司供图

Korea, South 韩国 全称大韩民国。位于东亚朝鲜半岛南部的国家，地处日本群岛的本州岛和九州岛西北193千米处，领土还包括位于半岛以南97千米处的济州岛。该国地形长约480千米，宽约217千米。北与朝鲜（北朝鲜）接壤，东濒日本海，南临朝鲜海峡，西靠黄海。首都首尔（原称汉城）。面积

美国不列颠百科全书公司供图

99 538平方千米。人口约47 925 000(2003)。

土地 山地和高原占韩国总面积的75%。太白山脉沿东海岸绵延257千米,余脉向南伸延形成若干较低山脉和山脊。位于济州岛上的汉拿山为境内最高峰(海拔1 950米),是一座峰顶形成火山口湖的死火山。人口稠密的低地大量种植水稻,其面积约占耕地总面积的30%,其中以汉江流域(在西北部,面积约25 900平方千米)、洛东江流域(在东南部,面积约14 500平方千米)和荣山江流域(在西南部,面积约2 600平方千米)分布最广。韩国的海岸曲折,海湾众多,东岸多山,潮差低(最大潮差1米);西岸呈复杂的峡湾岛屿构造,潮差高(最大潮差9米)。512千米长的洛东江和488千米长的汉江是该国主要河流,为农业灌溉和航运提供了巨大的便利。

韩国属温和的大陆性气候,冬季寒冷,夏季炎热。1月平均气温最北部为-3.6℃,东南部2℃,济州岛为4.4℃。7月平均气温南部为25～27℃,东北部21℃。夏季季风(6～9月)带来约1 000～1 400毫米的年均降雨量。夏末时有台风,春季时有龙卷风并伴随暴雨,对农作物造成巨大灾害。

森林面积约占国土总面积的2/3,森林类型主要有南部海岸带的亚热带宽叶林、中部地区的宽叶与针叶乔木混合林、以及北部的针叶林。人口密度高使森林植被大量减少,西南地区尤为严重。20世纪80年代初大面积复种了松树和矮栎。动物种类有熊、野猪、鹿和仅分布在北部边远地区的猞猁。

韩国最主要的矿藏资源有无烟煤、铁矿和钨矿,此外还有数量有限的铜、铅、锌、锰、金和银矿。

人民 人口构成为单一的朝鲜族。朝鲜语为官方语言。佛教、基督教新教和儒家哲学,包括祖先崇拜,广为流行。融合了儒、释、道和基督教观念的天道教为一神论宗教,如同天主教一样,拥有众多信徒。

自1960年起人口的年平均增长率开始下降,现与东亚地区平均人口增长率相当。1965年开始实施计划生育政策对人口出生率大幅下降起了重要作用。人口死亡率也已下降。年龄在15岁以下的人口约占30%,国民平均预期寿命约为75岁。5/6的人口居住在城市区。

第二次世界大战以前,许多朝鲜人移居日本、中国和苏联,1945年以后有330万人返回。与此同时约有200万人从朝鲜移居到韩国。

经济 韩国经济属于主要以服务业和轻、重工业为基础的市场经济。其经济增长主要依靠制成品出口。国民生产总值增长速度大大高于人口增长速度。人均国民生产总值与东亚其他快速发展的国家相近。

农业产值约占国民生产总值的很小一部分,占用了1/10的劳动力。1948年以后实行的土地改革,大大削弱了租佃制。小型家庭农场占主导地位。稻米是主要农产品,产量构成农业产值的2/5。政府通过农业合作社帐户以补贴价格收购大部分稻米。其他重要作物有大麦、苹果、马铃薯、大豆、玉米和小麦。生丝和烟草的生产主要供出口。家畜饲养以猪、牛为主,但牛肉生产跟不上国内需求的增长。政府致力于渔业的发展,除食用外剩余部分出口,因此韩国已成为一个主要远洋渔业国。

矿业以生产石墨、瓷土、叶蜡石、云母、钨矿和供国内取暖用的低质无烟煤为主。石油和大部分金属须进口。

制造业产值约占国民生产总值的2/5,雇用了1/5以上的劳动力。大部分产业以家族经营为主,在该国的证券交易所中股票上市的公司相对较少。为数约20个集团企业的产量高达韩国制造业总产量的1/3,他们向各小型企业转包附属产品和服务。轻重工业生产保持平衡,产品包括纺织品、鞋类、石化产品、电子产品、钢材(该国为重要产钢国)、汽车和船舶。该国电力生产主要依靠核电厂;3/5的电力靠使用矿物燃料的热电厂提供,其余多靠核电站提供。

商品和服务出口占国民生产总值的1/3,韩国各企业获得的海外工程建造合同,特别是在中东地区的工程建造合同,已成为该国重要的外汇来源。主要出口产品有机械和运输设备、矿物燃料和相关产品以及燃料以外的原料。制成品和机械及运输设备是主要进口产品。主要贸易伙伴有美国、日本、中国(含香港)。韩国在向发展中国家扩大出口方面获得很大成功。至20世纪90年代以来,

首尔市南的稻田
美国不列颠百科全书公司供图

韩国一直保持贸易顺差。

政体与社会状况 韩国是实行总统制政府的共和国。1980年颁布并于1987年修订的宪法授权总统行使行政权,总统通过直接普选产生,任期5年。由国务总理和各部长官组成的国务委员会协助总统行使权力。国务总理由总统任命并经国会批准。立法权属于由200多名议员组成的一院制国会,2/3的议员通过直接选举产生,其余部分在各政党之间按比例分配。独立司法系统的最高司法机构是最高法院。

政府实行社会福利措施的时间较晚,范围也有限。1973年该国以立法形式确立了全国养老金制度,并在其后实施。1977年制定的健康保险计划尽管承保范围有限,但现在正逐步扩大。

虽然韩国的医疗设施仍显不足,但一直在不断改善。医疗服务的提供已有所发展,但医疗服务机构仍主要集中在汉城和釜山,且费用之高时常令人望而却步。自60年代以来,随着韩国经济的发展,其医疗保健状况已在逐步改善,严重的传染性疾病发病率已大幅度下降。

6年制小学教育实行免费义务制。学龄儿童几乎全部进入小学就读,约有3/4进入3年制初中和3年制普通或职业高中就读。该国有若干所大学和学院,其中包括国立首尔大学以及私立的延世大学、高丽大学和梨花女子大学。

20世纪70～80年代期间,新闻媒体受到政府的严格管制,但90年代韩国的政治生活民主化使该国的报刊和其他新闻媒体获得了相应的新闻报道自由。

文化生活 萨满教、佛教和儒家哲学构成现代韩国文化最重要的内容。现代文学,特别是诗歌,通常涉及社会与政治问题。随着国际交往日益扩大,韩国现代绘画形成了超现实主义和抽象派表现主义风格,而与此同时,传统绘画仍占有重要地位。韩国的建筑显现出中国古代的影响,但已根据本地的需要和环境有所改变,建材主要使用木料和花岗岩。陶瓷艺术繁荣,各道均制作具有特色的陶瓷器皿。书法也是一门繁荣和受尊重的艺术。民间舞蹈继续得以保留,用民族乐器演奏的民间音乐时常在各种节日庆典上表演。

历史 韩国历史始自日本人在第二次世界大战末的投降之日,当时朝鲜半岛沿北纬38°线分为两部分:苏联控制北半区,美国占领南半区。大韩民国于1948年8月15日成立。1950年6月25日,朝鲜战争爆发。主要由美军组成的联合国军队站在韩国一方,中国则站在朝鲜一方。1953年7月27日签署了停战协定。由于朝鲜战争毁坏了该国,重建工作在美国的巨额资金帮助下始能完成。在李承晚(1948～1960)、朴正熙(1963～1979)和全斗焕(1980～1987)执政期间,韩国依靠独裁统治维持政局稳定,经济有了迅速发展。该国国民生活水平在此期间稳步提高,成为世界最具活力的出口型经济国家。随着经济的繁荣和教育水平的普遍提高,中产阶级日益庞大,国民要求对政治进行民主改革的呼声也日益高涨,80年代末和90年代初,卢泰愚总统(1988～1993)颁布了进行改革的法令。以后的总统不断推进民主化进程。朝鲜半岛和解的努力也在不断进行,包括1991年两国签署的双边协议和2000年两国领导举行的会谈。但是,朝鲜发展核武器和远程导弹的项目使双方的和解努力收效不大。

Korea Bay 朝鲜湾 又称西朝鲜湾。黄海东北海湾的入海口,介于中国的辽东半岛(位于辽宁省)和朝鲜西部之间。有3条北朝鲜主要河流注入:鸭绿江(发源于白头山,为中国与朝鲜西部的界河)、清川江、大同江以及中国境内的许多小河流。海湾不深,水深不及50米。潮差很大,在6～12米之间。沿岸有沙洲。海湾中有许多的岩石岛屿,包括朝鲜的椒岛、席岛、身弥岛等,以及中国的长山、大长山岛等。主要港口有朝鲜的南浦和新义州及中国的旅顺和丹东。

Korea Strait 朝鲜海峡 西北太平洋的通道,连接中国东海与日本海,介于朝鲜半岛南部海岸与日本九州岛及本州岛之间。水深90米,被对马岛分成东西两段,东段有时称对马海峡。温暖的对马海流是黑潮的一支,通过海峡流往北方,部分海流沿日本岛屿海岸继续北流,于库页岛进入太平洋及鄂霍次克海。另外一部分海流以逆时针方向,沿亚洲大陆海岸向南回流。1905年日俄战争期间,日本舰队在对马海峡之役歼灭了俄军。

Korea Warm Current, East 东朝鲜暖流 为海面洋流。是日本海中对马洋流向北流的一条分支。先沿朝鲜海岸流动,后折转向东,分成津轻暖流和宗谷暖流两股。前者向东穿过津轻海峡进入太平洋,后者穿过宗谷海峡(拉彼鲁兹海峡)进入鄂霍次克海,然后分别沿本州和北海道海岸转向东南。

Korean art 朝鲜艺术 朝鲜半岛的视觉艺术,通常具有单纯、质朴及自然主义特色。最早影响朝鲜艺术的是中国。公元前108年,中国在朝鲜西北部设郡之后,开始了对朝鲜文化的持久影响,其陶器制作及冶铁的先进技术以最著名的乐浪为中心,推广至整个半岛。朝鲜艺术史上第一个重要时期是三国时期(公元前57?～公元668)。372年,三国最北端的高句丽(公元前37～公元668)经中国传入佛教,随之,百济(公元前18～公元660)和新罗(公元前57～公元668)也相继信奉佛教。这种发展给朝鲜半岛的艺术带来了繁荣,直到15世纪,佛教始终是朝鲜视觉艺术灵感的主要源泉。除了几件小幅佛像外,高句丽的宗教艺术几乎没有保存下来,但它的彩绘壁画却展示了亚洲早期艺术独具的力度。百济最早使用花岗石建造佛塔,并且制作出这一时期最自然和最典型的朝鲜佛像,以“百济式微笑”为其特征。新罗的代表性艺术是装饰艺术(尤其是珠宝和王室饰物),及最具朝鲜风格的坚硬、灰色、未上釉的粗陶器。以后新罗王联合中国先后击败百济(660)和高句丽(668),进入统一的或称大新罗时代(668～935),艺术发展的中心也转移到半岛的东南部。这个地区遍建佛塔,其中以庆州东方的佛国寺最具代表性。8世纪初,花岗岩雕刻达到了自然主义的顶峰。在统一的新罗时期,青铜器物也有相当优秀的品质。

百济国镀金菩萨铜像,6世纪下半叶

美国不列颠百科全书公司供图

高丽时期的甜瓜形青瓷花瓶,12世纪初叶

美国不列颠百科全书公司供图

高丽时期(918～1392)的建筑、雕刻和绘画主要反映了中国宋朝(960～1279)的流行风格。其中较出色的作品有:面具、印刷书籍(佛经为主)及青花釉彩瓷器。1150～1250年,朝鲜陶艺师改进了一种细花镶嵌青瓷的技术,这种青瓷到15世纪一直是朝鲜独一无二的产物。高丽时代后期,“嵌胎”剔红漆器亦颇盛行。李朝(1392～1910)时期艺术的复兴,部分原因是当时儒学的流传。比起高丽时期,李朝的装饰艺术显得更为质朴,更具本土风格。许多李朝时期的建筑物保存下来,规模最大的是首尔的景福宫。李朝的绘画大多数模仿中国北方的画风,但也有一些画家运用非中国式的技法,并以朝鲜的风景和风俗入画,尝试建立明确的朝鲜画风。李朝末期,西方及日本的影响日趋明显。日本对朝鲜的占领(1910～1945),对朝鲜视觉艺术产生了全面的不可抗拒的冲击。1945年以后,许多传统的视觉艺术方式已不复见,代之而起的是与日俱增的国际化风格。

Korean language　朝鲜语　通用于朝鲜半岛及其沿岸诸岛,估计有6 200万人使用朝鲜语,在日本的近50万朝鲜侨民中,目前仍有许多人说朝鲜语。关于朝鲜语跟其他语言的系属关系问题尚属未定,一种说法认为它与日语有较远亲缘关系(因其语法相似);另一假说认为,它属于阿尔泰语系,因同其他阿尔泰语言在语音和语法上具有许多相同点。古代朝鲜语用汉字书写,见于新罗王国(约公元前57～公元935)留传下来的25篇歌词。朝鲜语的历史分期大致为:古朝鲜语(12世纪以前)、中古朝鲜语(12世纪初到16世纪末)、现代朝鲜语(17世纪以后)。朝鲜民族字母表制定于1446年,即李朝第4位国王世宗时代,叫做谚文,共28个字母,但并未被文学家所采用,却促进了前现代期通俗文学的发展。该字母表在20世纪初最终被普遍接受。其中有4个原创字母已不用,剩下10个元音和14个辅音字母。朝鲜语现在使用的书写系统有两个:纯粹的字母文字和"混合字母"(其中汉语借词还是原来的写法,但是按朝鲜语读音)。朝鲜语句子的基本结构是主语+谓语,谓语中主要动词或形容词放在最后。句子的语气用结束句子的动词或形容词词尾表示,这种词尾表示各种各样的意思,如:陈述、疑问、命令,说话者表达自己所见或转述传闻,确切还是犹疑以及说话人与听话人两者之间的社会关系等等。这种社交关系是高度发展的3种敬语形式之一;其二表现为说者与所言及者之关系;其三表现为在尊长前谈及自己。朝鲜语中的汉字构成整个词汇的一半以上,绝大多数汉-朝成分被作为名词,汉-朝或汉-日成分是新科技词汇主要来源。但加上某些表示"做"、"是"、"成为"等意思的词干,就可以变成动词或形容词。

Korean literature　朝鲜文学　朝鲜语的文学作品总称。朝鲜人初期用古代汉文写作,后使用汉字的各种音标系统,直到15世纪中叶颁布了朝鲜文字母后,方使用这套字母写作。数千年来,朝鲜人有其自己的语言,但到近代才创制了自己的书写体系。

公元前57年以前,诗歌大概是最早的创作。古代谣曲与农业活动、宗教信仰息息相关,显然,当时人与自然十分贴近。朝鲜的艺术表现初为一种集体活动,随后的文学活动显示出中国大陆的影响引起了文化中的变化,促使原始的创作形式转向较为精致的形式。抒发个人情感取代了集体歌舞。文学中的主人公原为部族,后转为个别的人。公元前57～公元668年间由高句丽、百济和新罗三分天下。7世纪中叶,新罗并吞了另两个王国。此后政治制度稳定,学生得以留学中国,因而丰富了朝鲜的文化,乡歌成为当时文学的顶峰。它是具有纤巧、神秘风格的抒情短诗,一般是十行诗形式,题材受佛教哲学影响,强调来生。

朝鲜早期的散文作品包括记叙日月的神话、国王的生平、有关大自然的变故的传说,以及以道德、英雄、预言、梦和动物为主题的民间故事。口头文学则由所有世代相传的作品组成,有谣曲、传说,假面剧、傀儡戏脚本和曲艺。935年,新罗王朝亡。高丽王朝(935～1392)引进了一种新的诗体,名为"别曲",亦称"长歌",是在祀奉神佛的喜庆场合供大型舞台演出之用。同时,根据神话、传说和佛教史的史诗文学也蓬勃发展。

"时调"以三句为一节,起源于12世纪,是朝鲜流行最久、最具代表性的诗体,至今袭用。它大多宣扬儒家道德价值观,也赞颂大自然和爱情。早期与"时调"并存的"长歌",多用于道德训诫、旅游记趣和个人的悲惨遭遇。朝鲜王朝早期(1392～1598),于15世纪40年代颁布的朝鲜表音文字使作家得以摆脱在文化上对汉语的依赖,"时调"这一诗体发展到了顶峰。读者喜爱它,因为它有丰富的表现力,可以借此抒发情感,有很强的感染力。

1592～1597年,日本人侵朝鲜失败后,散文成为文学重心。朝鲜王朝后期(1598～1894),实际的理想主义取代了儒家思想,平民百姓有了新的觉醒,对旧贵族和旧诗失去兴趣,而喜爱叙事散文。当时最为流行的作品是以质朴自然的笔触写平民百姓而不道作者名姓。1910年,现代小说出现以前,新小说全以散文(以往的小说则部分用诗体)写邪不胜正,多属巧合的情节,风行一时。

1919年独立运动时期的青年作家促使现代朝鲜文学在20世纪20年代开始走向成熟。他们怒斥日本人屠杀、拘禁朝鲜人的罪行。20世纪30年代是朝鲜文学的成熟期,作品采用了西方作家的技巧,如意识流的叙述方法。其间郑芝溶的诗歌和李孝石的短篇小说诗意浓郁的文字显示了朝鲜语作为诗的语言的潜力。第二次世界大战时,朝鲜文学受日本压制。1945年,它在30年代取得进展的基础上重新开始发展,但又因朝鲜战争(1950～1953)而中断。在战后,国家一分为二使文学发展受到严重影响,作家致力于个人和民族同一性的探讨。

Korean music　朝鲜音乐　东亚音乐类型之一。由当地居民所创,但深受中国影响,可能也受蒙古入侵者的影响。在3世纪前,关于朝鲜西北部各部落农业庆典的歌舞,皆有文献可考。萨满教宗教仪式的音乐也是该地区历史的一部分。宫廷音乐似系从中国输入,最早的宫廷乐器也多为仿制品。其他的乐器是固有的,包括大笒(一种长的横笛)、朝鲜古琴(一种拨奏的六弦齐特琴)、奚琴(二弦提琴)、伽倻琴(十二弦板形齐特琴)及其"散调"变体。伽倻琴为朝鲜民族乐器,常见于民间和古典朝鲜音乐舞蹈中。虽然在宫廷乐师朴堧(1378～1458)指导下,中国音乐的传统保留了下来,但世宗时代(1419～1450)亦颇为重视新的王室宗庙音乐和儒家仪礼音乐。用新发展的朝鲜字母所写史诗的配乐也得到同样的重视。15世纪末,一种显示节拍与音长的朝鲜有量记谱体系创立,它对节奏和速度的标示都比原用的中国体系明确。此后,朝鲜的音乐家保持了本土与中国传统的平衡。朝鲜声乐也有悠久的历史。"歌曲"是早期形式之一,由一男一女唱出长短不一的五行歌词,共26首。"时调"是古典的三行诗,由长鼓(沙漏形的鼓)伴奏,"歌词"体裁中有叙述性的歌,由笛和鼓伴奏。吟唱剧是一种民间歌剧体裁,由一演奏小组为表演者的风格化的舞蹈伴奏。吟唱剧以及大多数朝鲜民间音乐和茶坊歌曲均以女声的音质和装饰音为其鲜明特点,令人忆起西班牙弗拉明科歌曲的传统。

Korean nationality　朝鲜族　中国少数民族。分布在吉林、黑龙江和辽宁3省。人口1 923 842(2000),其中2/3聚居在吉林省。吉林延边朝鲜族自治州有110多万朝鲜族人。

朝鲜族姑娘
中国大百科全书出版社供图

语言一说属阿尔泰语系,也有人认为与日语、南岛语支有亲缘关系。使用朝鲜文。朝鲜人在17世纪末开始迁入中国,19世纪70年代大批移居中国延边地区。主要从事农业,擅长种植水稻。经济作物以烟叶为主。盛产苹果梨和人工培植的人参、党参、黄芪等贵重药材。节日多以大米制打糕和年糕,传统的食具多为铜制。住房正面开门3至4扇,兼作窗户。室内用土坯或石板砌平炕,席地坐卧。喜着白色服装。妇女长裙束于胸际,有筒裙、缠裙两种。穿船形鞋。男子着宽大长裤,多在短上衣外套深色坎肩。生辰、结婚60周年为回甲节、回婚节,多举行祝福仪式。群众性体育活动有秋千、摔跤、跳板等。盛行足球和冰上运动。歌舞多伴以长鼓、伽倻琴。1952年成立吉林延边朝鲜族自治州,1958年成立长白朝鲜族自治县。

Korean nationality, language of　朝鲜族语　中国朝鲜族语言。系属未定。多数学者倾向于属于阿尔泰语系。在中国主要分布吉林、黑龙江、辽宁3省,使用人口约176万。此外主要分布在朝鲜民主主义人民共和国和韩国。分西北、东北、中北、中部、西南、东南6个方言。语音特点:有19个辅音(其中双唇、舌尖中、舌根塞音和舌叶塞擦音各分松音、紧音和送气音3套;3个擦音,舌尖前清擦音分松紧,喉门擦音不分;有双唇、舌尖中和舌根3个鼻音和1个闪音[r]),10个单元音和11

个复元音。元音和谐现象比较松懈。有较丰富的黏附性词缀。名词有格(主格、领属格、对格、造格、与格、位格、共同格、呼格);动词有态(主动态、使动态、被动态)、时(现在时、将来时、过去时)、式(叙述式、疑问式、命令式、劝诱式)、法(直叙法、推测法、目击法)、尊称、阶称(对上-敬阶、准敬阶,对等-平阶、准平阶,对下-基本阶、不定阶)。句子主语在前,谓语在后;补语在谓语之前;定语和状语在中心词前。有创于15世纪的拼音文字。

Korean Provisional Government 韩国临时政府 朝鲜爱国者于1919年4月在上海组织的流亡政府。临时政府的成立是三一运动遭日本镇压而引起的对应行动。领导人有李承晚、安昌浩和金九。到1922年,在中国东北各省的朝鲜抵抗组织全部统一于这个政府的领导之下。流亡政府的领袖们出版《独立新闻》报,大大提高了群众参与政治的自觉性。然而为时不久,该政府就遇到难以解决的困难问题。在国内,日本人镇压一切民族主义的不同政见;在30年代晚期,甚至禁止使用朝鲜语言。在国外,组成临时政府的联盟开始分裂。虽然李承晚当选为名义上的总统,但他逗留美国,企图取得西方的道义支援;李东辉总理为了在中国东北作战,开始寻求苏联的军事援助;金九则靠拢中国国民党右翼。第二次世界大战末朝鲜从日本人的占领下解放后,韩国临时政府即告结束,原领导人回朝鲜南部夺取政权。

Korean War 朝鲜战争 又称韩战。1950年6月起朝鲜民主主义人民共和国(北朝鲜)与大韩民国(南韩)之间所发生的一场战争,约有300万人丧生。以美国为主要参加国的联合国军加入战争,站在南韩一边;中华人民共和国最终介入,支援北朝鲜。经过异乎寻常的曲折变化之后,战争于1953年7月无确切结果地结束,它为美国遏制共产党扩张而进行干涉树立了一个先例。第二次世界大战末期,盟国间达成协议,苏联军队在北纬38°线以北接受日军投降,而美军则在三八线以南受降。结果北部建立一个共产党国家,南方成立一个亲西方的国家。1949年美国和苏联将其大部分军队撤出朝鲜半岛。1950年6月25日,朝鲜战争爆发。联合国安全理事会召开紧急会议,通过决议,号召全体会员国共同阻止北朝鲜人南进。苏联代表为抗议联合国未接纳中华人民共和国而没有出席安理会会议,因而没有出席会议对安理会决议进行否决。6月27日美国总统杜鲁门命令美军进入南韩,作为联合国警察行动的一部分,支援南韩。这时南韩军队已被北朝鲜军队击溃,美国匆忙投入战斗的四个师装备很差,也被向南一路赶至包括通往釜山的一小块地区。9月15日,麦克阿瑟将军所部在三八线以南约100英里的仁川进行两栖登陆。这一军事行动将北朝鲜军补给线切断,盟军南北夹击,北朝鲜军遭受重创,盟军俘获了12.5万多名俘虏。当推进到三八线时,中华人民共和国政府发出警告,认为联合国军进入北朝鲜将威胁中国安全,并将迫使中国人对战争进行干涉。但联合国军对此项警告置之不顾,进军北朝鲜,公开表示其意图在于统一这个国家。11月24日,麦克阿瑟宣布他的"圣诞节前回家"的进攻计划,在这场进攻中,他的军队将推进至鸭绿江边。第二天,约18万中国人民志愿军参加战争。到12月15日,盟军被逐回三八线。麦克阿瑟要求授权封锁中国海岸,轰炸中国东北基地。杜鲁门感到这将使苏联加入战争,从而导致全球冲突,对此加以拒绝。麦克阿瑟越过杜鲁门直接向美国公众呼吁,以期获得对其战争目标的支持。1951年4月11日,杜鲁门解除麦克阿瑟的联合国军司令和远东美军司令的职务,由李奇微将军接替。1951年7月10日,停战谈判开始。谈判旷日持久,在1953年6月发生短暂的战斗之后,终于于7月27日缔结停战协定,接受双方实际接触线为南韩和北朝鲜之间事实上的分界线。接着开始交换和遣返战俘。朝鲜战争造成约130万南韩人(其中许多人是平民)、100万中国人、50万北朝鲜人和约5.4万美国人死亡;盟军中的英国人、澳大利亚人和土耳其人的伤亡人数则少得多。南韩的许多工厂被毁,北朝鲜则被美军的狂轰滥炸彻底破坏。

Korfanty, Wojciech 科尔凡蒂(1873-04-20,德国上西里西亚谢米亚诺维采[今在波兰]~1939-08-17,华沙) 波兰政治领袖,在上西里西亚波兰民族觉醒运动中起重要作用,并领导该地人民为从德国控制下取得独立而斗争。矿工之子,后当新闻记者,是秘密民族主义团体"Z"的成员,该团体抵制德国对上西里西亚波兰人实行德国化的企图。1903年成为德国联邦下议院中代表上西里西亚的第一个波兰议员,1907和1918年两次连选连任,1904～1918年兼任普鲁士议会议员,使普鲁士政府、天主教统治集团和资本家惶惶不安。第一次世界大战后,他率领波兰人要求上西里西亚举行公民投票。虽然西里西亚的大多数选民支持继续留在德国,但是由于他的努力,上西里西亚的东南工业地区形成了亲波兰的多数(1921-03)。在1921年5月他领导武装起义之后,说服协约国沿西里西亚的一条线划定德波边界,这对波兰比原先设想的更为有利。波兰重建后,他在立宪议会(1919～1922)和波兰议会中(1922～1930)成为民族集团的领袖。由于反对约瑟夫·毕苏斯基的独裁,1930年他被投入监狱,但不久即获释,任上议院议员。1935年起居住在捷克斯洛伐克,1939年4月29日回到波兰后被捕,获释后不久即去世。

Korfanty Line 科尔凡蒂线 波兰W.科尔凡蒂提出的波德两国在上西里西亚的边界线。这条线从未作为正式边界被接受,但成为使第一次世界大战后的波兰国家在经济上能够生存的妥协方案的基础。1919年缔结《凡尔赛条约》时,协约国让拥有大量波兰居民的上西里西亚举行公民投票,以决定它留在德国还是归属波兰。1921年3月20日举行投票,在200万参加投票的公民中,有70多万人赞成留在德国,近50万人主张归属波兰。有682个乡赞成归属波兰,792个主张留在德国。《凡尔赛条约》规定以乡的投票作为划分的基础。但在投票之后,德国要求领有全部上西里西亚。协约国委员会的波兰代表科尔凡蒂表示反对,他主张将上西里西亚东南部分归属波兰。这一地区为主要矿区和工业区,其公民的59%、乡的3/4投票赞成归属波兰。然而,协约国委员会未能达成一致的决议。因此,科尔凡蒂领导波兰人举行起义(1921-05)。起义者驱逐德国人,在几天内就几乎占领了全部东南地区。协约国委员会把这一争端提交国际联盟解决。1921年10月20日国联作出决定:上西里西亚大部分领土和居民归属德国,只给予波兰3 400平方千米土地,包括100万居民、上西里西亚3/4的产煤区和2/3的炼钢厂。

korfball 科尔夫球 篮球的一种。1901年由阿姆斯特丹一小学校长布鲁克豪森发明,1902年首次在荷兰表演。70年代主要在欧洲举行国际比赛,属男女混合运动项目。1903年建立国家协会。后传至比利时、印度尼西亚、苏里南、德国、西班牙、新几内亚和英格兰。1923年国际科尔夫球联合会成立。比赛在室外进行。两队各12人(男女各6人),场地长方形,长90米,宽40米。两端线内各设一立柱,柱上装有上下开口的篮,篮缘距地面3.5米。投入一球得1分。篮的直径约为41厘米,高25.4厘米。球的圆周约为34.5厘米,重425～475克。场地划为3个区:后卫区、中区和进攻区。每队在各区配备男女队员各2名,队员只能在各自区内活动。全场90分钟,分为两个半场,各45分钟。比赛开始由一队从中线开球。主要靠逐人逐区传球。踢球、拳击球、手递手传球、带球跑、越区传球都为犯规。可以紧逼防守但不准冲撞。男队员盯男队员,女队员盯女队员。如一方严重犯规,由对方被侵犯的队员在离球篮13英尺的罚球点上罚球。每进两个球后队员变换位置,后卫到中区、中区到攻区、攻区到后卫。

Korhogo 科霍戈 科特迪瓦(象牙海岸)中北部城镇,14世纪由塞努福族长南圭创建。是草原所产玉米、木薯、粟、薯蓣和牲畜的贸易中心。城内有棉花、剑麻、稻米加工厂,还有兽医研究站。19世纪末,法国天主教传教士在此建立教堂,并创办学校。木雕刻品销售于旅游市场。当地铁匠以能从当地矿层中开采并冶炼铁而闻名。人口:城镇约109 445(1988)。

Kórinthos 科林斯 英语作Corinth。希腊的一个州。在希腊大陆部分和伯罗奔尼撒半岛之间。面积2 289平方千米。有萨罗尼克湾和科林斯湾伸入陆地,形成科林斯地峡(通运河)。中西部有基利尼山,为伯罗奔尼撒半岛最高峰(2 376米)。沿海地区产小麦、大麦、柑橘、橄榄、葡萄。有蔬菜种植和畜牧业。主要行业为林业和食品加工。行政中心科林斯市位于半岛东北角,靠近地峡。科林斯古卫城有基督、土耳其和威尼斯时代建筑。科林斯湾靠近运河处有海滨胜地卢特拉基。奈迈阿以产红葡萄酒闻名。科林斯湾北岸有雅典一帕特雷公路。人口151 600(2001)。

Kórinthos(Greece) 参阅 **Corinth 科林斯**。

Korínthou, Isthmós(Greece) 参阅**Corinth, Isthmus of 科林斯地峡**。

Koritsa(Albania) 参阅 **Korçë 科尔察**。

Kōriyama 郡山 日本本州福岛县城市。在东京东北,地当两条铁路交轨处。为工业和交通中心。生产纺织品、化工品和机械。常磐煤田附近有火力发电,日桥川上有水力发电。附近山区和猪苗代湖划入磐梯朝日国家公园。人口326 833(1995)。

Korkino 科尔基诺 俄罗斯中西部车里雅宾斯克州城市。位于南乌拉尔。为车里雅宾斯克褐煤田的采矿中心。1934年始采矿,1942年设市。也生产矿山机械(挖掘机和卡车)、钢筋混凝土和建筑材料。人口约41 700(2000)。

Korku 科尔库人 集中在印度中部马哈拉施特拉邦和中央邦的部落民族。在20世纪末人口约56万,多数是定居的农民。许多人拥有殷实的农场,19世纪后期有些人由刀耕火种的丛林耕作转而从事林业和田地劳动。科尔库人住草房,聚为村落,头人世袭,采用父系继承制。他们操蒙达语系的一种语言,信奉印度教。由于政府为保护孟加拉虎限制了他们的耕地使用,再加上贫困,科尔库人中有严重的营养不良和饥荒问题。

Korla 库尔勒 中国新疆维吾尔自治区巴音郭楞蒙古自治州辖县级市,自治州首府。位于天山南麓、塔里木盆地北缘,孔雀河畔。"库尔勒"意为观望,因处山前地带,地形开

库尔勒香梨大丰收
中国大百科全书出版社供图

阔,一望无际而名。汉代为渠犁国地,武帝时(公元前140～前87)在渠犁置校尉屯田,农业得到发展。西晋时并入焉耆。清乾隆年间(1736～1795)在此设哈喇噶阿瞒驿(军台),为南北疆重要交通站。1929年析焉耆县置库尔勒设治局,后改为县,1979年析库尔勒县城区设市,1983年撤县入市。面积7 219平方千米。为南疆东部的粮、棉、油重要产区,产优质长绒棉。特产库尔勒香梨。60年代以来工业发展很快,已有电力、煤炭、建材、化工、机械、纺织、造纸、食品加工等工业。南疆铁路已通车至库尔勒,北可与兰新铁路接轨。为南、北疆公路网重要联络点。民航可至乌鲁木齐及和田等地。市北铁门关为西晋所设,现为重要工业区,建有14千米长的孔雀河峡谷梯级水电站和石灰窑等。人口420 000(2005)。

Kornberg, Arthur 科恩伯格(1918-03-03,美国纽约布鲁克林～2007-10-26,加利福尼亚斯坦福) 美国医师、生物化学家。因发现DNA分子在细菌细胞内及试管内的复制方式而与S.奥乔亚共获1959年诺贝尔生理学或医学奖。1942～1953年在美国国立卫生研究院领导酶及中间代谢的研究。参与发现细胞内生成黄素腺嘌呤二核苷酸(FAD)及二磷酸吡啶核苷酸(DPN)的反应。1953～1959年任密苏里州圣路易斯华盛顿大学微生物学系教授及系主任,继续研究活生物体制造核苷酸的方式。1956年将用放射性同位素标记的核苷加入大肠埃希氏菌培养基提取物中,发现核苷通过酶促聚合反应而生成DNA分子。后分离及提纯了一种能在试管中催化短的DNA分子(引物)复制的酶(今知为DNA多聚酶)。1959年任加利福尼亚州帕洛阿尔托的斯坦福大学生物化学系主任。著有《DNA的酶合成》(1961)等。

Kornblit, Aleksandr 科恩布利特 参阅 **Tairov, Aleksandr Yakovlevich 泰洛夫**。

Körner, (Karl) Theodor 克尔纳(1791-09-23,萨克森德累斯顿～1813-08-26,梅克伦堡加德布施) 德国爱国诗人。曾参加1813年反抗拿破仑的解放战争。他在吕措的义勇兵团中战死,成为家喻户晓的英雄。父亲C. G.克尔纳是席勒的朋友。曾在柏林攻读哲学,聆听过著名哲学家费希特和施莱艾尔马赫讲课。维也纳城堡剧院演出过他的3个剧本,其中的力作《茨里尼》(1812)歌颂了对祖国的爱,使他名扬整个德国。他的剧本现在大部分已被遗忘。他死后,其父把他最好的富有战斗激情的爱国诗作收集在《琴与剑》(1814)里,受到热烈欢迎。

Körner, Theodor 克尔纳(1873-04-24,匈牙利科马尔诺～1957-01-04,维也纳) 第一次世界大战期间的奥地利军官,后为政治家,任奥地利第二共和国总统(1951～1957)。第一次世界大战爆发时,任奥匈帝国陆军上校。1915年5月任参谋长,成功地帮助阻挡了意大利沿意大利-斯洛文尼亚边界发动的进攻。1918年11月奥匈帝国崩溃后,他任新成立的奥地利陆军的总监。两年后退伍,加入社会民主党。1925～1934年任奥地利联邦院议员。30年代初期任社会党准军事组织防卫同盟的军事顾问。他不顾奥地利政府日益右倾,不断提议反对暴力行动。1934年2月社会党人起义后,他因在防卫同盟中的活动而入狱。1938年3月奥地利并入德意志帝国时,他拒绝参加纳粹的政治活动。奥地利解放后,苏联占领当局任命他为维也纳市长。1951年5月他当选为奥地利第二共和国总统,逝于任上。

Körner, Wilhelm 克内尔(1839-04-20,黑森-卡塞尔卡塞尔[德国]～1925-03-28,意大利米兰) 德国有机化学家。1874年提出苯环上两个取代基(如甲基)相对位置的确定法。例如,邻二甲苯可形成两种不同的单硝基衍生物;间二甲苯可形成三种;而对二甲苯仅形成一种。此法促进了芳香族(苯衍生)化合物的研究和发展。在根特时曾是A.凯库勒的学生和助手,1867年任波恩大学的化学教授,1870年成为米兰大学有机化学教授。他共制备了126种芳香族化合物,其中包括吡啶(1869)。与意大利A.梅诺齐一起合成天冬酰胺(1887)。

Korngold, Erich Wolfgang 科恩戈尔德(1897-05-29,奥匈帝国布伦～1957-11-29,好莱坞) 美国作曲家,生于奥匈帝国。以电影配乐和歌剧《死城》最为著名。幼为神童,11岁创作芭蕾舞剧《雪人》,初演于维也纳(1910),轰动一时。他的歌剧《波利克拉特的指环》和《维奥兰塔》于1916年在慕尼黑上演时,他才十几岁。《死城》(1920,汉堡)是20世纪最成功的歌剧之一,为他带来国际声誉。1934年赴好莱坞写电影音乐,因《安东尼·艾德弗斯》(1936)和《侠盗罗宾汉》(1938)获奥斯卡金像奖。1975年《死城》在纽约重演,获得成功。

Kornilov, Lavr Georgiyevich 科尔尼洛夫(1870-08-30,俄国西西伯利亚卡尔卡拉林斯克～1918-04-13,俄国叶卡捷琳诺达附近) 俄帝国将军,被控试图推翻1917年俄国二月革命后成立的临时政府并代之以军事独裁。日俄战争时期(1904～1905)科尔尼洛夫在俄军中当情报官。1907～1911年在北京任俄国使馆武官。第一次世界大战期间为师长。1915年为奥军俘获。1916年脱逃后,任军长。二月革命后临时政府任命其为关键性的彼得格勒军区司令。他因执意恢复俄国军队的纪律并提高效率而遭致反对,遂辞职重返前线,参加俄军对德军的六月进攻。8月1日克伦斯基任命其为俄军总司令,但与克伦斯基发生矛盾,8月底向彼得格勒进军。克伦斯基认为他要发动军事政变,解除他的职务。他拒不听命,依然向前挺进,但被铁路工人阻挡,9月1日投降,被监禁于贝霍夫,后逃脱。十月革命后,科尔尼洛夫在顿河流域指挥白军反抗布尔什维克。几个月后在战斗中被击毙。

Korolenko, Vladimir Galaktionovich 柯罗连科(1853-07-27,俄罗斯帝国乌克兰日托米尔～1921-12-25,乌克兰波尔塔瓦) 俄国短篇小说家和新闻工作者。他的作品表现出对下层民众的同情。因参加革命活动,曾被两所学院开除。1879年被流放到西伯利亚。他在那里与乞丐、小偷、流浪汉和为社会所遗弃的游民接触,这些人成为他后来所写小说中的主要形象。5年后获释,发表著名小说《马卡尔的梦》(1885),表达了对雅库特农民的同情和深刻了解。在主编《俄罗斯财富》杂志时,维护少数民族,帮助包括M.高尔基在内的青年作家。十月革命后,由于不愿同布尔什维克政府合作而返回乌克兰,在那里写自传体小说《我的同时代人的故事》(未完成,1905～1921)。

Korolyov 科罗廖夫 又拼Korolev。1939～1996年称加里宁格勒。俄罗斯西部中央联邦

区莫斯科州城市。位于莫斯科市的东北。该地区是1928年发展起来的工业卫星城，重点进行武器制造，同时也是首都的住宅区。1938年设市，命名为加里宁格勒。1996年，为了纪念科学家科罗廖夫，该城以他的名字重新命名。该地以精细织物，特别是丝绸出名。第二次世界大战以后，该市建立起了数个科学研究机构，成为俄罗斯的宇航业中心。其他高科术产业对当地经济也有贡献。科罗廖夫有很多公园和一座城市博物馆。人口142 568(2002)。

Korolyov, Sergey Pavlovich　科罗廖夫(1907-01-12，俄罗斯日托米尔～1966-01-14，莫斯科)　苏联导弹、火箭和航天器设计家。曾在敖德萨建筑技工学校、基辅工业学院和莫斯科高等技术学校学习，从著名设计家N.Y.茹科夫斯基和A.N.图波列夫学习航空工程。由于对火箭技术发生兴趣，他和F.A.灿德尔组织研究喷气运动的莫斯科小组，于1933年发射了苏联第一枚液体推进剂火箭。第二次世界大战期间，他设计和试验液体推进剂的飞机起飞喷气助推器。大战结束后，改进德国的V-2导弹，使射程增大到685千米，1947年在卡普斯金亚尔试验场指导V-2导弹的点火试验。从1953年起，研制弹道导弹系列，制造出苏联第一枚洲际弹道导弹。他还负责苏联运载火箭和航天器的系统工程，指导设计、试验、制造和发射"东方"号、"上升"号和"联盟"号载人飞船，以及"宇宙"号、"闪电"号和探测器系列的不载人航天器。死后葬于红场克里姆林宫墙内。根据苏联政府的航天政策，他的身份及在国家航天计划中的作用在他逝世后才公布于众。

Koromo(Japan)　**举母**　参阅 **Toyota 丰田**。

Koror　科罗尔　原称科罗拉。西太平洋加罗林群岛之一岛，位于巴伯尔图阿普岛西南，是帕劳共和国的行政中心。为火山岛，面积8平方千米。1944年前为日本殖民地行政中

科罗尔岛的小型船坞
美国不列颠百科全书公司供图

心(人口约3万)，第二次世界大战中被毁。战后发展成商业和旅游业中心。1976年建椰干加工厂。1996年，连接科罗尔与巴伯尔图阿普岛的混凝土悬臂桥倒塌，严重影响该国交通、通迅和供水网络。新的吊桥于2002年开通。人口13 303(2002)。

Korošec, Anton　科罗舍茨(1872-05-12，奥匈帝国施蒂里亚州维施里安[今在斯洛文尼亚]～1940-12-14，贝尔格莱德)　斯洛文尼亚政治领袖，第一次世界大战后，参与建立南斯拉夫国家，1928年短期担任首相。耶稣会司铎，著名演说家。在担任首相前后，在南斯拉夫内阁中担任各种职务，包括铁道部长、内务部长和教育部长。由于他在斯洛文尼亚人中颇得人心，他逃脱了国王亚历山大一世和首相P.日夫科维奇因他反对他们的独裁统治而施加于他的惩罚。1933～1934年因坚决主张斯洛文尼亚自治而系狱。

Korosten　科罗斯坚　乌克兰中北部日托米尔州城市。位于乌日河西岸，基辅西北约130千米处。1926年设建制。为小型工业中心、铁路枢纽和机械制造业中心。有化工设备制造、木材加工、陶瓷、食品加工和服装工业。郊区开采和加工花岗岩。人口约72 000(1987)。

Korsakoff syndrome　柯萨科夫氏综合征　又称柯萨科夫氏精神病或柯萨科夫氏病。一种中枢神经系统疾病。症状特点是严重的记忆丧失，但知觉正常、意识清楚。部分病例源于严重的慢性酒精中毒，部分患者的病因是中毒性脑病、大脑的各种炎症、严重的脑外伤或维生素 B_1 缺乏。柯萨科夫氏综合征患者的典型症状是丧失近期记忆，甚至刚刚发生的事情转眼就忘了，他们的记忆存储时间常只有几秒钟。远期记忆丧失也是本病的常见症状，有些病人可以把他们20年的经历忘得一干二净。柯萨科夫氏综合征的另一症状特点是虚构症，病人可以把一件没有的事情说得有声有色。柯萨科夫氏综合征常常作为一种症状成为某种脑病的一种一过性表现，但有些病例的病程呈现慢性过程。参阅 **memory**。

Korsakov　科尔萨科夫　俄罗斯远东地区萨哈林州城市。位于萨哈林岛南部，滨临阿尼瓦湾。1853年建为要塞，是岛上最早的俄国军事要塞。1909年辟为港口。1905～1945年该居民点由日本控制，称大泊。1946年设市并改用现名。现为该岛最大港口，有轮船修理业和鱼类加工厂。人口约45 300(1991)。

Kortcha(Albania)　参阅 **Korçë 科尔察**。

Kortner, Fritz　科特纳(1892-05-12，维也纳～1970-07-22，慕尼黑)　原名弗里茨·内森·科恩。20世纪20年代德国先锋派戏剧演员和电影演员。1949年结束流亡生活返回德国后，以其革新的演剧思想振兴了德国戏剧。特别以其对古典戏剧的非传统体现而闻名。曾就学于维也纳音乐戏剧艺术学院，在多家德国剧院工作后，1911年在柏林加入赖恩哈特剧团，1916年加入耶斯纳的剧团。同年开始演无声电影，成为德国著名的性格演员之一，扮演各种罪恶的和带威胁性的角色。他富于表情的劲道、感人至深的陈述能力使他成为耶斯纳上演"表现主义"标准剧本的理想人物。他最善长饰席勒《威廉·退尔》中的格斯勒及莎士比亚的理查三世。1933年纳粹上台后，他被迫逃离德国前往英国和美国，在那里演电影和写作，并导演几出戏剧。1949年返回德国后成为最出色的导演之一。他执导并参加演出各种经典和现代剧作，如莱辛、席勒、莫里哀、威廉斯和贝克特等人的剧作，演出情形一反传统做法。重要的演出有莎士比亚的《理查三世》(1964)和斯特林堡的《父亲》(1967)。他的作品受到广泛赞扬，直到去世前他从未停止积极的戏剧活动。在其一生中，共演了90余部相对来说属传统性的电影，其中有《丹东》(1920和1931)、《贝多芬的一生》(1927)。他执导过的电影有《正直的罪人》(1931)、《到处是秘密的城市》(1955)。

Kortrijk　科特赖克　法语称Courtrai(库特赖)。比利时西部西佛兰德省城市。最早为罗马人居民点。7世纪时在现圣马丁大教堂所在地即建有教堂。1190年设市。为铁路

科特赖克市的布罗尔堡大桥
美国不列颠百科全书公司供图

枢纽和亚麻种植区的中心，是西欧亚麻纤维最大产地与出口地。亦生产家具、金属丝和棉织品。当地圣母院教堂(1191～1211，附有佛兰德伯爵的小教堂)收藏有凡·戴克的《十字架图》(1631)和一座14世纪的圣凯瑟琳塑像。其他历史建筑有带两座巨塔的布罗尔堡大桥(1400)、哥特式圣马丁大教堂、14世纪钟楼和哥特式市政厅(15～16世纪)。人口约76 081(1990)。

Kortrijk, Battle of　科特赖克战役(1302)　参阅 **Golden Spurs, Battle of the 金马刺战役**。

korwar style　科瓦风格　新几内亚西北部，特别是海尔芬克水道的雕刻类型，线条粗

科瓦风格的人像木雕
美国不列颠百科全书公司供图

犷而有角度,和同一作品中精致曲线所组成的图像成鲜明对比。科瓦风格见于独木舟船头及竹箭筒,最有代表性的是雕像,这与祖先崇拜有关。人像通常刻成直立或蹲踞姿势,双臂抚膝,头部特大,和细小的身躯不成比例。下颚前伸,眼小,鼻部直接连接前额,鼻孔张开。雕像常带有盾牌(其含义不明),有时用它支撑人像的下颚。

Koryak 科里亚克人 俄罗斯远东地区土著民族。20世纪末总数约7 900人,大多数住在堪察加半岛北部的科里亚克自治区。科里亚克诸语言属于古西伯利亚语的洛拉维特兰语系。科里亚克人大概是鄂霍次克海东北岸的土著、由此向东发展的。17世纪末到18世纪初,俄国并吞此地时科里亚克人有13 000人。一些人生活在内陆,是驯鹿游牧者;海边居民定居,以渔猎海中鱼兽为生。其居所冬季为半地下室,夏季在木桩顶端搭起帐篷。科里亚克人无公共权力机构,也无部落或氏族组织,实行一夫一妻从父居的婚姻制和维持父系亲属关系。流行专职的萨满教和家庭的萨满教活动,认为有"易装癖"的人是神通广大的萨满教僧。科里亚克人因抵抗俄国人而衰弱,常为其北邻楚克奇人所袭扰,加之18世纪末天花流行,使科里亚克人口总数减少一半。科里亚克人大多数仍操其传统职业。

Koryak 科里亚克 又拼Koriak。俄罗斯远东地区一共和国。位于堪察加半岛北半部,科里亚克山南端,品仁纳河流域。面积301 500平方千米。地势崎岖,气候严寒,植被为苔原或稀疏的白桦树林;品仁纳河流域有落叶松。人口稀少,无城镇,只有5个城区,其中包括行政中心**帕拉纳(Palana)**。主要经济活动有渔业、狩猎及养鹿。出产少量煤炭和木材。居民有俄罗斯人(约65%),科里亚克人(约20%)和少量的乌克兰人、楚克奇人和伊捷尔缅人。人口约37 700(1993)。

Koryŏ DYNASTY **高丽王朝** 935～1392年统治朝鲜半岛的王朝。在此时期开始形成与东亚其他地区不同的文化传统。918年王建将军推翻僧人弓裔在朝鲜北部建立的后高句丽,改国号为高丽,定都松岳(今开城)。935年新罗降服,936年后百济归顺,从而成为统一的王国。成宗在位时期(981～997)建立起中央集权的官僚体制,发展教育,采用科举制度,选贤任能,加强中央对农村的统治。儒教在政治生活中具有强烈影响。但佛教也有很大势力,当时曾出版《三藏》。陶瓷器发达,高丽青瓷优美精致,远近驰名。高丽与中国关系良好,袭用中国文化和政治体制。1170年发生政变,武将崔忠献建立军人政权,从1197年一直存在到1258年。但崔氏始终在幕后,没有正式篡夺王位,因此,高丽王朝一直延续未断。13世纪蒙古人不断入侵。恭愍王(1352～1374)励精图治,企图把入侵者赶走,但未获成功。1392年儒将李成桂推翻这一衰弱王朝,另建李朝(1392～1910)。

Koryū (Japanese floral school) 参阅 **Ko 古流**。

Korzybski, Alfred (Habdank Skarbek) 科日布斯基(1879-07-03,波兰华沙～1950-03-01,美国康涅狄格沙伦) 原名哈布丹克·斯卡尔贝克。波兰出生的美国科学家和哲学家。他创立了**普通语义学(general semantics)**。这是一种语言哲学体系,它试图通过研究和改进使用语言和对语言作出反应的办法以增进人们一代代传达思想的能力(他称之为人的"连接时间的能力")。第一次世界大战期间,曾在俄军总参谋部情报部工作。1915年因军事任务被派往美国和加拿大。1917年沙皇政府垮台,他留在美国任法国-波兰军事使团的秘书。后来他归化美国。最出色的作品是《科学和健全的思想:非亚里士多德体系和普通语义学入门》(1933)。

Kos (Greece) 参阅 **Cos 科斯**。

Kosach-Kvitka, Larisa Petrovna 科萨奇-克维特卡 参阅 **Ukrainka, Lesya 乌克兰因卡**。

Kosala 科萨拉 古代印度北部的王国,大致相当于历史上的奥德地区,即今北方邦中南部。地跨萨拉由河(今卡格拉河)两岸,北至今尼泊尔。据《罗摩衍那》所述,科萨拉的历代国王是太阳的子孙。罗摩王曾定都阿约提亚(今法扎巴德附近)。科萨拉于公元前6世纪初兴起,在政治上日益重要,为北印度的16个大国之一,后成为4大国之一,佛陀即出生在北部的释迦部落。公元前5世纪下半叶,科萨拉并入摩揭陀国。后来,科萨拉被称为北科萨拉,以区别于默哈讷迪河上游的南科萨拉或"大科萨拉"。南科萨拉的都城是斯里布尔,据《罗摩衍那》所述,为罗摩之子库萨所建。

Kosba, Simeon bar 科斯巴 参阅 **Bar Kokhba 巴尔·科赫巴**。

Kosciusko, Mount 科西阿斯科峰 澳大利亚最高峰。海拔2 228米。在新南威尔士州东南部,澳大利亚阿尔卑斯山脉的雪山山脉中。位于科西阿斯科国家公园境内。附近有汤森山、特怀纳姆山、北拉姆谢德山和卡拉瑟斯山。融雪汇入各河流和水库,构成雪山水电工程。当地开发成冬季运动场地。

Kościuszko, Tadeusz (Andrzej Bonawentura) 柯斯丘什科(1746-02-04,波兰梅勒佐夫什切纳[今在白俄罗斯]～1817-10-15,瑞士索洛图恩) 波兰将军和政治家,因参加美国独立战争和领导波兰全国起义而享盛名。出身贵族家庭,在皮亚里斯特学院和华沙军事学院学习,后任华沙军事学院教官。不久受到国王斯坦尼斯瓦夫二世的赏识,被派往巴黎在军事和民用建筑以及绘画方面进行深造。1774年回国后,因恋爱未成逃往法国,于1776年前往北美,加入殖民地军队,参加独立战争。柯斯丘什科在费城参加设计防御工事,保卫大陆会议所在地。1777年春,被分配至盖茨将军所部,从7月起,沿哈得孙河建筑碉堡,封锁一切道路,迫使英军于10月17日在萨拉托加投降。此后2年,在纽约州西点建筑防御工事。1780年夏,在北卡罗来纳格林将军麾下作战,两次指挥部队越过亚德金河和达恩河,使部队免于覆没。1781年春在南卡罗来纳指挥奈恩蒂西克斯之战,接着对查尔斯顿进行长期封锁。战争结束时被授予美国公民资格,并擢升美军准将。

美国不列颠百科全书公司供图

1784年回到波兰,在自己的小庄园里困居5年,同时由于免除其农奴的一部分劳役而负债累累。波兰进行自由改革后,他于1789年回到军队,同年10月任少将。1792年俄国女皇叶卡捷琳娜二世出兵进攻波兰,阻止波兰进行摆脱俄国影响的内部改革。柯斯丘什科指挥一个师参加激烈的杜边卡战役,因功勋卓著晋升中将。后来波兰国王背叛了自由改革事业,在波兰的俄国占领区内反动派重新掌权,迫使自由主义政治家逃亡萨克森,柯斯丘什科也弃官出走。

1793年1月作为代表前往巴黎,寻求对波兰事业的支持。8月回到萨克森时,面临在波兰举行起义的要求。他同意指挥国家军队,秘密前往克拉科夫附近的一个地方,但发现准备不足,决定推迟举行起义,并再次出国。他的这一决定是不明智的,这使得敌人获得时间通过大规模搜捕和削减军队来破坏起义的图谋。那些在地下活动的人于1794年3月12日揭竿而起。在他们的请求下,柯斯丘什科于3月24日回到克拉科夫,在声势浩大的群众集会上庄严宣誓举行全国起义,反对占领者——主要是俄国和普鲁士。他建立起革命的政权和军队。由于缺乏枪炮,他用长矛和传统的武器大镰刀武装农民新兵。为动员更多的农民参加战争,他宣布暂时停止农奴制,并把劳役减免一半,这引起了贵族的反抗。他受挫后,被迫撤至最后的据点华沙。他在普鲁士和俄国军队的重重包围下保卫华沙达两个月之久,这是他作为战略家和工程师所获得的最伟大的军事成功。他在围困华沙的敌军后方——被占领的大波兰地区发动起义,迫使普鲁士国王腓特烈·威廉二世退却。但俄国援军迅速反击。柯斯丘什科在马切约维采大败,负伤被俘。由于失去领导人,起义崩溃。波兰第3次被瓜分后,柯斯丘什科被囚禁在彼得堡。1796年女皇叶卡捷琳娜去世,其子保罗一世即位,柯斯丘什科得以获释,前往美国,受到美国人民的热烈欢迎。

当他获悉有可能在法国促进波兰独立后，于1798年5月秘密离开美国。在这之前，他从他的庄园拨出一部分钱来着手解放其黑奴，并作为教育他们的费用。

他回到法国后感到很失望。作为一个真正的共和主义者，他无法信任拿破仑。当他的国家成为华沙大公国时(1807)，他继续流亡国外。1815年维也纳会议后，波兰成为俄国统治下的新王国，沙皇亚历山大请他回国。他要求进行社会改革并将波兰国界推至德维纳河和第聂伯河，但是没有得到答复。此后，他前往瑞士索洛图恩定居，免除了他的所有农奴的劳役。

Kose Kanaoka　巨势金冈(802?～897?，日本)　日本第一个主要世俗画家。出身贵族，在宫廷任职，享有爵位。在平安时代(794～1185)贵族文化形成期甚为活跃，他超脱源自中国画的主题与技巧，形成了日本的新型绘画风格。擅长风景、官员肖像与动物画。据传其作品线条纤细而遒劲生动，画骏马与蛟龙栩栩如生。由于没有现存作品能确定为其手笔，但又如此享有盛名，以致许多有价值的画幅都归在他的名下，其中包括驰名的《菅原道真画像》。据记载，最后作品于17世纪毁于火灾。

Kösem Sultan　克塞姆苏丹(约1585～1651-09-02)　奥斯曼苏丹艾哈迈德一世的皇后，穆拉德四世和易卜拉欣一世的母后，穆罕默德四世的祖母。年轻时姿容佳丽，但野心很大，曾对奥斯曼半个世纪的政治发生强烈影响。1651年因试图杀害穆罕默德四世，被她儿媳的手下人勒死。

Kosen(Japanese Communist leader)　**枯川**　参阅 **Sakai Toshihiko** 堺利彦。

kosher　合礼　希伯来文作kāshēr。犹太教名词，指器物合乎礼仪要求。一般指食物符合饮食禁忌要求，但也用于其他物件，如书写《律法书》的羊皮卷，净身礼所用的水和礼拜用的号角等。犹太教正统派认为遵守饮食禁忌就是实行"要圣洁"(《利未记》19:2)的诫命；改革派则认为对于虔诚生活来说，遵守这些禁忌并无必要。

Koshiba Masatoshi　小柴昌俊(1926-09-19，日本丰桥～　)　日本物理学家。因为在中微子探测方面的研究工作，与R.戴维斯(小)共获2002年诺贝尔物理学奖。R.贾科尼凭借他在X射线方面的工作也分享了这一年的诺贝尔物理学奖。小柴昌俊于1955年获得纽约罗切斯特大学博士学位，之后入东京大学并且于1960年成为教授，1987年成为名誉教授。1987～1997年执教于东海大学。20世纪20年代，科学家认为太阳的光芒来自于氢-氦核聚变反应中放出的能量。理论计算表明这种反应应该放出大量的中微子，并且以恒定的强度轰击着地球。然而，由于中微子和物质的相互作用很微弱，每一兆个中微子中只有一个会被地球挡住，因此中微子以"不可探测"而闻名。20世纪80年代，小柴昌俊在日本的一个锌矿里面建造了地下中微子探测器"神冈二号"。这是一个充满水的巨型容器，周围的电子探测器可以感知中微子和水分子中的原子相互作用时发出的闪光。小柴昌俊证实了戴维斯的结果——太阳释放出中微子并且探测到中微子的数量少于预期值。1987年小柴昌俊还探测到了银河系以外的超新星爆发产生的中微子。在建造了更灵敏的探测器"超级神冈"(1996年开始运行)之后，他证实了科学家们长久以来的猜想，那就是有着三种类型的中微子在飞行的过程中会从一种类型转变为另外一种类型。

Koshigaya　越谷　日本本州埼玉县城市。位于中川和江户川冲积平原。1899年与东京通铁路前为驿镇和商业集市。第二次世界大战后与南面的草加共同迅速发展起来。生产化工品、皮革和机械。人口308 307(2000)。

Kosi River　戈西河　尼泊尔和印度北部河流。连同支流在内，其流域范围包括尼泊尔东部和中国西藏部分地区(包括珠穆朗玛峰周围地区)。河流一些源头起源于西藏。戈西河于印度-尼泊尔边界北48千米处与主要支流汇合，冲出杰德拉峡谷，越西瓦利克山脉南流向印度北部大平原，经724千米于布尔尼亚南注入恒河。由于挟裹大量岩屑碎石，无固定河道，长期以来为祸酷烈(洪峰于24小时内可高达9米)，严重危及比哈尔邦北部广大地区人民生命及农业。现已于巴拉卡谢特拉修建泽德拉峡谷水坝，兼有蓄洪、灌溉、发电、养鱼之利。两岸沙质土地已广种玉米。

Košice　科希策　德语称Kaschau(卡绍)。匈利语称Kassa(考绍)。斯洛伐克东部城市，濒临霍尔纳德河。始建于9世纪，1241年设市。中世纪末，为波兰-斯洛伐克边境上24个贸易聚居区之一，德意志商人占多数。17世纪建有防御土耳其人的坚固堡垒，现仍有其遗迹。名为赫洛夫纳街的中世纪长街现仍为市中心。1920年隶属捷克斯洛伐克后迅速发展。1938年被匈牙利人占领；1945年解放后，成为战后捷克斯洛伐克政府和斯洛伐克民族议会的最初的所在地。在第二次世界大战后的数十年间，创建有沙法日克大学(1959)和几所科学研究机构。自1945年以来，人口已增加2倍以上，现为斯洛伐克东南部政治、经济和文化中心。该市西为矿藏丰富的山脉(有铁矿石、菱镁矿和石灰岩)，东为富饶的农业平原；既是重工业中心，又是农产品市场。位于该市正南面的乌戈有钢铁联合企业，是东欧最大的钢铁联合企业之一。设有东斯洛伐克博物馆。人口约236 093(2001)。

Košice，Pact of　参阅 **Koszyce，Pact of**《科希采条例》。

Košice government　科希策政府　第二次世界大战后捷克斯洛伐克的亲苏临时政府。统治仅一年，其间提出意义深远的社会主义纲领，为共产党最终统治捷克斯洛伐克铺平道路。这个政府系根据战前总统和战时流亡政府领导人E.贝奈斯的指示，于1945年4月3日在斯洛伐克的科希策成立。总理为Z.费林格。内阁部长来自4个捷克的政党，2个斯洛伐克的政党。共产党的7名部长在内阁中占多数，控制内政、农业、财政、教育和新闻部等关键部门。捷克斯洛伐克解放后，科希策政府在各地成立人民委员会。外交政策明显亲苏。它从波兰取得特申地区，而将外喀尔巴阡的罗塞尼亚割与苏联。另外，主要工业部门、发电厂和输电网、银行以及其他金融、信贷和保险机构都实行了国有化。1946年5月议会选举后，科希策政府由新政府代替，K.哥特瓦尔德保留了前政府中的许多共产党员部长。

Köslin(Poland)　**克斯林**　参阅 **Koszalin** 科沙林。

Kosova(people)　**科索瓦人**　参阅 **Gusii** 古西人。

Kosovo　科索沃　塞尔维亚共和国地区，位于共和国西南部。北和东为塞尔维亚本土，南界马其顿，西接阿尔巴尼亚，西北邻黑山共和国。塞尔维亚人称此地区为科索沃和梅托希亚；梅托希亚即现代科索沃的西部，原是寺院地产。科索沃盆地东部有向北流的锡特尼察河流经。盆地中主要城市有普里什蒂纳(地区首府)和科索夫斯卡-米特罗维察。梅托希亚盆地西部沿阿尔巴尼亚边界是向南流的白德林河流域。科索沃的矿藏有褐煤、沥青和有色金属。农业出产谷物(小麦、大麦、玉米)、水果和蔬菜。中世纪后期科索沃是内马妮奇王朝塞尔维亚帝国的心脏地区。土耳其人在1389年的科索沃战役中打败塞尔维亚人，统治整个塞尔维亚，包括科索沃。科索地区的人口既有讲阿尔巴尼亚语的，也有讲塞尔维亚语的居民。在奥斯曼土耳其人取得胜利后的几个世纪里，相当大一部分塞尔维亚基督徒迁走，其他人中许多皈依了伊斯兰教。区域内讲阿尔巴尼亚语的民族日益增多。1912年塞尔维亚人重新控制了科索沃，1918年科索沃成为新成立的塞尔维亚-克罗地亚-斯洛文尼亚王国(后改名南斯拉夫)塞尔维亚的一部分。20世纪20、30年代，阿尔巴尼亚族人抵制塞尔维亚企图重新迁入塞尔维亚人。第二次世界大战期间，科索沃曾短期与阿尔巴尼亚联合。战后的新南斯拉夫联邦给予科索沃以塞尔维亚共和国内自治区(后为自治省)的地位。60年代中期联邦政府鼓励阿尔巴尼亚人的民族认同，并给予阿尔巴尼亚人政治特权。这个阿尔巴尼亚化过程还受到塞尔维亚人迅速离开迁往都市地区的影响。由于塞族的迁走和阿族的高出生率，阿尔巴尼亚族人在人口中的比例由1946年的1/2上升到1991年的4/5。1989年米洛舍维奇出任总统不久，取消了科索沃的自治，由塞尔维亚直接统治该省。1990年阿族人举行强烈抗议，米洛舍维奇派出南斯拉夫部队，解散省议会，关闭阿尔巴尼亚语学校。在一次官方不承认的公民投票中，科索沃人绝大多数投票赞成脱离塞尔维亚和南斯拉夫。虽然大多数阿族人不主张暴力，但科索沃解放军开始攻击塞尔维亚警察。1992年由塞尔维亚和黑山组成新的南联盟国家。1998年初南斯拉夫军队实行大规模镇压。塞尔维亚军队的野蛮做法把成千上万的阿族农民赶出他们的家园，也使阿尔巴尼亚解放军部队得到扩大。1998年11月达成的停火协议，年末即被打破，塞尔维亚军队对阿尔巴尼亚解放军发动全面进攻。1999年北大西洋条约组织开始空袭南斯拉夫目标。塞尔维亚人的反应则是对阿族进行大规模的种族清洗。1999年6月，科索沃由联合国托管；科索沃人陆续返回家园，而塞尔维亚人，有时会遭到报复，则纷纷逃离。2006年，随着黑山的独立，新的南联盟解散。面积10 887平方千米。人口约2 325 000(2001)。

Kosovo, Battle of 科索沃战役(1389-06-15) 塞尔维亚拉查尔亲王的军队和奥斯曼苏丹穆拉德一世(1360～1389在位)的土耳其军队在塞尔维亚的科索沃原野所进行的战斗。最初，胜利似乎在塞尔维亚人一边：有一个叫做米洛什·奥贝利克的塞尔维亚贵族假装逃兵进入土军的大营，他跑到苏丹的帐篷中，用毒药浸过的匕首把穆拉德刺死。但是苏丹的儿子巴耶塞特立即平息了随之而来的混乱局面，成功包围了塞尔维亚人，使塞尔维亚的军队一败涂地。拉查尔被俘，后被处死。战后，塞尔维亚人被迫向土耳其人纳贡，并保证在苏丹的军队中服役。

Kosovo, Battle of 科索沃战役(1448-10-17～20) 奥斯曼帝国的军队与匈牙利-瓦拉几亚联军在塞尔维亚的科索沃进行的战斗。1446年奥斯曼军队在瓦尔纳打败十字军之后，苏丹穆拉德二世侵入摩里亚，迫使摩里亚的希腊人统治者向他称臣。然后，他转而攻击阿尔巴尼亚人的领袖斯坎德培。1448年匈牙利的司令官匈雅提率十字军跨多瑙河，协助斯坎德培联合作战，但在科索沃遭到惨败。奥斯曼人的这次胜利没有征服阿尔巴尼亚，但增强了他们在多瑙河一线的地位，并制止了基督教十字军解放巴尔干的最后努力。

Kosrae 科斯拉伊 又称库塞埃，原称斯特朗岛。西太平洋加罗林群岛最东端的一个岛。属密克罗尼西亚联邦。为火山岛，地势起伏，最高点克罗泽山(628米)。陆地面积109平方千米。土地肥沃，灌溉优良，出产芋头、柑橘、面包果和香蕉。有珍贵木材，铝矾土和鸟粪资源。人口7 686(2000)。

Koss, Johann Olav 科斯(1968-10-29，挪威德拉门～) 挪威速滑运动员。年轻时并无滑冰才能，但他决心在这项运动上取胜，于是专心致志于训练，最后成为在身体和精神上都极其坚强的运动员。他最突出的速滑成绩是在1994年2月20日冬奥会的10 000米赛中，以13分30秒55的成绩将原世界纪录缩短近13秒。而这是他8天内的第三个世界纪录，几天前已经创下5 000米6分34秒96和1 500米1分51秒29的新纪录。之前，在1992年的冬奥会上还赢得1 500米金牌和10 000米银牌。其他主要奖项有1990、1991和1994年的世界全能冠军。1994年，退出比赛，致力于医药工作。1999年当选国际奥林匹克委员会委员。

Kossel, Albrecht 科塞尔(1853-09-16，梅克伦堡罗斯托克[德国]～1927-07-05，德国海德堡) 德国生物化学家，因对蛋白质、细胞及细胞核化学的研究而获1910年诺贝尔生理学或医学奖，他最早将化学分析方法用于解释活组织的化学过程。1878年毕业于德国大学(今斯特拉斯堡大学)，后从事生理学研究，1895年任马尔堡生理学研究所生理学教授及所长。1901年在海德堡任同样职务，后任海德堡蛋白质研究所所长。1879年开始研究新发现的"核素"(核蛋白)，证明它含蛋白质部分和非蛋白质部分。1885～1901年，他与学生们用水解及其他技术将核酸分解，得到DNA的成分腺嘌呤(1885)及胸腺嘧啶(1894)，还发现了组氨酸(1896)、胸腺核甙酸及鲱精胺。

Kossuth, Lajos 科苏特(1802-09-19，匈牙利莫诺克～1894-03-20，意大利都灵) 匈牙利政治改革家，鼓舞和领导了匈牙利摆脱奥地利统治争取独立的斗争。1848和1849年革命时期一度掌权，但因俄军到来而下台。父

美国不列颠百科全书公司供图

为斯洛伐克人，母为日耳曼血统，都是路德派教徒。科苏特早年在沙罗什保陶克新教学院上学，毕业后谋求官职未成，在曾普伦州给埃蒂尔卡·安德拉希伯爵夫人当代理人，经济十分窘迫。1832年伯爵夫人派他去波若尼参加等级议会，充当"代理代表"。他在议会激昂慷慨的气氛中强烈地感到：只要匈牙利未在事实上享有法律赋予的内部自由，就不可能有社会和经济的进步可言，因此，首先要进行的是政治斗争。他在议会中没有资格参加辩论，但他撰写的关于议会活动的通信，由人抄写流传全国。这些通信写得极为精彩，世人争相传阅。1837年5月他以颠覆罪被逮捕，被判3年徒刑。1840年获释，成为民众英雄。《佩斯报》聘他为编辑。他的文章有如行云流水，痛快淋漓，曾经赢得无数热心的读者，但同时也使奥地利当局和匈牙利保守分子胆战心惊。1847年佩斯州选他出席下届议会，他成为议会中"民族反对派"的领袖。1848年3月3日作了一次极其有力的发言，认为只有推翻维也纳的专制独裁，匈牙利全体人民才能得到自由。L.包贾尼伯爵出任匈牙利首相以后任命他当财政大臣。同年9月，奥地利唆使克罗地亚军队入侵匈牙利，包贾尼辞职。议会选出国防委员会临时代行职权，科苏特任委员会主席。他实际上成为匈牙利的独裁者。后来议会又选他为匈牙利"总督"。但在俄军到来时他只好去土耳其避难。两年后美国政府邀请他访美。赴美途中他曾在英格兰逗留，向群众大会发表一系列的演说，受到空前热烈的欢迎。他到美国后也受到同样热情的接待。但英美官方对匈牙利的独立运动并未给予支持。此后他卜居伦敦，与意大利爱国志士马志尼结为密友，加入马志尼的革命委员会。1859年奥法战争迫在眉睫，法国皇帝拿破仑三世请求科苏特当战争爆发时在匈牙利立即举行起义。科苏特表示同意，但因拿破仑三世与约瑟夫一世缔结休战协定，这一计划未能实现。此后数年，科苏特侨居都灵，眼看匈牙利在F.戴阿克主持下同奥国君主妥协，他内心极为悲痛，在奥匈协约缔结的前夕发表一封公开信。他在孤独寂寞和几至赤贫的情况下度过余生。逝世后成为匈牙利人民尊崇的对象，他的名字也成为争取国家独立的象征。

Koster, Laurens Janszoon 参阅 **Coster, Laurens Janszoon 科斯特**。

Kostrikov, Sergey Mironovich 科斯特里科夫 参阅 **Kirov, Sergey Mironovich 基洛夫**。

Kostroma 科斯特罗马 俄罗斯西部的一个州。位于伏尔加河流域中部。面积60 100平方千米，大部分是起伏平缓的冰碛平原，地势由北部垅岗低丘陵向伏尔加河倾斜。多湖泊和泥炭沼泽。1944年建州。首府科斯特罗马市。区内覆盖着茂密的沼泽森林或泰加森林，如云杉、松树、白桦和东北部的冷杉。诸河流周围均为广阔的泛滥平原草甸，土地贫瘠。经济不很发达，交通不便。有伏尔加河流过的西南角地区为耕地，仅占土地总面积的15%，种植亚麻、饲料、黑麦和燕麦。小城镇普遍加工亚麻并生产亚麻布，小型木材加工业分布广泛。20世纪80年代初，在科斯特罗马市东南40千米、濒临伏尔加河的伏尔加列琴斯克开始修建世界最大火力发电站之一。人口约811 900(1993)。

Kostroma 科斯特罗马 俄罗斯西部科斯特罗马州城市和首府。位于伏尔加河中游，莫斯科东北约320千米处。1213年首见记载。地当伏尔加商船航线要冲，1329年被莫斯科公国兼并。城堡内有一大教堂，建于1239年，重建于1773年，为俄国古代建筑艺术的典范。19世纪成为大型纺织工业中心。现有俄罗斯最大的亚麻加工联合企业，并有亚麻纺织厂和纺织机械厂。人口约281 700(1993)。

Kostrowitzki, Wilhelm Apollinaris de 科斯特罗维茨基 参阅 **Apollinaire, Guillaume 阿波里耐**。

Kosygin, Aleksey Nikolayevich 柯西金 (1904-02-20,俄罗斯圣彼得堡～1980-12-18,苏联俄罗斯莫斯科) 苏联政治家,部长会议主席(1964～1980)。他是个合格的务实的经济行政官员而不是理论家。1919年进入红

美国不列颠百科全书公司供图

军,曾参加国内战争。内战结束后接受职业教育,1927年加入共产党,先后在列宁格勒市政府和工厂任职。1939年任纺织工业人民委员,并选入党的中央委员会。1940年成为人民委员会议(1946年以后称部长会议)副主席,主管消费品工业。第二次世界大战期间任俄罗斯苏维埃联邦社会主义共和国部长会议主席。后任苏联财政部长(1948)和轻工业部长(1948～1953)。1948年当选为党中央政治局委员。1952年10月政治局改组为主席团时,他被降为候补委员。1953年斯大林死后,他失去苏共中央主席团候补委员的地位,并一度被解除政府职务。1953年12月恢复苏联部长会议副主席职务,1956年12月再次被免职。他虽从1953年起担任各种部长级经济职务,但却失去了昔日的权力。1957年6月,作为赫鲁晓夫的支持者,重新成为党的主席团候补委员,再度恢复部长会议副主席职务。他与赫鲁晓夫在经济工作中密切合作。1959年3月～1960年5月任国家计划委员会主席,当选为党的主席团正式委员,并于1960年5月任苏联部长会议第一副主席。1964年10月取代赫鲁晓夫任部长会议主席,成为苏联政府实际的首脑。1965年柯西金推行广泛的改革以图使苏联经济现代化。他探索改进计划方法,鼓励计划管理人员的首创精神,更多地依靠利润作为改善经济效率的手段。1966年他宣布苏联1966～1970年发展经济五年计划,仍然坚持赫鲁晓夫的注重消费品生产的方针,所不同的只是为各项经济计划规定更加现实的开始和结束的日期。60年代末和70年代初,他和勃列日涅夫、波德戈尔内分享权力。看来,他对其他苏联领袖施加一种温和的影响。政府从全面推行柯西金的改革后退,但他的管理风格有助于在70年代的苏联经济中保持效率和纪律。他强调经济权力下放和扩大轻工业生产的立场使他和勃列日涅夫的争吵加剧。1980年10月23日勃列日涅夫宣布柯西金因健康状况不佳而退休。

Koszalin 科沙林 波兰西北部西滨海省城市。濒临杰日任青卡河。既是旅游胜地,也是制造业城市。工业有锯木和木材加工、食品加工、机器制造等。1214年始见记载,1266年建市。因其位于格但斯克—什切青商队路线上而成为重要贸易中心,并建起自己的商队。1648年被勃兰登堡选侯领地吞并,直至1945年方归还波兰。人口约108 709(2002)。

Kosztolányi, Dezsö 科斯托拉尼 (1885-03-29,奥匈帝国匈牙利索包德卡～1936-11-03,布达佩斯) 匈牙利诗人、小说家和批评家,匈牙利文学中杰出的印象主义者。出身知识分子家庭。1907年出版第一部诗集。1910年,以一个孩子对环境的敏锐印象为题材写成的组诗《一个可怜孩子的抱怨》发表,立即得到赞誉。他的诗作明晰易懂,深入浅出。他还擅长写小说。描写女仆故事的《埃德斯·安娜》(1926)可能是他长篇小说中的佼佼者。他还翻译过几种用欧洲语言、中文和日文写成的诗。晚年致力于维护匈牙利语言的纯洁性,献身于为艺术而艺术的原则,主要关心艺术形式,对社会问题不大感兴趣。

Koszyce, Pact of 《科希采条例》(1374-09-17) Koszyce斯洛伐克语作Košice,匈牙利语作Kassa。波兰贵族和波兰国王路易一世之间达成的协议。贵族们在协议中保证接受国王选定的继承人,以换取一项确保其基本权利与特权的宪章。1370年波兰国王卡齐米日三世把王位传给侄子路易一世。路易无嗣。1373年,他召集波兰贵族和教士代表在科希采举行会议,要他们允许他的女儿继承王位。由于没有达成协议,第2年又召开会议。这次除格涅兹诺主教一派外,其余的代表都同意路易立女儿为王储。作为酬报,路易颁布一项保障贵族传统权利的宪章,其中规定:除少量土地税外,他们不向王室缴纳任何税款;波兰各省的高官均由本省贵族充任。路易死后,贵族违背条例,拒不承认路易指定的王储玛丽亚,而让他的另一女儿雅德维加嗣位。此后,波兰历代国王都必须信守路易所颁布的宪章。

Kota 科塔人 印度南部尼尔吉里丘陵地区操达罗毗荼语的土著,20世纪70年代住在7个村落里,人口约2 300。这些人散居在其他尼尔吉里民族即巴达加人和托达人的村落里。每个村落有两三条街,每条街由一个父系氏族的成员占居。多数成年人也说泰米尔语,泰米尔语是另一种达罗毗荼语。科塔人是传统的乐师和手艺人。每个科塔人家庭与若干个巴达加人及托达人家庭相联系,供给他们金属工具、木制器皿及锅、壶等,也为他们提供各种仪式上的音乐服务,以此换取谷物及乳品。因为科塔人搬运牲畜尸体,并从事其他卑下的工作,邻人认为他们地位低下。1930年以后,尼尔吉里地区这几个居群的相互依赖关系已经终止,科塔人主要以种植谷物和马铃薯为生。

Kota 科塔 印度西北部拉贾斯坦邦科塔县县城。位于昌巴尔河东岸。始建于14世纪,曾为土邦首府。现为交通中心,由于附近昌巴尔河水电站的建造亦成为工业中心。主要工业有榨油、纺织、造纸、轧棉、酿造业,生产火柴、精密仪器、尼龙、纸板、电缆和橡胶等。设有机场、几所医院和拉贾斯坦大学5所分校。科塔县面积12 437平方千米,地处倾斜台地,属昌巴尔河流域,莫坎达拉丘陵由东南向西北贯穿境内。农作物主要有高粱、小麦、鹰嘴豆、玉米、棉花和水稻。有野生动物保护区。还有不少古代遗址,有些属于公元8世纪。人口:城镇537 371;县2 030 831(1991)。

建在科塔的王室衣冠冢
美国不列颠百科全书公司供图

Kota Baharu 哥打巴鲁 西马来西亚吉兰丹州首府。靠近泰国边界,距南海海岸13千米。地处肥沃农区。为该州工业中心。沿海有沙洲,不能从海上直达,须走附近的通帕港。有机场和密布的公路网。西南的巴西马士是沿海铁路和通往泰国铁路的终点站。20世纪70年代后期,周围工业大规模发展。设有哥打巴鲁师范学院。人口219 713(1990)。

Kota Kinabalu 哥打基纳巴卢 旧称亚庇。东马来西亚沙巴州首府。在婆罗洲西北海岸。濒临南海加亚湾,有深水港。虽在第二次世界大战中被炸平,1946年仍选为英属北婆罗洲(沙巴)首府,并即重建和扩大。居民以华人为主。通铁路。沿海出产橡胶,经加亚湾码头出口。有面粉、木制品加工、家具、肥皂和塑料用品等工厂。有国际机场。为婆罗洲公路网中心。设有历史博物馆、加亚学院和肯特师范学院。卫星城甘榜丹戎阿鲁是海滨旅游胜地。人口305 382(2000)。

Kota Kota(Malaŵi) **科塔科塔** 参阅 **Nkhotakota** 恩科塔科塔。

Kota Tinggi 哥打丁宜 西马来西亚城镇。位于新加坡海峡柔佛河河口之北。为行政中心,建有供应橡胶种植园和锡矿区的油库。有公路通新山(柔佛巴鲁)和丰盛港。镇北木打哈山有风景宜人的哥打丁宜瀑布群。附近有柔佛拉马(老柔佛)遗址。人口39 006(2000)。

Kothar 科塔尔 又称卡西斯或卡因。古代西闪米特人所信奉的司掌工艺之神。相当于希腊的赫斐斯托斯。此神又名"聪明"和"灵巧"。科塔尔为诸神制造武器并建造、装修殿宇。

Köthen 克滕 德国中东部萨克森-安哈尔特州城市。1115年首见记载。1194年为一集市城镇。1603～1847年为安哈尔特-克滕的君主和公爵领地首府。著名建筑物有宫殿(内宫,1597～1604)和15世纪的圣雅各教

堂。当地生产褐煤、甜菜和蔬菜,促进了化工、制糖和食品工业的发展。也有重型机械和纺织业。设有化工机械学校和师范学院。为铁路交会点,建有机场。人口约30 607(2000)。

Kotka 科特卡 芬兰东南部屈米省城市,位于芬兰湾屈米河口的霍温和科特坎两岛上。建于1878年,20世纪30年代后期发展迅速。市内最古建筑为希腊正教教堂(1795)。有铁路和公路通往大陆,为芬兰东部的主要海港和重要工业中心。出产木材、纸浆、纤维素和出口磷酸盐,进口石油。亦有食糖加工和磨粉业。人口约54 622(2002)。

科特卡市港口

美国不列颠百科全书公司供图

Kotlas 科特拉斯 俄罗斯西北部阿尔汉格尔斯克州城市。位于北德维纳河与维切格达河汇流处。为大型水路和铁路交通枢纽,也是煤和木材的转运站。1917年设市。工业有锯木、造船、造纸、纸浆和木材加工。人口约66 200(2000)。

Kotlina Sandomierska(Poland) 参阅 **Sandomierz Basin** 桑多梅日盆地。

Kötlum, Jóhannes Jónasson úr (Icelandic poet) **克特卢姆** 参阅 **Jónasson, Jóhannes Bjarni** 约纳松。

Kotlyarevsky, Ivan(Petrovich) 柯特利亚列夫斯基(1769-09-09,俄罗斯帝国乌克兰波尔塔瓦~1838-11-10,波尔塔瓦) 乌克兰作家。他模仿维吉尔的《埃涅阿斯纪》写下了第一部完全为乌克兰语的作品,因而被称为现代乌克兰文学之父。他的《埃尼达》(1798)把维吉尔笔下的埃涅阿斯和特洛伊人换成1775年由于沙皇残酷镇压而流离失所的哥萨克人。这部作品不仅使用方言口语,而且采取了各种有特色的语言,例如罪犯、流浪汉和盗贼的语言。他还写过几个剧本,至今仍为乌克兰古典作品中的保留剧目。

koto 日本古琴 日本乐器,是13根弦的板形齐特琴,琴马可移动。从亚洲大陆的古琴型演变而来,但发展了结构上和音乐上的特点,成为日本特有的乐器。用泡桐木制成,琴身平放地上或矮桌上,用右手拇指和前两指戴象牙"琴爪"(拨子)弹奏。左手按压或操纵每个琴马另一边的弦来改变音高或对音加以装饰。定弦法有多种。日本古琴长久以来被看作是日本民族乐器,从古到今,在合奏、室内乐和独奏曲目中广泛采用。同朝鲜、中国的古琴相似。

日本古琴演奏

美国不列颠百科全书公司供图

Kōtoku Shūsui 幸德秋水(1871-11-04,日本高知县中村~1911-01-24,东京) 日本社会主义领导人,激进政治活动的最早倡导者之一。他被处死使发展中的日本社会主义运动一时中断。出身寒微,早年在政治家林有造家当家僮。1893年成为新闻记者。他是日本最早提倡社会主义的人物之一,1901年参加创建社会民主党。继而创办《平民新闻》。该报因反对日俄战争而被查封,他也被捕入狱。5个月后获释,去美国旅行。在美国时,他对世界产业工人联盟采取直接行动的政策印象很深。回国后,公开指责议会政治并开始组织工人进行激烈的活动。但在1910年,这种活动遭到严重的打击,数百名社会主义者被指控参与暗杀天皇的阴谋遭逮捕,幸德秋水等11人被处决。这次案件所造成的后果是:社会主义运动不再是一支巨大的力量有将近10年之久。

Kotor 科托尔 意大利语作Cattaro(卡塔罗)。黑山共和国城镇(有城墙)、海港和游览胜地。位于亚得里亚海的科托尔湾南端,在陡峭的洛夫琴山(1 749米)山麓。该镇最初由古罗马人构筑,历经拜占廷人、威尼斯人、匈牙利人的统治,还经常遭到土耳其人的袭击和地震的破坏。1807~1814年被法国占领,1814~1918年被奥地利占据。1918年奥匈帝国海军中斯拉夫水兵在科托尔叛变,同年该镇划归南斯拉夫。现仍有多处历史名建筑,最大、最美的是12世纪的圣特里丰大教堂。近郊工业区有肥皂厂和轴承厂,附近有一所海军学院。该镇是黑山最古老的城镇。1979年受到大地震的严重破坏。同年被联合国教科文组织列为世界遗产。人口5 900(2003)。

科托尔城镇和海湾风光

美国不列颠百科全书公司供图

Kotor, Gulf of 科托尔湾 意大利语作Bocche di Cattaro(卡塔罗湾)。黑山共和国亚得里亚海岸形似峡湾的曲折小海湾。科托尔湾为一天然良港,包括4个海湾,有狭窄水道相通。一条公路沿湾而行,连接几个小居民点和游览地,其中最古老的是里桑。海湾地区有许多古罗马别墅等建筑物遗迹。新海尔采格乃进入这组海湾之门户,有战略意义;建于1382年,历经土耳其人、西班牙人、威尼斯人、俄罗斯人、法国人和奥地利人占领。新海尔采格以东有建于1030年的萨维纳隐修院,收存许多历史文物。中世纪,科托尔等港口的船只组成一支"海湾舰队",初为贸易公会,后加入征讨海盗的海战,直至19世纪。

Kotosh 科托什 前哥伦布时期遗址,位于今秘鲁中部高原瓦努科城附近,有早期的神庙和较晚的文化遗物。科托什的早期建筑可上溯至前陶器时期晚期(约公元前2000~前1800)。

Kotri 戈德里 巴基斯坦东南部信德省中南部城镇。位于印度河西岸。为一重要铁路枢纽,有桥梁与对岸的海得拉巴相通。1854年设自治市。有黄麻厂与电话电报器材厂。城镇上游7千米处建有印度河水坝,可以防洪、发电和灌溉这一地区大约110万公顷土地。德达镇以北形成面积为106平方千米的格尔里湖,可以养鱼,并向卡拉奇供水。戈德里热电站于1978年交付使用。人口61 130(1998)。

Kotromanić DYNASTY **科特罗曼王朝** 13世纪末至15世纪中叶统治波斯尼亚的王室。创始人S.科特罗曼为匈牙利国王的封臣,1287~1316年统治波斯尼亚的部分地区。其子S.科特罗曼尼奇于1322年成为整个波斯尼亚的独立领主。他向南开疆辟土，兼并胡姆公国以及亚得里亚海滨地区。其侄特夫尔特科一世在位时期(1353～1391)，虽然外有匈牙利入侵，内有人民多次起义，但到1370年还是巩固了王朝的统治地位。此后他不但收复失地，而且进占亚得里亚海滨和塞尔维亚，1377年自封为“塞尔维亚、波斯尼亚和海岸国王”，到1390年又自称“达尔马提亚和克罗地亚国王”。这时，波斯尼亚成为南部斯拉夫人的领导核心。但是此后，匈牙利和土耳其不断侵占波斯尼亚的领土，损害波斯尼亚国家的独立。1463年，土耳其人将科特罗曼王朝的末代君主S.托马舍维奇(1461～1463在位)斩首，终于把波斯尼亚并入他们的版图。科特罗曼王朝特夫尔特科一世的继任者：其弟S.达比萨(1391～1395)，达比萨遗孀J.格鲁巴(1395～1398)，特夫尔特科的私生子S.奥斯托雅(1398～1404，1409～1418)，特夫尔特科的儿子特夫尔特科二世(1404～1409，1420～1443)，奥斯托雅的儿子S.奥斯托伊奇(1418～1420)，奥斯托雅的私生子S.T.奥斯托伊奇(1443～1461)和S.托马舍维奇。

Kotsyubinsky, Mikhaylo (Mikhaylovich)　柯秋宾斯基(1864-09-17，俄罗斯帝国乌克兰文尼察～1913-04-25，乌克兰切尔尼戈夫)　乌克兰长篇和短篇小说家。他的作品体现了乌克兰现代主义的最高成就。1880年毕业于夏尔戈罗德神学院。他的最杰出的长篇小说《海市蜃楼》(1904～1910)用新的方式描写了一个小村庄的社会冲突这种传统题材。此后的作品以1905年革命为背景，刻画那些激情满怀的人们的心理状态。他对后来的乌克兰作家有很大的影响。他的作品被译成多种语言，一些作品被改编成电影。

Kottayam　戈德亚姆　印度西南部喀拉拉邦南部城市。位于米纳奇尔河河口，靠近文伯纳德湖。为基督教的一个中心。据信圣多马于公元53年访问此地，并在马拉巴尔海岸建立了7座教堂。20世纪随附近阿奈马莱丘陵茶叶和橡胶种植园的发展而成为重要市场。亦为文化教育中心，设有喀拉拉大学的3个基督教学院(2所为女子学院)和几所专业学院。人口约60 725(2001)。

Kottbus (city, Germany)　参阅 **Cottbus 科特布斯**。

Kotte　科特　锡兰(斯里兰卡)僧伽罗人王国。15世纪为其全盛时期。1450年波罗迦罗摩巴忽六世征服锡兰北部的贾夫纳王国，统一全部锡兰。1477年，波罗迦罗摩巴忽六世死后10年，贾夫纳王国和康提王国摆脱了科特王国的统治。1505年葡萄牙人到来，科特国王同意向葡萄牙纳贡。1597年科特王国的最后一代国王达摩波罗死去，僧迦罗人酋长们与葡萄牙官员订立马耳伐纳协定，把主权移交葡萄牙国王。

Kotte　科特　斯里兰卡西南部城镇，为科伦坡东南郊区。镇内有水田和种植园。科特在1415～1565年为僧伽罗诸王的首都，四周的潟湖、河流和沼泽形成一道天然屏障。从20世纪80年代初起，斯里兰卡的立法和司法部门设在斯里贾亚瓦德纳普拉科特，但行政部门仍在科伦坡。人口约115 826(2001)。

Kotzebue　科策布　美国阿拉斯加州西北部城市。在鲍德温半岛西北端，濒临科策布海峡。约1897年始建，1958年设市。为北极

科策布海峡的午夜太阳
美国不列颠百科全书公司供图

圈内爱斯基摩人的重要贸易中心。经济以季节性渔业为主。人口3 082(2000)。

Kotzebue, August (Friedrich Ferdinand) von　科策布(1761-05-03，萨克森魏玛[德国]～1819-03-23，巴登曼海姆)　德国剧作家，在普及诗剧方面有广泛影响。他的第一出喜剧使他得以进入魏玛宫廷文学圈子，1781年被迫流亡，原因不详。1783年他在俄国进入政界以后，1785年任爱沙尼亚省行政长官，并被封为贵族。有些最成功的作品，如《恨人与悔恨》(1789～1790)、《印度人在英国》(1790)等就是在那里写的。他到国外旅行，回到俄国时，被逮捕并流放到西伯利亚。后为保罗一世皇帝所释，并被任命为圣彼得堡的德国剧院经理。1801年他回到魏玛，但同歌德或浪漫派的关系都不融洽；1806年返回俄国。1817年又被皇帝亚历山大派往国外，报道当时西方在政治、财政和教育方面的思想动向。科策布被激进派咒骂为受雇于反动势力的间谍，并被一个激进学生团体的成员桑德暗杀。凶手被处死，大学被置于严格控制之下。作为剧作家，科策布是一位多产作家，写过200多个剧本，文体流畅，剧情巧妙。最得意之作是喜剧《捕猎》(1798)和《德国小城居民》(1803)。

Kotzebue, Otto von　科策布(1787-12-30，俄罗斯帝国爱沙尼亚雷瓦尔[今爱沙尼亚塔林]～1846-02-15，雷瓦尔)　俄罗斯海军军官。完成过三次环球航行，测绘了大部分阿拉斯加海岸海图，发现并命名阿拉斯加西岸的科策布海峡，以及太平洋的马绍尔群岛和社会群岛的部分岛屿。曾参与俄罗斯资助的首次环球航行(1803～1806)。9年以后，指挥自己的考察队乘船去大洋洲航行。经过合恩角进入南太平洋，访问了复活节岛以及土阿莫土群岛中的许多波利尼西亚岛群。随后，在测绘阿拉斯加海岸海图过程中，测定了一个海峡，并取名为科策布海峡。由于未能经过亚洲北极航路去大西洋，而取道马绍尔群岛返回俄罗斯，于1818年8月到达涅瓦河口。在第三次环球航行中(1823～1826)，再次经过合恩角去南太平洋，观察了社会岛和西伯利亚的堪察加半岛。他的游记英译本有《为探测东北航路，进入南海与白令海峡的1815～1818年航行记》(1821)及《1823～1826年新的环球航行记》(1830)。

Kotzeluch, Leopold　参阅 **Koželuch, Leopold 科泽卢赫**。

Kou Qianzhi　寇谦之(365～448)　又拼K'ou Ch'ien-chih。中国北魏道士。原名谦，字辅真。上谷昌平(今北京昌平)人。早年修张鲁之五斗米道。18岁从成公兴入嵩山学道7年。415年托言太上老君授予“天师”之位，赐以《云中音诵新科之诫》20卷，受命“清整道教”。423年又假托老君玄孙李谱文面授《图录真经》60卷及劾召鬼神之法。以后因得北魏宰相崔浩支持受到魏太武帝拓跋焘(423～452在位)尊重，封为“国师”。在首都平城(今山西大同)建天师道场，称“新天师道”。著作有《老君音诵戒经》、《太上老君戒经》等。寇谦之改革道教要点是：①吸取儒家伦理思想，教人安分守己，不以贫贱求富贵；并采纳儒家礼法来维护帝王统治。②用佛教轮回报应地狱之说威慑信众。③注重斋醮科仪，使道教仪式更加隆重神秘。通过这些改革使道教此后受到许多朝代皇帝的崇奉。

Koudougou　库杜古　布基纳法索(前上沃尔特)中部城镇。位于瓦加杜古到科特迪瓦阿比让铁路线上。生产花生、烟草和棉花。市内有大型纺织厂。人口51 926(1985)。

Koufax, Sandy　库法克斯(1935-12-30，纽约市～　)　美国职业棒球运动员，左手投球手。1955～1957年为全国棒球联盟布鲁克林道奇队投球手；该队改名洛杉矶道奇队后，他继续为投球手。1958～1966年，共胜165场，负87场。在球坛多年，先后在2 324局比赛中使2 396名对方运动员三击不中出局，平均一局使一个多人出局，成绩罕见。1971年入选美国棒球名人堂。

Kouilou River　奎卢河　刚果(布)西部河流。由尼阿里河和卢埃塞河汇合而成，在黑角西北流入大西洋。下游约65千米可通航。也可用来把伐木区的木材漂流至海岸边。

Koula carpet　参阅 **Kula carpet 古剌地毯**。

Koulikoro　库利科罗　马里西南部城镇。位于首都巴马科东北约55千米处。为运输中心。库利科罗为尼日尔河上游1 600千米通航段的终点，塞内加尔的达喀尔和尼日尔河通航段之间铁路的终点站。工业以生产花生油、棉籽油和肥皂为主。索宁克人分布在干旱的北方，种植粟和高粱。班巴拉人和马林克人居住在较潮湿的南方，种植花生、玉米、棉花和芒果。人口约22 700(1998)。

Koumba (Cameroon)　参阅 **Kumba 昆巴**。

Koumbi Saleh (western African site) **昆比萨利赫** 参阅 **Kumbi** 昆比。

Koumoundhoúros, Aléxandros 库蒙祖罗斯 (1814，奥斯曼帝国希腊塞利察～1883-02，雅典) 希腊政治家。1865～1882年间9次担任希腊首相，以其坚决反对土耳其的政策而知名。库蒙祖罗斯曾参加克里特反对土耳其人的起义(1841)，1851年当选为希腊众议员，1854年任议长。1856～1857和1859年任财政大臣。1862年参加推翻希腊第一代国王奥托，并在过渡政府中任职，直到国王乔治一世即位。1865年3月至1868年1月，他3次担任首相。1866年克里特反土耳其统治的起义后，他虽没有直接干预，却试图同罗马尼亚、塞尔维亚、门的内哥罗和埃及结成同盟以反对土耳其。1867年，他同塞尔维亚结成同盟，承认基督教东方各民族的自决权。在英国的压力下，国王乔治一世于1868年1月免去了库蒙祖罗斯的职务，因为在克里特发生新的反土耳其起义后他动员了希腊的军队。1870～1877年间他又3度领导政府，力主希腊干预1877年的俄土战争并派军队支援色萨利和马其顿的起义者。1880年10月，他最后一次被任命为首相。当1881年5月色萨利和伊庇鲁斯南部的阿尔塔地区被赠给希腊的时候，他政府的声望大为提高，但使他失望的是未能把约阿尼纳和普雷韦扎的城市也合并过来。在新的色萨利议员的反对下，他于1882年3月辞职。

Koundara 孔达拉 几内亚西北部城镇。位于拉贝—塞内加尔和尤孔孔—几内亚比绍公路的交叉点。是牲畜、家禽、大米、花生、粟和玉米的主要贸易中心。周围地区大部分是稀树草原。居民主要有科尼阿吉人、巴萨里人、巴迪亚兰克人和富拉尼人。人口约13 000(1996)。

kouprey (species *Bos sauveli*) **高棉野牛** 东南亚一种极为稀有的野牛。1937年才被科学界发现，分类地位仍未确定，或认为这是纯种野牛，或认为可能被驯养了几百年后才变成野牛，更有些人认为这是杂种牛。高棉野牛体型介于印度野牛和较小的爪哇野牛之间。特征是体瘦，腿细长，喉部有一大块垂肉。角形与野生牦牛类似，公牛的角长约80厘米，母牛的角长约40厘米。分布在稀疏的有下层植被的森林和稀树草原，常与爪哇野牛一起移动。高棉野牛与爪哇野牛一样胆小，已濒临绝种。科学家认为在越南、老挝和柬埔寨隔绝的地区高棉野牛不足200头。

kouros 少年立像 古代希腊站立的青年男子雕像。初次大概出现在公元前672年希腊与埃及恢复了贸易往来时。直到公元前460年，少年立像一直是最流行的雕刻形式。希腊雕刻家接触埃及雕刻之后不久，就着手制作大型石雕。希腊雕像最初用于墓碑，然后用于神像、捐献人像以及运动员像等等，题材则从刻画死者发展到塑造活人。希腊雕像继承了埃及雕像的衣钵：站立的裸体圆雕，正面、宽肩、细腰，手臂紧靠两侧，往往紧握拳

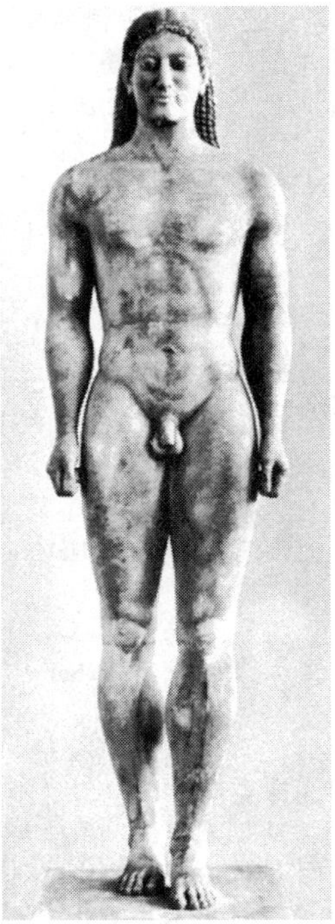

约公元前540～前515年的大理石少年立像

美国不列颠百科全书公司供图

头，两脚坚定地站着，双膝笔挺，左脚略向前伸。多年以后，少年立像开始酷似能够实际动作的人体。参阅 **kore**。

Kourou 库鲁 法属圭亚那中北部城镇。濒临库鲁河。1854～1944年为法国的犯人流放地。在19世纪，约15 000名法国人以为此城镇为传说中的埃尔多拉多而迁居该镇，但在两年内因疾病或饥饿全部丧生。1970年后，欧洲运载火箭发展组织在附近建成赤道空间发射场，库鲁镇的重要性遂日益显现。该发射场为一切友好国家的卫星发射提供方便，并进行气象研究和长距离通信。当地经济以农业为主，出产咖啡、可可、热带水果。人口19 107(1999)。

Kourouma, Ahmadou 库鲁马 (1927-11，法属西非本贾利[今在科特迪瓦]～2003-12-11，法国里昂) 非洲小说家和剧作家。写本国独立后的幻灭感的作家中有较高成就的一位。库鲁马早年在几内亚度过，在马里的首都巴马科上中学，后被开除，应征在法军中服役。后被调往印度支那，在西贡服役。退役后在法国里昂继续求学，在阿尔及尔谋得一保险统计员职位，以后在法国和喀麦隆从事保险金融业工作。库鲁马的小说《独立的太阳》(1968)讽刺当代非洲政治。他以法语写作杂以非洲西海岸马林凯人的辛辣的民谚。小说讲的是一个部落的最后一位世袭首领受法国殖民当局和独立后的非洲当局虐待的故事。库鲁马的剧本《吐南蒂贵》或《说真话的人》在1972年于阿比让首演。其后发表的作品有《等待野兽投票》(1998)和《安拉没有责任》(2000)，作品内容多为讽刺非洲政治或评论殖民时期后的生活，也因此一生大部分时间都在流放中度过。可能是法国最有名的法语非洲作家，有时被称为"非洲伏尔泰"。

Kouroussa 库鲁萨 几内亚中东部城镇和河港。尼日尔河上游航线起点，在科纳克里至康康铁路和公路线上。是稻米、洋葱、粟、花生、芝麻、棉花和畜产品集散地。大部是稀树草原。主要居民为马林克人和迪亚隆卡人。卡耶是19世纪到达廷巴克图并返回的第一个欧洲人。库鲁萨设有卡耶纪念碑。该镇现加工和出口尼日尔河谷种植的稻米。人口约10 200(1996)。

Koussevitzky, Serge 库塞维茨基(1874-07-26，俄罗斯上沃洛乔克～1951-06-04，美国马萨诸塞波士顿) 原名 Sergey Aleksandrovich Kusevitsky。俄国出生的美国指挥家和出版家，现代音乐的捍卫者，曾委约创作并演出许多重要的新作。曾在莫斯科学习低音提琴，技艺精湛。在俄、德、英举行音乐会，演奏自己的作品。1905年创作的低音提琴协奏曲成为一首保留曲目。1908年首次在柏林任指挥。翌年到莫斯科建立自己的管弦乐队和出版公司，出版俄罗斯作曲家如A.斯克里亚宾、S.拉赫玛尼诺夫、I.斯特拉文斯基和S.普罗科菲耶夫等人的作品。1917年俄国革命后

库塞维茨基音乐基金会供图

任彼得格勒(圣彼得堡)国家交响乐团指挥。1921年去巴黎，组织年度音乐会并指挥许多俄罗斯和法国作曲家的新作品。1924～1949年任波士顿交响乐团指挥，A.科普兰、R.哈里斯、W.皮斯顿及其他美国作曲家的一些作品均由他首演。1931年为纪念该乐团成立50周年，他委约并演出了M.拉威尔、普罗科菲耶夫、G.格什温的作品，以及斯特拉文斯基的《诗篇交响曲》。1940年建立伯克希尔音乐中心，由欧美著名音乐家举办夏季讲习班。1942年为演奏、邀请作曲家创作新音乐作品，设立库塞维茨基基金会。他具有独特的个人指挥风格。指挥P.I.柴可夫斯基、J.西贝柳斯和其他浪漫主义作曲家的作品时，具有狂热激情，并把类似情绪带入现代派作品中。

Koussi, Mount 库西山 又作 Emi Koussi。撒哈拉沙漠的最高峰(3 415米)，在乍得西北部，为死火山，山口宽约19千米，深1 200米。

Kovalevskaya, Sofya (Vasilyevna) 柯瓦列夫斯卡娅(1850-01-15，俄国莫斯科～1891-02-10，瑞典斯德哥尔摩) 俄国数学家和小说家。对微分方程理论有宝贵的贡献。她是一位将军的女儿，年轻时到德国学习。在海德堡大学师事物理学家H.亥姆霍兹(1869)。因为不许妇女听公开的讲演，她又在柏林随数学家K.维尔斯特拉斯私人学习(1871～1874)。1874年格丁根大学因为她在偏微分

方程方面的出色论文,缺席授予她学位。1884年接受邀请到斯德哥尔摩大学任讲师,5年后任高等数学教授。1888年获得法国科学院鲍罗丁奖金,奖励她所写一篇关于刚体绕

美国不列颠百科全书公司供图

固定点旋转的论文,由于论文非常出色,奖金增加一倍。她作为小说家也有相当的声誉,写有《维拉·伏龙佐夫》(1893),描写她在俄罗斯的生活。

Kovalevsky, Aleksandr Onufriyevich 科瓦列夫斯基(1840-11-19[旧历11-07],俄国德文斯克附近舒斯特延卡～1901-11-22[旧历11-09],圣彼得堡) 俄国比较胚胎学和实验组织学创始人。1867年获圣彼得堡大学理学博士学位,后在圣彼得堡大学(1867、1891～1893)、喀山大学(1868～1869)、基辅大学(1869～1874)和敖德萨大学(1874～1890)任教。曾到红海和地中海沿岸长期考察。他证明所有多细胞动物均有共同的发育类型。该观点见于《披针形文昌鱼(*Amphioxus lanceolatus*)的发育》(1865)和《帚虫的解剖和发育》(1887)等书,为生物进化的理论提供重要证据。1890年科瓦列夫斯基被选入俄国科学院。

Koven, (Henry Louis) Reginald De 参阅 **De Koven, (Henry Louis) Reginald** 德科文。

Kovno(Lithuania) **科夫诺** 参阅 **Kaunas** 考纳斯。

Kovrov 科夫罗夫 俄罗斯西部弗拉基米尔州城市。位于克利亚济马河右岸、该河与乌伏德河汇流处。18世纪即为纺织工业中心(以棉布为主)。现在最重要的工业部门是重型机械制造业。还制造挖掘机、摩托车、采矿机械和衡器。人口约162 000(1997)。

kovsh 斗勺 俄国酒器,呈船形,带有一个把手。一般认为16世纪最早制作的许多斗勺是由沙皇赐给忠贞的支持者们的。这些酒器有时刻有皇家的双头鹰徽,并在边上铭刻

19世纪晚期的宝石镶嵌镀银斗勺

美国不列颠百科全书公司供图

受赐者的姓名和记事。酒器一般用银制成,而且直到18世纪所用图案还相当简单。不过,年代在1563之后的一只斗勺则是用金制成,黑金镶嵌,饰以蓝宝石和珍珠,据说是彼得大帝送给萨克森的腓特烈·奥古斯特二世的礼物。俄国的金匠在19世纪还继续生产传统型斗勺。

Kowloon Peninsula(China) 参阅 **Jiulong Bandao** 九龙半岛。

kowtow 参阅 **ketou** 磕头。

Kὸyong language 卡荣语 参阅 **Halăng language** 哈朗语。

Koyter, Volcher 参阅 **Coiter, Volcher** 科伊特。

Koyukuk River 科尤库克河 育空河主要支流之一,在美国阿拉斯加州中部。源出布鲁克斯山脉南坡,向西南流,在科尤库克村附近汇入育空河。全长约885千米。1898年在上科尤库克盆地发现沙金,现仍有两处采矿点,但无重要商业价值。流域为91 000平方千米,下面为连续的永久冻结带。1994年该河洪水泛滥,沿岸几个村庄被毁。

Kozáni 科扎尼 希腊马其顿西部科扎尼州城镇,州首府。在韦尔米翁山和武里诺斯山之间富庶盆地的边缘。出产烟草、谷物、马铃薯、蔬菜、牛和乳品。建于中世纪土耳其人统治时期,是希腊文化中心之一,保存有当时的书籍和手稿。现为该州服务和商业中心,经营谷物、牲畜和皮张贸易,生产纺织品和农具。附近有石棉和铬铁矿。有公路经托勒密和埃泽萨通往塞萨洛尼基(萨洛尼卡)。面积3 565平方千米。人口:城镇约32 342;州约150 159(1991)。

Koželuch, Leopold(Anton) 科泽卢赫(1752-12-09,波希米亚韦尔瓦里[今在捷克共和国]～1818-05-07,奥地利维也纳) Koželuch又拼Kotzeluch。捷克芭蕾舞剧、歌剧和交响乐作曲家。在布拉格随叔父J.科泽卢赫学习作曲,又向F.杜塞克学习钢琴。18世纪70年代成为著名的芭蕾舞剧作曲家。1778年去维也纳,成为受人欢迎的钢琴教师。1792年继莫扎特之后在维也纳任宫廷作曲家。作品还包括大约50首钢琴协奏曲、奏鸣曲和苏格兰歌曲的改编曲。

Kozhikode 科泽科德 又称卡利卡特(Calicut)。印度西南部喀拉拉邦北部城市。位于马拉巴尔海岸。一度为著名棉织中心,出产卡利科(一种细棉布)。曾是阿拉伯商人经常往来之地。7世纪始有人定居。葡萄牙探险家V.da伽马于1498年航抵此处。1664年英国东印度公司在此设商站。1765年被迈索尔军队司令海德尔·阿里摧毁,1790年被英国占领,后重建。港口在西南季风季节关闭,其他季节船必须停泊在岸外5千米处。出口椰子制品、胡椒、姜、咖啡、茶叶及其他农产品。工业有锯木、制瓦、咖啡加工与针织等。设有卡利卡特大学(1968)和一所海洋研究所。人口:城市约419 531;都会区约800 913(1991)。

Koziba, Bar 科齐巴 参阅 **Bar Kokhba** 巴尔·科赫巴。

Kozienice 科杰尼采 波兰中东部马佐夫舍省城镇。位于省会拉多姆市东北32千米、维斯图拉河西南8千米处。经济以生产松脂、松油、纸张和化工品为主。有一大型无烟煤热电厂。12世纪以诺伯尔丁隐修院所在地首见记载。1549年建镇。18世纪末曾建有弹药和轻武器工厂。第二次世界大战期间,德国人曾在此建立集中营。人口约19 036(2002)。

Kozlov(Russia) **科兹洛夫** 参阅 **Michurinsk** 米丘林斯克。

Kozyrev, Nikolay Aleksandrovich 科兹列夫(1908-09-02,俄国圣彼得堡～1983-02-27) 苏联天文学家,发现月球上有类似火山活动的第一人。这一发现对长期以来认为月球是一死寂天体的理论是一挑战。1931年,科兹列夫在列宁格勒(圣彼得堡)附近的普尔科沃天文台工作,集中精力研究行星和北极光,并由此获得声誉。但1937年被苏联政府逮捕入狱,1948年方获释。1954年,发表一篇金星上也有类似地球上北极光的报道,引起许多争议。这种极光的存在意味着金星也有类似地球的磁场,而研究金星上的各种现象将会给地球磁暴提供许多新信息(美国"水手"10号空间探测器于1974年2月从距金星5 800千米处飞过时并没有探测到金星有磁场)。在研究阿方索环形山过程中,他于1958年记录到一次明显的火山爆发并在翌年证实了他的观测,但他认为火山活动是造山活动的原因则受到一些科学家的反驳。尽管如此,他的发现为研究月球的起源揭开了新篇章。1963年,科兹列夫因发现水星稀薄的大气中有氢而使全世界天文学家深感惊异。因为这种气体在水星的弱引力场中应早已消失。经过进一步的研究,科兹列夫认为这些氢是来自太阳的质子形成的。

Kpalimé(Togo) 参阅 **Palimé** 帕利梅。

Kpelle 克佩勒人 又称格尔泽人(Guerze)。居住在利比里亚中部大部地区并分布至几内亚境内,在几内亚有时被称为格尔泽人。语言属尼日尔-刚果语系曼德语支。克佩勒人主要是农民,以稻米为主食,辅以木薯、蔬菜和水果。经济作物包括稻米、花生、甘蔗和可拉果。农业仍实行刀耕火种法。每户由一个男人、几个妻子及儿女组成。住房有的是草顶、泥笆墙长方形小屋,有的是较为传统的锥形草顶、圆形小屋。每户为一耕作单元,有些农活也采用自愿互助方式。克佩勒人有几个最高首领,负责居民与现政府之间的联络工作,兼管排难解纷、维护治安及保养道路等事项。首领领地分区管理,各区头人负责最高首领与居民之间的联络工作。每个城镇

克佩勒人妇女
美国不列颠百科全书公司供图

和区一样,都有各自的首领。"波罗会"和"桑德会"分别是男、女秘密社团,在森林里圣树丛中集会。"波罗会"较重要,其作用是通过其法庭推行社会准则,通过其成丁教育使青年人适合社会需要,以及为团结不同亲族、不同地区,甚至不同部落的社会成员提供条件。

Kra, Isthmus of　克拉地峡　缅甸和泰国南部地峡,位于泰国湾(东)和安达曼海(西)之间,连接马来半岛和亚洲大陆。最窄处在泰国的春蓬和克拉武里之间,只有40～48千米宽。19世纪以来,曾建议开凿运河,以缩短欧洲和远东之间的航程。春蓬至克拉武里和普吉之间有路相通,1942年日本人曾在部分地段修建铁路,后拆除。

Kra Peninsula (Southeast Asia)　**克拉半岛**　参阅 **Malay Peninsula** 马来半岛。

kraal　栅栏村庄　牲畜围栏或环绕着牲畜围栏的一群房屋,或居住于这些房屋的社会整体。这个术语比较广泛地用于描述某些非洲民族,特别是南非诸民族的栅栏村庄生活方式。例如,在纳塔尔某些民族中,栅栏村庄有很多茅屋围绕着牛栏。一夫多妻在这里是普遍的,每一个妻子在栅栏村庄里都有她自己的茅舍。栅栏村庄的头人对所有妻子屋里的财产负责监护。这个词也用来表述东非马赛族牧人的营地;其居住成员及生活方式与上述民族相似,但在放牧季节,还可建起临时栅栏村庄。在斯里兰卡、印度和泰国,也表示象栏。

Krabi　甲米　泰国西南部港口城市。位于马六甲海峡。有渔业和旅游业(前往附近岛屿)。周围地区主要栽培椰子。居民多住沿海渔村。有珊瑚礁、沙滩、植物园、地下河和洞穴。人口约18 300(1991)。

Krâchéh　桔井　又拼 Kratie。柬埔寨东北部城镇。位于湄公河东岸,湄公河航线的起点。有一港口,并有国家公路与首都金边及邻省相接。该镇附近有板岩开采场,也是白、黄黏土产地。周围地区有湄公河流经,西南与越南接壤。传统的多民族居住区,主要是高棉人和占人。主要农产品为稻米,多在湄公河流域种植;斯努和桔井周围富庶的红土地区种植橡胶;还种植玉米、马铃薯、各类蔬菜、香蕉、桑树、棉花和甘蔗。高地地区林木茂密,包括优质硬木和大片竹林。工业有小规模农机制造。人口约79 123(1998)。

Kraepelin, Emil　克雷佩林(1856-02-15,梅克伦堡-施特雷利茨新施特雷利茨[德国]～1926-10-07,德国慕尼黑)　当时最有影响的德国精神病学家之一,曾提出一种对后世有影响的精神病分类系统。他的关于精神分裂症和躁狂抑郁性精神病的鉴别诊断理论一直沿用至今。1878年获维尔茨堡大学医学博士学位后,他曾在几位神经解剖学家和实验心理学家W.冯特的指导下继续他的研究工作。他用冯特的实验技术研究药物、酒精和疲劳对心理功能的影响,1881年发表了有关传染病对精神病发病的影响的研究报告。1883年出版《精神病学纲要》,首次提出其疾病分类法,把精神病分为外源性(由外因引起,可以治疗)和内源性(包括器质性脑损伤、代谢异常或遗传因素等,不能治愈)两种。1885年任多尔帕特大学教授,6年后在海德堡大学任教。其间不断完善自己的分类法,数次修订所编精神病学教科书。在第6版(1899)中,他首次区别了躁狂抑郁性精神病和早发性痴呆(现称精神分裂症)。认为躁狂抑郁性精神病和抑郁症是外源性的,因此可以治疗;而早发性痴呆是内源性的,不能治愈,病因是脑的器质性改变。他至少鉴定了精神分裂症的3个型:紧张型、青春型及偏执型。1903年任慕尼黑大学临床精神病学教授,1922年任慕尼黑精神病研究所所长。他一生中不断地致力于精神病分类,直到逝世前还在为他的第9版教科书忙碌。其分类系统中的许多概念虽然非他创始,但他将这些概念综合,使之能用于诊断、治疗精神病患者。在20世纪初期,其分类法影响极大。

Krafft-Ebing, Richard, Freiherr von　克拉夫特-埃宾(1840-08-14,巴登曼海姆[德国]～1902-12-22,奥地利格拉茨附近)　出生于德国的神经精神病学家,早期的性病理心理学家。曾在德国及瑞士受教育,32岁时任斯特拉斯堡大学精神病学教授。他的兴趣很广,自精神病的遗传功能、性偏离乃至癫痫、震颤性麻痹及偏头痛。曾证明梅毒与麻痹性痴呆有关,进行过催眠的实验,又以关于性迷乱的开创性著作《性精神变态》闻名于世。

Kraft, Adam　克拉夫特(约1455-1460,巴伐

克拉夫特自塑像
美国不列颠百科全书公司供图

利亚纽伦堡[德国]～1508或1509,纽伦堡附近施瓦巴赫)　纽伦堡学派的雕刻家,把拘谨作风带进德国后期哥特式雕刻。最早的出名之作是描绘基督受难与复活的三联雕刻(1490～1492,纽伦堡圣塞巴尔德斯教堂),说明其艺术思想和艺术实践已达成熟阶段。其杰作圣洛伦兹教堂壁龛(1493～1496,纽伦堡)显示出一种富于想象力的建筑背景,尤以他和助手雕刻的自然主义的、刚健有力的人物引人注目。从其为彼尔根斯托弗家族所作浮雕(约1498)可见特别喜爱简朴整齐之构图。最后的作品是描绘基督受难十四图的7件浮雕(1505～1508),节奏从容、高雅,具有高度的戏剧感。

Kraft Foods Inc.　卡夫食品公司　世界最大的食品和饮料公司之一,在145个国家有销售点。总部设在伊利诺伊州诺斯菲尔德。创始于1903年J.卡夫在芝加哥建立的奶酪批发店。3年后他和兄弟查理开始将奶酪加工供销各地零售商。后来其他两兄弟亦加入经营,1909年合组卡夫兄弟公司。专卖防腐的加工奶酪,第一次世界大战期间大量销售给美军。1930年被全国乳品公司收购,1969年改名卡夫科公司,1976年再改为卡夫公司。1980～1986年间被达特实业公司购并,达特公司为一家多种经营公司,所制造的产品包括家电、塑料制品和电池。1986年卡夫公司脱离达特公司。1988年菲利普·莫里斯公司收购卡夫公司,而菲利普·莫里斯公司在2000年又买下纳贝斯克公司(菲利普·莫里斯公司在2003年改名为高特利集团公司)。纳贝斯克公司的生意被整合到卡夫公司的营运中。卡夫公司一些最知名的品牌包括卡夫奶酪、妙卡巧克力、费城乳脂奶酪、纳贝斯克饼干和点心食品。

kraft process　硫酸盐制浆法　一种制纸浆的化学方法,用苛性钠和硫酸钠的溶液作为煮纸浆的液体,使其纤维松释。与亚硫酸盐法的不同在于:①所用的液体系碱性,对钢铁较少腐蚀,因而煮浆器可以不加内衬;②所产纸浆较仅用苛性钠者机械强度高。另一优点是可以煮松木碎片,其树脂成分溶解在碱性液体中,可回收为妥尔油(有价值的副产品)。钠化合物的回收对硫酸盐制浆法的经济效益至关重要。20世纪末所建的硫酸盐制浆厂采用完全封闭的设备操作,用过的废液,包括排出的漂白剂在内,都循环重复使用,可避免对水的污染。参阅 **sulfite process**。

Kraftwerk　发电站乐队　德国实验乐队,被公认为电子流行乐教父。最初成员是R.许特尔和F.施奈德。20世纪60年代末,两人在杜塞尔多夫音乐学院学习古典音乐时相识。受德国键盘乐队橙色梦幻的影响,他们组建了一支名为"组织"的五人乐队。后改名为发电站乐队,成为一支颇具影响力的德国电子乐队。该乐队在被英国记者称为"德国摇滚"的音乐运动中最为著名。乐队的音乐以日常的各种声音为基础,这一理念充分体现在专辑《高速公路》(1974)中的同名演奏曲中。该专辑在欧洲和美国获大获成功。之后的

唱片以孩子般的好奇和冷静客观的态度探讨了广播、火车等主题。他们对摇滚乐演出的概念进行了革新，在美国演出时以演奏键盘乐器的机器人形式出现。专辑《机器人》(1978)体现出这一概念。尽管在80和90年代很少录制唱片并停止了巡演，但其音乐对美国的嘻哈乐、底特律的泰克诺舞曲和合成器流行乐等产生了巨大影响。

Krag, Jens Otto　克拉格(1914-09-15，丹麦兰讷斯～1978-06-22，斯基沃伦)　丹麦杰出的社会党政治家，两次担任首相(1962～1968，1971～1972)。1930年参加社会民主党青年组织，在党内地位很快上升。1940年获得政治学硕士学位后，加入丹麦供应理事会，并任劳工运动经济理事会协调员。1947年选入议会，并任商业大臣，支持丹麦由中立转向采取强大防务的政策。后出任丹麦驻华盛顿大使馆经济顾问(1950～1952)。1952年重新进入国会，还担任不管部大臣，后任对外经济部大臣(1953～1958)和外交大臣(1958～1962)。在担任首相期间，致力于达到欧洲经济合作的目标。在丹麦于1972年加入欧洲经济共同体后辞职，在奥胡斯大学讲课两年，于1974年率领欧洲经济共同体代表团前往华盛顿。回到丹麦后，为一报纸专栏写稿。

Kragujevac　克拉古耶瓦茨　塞尔维亚城市。濒临大摩拉瓦河支流莱佩尼察河。舒马迪亚地区主要城市，1818～1839年是塞尔维亚首都。塞尔维亚第一份报纸《塞尔维亚新闻》在此出版。第二次世界大战中，德国人于1941年处死了该市和克拉列沃地区14～70岁的男子7 000名；为此设立了纪念碑。当地土地肥沃，出产制罐头的水果、蔬菜，也饲养牲畜供肉类加工。工业产品包括汽车、电气产品、机械、武器、纺织等。出版和印刷也是其重要经济活动。城市的大部分基础设施在1999年北约对南斯拉夫的轰炸中被毁。人口146 373(2002)。

Krain(Slovenia)　参阅 **Carniola 卡尼奥拉**。

krait　环蛇　眼镜蛇科环蛇属(*Bungarus*)剧毒蛇的统称，12种。见于南亚的旷野地带。鳞片闪光，花纹醒目，典型种类身上有黑、白或黑黄色条纹。大部分为夜行性，通常

条纹环蛇(*B. fasciatus*)
美国不列颠百科全书公司供图

捕食其他蛇类。普通环蛇(蓝环蛇、深绿环蛇、印度环蛇，*B. caeruleus*)产于巴基斯坦、印度和中国，体长可达1.5米；常到住房周围活动，但很少咬人；一旦被咬，即或使用抗蛇毒素治疗，亦有半数死亡。印度支那的条纹环蛇(金环蛇，*B. fasciatus*)稍大；无毒害。

Krak des Chevaliers　骑士堡　叙利亚境内古堡。邻近黎巴嫩边境。是十字军在叙利亚和巴勒斯坦所建最大要塞和保存至今的最重要的中世纪军事建筑之一。为医院骑士团所建立，从1142年保持到1271年始被马木路克苏丹拜巴尔斯一世占领。其结构属同圆心的复城。两道高耸城墙之间的壕沟宽阔，堡内可驻军2 000人。

Krakatoa　喀拉喀托　印度尼西亚拉卡塔岛(在苏门答腊和爪哇两岛间巽他海峡内)上的火山。1883年大喷发造成历史上最严重的灾难。过去100万年间，该火山成为由火

喀拉喀托火山1960年喷发
美国不列颠百科全书公司供图

山渣、火山灰层交替的火山岩流构成的一座圆锥形山体。火山锥底部在海平面以下1 000英尺(300米)，锥顶高出海面约6 000英尺。以后火山锥毁坏，形成直径约4英里(6千米)的火山口，部分突出海面形成四座小岛。以后，新产生的三座火山锥合成一个岛(三锥中最高的海拔2 667英尺)。1883年5月20日，一座火山锥活动，火山灰飞入云层，高达6英里。爆炸声音100英里外的雅加达都能听到。5月末，火山活动平息；6月19日又活跃起来。8月26日猛烈喷发，8月27日上午10点达到最剧烈程度，爆炸声在2 200英里以外的澳大利亚可闻，火山灰喷到50英里高空，全球都记录到大气中的压力波。到8月28日火山才平静下来，以后又有一些小的喷发。喀拉喀托火山喷洒到空中的岩石碎块近5立方英里，火山灰洒落到地面广达30万平方英里。火山附近的浮石块厚到船舶难以通行，空中的火山灰使周围地区有两天半时间一片昏黑。火山灰尘埃围绕地球飘行数圈；震后一年中，落日呈现壮观的红晖。爆发后，仅有一座2 667英尺高的小岛保留在一块盆地上。盆地水深900英尺。弗拉廷岛与兰岛以及拉卡塔岛残存的南部，积下200英尺厚的火山灰与浮石渣，经分析发现它们大部是从地壳深处涌上来的新岩浆，由于所含气体的扩张而膨胀成浮石，或被完全爆炸形成火山灰。这样，当初的看法就改变为：原火山锥并未爆炸到空中，而由于海盆里大量岩浆涌出使锥顶倒塌并沉入海底。火山倒塌激起一系列海啸或潮波。据记录，南美和夏威夷都发生了海啸。在最猛烈喷发之后，爪哇和苏门答腊附近波浪最高达120英尺，沿海城镇3.6万人丧生，喀拉喀托群岛全部生物被埋在火山灰中，5年之中动植物未得恢复生机。1927年12月29日喀拉喀托火山发生新的喷发。1928年1月26日，一座火山锥升出海面，形成小岛，名为阿纳喀拉喀托(小喀拉喀托)。喷发持续不断，直至1973年，岛的高度达到海拔622英尺。80年代初期还在喷发。

Krakatoa winds　喀拉喀托信风　又称高空信风。位于平流层低层20～40千米高度环绕地球的风层。出现于南北纬15°之间，风速25～50米/秒，风向是东风和西风交替出现，大约每隔13个月倒转一次。因为这种风曾把印度尼西亚喀拉喀托岛火山喷发时(1883)升空的尘埃吹走而得名。

Kraków　克拉科夫　又拼Cracow。波兰南部城市，小波兰省城市和首府。位于维斯瓦河上游两岸。为波兰最大城市之一，重要的铁路枢纽，可通往华沙、柏林、布拉格和维也纳。现代经济以新胡塔区主要工业联合体为中心，发展迅速。该城主要以其壮丽的历史风格和文化的领导地位著名。市内有建于13世纪的市场——雷涅克格罗武夫内广场，古代碉堡原址现已辟为现代化风景区。该市是维斯瓦族的故乡，他们占据小波兰直到10世纪。988～990年间国王梅什科一世统一南北，建立强大王国；其子博莱斯瓦夫一世(勇敢者)使该城成为波兰主教辖区首府。它迅速发展成为商业中心。13世纪鞑靼人入侵时被破坏，但很快重建。弗瓦迪斯瓦夫国王(矮子)重新统一波兰后于1320年定都于此。整个14世纪是波兰政治经济中心，也是英国和匈牙利间的主要贸易点。建筑业发展迅速，中世纪建筑众多，1364年卡齐米日三世创

克拉科夫市亚哥龙大学的庭院
美国不列颠百科全书公司供图

立的亚哥龙大学(原名克拉科夫学院)是中欧第二古老的大学，使该城成为欧洲最先进的文化中心之一。1600年开始衰落。1609年国王西格蒙德三世瓦萨迁都华沙。1795～1918年间由奥地利统治，不过1809～1815年隶属华沙大公国。1918年归属波兰。第二次世界大战初期被德国占领。德国总督府设在瓦韦尔城堡内。德军占领时期，亚哥龙大学全体教师被杀，5.5万犹太人被遣送到奥斯威辛-比克瑙死亡集中营。1945年苏联军队奇袭德军，使该城免遭纳粹毁坏。战后重新建设工业，现有纺织、化工、食品加工、琢石等工业，大型新胡塔钢铁厂的建立注定克拉科夫从大学城转变成工业中心。城中有众多历史建筑，约有60座著名古教堂，其中最著名的是圣马利亚教堂。现代文化设施有许多博物馆、剧院和一所歌剧院。1978年，该市的老城区被联合国教科文组织列为世界遗产。人口约758 544(2002)。

Kraków, Republic of 参阅**Cracow, Republic of 克拉科夫共和国**。

Kraljević, Marko 克拉列维奇 参阅**Marko Kraljević马尔科(克拉列维奇)**。

Kraljevo 克拉列沃 塞尔维亚中部城市。位于土地肥沃的农业区伊巴尔河北岸。生产铁路车辆、卡车、货车、陶瓷和耐火砖。市内有博物馆,其中有专门展览拉斯卡派隐修院艺术的壁画馆。有几所隐修院坐落在本市附近。例如,市西南侧的日恰隐修院建于1207～1220年,是第一位塞尔维亚大主教驻地,内有精美的拉斯卡画派壁画,中世纪初塞尔维亚历代国王在此加冕。市西南方有著名的斯图德尼察隐修院,1986年被联合国教科文组织列为世界遗产,内有3座12～14世纪的教堂。人口57 411(2002)。

Krall, Diana 克罗尔(1964-11-16,加拿大不列颠哥伦比亚省纳奈莫～) 加拿大爵士音乐家。她不仅是成功的钢琴家,而且是女低音歌唱家。从小学习古典钢琴,在教堂的唱诗班中演唱,并学习演奏和演唱胖子沃勒的歌曲。15岁起,开始职业钢琴表演,后来在波士顿的伯克利音乐学院学习并师从爵士钢琴家J.罗尔斯。她在美国和加拿大进行演出,表演曲目包括微妙复杂的歌曲和以钢琴为主的爵士乐节奏组。第一张专辑《离去》于1993年推出;3年后,成功之作《全都为了你》在爵士乐最畅销唱片排行榜上停留一年之久。因《当我望着你的眼睛》(1999)获得首个格莱美奖。后来的专辑包括《爱的容颜》(2001)和演唱会唱片《巴黎现场》(2002)。在《另一个房间中的女孩》(2004)中,首次演唱了自己创作的歌曲和与英国创作歌手E.科斯特洛合作的作品,二人于2003年结婚。

Kramatorsk 克拉马托尔斯克 乌克兰东部顿涅茨克州城市。濒临北顿涅茨河。19世纪末,随冶金工业的发展而兴起。现生产钢铁,是乌克兰冶金、采矿、动力和化学工业,以及制造重型机械和机床的最大中心之一。产品有压力机、起重机、涡轮转子和自动推进挖掘机。有铁路维修厂、水泥厂和焦炭化工厂。人口约190 800(1998)。

Kramer, Jack 克雷默(1921-08-01,美国内华达拉斯韦加斯～2009-09-12,加利福尼亚洛杉矶) 美国网球运动员、职业网球倡导者。1947年获温布尔登赛单打冠军,始引人瞩目。1946和1947年又获温布尔登赛男子双打冠军。还连获美国单打冠军(1946～1947)、男子双打冠军(1940～1941、1943、1947)和混合双打冠军(1941)。他是1946年戴维斯杯冠军队队员,1947年转入职业网球界后,在美国各地与里格斯进行一系列比赛,战败里格斯。1948年获美国职业锦标赛冠军。1952年因腰部关节炎而退出比赛,以主办网球比赛为业。主要由于他的努力,1968年开始举办公开网球赛。他大力促成大奖赛的设立。他还积极参与创立职业网球协会,1972年任第一任执行理事。

Kramer, Josef 克拉默(1907～1945-12-13,德国哈默尔恩) 别名"贝尔森野兽"。德国纳粹卑尔根-贝尔森集中营长官(1944～1945),因残忍而臭名昭著。1931年加入纳粹党,次年参加党卫军。曾在奥斯威辛、茅特豪森、达豪等集中营工作。1944年12月调往卑尔根-贝尔森集中营以前,任德国在比克瑙的最大的一个集体谋杀营长官。在卑尔根-贝尔森,数以千计的人在淋浴室内被用毒气杀死。另外,他还采用鞭笞、拷打、以警犬咬人、用机关枪扫射犯人等手段。1945年4月被英军俘获,11月17日判死刑,后被绞决。

Kramer, Dame Leonie Judith 克雷默(1924-10-01,墨尔本～) 澳大利亚文学家和教育家。曾就读于墨尔本大学与牛津大学,后在各大学讲授澳大利亚文学;从1968年起,任悉尼大学教授。克雷默著有几部论述澳大利亚小说家H. H.理查森的权威性著作。曾任《牛津澳大利亚文学史》(1981)的主编。她同时又是澳大利亚教育、文学、广播电视界的知名人士。1983年受封为高级英帝国女勋爵士。

Kramer, Stanley 克雷默(1913-09-29,纽约市～2001-02-19,加利福尼亚乌德兰山庄) 美国电影制片人兼导演。他的影片工艺精细,并涉及了一反常规、引起争议的课题。他于30年代后期开始为电影和广播节目编写剧本。首次参与制作的影片为《这夜就此结束》(1941)。第二次世界大战期间为美国通信兵部队拍摄影片。独立制片后拍摄《这就是纽约》(1948)和《男人们》(1950)获得成功,成为好莱坞的重要人物。由他任制片的作品还有《推销员之死》(1951)等。由他任制片和导演的重要影片有《在海滩上》(1958)、《纽伦堡审判》(1961)、《这是一个疯狂、疯狂、疯狂、疯狂的世界》(1962)和《猜猜谁来吃晚餐?》(1967)等。此后声誉开始下降。作为电影制片人的最大贡献在于在好莱坞最保守的时期,将具有突破意义的主题引入了主流电影。

Kramers, Hendrik Anthony 克拉末(1894-12-17,鹿特丹～1952-04-24,荷兰乌赫斯特海斯特) 荷兰物理学家,和R. de L.克朗尼格一起推导了将光的吸收与色散联系起来的重要方程式。1924年还预言拉曼效应的存在,这是光的一种非弹性散射。1927年指出关于亚原子粒子碰撞的色散理论的数学函数之所以复杂,是由于信号传播不能超过光速所致。他对X射线的研究导致他发展了一些确定X射线产生的强度和效率的方程式。

Kramnik, Vladimir 克拉姆尼克(1975-06-25,俄罗斯图阿普谢～) 俄罗斯国际象棋大师。2000年10月8日至11月2日在伦敦击败同胞G.卡斯帕洛夫,赢得职业国际象棋协会世界冠军。从4岁起随父亲学下棋,5岁在当地的先锋队(苏联青少年组织)习技,11岁时成为"候选大师"。少年得志,1991年即赢得世界18岁以下青少年锦标赛冠军,1992年在奥林匹亚男子国际象棋赛中获得金牌。1992～2000年赢得多个国际象棋联赛冠军而成为世界著名人物。

Krancke, Theodor 克兰凯(1893-03-10,德国马格德堡～1973-06-18,西德汉堡) 第二次世界大战时期德国海军指挥官。1912年入海军,第一次世界大战期间在鱼雷艇服役,官升上尉。战后继续指挥扫雷艇和鱼雷艇。1937年晋升上校,任德国海军学院院长。第二次世界大战爆发后,1939年10月任"海军上将舍尔"号袖珍战舰舰长,袭击盟国商船。1941年升少将,1942年升中将,1943年升上将,1942～1943年任希特勒总指挥部海军联络官。1943～1945年任西部海军司令。1945年8月被英军俘虏,1947年获释。

Kranjska(Slovenia) 参阅**Carniola卡尼奥拉**。

Krapina remains 克拉皮纳化石遗存 1899～1905年间在南斯拉夫克拉皮纳河附近的一处岩棚下出土的一批人骨化石,至少可代表13个成年人与儿童,包括颅骨、牙齿和颅下骨骼。估计其年代为最后一次冰期的早期,距今大约4万～7.5万年。据鉴定,这批化石属于从尼安德特人到现代人之间的过渡类型。有些颅骨具有明显的尼安德特人的特征,如额骨明显后倾,下颌骨粗壮,颅骨乳突较小等;而另一些颅骨则又表现了现代人的颅骨穹窿及额部较高的一些特征。肢骨的特征和现代人没有差别。有证据表明,克拉皮纳人可能有吃人肉的习性。

Krasicki, Ignacy 克拉西茨基(1735-02-03,波兰加利西亚杜别茨克[今波兰杜别茨科]～1801-03-14,普鲁士柏林[德国]) 波兰18世纪最伟大的诗人。出身没落贵族家庭。曾在华沙天主教神学院学习,32岁时任瓦尔米亚主教。1795年任格涅兹诺大主教。他的寓言属于其各篇佳作之列,语言简洁、明晰,反映了作者对人性的怀疑。他的讽刺作品集(第一集于1779年出版)中抨击了诸如酗酒、贪婪等恶习。著有仿英雄体诗《摩纳霍玛其亚》(《修士之战》,1778),对僧侣们的愚昧无知和放荡生活进行了讽刺和抨击。他还将现代小说引入波兰,著有小说《米科瓦亚·多希维亚德钦斯基历险记》(1776)。这部小说受笛福、斯威夫特和卢梭的影响,用日记形式写成,包括三个部分。第二部分描写了一个虚构的岛屿,岛上居民过着一种理想的简朴生活。

Krasiński, Zygmunt, Count(Hrabia) **克拉辛斯基**(1812-02-19,法国巴黎～1859-02-23,巴黎) 波兰诗人、剧作家。与密茨凯维奇、斯沃瓦茨基一起,成为描写救世题材的波兰浪漫主义三大诗人之一。出身贵族家庭。曾在华沙大学攻读法律,1829年在日内瓦继续学业。一生大部时间在国外度过,并匿名发表作品。他父亲对俄帝国主义的支持和他对波兰独立的渴望引起的关于忠诚的冲突,构成诗人思想的中心内容。他的声誉主要来自两部悲剧作品。在《非神曲》(1835)中,他描述了平民和权贵之间的未来斗争。在另一部重要剧作《伊里迪翁》(1836)中,他否定了憎恶作为正义行为的根源的合法性；该剧描写一个希腊人找机会向罗马帝国报复的故事。他最著名的诗《黎明之前》(1843)对在苦难岁月中度日的同胞是个鼓舞。该诗把波兰被瓜分描述成为了整个世界的罪恶而付出的牺牲，乐观地预言波兰将复活，她所作出的牺牲将使她以世界领袖的面目出现。

Krasner, Lee　克雷斯纳(1908-10-27，美国纽约布鲁克林～1984-06-19，纽约市)　原名Lenore Krassner。美国画家，因对抽象表现主义的独特贡献而得到承认。出生于俄罗斯敖德萨(现为乌克兰)犹太移民家庭。13岁那年她决定当一名画家，两次申请之后被华盛顿·欧文中学录取，这是当时纽约市唯一有女生专业绘画课的公立中学。中学毕业后她先在库珀学院女子艺术学校学习，后在国家设计学院深造，两校均在纽约。新政的联邦艺术计划使得克雷斯纳1934～1943年一直从事绘画工作。在那个时期她开始师从德国画家H.霍夫曼，接触到P.毕加索、H.马蒂斯的作品。克雷斯纳综合这些欧洲画家对她的影响，发展出属于自己的几何抽象画风——在底色打上花纹的基本图形和律动的姿态。1940年开始和其他美国已知的“抽象表现主义”画家联合展出作品。1945年嫁给画家J.波洛克后，两人皆有大量的画作问世，并均受到对方的影响。在整个20世纪70年代期间，克雷斯纳始终没有放弃绘画。1983年她的作品回顾展在得克萨斯州休斯敦美术博物馆和纽约现代艺术博物馆举办，进一步确立了她的画家声望。世界各主要博物馆都藏有她的作品。

Krasnoarmiysk　红军村　俄语作Krasnoarmeysk。1938年前称格里希诺(Grishino)。乌克兰东部顿涅茨克州城市。顿涅茨煤田老矿区，1884年始采煤。有铁路维修和建筑材料工业。为一个重要农产区中心。人口约70 600(1998)。

Krasnodar　克拉斯诺达尔　俄罗斯西南部一边疆区。面积76 000平方千米。位于高加索山脉峰线以北，黑海、亚速海直到塔甘罗格湾以东，为大片平原。平原占全区面积的2/3，有库班河等河流横贯其间，注入亚速海。其草原土地肥沃，几乎全被开垦。亚速海沿岸多盐沼和潟湖。南部为西高加索山脉，占全区面积的1/3；有普西什峰，海拔3 789米。植被从低到高分别为落叶林、针叶林和高山草甸。建于1937年，首府克拉斯诺达尔市，位于原库班高加索人居住区。人口绝大多数是俄罗斯人(约占90%)，亦有阿迪格人(区内有属于他们的一自治州)、乌克兰人、亚美尼亚人、白俄罗斯人和鞑靼人。北部平原是著名的农业区，主要种植冬小麦；南部生长冬大麦，库班河低地种植水稻。经济作物以向日葵、烟草和甜菜著名。库班河沿岸种植蔬菜。高加索山麓栽培果树和葡萄。大量养殖牛、猪和家禽。工业以农产品加工为主。北部塔曼半岛的迈科普(**Maykop**)附近出产石油和天然气，新罗西斯克和图阿普谢是重要的石油出口港。克拉斯诺达尔市有炼油厂，别洛列琴斯克有重要的化工联合企业。人口约5 067 000(2000)。

Krasnodar　克拉斯诺达尔　1920年前称叶卡捷琳诺达尔(Yekaterinodar)。俄罗斯西南部克拉斯诺达尔边疆区城市和首府。濒临库班河。1793年建为库班公国边境哥萨克军事要塞，并发展成军事重镇。1867年高加索战争后成为普通城镇和富饶的库班地区中心。19世纪90年代通铁路后发展迅速。工业以当地农产品加工为主，机械制造业亦重要，还有石油加工业和润滑油制造业。设有师范、医学、农业、文化及食品工业学校和与农业、烟草、植物油、罐头生产、石油工业有关的研究机构，以及数座剧院和博物馆。人口约639 000(2000)。

Krasnodon　克拉斯诺顿　1938年前称索罗基诺(Sorokino)。乌克兰东部卢甘斯克州煤矿城市和地区中心。濒临大卡缅卡河。1938年设建制，是重要的烟煤产区。设有纪念第二次世界大战中保卫该城之青年的博物馆。人口约54 000(1994)。

Krasnogorsk　克拉斯诺戈尔斯克　俄罗斯西部莫斯科州城市和区行政中心。位于莫斯科市西侧绿化带。1940年设镇，称班基。生产照相机、建筑机械和建材。人口约89 000(2000)。

Krasnogvardeysk(Russia)　**赤卫军城**　参阅 **Gatchina 加特契纳**。

Krasnoje Selo(Russia)　参阅**Krasnoye Selo 克拉斯诺耶塞洛**。

Krasnokamsk　克拉斯诺卡姆斯克　俄罗斯西部彼尔姆州城市。临卡马河。1929年建为居民点。随纸浆和造纸业发展而兴起。1938年成为城镇。现为彼尔姆市卫星城。1934年发现石油；1943年开始小规模炼油。工业以石油提炼和金属加工为主。设有造纸工艺学院。人口约57 300(1993)。

Krasnoturinsk　克拉斯诺图林斯克　俄罗斯西部叶卡捷琳堡州城镇。位于乌拉尔山中部东北山麓、图里亚河畔。建于1758年，原称图林斯克矿场。1944年设市，并改用今名。现为炼铝工业中心，有工学院、医学院和矿物学的博物馆。人口约66 500(1993)。

Krasnov, Pyotr Nikolayevich　克拉斯诺夫(1869-09-22，俄国圣彼得堡～1947-01-17)帝俄军官，俄国内战时期反布尔什维克军队的指挥官。第二次世界大战中协助建立反苏哥萨克部队并主张建立一个在德国保护下的哥萨克国家。哥萨克将军之子。第一次世界大战期间晋升师长，1917年8月被临时政府任命为骑兵军长。十月革命期间率领忠于临时政府的部队到彼得格勒攻击布尔什维克，结果败北和被俘，由于保证不再反对苏维埃新政府，布尔什维克将他释放。但为时不久，他又在顿河地区积极进行反苏维埃活动，被推选为所谓“白军”的指挥官，曾在德军的支持下组织一支哥萨克军队，并在最初打过一些胜仗。但停战(1918-11-11)后形势恶化，1919年1月，他的军队遭到重创。他辞职离开俄国，参加欧洲反布尔什维克的哥萨克集团的活动，最后与纳粹为伍。1944年德国在意大利的阿尔卑斯山区建立了哥萨克傀儡国，他于1945年参加该政权。同年5月向英军投降，他被押回苏联，1947年被军事法庭处以绞刑。

Krasnovodsk(*oblast*, Turkmenistan)　**克拉斯诺沃茨克**　参阅 **Balkhan 巴尔汗**。

Krasnoyarsk　克拉斯诺亚尔斯克　又拼Krasnojarsk。俄罗斯中东部一边疆区。在中西伯利亚地区。北起北冰洋北地群岛，南至萨彦山脉，面积2 339 700平方千米。包括三个地区：哈卡西亚(**Khakasiya**)共和国、埃文基(**Evenk**)和泰梅尔(**Taymyr**)二自治州。首府克拉斯诺亚尔斯克市。几乎包括全部叶尼塞河流域；叶尼塞河的支流有安加拉、石泉通古斯卡、库列伊卡和图鲁汉诸河。该区还有鄂毕河流域的丘雷姆河和克季河。许多地区位于中西伯利亚高原。南部东西萨彦山脉之间为米努辛斯克盆地，北部是北西伯利亚低地，介于泰梅尔半岛贝兰加山脉与高原之间。北部泰梅尔半岛是贫瘠的苔原；米努辛斯克盆地是土地肥沃的草原带。大部地区为沼泽森林或泰加森林。大陆性气候。人口集中在南部，包括西伯利亚大铁路沿线及米努辛斯克盆地。有俄罗斯人、乌克兰人、鞑靼人和土著人。其余地区几乎无人居住。重要资源有森林、矿藏及水力。克拉斯诺亚尔斯克水电站及萨彦水电站属世界最大水电站之列。出产褐煤、铁、镍、钴、铂、铜、金。重工业有机械、金属制造和冶炼。饲养肉牛和奶牛以及鹿、羊、马、猪。远北地区以狩猎和渔业为主。伐木业集中在西伯利亚大铁路沿线。农业分布在南部，主要种植小麦。亦为西伯利亚旅游区。人口约3 106 000(1996)。

Krasnoyarsk　克拉斯诺亚尔斯克　俄罗斯中东部克拉斯诺亚尔斯克边疆区城市和首府。位于叶尼塞河两岸，西伯利亚大铁路在此横跨该河。1628年在叶尼塞河左岸建成克拉斯内亚尔要塞。是西伯利亚俄罗斯人最早的居民点之一。1735年西伯利亚大驿道通此地后迅速发展为中央西伯利亚的主要城镇。19世纪当地发现金矿后发展更快。19世纪90年代连接西伯利亚大铁路后城镇扩展到河右岸，今沿岸地区长达29千米。第二次世界大战时期从西部迁入一些工厂促进了工业发展。20世纪60年代建成世界上最大的水电站之一。为俄罗斯主要综合工业城市，有全国最大的炼铝厂之一。生产人造丝、合成橡胶、轮胎、起重设备、收割机、推土机、伐木机械、电视机、电冰箱等，也有船舶修造、木材加工和造纸等工业。设有林业、工业和医学院以及森林开发等科研机构。人口约875 700(2001)。

Krasnoye Selo　克拉斯诺耶塞洛　又拼Krasnoje Selo。俄罗斯西北部圣彼得堡市的一个区。该名俄语意为"美丽的村庄",1730 年始用。当时包括位于圣彼得堡西南面的 3 个居民点。曾是沙皇夏宫之一和圣彼得堡驻军的夏令营。有 1735 年建的特罗伊茨卡亚教堂(1854 年重建)和 1764 年建的造纸厂。有塑料、冶金和食品加工业。1925 年设市。1973 年划归圣彼得堡(当时称列宁格勒)。

Krasny Luch 红卢奇 乌克兰卢甘斯克州城市。位于顿涅茨克山脉南坡。始建于 20 世纪初,名为克林达乔夫卡(Krindachyovka)。1929 年设市,用现名。为顿涅茨煤田无烟煤开采中心。有选煤厂、机床厂以及轻工业。有铁路通向伊万诺夫卡。人口约115 000(1993)。

Kraszewski, Józef Ignacy 克拉谢夫斯基(1812-07-28,华沙公国华沙[今在波兰]~1887-03-19,瑞士日内瓦) 波兰小说家、诗人、文学评论家、剧作家、历史学家和新闻记者,波兰浪漫主义时期散文作家中的主要人物。1830 年因被控阴谋反对俄国政府而被监禁,1832 年获释。主编过多种刊物。1859 ~ 1862 主编《波兰报》。1863 年被迫离开华沙,定居德国德累斯顿。1883 年又因被控为法国进行间谍活动被捕。1885 年获释,迁往日内瓦,并在该地逝世。他的作品参差不齐,但却脍炙人口,影响其他作家支持波兰的民族主义。他的作品共有 600 多卷,包括 9 部探讨农奴制的小说,7 部历史小说(以萨克森诸王治下的波兰为背景),以及系列概括波兰历史的 29 部小说。

krater 巨爵 用来盛水把酒冲淡的一种古希腊容器。通常把它放在餐室的三脚桌上,佐餐酒即在餐室中混合。巨爵用金属或陶瓷制成,爵上常有绘画或精巧的装饰。巨爵是

约公元前 450 年的阿提卡红彩陶巨爵

美国不列颠百科全书公司供图

一种宽体带底座的大型容器,通常有广口,在底座附近置有水平把手或在肩部立起垂直把手。巨爵的形状多种多样。钟形巨爵形似倒转的钟,全部为**红彩陶器**(**red-figure pottery**)。螺旋形巨爵体形似蛋,把手呈螺旋形从肩部向上升出口缘。花萼形巨爵形似花萼向外张开。圆柱形巨爵的把手为圆柱形,从肩部向上升出至扁平的突出唇状口缘。

Kratie(Cambodia) 参阅 **Krâchéh** 桔井。

Kraus, Karl 克劳斯(1874-04-28,波希米亚基茨欣[今捷克共和国伊钦]~1936-06-12,奥地利维也纳) 奥地利新闻工作者、批评家、剧作家和诗人。其讽喻想象力之丰富以及驾驭语言能力之高超,有人比之于尤维纳利斯及斯威夫特。在德国文学中,他是第一次世界大战时期一位杰出作家,可惜由于他的作品多习惯用语,几乎不可翻译,因此他的才华国外少有人知。他的父母为犹太人,他就读于维也纳大学,后辍学赖写作为生。1899 年,他创办期刊《火炬》,直至 1936 年纳粹党在奥地利兴起后始停刊。克劳斯是个旗帜鲜明的个人主义者,从不与某个文学运动或政治信仰发生关系。在克劳斯看来,语言不但在美学意义上极其重要,在道德上也同样重要,他对不诚实、不精确、浮夸自负地使用语言毫不留情地予以批评,认为那是当时道德堕落的表现。他本人写作语言异常确切,特别在格言集如《警句与矛盾》(1909)和《夜晚》(1919)以及在散文集《道德与犯罪》(1908)、《文学与谎言》(1929)和《语言》(1937)中尤其如此。他的文字偶有达到《圣经·启示录》那样震慑人心的高度,例如他的长篇讽刺剧《人类的末日》(1922),它借助幻象谴责第一次世界大战一无是处。克劳斯是《火炬》的创办人和编辑,1911 年以后又是这一文学政治评论刊物的唯一撰稿人,由此他以批判奥地利社会尖刻闻名。他的讽刺抨击的范围逐渐扩大,从奥地利中产阶级以及维也纳的自由派报刊扩至最后,凡是他认为对奥地利以至欧洲文化传统解体负有责任的,他无不加以指斥。他的讽刺和表达方式有他自己的特性,实质上带有奥地利,甚至可以说维也纳的特色,然而他的影响却极深远。他也写诗(9 卷,1916 ~ 1930),写讽刺短诗(1927)和戏剧的游戏仿作。他曾翻译莎士比亚的作品并重新发现了 19 世纪奥地利伟大喜剧作家内斯特罗伊。克劳斯的作品总集分 14 卷,在 1952 ~ 1966 年间出版。

Kraus-Boelté, Maria 克劳斯-伯尔特(1836-11-08,梅克伦堡-什未林大公国哈格诺[今属德国]~1918-11-01,美国新泽西大西洋城) 德裔美国教育家,幼儿园的早期倡导者,曾为该领域培训了许多教师。伯尔特系出名门,受私塾教育。年轻时开始对 F.福禄培尔教育幼儿的工作发生兴趣,在德国汉堡学习他的方法。两年后去伦敦,在福禄培尔弟子之一 B.龙日开办的幼儿园任教。龙日回德国后伯尔特即独自管理该伦敦幼儿园,并添加了花园活动和学习自然的课程。1867 年,她回到汉堡,在福禄培尔联合会幼儿园教师学校任教,后在德国吕贝克开设一所幼儿园和训练课程。1872 年,应 E.皮博迪之邀去美国。9 月抵达纽约,开设一所幼儿园,并在一家私立学校中开设妈妈学堂。1873 年,与 J.克劳斯结婚。克劳斯是德国出生的幼儿园拥护者,1851 年移居美国,任职于美国教育局。她此后即以克劳斯-伯尔特为其姓氏。1873 年秋,丈夫辞职,二人共同开设纽约幼儿教师学院,附设一所模范幼儿园,培训的教师达数百人,受教育的儿童数以千计。1877 年,二人出版了两卷本的《幼儿园指南》。1896 年丈夫去世后,她继续主持培训学校。1899 ~ 1900 年,出任全国教育协会幼儿园部总裁。在她的敦促下,纽约大学教育学院于 1903 年开设了幼儿园教育的暑期班,由她任教,这是首次由大学主办的课程。1904 和 1907 年又开设了同样的课程。她于 1913 年退休。

Krause, Karl Christian Friedrich 克劳泽(1781-05-06,莱茵河畔巴拉丁领地艾森贝格[德国]~1832-09-27,巴伐利亚慕尼黑) 德意志哲学家。信徒甚多。他在西班牙的门徒即所谓克劳泽派,对 19 世纪后期和 20 世纪初期西班牙的教育方向曾有巨大影响。他把自己的哲学体系称为"万有在神论"(主要是试图把泛神论和有神论调和起来),认为上帝包括整个宇宙而又超越宇宙。他特别强调个人的发展,而个人是整体生活的一个组成部分。其主要著作有《哲学体系概要》(1804)、《哲学体系讲义》(1828)和《认识的基本法则讲稿》(1829)。

Krâvanh Mountains 豆蔻山脉 英语作 Cardamom Mountains。柬埔寨西南部西北-东南走向的高丘陵山脉。延伸至泰国庄他武里周围高原地区。该山向东南和东方延伸约 100 英里(160 千米)后,与象山山脉相接,在柬埔寨的菩萨省达到最高点6 398英尺(1 950米),然后继续向西,抵达泰国边界东部的敦博山,高达5 128英尺。山的西坡为茂密的雨林所覆盖,该处年降雨量为 150 ~ 200 英寸(3 800~5 000毫米)。在雨量少的柬埔寨平原内地,林木茂密的东坡降雨量仅 40 ~ 60 英寸。在山坡上种植商品小豆蔻和胡椒。1975 年以前,该山区居民为达罗毗荼人,大概来自印度的科罗曼德尔海滨,他们与扁担山脉、象山山脉和安南山脉地区的类似部落有关。

Kravchuk, Leonid 克拉夫丘克(1934-01-10,苏联乌克兰韦卢库日图恩~) 1991 ~ 1994 年任乌克兰总统。历时 30 年之久的一位共产党官员,在苏联政权解体后,转而信仰民族主义政治,是乌克兰第一位民选总统。1958 年毕业于基辅大学并加入共产党,开始政治生涯。80 年代升任乌克兰宣传和意识形态部门首脑。1990 年 7 月任乌克兰最高苏维埃主席,很快成为该共和国的强有力的领导人。当莫斯科中央政府日益衰弱时,克拉夫丘克开始推动乌克兰独立运动。1991 年 8 月苏联共产党强硬派发动的政变失败后,他表示了对独立的无条件支持。他于 1991 年 12 月当选为总统,但在 1994 年 7 月改选中败给库奇马。

Kréa, Henri 可亚(1933-11-06,阿尔及利亚阿尔及尔~) 阿尔及利亚出生的诗人、戏剧家和小说家。作品涉及异化和认同、天性、英雄主义以及阿尔及利亚的道德和社会变化。与他第一部也是唯一一部长篇小说《加马尔》(1961) 中的主人公一样,可亚的父亲是法国人,母亲是阿尔及利亚人。在卜利达读初中,高中时就读于巴黎亨利第四高中。

1956年当记者，定居巴黎。出版过20多部诗集，包括《第一次自由》(1957，讲述阿尔及利亚独立战争之事)、《革命和诗歌是一回事》(1957)和《贵族们的阴谋》(1964)。剧作有《地震》(1958)和《阿尔及利亚戏剧》(1962)。《朱古达的覆灭》(1968)则是一部历史传记。

Krebs, Edwin G. **克雷布斯**(1918-06-06，美国艾奥瓦兰辛～　　) 美国生物化学家。因发现蛋白质可逆性磷酸化作用，与F.H.费希尔共获1992年诺贝尔生理学或医学奖。该作用是一种生物化学过程，它可调节细胞中蛋白质的活动，从而支配生命所必需的无数过程。克雷布斯于1943年取得华盛顿大学(密苏里州圣路易斯)的医学学位。1946～1948年，在生物学家C.科里和G.科里的指导下，在该校从事研究。他于1948年任教于华盛顿大学(西雅图)生物化学系，1957年成为正教授。1968年他转到戴维斯加利福尼亚大学，1977年又回到华盛顿大学。20世纪50年代，克雷布斯和费希尔开始研究肌肉细胞由糖原(身体贮存糖分的形式)获得能量的过程。两位科里先已证明，细胞利用称为磷酸化酶的一种酶，由糖原中释放出葡萄糖(细胞机能的能源)。克雷布斯和费希尔证明了，通过加入一种由腺苷三磷酸(ATP)取得的磷酸根，可将磷酸化酶由非活性形式转化为活性形式。可催化此过程的酶，称为蛋白激酶。克雷布斯和费希尔还证明了，磷酸化酶脱去一个磷酸根后，便失活；此过程可被称为磷酸酶的酶类催化。蛋白质磷酸化作用的机能失常，关系着一些疾病的发生，例如糖尿病、癌症和阿尔茨海默氏病等。

Krebs, Sir Hans Adolf **克雷布斯**(1900-08-25，德国希尔德斯海姆～1981-11-22，英国牛津) 德国出生的英国生物化学家。因发现活生物中的称为三羧酸循环(又称柠檬酸循

世界卫生组织供图

环或克雷布斯氏循环)的系列化学反应而与F.李普曼共获1953年诺贝尔生理学或医学奖。这些反应是在氧存在下由糖、脂肪和蛋白组分分解成二氧化碳、水和高能化合物所构成的物质转化反应。柠檬酸循环几乎是所有代谢反应的中心，又是高级生物2/3的能量(取自食物)的来源，它的发现对基本了解细胞代谢和分子生物学极其重要。1932年在弗赖堡大学与德国生物化学家K.亨泽莱特一道发现尿素循环，通过该循环，可在哺乳动物组织中，将氨转化成尿素，毒性比氨小的尿素最终排泄到多数哺乳动物的尿中。此循环可作氨基酸精氨酸的主要来源。他出身于犹太医生家庭。1933年被迫离开纳粹德国迁居英国。1933～1935年在剑桥大学继续从事研究。1935～1954年在约克郡的设菲尔德大学测定了鸽肝及胸肌中的糖在完全氧化为二氧化碳和水，并释出能量过程中产生的某些四碳及六碳酸的含量。1937年他论证了使糖分解的最终产物结合的化学反应循环的存在，后来被证明它是乙酸(含2个碳)的一种活化态与丁酮二酸(含4个碳)所形成的柠檬酸。该循环通过一系列中间化合物再生成丁酮二酸，当释放出二氧化碳和电子时，两者立即用于形成高能量的腺苷三磷酸(ATP，存化学能的细胞)的磷酸盐键。1954～1967年在牛津大学任教。1957年与H.科恩伯格合著《活质中的能量转化》。1958年被封为爵士，1961年获皇家学会的科普利奖章。

Krebs, Johann Ludwig **克雷布斯**(1713-10-10，萨克森布特尔施泰特[德国]～1780-01，阿尔滕堡) 德国管风琴家兼作曲家。以其管风琴作品闻名。先从父亲学习，后在莱比锡成为J.S.巴赫的得意门生。在茨维考、蔡茨和阿尔滕堡任管风琴师。他的管风琴曲采用巴赫用过的曲式，继承巴赫风格，作曲技巧十分完美。作品还有三重奏鸣曲、长笛和拨弦键琴奏鸣曲以及一些宗教声乐作品。

Krebs cycle (biochemistry) **克雷布斯氏循环** 参阅**tricarboxylic acid cycle** *三羧酸循环*。

KREEP **克里普岩** 富含某几种元素的月面熔岩。根据阿波罗登月取回的月岩样本，得知有些区域的月岩中富含钾(K)、稀土元素(REE)和磷(P)，遂取缩称KREEP。克里普岩反映了40多亿年前月面古代岩浆海洋的冷却演化史。钾、稀土元素和磷都是非共存性元素，不能像辉石、橄榄石和斜长石那样的月面普通矿物进入晶体晶格。那些月面普通矿物在岩浆海洋中相对结晶较早，因而这些非共存性元素则成为最后结晶的液华物质之一。由于非共存性元素中也有放射性元素，1998～1999年绕月飞行的"月球勘探者"运用γ射线频谱法测绘出克里普岩的全月球分布图。这将有助于揭示月球陆地演化史、热史和矿藏史。

Krefeld **克雷费尔德** 又拼Crefeld。德国西部北莱茵-威斯特伐利亚州港口城市。中世纪所建克雷费尔德的城市中心在莱茵河西面10千米。全城向东、西方向延伸，另一市中心于尔丁根位于莱茵河畔，有一港口。该市于1373年建制，原属默尔斯伯爵，1600年归奥兰治王室所有；1702年又转属普鲁士。7年战争期间，不伦瑞克公爵费迪南德于1758年的一次重要战役中，在克雷费尔德附近击败法国人。17、18世纪由基督教新教徒和门诺宗流亡者在此创办的天鹅绒及丝绸纺织业，至今犹负盛名。1901～1929年间，邻近几座城镇并入该市，包括于尔丁根及其港口。第一次世界大战后(1918～1926)该城为协约国占领，第二次世界大战中受猛烈轰炸。克雷费尔德现为铁路枢纽和纺织业中心，市内有一所纺织技术学校。制造业有钢材、机械、服装和化工产品，还有印刷和漂染业。文化机构有凯撒-威廉博物馆、现代艺术博物馆和一座纺织品展览馆。人口约245 606(1998)。

Kreis **帝国行政区** 神圣罗马帝国从16世纪初直至1806年解散期间的行政区，计有：勃艮第、下莱茵-威斯特伐利亚、下萨克森、上萨克森、选侯莱茵、上莱茵、法兰克尼亚、士瓦本、巴伐利亚和奥地利。由马克西米连一世皇帝(1493～1519)设建制。1555年奥格斯堡帝国议会赋予各行政区实施法律的权力，包括执行皇家最高法院决定的权力。特别是在德意志西部和南部，在宗教改革运动的宗教和政治大动荡中，行政区提供了地区间需要的一定的政治凝聚力。Kreis(Landkreis的简写)在现代德国指一个行政单位——县。

Kreisky, Bruno **克赖斯基**(1911-01-22，奥地利维也纳～1990-07-29，维也纳) 奥地利社会民主党(SPÖ)领袖，奥地利总理(1970～1983)。克赖斯基曾在维也纳大学研习法学与政治经济学，毕业时获法学博士学位。1926年参加社会民主党。1935年因从事政治活动而被短期监禁。1938年因自己的政治信仰和犹太出身而受德国秘密警察迫害，他逃往瑞典。第二次世界大战期间，他在瑞典从事新闻工作和经商。1946～1950年在斯德哥尔摩的奥地利公使馆中任职，后返回维也纳，在外交部工作。1956年他进入奥地利议会，1959年当选为奥地利社会民主党副主席，并任奥地利外交部长。1966年的大选中，奥地利社会民主党遭受决定性失败，于是克赖斯基率先发起党内改革运动。1967年他以微弱多数当选为党主席。1970年的大选中，社会民主党成为最强大的党，克赖斯基成为奥地利总理。1971年社会民主党取得绝对多数地位。人们认为克赖斯基成功地执行了"积极的中立"政策，与邻国捷克斯洛伐克和南斯拉夫和平相处，并谋求与不结盟国家合作。在克赖斯基领导下，社会民主党在1975和1979年的议会选举中均保持其占多数的地位。克赖斯基于1983年辞职。

Kreisler, Fritz **克莱斯勒**(1875-02-02，奥地利维也纳～1962-01-29，美国纽约州纽约) 奥地利出生的小提琴家，一些短小小提琴曲的"秘密"作曲者。7岁入维也纳音乐学院，

胜利唱片公司供图

1885～1887年在巴黎音乐学院学习作曲和小提琴，1888～1889年在美国巡回演出，成绩斐然，后返回维也纳攻读医学。旋又在巴黎和罗马学画，并在奥地利军队任军官。1899年以音乐会小提琴家身份重登舞台，成

为当时最成功的演奏大师之一。克莱斯勒的演奏技巧以强化的揉弦和简练的用弓为特点。1910 年他为爱德华·艾尔加爵士题献给他的《小提琴协奏曲》作首次公演。1915 年以后主要寓居美国,但仍继续在欧洲广泛巡回演出。他的音乐会曲目中常有他自己写的许多小作品,包括《维也纳随想曲》和《美丽的迷迭香》等。他的《古典手稿》出版时他声称是维瓦尔第、库伯兰、施塔米茨和马蒂尼神父等人作品的改编曲,至 1935 年才承认这些都是他自己的作品。

Kremenchug 克列缅丘格 乌克兰波尔塔瓦州城市。位于第聂伯河与哈尔科夫-基洛沃格勒铁路的交会处。1571 年建为要塞。1765 年设市。有庞大的冶金和机械工业。铁矿砂来自附近矿区。市内炼油厂加工河左岸地区所产原油。1959 年在克列缅丘格附近建成一座大型水电站。人口约248 600(1993)。

kremlin 克里姆林 俄语作 kreml,旧称 kremnik。中世纪俄国城市的中心城堡,通常坐落在河边的战略据点。外有围墙(木墙,后为石墙或砖墙)、堡垒、城壕、城楼和城垛。几个公国(如莫斯科、普斯科夫、诺夫戈罗德、斯摩棱斯克、罗斯托夫、苏兹达尔、雅罗斯拉夫尔、弗拉基米尔和下诺夫戈罗德)的首府均建立在古城堡的周围,城堡内通常有大

莫斯科克里姆林宫
美国不列颠百科全书公司供图

教堂、君主和主教宅邸、政府机关和军火库。17 世纪 20 年代,莫斯科克里姆林宫(1156)失去了其作为城堡的重要地位,但 1712 年以前和 1918 年以后成为俄国的政治中心。该建筑原为木结构,14 世纪时由意大利建筑师改为砖结构。后又经无数次修补和改动。克里姆林宫的建筑形式反映了其漫长的历史,并融合了拜占廷、俄罗斯巴洛克和古希腊罗马等多种风格。整体布局呈三角形。其东侧面向红场,有四个城门和一条通往莫斯科河的秘密通道。1917 年 10 月布尔什维克夺取政权之后,莫斯科克里姆林宫成为列宁的苏维埃政府所在地和共产党专政的象征。1991 年苏联解体后这里成为俄罗斯联邦的行政总部。

Krems 克雷姆斯 奥地利东北部下奥地利州城市。在维也纳西北多瑙河和克雷姆斯河汇合处。995 年首见记载,12 世纪设市。1938 年合并毗邻的多瑙河上施泰因和毛特恩。名胜古迹有旧城堡、圣法伊特堂区教堂、哥特式教堂。该城酿酒业历史悠久,现有五金、纺织和化工等工业。人口22 829(1991)。

Kremsier(Czech Republic) **克雷姆西尔** 参阅 **Kroměříž** *克罗梅日什*。

Krenek, Ernst 克热内克(1900-08-23,奥地利维也纳～1991-12-23,美国加利福尼亚棕榈泉) 奥地利裔美籍作曲家。序列技术作曲法的杰出倡导者之一。求学于维也纳和

中国大百科全书出版社供图

柏林,曾在卡塞尔(1925～1927)和威斯巴登(1927～1928)的德国歌剧院任音乐助理,1938 年移居美国。曾在纽约州波基普西的瓦瑟学院(1939～1942)和明尼苏达州圣保罗的哈姆林大学(1942～1947)教作曲。1945 年入美国籍,1947 年定居加利福尼亚。克热内克最早的作品受其岳父马勒影响。但在最初几部歌剧中转向不协和的表现主义风格,例如《土牢城堡》(1924)。歌剧《约翰尼奏起乐队!》(1927)所用乐汇融表现主义的不协和音与爵士乐影响于一体,获得国际声誉。一度信奉舒伯特的浪漫主义,30 年代开始采用勋伯格的十二音体系方法。第一首重要的十二音作品是歌剧《卡尔五世》(1933 年创作;1938 年上演)。其他重要的十二音作品还有《第二钢琴协奏曲》(1938)和《第四交响曲》(1947)。克热内克对作曲风格和技巧进行广泛的试验。在《塞斯蒂纳》(1957)中应用全面的序列主义手法,不仅音高,而且所有音乐要素均按基本序列排列。《第三钢琴协奏曲》暂时放弃十二音手法而采用传统的调性;《第五交响曲》是无调性的,但未用序列技巧。清唱剧《神圣理性精神》(1958)应用电子仪器产生的音响。在管乐五重奏《五角星形》(1952 年创作;1958 年修改)和在《菲博纳奇一动》(1965)中,数学概念影响音乐内容。其他作品有竖琴和管风琴的奏鸣曲;《12 首钢琴小曲》(这是一本十二音技巧的入门曲集),管弦乐队的《11 幅透明纸》以及歌剧数部。克热内克的著作有:《此时此地的音乐》(1937);《对位法教程》(1940)和自传《自我分析》(1948)。

krennerite 斜方碲金矿 一种金矿物,多产于低温矿脉中,例如澳大利亚的卡尔古利和美国科罗拉多州的克里普尔克里克。它是金的碲化物($AuTe_2$),属斜方晶系。两种化学成分同它相似的矿物——碲金矿和针碲金银矿——都形成单斜系晶体,它们比斜方碲金矿常见,是金的重要原生矿石,也是碲的来源。所有这三种矿物都具有相同的产状,相似的化学性质和物理性质。参阅 **sulfide mineral**(表)。

Kreps, Juanita Morris 克雷普斯(1921-01-11,美国肯塔基林奇～2010-06-05,北卡罗莱那达勒姆) 婚前名 Juanita Morris。美国经济学家和官员,第一位出任美国商务部长的女性。获伯里亚学院文学士(1942),后入杜克大学攻读经济学获文学硕士(1944)和哲学博士(1948)。1944 年与同为经济学家的 C. H. 克雷普斯结婚。此后在丹尼森大学(1945～1950)、霍夫斯特拉学院(1952～1954,今霍夫斯特拉大学)、昆斯学院(1945～1955)和杜克大学(自 1955 起)任教。1968 年成为杜克大学正教授,4 年后被任命为 J. B. 杜克经济学教授。她还曾担任经济系主任、女子学院院长和教务长(1969～1972)及杜克大学副校长(1973～1977)。克雷普斯的主要研究领域是妇女在劳动力中不断变换的角色以及其对整个社会结构的影响。她出版的著作包括《性别在市场中:上班的美国妇女》(1971)和《性别、年龄和工作:劳动力构成的变化》(1975)。她还是《老年人的就业、收入和退休问题》(1963)和《妇女和美国经济:展望 20 世纪 80 年代》(1976)的编辑。为纽约股票交易所董事会的第一位女董事(1972～1977),1977 年她成为商务部第一位女部长,1979 年辞职。她也是几家大公司,包括彭尼公司的董事会成员。这家公司以她的名义设立了年度杰出职业妇女奖。1985～1992 年,担任教师保险与年金协会和大学退休人员股票投资基金会董事会主席。

Kresge, S. S. 克力司吉(1867-07-31,美国宾夕法尼亚鲍尔德山～1966-10-18,宾夕法尼亚东斯特劳兹堡) 美国商人。他所建立的连锁杂货店与折扣商店近1 000家,遍布美国。当了五金旅行推销员后,1897 年与他的顾客 J. G. 麦克罗利(拥有几家 5～10 美分商店)合伙在田纳西的孟菲斯与密歇根的底特律开设两家 5～10 美分商店。两年后二人买卖股权,克力司吉成为底特律商店唯一的业主。他经营这家商店,并同亲戚 C. 威尔逊合伙,在中西部一些大城市开办另外 7 家克力司吉-威尔逊商店。1907 年再次买下合伙人的股权,建立了克力司吉公司。公司组成 5 年后,资金达 700 万美元,拥有北部和中西部的 85 个商店。克力司吉原先的商店销售多种

10美分及10美分以下的商品。他后来开的商店还有价格达1美元的商品。第二次世界大战后,公司扩展成为在美国、波多黎各及加拿大的大型折扣商店。克力司吉还于1924年设立了克力司吉基金,为教育及慈善活动提供资助。至1966年克力司吉逝世时,基金已捐出7 000万美元,尚净存1.75亿美元。

Kresge Co. 克力司吉公司 参阅**K mart Corporation** 凯马特公司。

Kress, S. H. 克雷斯(1863-07-23,美国宾夕法尼亚切里维尔～1955-09-22,纽约州纽约) 美国商人和艺术品收藏家。曾用其5～10美分连锁店的钱捐赠艺术品给40余家美国博物馆。1887年用教书薪金的节余购买宾夕法尼亚州南蒂科克的一家文具店。3年后用所获利润又在威尔克斯巴里买了另一家商店。1896年在田纳西州孟菲斯开设一家商店,后不断将商店收入投入扩大营业,至1900年已拥有12家店铺。连锁店卖的东西不比大多数杂货店多,但很便宜。他直接从厂方进货,薄利多销。1907年他将总部迁至纽约市,所经营的商店已达51家。他在世时,连锁商店已发展到264家,年销售额达16 900万美元。1921年赴欧收集中世纪及文艺复兴时期绘画、雕刻及纺织品。1929年建立克雷斯基金会,用公司40%有投票权的股票作为捐献。基金将他收藏的艺术品赠给商店所在州的美术馆。1939年他赠给新成立的国立美术馆绘画375幅、雕刻18件,价值2 500万美元。后来对该国立美术馆捐赠的艺术品包括:华托、拉斐尔、提香、安吉利科及凡·戴克的作品。14个城市的博物馆也从基金收到艺术品。克雷斯还对文教卫生事业有捐赠:1949年捐给纽约大学贝尔维尤医疗中心800万美金教育费用;1952年捐给纽约市癌症及相关疾病纪念中心一架贝塔仪器及一项研究项目的资金。

Kretschmer, Ernst 克雷奇默(1888-10-08,德国维斯特恩罗特～1964-02-08,西德蒂宾根) 德国精神病学家,试图将体态、体质与人格特征及精神疾病联系起来。曾在蒂宾根大学学习哲学和医学,1913年毕业后留校任神经科临床助教。次年发表关于躁狂抑郁性妄想的论文,由此开始了他的精神病的研究生涯。第一次世界大战期间任军医并研究癔病,发明了一种治疗方法,让战争癔病患者在黑屋中安静下来,并给以电击治疗。战后回蒂宾根大学任讲师并开始撰写与他的理论有关的书籍。其最有名的著作《体格和性格》(1921)提出,某些精神疾病在特定体型者中较为常见。他假定有3种主要的体型:瘦高的无力型、肌肉发达的运动员型及滚圆的矮阔型。过于瘦长的无力型易患精神分裂症;运动员型也是如此,但程度较低;而矮阔型较易发生躁狂抑郁性精神病。但他所谓的瘦长的精神分裂症患者比矮胖的躁狂抑郁性精神病患者年轻,而且体型的差异也可以解释成因年龄的不同引起,因此他的著作受到批评。然而他的思想在某种程度上为公众文化所接受,并导致了对心理学更深一步的研究。1926年任马尔堡大学精神病学和神经病学教授。1923年著《癔病、反射及本能》,提出癔病的症状起初是有意识的,但以后为自动机制所代替,因而呈无意识状态。1929年发表《天才者的心理学》。1933年他辞去德国心理治疗学会主席职务,以抗议纳粹接管政府,但他不像其他杰出的德国心理学家那样纷纷离去,在第二次世界大战期间继续留在德国。战后又回蒂宾根大学任精神病学教授和神经科诊所主任至1959年。他还关心儿童和少年的体质和精神疾患的研究,设计新的心理治疗和催眠方法,并研究强迫性犯罪行为,建议适当为监狱犯人提供精神病治疗。

Kretschmer, Paul 克雷奇默(1866-05-02,柏林～1956-03-09,维也纳) 语言学家,曾致力于印欧诸语言早期历史及其相互关系的研究,指出非印欧诸语言,如埃特鲁斯坎语等如何对印欧语也产生影响。他的关于希腊瓶饰铭文的著作(1894)指示出非语言学资料也可能显示其语言学价值。克雷奇默关于古希腊语中前希腊成分的研究是一项划时代的研究,见于所著《希腊语史导论》(1896)一书。他把希腊地名同古安纳托利亚地区的外国相应称呼加以比较,认为这些地方早在希腊文化之前,即已存在一种非希腊的地中海文化,它留下大量的语言学痕迹。A.伊文斯于1900年左右在克里特岛上的克诺索斯古城的发现,有助于证实克雷奇默的观点。克雷奇默曾任马尔堡(德国)大学教授(1897～1899)及维也纳大学比较语言学教授(直至1936)。作为新语法学派强调进行严格地比较研究方法的信奉者,他还对现代希腊方言学有所贡献,并且推动了德国语言地理学的研究。1907年他与F.斯库奇共同创办《语言》杂志,以研究古典语言学。

Kretzer, Max 克雷策尔(1854-06-07,东普鲁士波森～1941-07-15,柏林) 德国表现主义作家。擅长描写19世纪80年代和90年代柏林工业无产阶级的劳动条件。父亲是个不景气的客栈老板。13岁进工厂做工,一面自学。25岁开始写作。有些社会小说是以他做工时的体验写成的,如《建筑正面的拉斐尔》(1911),描写他以写招牌为职业时的体验;《老安德烈亚斯》(1911),记录他在一家灯具厂时的工作。其他小说涉及紧迫的社会问题,如《受骗者》(1882)探讨了卖淫;《潦倒的人们》(1883)探讨了城市工人的命运;《廷佩师傅》(1888)被认为是他的最佳小说,描写迅猛的工业化如何毁灭个体经营的小生产者。克雷策尔曾受左拉的影响,这主要表现在他把自然主义的文学观和人生观用于描述柏林的环境,这种环境他是很熟悉的。

Kreuger, Ivar 克吕格(1880-03-02,瑞典卡尔马～1932-03-12,巴黎) 瑞典金融家。曾试图垄断全世界的火柴生产,人称"火柴大王"。在美国和南非当过土木工程师,1907年在瑞典创办了一家火柴公司。第一次世界大战期间,在他的倡议下,整个瑞典的火柴工业合并为一家公司,即瑞典火柴股份公司,自任常务董事。战后,在美国资本的支持下,搞了一系列投机性很强的金融活动,目的是为了确保对瑞典以外世界火柴产销的垄断。1925年以后克吕格大部分交易采取对外汇缺乏的国家长期美元贷款方式以交换垄断权。到1928年,他的公司已控制全世界一半以上的火柴生产。然而,随着世界性萧条的日益严重,其处境也日益窘迫,1932年开枪自杀。事后发现其营业资产与利润均属虚构。于是业务瓦解,许多附属公司破产。

Kreussen stoneware 克罗森炻器 自16世纪后期至约1730～1732年在巴伐利亚的克罗森生产的德国盐釉炻器。起初生产的是矮形的带有锡蜡盖子的啤酒杯、四边形或六边形的长颈瓶以及梨形或球形的水罐。炻器坯体为灰红色,涂有棕色盐釉。装饰有素浮雕,也有以蓝、红、绿、黄、白等鲜明的釉上彩绘的浮雕,偶尔也用金装饰,或者在素胎表面用上述同样的釉上彩描绘各种图案。装饰主题有基督的十二使徒、选帝侯、狩猎、风景以及家庭和婚礼的纪念仪式等。

Kreutzberg, Harald 克罗伊茨伯格(1902-12-11,波希米亚赖兴贝格～1968-04-24,瑞士伯尔尼附近居姆利根) 德国现代舞演员和编导。因把舞蹈与哑剧结合编出的独舞闻名

克罗伊茨伯格的舞蹈造型
美国不列颠百科全书公司供图

于世。曾在德累斯顿芭蕾舞学校接受训练,并向M.维格曼和R.拉班学习现代舞。1927年开始表演M.莱因哈特导演的戏剧。1929年到纽约市,随即同舞蹈演员Y.格奥尔吉在美国、加拿大和欧洲巡回演出;1932年联合R.佩奇到美国和远东巡回演出;此后主要表演独舞。他的富于创造性的舞蹈设计风格把自由舞蹈动作和一些戏剧因素,如哑剧和形象化的服装设计巧妙的结合起来而形成其富有创造性的编导风格。他的作品从《天使卢齐费》的悲剧性寓喻到《婚礼的花束》的喜剧性怪诞手法,丰富多彩。1959年退出舞台后为别人编舞,并在自己的学校(1955年在瑞士伯尔尼创办)执教。

Kreutzer, Rodolphe 克鲁采尔(1766-11-16,法国凡尔赛～1831-01-06,日内瓦) 作曲家和小提琴家。法国小提琴演奏学派奠基人之

一，也是当时第一流即兴演奏家和指挥家之一。师承有影响的作曲家兼指挥家A.斯塔米茨。1795年任巴黎音乐学院小提琴教授。1798年在维也纳结识贝多芬，贝多芬将《A大调钢琴与小提琴奏鸣曲》(作品第47号，现称《克鲁采尔奏鸣曲》)题献给他。克鲁采尔并不欣赏此曲，从未演奏过它。曾在意大利剧院和巴黎歌剧院获得小提琴独奏席位，后成为拿破仑和路易十八的私人音乐家。写有约40部歌剧、多部芭蕾舞剧，19首小提琴协奏曲和许多室内乐作品。与小提琴家P.巴约及P.罗德合写的《小提琴演奏法》和他的《40首练习曲或随想曲》一直是标准的小提琴练习曲。

Kreutzwald, F(riedrich) Reinhold 克列茨瓦尔德(1803-12-26，俄罗斯爱沙尼亚卡德林纳～1882-08-25，塔尔图) 爱沙尼亚医生、民俗学家和诗人。曾编纂爱沙尼亚民族史诗《卡列维波埃格》(意为“卡列维之子”，1857～1861)。毕业于塔尔图大学，在沃鲁市卫生局工作达40余年。1838年F.费尔曼组织爱沙尼亚学术协会，该会为编写一部仿照芬兰《卡勒瓦拉》风格的民族史诗而搜集叙事民歌。克列茨瓦尔德作为德国浪漫派文学的研究者和翻译者，把搜集的资料同原诗结合起来，写成史诗。在史诗中，“卡列维德”(民族战士)是古代爱沙尼亚独立的象征，情节围绕着他的浪漫奇遇展开。《卡列维波埃格》是19世纪民族觉醒时期的主要作品，对后来的文学、艺术和音乐具有重要影响。

Kreuznach(Germany) **克罗伊茨纳赫** 参阅 **Bad Kreuznach** 巴特克罗伊茨纳赫。

Krėvė-Mickievičius, Vincas 克雷韦-米凯维丘斯(1882-10-19，俄罗斯立陶宛苏巴尔托尼斯～1954-07-07，美国宾夕法尼亚布鲁莫尔) 立陶宛诗人、语言学家、戏剧家，在立陶宛文学中具有重要地位。曾任立陶宛驻阿塞拜疆领事，1922～1939年在考纳斯成为斯拉夫语言和文学教授，后在维尔纽斯任教。1944年流亡国外。1947年起任美国宾夕法尼亚大学教授。因搜集和出版立陶宛民歌“代诺斯”而蜚声国际。他在所著戏剧中尽力表达受外国统治压抑的民族感情，受到立陶宛人的极大欢迎。《代纳瓦王公沙鲁纳斯》(1912)、《沿着命运之路》(1926～1929)和《明道加斯国王之死》(1935)等剧以浪漫主义的色彩表述往事；但他同时也是一位对人类天性有深刻理解的现实主义观察家，如在农村剧《女婿》(1921)和描写农村人的短篇小说《暮色》(1921)或《在茅草房顶下》(1922～1923)中所表现的那样。此外，他还从立陶宛传奇和东方传奇中搜寻题材，另行改编作品。在他最后的几部作品中，描写希律时代犹太人生活的《天地的子孙》(1949)显示了作家极大的表现才能。

Kribi 克里比 喀麦隆西南部港口。濒几内亚湾，在热带雨林地带边缘。出口象牙、可可、木材和咖啡，也是农产品和鱼类的贸易中心。美丽的海滨和南面的坎波野生动物保护区吸引游客。有机场。并有公路通往埃代阿、杜阿拉和埃博洛瓦。人口约18 000(1984)。

Krieger, Johann Philipp 克里格尔(1649-02-25，纽伦堡～1725-02-07，萨克森魏森费尔斯) 德国作曲家。以教堂大合唱、赋格曲和键盘乐组曲闻名。曾在纽伦堡和哥本哈根学习，1670年任拜罗伊特宫廷管风琴乐师。1680年任哈雷和魏森费尔斯宫廷乐长。所写2 000首大合唱，现存者约80首。其大合唱与赋格曲代表了从早期巴罗克风格到巴赫时期这一体裁发展中的一个重要阶段。他是当时键盘乐器组曲的主要作曲家之一，还创作室外用的吹奏乐组曲和约200首世俗分节歌。

Kriemhild 克里姆希尔特 在日耳曼英雄传说中，她是勃艮第诸国王巩特尔、格尔诺特和吉泽尔赫尔的姐姐。在古代北欧传说中，她名叫谷德伦，在有关她的叙事诗里，情节都是各不相同的复仇故事。在《尼贝龙根之歌》里，她是中心人物，一位温顺的公主。齐格弗里德曾向她求婚，因为他在替巩特尔向布伦希尔德求婚时立下功勋，使他赢得了克里姆希尔特。但是后来布伦希尔德由于齐格弗里德在代人求婚时所扮演的角色，对他怀恨在心，巩特尔遂下令将他杀死。在史诗的第二部分里，克里姆希尔特的悲痛把自己变成一个“女魔”。她嫁给埃采尔(匈奴人阿提拉)是为了对她的兄弟进行报复，她成功地把他们邀请到埃采尔的宫廷里，叫人把他们杀死。她自己则被狄特里希·封·贝尔恩的制造武器师傅希尔德布兰特所杀。

Krige, (Mattheus) Uys 克里赫(1910-02-04，南非开普省斯韦伦丹附近邦泰博克斯克卢夫～1987-08-10，开普省赫曼努斯附近) 南非戏剧家、诗人、翻译家、短篇小说家。曾在斯泰伦博斯大学学习，1931～1935年在法国和西班牙学习罗曼诸语言。以《兰德每日邮报》记者之职开始写作生涯。以诗集《转折集》(1935)、剧本《倔强的妓女》(1938)和诗体故事《棕榈树》(1940)成为声名卓著的具有独创性的作家。1940～1941年参加南非军队，在北非图卜鲁格被俘，送往意大利。他从战俘营的逃跑成为他的第一部英语作品《出路》(1946)的写作基础。他早期的短篇小说收集在《梦与沙漠》(1953)一书中，后期的短篇小说收集在《沙漠孤儿》(1967)一书中。剧本《死亡墙》(1960)和《狙击手》(1962)巩固了他的国际声誉。由于他沟通了英语和阿非利堪斯语，填平了政治和语言上的鸿沟，是南非文坛的重要人物。

krill 磷虾 磷虾亚目或其中磷虾属(*Euphausia*)的甲壳动物，有时专指南极磷虾(*E. superba*)一种。磷虾类似虾，浮游生活在远洋，长8～60毫米，已知82种。多数在身体下侧有发光器，夜间可见。在某些海域是各种鱼、鸟和鲸(特别是蓝鲸和长须鲸)的食料。在海洋表层或2 000米以下深处结成大群。南极磷虾长约5厘米，体透明，有红褐斑。幼体发育过程经过9个阶段。雄体约22个月成熟，雌体约25个月。产卵期5个半

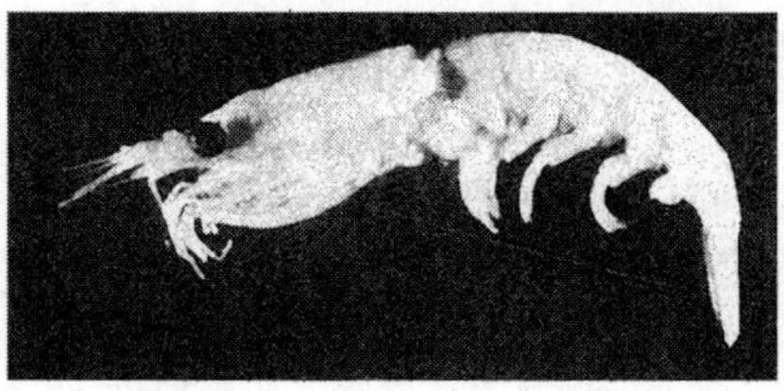

磷虾(*Euphausia*)
美国不列颠百科全书公司供图

月，产在水深约225米处。幼体取食微生物，随着发育而渐移到表层。南极洋从1～4月间每立方米水中可有南极磷虾20千克。由于数量多，营养丰富，生态学家认为是人类潜在的食物来源，尤其可提供大量维生素A。

Krim, Mathilde 克里姆 婚前名 Mathilde Galland。美国医学研究人员、健康教育工作者。以抗击艾滋病方面的工作闻名。曾就读于日内瓦大学(1948年获科学学士学位，1953年获哲学博士学位)。在以色列(1953～1959)、美国纽约康奈尔医学院(1959～1962)参与过生物医学研究项目；1962年任纽约市的一家癌症研究中心研究员，后任干扰素研究室主任。1986～1990年在纽约市圣路加罗斯福医院中心和哥伦比亚大学儿科系工作，1990年后任哥伦比亚大学公共卫生与管理学副教授。1980年后，将自己的时间和精力投入到与艾滋病的斗争中。1983年建立艾滋病医学基金会。两年后，该基金会与一个类似的机构合并，成立美国艾滋病研究基金会。该基金会的大部分基金均用于研究。该机构在设计以社区为基础的临床研究试验中起重要作用，并积极从事教育和游说活动。

Krimmitschau(Germany) 参阅 **Crimmitschau** 克里米乔。

Krimmler Waterfall 克里姆尔瀑布 奥地利中西部萨尔茨堡州瀑布。在萨尔察赫河上游支流克里姆尔河上。落差380米，分上、中、下三级，上级最为壮观，落差140米。有小道通附近的克里姆尔村。

Krimpen, Jan van 克林彭(1892-01-12，荷兰豪达～1958-10-20，哈勒姆) 荷兰杰出的现代书刊铅字及邮票设计家。曾在海牙艺术学院接受传统教育。早年爱好诗歌，1917年以丛书形式发行一些朋友的诗集，并亲自设计版式。他曾接受荷兰邮政总局的委托，绘制一种特别纪念邮票的字型，邮票由著名的恩斯赫德公司于1923年印行。这一设计的成功，又使该公司约请他设计一套新活字。他设计的称为琉提喜阿(罗马人对巴黎的称呼)体活字，是1927年荷兰艺术品在巴黎展出时的正式字体。此外，他的著名活字字型还有：安提戈涅体希腊字母(1927)、罗马尼(Romanée)体活字(1928)、罗慕路斯体活字(1931)和光谱体活字(1943)。他设计的活字，通过特装本协会的介绍，风行美国；经无双出版社的介绍，也闻名英国。

Krimskii Poluostrov(Ukraine) 参阅 **Crimean Peninsula** 克里米亚半岛。

Krindachyovka（Ukraine） **克林达乔夫卡** 参阅 **Krasny Luch** 红卢奇。

Krishna 黑天 梵语作Kṛṣṇa。在印度崇奉者最多的诸神之一。印度教认为，他是毗湿奴的第八个化身，是诸神之首，是千千万万印度教徒对之守贞专奉的本尊。关于黑天的神话主要源出于《摩诃婆罗多》及成书于5世纪的该诗附篇《诃利世系》及《往世书》，特别是《薄伽梵往世书》第10、11两篇。根据这些文献记载，黑天降生于雅达瓦族，幼年顽皮出众，屡行神迹，灭除恶魔。黑天青年时是风流的牧牛人，用笛声勾引牧女纷纷奔家到森林中同他如醉如狂地跳舞。最后，黑天和哥哥大力罗摩回到秣菟罗（即马图拉），杀死昏恶的国王庚斯。其后，他率领雅达瓦人前往卡提阿瓦半岛的西海岸，建宫廷于今古吉拉特邦的杜瓦尔卡，娶鲁格米尼公主，另娶多女为妻。黑天不肯参加俱卢族和般度族之间的大战，但让双方选择：或收留他本人当随从，或借用他的军队。根据般度族的抉择，黑天为般度人首领阿周那担任御者。事后他回到德瓦勒格城，雅达瓦人的众首领发生内哄，黑天

18世纪印度绘画中的黑天与罗陀
美国不列颠百科全书公司供图

的哥哥和儿子在内乱中被害。黑天坐在林中痛哭，猎人误以他为鹿，一箭射中他的足跟，使他毙命。对黑天的崇拜主要强调神的爱与人的爱之间的相似。印度教义认为，青年黑天与牧女们的调情嬉戏象征神与人的灵魂之间的爱。关于黑天的传说纷纭歧异，因而黑天的画像和雕塑像姿态不一，幼儿黑天爬行，有时手执奶酪丸子舞蹈。调情的黑天（最普通的形象）在牧女的簇拥下吹笛。在17、18世纪的拉贾斯坦和帕哈里等地的绘画中，黑天皮肤深蓝色，缠黄巾，戴孔雀羽冠。

Krishna 克里希纳 印度南部安得拉邦东北部的县。面积8 734平方千米。有"三角洲县"之称，通过灌渠引克里希纳河和戈达瓦里河河水灌溉。种植水稻、粟、豆类、油菜籽、棉花和烟草。有许多工厂，包括制糖厂、水泥厂和肥皂厂。重要城镇有维杰亚瓦达、默苏利珀德姆（**Masulipatam**，县城）和尼赞伯德讷姆。人口约3 695 712（1991）。

Krishna River 克里希纳河 旧称吉斯德纳河，印度南部河流。源出马哈拉施特拉邦境内的西高止山区，默哈伯莱什沃尔镇附近。向东流经卡纳塔克邦与安得拉邦，在维杰亚

流经瓦伊的克里希纳河
美国不列颠百科全书公司供图

瓦达进入三角洲，注入孟加拉湾。全长约1 290千米。有大片肥沃三角洲，与哥达瓦里河三角洲相连。不通航，有灌溉之利。三角洲有灌渠网。河水靠季风雨补充，水量变化较大。最大的支流为皮马河与栋格珀德拉河。1957年在霍斯佩特建成栋格珀德拉水库并发电。

Krishnanagar 克里希纳讷格尔 印度东北部西孟加拉邦讷迪亚县县城、城市。位于杰伦吉河南岸。为公路、铁路枢纽和该县重要农产品集散地。榨糖为主要行业。郊区古尔尼地区以彩塑泥人出名。1864年建市。市民为讷迪亚的马哈拉贾人。为基督教福音会中心。市内有医院、园艺研究站、黄麻苗圃及农业培训中心。每年举办一次大型博览会。人口约139 070（2001）。

Kristallnacht 水晶之夜 英语作Night of Broken Glass。指1938年11月9～10日德国纳粹党徒对犹太人及其财产采取暴力行动的那个夜晚，因暴行后到处是砸碎的玻璃，故讽刺地叫做水晶之夜。这一事件的借口是，11月7日德国外交官拉特在巴黎被波兰籍犹太人大学生格伦什潘枪杀。拉特的死讯于11月9日传至慕尼黑，当时希特勒正在那里举行一年一度的庆祝流产的啤酒馆政变的活动。宣传部长戈培尔与希特勒商议后，在老冲锋队员的集会上，号召以"自发性示威"的方式进行暴力报复。慕尼黑通过电话下达命令，在整个德国和奥地利对犹太人进行迫害、屠杀和劫掠。这一夜的暴力行动所造成的结果是，91名犹太人被杀害，数百人受重伤，数千人遭到凌辱，约7 500家犹太人商店被洗劫一空，约177座犹太教会堂被焚烧或拆毁。警察受命不得干预。不仅如此，根据秘密警察头子海德里希的命令，盖世太保还逮捕了3万名有钱的犹太人，释放的条件是移居国外和奉献财产。内政部长戈林则下令对犹太人采取进一步的强制行动，包括犹太人交出10亿马克赔款，和禁止犹太人进入公园。被捣毁的商店的主人应得的保险金被国家没收。水晶之夜及其后果标志着纳粹迫害犹太人计划的严重升级。

Kristensen, Knud 克里斯滕森（1880-10-26，丹麦灵克宾～1962-09-29，希勒勒） 丹麦政治家，第二次世界大战后第一届选举产生的政府领袖，重又挑起石勒苏益格问题，并创办独立党。1920年进入议会，成为左翼党的领导人。1940年在德国占领下的斯陶宁联合政府中任内政大臣，1942年斯陶宁死后，由主张与德国人和解的斯卡韦尼乌斯出任首相时，他即辞职。作为战后左翼党政府的首相（1945～1947），他表达了丹麦人要将第一次世界大战后为德国所占有的南石勒苏益格并入丹麦的情绪。他赞成强行修改边界，使这一问题的有关各方无一满意。他的政府亦于1947年倒台。1953年他组成一个小的独立党，鼓吹收复南石勒苏益格和撤销大部分社会福利立法。

Kristensen,（Aage）Tom 克里斯滕森（1893-08-04，伦敦～1974-06-04，丹麦） 丹麦诗人、小说家、批评家，第一次世界大战后幻灭的一代的文学代言人。早年在哥本哈根大学读书，后为左翼的哥本哈根《政治报》撰写评论（1924～1963），颇有影响。他还将席勒、德莱塞、劳伦斯、雷马克等人的文学作品译成丹麦文。他的第一卷诗集《海盗梦想》（1920）写城市和技术成就的美；第二卷《孔雀羽毛》（1922）表现了他对外来的具有异国情调的名称和鲜艳色调的喜爱。克里斯滕森的最著名的小说《毁灭》（1930）是一次沉痛的内心反省，记录了他那一代人在两次世界大战之间年月的遭遇。

Kristiania（Norway） **克里斯蒂安尼亚** 参阅 **Oslo** 奥斯陆。

Kristiansand 克里斯蒂安桑 挪威南部西阿格德尔郡首府、港口和城镇。位于奥特拉河口，濒临斯卡格拉克海峡。港湾宽阔、不封冻，是瑟兰地区最大社区。1641年克里斯蒂安四世在此修筑城堡并建立城市，城市后以其名命名。现为一旅游地，繁忙的运输中心和奥斯陆—斯塔万格铁路沿线最重要的城市。与欧洲和美洲许多港口都有远洋货运联系。在斯卡格拉克海峡有汽车轮渡通丹麦的希茨海尔斯。谢维克机场与挪威各主要城市和哥本哈根通航班。也是重要工业中心，有造船、纺织、金属加工、木材加工等工业。食品加工业也很重要。著名建筑包括路德派大教堂和市立剧院。附近有奥德内斯古教堂（可能为11世纪所建）和18世纪的吉姆勒庄园。人口约74 590（2003）。

Kristianstad　克里斯蒂安斯塔德　原瑞典南部省份。于1997年与马尔默胡斯合并为新省斯科耐。

Kristianstad　克里斯蒂安斯塔德　瑞典南部斯科耐省城市。濒临哈马尔湖和海尔耶河。建于1614年。1658年归属瑞典。1711～1714年波兰斯坦尼斯瓦夫王及其王室居住的王宫现为技术学院和博物馆。为铁路、商业和工业中心，有机械、面粉、纺织、屠宰、食品加工等工厂。城东南奥胡斯是该城港口，濒临波罗的海。有航空连接马尔默和斯德哥尔摩。1997年前为克里斯蒂安斯塔省省会。人口：城市区约74 951(2002)。

Kristiansund　克里斯蒂安松　挪威西部默勒-鲁姆斯达尔郡港口城镇。地处濒临挪威海的3个小岛上。港口在弗雷岛与西面阿沃尔岛之间的小海湾内。城市周围发现了大约福斯纳文化(约公元前8000)时期的居民点废墟。长期以来是重要渔港。1742年设市。居民多为18世纪到这里来经营渔业的苏格兰人后裔。现已为挪威大拖网船队基地。该城主要出口鲜鱼、腌鱼和冻鱼。也是渔业加工中心。该镇按邮区称北克里斯蒂安松，以区别于同名的挪威南部城镇。人口：城市区约16 789(2002)。

Kristinehamn　克里斯蒂娜港　瑞典中西部韦姆兰省港口城镇。临维纳恩湖。早在14世纪便是贸易中心。1582和1642年两次设建制。工业以木材和铁为基础，产品通过港口外运。人口：城市区约17 934(2000)。

Kristmann Gudmundsson (Icelandic novelist) **克里斯特曼·格维兹门松**　参阅 **Gudmundsson, Kristmann** 格维兹门松。

Kritikón Pélagos　参阅 **Crete, Sea of** 克里特海。

Krivoy Rog　克里沃罗格　又拼 Kryvyy Rih。乌克兰第聂伯罗彼得罗夫斯克州城市。位于因古列茨河和萨克萨甘河汇合处。始建于17世纪，1781年仅有2 184名居民。1881年法国一家公司开始开采当地铁矿。1884年通往顿涅茨煤田的铁路建成后成为最重要的铁矿开采城市。市区和郊区沿铁矿分布，形成一条29千米长的狭带。大部分高品位赤铁矿已开采，但仍有大量低品位铁矿储藏。1969年划入该市的捷尔内有一座大铀矿。另有炼焦、机械制造(尤其是采矿机械)、木材加工工业。还生产金刚石钻头、水泥和食品。有一条运河与第聂伯河上的卡霍夫卡水库相连，可补给用水。市内有师范学院和矿业学院。人口约737 000(1993)。

Križanić, Juraj　克里扎尼奇(1618，奥斯曼帝国克罗地亚波德戈里察附近奥布尔[今在南斯拉夫门的内哥罗]～1683-09-12，神圣罗马帝国奥地利维也纳)　天主教司铎。曾在欧洲几处的神学院学习。1647年一度去莫斯科，促进天主教与东正教的统一。后来他设计出联合斯拉夫系各民族建立以莫斯科为中心的政治实体的方案，为此于1659年再去莫斯科，他隐瞒自己的神职人员身份，向沙皇阿列克谢毛遂自荐，受聘研究斯拉夫语法。1661年1月不知为何被放逐到西伯利亚的托博尔斯克。此后15年在那里写出9部关于政治、经济、宗教、语言和哲学的著作。仍归沙皇所有的他的作品，影响了俄罗斯的领导层，为彼得大帝一世后来仿照西欧而进行的广泛改革打下了思想基础。

Krk　克尔克　意大利语作Veglia(韦利亚)。克罗地亚在亚得里亚海中最大和最北的岛屿。面积410平方千米，最高海拔在奥布佐瓦，为556米。考古发现表明，该岛自新石器

克尔克岛海滨
美国不列颠百科全书公司供图

时期以来一直有人居住。公元前1世纪罗马势力到达该岛，接着7世纪斯拉夫人到此。从1000年起威尼斯为了该岛与克罗地亚王国抗争，而后者于1059年赢得该岛；1133～1480年间，克尔克由弗兰科潘家族的伯爵们统治。1797年以前威尼斯统治该岛，然后该岛被奥地利占据，直至1918年。第二次世界大战期间，南斯拉夫游击队在1945年赶走这里的德军。岛东部嶙峋光秃；而西部和中部却不同，出产地中海水果、葡萄，还有畜牧业和养蜂业。由于岛的地质构造(喀斯特石灰岩和复理石带)，岛上已形成流水湍急的地表溪流(如里奇纳河)和很多水泉。两座小湖也可供水。克尔克镇位于小山上，俯瞰着隐蔽中的克尔克湾。镇中现有12世纪的大教堂和弗兰科潘家族的城堡。1980年建成一座连接大陆的、具有世界上跨度最大的混凝土拱桥(主跨390米)。该大桥全长1 039米，桥上有10.4米宽的车行道和许多管道；有些管道从克尔克的奥米沙利港向大陆上炼油厂输送石油，有些向克尔克输送淡水。人口：城镇1 531(1971)；全岛约16 402(1991)。

Krkonoše (mountains, Czech Republic) **克尔科诺谢山**　参阅 **Giant Mountains** 巨人山。

Krleža, Miroslav　克尔莱札(1893-07-07，奥匈帝国克罗地亚-斯拉沃尼亚萨格勒布[今在克罗地亚]～1981-12-29，南斯拉夫萨格勒布[今在克罗地亚])　南斯拉夫小说家和剧作家，克罗地亚现代文学中的一位主要人物。曾受过军训，后改学写作，1919年创办左翼杂志。第二次世界大战后，被选为南斯拉夫科学艺术院副院长，以后又任克罗地亚辞典编纂研究所所长和南斯拉夫作家联盟主席。他是一位精神饱满、才智充盈和知识广博的作家，怀着强烈的激情，大无畏地批评政治和社会上的不公正现象。代表作品有戏剧三部曲《格莱姆巴伊老爷们》(1932)，对奥地利帝国统治下的克罗地亚资产阶级的腐朽作了揭露。并著有长篇小说《菲利普·拉丁诺维奇的归来》(1932)和短篇小说集《克罗地亚战神》(1922)等。

Kroc, Ray　克罗克(1902-10-05，美国伊利诺伊芝加哥～1984-01-14，加利福尼亚圣迭戈)　美国餐馆老板，遍布世界的"麦克唐纳"(麦当劳)快餐业之父。第一次世界大战期间他当过救护车司机，时年15岁。返回芝加哥后做过各种工作，如爵士乐钢琴手、不动产推销员、百合花-郁金香纸杯公司推销员等。20世纪40年代初，成为"多种饮料搅拌器"(可同时混合5种泡沫牛奶饮料)的专卖商。1954年后他偶然发现加利福尼亚圣贝纳迪诺一家麦克唐纳兄弟餐馆，使用8台他的搅拌器。麦氏兄弟用装配线形式生产、销售大量的汉堡包、炸马铃薯条及泡沫牛奶饮料。他决定建立这类麦克唐纳路旁餐馆的联号，并同意向麦克唐纳兄弟支付总收入的0.5%。第一个麦克唐纳餐馆于1955年4月15日在伊利诺伊州德斯普兰斯开业，同年还有另外两个店铺开业，总销售额达23.5万美元。他继续扩大麦克唐纳餐馆。只要餐馆老板能管理餐馆，就授予特权。他为老板经理设立了一项训练课程并强调自动化与麦克唐纳公司业务的标准化。1961年他终于以270万美元购得麦克唐纳兄弟的股权。那时，他已建立228家餐馆，销售额达3 700万美元。他去世时，全球已有7 500家麦克唐纳专卖店，3/4的拥有人是有专卖权的。克罗克1955～1968年为该店总裁；1968～1977年为董事长；1977年直至去世为资深会长。在世时他是众多慈善机构的积极支持者。自1974年起，他是圣迭戈帕德里斯棒球队的老板。

Krochmal, Nachman　克罗克马尔(1785-02-17，奥属波兰布罗迪[今在乌克兰]～1840-07-31，加利西亚塔诺波尔[今在乌克兰捷尔诺波尔])　又名拉纳克。波兰出生的犹太教学者、哲学家。所著《当代迷途指津》在犹太人宗教、文学，特别是史学方面颇有创新。他继承迈蒙尼德的志向，要调和犹太教传统与当代世俗知识。他认为，为此目的必须从历史、文学和宗教哲学等各方面研究犹太精神。《当代迷途指津》不以犹太教为抽象的宗教而以之为民族生活的历史过程，吸引学者的注意，使局面为之一变。

Krock, Arthur B.　克罗克(1886-11-16，美国肯塔基格拉斯哥～1974-04-12，华盛顿[哥伦比亚特区])　任职《纽约时报》达30余年的主要政论家和分析家。他以对美国政治、外交和经济事务的冷静分析而闻名。他的专栏"在国内"1933年在《纽约时报》问世，持续至1966年。他是第一位4次获普利策奖的记者——两次一般奖(1935和1937)，两次特别奖(1950和1955)。1908年进普林斯顿大学，后因家道中落而辍学。向路易斯维尔《先

驱报》自荐为有经验的记者,未经学徒而直接被录用为负责报道政治事件的记者。后加入《信使日报》。1910 年去华盛顿任《路易斯维尔时报》驻首都记者,1911 年还同时为《信使日报》工作。曾迁徙于路易斯维尔和华盛顿之间,做报纸和其他工作,直到 1923 年受聘为《纽约世界报》董事长兼发行人的助手。1932 年《纽约时报》请他到该报华盛顿分社任职,他遂在此工作直到退休。他成为多届总统的密友,他的专栏表现了政治上保守的倾向。《纽约时报》出版了其专栏文章选集:《在国内:1932 ～ 1966》。著作有:《回忆录:火线上 60 年》(1968)、《被统治者的同意和其他虚假》(1971)和《我年轻的时侯:在 19 世纪 90 年代成长》(1973)。

Kroeber, A. L. 克罗伯(1876-06-11,美国新泽西霍博肯～ 1960-10-05,法国巴黎) 全名 Alfred Louis Kroeber。20 世纪上半期有影响的美国人类学家。其主要研究课题是要理解文化的性质和它的过程。他的兴趣和研究范围涉及整个人类学,对美洲印第安人的人种学,对新墨西哥州、墨西哥和秘鲁的考古学,对语言学、民俗学、亲属关系和社会结构等方面的研究,都做出了宝贵的贡献。他的一生几乎与人类学在美国以学术性专门学科出现是同步的,对人类学的发展贡献卓著。克罗伯在哥伦比亚大学攻读研究生时,深受 F. 博厄斯的影响。1901 年取得哲学博士学位,论文是有关蒙大拿州阿拉帕霍印第安人装饰品象征主义的研究。同年在伯克利加利福尼亚大学创办人类学系。克罗伯一生著述多达 500 余篇文章、专论和专著。权威著作是《人类学》(1923 年初版;1948 年修订再版)。克罗伯的考古工作主要是在墨西哥(1924 和 1930)和秘鲁(1925,1926 和 1942)所作的几次考察。他采用对照发掘方法,并且通过对出土文物风格的细致分析来确定年代顺序,写成重要著作《1942 年秘鲁考古》(1944)。克罗伯开创了对美洲印第安人的方言调查工作,所著《约库特方言调查》(1963)一书是关于加利福尼亚州印第安诸语言的结论性著作,包括自 1900 年以来所取得的研究成果。克罗伯在文化研究方面主张文化应作为一种普遍的人文特征。要彻底了解文化,就不仅要解释特殊文化现象,而且要对超越特殊文化现象的诸种文化因素及文化模式之形成予以阐述,这方面的巨著是《文化发展的结构》(1945),该书力图找出文明人类的全部思想和艺术的兴衰过程。另著有《文化的性质》(1952),是一本论文集,收录他发表的有关文化理论、亲属关系、社会心理学及心理分析等方面的文章。

Kroemer, Herbert 克勒默(1928-08-25,德国魏玛～) 德国出生的物理学家,由于为现代微芯片、计算机和信息技术等方面所做的基础工作而与 Z. 阿尔费罗夫和 J. S. 基尔比共获 2000 年的诺贝尔物理学奖。1952 年在德国格丁根的乔治·奥古斯特大学获得博士学位后,到美国新泽西州普林斯顿的 RCA 实验室工作(1954 ～ 1957),后在加利福尼亚州帕洛阿尔托的瓦瑞安公司工作(1959 ～ 1966)。1968 年在科罗拉多大学博尔德分校任教,1976 年入加州大学圣巴巴拉分校任教。1957 年通过理论计算证明异质结构晶体管会比常规的晶体管更优越。后来科学家证明他是正确的,异质结构晶体管的工作频率可以比常规晶体管的高 100 倍,它们用作放大器时的性能也更好。异质结构器件使得光纤通讯成为可能,并可用于许多日常用品中,包括计算机和影碟机等。

Krogh, August 克罗伊(1874-11-15,丹麦格雷诺～ 1949-09-13,哥本哈根) 丹麦生理学家。由于发现毛细血管的运动-调节机制而获 1920年诺贝尔生理学或医学奖。他发现

哥本哈根市德特孔盖利格图书馆供图

毛细血管随组织对血液的需要量而相应地舒缩,如活动的肌肉内扩张的毛细血管数目比不活动的肌肉为多。曾与其妻玛丽共同研究过呼吸生理。他曾在哥本哈根大学学习动物学,1916 年任该校动物生理学教授。1906 年因著《肺脏气体交换的机制》而获维也纳科学院奖。还著有《动物及人类的呼吸交换》(1916)及《毛细血管的解剖学及生理学》(1922)等书。

Krokodil 《鳄鱼》 莫斯科出版的幽默杂志,以讽刺和漫画著称。1922 ～ 1932 年,该刊物为苏联《工人报》每周一期的插图增刊,出版头 3 个月时,刊名为《工人》。从 1932 ～ 1992 年该刊物每月出三期,后因经济困难又缩减为每月一期。现在的《鳄鱼》杂志每期 14 ～ 18 页,彩色印刷,漫画充满版面。在苏维埃时期,这个杂志主要是针对被称之为西方帝国主义和资产阶级的意识形态进行讽刺,但也抨击俄罗斯社会上的"不良因素"。戈里亚耶夫是该杂志最著名的漫画家之一,以画"资本主义战争贩子"的滑稽像而闻名。

Kröller-Müller State Museum 克罗勒-穆勒国家博物馆 位于荷兰奥特洛。主要收藏 19 世纪末和 20 世纪的艺术品,尤以凡·高的绘画著称。该馆以其捐献人 H. E. L. J. 克罗勒-穆勒之名命名,展品陈列在 1937 ～ 1954 年间建造的一所大楼里。该馆还藏有 16 ～ 18 世纪的荷兰、意大利及德国绘画,欧洲素描与版画,以及中国、埃及、法国和希腊的陶瓷制品。

Kromdraai 克罗姆德莱 南非3个相邻的考古遗址之一,曾发现重要的人科化石遗存。参阅 **Sterkfontein**。

Kroměříž 克罗梅日什 德语作 Kremsier(克雷姆西尔)。捷克共和国南摩拉维亚州城市。在布尔诺东北,濒临摩拉瓦河。始建于 1110 年,后为奥洛穆茨历届主教所占有。在维也纳暴乱(1848 ～ 1849)期间,奥地利立宪会议将其用作避难所,因而历史上最为知名。城内古建筑有奥洛穆茨大主教以前的夏季住宅(建为巴罗克式城堡,藏有大主教管辖区档案)、哥特式圣莫里斯教堂(1260)和 18 世纪皮阿里斯塔教派圣约翰教堂。哈纳为土地肥沃的农业区,盛产大麦、小麦和甜菜;克罗梅日什位于哈纳的南部边缘。城内现有发电机、汽油机和鞋靴等制造业。人口约29 180(2003)。

Krone, Julie 克朗(1963-07-24,美国密歇根本顿港～) 全称 Julieanne Louise Krone。美国赛马骑手,是获得享有盛誉的贝尔蒙特大奖赛的第一位女性骑手。在密歇根一个名为奥克莱尔的养马场长大,5 岁就在马匹展览会 21 岁以下年龄组的比赛中获胜。14 岁在电视上看到 18 岁的考森赢得三王冠后,便立志当一名骑手,从高中退学,专心骑马。1987 年,在蒙茅斯一天赢 6 场,在梅多兰兹一天赢 5 场,成为大赛中第一个女性领先骑手。1993 年 6 月 5 日在贝尔蒙特大奖赛赢得美国赛马史上第一个女子三王冠。其后一直是纽约-佛罗里达巡回赛的冠军。1999 年退役,共赢得3 500多场比赛。2000 年入选全国赛马博物馆名人堂。2002 年重返赛马场,2003 年成为良种马杯赛第一位获胜的女骑手。1995 年出版自传《赛马的一生》。

Kronecker, Leopold 克罗内克(1823-12-07,普鲁士利格尼茨[今波兰莱格尼察]～ 1891-12-29,德国柏林) 德国数学家,主要贡献在方程论和高等代数。他从利格尼茨大学预科数学教师 E. 库默尔那里对数论发生兴趣,在柏林大学以有关代数数域的论文《论复可逆元素》获博士学位(1845)。他管理家庭的商务和土地业务直到 30 岁,这时期以数学为消遣。1861 ～ 1883 年在柏林大学任教,1883 年接替库默尔任教授。他研究算术和代数,主要贡献在椭圆函数、代数方程论和代数数论方面。在代数数论方面,他提出了类似于德国的 J. 狄德金理论的另一种理论,他的代数量理论(1882)就是这个理论的一部分。但是他对数学哲学的贡献更引人注意。他第一个怀疑非结构性存在证明的意义,同德国数学家 K. 维尔斯特拉斯的分析学派就这些证明和其他经典分析的观点进行多年的论战。他和维尔斯特拉斯一样主张分析的泛算术化,但是他坚持一切数学必须归约为正整数,他对古典分析的一些批评得到 20 世纪关于数学基础的研究的支持。克罗内克 δ 函数是为纪念他而命名的。

Kronoberg 克鲁努贝里 瑞典南部省份。是旧斯莫兰省的一部分。面积8 458平方千米，为起伏不平、森林沼泽广布的高原。有众多的湖泊和河流。工业以生产林产品为主。科斯塔是著名的玻璃制造中心。省会为韦克舍。马尔摩—斯德哥尔摩铁路干线穿越本省。人口约176 978(2002)。

Kronos(Greek god) 参阅**Cronus**克洛诺斯。

Kronotsky Nature Reserve 克罗诺基自然保护区 在俄罗斯东部。为进行自然科学研究而开辟。位于堪察加半岛东岸。建于1934年。1967年确定现疆界，面积964 000公顷。内有俄罗斯唯一的间歇泉盆地。海岸山岭中多活火山、玄武岩流、热湖、温泉。山地和沿岸苔原有草地、桦树林等。野生动物有土拨鼠、斯泰勒海狮、棕熊、黑獾、松鸡、野鸭、天鹅等。仅部分地区为教学活动开放。

Kronshtadt 喀琅施塔得 俄罗斯西北部圣彼得堡州军港。位于芬兰湾岬角附近的科特林岛。1703年彼得大帝一世从瑞典手中夺取该岛，在此建立要塞和船坞。1875～1885年通往圣彼得堡的运河开通前为货物转装小船的商港。要塞的工事屡经改建加强，为保卫旧俄国首都起到重要作用。十月革命期间，波罗的海舰队"阿芙乐尔"号巡洋舰从此驶出去炮轰冬宫。1921年3月，该港水兵曾起事反对苏维埃政府。其城防工事在1941～1944年间对保卫列宁格勒起过重要作用。人口约43 385(2002)。

Kronshtadt Rebellion 喀琅施塔得叛乱(1921-03) 俄国内战(1918～1920)后反对苏维埃统治的几次重大内部叛乱之一，它对共产党决定采取经济自由化纲领以缓解内战时期的苦难有重大影响。由喀琅施塔得海军基地的水兵发动。他们在1917年曾支持布尔什维克，他们的协作对十月革命的成功起着决定性的作用。然而，内战期间因布尔什维克不能向城市居民提供适当的食物供应，限制他们的政治自由并实施艰苦的劳动条例，水兵们对政府失去信任。1921年初城市工人由于食物不足而举行罢工和示威时，他们对工人表示同情，组成临时革命委员会。除了经济改革外，他们要求"不要布尔什维克参加苏维埃"，从监狱中释放非布尔什维克的社会主义者，结束共产党专政，提供政治自由和公民权利。托洛茨基和图哈切夫斯基率兵镇压叛乱分子，除当场击毙者外，幸存者一概投入监狱。但是，反映了民众不满的这次叛乱迫使该党在1921年3月终于实行了新经济政策。

Kronstadt(Romania) **喀琅施塔得** 参阅**Brașov**布拉索夫。

Kronstam, Henning 克龙斯塔姆(1934-06-29，丹麦哥本哈根～1995-05-28，哥本哈根) 丹麦舞蹈家，丹麦皇家芭蕾舞学校校长。曾在该校学习舞蹈，1952年加入丹麦皇家芭蕾舞团。俄国芭蕾舞教师V.沃尔科娃移居丹麦后，是受她训练的第一批丹麦男舞蹈演员。早年曾在F.阿什顿编导、获得成功的《罗密欧与朱丽叶》(1955)中首演闻名，他首次扮演在除苏联以外国家上演的、此剧全剧中的罗密欧。他在19世纪丹麦芭蕾舞编导A.布农维尔的作品中担任了所有的主要角色。擅长半性格舞，尤以演R.珀蒂的《卡门》及《贝尔热拉克的西拉诺》著名。继F.弗林特退休后，克龙斯塔姆从1978年至1985年，担任世界著名的丹麦皇家芭蕾舞团的艺术总监。他还是丹麦皇家芭蕾舞学校的校长。

Kroonstad 克龙斯塔德 南非奥兰治自由邦省北部城镇。建于1850年。在南非战争(1899～1902)期间，在布隆方丹陷落后曾短时期作为奥兰治自由邦的布尔人首府。瓦尔斯河流经该市。是繁忙的农业和运输中心，也是该省北部的教育中心，有职业学校和商业学校以及奥兰治自由邦技术学院分院。奥兰治自由邦金矿区距城64千米，城北有煤矿和金刚石矿。人口22 886(1985)。

Kropotkin 克鲁泡特金 俄罗斯西部克拉斯诺达尔边疆区城市。濒临库班河。19世纪建为罗曼诺夫斯基田庄。1921年为纪念地理学家、无政府主义革命家P.A.克鲁泡特金而更名，1921年设镇。1962年前为高加索区中心，因顿河畔罗斯托夫—巴库(阿塞拜疆)铁路在此与库班河相交，19世纪末期即成为运输中心。现运输业仍然重要，占用约1/3劳动力。还有农产品加工业。人口约79 630(2005)。

Kropotkin, Peter 克鲁泡特金(1842-12-21，莫斯科～1921-02-08，莫斯科附近的德米特罗夫) 俄国革命者和地理学家，无政府主义运动最重要的理论家。其父为世袭亲王，他在

美国不列颠百科全书公司供图

侍从军官学校毕业后曾任沙皇亚历山大二世侍从。1862～1867年在西伯利亚当军官，业余从事动物研究和地理考察。经过实地观察，他提出该地山脉结构的新见解，修正了东亚地图；他丰富了冰河时期亚洲和欧洲冰河作用的知识。他的成就很快得到科学界的承认，在他面前敞开一条走向光辉科学事业的大道。但1871年他拒绝出任俄国地理学会秘书职位，并放弃了贵族继承权，决心献身于社会正义事业。在西伯利亚时他的思想已倾向无政府主义，即废除一切政府形式的理论；1872年访问瑞士，眼见汝拉山区钟表工人自愿组成互助的团体，更增强了他的自由意志论的信念。后来回到俄国参加革命活动，1874年被捕，两年后越狱逃逸，浪迹西欧，逐渐成为著名的无政府主义活动家。1881年瑞士政府在俄国要求下把他驱逐出境，他乃移居法国。后因捏造的煽惑罪被捕，服刑3年，1886年获释。此后在英国定居30年之久，直到1917年俄国革命后，始返回祖国。这时克鲁泡特金已是75岁高龄。1917年6月，他回到故乡彼得格勒(今圣彼得堡)，受到热烈欢迎，但他谢绝了临时政府要他出任教育部长的邀请，他认为自由的前景无比光明，看到士兵和工人自发组成的苏维埃，以为可以出现没有国家的社会。但布尔什维克夺权后，他又幻灭了。他对一位友人讲："这种做法埋葬了革命。"他认为，布尔什维克派的行动已经证明革命是不能制造的，即革命不能采用专政手段，而应该采用自由的办法去实现。他写了不少有影响的作品，最重要的有：《造反的话》(1885)、《在俄国和法国监狱中》(1887)、《田野、工厂和作坊》(1899)、《一个革命者的回忆录》(1899)、《互助论》(1902)、《俄国文学》(1905)、《1789～1793年法国大革命》(1909)。《互助论》是他的不朽巨著，书中提出尽管达尔文主义者主张适者生存，而进化的重要因素仍然是合作，不是冲突，现代历史趋向分散的、非政治的和合作的社会，在那种社会里人的才能不受统治者、教士和军人的干预而得到充分发挥。他的"无政府共产主义"，主张以物品和劳务的自由分配代替私人财产和不平等的收入；主张按需要定工资的原则，每个人不管出多少劳力，都可以从公共仓库取去他自己认为必要的东西。要实现这种美好理想，重点在于对青少年的教育等。他认为青少年不仅要学习书本知识，还要重视户外教育，要学生在参加劳动和观察事物中学习。这一设想，为现代教育理论专家们所普遍接受。克鲁泡特金根据自己监狱生活的经验，倡议应对监狱制度进行彻底的改革。1917年后，他没有参加政治活动，而致力于写作伦理学史，惜未竟而卒。他死于莫斯科附近的德米特罗夫村，成千上万的人为他送葬，这是无政府主义的黑旗最后一次展现在俄国首都。克鲁泡特金的一生符合高尚的道德标准，是他在著作中经常提到的思想和行动相结合的典型。他公正无私，胸怀坦荡，不斤斤计较于权力，而无数革命者却因未能摆脱这一点而使形象受损。因之，他不仅受到同志们的景仰，也为反对者所敬佩。法国作家罗曼·罗兰说，托尔斯泰所提倡的，克鲁泡特金在生活中实践了。王尔德则称赞克鲁泡特金是他所熟悉的两位真正快乐的人物之一。

Krosno 克罗斯诺 原波兰东南端的省(1975～1998)。现为喀尔巴阡山和小波兰省的一部分。

Krosno 克罗斯诺 波兰东南端喀尔巴阡山省城市。位于下贝斯基德山脉倾斜的平原

上，周围有山毛榉和白杉森林。为该地区最古老的城市之一（始建于14世纪）。为该国石油工业中心，也有食品加工、玻璃、纺织和电机工业。当地天然气不仅为该市和附近社区提供热力，并用管道输往华沙、克拉科夫和上西里西亚。市内多古老建筑的景点。人口约48 372（2002）。

Kroto, Sir Harold W.　克罗托（1939-10-07，英格兰剑桥郡威斯贝奇～　　）　全名Sir Harold Walter Kroto。英国化学家，因与R. E. 斯莫利、R. F. 柯尔一同发现所谓富勒烯的碳化合物，而共获1996年诺贝尔化学奖。1964年克罗托在设菲尔德大学获博士学位。1967年在萨塞克斯大学任教，1985年成为该校化学教授。在研究的过程中，克罗托运用微波光谱学，在恒星大气层和气云中发现长形链状碳分子。为了研究碳的气化以找到这些碳链形成的途径，他前往得克萨斯州休斯敦的赖斯大学；在那里，斯莫利已设计出激光-超声速束光仪，可气化几乎所有已知物质，以便用来研究产生的原子束或分子束。在1985年9月进行的一系列实验中，两人和斯莫利在赖斯大学的同事柯尔一起在氦气中气化石墨，产生碳原子束。从汽化中，他们获得了一些与含40个至100个以上偶数碳原子相应的未知形式碳的谱线。新的碳分子大多有碳60的结构。他们认识到，这种分子的原子固结成一个高度匀称的中空结构，类似球或球形。碳60是一个多面体，有60个顶点和32个面，其中12面是五角形，20面是六角形——几何形状与足球相同。他们在1985年描述其工作的论文中选用怪异的“巴克敏斯特富勒烯”为碳60命名，其名称源自美国建筑师R. B.（巴克敏斯特）富勒的姓名，该种分子的原子结构与他的多面体穹顶设计相似。富勒烯（或巴克球，这类化合物即以此名著称）独特结构的发现创立了一个崭新的化学分支。

Kroumirie　克鲁米里　又拼Khroumirie。突尼斯西北部山区，有大面积栓皮槠树林。北非降雨量最大的地区之一（年降雨量1 000～1 500毫米）。地处地中海以南和迈杰尔达河以北，东与阿尔及利亚交界，西至艾卜耶德丘陵边缘。

Kṛṣṇa（Hindu god）　参阅 **Krishna** 黑天。

Kru　克鲁人　居住在利比里亚和科特迪瓦的民族。其语言属尼日尔-刚果语系的克瓦语支。克鲁人是整个非洲西海岸著名的码头工人和渔民，他们在塞内加尔的达喀尔至喀麦隆的杜阿拉大多数口岸都建有侨居地。他们同有血缘关系的诸部落即沿海的巴萨人和格雷博人以及内地的西孔人、萨波人和帕德布人，几乎占据利比里亚国土的1/3。据认为，克鲁人是在15～17世纪时由东北部迁到现今居地的，约有20个方言和文化各异的亚部落。政治组织历来就不集中，每个亚部落居住在若干自治城镇中。每个城镇里的社会组织都是建立在族外婚的父系氏族基础上的。族长和有称号的官员组成城镇议事会。自1920年以来，随着利比里亚政府的中央集权化，克鲁人氏族职能已有变更或竟消失。克鲁人的经济以捕鱼和生产稻米、木薯为主。沿海地区被许多没有桥梁的河流分隔，虽有助于城镇保持自治，但也限制了经济的发展，因而造成大批青年人不断流向利比里亚首都蒙罗维亚。20世纪末期，部落地区以外的克鲁人超过部落之内的克鲁人，但大多数外出者都与家中保持联系，到年老时就返回家园。20世纪末期，最大的克鲁人社区在蒙罗维亚。

Kruczkowski, Leon　克鲁奇科夫斯基（1900-06-28，奥匈帝国波兰克拉科夫～1962-08-01，华沙）　波兰小说家、剧作家、社会主义者。第1部长篇小说《柯尔迪安和乡下佬》（1932）是他的成名之作，按照作者的说法，这是“从历史发展的广阔角度反映波兰农民问题的一种尝试”。他运用马克思主义关于历史进程的观点，认为1930年11月波兰起义是阶级斗争的原因。在《孔雀毛》（1935）中，他继续进行社会的和历史的分析，这是另一部关于农民运动的作品。《陷阱》（1937）的主题写白领工人的状况。第二次世界大战后，他参加了波兰共产党，是一个杰出的和积极的党务和国务活动家。剧本《德国人》（1949）分析了德国纳粹意识形态在德国人民中迅速扩张的过程。《自由的第一天》（1960）反映了人类自由与历史必然的对立。在他的最后一个剧本《总督之死》（1961）中，检验了资本主义世界的伦理观，把它同社会主义阵营的人道主义原则作了比较。

Krüdener, Barbara Juliane, Freifrau von　克吕登纳（夫人）（1764-11-22，利沃尼亚里加［今在拉脱维亚］～1824-12-25，俄罗斯帝国克里米亚卡拉苏巴扎尔）　母家姓von Vietinghoff。俄国神秘主义者，男爵夫人。1782年与一个俄国外交官结婚。由于风流成性，终于因桃色事件与丈夫离异。她写过自传性长篇小说《瓦莱里》，1804年在巴黎匿名出版。此后，她信奉秘道，1808～1818年在德意志和瑞士办读经班和主持忏悔，善男信女颇多。她的活动成果之一是使沙皇亚历山大一世成为她的信徒。亚历山大一世在1812年反法战争以后十分消沉，但听她讲道以后，精神重新振奋起来。她还声称，俄国、奥地利和普鲁士结成的神圣同盟是她的功劳。1821年因在希腊问题上使沙皇不快被逐出圣彼得堡。

Krueger, Walter　克鲁格（1881-01-26，西普鲁士弗拉托［今波兰兹沃图夫］～1967-08-20，美国宾夕法尼亚瓦利福奇）　美国军官，其第6军协助在第二次世界大战中解放了日本在太平洋中占据的诸多岛屿。他被认为是美国武装部队中最出色的战略家和战术家之一。1889年孩提时被携来美国。美西战争（1898）中志愿入伍当兵，不久在正规军中被提升为步兵少尉（1901）。第一次世界大战中，他率领美国远征军中的坦克团在欧洲作战。其后，进入几所军事学院深造，并任职于陆军参谋本部。随着美国被卷入第二次世界大战，他负责领导南方防卫司令部（1941-05～1943-01）。在此期间，他被广泛赞誉为足智多谋的战术家和训练士兵的卓越专家。1943年初，克鲁格将军受命指挥在澳大利亚和新西兰刚刚组建起来的美国第6军。同年

美国陆军部供图

12月，他的部队进攻新不列颠岛，并于1944年4月占领荷属新几内亚首府荷兰迪亚。运用被证明非常适用于夺回被占诸岛的逐岛蛙跳战术，克鲁格竟在6个月的时间中按计划前进了3 200多千米，直抵菲律宾群岛。然后，统率部队成功地进行了菲律宾战役；紧接着占领日本（1945）。

Kruger, Barbara　克鲁格（1945-01-26美国新泽西纽瓦克～　　）　美国艺术家，以对其摄影作品中的形象和主题进行处理挑战文化臆断。曾就读于纽约州锡拉丘兹大学，1966年进入纽约市的帕森斯设计学校深造。一度从事平面造型设计，最后成为纽约《淑女》杂志主任设计师。20世纪60和70年代还对诗歌产生兴趣。这些年她的注意力由软雕塑转向绘画再到摄影。至20世纪70年代晚期，克鲁格已形成独特的风格：在大型摄影作品中将不具特色的文化形象和主题，以出人意料的方式并列。例如，在其1989年题为《你的身体是战场》的作品中，她利用了模特儿的一个超大型面部形象，将其分割为若干部分。“你的身体是战场”这句话就横跨在面部形象之上，以此来质疑使妇女客体化，提出妇女生育权利这一问题。这类作品包含了对20世纪80～90年代大部分女性艺术拆析的担心。通过对形象的处理和重新融入背景，克鲁格意在质疑人们公认的权力来源（这里指的是大众传媒）表现女性身份的方式。她的理论基础将她与当代概念艺术的发展联系在一起。

Kruger, Paul　克鲁格（1825-10-10，开普殖民地克拉多克～1904-07-14，瑞士克拉伦斯）　又译克留格尔。农场主、军人和政治家，在南非历史上以阿非利堪国的缔造者而闻名，1883～1900年任德兰士瓦或南非共和国总统。父母是荷兰移民的后裔，务农。10岁时，他家与大批布尔人一起从沿海殖民地移居北部内地，希望找到一块政治上不受干涉的地区。1852年1月目睹布尔领导人A.比勒陀利乌斯与英国代表缔结《桑德河公约》。据约，英国承认瓦尔河以北的阿非利堪人（布尔人）独立。1855～1856年是新共和国制宪委员会的委员。1861～1864年国内动乱时

美国不列颠百科全书公司供图

期，任部队司令官，在统一国家和平定骚乱方面发挥重大作用。1877年英国吞并德兰士瓦，他率领居民为重获独立而斗争。1880年12月领导居民开展武装斗争，在马尤巴山冈一役（1881-02-27）大败英军。军事胜利加上积极巧妙的外交谈判，终于使英国同意德兰士瓦有限的独立。1883年当选总统，访问英国。经过谈判，于1884年2月27日签订《伦敦协定》。就在这个时候，德兰士瓦与开普发生边境冲突，1885年他不得不屈从英国的压力，撤出有争议地段，并同意贝专纳兰接受英国保护。1866年威特沃特斯兰德发现金矿，外地人（主要是英国人）纷至沓来，他在1890年规定外来移民至少在当地居住14年才能取得公民权，在约翰内斯堡的英国人群起反对。开普殖民地总理罗得斯在德兰士瓦拥有大量的金矿股权和政治影响，主张和外来者联合反对克留格尔，在1895年末对共和国发动袭击。他成功地处理了这一事件，威望大增。在1898年5月选举时获得人民一致的支持。1897年英国派A.米尔纳为开普殖民地总督和高级专员，向德兰士瓦提出取得公民权资格的居住期限应降低为5年。1899年5月他和米尔纳举行会谈，未达成协议。他决定居住期限为7年。双方对峙。1899年10月9日他提出最后通牒，要求英军撤出。两天后战争爆发。英军占领布尔人的两个都城，战争转为游击战。他年老不适合留在南非，便去欧洲，在荷兰住到1902年5月战事结束。死后葬于比勒陀利亚。

Kruger National Park　克鲁格国家公园　南非德兰士瓦省东北部原野生动物保护区。建于1898年。面积7 500平方英里（19 480平方千米）。长约200英里，宽25～50英里。穿过公园的公路长近5 000英里。部分是开阔的草原，别为丛林和森林。野生动物有象、狮、豹、猎豹、水牛、犀牛、斑马、牛羚、黑斑羚和许多鸟类。虽有6条常流河流过公园，但旱灾时仍需人工施水。每年约有40万游客。总部设在斯库库扎。2002年，该国家公园与莫桑比克的林波波公园和津巴布韦的哥纳瑞州国家公园合并成为非洲最大的野生动物公园林波波跨国界公园。新公园于2003年向游客开放。

Kruger telegram　克鲁格电报（1896-01-03）德皇威廉二世发给南非德兰士瓦国总统克鲁格的电报，祝贺他击退来自英国控制的开普殖民地的詹姆森人侵部队。电报对德兰士瓦来说，是德国可能给予支持的信号。威廉也是要向英国人示意，他们在外交上已陷于孤立，应与德国友好。威廉此举，事与愿违，在英国激起第一次世界大战前的第1次反德的群众浪潮。

Krugersdorp　克鲁格斯多普　南非豪登省城镇。海拔1 740米。是工矿业中心，1887年发现金矿后建立。境内除采金外，还开采锰、铀、石棉和石灰石。帕尔德克拉耳纪念碑是1880年12月16日宣布德兰士瓦独立的地点。附近有3个考古点（包括斯泰克方丹洞穴），有南方古猿遗迹。人口203 168（1996）。

Krum　克鲁姆（？～814-04-13）　保加利亚汗（802～814），一度威胁到拜占廷帝国的安全。805年趁查理曼大帝战败阿瓦尔人的机会，大大扩充潘诺尼亚保加利亚人的权力。此后几次进攻拜占廷人，均告失利，811年春自己的首府普利斯卡反被摧毁。但到811年7月大胜拜占廷军，击毙拜占廷帝国皇帝尼斯福鲁斯一世。813年围攻君士坦丁堡，毁其四郊。次年再度围攻君士坦丁堡时去世。在位时期内政修明，国家机构已具雏型。

Krumbacher, Karl　克鲁姆巴赫（1856-09-23，巴伐利亚肯普滕～1909-12-12，慕尼黑）德国学者、教授。他大力开展了近代拜占廷文化研究；他的著作和亲自指导的研究班是来自世界各地的拜占廷学者进行专业培训的基础。原在莱比锡大学和慕尼黑大学攻读古典学课程，后来研究中世纪的希腊文学。著有《拜占廷文学史》（1891）。1892年创办《拜占廷杂志》，成为研究拜占廷的国际性中心刊物。1897年在慕尼黑大学任中世纪和近代希腊研究教授。这方面的著作有《中世纪的希腊文学》（1905）和《近代希腊文学语言的问题》（1902）。

Krupa, Gene　克鲁帕（1909-01-15，芝加哥～1973-10-16，美国纽约扬克斯）　美国摇摆乐时期第一位遐迩闻名的鼓手。曾与E.康登和R.尼科尔斯等先锋人物合作；1935年加入本尼·古德曼乐团，在《唱吧，唱吧，唱吧》这一有代表性的唱片中演奏出色而闻名世界。1938～1951年率领他自己的乐队，演出很成功，并始终是一位活跃的巡回独奏家。曾主持过非洲和其他民族的打击乐研究工作。在为数众多的影片中露面，还为其有很多虚构情节的传记影片《吉恩·克鲁帕的生平》（1959）录制配音。

Krupp, Alfred　克虏伯（1812-04-26，贝格大公国埃森～1887-07-14，德国埃森）　绰号“火炮大王”。德国实业家，以发展和在全世界销售铸钢火炮和其他武器而著称。约1847年他领导克虏伯制造厂开始生产军械。1811年其父弗里德里希·克虏伯创立克虏伯家族企业。1826年弗里德里希过世时，将制造优质铸钢的秘密，以及一个生产几乎陷于停顿的小工厂传给了他。他14岁便全权掌管企业，不久即扩充生产，包括制造钢辊。他曾设计和发展一些新机械，发明羹匙压制机以用于制造匙和叉，还生产政府造币厂使用的压延机。他吸引了很多新客户，扩大了自己企业

美国不列颠百科全书公司供图

的原料采购，并获得扩大工厂所需的资金。1851年在第1次国际展览会——伦敦的“大博览会”——上，他展出了当时最大的钢锭（4 300磅）。由于铁路的出现，他的企业才真正地开始兴盛起来。起初只生产铸钢的火车轮轴与弹簧，但在1852年，他制造出第1个无缝的钢火车轮箍。后来他用3个重叠轮箍构成的“三环”标志作为公司的商标。另外，他首先将贝塞麦炼钢法和平炉炼钢法引入欧洲（1862和1869）。他为了证明自己所生产的钢的质量，开始制造枪炮。起初，在普鲁士无人问津，最早订货的是埃及（1856）、比利时（1861）和俄国（1863）。但是，由于克虏伯枪炮在1870～1871年普法战争中显示的性能，他的企业遂有“帝国兵工厂”之称。他在很多方面都是现代战争的奠基人。在他去世的时候，他已为46个国家提供了武器装备。他很早就认识到工业化中各种人的问题，他为自己的工人们订立了一套完整的福利计划。早在1836年，他就设置了疾病和丧葬基金。1855年他为退休和残废工人设立了养老基金。1861年他为他的雇员建造宿舍、医院、学校和教堂。他的工人们无不忠心耿耿。他创立炼钢厂时只有7名工人，而到他去世时，这个企业已拥有员工21 000人。

Krupp AG　克虏伯公司　1968年克虏伯家族私人财产转移至阿尔弗雷德·克虏伯·冯·波伦·翁德·哈尔巴黑基金会时成立的股份有限公司。公司主要经营钢铁、合金、厚钢板和大型设备的生产；造船；机械工程和提供贸易服务。1999年，公司与堤森公司合并建立蒂森克虏伯公司。新合并而成的公司是全球主要的钢铁、建材、汽车零件和装配以及工业和机械服务的供应商之一。

克虏伯工业王国的历史基本上是克虏伯家族史。1811年弗里德里希·克虏伯在埃森建立一铸钢工厂生产英国铸钢及有关产品；19世纪中在其子**阿尔弗烈德·克虏伯**（**Krupp, Alfred**）的主持下，公司闻名世界。它是欧洲大陆第1家采用贝塞麦炼钢法和平炉炼钢法的钢铁公司。阿尔弗烈德·克虏伯以“火炮大王”著称。1851年他生产了轰动伦

敦水晶宫的铸钢火炮，并在一生中为世界许多国家制造野战炮和其他武器。

他的儿子弗里德里希·阿尔弗烈德·克虏伯(1854～1902)主持公司时，由于德国海军的崛起加大了对装甲钢板的需求，业务大振。1902年克虏伯购得基尔的日耳曼船厂时，公司的员工已超过4万人。弗里德里希·阿尔弗烈德由其长女贝塔·克虏伯接任(1886～1957)。1906年她与古斯塔夫·冯·波伦·翁德·哈尔巴黑(参阅 **Krupp von Bohlen und Halbach, Gustav**)结婚，皇帝威廉二世赐他冠上克虏伯的姓氏。1903年，家族的事业就处于弗里德·克虏伯名字的庇护之下。

第一次世界大战期间，公司制造的重炮如42厘米的榴弹炮，还有1918年从82英里外炮轰巴黎的远程炮，使公司在国际上赢得了声誉。战后，由于禁止制造武器，工厂部分关闭，工人削减。

希特勒军事征服政策使克虏伯联合企业重返军备生产。第二次世界大战中，年岁较大的古斯塔夫由其子阿尔弗里德接任。按照1943年《克虏伯法》，他冠上克虏伯的姓氏，成为其母巨大财产的唯一所有人。1939年以前这些财产很不稳定。在德国，克虏伯曾拥有87家工业联合体并在110家商店有控股，在142家其他德国公司有巨大的投资。海外，差不多在每个大陆国家都有克虏伯工厂，家族在41个外国工厂有50%以上的股票，在其他25个工厂中有大宗股份。克虏伯曾有上千个矿井和煤窑，一系列的旅馆，很多银行，一个水泥厂和20份私人地产。

战后，阿尔弗里德·克虏伯在纽伦堡被判战争罪，特别是因为雇用奴隶劳工。公司也因在所有的被占领国家夺取财物及工厂有罪。按照1953年3月4日盟军法令的条款，克虏伯被命令出售75%的公司财产，可是直至最后，几乎无人购买。然而20世纪60年代初，阿尔弗里德恢复了公司的景气，其价值超过10亿美元。

直到1966～1967年出现了贷款问题时，公司的股票才上市。同时，阿尔弗里德的独生子阿恩特决定不接管家族的经营。为了交换其放弃继承权，公司答应在阿尔弗里德有生之年，每年给他50万美金。1967年7月31日阿尔弗里德在埃森去世。次年1月公司成为完全属于阿尔弗里德·克虏伯·冯·波伦·翁德·哈尔巴黑基金会的股份有限公司。1999年与原竞争对手堤森公司合并后，总部设在德国的杜塞尔多夫。蒂森克虏伯以生产娱乐和体育产品闻名，例如烟花、大雪橇和冰球场的保护玻璃档板，但主要业务为金属加工、机械工程、电梯系统生产、汽车零件生产以及交易和服务。

Krupp von Bohlen und Halbach, Alfried 克虏伯·冯·波伦·翁德·哈尔巴黑(1907-08-13，德国埃森～1967-07-30，西德埃森) 原名 Alfried von Bohlen und Halbach(至1943)。德国实业家，克虏伯军火制造业王朝的最后一员。母亲是克虏伯工业帝国的女继承人贝塔·克虏伯，父亲是古斯塔夫·克虏伯·冯·波伦·翁德·哈尔巴黑。第二次世界大战爆发后不久，其父已年迈，阿尔弗里德随即接任父亲的职务。1943年希特勒发布了一道史无前例的法令《克虏伯法》，在此案件中废止继承法，将该企业保留为家族的财产。于是，阿尔弗里德冠上克虏伯的姓氏，成为母亲庞大产业的唯一所有人。阿尔弗里德肆意掠夺每个被德国征服的国家，以扩充这个帝国。1943年他的销售员已从他在乌克兰新建的工厂输出制成的机械，卖给保加利亚、土耳其和罗马尼亚。R.罗思柴尔德因拒绝将他的法国产业签字让与阿尔弗里德，而被运送至奥斯威辛集中营，用毒气熏死。战后，阿尔弗里德即因这一类事件以及对奴隶劳动的剥削，在纽伦堡审讯战犯时被列入囚犯的被告席中。起初，战胜的同盟国误认为古斯塔夫是战争时期该企业的负责人，对他提起公诉。其实，在138个集中营内的囚徒为克虏伯工作的数年间，该家族及企业的真正首脑乃是阿尔弗里德。此人充分利用监狱的劳力，曾在奥斯威辛集中营内建立一座引信工厂；他还利用这个集中营的犹太籍囚徒在西里西亚建造一座榴弹炮工厂。纽伦堡法庭判处阿尔弗里德12年监禁，并下令"没收(他的)全部不动产和动产"。但是，朝鲜战争(1950～1953)爆发后7个月，德国的美国占领区的美国高级专员J.J.麦克洛伊给予阿尔弗里德特赦，并归还他所有的财产。阿尔弗里德以高度的技术和热忱，很快就把该家族的企业恢复到以前的最高水平。迄20世纪60年代初期，他的家业总值超过10亿美元。其独子阿恩特放弃了继承权和克虏伯的姓氏。因此，1967年阿尔弗里德死后，该企业收归国有，克虏伯工业家族遂告结束。

Krupp von Bohlen und Halbach, Gustav 克虏伯·冯·波伦·翁德·哈尔巴黑(1870-08-07，海牙～1950-01-16，奥地利萨尔茨堡附近布吕恩巴赫) 原名古斯塔夫·冯·波伦·翁德·哈尔巴黑。德国外交家。他娶克虏伯工业家族的女继承人贝塔为妻，接掌了经营该家族的公司的大权。结婚时，将自己的名字冠上了克虏伯姓氏。1902年贝塔的父亲弗里德里希·克虏伯因同性恋丑闻为报纸揭露而自杀。由于人们认为克虏伯武器帝国由女性经营太不可思议，皇帝威廉二世亲自为年轻的贝塔择婿，结果选中普鲁士外交官古斯塔夫·冯·波伦·翁德·哈尔巴黑。他们于1906年10月15日成婚。皇帝批准古斯塔夫冠上克虏伯姓氏。第一次世界大战期间，古斯塔夫·克虏伯对德国的军械做出很多贡献。一个贡献是以其妻命名的98吨大贝塔榴弹炮，曾轰击列日和凡尔登。另外的贡献包括以82英里的射程轰击巴黎的大加农炮和在该家族的基尔造船厂建造的德国潜艇。由于德国战败，就整体来说，这次战争对克虏伯的生意很不利，但是并非一垮到底。战前，1902年英国制造炮弹的维克斯公司租用克虏伯厂引信的专利权。战后，该公司根据德军伤亡人数交付权利金，这使克虏伯处于靠德国战死者发横财的尴尬地位。古斯塔夫借着这笔钱和魏玛共和国政府的补助金，在停战后一年内就开始秘密重新武装德国。用他自己的话来说，他决心使克虏伯厂准备就绪，"在指定的时刻，再次为德国的武装力量工作，不失时机，不丢掉经验"。他在荷兰秘密建造潜艇船坞，在瑞典偷偷地改良新型火炮。1933年克虏伯资助纳粹的"恐怖选举"，协助希特勒加紧对政府的控制。同时更以德意志帝国工业联盟总裁的身份，将所有犹太籍实业家驱逐出境，成为德国最狂热的纳粹分子之一。古斯塔夫因老迈于1943年将事业交给儿子阿尔弗里德。战后，盟军曾提议将古斯塔夫以参与德国武装作为战犯起诉，但鉴于他健康状况不佳，始终未加以审判。

贝塔·克虏伯(左)和她的丈夫古斯塔夫(右)
美国国会图书馆供图

Krupskaya, Nadezhda Konstantinovna 克鲁普斯卡娅(1869-02-26，圣彼得堡～1939-02-27，莫斯科) 俄国革命家，后来成为列宁的夫人，曾在布尔什维克党(后来为共产党)内起过核心作用，也是苏联教育当局的著名人物。19世纪90年代初期为圣彼得堡的马克思主义活动家，约1894年结识列宁。1896年8月被捕。1898年判处流放3年时，她被批准与列宁在一起服刑，当时列宁流放在西伯利亚的舒申斯克。1898年7月22日克鲁普斯卡娅与列宁结婚。1901年服刑期满后赴慕尼黑，与1900年刑满释放的列宁会合。后来，她与列宁曾在欧洲许多城市定居，1905年一度回俄国。她虽然身体多病，但担任列宁的私人秘书和列宁主办的党机关报刊的编辑部秘书。在俄国社会民主工党内部的派系斗争中，她支持列宁，曾协助列宁建立布尔什维克党，在很大程度上负责组织工作以及与国内党员进行通信联系。1917年二月革命后回国，大力进行布尔什维克的宣传工作。在列宁秘密住在芬兰期间(7～10月)，她向列宁的同志们传递列宁的指示。布尔什维克夺权(1917-10)后，她成为教育人民委员部领导成员。列宁逝世(1924)后，她继续为党工作。

著有回忆录《忆列宁》(1957 单行本)。

Krusenstern, Adam Johann 克鲁津什腾(1770-11-19,俄罗斯哈古季～1846-08-24,塔林) 俄国海军军官。曾指挥第一支俄国考察队考察太平洋和进行环球航行(1803～1806)。在运送外交使团去日本和运送货物去西伯利亚东部的堪察加半岛时,离开俄国,绕过合恩角,穿过太平洋,访问了马克萨斯群岛。在堪察加停留后,访问了库页岛。在广州停留后,穿过巽他海峡,绕过好望角,回到俄国。著有《环球航行记》(2 卷,1813)。

Krušné hory(Europe) **克鲁什内山脉** 参阅 **Erzgebirge** 厄尔士山脉。

Krutch, Joseph Wood 克鲁奇(1893-11-25,美国田纳西诺克斯维尔～1970-05-22,亚利桑那图森) 美国博物学家、自然资源保护论者、作家和批评家。克鲁奇就读于田纳西大学,1915 年获文学士学位;然后在纽约哥伦比亚大学进修,1916 年获硕士,1923 年获博士学位。1918 年参军,与同学范·多伦在欧洲服役一年(1919～1920)。回国后,在布鲁克林工业学院任教,并开始对各种期刊投寄书评与其他文章。1924～1952 年,他曾任《民族》杂志的剧评家,在当地一些学校授课讲学,还写了一些著作,包括《现代脾性》(1929)。20 世纪 40 年代,他写了两本评传:《萨缪尔·约翰逊》(1944)和《亨利·大卫·梭罗》(1948)。评传反映了他对常理哲学和自然史的日益增大的兴趣。1952 年,克鲁奇移居亚利桑那州,写了几本有关自然的著作。此外,他还不断发表文章。他的后期著作包括《人的尺度》(1954)、《生命的伟大锁链》(1956)以及自传《不止一个人的生平》(1962)。

Krylov, Ivan Andreyevich 克雷洛夫(1768 或 1769-02-13,俄罗斯莫斯科～1844-11-21,圣彼得堡) 俄国寓言作家,以写动物来讽刺当时社会的各种人物。他的文笔简练,语言通俗,给俄罗斯古典文学带来现实主义风格。作品中许多格言现已成为俄罗斯日常用语的一部分。出身贫寒,只受过很少正规教育,9 岁开始工作,十几岁便写剧本。1789 年以后发表讽刺文章,略有名气。1805 年开始翻译拉封丹的寓言,但发现他真正的艺术表现方式是写自己的寓言。1809 年发表第 1 本寓言以后,得到皇室的赞赏,在圣彼得堡公共图书馆谋得一个挂名职务,并保持达 30 年之久。此后他又出版 8 本寓言诗,名声大震。虽然有些主题来自伊索和拉封丹,但是到他手里却发生了变化。他所写的狐狸和乌鸦、狼和羊,不管是聪明或愚蠢,总是一望而知是俄国式的。他的寓言劝人们要通情达理,努力工作和热爱正义,因而成为拥有广大读者的第一批俄罗斯作家之一。他的每部作品都体现出俄罗斯民族的特征。

krypton 氪(Kr) 化学元素,周期表0族的稀有气体(惰性气体),只形成极少的化合物。比空气约重 2 倍,无色、无臭、无味。虽然在陨石和矿物中含有痕量氪,但主要存在于地球大气中,约占大气的 1/900 000。1898 年,英国化学家 W.拉姆齐和 M.W.特拉弗斯在几乎完全蒸出的液态空气样品所剩残余物中发现了氪。工业上氪是用液态空气分馏法小规模生产的。氪用于某些荧光灯和高速摄影用闪光灯中。放射性氪 85 可用于探测密闭容器的裂缝,逸出的氪原子可利用它们的放射性进行检测。气体氪在 -152.30 °C液化,再低 4 °C就凝固。电流通过装有低压氪的玻璃管时,会发出蓝白色光。稳定的氪 86 发射出的光中有一橙红色谱线,由于该谱线极锐,1960～1983 年其波长用作长度米的国际标准(1 米等于该谱线波长的1 650 763.73倍)。多年来,氪被认为完全没有反应性。但在 60 年代初期发现氪与元素氟同置于一放电管中时可化合,生成二氟化氪 KrF_2,据报道还有少数几种其他化合物。已知氪有笼形"化合物",其中元素氪被包在水或其他分子的笼形结构中。氪分子是由一个原子组成。天然氪是 6 种稳定同位素的混合物:氪 84(57%)、氪 86(17.3%)、氪 82(11.6%)、氪 83(11.5%)、氪 80(2.25%)和氪 78(0.35%)。另外,已知由铀裂变和其他核反应产生的氪的放射性同位素约有20种。氪85半衰期为10.73 年。氪原子序数 36。原子量 83.80。熔点 -156.6°C。沸点 -152.3 °C。密度(0 °C,1 大气压)3.733 克/升。化合价 0、2。电子组态 2,8,18,8 或(Ar)$3d^{10}4s^{2}4p^{6}$。

Ksar el-Boukhari 布哈里堡 又作 Boghari。阿尔及利亚中北部城镇。濒临谢利夫河。四周是森林密布的山岭,围有城墙的旧城(城堡)高踞山上,俯瞰现代新城。该城镇是内地牧民进行羊毛、牲畜和谷物贸易的中心。城镇尚有地毯业。人口:城市区 39 003(1987)。

Ksar el-Kebir 凯比尔堡 又拼作 Al-Qaṣr Al-Kabīr,西班牙语称阿尔卡萨基维尔。摩洛哥北部城市。濒卢库斯河。曾为希腊和迦太基殖民地,又被罗马和拜占廷占领。8 世纪时建成阿拉伯城镇。有摩洛哥西部最古老的清真寺之一。1578 年是三王之战的战场。毁于 19 世纪的内战。1912 年西班牙人占领后重建,1956 年并入摩洛哥王国。位于非斯、拉巴特、丹吉尔之间的交叉路附近。是卢库斯河谷地农产品主要市场。人口:城市区 73 541(1982)。

Ksar es-Souk(Morocco) **苏格堡** 参阅 **Rachidia, Er-** 拉希迪耶。

Kschessinska, Mathilde 克谢辛斯卡(1872-08-31,俄国彼得霍夫附近利戈沃[今彼得宫城]～1971-12-07,法国巴黎) 俄文名全称为 Mathilda-Maria Feliksovna Kshesinskaya。俄罗斯帝国芭蕾舞团的绝对首席芭蕾舞女演员,第一个掌握 32 个连续的"富埃泰·昂·图尔襄"(在一个地点用一条腿完成的急速旋转)的俄国舞蹈家。这种旋转动作以前只有意大利舞蹈家才能完成,被认为是那个时代舞蹈技艺的最高成就。她在圣彼得堡帝国芭蕾舞学校学习时,曾师从 C.约翰森和 E.切凯蒂。1890 年毕业后加入玛丽亚剧院。1895 年她成为"绝对首席芭蕾舞女演员",当时帝国芭蕾舞团只授予意大利舞蹈家 P.莱尼亚尼这一称号。她在《灰姑娘》、《仙女》、《埃斯梅拉达》、《胡桃夹子》和《睡美人》中均演主角。1911 年在伦敦和 V.尼任斯基一起在 S.佳吉列夫的俄罗斯芭蕾舞团主演《天鹅湖》。她和尼古拉二世及其表兄弟安德烈大公爵是好友。1920 年离开俄国。1921 年与安德烈大公爵结婚。她在巴黎执教 30 年,学生有 T.里亚博钦斯卡和 M.芳廷。著有《克谢辛斯卡回忆录》(1960)。

Kshatrapa(Indian dynasty) **沙特罗巴** 参阅 **Śaka satrap** 塞迦督军王朝。

Kshatriya 刹帝利 根据印度教习俗而划分的印度社会 4 个种姓中的第 2 种姓,传统上为武士或统治阶层。最早的吠陀文献把刹帝利(意即掌握权力者)列为第 1 级,其次是婆罗门(祭司或法律教师),再其次是吠舍(商贾),最后是首陀罗(工匠和劳动者)。个人和集体从一个等级转到另一等级,有升有降,并非罕见。为统治者立功后可升入刹帝利。相传刹帝利因施暴政而为毗湿奴的第 6 化身持斧罗摩所灭,有些学者认为,这种传说表明,祭司与统治者相互争至尊地位,结果祭司胜利。吠陀时代末期,婆罗门升为最高级,刹帝利降为第 2 级。现代刹帝利包括地位高低悬殊的许多种姓集团,以拉杰普特贵胄世家为首领。

Kṣitigarbha 地藏 佛教菩萨名。早在4世纪印度人即祀奉他,但香火最盛则是后来在中国和日本。他超度受压迫者、垂死者和惊梦者,誓要尽度地狱亡魂。中国佛教徒认为

13 世纪日本绢画中的地藏菩萨

美国不列颠百科全书公司供图

他是地狱之主,有人垂死时就为他向地藏菩萨祈祷。地藏菩萨之像多为削发僧人,有圆光,两眉之间蓄发一簇,执法杖。

K.T. 蓟爵士 全称 Knight of the Thistle。苏格兰勋位的成员。参阅 **Thistle, The Most**

Ancient and Most Noble Order of the。

ku(Chinese vessel) 参阅 **gu** 觚。

Ku K'ai-chih 参阅 **Gu Kaizhi** 顾恺之。

Ku Klux Klan 三K党 美国两个不同的恐怖主义秘密组织，其一成立于南北战争后不久，到19世纪70年代消亡；另一个始于1915年，延续至今。19世纪的三K党是1866年在珀拉斯凯由南部邦联退伍军人作为社交俱乐部组织起来的。这一组织迅速成为南方白人秘密抵抗激进的"重建工作"的工具。其成员企图通过对解放了的黑奴施加恫吓和暴力来重建白人的霸权。1867年的一个名叫白山茶花骑士团的类似组织出现在路易斯安那。1867年夏，在田纳西州纳什维尔举行的有前南部邦联各州代表参加的会议上，三K党被组建为"南方无形帝国"。全党最高领导为大龙头，据信南部邦联骑兵将领N.B.福雷斯特是第1任大龙头。大龙头以下逐级分设大龙、大头目和独眼龙。三K党人在夜间袭击中鞭笞和杀戮获得自由的黑奴及其白人支持者时，身穿长袍，头戴面罩，以恐吓愚昧的黑人，并避免为联邦占领军认出。三K党在1868～1870年盛极一时，但是，1869年福雷斯特下令将其解散。地方组织继续活动了一个时期，促使国会通过了《强制法》(1870)和《三K党法》(1871)。最高法院在1882年"合众国诉哈里斯"一案的判决书上宣布，《三K党法》不合宪法。由于原先的目标——在南方重建白人霸权在70年代已大大实现，因此秘密的反黑人组织的需要性消失，三K党也就销声匿迹了。20世纪的三K党是1915年在佐治亚州亚特兰大附近由W.J.西蒙斯上校组织成立的，新三K党的复活，部分出自爱国主义，部分出自对古老南方的怀旧心理，但更主要的是小城镇的新教徒对俄国布尔什维克革命感到威胁，以及几十年来大规模移民改变了美国社会种族特性作出的反应。20年代达到极盛，成员达400多万。新三K党在南方和中西部势力较大。它不但像老三K党一样对黑人怀有敌意，而且对天主教徒、犹太人、外国人和有组织的劳工持有偏见。在30年代的经济衰退时期，三K党成员锐减。但是，在60年代，一方面人权工作者努力使1964年的《人权法》得以落实，另一方面三K党成员人数在南方某些州有回升之势。三K党的暴行一直很猖獗，直到1965年3月L.B.约翰逊总统在全国电视演说中公开谴责三K党，宣布逮捕在亚拉巴马州与谋杀从事民权工作的一名白人妇女有关的4名三K党分子。20世纪末，三K党成员锐减到千人，暴力事件也极少发生，该组织四分五裂，一些小组与新纳粹或其他极右翼组织结合起来。

Ku-kung po-wu yüan(Peking) 参阅 **Palace Museum** 故宫博物院。

ku-wen(script) 参阅 **guwen** 古文。

Ku Yen-wu(Chinese scholar) 参阅 **Gu Yanwu** 顾炎武。

Kuafu 夸父 中国神话人物。炎帝的后裔。有夸父追日之说，即传说他曾追逐落日，想在日落虞渊之前追上日影。途中口渴，饮尽黄、渭河水渴犹未止。想北去饮大泽水，中途渴死。死后手中杖化为桃林。夸父子孙繁衍成夸父国，在黄帝与蚩尤战争中曾助蚩尤作战。

Kuala Belait 白拉奕 文莱西部城镇。临白拉奕河，近南海。为一油田(有近海油井)的中心和河港。地当通往诗里亚和首都斯里巴加湾市的海滨公路。设有政府开办的专业技术学校。人口21 163(1991)。

Kuala Kangsar 瓜拉江沙 西马来西亚西北部城镇。濒临霹雳河，在西海岸公路、铁路线上。为1897年马来州联邦首脑会议召开地。现为稻米和橡胶产区的行政和收购中心。城内有伊斯坎达里阿宫(苏丹驻地)、乌布迪阿清真寺和马来学院(1905)。人口34 690(2000)。

Kuala Lipis 瓜拉立卑 西马来西亚中部城镇。濒临哲莱河。现为附近村庄和北部土著居民区的商业中心，马来西亚中部公路的终点站，也是沿金马士—吉兰丹铁路线北上旅行的最后重镇。出产橡胶、稻米、水果、黄金和古塔胶。附近开采花岗石和石灰石。镇南26千米处的文打有大型星期日集市。人口13 501(2000)。

Kuala Lumpur 吉隆坡 马来西亚首都。联邦最大城市和文化、商业、交通运输中心。位于西马来西亚中西部，马六甲海峡巴生港以东40千米处、西海岸锡和橡胶地带之间，中央山脉西部为丘陵环抱，跨巴生和刚巴克

位于吉隆坡的政府大厦
美国不列颠百科全书公司供图

河汇流处，面积约243平方千米。1857年创建。战略地位重要。1880年取代巴生港为州首府。1895年为马来州联邦首府。第二次世界大战以后人口激增。1957年为独立的马来亚联合邦首都。1963年为马来西亚首都。城市布局合理，有现代和摩尔式建筑、传统的华人店铺、茅屋和马来人的村庄。濒巴生河的市中心区十分拥挤。商业区集中在东岸，有现代化银行、保险公司和旅馆。政府机构和火车站在西岸。外围是华人店铺和马来人村落。该市经济受华人支配，印度人作为少数民族也有较大实力。郊区有铸铁、机械、食品加工厂和肥皂厂。森图尔-怡保公路附近有铁路、工厂和锯木厂。北面的万挠生产水泥，也多小规模炼锡和橡胶加工业。该市有多种制造业，集中在附近的必打灵查亚和三条石。巴都亚兰的煤田和巴生附近的干诺桥火力发电站是该市燃料和电力的主要来源。设有橡胶研究所、医学研究所、现代结核病中心、马来西亚广播电视台、马来亚大学(1962)、马来语大学(1970)、联邦工学院(1954)、语言学院(1958)以及阿卜杜勒·拉赫曼学院(1969)，还有国立博物馆、国立清真寺、国会大厦、湖畔花园、国家元首府、国家动物园、凤梨山、森林保护区和两个体育场。老苏丹清真寺位于市中心的半岛上。市郊有梳邦国际机场和坦普勒公园。人口：1 297 526；联邦区约1 379 310(2000)。

Kuala Terengganu 瓜拉丁加奴 西马来西亚东北部城镇。位于丁加奴河口，濒南海。为该河三角洲农产品集散中心和沿海贸易港口。道路交通方便，有机场。近海有石油和天然气，正在开发。以家庭编织和蜡染著称。设有营养卫生的师范学院。人口250 528(2000)。

Kuan Han-ch'ing(Chinese dramatist) 参阅 **Guan Hanqing** 关汉卿。

Kuan-hsiu 参阅 **Guanxiu** 贯休。

kuan-hua 参阅 **Mandarin language** 官话。

Kuan Ti(in Chinese mythology) 参阅 **Guandi** 关帝。

Kuang-hua(China) **光化** 参阅 **Laohekou** 老河口。

Kuantan 关丹 西马来西亚马来半岛东海岸的城市。位于关丹河口，濒南海，在彭亨河三角洲以北的冲积平原上。为马来西亚东海岸最重要港口，出口锡、橡胶和椰干。有公路和航空线通吉隆坡。沿海多渔村。家庭手工业生产纺织品、玩偶、编席和银器首饰。市内有胶合板厂和木薯淀粉加工厂，蛇岛上有具有商业价值的石蟹。人口约198 356(1991)。

Kuanza River 参阅 **Kwanza River** 宽扎河。

Kuba 库巴人 又称巴库巴人(Bakuba)。由刚果(金)讲班图语的约16个群体组成，居住在开赛河与桑库鲁河汇合处以东地区。库巴人以种植玉米、木薯、黍稷、花生和豆类为主。经济作物有酒椰和油棕，玉米则作为商品运往加丹加。此外，还从事捕鱼和打猎。他们远离现代生活，几乎没有人移居国外或

从事欧洲式的职业。这些群体按母系血统划分为几个家系，家系是由许多分散氏族组成的。现在库巴人联合成一个王国，由1600年前后兴起的中布松戈集团统治。王国是一个酋长领地联盟，酋长领地各由1名酋长及2至3个议事会治理。布松戈酋长为神授国王。自然界的精灵、死去国王的灵魂和巫术支配着库巴人的宗教。库巴人的几乎所有日用品都加以装饰，小型木雕像、成丁面具、杯子和绣花酒椰纤维织物，都是出口珍品。

Kuba　库巴　扎伊尔内地的非洲王国，位于开赛河、卢卢阿河和开赛河支流桑库鲁河之间。1600年左右建立，实际上是一些自治的小国组成的联邦。19世纪时，东方的叛乱和南方卢卢阿人的入侵，使王国陷入内战。约1910年，比属刚果的殖民政权控制了这个地区，平息了叛乱从而加强了国王的力量。

Kuba　库巴　又拼Quba。阿塞拜疆东北部城市。位于大高加索东坡和库迪阿尔河右岸。18世纪建立了一个以库巴为首都的可汗国。俄国军队于1806年占领此可汗国，伊朗于1813年把它割让给俄国。库巴市位于水果种植区中央，该种植区以苹果著称，食品加工为重要工业。此外库巴一直是地毯制造中心；库巴地毯在阿塞拜疆首屈一指。人口约21 500(1991)。

Kuba carpet　库巴地毯　高加索古代铺地用品，一般呈窄长形。库巴地毯中最多的是龙毯，17～19世纪均有生产。破云而出的太阳图案的花饰一直延续到近代，质地粗糙，饰有钩形尖叶和蛋形花瓣。其他设计有克尔曼和东波斯图案的变型，都具有几何图形，造型雄浑，颜色鲜明。近期生产一种经改动的土耳其丝毯图案，一行行花瓣排列在类似树形的尖叶之间。19世纪前，库巴地毯一般是用纯羊毛制作，自19世纪起，有的地毯用棉线做经或纬，或用丝毛混纺纱做底布。

18世纪的库巴地毯
美国不列颠百科全书公司供图

Kubaba　库巴巴　叙利亚城市卡尔基米什所崇奉的女神。根据约公元前1400～约前1190年的赫梯帝国的宗教文献，她是次要的神灵，其名主要见于有关胡里安人之神与宗教礼仪的段落。其像为贵妇，着长袍，手执镜，或立或坐。

Kuban River　库班河　俄罗斯西南部河流。源出大高加索山脉的厄尔布鲁士峰冰川，向北流经峡谷和湍滩，进入斯塔夫罗波尔高地后折向西，流贯广阔多沼泽的泛滥平原，注入亚速海。全长906千米，流域面积6.1万平方千米。河水大量用于灌溉农田。至克拉斯诺达尔市可通航。

Kubango River（Africa）　**库班戈河**　参阅 **Okavango River 奥卡万戈河**。

Kubelík, Rafael (Jeronym)　库贝利克（1914-06-29，奥匈帝国波希米亚比霍里［今在捷克共和国］～1996-08-11，瑞士卢塞恩）　波希米亚出生的瑞士指挥家、音乐总监和作曲家。小提琴家扬·库贝利克之子。因经常客座指挥世界各主要管弦乐队而知名。曾在布拉格音乐学院学作曲和指挥。1936～1939年及1942～1948年指挥捷克爱乐乐队。1948年赴爱丁堡指挥音乐节，先在英国后在瑞士定居，1967年入瑞士籍。1950～1953年任芝加哥交响乐队首席指挥。1955～1958年任科文特加登歌剧团音乐总监期间，在英国推广歌剧。1961年任巴伐利亚广播交响乐队首席指挥。1973～1974年任纽约市大都会歌剧院音乐总监。其创作包括歌剧、交响曲、合唱作品及协奏曲。

Kubera　俱吠罗　印度教神话中众夜叉之王，又为财神。他与大地、山岳、矿物和宝石等地下宝藏以及各种财富有关。根据最流行的传说，此神原居于楞伽（今斯里兰卡），其宫室被同父异母兄弟罗波那夺走，现居于盖拉萨山湿婆居所附近的精美山庄，受各种魔仆侍奉。俱吠罗是北方的护持神，其像一般为身材矮小，大腹便便，手执钱囊或石榴，有时由人背负。他又名吠室啰末拏或苫婆罗，在佛教和耆那教也是重要之神。在佛教雕塑艺术中，此神常有獴伴随。

约8世纪的俱吠罗石雕像
美国不列颠百科全书公司供图

Kubin, Alfred　库宾（1877-04-10，奥匈帝国波希米亚莱特默里茨［今捷克共和国利托梅日采］～1959-08-24，奥地利茨韦克列特）　奥地利平面造型艺术家，以梦幻的、往往可怕的主题之素描与绘画知名。1898年赴慕尼黑学习艺术，1902年在柏林卡西雷尔画廊举行第1次展览。1905年开始漫游法国和意大利；在此期间结识法国画家O.雷东。雷东的作品以及比利时画家J.恩索尔的作品对库宾产生巨大影响。1906年，库宾定居奥地利茨韦克列特，在此度过大半生。1911年参加“青骑士”团体在慕尼黑的展览。1913年参加“突击”秋季沙龙展览。库宾曾为E.A.坡、O.王尔德、F.陀思妥耶夫斯基等许多作家的著作绘插图，还写过一部长篇小说《天国》(1909)。

Kubitschek, Juscelino　库比契克（1902-09-12，巴西迪亚曼蒂纳～1976-08-22，雷森迪附近）　巴西总统（1956～1961），以兴办公共工程，特别是修建新首都巴西利亚而闻名。1927年毕业于米纳斯吉拉斯大学医学院。后在巴黎、维也纳和柏林任实习外科医生。1932年任外科主任。1934～1937年和1946～1950年为联邦众议员。1940～1945年任贝洛奥里藏特市市长，以城市规划、建立医疗诊所和其他公共服务设施出名。1951～1955年任米纳斯吉拉斯州州长，注重建筑公路、发电站和发展工农业。1956年竞选总统，纲领为发展“能源、交通运输和食品”。任职后推动机器制造、水电、钢铁和其他重工业的迅速发展，建造了18 000千米的公路和铁路。最重要的大概是把首都从里约热内卢迁到距海岸1 000千米的内陆超级现代化新城巴西利亚。但他的政府无法应付通货膨胀，而东北部灾区重建的浩大开支又加剧了经济问题。1962年当选参议员。1964年社会民主党提名他为总统候选人，同年，军政府迫使他流亡国外。1967年回国后成为银行家。后死于车祸。

Kubovy, Aryeh Leon　库波维（1896-11-02，立陶宛库萨拉～1966-05-16，耶路撒冷）　以色列律师、外交家、犹太复国主义者。1936年创立世界犹太人大会，1945～1948年任大会总书记。1948年定居以色列。曾任以色列驻捷克斯洛伐克、波兰和南美洲一些国家的外交使节。

Kubrick, Stanley　库勃里克（1928-07-26，纽约市～1999-03-07）　美国电影导演和作家，他的影片具有冷静而严谨的画面风格，注重细节，并流露出一种客观的常带讥讽的悲观情绪。上中学时即对摄影感兴趣，17岁时成为《展望》杂志摄影记者。他的第1部影片《比赛那天》(1951)是关于拳击运动的短纪录片。两年后拍出第1部故事片：关于第二次世界大战的影片《恐惧与欲望》(1953)。《荣誉之路》(1957)使他的导演艺术崭露头角。此后他拍一系列发人深省的影片，探讨现代生活中潜存的矛盾和暴力，并以丰富的想象驰骋于未来世界。继史诗体影片《斯巴达克思》(1960)以后，根据V.纳巴科夫的小说拍

美国不列颠百科全书公司供图

摄了《洛丽塔》(1962)，内容是一名中年男子对一名少女的迷恋。其后又拍摄《怪癖博士》(1964)，把可能爆发的核战争变成一场可怕的恶作剧；《2001年太空漫游记》(1968)获得奥斯卡金像奖，因其在回顾人类进化过程和放眼大气层外的未来世界时大胆想象；《装有发条的桔子》(1971)根据A.伯吉斯的小说改编，预言科技高度发展但文明倒退的未来社会；《巴利·林顿的遭遇》(1975)，是根据W.M.萨克雷的小说改编而成，回顾18世纪的风俗习惯；《幻觉》(1980)是一部恐怖片。

Kubu 库布人 林居的半游牧民族。主要居住在印度尼西亚苏门答腊东南部河道附近沼泽地区。这个民族似乎是早期类维达人和尼格利陀人的混血种。库布人同邻近居民的接触历来以“*无声交易*”(**silent trade**)为主，即一方把准备交易的货物放在能见之处，另一方把愿交易之物也放在该货物近旁，退回一定距离；如果交易满意，库布人就取走对方留下的物品，转身消失在灌木丛中。现在他们与世隔绝的状态已被打破。他们的传统居住区一般是20～30人住在竹竿和竹叶搭成的简陋房屋里。一位长者当头人，但没有什么权力。食物大都来自丛林野产和小野味。衣着是一块树皮做成的缠腰布和一条束发带。宗教信仰知其有萨满僧，人们通过萨满僧祭奠鬼神；此外情况不详。

Kuch Bihār(India) 参阅**Cooch Behār**库奇比哈尔。

Kucha(city, China) 参阅 **Kuqa** 库车。

Kuchan(Iran) 参阅 **Qūchān** 古昌。

Kuching 古晋 东马来西亚婆罗洲西北部城镇。1839年创建。现为繁荣的行政中心。居民主要是华人。马来人、陆地达雅克人和伊班人住在郊区。出口橡胶、胡椒和西谷粉。为全州交通最发达城市。建有现代化港口、机场和通成邦江的公路。有沙捞越博物馆(收藏古婆罗洲文物)。政府建筑主要有阿斯塔纳宫和最高法院。另外还有英国圣公会大教堂、天主

古晋市议会大厦
美国不列颠百科全书公司供图

教大教堂、清真寺和佛教寺庙等名胜。设有巴都林丹师范学院。人口147 729(1991)。

kuchipudi 库奇普迪舞 印度6种主要古典舞蹈中的一种，起源于安得拉邦，与其他5种古典舞蹈不同之处是此种舞蹈载歌载舞。库奇普迪舞始于17世纪，由西得德尔·约根创作的舞剧《婆玛·格拉巴》改编。这是关于印度神毗湿奴(又名黑天)美丽而善妒的妻子萨蒂亚婆玛的故事。舞蹈开始时，先洒圣水、焚圣香，然后进行其他仪式；向知识、财富和力量诸女神祈求赐福；于是其他舞蹈者出场，边舞边唱出他们表演的内容。按传统所有舞蹈者都是男子。每一个库奇普迪村的婆罗门一生中至少要表演一次萨蒂亚婆玛的角色，作为对毗湿奴的奉献。

Kuchma, Leonid Danylovych 库奇马(1938-08-09，苏联乌克兰恰伊克恩～) 乌克兰工程师和政治人物，1992～1993年任乌克兰总理，1994～2005年任乌克兰的第2任总统。他的政府支持加强私有化、自由贸易和与俄罗斯建立更紧密的联系。1960年从国立第聂伯罗彼得罗夫斯克大学毕业后，库奇马开始从事工程师工作，1972～1982年担任位于第聂伯罗彼得罗夫斯克他所在的公司的共产党书记。在这些年里，他还在位于哈萨克斯坦拜科努尔的苏联太空计划中心保留一个技术经理的绝密职位。1986～1992年担任位于第聂伯罗彼得罗夫斯克的世界最大的火箭制造公司的总经理。1992年10月，库奇马被乌克兰第1位民主选举的总统L.M.克拉夫丘克任命为总理。一年以后，库奇马因与克拉夫丘克在经济政策上意见不合而辞职。在1994年的总统选举中，库奇马由于争取前共产党人的支持而击败了奉行民族主义的在职总统克拉夫丘克。但受欢迎程度不断下降，因为其改革未能改善本国的经济。1999年，再次当选总统，观察人员认为投票中有舞弊行为。同年，任命原国家银行行长、经济改革的支持者尤先科担任总理。经济得以改善，但政治情况却恶化。2001年，在立法机关提出不信任案后，尤先科被解除职位。2002年，在关于其卷入对一位持不同政见记者的谋杀事件和向伊拉克出售雷达系统一事的录音带被证实之后，反对派要求弹劾总统。虽然宪法法院最终认为他无罪，可以第3次竞选总统，但在2004年，库奇马支持总理亚努科维奇竞选总统。在最后的较量中，亚努科维奇击败尤先科，但反对党认为选举过程有诈。库奇马呼吁进行的新的选举来解决危机。尤先科在最高法院下令进行的新的选举中获胜，2005年1月库奇马离任。

Kuchumba language 库琼巴语 参阅**Amharic language** 阿姆哈拉语。

Küçük Kaynarca, Treaty of 《凯纳甲湖条约》(1774-07-21) 1768～1774年俄土战争结束时在保加利亚凯纳甲湖签订的条约。它结束了奥斯曼帝国对黑海的控制，并为俄国日后对奥斯曼帝国内政的干涉提供了外交基础。条约有关领土的条款将俄国的边界扩展至南布格河，从而将亚速港、克里米亚半岛东端的刻赤和耶尼卡尔要塞、库班省的一部分，以及包括金布恩要塞在内的由第聂伯河和布格河形成的港湾割让给俄国。克里米亚可汗统治地区建立一独立国家，仅在宗教事务方面隶属奥斯曼苏丹哈里发。条约的商务条款赋予俄国在奥斯曼帝国的任何地方设立领事馆的权利，俄国可以穿过博斯普鲁斯海峡和达达尼尔海峡在奥斯曼水域自由航行，以及在奥斯曼国土上享有商业特权。但影响最深远的是宗教条款，赋予俄国在奥斯曼帝国境内代表摩尔多瓦、瓦拉几亚以及爱琴群岛希腊正教会教徒的特权。后来俄国随意地解释和援引这一条款，以支持其要求在奥斯曼帝国的任何地方对希腊正教会教徒施加保护。

Kudamatsu 下松 日本本州西部山口县城市。濒临濑户内海一小深水湾。原为一渔村，初以制盐贩盐兴盛，后因不在铁路干线上而衰落。第一次世界大战中凭借其天然港的地位及19世纪末建设的工厂而复兴为工业城镇。1939年设市。有重型机械、石油化工、发电和造船等工厂。人口53 472(1995)。

Kudirka, Vincas 库迪尔卡(1858-12-31，俄罗斯帝国立陶宛帕埃泽里艾～1899-11-06，瑙梅斯季斯) 立陶宛医生、作家和爱国者，通过

地下杂志《钟声》,旗帜鲜明地向俄国扼杀立陶宛行省日见觉醒的民族文化的企图发出抗议,表达了广大人民的心声。早年学医学、历史和哲学。由于患严重肺疾,行医时间不长。1889年创办文学、政治性杂志《钟声》,发表诗歌和讽刺作品,强烈抗议沙皇当局的俄罗斯化政策。他曾将拜伦、席勒和A.密茨凯维奇的作品翻译成立陶宛文。他的讽刺作品深受俄国作家N.果戈理、N.涅克拉索夫和萨尔蒂柯夫(N.谢德林)的影响。立陶宛国歌是他写作的。

kudu 捻角羚 偶蹄目牛科林羚属(*Tragelaphus*)一些动物的统称。体苗条优美。大捻角羚(*T. strepsiceros*)成小群栖息在非洲东部和南部丘陵灌丛地区或开阔林地。肩高约

大捻角羚(*T. strepsiceros*)
美国不列颠百科全书公司供图

1.3米。喉部有穗状长毛,颈背部有鬃毛,浅红褐色到蓝灰色,两眼间有一白纹,体上有窄而垂直的白色条纹。雄体有长而分叉的螺旋状角。小捻角羚(*T. imberbis*)成对或成小群栖息在东非炎热的开阔灌丛地区。肩高约1米,灰褐至蓝灰色,斑纹似大捻角羚,但喉部有两个白色斑块,而无喉缨,角较小、螺纹排列更为紧密。上述两种捻角羚均以嫩枝和树叶为食。成熟的捻角羚雌雄分群生活,交配期间除外。

kudurru 库都鲁 又译库杜路。阿卡德语指边界、分界线。古代美索不达米亚加喜特

约公元前1200年的库都鲁黑石灰岩石雕
美国不列颠百科全书公司供图

王朝使用的一种界石,为石块或石板,用以标明国王对其宠臣颁赐的土地。库都鲁的原件保存在神庙里,颁布给受赐者的是黏土复制的副件。库都鲁上铭刻有契约的条款、土地保护神的图像或符号以及对侵犯地权的人的诅咒。除少数外,可以说库都鲁几乎全是加喜特人统治巴比伦时期(约公元前16～约前12世纪)仅存的艺术品,其重要意义不仅在于经济和宗教方面,也在于反映了加喜特人的艺术才能和兴趣。

Kudymkar 库德姆卡尔 俄罗斯西部科米彼尔米亚克自治州城市和首府。位于中乌拉尔伊尼瓦河与库瓦河汇流处。建于16世纪。1925年后发展迅速。1938年设市。工业有木材加工和食品加工。设有农业、林业和师范学院。人口约33 400(1993)。

kudzu vine (species *Pueraria lobata* 或 *P. thunbergiana*) **葛藤** 豆科葛属(*Pueraria*)两种具缠绕茎的多年生植物——野葛(*P. lobata*)及桑伯格葛(*P. thunbergiana*)——的俗名。生长快,一个季度内可长达18米。缠绕茎木质,有时被毛。叶大。总状花序长,花红紫色,开花较迟。荚果扁平,被毛。原产于中国及日本,在那些地区很久以来即栽培以取食其富含淀粉的根,其茎部纤维可用。已移植至北美,用以固定陡岸上的土壤,以防水土流失。因为葛藤容易在暴露的土壤上以及乔木、灌木上蔓延生长,在美国东南部某些地区已变成不易清除的野生植物,但葛藤也是有用的牲畜饲料作物,美观的观赏植物。在北方的冬天,葛藤的茎会冻死,但根仍能存活。

kuei (Chinese religion) 参阅 **gui** 鬼。

kuei(Chinese vessel) 参阅 **gui** 簋。

Kuei-lin(China) 参阅 **Guilin** 桂林。

Kuei-yang(China) 参阅 **Guiyang** 贵阳。

Kūfah 库费 伊拉克中世纪城市。8～10世纪为阿拉伯文化及学术中心。638年由第二代哈里发欧麦尔一世建立,作为驻军的城镇。位于幼发拉底河支流欣迪耶河畔,在纳杰夫东北11千米处。居民主要是南阿拉伯人和伊朗人,有时与姊妹城巴士拉一起作为伊拉克总督的驻地。749年被阿拔斯王朝占领,把该城作为行政首府,直至巴格达建立。924～925,927,937年多次遭卡尔马特人劫掠后衰落,14世纪时几乎荒废。在穆斯林历第2～3世纪,库费和巴士拉同为研究阿拉伯文法、语言学、文学批评和文艺的中心。

Kūfic script 库法字体 现存最早的伊斯兰字母书写体式,早期穆斯林用来抄写《古兰经》。这一手写体有棱有角、移笔缓慢、端庄高雅,也用于墓碑、钱币以及建筑上的铭文。有些专家把狭义的库法手写体同麦加及麦地那手写体加以区别,后两种字体也用于抄写《古兰经》。名称源于早期伊斯兰文化中心伊拉克的库法(现译库费)城。简单库法体早在伊斯兰教兴起时期即已创制出来;现存最早《古兰经》抄本成于8至10世纪期间,所用字体即为简单库法字体。后来盛行一种花体库法字体,并出现一些变体,有叶饰库法体、折叠或交织库法体、镶边库法体及方形库法体等。库法手写体在大约12世纪已不作一般书写之用,多作为装饰性字体,以别于流通字体。

Kufrah, Al- 库夫拉绿洲 又拼 Cufra。利比亚东南部的绿洲群。在利比亚沙漠中部附近一椭圆形盆状坎洼地内,长约48千米,宽约19千米。地处古代的商路上。原为盗贼据点。1895年成为赛努西教总部。1931年后被意大利人占领。主要城镇有焦夫、图莱利卜和泰拉卜。砂石高原上的塔季,有一所伊斯兰赛努西教学校。有大面积的椰枣林和可供灌溉的地下湖泊。牲畜饲养业很重要。人口约12 606(1973)。

Kufstein 库夫施泰因 奥地利西部蒂罗尔州城镇。位于凯撒山和巴伐利亚阿尔卑斯山脉之间,濒临因河。靠近德国巴伐利亚边境。788年首见记载。1393年设镇。皇帝马克西米连把13世纪初期建造的格罗尔德塞克要塞改筑为坚固的棱堡,现辟为博物馆,其"英雄"风琴每天为悼念阵亡将士奏曲。为著名避暑胜地和冬季运动中心。生产滑雪板、玻璃、电机部件和五金制品。人口约14 931(1998)。

Kuft(Egypt) 参阅 **Qifṭ** 吉夫特。

Kuga Sorta 大烛教 主要居住在俄罗斯马里共和国境内的芬兰-乌戈尔部落民马里人(又称切列米斯人)的反战神权政治运动。这种崇拜形式出现于1870年左右,当时名义上接受基督教的马里人企图融合本民族固有宗教与基督教,用以抵制俄罗斯化。该会礼拜时必须燃点巨型蜡烛,故名。婚礼遵古制,崇拜死者,相信神话是本教中的马里文化成分。沙皇政府和苏联政府都曾反对这个宗教,但信徒不予理睬。

Kūh-e Nūr 参阅 **Koh-i-noor** 科-依-诺尔钻石。

Kühlmann, Richard von 屈尔曼(1873-05-17,君士坦丁堡～1948-02-16,西德奥尔斯塔特) 第一次世界大战期间任德国外交部

美国国会图书馆供图

长10个月，曾率领德国代表团与俄国缔结布列斯特-立陶夫斯克和约(1918-03)，与罗马尼亚签订布加勒斯特条约(1918-05)。其父为安纳托利亚铁路总监。他于1899年进入德国外交界，曾先后供职于彼得堡、德黑兰、丹吉尔、华盛顿、海牙和伦敦(1908～1914)。第一次世界大战爆发后任德国驻海牙公使，后任驻君士坦丁堡大使。1917年8月6日擢升外交部长，翌年6月被解职。

Kuhn,(Franz Felix)Adalbert　库恩(1812-11-19，普鲁士柯尼斯堡～1881-05-05，柏林)　德国语言学家兼民俗学家，曾根据比较语文学创立了比较神话学的新学派。他曾在柏林柯尔尼希大学预科学校任职，从1841年起到1870年成为该校校长。最初致力于德国故事和传说的研究，但以研究整个印欧人语言和历史而卓有声望。在所著《印欧人上古史论丛》(1845)中，叙述了最古老的印欧人分化为不同民族前的历史，比较并分析了不同语言里共同的词汇和词干的原始意义。另著有《神话学研究》(2卷；1886～1912)等书。

Kuhn,Maggie　库恩(1905-08-03，美国纽约布法罗～1995-04-22，宾夕法尼亚费城)　全名Margaret E. Kuhn。美国社会激进主义者。1922年入凯斯西部保留地大学的马瑟学院学习英语和社会学，同时组织妇女选民联合会学院分会。毕业后在克利夫兰基督教女青年会工作11年，逐渐对社会激进主义产生兴趣。20世纪30年代末辞去基督教女青年会工作，到纽约市基督教长老会工作达25年，先后担任副秘书、计划协调员、教会杂志《社会进步》编辑和撰稿人。关心妇女权利、医疗保健、住房和老龄人群等社会事业，根据自己在教会部门的工作经历撰写了两部著作。65岁被强制退休后，开始与其他退休人员组建旨在弥合老年人与青年人鸿沟的组织。该组织被电视新闻记者戏称为“灰豹”，因而也就沿用该名。1973年与R.纳德的退休者专业行动团体合并，开始研究老人院问题，并著有《老人院:公民行动指南》一书(1977)。灰豹组织为消除美国医疗保健系统中的牟利动机大声疾呼。在美国医疗协会会议上发表声明，并安排抗议活动。灰豹组织的70个地方分部代表每两年进行一次集会，提议为免费医疗保健立法，并通过决议，主张所有人有权表达其性观点。20世纪80年代，库恩及灰豹组织开始关注社会保障津贴问题。其90年代初的首要任务是争取建立全国医疗保健系统。90年代关注的其他问题包括联邦住房补助，减少军费开支和环境卫生与安全。库恩一直担任该组织的全国召集人。

Kuhn,Richard　库恩(1900-12-03，维也纳～1967-08-01，西德海德堡)　德国生物化学家。因对类胡萝卜素和维生素的研究而获1938年诺贝尔化学奖，但由于纳粹的阻挠，直至第二次世界大战后才得以领奖。曾在R.威尔施泰特指导下研究酶学，并因此于1922年获慕尼黑大学博士学位。1926～1929年在苏黎世的技术学校任教，后任海德堡大学教授和海德堡威廉皇帝医学研究所(后改名马克斯·普朗克医学研究所)所长。他至少发现8种类胡萝卜素，将其制成纯品，并确定其结构，又发现其中一种为某些藻类受精所必需。同时与P.卡勒阐明了维生素B_2的结构，并第一次提纯出1克。他与同事们也分离出维生素B_6。1948年后任《尤斯图斯·利比希斯化学年刊》编辑。

Kuhn,Thomas S.　库恩(1922-07-18，美国俄亥俄辛辛那提～1996-06-17，马萨诸塞剑桥)　全名Thomas Samuel Kuhn。美国科学史学家，以《科学革命的结构》(1962)而闻名，该书是20世纪历史和哲学方面最具影响的著作之一。库恩在哈佛大学获物理学学士(1943)、硕士(1946)和科学史博士(1949)学位后，相继在哈佛大学(1951～1956)、伯克利加利福尼亚大学(1956～1964)、普林斯顿大学(1964～1979)和麻省理工学院(1979～1991)教授科学史或科学哲学。库恩的第一部著作《哥白尼的革命》(1957)研究了文艺复兴时期太阳系日心说的发展。在其里程碑式的第二部著作《科学革命的结构》中，他认为限定科学研究及其思想的是范例或对客观世界的理性认识，包括规范的理论、传统的实验及可信赖的方法。科学家一般接受通行的范例，竭力通过改进理论来扩大其应用范围，解释令人困惑的数据，创立更加精确的测量标准和对现象的准确测度。但他们的努力最终可能导致不可解决的理论问题或实验的异常，暴露了范例的不足，或者完全自相矛盾。难题的堆积导致只有以新范例代替旧范例的理性革命才能克服危机。哥白尼的日心说推翻托勒玫的宇宙论，量子物理学及广义相对论代替牛顿力学，均堪称范例转换的榜样。传统观念认为，由于在理性选择的实验框架基础上，逐渐地、累积性地获取知识才出现科学进步。库恩对此提出质疑。他有别于传统观念，认为范例决定科学家从事实验的种类、他们所提问题的类型，以及他们认定的重要事项。范例的转换修订了支撑研究的基本概念，推出新的标准论据、新的研究技巧以及同过去根本不同的新的理论和实验途径。库恩的著述彻底改革了科学的史学和哲学。他的范例转换概念扩展到政治学、经济学、社会学甚至商业管理等学科。库恩的后期著述有一册论文集《基本必要的张力》(1977)以及属于技术研究的《黑体论与量子跃变》(1978)。

Kuhn,Walt　库恩(1880-10-27，纽约市～1949-07-13，美国纽约州怀特普莱恩斯)　美国现代艺术在军械库展览会(1913，纽约市)首展上的工具主义画家。19世纪90年代是职业自行车赛手，1899年迁旧金山后以作漫画为业。作品反映出他在美国西部的游历，如表现美国西部鸟类的漫画组画和一套29张的组画《假想的西部地区历史》(1918～1920)。库恩兼擅建筑设计和舞台布景设计并赞助美术事业。曾任美国画家和雕刻家协会干事，协助组织了军械库展览会。库恩1925年后潜心绘画，题材有马戏团小丑、广告女郎及杂技演员，这些画朴素、严谨、大胆、粗

库恩绘《蓝衣小丑》(1931)
美国不列颠百科全书公司供图

犷，略带西班牙风味。晚年，几乎全画静物和树木。

Kuhnau,Johann　库瑙(1660-04-06，萨克森盖辛～1722-06-05，莱比锡)　德国教堂康塔塔及早期键盘乐器奏鸣曲作曲家。自幼学习音乐并成为齐陶地方教会的乐长。1684年任莱比锡托马斯大教堂管风琴师，1701年起任乐长直至去世，后由J.S.巴赫继任。1700年在莱比锡大学和两处教堂任音乐总监，同时学习法律。作有14首年度轮回演出的教堂康塔塔。其键盘乐曲最负盛名，他的奏鸣曲体现出他理解键盘乐器表现浪漫主义色彩的潜力。圣经奏鸣曲是标题音乐，表现大卫和歌利亚等人的事迹。另写有一部讽刺小说《音乐骗子》，嘲弄意大利音乐的矫揉造作。

Kuibyshev(Russia)　**古比雪夫**　参阅**Samara 萨马拉**。

Kuiji　窥基(632～682)　又拼作K'uei-chi。中国唐代佛教唯识宗实际创始人。姓尉迟，

中国大百科全书出版社供图

字洪道，原名基，亦称大乘基。因常住大慈恩寺，世称慈恩大师。长安（今西安）人，唐右金吾卫将军尉迟敬宗之子。17岁出家，奉唐太宗命为玄奘弟子，习梵文、佛教经论和因明学。25岁参加玄奘译场，28岁参加译出《成唯识论》，并作述记。玄奘主译《辨中边论》、《辨中边论颂》、《二十唯识论》，后译《导部宗轮论》、《阿毗达磨界身足论》等，窥基均为笔受，大都有述记。著有《瑜伽师地论略纂》、《杂集论述记》、《因明入正理论疏》、《金刚般若经会释》、《法华经玄赞》、《弥勒上生经疏》、《佛说无垢称经赞疏》、《大乘法苑义林章》等14部，才气横溢，有"百部疏主"之称。窥基发挥玄奘学说形成自己独立宗派。《成唯识论述记》、《大乘法苑义林章》奠定唯识宗理论基础。窥基弟子慧沼又竭力廓清异说，对玄奘门下法宝、圆测、道证、文轨等均加驳斥，从而使唯识宗内部的门户之见愈深。

Kuiper, Gerard Peter　柯伊伯（1905-12-07，荷兰哈伦卡斯佩尔～1973-12-23，墨西哥城）美国天文学家，主要因太阳系理论和有关太阳系的发现而著称。1933年在荷兰完成学业后即赴美国，1937年加入美国籍。1936年在芝加哥大学叶凯士天文台任职。1947～1949年和1957～1960年任叶凯士天文台和麦克唐纳天文台台长。他的发现包括：火星大气中的二氧化碳（1948），天王星第5颗卫星（天卫五，1948）和海王星的第2颗卫星（海卫二，1949）。他还测量过冥王星的视直径（1943～1944），并用凝聚说来改进行星起源理论（1949）。从1960～1973年，他一直领导亚利桑那大学月球和行星研究室。

Kuiper Airborne Observatory　柯伊伯机载天文台　一架装有0.9米卡塞格林反射望远镜，用在12 500米高空从事天文观测的C-141喷气式飞机。它用已故天文学家G.P.柯伊伯之姓氏命名，由美国国家航空和航天局设在加利福尼亚州芒廷维尤的艾姆斯研究中心管理。机载天文台使天文学家能够测量行星、恒星和星系的红外辐射。某些波段的红外辐射的大部分被地球低层大气中的水蒸气和二氧化碳吸收而不能被地面望远镜检测到。柯伊伯机载天文台的主要发现计有：天王星的光环、形成过程中的恒星，以及星际气体中和行星大气中的新分子。21世纪初，被美国和德国开发的更加先进的机载天文台取代。新开发的天文台名为平流层红外天文台（SOFIA），是一架经过改装的波音747。

Kuiper belt　柯伊伯带　又称柯伊伯盘或埃奇沃思-柯伊伯带。以荷兰裔美国天文学家G.P.柯伊伯的姓氏命名的以亿计的冰质小天体构成的扁平环带。在海王星轨道外，沿黄道面附近环绕太阳运行。据悉，柯伊伯带是大多数运行周期小于20年的短周期彗星以及冰质半人马型小天体的发源地。爱尔兰天文学家K.E.埃奇沃思1943年曾提出太阳系小天体可能存在于冥王星轨道之外的猜测，而柯伊伯则于1951年给出更有力的论述。1950年，荷兰天文学家J.奥尔特推测，在太阳系外围更远处存在一个球形分布的冰质小天体族，它们是回归周期大于200年的长周期彗星的前身。柯伊伯随后认为短周期彗星多集聚于黄道面附近，应起源于距太阳更近、更扁平的天区。第一个柯伊伯带天体（KBO）由D.杰维特和J.芦氏发现。该天体直径200～250千米，以近圆轨道绕日运行，距离太阳44天文单位（1天文单位＝15 000万千米）。在随后的12年内，发现的KBO超过800个，大多数直径大于100千米，距离太阳30～50天文单位。由于KBO大多位于海王星轨道之外，也称海外天体。估计直径大于100千米的KBO总数以10万计，而更小的、但直径大于1千米的应以百万计。柯伊伯带的最外缘可能和奥尔特云的最内缘相接，它们都是45亿年前形成太阳系的太阳星云的遗存物。

Kuito　奎托　前称席尔瓦波尔图（Silva Porto）。安哥拉中部城镇。1890年建立。为比耶高原的贸易中心，设有谷物、咖啡、肉类和蜂蜡等加工厂。城市规划甚佳，有宽阔的林荫大道和城郊的住宅区。在1975年独立后的内战中受到严重摧毁。横贯全国的本格拉铁路从城北通过。人口约18 941（1970）。

Kujavia　库亚维亚　拉丁文拼作Kujawy。波兰中部低地。东北以维斯图拉河弗沃茨瓦韦克至比得哥什一段为界，西南以诺泰奇河为界。1136年始见记载。1138年归属马索维亚-库亚维亚公国。后分为格涅科沃、布热奇古亚夫斯基和伊诺弗罗茨瓦夫3个公国。14世纪初，大公之一弗瓦迪斯瓦夫一世着手重新统一波兰，库亚维亚于1363年合并为两个省，东南部分并为布热奇古亚夫斯基省，西北部分并为伊诺弗罗茨瓦夫省。1772和1793年两次瓜分波兰时，两省先后并入普鲁士。此后，两省合并为比得哥什省，归属1807年拿破仑建立的华沙大公国。1815年华沙大公国解体，仅库亚维亚东部归属波兰会议王国，其他部分归属普鲁士。1918年全部归属波兰，1945年整个地区划入比得哥什省。现为库亚瓦滨海省的一部分。该地区以农业生产和食品加工业闻名。主要的矿产资源是盐和石灰。重要的城市和工业中心包括比得哥什和弗沃茨瓦韦克。

Kujawsko-Pomorskie　库亚瓦滨海　波兰中北部省份，东北邻瓦尔米亚马祖尔省，北接滨海省，东邻马佐夫舍省，南连罗兹省，西南邻大波兰省。为1999年波兰行政区划改革后设立的16个省份之一。主要包括原比得哥什省和托伦省。省会为比得哥什市和托伦市。库亚瓦滨海省主要是平原地区，有部分冰碛山丘。1/5的面积为森林，主要是针叶林。气候温和，年平均气温为8.5 °C。年平均降水量为450～590毫米，是波兰最干旱的省份之一。有3/5的人口生活在城市，最大的城市中心地区包括比得哥什、托伦、弗沃茨瓦韦克、格鲁琼兹等。富饶的土壤和高效率的农业结构使得该省成为波兰农业最发达的省份之一。几乎2/3的土地用于农业生产，是甜菜、小麦和牛奶的主要产区。食品加工、化工生产、机械制造、造纸、伐木、家具制造是主要工业。公路网络将库亚瓦滨海与波兰主要城市相连。该省的北部地区是旅游胜地，拥有图措拉国家公园。托伦有很多保存完好的古建筑，被列为世界遗产地。该省保存了很多罗马式建筑的典范，例如史翠诺的圣三一教堂。在该省举行的著名节日活动包括比得哥什的伊格内西·帕德雷夫斯基国际钢琴节和在托伦举行的戏剧电影节。该地区在18世纪末成为普鲁士的一部分，从1807年起作为华沙公国的一部分。1815年起，该地区的西部被重新并入普鲁士，而东南部分并入波兰王国。到19世纪后期，普鲁士统治地区经历了经济复苏，铁路交通、金属产业和食品业迅速发展。1918年，整个地区被归还波兰，但在第二次世界大战时期被并入德国，纳粹还在切姆诺建立了集中营。战争结束后，该地区被划分为两个省份，后于1999年合并。面积17 970平方千米。人口2 069 321（2002）。

Kujbyšev（Russia）　**古比雪夫**　参阅**Samara** *萨马拉*。

Kūkā（religious sect）　**呼神派**　参阅**Nāmdhārī** *难陀利派*。

Kūkai　空海（774-07-27，日本佐贯赞歧～835-04-22，高野山）　敕谥弘法大师，日本佛教高僧，真言宗创始人。他对日本艺术和文学的发展有很大贡献，并带头发展公共教育事业。出身贵族，青年时期攻读儒家经典。791年，据说他17岁写成《三教指归》，鼓吹佛教优于儒学和道教。他说，儒道两家中的有价值成分无不具备于佛教，而佛教较之儒道两家都更注意人死后之事。为了进修佛学，他于804年到中国。他在京城长安遇高僧惠果（746～805），成为惠果的得意门人，得惠果临终密传，回国后得敕许弘扬新教义。816年在日本中部高野山建寺，该寺目前仍是日本最大且最有势力的寺院之一。在20世纪70年代末，真言宗共有约1.25万寺，信众近1 200万。空海不仅是哲学家和高僧，还是诗人、画家和书法家。他的影响所及，亘身后两个世纪日本宗教艺术的发展。事实上，该时代遗留下来的艺术作品中，许多都写真言宗题材。主要作品《十住心论》采用汉诗体，把儒、道两家以及佛教各宗经籍分为十级，最高一级是真言宗著作。

Kukenaam Falls　库克南瀑布　西班牙语作Salto Cuquenán。圭亚那和委内瑞拉边境大瀑布。源自平顶的库克南山（8 620英尺[2 627米]），落至罗赖马山（9 094英尺）西北。为卡罗尼河支流库克南河源头。落差2 000英尺，为南美洲落差最大瀑布之一。

Kukhak（ancient Korean university）　参阅**Sŏnggyun'guan** *成均馆*。

Kuki　库基人　住在印缅边境米佐（旧称卢谢）山区的蒙古族民族，20世纪70年代人数约3万。他们受到人口较多的米佐人的同化，采用后者的习俗和语言。库基人传统上居住在丛林中,聚为小型住区,各有酋长治理。现在的库基人生活在竹林中,与外界隔绝,竹林可为他们提供住所和手工艺品原料。他们焚烧丛林开荒,种植稻谷,猎捕野兽,饲养狗、猪、水牛、山羊及家禽。

kukri snake 廓尔喀刀蛇 游蛇科小头蛇属(*Oligodon*)爬行动物,50～60 种。其后牙大,宽而弯曲,似廓尔喀军刀,故名。产于亚

廓尔喀刀蛇(*Oligodon*)
美国不列颠百科全书公司供图

洲东部和南部。所有种类皆卵生。大多数体长不及 90 厘米。主要以鸟和爬行动物的卵为食。

kul 库尔 又拼kula。梵语原意为"集合"或"家庭",指南部印度以外的印度家庭单位,在某些情况下,或指扩大的家庭。库尔一词最常见的意思是指一个当代现存家庭,不过这一意义有时有所扩展,例如,"家庭"含有家系之意时,就是这样。在印度社会条件下库尔是指父系家庭单位,通常由 3 代人组成,共同居住在一个大院,以祖父或祖父长子为当家人。各代人娶来的媳妇也加入这个家庭。家庭财产公有,分家在传统上为人所不齿。这种合居家庭的分裂及另立门户通常出现在祖父死后。合居制度有利于巩固土地所有权和资源的共同使用,不过在现代经济生活的流动性、先进的交通工具以及扩大的就业机会等方面的压力下,库尔制度正趋于消亡。库尔的特殊用法有所谓"火族",是拉贾斯坦的拉杰普特王朝自称为刹帝利种姓而构想的一个家族名称。另一种特殊用法是"古鲁族"教育体系,生员进入宗师之家,习诵吠陀经及其他课程,即成此族成员。

kula 库拉 美拉尼西亚群岛东南部特罗布里恩岛上民族的交易制度。在这种交易中,永久的订约伙伴按照规定的仪式和贸易路线进行传统的贵重物品交易。据英国人类学家 B.马林诺夫斯基描述,在方圆几百英里内,只有两种货物从相反的方向进来交易。一是红贝壳项链,另一种是白贝壳手镯。这些不是生产者的资本,既不能作消费品用,也不能在这种仪式之外作为交换的媒介。库拉物品间或标有名称及其历史,占有它们仅仅是为了威望和地位。每一项交易中的细节都由传统的规章予以制约,有些交易活动还要伴以宗教仪式及各种礼节。只有男子参加交易,人数有所限制,双方各持交易物品,少顷与其伙伴交换,这种交换关系涉及相互的责任与义务,而且是终生信守的。因此,根据库拉所形成的关系网,可使许多部落结成联盟,交流物质文化和精神文化。

Kula carpet 古剌地毯 Kula又拼作Koula。土耳其西部伊兹密尔以东古剌市镇的手织铺地用品。古剌祈祷毯生产于 19 世纪和 20 世纪初,为收藏家所珍视。其图案中的拱门(指明通往圣城麦加的方向)一般不高,两边呈直线,神龛的柱状侧边可为宽丝带状的垂饰,中间花饰有时极为精致。19 世纪末有一个品种,图案是一行行树和小房屋一类的风景,这种地毯叫做"葬毯",据说是举行葬礼时用的。早期的古剌祈祷毯采用艳红和鲜蓝色,但染色技术很快就失传了,在后来的制品中红色变成土棕色和黄色搭配,再用蓝色提色。早期地毯不如吉奥狄斯地毯精细,后来的尤其粗糙。后又增加一些品种,如库姆佐古剌深色地毯,是仿制特兰西瓦尼亚地毯图案,有凸出的花瓶图形和黄色大边。

kulak 富农 俄国历史上的富裕农民,一般拥有较大的农场和几头牛马,能够雇用劳动力并出租土地。1917 年革命前,富农是俄国农村中的主要人物。在战时共产主义时期(1918～1921),苏维埃政府组织贫农委员会管理农村和监督征收富裕农民手中的粮食,从而削弱了富农的地位。但 1921 年实行的新经济政策对富农有利。1927 年苏联政府开始改变农村政策,增加富农的纳税额,限制他们出租土地。1929 年开始加速农业集体化运动,同年底发动"消灭富农阶级"的运动。1934 年当 75%的农村实现集体化时,大多数富农被放逐到边远地区或被捕,土地财产一律充公。

Kulakova, Galina 库拉科娃(1942-04-29,苏联乌德穆尔特洛加奇[今在俄罗斯]～) 全名 Galina Alekseyevna Kulakova。苏联滑雪运动员。1969～1971 年北欧滑雪全国冠军。在 1972 年冬奥会北欧滑雪的 3 个主要项目(5 000米、10 000米和 3×5 000米接力)中均获金牌。1976 年冬奥会 4×5 000米接力第一,她个人获10 000米铜牌。当年她本可以获5 000米铜牌,但在鼻涕中发现有违禁物质麻黄素,被取消资格。1980 年获 4×5 000米接力银牌。后在乌德穆尔特运动委员会任教练数年。1984 年获国际奥委会奥林匹克奖章。

kulan 蒙古野驴 产于蒙古的亚洲野驴。参阅 **ass**。

Kuldja(China) 参阅 **Yining** 伊宁。

Kuldja, Treaty of 《伊宁条约》(1881-02-24) 即《中俄改订条约》,亦称《伊犁条约》、《圣彼得堡条约》,俄国强迫中国签订的不平等条约。1871 年 7 月俄国乘浩罕汗国头目阿古柏进入中国新疆,占据乌鲁木齐并向东进犯之际,借口保护侨民出兵强占伊犁。事后中国多次交涉收回,均无结果。1877 年清政府歼灭阿古柏军,次年派崇厚去俄国交涉。1879 年 10 月俄政府胁迫崇厚签订《里瓦机亚条约》。按约仅归还伊犁城,但割去伊犁西面霍尔果斯河以西、伊犁南面特克斯河流域和塔尔巴哈台地区斋桑湖以东的土地;还允许俄国在嘉峪关、乌里雅苏台(今蒙古境内)、科布多(今蒙古境内)、哈密、吐鲁番、乌鲁木齐、古城(今新疆奇台)等 7 处设领事馆;偿付兵费500 万卢布。中国舆论大哗,清政府拒不批准条约,将崇厚治罪。1880 年 2 月派曾纪泽赴俄谈判改约。经反复谈判,1881 年 2 月 24 日在圣彼得堡签订《中俄改订条约》,争回特克斯河流域。霍尔果斯河以西和斋桑湖以东地区仍被划归俄国,"兵费"赔款增至 900 万卢布。通过随后签订的 5 个勘界议定书,总计割占中国领土 7 万多平方千米。

Kulebaki 库列巴基 俄罗斯西部的下诺夫哥罗德州城市,位于乔沙河谷。冶金业是经济基础,有炼钢厂,生产机车和火车车厢部件。面粉及木材加工亦重要。设有冶金工艺学院。人口约45 700(1991)。

Kuleshov, Lev Vladimirovich 库列绍夫(1899-01-13,俄国坦波夫～1970-03-29,莫斯科) 苏联电影理论家兼导演。认为运用蒙太奇(即影片的剪辑和形象的编排)构成影片是影片创作中的主体。在印证这个理论的一项著名试验中,他运用一个演员的无表情的特写镜头。把这个镜头接在一盘菜汤的镜头之后时,观众觉得,这个演员显出想吃东西的表情;而把这个镜头与一个灵床的镜头并列时,观众则觉得他显出悲戚的表情。每一场面观众都赋予这个演员一种表情,而这种表情实际上只是由图像的前后顺序决定的。1917 年导演第一部影片《普赖特工程师的设计图》,对蒙太奇和特写镜头的有效运用进行试验。此后的 10 年间,他在影片中逐渐形成自己的风格,这些影片包括第 1 部把纪录片镜头和场次表演结合起来的苏联影片《在红色战线上》(1920)以及根据杰克·伦敦关于 3 个人被大雪封闭在一座木屋里整整一冬的故事而拍摄的影片《按照法律》(1926)。1920 年成立库列绍夫工作室从事训练演员和导演。在他的指导下构成一种新型表演方法的基本原则,规定演员的每个动作都要经过仔细设计以适应整个影片的结构。1935 年受到批判,被指责强调影片的技巧结构而不注重其社会内容。此后便没有再摄制重要影片。主要理论著作有:《电影的艺术》(1929)、《电影导演的实践》(1935)和《电影导演基础》(1941)。

Kulhwch and Olwen 《库尔威奇和奥尔温》 威尔士散文传奇故事,已知的亚瑟王最早的传奇故事之一。它所叙述的是一个巧妙地熔神话、民间文学和历史的话题于一炉的轻松愉快的故事。其最早的稿本成于 14 世纪早期,题为《赖德奇的白书》,其第 1 个译本出于夏洛特·格斯特夫人之手,是从《赫格斯特的红书》(约 1375～1425)译出的,被收入她的译品集《马比诺吉昂》中。故事按继母虐待其丈夫的前妻之子的民间故事常见的公式构制。库尔威奇拒绝与她的继母的女儿成婚,继母告诉他:除非他能赢得歹毒的巨人伊斯帕达登·彭卡阜的女儿奥尔温,他此生不得结婚。由于有预言称:奥尔温成婚之日,即她的父亲赴死之时,其父先企图杀死库尔威奇,后又同意两人完婚,条件是库尔威奇必须力破数道凶险,为他取回 13 件他梦寐以求的宝物。库尔威奇在其表兄亚瑟和亚瑟手下人,包括凯伊(凯爵士)和格瓦尔奇梅(加韦恩爵

士)帮助下,历经艰险,回到了伊斯帕达登身边,但仅带来了部分宝物。库尔威奇最后终于将巨人杀死,然后与奥尔温成亲。

Kuliab(Tajikistan)　参阅**Kulyab**库利亚布。

Kulikovo, Battle of　库利科沃战役(1380-09-08)　俄罗斯人击败金帐汗国军队的一次战斗,从此,俄罗斯土地摆脱鞑靼人而独立发展。1380年镇守金帐汗国西部的武将马麦进犯俄罗斯的土地。俄罗斯人在弗拉基米尔大公季米特里·伊凡诺维奇的领导下进行抵抗,9月8日在顿河上游库利科沃旷野迎战马麦的军队。战斗异常激烈,双方伤亡惨重。为纪念顿河的胜利,季米特里获得顿斯科伊的称号。但这次胜利的政治后果很少,两年后金帐汗国军队卷土重来,迫使俄罗斯人再次臣服。

Kulin　库林(?～1204或以后)　匈牙利国王派驻波斯尼亚的总督,对伊斯兰教从15世纪起在波斯尼亚的壮大负有间接责任。由于政治原因,他脱离天主教,支持鲍格米勒派,并带领许多波斯尼亚人参加这个巴尔干新摩尼教二元论教派。波斯尼亚被奥斯曼土耳其人征服时期(1463～1464),大批波斯尼亚鲍格米勒派教徒改信了伊斯兰教。

Kulinism　库利那制　印度关于种姓与婚姻的一种制度,据称是12世纪孟加拉的巴拉拉·森纳王(1158～1169在位)所创。此词源于梵语 kulīna,即"好家庭"之意。男贵女贱的婚配只有最上层3个种姓才有资格。最高级的婆罗门种姓分为36个亚种姓,而亚种姓之间不能通婚。在同一亚种姓内,配偶必须属于共同祖先的同一世代。这样一来,最高层的女子就缺少可以匹配的夫君,从而出现一夫多妻的现象,有时一个男人有50多个妻子,其中大多数他既未见过,也未供养过。19世纪时,这一制度受到改革者的抨击,逐渐消失。

Kuljab(Tajikistan)　参阅**Kulyab**库利亚布。

Kullu　古卢　又拼作Kulu,旧称苏丹普尔。印度西北部喜马偕尔邦中部城市。傍贝阿斯河。与邦首府西姆拉有公路相通。为农产品

古卢市一角
Shostal 供图

贸易中心。主要工业为手工织布。周围地区出产茶叶、水果、小麦、大麦及其他农产品。大部地区为森林覆盖。中世纪时该地区曾是强大的拉杰普特土邦的一部分。人口约14 566(1991)。

Külpe, Oswald　屈尔珀(1862-08-03,俄罗斯帝国库尔兰坎道[今拉脱维亚坎达瓦]～1915-12-30,德国慕尼黑)　又译屈尔佩。德国心理学家、哲学家,维尔茨堡心理学派思维过程实验研究的倡议者。1887年在莱比锡大学为W.冯特完成了关于感性情感的论文,后主要作为冯特的助手在莱比锡实验室工作了8年。1888年任该大学编外讲师。1893年发表《心理学大纲》,把心理学定义为一种以研究经验者的经历为基础的科学,并概述了实验心理学的一些研究成果。1894年任维尔茨堡大学教授,在他的鼓励和指导下,该校发表了约50篇实验研究报告,其中最著名的是他的关于态度和作业对知觉的影响的研究以及关于回忆和思维过程的研究。1909年他到波恩大学任职,1913年在慕尼黑大学任职。他去世前仍在撰写另一部系统的实验心理学著作《现实论》(3卷,1912～1923),对认识论做出重大贡献。

Kültepe　灰山　土耳其中部开塞利省的一个古代岗丘,地下有青铜器时代的古城卡内什。19世纪已为考古学家所知,但传闻这里有用古亚述楔形文字书写的所谓卡帕多细亚

公元前1950～前1750年的狮形灰山陶罐
美国不列颠百科全书公司供图

泥板之后,它才引起人们特别的重视。1925年彼得里齐·赫罗兹尼终于在岗丘之南和东南的新月地带发现一些泥板。这个地带原是古亚述商人和土著居民的杂居场所。从1948年起,每年由土耳其历史学会不断发掘,已出土几千块约公元前20～前18世纪的的泥板,板上皆为古亚述文书。

Kulturkampf　文化斗争　德国首相俾斯麦为把天主教会置于国家控制之下而进行的尖锐斗争(约1871～1887)。1873年开始使用这个词,当年,科学家、普鲁士自由派政治家R.菲尔绍宣称与天主教的斗争具有"为人类利益而进行伟大斗争的性质"。新教徒的俾斯麦完全不相信新建的德意志帝国内的罗马天主教徒的忠诚,而以中央党为代表的天主教徒也不信任在帝国内占统治地位的信奉新教的普鲁士,并经常反对俾斯麦的政策。1871年7月撤销普鲁士文化部(即教育和宗教事务部)天主教事务局,11月禁止教士利用讲坛发表政治见解。1872年3月,使全部教会学校都接受国家监督;6月,把所有当教士的教师排除出学校;7月,将德国的耶稣会解散;12月,与梵蒂冈断绝外交关系。1873年普鲁士文化大臣法尔克颁布五月法令,由国家严格控制教士的培训甚至教职的任免。1875年,斗争达到顶点,全国一律采用世俗结婚仪式;对不遵守国家规定的教区取消国家津贴;放逐违抗命令的神职人员;没收全部教会财产。俾斯麦的措施遭到天主教徒的强烈反对。俾斯麦是一个实用主义者,决定作出让步。1887年教皇利奥十三世宣布冲突已结束,大部分反天主教立法已废除或放宽。

Kulturkreis　文化圈　把文化丛作为一个实体看待,并认为这个实体是以其发源地为中心而扩散到世界广大地区的一种概念,是20世纪早期人类学德国学派的中心概念。这一概念是由民族学家F.格雷布纳和W.施密特提出的。他们认为,为数不多的文化圈是在不同时间、不同地点建立起来的,所有的文化,无论古代的还是近代的,都是文化中心的文化丛扩散的结果;文化丛则是功能上相互关联的文化特征群。该学派的支持者相信,通过分析一种文化中的各个文化丛,并溯源到一个或几个文化圈,可以再现任何文化的历史。后来的人类学家曾对文化圈的概念在建立文化史的准确性方面提出疑问,并指出它的许多弱点。首先,基本文化丛必须被看做是"公理",亦即是一个特定地点内随意产生的一组文化特征。文化圈论者往往把类似特征误为同源现象,因而把那些实际上不可相比的现象进行比较。其次,他们假设的文化接触的可能性,似乎是在难以置信的距离之外出现,同时又对独立的创新过程予以否定。最后,大多数人类学家认为,真正的文化丛现象范围过于广泛、庞大,无法用少数文化圈的相互作用来加以解释。

Kulu(India)　参阅**Kullu**古卢。

Kulunda Steppe　库伦达草原　西西伯利亚平原最南部的低地。大部分在俄罗斯境内,西部在哈萨克斯坦境内。略呈三角形(一角指向南方),面积约10万平方千米。地势较低,水系稀少,降雨量不足,多咸湖。库伦达湖最大,湖水可提取芒硝和纯碱。巴甫洛达尔(**Pavlodar**)位于草原西缘。

Kulyab　库利亚布　又拼Kuliab或Kuljab。塔吉克斯坦西南部城市。位于哈兹拉季绍赫山麓亚赫苏河谷,杜尚别东南200千米处。曾为吉萨尔(希萨尔)山谷通往阿富汗商路上的贸易站。周围地区种植棉花和谷物,山区养

羊。工业有食品加工和建材。设有师范学院和医科学校。阿富汗内战(2000)晚期,该城是阿富汗民兵的主要供给地。人口约79 500(2002)。

Kŭm River 锦江 韩国西南部河流,发源于全罗北道全州东面。向西北流经忠清北道,再折向西南,至群山注人黄海。全长401千米,可航段130千米。锦江流域为富饶平原和金矿产区。1980年在支流上建成长达495米的拦河坝,每年向锦江中游的清州、论山、江景等城市提供水源和电力。

Kuma-Manych Depression 库马-马内奇洼地 又称马内奇洼地。俄罗斯西部俄罗斯平原与北高加索山麓之间的洼地,通常被认为是欧、亚大陆的真正分界线。西北-东南走向,从顿河河谷延伸到里海低地,宽度一般为20～30千米,中部有些地方只有1英里或更窄。多盐湖,如马内奇古季洛湖。该湖与顿河支流西马内奇河有运河相通。西部属西马内奇河流域,东部属东马内奇河及库马河流域。两流域的分水界仅隔26米。植被为特有的羽状禾草和其他半干旱型草木。

Kumagaya 熊谷 日本本州埼玉县城市。濒临荒川。德川时代为驿镇和蚕丝市场,是荒川水运终点。第二次世界大战中,城市中部被毁。战后发展成为埼玉县北部商业、行政、交通中心。有缫丝业和重工业。人口约156 216(2000)。

Kumamoto 熊本 日本一县。位于九州中部,濒临天草海。熊本市是该县首府。面积7 408平方千米,包括天草群岛在内。以农业为主,生产的稻米有余量供应九州北部的工业城市,还有若干蚕丝、蔺草(编塌榻米用)、烟叶和其他经济作物。内地山区林业重要,沿海及属岛经济以渔业为主。工业产品有食品、棉纺织品、化学品、纸浆、纸张和陶瓷品。县东北部有阿苏国立公园,阿苏火山海拔1 592米,其巨大的火山口为旅游中心。人口约1 858 000(2002)。

Kumamoto 熊本 日本九州中部熊本县县府,为该地最大和最有影响的城市。以古城堡及水前寺公园(日本三大名园之一)闻名。1877年古堡部分被毁,1960年修复。堡内有市历史博物馆,展示日本古代兵器及历史遗物。水前寺公园建于1632年。1949年熊本

熊本市的水前寺公园
美国不列颠百科全书公司供图

市建有一所大学。主要工业为纺织、农业机械、电器设备和食品。人口约662 012(2000)。

Kuman 库曼人 参阅 **Kipchak** 钦察人。

Kumanovo 库马诺沃 马其顿北部城市。位于斯科普里的东北面,在连接塞尔维亚尼什和斯科普里的铁路和公路线上。工业有烟草加工和罐头制造业。城东13千米的老纳戈里恰内隐修院建于1318年,现收存有珍贵壁画。附近还有马泰伊茨隐修院。人口:城市区103 205(2002)。

Kumāra(Hindu god) **鸠摩罗** 参阅**Skanda** 塞犍陀。

Kumārajīva 鸠摩罗什(344～413) 又译"鸠摩罗什婆"或"鸠摩罗耆婆",略称"罗什"或"什",意译"童寿"。中国后秦佛教学者、佛教四大翻译家之一。生于西域龟兹国(今新

陕西户县草堂寺(左)及寺内鸠摩罗什舍利塔(右),传鸠摩罗什在此译经、讲道
中国大百科全书出版社供图

疆库车一带)。7岁随母出家,学小乘佛教毗昙学,继到罽宾、疏勒,学《阿含》等经。后遇莎车国大乘名僧须利耶苏摩,改学大乘。博读大小乘经论,名闻西域诸国。前秦建元十八年(382)苻坚遣吕光灭龟兹,劫罗什至凉州(今甘肃武威)。后秦弘始三年(401)姚兴迎罗什至长安(今西安)主持译经,待以国师之礼。8年间与弟子共译出《坐禅三昧经》、《阿弥陀经》、《大品般若经》、《妙法莲华经》、《维摩诘所说经》、《金刚经》和《中论》、《百论》、《十二门论》、《大智度论》、《成实论》等,译经总数据《开元释教录》为74部384卷。罗什所译经论称为"新译",在内容技巧上有很大提高,创中国译经史新纪元。著作有《实相论》、《维摩经注》和《大乘大义章》。鸠摩罗什在翻译讲经中,培养了一代佛教学者。史载在关中讲经时四方就学沙门达3 000人,著名的道生、僧肇、道融、僧睿、道恒、僧影、慧观、慧严称为什门八俊,而生、肇、融、睿又称为什门四圣。印度大乘佛教分为中观和瑜伽二系,鸠摩罗什弘扬中观法门,所译经论对中国佛教发展影响极大。《中论》、《百论》、《十二门论》为三论宗主要经典;《成实论》流行江南,形成成实学派;《法华经》新译推动天台宗的创立;《阿弥陀经》则为净土宗的主要经典。

Kumaratunga, Chandrika Bandaranaike 库马拉通加(1945-06-29,锡兰科伦坡[今在斯里兰卡]～) 斯里兰卡的第一位女总统(1994～2005)。出身斯里兰卡政治家族,其父母均担任过锡兰(斯里兰卡)总理。在巴黎和伦敦的大学学习政治学、经济学、法学和新闻学。1984年和丈夫V.库马拉通加一起转向政坛,帮助建立斯里兰卡人民党。1988年丈夫被暗杀,她组建统一社会主义联盟。90年代初成立左翼的人民联盟。1994年大选,人民联盟取得议会多数席位,8月19日库马拉通加成为总理。11月9日的总统选举中她以压倒多数当选。11月14日任命她的母亲班达拉奈克夫人为总理。1995年提出修宪,斯里兰卡成为联邦,各地区包括少数民族泰米尔地区,均有地方自治权。但泰米尔分离主义者的暴力行动并没有减弱。1999年选举中,针对僧伽罗人和政治人物的暴力行动不断升级。在一个选举会场上,泰米尔猛虎组织策划的爆炸使30多人被害,库马拉通加受伤。她后来再次当选,发誓镇压恐怖叛乱,但寻求与温和的泰米尔分子妥协。2001年反对党统一国民党在议会选举中获胜,R.维克拉马辛哈成为总理,两人经常发生冲突。她反对他的和平努力,认为叛乱者已经得到太多让步。2004年她提出再次举行大选,统一国民党落败,改由鹰派的M.拉贾帕克萨任总理。根据宪法她不能三次连任,2005年由拉贾帕克萨继任总统。

Kumarhata(India) **古默尔赫德** 参阅 **Hālisahar** 哈利瑟赫尔。

Kumasi 库马西 又拼Coomassie。加纳中南部城市。地处山丘间密林带,气候湿热。17世纪的一位阿散蒂国王以此地作为其首都。因在南北商路上,成为重要商业中心。

库马西市的中心医院
美国不列颠百科全书公司供图

英国人1874年打败阿散蒂王国,开辟了新的商道,库马西的重要性降低。20世纪初英国人控制该城,种植可可,修筑了通往塞康第的铁路。城市再度繁荣,人口迅速增加。库马西仍为阿散蒂国王驻地,保留有国王的宝座以及象征皇家权威和人民团结的金凳。该市有"西非花园城"之称,分为商业、工业和居住区。最古老的城区在一个英国要塞(1897,现为加纳大博物馆)四周,人口稠密。这座古老城镇已经现代化,有平整的街道、公园、花园和库马西中央医院。除中小学和师范学院外,还有科技大学与夸达索农业站。阿散蒂文化中心设有博物馆、动物园和地区图书馆。地处公路枢纽,种植可可,该城十分富足。中央市场为西非最大的市场之一。手工艺品亦为收入重要来源。人口约601 600(2001)。

Kumayri 库麦里 又拼 Gyumri。1924 年前称亚历山德罗波尔，1924～1990 年称列宁纳坎(Leninakan)。亚美尼亚城市。据说公元前由希腊人所建，1837 年由俄国人建为要塞。1840 年在附近建有亚历山德罗波尔镇，曾为商业和行政中心，后工业获得发展。1924 年为纪念苏联领袖列宁而更名。1990 年改用今名。现为亚美尼亚第 2 大城市，为纺织和机器制造中心，也生产自行车、科学仪器和食品等。设有师范学院。1988 年 12 月 7 日亚美尼亚西北部发生地震，几乎所有多层大楼均倒塌，造成大批人员伤亡。人口约120 000(1989)。

Kumazawa Banzan 熊泽蕃山(1619，日本京都，～1691-09-09，下总) 日本政治哲学家，中国理学家王阳明(1529 卒)的私淑弟子，为日本阳明学之第一位学者。出身"浪人"(无主武士或曰浪士)，15 岁即成为冈山蕃主池田光政的家臣。他勤苦自学，醉心于反对学院式空谈而主张直接行动的阳明学说。1647 年被藩主任命为冈山藩的"番头(三千石)"(即首席行政官)，对他无疑是一殊荣。他为了发展农业，除采取其他措施外，企图恢复过去的物物交易经济，遭到反对，1656 年被迫辞职，余年致力于读书和写作。他一反用古典汉语撰写哲学著作的常规，使用通俗日语。鼓吹按才录用，反对任人唯门庭身世是问，并主张政府多管经济，放宽中央对藩主的控制。他的主张招致当局不满，晚年一直受到拘禁或监视。

Kumba 昆巴 又拼 Koumba。喀麦隆西南部城镇。为重要运输中心，有铁路通往杜阿拉，公路通往布埃亚、马姆费、巴方和杜阿拉。为油棕榈、橡胶、茶叶、香蕉、大蕉、可可的贸易中心。有食品加工、建筑和木材工业。设有医院和医学研究中心。周围地区以其众多瀑布和附近的巴罗姆比姆博湖公园而闻名。人口约70 280(1987)。

Kumbakonam 贡伯戈讷姆 印度东南部泰米尔纳德邦中东部城市。位于高韦里河三角洲。7 世纪时为朱罗王朝首都，有许多毗湿奴教和湿婆教庙宇，还有一座少见的梵天庙。为古代商业中心。以稻米与槟榔叶等食品及手织丝绸和钟铜锅釜的贸易著称。该市位于德伦格巴尔(东)到蒂鲁奇奇拉帕利(西)的公路和铁路线上。素为婆罗门教学术中心，现有马德拉斯大学的几个学院。人口：市约139 449；都会区约150 502(1991)。

贡伯戈讷姆市的毗湿奴教神庙

美国不列颠百科全书公司供图

Kumbh Mela 无遮大会 印度最盛大的朝圣节日。无遮大会是一河边举行的宗教集会，每 12 年内举行 4 次，其地点分别为：恒河之畔的赫尔德瓦尔，锡布拉河畔的乌贾因，哥达瓦里河畔的纳西克，恒河、亚穆纳河以及圣河瑟勒斯沃蒂河交汇处的安拉阿巴德。无遮大会期间，在这些河中沐浴被看做一种功德之举，可以洁身洗心，因之信众成千上万。中国高僧玄奘曾记述他在 7 世纪时参加一次安拉阿巴德无遮大会的盛况。他与戒日王一同到达现场，目睹这位印度君主热心布施的情景。公元 8 世纪时，哲学家商羯罗在印度的东、西、南、北各建寺院一处，鼓励圣者们在无遮大会期间群聚寺内，进行讨论，各抒己见。此外，苦行僧和瑜伽派修行者在无遮大会期间所举行的非正式集会，都起到一种"印度教会议"的作用，用以讨论教义及必要的改革，因而也是吸引朝圣者的重要场所。那些终年不着衣裳的圣者，那些实行最严苛的肉体修行的苦行僧，那些只有在朝圣时节才放弃其孤独生活的隐士，那些使用现代麦克风和公共喊话系统对群众、对骗子、对真正圣人大声疾呼的教师——这些人们属于所有教派，来自印度各地——都麇集于此，在沿河边搭起的帐幕里接待前来问"道"的朝圣者们。在印度举办朝拜圣地的活动，始终给人以危险丛生之感，尽管印度政府已经成功地控制住了从前无遮大会期间所发生的霍乱流行和到处出现的谋杀和绑架案件，但不幸事件仍时有发生。1954 年在安拉阿巴德无遮大会场地，群众突然冲向河边浴场，混乱中造成 500 多人丧生的惨剧。《往世书》中对于无遮大会曾有所解释：天神与魔鬼为争夺装在罐中的长生不老液而发生战斗，原因是这种长生饮料原是他们共同搅拌乳海而产生的。战斗中，液体滴在地球上的 4 个地方，那就是举办无遮大会的 4 城市所在之处。另有一种传说则提到了无遮大会作为祈求丰收的节日的这一方面。据说从前人们当此吉祥盛会期间，就把装入罐中的谷物浸入河中，然后再把这种"圣谷"作为种籽同一般种籽一起播在田里以保证丰收。

Kumbi 昆比 又称昆比萨利赫。9～13 世纪西非的一个商业大帝国古加纳的最后一个首都，在今马里的巴马科以北 322 千米处，1240 年以前为西非最大城市，人口超过 1.5 万。内有两个城市。其一由国王居住，另一由穆斯林商人居住。

Kume Masao 久米正雄(1891-11-23，日本上田～1952-03-01，镰仓) 日本小说家、剧作家。20 世纪 20 和 30 年代日本最受欢迎的作家之一。学生时代他便在学校的著名文学刊物《新思潮》上同作家芥川龙之介和菊池宽有联系。在中学时，他已开始作俳句，甚至在 1914 年出版了一部诗歌集，但是在 1916 年东京帝国大学毕业之前，他已转向戏剧。剧作《送牛奶人的兄弟》(1914)是这一时期的成功之作。他和芥川龙之介一道，拜小说家夏目漱石为师。《考生手记》(1916)和《虎》(1918)是他最出色的两个短篇小说。

Kumi 龟尾 韩国中南部庆尚北道城市。位于龟尾川与洛东江汇合处附近。是工业城市和韩国最大的内地工业综合体(面积近 10 平方千米)所在地。以制造电子产品为主。金鳌山(海拔 977 米)在市西南，山顶有古堡和庙宇。人口206 121(1990)。

Kumillā(Bangladesh) 参阅 **Comilla** *库米拉*。

Kummer，Ernst Eduard 库默尔(1810-01-29，普鲁士勃兰登堡索拉乌[德国]～1893-05-14，柏林) 德国数学家，他引进理想数(定义为一个环的特殊子群)，把算术基本定理扩展到复数域。他先后在索拉乌和利格尼茨的大学预科任教 1 年和 10 年后，1842 年任布雷斯劳大学数学教授。1855 年接替 P.G.L.狄利克雷任柏林大学数学教授，兼任柏林军事学院教授。1843 年他把他对费马大定理(当 $n>2$ 时，$x^n+y^n=z^n$ 无正整数解)的尝试性证明寄给狄利克雷，狄利克雷指出其中的一个错误，以后，他继续研究这个问题，发展了理想数的概念，用它证明了费马关系式除一小群素数外，对所有素数都是不可解的，因此，他为最终完全证明费马大定理奠定了基础。由于他取得的这项巨大进展，巴黎科学院 1857 年授予他大奖。理想数使代数数的算术能有新的发展。他受到 W.哈密尔顿关于光线系统的研究的启示，发展了库默尔曲面，这个曲面是四维空间中的波面。他还扩展了 C.F.高斯的超几何级数的研究，发展了对微分方程理论很有用的内容。

Kumo 库莫 尼日利亚东北部包奇州城镇，贡贝酋长国最大城镇之一。为花生、棉花和玉米的集散地，也是周围地区的坦加勒、富拉尼和豪萨人种植的高粱、粟、木薯、花生和饲养的牛、羊、马、驴的贸易中心。地处贡贝至比利里的公路上。人口约137 400(1993)。

kumquat 金橘 芸香科金橘属(*Fortunella*)几种常绿灌木或小乔木。原产于东亚，亚热带地区包括加利福尼亚南部和佛罗里达皆有栽培。株高达 2.4～3.6 米。枝无刺。叶深绿色，有光泽。花白色，似柑橘花，单生或成簇腋生。果鲜橘黄色，圆球形或宽椭圆形，直径 2.5 厘米；果肉微酸，多汁；果皮多肉，有甜味，可食；果可鲜食或制罐头、果酱和果冻，在中国可制蜜饯。在美国部分地区及某些其他国家，金橘树枝用作圣诞节的装饰品。金橘(*F. margarita*)为最常见种，原产中国南部，果黄色，直径约 3 厘米。圆金橘(日本金橘，*F. japonica*)果似柑橘，直径 2.5 厘米；生长于

一种金橘(*Fortunella*)
美国不列颠百科全书公司供图

日本。金弹(*F. crassifolia*)据认为是属间杂种,中国广泛栽培;果卵形,果肉和果皮均甜。在美国已培育出与酸橙、橘以及柑橘属其他果树的杂种。

Kumran(Essene site) 参阅 **Qumrān** 库姆兰。

Kun(people) 参阅 **Cuman** 库曼人。

kun 训读 日语中对汉字的两种读法之一(另一种是音读)。日语中汉字的双重读法来自其双重价值:即汉字原来的词义与汉字在日语中的发音这两种因素。训读对日语中汉字所赋予的读法是日语本来的词或词素的读音,而这种词或词素往往在词义上与汉语是对等相同的。

Kun, Béla 库恩(1886-02-20,奥匈帝国匈牙利特兰西瓦尼亚斯济拉居艾谢[今在匈牙利]~1939-11-30?,苏联) 匈牙利共产党领导人,1919年匈牙利苏维埃共和国主席。库恩是一个犹太乡村职员之子,年轻时即热衷

美国不列颠百科全书公司供图

于社会民主党的政治活动,先是在特兰西瓦尼亚,后在布达佩斯工作。第一次世界大战爆发后,应征入奥匈帝国的军队。1916年在俄国被俘,参加了布尔什维克党,受到列宁的赏识,接受了革命战术的训练。1918年11月同盟国垮台后返回匈牙利,他开始创办共产主义的报纸,并于1918年12月20日成立了匈牙利共产党。虽然他于1919年2月遭到卡罗伊政府的监禁,但仍被准许在牢房中继续指导匈牙利的共产党。他的广泛宣传将社会鼓动与作出许诺相结合,声言一旦掌权,将会得到苏联援助,反对当时占领匈牙利部分国土的罗马尼亚军队。1919年3月20日库恩被卡罗伊释放,次日即作为外交人民委员在新的共产党-社会民主党联合政府中取得了支配地位。他的政权利用当时普遍的民族主义高昂情绪,建立了一支红军,很快收复了很大一部分被捷克斯洛伐克和罗马尼亚侵占的土地。库恩并在很短时间内用恐怖手段将政府中的温和分子清除出去。然而苏联的援助并未到来,而库恩由于未将匈牙利的田庄分给农民而是实行了国有化,脱离了农民,结果食物分配中断了,军队拒绝作战,这个政权于1919年8月1日垮台,库恩逃往维也纳。作为第三国际的一名领袖,库恩在20年代几次试图在德国和奥地利发动革命。他最终被指控犯了"托洛茨基主义"错误,成为30年代后期斯大林的一次清洗中的牺牲品。虽然精力充沛、聪颖过人,库恩的共产主义观点却是僵化的和教条主义的,当他在匈牙利短暂当政时,对于他的政策之不得人心竟漠然处之。尽管他有组织才能,但却未能掌握住实际治理国家的复杂情况或国际共产主义运动内部权力斗争的策略。

K'un-ming Ch'ih(China) **昆明池** 参阅 **Dian Chi** 滇池。

Kuncan 髡残 参阅 **Shixi** 石谿。

Kuncewicz(owa), Maria 昆采维奇(1899-11-11,俄罗斯萨马拉~1989-07-15,波兰下卡齐米日) 波兰长、短篇小说作家,散文家和剧作家。父母于1863年1月波兰起义后被流放到俄国。两岁时随家人重返波兰华沙。昆采维奇曾就学于克拉科夫大学、华沙大学和南锡大学。处女作《男性的面貌》(1928)为她奠定了作家的地位。她以深入刻画心理状态见长,但并不乏微妙的讽刺和诗意的抒情格调。长篇小说《陌生人》(1936)是她的杰作,曾荣获1937年华沙文学奖。长篇小说《科瓦尔斯基赫的日常生活》(1937)中的一些片断在第二次世界大战前曾在波兰电台广播。1939年,她从华沙逃往巴黎。1940年起定居英国,写了《钥匙》(1943)一书,这是一部文学日记,副标题为"战时欧洲的一次旅行"。1956年昆采维奇移居美国,出版小说、散文集《现代波兰的心理》(1962),后在芝加哥大学讲授波兰语言和文学(1961~1964)。此外,她还写有长篇小说《橄榄林》(1961)和《堂吉诃德和保姆》(1965)。

Kunchev, Vasil Ivanov 库恩切夫 参阅 **Levski, Vasil** 列夫斯基。

Kuṇḍalinī 贡荼利尼 一些瑜伽密宗教义中的宇宙能力。据认为存在于每个人之中,被画成一条盘在脊骨底部的蛇。在合一瑜伽的实践中,要求行家唤醒贡荼利尼,也就是舍格提神。通过一系列的修习,行家让贡荼利尼在身体里由下往上升。途中经过6个想象的中心或者圆轮。当贡荼利尼到达头顶第7圆轮时,练功者会感到不可抑制的和无法形容的幸福境界,神秘地实现与"自我"亦即自身之永恒的本质重行结合。练此功的行家要达到合一的高度,就需要净身、端坐、摒气、宁神等其他瑜伽练功时的一些步骤。

Kundera, Milan 昆德拉(1929-04-01,捷克布尔诺~) 捷克长、短篇小说家,剧作家,诗人,他创作的各种作品熔色情喜剧和政治批评于一炉。昆德拉是著名的钢琴师和音乐学家L.昆德拉之子。他初学音乐,后渐渐转向写作,1953年出版第1本诗集《人:一座广阔的花园》。这本诗集和其他两本诗集《最后的五月》(1955)和《独白》(1957)因语多嘲讽,又有色情文字,勉强得以出版,随即遭捷克当局谴责。他在1948~1950年和1956~1970年间两度加入、退出共产党。昆德拉曾在布拉格音乐和戏剧艺术学院的电影系学习并任教。在出版了几本短篇小说集和一出大获成功的独幕剧《钥匙的主人们》(1962)之后,他的第1部长篇小说《玩笑》(1967)问世。这是他最出色的作品之一,用滑稽、嘲讽的眼光来看斯大林主义时期各类捷克人的私生活和遭遇,被译成数种外国语,在国外备受赞誉。第2部长篇小说《生活在别处》(1969)描写一个时运不济、思想浪漫、双手欢迎1948年共产党接管政府的男主人公,被禁止在捷克印行。

1967~1968年昆德拉曾参与为时甚短的捷克斯洛伐克自由化运动。苏联占领捷克之后,他拒绝承认自己的政治错误,因而受到当局的抨击,所有作品均遭查禁,被解除教职,并被开除出共产党。1975年获准偕同妻子移居法国,在雷恩大学任教。1979年捷克政府取消了他的捷克国籍。其后的作品,如《告别华尔兹》(1976)、《笑和忘却集》(1979)、《生命中不可承受之轻》(1984),都在法国和其他国家而不在他的故国发行,直到1989年。《笑和忘却集》是他最为成功的作品之一,由一系列亦嘲亦谐的文章组成,对现代国家否定和抹掉人类记忆和历史真相的趋势进行思考。

Kundiawa 孔迪亚瓦 巴布亚新几内亚中部城镇。城址原为基督教信义会教堂,为松林覆盖的群山环抱,附近多瀑布、咖啡种植园和菜园。为周围高地的商业中心。由拉穆河水电站提供电力。附近有该地区最大企业咖啡加工厂。建有简易机场,与外界通公路。人口4 800(1990)。

Kundt, August (Adolph Eduard Eberhard) 孔脱(1839-11-18,梅克伦堡-什未林公爵领地什未林[德意志]~1894-05-21,德国吕贝克附近伊斯腊埃耳斯多尔夫) 德国物理学家,创立了气体和固体中声速的测定法。先后在莱比锡大学和柏林大学学习。1867年任柏林大学讲师,次年任苏黎世工业大学物理学教授。1872年到斯特拉斯堡工作,并为该市物理学研究所的创办人之一。1888年任柏林物理学研究所实验物理学教授和所长。在声学实验中,把细粉撒在管内壁,显示声波波节的位置,从而测定波长。还研究了光在液体、蒸汽和金属中的异常色散。他在关于磁光学的著作中,指出某些气体和蒸汽中,偏振面在磁力

影响下转动。

Kuneitra, el-（Syria） 参阅**Qunayṭirah, al-**库奈特拉。

Kunene, Mazisi(Raymond)　库内内（1930-05-12，南非德班～　） 南非诗人。作品受传统祖鲁诗人影响。11岁时就已在报刊杂志上发表用祖鲁文写作的诗歌。1959年入伦敦大学攻读博士学位，但不久卷入政治，未能完成学业。此后以非洲人国民大会正式代表的身份参与政治，并曾在艾奥瓦大学、斯坦福大学和洛杉矶加利福尼亚大学讲授非洲文学。他的从祖鲁文译成英文的诗集《祖鲁诗歌》（1979）受到评论界好评。评论界认为译文不落俗套，别开生面，情节构思和人物形象均源于祖鲁民间传说。库内内将自己的两部祖鲁文史诗原著再度译成英文出版：《查卡大帝》（1979）是一部关于祖鲁王的历史，《圣歌集》（1981）则是一部涉及祖鲁宗教和宇宙观的作品。

Kunene River　库内内河　又拼Cunene。非洲西南部河流。源出安哥拉万博城东北，南流，在奥卢尚贾转向西，后成为安哥拉和纳米比亚的界河，流出巴伊尼斯峡谷，进入纳米布沙漠，流量一般很小，注入大西洋。河口形同潟湖，旱季为沙洲封闭。全长945千米。沿河建有马塔拉大坝、鲁阿卡纳瀑布大坝等水力发电和灌溉工程。

Küng, Hans　金（1928-03-19，瑞士苏尔塞～　） 瑞士天主教神学家。他曾在罗马格列高利大学学习，1957年获公教学院和巴黎大学神学博士学位。1954年受神职为司铎。1959～1960年在西德明斯特大学执教。自1960年起在蒂宾根大学任教，1963年起主持该校普世基督教会运动研究所。金在众多著作中对诸如教皇永无谬误论、基督神性以及关于圣母马利亚的口传教义提出怀疑。1979年梵蒂冈禁止他以天主教神学家身份讲学，此举挑起国际天主教界的争论。1980年蒂宾根大学决定允许他继续授课，但不得代表天主教会，只能代表俗界，天主教会不再予以支持。

K'ung Chi　孔伋　参阅**Zisi**子思。

Kung Hsien（Chinese painter） 参阅**Gong Xian**龚贤。

kung-pi and hsieh-i　参阅**gongbi and xieyi**工笔与写意。

Kung-sun Hung（Confucianist philosopher） 参阅**Gongsun Hong**公孙弘。

Kung-ṣun Lung（Chinese philosopher） 参阅**Gongsun Long**公孙龙。

K'ung-tzu　参阅**Confucius**孔子。

Kungaku（Japanese painter）　**君岳**　参阅**Shiba Kōkan**司马江汉。

Kungur　昆古尔　俄罗斯西部彼尔姆州城市。位于彼尔姆市以南72千米，瑟尔瓦河、伊连河和沙克瓦河汇流处。1648年建为要塞，曾是通往西伯利亚的重要驿站。以手工艺品，尤以雪花石膏和水晶手工艺品著称。现有机械制造业和轻工业。附近许多山洞洞壁有雪花石膏，以瑟尔瓦河沿岸的昆古尔钟乳石洞最著名。人口约80 000（2000）。

Kungurian Stage　空谷阶　俄罗斯和哈萨克斯坦晚二叠世（2.58亿年前至2.45亿年前）地层最下部的一个阶。在乌拉尔地区有发育良好的露头。空谷阶的相关系复杂。在哈萨克斯坦穆戈贾尔山和乌拉尔南部一些地区，空谷阶主要是陆相沉积（侵蚀作用形成的），由红层和潟湖型沉积组成。其他地区有砾岩、砂岩及其他红层。在东部有厚厚的石膏、石盐和钾盐蒸发岩系构成世界最大的上卡马河盐盆。海相灰岩产在俄罗斯彼尔姆州，碳酸盐礁产在穆戈贾尔山西部。

Kunie Island（New Caledonia）　**库尼耶岛**　参阅**Pins, Ile des**松树岛。

Kunikida Doppo　国木田独步（1871-08-30，日本千叶县铫子～1908-06-23，神奈川县茅崎） 原名哲夫。日本作家，他的短篇小说深深地浸透着一种华兹华斯的自然意识，给日本文学带来一种对个人的新态度。在日本南方长大，后去东京入东京专门学校（后来的早稻田大学），1889年皈依基督教。1893年去日本南方九州岛佐伯的学校教书时，他已经开始阅读屠格涅夫、卡莱尔和爱默生的作品了。由于又读了华兹华斯的诗，所以这一年在他对自然的热爱的发展中是关键性的一年。在甲午战争时期（1894～1895）他回到东京，成为有影响的评论家和历史学家德富苏峰主办的报纸的战地通讯记者，并将快讯收为集子，题名《爱弟通信》。《诚实日记》里记的是1893～1897年间他个人经历的痛苦岁月，这期间他结了婚并且被他的第一个妻子抛弃，这第一个妻子后来便成为有岛武郎的小说《一个女人》（1919）中女主人公的原型。国木田被日本人认为是属于自然主义文学运动的作家，其富有诗意的反映了被践踏的普通人的悲剧中浪漫主义色彩多于严酷的现实主义描写。他的《武藏野》（1898）表现了他对自然的爱，他的《牛肉和马铃薯》（1901）表现了他对理想主义的探求，而他的《源老头儿》（1897）和《春鸟》（1904）则表现了他对不幸的人们的命运的深切同情。

Kuniyoshi, Yasuo　国吉康雄（1893-09-01，日本冈山～1953-05-14，美国纽约伍德斯托克） 日本出生的美国画家。一位有影响的教师和艺术家组织的领导者。1906年迁居美国，1907年在洛杉矶美术与设计学校学习绘画，1910年到纽约加入全国设计学会和艺术研究会。其作品多以忧郁、引起美感的女人为主题。第二次世界大战爆发后，创造了带有日本绘画传统的绘画，表现自己的社会思想和政治意识。作品最初为土褐色调，后发展为明亮而清淡柔和的色彩。国吉康雄是美术

国吉康雄绘《看，它飞》
美国国际新闻处供图

家协会的第一任主席，1933年后在艺术研究会、纽约市社会研究新校和纽约州伍德斯托克的艺术家聚居区任教。

Kunjae（Korean painter）　**谨斋**　参阅**Ch'oe Kyong**崔泾。

Kunlun Shan　昆仑山　又作Kunlun Mountains、K'un-lun Shan。中国西部的大山脉。西起帕米尔高原，横贯新疆维吾尔自治区与西藏自治区之间，东延入青海省西部，抵四川省

昆仑山脉上的冰川
中国大百科全书出版社供图

西北部。全长2 500千米，为古老的褶皱山脉，西段沿塔里木盆地南缘作西北-东南走向。东北坡陡峭，西南与喀喇昆仑山相接。山势雄伟峻拔，有公格尔山（7 719米）、公格尔九别峰（7 595米）、慕士塔格山（7 546米）、慕士山（7 282米）等高峰，冰川分布面积较广。东经81°附近起为东段，转为东西方向，共分三支：北支为祁漫塔格山，构成柴达木盆地的西南边缘；中支为阿尔格山，东延为布尔汗布达山、阿尼玛卿山（积石山）；南支为可可西里山，东延为巴颜喀拉山。巴颜喀拉山为黄河与长江上源段的分水岭。其北的黄河迂回在宽谷中，谷底有大片湖沼，以扎陵湖、鄂陵湖为主；其南的长江河源段干支流局部地段已切割出峡谷。东昆仑山山势降低到5 000～6 000米，仅少数高峰超过7 000米。但新疆、西藏交界处的木孜塔格峰，海拔7 723米，为昆仑山的主峰。昆仑山冰川主要分布在西段，即喀拉喀什河源与克里雅河源间的400千米地

段，雪线海拔5 600～5 900米，冰川面积在3 000平方千米以上，是中国大冰川区之一。玉龙喀什河上游的玉龙冰川长25千米，是此地区目前已知最大冰川。昆仑山位于内陆中部，气候干燥。西昆仑山荒漠带上升到3 200米，只有少数河谷局部湿润地段出现云杉林和圆柏灌丛。3 000米以上高山区大多是裸岩峭壁。东昆仑山更为干燥，荒漠带上升到3 400米。高等植物约有100多种，以垫状植物为主。高原特有动物藏羚羊、野牦牛、野驴等能利用高寒草场繁育。昆仑山北麓大断裂带是强地震带。1959年公格尔山有6.4级地震，1923年民丰以东有7.2级地震。1951年5月27日克里雅河上游火山喷发，为中国最新的火山活动记录。

Kunming　昆明　中国云南省辖地级市、省会。中国历史文化名城。位于云南高原东部，城区濒临滇池北岸。战国时期楚人于滇池地区建立滇王国。西汉初置郭昌县，后改

昆明市一角
中国大百科全书出版社供图

谷昌县，属益州郡。南朝齐置益宁县。隋、唐曾置昆州。宋大理国在此广建宫室，称东京。元至元十三年(1276)设昆明县，属中庆路，为云南行中书省治所。明、清两代为云南府治。1913年废府存昆明县，1928年析昆明县设市。1953年昆明县并入昆明市。辖盘龙、五华、官渡、西山、东川5区和富民、嵩明、呈贡、晋宁、宜良5县和禄劝彝族苗族自治县、石林彝族自治县以及寻甸回族彝族自治县，并代管安宁县级市。面积21 473平方千米，其中市区面积2 755平方千米。处于云南到缅甸和越南两条贸易路线交会点，自古是中国西南重镇，云南省政治、经济、文化中心。20世纪初昆明到越南海防的铁路建成。1908年辟为商埠。1937～1945年修筑通往重庆、贵阳的公路，开始出现小型工业。抗日战争开始后，中国沿海工业陆续迁来，昆明的经济和文化发展得到新的推动。20世纪50年代起，修筑以昆明为中心的公路网，有108、213、320等国道过境，可抵达越南、老挝、缅甸三国，昆明至瑞丽、元江、陆良、大理等地建有高速公路；铁路有贵昆、成昆、内昆、南昆、昆河、昆玉、昆大等干支线。民航有通曼谷、仰光和万象的国际航线，通达北京、上海、广州、成都、重庆、西安、香港等航线，还有省内航线。昆明巫家坝机场是中国重要的航空港和五大国际口岸机场之一。昆明成为中国西南公路、铁路和航空交通枢纽，中国与东南亚各国经济、文化交流的重要门户。1949年以前昆明有50多家工厂作坊，但设备陈旧，技术落后。现已拥有冶金、机械、仪表、化工、建材、轻纺、食品、造纸、电力等工业，分布于茨坝、小坝、马街、黑林铺、安宁等12个工业区。昆明钢铁集团有限责任公司已建成中型钢铁联合企业。云南白药、云烟、云腿、牙雕、斑铜制品等大量出口。有云南大学、昆明理工大学、昆明医学院、云南师范大学等多所高等院校和植物、动物、天文等76所科研机构。昆明一年中有300个春日，另外65个冬日气温也均接近10°C，被誉为“春城”。名胜古迹多，著名的有翠湖公园、圆通寺、大观楼、西山龙门；地藏寺经幢和太和宫金殿为国家重点文物保护单位；还有晋宁石寨山古墓群、呈贡天子庙古墓群，海埂民族村，路南石林、世界园艺博览园等。人口：全市5 030 000(2005)；市区3 310 000(2004)。

Kunming Yi　昆明夷　中国古代民族。汉代西南夷的一支。两汉至唐分布在今云南西部、中部，贵州西部和四川西南部(主要在山区)。《史记·西南夷列传》记载滇西地区有源出氐羌的昆明部落。汉、晋时“昆明诸种”被称为“夷人大种”，在氐羌中人数最多、分布最广，遍及南中(今云南、贵州)各地，包括相邻的嶲、笮和邛。哀牢(参阅 **Ailaoyi**)是“昆明”最西的部落。滇西、洱海地区的“昆明”部落在春秋战国时从西北南下，大部保持游牧生产，处于原始公社阶段。有些已定居经营农业。形成大姓邑落割据状态。有世袭的部落首领。东汉时益州郡的邪龙县(今巍山)即有名为卤承的昆明夷“君长”。在邛都以南滇池周围，“昆明”与僰(参阅 **Bai**)、叟杂处。朱提郡(今昭通)和牂牁郡也有“昆明”，其地于唐初设殷、总、敦三州，有“昆明”24姓。这一带的“昆明”与叟称为乌蛮，因此“昆明”后裔中的大部分是近代操彝语支语言民族的先世。唐代分布在云南西部的也称“昆弥”。

kunqu　昆曲　又称昆剧。中国戏曲声腔、剧种之一。即昆山腔，又称昆腔。14世纪中叶形成于昆山(今属江苏)。1531～1541年间魏良辅等人吸收北曲和海盐腔长处，改革昆山腔，曲调清柔婉转，人称“水磨调”。伴奏

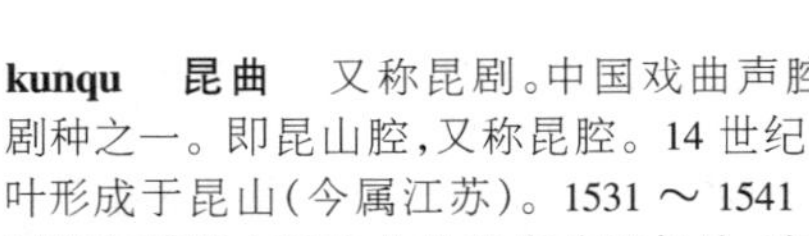

周传瑛、王传淞演出昆曲《十五贯》剧照
中国大百科全书出版社供图

乐器有笛、箫、笙、琵琶及鼓板。梁辰鱼为昆山腔编传奇《浣纱记》，演出后风靡一时，与余姚腔、海盐腔、弋阳腔并称“四大声腔”。1621年后，蓬勃兴盛，士大夫称为雅音，深受广大群众喜爱，一跃而居“四大声腔”之首。清代大多称之为昆曲，成为盛行全国的剧种。昆曲特点是文词典雅工丽，声腔婉转缠绵、柔曼悠远。演唱技巧与表现方法都比以前声腔更为完美，形成别具一格的表演体系，风行100多年。19世纪日趋衰落。中华人民共和国建立后经过整理、改革，昆曲获得新生。目前江苏、浙江、北京、上海、湖南有专业昆曲剧团。京剧、川剧、湘剧、婺剧、祁剧、赣剧、桂剧、粤剧、柳子戏、山西上党梆子、广东正字戏等地方剧种中，都保留部分昆腔剧目。不少剧种至今仍运用昆曲唱腔和乐曲。

Kunsan　群山　韩国西部全罗北道城市。位于省会全州西北偏西40千米，距锦江江口12千米。李朝(1392～1910)以来，为著名的米港，商业活动主要为锦江平原大米的加工、储存及转运。1945年独立后，建立了热电厂，并发展了造纸、木材、橡胶和塑料工业。人口266 569(1995)。

Kunshan　昆山　中国江苏省县级市。在省境东南部，东南邻上海市嘉定区和青浦县。辖玉山、千灯、周庄等10镇。面积927平方千米。秦属娄县地。南朝梁大同二年(536)析置昆山县于今上海市松江县西天马山西麓，因天马山古称昆山而得名。隋开皇九年(589)废，开皇十八年复置。唐天宝十年(751)移治玉山之阳，即今玉山镇。元元贞元年(1295)升为昆山州。明洪武二年(1369)复改县。1983年划归苏州市领导。1989年撤县建昆山市。市境除玉山(俗称马鞍山)海拔81米外，全属3～4米间的太湖水网平原。吴淞江、娄江、阳澄湖、淀山湖等水面占全市面积的20%。属北亚热带湿润季风气候，盛产水稻、小麦、油菜籽等，蚕桑饲养业和淡水养殖业发达，阳澄湖大闸蟹享誉国内外。20世纪80年代中期以来，以纺织、服装、制鞋、食品、塑料制品、化工为主的乡镇工业发展迅速。1985年起在玉山镇东侧建立昆山经济技术开发区，规划面积20平方千米。沪宁铁路和昆山—安亭、无锡—浏河镇等公路，横贯市境东西，上海—张家港、苏州—浏河镇、苏申内港和苏申外港等航道都经此，交通便利。名胜古迹有亭林公园、刘过墓、玉山、秦峰塔、顾炎武纪念馆等。市西南的周庄镇水乡民居保留了大批明、清建筑。人口640 000(2005)。

Kunst, Jaap　孔斯特(1891-08-12，荷兰格罗宁根～1960-12-07，阿姆斯特丹)　荷兰民族音乐学家，现代民族音乐学奠基人之一。幼时学小提琴，后对荷兰民间文化感兴趣，学习其歌曲、舞曲和小提琴演奏风格。1917年在格罗宁根大学获法学学位；在银行和法律界工作两年后，参加弦乐三重奏团到荷属东印度群岛巡回演出。在爪哇居住到30年代中期，为政府工作之余，搜集和研究民间音乐，特别是爪哇的佳美兰音乐。作为研究印度尼西亚音乐的权威，声名日隆，使他于1930年

获得荷兰官方音乐学家身份，并开始广泛地实地考察，搜集了大量乐器、唱片、书籍和照片。1934年开始在欧洲旅行讲学，1936年任阿姆斯特丹皇家热带研究所所长，使该所成为欧洲音乐学资料收藏最丰富的单位。后来在欧洲和美国讲学。1942年起任教于阿姆斯特丹大学。著作甚多，对印度尼西亚音乐的研究成果至今仍不失为权威性的参考文献。

Kunsthaus Zürich 苏黎世艺术馆 1787年建立，1910年迁入新楼。藏有文艺复兴时期到现代的欧洲各种绘画，还有雕刻、素描和版画。该馆尤以德国中世纪木、石雕刻和绘画以及苏黎世艺术家的晚期绘画著称。

Kunsthistorisches Museum 艺术史博物馆 位于维也纳。除收藏许多著名绘画外，还有重要的雕刻、东方艺术品和装饰艺术品。藏品主要是16世纪以来哈布斯堡家族历代积累的丰富文物。其绘画藏品尤以意大利、德国、佛兰德斯和西班牙等画派文艺复兴时期和巴罗克风格作品为著名。

Künstlerroman 艺术家小说 属教育小说或学徒小说一类。描绘一个人的青年时期和他的成长过程，他成为或即将成为一个画家、音乐家或诗人。典型的范例是J.乔伊斯的《青年艺术家的肖像》(1916)。这类小说始于德国浪漫主义时代蒂克的小说《弗兰茨·施特恩巴尔德的漫游》(1798)，稍后的例子有K.汉姆生的《饥饿》(1890)和T.沃尔夫的《向家乡看吧，安琪儿》(1929)。许多教育小说里的主人公常常梦想成为一个伟大的艺术家，而结果仅仅是一个有用的普通公民，但艺术家小说却往往以拒绝过平凡生活的傲慢语调作结尾。

Kunstmuseum-Öffentliche Kunstsammlung Basel 巴塞尔艺术博物馆-公共艺术收藏馆 位于瑞士巴塞尔。1662年由巴塞尔城及巴塞尔大学建立。为欧洲第一所公共收藏馆，展品初购自阿梅巴赫家族所藏文物，后由私人捐赠，以收藏欧洲绘画(特别是文艺复兴时期和现代绘画)和现代雕刻而闻名。

Kuntaur 昆陶尔 冈比亚港口和城镇。濒临冈比亚河。吃水5米的海轮到此转运花生出口。该镇大部劳力为冈比亚农产品购销局工作，该局于1956年在此建花生剥壳厂。为花生和稻米的传统市场。人口约2 052(1983)。

昆陶尔的稻田收割
美国不列颠百科全书公司供图

Kuo Hsi 参阅 **Guo Xi** 郭熙。

Kuo Hsiang 参阅 **Guo Xiang** 郭象。

Kuo Mo-jo (Chinese writer) 参阅 **Guo Moruo** 郭沫若。

Kuo Sung-tao(Chinese diplomat) 参阅 **Guo Songtao** 郭嵩焘。

Kuo Tzu-i(Chinese general) 参阅 **Guo Ziyi** 郭子仪。

Kuomintang 国民党 参阅 **Nationalist Party** 中国国民党。

Kuopio 库奥皮奥 芬兰中南部库奥皮奥省省会，濒临卡拉韦西湖。建于1653年，但长时期以来是人口稀少的小村庄，直到1776年，芬兰国王古斯塔夫三世命令重新规划，库奥皮奥才得以大大发展，1782年建市。是芬兰正教会的中心，设有主教座堂和神学院。水路、陆路、航空交通便利，为全省文化和经济中心。工业主要有木材加工、面粉加工和酿酒。也是旅游中心。当地有萨沃湖和森林区，附近有芬兰最著名的滑雪中心普约山。库奥皮奥省陆地面积16 719平方千米，湖泊甚多，约占总面积的1/5。北部有萨沃森林。其他主要城市有伊萨尔米和瓦尔考斯。人口：城市区约86 575(1999)。

库奥皮奥市远眺
美国不列颠百科全书公司供图

Kupang 古邦 又拼Koepang。印度尼西亚东努沙登加拉省省会、县和城市。位于帝汶岛西南端附近，临萨武海的古邦湾。有公路通往帝汶岛的索埃和帝力。有机场(位于爪哇—澳大利亚航线上)。作为贸易和转运中心，外运椰干、皮革、檀香木、珍珠和鱼类至爪哇、伊里安查亚和澳大利亚。居民大多为巴布亚人，也有马来人和波利尼西亚人。捕鱼、木雕、编筐和鞣皮等行业在经济上具有重要地位。港口制造近海船。1962年建立曾达纳岛大学。葡萄牙人曾在16世纪30年代占领该市，1613年被荷兰人赶走。第二次世界大战曾被日军占领。人口：市141 694；县522 780(1990)。

Kupffer cell 库普弗细胞 又称肝巨噬细胞。肝内的微小血管即窦状隙的内皮星形细胞。实质上为噬细胞，能吞噬其他细胞及异物颗粒。又能贮存含铁血黄素(红细胞分解后血红蛋白形成的含铁色素)，因此在红细胞的生长中发挥作用。

Kupka, František 库普卡(1871-09-23，波希米亚奥波奇诺～1957-06-24，法国皮托) 捷克出生的法国抽象绘画先驱，第一批纯抽象艺术家。其成熟期的作品为20世纪纯抽象绘画奠定了基础。先后在布拉格、维也纳及巴黎的美术学院学习。1895年定居巴黎。1908～1911年间采用野兽派和点彩派的技法，对色彩的审美特性进行了研究。他是曲线纯抽象绘画最早的代表人物，作品有《红蓝赋格曲》(1912，布拉格人民画廊藏)等，其标题足以说明他的信念，即抽象的色彩和音乐一样，可以唤起幽深的情感。

库普卡绘《画家及其妻子肖像》(1908)
美国不列颠百科全书公司供图

Küpper, Christian Emil Marie(Dutch painter) **库珀** 参阅 **Doesburg, Theo van** 杜斯堡。

Kuprin, Aleksandr Ivanovich 库普林(1870-09-07，俄罗斯纳罗夫恰特～1938-08-25，列宁格勒) 俄国长篇和短篇小说家，俄国批判现实主义伟大传统的最后一批代表人物之一。从士官学校毕业后，充任下级军官，但不久即放弃行伍生涯去追求更有趣味的生活。当过记者、猎人、渔夫、演员和杂技场的工作人员。1905年发表小说《决斗》，获得文学声誉。这部作品用现实主义的手法描写边远卫戍部队生活的空虚无聊，因为正值日俄战争时期，极大推动了人民的反战浪潮。他是一位多产作家，所采取的主题可用他的一篇最优秀的小说题目即《生活之河》(1906)来表达。他细心观察生活的河流，特别是一些独具一格的小天地，如一家小旅店、一所工厂、一个妓院、一个小酒馆、一个马戏团或跑马场等。最著名的长篇小说《亚玛》(1909～1915)描写俄国南方海港的烟花柳巷，把妓女的日常生活、经济状况和社会地位刻画得惟妙惟肖。十月革命后，他流亡巴黎，继续写作，1937年返回苏联。

Kuqa 库车 又拼Kucha、K'u-ch'e。中国新疆维吾尔自治区阿克苏地区辖县。县府驻库车镇。史书上曾称龟兹、邱兹、苦叉、库彻、屈

库车大寺
中国大百科全书出版社供图

次等,为汉语的不同译法。位于天山南麓塔里木盆地北缘。汉代为龟兹国。东汉永元三年(公元 91)西域都护府迁驻龟兹(名它乾城)。唐贞观二十二年(648)置龟兹都督府及龟兹镇(安西四军事重镇之一),显庆三年(658)安西都护府迁此。为当时的重要政治、军事中心和交通枢纽,可直接联系碎叶(今哈萨克斯坦托克马克)、弓月(今伊犁地区霍城)、疏勒、和田等地。清乾隆二十四年(1759)设库车办事大臣。光绪十年(1884)置库车州。1902 年改直隶州。1913 年改为库车县。1930 年析置托克苏县(今新和县)。面积14 529平方千米。据《西域同文志》,“波斯语库为此地,车为眢井(即坎儿井)”。县城附近尚有坎儿井遗址。汉唐时为佛教中心,附近有著名的克孜尔千佛洞,始建于东汉,是仅次于敦煌石窟的艺术宝库。还有库木吐喇、森木塞姆、克子喀拉罕等千佛洞及龟兹都城遗址。龟兹为歌舞之乡,舞蹈曾流行中原,唐宫廷有龟兹乐队。境内水土光热丰富,年平均气温 11.5 °C,10 °C以上活动积温4 330°C,无霜期 249 天,历来为农业中心。产小麦、玉米、稻,并产长绒棉、瓜果。著名果品有小白杏、无花果。特产有驰名的“三北羊”羔皮。矿产有石油、煤、铜。清代曾设厂冶铜铸币。石油正在开发中。公路通南疆各地,独山子至库车的公路穿越南北天山,是新疆西部南北交通的捷径。民航班机可达乌鲁木齐。人口410 000(2005)。

Kura River　库拉河　土耳其语称库鲁恰伊河(Kuruçay),格鲁吉亚语称姆特克瓦里河(Mtkvari)。土耳其和格鲁吉亚、阿塞拜疆境内的河流。源出土耳其的克瑟伦达格山,流入格鲁吉亚,经小高加索时形成一系列峡谷和急流。后流入卡特利平原,再转向东南,穿越广阔平坦的低地,注入里海。全长1 364千米,流域面积188 000平方千米。下游虽筑有河堤,但经常泛滥。该河及其支流有许多水坝,用以发电和灌溉,其中最著名的有第比利斯(格鲁吉亚)和明盖恰乌尔(阿塞拜疆)大水库。叶夫拉赫市以下 480 千米河段可通航。

Kurakin, Boris Ivanovich, Kńyaz (Prince) **库拉金**(1676-07-30,莫斯科~1727-10-28,巴黎)　俄国最早的职业外交家之一,彼得大帝(1682 ~ 1725 在位)在西欧的代表。公爵。1691 年与彼得的妻妹结婚,成为沙皇的姻弟。1700 ~ 1705 年参加北方战争。后转入外交界,曾前去劝说罗马教皇克雷芒十一世不要承认亲瑞典的斯坦尼斯瓦夫一世为波兰国王。回国后任谢苗诺夫斯基近卫军司令。1709 年参加俄军击败瑞典军队的波尔塔瓦战役。随后又从事外交活动,约 1710 年任驻伦敦大使,1716 年任驻海牙大使,1724 年任驻巴黎大使。

Kurashiki　仓敷　日本本州冈山县城市。西临高梁川。德川时代为稻米、棉花、食油重要贸易中心,至今保留有不少旧式货栈。19世纪末以来以生产人造丝纺织品闻名。第二次世界大战中建立的飞机制造厂现转产汽车。1964 年后工业中心南移至濑户内海沿岸的石油化工和重型化工业区。市内有大原美术馆。人口约419 528(1994)。

仓敷市的大原美术馆
美国不列颠百科全书公司供图

Kurath, Hans　库拉特(1891-12-13,奥地利菲拉赫～1992-01-02,美国密歇根安阿伯)　美国语言学家,以主编《新英格兰语言地图集》而著称于世,该书是第一部最详尽的大区域语言地图集。1909 年自奥地利移居美国,1912 年入美国籍。曾获得得克萨斯大学文学学士(1914)及芝加哥大学哲学博士(1920)学位。1920 ~ 1927 年在西北大学讲授德语,1927 ~ 1931 年在俄亥俄州立大学讲授德语及语言学,1931 ~ 1946 年在布朗大学讲授德语和语言学,1946 ~ 1961 年在密歇根大学讲授英语及语言学。其妻 G.库拉特是著名的民族音乐学家。他的主要研究领域是美国的英语诸方言,除主编上述三卷本《语言地图集》(1939 ~ 1943)外,还著有《新英格兰语言地理学手册》(1939,1973 年再版)、《美国东部方言地理学》(1949)、《美国大西洋沿岸诸州英语之读音》(1961)。1946 ~ 1972 年他还兼任《中古英语词典》主编。

Kuratsukuri Tori　鞍作止利(活动时期7世纪初,日本)　日本飞鸟时代(552 ~ 645)第一位伟大的雕刻家。止利是鞍作(马具工)的后代,因而属“鞍作部”(马具工行会)的一员。他将制作马鞍铜饰品镀金技术运用于制作青铜佛像。推古天皇(628 卒)和圣德太子(621卒)命他雕刻大量作品。其中有 606 年为奈良元兴寺制作的丈六佛和 623 年为奈良法隆寺金堂制作的《释迦三尊像》。他和其流派的青铜雕刻都受石刻艺术的强烈影响,这种艺术在中国北魏时期(386 ~ 534)的石窟中已很普遍。

Kurayoshi　仓吉　日本本州鸟取县城市和地区商业中心。临天神川一支流,为南接中国山脉的平原战略重镇。古代为伯耆国(在今鸟取县)首府。德川时代末期发展起纺织业,生产独特的带有泼溅花纹的仓吉花布,现生产丝织品、农业机械、饮料和木器。人口51 835(1990)。

Kurbsky, Andrey Mikhaylovich, Knyaz (Prince) **库尔布斯基**(1528,俄罗斯～1583,波兰-立陶宛)　俄国军事统帅,16 世纪40 ~ 50 年代沙皇伊凡雷帝的密友和顾问,公爵。出身于斯摩棱斯克-雅罗斯拉夫尔王族。1547 年参加重臣会议。21 岁任沙皇侍从官。1549 年参加对喀山汗国的作战。1556年成为大贵族。1556 年同克里米亚鞑靼人作战。1557 年任讨伐利沃尼亚的俄军统帅之一,开往西部边境。1563 年以后失去伊凡的宠信,实际上被软禁于多尔帕特(今塔尔图)。1564 年逃走,投奔波兰-立陶宛国王西格蒙德二世。西格蒙德赐给他大量土地,并派他统率波兰-立陶宛军队同伊凡作战。晚年,他捍卫立陶宛正教徒的利益,反对天主教和新教的侵蚀。他著有不少宗教著作和记述伊凡统治的《莫斯科大公史》,书中抨击了伊凡的恐怖统治。

Kurchatov, Igor Vasilyevich　库尔恰托夫(1903-01-12,俄罗斯锡姆～1960-02-07,莫斯科)　苏联核物理学家,曾领导苏联第一颗原子弹和世界第一颗实用热核炸弹的研制工作,并领导建立苏联第一座核电站。1923 年从克里米亚大学毕业。1927 年入列宁格勒科学院物理技术研究所工作,最初研究铁电现象,1933 年开始专攻核物理学,在主管核物理学实验室时,曾监造苏联最早的几台回旋加速器。1939 年他和其助手一起发表关于链式核反应的研究成果,1940 年发表关于铀的自发裂变的报告,这一报告只比 O.哈恩和 F.斯特拉斯曼在德国发表的报告晚一年。第二次世界大战期间,他停止核的研究,而去钻研船舶对磁性水雷的防护方法。他于 1944 年领导建成了苏联第一台回旋加速器,并于战后领导建成欧洲第一个原子反应堆(1946)。他的小组于 1949 年制出苏联第一枚原子弹,比美国晚 4 年。1953 年爆炸了第一枚热核炸弹,比美国早 6 个月。在他领导下,和平利用原子能的事业有所发展,1954 年第一座核电站开始运转,此后又建造了核动力破冰船“列宁”号。他还指导了“最终能源”即聚变能的研究,主要是对引发聚变过程所需的极高温采取约束方法。1956 年第一次公布库尔恰托夫是苏联科学院原子能研究所所长,该所从1960 年称为库尔恰托夫原子能研究所。为表彰他在核物理领域的突出贡献,苏联科学院设立了库尔恰托夫奖章,苏联科学家还提出把104号放射性元素命名为铲,而美国科学家则把104号元素命名为𬬻,但是他们两家都无法证实自己比对方领先,这一元素的发现的优先权和命名权始终争执不下。

kurchatovium 铲 参阅 **unnilqua- dium** 104号元素。

Kurd 库尔德人 跨国的民族和语言集团,住在安纳托利亚东部托罗斯山地、伊朗西北部扎格罗斯山地和邻近地区。大部分库尔德人住在伊朗、伊拉克和土耳其的接壤地区。

库尔德人村庄
英国《泰晤士报》社供图

该地区一般称作库尔德斯坦即"库尔德人土地"之意。库尔德人操西部伊朗语言,与法尔斯及普什图语语源相近。人数约1 500万,其中包括聚居在亚美尼亚、黎巴嫩和叙利亚等地的库尔德人。传统上,库尔德人牧放绵羊和山羊,并从事农业,后来发展到种植谷物、棉花和水果。第一次世界大战后,严格规定的国家边界阻碍了牧群的季节性迁移,迫使库尔德人定居耕种,发展农业技术,另一些人也转而从事非传统性的其他职业。库尔德人是逊尼派穆斯林,并带有神秘的、异端的本地教派特点,与他们的什叶派伊朗邻居有所不同。对于库尔德人史前时期的情况,我们了解甚少,但其远祖似乎在此高原地区生活数千年,库尔德这一名称可追溯至7世纪诸部落改宗伊斯兰教之时。尽管在有史时期库尔德人没有取得民族国家的地位,但是他们具有出名的军事才能,在许多军队中成为有成就的雇佣兵和职业军人。在西方世界最闻名的库尔德人萨拉丁代表着库尔德人的军事声誉。第三次十字军东征时,他与英王理查一世进行战斗之后,创建了埃及的阿尤布王朝(1169～1250)。在10～12世纪时,曾有过一个短暂的库尔德人王朝。对游牧的库尔德人来说,部落的身份仍然非常重要。部落领袖称为舍赫或阿加(酋长或统帅),在农村中仍握有传统的、牢固的统治权。然而,非部落化进行得很快。土耳其的库尔德人受政府的特殊冷遇。政府试图剥夺库尔德人的身份而称之为"山地土耳其人"。土耳其政府在东部各省不断压制库尔德人的政治鼓动,并且鼓励他们迁移到都市化的西部去。伊朗的库尔德人也感到政府的强大同化压力,并忍受着伊朗什叶派穆斯林多数派的宗教迫害。库尔德人的民族愿望屡遭挫伤。20世纪上半叶,库尔德人民族分裂主义运动此起彼伏。1931～1932和1944～1945年间,在伊拉克库尔德斯坦各派之间,就发生过多次严重冲突。伊拉克的库尔德人遭到的文化压抑比较少,但是他们多次要求独立的愿望却始终未能实现。库尔德人的起义持续到20世纪末,每次起义均属昙花一现,以失败告终,结果往往是招来屠杀、流离失所和饥饿。参阅 **Kurdistan**。

Kurdish language 库尔德语 西部伊朗语的一种,通行于库尔德斯坦,为仅次于波斯语和普什图语的伊朗第三大语群,方言很多,有两个主要的方言群:北部方言群,通行区域自伊拉克摩苏尔市到高加索地区,叫做库尔曼吉语;北部方言在土耳其境内使用一种突厥化的拉丁字母即"哈瓦尔"字母书写,在亚美尼亚境内使用一种稍加改变的西里尔字母。另一方言群是中部方言群,称为库尔底语或索拉尼语,是库尔德语的主要文学语言形式,通行于广大地区,其范围大致由伊朗奥鲁米耶到传统上的伊拉克境内的库尔德斯坦。在伊拉克境内,库尔底语是库尔德语的正式形式。库尔德语的次方言包括克尔曼沙希语、莱芒语、古兰尼语及扎扎语。

Kurdish rug 库尔德地毯 伊朗和东安纳托利亚或伊拉克部分地区和高加索最南端的库尔德族手工制作的铺地用品。组织紧密,毯面挺实,羊毛底布,拴土耳其吉奥狄斯扣。18世纪末19世纪初生产的花园图案毯及布满"火红"花瓣的哈山图案毯,以色彩丰富而

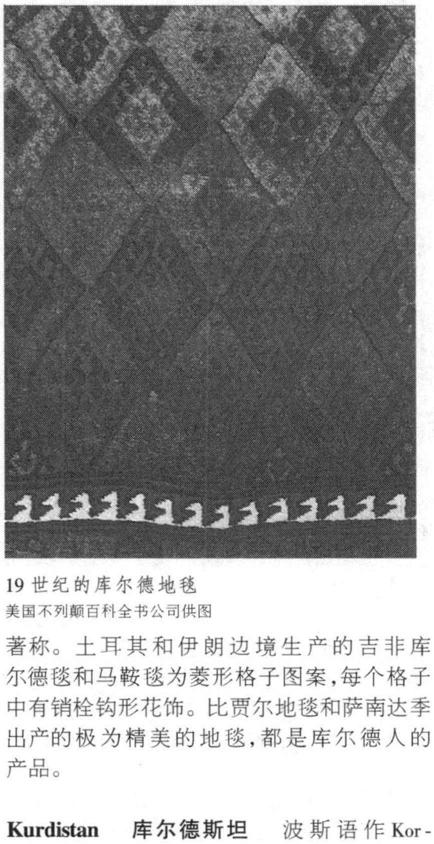

19世纪的库尔德地毯
美国不列颠百科全书公司供图

著称。土耳其和伊朗边境生产的吉非库尔德毯和马鞍毯为菱形格子图案,每个格子中有销栓钩形花饰。比贾尔地毯和萨南达季出产的极为精美的地毯,都是库尔德人的产品。

Kurdistan 库尔德斯坦 波斯语作Kordestān。主要是库尔德人居住的传统地区,为广大高原和山地。包括今土耳其东部、伊拉克北部和伊朗西北部的大部分地区,以及叙利亚与亚美尼亚北方小部分地区。但在这些地区中只有伊朗的一个地区以库尔德斯

伊拉克北部的库尔德斯坦多山地区
摄影出版公司供图

坦为名。库尔德斯坦之名意为"库尔德人土地",指的是大致包括扎格罗斯山脉和托罗斯山脉东支的地区。在很早即是库尔德人生息的地方。在被阿拉伯征服并改宗伊斯兰教以后的600年间曾有几个库尔德人小王朝。在蒙古人和土库曼人统治下库尔德人的情况记载很少,但在奥斯曼与萨非王朝战争中曾十分重要。有一些库尔德人的公国有所发展并存在到19世纪上半叶,他们虽然在西亚历史上发挥过相当大的作用,但从未达到过政治上的统一。第一次世界大战后,随着奥斯曼帝国的解体,特别是在美国总统威尔逊14点计划中,主张奥斯曼帝国的非土耳其民族应"确保绝对不受干扰的自主发展机会"的促进下,库尔德的民族主义者期望最终建立一个库尔德斯坦国。1920年的《塞夫尔条约》规定承认汉志、叙利亚、伊拉克三个阿拉伯国家和亚美尼亚及库尔德斯坦;当时英国占领的摩苏尔省的库尔德人应有权加入库尔德斯坦。由于土耳其在凯末尔的领导下军力重振,条约未获批准。1923年《洛桑条约》取代《塞夫尔条约》确认了关于阿拉伯国家的规定,但未提及亚美尼亚和库尔德斯坦。摩苏尔问题未获解决。1925年国际联盟将其划归伊拉克,经1926年《安卡拉条约》确认,此决定生效。参阅 **Kurd**。

Kurdufān (Sudan) 参阅 **Kordofan** 科尔多瓦。

Kŭrdzhali 克尔贾利 又拼Kărdzhali。保加利亚中南部城镇。位于阿尔达斯河畔广阔的谷地,在克尔贾利大坝和冷井大坝之间(两者都是重要的水电站、灌溉站)。1912～1913年巴尔干战争后并入保加利亚。该地既有浓郁的东方传统色彩,又是现代工业城市。过去以产烟草著称,现更加多样化,有铅、锌冶炼,并生产石棉。人口约58 995(1989)。

Kure　吴　日本本州西南部广岛县城市。临濑户内海。为群山环绕,临海有若干山岛屏蔽的天然良港。1886年设为海军基地。第二次世界大战中当地造船厂制造出当时最大

吴市的一座船厂
美国不列颠百科全书公司供图

战舰之一"大和"号。现制造出口用商船和油轮。1973年石油涨价后城市经济出现严重萧条。人口216 717(1990)。

Kürenberger, Der　屈伦贝格(活动时期1160)　最早知名的爱情歌手。仅知他是来自林茨附近的奥地利贵族。在他所写的傲慢的爱情诗里,还没有显示出后来吟游诗人及其法国或普罗旺斯模式所体现的那种对妇女表示敬意的迹象。他的诗四行一节,每两行押韵,每半行有一顿挫。由于这就是德国史诗《尼贝龙根之歌》所采取的形式,以及他的风格具有史诗和戏剧的性质,人们猜测他可能写过一首已佚的德国史诗,《尼贝龙根之歌》的无名氏作者就是据此写作的。

Kurgan　库尔干　俄罗斯中西部的一个州。位于西西伯利亚平原南缘,托博尔河流域。面积7.1万平方千米。地势平坦,多浅水小盐湖。草原大部分已开垦,有许多防护林带。北部有广阔的白桦树林。20世纪50年代的垦荒运动使农业成为主要经济部门,种植春小麦、黑麦、燕麦等。北部饲养奶牛,南部养羊。除首府库尔干外均为小镇,主要从事农产品加工。人口约1 110 500(1991)。

Kurgan　库尔干　俄罗斯中西部库尔干州城市和首府。濒临托博尔河。1553年在一座大型古墓或人工土丘上建成设防的察廖沃戈罗季谢居民点。1782年设镇。19世纪末,成为周围农业区的中心,尤其在与鄂木斯克、车里雅宾斯克和叶卡捷琳堡通铁路之后。托博尔河5～11月可通航,该市可与鄂毕-额尔齐斯河水系相连。生产机械、药物、食品。设有农学院、师范学院和机械制造学院。人口约365 000(1992)。

Kurgan culture　库尔干文化　约公元前3500年从俄国草原扩展到欧洲多瑙河流域的半游牧文化。库尔干人约在公元前2300年到达爱琴海和亚得里亚海地区。库尔干人死后葬在冢下深穴中。库尔干一词在突厥语和俄语中即"坟冢"之意。

Kurgan-Tyube　库尔干秋别　又拼Kurgan-Tiube。塔吉克斯坦西南部的州。建于1977年。地形为一连串相互交错的山脉与河谷。卡菲尔尼甘河和瓦赫什河及阿克套山位于西面的巴巴塔格山和东面的卡腊套山之间。大陆性气候,夏季长,气候炎热;冬季不太寒冷。棉花为主要农产品,绵羊是主要牲畜。该州大部分工业以轧棉花和食品加工为中心,其他工业企业包括亚万的一个化工厂和加里宁纳巴德的一个化肥厂。库尔干秋别城是行政中心。面积12 600平方千米。人口约1 113 500(1991)。

Kurgan-Tyube　库尔干秋别　塔吉克斯坦西南部库尔干秋别州城市和首府。始于17世纪。位于杜尚别与库利亚布之间的铁路线上。有食品加工、服装、轧棉和变压器厂。还设有医科学校和动力工程技术学校,周围地区主要种植棉花和放养羊群。人口约58 400(1991)。

Kuria Muria(Oman)　参阅**Khurīyā Murīyā** *库里亚穆里亚*。

Kuril Current(Pacific Ocean)　**千岛洋流**　参阅**Oya Current** *亲潮*。

Kuril Islands　千岛群岛　俄语拉丁字母转写作Kurilskiye Ostrova,日语拉丁字母转写作Chishima-Rettō。俄罗斯远东地区萨哈林州所属群岛。从堪察加半岛(俄罗斯)最南端到北海道岛(日本)东北角,延伸达1 200千米。介于太平洋与鄂霍茨克海之间。包括56个岛屿,面积15 600平方千米。该群岛为环绕太平洋地质不稳定带的一部分,至少有100座火山,其中35座是活火山,有许多温泉,并常有地震和海啸;1737年的海啸波高达64米,是最高纪录之一。与群岛平行,在太平洋底有一千岛海沟深达10.5千米以上。气候条件恶劣,冬季漫长、寒冷、多雪,夏季凉爽、湿润、多雾。年平均降水量760～1 000毫米,其中多为降雪。从9月底至6月初的各月份均会出现降雪。北部植被为苔原,南部较大岛屿上覆盖着茂密森林。渔业(尤其是蟹类)是唯一重要的经济部门。主要经济中心是最大的择捉岛上的库里尔斯克(日本称纱那)镇和幌筵岛上的北库里尔斯克镇。南部岛屿种植蔬菜。17～18世纪时,俄罗斯人到此探险后成为岛上最早的居民。1855年日本占领南部诸岛,1875年占有整个千岛群岛。1945年,作为雅尔塔协定组成部分,转归苏联,岛上的日本居民被遣返回国,代之以苏联居民。但日本仍声称对最南端的几个岛屿拥有历史性主权,并反复争取苏联和1991年起的俄罗斯将其归还给日本。

Kuril Trench　千岛海沟　西太平洋深海凹地。位于堪察加半岛、千岛群岛及日本的北海道东侧。南北长约2 900千米,最大深度10 542米,总面积26.4万平方千米。陡峭的海沟坡上,许多地方存在一系列过渡台地或阶地。这些陡坡有时被认为是熔岩层受巨大的重力作用下降而形成的。千岛海沟是一系列海沟的起点,从白令海的西南边缘延伸到菲律宾海沟的南端。

Kurland(region, Baltic seacoast)　参阅**Courland** *库尔兰*。

Kūrma　俱利摩　即龟,是印度教大神毗湿奴的10种化身的第2种。这一化身见于搅乳海的神话。诸天神和众阿修罗为取得长生不老药甘露共搅乳海。大蛇婆苏吉自愿作绳索,曼陀罗山当作搅棒,毗湿奴化身为龟,驮住这个搅棒。俱利摩之像常为半人半龟。

Kürnberger, Ferdinand　屈恩贝格尔(1821-07-03,奥地利维也纳～1879-10-14,德国慕尼黑)　奥地利作家。因参加1848年奥地利革命和次年的德累斯顿起义而知名。在参加第一次起义后,屈恩贝格尔被迫流亡异国,后又因参加第二次起义入狱。后在德国定居至1864年,其后3年担任席勒基金会秘书。他创作了许多剧本、长篇小说和评论文章。最有名的剧本为《卡特琳娜》(1855),其他作品有《一个厌倦了美国的人》(1855)、《家庭暴君》(1876)、《弗雷弗尔的城堡》(1904)以及两本论说文集。

Kurnool　卡努尔　印度南部安得拉邦中西部城市。位于栋格珀德拉河和欣德里河汇流处,马德拉斯西北约385千米。为贸易中心。1866年设市,曾为安得拉邦首府(1956年首府迁往海得拉巴)。市内有安得拉大学所属的文、理、医学院。历史名胜有中世纪维查耶那力尔王国的古堡遗迹。人口约236 313(1991)。

Kuroda Kiyotaka　黑田清隆(1840-11-21,日本旧萨摩国～1900-08-25,东京)　伯爵,日本明治维新时起主导作用的政治家,1888年4月～1889年10月任首相,最初的元老之一。萨藩出身。曾率皇军征服北海道,1870年又受命开发北海道。他聘请美国农业专家,鼓励移民和新兴工业。在10年内,北海道人口增长了3倍,生产率有显著提高,同时,也消除了沙俄入侵的危险。1888年任首相。18个月后,因修改列强迫使日本订立不平等条约问题辞职。此后仍在内阁中担任要职,并且作为元老一直影响着政府的政策直到11年后逝世。

Kuroda Nagamasa　黑田长政(1568,日本姬路～1623-08-29,京都)　日本名将,为丰臣秀吉和德川家康立下汗马功劳。1592年秀吉入侵朝鲜时,黑田长政是主要将领之一。1598年秀吉死后,他支持德川家康,1600年在关原之战中起了决定性作用。1603年德川幕府开创后,黑田长政成为福冈城主。直至明治维新,他的家族世世代代领有此地,称黑田藩。

Kurokawa Kisho 黑川纪章(1934-04-08,日本名古屋～) 日本建筑师,20世纪60和70年代代谢派运动的领袖人物。在他的后期作品中实现了诗意风格。其父是第二次世界大战前备受尊敬的建筑师。1964年黑川纪章获京都大学建筑学博士学位。1960年成为日本激进建筑师组织代谢派运动的发起人之一。代谢派推崇机械时代美学,青睐预先制造和能够大批量生产的建筑元素。黑川纪章是该运动中最激进的成员,支持在一个核心上添加模块和舱位的楼房。代表建筑为日本东京的舱体大楼(1970～1972)和大阪的索尼塔(1972～1976)。80年代,黑川纪章对代谢运动极端的未来主义风格失去了兴趣,开始探索有更深内涵的设计。他在广岛现代艺术博物馆(1988～1989)的设计中,在钢筋水泥建筑的中心设计了一圆形空间,模仿广岛原子弹爆炸的形态。在日本奈良摄影美术馆(1989～1991)的设计中,模仿附近新药师寺的风格。虽然有很多传统因素,但玻璃的使用使该建筑富有现代气息。80年代后期起,开始在国外进行多项设计,包括澳大利亚的办公零售区域墨尔本中心(1986～1991)、芝加哥的运动俱乐部(1987～1990)以及对阿姆斯特丹梵高博物馆的改造(1990～1998)。后期作品强调在建筑中可以体现多样化的影响。在他设计的吉隆坡国际机场(1992～1998)中,客运站中既有波浪形的柱子和屋顶,而内部的木结构又体现了马来西亚的建筑传统。其著作颇丰,包括《建筑中的新陈代谢》(1977)、《重新发现日本空间》(1988)、《跨文化建筑:共生哲学》(1991)、《从代谢到共生》(1992)以及《黑川纪章:从机械时代到生活时代》(1998)。他也积极教育和培养日本年轻建筑师。

Kurosawa Akira 黑泽明(1910-03-23,日本东京～1998-09-06,东京) 以《罗生门》(1950)、《活下去》(1952)、《七武士》(1954)、《蛛网宫堡》(1957)、《影子武士》(1980)和《乱》

美国不列颠百科全书公司供图

(1985)等影片赢得国际声誉的第一位日本电影导演。他中学毕业后,进美术学校学西洋画。尽管几度获重要美术奖,但他放弃成为画家的志愿,1936年到PCL电影制片厂任助理导演,主要给山本嘉次郎当助手。这一时期,黑泽明开始以优秀电影剧本作家而闻名。他的几部最佳电影剧本始终没有拍成影片,仅在杂志上发表,但以手法新颖而引起专家们的注意,屡屡获奖。1943年升任导演,自编自导他的第一部故事片《姿三四郎》,该片描写19世纪80年代日本柔道大师们的故事,上演后大受欢迎。1944年,他导演了第二部影片《最美者》,描写在兵工厂做工的姑娘们。此后不久,他与在该片中扮主角的女演员矢口洋子结婚,生有一男一女。1945年8月日本投降时,他正拍摄影片《胆大包天的人们》,是对一个著名歌舞伎戏剧的讽刺模拟。但因占领军禁止放映大多数以日本封建历史为题材的影片,这部杰出的喜剧直到1952年才得以发行。他的《无愧于我们的青春》(1946)通过战争时期因间谍嫌疑而被处决的一个人的遭遇,描绘了从1933年起直至战争结束这一期间日本军国主义的历史,在战后许多批判日本军国主义的影片中,这部影片在艺术上和票房上最为成功。但是,使黑泽明声名大震的却是《泥醉天使》(1948)。这是描写战后变成一片废墟的东京一个患肺结核病的歹徒和一个酗酒的医生的情节剧,影片中交织着绝望和希望、粗暴行为和忧郁气氛。歹徒由三船敏郎扮演,他通过此片一跃而成明星,后来在黑泽明的大部分影片中出现。

《罗生门》在1951年威尼斯电影节获得大奖,这是日本影片第一次获得如此崇高的国际赞誉,从而引起整个世界对日本电影的关注。影片据芥川龙之介的两个短篇小说改编,表现4个人以显然不同的方式忆述一件强奸和凶杀案。这一表现手法强烈激发观众的想象力,推进了把电影艺术作为探索推理问题的手段的思想。《活下去》被许多影评家认为是电影艺术史上最完美的作品之一,讲的是一个身患癌症垂死的政府小官吏利用自己职位为穷人办事而从中得到慰藉。这部影片充满强烈的道德含意,生动地反映了开始从战败所造成的绝望中恢复过来的日本人民的生活和精神状态。《七武士》被认为是黑泽明的最富娱乐性的影片,也是他卖座成绩最佳的影片,虽然受好莱坞西部片的启发,但完全是以日本风格拍成的。《一个生命的记录》(1955)是一部极端真诚的影片,描绘一个日本牙科医生对美苏两国所进行的原子试验的恐怖。

黑泽明还以把欧洲古典文学作品改编成以日本为背景的影片而知名。《白痴》(1951)据陀思妥耶夫斯基的同名长篇小说改编,《蛛网宫堡》改编自莎士比亚的《麦克白》,《在底层》(1957)改编自高尔基的剧本,这几部影片全都精心地日本化了。《蛛网宫堡》显示出日本能剧的布景和表演风格,台词不用原作一个字,但在为数众多的据莎士比亚剧本拍摄的影片中,被认为是最佳的一部。黑泽明的影片给一向追求自然主义的日本艺术电影带来了一种强烈的风格意识。他那些比较商业化的作品中的暴力行为也对日本电影产生了强烈的影响。1960年,他成立黑泽制片社,自任总裁,制作自己的作品。但是作为制片人屡屡因经济困难而窘迫。在整个60年代,他拍摄了一系列娱乐性影片,大多以武士为主角,《保镖》(1961)为代表作。《红胡子》(1965)把娱乐性成分与感伤的人道主义结合到一起。然而在日本电影业极度不景气的状态下,黑泽明的许多计划多半被各影片公司认为耗资太大。他只好试探与好莱坞制片人合作,但是均以失败告终。1968年,他在京都制片厂为美国20世纪福斯影片公司开拍描写空袭珍珠港的大场面影片《虎,虎,虎!》,但工作进展很慢,制片人怕超出预算,解聘了黑泽明,改用另一个导演。相隔6年之后,黑泽明终于设法推出他的另一影片,他的第一部彩色片《电车声》(1970),一部描写贫民窟穷人的喜剧。此片再次体现了他的最佳作品的魅力,但在票房上仍归于失败。70年代中期,他应苏联政府邀请在西伯利亚拍《德尔苏·乌札拉》(1975),描绘一个西伯利亚隐士的故事,赢得广泛的赞扬。1980年的《影子武士》是相隔14年后的第一部武士片,以其雄壮的战争场面著称。黑泽明的下一部影片《乱》(1985)是一部更为成功的武士史诗。此片根据莎士比亚的《李尔王》改编,以16世纪的日本为背景,老国王那些忘恩负义的女儿换成3个儿子。《乱》以场景的宏伟壮丽、改编的深刻理解和表演的紧凑有力而被称颂为黑泽明最伟大的影片之一。在《罗生门》之后,虽然许多其他日本导演也赢得了国际声誉,但是,黑泽明的影片仍是西方最感兴趣的。他的影片把日本艺术的因素——细腻的感情、奥妙的哲理、出色的影像结构、武士题材和其他日本历史题材——同西方人对动作和戏剧的感觉独特地结合起来,并常采用西方来源的故事。

Kuroshio 黑潮 又称日本海流。为太平洋强大的表面海流,是太平洋北赤道海流在菲律宾吕宋岛与日本东岸之间向东北流的延续。黑潮在该地区的温度和盐度较高,分别为20 °C和34.5‰左右。流动深度仅约400米。流速为每秒50～300厘米。黑潮流过台湾和琉球群岛后,绕过九州的东岸。在此,夏季分汊向西,然后转向东北,穿过朝鲜海峡,在日本海与本州海岸平行而成为对马海流。在北纬35°附近(约在本州中部),黑潮的主体转向东,接纳向南流的亲潮(**Oya Current**),称为黑潮延伸流,最终变成北太平洋海流(又称北太平洋西风飘流)。这条海流的大部分能量在夏威夷群岛以西消失,成为向南流的大涡流,即黑潮逆流,汇入太平洋北赤道海流,使温暖的海水返回菲律宾海,余势继续东流,在加拿大海岸附近分为两支:阿拉斯加海流和加利福尼亚海流。

黑潮在5～8月期间最强,夏末和秋季略为减弱,1～2月再次增强,初春又减弱。它的生成及流动图像与大西洋中的墨西哥湾流相类似,对日本的南部、东南部沿海地区有明显的增暖作用,影响可北达东京。早在1650年欧洲地理学家就已知黑潮。黑潮之水色较深,故名。

Kurozumi-kyō 黑住教 日本神道教教派之一。为黑住宗忠(1780～1850)所创立。该教认为太阳女神天照大神创造宇宙,800万神祇都是她的化身,以她为主宰。信徒每天早晨遥拜太阳并练象征吞日的气功。该教在20世纪末号称有信徒20多万。

Kurri Kurri 卡里卡里 澳大利亚新南威尔士州东部城镇,现为大塞斯诺克区的一部分。1902年辟为附近各煤田的中心地,地名源自土著语言,意为"人"或"第一"。附近的另一个采煤城镇是韦斯顿,由澳大利亚农业公司设立于1903年。主要工业是1969年开工的炼铝业,但是采煤业和成衣制造依然重要。周围地区则从事饲养家禽、园艺、奶酪和锯木业。悉尼位于该镇南方170千米处。1966年该镇与塞斯诺克、韦斯顿和贝尔伯德合并成大塞斯诺克地区。人口:包括韦斯顿13 268(1991)。

Kuršiu Marios(Europe) 参阅**Courland Lagoon** 库尔兰潟湖。

Kursk 库尔斯克 俄罗斯西部一州。地处中俄罗斯高地南端,面积29 800平方千米。为波状起伏高原,间有宽浅谷地。垦荒破坏了几乎所有的森林和草原植被,有些地区造成水土流失。耕地占土地面积的70%以上,种植谷物、甜菜、大麻、马铃薯和蔬菜。养猪业亦重要。工业以农产品加工业为主。州首府库尔斯克市也有机械制造业和化学工业。20世纪50年代,在已知的库尔斯克地磁异常区发现大型铁矿床,在热列佐戈尔斯克附近的开发进展迅速;多为露天开采。人口约1 349 000(1995)。

Kursk 库尔斯克 俄罗斯西部库尔斯克州城市和首府,俄国最古老的城市之一。濒临谢伊姆河。1032年首见记载。1240年被鞑靼人全部摧毁,1586年以后重建为军事前哨

库尔斯克市的第二次世界大战牺牲者纪念碑
美国不列颠百科全书公司供图

基地。18世纪俄国边界南拓,地位已不如以前重要。1943年7～8月库尔斯克战役是第二次世界大战中最大的坦克战,以德军失败告终。现工业包括机械制造、食品加工和合成纤维生产。1979年建成一座大型核电站。有医学、农业和师范学院。人口约438 900(1994)。

Kursk, Battle of 库尔斯克战役(1943-07-05～08-23) 第二次世界大战期间的战役。是役德军未能攻下苏军设于俄罗斯西部库尔斯克城附近的突出部。苏军防线的突出部自北至南长达240千米,并向西延伸160千米,楔入德军防线。德军为了重新控制东线的攻势,计划由南北两路出其不意地夹攻该突出部,包围并消灭苏军。其攻击部队由50个师、计90万兵力组成,其中有17个师为机械化部队和装甲部队,配有2 700辆坦克及自行火炮。但苏军事先测知此举,并撤退处境险恶的主力军。7月5日德军大举进攻,被苏军先行部署的严密坦克防御阵线和地雷区所困,北路军只攻入16千米,南路军为48千米,损失了许多坦克。7月12日,激战之际,已集结军力和火力的苏军大占优势,开始反攻。苏军节节获胜,士气大振,便发动全面攻势,于8月5日收复附近的奥廖尔城,8月23日收复哈尔科夫。库尔斯克战役为有史以来最庞大的坦克会战,动用了6 000辆坦克、200万兵力及4 000架飞机。是役标志了德军东线攻击能力的彻底瓦解,因此苏军得以在1944～1945年间长驱直入地采取攻势。

Kursky Zaliv(Europe) **库尔斯克湾** 参阅**Courland Lagoon** 库尔兰潟湖。

kuru 库鲁病 由一种慢反应病毒感染所致的中枢神经系统慢性、变性性疾病。每可致命。发生于巴布亚新几内亚的许多部族中。症状以步态不稳开始,继而出现震颤、手足徐动症样扭曲动作、不随意的舞蹈病样运动,最后死亡(库鲁一词在福雷族语言中为战栗或震颤之意)。巴布亚新几内亚各部族,如福雷族人举行葬仪时死者的头颅被生者(主要是妇女和儿童)打开,其脑子被取出吃掉,本病即通过这种方式感染。这种习俗被禁止以后,本病的发病率已经下降。盖达塞克最先对本病作了鉴定和描述,从而促进了对某些其他神经系统疾病的研究。

Kuruçay(river, Asia) **库鲁恰伊河** 参阅**Kura River** 库拉河。

Kurukh(people) **库鲁克人** 参阅**Oraon** 奥昂人。

Kurukh language 库卢克语 属达罗毗荼语系北达罗毗荼语族的一种语言,是印度中东部乔塔纳格普尔高原的奥昂部落所使用的语言。没有文字。从欧洲对印度殖民化以后,库卢克语才有文献记载,并在许多领域为印地语所取代。

Kurukshetra 古鲁格舍德拉 印度西北部哈里亚纳邦东北部城市。有公路和铁路与德里和安巴拉相通。为印度教重要朝圣地。城市的大水库据说为库鲁王所建。日食时有多达50万人来这里洗浴。历史名胜包括许多庙宇,一座伊斯兰古堡和舍赫奇利贾拉尔的八角大理石墓。设有古鲁格舍德拉大学。古鲁格舍德拉地区约公元前1500年为雅利安人居住地,有多达350个朝圣地。人口约81 275(1991)。

Kuruman 库鲁曼 南非开普省北部城镇。在季节性河流库鲁曼源头处。原为一传教站(1821),后成为白人居住区(1885年建镇;1916年获准)。主要以当地的一股泉水"库鲁曼之眼"著名。亦以乳牛和牛油闻名。人口6 931(1985)。

Kurumba 库龙巴人 住在印度泰米尔纳德邦豆蔻丘陵及尼尔吉里丘陵的类尼格罗部落,原为牧民,大概与帕那瓦人在族源上密切相联。8世纪帕那瓦王朝衰落,库龙巴人的祖先也分散到印度南部广大地区,彼此相隔,文化发展各异。现在有些人从事农业,有些人狩猎、出售丛林产品。半印度化的库龙巴人已放弃许多传统习俗。住在平原地带的库鲁巴人是小土地所有者及牧羊人,与山区的库龙巴人不同。

Kurume 久留米 日本九州福冈县城市。位于筑紫平原中部,临筑后河。17世纪为城堡镇。19世纪末至第二次世界大战时期为军事要地。18世纪以来就以生产带图案的棉纺织品闻名。现以橡胶工业为主,生产轮胎、胶鞋和胶管。久留米同时也是农产品市场和铁路交通枢纽。附近有祭海神的水天宫神社(12世纪末)。人口约232 846(1993)。

Kurunegala 库鲁内格勒 斯里兰卡中西部城镇,位于康提西北40千米处。14世纪初为僧伽罗人首都,后为康提与新都普塔勒姆间的驿站,现为附近人口众多的农业区的商业中心。农业区盛产稻米、橡胶乳、香料、可可和椰子。与全国其他地区有良好的公路与铁路相连。镇东北有公元前100年在银矿脉上修建的"银寺"。人口约28 000(1990)。

Kuryłowicz, Jerzy 库雷沃维奇(1895-08-26,奥匈帝国加利西亚斯坦尼斯拉夫～1978,波兰) 波兰历史语言学家,20世纪最伟大的印欧语言学家之一。1927年因鉴别赫梯语浊塞音ḫ而证实印欧语中有喉音存在,这一假设是瑞士语言学家索绪尔于1879年提出的。这个发现推动了印欧语音学的研究,促进了语音音变的比较研究。自1924年开始撰写有关印欧语,特别是罗曼语和日耳曼语的论文,1928年任利沃夫(今属乌克兰)大学教授,曾发表《印欧语研究第一辑》(1935)。第二次世界大战后,任波兰弗罗茨瓦夫大学和克拉科夫大学教授。两种主要著作是《印欧语的元音交替》(1956)和《印欧语的屈折变化范畴》(1964)。

Kurz, Hermann 库尔茨(1813-11-30,符腾堡王国罗伊特林根[德国]～1873-10-10德国蒂宾根) 德国作家。主要因著有两本有感染力的历史小说《席勒在故乡的岁月》(1843)和《太阳客栈老板》(1855),以及关于士瓦本生活的讽刺幽默短篇小说集《故事集》(1858～1863)而闻名。前两书均批判了现存社会制度。由于他的作品没有得到赏识,因此被迫靠翻译为生。译过阿里奥斯托的史诗《疯狂的罗兰》(1840～1841),以及戈特夫里德·封·斯特拉斯堡用中古德语写成的《特里斯丹和绮瑟》(1844),译文流畅优美。1843～1854年间曾任记者并在斯图加特市主编民主派报纸《观察家》。后来任蒂宾根大学图书馆管理员。

Kurzeme 库尔泽梅 拉脱维亚西部冰碛地区。范围大致相当于历史上的库尔兰(**Courland**)。地势稍高于邻接的波罗的海和里加湾沿岸平原。南部海拔184米。有许多东北和西北流向的小河由此发源。产粮食、

马铃薯、甜菜、亚麻等。也是林区，多松树、杉树。曾为拉脱维亚传统的一个州，同它的历史首府叶尔加瓦(**Jelgava**)在该区的东缘。

Kusaie (Caroline Islands) **库塞埃** 参阅 **Kosrae** 科斯拉伊。

Kusanagi **草薙剑** 正名天丛云剑，日本神话中的宝剑。太阳女神天照大神派遣其孙琼琼杵尊降世治理日本，临别以此剑相赠。此剑连同八咫镜和八坂琼曲玉共为神道教三种神器，也是皇室的纹章图案。日本武尊率部东征阿伊努人，阿伊努人放起野火时，日本武尊用此剑斩草自火中突出，所以称草薙剑，意为斩草之剑。

Kusapura (India) **古瑟布勒** 参阅 **Sultānpur** 苏丹布尔。

Kusch, Polykarp **库什**(1911-01-26，德国布兰肯堡～1993-03-20，美国得克萨斯达拉斯) 美国物理学家。因为精确测定电子的磁矩大于理论值，从而导致对量子电动力学的重新考虑和各种修正，与W.E.小兰姆共获1955年诺贝尔物理学奖。他1912年来到美国，1922年成为美国公民。1937年库什在哥伦比亚大学与物理学家I.I.拉比从事磁场对原子束的影响的研究。第二次世界大战期间他研究雷达，1946～1972年回到哥伦比亚大学任物理学教授，后任过物理系主任(1949～1952，1960～1963)，辐射实验室主任(1952～1960)，研究院副院长及院长(1969～1972)。1972年他任达拉斯市得克萨斯大学教授，一直到1982年退休。1947年库什通过精密的原子束研究，证明电子的磁性与原有的理论不符。随后，他精确地测量了电子的磁矩和它在氢气中的性状。他还用射频束技术非常精确、可靠地测量了多种原子、分子以及原子核的特性。

Kusevitsky, Sergey Aleksandrovich **库谢维茨基** 参阅 **Koussevitzky, Serge** 库塞维茨基。

Kusha **俱舍宗** 威妥玛拼音作Chü-she。日本奈良时代(710～784)从中国传入的佛教哲学派别。该宗以4或5世纪印度哲学家世亲所著《阿毗达磨俱舍论》为正典，故名。此书阐述说一切有部教义。651～654年间由中国僧人玄奘译成汉文，此后中国俱舍宗成立，658年其教义传入日本，到9世纪该宗在中国和日本都逐渐衰落。在日本，该宗并入法相宗。

Kushān DYNASTY **贵霜王朝** 出自月氏的统治世系。月氏在公元头3个世纪统治着印度次大陆北部大部分、阿富汗和中亚部分地区，公元前2世纪征服大夏，分国土属5个翕侯，贵霜是其中之一。100年后，贵霜翕侯丘就却统一月氏王国。在迦腻色伽一世及其后继者的统治下，贵霜王国臻于鼎盛。它被承认为当时的四大欧亚强国之一(其他为中国、罗马和安息)。贵霜人有助于佛教在中亚和中国的传布以及犍陀罗和秣菟罗两艺术流派的发展。在贸易中(特别是与罗马)，贵霜人变得富足起来，这由他们铸造大量金币可以看出。伊朗的萨珊人和印度北部的地方势力兴起之后，贵霜的统治衰落下去。

Kushān art **贵霜艺术** 贵霜王朝(公元1世纪后期至3世纪)在包括今中亚、北印度、巴基斯坦、阿富汗地区的艺术。贵霜人是从印度东北侵入的游牧民族，讲伊朗语，穿伊朗传统服装，具有一种混合的文化，例如其钱币铸有希腊罗马的、伊朗的和印度的神像。当时的艺术品至少有两种主要的类型：一种源自伊朗皇家艺术，一种是希腊罗马和印度传统混合的佛教艺术。前者有在阿富汗发现的7个贵霜王发行的金币，铸着贵霜王族的肖像；后者源出罗马艺术，而又形成具有地方色彩的犍陀罗艺术(**Gandhāra Art**)与秣菟罗艺术(**Mathurā Art**)。

2世纪的贵霜王族牙雕肖像
美国不列颠百科全书公司供图

Kushbhawanpur (India) **古什布赫文布尔** 参阅 **Sultānpur** 苏丹布尔。

Kushiro **钏路** 日本北海道东部城市。跨钏路川。1870年由537个日本人拓居。河口天然港湾已发展成北海道东部最大商业和渔业港。附近有钏路煤田。向北可进入阿寒国家公园。人口205 640(1990)。

钏路市容
东京图片公司供图

Kushk River **库什克河** 阿富汗、土库曼斯坦境内河流，由阿富汗西北部的阿格罗巴特河和加拉埃查格哈尔河合流而成。库什克河西北流，转北，与莫科尔河汇合，形成阿土边界，后转东北入土库曼斯坦与格里约克河合流，在塔什凯普里附近注入穆尔加布河，全长277千米。部分河道夏季干涸，流域面积约10 700平方千米。中下游引水灌溉农田。

Kushtia **库什蒂亚** 孟加拉国中西部城市。位于恒河南岸。有铁路与赛义德布尔、加尔各答相通，是贸易中心。有棉纺厂和制糖厂，也有制陶家庭手工业。有拉杰沙希大学的几所学院。周围地区为恒河三角洲冲积平原，主要农作物是水稻、黄麻、油籽和豆类。人口74 892(1981)。

Kushukh **库舒克** 古代胡里安人所崇奉的月神。其地位在日神什美吉之上。他专司盟誓，惩罚立伪誓者。其像为男子，身有两翼，盔上饰以新月，有时立于狮身之上。亚泽利卡亚崖寺(在今土耳其境内博阿兹柯伊附近)有此神像。

Kushva **库什瓦** 又拼Kušva。俄罗斯西部叶卡捷琳堡州城市。位于布拉戈达特山麓。在此发现铁矿后，1735年建居民点，1926年设镇，20世纪50年代前曾露天开采。今地下开采，为当地冶金工业提供铁矿石。人口约43 300(1991)。

Kuskova, Yekaterina Dmitriyevna **库斯科娃**(1869，俄罗斯～1958-12-22，瑞士日内瓦) 俄国反对布尔什维克政权的政论作家。19世纪90年代中期开始参加政治活动，曾为修正主义的"经济派"起草《信条》。这个宣言受到列宁以及其他革命家的批判。1906年她和丈夫为"解放社"出版一个杂志，后来她还为其他一些社会主义报纸撰写文章。十月革命后，她反对布尔什维克和列宁的专制政策。1921年任全俄赈济饥民委员会委员，后来被捕，被指控利用这个机构进行反政府阴谋活动。1922年被驱逐出苏联，余生为白俄报刊撰稿，反对苏联。她曾是作家高尔基的老友，但当后者决定返回苏联时(1929)，她与他中断了联系。

Kustanay **库斯塔奈** 又拼Kustanai。哈萨克斯坦北部一州。面积114 500平方千米，包括图尔盖低地的一部分。北部是肥沃的黑土带，向南逐渐转为干旱草原。属大陆性干旱气候。主要河流为托博尔河(北流)。多湖泊，其中最大的是库什穆伦湖。采矿业和农业在经济中占主要地位。鲁德内市和利萨科夫斯克市等地有铁矿，杰特加拉有石棉，红十月村有低质铝土矿。为谷物，尤其是小麦的主要产区；由于20世纪50年代中期的垦荒运动，播种面积扩大四倍。亦放养牛羊。主要城市有库斯塔奈(首府)、杰特加拉、鲁德内和利萨科夫斯克。居民有俄罗斯人、哈萨克人、乌克兰人、日尔曼人、白俄罗斯人和鞑靼人。人口约972 300(2001)。

Kustanay 库斯塔奈 哈萨克斯坦库斯塔奈州城市和首府。濒临托博尔河。1879年由来自伏尔加地区的俄国殖民者所建。后成为草原的贸易中心(尤以谷物为主)。1913年铁路支线建成后地位加强。1933年成为州首府。自20世纪50年代中期开始大发展，扩大了种植面积，开发了矿产资源和修建了铁路新线。主要工业是食品加工和轻工业。还有车辆和农用机械修理厂，并生产挖掘机和采矿设备零部件。市内有师范学院。人口约221 400(1999)。

Küstendil(Bulgaria) 参阅**Kyustendil**丘斯滕迪尔。

Kūstī 库斯提 苏丹中部城镇。临白尼罗河西岸，在杜韦姆以南约104千米处。经济以农业为主，也有少量轻工业。库斯提上游6千米有库斯提公路、铁路桥。铁路通往欧拜依德。建有国内航空机场。人口173 559(1993)。

Kusumi Morikage 久隅守景(1610?，日本江户[今东京]～1700，江户) 日本江户时代(1603～1867)早期画家，是狩野派画家狩野探幽(1602～1674)的4名最佳门徒之一。不拘泥于狩野派的风格，而趋向更加多变的生动活泼的画风。还背离那种模仿中国田园风景画的传统，而描绘日本农民的真实生活与习俗。现存作品最著名的有《葫芦架下纳凉图》与《宇治桥屏风图》。

Kusunoki Masashige 楠木正成(1294?，日本～1336-07-04，旧摄津国凑川) 日本历史上最伟大的军事战略家之一。土豪出身。1331年后醍醐天皇讨伐幕府时他率兵勤王，在最著名的一次战役中英勇抗击幕府军，保卫住千早城堡。建武中兴时期任摄津、河内、和泉3国守护，是朝廷重臣之一。1336年1月率天皇军队打败足利尊氏，将尊氏逐出京城。几个月后尊氏统领强大联军卷土重来，进行反攻。他建议暂时退却，以便能在地形有利的场所与敌军作战。但天皇坚持命他前进迎战。在凑川决战中，他英勇战斗多时，终因寡不敌众，自戕殉国。明治时代曾为他在殉难地点建立神社。

Kušva(Russia) 参阅 **Kushva** 库什瓦。

kut 巫法 朝鲜宗教中的通神仪式。参阅**mudang**。

Kūt, Al- 库特 又作Kūt AL-Imārah。伊拉克东部城镇。位于底格里斯河沿岸，支流盖拉夫河河道向南分岔处。库特水坝使河水改道流入周围地区的灌溉渠。现为该地区农产品的贸易中心。该镇因底格里斯河道变迁而几经兴衰。经一段衰落期后，现在河系已趋稳定，该镇重新兴起，成为河港。库特镇曾是第一次世界大战期间伊拉克战区著名的英军战败地。1915年英军向北迅速推进，攻占库特，并继续追击奥斯曼(土耳其)军队直至离巴格达市约100千米以外的地方。但因土耳其军队在泰西封取得胜利，英军被迫停止推进。英军在陆军少将汤森指挥下退到库特，并于12月8日被土耳其军包围。历时近5个月的围困后，英军于1916年4月29日投降，约有10 000名英国和印度士兵被监禁在土耳其东部。另一支英军于1917年2月夺回库特。战争期间该镇大部被夷为平地，战后重建。2003年第二次海湾战争期间，该城并未经历任何战斗，但其后却经历了政治动乱。人口380 000(2002)。

Kütahya 屈塔希亚 土耳其西部城市。濒临波尔苏克河。在一座顶部有中世纪城堡废墟的小山脚下。古称乔帝安姆，位于马尔马拉地区至美索不达米亚平原的大道上，该城随商路重要性的变化而兴衰。屈塔希亚本为中世纪拜占廷城镇，11世纪末被塞尔柱土耳其人夺占。1302～1429年为杰尔米扬土库曼公国首都，后并入奥斯曼帝国。16世纪时，为奥斯曼陶瓷业中心，所产瓦、彩陶供应土耳其和中东部分地区建造清真寺、教堂和其他名胜。20世纪中叶因工业的发展，昔日重要地位乃得恢复。工业有制糖、制革、硝酸盐加工、陶瓷、地毯织造等。公路和铁路可通往东北65千米处的埃斯基谢希尔和东南90千米处的阿菲永卡拉希萨尔。周围大部地区为较平坦或坡度不大的耕地，北部和西部为高峻山地。农产品有谷物、水果和甜菜。通奇比莱克和代伊尔米萨兹大量开采储量丰富的褐煤。畜牧业亦重要。人口：市130 944(1990)。

屈塔希亚市老城区内的奥斯曼帝国时期的房舍
美国不列颠百科全书公司供图

Kutai(Indonesia) **库泰** 参阅 **Mahakam River** 马哈坎河。

Kutaisi 库塔伊西 格鲁吉亚中西部城市。濒临里奥尼河。历史悠久，曾为科尔基斯、伊比利亚、阿布哈兹和伊梅列吉亚等王国的都城。俄国占领后，立为省会。名胜古迹有11和12世纪的大教堂、隐修院等。现为重要工业中心，生产卡车、水泵、矿山机械、丝绸、食品和其他消费品。里奥尼河上建有一座水电站。设有师范学院。人口约240 000(1997)。

Kutang I(mountain, Nepal) **库汤格I峰** 参阅 **Manāslu I** 马纳斯卢I峰。

Kutani ware 九谷瓷器 日本旧加贺国(现属石川县)制造的瓷器。"老九谷"一名指在加贺山村九谷生产的用重施釉上瓷釉进行装饰的瓷器。当权的前田家于1656年在该村建一窑。所用泥胎灰色，质地很粗。在制品中，盘和碗特别普遍。大多数制品是先施一层白或淡蓝无光釉，再用较深的某几种颜色进行装饰，起初是用各种绿、各种黄和某几种红，后来又用各种紫和深蓝。有些制品是在白釉下装饰钴蓝。著名的"老九谷"制品大多是"绿九谷"，即其表面施绿色或蓝绿色釉，上面再加一种或两种颜色(或者在以黑色绘出的图案上均匀施釉)。九谷陶瓷的鲜明图案是从中国陶器、绘画和纺织品中任意选取的，以绘画丰富多彩、线条生动有力著称。由于地方财政问题和难以获得必要的涂料，在元禄时代(1688～1704)，九谷窑曾经一度荒废。但是，19世纪初，加贺的陶瓷生产得以复兴，包括19世纪20年代在九谷另建一窑。除恢复"老九谷"陶瓷的各种式样外，又兴起一种在珊瑚红的底色上施金的风格，这一风格在19世纪60年代开始的另一阵活动热潮

约1685年的九谷瓷瓶
美国不列颠百科全书公司供图

期间达到完美的地步。由于技术不断进步，又采用西式涂料，到19世纪90年代，现代九谷瓷器已经成为日本出口的一个主要项目。"九谷"一名现在泛指19世纪日本各种式样

的陶瓷器，其中有许多与石川县毫无关联。使问题更加复杂的是，一些权威人士现在断定：大多数“老九谷”瓷器实际上是在现佐贺县境内的有田制作的。

Kutch, Gulf of（India） 参阅 **Kachchh, Gulf of** *卡奇湾*。

Kutch, Rann of（mudflats, India-Pakistan） 参阅 **Kachchh, Rann of** *卡奇沼泽地*。

Kutchin 库钦人 操阿塔巴斯卡语的北美印第安部落集团，居住在阿拉斯加东部及育空地区的育空河及皮尔河流域，那里是一片针叶林地带，间杂着空旷的瘠地。“库钦”一名，意为“民族”，是对不同部落的统称。至于哪些部落应纳入此通名范围之内，学者意见不一。库钦人的社会组织与众不同，将每一宗族或部落分为3个族外婚的种姓或亚群，但无等级或世袭地位之分，领袖人物则从具有领导才能及英勇行为的人们中产生。库钦人以好战、残忍著称，对敌人不俘虏，无论男女老幼，一律杀死。库钦人男人担任作战、捕鱼及猎取驯鹿、驼鹿及其他兽类的任务；女人担任家务及运输工作，但无权参与决策。对于老人及不能自理者，习惯上给予处死。库钦人与爱斯基摩人贸易往来、进行战争并深受其文化影响，如：将驯鹿皮缝制为衣服，采用爱斯基摩人的狩猎武器及使用雪橇等。但库钦人也与其东部及南部的印第安人有共同的风俗习惯，如：画面、染发、以鸟羽为头饰，衣服带有缘饰及串珠。住房为圆顶草屋，以木柱及枞枝搭成，冬季围以积雪，顶部留有出烟孔通风。对于库钦人的宗教信仰，人们毫无所知，但他们的节日聚会、体育比赛（尤其是摔跤）、歌唱、舞蹈，都是有名的。20世纪晚期，库钦人仅有大约2 000人；他们深受欧洲人生活方式影响。

Kutenai 库特内人 又拼Kootenay。北美印第安部落，分布于加拿大不列颠哥伦比亚省东南部、美国爱达荷州北部、蒙大拿州西北部。其语言的分类尚不确定，有些学者把它列入瓦卡什语系，另一些学者则认为它是独立语言。这个部落可能是古代黑脚人的后裔；这部分黑脚人曾由大平原向西迁往库特内河流域，该河是哥伦比亚河上游支流。这个地区多湖泊河流，雨量充沛，动物资源丰富，是落基山与太平洋沿岸山脉之间的最易于生存的地带。库特内人具有大平原地区及高原地区两种文化特征。在他们获得马匹之后，每年都进行野牛猎捕活动，狩猎是通过敌对部落的土地在落基山另一侧的平原上进行的。因此，战争就成为至关重要的事件，形式化的战争荣誉成为提高社会地位的一种方法，奴隶制也随着俘虏（妇女和儿童，大都是黑脚人）的人数增多而更加普遍。库特内人穿着皮制衣服（男人着围腰布，女人着束腰外衣），住于圆锥形皮制帐篷，在他们的长袍、帐篷和身体上都像平原印第安人那样涂上颜色。不过他们也和其他高原印第安人相似，集体捕鱼，制造大型树皮船或独木舟，只是在远征时才临时推举一名最高首领。库特内人没有氏族组织，也没有阶级和秘密社会；他们分为若干宗族，各有一名义上的领袖及非正式的长老议事会。他们崇敬太阳神，相信存在于万物之中的精灵，巫医或萨满僧影响颇大。现代库特内人多是农牧场工人、猎人向导，也做劳工。20世纪末人数不足1 000人。

Kutlah al-ʿAmal al-Waṭanī（Morocco） 参阅 **National Action Bloc** *摩洛哥行动委员会*。

Kutná Hora 库特纳霍拉 捷克共和国中捷克州城市。位于弗尔赫利采河畔的台地上，在布拉格以东71千米处。13世纪初叶始建为银矿采掘城镇，14世纪起在此铸造波希米亚钱币。王家铸币厂就是称为“意大利宫廷”的王室府邸的一部分。以德意志人为主体的采矿社区与周围捷克人发生争斗，15世纪的胡斯教派战争和1618～1648年的三十年战争断送了城市的繁荣。壮丽的哥特式圣巴尔巴拉大教堂像宝石制成的皇冠，其他历史建筑物有上述意大利宫廷（现为钱币博物馆）和14世纪的圣詹姆斯教堂。该市现主要为名胜游览区和周围农村的集市中心。人口约21 541（1991）。

kutnohorite 锰白云石 钙锰碳酸盐矿物 [$CaMn(CO_3)_2$]，1955年被认定为在自然界天然存在，最初发现于波希米亚的库特纳霍拉，也产于美国新泽西州的富兰克林和捷克共和国的赫瓦莱季采。是与白云石类似的锰矿物，同白云石形成固溶体系列，在白云石中镁替代了晶体结构中的锰。它在方解石（$CaCO_3$）和菱锰矿（$MnCO_3$）之间不连续的（在正常温度下）固溶体系列中，很可能是处于中间位置。详细物理性质，参阅 **carbonate mineral**（表）。

Kuts, Vladimir 库茨（1927-02-07，苏联乌克兰阿列克西诺～1975-08-16，俄罗斯莫斯科） 苏联长跑运动员。先后保持5 000米赛跑世界纪录（1954～1955、1957～1965）、10 000米世界纪录（1956～1960）和3英里世界纪录（1954）。任苏联军官。1956年在墨尔本奥运会上获5 000和10 000米赛跑金牌。1954年获5 000米欧洲冠军。1953～1957年获苏联5 000和10 000米冠军。1957年以后由于生病被迫退出赛跑，但仍担任教练。

kuttāb（Muslim school） 参阅 **maktab** *阿拉伯语学校*。

Kutuzov, Mikhail Illarionovich, Prince（Knyaz） **库图佐夫**（1745-09-16，俄罗斯圣彼得堡～1813-04-28，西里西亚本兹劳［今波兰博莱斯瓦维茨］） 原名Mikhail Illarionovich Golenishchev-Kutuzov。俄国陆军司令官，曾击退拿破仑对俄国的入侵（1812）。库图佐夫是一位曾在彼得大帝军中服役的陆军中将的儿子，12岁入军事工程学校，年仅14岁即参加俄国军队当下士。1764～1769年在波兰作战，1770～1774年与土耳其人交战，取得作战经验。在克里米亚，他在苏沃洛夫将军麾下服役6年，从苏沃洛夫学习了战略和战术。1777年晋升上校，1784年成为少将。他在1774年头部受重伤，失去一只眼睛，但是仍然积极参加1787～1791年的俄土战争，又受重伤。战后，他担任一系列的高级外交和

美国不列颠百科全书公司供图

行政职务，但在1802年失宠，退隐自己的乡间庄园。3年后，当俄国参加第三次反拿破仑联盟时，皇帝亚历山大一世将他召回，任命他担任俄奥联军司令，抗击法军向维也纳的进攻。但在库图佐夫的部队与奥军会合以前，拿破仑已在乌尔姆战役中击败奥军。1805年11月11日他在迪伦施泰因击败法军后，巧妙撤退，使俄军未受损失。他提议撤回俄国边境，等待增援，但亚历山大不允，于是在奥斯特利茨与法军交战（12月2日），结果惨败。库图佐夫被认为对失败负有部分责任，被免去统帅职务。随后，当与土耳其又爆发战争时，亚历山大又委命他任驻守摩尔达维亚的俄军司令。他几次击败土耳其军，于1812年5月28日缔结了一项有利于俄国的俄土和平协定（布加勒斯特条约）。1812年6月拿破仑的军队进入俄国，俄国人节节败退。在公众舆论的压力下，亚历山大于8月9日任命库图佐夫为俄国全部军队的总司令，第二天又封他为公爵。拿破仑寻求进行全面交锋，而库图佐夫的战略则是不断进行小规模战斗，后退保存实力，借以消耗法军。但是，在公众舆论的压力下，他不得不违背自己的正确想法，于9月7日在博罗季诺打了一场大仗。虽然这一战役本身未分胜负，但是库图佐夫几乎损失了一半军队，随后又向东南方撤走，让法军进入莫斯科。拿破仑试图与俄国人议和未成，他不愿在莫斯科过冬，就于10月撤离该城。他试图向西南移动，10月19日库图佐夫发动了小雅罗斯拉韦茨战役，阻止了敌人沿着丰饶的南路前进的企图，迫使溃败的法军只能沿着入侵时所破坏的原路撤出俄国。他没有进行另一次主要战役就摧毁了敌人。库图佐夫的部队不断袭击，驱赶着正在撤退的法军，同他们在维亚济马和克拉斯诺耶交战。11月末，拿破仑的残余部队在别列津纳河渡口险些遭到全军覆灭。1813年1月，库图佐夫挥师追击敌军直达波兰和普鲁士，他在普鲁士因病去世。库图佐夫是当时仅次于苏沃洛夫的俄国最优秀的指挥官。他一般依靠迅速调遣部队，避免不必要的战斗，使他的部队只在适当的时刻进击。

Kuujjuaq 库朱瓦克 原名希莫堡（Fort-Chimo）。加拿大魁北克省东北部新魁北克行政区爱斯基摩人社区。位于注入昂加瓦湾的科克索克河河口北面约30千米处。1830年

哈得孙湾公司在此建商站。现有一合作社是手工艺合作社，生产以海豹皮制的动物和鸟类（主要是北极枭）标本。设有加拿大皇家骑警岗哨、医疗站、气象观测站、飞机场以及天主教教会和基督教圣公会等。一所实验农场已在经营，也有牧羊业。人口1 405（1991）。

Kuusankoski 库桑科斯基 芬兰东南部屈米省城镇。位于科沃拉之西北，濒临屈米河。为芬兰主要工业地区的一部分，设有斯堪的纳维亚半岛最大的造纸和纤维素生产厂家屈米公司所属各厂。还有水力发电站。有铁路通往科沃拉及首都赫尔辛基。人口：城市区21 774（1992）。

Kuusinen, Otto V. 库西宁（1881-10-04，芬兰劳卡～1964-05-17，苏联俄罗斯莫斯科）芬兰共产党的缔造者，共产国际书记，苏联共产党的重要人物。1905年在芬兰加入社会民主党，后在党内担任过几项重要职务。1918年初在短命的芬兰社会党政府中当教育部长。同年爆发芬兰独立战争，社会党政权随之垮台，库西宁逃往俄国，成为芬兰共产党的主要组织者。在两次世界大战之间的年代流亡国外，任共产国际书记要职。1939年苏联芬兰发生冬季战争，库西宁被任命为芬兰社会主义政府的首脑。1940年战争结束，他的政府悄悄解散。从1940～1956年任卡累利阿-芬兰苏维埃社会主义共和国最高苏维埃主席团主席。1946至1953年和1957年至死，任苏联共产党中央委员会书记和苏联最高苏维埃主席团成员。

kuvasz 匈牙利白狗 复数为kuvaszok。匈牙利的一个警卫牧羊犬品种，在中世纪被视为欧洲最优秀的看门狗，当时为国王及贵族所饲养。本品种于数世纪前在匈牙利育成，

匈牙利白狗

美国不列颠百科全书公司供图

后从此地传到土耳其、印度和中国（包括西藏地区）。现代的匈牙利白狗体高约66～76厘米，体重约32～52千克。体型大，壮实。被毛稍卷曲，纯白色。头形优美。作为忠实而勇敢的伙伴，感情却不太外露。奔跑速度快，姿态优美。神态极为高贵。作为看门狗，匈牙利白狗对家宅起到很好的保卫作用，无需主人的命令便能主动行动。

Kuwait 科威特 全称科威特国。位于波斯湾西北角上方的国家。该国南北长约160千米，东西宽约140千米，西和北与伊拉克接壤，南与沙特阿拉伯交界，东临波斯湾。首都科威特市。面积17 818平方千米。人口2 439 000（2003）。

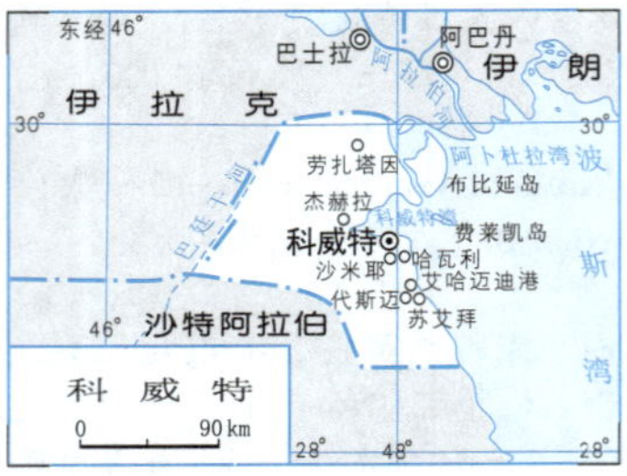

美国不列颠百科全书公司供图

土地 科威特位于一个从波斯湾向西缓缓攀升的平原，全国最高点舍贯亚，海拔290米，该地接近伊拉克和沙特阿拉伯之间的最东端交界处。科威特湾由波斯湾向内陆延伸48千米，西北沿岸矗立着145米高的藻尔陡崖。一个天然良港和首都科威特市均位于科威特湾南岸。除了科威特湾西端的杰赫拉绿洲以及东南和沿海一带有些沃土以外，该国大部地区为沙漠。

科威特属亚热带气候。夏季（4～10月）和冬季（11～3月）之间有明显差别。夏季几乎没有降雨，4月和9月的平均气温为44 °C，有时高达54 °C。该国年降雨量在25～180毫米之间，几乎全部集中在冬季，为北部、西部和中部的沙漠盆地或干盐湖注入了对该地区游牧民十分宝贵的淡水。冬季最凉爽的月份平均气温为16 °C。境内时常刮风，6和7月间常有强烈的尘暴发生。

科威特几乎没有可耕作的土壤，该国唯一的资源是广袤的油田和天然气田。在20世纪末，其石油储量约占全世界总储量的10%，使科威特在这方面仅次于伊拉克和沙特阿拉伯，居世界第3位。该国的天然气储量约占世界储量的1%。

人民 科威特的绝大多数人口为阿拉伯人和穆斯林。住在该国的外国人有非科威特阿拉伯人以及一些南亚人。

官方语言为阿拉伯语，科威特绝大多数人口均使用这一语言；波斯语和英语亦被使用。全国几乎所有人口都居住在城市。人口的年增长率一直很高，主要是由于移民的增加所致。然而政府只将公民权保留给本地科威特人，以及那些能够证实其祖先在1920年以前就居住在科威特的人。

经济 科威特属发展中的混合型经济，既有国有企业亦有私营企业。国民生产总值的增长虽不像人口增长那样快，但人均国民生产总值却居世界前列。国内生产总值主要来自原油及天然气的生产和提炼。

科威特的农业属边际经济活动，在国内生产总值中所占比例极小。少数可耕地利用回收的废水或带盐分的地下水进行灌溉，以种植蔬菜和牲畜牧草。牧场仅约占全国土地面积的1/12；主要牲畜为绵羊、山羊和牛。

波斯湾的商业性捕鱼为当地市场提供了大量银鲳、对虾和虾经冷冻后出口国外。

制造业的产值约占国内生产总值的7%，雇用了大约同样比例的劳动力。除了各种石油产品以外，主要制成品还包括塑料、水泥、陶制品和石棉制品、金属管、电缆和干电池、家具和羊毛毯。工业集中在舒艾拜和阿卜杜拉港的工业园区。全国所有的电力均来自热电厂。

自20世纪70年代以来，科威特的经济发展通过扩大其石油提炼、运输及销售能力，实行了石油工业的纵向结合。科威特政府拥有全部石油、天然气及各种衍生的工业、发电厂和海水淡化厂。私人企业则拥有建材、建筑、贸易及金融公司。从70年代晚期起，政府优先发展与石油和天然气相关的工业及其他需要极少劳力的低污染工业，以期减少该国大批的外籍劳动力。科威特还将大部分石油财富投资海外。丰厚的石油收入使科威特得以发展工业并为本国公民提供一套完善的社会保障计划而又不至于出现预算赤字。科威特几乎一半的工作与公共管理、国防和服务业有关。科威特的预算收入大多来自石油和天然气。

科威特几乎所有的公路都铺设了路面。主要港口有舒韦赫和舒艾拜；艾哈迈迪港为主要油港，位于近海海面。国际机场位于科威特市。该国的管道大都用来输送石油。

20世纪70年代末和80年代初，科威特的出口总值比进口总值多3倍以上。由于国际市场油价的下跌，贸易收支至80年代末已大体持平。出口商品主要为原油、天然气和精炼石油制品，主要销往日本、荷兰和美国。进口商品以机械和运输设备、基本制品、食品和活牲畜为主，大多来自美国、日本和德国。

政体与社会状况 科威特是一个君主立宪国，受萨巴赫家族统治。1962年通过的宪法授权该统治家族挑选一位埃米尔，由他担任国家元首，通过一位任命的首相和大臣会议行使统治权。1976年，埃米尔解散了该国一院制立法机构国民议会，并中止实施宪法。1981年国民议会开始复会，1986年在两伊战争和油价下跌的双重压力下又告休会。1992年选举产生了新一届50个席位的国民议会。科威特的法律赋予高等上诉法院以最高司法权。民事和个人身份法的内容受伊斯兰宗教法的约束。

科威特有完善的社会福利制度。该制度为需要帮助的科威特人提供财政援助和住房，并为所有受雇的公民提供工伤、老年和残废福利补助。所有居民（不论其国籍）均可享受政府提供的低价医疗服务。

卫生保健状况一般良好；科威特按人口计算的医生比例相当高。预期寿命在本地区也属于较高之列，男性为72岁，女性76岁。但是相对较高的婴儿死亡率仍是一个严重的问题。

本地科威特人在各级学校中皆可享受到政府提供的免费教育。6～14岁的本地科威特人须接受义务教育。该国3/4以上的成年人具有读写能力。科威特大学创立于1962年，是该国唯一的重要高等学府。

科威特新闻业为私人所有，一般免受新闻检查。但是，大臣会议对批评埃米尔或科威特经济的报纸，仍保留中止该刊物发行的权利。新闻部负责管理政府的通讯社以及电台和电视台。

文化生活 科威特具有穆斯林文化的传

统。该国还是一些参加朝圣(前往伊斯兰教的圣城麦加朝拜)的人的中间站。科威特朝圣城为这些旅客提供食宿及其他必要服务。部分科威特人还经常举行沙漠狩猎和赛骆驼等传统活动。

历史 考古发掘,特别是科威特湾费莱凯岛的考古发掘证实,科威特所属的一个早期文明与苏美尔及印度河流域文明(公元前第3千年)为同一时期。费莱凯岛和美索不达米亚的一些城市及迪尔蒙(被广泛认为是今巴林岛)的贸易中心曾有密切联系,一直繁盛到公元前1 200年左右才从历史记载中消失。希腊殖民者于亚历山大三世(大帝)时期来到该岛(公元前323年),并建造了一座神庙献给阿耳忒弥斯。该岛后来归塞琉西统治,但在罗马时代衰落。

18世纪初,阿拉伯半岛中部的阿尼赞部落开始向东寻找较好的牧草和水源,并建立了科威特市(传统认为建于1710年)。1756年萨巴赫家族的阿布德·拉希姆成为酋长,创立了自治的酋长领地。萨巴赫家族从此便一直统治着科威特。

19世纪末,科威特首次引起欧洲列强的注意,当时德国正试图将柏林—巴格达铁路延伸至科威特港。为了遏止德国和奥斯曼的影响,科威特和英国于1899年订立了一项协定,由此英国控制了科威特的外交。1914年英国与奥斯曼帝国爆发战争后,英国将科威特立为保护国。

《欧盖尔条约》(1922)建立了与内志(后来称沙特阿拉伯)的关系,包括在两国间建立一中立地带。北部与伊拉克接壤的边界于1923年划定。

1961年6月,英国政府宣布承认科威特完全独立。但伊拉克随后宣称整个科威特属于伊拉克。英国派遣军队前去保卫科威特。1961年7月20日阿拉伯联盟承认科威特独立之后,伊拉克对科威特的领土要求才不再提起。

科威特在阿拉伯国家间一直奉行中立与和解的政策。但是1980年开始的两伊战争严重威胁波斯湾石油运输和科威特的安全。科威特不露声色地站在伊拉克一边,在整个80年代为伊拉克提供了大量贷款。但是在有关战争债务偿还及其他问题的谈判破裂后,伊拉克于1990年8月2日出兵侵占了科威特。科威特政府逃亡到沙特阿拉伯避难,而伊拉克则有计划地掠夺科威特的资产。联合国批准了美国领导的对伊拉克实行贸易禁运的行动,以迫使伊拉克撤出科威特,联合国于11月29日为同一目的,批准对伊拉克使用武力。1991年初,在对伊拉克实行了一个月的飞机轰炸之后,以美国为首的军事同盟从沙特阿拉伯出兵,于2月23～27日将伊拉克军队赶出了科威特。数星期之后,科威特流亡领导人返回他们的首都。由于伊拉克人在撤离该国时大约破坏了科威特1 300口油井中的一半,给科威特最初的重建工作带来很大麻烦,许多油井大火在战争结束后的很长一段时间仍无法扑灭。20世纪90年代,进行了有限的政治改革,允许选择男性公民在立法选举中投票,而皇室仍然把持着大部分政治权力。在经过多年政治动荡以后,在1999年选举中,2/3的获胜候选人持反政府立场。科威特在第二次海湾战争(2003)中支持推翻伊拉克政府。

Kuwait 科威特 阿拉伯语作Al-Kuwayt。科威特首都、城市。位于科威特湾南岸。该名源出阿拉伯语 kūt(“要塞”)。城市建于18世纪初。围以土墙的旧城区域面积仅约13平方千米,居民以捕鱼、采珍珠和与印度次

科威特市的大清真寺
美国不列颠百科全书公司供图

大陆及东非进行贸易为生。第二次世界大战后石油工业发展,该市及其周围地区发展迅速。现为行政、商业和金融中心。其金融设施之大,在中东名列前茅。市内有很多豪华住宅、现代化旅馆和高大办公楼。林荫道上来往汽车极多。1966年科威特大学开课。1990年8月至1991年2月伊拉克侵占科威特期间,有计划地抢走该市的食品、消费物资、工厂设备和其他可移动资产;该市许多居民逃离,科威特市的建筑物和基础设施遭到严重破坏。战后科威特人逐渐回到首都,城市得到重建。人口:大都会区1 165 000(1999)。

Kuwana 桑名 日本本州三重县城市。位于揖斐川、长柄川和木曾川三角洲。室町时代(1338～1573)成为商业港口。1899年通铁路后港口业衰落。现为北伊势工业区中心,生产金属铸件、纺织品、机械和食品,经营海带和蛤蚧贸易。为附近水乡县立公园的旅游基地。人口108 378(2000)。

Kuwatli, Shukri al- 库阿特利(1891,大马士革[叙利亚]～1967-06-30,黎巴嫩贝鲁特) 叙利亚政治家,领导叙利亚反殖民主义运动,成为叙利亚第一任总统。20世纪30年代库阿特利作为领导反对法国统治的阿拉伯人的组织——民族集团的成员进入政界,1940年成为民族集团领导人。他对其同事们的贪污腐败所抱的容忍态度,使他得以继续掌权。民族集团保持了它表达叙利亚民族主义的统治地位,当1943年叙利亚独立时,该集团帮助库阿特利当选为总统。他上台后要办的一件大事是与统治叙利亚达20多年的法国缔结条约。在英国的帮助下,完成了这件事,到1946年所有外国军队都已撤离叙利亚。1947年库阿特利制定了一项修正案,取消宪法关于总统只限一届的规定,于1948年再次当选。由于1948年以色列战胜阿拉伯军队,以及对库阿特利的统治不满,1949年3月发生军事政变,将他推翻。在短期被拘禁后,他流亡埃及。一系列政变使叙利亚政局瘫痪,他伺机东山再起。1955年再次举行自由选举,库阿特利以民族党(民族集团的继承者)领袖的身份当选为总统。但这时这一职位已主要是礼仪性的,此后他对叙利亚的国内政治影响甚微。

Kuybyshev(city and region, Russia, U.S.S.R.) **古比雪夫** 参阅 **Samara** 萨马拉。

Kuyper, Abraham 克伊波(1837-10-29,荷兰马斯勒伊斯～1920-11-08,海牙) 荷兰神学家、政治家、新闻工作者,领导反对革命党取得政权地位,从1901～1905年任荷兰首相。1863～1874年在贝斯德、乌得勒支和阿姆斯特丹当牧师,采纳正统的加尔文主义观点。1872年创办《旗帜报》。1874年选入联合省议会。1878年组成反对革命党,以正统的宗教观点和进步的社会纲领吸引了大量的中下层人士。1880年在阿姆斯特丹创办自由大学。1892年创立归正会。1888年联合天主教集团取得政权。1894年重新回到联合省议会,1897年组成天主教党、反对革命党和基督教历史党的联盟。1901年任首相兼内政大臣,在南非战争(1899～1902)时期,在英国与布尔人之间进行调解。1903年镇压铁路工人和港口工人大罢工,但也主张扩大选举权的范围和实行社会福利计划。1905年在选举中被自由党联盟击败,政治影响从此衰落。此后为议员,直至去世。

Kuytun 奎屯 中国新疆维吾尔自治区伊犁哈萨克自治州辖县级市。位于天山北麓准噶尔盆地南缘,奎屯河沿岸。“奎屯”蒙语意为“寒冷的地方”。市区原为新疆生产建设兵团农七师垦区中心,1975年从克拉玛依市独山子镇析置。1975～1979年曾为伊犁哈萨克自治州驻地。面积1 171平方千米,是新疆唯一不辖乡、村的城市。以垦区农副产品为原料,已有纺织、针织、卷烟、酿酒、化工等工业。市北的五五新镇(在公路里程55千米处,故名)亦为工业镇。市区属园林式工业城市。地当交通枢纽,北疆铁路经此,为欧亚大陆桥重要中途站。公路可通北疆主要城市,南经独山子至库车的天山公路可至南疆各城市。人口300 000(2005)。

Kuyuk(Mongol ruler) 参阅 **Güyük** 贵由。

Kuznets, Simon(Smith) 库兹涅茨(1901-04-30,俄罗斯帝国乌克兰哈尔科夫～1985-07-08,美国马萨诸塞剑桥) 俄国出生的美国经济学家兼统计学家。1971年诺贝尔经济学奖获得者。其父移居美国15年后,他在1922年移居美国。1926年获哥伦比亚大学博士学位。1927年加入全国经济研究局,与创建人W.米切尔在一起工作。自此率先研究美国国民收入、经济时间数列,进而全面研究各国经济增长问题。先后在宾夕法尼亚(1930～1954)、约翰斯·霍普金斯(1954～1960)、哈佛(1960～1971)诸大学任教。他的著作强调原始数据的复杂性,应作大量的观察并限制根据片面历史经验作出的简单模式。库兹涅茨

认为经济数据必须包括人口结构、技术、劳动质量、政府、贸易、市场等方面。他根据积累的统计材料特别强调指出:经济增长很少能传统地归因于劳动及资本的积累。他分析经济增长率中存在着周期性变动,指出变动与根本因素(如人口)之联系。这种周期性变动称为"库兹涅茨周期"。

Kuznetsk(Russia) **库兹涅茨克** 参阅 **Novokuznetsk** *新库兹涅茨克*。

Kuznetsk Coal Basin 库兹涅茨克煤田 别称库兹巴斯(Kuzbass)。俄罗斯煤炭产量最高的大煤田之一。位于俄罗斯中南部克麦罗沃州境内的托木河流域。1721年发现。面积2.6万平方千米,已探明可供开采的储量为7.25亿吨,煤质普遍好,硫分在1%以下,但有的灰分相当高。约有1/4的煤露天开采,主要分布在北部。开采成本低,尤其同另一主要产煤区顿巴斯煤田相比。1721年在孔多马河沿岸首次小规模采煤。苏联第一个五年计划期间(1928～1932)开始大规模开发,并迅速发展为重工业区。第二次世界大战前建立了乌拉尔-库兹涅茨克钢铁联合企业。此后,在乌拉尔区的马格尼托哥尔斯克和该煤田的斯大林斯克(今新库兹涅茨克)建起大型钢铁企业。20世纪60年代在新库兹涅茨克另建又一座大型钢铁厂。有色冶金亦重要,主要产铝矾土、铅、锌、锡、铜和水银。各大城镇都有机械制造和金属加工业,重点生产重型机械。新库兹涅茨克、克麦罗沃和安热罗-苏真斯克的煤炭化学工业很发达,形成塑料、化肥和药品生产基地。主要煤矿中心为安热罗-苏真斯克、克麦罗沃、列宁斯克-库兹涅茨基、普罗科皮耶夫斯克、奥辛尼基和基谢廖夫斯克。

Kuznetsov, Anatoly Vasilyevich 库兹涅佐夫(1929-08-18,苏联乌克兰基辅～1979-06-13,英国伦敦) 笔名A. Anatoli。苏联作家。其成名作为自传性小说《娘子谷》,是第二次世界大战所产生的最重要文学作品之一。1941年德国军队入侵苏联,占领基辅,其时库兹涅佐夫12岁。第二次世界大战结束之后,他曾在几处建筑工地作劳工。1960年毕业于高尔基文学院。他的第一部成功作品《传说的继续》(1957)是根据自己在西伯利亚当劳工时的体验写成的。这部作品所倡导的"青年小说"后来风行于全苏联。1966年,库兹涅佐夫的长篇小说《娘子谷》经过严格审查,大砍大删后在苏联出版,引起争论。小说记述作者在1941～1944年德军残暴占领基辅期间所见的恐怖和不公正(书名娘子谷是基辅的一条山谷,德军在该地屠杀了10万多乌克兰人,就地掩埋)。

1969年库兹涅佐夫访问伦敦,趁机叛逃西方。1970年他出版了未经删改的《娘子谷》全本,立即在苏联被斥为叛徒。全本《娘子谷》笔锋犀利,谴责20世纪30年代和40年代德国同苏联对乌克兰的政策。该书笔调冷峻,寓深刻讽刺于含蓄之中,深刻而生动地描写了作者如何在德军占领基辅期间死里求生。

Kuznetsov, Vasily Vasilyevich 库兹涅佐夫(1901-02-13,俄罗斯索菲洛夫卡～1990-06-05,莫斯科) 苏联官员和外交家。库兹涅佐夫曾在列宁格勒工业学院读冶金工程,1927年加入共产党。他的工程师生涯(1927～1944)因赴美国深造(1931～1933)而中断。1944年任全苏工会中央理事会主席。1952年任共产党中央委员会委员,1952～1953年任中央主席团(即今政治局)委员。1953年开始任苏联驻华大使,为期两年。1955～1977年任外交部第一副部长。1977～1986年任政治局候补委员,并任苏联最高苏维埃主席团第一副主席。1982年11月10日勃列日涅夫去世后代理苏联最高苏维埃主席,直至安德罗波夫在1983年6月16日担任主席。

Kvaran, Einar Hjörleifsson 克瓦兰(1859-12-06,冰岛瓦德拉内斯～1938-05-21,雷克雅未克) 冰岛新闻记者、小说家、剧作家、诗人。牧师之子。在哥本哈根大学读书时,参加冰岛激进青年团体。1885年去加拿大温尼伯。在侨居加拿大的10年中,他一直是冰岛移民界杰出的记者和编辑。后在雷克雅未克当记者和作家。他的作品表达了当时对政治独立、改进社会结构及教育制度的渴望。他的小说往往是要表达一个主题观念,而人物不过是各种思想的代言人。他最出色的成就是短篇小说。

Kvasir 克瓦西尔 在古斯堪的纳维亚神话中,他是一位诗人和人类最有智慧的人。两个互争短长的神族埃西尔和瓦尼尔在媾和的仪式上吐入同一盂内的唾液生出了克瓦西尔。他到处漫游,给人以教导和指点,凡有所问,必有正确回答。两个矮子弗亚拉尔和加拉尔对学术和知识感到厌倦,杀死了克瓦西尔,并在魔釜中蒸馏了他的血。巨人苏同把他的血和蜜掺和起来,做成一种蜂蜜酒,饮了这种酒的人可获得智慧和诗的灵感。《埃达》之一《布拉吉的对话》讲述了克瓦西尔被杀的故事。

Kwa languages 克瓦诸语言 尼日尔-刚果语系的语支,通行于非洲大西洋沿岸从利比里亚西部起到尼日利亚这一片地区。其间包括科特迪瓦(象牙海岸)、加纳、多哥及贝宁等国家的南部地区;尼日利亚境内尼日尔河以西大部地区;尼日利亚境内贝努埃河以南及尼日尔河以东的内陆部分地区。最重要的克瓦语是通行于尼日利亚西部和西南部的约鲁巴语、尼日利亚南部尼日尔河以东的伊戈博语以及加纳和科特迪瓦的阿干语支(包括特维语、阿尼语、鲍勒语、古昂语、梅提波语、阿布勒语)诸语言。其他还有:埃维语、比尼语和伊加拉语。克瓦诸语言像非洲南撒哈拉的大多数尼日尔-刚果语言一样,是声调语言(以同样语音的不同声调来区别不同的词)。参阅 **Niger-Congo languages**。

Kwahu Plateau 夸胡高原 加纳南部高原。突起于沃尔特河盆地南缘,自文奇至科福里杜亚,西北-东南走向,延伸190千米。为加纳注入大西洋的河流与沃尔特水系的主要分水岭。平均海拔460米。为深陷的河谷所切割,并有明显突起的山峰(阿夸瓦峰,788米;埃朱阿内马山,755米)。南部与森林相接。西部已引入可可种植。东部主要种植蔬菜。文奇、曼庞、姆普赖索和阿贝蒂菲是主要市镇。

Kwai River(Thailand) **桂河** 参阅 **Khwae NoiRiver** *奎内河*。

Kwajalein Atoll 夸贾林环礁 又作Kwajalong。马绍尔群岛共和国拉利克(西)列岛的珊瑚构造,位于太平洋西部。环礁的总面积为16平方千米,环绕着世界最大的环礁湖(3 173平方千米)。夸贾林岛、罗伊岛和那慕尔岛是第二次世界大战期间马绍尔群岛中被美军占领的第一批岛屿。环礁用作港口和简易机场,部分地方划归美国反导弹导弹试验场地。人口9 311(1988)。

Kwakiutl 夸扣特尔人 北美太平洋沿岸西北部印第安人,居住在加拿大不列颠哥伦比亚省温哥华岛与其对面大陆之间的水道沿岸。其语言包括3种方言:海斯拉方言,通行于加德纳运河及道格拉斯水道两岸;海尔楚克方言,通行于加德纳运河至里弗斯因莱特一带;南夸扣特尔语,通行于里弗斯因莱特至莫奇角(在大陆上)及温哥华岛北端。夸扣特尔语属瓦卡什语。夸扣特尔人在文化上同努特卡人相近。夸扣特尔人与太平洋海岸西北部诸文化在技术和经济、艺术风格、神话以及宗教礼仪等方面具有共同特征。夸扣特尔人主要以捕鱼为生,擅长木工。其社会划分等级以及等级之决定主要根据世袭的名字及特权,如唱某些歌、使用某些顶饰、佩戴某些礼仪面具等权利。夸扣特尔人有"散财宴"仪式,用以庆祝人生重大事件(如:出生、结婚)、表示对违反礼仪戒律的惩罚、达到保全面子的目的和竞争某种地位或特权。散财宴常常伴以各种会社的舞蹈表演。

夸扣特尔人的整木雕"散财宴"人形盘

美国不列颠百科全书公司供图

Kwan, Michelle 克万(1980-07-07,美国加利福尼亚托兰斯～) 原名Kwan Shan

Wing。美国花样滑冰运动员，体育史上最出色的运动员之一。能将艺术和典雅与体育完美结合，40次获得冠军。5岁开始滑冰，7岁在比赛中获胜。1995年在世界锦标赛上获第4名。1996年得到第一个全国冠军和世界冠军。1997年在美国和世界锦标赛中排在T.利平斯基之后。1998年在美国锦标赛上战胜利平斯基，但在奥运会上以微弱差距获银牌。2002年盐湖城奥运会上获铜牌，而第二年获得她第5次世界冠军（1996、1998、2000、2001和2003）。2005年获第9个全国冠军。1997年出版自传《冠军情怀》。

KwaNdebele 宽德贝莱 南非前非独立黑人邦，德兰士瓦中部的一块飞地。1981～1994年为德兰士瓦恩德贝勒人自治的“民族邦”。宽德贝莱在约翰内斯堡东北约160千米的干燥稀树草原高地上（1 060米）。1979年许多德兰士瓦恩德贝勒人被逐出博普塔茨瓦纳故乡时建立。到1982年年底，南非德兰士瓦恩德贝勒人有40%左右在宽德贝莱定居。首府为夸姆赫朗古。南非新宪法废除种族隔离制度，1994年宽德贝莱成为**东德兰士瓦（Eastern Transvaal）**省的一部分。

Kwando River 宽多河 葡萄牙语作Rio Cuando。非洲南部河流。发源于安哥拉中部。流向东南，形成安哥拉和赞比亚之间近225千米长边界。至卡普里维地带北部边界，出纳米比亚，后没入利尼扬蒂沼泽地（面积约1 425平方千米）。沼泽地的水东流向赞比西河。两河流经同一泛滥平原，在一裸露玄武岩下游约10千米处合流。宽多河全长731千米，流域面积96 778平方千米。

Kwangju 光州 又拼Gwangju。韩国西南部全罗南道首府，道级特别市。面积501平方千米。位于山区边缘。从三国时期（约公元前57）起，即为贸易中心和地方政府所在地。1914年铺设通向汉城的铁路，开始建设现代工业，包括棉织厂、啤酒厂和碾米厂。1967年开始建立了一个以生产汽车为主的工业区，带动了城市的迅速发展。作为西南部的一个交通枢纽，有航空线、铁路和公路，北连汉城，东通釜山。设有一所大学和几所学院。市内多名胜古迹，附近山上有著名古寺和陵墓。人口1 350 948（2000）。

Kwanto Plain（Japan） 参阅**Kantō Plain 关东平原**。

Kwanto Range（Japan） 参阅**Kantō Range 关东山脉**。

Kwanza River 宽扎河 又拼Coanza，Cuanza，Quanza或Kuanza。安哥拉中部河流。源出比耶高原，海拔1 500米。北流510千米转西，在罗安达南48千米处注入大西洋。全长960千米。为安哥拉唯一有经济价值的河流。中游和上游多瀑布。最低的瀑布（落差100米）在坎班贝。在此处以下，小船可航行至河口。旱季水浅，不利运输。坎班贝大坝（1963）有发电和灌溉之利。

Kwanzaa 匡扎节 又拼kwanza，斯瓦希里语意为“初熟果”。非洲裔美国人的节日，从12月26日起至次年1月1日，仿照多种非洲收获节。匡扎节是由长滩加利福尼亚州立大学黑人学教授卡伦加定立的，是以弘扬家庭及社会价值观为宗旨的非宗教节日。在20世纪90年代早期，估计有1 800万人口过这个节日。节期7天中各以一种美德为主题：团结、自决、集体责任心、合作经济、决心、创造性、信心。各家备有7枝形烛台，节期中每晚燃一烛，全家在烛光下议论当日的主题，往往还要互赠礼物。在12月31日，家人与社区内其他人一起举行宴会，名为“卡拉穆”。

Kwara 夸拉 尼日利亚中西部一州。面积36 825平方千米。大部分为生长树木的热带草原，南方有森林区。19世纪初，富拉尼人征服了其几乎全部的热带草原地区。1897年前从属富拉尼王国。1900年并入北尼日利亚保护国。1954年归属北方区。1967年建夸拉州。为全国人口最稀少地区之一。居民主要是约鲁巴、努佩、布努、伊格比拉、伊加拉、巴尔古、布萨或富拉尼人，大多是从事农业的穆斯林。主要出产薯蓣、木薯、玉米、高粱、粟、洋葱、豆类。稻米和甘蔗是尼日尔泛滥平原的重要经济作物。种植棉花和烟草。织布、制陶和生产拉菲亚席为主要的传统手工业。州首府和最大城镇伊洛林为工业和教育中心，有食品加工和铁器制造业，有一所大学学院和一所州立学院。其他工业城镇有阿贾奥库塔（有一大型钢铁厂）和杰巴（有造纸厂和炼糖厂）。卡因吉和杰巴有水坝。乌迪-恩苏卡高原北部奥卡巴煤田所产煤炭供应全国。在洛科贾以北的阿巴贾高原上有全国最大的铁矿。卡巴丘陵上的奥凯内附近也有铁矿。洛科贾西北的贾库拉有大理石开采和石灰石加工厂。伊洛林西北亦有含大理石的岩层。帕泰吉西南有钽铁矿。卡巴、洛科贾、奥法、奥凯内和帕泰吉为重要商业城市和传统工业中心。卡因吉湖国家公园为主要休养地，内有博尔古禁猎区。埃西埃博物馆（1966）收藏许多半人高的石雕像。尼日尔河的杰巴岛有16世纪的努佩王国的青铜人像。尼日尔河航道可通航至索科托州的耶卢瓦。从拉各斯起始的公路干线经过伊洛林和杰巴；与之平行的铁路干线穿过该州的大部分；还有通往一些城镇的公路网。人口约1 751 464（1995）。

kwashiorkor 夸希奥科病 又称蛋白质营养不良。因饮食中缺乏含有必需氨基酸的蛋白质而引起的疾病。最常发生于热带及亚热带饮食中富含淀粉而缺乏蛋白质的地区。断奶后主要以谷物、木薯、大蕉、番薯或类似的淀粉性食物为食的小儿易患此病。本病在1932年首次描述，并名以“夸希奥科”。“夸希奥科”在一种非洲方言中意为“断奶儿”（因母亲新生弟妹而断奶），在其他方言中为“红孩儿”，因为本病的特征之一是毛发呈橘红色。本病的其他表现有皮肤干燥、皮疹、锅状腹、水肿、无力、神经过敏、消化紊乱、腹泻、贫血以及肝脏脂肪浸润。用脱脂奶粉治疗本病有效。作为长远的预防措施，世界卫生组织及联合国粮农组织积极鼓励培育适于当地人口味而且来源有保障的高蛋白的植物性混合食物。有报告指出，早年患过蛋白质营养不良者成年后易患某些疾病，如肝硬变、持久的脑发育障碍。一些证据还有力地表明，饮食中保持足量的蛋白质是预防感染的保护性措施。除饮食中缺乏蛋白质外，本病还可因肠道吸收不良、慢性酒精中毒、肾脏疾病、感染、灼伤或其他可导致身体蛋白质异常丢失的外伤所引起。蛋白质营养不良通常伴有其他营养素缺乏或热量不足。当热量不足，而饮食中蛋白质含量刚够标准时，仍可发生蛋白质营养不良，因为一部分蛋白质要经过代谢满足身体对能量的需要。这种情况称为蛋白质-热量营养不良。当热量和蛋白质均不足时，幼儿（通常为1～4岁）可发生全身组织消耗，表现为身体消瘦、发育停止。若饮食中供给足够的热量和优质的蛋白质，则患者在较短时间内即可恢复。

Kwatah（Pakistan） 参阅**Quetta 奎达**。

KwaZulu 夸祖卢 南非纳塔尔省前非独立黑人邦。祖卢族人的合法家园。由纳塔尔境内11个不相连的飞地组成。面积占纳塔尔省1/3以上。原首府为农戈马，1980年迁至历史上祖卢帝国最后的都城乌伦迪。南非新宪法废除种族隔离制度。1994年夸祖卢重新并入纳塔尔省，该省改名为夸祖卢/纳塔尔省。

KwaZulu/Natal 夸祖卢/纳塔尔 原称纳塔尔省，南非共和国的一个省，占据该国的东南部分。东濒印度洋，南为开普省，西接莱索托和奥兰治自由邦省，西北邻德兰士瓦省，北为斯威士兰和莫桑比克。在本省内有一块东开普省的飞地，是原东格里夸兰（在乌姆济姆库卢周围）东部的一部分。省会乌伦迪。在过去种族隔离的制度下，纳塔尔省容纳非独立黑人居住的夸祖卢邦，该省是这个国家祖鲁人的合法家园。随着1994年种族隔离制度的废除和重新合并夸祖卢，纳塔尔省遂重新起名为夸祖卢/纳塔尔（参阅**Natal**）。夸祖卢/纳塔尔多山丘，在其西部边界尤甚，地面从海岸起沿着该省西界的德拉肯斯山脉的斜面逐渐上升至海拔3 300米。然而山坡的坡度较大，各种露出地面的岩石使地形呈起伏状。从沿海地带的150米上升至610米，在该省中心区（称米德兰）又升至1 220米。该省西部之外是大高原。本省气候属副热带至温带。年平均降雨量从沿海的1 270毫米递减至内陆的760～1 020毫米。气温从无霜的沿海地区逐渐下降，但仍较温暖。一般说来，夏季炎热，有时有雨，而温暖、干燥和阳光明媚的冬天使沿海地带成为南非的主要度假胜地。本省人民属于各种种族。黑非洲后裔多为祖鲁人，约占82%，亚洲人约9%，其中多为印度人，白人7%。多数人居住在沿海地带或省的中心部分；极西部和东北部人口稀少。许多黑人集中在起伏不平地形崎岖的乡村。大多数白人则居住在德班港市内或其附近或其他沿海地区。该省黑人通过使用祖鲁语和继承他们丰富的民间传统仪式以及反映对部落忠诚的习俗保留了他们的文化特性。其余的非洲人操有关联的班图语。南非亚洲人多数住在夸祖卢/纳塔尔省,其中2/3是印度人,1/5为穆斯林。该省的白人多为英国人的后裔。在以前划归黑人的地区,实行自给经济。该地区的经济主要依赖养牛和种植玉米,辅以汇款的收入,这些汇款是黑人在南非其他地方工作所汇回的。相比之下,白人则多从事先进的商业经济,省的许多资源就因此而得以开发。该省矿藏大部分是煤,在北方纽卡斯尔和邓迪附近开采,南非大部分焦炭和半无烟煤均由该省提供。最重要的农业区在沿海一带,甘蔗是其主要作物。食糖精炼主要在德班。还生产其他副热带水果,诸如菠萝和香蕉;奶品制造业亦很重要。米德兰兹的松树和桉属树种植园为锯木厂、纸浆厂和人造纤维厂提供原料。德班,连同其相邻的派恩敦是本省经济和工业中心。该省多数工厂都集中在此,是南非最重要的工业地区之一。工厂主要有造船、食品加工、化学工业、炼糖和炼油。1994年前其省会一直设在彼得马里茨堡,该地区亦有一些工业,包括一家铝厂、几家制鞋厂和食品加工厂。省内有很好的公路网和铁路网。省的主要港口德班是南非的主要货运港,大都为非洲南部内地服务。彼得马里茨堡和德班均有南非大学校园。在恩潘盖尼附近的夸德兰盖兹瓦还有德班-韦斯特维尔大学和祖鲁兰大学。全省面积92 100平方千米。人口约9 426 017(2001)。

Kwei Kiang(China) 参阅 **Gui Jiang** 桂江。

Kweilin(China) 参阅 **Guilin** 桂林。

Kwekwe **奎奎** 旧作Que Que。津巴布韦中部城市。1894年发现古金矿场。1902年建居民点。现为繁忙的工商业中心。邻近雷德克利夫钢铁厂。生产钢轨,加工钢和铬。为烟草、牲畜和农产品集散地。1904年建村,1928年建镇,1934年建市。人口约88 000(2002)。

kwela(South African music) 参阅 **kivela** 基维拉。

Kweni(people) **奎尼人** 参阅 **Guro** 古罗人。

Kwinana **奎纳纳** 澳大利亚西澳大利亚州西南部城镇。濒临科克本湾。位于珀斯南面。原为小游览地。20世纪50年代中期兴建大型炼油厂和附属港口,输入和加工来自中东的石油。此后,相继建成炼钢、轧钢、炼铝、氧化钛加工和镍精炼等工厂。现迅速工业化,新建起发电厂、港口和麦地那住宅区等。人口约20 812(2001)。

Kwolek, Stephanie **夸莱克**(1923-07-23,美国宾夕法尼亚新肯辛顿～) 美国化学家,聚合物研究先驱者。研制出凯芙拉(Kevlar),这是一种高强度、超密度材料,尤以用于制造防弹衣而闻名。1946年获宾夕法尼亚匹兹堡的卡内基理工学院(今卡内基-梅隆大学)化学学士学位。后在纽约布法罗的杜邦公司人造纤维部任实验室化学师。1950年随公司的先锋研究实验室迁往特拉华威尔明顿,1986年退休。她最著名的研究,是20世纪60和70年代关于聚芳酰胺的研究,该类聚合物可制成高强度、刚性的耐火纤维。她选定了制造聚间苯二甲酰间苯二胺的溶剂和聚合条件。杜邦公司1961年生产出由此聚合物制成的纤维,商品名Nomex。后她将研究扩展到聚对苯甲酰胺和聚对苯二甲酰对苯二胺。由这两种液态晶体聚合物纺出的纤维有空前的刚性和抗拉强度。聚对苯二甲酰对苯二胺纤维于1971年开始商业化生产,商品名凯芙拉,用于高强度轮胎、增强船体及其他结构部件和轻质防弹衣等。

Ky, Nguyen Cao 参阅 **Nguyen Cao Ky** 阮高其。

Kyabram **凯阿布勒姆** 澳大利亚维多利亚州中部城镇,位于墨尔本以北约200千米处。该地名源自土著语言,意为"浓密的森林"。从墨尔本至此地的铁路于1887年修通,灌溉系统于1891年完成,以后该居民点即逐渐繁盛。1954年公布为自治市镇,1973年设镇。为农业和水果产区的服务中心。镇内有水果罐头厂、成衣厂和农机厂。人口约6 030(1993)。

Kyaikkami **吉坎眉** 旧名奄哈士(Amherst),缅甸东南部胜地城镇。在毛淡棉南面48千米处的半岛上。原为孟族人居民点。第一次缅甸战争(1824～1826)后由英国人建立。附近产水稻、茶叶、榴莲、芒果。手工艺品有柚木雕刻和竹雕。与毛淡棉和耶城通公路、铁路。

Kyakhta **恰克图** 又拼K'achta。1934年前称特罗伊茨科萨夫斯克(Troitskosavsk),俄罗斯中南部布里亚特城镇。位于色楞格河盆地,邻近蒙古。乌兰乌德至乌兰巴托的铁路和公路线经过该镇。这两条路线与古代商道并行,这条商道在17、18世纪是俄国与中国之间的唯一正式通道。1728年俄国在此建特罗伊茨科萨夫斯克要塞(与恰克图村毗邻)。曾是热闹的边境驿站;作为进入俄罗斯帝国的门户,其重要地位仅次于圣彼得堡和里加,现有制鞋业。人口约18 500(1993)。

kyanite **蓝晶石** 又拼cyanite,又称disthene。一种硅酸盐矿物,是在富含黏土质的沉积物发生区域变质时形成的。它是埋藏深的标志,而不是应力高的标志。蓝晶石呈细长叶片状,主要产于片麻岩和片岩中,常常伴生有石榴子石、石英和云母,其颜色从灰绿色到黑色或蓝色,以蓝色和蓝灰色最为常见。蓝晶石的硬度随晶体解理的不同而变化。产地有瑞士、意大利的特伦蒂诺、俄罗斯的乌拉尔以及美国的新英格兰。蓝晶石是一种铝的硅酸盐(Al_2OSiO_4),只有在有限范围的压力和温度下才能稳定。在低压下,夕线石、莫来石、红柱石等矿物为稳定相。蓝晶石是制造火花塞及其他耐火陶瓷用的莫来石的主要原料。一种透明的深蓝色蓝晶石有时被琢磨成宝石。

Kyaukpyu **皎漂** 缅甸西部城镇,位于孟加拉湾的小海湾康伯米尔湾中兰里岛北端,仰光西北400千米处。皎漂优良的自然港是由水深狭窄的海水通道将较小的一些离岸岛彼此隔开而形成的,这是仰光和加尔各答间稻米贸易船只停靠的固定港口。若开邦的皎漂中等学校于1954年在此创立,还有一所培养初级教师的学校和一个国立博物馆也设在本镇。皎漂周围的沿海地区是孟加拉湾和若开山脉峭间的大陆带及无数离岸岛,其中兰里岛和**切杜巴岛**(**Cheduba**)是最大的岛。多丘陵和森林的大陆区域有德莱河与安河。海拔1 508米的安隘口是皎漂通向缅甸中部的要道,但大多数交通仍依靠沿岸轮船。南部海岸被潮水湾的网状系统分割成许多小岛。只有小片土地可用于耕作。尽管有相当多的硬木树林,但大片面积被无用的竹林地带所占据。皎漂周围有无数的泥火山,这是因饱含易燃气体的软泥崩裂而引起的。沿海岸不时有这种火山构成的仅能持续短时间的岛屿出现,通常预示泥火山石油的存在。这里确有少量石油,不过其开采从未有过什么重要意义。人口19 456(1983)。

Kyaukse **皎施** 缅甸中部城镇。位于曼德勒以南40千米处,濒临藻基河。在曼德勒一仰光铁路线上。缅甸人在此定居约始于公元800年。佛塔和古城遗迹遍布全市,其中包括瑞达朗塔。周围地区位于缅甸干旱地区中心。班朗河和藻基河上有缅甸最大灌溉工程,有利于干旱地区的农业灌溉。产稻米和木材。人口37 200(最新估计)。

Kyburg **基堡伯爵领地** 又拼Kiburg。中世纪瑞士历史上重要的伯爵领地。11世纪20年代起,基堡伯爵的第一世系在德意志政治中很有势力,但于1078年绝嗣,他们的领地传给迪林根的施瓦本伯爵的一支。1218年基堡的新伯爵继承今德国巴登-符腾堡州中策林根的大片土地。但到1264年,这一世系又已绝嗣。结果这块领地由哈布斯堡家族中的两支继承:阿尔河以东归后来的德意志国王鲁道夫一世;河西归鲁道夫的堂兄弟们。1452年,基堡伯爵领地的奥地利部分永久归属苏黎世。

Kyd, Thomas **基德**(1558-11-06受洗,英格兰伦敦～约1594-12,伦敦) 英国戏剧家。所著《西班牙悲剧》开当时**复仇悲剧**(**revenge tragedy**)风气之先河。他早就使用了后来许多剧作所用的结构,包括中间高潮和最终高潮。他对悲剧性紧张场面具有本能的敏感,对《西班牙悲剧》中的主人公性格的刻画,为莎士比亚对哈姆雷特的心理研究创造了条件。他曾在伦敦受中等教育,从事文学之前没有进过大学。《西班牙悲剧》于1592年10月列入出版商登记册,是当时最受欢迎的剧目之一,1592年斯特兰契剧团多次演出此剧。海军上将供奉剧团于1597年曾重演此剧,而宫内大臣供奉剧团显然也演出过。剧本多次重版。另一部唯一肯定是基德写的剧本《科涅利亚》(1594)译自同名的法文剧。1591年左右他与C.马洛同住,以叛国嫌疑被逮捕,遭受酷刑。

Kydland, Finn E. **基德兰德**(1943-12,挪威斯塔万格附近奥尔戈～) 挪威经济学家。曾就读于挪威经济与企业管理学院(1968年获理学士)和美国宾夕法尼亚州卡内-基梅隆大学(1973年获哲学博士),其博士导师为E.C.普雷斯科特。毕业后随普雷斯科特进行研究工作,论证政策制定者宣告支持低通货膨胀率为何可以产生低通货膨胀和低失业率的前景。二人还为经济周期分析建立起微观经济的基础,表明技术变化或供应震荡(如油价的提高)将会在投资和相关价格的变动上反映出来,从而在长期的经济增长道路上产生短期波动。2004年两人共获诺贝尔经济学奖。

Kydones, Demetrios(theologian) 参阅 **Cydones, Demetrius** 西多内斯。

Kydones, Prochoros 参阅 **Cydones, Prochorus** 西多内斯。

Kyffhäuser Mountains **屈夫霍伊瑟山** 德国中部图林根盆地北沿的两个小山岭。长21千米,最高峰屈尔彭贝格海拔477米,山北陡峭,南为缓坡。北山俯瞰戈尔德纳奥谷地,山上有两座已经倾圮的城堡,西为7世纪的罗滕堡,东为10世纪的屈夫霍伊瑟堡。屈夫霍伊瑟山上有一雄伟的德意志皇帝威廉一世骑马像。据民间传说,12世纪神圣罗马帝国的皇帝腓特烈一世正在这座山里酣睡,他一旦醒来,就会领导德国人民战胜他们的敌人。

Kyi language 参阅 **Khasi language** 卡西语。

Kyiv(Ukraine) 参阅 **Kiev** 基辅。

Kyle and Carrick **凯尔-卡里克** 苏格兰西南部斯特拉斯克莱德行政区内的一个区。1975年设立。原为艾尔郡的一部分。面积1 290平方千米。凯尔平原有养牛业。南部多森林的卡里克高地饲养牛羊。气候温暖适宜于商品蔬菜的栽培。当地有海滨游览地,有一些工业,以高尔夫球场闻名。普雷斯蒂克有苏格兰国际机场,艾尔有其最好的赛马场。苏格兰民族诗人R.彭斯诞生地阿洛韦就在区政府所在地艾尔的南面。人口约113 572(1991)。

kylix **基里克斯陶杯** 又拼cylix。古代希腊陶器(**Greek pottery**),为阔碗形大酒杯,带有水平把手,是从迈锡尼文化时期直到古典的雅典时期最流行的陶器造型之一。环绕外部表面常有彩绘的饰带,描写的主题取自神话故事或日常生活,在里边底部常绘有舞蹈或欢饮场面。

约公元前520年的基里克斯彩绘陶杯,上绘赫拉克勒斯杀布西里斯图案
美国不列颠百科全书公司供图

Kylver Stone **凯尔维尔石碑** 一块石灰石石板,上有公元5世纪如尼文铭刻,是现存最早的古日耳曼如尼文记载,发现于瑞典哥德兰省一墓穴中。除普通的如尼字母外,还镌刻一个加大的如尼字母ᛏ,颇似一株冷杉树;另刻有费解的回文词 *sueus*,以获致魔法保护墓穴。

Kymi **屈米** 芬兰东南部省份。南界芬兰湾,东邻俄罗斯。陆地面积10 736平方千米。境内有塞马湖水系南部,湖水经屈米河和武奥克萨河排出。屈米河流域有木材加工和木器、钢铁、纺织等工厂以及花岗石和石灰石采石场。省会科沃拉有造纸厂和纸浆厂,是主要铁路枢纽。科特卡和哈米纳为芬兰湾最重要的两个港口。1944年建省。人口约334 905(1991)。

Kynaston, Edward **基纳斯顿**(约1640,伦敦～1706-01) 或许是英格兰扮演女角的最后、也是最好的男童演员。1661年在基利格鲁剧团鲍蒙特和弗莱彻编写的《少女的悲剧》中扮演了他最后的妇女角色。英格兰日记作者佩皮斯同年早期看了他在B.琼森的喜剧《安静的女人》中扮演的几个角色,在日记中写道:"他分明是整个剧院最漂亮的女人,而作为一个男人,也同样是剧院中最英俊的一个。"1665年他成为伦敦科文特加登剧院的男主角演员之一。1695年他加入伦敦的林肯律师学院菲尔兹剧院的贝特顿剧团,此时他的记忆开始衰退。1699年退出戏剧界。

Kyneton **凯恩顿** 澳大利亚维多利亚州中部城镇,濒临坎帕斯皮河,位于墨尔本西北约85千米处。1836～1841年,以畜牧为业的人定居于此。1849年测量该地,并依英国赫特福德郡的凯恩顿命名。现为羊毛、牛肉、乳品、燕麦、小麦及马铃薯等产区的服务中心。镇内有屠宰场、编织坊、木材厂、机械工厂以及乳品厂。为夏季旅游胜地,有钓鱼和其他娱乐活动。该镇以青石建筑物著名,澳大利亚国家全国托管协会曾把这些建筑物定为保护项目。人口约4 010(1989)。

Kynewulf(Old English poet) 参阅 **Cynewulf** 基涅武甫。

Kyō-yaki **京烧** 约从17世纪中叶起在日本京都烧制的加彩陶瓷制品。彩瓷在九州的出现刺激了这种制品的发展;酒井田柿右卫门在有田成功地完善了釉上彩之后不久,野野村仁清也在京都开始生产京烧。京烧和有田的釉上彩制品形成鲜明的对照,后者受中国瓷器的影响很大,并且旨在出口;而京都的陶瓷器具有典型的日本风格,大都保留了传统的宫廷风格,包括各种各样的日用器皿、茶具和陈饰品等。这类制品是在陶轮上成型的,坯厚有一定比例,精巧而典雅。所画的绘图款式既有狩野派的风格,又继承了大和绘的传统。用色范围包括红、蓝、黄、绿、紫、黑、银和金色,具有一种综合的和谐色调。

Kyōdō Tsūshinsha **共同通讯社** 英语作Cooperative News Agency。日本非营利性通讯社,于1945年11月成立,以取代自1936年起一直是日本政府官方通讯机构的同盟通讯社。尽管一开始就受到由部分未参加共同社的原同盟社职工组成的时事通讯社的竞争,但共同通讯社还是在日本报业界逐渐获得威望,部分原因是它采用了诸如可传送汉字的电传打字机等技术革新措施。到21世纪初,该通讯社在世界各大城市都派驻有代表。聘有1 000多名记者、摄影师、外国通迅员和特约记者。

Kyoga Lake **基奥加湖** 又拼Kioga Lake。乌干达中部湖泊。由维多利亚尼罗河形成,水浅,多港汊,岸边为沼泽和纸莎草丛。基奥加湖在纳马萨加利和马辛迪港之间可通航吃水浅的船只。湖泊海拔1 033米。长约129千米。

kyōgen **狂言** 一种简短的闹剧或喜剧,在日本"能剧"演出的幕间插演,用16世纪后半叶的方言表演。其效果是要缓和戏的紧张感。演员着普通服饰,不戴面具(除非在模仿滑稽作品中使用)。通常在5出能剧中插演4出狂言。

Kyōha Shintō **教派神道** 英语作Sect Shintō。根据1882年日本政府法令脱离至上的国教"国家神道"的民间教派的总称。这些教派得不到政府资助,称为"教会"或"教派",以区别于被认为国家机构的国教圣坛"神社"。到1908年已有13个教派获得政府承认。学者们根据其宗教信仰的特点把它们分成几个教团。主要教团是:①复古神道,包括神道大教、神理教、出云大社教(又称大社教)。②理学派别,包括神道修成派、神道大成派。③敬山派别,包括实行教、扶桑教、御岳教。④禊祓派别,包括神习教,禊教。⑤乌托邦或信仰疗法的教派,包括黑住教(依教祖之姓命名)、金光教(因"金神"即神灵的力量命名)、天理教。这些教派又分化出许多支派和拜神团体,因而到第二次世界大战结束后允许它们分立时,即由原来的13个教派猛增至75个。有些教派强调精深的教义、发展信徒和传教活动,是现代日本兴起的"新宗教"的雏型。天理教在教派神道中势力最大。

Kyokujitsu-shō（Japan） 参阅 **Rising Sun, Order of the** 旭日章。

Kyŏmja（Korean painter） **谦斋** 参阅 **Chŏng Sŏn** 郑善。

Kyŏnggi 京畿道 韩国西北部的道。北以停战协定分界线与朝鲜为界，东邻江原道，南接忠清南道、忠清北道，西濒黄海。面积10 867平方千米。首都汉城在该道中部，1946年起划为特别市，行政上不属道管辖。原京畿道为汉城粮仓，京畿平原有汉江和其支流灌溉，产大米、大麦和小麦。亦有奶品制造及蔬菜种植业。汉城工业区已扩展到该道地区，20世纪60年代晚期开始修建公路，因此该道大部地区变为汉城的外围工业区。安养、富川、城南和议政府已发展为汉城的卫星城，分别发展造船、钢铁、玻璃板等工业。仁川市为汉城的海港，水原市为道首府。京畿湾中的白翎岛和延坪岛周围海域为良好渔场。人口约8 937 752(2000)。

Kyŏngju 庆州 韩国东南部庆尚北道城市。位于道首府大邱东55千米处，离日本海海岸28千米。曾为新罗王国(公元前57～公元935)首都。庆州平原被群山及丘陵环绕，形成城市两层天然屏障。古迹数以百计，有庙宇、石塔、陵墓、古冢、古堡等。8世纪在佛国寺附近土咸山顶(745米)所建的石窟，为全世界佛教艺术中最杰出的神殿之一。庆州是韩国重要旅游胜地，每年观光者逾百万。有铁路和公路通汉城和釜山。人口273 968(1995)。

Kyŏngsang-nam 庆尚南 英语作 South Kyŏngsang Province。韩国东南部一道。东临日本海，南濒朝鲜海峡，西邻全罗南道和全罗北道，北界庆尚北道。首府釜山(1963年为直辖市，行政上不归道的管辖)。全道大部由洛东江及其支流灌溉。金海三角洲平原南北长15千米，东西宽6.5千米，为韩国最佳产粮区。产大米、大麦、豆类、马铃薯、棉花、亚麻、芝麻和梨、柑橘、柿子等水果。海岸线曲折，长达2 250千米(包括400多个岛屿在内)。海产品有40多种，为韩国主要产鱼区。晋州、忠武和三千浦有各种轻工业。港口城市蔚山、马山和镇海有重工业和化学工业。智异山(海拔1 915米)为国家公园。面积11 859平方千米。人口约2 970 929(2000)。

庆尚南道海印寺
美国不列颠百科全书公司供图

Kyŏngsang-puk 庆尚北 英语作 North Kyŏngsang Province。韩国东部一道。东临日本海，南接庆尚南道，西邻全罗北道和忠清北道，北界江原道。幅员和人口均居韩国的首位。为新罗王国(公元前57～公元935)故土，现仍保持其文化传统。因太白山脉、小白山脉等环绕，夏季炎热少雨，年降雨量为940毫米。洛东江(朝鲜第2大河)及其支流南流，河谷平原狭窄。农产品有大米、大麦、豆类和马铃薯。大邱附近盛产苹果。附近有些地区养牛。沿海和郁陵岛有海藻、乌贼、贝类等海产品。运输业向称发达。浦项和龟尾有纺织、机械制造、化工工业。面积19 442平方千米。人口约2 716 218(2000)。

Kyōto 京都 日本本州一个府。北濒日本海，东邻福井、滋贺两县，南连奈良县，西北接兵库县，西南毗大阪府，面积4 613平方千米，大部为丹波山地。1874年至第二次世界大战，工业(尤其是纺织业)产量一直居该国首位(东京为第9位)。后成为近畿工业区之一部。首府设在原日本国都京都。其他主要城市有宇治、福知山和舞鹤。人口2 644 000(2000)。

Kyōto 京都 曾为日本国都千余年(794～1868)，历代有过不同名称(平安京；京；西京)，今名系明治维新(1868)后皇室迁往东京时开始使用。现代有"世界的京都"的说法，一方面反映出国外接受日本的文化，也反映出京都本身努力不落后于时代。但京都依然是日本文化和佛教的中心，又是精美纺织品和其他日本传统产品的中心。日本人民与京都的特殊关系表达出他们对自己的文化和遗产的深厚感情——所有的日本人都试图在一生中至少去一次京都，每年全国将近1/3的人口访问这个城市。

京都在本州岛，西南距工业城市大阪约47千米，与日本另一古代文化中心奈良的距离大致相同。京都自北而南呈极缓坡度，平均海拔55米，占地面积约610平方千米。京都是京都府的首府，而京都府则处于近畿地方(近畿地区)的中央。京阪神工业区为日本第2个最大的城市与工业联合体，而京都则与附近的大阪和神户共为这一工业区的中心之一。

自然地理和人文地理

景观 城市位置 桓武天皇选定新都的位置后，794年按照中国唐朝首都长安(今西安)的模式规划京都。设计图包括矩形围墙、棋盘式街道，南北约3.2英里，东西约2.8英里。皇宫在城市北区的正中，周围是政府建筑物。在选定位置时仿照中国的先例，注意保护北面的城角，根据迷信，恶鬼会从那里钻进来。因此，东北方以比睿山(2 782英尺)、西北方以爱宕山(3 031英尺)作为天然屏障。特别是比睿山曾对京都的安危起过重大作用。11～16世纪期间，山上佛教天台宗的大寺所养的僧兵经常袭击这一城市，左右政局。京都原以贺茂川界东，桂川界西，两川均在城南汇入淀川。但是，在东侧丘陵的吸引之下，直至第二次世界大战以后，城市建设才达到原来的西界。京都三面环山，实际上是在一块小盆地中，仅面向大阪的西南部开口。

气候 京都气候春秋最好。雨季(6～7月)不可避免，雨要下3～4个星期。夏天热而潮湿。冬天下两三次小雪，人们必须忍受一种罕有的"透心凉"(日本汉字作"底冷")。京都的年平均温度约15 °C；8月份最高，月平均27 °C；1月份最低，月平均3 °C。年平均降水量约1 574毫米。

城市布局 街道仍然保持原来的棋盘式。东西的大路按数字排列，"四条通"(第四大街)最热闹。乌丸通(乌丸大街)由日本国营铁路车站向北伸出，将全市大致分成两半。这条大街下面是唯一的一条城市地下铁道。京都是日本开设(1895)有轨电车的第1个城市，从而必须展宽一些大马路，以便改善交通条件为全市服务。

京都是一个大工厂或大商号很少的城市，这一事实从内城的外观反映出来：店铺、作坊、住宅、办公室鳞次栉比，全都并肩而立。为了保持对历史名城一览无余，严格的营造法规限制建筑物的高度。屋顶铺瓦和木头曝晒成深棕色是建筑艺术的特征，但是每个拐角都有电线杆(现在用混凝土制成)和密密麻麻的电视天线凸现出来。典型的京都房屋是朝街的前脸窄而低，然而越往里走越高，装饰越多，所有这一切反映出它过去的历史和性格：讨厌抢劫的僧侣、催逼税银的税吏或好奇的邻居。不从前厅进入住宅，这是绝无仅有的事情；如果请你进入，谦逊一下则是礼貌的举动。

由于多次地震和大火、比睿山僧兵的袭击，以及彻底摧毁这个城市的"应仁之乱"(1467～1477)，京都的历史建筑很少是17世纪以前的。复原和修理自然是依照原先的图样，但也有一个平安时代建筑艺术的光辉典范存留下来，这就是位于京都东南几英里、在宇治川畔的平等院中高耸的凤凰堂。

佛寺和神社触目皆是。它们院内的空地，以及京都御所(皇宫)和二条城的空地，使得京都的绿化面积比日本大多数城市都多。京都号称有佛寺1 660座左右、神社400余座、

京都市的桂离宫主屋
美国不列颠百科全书公司供图

基督教堂达90座之多。大的佛教寺院有：东本愿寺和西本愿寺，前者的木造屋顶在同类中是世界最大的，后者存有丰臣秀吉华丽府邸的一部分；龙安寺，以巨石和白砂布置的禅宗庭园著名；天龙寺，在城西岚山地区；清水寺，用支架建在东山坡上；以及金阁寺（1950年被一精神错乱的学生烧毁，但已照原样重建）和银阁寺，两寺均为足利将军们引人信奉禅宗的产物。大的神社有北野神社、八坂神社和平安神社，最后一个神社建于1894年，纪念京都奠基1 100周年。

京都御所的建筑物原来在更西边一些，毁于大火，1855年按照同样"雄伟"的日本风格修复早年的结构。二条城为德川幕府所建，是一个"象征性"城堡，但是其中有许多珍贵文物。它以"音响地板"（警报有人闯入）和精美的狩野派壁画著名。日本传统风景建筑的两个最突出的范例是在城西南角的桂离宫和隐于东北丘陵的修学院离宫。桂离宫经过全面重新修造，使用十分相配的现代材料；其中的建筑物是日本建筑规格的样板。修学院离宫有3个花园，第3个花园有一人工湖。你从这里可以展望向南伸展的京都市全景。

人民　京都是日本最大城市之一。许多年来人口相对稳定，其中包括一个颇为不小的外国社区，主要有朝鲜人（许多是在第二次世界大战期间强拉去的）、中国人和美国人。本市的大部分居民住在各中心区，但移往非中心区和郊区的人日益增多。

市政府议事日程上遗留的主要一款是如何同化成千上万的"部落民"，这是历史上被剥夺社会地位的一群人，住在本市隔离的社区。主要在日本西部的一些老城市地区，特别是京都、大阪和神户，部落民是一个持续不断的社会问题。尽管1969年已经把残余的歧视性法律条款一扫而光，但是在社会地位和就业出路方面无大进展。人口：市约1 463 601（1995）。

经济　*工业*　京都是一个拥有成千上万中小工业的城市，许多工业是一家所有和操作。传统手工艺品极多，为旅游业生产这种产品是京都经济生活的一个重要项目。城市的中心部分挤满了小作坊，生产典型的日本货物，如扇子、偶人、佛坛用具和漆器。由于采取反污染措施，一度昌盛的清水瓷窑被强制迁往附近的山科。

千百年来以市北中部的西阵为据点的丝织业是京都的主要工业。优美的纺织品、精巧的编织物以及刺绣，与艺妓和娱乐业一起，表示京都作为日本文化中心的作用是一脉相承的。另外，京都南部的伏见区水质极佳，用于制作上等日本米酒。第二次世界大战后建立的几种工业也坐落京都南部市区，它们的最重要产品是工业陶瓷、妇女服装和医疗器材。

商业　京都主要是一个消费城市。它是丝织和精纺织品的全国批发中心，但是它的主要商业活动是零售贸易。祇园和先斗町两地以艺妓和"舞子"（见习艺妓）驰名，提供各种各样的传统的和外国的食品和饮料。每到夏季，在市中心贺茂川两岸搭起一些"床"（用柱支承的高台），吟游歌唱者们从下面通过，以表示歌舞伎是怎样产生的。日本旧式客店（旅馆）极多，许多西式饭店为结婚、旅游业以及会议承办酒席。在比睿山脚下有一巨大会议中心，招待大型工业展览和国际会议。

运输　日本的东西方向运输大多必须经过京都。在德川时代（1603～1867），该市是连接京都与江户（今东京）的大路"东海道"的西端终点。通往大阪的河上运输喜用淀川。现在，新干线的大批高速"弹丸"列车可通东西各大城市。京都与大阪—神户间以及与奈良间的市际路线提供快速和多班次的地方服务。20世纪70年代，京都市内终于废除了电车。名神高速公路把京都与大阪和名古屋连结起来。

行政与社会状况　*政府*　京都府（一直伸展到日本海）由一民选知事管理。京都市则由一民选市长和72人组成的市议会管理。

教育　京都有组成市坊的传统，称为"町"。明治维新以后，人们发现这种"町"是迅速普及公共教育的良好基础。因此，在全国努力举办初等教育的时候，京都市是一马当先。京都在高等学府的数目上仅次于东京，但是它已有几名诺贝尔奖获奖人，而东京连一名也没有，对此望眼欲穿。据认为，城市

京都市的清水寺
美国不列颠百科全书公司供图

的环境比较宁静，远离全国政府的喧闹，而其文化设施和宗教机构的众多，乃是京都在教育方面占有优势的主要原因。2年制和4年制的学院和大学有40余座，每年学生总注册人数达10万名以上。1897年创办的国立京都大学是全国第2家最有名气的学府。同志社大学是一个主要的私立教育机构，1875年由新岛襄创立。他1870年在美国阿默斯特学院毕业，是从西方大学毕业的第1个日本人。规模大的佛教大学有龙谷大学和大谷大学，较小的有花园大学。

文化生活 京都为日本首都和皇室居所达千年之久，这意味着它世世代代都是日本“精神”的保卫者。它那五花八门的独特的文化生活方式便是这方面的明证，如：茶道（日语作“茶之汤”，即茶会）和花道（日语作“生花”，即插花）的许多流派；“能”、“歌舞伎”和传统舞蹈等舞台艺术；或者在市内到处可以见到的书法、绘画、雕塑和建筑的杰作。京都是成百上千被指定的“国宝”和“重要文物”的收藏所，在全国总件数中占很大的比例。其中还包括一些被命名为“活国宝”（日语作“人间国宝”）的个人，他们在传统艺术和手工艺方面的卓越技能深受赏识。

重要的艺术作品大多收藏在京都的庙宇和神社中，许多庙宇和神社本身被列为国宝。就连那些并非正规展览它们的收藏品的机构，也不时地公开“通风”，使人们能对它们的珍宝一饱眼福。京都还有许多博物馆，包括收藏国宝的京都国立博物馆（1889创立）、京都市美术馆（1933）和京都市传统产业会馆（1976）。

京都是日本传统戏剧的发祥地，至今保持活跃的舞台生活。几家能剧院经常上演节目。每年在南座举行的“初见面”（日语作“颜见世”，即演员与观众会面）是全国上演歌舞伎季节的惯例的开幕典礼。一些业余剧团忠实地演出“壬生狂言”，这是幽默哑剧的一种传统形式。

京都的3大节日（日语称“祭”）是5月的葵祭、7月的祇园祭和10月的时代祭。这3个节日几乎是全国性的大事情。时代祭（即“时代节”）是列队游行，人们分别穿各时代的服装，描绘日本的全部历史。祇园祭是从9世纪开始举行的，特殊节目是有30多辆非常精致的、认真保护的手拉彩车游行，有几辆彩车以德川时代经长崎进口的法国戈布兰绣帷为装饰。京都城北的比睿山有风景如画的车路，高雄区有秋日的红叶，这些丘陵均以保养良好的大片日本雪松（日本称“杉”或“椙”）驰名。

历史

京都从794年开始成为日本国都，但在此以前就有朝鲜移民定居这一地区，他们带来了养蚕和丝织的技术。如前所述，城市规划是介于桂川与贺茂川之间，但是不久即向贺茂川东岸扩展。平安时代，有权势的藤原一族居统治地位。由于佛教势力在旧都奈良过大，政府初迁长冈，后又迁至京都，禁止在此京建造佛寺。例外是在大南门罗城门的两侧建有东西两寺，即东寺和西寺；西寺不久即毁，而东寺秀美的5层宝塔则是一座古雅的纪念碑。

12世纪末，随着藤原氏的衰落和源氏的兴起，政治和军事领导权落入“将军”手中，初代将军源赖朝选定东边的镰仓为基地，由这里统治逐渐扩大的领土。正是在镰仓时代（1192～1333）建立了许多佛教庙宇，出现了日本的一些佛教宗派，并从大陆传来禅宗。在随后的室町时代（1338～1573），足利幕府把政府迁回京都。平安时代的贵族文化与在武士治下发展起来的禅宗文化交融到一起，结果使得能剧、茶道和花道精益求精，并且制作陶瓷器皿。

但是，到了16世纪中叶，京都已经荒芜不堪，圣方济各·沙勿略前往该市朝圣，竟找不到皇宫所在，更不要说觐见天皇了。在国家统一派织田信长和丰臣秀吉当政时期，该市百业复苏。织田信长对佛教徒、特别是比睿山上的天台宗和尚恨之入骨，他放把火把那里的大庙全部烧光。但是，丰臣秀吉则是一个热心庇护艺术的人，在他的统治下，京都繁荣起来。他常开茶会，有一次参加者几千人，进行了好几天。

17世纪初德川幕府兴起后，政治中心再度转移，这次是迁往江户（今东京）。保留天皇的宫廷，以尽其礼仪的职能；进入宫廷要受到严密的监控。只有在1853年佩里前来和德川幕府解体之后，京都才再度惹人注目。1867年，末代德川将军终于在二条城把统治国家的委任状交还天皇宫廷，200多年以来，一位掌权的德川将军驾临京都，这是破天荒第一次。

但是，宣告明治维新不久，年轻的明治天皇就定居新都东京。京都没有忘记这一行动。它赶忙以比大阪更优越的条件争得在1872年开办博览会，每年举行一次，一直连续30余年。第二次世界大战时期，美国陆军部长史汀生回忆起他曾游览京都的情况，把这个城市从空中轰炸目标的名单中勾掉。它的珍贵文物完好无损。它在日本人的心田里，而且越来越在全世界的眼中，是一个特殊的地方。

Kyōto-Ōsaka-Kōbe Region 参阅 **Keihanshin Industrial Zone** 京阪神工业区。

Kyōto University 京都大学 日语拉丁字母转写作 Kyōto Daigaku。设在日本京都的一所国立男女合校高等学府。1872年日本发布建立帝国大学体系的法令，招收经过仔细选拔的少量学生，把他们培养成学者和帝国官员。京都帝国大学（通称京大）是根据此项法令的条款于1897年创办的。不久，该校即成为最重要的帝国大学之一，声望仅次于东京大学。第二次世界大战后，美国占领军鼓励日本人建立大众化的高等教育体系。虽然京大被纳入这一体系，校名去掉“帝国”字样，但仍保持自己的威信。由于考入京大或东京大学据说是那些想在日本实业界或官场中谋求好职位的学生的必备条件，这两所大学的入学考试竞争都很激烈。京都大学设有工学部、理学部、农学部和医学部，外加一个人文科学院。它还设有许许多多研究理论和应用科学以及技术的各种不同分支的专门机构。

Kyrenia 凯里尼亚 希腊语作Kirínia，土耳其语称吉尔内。塞浦路斯北部沿海城市。在土耳其塞浦路斯行政区。由古代希腊殖民者亚该亚人建立。拜占廷、法兰克和威尼斯先后设防于此。在1974年土耳其人侵前是

凯里尼亚市一角
中国大百科全书出版社供图

塞浦路斯共和国凯里尼亚区首府。现为贸易中心和海滨胜地。其马蹄形的港湾旁有12世纪的城堡要塞。城堡中收藏有1969年在近岸发现的约公元前300年的沉船遗物。附近山中有13世纪贝拉帕伊斯寺院和圣希拉里翁要塞。土耳其人侵后该市成为占领军总部所在地。20世纪70年代后期，大陆的土耳其人已在该市定居。并设立了几所供旅游业用的旅馆。1977年在凯里尼亚和土耳其的伊切尔（梅尔辛）之间开始有渡船往来。人口7 107（1987）。

Kyrenia Mountains 凯里尼亚山脉 塞浦路斯北部山脉。东起圣安德烈角，西至科马基蒂角，长约160千米。一侧为狭窄的海岸平原。最高峰海拔1 024米。在哈利夫加以西，山形如手指，故名彭塔札克蒂洛斯山（五指山）。是1974年土耳其人侵塞浦路斯后本土土耳其人广泛定居的第一个地区。山脉由狭窄的石灰岩褶皱构成，间或有大理石矿藏。

Kyrgyz 吉尔吉斯人 又拼Kirgiz。中亚讲突厥语的民族。大部分住在吉尔吉斯斯坦，少部分住在阿富汗、中国西部以及相邻的哈萨克斯坦、乌兹别克斯坦和塔吉克斯坦诸国。其语言属于突厥语族西北部语支或钦察语支。他们信仰伊斯兰教。吉尔吉斯人同其他中亚人一样是传统的游牧民族。19世纪后半期，吉尔吉斯主要地区变成俄国开拓殖民地的主要地区，最好的土地大部分被俄国殖民者所占。这是1916年暴动的主要原因。暴动遭到镇压，吉尔吉斯人蒙受惨重损失；村庄被焚毁，近1/3的吉尔吉斯人逃往中国。十月革命后，吉尔吉斯地区是反对苏维埃政权的许多游击活动的场所。1926～1959年，俄罗斯人和乌克兰人大批涌入该地区，吉尔吉斯人在居民总数中所占比例从约66%降至40%。农业和重工业的发展以及随之兴起的城市对改变吉尔吉斯人的传统生活方式起了很大作用。

Kyrgyz language 吉尔吉斯语 Kyrgyz又拼Kirgiz或Kirghiz。阿尔泰语系突厥语族语言，通行于吉尔吉斯斯坦及地处塔吉克斯坦、阿富汗、中国之间的帕米尔山地。吉尔吉斯语

属突厥语族的西北语支,即钦察语支,与哈萨克语、卡拉卡尔帕克语及诺盖语亲属关系最近。俄罗斯境内叶尼塞河流域,也有一种名为吉尔吉斯语的语言,又称叶尼塞·吉尔吉斯语或柯尔柯斯语。叶尼塞·吉尔吉斯语虽然也是突厥语族语言,但它与中亚地区的吉尔吉斯语并无清楚而密切的亲属关系。不过,这两种语言常被混淆起来。据认为叶尼塞·吉尔吉斯语民族与中亚吉尔吉斯语民族族源不同,因之有些学者提出,叶尼塞·吉尔吉斯语源出古西伯利亚萨莫耶德语族,与乌拉尔诸语言的亲属关系较之与阿尔泰诸语言的关系为更近。叶尼塞·吉尔吉斯语后来被同化为突厥语族语言,故应视为一种"突厥化"语言。参阅 **Turkic languages**。

Kyrgyzstan　吉尔吉斯斯坦　全称吉尔吉斯斯坦共和国。1936～1991 年称吉尔吉斯苏维埃社会主义共和国(Kirgiziya)。中亚的一个历史地区和国家。北和西北邻哈萨克斯坦,西南与乌兹别克斯坦毗连,南与塔吉克斯坦交界。东南部的科克沙尔陶山脉为天山山脉的一部分,形成与中国接壤的边界。首都比什凯克。面积 198 500 平方千米。人口约 5 146 000(2005)。

自然地理和人文地理　全境多山。与中国接壤的边境一带有胜利峰和汗腾格里峰,属雄伟的天山山系最高峰之列,有些山峰常年覆盖冰雪。许多短小河川沿山坡急流直下。费尔干纳河与楚河河谷(位于西南部与北部),为该国主要人口聚居地。

远离海洋和从邻近平原陡然向上的高度变化是影响气候的两大因素。较低处位于沙漠热风带,较高处为冷沙漠,两者之间是过渡地带,山地的西坡和北坡比较湿润。除最高处外,高山草地和亚高山草地生长茂盛。较低的谷地及山地北坡林地密布,多种欧洲和亚洲动物,如褐熊、野猪、山猫、灰狼、貂、山地绵羊及山羊、鹿和雪豹,在这一带出没。

美国不列颠百科全书公司供图

在古代,最初的吉尔吉斯部族即定居在天山地区,为中亚大游牧族群之一。由于苏维埃政权的建立和国家的发展,游牧生活几乎全被放弃。吉尔吉斯人已迁入农业居住地,但仅有少数人在工厂做工。有 2/3 人口生活在农村。人口主要由吉尔吉斯人和俄罗斯人组成。少数民族有乌兹别克人、乌克兰人和德国人(1941 年从俄罗斯西部被放逐至此)。吉尔吉斯语是官方语言。

吉尔吉斯斯坦一度为纯粹的农业国家,但到 20 世纪 70 年代成为锑和汞矿等有色金属的产地。采矿业一直很重要。山区还发现有金、锡、铅、锌等金属。该国亦生产机械和食品,并有水力发电。轻工业有纺织、服装和鞋类等。工业化促进了农业机械化,农业以饲养牲畜(尤其是绵羊)和种植棉花、甜菜、烟草和罂粟为主。山区主要饲养赛马、猪和兔,也从事养蜂业。内地从事狩猎和渔业。

按照 1993 年通过的宪法,吉尔吉斯斯坦是按非宗教原则建立的中央集权的联邦共和国,有多个政治党派。总统为国家元首。总理为政府首脑,由总统任命。设有一院制议会。最高法院的法官由总统任命。

该国同其他中亚共和国一样,婴儿发病率和死亡率是很高的。医疗水平不高。与大多数前苏维埃共和国相比,吉尔吉斯斯坦的生活、教育和经济水平较低。

国内建有数所高等学府。吉尔吉斯斯坦科学院拥有 10 多个研究所,另有许多其他的科研中心。吉尔吉斯人的民族文化生活深受丰富的口述文学传统的影响。一些民间传统作品被游唱诗人世代相传。他们吟诵的长篇韵文史诗《马纳斯》表达了吉尔吉斯人强烈的独立自主观点。报纸、杂志和广播等媒体使用吉尔吉斯语和俄语。新闻媒体不受检查。该国最杰出的文学大师是吉尔吉斯作家艾特马托夫。

早期的音乐表现形式是三弦科穆兹(一种类似琵琶的拨弦乐器)合奏,有一个吉尔吉斯交响乐团。几个朝气蓬勃的民间歌舞团和戏剧团上演的剧目使用吉尔吉斯语和俄语。吉尔吉斯电影制片厂建于 1942 年,制作故事片、新闻短片和科普片。

历史　吉尔吉斯族的起源不详。人种史学者倾向于认为该族是在 12 世纪与蒙古的黑契丹人一起来到该地区的。与哈萨克斯坦和中亚其他地区一样,吉尔吉斯地区在俄罗斯人侵之前以游牧为主;过去有大量俄罗斯人迁入以镇压吉尔吉斯人的民族主义运动。1924 年该地成为苏联的自治州,1936 年宣布成立吉尔吉斯苏维埃社会主义共和国。1991 年宣布独立,更名为吉尔吉斯斯坦。在总统阿斯卡尔·阿卡耶夫的领导下,该国建立起了现代民主国家的全部机构,包括开放的媒体、独立的司法机构和自由选举的议会。但这个新建立的国家仍面临诸多挑战。自 20 世纪 90 年代中期,出现严重经济衰退,部分原因在于原材料的短缺和很多德国和俄罗斯专家的移民。阿卡耶夫的政府被指责存在广泛的腐败,阿卡耶夫本人也被批评滥用职权。新闻媒体虽然表面上是自由的,但经常受到政府威胁,自 1995 年以后,还受到一系列法规约束。该国的主要外部威胁是在阿富汗和乌兹别克斯坦之间活动的伊斯兰游击分子的渗透。2001 年,吉尔吉斯斯坦政府允许美国和盟军使用一处吉尔吉斯空军基地,用于指挥在阿富汗进行的针对穆斯林武装分子的行动。2003 年,一个俄罗斯空军基地在该国建立,以支持用于打击穆斯林游击队的独联体国家快速反应部队。2005 年 3 月,因为人民对政府腐败的广泛不满,爆发了大规模的游行示威,导致阿卡耶夫政府的垮台。总统于 3 月 24 日逃离该国,几天后辞职。7 月,库尔曼别克·巴基耶夫当选总统。

Kyrie　主啊!　希腊文 Kyrios(上帝)的呼格。它见于《旧约》最早的希腊文译本《七十子希腊文本圣经》,译成希伯来文为雅赫维。在《旧约·腓立比书》第 2 章 11 节中,它是基督的称呼。作为希腊启应祈祷"主啊!怜悯我们!"的一部分,它用于正式祈祷之前,并是许多基督教堂礼拜仪式中的会众回答。

Kyriotes, John　凯里奥特斯　参阅 **Geometres, John 吉奥梅特雷斯**。

kyūdō　弓道　日本的传统箭术,与禅宗佛教密切相关。当弓箭已不再是武器时,射箭技艺由禅宗僧人和日本上层人士保留下来作为陶冶身心的手段。西方射箭以中的为目的,弓道则以修身养性为主旨,潜心于射箭的

弓道
美国不列颠百科全书公司供图

动作和高度宁静的风格。弓道家使用传统的不对称弓,长约 2.3 米,弓把设在从底部向上大约 1/3 处。弓用竹和桑木制造,用大麻纤维作弦。握弓法是东方式即蒙古式的,用拇指执弦,辅以其他手指,拉弦手戴一种用骨或木加固拇指的手套。日本有很多弓道学校。

东京和京都每年都举行弓道比赛。20 世纪后半叶日本有 7 万多注册的弓道实践者。

Kyushu 九州岛 日本四岛最南部岛屿，西濒东海，东临太平洋。因封建时代全境分 9 个州而得名。与本州隔有关门海峡，与朝鲜隔有东方水道。面积36 719平方千米。地质构造为火山山系。南部为亚热带气候。九州以热带植物和煤矿藏闻名。岛上有世界最大活火山口阿苏山，还有阿苏、雾岛屋久、云仙天草国家公园和著名温泉疗养地别府。行政上分为福冈、鹿儿岛、熊本、宫崎、长崎、大分、佐贺 7 个县。主要城市有北九州(综合工业城市)、福冈(商业中心)和长崎。人口 13 454 000(2001)。

Kyustendil 丘斯滕迪尔 又拼 Kjustendil，Küstendil。保加利亚西南部城镇。位于奥索戈夫山山麓、斯特鲁马河河谷一小块冲积盆地的边缘。在罗马皇帝图拉真统治期间为重要城镇。外邦人入侵时，遭严重破坏。在第一个保加利亚帝国时期，该镇的名称为费尔布什德。原为奥斯曼集市城镇，现已发展成为工业中心，专业生产地毯，还有毛纺、水果罐头、植物油和打包等工厂。暖房生产时鲜蔬菜。当地矿泉的水可为暖房供热并可为疗养院利用。该镇为“保加利亚果园”中心，周围有大面积的果园和葡萄园。设有水果栽培研究所。人口约54 447(1993)。

Kyzyl 克孜勒 1914～1918年称别洛察尔斯克(Belotsarsk)，1918 ～ 1926 年称赫姆别尔德尔(Khem-Beldyr)。俄罗斯中部图瓦共和国的城市和首府。位于大、小叶尼塞河汇流处(此二河汇流而成上叶尼塞河)。工业有制革、木材加工、制砖和食品加工。设有农学院和地区博物馆。人口约93 100(1995)。

Kyzyl-Kiya 克孜勒基亚 吉尔吉斯斯坦奥什州城市。在费尔干纳盆地南缘。19 世纪末开始采煤。克孜勒基亚现为吉尔吉斯斯坦最早的采矿中心之一。1938 年设市。耐火材料生产和食品工业也很重要。人口约 49 400(1991)。

Kyzylkum 克孜勒库姆 哈萨克斯坦和乌兹别克斯坦境内的沙漠。面积 30 万平方千米。在锡尔河和阿姆河之间、咸海东南。有向西北倾斜的平原，还有一些海拔达 922 米的光秃孤山和几处孤立的大盆地。年降水量 100 ～200 毫米，主要在冬、春两季。地面多为沙垅，只生长沙漠植物。现用作牧场，有几个小绿洲居民点。东南部的加兹利有天然气田，中部的穆伦陶有金矿。

Kzyl-Orda 克孜勒奥尔达 哈萨克斯坦克孜勒奥尔达州城市和首府。濒临锡尔河，19 世纪初建为浩罕要塞阿克-梅切特。1853 年被俄国人占领后改称佩罗夫斯克。十月革命后复称阿克-梅切特，1925 年作为哈萨克斯坦首府时改今名。1929 年首府迁往阿拉木图。有食品及其他轻工业。市内有哈萨克剧院和师范学院。人口约164 000(1993)。

L

L-D process　林茨-多纳维茨法　参阅 **basic oxygen process** 碱性氧气转炉炼钢法。

la la　用于专名中，详见下列各条。亦可参阅同 la 拼写在一起的诸专名，如 LaFontaine，Sir Louis Hippolyte（拉封丹）和 Lagrange，Marie-Joseph（拉格朗日）。另见按照 la 后实词的音序排列的大陆欧洲诸专名，如 Vega，Garcilaso de la（维加）。

La Baule-Escoublac　拉博勒-埃斯库布拉克　法国布列塔尼大区大西洋岸卢瓦尔省游览胜地。位于大西洋沿岸；圣纳泽尔西面，卢瓦尔河口附近。1879 年建立。和比亚里茨同为大西洋沿岸最著名的海滨胜地。滨海区旅馆后面有豪华的别墅坐落在松林中。城内有公园、露天学校、赌场、高尔夫球和网球俱乐部以及游艇港湾。附近有盐沼。人口 14 845（1990）。

La Bourdonnais，Bertrand-François Mahé，Count（comte）de　拉布尔多内（1699-02-11，法国圣马洛～1753-11-10，巴黎）　法国海军司令，他在法英两国争夺控制印度的斗争中发挥重要作用。19 岁进入法国东印度公司，任中尉，1724 年晋升上尉。1726 年参加占领印度西南部马拉巴尔海岸的马埃。1735～1740 年任法兰西群岛（毛里求斯）和波旁群岛（留尼汪）总督。英法战争爆发后，他任印度洋海域舰队司令。他以保卫马埃法国前哨基地和解救法属东印度总督 J.-F. 杜布雷而闻名，曾在海上两次击败英军。由于他从海上封锁马德拉斯，法军得以在 1746 年 9 月占领这个重要港口。但与杜布雷的关系不好，二人的关系因杜布雷免去他的法兰西群岛总督的职务而恶化，他被迫返回法国。他的船被英军俘获，但允许他假释回国。1748 年以贪污罪被捕，在巴士底狱关押两年多。1751 年受审，被宣判无罪。

La Brea Tar Pits　拉布雷亚沥青坑　在美国加利福尼亚州洛杉矶市的汉科克公园内。发现于 1769 年。有渗石油的"沥青泉"。坑内多史前动植物化石，如巨猛犸象、乳齿象、剑齿猫、巨型地獭，还有骆驼等。该市的乔治 C. 帕奇博物馆藏有 100 多万件化石标本。洛杉矶县自然历史博物馆也展出从该地出土的化石。

La Bruyère，Jean de　拉布吕耶尔（1645-08，巴黎～1696-05-10 或 11，凡尔赛）　法国讽刺道德学家。以法国文学杰作之一《品格论》一书著称于世。曾在奥尔良攻读法律。经人道主义者和神学家 J.-B. 波舒哀介绍，任孔代亲王之孙、波旁公爵的家庭教师。后留在孔代府邸内充当图书管理员。由于其貌不扬，举止乖戾，说话刻薄，他总是成为人们的笑柄。然而，这种状况却使他得以用敏锐的眼光看到金钱在一个道德败坏的社会中所具有的威力，看到社会陋习的专横，看到贵族的惰性、狂热及其赶时髦的积习带来的危险。他这部杰作出版于 1688 年，是他翻译公元前 4 世纪古希腊作家泰奥弗拉斯托斯的著作《品格论》的副产品，仿照该著作的形式写成，词藻丰富，变化繁多，技巧掌握熟练。他的讽刺，由于陈述的多样化而变得更加尖刻，文笔也更加生动，获 G. 福楼拜和龚古尔兄弟等 19 世纪大作家的赞赏。在他活着的日子里，《品格论》重版了 8 次。1693 年他被选入法兰西学院。外交家和回忆录作者圣西门公爵称赞他是个正直、可爱、毫不做作的人。

Labuleng Monastery　拉布楞寺　中国藏传佛教格鲁派寺院。位于甘肃省夏河县城西。始建于清康熙四十八年（1709）。为甘南藏传佛学中心，与哲蚌寺、色拉寺、甘丹寺、扎什伦布寺、塔尔寺合称格鲁派六大寺院。嘉木祥一世活佛开始兴建并住持。正殿供奉释迦牟尼、宗喀巴及历代嘉木祥活佛像。寺中最高建筑为弥勒佛殿，另有释迦牟尼殿、护法殿等。全寺有六大扎仓（学院）、十八囊欠（活佛府邸）、十八拉康（大殿）、二经院、一藏经楼、僧舍万余间，占地八十余公顷，建筑精美，规模宏伟。拉康为全寺各扎仓僧众集体念经的聚会处。十八佛殿中以寿禧殿规模最大，系六层藏汉结合的宫殿式建筑，内供高约 15 米的释迦如来像一尊。

La Calprenède，Gaultier de Coste，Seigneur de　拉卡尔普雷奈德（约1610，法国萨拉附近图尔贡城堡～1663，大安得利）　法国作家。所著虚构历史事实的传奇冒险小说在 17 世纪的法国极受欢迎。对于这种杂乱而松散的体裁，他能通过紧凑多变的情节，使之气魄雄浑。在图卢兹结业后，参加近卫部队，曾出征德国。他既从戎，同时又舞文弄墨。1635～1641 年间写了多出悲剧及悲喜剧，其中《英格兰皇后珍妮》（1636）和《埃萨克斯伯爵》（1638）均取材于英国历史。1642 年开始创作一系列歌颂爱情和战争的小说，如描绘波斯帝国没落的《卡桑德拉》（10 卷，1642～1645）；《克娄巴特拉》（12 卷，1647～1658），叙述安东尼与克娄巴特拉所生之女的故事；以及《法拉蒙》（12 卷，1661～1670），一个墨洛温王朝的故事，最后 5 卷是他逝世后由他人所续。这些结构巧妙的传奇小说发表后立即受到欢迎并持续到 18 世纪末。

La Ceiba　拉塞瓦　洪都拉斯北部城市。濒临洪都拉斯湾，在2 435米高的博尼图山麓下。19 世纪后期作为一承运香蕉的港口发展起来，现为该国主要加勒比海港口之一。除香蕉外，也承运菠萝、柑橘、椰子、马尼拉麻、鱼、肉、咖啡和木材。设有标准果品和轮船公司总部。亦为工业中心，有世界最大的香蕉切片制酱厂、大型植物油厂、棕榈油加工厂，还有碾米、锯木、制革和酿酒等工厂。渔业亦重要，有鱼类冷藏和加工厂。在 20 世纪 70 年代，成为去海湾群岛的旅游者们的过路站。建有银行和金融机构。有公路和铁路通其他加勒比海港口和阿关河流域。有一国际机场。人口约71 600（1989）。

La Chalotais，Louis-René de Caradeuc de　拉夏洛泰（1701-03-06，法国雷恩～1785-07-12，雷恩）　法国行政官员。领导布列塔尼大理院进行长期的反对国王路易十五政府的司法斗争。结果导致大理院被剥夺权力和停止审判（1771～1774）。1752 年在雷恩的布列塔尼大理院（高等法院）任检察长。1761 年抨击耶稣会对法国中学的控制，成为日益兴起的反耶稣会运动的首领。次年，巴黎大理院（高等法院）违反国王的意愿，下令撤销耶稣会。1763 年，他领导自己的大理院不承认政府有权把苦役法强加于布列塔尼。布列塔尼总督埃吉荣公爵剥夺他儿子继承他的职位的权利，以示报复。1765 年布列塔尼大理院法官罢审，使冲突达到顶点。拉夏洛泰被捕入狱（1765-11），获释后被流放到桑特（1767）。1771 年，首相 R.-N. de 莫普剥夺了大理院的政治权力；但 1774 年国王路易十六即位后不久，大理院的威信得到恢复，拉夏洛泰也官复原职。

La Chaussée，Pierre-Claude Nivelle de　拉肖塞（1692，法国巴黎～1754-03-14，巴黎）　法国剧作家。"流泪喜剧"的创始人。"流泪喜剧"是一种情节悲惨、催人落泪但结局圆满的诗剧，为狄德罗"市民剧"的先驱。这种喜剧对心理的描写虽然肤浅，但语言夸张，旨在给观众以道德上的教育。他一共写有 9 部这类喜剧，其中有《母亲学校》（1744）、《梅拉尼德》（1741）和《时髦的偏见》（1735）。出身于富裕的资产阶级家庭，到中年才开始文学生涯。41 岁时发表第一个剧本《虚假的厌恶》，随后继续写作。除了"流泪喜剧"以外，还写有几部喜剧和悲剧。1736 年被选入法兰西学院。

La Chétardie，Jacques-Joachim Trotti，Marquis de　拉谢塔尔迪侯爵（1705-10-03～1759-01-01，黑森卡瑟尔哈瑙［德国］）　即 J.-J. 特罗蒂。法国军官和外交家，帮助叶利扎维塔公主登上俄罗斯皇位。早年参军，晋升很快。1734 年升至上校。曾被派往荷兰和普鲁士工作，1739 年任驻俄大使。为了促使俄国政府亲法，他与人同谋，把彼得大帝的幼女叶利扎维塔拥上皇位（1741-12）。叶利扎维塔即位后，他获得圣安德烈和圣安娜帝国勋章，成为新女皇的密友。后因干预过多而失宠。1744 年被逐回法国。1745 年重入军队，在意大利服役，1748 年任中将。后任驻都灵大使。1756 年七年战争爆发后再度服役。

la chin（musical instrument）　参阅 **qin** 琴。

La Condamine, Charles-Marie de 拉孔达明(1701-01-28,法国巴黎～1774-02-04,巴黎) 法国博物学家和数学家,完成对亚马孙河的首次科学考察。1735年参加考察队去秘鲁测定赤道附近经度1°的长度。1743年离开考察队,从基多(今在厄瓜多尔)出发,开始4个月的乘木筏顺流而下到亚马孙河口的旅行。旅途中所经地区进行了人种学的观察,除了写下科学性记录外,还发表了《奉国王命赴赤道考察游记》(1751)。

La Crosse 拉克罗斯 美国威斯康星州西部城市,拉克罗斯县县城(1851)。位于麦迪逊西北210千米处,临密西西比河,在布莱克河和拉克罗斯河汇合处。1841年建立贸易站,1856年建市。是一天然河港,为重要转运和锯木中心。1858年通铁路。1900年伐木业衰落后开始发展多种工业,现在生产空调器、胶鞋和啤酒。有威斯康星大学(1909)、西威斯康星工学院(1911)和维特博学院(1890)。每年的"十月节"吸引着众多游人。人口:市约51 818;都会统计区约126 838(2000)。

La Farge, John 拉法吉(1835-03-31,美国纽约州纽约～1910-11-14,罗得岛普罗维登斯) 美国画家、壁画家、彩色玻璃设计师。把19世纪中期法国风景画风格融合于自己的创作中。获得法学院学位后,于1856年到欧洲学习美术,独立工作,并在巴黎学习;在英格兰受到前拉菲尔派影响。回国后于1859年去罗得岛州纽波特,受到画家W.M.亨特的影响。19世纪70年代开始创作壁画。最成熟的壁画是在纽约市基督升天教堂中的《升天》(1887)。同时他发明了一种乳白光的彩色玻璃和富有想象力的设计,如《红色与白色的芍药》窗花作品(1886,波士顿美术馆),从而获得了世界声誉。临近晚年,他到最有异国情调的地方去旅游。19世纪80年代晚期和90年代早期开始创作描绘日本和南太平洋景色的著名的水彩画。他著有《关于绘画》(1895)、《寄自日本的画家通信》(1897)。

拉法吉的窗花作品《红色与白色的芍药》(1886)
美国不列颠百科全书公司供图

La Farge, Oliver (Hazard Perry) 拉法吉(1901-12-19,美国纽约州纽约～1963-08-02,新墨西哥州阿尔伯克基) 美国人类学家、小说家,通过自己的政治行动和小说成为美国印第安人的代言人。在哈佛大学求学时,对美国印第安人文化感兴趣,专门从事人类学和考古学。虽然他在这一领域享有很高声望,但却放弃研究而为印第安人的处境奔走呼吁,曾担任全国印第安人事务协会主席和美国印第安人事务协会主席。他反对现代文学中流行的伤感的印第安人形象,在自己的作品中塑造了与其相反的形象。第一部小说《爱笑的小伙子》(1929)对两种文化的冲突作了富有诗意的、但又是现实主义的描写。这部小说荣获1929年普利策小说奖。他的作品被认为是抒情的,然而始终是以社会意识为基础。《火花飞舞》(1931)以中美洲为背景,《仇神》(1937)以纳瓦霍人不能适应白人文化为主题。《长三角旗》(1933)和《铜壶》(1942)中的主要人物为新英格兰人。所写短篇小说收入《所有的年轻人》(1935)和《停歇在沙漠中》(1957)。他的自传《原始材料》发表于1945年。

La Farina, Giuseppe 拉法里纳(1815-07-20,那不勒斯王国西西里墨西拿[今在意大利]～1863-09-05,意大利都灵) 意大利革命家、作家、意大利民族复兴运动的领袖之一、历史学家。学者家庭出身。1835年获得法学学位。1838年开始在那不勒斯等地进行革命活动。1847年创办政治性刊物《黎明》。1848年革命失败后,他流亡巴黎,在巴黎居住到1853年。1853年返回都灵,1857年参加建立"意大利民族协会"。1860年他向加里波第提供军费。1860年春选人众议院,后成为国务顾问。主要著作为《1815～1850年意大利史》(1851～1852)。其他著作有两卷本的《13世纪研究》(1841)、10卷本的《意大利史》(1846)和《1848～1849年的西西里革命》(1851)。

La Fayette, Gilbert Motier de 拉法耶特(约1380,法国奥弗涅～1462-02-23,奥弗涅)又译拉斐德。百年战争期间的法国元帅,国王查理七世的著名顾问。1409年在意大利服役后,任波旁省司法长官。在与英格兰交战期间,波旁公爵让一世任命他为朗格多克和吉耶纳的总督。他在卢瓦尔河畔战胜英格兰人和勃艮第人以后,于1420年任多菲内总督,并晋升法国元帅。1424年为英军俘虏,不久获释。1429年在奥尔良和帕泰服役于贞德军中。作为查理七世的大枢密院成员,他曾参加为国王与勃艮第和解作准备的内韦尔和阿拉斯两次会议(1435)。1445～1448年致力于改革陆军。1449年应召重服现役,对诺曼底的英军发动进攻。他终生为国王的朋友和顾问。

La Fayette, Marie-Joseph-Paul-Yves-Roch-Gilbert du Motier, marquis de 参阅 **Lafayette, Marie-Joseph-Paul-Yves-Roch-Gilbert du Motier, marquis de** 拉法耶特侯爵。

La Fayette, Marie-Madeleine (Pioche de la Vergne), comtesse de 拉法耶特(夫人)(1634-03-18,巴黎～1693-05-25,巴黎) 又译拉斐德(夫人)。法国女作家。所著《克莱芙王妃》是法国小说的一个里程碑。投石党内乱期间,在巴黎结识塞维尼夫人和未来的雷兹大主教。1655年与拉法耶特伯爵莫蒂尔结婚,1659年离异,只身回到巴黎。在整个17世纪60年代中,深受奥尔良公爵夫人、英国的H.安妮的宠爱,并开始与著名的《箴言录》的作者拉罗什富科公爵建立持久亲密的友谊。两人共同设立一个著名的文学社。她写了两部平淡无奇的传奇小说之后,便开始写杰作《克莱芙王妃》,1678年匿名出版。虽然故事发生在16世纪中叶,但书中描绘的习俗却与作者处于同时代,描写一位贞洁的少妇压抑着自己对一位青年贵族的感情。这部小说在文学上的高明之处在于对话高雅、感人肺腑,以及作者对于未能如愿以偿的悲剧性爱情这一主题所具有的心理洞察力。

La Flesche, Francis 拉弗莱什(1857-12-25,内布拉斯加奥马哈人居留地～1932-09-05,美国内布拉斯加梅西附近) 美国人种学家,为美国印第安人的权利奋斗一生。曾把自己19世纪60年代在一所教会学校读书时的经历写成一本富有文学趣味的回忆录《中间的五个》(1900年初版,1963年新版),以一个美国印第安人的观点来叙述他在以主要文化成员为教师的环境中所受的教育。他的祖父是法国商人,祖母是奥马哈人,父亲是部落首领,姊妹苏塞特是位作家、印第安人运动的活动家,另一姊妹苏姗是奥马哈部落的医生。1881～1910年拉弗莱什在华盛顿特区印第安事务局任职,同时获法学士学位。1910年起任美国人种局人种学专家,1929年退休。曾与A.C.弗莱彻合著《奥马哈部落》(1911),另著有《奥萨格语辞典》(1932)和《奥萨格印第安人的战争礼仪与和平礼仪》(1938)。

La Flesche, Susette 拉弗莱什(1854,内布拉斯加奥马哈人居留地～1903-05-26,美国内布拉斯加班克罗夫特附近) 美国印第安人作家、演讲家和争取印第安人权利运动的活动家。祖父是法国商人,祖母是奥马哈人;父亲是奥马哈人首领,对法国和印第安人的文化都很熟悉。她本人曾在新泽西州伊丽莎白市学习,回到奥马哈居留地后在一所公立学校任教。她以其印第安名字布赖特·艾斯参加争取奥马哈人平等权利的斗争,并和父亲投身篷卡印第安人的事业。篷卡印第安人是与奥马哈人有血缘关系的一个部族,他们被美国政府逐出家园迁居到奥马哈,处于疾病和饥饿之中。1879年,篷卡酋长和他的几个随从经过长途跋涉回到内布拉斯加后被捕。《奥马哈先驱报》主编T.H.蒂布莱斯(拉弗莱什1881年与其结婚)亦支持篷卡人的斗争,最后被捕的印第安人获释。此后她继续为反对强迫印第安人迁出世代定居的土地而斗争,为此周游美国和苏格兰,发表演讲,进行呼吁。她和丈夫定居在奥马哈居留地。她从事印第安人故事的写作,并为故事作插图,还帮助丈夫做编辑工作。由她编辑并作序的无名氏所著《一个印第安人酋长的故事》1881年出版。

La Follette,Robert M(arion)　拉福莱特(1855-06-14,美国威斯康星州普里姆罗斯～1925-06-18,华盛顿[哥伦比亚特区])　美国进步运动领袖;作为威斯康星州州长(1901～

美国国会图书馆供图

1906)和美国参议员(1906～1925),以拥护立法推行改革而著称。1924年作为"进步政治行动联盟"的总统候选人参加竞选,未能取胜,获得约500万张普选票,约占全国普选票的1/6。

拉福莱特在中等繁荣的农业地区长大,1875～1879年在威斯康星大学学习,1880～1884年任县地方检察官,后代表威斯康星州西南部当选为美国众议员。他有异乎寻常的爽直的个性与非凡的口才。在他担任众议员的3届任期内,他主要关心的是政府如何厉行节约和保护他选区的农民的利益。

1890年民主党在选举中获得压倒性胜利,他再次竞选议员失败,回到麦迪逊县操律师业,发展政治组织,该组织不到10年使他当选为州长,并使他得以控制威斯康星州政界,直至去世。1891年他宣告威斯康星州共和党党魁、参议员P.索耶向他提供一笔贿赂,从而成为该党头目们的仇敌,他因此而声名大振。此后6年,他组成了共和党内的对抗派别,成为它的领袖。

1897年拉福莱特提出一系列改革主张,包括税制改革、公司管理和政治民主,特别是他促使实行对铁路征收高额税和直接预选。在这一政纲的基础上,他于1900年当选为州长,1902、1904年连选连任。在任期内提出新的政治措施:①借重威斯康星大学教授——有一个时期达57人之多——起草法案并掌管根据新的法律组成的州管理机构,这被叫做"威斯康星思想"而受到全国的重视。②在各选区公布反对他的改革计划的议员名单。凭借这些新的措施,他使各项进步法案获得通过。

1906年他辞去州长职务,当选为联邦参议员,当时参议院被广泛认为是百万富翁的庇护所。他立即获得新型参议员的美誉,在参议院的最初3年里,他使旨在反对铁路公司的货运运费率、劳工政策及其筹措资金的办法的诸项立法获得通过。他认为,政治是普通消费者和纳税人与控制政府的"自私的既得利益者"之间的无休止的斗争,法律赋予"自私的既得利益者"以特权使之得以控制美国生活的各个方面。从1908年开始,在就《奥尔德里奇-弗里兰货币法》进行辩论期间,随着提供详尽的文件证据,他强调指出,全国经济为不到100个人所控制,而这些人又受摩根和美孚石油公司投资银行集团的支配。此后,他关注的对象就从铁路公司势力转至这些公司的"业主"——大银行。

1909年拉福莱特创建《拉福莱特周刊》,后改为月刊,最后改名《进步》。1909～1911年,他成为新选进国会和国会中新转变成进步派的议员们的领袖,他在全国的声望达到顶点。大部分进步派分子支持他参加1912年总统竞选,但当1912年初T.罗斯福宣布参加竞选后,他们就离弃了他。他对罗斯福的剧烈攻击,使他丧失了领袖的声誉。但1917年的外交事务使他重又成为反战运动的领袖。从1910年起,他指出美国对外国政府事务的干涉旨在保护美国公司的投资和扑灭革命。他认为美国于1917年参加第一次世界大战,是因为美国商人需要保护他们的投资。他相信大多数美国人是反对美国卷入战争的。他领导了1916～1917年关于战争的公民投票运动,领导了1917年在参议院以冗长的演说阻挠议事反对武装美国商船,以及投票反对宣战。宣战后,他反对征兵,捍卫反战者的公民自由,并坚持由富人和公司支付这场主要对他们有利的战争的费用。主战派要求以叛国罪把他开除出参议院,但参议院调查委员会宣告他无罪,他再次成为千百万美国人的英雄。

战后,拉福莱特集中精力揭发罪恶昭彰的贪污舞弊案件,其中最重要的是揭发哈定总统政府的石油丑闻。1924年他接受了进步党总统候选人提名,但选举中他仅在威斯康星州获得多数选票,在11个州位居第2。他在参议院任内去世。去世后,他的两个儿子继承了他的事业:R.M.小拉福莱特(1895～1953)于1925年选入参议院,填补他父亲尚未任满的任期,此后连选连任3次,直至1947年;P.F.拉福莱特(1897～1965)于1931～1933、1935～1939年任威斯康星州州长。

La Fontaine　拉芳登(1655～1738)　法国芭蕾舞女明星,第一个职业女芭蕾舞演员。1681年她以首席女舞蹈演员身份在巴黎歌剧院首次演出J.吕里的芭蕾舞剧《爱情的胜利》。在此以前所有女角都由青年男子扮演。虽然有过长而狭窄的剧装束缚,加上当时的芭蕾技术水平有限,但她的舞姿仍然如此优美妩媚,以致人们称她为舞蹈皇后。她在歌剧院表演舞蹈将近十年之后,退隐到一个隐修院。

La Fontaine, Jean de　拉封丹(1621-07-08?,法国蒂耶里堡～1695-04-13,巴黎)　法国17世纪寓言诗人。以其《寓言诗》(1668)闻名于世。在法国,《寓言诗》家喻户晓、雅俗共赏,获得20世纪著名作家纪德、瓦莱里和季洛杜等的高度评价。出身于香槟省一个中产阶级家庭。1652～1671年,他继承父亲的职位,做管理森林水泽的小官。后到巴黎,广交名士,从事写作,经常参加学者、哲人和作家们的聚会。1683年被选为法兰西学院院士。《寓言诗》无疑是他成功的巅峰。前6卷称做"第一集",于1668年出版,接下来5卷称做"第二集"(1678～1679),第12卷则于1693年出版。作品多取材于伊索寓言和东方传说。这些简单的故事经他仔细加工后,便成为意义深刻、生动活泼的寓言。他善于通过巧妙的艺术手法和精炼的语言,寥寥数笔就刻画出人物的性格。《寓言诗》约有240篇,内容之丰富,讽刺之尖锐,达到了惊人的地步,是当时社会各阶层的镜子,反映了时代的思想和政治问题。诗中哲理性的教诲集中了谚语中表达的智慧,充满乐观主义精神。普通的农民、希腊神话传说中的英雄、故事中经常出现的动物,在他的寓言中扮演着各种角色,具有超越时代的普遍意义。寓言深入浅出,以动物代表各种不同类型的人,刻画得惟妙惟肖。文体流畅自然,优美和谐,是法国诗歌艺术的精华,诗体长短不一,韵律各异。拉封丹正是通过音韵的变化及其相互作用,使他的《寓言诗》获得抑扬顿挫的艺术效果。社会各阶层的语言,从典雅到俚俗、从商贾行话到宗教哲学用语,他都运用得恰到好处。除《寓言诗》外,他还写有《故事诗》(1664～1685)和韵文小说《普叙赫和库比德的爱情》(1669)。后者文字洒脱,把纤细的感情与机智的讽刺巧妙地融合在一起,对女性的心理也有较细致的描写。拉封丹博览群书,从作品的内容和方法上效法前人,吸取了丰富多彩的古代文化遗产,在近40年的创作活动中留下了大量的优秀作品,显示了他的聪明才智和严谨的创作态度。他虽然从未得宠于路易十四,但他与文学圈子的作家们过从甚密,与莫里哀、布瓦洛、拉辛、拉罗什富科、塞维尼夫人、拉法耶特夫人等都成为密友。

La Fosse, Charles de　拉福斯(1636-06-15,法国巴黎～1716-12-13,巴黎)　法国画家。其装饰性历史和寓言题材的壁画,在继承17世纪法国巴罗克艺术变体的同时,发展了一种色彩较淡而更加明亮的风格,成为18世纪洛可可绘画的先声。其最杰出的作品是为巴黎伤残军人院圆顶做的装饰(1705)。凡尔赛宫狄安娜厅中的《伊菲热尼亚的牺牲》和阿波罗厅中的《日出》是承继其教师C.勒布朗风

拉福斯绘《太阳彩车》
中国大百科全书出版社供图

格的杰作。他的一些小作品因对光的运用和鲜明的色彩感而对后代画家更具意义。1673年他成为皇家学院院士，1715年任院长。

La Fresnaye, Roger de　拉弗雷内（1885-07-11，法国勒芒～1925-11-27，格拉斯）　法国画家。曾试图将抒情色彩与立体主义的严格构图相综合；尽管其作品真正地推广了立体主

拉弗雷内绘《画家肖像》(1907)
美国不列颠百科全书公司供图

义并在第一次世界大战前就扩大了其影响，但他在晚年还是放弃了先锋派艺术，而成为法国最具影响的传统写实主义的倡导者。曾在巴黎美术学院和朗松学院学习。1909年前其画带有M.德尼象征派作品的影响。嗣后的几年里(1910～1913)对立体派产生兴趣，成为立体派"黄金小组"的成员。其立体派作品给人一种非正统的感觉。1917年因伤残从军队退伍，到法国南部疗养，在那里作了一些出色的立体派水彩画和素描，色彩明快，富有浪漫情调。在临终的前几年，开始画现实主义的作品，如《居内梅肖像》(1921～1923)。

La Galissonière, Roland-Michel Barrin, marquis de　拉加利索尼埃侯爵（1693-11-10，法国罗什福尔～1756-10-26，蒙特罗）　即R.-M.巴林。海员和新法兰西总督。海军中将之子，曾在巴黎博韦学院求学。1710年为海军候补军官，翌年乘"英雄"号运送补给品去加拿大，此任务执行了约26年。1734～1735年任海军少校时参加西印度群岛战役。1738年任海军上校并封圣路易勋章爵士。后在大西洋担任许多职务，1747年任新法兰西总督(实际上就是加拿大总督)。当时法国与英国关于北美领地的战争已经进行了3年，他与前任一样试图与印第安人建立并保持友善关系。希望加强沿俄亥俄河法属加拿大和路易斯安那定居点的联系，但英国的影响太大。他也曾试图在底特律及伊利诺伊建立法国定居点，但加拿大人口过于稀少，无法提供相当数量的殖民者。1749年回国，在巴黎担任解决英法关于北美殖民地争端的会谈特派员。1750年成为海军少将，1754年任海军分遣舰队司令，保护法国商船免遭海盗袭击。翌年晋升海军中将。

La Goulette（Tunisia）　**拉古莱特**　参阅 **Ḥalq al-Wādī** 哈勒格瓦迪。

La Grange　拉格兰奇　美国佐治亚州西部城市，特鲁普县县城，在查特胡奇河上的西点湖之东。1828年建市。迅速发展为产棉区的重要贸易中心。经济现以多种经营的农业和纺织工业为基础。20世纪90年代以来，经济重心转移到了高科技。2000年，该市成为美国第一个将互联网接入作为市政公共设施提供的城市，旅游业也很重要。附近的娱乐场所还有温泉和卡勒韦公园。设有拉格兰奇学院(1831)。附近还有石英开采场。人口约25 998(2000)。

La Gruyère　格吕耶尔　德语为Greyerz。瑞士西部弗里堡州最南部一区。位于弗里堡以南，在沃杜瓦台地和贝尔内斯高地边缘、萨林河中游。主要城市是首府比勒和历史上的区首府格吕耶尔。格吕耶尔是瑞士最富庶的乳制品产地之一，以牛和干酪著名。比勒制造木器和格吕耶尔干酪。布罗克以产巧克力糖著称。全区居民讲法语，信天主教。人口33 080(1990)。

La Guaira　拉瓜伊拉　委内瑞拉北部的联邦区北部城市。该国重要海港之一。位于中央高地下加勒比海沿岸的狭长干旱地带。虽然城市建于1577年，因气候酷热和没有扩展余地，长期无法发展。随着港口设施现代化，开发几处海滨休养地和在附近的迈克蒂亚修建国际喷气机机场，拉瓜伊拉繁荣起来。委内瑞拉大部分对外贸易，包括农业出口和制成品进口都在此城市吞吐。此城市与加拉加斯有高速公路相通，相距30千米。人口约26 669(1990)。

La Guardia, Fiorello H(enry)　拉瓜迪亚（1882-12-11，美国纽约州纽约～1947-09-20，纽约）　美国政治家和律师，曾担任3届纽约市长(1933～1945)。在亚利桑那州长大，16

美国不列颠百科全书公司供图

岁时和母亲一起移居布达佩斯，先后在该地以及的里雅斯特和阜姆的美国领事馆工作，1906年回到美国。拉瓜迪亚在埃利斯岛担任美国移民局的翻译期间，在纽约大学攻读法律，1910年进入律师界。1916年作为进步的共和党人被选入众议院，在任期间作为飞行员参加了第一次世界大战，1918年回到国会。1920～1921年任纽约市参议会主席，1922年被重新选入众议院。以后他又4次重新当选，在议院中他反对禁酒，支持妇女选举权和童工法；并与人联合提出《诺里斯-拉瓜迪亚法案》(1932)，该法案禁止或限制法院遏制工人组织罢工、联合抵制和设置纠察线。1933年提出"联合"(自由党和共和党的联合)改革候选人名单，致力取消"坦曼尼协会"(纽约市的民主党组织)的选举席位，以终止其腐败行为，成功地当选为纽约市长。他作为市长赢得了诚实和超党派改革者的全国声望，致力于改革市政。他是一位富有才干、不知疲倦并获得了新市政奖状的行政长官，他反对贪官污吏和有组织的犯罪，改进警察和消防部门，扩展城市社会福利设施以及清理贫民窟和推行低租金住房方案。他的建设工程包括拉瓜迪亚飞机场以及许多公路和桥梁。1945年拒绝竞选第4任市长。1941年被任命为美国民防处主任，1946年任联合国善后救济总署署长。

La Guma, Alex　拉古玛（1925-02-20，南非开普敦～1985-10-11，古巴哈瓦那）　20世纪60年代南非黑人小说家。所著3部简短作品《夜游》(1962)、《石头国》(1965)和《季末浓雾中》(1972)中，以洞悉入微的观察事物能力使这些作品具有强烈的感染力，并从情节本身来表现其中的喜、怒、哀、乐。他出身于一个积极参预黑人解放运动的家庭。1960年加盟进步报纸《新时代》。在随后的数年间，曾因参预反种族隔离活动多次被拘留和监禁。南非政府禁止他写作和演讲，他1966年携全家前往伦敦，一直在那里流亡到1979年。他在晚年曾任非洲人国民大会驻古巴代表。他的第一部长篇小说《夜游》展现了开普敦充满暴力地区一群人物反抗压迫的斗争。这一抗争主题在《三股绳》(1964)和《石头国》中得以重申。另一部小说《百劳鸟季节》出版于1979年。拉古玛作品风格鲜明，语言丰富多彩，擅长以同情心和现实主义手法表现生活在受人欺压惨境下的劳苦大众，因而享有盛誉。

La Habana　哈瓦那　古巴中西部省份。北临佛罗里达海峡和哈瓦那市，南濒巴塔瓦诺湾。面积5 731平方千米。地近国家首都和省会哈瓦那，人烟稠密。北部和中部为丘陵，南部为坡度平缓的平原。北部沿岸有阶地、海滩和风景秀丽的哈瓦那湾，南部沿岸的沼泽地为红树森林所覆盖。生产大量甘蔗、烟草、水果、蔬菜和牛奶供应首都市场。哈瓦那市区和四郊建有许多工厂。马列尔设有热电厂。有现代化公路、铁路及航空交通网。人口约636 889(1989)。

La Habra　拉哈布拉　美国加利福尼亚州南部奥兰治县的一座城市。位于富勒顿北面，洛杉矶的东南面。其名字显然源自西班牙语的abra("小路")，指附近山中的一个山口。城镇是由1839年的一块政府赠地建造起来的，很快发展成农产品(柑橘、鳄梨)的贸易中心。1908年通了太平洋电气化铁路之后，这里又建起一座食品加工厂。附近的凯奥特山油田建于1912年。自1950年起划区开发工业。拉哈布拉市于1925年设建制。每年庆祝玉米节。人口58 974(2000)。

La Halle, Adam de (poet) **拉阿尔** 参阅 **Adam de la Halle** 亚当·德·拉阿尔。

La Harpe, Frédéric-César de 拉阿尔普 (1754-04-06，瑞士沃州罗勒～1838-03-30，洛桑) 瑞士政治领袖、沃州的爱国志士、俄国沙皇亚历山大一世的教师与亲信，是创造海尔维第共和国(1798)的中心人物。法国大革命爆发后，他开始从圣彼得堡策划沃州人起义。1794年返回瑞士，然后去巴黎寻求法国的援助。1797年发表反对伯尔尼统治的小册子《论沃州宪法》。同年12月请求法国督政府对瑞士进行军事干涉，以确保沃州的独立。1798年3月法国入侵，他与奥克斯共同建立一个统一的瑞士政府。1798年6月29日，他参加海尔维第共和国督政府。1800年1月发生政变，他被废黜，逃亡国外。拿破仑垮台后，他取得亚历山大一世同意沃州独立的正式保证(1814)。1815年代表瑞士和沃州出席维也纳会议。翌年回沃州任州议员，直到1828年。

La Harpe, Jean-François de 拉阿尔普 (1739-11-20，巴黎～1803-02-11，巴黎) 法国评论家和不成功的剧作家。曾写过严厉的、带有挑衅性的评论和法国文学史。9岁成为孤儿。19岁时据说写过一篇讽刺文章而被投入监狱，因此变得尖酸刻薄和爱挖苦人。在他众多而又平凡的剧作中，悲剧《瓦维克》(1763)和从未上演过的一出感人肺腑的悲剧《美拉尼》(1778)被视为佳作。他为文学杂志《法兰西信使》撰写评论文章并任该杂志编辑而受到尊敬，但由于他的评论冷酷而缺乏人情味，常常得不到好感。1786年经过冷静的考虑他被选进法兰西学院，后在新建立的国立中学授课。他把讲义编纂成书，成为长达16卷的《文学教程》(1799～1805)，这是他最佳之作。《评拉辛》(1807)显示出他对17世纪文学有透彻而独到的了解。他是一位狂热的革命者，但受到怀疑，1794年4月被投入监狱。他为周围发生的恐怖事件感到震惊，经历了一场精神危机，终以虔诚天主教徒和反动分子的身份重新出现。他的《全集》出版于1821年。

La Hire, Laurent de 拉伊尔 (1606-02-27，法国巴黎～1656-12-28，巴黎) 法国巴罗克古典主义画家，作品以严肃、质朴、高贵著称。1648年与其他11位艺术家一起创建法国皇家学院。1640年左右受枢机主教黎塞留之托为王宫作装饰性神话题材作品，后又为戈布兰工厂设计挂毯。

La Hontan, Louis-Armand de Lom d'Arce, baron de 拉翁唐 (1666-06-09，法国蒙德马桑～1715汉诺威[德国]) 法国军人和作家。曾到今加拿大和美国探险，并对他在新大陆的旅行作了极有价值的记述。1683年他以海军上尉的身份到加拿大。1684年参加对安大略湖易洛魁印第安人作战，1687年控制圣约瑟夫堡(今美国密歇根奈尔斯)。1688～1689年在威斯康星河和密西西比河沿岸地区进行勘探。1692年回法国途中在纽芬兰参加普莱桑斯的法国移民对英国人的战争。为此，他成为国王在普莱桑斯的代理人，但此地总督指控他抗上，故于1693年逃往葡萄牙，从此就一直逗留在欧洲。1703年所著《拉翁唐男爵先生到北美洲的新航行》(2卷)，被认为是17世纪关于新法兰西的优秀著作，叙述有关原始生活方式的哲学，促进原始主义在法国和英国的发展，在孟德斯鸠、伏尔泰、J.斯威夫特等著作中均有所反映。

La Junta 拉洪塔 美国科罗拉多州东南部城市，奥特罗县县城(1889)。在科曼奇国家草原北缘，临阿肯色河。1875年始建，1881年设镇，1901年设市。现为通往新墨西哥的航运点和铁路交叉点，有大型铁路维修厂。地处有灌溉之利的甜菜和蔬菜产区。牲畜贸易重要。有奥特罗初级学院(1941)。人口7 568(2000)。

La Libertad 拉利伯塔德 秘鲁北部省份(建于1821年)。西濒太平洋。面积25 570平方千米。有马拉尼翁河流经。曾为莫奇卡和奇穆文化(以陶器、灌溉工程、大城镇著名)的发源地。后并入印加帝国。殖民时期(1533～1821)，政治、商业和宗教地位重要，是最早脱离西班牙独立的省份。现在，经济活动和人口都集中在沿海河谷地区，特别是省会特鲁希略(Trujillo)及其港口萨拉韦里周围。出产棉花、稻米、咖啡，但以甘蔗生产最有名。山区种植谷物、马铃薯，放养牛羊。公路、铁路交通发达。沿岸有泛美公路。人口约1 390 568(1997)。

La Libertad 拉利伯塔德 萨尔瓦多南部城市。有开阔港口，又地近圣萨尔瓦多，19世纪成为秘鲁香脂(萨尔瓦多所产香脂的一个变种)的海运港。20世纪初期为全国最大港口之一。自1976年起停止国际商业航运，但仍为重要渔港。农业(牲畜饲养、甘蔗和棉花)和海滨游览业亦为重要经济活动。人口：约12 675(1985)。

La Línea 拉利内阿 西班牙西南部安达卢西亚自治区加的斯省城镇。临直布罗陀海峡，在圣罗克与英属直布罗陀之间。有水果和蔬菜加工业，生产软木、酒、鱼酱等。设有西班牙直布罗陀沿线驻军指挥机构。人口55 590(1981)。

La Louvière 拉卢维耶尔 比利时西南部埃诺省城镇。濒中央运河。位于蒙斯以东约17千米。14世纪起为采煤中心。现亦为重要钢铁制造业中心，生产钢板、家具和陶瓷。附近的玛丽蒙特公园是以1554年在该处首建宫殿的荷兰女王匈牙利的玛丽命名。公园中的新博物馆(1962～1967年建)有高卢、罗马和墨洛温王朝的古代文物、图尔奈瓷器和远东艺术品，还有一座藏书7万卷的图书馆。有铁路和公路与蒙斯、沙勒罗瓦、布鲁塞尔相连。人口：城市区76 568(2000)。

La Mancha 拉曼查 西班牙中部不毛的高原。海拔610米。在托莱多山脉和昆卡丘陵西部山嘴之间，南以莫雷纳山脉为界，北接拉阿尔卡里亚地区，跨昆卡、托莱多、阿尔瓦塞特和雷阿尔城四省。拉曼查中世纪为基督徒和摩尔人军队之间的地带。现在经济以农业为主。但环境条件恶劣，发展受到限制。北部的渔猎区吸引着越来越多的游人。该地区几乎完全保持着塞万提斯小说《堂吉诃德》所描述的景观，许多村庄与堂吉诃德故事有关。

La Marche, Olivier de 拉马什 (约1425，勃艮第维尔戈丹～1502-02-01，布鲁塞尔) 勃艮第编年史家和诗人，作为公爵宫廷的历史学家，善于为骑士传统辩护。终生在勃艮第宫廷中服务。最重要著作为《勃艮第公爵查理家族状况》(1474)，其中大部分为勃艮第家族歌功颂德。拉马什的《回忆录》两卷约在1490年完成，虽然文笔生动活泼，但所记史实不可靠。

La Marmora, Alfonso Ferrero 拉马尔莫拉 (1804-11-18，皮埃蒙特都灵～1878-01-05，佛罗伦萨) 意大利将军和政治家，在撒丁-皮埃蒙特任职时期，在复兴运动中起过重要作用。都灵军事学院毕业。1823年从军，在意大利抗击奥地利的独立战争中崭露头角，在博尔盖托和皮斯希埃拉诸战役(1848)中表现尤为出色。在克里米亚战争(1855)中，他指挥撒丁的军队。1848年革命时，他救出撒丁国王C.阿尔贝特。同年10月，他晋升为将军，任陆军大臣。1849年他镇压热那亚的暴动。1859～1860年任皮埃蒙特首相。1864年再次任首相。1866年任外交大臣，使意大利和普鲁士缔结反奥同盟。作为参谋长，他对库斯托扎战役(1866-06)的失败负有责任。1870年意大利王国兼并罗马后，出任国王在罗马的代表。著有《1866年政治与军事事件的补充说明》(1873)。

La Matanza 拉马坦萨 阿根廷大布宜诺斯艾利斯的行政区。目前的行政区是17世纪和18世纪初孔沙斯县的一部分。拉马坦萨行政区建于1784年，面积323平方千米；东北是首都布宜诺斯艾利斯，东南连洛马斯德萨莫拉和埃斯特万·埃切维里亚行政区，西南接马科斯巴斯行政区，西北邻梅洛和莫龙行政区，南界卡纽埃拉斯，东南临拉马坦萨河。除首府圣胡斯托外，主要城镇有贝尔格拉诺将军城、马德罗镇、卢祖里亚镇、拉费尔雷雷等。工业生产犁铧、汽车配件、纸张和橡胶制品。房屋密集区以外的农田生产小麦、玉米、大麦、苜蓿，饲养牲畜。首都发展将拉马坦萨划入大布宜诺斯艾利斯西南郊区，约有1/2地区处在大布宜诺斯艾利斯城市区。在20世纪60年代和70年代，人口增长速度大于大布宜诺斯艾利斯中的任何其他行政区。人口1 241 264(1999)。

La Mettrie, Julien Offroy de 拉美特利 (1709-12-25，法国圣马洛～1751-11-11，德国柏林) 法国医生和哲学家。对精神现象所作的唯物主义解释，为行为主义的发展奠定了基础，并且在现代唯物主义历史上起了重要作用。在兰斯大学取得医学学位,又在莱顿大学师从 H.波尔哈维(拉美特利把他的一些作品译成法语)研习医学,并且在法国军队中任外科医生。经过一场病后,他深信精神现象与头脑和神经系统中有机的变化有直接联系。包含这些观点的《灵魂的自然史》(1745)一书出版后引起一些人的强烈抗议,他被迫离开巴黎。政府的绞刑吏将此书焚毁。1747 年在荷兰发表了《人是机器》。他在此书中更加大胆、更加充分并且极有特色地发挥了唯物主义的和无神论的观点。在《论幸福,或反塞内加》一书中提出包含这些原则的伦理学。此后他又被迫离开荷兰,但是在柏林却受到腓特烈大帝的欢迎(1748)。被任命为宫廷教师,并被指定在科学院任职。由于他相信无神论是通向幸福的唯一途径,而生活的目的是感官的享受,因此他一生都是一个无忧无虑的享乐主义者,最后死于食物中毒。他的著名文集《哲学著作集》于1751年出版。

La Mothe Le Vayer, François de　拉莫特·勒瓦耶(1588,巴黎~1672,巴黎)　笔名 Orosius Tubero。法国独立的思想家和作家。提出一种怀疑论哲学,比 M.德·蒙田的学说更激进,但不像 P.培尔的学说那样绝对。他继承父业,成为巴黎议会的法律顾问,但不久因更喜爱文学而辞去顾问职务。所著《法国民族与西班牙民族的不同气质》(1636)和《论法国人的口才》(1638)使他得以进入法兰西学院(1639)。他受到有势力的枢机主教黎塞留的赏识,成为几位贵族青年的私人教师,包括路易十四(1652 ~ 1657)。为路易十四写了一整套教本。国王任命他为法国的史官和政府顾问官以示酬劳。哲学著作甚多,包括《论异教徒的德行》(1642);1 篇题为《论历史上的缺乏必然性》(1668)的论文是法国历史批判的开端;5 篇有关怀疑论的《对话》,在他去世后以 O.图倍洛的笔名发表,分别讨论了意见的分歧、孤独的价值、愚人的美德以及宗教的差异。

La Noue, François de　拉努(1531,法国南特~ 1591-08-04,蒙孔图尔)　法兰西宗教战争(1562 ~ 1598)中胡格诺派方面的名将。他于 1558 年成为新教徒,不久开始为胡格诺派的事业奋斗。1570 年圣日尔曼和约签订后,他在尼德兰与西班牙人作战。1572 年圣巴托罗缪惨案发生后,他奉法兰西国王查理九世之命安抚拉罗谢尔的居民。他不久辞去此职,于 1574 ~ 1578 年任拉罗谢尔的胡格诺派的将军。1580 年又在尼德兰作战,被西班牙人俘虏,囚禁 5 年。他在狱中写出《政治与军事论文集》。获释后返回法兰西,为亨利四世效劳。

La Orotava　拉奥罗塔瓦　西班牙城镇。在加那利群岛自治区圣克鲁斯-德特内里费省特内里费岛北部。位于圣克鲁斯-德特内里费市之西南。西北有港口。为疗养胜地。德国旅行家洪堡曾于 1799 年到过该处,称它具有世界上最美丽的植被。出产香蕉、烟草和胭脂红。人口35 775(1999)。

La Oroya　拉奥罗亚　又称奥罗亚。秘鲁中部胡宁省城市。地处海拔3 717米的高原,濒临曼塔罗河和尧利河汇合处。当地是富足的采矿区,冶炼铜、锌、银、铅。有水电站。第一条铁路于 1893 年建成,以促进银的生产。第一条公路建于 1943 年。是连接利马和内地的交通枢纽。人口约32 600(2002)。

La Palma　拉帕尔马　西班牙加那利群岛自治区圣克鲁斯-德特内里费省岛屿。位于大西洋非洲西北海岸外。面积 728 平方千米。中部有辟为国家公园的塔武连特火山口(直径 10 千米)。出产香蕉、番茄、烟草和刺绣,大部经首府圣克鲁斯-德拉帕尔马的港口输出。岛上有公路和简易机场。人口82 419(1999)。

La Pampa　拉潘帕　阿根廷中部省份。面积143 440平方千米。西部和南部是宽阔的、布满沼泽的低洼地,人烟稀少。东北部土地肥沃,适宜放牧。有牛羊饲养业,种植小麦、玉米。在 1884 年成为国家领土后,一再设法扩展边境和鼓励欧洲移民。1952 年建省。自那时起至庇隆总统被推翻时(1955)止,该地区以总统夫人爱娃·庇隆的名字命名。也种植小米、高粱和向日葵。布宜诺斯艾利斯省的布兰卡港是该省产品外运口岸。省会**圣罗莎**(**Santa Rosa**)和皮科将军城是该省仅有的重要城镇。西南端开采石油。人口约299 294(2001)。

La Paz　拉巴斯　玻利维亚首都,该国最大城市。在该国中西部的的喀喀湖东南。海拔在3 250和4 100米之间,是世界上位置最高的首都。地处阿尔蒂普拉诺山间高原中430米深的拉巴斯河宽阔峡谷中部,因高山阻隔,可免受冷风吹袭。因人口增长,城市已沿峡谷陡坡扩展到高原边缘。1548 年由西班牙征服者在印加人村落的基础上建立。1898 年成为全国政府所在地,但**苏克雷**(**Sucre**)仍为法定首都。全城以拉巴斯河东岸的穆里约广场为中心,有现代大教堂、政府和立法机构大厦、狭窄陡斜的老式街道和许多摩天大楼。工业以食品加工和消费品生产为主。有玻利维亚

拉巴斯市的国家政府宫
美国不列颠百科全书公司供图

圣安德烈斯大学(1830)、玻利维亚天主教大学(1966)、国立艺术博物馆和国立考古博物馆。公路、铁路通秘鲁和智利海港,通阿根廷、巴西。国际机场设在俯瞰该城的高原台地上。人口约1 000 899(2000)。

La Paz　拉巴斯　洪都拉斯西南部城镇,海拔 750 米。位于科马亚瓜河谷。建于 1792 年。1861 年后称拉巴斯。现为周围农牧区的商业中心。农牧区主要生产赫纳昆剑麻、咖啡和牛。市内有锯木、制革、酿酒厂。附近有些采矿业。有公路通首都特古西加尔巴等地。人口约16 900(2000)。

La Paz　拉巴斯　墨西哥西北部南下加利福尼亚州首府。濒临加利福尼亚湾的拉巴斯湾。海拔仅 10 米。气候干燥炎热。建于 19 世纪初,1828 ~ 1887 年为下加利福尼亚州首府。1887 年半岛被美国和墨西哥分割。拉巴斯成为墨西哥地区首府。主要收入来自渔业、农业、畜牧业和旅游业。为游览胜地,可供深海捕鱼、划船、滑水和其他水上运动,附近山上可狩猎。有航空线、铁路和渡船可通。人口162 795(2000)。

La Pérouse, Jean-François de Galaup, Count (comte) de　拉彼鲁兹(1741-08-22,法国阿尔比附近~约 1788)　法国航海家。进行了范围广泛的太平洋探险活动。指挥“指南针”

美国国会图书馆供图

号,并于 1785 年 8 月 1 日在“观象仪”号陪伴下,从法国出航,绕过合恩角,在南太平洋中的一个停泊点复活节岛停留(1786-04-09)。为探测热带太平洋水域,访问了桑威奇群岛(今夏威夷),并取道西北航道去北美。1786 年 6 月到达阿拉斯加南岸的圣依莱亚斯山附近,向南进行海岸考察,经旧金山至蒙特雷。然后横渡太平洋,于 1787 年 1 月 3 日到达中国南部海岸的澳门。4 月 9 日离开马尼拉后,开始考察亚洲海岸,穿过日本海,直到鞑靼海峡,观察了位于库页岛与日本北海道之间的而以他本人命名的海峡。他在西伯利亚堪察加半岛上的彼得罗巴甫洛夫斯克,将考察记录和地图经陆路发往法国。然后两只船前往航海家群岛(今萨摩亚群岛),“观象仪”号船长和 11 名船员在那里遇害。拉彼鲁兹随后在去澳大利亚东部植物学湾的途中到达友爱群岛和诺福克岛,并于 1788 年 3 月 10 日离开植物学湾,以后即无讯息。直到 1826 ~ 1827 年,英国探险家彼得·狄龙船长才在圣克鲁斯群岛(今所罗门群岛)的瓦尼科罗岛附近发现“指南针”号和“观象仪”号曾到过那里的证据。1828 年,法国探险家 D.迪尔维尔也看到失事船只的残骸,并从岛上居民了解到两只船上约有 30 人在岸上被杀,其他武装良好

的船员得以逃脱。他的记录《拉彼鲁兹世界环游记》于他去世后出版(4卷,1797)。

La Perouse Strait 拉彼鲁兹海峡 日语称宗谷海峡。俄罗斯萨哈林岛与日本北海道之间的国际水道。以法国探险家拉彼鲁兹之名命名。连接鄂霍茨克海与日本海。最窄处介于克里利翁角(萨哈林岛)和宗谷岬(北海道)之间,宽度为43千米,水深51～118米。海流湍急,冬季结冰。

La Piedad Cavadas 拉彼达卡瓦达斯 墨西哥中西部米却肯州西北部城市。濒临莱尔马河。1871年设市。经济以畜牧业(牛、猪)和乳品业为主。以干酪和黄油著称。还产玉米、豆和小麦。周围有几条公路。墨西哥城—瓜达拉哈拉铁路在该城东北偏北通过。人口72 041(1995)。

La Plata 拉普拉塔 阿根廷布宜诺斯艾利斯省省会。位于距拉普拉塔河河口湾南岸9千米处。因1880年布宜诺斯艾利斯被定为国都,1882年拉普拉塔被选定为新的省会。

拉普拉塔市的大教堂
美国不列颠百科全书公司供图

城市规划模仿美国华盛顿(哥伦比亚特区)模式。市内有市政图书馆、天文台、哥特式大教堂、政府机关大楼、国立拉普拉塔大学(1897)及其博物馆(收藏有南美洲最重要的古生物和人类学展品)。建立了许多先进的研究所和其他学会,加强了该城文化中心地位。在拉普拉塔和拉普拉河之间建立了一个重工业区(有肉类加工厂、石油化工联合企业和钢铁厂),于是1957年建立了恩塞纳达和贝里索两个区。深水港建在恩塞纳达。1952年改名爱娃·庇隆以纪念庇隆夫人,但1955年庇隆被推翻后又改为原名。人口:城市约556 308(1999);大拉普拉塔(包括恩塞纳达和贝里索)约642 979(1991)。

la Plata, Río de (Argentina) 参阅 **Plata, Río de la** 拉普拉塔河。

La Plata River 拉普拉塔河 在波多黎各中东部。源出卡耶伊山脉桑塔山峰西坡(903米)。西北流约70千米从400米降至不足150米,转向北部沿海平原,在多拉多北面注入大西洋。沿河狭长冲积平原和台地种植烟草、棉花、葡萄、柚和蔬菜。

La Révellière-Lépeaux, Louis-Marie de 拉雷韦耶尔-勒波(1753-08-25,法国蒙泰居～1824-03-27,巴黎) 法国大革命时期督政府的成员。1789年当选为出席三级会议的第三等级代表。1792年任国民公会议员。1793～1794年恐怖统治时期,他隐匿不出。罗伯斯比尔垮台后,他回到国民公会,参加1795年宪法起草委员会。先后任国民公会议长和五人督政府(1795～1799)成员。他的政策的特点是极端仇视基督教。1799年6月18日他被迫离开督政府,从此脱离政界。1804年他拒绝宣誓效忠拿破仑。1814年拿破仑垮台后,虽然他作为国民公会成员,曾在1793年投票赞成处决路易十六,但未被王朝政府流放。

La Rioja 拉里奥哈 阿根廷西北部省份。该省自智利边界向东南延伸。东南部是干旱和半干旱的平原。西北部有安第斯山脉由南至北贯穿,形成一条条山岭和山谷。山间流出的条条间歇河在东南部形成含盐的沼泽地和湖泊。与阿根廷西北部的其他地区一样,15世纪末被印加军队征服。16世纪末,前来采金银的西班牙人在该省定居。省会拉里奥哈建于1591年。1782年由拉普拉塔总督辖区控制,成为科尔多瓦州的一部分。1816年脱离科尔多瓦,1820年升为省。经历了50年之久的内战。19世纪60年代在布宜诺斯艾利斯建立强有力的全国政府后,该省趋于稳定。境内溪流水量小、水源匮乏,严重地影响了农业和矿业的发展。安苏隆河和拉里奥哈河的水坝为邻近少数地区提供灌溉水和电力。有小片水浇地种植少量的葡萄、橄榄和苜蓿。法马蒂纳山有大量铜和钼蕴藏。1980年在安第斯高山上布拉瓦湖附近建立野生动物保护区保护日益减少的骆马群。面积89 680平方千米。人口约273 471(1999)。

La Rioja 拉里奥哈 阿根廷西北部拉里奥哈省省会。濒临拉里奥哈河,位于贝拉斯科山麓。1591年由采金银的开发者建立,长期为商业和行政中心。1894年毁于地震。后按现代化的规划重建。商业活动以农业(包括种植葡萄、橄榄、苹果和梨)、酿酒和基本工业为基础。附近拉里奥哈河上的水坝(1930年建成)提供能源和灌溉。名胜有16世纪耶稣会教堂遗址和地区考古博物馆和民俗博物馆。人口138 074(1999)。

La Rioja 拉里奥哈 西班牙自治区和历史地区,其范围相当于西班牙中北部拉里奥哈省(1980年前名洛格罗尼奥)。1982年定为自治区。在历史上属老卡斯蒂利亚。西北部有奥瓦雷内斯山脉。埃布罗河由西北沿阿拉瓦和纳瓦拉两省边缘向东南方流。该区属大陆性气候,受大西洋气候影响。埃布罗河周围的气温最高,降水量由东至西、由南至北逐渐增高,年降水量在400～700毫米之间。人口集中在埃布罗河及其支流的灌溉区。下里奥哈的居民一般聚居在城镇中;伊比利亚山区居民点的人口则逐渐减少,以旱地种植业和畜牧业为主。首府洛格罗尼奥是人口外迁的中心。上里奥哈生产西班牙最佳红葡萄酒。下里奥哈的葡萄园以生产微甜的佐餐红葡萄酒闻名。巴斯克市场周围地区的农产品多样化,新作物有小黄瓜、胡萝卜和芦笋。该区工业革命前已有中型纺织厂。19世纪中叶以来,食品加工为主要经济活动,工厂多由家庭经营。1936～1939年内战后食品加工已停滞不前。周围多工业区,本自治区工业多样化进程受到影响。1980年在纳赫拉发现石油。主要工商业中心有洛格罗尼奥、阿罗、卡尔萨达、圣多明各、阿尔内多和卡拉奥拉。人口约2 724 544(1998)。

La Rive, Auguste-Arthur de 拉里夫(1801-10-09,瑞士日内瓦～1873-11-27,法国马赛) 瑞士物理学家,电池电化学理论的奠基人之一。1823年当选为日内瓦科学院自然哲学学

瑞士国立图书馆供图

部主席。在此后的7年中从事各种气体的比热及地壳温度的研究。1836年对早期伏打电池的研究进一步发展了电学理论。他和英国物理学家M.法拉第同样认为伏打电池的电流由化学作用产生。1840年发明了银和黄铜的镀金的方法,因此获法兰西科学院的3 000法郎奖金(1841)。他的论文《理论电学和应用电学》(1854～1858)被译成数国文字。稍后,在研究电流通过气体的放电现象时,发现电火花通过氧气会生成臭氧。

La Roche, Sophie von 拉罗什(夫人)(1731-12-06,巴伐利亚考夫博伊伦[德国]～1807-02-18,黑森奥芬巴赫) 德国女作家。她的第一部和最重要的作品《施特恩海姆小姐传》(1771)是首次由妇女写的德语小说。1754年她嫁给拉罗什,后来成为阿尔尼姆和布伦坦诺的祖母,这两个人都与浪漫主义运动有关联。从1771年起,她在埃伦布赖特施泰因办了一个文艺沙龙,年轻的歌德曾参加其中。那一年,维兰德编辑出版了她的第一本小说。其顽强的劝谕精神和局部的书信体裁系模仿英国的模式,但是也同卢梭的《新爱洛伊斯》所开创的新式小说有关。在拉罗什的小说里,激情开始在理性的伦理和道德旁边占有一席之地。小说以书信形式道出的施特恩海姆小姐的忧郁心情以及"忏悔"色彩,使该小说赢得声誉。和她的其他作品一样,这部作品也受启蒙运动的理性精神的影响,显示了她对经济问题和包括妇女教育在内的经济与社会问题的兴趣。

La Roche-sur-Yon 永河畔拉罗什 法国西部普瓦图地区旺代省省会。位于南特市南

面。旺代地区在法国大革命时期曾被平靖，但1793年反革命暴动后仍不忠于政府。1804年拿破仑在旺代省中部建立了军事、行政城镇，该镇即建在被共和军烧毁的永河畔拉罗什镇原址上。新城按计划修建，街道宽阔整齐，有兵营、马厩和大演兵场，现为农业中心。传统地方工业有制革及制钉和制针。新兴工业生产家用器具。人口48 518(1990)。

La Rochefoucauld FAMILY　**拉罗什富科家族**　法国最显贵的家族之一。其历史在昂古穆瓦可追溯到1019年。这个家族有公爵头衔的人是:拉罗什富科公爵(1622)、拉罗什吉永公爵(1679)、昂维尔公爵(1732)、埃斯蒂萨克公爵、利昂库尔公爵(1747)、杜多维尔公爵(1780)、比萨恰公爵(那不勒斯称号,1851)以及埃斯特雷公爵(西班牙称号,1892)。其中最著名的两个成员弗朗索瓦六世(拉罗什富科公爵)和F.-A.-弗雷德里克(拉罗什富科-利昂库尔公爵)另有专条论述。17世纪中叶，这个家族曾强烈要求在法国得到王侯的特权，但没有成功。然而，比萨恰爵号的拥有者却于1855年在巴伐利亚获得了王侯地位。

La Rochefoucauld, François VI, Duke (duc) **de　拉罗什富科(公爵)**(1613-09-15,巴黎～1680-03-16或17,巴黎)　又称马西亚克亲王。17世纪法国古典作家。在他成为法国文学的一种形式讽刺短诗的倡导者之前是一个活跃的投石党叛乱者。生于巴黎一个贵族之家。1635年在一位贵妇人的鼓动下，参与了反对黎塞留的密谋。事败后被投入巴士底狱，8天后被流放至韦尔特伊达两年之久。1646年接替其父任普瓦图省长。1648～1653年参加孔代亲王领导的反王权的投石党内战，在战争中多次负伤，最后被迫退出战斗。1655年重获宫廷恩宠，回到巴黎，自此即不再过问政治，以大部分时间博览群书和参加文艺沙龙活动。当时在沙龙中时兴一种游戏，即用最简明尖锐的语言提出伦理格言。拉罗什富科将自己的警句记录下来，修改扩充，集成《箴言录》5卷，初版于1665年。拉罗什富科思想杂驳，《箴言录》主要表现了作者愤世嫉俗的思想。“德行消失在利欲之中，正如河流消失在海洋之中”这条箴言就是这种思想的最好的体现。拉罗什富科意识到在人们周围阻挠他们的行动、嘲弄他们的知识的那种神秘力量，意识到人们对自身的无知以及思维与存在、存在与行动之间的矛盾。有些箴言宣扬无所作为，而另外一些则接近于尼采对权力意志的鼓吹。受拉罗什富科影响的，有英国的哈代、德国的尼采、法国的斯丹达尔、圣伯夫和纪德。拉罗什富科作品的文句变化万千，轻灵精巧，使《箴言录》成为一颗晶莹的明珠。《箴言录》自1665年至1678年共出5版，每版都经过精心修改。第五版出版后两年，拉罗什富科死于巴黎。除《箴言录》外，他还著有《回忆录》(1662)。

La Rochefoucauld-Liancourt, François-Alexandre-Frédéric, Duke (duc) **de　拉罗什富科-利昂库尔(公爵)**(1747-01-11,法国拉罗什居伊昂～1827-03-27,巴黎)　法国教育家和社会改革家。曾在沙隆创办国立高等工艺美术学校，在利扬库尔的模范农场对法国农业发展卓有贡献。其父为埃斯蒂萨克公爵。他曾在陆军中服役。1769年去英格兰考察耕作方法归来后，创办模范农场，并为穷苦军人的子弟创办工艺美术学校。1788年在路易十六赞助下，这所学校改称“祖国儿女学校”。他曾作为克莱蒙和博韦的贵族代表，出席1789年的三级会议。同年7月18日任国民议会议长，极力捍卫王党的利益。1790年任国民议会医政委员会主席并在利扬库尔设立棉纺厂。1792年8月巴黎的王宫被占领后，他逃往英格兰，后去美国。1799年回国。拿破仑一世时代，他在有关卫生、制造业和监狱等方面的国家委员会中任职，继续赞助进步改革，如引进天花疫苗等。他是基督道德协会委员和废奴运动的领导人。1814年路易十八封他为法国贵族。1825年他回到利扬库尔，开办了一家最初的储蓄银行。其著述主要涉及经济问题，包括论英格兰税制、济贫、教育等方面的著作。

La Rochelle　拉罗谢尔　法国西部普瓦图-夏朗德大区滨海夏朗德省省会和大西洋港口。隔小海湾与雷岛相对。该城旧要塞所在地有笔直的街道、一座大公园以及林荫道。1946年后有很大发展，尤其是城西部分。过去的商业港由于水浅不能容纳大船，现已改建为法国第一流的渔港之一，与一翻修后的鱼市场直接相连。1890年城西5.5千米处的拉帕利斯修建有可停泊大船的商业港，港口几经扩建。主要进口燃料油、硝酸盐和磷酸盐。这两个港口为该城的工业和商业带来发展。现建有造船厂、飞机工厂、铁路工厂、汽车组装厂和石油精炼厂。其他工业有食品加工(鱼罐头厂)、锯木、轻金属加工和化工。有两座14世纪修建的巨大塔楼雄踞于旧港的入口处。较大的一座为五边形的圣尼科拉斯塔，是一座威风凛凛的堡垒。墙上有垛口和高楼。对面是链塔，每到晚间在链塔与圣尼科拉斯塔之间拉一锁链以封锁港口，链塔因此得名。15世纪，又修建了“灯笼塔”作灯塔。该塔底部为圆形，上有八角形塔尖。其他著名建筑有哥特式大钟城堡、文艺复兴时期的市政大楼和18世纪的交易所大厦。梅尔西埃大街是典型的古街道。许多16和17世纪的房屋建在连拱廊上，装饰有滴水口和寓言故事中的奇异形象。12世纪拉罗谢尔在其邻近城市沙特拉永被阿基坦诸公爵毁灭之后发展起来。“百年战争”(1337～1453)期间多次易手，但终于1372年归属法国。宗教改革时期和圣巴多罗买惨案(1572)后，主要居民为新教徒。在圣巴多罗买惨案中，许多法国新教徒(胡格诺派)被杀害，大批幸存者在此地避难。路易十三(1610～1643在位)统治时期，拉罗谢尔城因支持侵略雷岛的英国人，受到国王大臣黎塞留围困。他筑起一道巨大的海墙，阻止英国船来解救其盟友。经过15个月的围困，该城投降，居民3/4饿死。此后该城逐渐恢复旧日的繁荣。但在1685年，由于废止“南特诏书”，法国新教徒的宗教自由及公民自由被剥夺，导致大批居民外迁，该城再度衰落。18世纪，由于法国失去了加拿大，拉罗谢尔的贸易进一步减少。第二次世界大战中该城是德国的潜水艇基地，遭到盟军轰炸。人口73 744(1990)。

拉罗谢尔港，左为圣尼科拉斯塔
美国不列颠百科全书公司供图

La Rocque, Jean-François de　拉罗克　参阅 **Roberval, Jean-François de La Rocque** 罗贝瓦尔。

La Romana　拉罗马纳　多米尼加共和国东南部城市和港口。临加勒比海，与卡塔利娜岛遥遥相对。建于19世纪末。1911年建成大型糖厂后发展迅速。除甘蔗外，周围地区生产咖啡、烟草、蜂蜡、牛和兽皮。有食品加工、肥皂、制鞋、家具等工厂。港口主要装运糖。渔业发达。建有新型高级住宅式度假村。通二级公路。人口约101 350(1986)。

La Rue, Pierre de　拉吕(约1460,佛兰德图尔奈[今在比利时]～1518-11-20,库特赖[今比利时科特赖克])　作曲家，采用在文艺复兴时期音乐中占主导地位的佛兰德斯或尼德兰风格进行创作，以宗教音乐著称。1492年起在布鲁塞尔工作，先为菲利普(漂亮的)效劳，1508年起服务于尼德兰摄政王、奥地利的玛格丽特，并随同他们访问了法国和西班牙。1516年在库特赖成为教士团成员。他的30多首弥撒曲和大约45首经文曲，以紧凑、简练的风格和灵巧的结构出名。现存的32首世俗乐曲包括有主调合唱曲和器乐伴奏的独唱曲。

La Sale, Antoine de　拉萨尔(约1386,普罗旺斯阿尔勒附近[法国]～约1460)　La Sale又拼作La Salle。法国作家，主要以所著《圣特雷的小让》为人们所铭记。1400～1448年，他为安茹公爵路易二世、路易三世和勒内效力。安茹家族对西西里王国提出的要求使他多次前往意大利，他的劝谕性作品对他在那里非凡而奇特的经历有详细的描述。拉萨尔于1415年参加一次前往葡萄牙对休达的摩尔人的远征。1448年当圣波勒伯爵卢森堡的路易诸子的家庭教师。在那里他写了《拉萨尔》(1451,一本道德轶事集)、《圣特雷的小让》(1456)、《对弗雷纳夫人的安慰》(1457)以及一封《论比武的信》(1459)。他的《圣特雷的小让》一书在法国散文小说的发展过程中具有重要的地位，作者的文笔优雅、风趣、敏感和写实。

La Salle 拉萨尔 加拿大魁北克省南部蒙特利尔行政区城市，在蒙特利尔岛南岸。1668年R.C.拉萨尔爵士在此设一城堡，此处名拉欣。1689年易洛魁印第安人在此进行大屠杀后，幸存的居民区成为贸易站及拉欣运河的西端。1912年更现名。第二次世界大战后，蒙特利尔市扩大，包括起拉萨尔。1959年拉萨尔并入大蒙特利尔，现基本上为蒙特利尔市郊区住宅区。制造业有酒精饮料、食品、砖瓦材料、塑料、化工制品、钢材构件、药品、木箱、取暖与制冷设备。弗莱明磨坊建于1816年，其四层楼锥形风车为该市名胜。有一座霍诺雷-梅谢尔桥，使该市与圣劳伦斯河南岸的卡纳瓦加相连接。1912年设市。人口73 804(1991)。

La Salle 拉萨尔 美国伊利诺伊州中北部拉萨尔县城市。濒临伊利诺伊河。与珀鲁和奥格尔斯比组成了3城市联合体。1830年始建，1852年设建制。伊利诺伊-密歇根运河(1848)以及伊利诺伊中部铁路和罗克艾兰铁路(19世纪50年代)运营后，该市发展迅速。现经济以农业、轻型制造业、化工、采锌和金属工业为主。附近有州立公园两处。人口9 796(2000)。

La Salle, Antoine de 参阅 **La Sale, Antoine de** 拉萨尔。

La Salle, Saint Jean-Baptiste de 拉萨勒(1651-04-30，法国兰斯～1719-04-07，鲁昂；1900年被追奉为圣徒；5月15日为其纪念节日) 法国慈善家、教育家，第一个完全献身于学校、学术和教育的天主教非修士社团天主教教育弟兄会的缔造者。出身贵族，1678年被授予神职，献身于贫民教育。在兰斯参与创办慈善学校，随后将该校教员组成教团(1680)。他还为中产阶级少年创办寄宿学校，兴办教养院和师范学院。著有《一个基督徒的责任》(1703)和两辑《冥想录》(1730～1731)等。

La Salle, René-Robert Cavelier, sieur de 拉萨尔(1643-11-22，法国鲁昂～1687-03-19，美国得克萨斯州布拉索斯河附近) 法国的北美洲探险家。他带领一支探险队经伊利诺伊河，沿密西西比河顺流而下。他声称所有由密西西比河及其支流灌溉的地区均属法王路易十四所有，并将这个地区命名为"路易斯安那"。几年后，他在寻找密西西比河口时，不幸被其伙伴杀害。原在一耶稣会学校学习，后对探险发生兴趣。1666年到加拿大，在蒙特利尔获得土地并建立皮毛贸易点。1669年前往俄亥俄地区探察。在法属加拿大总督支持下，在安大略湖建立要塞，加强法国对这一地区的控制，并拦截上湖和荷兰及英国海岸居留地之间的皮毛贸易。由于其能力和胆识，法王路易十四授予他贵族称号。他在弗隆特纳克堡控制很大份额的皮毛贸易，事业日益昌盛。1677年受权开拓新法兰西西部地区，获准建立许多要塞，并垄断野牛皮贸易。1679年建造第一艘伊利湖上行驶的商船。他沿密西西比河而下，过密西西比河和伊利诺伊河会合处到达墨西哥湾。1682年4月9日宣布整个密西西比河流域为法国所有。1683年在伊利诺伊河上建立圣路易堡。其后期雄心是在密西西比河口建立要塞并攻占墨西哥的部分西班牙领地。这一计划受到正与西班牙交战的法王的支持。到达东距预定登陆地点500英里的得克萨斯的马塔戈达湾。后船队数次找寻密西西比河失败。

La Scala 拉斯卡拉歌剧院 意大利首屈一指的歌剧院，世界上最主要的歌剧院之一，设于米兰。1776年由奥地利女皇玛丽亚·特蕾西亚(当时奥地利统治米兰)兴建，以取代早已烧毁的旧剧场。1872年成为米兰市的房产。第一次世界大战期间关闭。1920年指挥家A.托斯卡尼尼领导一个委员会，筹款促使它重新开张，并组成一个有自主权的公司。该剧院第二次世界大战期间被炸毁，1946年重建复业。剧院演出剧目比其他四五家一流歌剧院更为丰富多彩，演出大量冷门剧，但仍演出少量热门剧来保持平衡。19世纪，作曲家G.威尔地与剧院关系密切。托斯卡尼尼就任该院艺术总监时期是剧院历史上最佳时期之一。剧院附设一小拉斯卡拉剧院，一个芭蕾舞团和一所芭蕾舞学校，以及一所歌唱学校。其开支由票款所得、市政税收和意大利政府津贴支付。2001年末，歌剧院关闭进行大规模修复。马里奥·博塔为项目建筑师，估计花费6 700万美元。2004年12月重新开放后的第一场演出是安东尼奥·萨列里的《重建欧洲》，这也是1778年8月3日该歌剧院开张时首场演出的剧目。

La Serena 拉塞雷纳 智利北部科金博区首府。位于俯视科金博湾沿海台地。约建于1543年，1549年被迪亚吉塔印第安人摧毁，翌年于今址重建，1552年建市。经历过海盗劫掠和地震破坏。现为大主教管区，有大教堂及许多教堂和女隐修院。为农业、乳品业中心及旅游胜地，与圣地亚哥有铁路、公路和航空联系。市东的比库尼亚是智利女诗人、1945年诺贝尔文学奖获得者G.米斯特拉尔的出生地。人口约87 456(1982)。

La Seyne-sur-Mer(France) 参阅 **Seyne-sur-Mer, La** 滨海拉塞讷。

La Soufriere 拉苏弗里耶尔 参阅 **Soufriere** 苏弗里耶尔。

La Spezia 拉斯佩齐亚 前称斯佩齐亚。意大利北部利古里亚区拉斯佩齐亚省省会和主要海军基地。位于热那亚的东南。罗马时代已有人定居。1276年后先后属热那亚、法兰西帝国和撒丁王国。1857年成为海军司令部所在地，1923年成为省会。第二次世界大战期间受到严重破坏。著名建筑有中世纪圣乔治城堡、15世纪大教堂、海军兵工厂和海军博物馆等。考古博物馆藏有史前人体形粗糙巨石柱和古罗马遗物。工业有造船、铸铁、炼油和机械制造等。进口煤、石油和天然气。有旅游业。人口：城市区约113 486(1983)。

La Taille, Jean de 拉塔耶(约1540，法国蓬达罗伊～约1607，蓬达罗伊) 法国诗人、剧作家。通过他的戏剧和有影响的悲剧艺术论著在法国民族戏剧向古典悲剧过渡的过程中起了积极作用。在巴黎学习期间深受龙萨和杜倍雷的影响。他主要的诗作虽平庸乏味，但却雄健有力，是一种讽刺作品，如《引退的朝臣》，以及描写一位理想君主的《当然的君王》。所著文集在1572年出版，收有悲剧《愤怒的扫罗》(1562)和当时最重要的法国戏剧评论著作《论悲剧艺术》。他贬低民族戏剧，强调以塞内加为典范。他在序言中阐述了场所、时间和情节的一致性。他认为各幕必须自成一体，而组成每一幕的各场必须相互连贯。他反对在舞台上表现死亡，认为不能令人信服。作为悲剧主题，他提出要用真正动人的插曲、以巧妙的情节来加以发展。第二部文集在1573年出版，内有较次要的悲剧《饥荒，或加贝奥尼特人》，明显地剽窃塞内加所著《特洛伊妇女》；另有两出喜剧：一是从阿里奥斯托作品意译过来的《巫术师》，一是以通俗散文见称的《竞争者》。

La Tène 拉坦诺 瑞士纳沙泰尔湖东端的考古遗址，其名称已用来概括欧洲凯尔特人的铁器时代晚期文化。拉坦诺文化起源于公元前5世纪中叶，当时凯尔特人受到来自阿尔卑斯山南面的希腊-埃特鲁里亚的影响。随着凯尔特人扩展至北欧大部分地区和不列颠群岛，该文化出现若干地区类型；公元前1世纪中叶，该文化衰落，大部分凯尔特人依附于罗马。在拉坦诺文化A期(公元前450～前400或390)，尽管时间短促，但已足够产生典型的拉坦诺文化风格。这一阶段拉坦诺文化的特征为各种装饰上采用的S形纹、螺旋纹和圆形纹等对称图案。拉坦诺文化B期(公元前400或390～前300)，A期的统一性由于凯尔特人的迁徙而解体。但某些特征在整个地区依然流行，如铁制长剑、矛头、重型刀，采用木棺无冢土葬，或用积石覆盖尸体的葬俗。拉坦诺文化C期(约公元前300～约前100)，B期的不同分支继续发展，但在各地土著与新来的凯尔特人之间产生了文化交融。主要的金属制品类型有：剑鞘富于装饰

欧韦出土的公元前5世纪拉坦诺文化金盘
美国不列颠百科全书公司供图

的铁剑、武士用佩剑铁链、宽刃重型矛头、带铁浮雕和铁支座的木盾、铁剪和铁领圈。拉坦诺文化D期(约公元前100～前50或15),由于北方日耳曼人侵者和南方罗马帝国的不断压迫,凯尔特人的政权归于灭亡。这一时期的村落遗址中发现有农人使用的典型工具:铁镰、长柄大镰、斧、锯、犁铧和锤,其中大多数都是与罗马文明发生交往的产物。以希腊和罗马的原型为基础的银币始见于C期,至D期尤为丰富,系了解凯尔特人姓名的珍贵资料。

La Tour, Charles (Turgis de Saint-Étienne de)　拉图尔(1596,可能在巴黎～1666,新斯科舍圣约翰堡)　法国殖民者和毛皮商,在法英两国统治下任阿卡迪亚(新斯科舍)总督。约1600年随父去阿卡迪亚。1613～1614年英格兰人摧毁法国人的居民点以后,他与比安库尔在印第安人中间生活。1623年比安库尔把自己的一切权利和财物都交给他。他的父亲虽然与苏格兰殖民者W.亚历山大相互勾结,而且给他弄个英国从男爵的头衔,但他不肯改变效忠法国的立场。他在圣约翰河口建立拉图尔堡,1631年任阿卡迪亚副总督。因与总督德奥内发生冲突而逃往魁北克。德奥内死后,他于1653年与其遗孀结婚。后回法国,请求国王任他为阿卡迪亚总督。1654年英国占领这块领地,拉图尔仍保有其职位,在访问英国后,获得拨赠土地。

La Tour, Georges de　拉图尔(1593-03-19,法国洛林塞耶河畔维克～1652-01-30,吕内维尔)　法国画家,作品大多描绘烛光效果。国王路易十三和拉费特公爵是其作品的早期

拉图尔绘《木匠圣约瑟》(约1645)
美国不列颠百科全书公司供图

收藏者。作品在色彩和构图上显示了高度的独创性,形式的简化是一重要特征。其巴罗克写实风格还带有风格主义的特点,但作为整体,主要体现了一种古典主义的宁静。其描绘烛光效果的佳品有:《新生儿》、《木匠圣约瑟》和《哀悼圣塞巴斯蒂安》。《玩手摇风琴的艺人》、《骗子》是其为数不多的几幅日光构图作品。

La Tour, Maurice-Quentin de　拉图尔(1704-09-05,法国圣康坦～1788-02-17,圣康坦)　La Tour 又作 Latour。法国粉彩画家,其人物肖像栩栩如生,性格突出,是18世纪法国最为人所模仿的肖像画家。1737年举办了

拉图尔自画像,约1760年
美国不列颠百科全书公司供图

首次150幅肖像画的辉煌展览。所画人物有作家卢梭、伏尔泰和路易十五及其情妇篷巴杜夫人;为后者画了等身像(1756)。1746年选入皇家学院,1751年任评议员。1750年成为国王的肖像画家,这一职位持续到1773年。他80岁退休后回到圣康坦。

La Trémoille FAMILY　拉特雷穆瓦耶家族　法兰西贵族家族。族名来源于普瓦图(今拉特里穆瓦耶)地方一村名,曾出将领多人。早期该家族成员曾数次参加十字军东征。居伊(1397卒)曾随勃艮第公爵无畏的约翰远征匈牙利,他在尼科波利斯战役中为土耳其人所俘,并在返法途中死于罗得岛。其子乔治(约1382～1446)曾任查理七世的顾问,使该家族获得名声。乔治曾于1429～1430年的战役中阻挠贞德为战败英格兰人及其勃艮第盟军而进行的努力。乔治之子路易一世(约1431～1483)通过联姻为该家族获得塔尔蒙封邑和图阿尔子爵领地。其子路易二世(1460～1525)为著名骑士,以武功闻名。当查理八世未成年时,他曾在圣-欧班-迪-科尔米耶击败叛乱的法国诸侯(1488),并在意大利战争中建立辉煌战功,最后死于帕维亚战役。路易二世之子已于1515年意大利战役中战死于马里尼昂,其孙弗朗索瓦(1502～1541)继承该家族的领地。弗朗索瓦娶那不勒斯废王阿拉贡的腓特烈之孙女安娜·德拉伐尔为妻;以后该家族便要求法国宫廷承认其为外国亲王,有权继承那不勒斯王国王位。弗朗索瓦的子女创立该家族的3个分支。路易三世(1522～1577)于1563年被封为图阿尔公爵,创图阿尔家系。其后裔袭图阿尔公爵爵位、拉特雷穆瓦耶公爵爵位以及塔尔蒙和塔朗特公爵爵位。另一子乔治创罗昂侯爵家系和奥洛讷伯爵家系。克劳德(1566卒)创努瓦尔穆捷家系。路易三世之子克劳德(1566～1604)在亨利三世统治时期原反对胡格诺派教徒,后改变立场,于1586年开始支持纳瓦拉国王、新教徒亨利三世。亨利成为法兰西国王亨利四世后,克劳德于1595年被封为贵族。这一世系的后裔继续建立战功。克劳德之孙亨利-查理(1620～1672)参加了由于巴黎大理院(高等法院)反对国王专制而引起的投石党运动(1648～1653),反对国王。法国大革命时期,查理-布列塔尼-玛丽-约瑟夫(1764～1839)及其弟安托万-菲利普(1765～1794)均为坚定的保王党,参加了1793～1796年旺代省的反革命叛乱。

La Trémoille, Georges de　拉特雷穆瓦耶(约1382～1446-05-06)　法国贵族,查理七世朝中的权臣。在权力斗争中,他先与勃艮第公爵结盟;1413年阿马尼亚克派掌权后,他又投靠该派。1427年他令人将查理七世的宠信皮埃尔·德·贾克绑架并溺死,他同贾克遗孀(可能是同谋)结婚,取代贾克在国王会议中的地位。在与英格兰作战时,他似乎曾经阻挠贞德影响国王,并企图为私利而与勃艮第公爵缔结条约。1433年被里什蒙击伤并绑架,他同意离开朝廷,并交付赎金,然后获释。1440年参加反对国王改革的布拉格叛乱,后被赦免,重返朝廷,不久死去。

La Trobe River　拉特罗布河　澳大利亚维多利亚州的一条河流,发源于吉普斯兰地区东部高地,东南流向,经莫伊市和亚卢恩市,转而直向东流,经特拉拉尔根。拉特罗布河与主要支流汤普森河和麦卡利斯特河在塞尔交汇,注入离塞尔10千米的威灵顿湖。该河长112千米。水流随季节有明显变化。河谷原辟为乳牛牧场,但自1919年已成为大量开采褐煤和工业发展的地区。

La Tuque　拉蒂克　加拿大魁北克省南部城镇,属三河城行政区,临圣莫里斯河。原为新法兰西公司商站,1908建居民点。因河边有巨石状如"蒂克"(早期法国捕兽者所戴羊毛帽),故名。经济主要依赖于林业、纸浆与造纸以及河上的巨型水电站。该地以钓鱼、狩猎和滑雪闻名。每年夏季将尽时举行从拉蒂克到三河城(镇南171千米)为期三天的伐木工人独木艇竞赛。1911年设镇。人口10 003(1991)。

La Unión　拉乌尼翁　萨尔瓦多东部城市。位于孔查瓜火山北麓(海拔1 250米),拉乌尼翁湾畔。经济主要依靠玳瑁制品工业、海滨休养设施以及附近的库图科港口。为中美洲国际铁路的终点站。经铁路可通危地马拉港口巴里奥斯港。20世纪80年代初期,政府军同左翼游击队在该城进行战斗。人口:城市区约58 829(1987)。

La Vallière, Louise-Françoise de La Baume le Blanc, duchesse de　拉瓦利埃女公爵(1644-08-06,法国图尔～1710-06-06,巴黎)　路易十四的情妇。路易同西班牙公主玛丽-泰蕾莎结婚不过一年,即于1661年7月将拉瓦利埃作为情妇。1667年,野心更大的蒙特斯庞侯爵夫人夺去了路易的欢心。路易封拉瓦利埃为女公爵作为补偿。蒙特斯庞侯爵为了制造丑闻,公开宣扬其妻不贞。路易十四为了摆脱尴尬处境,强留拉瓦利埃在宫廷作其正

式情妇，同其实际情妇共处。直至侯爵夫妇正式离异，1674 年拉瓦利埃方获准入巴黎一家隐修院当修女，过着严格的苦修生活，直至 36 年后她去世为止。她同路易生有子女 4 人，存活的一男一女后被认为是婚生子女。

La Vega　拉贝加　全称 Concepción de la Vega（康塞普西翁-德拉贝加）。多米尼加共和国中西部城市。建于 1495 年。1564 年地震后迁至卡穆河岸。现为富饶的拉贝加雷亚尔地区的工商和运输业中心。该地区出产可可、咖啡、烟草、稻米、水果和牛。为从桑切斯西行铁路的终端站，地处从首都圣多明各通往蒙特克里斯蒂的公路上。有飞机场。人口约60 250（1986）。

La Venta　拉本塔　古代奥尔梅克居住区，位于墨西哥湾海岸现今塔瓦斯科州和韦拉克鲁斯州边界附近。拉本塔原建于托纳拉河的一个岛上，现为大沼泽地的一部分。自从在该处发现石油之后，许多手工艺品都移到比亚埃尔莫萨市郊西面的一座古代文物公园内，离城约 129 千米。公元前 800 ～前 400 年间拉本塔是中美洲最重要的居住区。它的所有主要建筑物都坐落在北偏西 8°的轴线上，它们原先可能是对准某颗星或一星座。有一个形状如有凹槽的圆锥体、高 30 米的土墩俯视着该处，某些考古学家认为该圆锥体乃代表一座火山。其北为一广场和一片用作举行典礼的场地，其中包括一定数量的坟墓。有 3 个象征美洲虎的怪状人面马赛克铺砌装饰，各长约 4.5 米，宽 6 米，在它们完工之日就有意予以掩埋。此外，还有无数的玄武岩石雕像，最为突出的是一些重达 18 吨的巨大头像。玄武岩石是在拉本塔以西约 129 千米处开采的。小巧的手工艺品有翡翠装饰品和抛光的铁矿镜。

La Vérendrye, Pierre Gaultier de Varennes, sieur de（sire of）**拉韦朗德里**（1685-11-17，新法兰西三河城[今在加拿大]～ 1749-12-05，蒙特利尔）　法裔加拿大军人、毛皮商，加拿大西区最伟大的探险家之一，曾建立一系列商站并打破英国哈得孙湾公司的垄断地位。12 岁参军，1704 年参加法国人和印第安人对马萨诸塞州的迪尔菲尔德的袭击。在西班牙王位继承战争中，他在欧洲随法军作战。1709 年在马尔普拉凯战役中被俘，获释后回新法兰西（加拿大）。1726 年在苏必利尔湖以北 56 千米的尼皮贡湖经营毛皮贸易。他听印第安人说有条大河通太平洋，从太平洋可去探寻东方的财宝。因此在 1731 ～ 1738 年带领儿子建立一系列的商站，从安大略的雷尼湖到达今马尼托巴的温尼伯。印第安人把毛皮送到这些商站，并献出通向所谓“西海”的水路草图。1738 年秋，他到达密苏里河畔曼丹印第安人的部落。1742 年他派两个儿子越过密苏里河继续前进。他们可能到达了落基山脉，但未越过。在回程中，1743 年 3 月 30 日，他们在今南达科他州的皮尔放置一块铅板，标定此地为法国所有。虽然他每年向魁北克送交 3 万多张海狸皮，而且比任何白人向西推进到更远的地方，费用自付；但由于没有找到“西海”及他一子一侄和一个天主教士死于敌对的印第安人之手而受到法国当局的严厉指责。他年老多病，仍然要求到西部考察。虽然得到当局批准，但未及从蒙特利尔出发即死去。

La Victoria　拉维多利亚　秘鲁利马-卡亚俄都市区的一个区。在利马城市中心南方。基本为住宅区。有该国最大的批发零售市场。市场附近有许多轻工业。每年有成千上万的高地移民涌来利马，住在该区。有工人医院、工艺学校和国立心理教育学院。人口：区约325 319（1990）。

Laatste Nieuws, Het　《最新新闻》　布鲁塞尔出版的日报，为比利时最大的日报。1888 年为操佛兰芒语的公民创刊。该报为一自由派报纸，对国内外新闻处理态度严肃，亦刊登连环画、纵横字谜和漫画等专栏。20 世纪 60 年代增加数页吸引读者的大幅体育版。该报每页有 7 栏，版式高雅，各条报道以栏分开或以切断线分开而不转栏。20 世纪末发行量为 30.7 万份。

Laâyoune（Western Sahara）　参阅 **El Aaiún 阿尤恩**。

Labadie, Jean de　拉巴迪（1610-02-13，法国布尔格～1674-02-13，汉堡附近阿尔托纳）　法兰西神学家。原为天主教徒，后改奉新教，创立虔敬主义的拉巴迪派。先曾在波尔多耶稣会做见习修士，1639 年脱离该会。1644 年成立几个小的宗教团体，因强调礼仪神圣，被称为虔敬派。德意志的虔敬派运动受其影响，但他们遭到地方当局和耶稣会的反对。他在阅读加尔文于 1536 年出版的《基督教原理》后，遂于 1650 年 10 月在蒙托邦正式声明参加归正会，同年任该会神学教授。1657 年因非正统信仰被驱逐，先避居奥朗日，1659 年到达日内瓦。1666 年因被免米德尔堡法籍信徒教会牧师职，乃前往阿姆斯特丹另立虔敬派团体。1670 年被归正会处以绝罚，率领信徒到黑尔福德，两年后到达门诺宗的中心阿尔托纳。当时拉巴迪派的主要主张是共产共食。拉巴迪认为，只有蒙圣灵重生的人才能加入教会和领受圣餐。他晚年信仰愈加偏离主流。他的团体始终不超过数百人。

Laban, Rudolf　拉班（1879-12-15，奥匈帝国布拉迪斯拉发[今在斯洛伐克]～ 1958-07-01，英国萨里韦布里奇）　舞蹈理论家和教师，对人体动作的研究为中欧现代舞蹈的发展提供理性认识基础。他创造的《拉班舞谱》是一部人体动作记录法体系，广泛用于记述舞蹈动作。原先他对绘画和建筑颇感兴趣，后来在巴黎学舞蹈。他在给几个艺术节创作、导演了若干芭蕾舞后，1915 年在苏黎世创办了一所舞蹈研究所，以后又在意大利、法国和中欧建立了分所。1928 年出版他的《拉班运动记录法》，这是一种记录人的全部姿态动作的实用方法，现在通称为拉班舞谱。1930 年他成为柏林国立联合剧院导演，在那里他为大型“动作合唱队”的许多作品编舞。他的

美国不列颠百科全书公司供图

理论和教学在中欧产生过巨大影响。他对动作形式的分析称为“舞蹈合唱解说”，是一种被忽视的科学体系的设计，也同拉班舞谱一样，适用于所有人体动作。他的另一套理论体系，称为“均匀控制人体活动科学”，是为增加舞蹈演员对充满活力、富有表达性的动作的控制而设计的。这些理论为他的学生 M. 维格曼、S. 利德和 K. 约斯所应用。1938 年他加入了约斯和利德在英国办的学校。第二次世界大战期间他致力于工业效率的研究，为工厂雇员规划了一系列的矫正体操，并出版了《作用力》（1947）。1953 年迁到萨里郡阿德莱斯托恩继续执教和从事研究，并同 L. 乌尔曼一起主持动作艺术工作室的工作。

Labanotation　拉班舞谱　匈牙利人鲁道夫·拉班创造的人体动作记录法体系。1928 年首次出版时名为《拉班运动记录法》。拉班舞谱使用的基本符号是长方形，它用改变形状来表示运动的方向；用改变长度来表示动作的时值（节奏）；用阴影的变化表现高低位置。拉班舞谱写在一个垂直的、三条线的谱表上，中央的一条线代表分为左右两半的躯体，两根纵线用来表示支撑左、右腿的姿势。另加的纵向符号表示躯体、手臂、手和头的位置。谱表按表演者的角度，而不是从观察者的角度从下往上读。拉班舞谱是一切运动记录体系中运用最为广泛的一种，因为它把所有的必要的指示都集中体现在一整套符号系统之中，并且清楚地表明一个动作和它前后的动作的关系。它一直被运用于人类学、理疗学、戏剧和工业产品研究以及一些运动项目的动作记录工作中，例如潜水与滑冰。不过，它仍以记录舞蹈设计为主。拉班舞谱不同于以往的舞谱体系，并非来自或局限于记录一种个别的舞蹈形式；因此，一直用来记录各种不同风格的舞蹈，包括芭蕾舞、现代舞、西班牙舞、非洲舞蹈和印度舞蹈。不少著名的舞蹈编导曾经广泛应用拉班舞谱，因为和仅仅记录一种个别的舞蹈表演的影片相比较，拉班舞谱能够把舞蹈设计者的一切新颖的创造精确地记录下来。现在，拉班舞谱日益广泛的应用，已经促成一系列舞谱中心的建立，其中又以美国、英国和德国的舞谱中心最为著名。此外，拉班舞谱的手稿享有版权。参阅 **dance notation**。

Labarnas I　拉巴尔纳斯一世（活动时期公元前 17 世纪）　又拼 Labernash I。安纳托利亚赫梯人旧王国早期国王（约公元前 1680～约前 1650 在位），通常被认为是旧王国（约公元前 1700～约前 1500）的创立者。首都库萨拉。据传，他曾把自己的领土从安纳托利亚中部向南一直扩展到地中海岸。他委派几个儿子去统治被征服的城市，如图瓦努瓦、胡皮斯纳、兰达和鲁斯纳等。他还征服西南方的阿尔萨瓦国。

Labarnas II　拉巴尔纳斯二世　参阅 **Hattusilis I** 哈图西利斯一世。

labarum　圣旗　信奉基督教的历代罗马皇帝的神圣军旗，4 世纪初由君士坦丁一世首先使用。罗马帝国早有军旗，称 vexillum，圣旗即是在这军旗上加上代表基督的希腊字母 XP。4 世纪史学家优西比乌斯在所著《君士坦丁传》中形容说，圣旗以镶金长矛为杆，在横杆处悬有镶宝石的紫色方形旗幅；旗杆顶部为金色花环，花环中心为希腊字母 XP。据优西比乌斯记载，君士坦丁在战胜马克森提（312）之前，见天空出现十字架及“凭此徽号胜”字样，遂以十字架为战场上的护符。君士坦丁在 324 年战胜李锡尼之后曾在君士坦丁堡（今伊斯坦布尔）发行硬币，其上铸有圣旗图案。

Labé　拉贝　几内亚中西部城镇，位于富塔贾隆高原。是公路交通枢纽。18 世纪 20 年代由迪亚隆克人建立，18 和 19 世纪曾是富塔贾隆的富拉尼人政治和商业中心。为该区牲畜、大米、粟、柑橘属水果集散地，加工柑橘、柠檬和茉莉油，供出口。有医院、几所中学、一个中央清真寺和一所天主教教会。人口约65 439（1983）。

Labé, Louise　拉贝（约1524，里昂～1566，法国栋布地区巴歇尔）　原名路易丝·沙利。别名“美丽的制绳匠”。法国女诗人。父为一制绳匠。她属于16世纪人文主义诗歌的里

拉贝雕刻像
美国不列颠百科全书公司供图

昂派，该派的主将为 M.塞夫。她的机智、魅力、成就以及所享有的自由，引起了一些有关她无法查证的传说，如她曾骑马上战场，是一个有文化的妓女等。1555 年出版了一本十四行情诗集，诗句热情奔放、文体简朴，大概与她热恋诗人奥利维耶·德·马尼一事有关，集中还有一篇散文对话《疯狂与爱情之辩论》，认为爱情和疯狂“自古以来相辅相成”的说法是对的。

label（architecture）　**披水石**　参阅 **hood-mold** 拱檐线脚。

labeo　野鲮　鲤科野鲮属（*Labeo*）非洲与亚洲河鱼的统称。口位于头的腹面，唇厚，适于吸附；口须小，2～4 条。底食性，以藻类和小动物为食。印度的南亚野鲮（*L. rohita*）

红尾黑鲨（*L. bicolor*）
美国不列颠百科全书公司供图

是很好的食用鱼和游钓鱼，现已能在池塘中饲养。几种非洲野鲮也是重要的游钓鱼，其中高鳍野鲮（*L. altivelis*）产于中部和南部非洲，重可达 3 千克。亚洲有两种家庭养鱼爱好者所喜爱的野鲮：双色野鲮（*L. bicolor*）俗名红尾黑鲨；黑野鲮（*L.*［或 *Morulius*］*chrysophekadion*）俗名黑鲨。前者长约 12 厘米，黑色，尾鲜红色；后者全黑色，在水箱养殖可长到约 30 厘米。这两种鱼俗称为鲨，是由于它们的外貌而不是习性类似鲨鱼。

Labeo, Marcus Antistius　拉贝奥（？，～公元 10 或 11）　罗马法学家，哈德良统治时期以前的帝国法学界的最伟大人物。拉贝奥出身于一个桑尼特人的平民家庭。其父、法学家帕库维乌斯·拉贝奥是马库斯·朱尼乌斯·布鲁图的支持者，后者是拥护共和政体的革命者和暗杀朱利乌斯·凯撒的参加者之一。虽然年轻的拉贝奥也拥护逐渐被废弃的罗马共和政体，反对帝国形式的政府，但他仍获得了奥古斯都统治下的裁判官职务并拒绝了那位皇帝向他提议的执政官职位。拉贝奥以曾经写过 400 本书著称，包括对《十二铜表法》的注释、裁判官敕令和祭司法、案例汇编（信函和解答）以及一本关于定义和原则性的法律陈述的《选集》（Pithana）。他有广泛的文化素养，并对辩证法和语言有特殊的兴趣，把它们作为法律解释的辅助工具。他的进步的观点和大胆的革新，可以从他的著作的现存的片断得到证实，也可以从后来的罗马法学家们大量引用和注释他的著作中得到证实。拉贝奥死后发表的著作是一部系统的罗马法评注（Libri posteriores），他所享有的尊敬表现在死后其著作仍予以发表，这是罗马法制史上唯一的人所周知的例子。拉贝奥也是一位教师，他被看作是普罗库卢斯法学派的创始人，这个学派是以他的信徒森普罗尼乌斯·普罗库卢斯的姓氏命名的。

Laberius, Decimus　拉贝里乌斯（约公元前 105～前 43）　罗马骑士，行文刻薄俏皮，系两位主要滑稽剧作者之一。公元前 46 或前 45 年，为凯撒所迫，接受他的对手普布利柳斯·西鲁斯的挑战，并参加他本人所作的滑稽剧的演出。凯撒给他的对手授奖，同时恢复了他原来的骑士地位。他的滑稽剧约有 42 个剧目保存下来，大多残缺不全。

Labernash I　参阅 **Labarnas I** 拉巴尔纳斯一世。

labialization（phonetics）　**圆唇化**　参阅 **rounding** 圆唇。

Labiatae（plant family）　参阅 **Lamiaceae** 唇形科。

Labiche, Eugène-Marin　拉比什（1815-05-05，巴黎～1888-01-23，巴黎）　法国喜剧作家。为 19 世纪的法国舞台创作了许多极受欢迎的轻松喜剧。其资产阶级的家庭出身，成为他后来许多剧作的社会背景。原学法律，后当过短时期的新闻记者。1838 年发表第一本小说《通向各种领域的关键》。其早期剧作中，首次获得重大成功的是与米歇尔合写的《克瓦斯林先生》。接着，他与其他作家合作，写了大量表现欢快的大型剧和独幕剧，大多在轻松喜剧的大本营皇宫剧院上演。从风格上说，这些剧作大都是由一件不大可能发生的事件逐渐发展成一种错综复杂的纠葛，从而引出剧中人物的愚蠢和意志薄弱。其最佳剧作有：《意大利草帽》（1851），1927 年 R.克莱尔为之拍出同名经典影片、《厌世者和奥弗涅人》（1852）、《贝利松先生的旅程》（1860）及《虚张声势者》（1861）等。其剧作充满了各种戏剧技巧和手法，并表明对人的本性有着深刻的洞察力。拉比什退出剧坛以后所出版的《剧作全集》（10 卷，1878～1883）使他名利双收，被选为法兰西学院院士。其剧作既言之成理而又富有娱乐性，使粗俗的闹剧具有了文学价值。

Labinsk　拉宾斯克　俄罗斯西部克拉斯诺达尔边疆区拉宾斯克区城市和首府。濒临拉巴河。该河在此流入平原。1840 年建为要塞称拉宾斯卡亚-斯塔尼察（意为“哥萨克村”）。1947 年设镇，改今名。现为农业中心。工业有罐头食品、木材加工。设有工学院。人口约62 700（1994）。

Lablache, Luigi　拉布拉凯（1794-12-06，那不勒斯［意大利］～1858-01-23，那不勒斯）　意大利歌剧男低音歌唱家，以其音乐修养与表演著称。在那不勒斯学习。18 岁作为男低音丑角演员在当地歌剧院演出，随后在巴勒莫、米兰和维也纳演唱。他在伦敦和巴黎扮演 D.契玛罗萨的《秘婚记》中的杰罗尼莫，获得极大成功。1836 年寓居伦敦，与 G.格里西、G.马里奥和 A.唐贝里尼形成著名的四重唱小组，G.唐尼采蒂曾为之创作《帕斯夸莱先生》。与他同时代的作曲家对他交口称赞，F.舒伯特曾为他谱写歌曲。

Labor Day　劳工节　一年一度表彰劳动者对社会贡献的节日。在美国和加拿大，劳工节为每年 9 月的第一个星期一。在其他国家则为 5 月 1 日或其他日子。在美国，这一节日的主张是由 P.J.麦圭尔提出的。麦圭尔

是个木匠、工会领袖,后来成为美国劳工联合会-产业工会联合会(劳联-产联,AFL-CIO)前身的发起人之一。1882 年,麦圭尔向纽约中央工会建议,举办一个表彰美国劳工的庆典。按照这一建议,在劳工骑士团的赞助下,约有1万名工人于 1882 年 9 月 5 日在纽约市举行了游行。庆典日子的选择仅仅是因为它填补了独立纪念日与感恩节之间长长的空白。1884 年劳工骑士团通过决议,将 9 月份的第一个星期一定为劳工节。这一倡议迅速传布开来,到 1885 年,许多州都在劳工节举行了庆祝活动。1887 年,俄勒冈州第一个批准劳工节的法定地位(不过该州最初的劳工节庆祝活动是在 6 月的第一个星期六)。同年,科罗拉多、纽约、新泽西和马萨诸塞等州都将 9 月的第一个星期一定为劳工节,其他州也竞相效法。1894 年美国国会通过法案将劳工节定为全国的节日。劳工节与工会的联系现已逐渐减弱。这一节日对许多美国学龄儿童来说意味着暑期的结束,人们也常常以家庭野餐和运动会的形式来庆祝这个节日。在大部分其他国家里,包括前共产党国家在内,工会和左翼政治团体通常将*五朔节*(**May Day**;5 月 1 日)作为表彰劳工的日子。

Labor-Management Relations Act (1947) (U.S. law) **《劳资关系法案》**(1947) 参阅 **Taft-Hartley Act** *《塔夫脱-哈特莱法案》*。

Labor-Management Reporting and Disclosure Act(1959) (U.S. law) **《劳资关系报告与揭露法案》**(1959) 参阅 **Landrum-Griffin Act** *《兰德勒姆-格里芬法案》*。

Labor Party(Australia) **工党** 参阅 **Australian Labor Party** *澳大利亚工党*。

Laboratory Schools of the University of Iowa 艾奥瓦大学实验学校 1916年在美国艾奥瓦市建立的若干中、小学,用于对课程发展进行实验,并作为艾奥瓦州的模范学校。在以后的几十年中,由于首先进行教育测验的研究,这些学校在美国全国和国际上都产生了影响。艾奥瓦基本技能测验和艾奥瓦教育发展测验就是在这些实验学校中产生的;经过美国大专院校测验计划的修改,现已广泛应用于测验中小学生的技能水平和成绩水平。实验学校还探索了小学语言教学,它们编写的许多课本已经被广泛采用。1972 年,由于师资培训的趋势发生变化和美国削减教育经费,导致实验学校关闭。

Labori, Fernand-Gustave-Gaston 拉博里 (1860-04-18,法国兰斯~ 1917-03-14,巴黎) 法国律师,在 A.德雷福斯被控叛国案中担任被告的辩护律师。在兰斯和巴黎受教育。1884 年担任律师,很快就享有杰出的声誉。在当时大多数重要的政治案件中,他都为被告作辩护人,几近 30 年之久。他在德雷福斯案件中的作为使他处于事业的顶峰。1898 和 1899 年在第 1 次和第 2 次重审时,他坚持不懈地为被告辩护。在对检举的证人进行对质的前夕,他在雷恩被人开枪击伤。直到德雷福斯于 1906 年最后被宣告无罪为止,他始终不懈地维护这位不幸的军官的利益。他经办的主要案件还有 1898 年 É.左拉因德雷福斯案件而被控犯有诽谤罪案和 1902 年的恩贝尔案。他参与办理的另一件臭名远扬的案件是 J.卡约夫人杀害《费加罗报》编辑 G.卡尔梅特案。

Labouchere, Henry Du Pré 拉布歇雷 (1831-11-09,英国伦敦~ 1912-01-15,意大利佛罗伦萨附近) 别名 Labby。英国政治家、时事评论员,才华横溢,文思敏捷,以其在普法战争期间(1870 ~ 1871)从被围困的巴黎向伦敦《每日新闻》发出的新闻报道而在新闻界享有盛名(他是该报的共同所有人)。他参与揭发爱尔兰新闻记者 R.皮戈特是诡称爱尔兰民族主义领袖 C.T.巴涅尔写的一封控告信的伪造者。祖父为金融资本家,其财产为他所继承。1854 ~ 1864 年任职于英国外交使团,接着为下院议员(1865 年和 1867 ~ 1868 年作为自由党人,1880 ~ 1906 年作为自由党激进派选入下院)。他极力主张撤销上议院,并反对 J.张伯伦和自由党其他帝国主义者的扩张主义政策,这种政策导致了南非战争(1899 ~ 1902)。他在 1877 年创刊的《真理》期刊专门揭穿各种有组织的骗局。

Laboulbeniomycetes 虫囊菌目 子囊菌纲的一类真菌。约1 500余种。寄生在蜘蛛类和昆虫的外骨骼几丁质上。形小,高度分化,有些种仅侵染一定性别的寄主的一定部位。未见无性生殖。

labour 劳动(劳动力) 又拼 Labor。在经济学中,劳动力是指以挣工资为生的人们的总体。例如,人们说"有组织的劳动力",就是这个含义。然而,按比较特殊而专业化的含义,劳动是指人类在生产财富中所提供的有价值的服务(不是积累和提供资本,也不是承担经营企业正常范围的风险)。劳动包括体力劳动者的服务,也包括许多其他类型的服务。劳动与劳累或费劲不是同义语;按生理或心理的含义,它与"所做的工作"仅有微小的联系。人们运用体力于生产当然是劳动的因素,但技巧和自我指导在或大或小范围内也都是劳动的因素。劳动均具有花费时间的特征,其特定的含义就是消耗人类生命的部分岁月。另一共同特征就是劳动与游戏不同,劳动本身不是目的,而是为其产品,也就是为了在现代经济生活中要求分享一部分社会工业的总产品。甚至一个主要在工作中汲取乐趣的劳动者,也都要牟利,尽其可能将服务或产品卖到最高的价格。

劳动若能用简单而均匀的时间单位(如工时)来衡量,则经济学中诸问题可大大简化。但劳动者之间,其接受培训的质和量,技术、智力的高和低,指导自己或他人工作的能力及所需其他特殊才能的大和小,各不相同;各种劳动在令人厌倦程度上,在提供永久性职业和升迁的前景上,在因劳动性质给劳动者所带来的社会地位上,在劳动任务所具有的吸引力的程度上,也各不相同。除了劳动力不易流动、不能便捷地转移到那些产品价值最高的部门去之外,不同种类的劳动力也不能单纯地按"劳动量"的大小付给工资。一种劳动,其单位时间的市场价格不仅决定于劳动者的技术效能,而且也决定于对劳动者所能提供的那种劳务的需求,决定于那种劳务的相对稀缺性,决定于其他生产手段的供应情况。因此,过去有些经济学家和社会主义者都企图在产品价格及产品所包含的劳动量之间找出某种直接而简易的关系,证明是徒劳的。

某种供应不匮乏的劳动力,不论其构成情况如何,其各种用途可参考其产品的数量和价值加以比较。这种比较在竞争性企业的计划管理中在经常不断地进行着。另外,要测知拟议中改变社会劳动力的组织工作和投入劳动力的用途(例如,牺牲某些类型的工业以促进其他)是可能增加还是减少每年财富的生产量,则可以利用经济分析法进行。对于个体工人,如同社会整体一样,衡量其生产"劳动成本"的可行方法,是参考同样劳动可能获得的其他产品加以比较,或者参考同样时间劳动的其他可能的用途加以比较。

labour 产痛 产母在*分娩*(**parturition**)过程中所体验到的躯体活动。产痛的强度因人而异,决定于肌肉情况、体育锻炼情况、精神状况及分娩过程中的合并症。

labour, contract 参阅 **contract labour** *契约劳动*。

labour, division of 劳动分工 把生产过程分成若干部分,每一部分由一个人或一群人来做。大规模生产体系经常应用劳动分工,在大规模生产体系中劳动分工是装配线的基本组织原则之一。将工作划分成简单而重复的劳动,可消除不必要的动作和简化对工具和部件的操作。生产时间随之减少,技工也能够被工资低的非熟练工人所代替,由此便降低了生产成本和成品价格。苏格兰经济学家亚当·斯密在这种工作划分中,看到了推动经济发展的关键,为生产经济产品提供了更便宜、更有效的方法。法国学者 E.涂尔干在讨论社会演变时,第一次使用了该词的社会学含义。涂尔干不把分工看作是谋求物质丰富的愿望的结果,而是认为:人口数量和密度的自然增长以及随之而来的生存竞争的加剧引起了社会结构的变化,专业化是在这个基础上产生的。分工的功能就是保持社会在这些条件下不至于瓦解。工业社会中的高度专业化——尤其是在机械制造技术的有关方面,任务分工十分精细和简单以致一个工人常常仅能生产某一商品的一个小部件——在非工业化社会中是不多见的。在荒蛮的社会中,除非是生产较大的物产如房屋和独木舟,一个行业之内很少有分工;即使在生产较大物产的情况下,劳动分工也常常是暂时的,每个工人都胜任工作的其他各个层面。可能在产品的类型方面有些专业分工(例如,一个工人生产宗教祭祀用的陶器,而另一工人则生产普通的陶器),不过每个工人时常要执行生产的全过程。依据性别分工看来是很普遍的,但其形式却因为文化阶段的发展而变化甚大。有的劳动分工也以年龄、氏族、祖传、同行以及地区和工艺的专门化为基础。

labour, hours of　劳动时间　人们花费于工作的时间。自19世纪中叶以来，劳动时间已大为减少。先进工业国家工人每年花费于特定工作场所的时间，远比以往为少。由于延长在校学习期限和提早退休年龄，工人整个生命期之中用于劳动的年份，也较过去少。缩短劳动时间的运动，几乎是与组建工会同时发轫的，曾遭到雇主剧烈的反对。1847年英国才规定工厂雇佣女工、童工每日工作不得超过10小时。在美国，19世纪40年代和50年代制定了州的法律，但到19世纪70年代这项法律才含有强制性的条款。19世纪，雇主们坚决反对缩短劳动时间的立法，其主要经济依据不外是：资本装备较之劳动力既缺乏又昂贵。在澳大利亚，劳动力普遍不足，使工会能于19世纪50年代，在技术性行业中顺利地建立了8小时工作制。19世纪末至20世纪上半叶，很多国家工会的主要要求是更短的工作日。然而1920年以前每周工作日减少缓慢。只有当技术进步使每小时的劳动能生产更多的东西时，雇主对缩短工作小时才会不反对。第一次世界大战期间，8小时工作日和6日工作周，成为美国工厂的准则。欧洲很多国家在20世纪20年代也在实现48小时工作周方面取得实质性进展。其中很多签定了由新成立的国际劳工组织发起的国际协定，宣布以8小时工作日或48小时工作周为准则。20世纪30年代流行的争取缩短工作时间的主要理由是：稀少而有收益的就业机会，应由尽可能多的工人所分享。美国1938年的《公平劳动标准法》，对雇佣工人每周工作超过40小时的雇主，课以财政罚款，遂使40小时工作周成为一项标准。1936年法国人民阵线政府确定了40小时工作周。1948年，澳大利亚实现了40小时工作周。20世纪60年代初，加拿大也实现了40小时工作周。到20世纪70年代末，许多欧洲国家也逐渐实行40小时工作周，而拉丁美洲则是平均45小时的工作周。多数国家都规定允许超过时数的工作，但这种超时工作，通常必须按小时予以奖励补偿。

Labour, Liberation of　劳动解放社　又作Emancipation of Labour。俄国第一个马克思主义组织。1883年9月普列汉诺夫和阿克雪里罗得在日内瓦创立。他们相信社会革命只能由具有阶级觉悟的产业工人来完成，因此与民意党决裂，专心翻译马克思和恩格斯的著作，并自己写书，强调发展经济和工业是达到社会主义的前提条件。他们反对恐怖政策和暴力革命。1888年在国外组织俄国社会民主联盟（1894年成为俄国社会民主党人联合会）。在发现该组织正在放弃激进的主张后，他们于1900年退出，随后同新近来到西欧的列宁创办《火星报》，1903年参加组织俄国社会民主工党布鲁塞尔—伦敦代表大会。大会闭幕后，劳动解放社自动解散，加入俄国社会民主工党。

labour, statute　参阅 **statute labour** 法定劳动。

Labour and Socialist International（LSI）　工党和社会党国际　始于1923年，至第二次世界大战爆发后结束，其章程对其所下的定义是："由接受将工人从资本主义统治下获得经济解放的原则和以建立社会主义大家庭为其目标的政党所组成的联合会。"1921年，拒绝加入第二国际和第三国际的各"中派"和"左派"社会党代表在维也纳举行大会，成立了社会党国际联合会，亦称维也纳联合会，目的是为成立一个总括一切的国际准备条件。1922年，第二国际、第三国际和维也纳联合会的代表聚会于柏林，商讨共同行动的条件，未能达成实质性协议。柏林会议失败后，第二国际和维也纳联合会关系更加密切，最后于1923年举行的汉堡代表大会上实行合并。参加大会的有620位代表，代表30个国家41个党，这些政党共拥有670万党员和2 500万张选票。合并后的名称为工党和社会党国际，与国际工会联合会紧密合作。工党和社会党国际认为，法西斯主义是对自由和和平的最严重的威胁，并认为恢复工人阶级的团结是与之斗争的最有效的方法。它并认为凡尔赛和约对经济作出的规定是德国共产主义运动和纳粹运动获得力量的主要源泉之一，它为公平合理地解决施加于魏玛共和国的赔款问题而斗争。30年代初期德国经济崩溃时，它要求西方国家援助德国。希特勒上台后，工党和社会党国际主要关注战争的危险，支持集体安全原则，要求国际联盟通过用强有力的措施防止战争的总公约，反对重新武装纳粹德国，并且为逃离法西斯国家的政治避难者特别是佛朗哥推翻西班牙共和国的内战中的受害者组织大量的经济援助。希特勒征服西欧，摧毁了"国际"在欧洲的基础，只有英国、瑞典和瑞士的社会党得以幸存。"国际"乃停止活动。

labour economics　劳动经济学　对如何在工作中配置员工，如何决定其劳动报酬，各种因素如何影响其工作效率的研究。换言之，是对传统生产要素之一的研究。其他要素还有土地、资本、甚至企业家等。在诸多因素中，对劳动之总要求在国民收入中所占份额将在分配理论（**distribution theory**）中研究。一个国家的劳动力包括所有用工作获益的人，且不论什么身份，也包括那些尚未被雇佣但在寻求工作的人。工业国中劳动力大约占总人口的2/3。开始工作及劳动报酬须视多种因素决定。总的健康情况、总的教育水平、特别培训与技能之分布、流动程度均为劳动力本身的质量，在决定雇佣员工及其报酬方面起很大作用。经济结构特征具有重要意义，例如初级工业或采掘工业、重工业生产、高技术生产和服务行业的比例。另一组因素是制度上的，包括工会、雇主协会的范围和权力；政府的积极干预工时、控制工资；最低工资法；以及集体谈判问题仲裁等。还有各种各样的因素，如习惯及瞬时经济条件等也必须予以考虑。需要高水平教育或培训的行业及此种行业所占比例高的经济部门，工资水平总要高一些。在工会压力很强的行业也是如此。但最终，较高的工资水平可以被较高的物价水平所抵消。较高工资的行业当然会吸引流动的劳动力。在某些情况下，它在其他的行业或地区的工资水平上也许会产生正面长期的反应。行业之间、任何行业内部工种之间，工资率的差异可以有多种解释。古典经济学认为不同种类的劳动含有不同量的"同一劳动时间"，并据此付给报酬。其他理论则强调不同形式的劳动和不同技术水平生产程序上相对力量的地位关系。

labour law　劳动法　适用于雇佣、报酬、工作条件、工会及劳资关系的法律的总称。从最广泛的意义上说，它也包括老年及伤残保险。尽管有关劳动的法律，可以追溯到《汉穆拉比法典》，但今天所知的劳动法起源于18世纪。它是由工业革命、18世纪的启蒙运动、法国革命以及这些运动政治力量的影响和冲击演变而来的，并由这些历史运动塑造成形。

起先，劳动法意图对工人阶级提供保护，使他们在工作地点不因机械化程度加大而受到新的屈辱。1802年，在英国制定了第一个保护童工免受虐待的法律。但在欧洲，到19世纪后期才通过大部分劳动法，而美国很多法律到19世纪30年代才制定。承认工人有权为了工会活动目的而联合起来，政治变化对它有决定性的影响，而劳动法中的某一部分对政治波动也很敏感。英国在1824年，法国在1884年取消禁止工会法，但后来又有很多变更。美国到20世纪30年代才确定给予工人参加工会的权利。在亚洲和非洲，劳动问题到20世纪40年代、50年代才发生。

雇佣法　作为稳定经济及其增长一种手段，长期雇佣政策的有关立法在劳动法中是个新的概念。这种办法发展于20世纪30年代的大萧条及第二次世界大战以后。其目的在确保雇主获得充分人力的同时保证雇员的权利以提高就业机会。这项立法条文包括吸收新雇员、职业培训、学徒制等。在雇佣法中也包括不受强迫劳动的自由、平等待遇及失业补偿。雇佣法关于个人与雇主的关系牵涉到双方的契约义务以及这项义务的起迄。然而随着劳动法的发展，个人契约已逐渐受到法令的限制，其中对雇佣关系作了很多规定。

工资法　有关工资的支付形式如是否对工资条件有专门的通知，工资是否用法币或支票支付等。此项法律使雇员能自由处理其工资，保护他们不受非法的克扣及限制对工资订立附加条件。工资规定最重要的方面是它已脱离了作为控制"社会罪恶"的一种工具而转向特别关心经济的全面稳定。很多国家的管理机构，如英国的贸易部，有权给各种非集体契约的职业制定工资。此种机构亦可制定各项标准（如最低工资），并作出其他关于工资的决定。在很多情况下，它们是集体契约的基础。此处最关心的事仍是经济规划及控制其膨胀的措施。

工作条件及社会保障法　工作条件的立法包括规划工时、休息、假期、健康及安全。开展此项立法原系保护妇女及儿童，但现在绝大部分是平等对待全体工人。健康及安全的规定原限于特别危险的职业（如采矿），然而随着更多地利用机械化和化学品，此种规定已广泛应用。其条款包括防止事故及有关中毒、尘埃、噪音及辐射等健康及安全标准。

社会保障法增加了工伤、疾病赔偿的金额与机会。全面的社会保障法历史上由19世纪末德国的O.冯·俾斯麦开始，其中列入了老年福利一项。后来，20世纪30年代的大萧条加速了美国对社会保障的立法，现包括对病假、产假、生还者的福利及医疗保健。雇主所能提供的社会保障福利各有不同，但其最低限度是大多国家普遍实行的。

工会与劳资关系法 工会与劳资关系法包括工会的法律地位、工人及雇主组织之权利与义务、集体谈判协议、解决争议、罢工及停业等规定。此部分劳动法很复杂而且经常影响一个社团或社会实行的主要任务。总趋势是由于劳资纠纷潜在着广泛的分裂，因而所牵涉的法律面也愈来愈大。

许多国家制定法律来授权管理机构监督集体契约的执行。由于政府对经济稳定的关心对劳资双方的利益都有冲突，劳动法领域内仍在继续出现问题。

Labour Party 工党 英国改良主义的社会主义政党，与工会有着牢固的联系。1900年英国职工大会与独立工党(1893年建立)联合组成"劳工代表委员会"，1906年改名工党。工党力量迅速壮大，并加入第一次世界大战期间的联合政府。1918年普选后，在下院成为第2大党，从而成为战后正式的反对党。1924年1月，在自由党的支持下，R.麦克唐纳组成第一届工党政府，同年倒台。1929年工党再次获得足够的票数组成得到自由党支持的政府，这届政府持续到1931年；由于经济政策上的分歧，导致麦克唐纳辞职，组成由自由党和保守党构成的联合政府。在随后的选举中，工党遭到惨败，继续成为在野党，直至1940年，工党才有人在丘吉尔的第二次世界大战期间的联合政府中担任部长。1945年工党在大选中赢得惊人的胜利，提出雄心勃勃的内政改革纲领。艾德礼首相的政府对关键的工业部门实行了国有化，建立一个全国性的保健服务和社会保险体系作为广泛的福利国家的一部分。但战后经济复兴缓慢，在1950年的选举中，工党在下院的多数减少至5席，1951年失去权力，由保守党执政。

整个50年代，在关于党的传统的社会主义主张是否要适应以及如何适应富裕社会的问题上，特别是在工业国有化的问题上，工党内部发生分裂。"比万派"(A.比万的追随者)要求加强社会主义的经济政策，减少对美国的依赖；"修正主义派"则希望取消对工业国有化的承诺。工党到1964年才在威尔逊领导下重新执政至1970年。他推行温和的方针，试图限制工会的影响。1974～1979年工党再度执政，1976年前后分别由威尔逊和卡拉汉任首相。在这英国经济问题日益恶化的岁月里，工党很少有机会提出任何新的社会倡议。1980年大选工党被保守党击败后，左翼分子与工会主义者削弱了工党议会议员的权力而扩大自己在党内的权力。过去党的领袖由工党议员选出，但自1981年起，党的领袖改由参加年会的全体代表选举产生。在党的左翼领袖M.富特领导下，工党在1983年大选中遭到惨败。N.金诺克接替富特任党的领袖。金诺克试图摆脱党的左翼的主要政策——单方面核裁军、工会权力和征收重税——来加强党对群众的吸引力。但新的温和政策也未能赢得选举的胜利。1992年保守党获胜后，金诺克辞去党的领袖职务。1995年工党正式放弃了长期坚持的关于工业政府所有制的诺言。1997年议会选举中，工党击败执政18年的保守党，工党领袖托尼·布莱尔取代梅杰任首相。

Labour Party 工党 爱尔兰语作 Páirtí Lucht Oibre。爱尔兰政党，1912年作为职工大会的附属机构由J.拉金创建，1930年成为独立政党。J.康诺利是其最重要的领袖，直至1916年他被处死。工党是1922～1926年爱尔兰自由邦众议院中第一个反对党。从未独立执政，支持1937～1938年的德瓦勒拉政府，于1948～1951、1954～1957、1973～1977、1981～1982年以及除一段短暂的时间外，于1982～1987年，参加联合政府(主要与爱尔兰统一党联合执政)。工党是社会党国际成员，要求更为广泛的社会保险和福利措施、基本企业公有化，以及与北爱尔兰联合。该党的主要力量来自都柏林地区，并存在于其他地方加入工会的工人之中。

Labour Party (Israel) 参阅 **Israel Labour Party** *以色列工党*。

Labour Party (New Zealand) 参阅 **New Zealand Labour Party** *新西兰工党*。

labour union 参阅 **trade union** *工会*。

Labrador 拉布拉多 加拿大大陆的东北部半岛。包括魁北克省北部的巨大半岛和纽芬兰，面积约162万平方千米。北为哈得孙海峡，东濒大西洋，西接哈得孙湾，南以伊斯特梅恩河和圣劳伦斯湾为界。它是加拿大地盾的最东部分，是受过冰川侵蚀的岩石高原。湖泊极多，经由汉密尔顿河和纳斯考皮河注入大西洋。土地贫瘠，海岸犬牙交错，受拉布拉多寒流冲击。在行政区划上，"拉布拉多"仅指大西洋沿岸属于纽芬兰省的部分，而属于魁北克省的部分则名为昂加瓦。因半岛的控制权时而属纽芬兰，时而属魁北克，故直至1927年二者边界划定，此地的地理名称才明确。在经济方面，沿省边界的拉布拉多地槽有丰富的铁矿资源。20世纪50年代以后，谢弗维尔、拉布拉多城和沃布什等大城镇纷纷出现，由默尼埃克瀑布和丘吉尔瀑布的水电站提供电力。当地还有渔业和伐木业。人口：纽芬兰—拉布拉多省中拉布拉多部分，27 864(2001)。

Labrador City 拉布拉多城 加拿大纽芬兰省城市，在拉布拉多半岛西南部。20世纪50年代发展为周围矿区(加拿大最大的精铁矿产地)的服务社区。有机场和铁路通魁北克的谢弗维尔和矿砂转运港七岛港。1980年建镇。人口7 774(2001)。

Labrador Current 拉布拉多洋流 沿拉布拉多海西侧向西南流的表面洋流。发源于戴维斯海峡，由西格陵兰洋流、巴芬岛洋流和来自哈得孙湾的水流汇合而成。水文记录与巴芬岛洋流相似，温度在0 ℃以下，盐度在30‰～34‰之间。该洋流范围限于大陆架上，深度略大于600米。水流量约每秒350万～540万立方米。每年携带数千座冰山向南流去。

Labrador Sea 拉布拉多海 在北大西洋西北部，加拿大拉布拉多(半岛)和格陵兰之间。北经戴维斯海峡通巴芬湾，西经哈得孙海峡通哈得孙湾。因拉布拉多洋流挟带大量

从拉布拉多岩石海岸远望拉布拉多海
美国不列颠百科全书公司供图

冰山，主要航道仅限于东部海面，且只在仲夏至秋末可通航。格陵兰各港主要从事鳕鱼捕捞业。

Labrador tea (species *Ledum groenlandicum*) **拉布拉多茶** 即格陵兰杜香。杜鹃花科多年生低矮常绿灌木，原产北美东部。生长于寒冷沼泽。高约1米。小枝带红色。叶片

拉布拉多茶(*Ledum groenlandicum*)
美国不列颠百科全书公司供图

椭圆形，全缘，背面有铁锈色毛，叶缘向下卷曲，气味芬芳，可当茶饮用。花白色或奶油色，花径2厘米，花穗顶生，花瓣和萼片各5枚。原产落基山地区的具腺杜香(*L. glandulosum*)亦俗名拉布拉多茶，与格陵兰杜香近缘。

labradorite 拉长石 斜长石(Plagioclase)系列的长石矿物，常因为有红色、蓝色或绿色晕彩而作为宝石和装饰材料。这种矿物通常呈灰色、褐色到黑色，不一定都有晕彩；当它

们用作宝石时，通常要磨成馒头形(具圆凸的表面)。拉长石是一种较常见的斜长石，产于许多辉长岩、粒玄岩、苏长岩或玄武岩中。斜长岩主要由晕色拉长石晶体组成，晶体长者约达2米，在世界的许多山区都有斜长岩产出。拉长石这个名称的来由是因为它产在加拿大拉布拉多半岛海岸边的内恩地区，那个地区所产的石料有晕彩，并且有时用作建筑石材。

Labriola, Antonio　拉布廖拉(1843-07-02，两西西里王国卡西诺[意大利]～1904-02-12，罗马)　意大利哲学家。他曾使意大利的马克思主义社会主义的研究系统化。他是意大利第一个阐述正统马克思主义的人，对当时各种不同政治主张的人影响颇深。他原是黑格尔派哲学家B.斯帕文塔的学生，于1874年任罗马大学哲学教授。富于主见和批判精神，又善于言谈，因而成为杰出的学者和出色的教师。曾主张争取政治权利，因意大利政治中的腐化堕落而日益感到不安。1885年接受了一种激进的社会主义哲学。1889年主持历史哲学讲座时，开始讲授马克思主义，这在意大利还是第一次。1890年开始同恩格斯通信，并系统地研究马克思和恩格斯的作品，用一种批判的、分析的观点探讨历史唯物主义。不久以后，他翻译的《共产党宣言》意大利文本出版。他认为抽象的形而上学应当有实际应用的机会，因而又致力于组织工人的政党。作品有《纪念〈共产党宣言〉》(1895)、《唯物史观》(1896)和《关于社会主义与哲学的谈话》(1897)。

Labrouste, Henri　拉布鲁斯特(1801-05-11，法国巴黎～1875-06-24，枫丹白露)　早期采用铁架结构的法国建筑师。1819年入巴黎美术学院。1824年获罗马大奖，翌年赴意大利学习。1830年回国，在巴黎开设事务所。他在巴黎设计的两座图书馆是他的成名之作：一是圣热讷维耶沃图书馆(1843～1850)，外露的铁构件处理精细，装饰美妙而含蓄，至今令人称羡；一是国家图书馆阅览厅(1862～1868)，屋顶由9个装饰丰富的金属穹顶组成，下由细长的铸铁柱支承。

Labrunie, Gérard　拉布吕尼　参阅 **Nerval, Gérard de** 奈瓦尔。

Labuan　拉布安　东马来西亚岛屿。在文莱湾入口处。距婆罗洲西北部的南海10千米。面积98平方千米。1846年割让给英国，1906年并入海峡殖民地，1946年划入北婆罗洲殖民地。1963～1966年印尼与马来西亚武装冲突期间为联邦防御部队司令部驻地。东南岸的维多利亚为主要城镇和深水自由港。该岛地势低平，种植业发达。有良好的公路网和大型机场。主要出产橡胶、椰干、西谷米。岸滩洁白、宽阔，周围的珊瑚礁极适宜潜水。历史文物有阵亡将士墓地、日军投降地点等。人口70 400(1997)。

laburnum　毒豆　又称金链花。豆科蝶形花亚科(Papilionoideae)毒豆属(*Laburnum*)植物，乔木或灌木。复叶由3枚小叶构成，花簇下垂，荚果细长扁平。*L. anagyroides* 原产南欧，可栽培供观赏；叶柄长；总状花序长达30厘米，悬垂，花鲜黄色。本属植物全株有毒，尤以种子为甚。根部味似同科的欧甘草。偶有报道牛食之致命，但对野兔与家兔无害。毒豆属植物木材呈醒目的绿褐或红褐色且光泽，可做理想的家具及镶嵌材料，曾是苏格兰最昂贵的木料。

labyrinth　迷宫　又作maze。由错综复杂的通道和死巷构成的体系。"迷宫"是古希腊人和罗马人取的名称，指完全或部分在地面以下且包括许多难以走出的房间和过道的建筑物。后来，尤其是从欧洲文艺复兴时期起，迷宫出现在正规的花园中，由用高树篱隔开的曲径组成。普林尼对古代4座著名迷宫陈述如下：①埃及迷宫。希罗多德和斯特拉博曾描述过该宫坐落在摩里斯湖以东，正对着古代阿尔西诺伊即鳄鱼城的遗址。据埃及古物学家考证，迷宫一词意为"湖入口处的庙宇"。按希罗多德记载，整个建筑物仅有一道围墙，墙内有12个庭院和3 000个房间，地上1 500个和地下1 500个。屋顶全部用石板，墙上布满雕刻。建筑物的一侧立着一座金字塔，高约74米。希罗多德本人曾走遍上部的房间，但未准许他游览地下，据人告诉他，那里放置的是建造迷宫的几代国王的坟墓以及圣鳄鱼的坟墓。另外一些古代权威认为迷宫是作为埃及行政区(省)的开会场所而建造的，但更似乎是为了丧葬的目的。这是第十二王朝于公元前1818～前1770年在位的埃门内姆哈特三世的作品。埃及古物学家K.R.累普济乌斯首先在法尤姆省哈瓦拉以北探测出其位置。1888年，F.皮特里发现其地基，长约300米，宽约250米。②克里特迷宫。据传是代达罗斯按埃及迷宫的图样建造的，因与米诺陶洛斯的传说有关而著名。究竟是否真实存在过，尚属疑问。按照一些古代作家所说，它位于克诺索斯附近，而且在钱币上有过图像，然而在近代的历次发掘中没有找到任何属于它的遗物，唯一的可能性是曾经计划兴修的皇宫。后来的作家们，如克劳狄安，则认为它在戈提那附近；但是，毗邻该地的一些迂回的通道和房间实际上是古代的采石场。③利姆诺斯迷宫。结构与埃及迷宫相似，有150个柱子。④意大利迷宫。在克鲁希姆，是普尔赛纳坟墓下层连串的极为错综复杂的房间。据说，在丘希附近叫做贾耶拉冈的丘陵上可以辨认出这座坟墓。在欧洲中世纪期间，法国大教堂的地板常标示一座迷宫，而且在设计图上往往注明建筑师的名字。这些中世纪迷宫是干什么的，迄今尚无令人满意的解释。在园艺中，一座迷宫意味着用树篱围绕而令人很难找到中心或出口的错综复杂的小径网络。这是古代园艺的几何式的遗风。较常见的一种是由许多人行道(过去叫巷道)组成，它们都一样宽，两边是平行的树篱，树篱必须极密极厚，使眼光不会一下子看穿。进入这种迷宫必须走到有某种显著标志的中心点，然后再返回来；然而，即使是掌握窍门的人也容易困惑。有时，只设计巷道而无中心。在1742年发表的一张设计图上表明"6个不同的入口，但仅有一个通往中心，而走这条路有一些困难，还会遇到许许多多的障碍"。威廉三世在位时期在汉普顿宫内花园中植造的迷宫，是英国最佳的范例之一。这一迷宫是按树篱和巷道体系建造的，据认为原有的鹅耳枥已被冬青及水松等类植物所取代。走向中心的窍门是进门后向左边走；然后，在最初遇到两个岔口的时候向右边走，但是此后要向左走。20世纪末期，在欧洲一些地区和日本，穿行错综复杂的迷宫已经成为一种流行的娱乐形式，许多游乐园都营造了千奇百怪的商业性迷宫，买票入场。欧洲的商业性迷宫喜用树篱；而日本的商业性迷宫则更为复杂，用可移动的厚木板墙搭成，其布局可定期改变。

大伦敦市汉普顿宫花园内的迷宫
美国不列颠百科全书公司供图

labyrinth fish　迷器鱼　鲈形目攀鲈亚目(Anabantoidei)所有小型热带鱼的统称。主要以鳃呼吸，但另有一种辅助呼吸器官——迷器，故名。迷器位于鳃上方一腔内，满布血管，空气经口吸入腔内，鱼便能靠这些空气中的氧存活于水外或低氧水中。迷器鱼见于亚、非淡水。多数种类的雄鱼会构筑、保护、维持一个由肥皂泡样的泡沫构成的浮水巢，而常称筑泡巢鱼。约70种，一些种类常饲于家庭水族箱。各种迷器鱼可全部归属攀鲈科(Anabantidae)，或分属步鱼科(Badidae)、攀鲈科、格斗鱼科(Belontiidae)、钉口鱼科(Helostomatidae)及线眉鲈科(Osphronemidae)等5科。关于各种迷器鱼，参阅 **climbing perch; gourami; Siamese fighting fish**。

labyrinth of the ear　内耳迷路　参阅 **inner ear** 内耳。

labyrinthitis　迷路炎　内耳迷路的急性或慢性炎症。常为上呼吸道感染、梅毒或中耳炎的并发症。症状包括眩晕、呕吐、患耳听力及平衡功能丧失。若无化脓则常于数天后恢复；若已化脓则患侧内耳结构常全部破坏，以致该耳听力永久丧失。

labyrinthodont　迷齿螈　迷齿目(或迷齿超目，Labyrinthodontia)两栖动物，在晚古生代和三叠纪(约3.5亿年前至2.1亿年前)占优势的动物，今已绝灭。最早出现于晚泥盆纪(3.74亿年前至3.6亿年前)。很可能为所有陆生脊椎动物的祖先。其中一些种类在结构上非常接近爬虫类。许多种大似钝吻鳄，有些小如蝾螈。到二叠纪(2.86亿年前至2.45

亿年前),有些属已变成陆生动物,但早期的类群及后来退化的类群则为水生。迷齿类的躯体短粗,似蜥蜴,四肢短。颅骨大,全为膜性硬骨所覆盖,故与其他一些早期两生类同称为坚头类(Stegocephalia)。其脊椎骨分为两个部分,与大部分其他陆生脊椎动物不同。

lac 虫漆 又拼lack。蚧总科一种微小紫胶虫的黏性树脂状分泌物。在印度、泰国、缅甸及东南亚各地,虫漆沉积在数种无患子树及金合欢树特别是菩提树的细嫩枝条上。收割目的主要是生产*虫胶*(**shellac**)和虫漆染料(广泛用于印度及其他亚洲国家的红色染料)。各种虫漆(包括虫胶)是唯一来源于动物的商品树脂。早在公元前约1200年虫漆产品就在印度用作塑料及装饰材料。公元17世纪,商人把虫漆染料,继而又把虫胶输入欧洲之后,虫漆便在欧洲取得商业上的重要地位。后来虫漆制品的应用遍及世界上大多数工业化国家。虫漆的英文词来自波斯语和印地语,意思是"十万",表明生产虫漆需要无数微小紫胶虫。事实上大约1.7万～9万个紫胶虫生产一磅虫胶。6月和11月份采集黏性虫漆(即带有活紫胶虫的嫩枝),获得的虫漆树脂及染料的产量最高。磨碎黏性虫漆,用热水或碳酸钠热溶液浸提可得虫漆染料。粗虫漆是无虫漆染料的树脂,经熔融后用帆布过滤,然后铺开,冷却,最后制成片状成为商品虫胶。淡橙色虫漆为上等品。参阅**cochineal**。

lac burgauté (decorative arts) 参阅 **laque burgauté** *螺钿漆器工艺*。

Lac Giao (Vietnam) **乐交** 参阅**Buon Me Thuot** *邦美蜀*。

Lacaille, Nicolas Louis de 拉卡伊 (1713-05-15,法国吕米尼～1762-03-21,巴黎) 法国天文学家,曾绘制南天星座图并给其中许多星座命名。1739年任马萨林学院数学教授,两年后进入科学院。他曾率领一观测队去好望角(1750～1754),在那里仅用两年时间就测定了约1万颗恒星的位置。许多恒星迄今仍采用他星表的号码来称呼。他在南非所作的对月球、金星和火星的观测,连同在北半球已经作过的类似观测,使他能算出这些天体更精确的距离。在离开好望角之前,拉卡伊还在南非测量了一段子午线弧长。1754年回法国后,便致力于编辑自己观测所得的资料。过度的劳累显然加速了他的死亡。他的《南天星表》出版于1763年。

Lacaita, Sir James 拉凯塔(1814-10-04,那不勒斯王国普利亚曼杜里亚[意大利]～1895-01-04,意大利波西利波) 意大利政治家和文人,以其围绕着G.加里波第1860年从波旁王朝统治下解放那不勒斯和西西里的远征所制定的外交策略而尤为著名。原在那不勒斯操律师业。当未来的英国首相W.E.格莱斯顿于1851年访问那不勒斯时,他向格莱斯顿提供波旁王朝实行暴政的情况。翌年格莱斯顿公开发表他所反映的情况;因此,他不得不离开意大利,最初住在爱丁堡,后来定居伦敦,1853～1856年在女王学院任教。当格莱斯顿游历伊奥尼亚群岛时,他随行作秘书,因此于1859年被封为爵士。1860年应意大利领袖加富尔伯爵的请求,他竭力劝说英国外交大臣约翰·罗素勋爵不要支援法国和那不勒斯联军去反对加里波第。他后来宣称获得了成功,其实罗素很可能并不打算加入这一联合。波旁家族垮台后,拉凯塔返回那不勒斯,成为众议员,后为参议员。

Lacan, Jacques (Marie Émile) 拉康(1901-04-13,法国巴黎～1981-09-09,巴黎) 法国精神分析家。因其对S.弗洛伊德著作的独创性解释而获得国际声誉。1932年获医学学位。一生中大部时间在巴黎做精神科医生,并从事精神分析。30年代他帮助将弗洛伊德学说引进法国,但只有在1953年他在巴黎大学开始举办定期座谈会之后,他才为人所知。而在1966年出版《自我的语言:精神分析术中语言的功能》一书(收集其短文及讲演)之后,他在法国取得了显赫声誉。1964年他建立了一个组织,称巴黎弗洛伊德学派,并任该组织领导。但1980年他又将其解散,声称是因为该组织没有做到严格遵守弗洛伊德原理。拉康强调语言最能反映无意识心灵,并试图将语言研究(如现代语言学、哲学和诗学中对语言的研究)引入精神分析学说。他的主要贡献是用20世纪下半叶法国学者创始的结构语言学来解释弗洛伊德。他的影响远超出精神分析领域,并使他成为70年代法国文化生活中的一位主导人物。在他自己的精神分析工作中,拉康以其非正统的、甚至是怪异的治疗方法而著称。

Lacandón 拉坎敦人 居住在墨西哥和危地马拉边境的马雅印第安人,有一些人可能跨过危地马拉东部边界居住在伯利兹。拉坎敦人可分为两个主要部分,总共不足600人,

举行仪式的拉坎敦人

美国不列颠百科全书公司供图

并且还在减少。他们居住在物产丰富的热带雨林,有水、鱼、猎物及沃土之利。此前他们一直保持一种与外界隔绝的原始生活方式。现在他们务农,在大块土地上种植玉米、豆类、南瓜和番茄(其他蔬菜和水果则种在园子里);也采集野果、狩猎和捕鱼。住区由若干一家一户的或数家一户的住宅组成;住宅为草房,有的有墙,有的无墙。财物藏于草顶,食品置于篮内,挂在房顶。男女皆着长衫、披长发。手工制品包括制造独木舟、纺纱、织布、鞣革、制作树皮布、鱼网、吊床、陶器、笛子、弓和石镞。与外界交易或接触极少。拉坎敦人是成功地抵制了天主教的少数中美印第安人之一。不幸的是,疾病和人口减少使得某些传统文化和宗教成分消失,但一般还进行祈祷和举行某些仪式。

Laccadive, Minicoy, and Amīndīvi Islands (India) **拉克代夫、米尼科伊和阿明迪维群岛** 参阅 **Lakshadweep** *拉克沙群岛*。

laccolith 岩盖 在地质学上,指劈开两个地层,结果形成穹窿状构造的任一类侵入岩体。这穹窿状构造的底一般是水平的。岩盖一般比岩株小,直径不到16千米,厚几百米至几千米。岩盖可以同岩床相对比,岩床是平行于围岩层面的席状侵入体。岩盖的直径与厚度之比应小于10,比值大于10就成为岩床了。在岩盖中,酸性岩石比基性岩石常见。虽然岩盖的下部很少见得到,但通常把它们理解成有一个比较小的、来自下面岩浆源的补给管道。著名的岩盖实例位于美国犹他州的亨利山。

lace 花边 以绕环、编结、绞织(编织成辫)或捻缠等手法用线织成的装饰性网状镂空织物。花边和刺绣的分界线很难划分,如织锦薄纱等机织镂空织物不被视为花边。1800年以前通常用麻线编织花边,1800年后则常用棉,也有用丝和金属丝线的,偶尔也用羊毛、芦荟纤维和各种兽毛。几乎所有堪称为艺术品的花边都是由*针织花边*(**needle lace**)和*线轴编织花边*(**bobbin lace**)所组成。针织花边技艺难度很大,很少用于民间艺术;除去其历史初期之外,也很少出自业余制作。造型比较简单的线轴编织花边是一种广为流传的手艺和消遣,而较精美者则要求极高度的技巧。技艺较简单的有抽纱花边、雕空花边、方网眼或网络花边、流苏或打结花边、编结花边、象牙白花边、钩针织物和带状花边等。虽然在古埃及墓地曾发现装饰性的网状镂空织物,某些简单的技艺也可能起源于中东,但花边艺术却是欧洲的产物。大多数专家认为针织花边起源于意大利,线轴编织花边起源于佛兰德。19世纪法国大革命和工业革命使花边的特点有了巨大的变化。1800年后不久,自由线轴编织花边(棒槌花边)普遍改用机器织网,而使价格大为下降。除了花边制作的主要中心意大利、比利时、法国、英国和爱尔兰外,西班牙、俄罗斯、丹麦、土耳其和地中海东部岛屿的其他国家和岛屿、巴拉圭、巴西以及南美洲的其他地方也生产花边。19世纪末花边制造被引进远东,特别是中国。许多中国制的线轴编织、针织和方网扣花边向欧洲和美国出口。到20世纪的后半期,花边仍在几个中心,诸如布拉诺和布鲁日制造,但一般仅作为纪念品。

lace bug 网蝽 异翅目网蝽科昆虫,约2 000种。全球分布。头胸背侧及翅上有网

网蝽(*Corythucha juglandis*)
美国不列颠百科全书公司供图

纹,长不到5毫米。吸食叶汁,使叶出现黄斑(后转褐色),最终脱落。可喷洒烟碱进行控制。卵产在叶背,覆以黏液,黏液变硬后呈圆锥形。若虫黑色多刺,不像成虫。生活周期7～9周。一季通常两代。以成虫或卵越冬,因种类而不同。

lace pattern book 花边图册 16和17世纪的装饰花边图案集。已知最早编印的花边图册,始于威尼斯的M.帕加诺和科隆的皮埃尔·昆蒂,均出版于1527年,专为王室和贵族妇女而编印。早期的小册子很少有技术说明,后来才出版适合公众的图集。到17世纪流行的花边和刺绣图册有巴黎万西奥洛的图册(1587)、威尼斯韦切利奥的图册(1592)、威尼斯帕拉索莱的图册(1595)和法兰克福的霍夫曼的图册(1604,增编1607);在英国,著名的有1586年惠特尼的《图案精选》、1621年泰勒的《绣品萃编》和1624年肖莱克的《刺绣学堂》。

Lacedaemon(Greece) **拉塞达埃蒙** 参阅 **Sparta** 斯巴达。

Lacépède,(Bernard-Germain-)Étienne de La Ville-sur-Illon, comte de(count of) **拉塞佩德伯爵**(1756-12-26,法国阿让～1825-10-06,塞纳河畔埃皮奈) 法国博物学家、政治家,在鱼类及爬行类的研究方面做出独创性贡献。博物学家G.-L.L.布丰对他的《论天然及人工电现象》(1781)和《一般的及特殊的物理现象》(1782～1784)两书印象极好,遂于1785年安排他就任与巴黎植物园合办的皇家生物标本室保管员和副示教讲师,并请他为自己的《自然史》丛书写稿。他便先后发表《四足卵生动物志》(1788)及《蛇类志》(1789)。大革命时期他被委任为迁至新址的巴黎植物园的自然史教授,研究鱼类及爬行动物,1798～1803年在此完成《鱼类志》5卷。虽然该书因供研究的材料不足颇多疏误,仍被视为当时鱼类学最有独创性的著作。1804年出版《鲸类志》。拿破仑上台后,拉塞佩德于1799年被选入法国参议院,1801年任议长,1803年任荣誉勋位团总管。1809年任国务大臣。波旁王朝复辟后他回到政府,1819年进入贵族院。

Lacerta 蜥蜴属 蜥蜴亚目蜥蜴科一属,有50多个种。大多数产于欧洲,少数产于亚洲和非洲。蜥蜴属种类四肢发达,舌具深槽沟。背部具小鳞片,喉部有大片护甲,形成界限分明的领部。

lacewing 草蛉 多种脉翅目昆虫,尤指草蛉科及褐蛉科昆虫的通称。绿草蛉属草蛉科,又称金眼草蛉,体细长,淡绿色。触角长丝状,眼金色或铜色。前后翅形相似,有网状

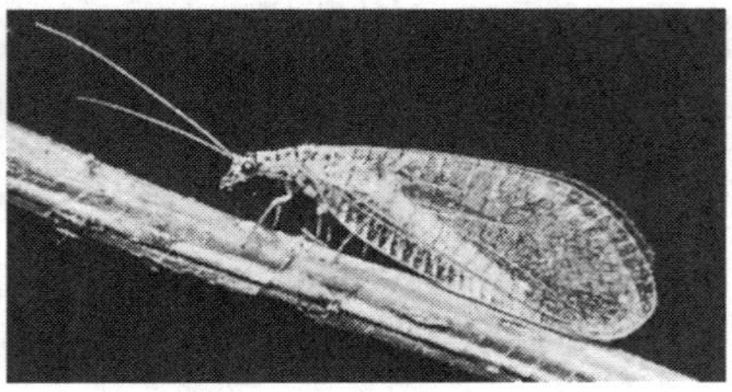

草蛉(*Chrysopa*)
美国不列颠百科全书公司供图

脉。世界性分布。飞行于草丛和灌木附近。能发出一种臭味以资保护。幼虫的足发达,上、下颚成吸管,长而尖。捕捉蚜虫等软体昆虫并吸食其液体,故有"蚜狮"之称。雌虫分泌许多长丝,卵产于每丝的顶部,以防止幼虫吃尚未孵化的卵。幼虫连续取食两周后,在叶背面织一珠形的丝茧以化蛹,蛹期将近两周。褐草蛉(褐蛉)为褐蛉科昆虫,形似绿草蛉,但较小,褐色,翅上常有褐色小点,产卵时不分泌长丝。有些草蛉幼虫以背上的钩和鬃毛附着许多残屑(包括被它所食的昆虫的残体)伪装起来,以便偷袭捕食对象,又可免受天敌的侵犯。

Lachaise, Gaston 拉歇兹(1882-03-19,法国巴黎～1935-10-18,美国纽约州纽约) 法国出生的美国雕刻家,以制作躯体肥壮的女裸体雕像闻名。细木工之子,13岁入工艺学校,

拉歇兹的《立着的女人》(1932)
美国不列颠百科全书公司供图

学习装饰艺术的各种技能,受到良好训练。1898年入美术学校。毕业后在勒内·拉利克公司任设计师,设计"新艺术"风格的装饰品,从此开始其艺术生涯。1906年移居美国,在波士顿为学院派军事纪念碑雕刻家H.H.基特森工作。1912年去纽约,为美国雕刻家P.曼希普工作。最著名的作品《立着的女人》(1912～1927,纽约州布法罗市奥尔布赖特-诺克斯美术馆),是其反复创作的那种女裸体的典型:丰满的乳房和大腿,弯曲的、呈锥形的四肢。他也以雕刻肖像而闻名。曾创作J.马林、M.穆尔和E.E.肯明斯等名人胸像。

Laches 拉凯斯(约公元前475～前418) 雅典富有的贵族,在伯罗奔尼撒战争初期起过主要作用。苏格拉底的密友。保守分子。公元前427年当选为将军,因去西西里维护雅典的利益未能完成使命受到克里昂的起诉(阿里斯多芬在他的喜剧《黄蜂》中对这次审讯进行了讽刺)而于前425年被撤换。一度销声匿迹后,他因雅典在麦加拉和德利翁战败(前424)而东山再起,他使前423年得以停战。当克里昂去世(前422)从而有可能同斯巴达议和时,他担任了谈判的代表。他支持尼西亚斯保持和平的意图,但未能阻止雅典同阿尔戈斯与曼提尼亚结成危险的同盟。当这个同盟在曼提尼亚战役(前418)中被摧毁时,拉凯斯死在雅典军队司令官的任上。柏拉图有一篇关于勇敢的对话便是以他的名字命名的。

Lachine 拉欣 加拿大魁北克省南部蒙特利尔行政区城市,蒙特利尔都会区的西部郊区,属大蒙特利尔市管辖。位于蒙特利尔岛南岸,濒临圣路易斯湖。1667年法国探险家R.C.拉萨尔找寻通向中国的航道时始建,其名源于法语 *la petite Chine* 的缩写,意为小中国。1675年始有人定居。历史上是毛皮商出发西行的起点站。现主要工业为生产桥梁预制构件。1848年建市。人口35 266(1997)。

Lachlan River 拉克伦河 在澳大利亚新南威尔士州。为马兰比吉河主要支流。源出大分水岭冈宁以东13千米,向西北流,经怀安加拉水库等地转向西南,穿过卡杰利戈湖汇入马兰比吉河。长1 500千米。接纳众多支流,流域面积84 690平方千米。四季有水,但严重干旱时干涸。拉克伦河流域出产小麦和绵羊。

Lachmann, Karl (Konrad Friedrich Wilhelm) 拉赫曼(1793-03-14,不伦瑞克公国不伦瑞克[德意志]～1851-03-13,普鲁士柏林) 德国校勘学家,是现代校勘学的奠基人,所辑卢克莱修《物性论》一书的评注(1850)也许是他最大的成就,被誉为拉丁著作研究的重要成果。1825～1851年任腓特烈·威廉大学教授,致力于语言研究,尤潜心于古高地德语及中古高地德语及其文学作品。在1816～1817年的早期著作中,曾制订校勘守则,并对中古高地德语的语音和韵律规律进行描述。1820～1836年间发表的若干著作,阐明了严密的校勘方法,由此而自成一家。拉赫曼还编校出版了卡图鲁斯和提布卢斯的诗集(1829)等许多其他古典作品。他对荷马的《伊利亚特》的看法曾对荷马评论有相当大的影响。

lachrymal duct and gland 参阅 **tear duct and gland** 泪管与泪腺。

Lachs, Manfred 拉赫斯(1914-04-21,奥匈帝国斯坦尼斯瓦沃夫[今乌克兰的伊万诺-弗兰科夫斯克]～1993-01-14,荷兰海牙) 波兰作家、教育家、外交家与对战后国际法的发展深具影响的法学家。在克拉科夫的亚盖沃大学获法学士学位后,在伦敦经济学院进修。1945年他的第一部著作《战争罪行:试论其中的争议问题》问世,在西方甚受注意。后成为出席巴黎和会及第一次联合国大会(1946)的波兰代表。次年任外交部法律条约司司长,到1960年出任外交部长A.拉帕茨基的法律顾问,在制订使中欧成为无核区的"拉帕茨基计划"中起核心作用。曾以代表身份出席多次联合国大会。1966年被选为海牙国际法院法官。1973～1976年,任该法院院长兼任法院的修改审判程序委员会主席。在担任各种政治司法职务时,拉赫斯始终在世界各地讲学不辍。著作《如何讲授国际法》于1982年出版。1987年获不列颠百科全书奖。

Lachung 拉冲 印度东北部锡金邦东北部村庄。傍拉冲河。为玉米和豆类等的贸易中心。与锡金首府甘托克有公路相通,相距43千米。设有政府农业站。市场北面为季

拉冲喜马拉雅山坡上的民居
美国不列颠百科全书公司供图

节性牧场,南面沿河有村落,从这里有山路向东经唐卡尔山口通往中国西藏边境。

lack (resinous substance) 参阅 **lac 虫漆**。

Lack, David Lambert 拉克(1910-07-16,伦敦～1973-03-12,英格兰牛津郡牛津) 英国鸟类学家,因《鸲的生活》一书(1943)及普及自然科学的其他著作而闻名。1936年获剑桥马格达伦学院文学硕士学位。1933～1938年在德文郡讲授动物学,在此期间参加到加拉帕戈斯群岛的考察。第二次世界大战期间在英军服役。1945年任牛津爱德华·格雷野生鸟类研究所所长。1963年后成为牛津大学三一学院院士。他在1954年出版的《动物数量的自然调节》一书中提出一个特别著名的论证:在决定动物的分布和数量方面,动物种群密度是比其他因子(如天气)更为重要的因素。其他著作有《达尔文地雀:生物进化论》(1947,1983年修订版)、《鸟类的生态隔离》(1971)及讨论牙买加海岛鸟类的《岛屿生物学》(1976)。

Lackawanna 拉克万纳 美国纽约州西部伊利县城市。濒临伊利湖,与布法罗(北)相邻。原为印第安人居留地的一部分,19世纪50年代始有人定居,1899年被选作拉克万纳钢铁公司所在地,现为伯利恒钢铁公司。1909年设市。钢铁生产设备规模一度居美国之冠,1977年大大减缩,80年代早期大量关闭。现经济以服务业为主。人口约19 064(2000)。

Laclos, Pierre(-Ambroise-François) Choderlos de 拉克洛(1741-10-18,法国亚眠～1803-11-05,帕特诺珀共和国的塔兰托[今在意大利]) 法国军人和作家。所写名著《危险的交往》为最早的心理小说之一。第一本小说《危险的交往》(1782)发表后,一鸣惊人。该书以书信体写成,描述好色之徒瓦尔蒙及其同谋梅特伊夫人把无耻的淫乐建立在受害者的痛苦之上。第二部小说《论妇女教育》(1785),没有多大意义。在《关于表彰沃邦元帅致法兰西学院诸公的信》(1786)中,他因挖苦法国军人和过时的防御方法使他丢掉军职。随后进入政界,成为奥尔良公爵的秘书。1792年重返军界,最后在拿破仑手下擢升为将军,参加过莱茵河和意大利战役。

Laconia 拉科尼亚 希腊南部的州和伯罗奔尼撒东南部历史地区,今希腊拉科尼亚州的范围几乎和旧省一致,北界阿卡迪亚州和阿尔戈利斯州,西抵麦西尼亚州。州首府斯巴达曾是旧省省会。面积(包括伯罗奔尼撒南部两个半岛)3 636平方千米,由北向南分三个地形区。①塔依耶托斯山脉;其中圣伊利亚山(2 404米)为伯罗奔尼撒最高点。②中部的埃夫罗塔斯河谷地。③东部丘陵。埃夫罗塔斯河及其支流伊努斯河为仅有的大河。海岸崎岖,少良港。河谷和马莱阿等地均发现有新石器时代遗址。迈锡尼时期(约公元前1400～前1100)建有许多居民区,根据荷马史诗,拉科尼亚当时为一强大王国。斯巴达重新崛起后,拉科尼亚一直随着斯巴达同兴衰。587年后被斯拉夫人侵占了200年。805年成为拜占廷帝国的一部分。整个中世纪,为斯拉夫、拜占廷、法兰克、土耳其和威尼斯人争斗的场所。该地区与斯巴达、伊西翁和瓦斐奥同为最重要的考古地点,1904年开始系统开发。境内出产铁、大理石和绿斑岩,经济以畜牧业为主,不通铁路。人口:州94 916(1991)。

Laconia, Gulf of 拉科尼亚湾 爱奥尼亚海南部深水海湾。在希腊伯罗奔尼撒最南端两半岛之间。南北长56千米,宽48千米。与爱琴海之间有马莱阿角。沿湾地区属拉科尼亚州。较大入湾河流埃夫罗塔斯河源出塔依耶托斯山脉,不通航。港口有科特罗纳斯港。小岛埃拉福尼索斯与爱奥尼亚岛上的基西拉岛之间有一海峡。

Lacordaire, Henri 拉科代尔(1802-05-12,法国乌雷河畔勒塞～1861-11-21,索雷兹) 拿破仑时代之后法兰西天主教复兴运动中的主要人士。他成长在动乱年代,曾放弃宗教信仰。后来经过宗教觉醒,学习教义,1827年受神职为司铎。1830年参加以拉梅内为首的天主教作家小团体。他们创办《前途报》,鼓吹政教分离,1832年教皇格列高利十六世谴责拉梅内的学说,查禁《前途报》,拉科代尔等人屈服,拉梅内被开除教籍。失意之余,拉科代尔集中精力于讲道。后来逐渐看出,要加强在革命中受损害的法国教会,上策是恢复在革命中被消灭的修会。1838年加入主张讲道和教育的多明我会,1850～1854年任法国多明我会会长,使之成为法国宗教界和教育界的一支力量。他拥护法兰西共和政体,1853年在讲道中公开攻击拿破仑三世。由于他反对皇帝,遂于1854年退隐于索雷兹。1860年当选为法兰西学院院士。

Lacoste, Rene 拉科斯特(1904-07-02,法国巴黎～1996-10-12,圣-让-德-吕茨) 全名Jean-Rene Lacoste。法国网球运动员,与博罗特拉、科歇和布鲁农三人共称"四火枪手"。1927年首次为法国队赢得戴维斯杯,此后法国连续6年保持该杯。绰号"鳄鱼",每赛前仔细研究对策,待对手力衰时反击。1927年美国锦标赛决赛进行两个小时,他把蒂尔登拖得精疲力尽而取胜。1929年获法国冠军后退休。几十年后,他所监制的印有鳄鱼商标的运动服和其他服装流行于世界。1976年他和另外三名"火枪手"一同入选国际网球名人堂。

Lacq 拉克 法国西南部大西洋岸比利牛斯省贝阿恩区村庄和工业中心。位于波城西北。当地发现石油和1951年发现世界最大天然气田之一后建立起来。天然气中硫化氢经处理,每年可生产出约180万吨硫,使拉克成为世界最大产硫和出口硫的地区之一。其他副产品有汽油、丙烷、丁烷和乙烯气体,用于拉克东南的化学工厂。附近以天然气作燃料的发电站向炼铝厂供电。穆纳克斯建起新城镇,为拉克工业联合体的雇员提供住宅。人口657(1990)。

lacquer engraving 雕漆 中国漆器的一种。以铜作胎,在胎上分层涂漆到一定厚度(可多到上百层),然后浮雕、烘干、磨光。用朱红色漆称"剔红",用多色漆称"剔彩"。以北京产品最著名。品种有瓶、盘、罐、盒、台灯、烟碟等,也可用以制柜、几、屏风等家具。

雕漆盘
中国大百科全书出版社供图

lacquer tree 油漆树 参阅 varnish tree 漆树。

lacquerwork 漆器 一种涂以极为光亮、不透明的有色漆的某些金属和木制的装饰物或漆器工艺美术品。

用漆的技术 中国和日本所用的漆是一种天然漆树之漆液(中国称大漆)。漆树产于中国,最晚在公元6世纪移植日本,约十年树龄便可割取树液——生漆。生漆为乳白色或灰乳色液体,与空气接触后,表面漆层先由乳白变为黄褐色,后变成棕黑色。放在浅木桶中经搅拌均匀后用麻布滤去杂质,然后用微火(或红外线)加热,或置于烈日下炼制,以减少水分,成为半透明状的棕色漆液,亦称透明漆或半透明漆,储存在密封的容器里。中国和日本漆器的胎为木制,偶尔也有陶瓷、铜和其他材料,日本也有用固化的漆直接刻成而不用胎的。制胎的木料一般选用质软而纹理均匀的松类木材,加工到薄得惊人的程度,采用的工艺由漆本身的奇特性能决定,漆器的主要特点是能够抛光到可与瓷器媲美。这种漆需在潮湿条件下干燥、固化使表面非常坚硬,有耐酸、碱和耐磨的特性。为使大漆干燥,在中国是把涂漆的漆器放入地窖或窨箱中。在日本每涂一层漆后,就把漆器胎放在潮湿的房子里。涂漆前需将木胎上的树节和突起部分极为仔细地磨平打光,再用漆灰腻子将裂缝和连接处填平,使其表面完全平滑。第一层先打底,待干燥后用油石打磨平顺,再用经煅烧的黏土灰加生漆调成漆灰涂第二层,至少晾干12小时,等干燥后,用白面粉与生漆调制成的浆糊裱上一层麻布,经24小时以上阴干,用刀稍将遗留下的麻布刮平。然后,涂粗漆灰、细漆灰等多层,每上一层都需入窨干燥,再经打磨处理。对于漆器工艺品,这道制胎工序至少需18天才能完成。漆器艺人 再运用他们的技能对表面进行工序繁杂的装饰工作。漆器艺人首先勾划出图稿,可先在纸上用漆画成图案,在未干前印在胎上,也可以直接用铅白或颜色在胎上绘制。通常用羽翎或竹管制成的筛筒均匀地将金粉或银粉涂饰出图案(粉下需涂薄漆)。大一点的贵重金属片需借助于尖形工具手工缀饰。例如,1平方英寸要嵌入500片金箔。每一装饰过程均需长时间的干燥和认真的打磨。漆器浮雕可用模具压成,模具由金属、石膏等制成。漆泥制法是将石粉、生漆、炭粉、煤烟等混合而成。将漆泥入模压制成漆浮雕,贴在漆器上作装饰。中国的雕漆特别值得称道。涂漆的方法是在漆胎上多次涂漆,达数十层以上。当采用不同颜色时,每种颜色的厚度、漆层的均匀应按雕刻后预期的色彩效果依次涂漆。当漆阴干后,用非常锋利的刻刀依照图案要求的颜色,由表及里,以令人惊叹的精确刀工雕刻而成。著名的剔红漆以硃砂(硫化汞)调配的朱色漆按漆工艺涂漆完后雕刻而成。其他颜色还有深、浅橄榄绿、浅黄、棕、黑和紫红(茄色)等。日本的漆器工艺有下列几种,梨皮漆器即将金、银薄片嵌入深浅不同的漆面里;金银粉漆器即在平直的暗色表面漆层上用金粉、银粉装饰;金漆器即在漆层表面上用小而不规则的金箔银箔装饰;金银彩漆器即以金银和各种颜色组成漆器表面图案,用多层漆覆盖,并经打磨后呈现出金银彩漆的图案。还有其他各种工艺如各种莳绘(平莳绘和高莳绘等)、金泥绘、平金绘、雕漆和金、银、贝壳镶嵌等工艺。其中以贝漆最为出名,闪闪发光的蓝色和绿色的石决明贝壳与金银丝一起雕嵌于漆器上。这种漆雕在中国起源于明朝,在日本也起源于同一时期。中国漆雕也常常以宝石、孔雀石、珊瑚、皂石、象牙等为镶嵌材料。

用漆的历史 用漆在中国有悠久的历史,据明史《髹饰录》记载,漆始用于书写竹简,随即用于黑漆食器,其后则有外涂黑漆内涂朱漆的祭器。在周朝(公元前1122～前249)用以装饰战车、甲胄和弓箭等。这一时期漆彩绘也出现了。汉朝(公元前206～公元220)漆器又获进一步发展。唐代(618～907)金银、平脱、镶嵌、夹纻都极盛行。至今收藏在日本奈良等地的大藏室里的漆器中有许多珍品是从唐朝流入日本的。在宋朝(960～1279),漆器工业又获得很大发展。为宫中所制的器皿已采用金、银作胎。其主要制作中心是位于杭州和苏州之间的嘉兴。宋朝初期采用红黑两色剔犀之制法。饰以金粉和银丝的漆盒是这时期为数不多的珍品之一。到了晚宋(约1220)漆器从福建的泉州流入爪哇、印度、波斯、日本、麦加和其他地区。明清两个朝代是中国漆器工业发展的全盛时期。明永乐(1403～1424)和宣德(1426～1435)间出品的雕漆以其图案粗犷有力的特点区别于以后的产品,而且色泽也比18世纪的漆器深沉温润。明朝时期,在南京和北京等地先后开始制作描金图案的漆器,在江西制作了螺钿镶嵌漆器。到明朝末年,随着最后一位皇帝的覆灭,漆器制作业也开始衰退。清康熙皇帝(1654～1722)于1680年恢复了雕漆,先后在北京建立了27个官办手工艺作坊。广州、苏州和福州等地也有雕漆制作。在此期间,漆器开始大量输入欧洲,导致仿漆家具和其他仿漆物的发展,出现了17世纪末和18世纪的中国热。如1700年前后斯宾塞伯爵和弗里梅、史密斯先生收藏的漆器屏风就是根据康熙皇帝的旨意为神圣罗马帝国皇帝利奥波德一世制作的礼品。屏风图案中有这位神圣罗马帝国皇帝的双头鹰标记。虽然清朝的雕漆与明朝的雕漆相差无几,但仍不如明朝雕漆粗犷有力,色泽温润,浑厚古雅。康熙年间的制品表明其工艺已有很大进步,一般没有在明代制品上经常发现的裂痕。在清朝,乾隆皇帝(1736～1796)亲自主办下制作的雕漆的技艺极为高超,但色泽不如以前的制品深沉温润,图案也显得有点呆板。18世纪还不能说是中国装饰艺术的衰落时期。出色的生产和值得赞美的特点足以掩盖某些瑕疵。而19世纪开始,由于原料来源减少,以致掺杂次料,质量下降,使雕漆制品逐年衰退。1869年焚毁后留下的皇家作坊,以后虽仍有红色雕漆产品生产,但在艺术上已不占重要地位。漆器无疑是在公元6世纪中叶,随着佛教的传播由中国经朝鲜流入日本的。至今人们知道的日本最早制作的漆器是公元7世纪的作品。公元7世纪末和8世纪的许多镶金银和螺钿的漆器珍品都出于中国。现存于日本奈良的中国鉴真和尚坐禅干漆像是奈良时期(724～794)的作品,至今被视为日本国宝。16世纪大量的东方艺术珍品被西欧攫取。18世纪初期在西欧开始仿制东方的漆器,从1720年起西欧的艺人根据西方洛可可式的艺术风格开始把西方的人物塑像、动物图案、衣饰、阿拉伯式图案、涡型花饰和绶带花饰糅进漆器工艺的图案中。在改造过程中他们更广泛地采用绯红、黄、白、蓝、绿等颜色作为底色;有时还用黄金粉料点花斑,以取代东方传统的黑漆和金漆。

Lacretelle, Jacques de 拉克雷泰尔(1888-07-14,法国科尔马坦～1985-01-02,巴黎) 法国小说家。是他的家族中第三个被选入法兰西学院的成员(1936)。1914年创作自传体小说《让·埃尔梅兰的动荡生活》(1920年出版)。另一部小说《西尔贝曼》(1922)叙述德雷福斯案件期间一个犹太孩子所遭到的迫害。1925年以后开始写短篇小说,并为《新法兰西评论》撰写剧评和书评及短篇小说等。1929年开始写长篇小说,出版了《新婚之爱》,这部研究婚姻心理学的作品获法兰西学院小说奖。1930～1935年写长篇小说《高桥》,叙述19世纪旺代省一个家庭的故事,四卷中的第一卷《沙地柏》被认为是他的成功之作。战争期间,曾任《费加罗报》记者,并成为该报负责人之一。战后,创作自传体小说《利与弊》(1946)、《秘密抽屉》(1959)和新小说《生者及其影子》(1977)。

Lacretelle, Jean-Charles-Dominique de, THE YOUNGER 拉克雷泰尔(小)(1766-09-03,法国梅斯～1855-03-26,马孔) 法国历史学家和新闻记者,开创了对法国大革命的历史研究。1787年到巴黎参加鼓吹君主立宪的斐扬派,为《论战报》和《巴黎日报》撰稿。他报道审判与处决路易十六情况(1792～1793)时,并不掩饰自己对君主的同情,因此生命受到威胁。为了避难,他参军服役,不久返回巴黎,又卷入旺代保皇党运动,被判处驱逐出境。经有权势的同情者安排,藏匿狱中,直至1799年重获自由。他开始史学著述并在巴黎文学院授课。后任皇家检查官,因反对新闻限制条例被撤职。主要著作有《法国大革命简史》(1801～1806)、《18世纪法国史》(6卷,1808)和《复辟后的法国历史》(1829～1835)等,资料翔实,但缺乏文采。

lacrimal duct and gland 参阅 tear duct and gland 泪管与泪腺。

Lacroix, (François-Antoine-) Alfred 拉克鲁瓦(1863-02-04,法国马孔～1948-03-12,巴黎) 法国矿物学家。同法国地质学家A.M.莱维合写的《岩石里的矿物》(1888)一书,是研究造岩矿物光学性质的一部最早的著作。1893～1936年任巴黎国立自然历史博物馆矿物学教授。所著《法国及其殖民地矿物概况》(1893～1913)以及后来的《马达加斯加矿物概况》(1922～1923),都以内容广泛、论述全面著称,是区域矿物学方面的杰作。他对马提尼克岛培雷火山的研究——《培雷火山及其喷发》(1904)——以及对意大利维苏威火山1906年喷发的调查,为火山学作出重大贡献。1920年起任法国科学院终身秘书,后来编写了许多对科学史有重大价值的传记。

lacrosse 兜网球 一种竞赛运动项目。是北美洲印第安人巴加他维(baggataway)游戏的现代形式。比赛时双方队员使用一种类似网球拍的长柄工具来接球、带球、向场地前方掷球或射入对方的球门。球门由直立的球门柱和横梁构成,门后拉着松弛的网。该项运动的明显特点是运动员用兜网棒来带球、接球和传球。兜网棒通常用山核桃木制成,顶端弯曲成钩形,系挂着用皮革、尼龙或羊肠线编织并呈椭圆三角形的网兜,连接距棒柄末端0.6～0.9米处。网兜可用以装球。

历史 在哥伦布到达新大陆以前很久,易洛魁人的6个部落就在现今上纽约州和下安大略省的地方开展这项运动。当时的打法要比现在粗野得多。在有些部落中,每方参赛人数多达1 000,球门相距数英里。一场比赛可持续3天。每一个参赛运动员都设法用球棒打伤尽量多的对手,最后集中力量攻门。切罗基人称这项运动为"战争的小兄弟"。因为参赛人须具有刚毅的精神和忍受伤痛的耐力。这项运动被看成为最佳的战斗训练。许多部落将它当作一种神秘的典礼,赛前举行复杂的仪式和隆重的舞蹈。有些地方男女共同参赛,有些地方则妇女有自己的打法。在美国和加拿大政府划定的居留地上的印第安人现在仍拥有强大的兜网球队。

印第安人把这项运动叫做"巴加他维"。在那些最早来到加拿大并目睹这项运动的法国移民看来,那根用来接、带、掷球的兜网棒形似大主教的权杖(la crosse),于是把这项运动称为长曲棍球。

移居加拿大的欧洲人约于1840年开始打兜网球。1842年在蒙特利尔成立了第一个兜网球组织——奥林匹克俱乐部。在与印第安人比赛中,白人运动员常常失利,于是允许白人增加上场人数。成立于1856年的蒙特利尔兜网球俱乐部成员对规则作了若干修改,1867年称做"兜网球之父"的蒙特利尔人乔治·比尔斯对规则作了进一步的改动,把印第安人那种充塞毛发的鹿皮球改成硬橡胶球,把每队人数限定为12人,并且对球棒作了改进,使其更容易接、掷球。当时12名队员各司其职,有守门员、守场员、外场防守员、第一后卫、第二后卫、第三后卫、中场手、第三攻手、第二攻手、第一攻手、外前锋和内前锋。1867年全国兜网球协会成立,以后此运动传入英国。蒙特利尔队的队长W.B.约翰森带领一支由考恩纳瓦加印第安人组成的兜网球队,在温莎皇宫前为维多利亚女王打了一场球,女王认为比赛"非常好看",于是英国人开始从事这项运动,该运动得以普及,尤其是在兰开夏郡、柴郡、约克郡、曼彻斯特、布里斯托尔和伦敦等地。英国兜网球联合会成立于1892年,全英女子兜网球协会成立于1912年。英国的球队经常与美国和加拿大的球队进行互访和交流。牛津-剑桥联队也常与美国的大学队或全明星队进行互访。这项运动还传到爱尔兰、澳大利亚和南非。

1868年左右,一支由印第安人组成的球队在美国纽约州的特洛伊展现了兜网球运动。几年后该城市及纽约市和布鲁克林也出现了兜网球队。到19世纪80年代,纽约大学、普林斯顿大学、耶鲁大学、哈佛大学等东部的学府都开展了这项运动。1884年,美国的一支大学生队成功地访问了欧洲。1906年美国大学兜网球联盟成立。然而,这项运动获得最大推动力是当一批在长岛见到过加拿大人打兜网球的田径运动员将它传播到巴尔的摩之时。巴尔的摩人以各个年龄层为对象积极推广这项运动,使得巴尔的摩成为美国的兜网球运动中心。20世纪20年代,一些女曲棍球运动员发现了兜网球,1931年成立了美国女子兜网球协会。

1926年,美国大学兜网球联盟改组为美国大学兜网球协会,会员包括120所院校。1970年拥有500多会员院校的全国大学体育协会负责主持大学校际兜网球比赛,反映了这项运动在传统东部沿海大本营以外的地方也得到了发展。1971年全国大学体育协会开始举办全国男子锦标赛,1982年开始举办女子比赛。大学队被认为是国内最佳球队,被授予温盖特奖。

1904和1908年两届奥运会都有兜网球比赛,参赛代表队来自加拿大、美国和英国。这些国家的球队在1928、1932和1948年奥运会上进行了表演赛,但并未引起足够的国际兴趣使兜网球作为奥运会项目保留下来。1967年起举办了世界男子锦标赛。世界女子锦标赛从1969～1982年期间举办,1982年被世界杯赛所取代。1930年一种称做**室内兜网球**(**box lacrosse**)的运动出现在加拿大。

场地与装备 场地约长110码(约100米),宽60码,双方球门相隔80码,门柱高6英尺,两柱相距也是6英尺,上面有一根横梁。球门后拉网钉在地上,挡住射入的球。场地上划有球门区、边线和中线,以限制球员比赛时的活动范围。越线进入禁区要受罚。

球用海绵橡胶制成,周长不小于7¾～8英寸(19.7～20.3厘米),重5～5¼盎司(142～149克)。球棒顶端的宽度不得大于12英寸,小于7英寸。球棒不得长于6英尺,短于3英尺。守门员的球棒例外,长度不限。鞋底带有橡胶、塑料或金属的防滑钉。每个运动员都戴头盔以及面罩或护面。用皮手套保护双手和手腕。运动衫双肩和手臂部位衬着薄薄的棉垫子起保护作用。守门员还外加护胸。

打法 兜网球是一种十分快速的运动。目标是尽可能多地将球送进对方的球门,并防止对方进球。进一球得一分。每个男队有10名队员:守门员1人、后卫3人、中场队员3人(其中1人任中锋)和前锋3人。赛间,各队必须有至少4名队员留在后半场,不少于3名队员在进攻的前半场。此规则是为了防止球门遭到攻击时门前过度拥挤。按惯例,守门员和3名后卫留在防守的半场,3名进攻队员位于进攻的半场。中场队员允许全场活动,按需要加强进攻或防守。场上设两名裁判人员:1名主裁判,1名裁判员。

一场比赛分4节,每节15分钟。上半场和下半场之间休息10分钟,1、2节间和3、4节间休息1分钟。如按规定时间结束时两队得分相等,则休息5分钟后加赛2节,每节4分钟,以决定胜负。加赛两节之间休息1分钟。准许任意换人。

运动员可带着球跑,向任何方向传、接球,但不得用手触球,守门员除外。运动员可踢球或用棒击球,但不得用这些办法将球送入对方球门。这项运动的特色是"兜球",运动员跑动时把手中的球棒几乎垂直地竖起来并急速地左右转动,利用离心力把球兜住,同时把它转到合适的位置再准确地将它抛出去。防守队员可用球棒捅带球队员的身体或拍打他的球棒使其丢球。阻截动作,即用肩碰撞带球队员使其失去平衡或倒地而丢球,属合法行为。如有轻微犯规动作,犯规球员要被罚下场30秒钟或判由对方控制球。对于较严重的侵人犯规,如非法阻挡,犯规队员要被罚下场1、2或3分钟,此时他所属的队就少了一个人比赛。其他严重犯规动作有绊人、用棒打人、不必要的粗暴动作等。

每一节球赛开始时及每次进球后,都在中场争球,如同冰球那样,双方各出一名中场队员,面对面站着,双方的球棒触地。主裁判将球放在球棒之间,哨声一响,双方队争球。争到球的球员可自己把球控制住或者把它击给队友。得球后,设法朝对方球门带球前进,或者传给处在空当的队友。这时防守队员设法进行干扰,迫使对方传球不到位,如球已掷出则加以拦截,或将球从对方球棒上打掉,有时可用阻截的办法把球打掉。运动员们处于不停地运动的状态:躲闪、掷球、将球挑传给队友、快速跑动时兜接球、或用假动作快速射门。比赛开始时举行特别的仪式,双方队员在场地中央面对面地一字排开。每名队员向特定对手作自我介绍,双方握手,互祝好运。

女子兜网球 在英伦三岛、澳大利亚、加拿大、新西兰、南非、瑞士和美国流行。20世纪初女子兜网球运动首先在苏格兰和英格兰私立学校中兴起,后由英国女教师介绍给美国东部的大、中学校。尔后美英女子兜网球队进行了频繁互访,英国女队显示出自己是世界之冠。英国-爱尔兰队出访球队同美国队比赛获优秀纪录。

女子兜网球运动不允许身体接触或用球棒做粗暴的动作。守门员佩带护胸和护腿。每一方有12名队员。球门相距90～110码,无边线或底线。球门区和中圈是场地上唯一的标记。一场比赛包括两个各为25分钟的半时,其间休息10分钟。出现平局时不进行超时赛。由全英女子兜网球协会制订的规则为各国普遍接受。在美国,费城、巴尔的摩和波士顿等地都有强队,而英国女子兜网球的中心则在赫特福德郡、肯特郡、诺福克郡、埃塞克斯郡和萨福克郡。

Lactantius 拉克坦提乌斯(约240,北非～约320,贝尔吉卡奥古斯塔-特雷维罗龙[今德国特里尔]) 基督教护教士、拉丁教父中著作流传最广的一位。文艺复兴时代的人文学者称他为"基督教的西塞罗"。罗马皇帝戴克里先任命他在尼科美底亚(今土耳其伊兹米特)教授修辞学。后因戴克里先迫害基督教徒,他于305年前后辞职,返回西方。约317年在特里尔任皇帝君士坦丁之子克里斯普斯的教师。他的著作中仅有论基督教义部分尚存,其中主要著作《神圣教规》驳斥他所说的异教迷信之虚妄,主张代之以凭理性信奉创造万物的独一真神的基督教。他的另一著作《论迫害者之死》指出,基督教的上帝能够伸张正义,罗马的司法制度如以基督教义为基础势必更臻完善。

lactase 乳糖酶 哺乳动物小肠、肝及肾中的一类酶,能催化乳糖分解为葡萄糖及半乳糖的反应。在幼年动物体内含量尤高。由排列在小肠壁的黏膜细胞所产生,酶粒位于小肠绒毛的刷毛缘内。

lactation 泌乳 妇女生育后分泌乳汁的现象。乳汁由乳房内乳腺分泌(参阅 **mammary gland**)。泌乳是由激素平衡的改变而诱发。虽然乳腺在怀孕期间就胀大并已有一些乳汁形成,但大量乳汁分泌却要在胎盘排出后三天左右才开始。胎盘排出促使泌乳素的分泌增加;泌乳素是个激素,可促使乳房的腺泡上皮分泌乳汁。婴儿的吮吸动作也刺激泌乳素和后叶催产素的分泌,后者也是个垂体激素,它可以促使乳房腺泡周围的肌肉细胞收缩,造成排乳。泌乳期头几天排出的乳汁称初乳,它比以后几周逐渐成熟的乳汁更富含蛋白质、矿物质和免疫球蛋白,但热量和脂肪含量较低。在第一个月内,乳中脂肪、乳糖和维生素B的含量逐渐增加。成熟的人乳富含母亲的白血球和激素及免疫球蛋白等物质,可帮助婴儿抵御细菌和其他感染因子。婴儿4至6月时,母乳已不够婴儿生长所需。这时常要添加辅助食品来补充热量并使婴儿得以熟习进食动作。婴儿断奶后,泌奶逐渐减少并随即停止。

何时断奶并没有固定的年龄。母乳喂养的婴儿数目以及断奶年龄,在国与国之间和一国之内各社会阶层或地区之间都不一样。因为后叶催产素的分泌不足,或婴儿吮吸方式不当,或母婴任一方的身体不适,都可造成泌乳中断。此外,感情因素例如心情紧张也可干扰泌乳,这可通过松弛疗法或用后叶催产素治疗,再加上泌乳逐渐成功后心情上的安慰而得到解决。

lactic acid 乳酸 又称α-羟基丙酸或2-羟基丙酸。羧酸类有机化合物。存在于某些植物体的汁液、动物的血液和肌肉以及土壤中,也是酸奶、干酪和酪乳等发酵了的奶制品中最普通的酸性成分。1780年由瑞典化学家C.W.舍勒首先分离出来。乳酸是在石灰或碳酸钙等碱性物质存在条件下,由糖蜜、淀粉或乳清发酵而制得,通常以不同纯度或不同浓度(通常为22%～85%)的水溶液供应。乳酸用于鞣制皮革、羊毛染色,在加工干酪、色拉调味汁、泡菜和含二氧化碳饮料中用作香料及防腐剂,还在许多化工过程中用作原料或催化剂。很少制备的纯乳酸为无色结晶物质,熔点18 °C,能迅速吸收大气中的水分。当肌肉的糖原受到破坏时,血液中出现乳酸盐并能在肝脏中反过来转变成糖原。乳酸盐也是某些细菌发酵(**fermentation**)的产物。

lactic-acid bacterium 乳酸细菌 复数形式为 lactic-acid bacteria。能产生乳酸(碳水化合物发酵的主要或唯一最后产物)的革兰氏阳性的、棒状和球状细菌等若干属细菌的总称。乳酸细菌是耐氧性厌氧微生物,它们为腌制食品、德式泡菜、青橄榄、某些香肠和某些乳制品如酪乳等创造发酵环境。在某些条件下,乳酸细菌可引起龋齿。其重要成员包括链球菌属、乳杆菌属和片球菌属。

Lactobacillus 乳杆菌属 乳杆菌科的一属,为杆状、革兰氏阳性和不形成芽孢的细菌,广泛分布于饲料、青贮饲料、粪便、牛奶及乳制品中。模式种德尔布吕克氏乳杆菌宽0.5～0.8微米,长2～9微米;单个地或以小链状集合体存在。工业上已将乳杆菌属的许多种用于酸奶、乳酪和酸乳酪的生产中。乳杆菌属在发酵蔬菜(腌菜和德式泡菜)、饮料(啤酒、葡萄酒和果汁)、面肥发酵面包和某些香肠的制造中起着重要的作用。乳杆菌属是动物和人类肠道中的共栖者。商品乳杆菌制剂用于治疗抗生素疗法引起的肠道菌群失调症。

lactone 内酯 一类环状有机酯的总称。通常由同一个分子内的羧基与羟基或卤原子反应生成。工业上重要的内酯有双烯酮和β-丙醇酸内酯,分别用于合成乙酰乙酸衍生物和β-取代丙酸,还用于合成香料配料十五烷醇内酯和黄葵内酯、维生素C、抗菌素酒霉素、红霉素和碳霉素等。最普通的内酯是分别含有五元环和六元环的γ-内酯和δ-内酯,它们由相应的羟基酸失水而得,这一过程即使在水溶液中也常常会自发进行。双烯酮和β-丙醇酸内酯分别是由烯酮本身或烯酮与甲醛反应制得。在极高真空下,缓慢蒸馏相应的羟基酸可制得含有7～24个原子环的内酯。

lactose 乳糖 由一个葡萄糖分子和一个半乳糖分子联结而成的碳水化合物。它占所有哺乳动物乳类的2%～8%。它是唯一来源于动物的常见糖。乳糖可由乳清制备,乳清是乳酪制造过程中的副产品。用微生物如嗜酸乳酸杆菌将乳糖发酵,是工业生产乳酸过程的一部分。人的不耐乳糖症表现为腹泻、腹胀和腹部不适,它也可能是新生儿腹泻的一种原因。

lacustrine ecosystem 湖泊生态系统 由生物群落及其物理化学环境组成一个生态单位的任何池塘或湖泊,物质和能量在其中循环转换。在静水生境中,影响生物生活和进化的因子随水体的大小而异。池塘比较浅,透射光充足,可供多种有根的水生植物生存。上部和下部的水混合均匀,但风、温度、降雨量和蒸腾等有很大的季节性变化。这是易受不平衡影响的不稳定的栖息地。栖息在该处的动物必须有很强的生理适应性才能生存。湖泊较大而深,通常按透射光、温度范围和氧浓度分层。由水面到水底的梯度层次影响湖泊生物的分布状态和适应性。季节性变化是逐渐的,包括水的春秋季垂直对流和冬夏季的分层。通常有3个主要栖息带:①沿岸带,即浅水域。光透射到水底,具有根植物和底栖动物。②大湖带,水体开阔,光线能有效地透射进水中,具浮游植物和浮游动物。③深水带,光透射不到底层和深水区域,具适应于黑暗的生物。

Lacy, Franz Moritz, Count (Graf) von 拉西(1725-10-21,俄国圣彼得堡～1801-11-24,奥地利维也纳) 奥地利陆军元帅。父为爱尔兰人,曾任俄国军官。拉西在德意志受教育,1743年参加奥地利军队。在奥地利王位继承战争(1740～1748)中,他曾在意大利、波希米亚、西里西亚和低地国家作战。在七年战争(1756～1763)中,他晋升很快。1765年成为陆军元帅,1766～1773年任最高军事会议主席。在巴伐利亚继承战争(1778～1779)中,他是奥地利抗击普军的主要指挥官之一。约瑟夫二世即位后,拉西成为他最信赖的臣僚。他是卓越的军事行政官员。但因多次负伤,身体早衰,在土耳其战争(1787～1792)中失利,乃辞去指挥之职。

Ladākh 拉达克 印度次大陆北部克什米尔东部地区。范围包括喜马拉雅山西部的拉达克山区。拉达克地区面积11.7万平方千米,包括印度河上游谷地和喀喇昆仑山脉。为世界最高地区之一。气候寒冷、干燥。年平均降雨量为84毫米,多雪。主要作物有小麦、大麦、粟、荞麦、豆类和萝卜。毛纺织业是唯一制造业。拉达克曾是印度和巴基斯坦争夺控制的地区,1949年印度巴基斯坦停战后,其南部由印度控制,其余部分由巴基斯坦控制。

Ladākh Range 拉达克山 喀喇昆仑山脉一部分。拉达克山始于巴基斯坦北部什约克河口,向东南延伸,越过印度北部至中国西藏边境,全长370千米,山脊高达6 100米,与印度河东北岸平行。位于巴基斯坦北部印度河东南的代奥赛山脉,有时也被看作是该山脉一部分。

Ladd, Alan (Walbridge) 拉德(1913-09-03,美国阿肯色温泉城～1964-01-29,加利福尼亚棕榈泉) 美国电影演员,以扮演侦探、牛仔和战争英雄著称。幼年时矮小瘦弱,经顽强努力,在运动方面表现出色。后受伤,转向表演,20世纪30年代的大部分时间在华纳公司的影片中担任小角色。1937年,第一个孩子艾伦(后来的米高梅电影公司首席执行官)出生后不久,拉德的母亲在他面前自杀,据说他在银幕上常常有颓丧表现与此事有关。参加一些广播剧的表演,被女演员S.卡罗尔发现,介绍到好莱坞扮演一些小角色。1941年离婚,次年与卡罗尔结婚,他们的两个孩子都成了电影演员。1942年,在《刽子手》中扮演冷血杀手,表演出色,从此在一些高质量的影片中担纲,如《玻璃钥匙》(1942)、《幸运的乔丹》(1942)、《索提·奥鲁克》(1945)、《血溅璇宫》(1946)和《七海豪侠》(1946)等。严肃的表情使他成为黑色悬念片的最佳人选,而矫健的身手也适合拍西部片和强盗片。经常与女演员V.莱克搭档,莱克的孤傲与拉德的玩世不恭相辅相成,成为40年代主要的银幕情侣。50年代,为了避免被定型为侦探或硬汉的形象,开始扮演各类角色。在多部受欢迎的西部片中担任主角,最著名的影片是《原野奇侠》(1953)。该片是美国电影的一个里程碑,被公认为是他拍摄的最佳影片和扮演最好的角色。其他西部片还有《鼓声》(1954)、《新镇喋血》(1957)和《碧血黄金》(1958)。晚年抑郁症和酗酒情况恶化,好片寥寥。1962年,开枪走火差点要了自己的命。之后重新振作起来,拍摄了晚年最好的一部影片《江湖男女》(1964)。1964年1月,由于在服用镇定剂时饮酒,造成大脑水肿死亡。

Ladd, George Trumbull　莱德(1842-01-19,俄亥俄佩恩斯维尔～1921-08-08,康涅狄格纽黑文)　美国哲学家、心理学家,其教科书对美国实验心理学的建立很有影响。虽然他提

美国不列颠百科全书公司供图

倡科学心理学,但认为心理学附属于哲学。他受过神学教育,曾任公理会牧师8年,后任精神哲学和伦理哲学教授,开始研究神经系统与心理现象之间的关系,在美国首先开创了实验心理学研究。1881～1905年任耶鲁大学教授,创建了美国第一个实验心理学实验室。1887年发表《生理心理学纲要》,这是第一本用英语写的生理心理学手册,强调神经生理学;因此长期被认为权威著作。他的巨著《心理学:描述和解释》(1894)是功能心理学的重要理论基础,他把人看作为具有头脑,能有目的地解决问题,并使自己适应环境的有机体。莱德亦撰写哲学和宗教著作,曾三次到东方旅行并讲演。

Ladd-Franklin, Christine　莱德-富兰克林(1847-12-01,美国康涅狄格温莎～1930-03-05,纽约州纽约)　母家姓Ladd。美国科学家和逻辑学家,以对"色视觉"理论作出贡献而闻名。1869年获纽约州波基普西瓦瑟学院文学学士学位,然后在巴尔的摩约翰斯·霍普金斯大学攻读数学。虽然她曾在1879～1882年间获得一笔研究生奖学金并已读完博士课程,但因当时妇女受歧视,到1926年才被授予哲学博士学位。1904～1909年,在约翰斯·霍普金斯大学教授逻辑学和哲学,1910～1930年,在纽约市哥伦比亚大学任教。她最著名的研究成果是关于"色视觉"的理论。早在1891～1892年在德国学习时,她发展了莱德-富兰克林学说,强调色视觉中不断加深的分化发展过程是渐进的,并对视觉系统提出一种光化学模型。她的学说对亥姆霍兹和黑林的观点作出批判,在许多年间广泛为人们所接受。早年在研究符号逻辑方面的问题时,她曾通过介绍"反逻辑学"(这种形式使演绎法的试验更为容易)将三段论法的推理变为一种"前后矛盾的三分法"。

莱德-富兰克林曾发表多篇数学论文及关于双目视觉的论文。其主要作品有论文《逻辑代数学》(1883)、《色觉之性质》(1925)及专著《颜色及色论》(1929)。

ladder-back chair　梯形靠背椅　一种高靠背椅,靠背由装在两端直柱之间的数条梯级横木或纺锤形横木组成。通常式样朴素,椅座常用藤或蒲草制作。中世纪问世后,17世纪在英国和美洲殖民地广泛流行。17世纪中期,用胡桃木制造这种椅子,并作精细加工。顶端的横木布满华丽的装饰,有时并在上面穿孔,以便于搬动。后来椅背横木穿孔越来越考究,这种孔很像小提琴上的发音孔,因此这种椅子又叫做提琴靠背椅。

ladder shell (snail)　参阅**wentletrap梯螺**。

Lādhiqīyah, al- (Syria)　参阅**Latakia拉塔基亚**。

ladies' fingers (herb)　参阅**kidney vetch疗肾野豌豆**。

Ladies' Home Journal　《妇女家庭杂志》　美国最早的月刊之一,妇女杂志中一贯开风气之先者。1883年创刊时是C.H.K.柯蒂斯的《论坛和农夫》杂志的妇女增刊,由其妻路易莎·纳普编辑,1884年独立出版,取虔诚娴静的姿态登载多愁善感的文字,销量约2万份。柯蒂斯通过组织订户俱乐部和广告宣传使其销量达10万份以上。1889年E.W.博克任主编,在他领导下,杂志吸引欧美最好的作家,进入20世纪时发行量已超过所有的美国刊物。博克刊载专门吸引妇女读者的文章、小说和广告,使杂志具有亲切感。这个杂志制订了"广告准则",根绝广告商的欺诈行为和过分吹嘘。它因关心社会事业而闻名。它拒为专利药物登广告,而后来专门揭发那些产品丑闻的战斗,则有助于美国《联邦食品与药物法案》的通过。它以论述家庭建筑、美术和"美国如何生活"等特点而著称。这家经常被人仿效的刊物的发行量多年间居美国妇女杂志首位,但在20世纪中叶以后被其老竞争对手《麦考尔斯》(1870)所超过。1986年,麦里迪斯企业收购了该杂志。在21世纪初,该杂志以超过400万的发行量位居美国付费杂志前10名。

ladies' tresses　绶草　兰科绶草属(*Spiranthes*)植物,300种,分布世界大部分地区,见于林地和草地。该属植物大小及花色差异很大,但均有典型的螺旋状总状花序。有些种秋天开花,如垂花绶草(秋长发草,*S. cernua*,

旋花绶草(*S. spiralis*)

美国不列颠百科全书公司供图

产于北美)和旋花绶草(秋绶草,*S. spiralis*,产于欧洲)。北美种细绶草(*S. gracilis*)有一个单生螺旋状花序,花小,白色。

Lâdik carpet　拉迪克地毯　土耳其中南部科尼亚地区市镇拉迪克或其附近制作的手工铺地用品,通常采用祈祷毯图案。图案有带台阶的高拱门,或中央突出的3座拱门。神龛的上面或下面有一个格子,格子中间是5个或5个以上的一组花茎,从锯齿形饰带向上伸出。有几块地毯织有18世纪末阿拉伯日期,但大多数是19世纪生产的。"圆柱拉迪克"一词指采用16世纪奥斯曼宫廷图案的祈祷毯,而不论其产于何地。这种图案为细长圆柱支撑的3座高矮不等的拱门,上面有一个上述的格子。一种质量较次、制作较晚、色彩较艳的拉迪克地毯,由科尼亚市附近的地区生产。

lading, bill of　提单　由铁路运输或海上运输的承运人签发的承认收到货物并同意负责运送至指定目的地的凭证。提单与仓单有密切联系,不过后者的内容是仓储协议而非运输协议。两者均可流通,如果其中规定货物并非交付给某一固定的个人,而是采取通常的做法按某人的指示交付时,此人可将提单经过背书转给他人,他人凭此即有资格提货。这种用以提货的可流通的所有权凭证应当区别于用以提取款项的票据、汇票等商业流通证券。

Ladinian Stage　拉丁阶　中三叠统两个次级地层单元中之上面一个,代表拉丁期(距今2.35亿年前至2.30亿年前)全世界范围内沉积的所有岩层。对于这个阶的底来说,还没有被国际地层委员会认可的全球性层型剖面与层型点(GSSP)。这个阶的名字来源于居住在意大利北部多洛米蒂山地区的拉丁人。在这个阶的典型地区,拉丁阶由杜亨斯坦层和文根层组成。开始于 *Eoprotrachyceras subaspe-rum* 而以 *Frankites sutherlandi* 告终的5个菊石生物带被广泛用来对比这段地层。拉丁阶覆于安尼阶之上而它本身又被上三叠统的卡尼阶所覆盖。

Ladino 拉迪诺人 欧化的中美洲人,祖先大多是西班牙人。尽管有地区上的种种不同,但由于同属西班牙民族,并且都讲西班牙语,拉迪诺人之间还是有文化上的共同性。拉迪诺人包括城市各阶层,农村劳工以及农民。虽然外表上往往难与印第安人相区别,但从他们只讲西班牙语,穿西式服装以及从他们的社区关系来看,拉迪诺人还是可以识别的。许多拉迪诺人也像他们的印第安邻居那样,从事自给自足的农业生产,不过他们更注重种经济作物以及参与地区性市场经济活动。他们与印第安人不同还在于更广泛地使用先进的耕作器具和方法,例如铁犁、灌溉和施肥。许多人还雇用印第安人或没有土地的农民当季节工。在小城镇中,拉迪诺人在农业生产之外普遍经营小规模商业。

Ladino language 拉迪诺语 又称犹太西班牙语或谢法尔迪语。指谢法尔迪犹太人(西班牙系犹太人)所操的罗曼语,曾通行于巴尔干、中东、北非、希腊及土耳其。它在这些地区的许多地方,现已濒于消亡。拉迪诺语源于一种非常古老的卡斯提西班牙语,混有希伯来语成分,1492 年西班牙犹太人被逐出后,由其后裔传至现在通行地区。它曾保存许多现代西班牙语已消失的词汇和语法的用法以及原有的语音系统,如现代西班牙语中已使用 h(不发音)的地方,它仍用 f 和 g。拉迪诺语 fijo, fablar 相对应的西班牙语是 hijo, hablar,拉迪诺语 agora 相对应的西班牙语词是 ahora。拉迪诺语通常用希伯来字母书写,有自己的文学作品及译作。

Ladipo, Duro 拉迪波(1931-12-18,尼日利亚奥绍博～1978-03-11,奥绍博) 尼日利亚戏剧家。以约鲁巴的历史为基础,结合典礼诗歌和用传统乐器奏出的传统节奏,创作出革新的民间歌剧。1960 年曾在奥绍博一家教会学校当教师。1962 年创立了姆巴里·姆巴约俱乐部,在成立大会上他的新拉迪波剧团演出了他的第一部歌剧《捉鬼国王》;成立一周年时,首演了他的《国王没被绞死》;一年后又写出《国王死了》。这 3 部剧本都以奥约王国的历史为基础。为了使剧作更为庄严和效果更好,他抛弃了传统的“编队舞蹈”以及开场和结尾的“无伴奏的重唱曲”。最成功的作品《国王没被绞死》获得 1963 年政府颁发的文化成就奖。这部作品显然在欧美均很受欢迎。

Ladislas 拉迪斯拉斯 又拼 Ladislaus 或 Ladislaw。统治者之名,按国别分列于后,并各以● 为标记。

与该字相等之外语:

捷克语	Ladislav
匈牙利语	László
意大利语	Ladislao

匈 牙 利

● **Ladislas I 拉迪斯拉斯一世**(1040-06-27,波兰～1095-07-29,斯洛伐克尼特拉) 匈牙利国王,曾极大地扩展王国的疆域并巩固国内政权;没有哪位匈牙利国王像他那样广受人民爱戴。他是贝洛一世在外流亡时与波兰公主丽克萨所生之子。1077 年继承王位。他在特兰西瓦尼亚扩展匈牙利的疆界,并于 1091 年占领了克罗地亚。他残酷地消灭异教徒,在克罗地亚推行天主教,在萨格勒布建立主教区(1091)。他所实施的法典给国家带来秩序和繁荣。当他正在准备第一次十字军东征时,突然死去。

11 世纪钱币上的拉迪斯拉斯一世像
美国不列颠百科全书公司供图

● **Ladislas IV 拉迪斯拉斯四世**(1262～1290-07-10,匈牙利克勒什格) 匈牙利国王,在迪恩克鲁特战役中支持德意志国王鲁道夫一世,从而协助确立了哈布斯堡王朝后来在奥地利的权力。斯蒂芬五世之子,1272 年继位。由于波希米亚的鄂图卡二世企图蚕食当时属于匈牙利的斯洛伐克,拉迪斯拉斯就联合哈布斯堡王室的鲁道夫共同反对鄂图卡,在迪恩克鲁特战役(1278-08-26)中把鄂图卡击败。此后,他与那不勒斯和西西里国王查理一世的女儿、安茹的伊莎贝拉联姻。但是拉迪斯拉斯贪恋库曼族的嫔妃,对王后十分冷淡。他的敌人指控他破坏基督教教义,通过罗马教皇迫使他同库曼人打仗(1282)。不久,他又故态复萌,身穿库曼族的服装,只同库曼人在一起玩乐。1288 年教皇派遣十字军对拉迪斯拉斯进行征讨。1290 年他在营帐中被库曼人刺杀。

● **Ladislas V 拉迪斯拉斯五世**(1440-02-22,匈牙利科马罗姆[今斯洛伐克科马尔诺]～1457-11-23,波希米亚布拉格[今在捷克共和国]) 匈牙利和波希米亚幼王(1453 起),曾卷入其监护人齐利伯爵乌尔里希与匈牙利匈雅提家族的长期争斗。德意志国王兼匈牙利和波希米亚国王阿尔贝特二世的遗腹子。1444 年被拥为匈牙利国王。1453 年加冕为波希米亚国王,称拉迪斯拉斯一世。此后大部分时间是在布拉格和维也纳度过。他的两个王国分别由匈雅提和波杰布拉迪的乔治摄政。1457 年,由于发生内乱,他逃往布拉格,不久死在该地。

那不勒斯

● **Ladislas 拉迪斯拉斯**(1377-02-11,那不勒斯[意大利]～1414-08-06,那不勒斯) 那不勒斯国王(1386 起),匈牙利王位要求者(1390 起),塔兰托大公(1406 起)。他成为一个熟练的政治和军事领导人,利用意大利半岛上的权力斗争的时机,大大扩展了自己的王国和自己的权势。9 岁即位,由母后玛格丽特摄政。1387 年被安茹的路易二世逐出那不勒斯。1399 年收复那不勒斯,把路易赶走。他率军远征,1404 年称匈牙利国王。他支持教皇英诺森七世,反对敌对教皇本尼狄克十三世。他占领罗马后,教皇授他为教会保护人和坎帕尼亚、米尼蒂马总督。他与塔兰托大公的遗孀玛丽结婚,从而取得塔兰托公国。英诺森七世死后,他曾两度占领罗马(1408、1413),大肆抢掠。

Lado Enclave 拉多飞地 中部非洲的一个地区,位于上尼罗河西岸,1894～1909 年由刚果自由邦管理,此后并入英国和埃及共管的苏丹。1841～1842 年欧洲人最早来到该地区北部。拉多不久即成为来自喀土穆的象牙商人和奴隶贩子的驻地。英国探险家贝克 1864 年发现艾伯特尼安扎湖(现称艾伯特湖)后,各种国籍的掠奴者足迹布满整个地区。1877 年德国行政官员帕萨出任赤道各省总督,总部设在拉多,1885 年被马赫迪派逐出苏丹。1894 年 2 月,英国人对上尼罗河地区提出领土要求,同年 5 月他们将上尼罗河以西的一大片土地租借给刚果自由邦元首、比利时的利奥波德二世,这片地区包括加扎勒河省和法绍达。然而在法国的压力下,利奥波德同意只占领东经 30°以东和北纬05°30′以南的那片地区;从而确定了以后称做拉多飞地的地区(即利奥波德占领的地区)的实际界限。

法国人 1898 年撤出法绍达后,利奥波德再度提出他对英国人租借给他的这一整片地区的领土要求。虽然他没有成功,根据同英国达成的新协定撤消了租借协议,但利奥波德仍保留这片飞地,附有的规定是在他的统治时期结束后,这片飞地应划归英埃共管的苏丹。利奥波德 1909 年去世,拉多飞地于 1910 年并入英埃共管的苏丹。

Ladoga, Lake 拉多加湖 欧洲最大湖泊。位于俄罗斯西北部,在圣彼得堡以东约 40 千米。长 219 千米,平均宽 82 千米,面积17 600 平方千米(不包括岛屿)。平均深度 51 米,最深处 230 米,在瓦拉姆岛西面。拉多加湖地区流域总面积259 000平方千米。湖盆由冰川作用形成。北岸高而陡峭,多冰封深湾,并有大量长满树林、多峭壁的岛屿。南岸低而曲折,多沙滩和石滩,有柳、桤树林丛生;有些地方留有古时修筑的湖堤,长满松林。约有 50 000个湖泊和3 500条长 10 千米以上的河流。最大的是沃尔霍夫河、斯维里河、武奥克萨河。湖中约有 660 个面积为 1 公顷以上的小岛,总陆地面积 456 平方千米。湖区属温寒带气候。平均年降水量 610 毫米。6 月和 7 月水位最高,12 月和 1 月水位最低,平均年水位差约 0.8 米,最多可相差 3 米。沿岸地区 12 月初结冰,湖中间 1 月或 2 月结冰,冰层厚度平均为 50～60 厘米。湖中间部分 3 月底、4 月初解冻,但北部迟至 5 月初解冻。

拉多加湖属淡水湖,湖水呈黄褐色。鱼产丰富。拉多加湖是伏尔加河至波罗的海和波罗的海至白海水路运输系统中的一个组成部分,直达俄罗斯各地及芬兰和德国等国家。第二次世界大战时,在列宁格勒(圣彼得堡)

被围期间(1941-09～1943-03),拉多加湖成为交通运输的生命线,军事补给品的供应、伤病员的撤离,都取道拉多加湖。沿湖有普里奥焦尔斯克、彼得要塞城及索尔塔瓦拉等城市。

lady 女士 或译夫人。英国对低于女公爵(或公爵夫人)的任何女贵族和对准男爵或爵士的妻子的一般称号。通常也作为不大正式的称谓,以替代女侯爵(或侯爵夫人)、女伯爵(或伯爵夫人)或女子爵(或子爵夫人)的全称。若以封地为名,则去掉"of",如"the marchioness of A"(A侯爵夫人)只称"Lady A"(A夫人)。公爵、侯爵和伯爵的女儿也被尊称为女士,但加在教名与姓之前,如 Lady Jane Grey(简·格雷女士)。在书信中上述称谓用于准男爵和爵士的妻子,而如写 The Lady A,则只能用于贵族的夫人,定冠词 the 不能用于准男爵和爵士的妻子。参阅 **lord**。

Lady chapel 圣母堂 教堂内祭奉圣母的小礼拜堂。在12～13世纪的教堂中,由一系列小礼拜堂演变为半圆形或多边形的后堂时,习惯将圣母堂设于各小礼拜堂中最重要的位置,即在圣坛背后正中,并较其他小礼拜堂大,但在使用上并无特点。在法国某些大教堂(如兰斯大教堂、勒芒大教堂、亚眠大教堂)中较为突出,而在巴黎圣母院、布尔日大教堂中则和其他小礼拜堂无区别。在英国,教堂的东端常为方形,圣母堂常作为该部分的重点,但位置有变化。在西班牙和意大利最精致的圣母堂是从哥特式晚期及文艺复兴时期开始建造的。

lady fern (species *Athyrium filix-femina*) **蹄盖蕨** 铁角蕨科(或三叉蕨科[Aspidiaceae])的一个种。叶长约75厘米,宽25厘米,成簇环状排列。广泛栽培以供观赏。蹄

蹄盖蕨(*Athyrium filix-femina*)
美国不列颠百科全书公司供图

盖蕨属的特征是具弯钩形或蹄铁形的囊群,囊群盖膜质,边缘流苏状。分布于世界上温带潮湿、半遮荫地区。

Lady Lever Art Gallery 利弗夫人美术馆
参阅 **Lever Art Gallery** 利弗美术馆。

Lady of Mercy, Order of Our 慈爱圣母会
参阅 **Mercedarian** 慈爱圣母会会士。

ladybird beetle 瓢虫 又作ladybug。鞘翅目瓢虫科昆虫,约5 000种,分布广泛。中世纪时被献给圣母马利亚,故得其英文名。一般长8～10毫米,形似半圆球。足短,色鲜艳,

七星瓢虫(*Coccinella 7-punctata*)的幼虫(上)与成虫(下)
美国不列颠百科全书公司供图

具黑、黄或红色斑点。九星瓢虫(*Coccinella novemnotata*)各鞘翅上有4个半斑点。瓢虫的生活周期约需4周,故每年夏季可繁殖数代。幼虫细长柔软,通常灰色,有蓝、绿、红或黑色斑,以其他昆虫和虫卵为食。要经4个龄期,然后附于某些物体上在最后一龄幼虫所蜕的皮中化蛹。不同类群的瓢虫常在同一处过冬。

人们常采集成群的瓢虫卖给农民以控制蚜、蚧、螨等害虫。澳大利亚瓢虫(红瓢虫 *Rodolia cardinalis*)被引到北美西部以控制果园害虫吹棉蚧(*Icerya purchasi*)的蔓延。集栖瓢虫(*Hippodamia convergens*)的幼虫和成虫都是蚜虫的重要天敌。虽然多数种类为肉食性,但也有一些吃植物,为害严重,如南瓜瓢虫(*Epilachna borealis*)和墨西哥豆瓢虫(*E. varivestis*)。瓢虫在民间药方中用以治疗疝痛、麻疹和牙痛。童谣"瓢虫快快飞,赶紧往家走,你家着了火,孩子满处游",说的是英国于收获后焚烧忽布藤,这不但清了地,还烧死了许多瓢虫。

ladyfish (*Elops saurus*) **海鲢** 又称tenpounder(十磅鱼)。海鲢目海鲢科(Elopidae)与北梭鱼及大海鲢近缘的主要产于热带的海鱼。海鲢体细长,状似狗鱼,被银色细鳞;体具沟槽,背鳍与臀鳍可平伏其中。该鱼的生活习性为掠食性。牙小而尖锐,颌下具喉板。体长约90厘米,重达13.6千克。幼体透明,似鳗。在英语中,ladyfish一词有时也

海鲢(*Elops saurus*)
美国不列颠百科全书公司供图

用于其他海鱼,如北梭鱼(**bonefish**)。隆头鱼科的 *Bodianus rufus* 体为红、金二色,俗名西班牙海鲢。

lady's mantle 斗篷草 又称羽衣草。蔷薇科斗篷草属(羽衣草属,*Alchemilla*)的几种多年生草本植物,尤指普通斗篷草(普通羽衣草,*A. vulgaris*)。广布于北温带。高60厘米。叶宽,达10厘米,浅圆裂,边缘具齿,具长柄;花小,绿黄色,花序顶生。

lady's slipper 拖鞋兰 兰科几个属的植物,其花的唇瓣成拖鞋状。杓兰属(*Cypripedium*)约50种,产温带和亚热带地区。著名的种有粉红拖鞋兰(无茎杓兰,鹿皮鞋花,*C. acaule*)及黄拖鞋兰(拖鞋状杓兰,*C. calceolus*)。该属大多数种茎高30～60厘米,着生1～2朵花。*Phragmipedium* 属约12种,叶窄,原产热带美洲,花葶高90厘米,着生花1～6朵,花瓣带状。*Selenipedium* 属3种,亦原产于热带美洲,高达4.5米,叶片折叠,花穗顶生。

杓兰属(*Cypripedium*)植物
美国不列颠百科全书公司供图

兜兰属(*Paphiopedilum*)约50种,原产亚洲热带地区;叶革质,杂色或淡绿色;花大,颜色各异,蜡质;已培育了许多杂交种。

Ladysmith 莱迪史密斯 南非纳塔尔省西北部城镇。濒临克勒普河。建于1850年。是重要铁路枢纽和编组车场,也是周围广阔地区的农产品集散地。食品加工和附近的纳塔尔煤田是该镇工业的基础。人口25 102(1985)。

Lae 莱城 巴布亚新几内亚莫罗贝省省会和港口。莱城位于休恩湾马克姆河口附近。该省市主要出口木材、胶合板、咖啡和中部山脉的产品。是附近地区农产品集散地。第二次世界大战中被毁。战后重建米尔福德港码头、锯木厂、胶合板厂和屠宰场等。城市外10千米处有理工大学(1973)。人口80 655(1990)。

Laelia 莱利乌斯氏兰属 兰科的一属。含75种。花色鲜艳。常与卡特利氏兰属(*Cattleya*)或其他属进行人工杂交,以育成杂

莱利乌斯氏兰属(*Laelia*)植物
美国不列颠百科全书公司供图

种供应市场。该属均为附生种，具气生根，假鳞茎有长、椭圆、圆多种形状。

Laelius, Gaius 莱利乌斯(?～公元前160以后) 罗马将军、政治家。在罗马与迦太基的第二次布匿战争(公元前218～前201)中功勋卓著。公元前210～前206年随同名将西庇阿出征西班牙，公元前204～前202年转战非洲。他曾击败迦太基盟邦努米底亚王子西法克斯，并在扎马地区西庇阿对汉尼拔取得决定性胜利的战斗(公元前202)中指挥骑兵。战后由营造官(公元前197年)升任行政长官(公元前196)和执政官(公元前190)。公元前160年他向历史学家提供了大量有关西庇阿生平的史料。

Laelius Sapiens, Gaius, THE YOUNGER **莱利乌斯(小)**(活动时期公元前2世纪) 罗马军人、政治家，以演说家而闻名。在西塞罗的《论老年》、《论友谊》和《论共和国》等对话录中，他作为谈话者之一出现。公元前147年随西庇阿·埃米利亚努斯围攻迦太基，在攻占该城军港的战斗中战功卓著。两年后任西班牙行政长官，公元前140年成为执政官。他曾帮助改革家T.S.格拉古(前133年的保民官)的支持者，并在公元前131年反对G.P.卡波的使重选保民官合法化的法案。在西塞罗的著作中他是西庇阿的智囊团成员、诗人和哲学家。

Laënnec, René-Théophile-Hyacinthe 拉埃内克(1781-02-17，法国坎佩尔～1826-08-13，凯卢阿内克) 法国医师，听诊器的发明者，公认的胸腔内科学之父。曾用一个长约1英尺的中空木筒放到患者胸壁上，以听到心脏和肺脏发出的各种声响。他用3年时间研究胸部发生的声音，与尸体解剖时发现的疾病相对照。其经典著作《论间接听诊》(1819)中描述了此法。他对呼吸系统及心脏疾病著述甚多。曾师从让-尼克拉·科维札尔·德马雷，1823年继承其师任巴黎慈善医院内科医师，1822年任法兰西学院教授。

Laërtius, Diogenes 拉尔修 参阅**Diogenes Laërtius** 第欧根尼·拉尔修。

Laetare Sunday 欢欣星期日 西派教会对大斋期的第4个星期日的称呼。又称大斋期中期主日，因为正好是在斋期的中期。或称舒缓主日，因为在这一天可以把四旬斋期间的严格生活略微舒缓一下。在圣公会有时又称“拜望双亲日”。

Laetolil remains 莱托里化石 1974～1975年间M.利基和她的合作者在坦桑尼亚北部距奥杜威峡谷大约40千米的塞伦盖蒂平原南部发现的一批人科化石，其发现地离1938年科尔-拉森发掘出一组化石的地点不远。M.利基发现的化石包括13块下颌骨破片，其年代距今大约359万年，属非洲出土的最早的人科化石之列。莱托里的化石属阿法南方古猿，这个种是约翰逊早几年在埃塞俄比亚发现的。关于这个种，还发现有一个家庭中各个成员的脚印，它们表明阿法南方古猿基本上是树栖动物。

Laetus, Julius Pomponius 莱杜斯(1428，那不勒斯王国迪亚诺～1497，罗马) 意大利语作 Giulio Pomponio Leto。意大利人文主义者、罗马学园创始人。学园是一个热衷于考古学、文物研究以及古罗马庆祝仪式的半秘密社团。年轻时立志把毕生献给古代世界的研究，1450年赴罗马，1457年继承他先前的老师洛伦佐·瓦拉，在罗马公学任修辞学教授。从此，他把许多人文主义者团结在周围，组织成半秘密社团——罗马学园。学园成员把自己的基督教姓名更换成异教姓名；他们不仅一起讨论考古学，研究文物，而且在祭司长莱杜斯指挥下，举行罗马异教的宗教仪式，例如庆祝罗慕路斯诞辰和巴利里亚节日。他们对古代世界的赞美发展为一种唯物主义的生活观，有意识地反对基督教理想，以革命的政治改革为目的；因此，教皇保罗二世对罗马学园产生怀疑，1468年2月逮捕其成员，解散了社团。在威尼斯已经生活近一年的莱杜斯也被解往罗马囚禁起来。但是1469年5月，他和他的许多同伴被赦免释放，但直到西克斯图斯四世于1471年接替保罗二世后才完全获得自由。西克斯图斯四世不仅恢复莱杜斯的教授职位，而且允许他重建罗马学园。莱杜斯从获释到去世，除两次访问北欧外(1472～1473，1479～1483)，一直以极大热情从事学术研究。他在这个时期的著作有罗马古迹的专题论文，对拉丁作者的注释，其中最重要的是有些原版书，包括库尔提乌斯、瓦罗、萨卢斯特的作品和普林尼的《书信集》。莱杜斯未曾为后世尊奉为人文主义者；尽管他博学多闻，但其治学方法不够谨严，而且缺乏批评精神，因而现代学者在评价他的语言学成就时有所保留。

Lafayette 拉斐特 美国印第安纳州中西部城市，蒂珀卡努县县城(1826)。位于印第安纳波利斯西北101千米处，濒临沃巴什河。1811年与印第安人作战的战场已辟为州立公园。1825年规划，1853年设市。该市工业产品有铝和橡胶制品、电器、预制件房屋和药品，当地谷物市场很活跃。河对岸的西拉斐特有州立珀杜大学(1869)。人口：市43 764；拉斐特-西拉斐特都会区130 598(1990)。

Lafayette 拉斐特 美国路易斯安那州中南部城市，拉斐特县县城(1824)。临弗米利

拉斐特市的路易斯安那西南大学校园
美国不列颠百科全书公司供图

恩河。该地18世纪末始有人定居，1824年在此建立弗米利恩韦尔村，1836年设市，1884年改称拉斐特。第二次世界大战前，经济依靠种植甘蔗、棉花、玉米。战后发展成南部路易斯安那州石油天然气工业的供应中心。海曼石油中心为许多石油公司的总部。随石油工业带来的人口增长，城市日益国际化。尽管许多旧有习惯已消失，但活栎协会犹存；人们仍然举行山茶花展览和庆祝“肥美的星期二”。设有路易斯安那西南大学(1898)。人口：市110 257；都会区385 647(2000)。

Lafayette, Marie-Joseph-Paul-Yves-Roch-Gilbert du Motier, marquis de 拉法耶特侯爵(1757-09-06，法国沙瓦尼阿克～1834-05-20，巴黎) Lafayette又拼La Fayette，又译

美国不列颠百科全书公司供图

拉斐德。法国贵族，曾参加美国革命，同美洲殖民地人民共同抗击英军。在法国大革命头几年，他与革命的资产阶级相结合，成为法国最有权势的人物之一，曾为国王路易十六的朝臣。美国革命爆发后，他于1777年7月抵达费城，便被殖民地人民任命为少将，并与美军总司令华盛顿结下经久不渝的友谊。同年9月11日，他在宾夕法尼亚州布兰迪恩战役中立下殊功。翌年5月28日任师长，在从巴伦山撤退时指导有方。1779年初返回法国，劝说路易十六政府派一支6 000人的远征军前去支援殖民地人民。翌年4月再去美洲，在弗吉尼亚州任军长。同年7月底将英国司令官康华里勋爵围困在约克敦。同年10月19日康华里投降。拉法耶特被称为“两个世界的英雄”。1782年他返回法国时晋升准将。1784年他访问美国，成为好几个州的公民。在以后的5年中，拉法耶特成为法国开明贵族的领袖和要求宗教自由和废止奴隶贸易的战士。1789年5月他作为贵族代表选入三级会议，支持第三等级的资产阶级代表控制三

级会议并把它改变成革命的国民议会。同年7月11日,他向议会提出《人权和公民权利宣言》草案。这一《宣言》草案经过修改后,于同年8月27日通过。7月15日巴士底陷落后,他当选为新成立的巴黎国民自卫军司令。次年,他的声望和势力达到最高点。他支持将权力从贵族转移到资产阶级手中的措施,但他害怕进一步实行民主化会鼓励下层阶级向财产私有权进攻。因此,当共和派开始抨击新君主立宪制时,他大为震惊。当请愿群众齐集练兵场要求国王退位时(1791-07-17),他命令自卫军开枪射击,示威者死伤50人左右。这次事件损害了他的声望,10月他离开自卫军。同年12月任梅斯方面军司令。1792年4月,法国已同奥地利开战,他想镇压激进民主派,但这一计划落了空。同年8月10日君主制被推翻,他如果不逃到奥地利(8月19日),将会以叛国罪受到审判。1799年拿破仑掌权,他回到法国。路易十八在位期间,他任众议院议员。1824～1825年他访问美国,受到热烈的欢迎。1830年7月他指挥国民自卫军,帮助推翻国王查理十世,使路易-菲力普复位。6个月后引退。

Laffite, Jean　拉菲特(1780?,法国～1825?)　Laffite又拼Lafitte。私掠船长和走私分子,1812年战争中曾助美国作战,保卫新奥尔良。1809年拉菲特与其兄弟皮埃尔在新奥尔良开设铁铺,为一批私掠船所运私货及奴隶提供窝藏之所。1810～1814年,他们在新奥尔良以南的巴拉塔里亚湾一些荒漠无人的海岛上建立非法的移民中心,劫掠西班牙商船。由于巴拉塔里亚湾为进入新奥尔良之重要海上通道,1812年战争期间英国人以3万美元及皇家海军舰长一职诱使拉菲特为其效忠。拉菲特佯作同意,但将新奥尔良危险局势通知路易斯安那州官员。然后又在防守新奥尔良的A.杰克逊将军所部受到极大压力的情况下,向他表示愿意提供支援,以求得政府的赦免。杰克逊同意这个条件。1814年12月至1815年1月新奥尔良战役中,巴拉塔里亚部队战绩显著,杰克逊个人嘉奖拉菲特为"战役中勇将之一",J.麦迪逊总统发布声明,对拉菲特及其一伙予以宽恕。然而,战后这个匪

美国不列颠百科全书公司供图

首故态复萌,1817年率徒众近千人在得克萨斯州加尔维斯顿岛上重建一社区,取名坎佩切,继续劫掠西班牙船只。1820年对美国船舰进行袭击,引起官方注意,欲予清剿。翌年,拉菲特选拔全部干练水手,焚毁城镇,搭乘其最佳舰只"骄傲"号驶离该地。此后数年,劫掠于西属美洲沿海地区。

Laffitte, Jacques　拉菲特(1767-10-24,法国巴约讷～1844-05-26,塞纳河畔迈松)　法国银行家和政治家。拿破仑时期结束至七月王朝(1830～1831)初期的杰出政界人士。木匠之子。早年在巴黎佩雷戈的银号中工作,1800年成为股东,1804年继佩雷戈为银号老板。佩雷戈-拉菲特公司的银行成为欧洲最大银行之一,他任该行董事(1809)。1814年,他任法兰西银行总裁及商会会长。同年他为临时政府筹措巨款,在"百日"期间又为路易十八筹措巨款。1816年选入众议院,在左翼就座,发言多议论财政问题。1818年他买入大批股票,使巴黎免遭财政危机。但是次年,他由于热情为出版自由和1819年的选举法辩护而被免去银行行长职务。1830年7月选入众议院。他力求避免共和制。在当选众议院议长以后,他为路易-菲力普的登基大卖力气。新国王任命他为国务大臣,1830年11月又任命他为首相。他试图援助国外的(特别是意大利的)革命运动。但不让法国进行干预,因此招致左右派别的批评。翌年3月13日辞职。

Laffitte, Pierre　拉菲特(1823-02-21,法国贝盖～1903-01-04,巴黎)　法国哲学家,是哲学家A.孔德最亲密的学生。1857年孔德去世时,是指定的遗嘱执行人之一,并任实证主义学会会长。1892年被任命为法兰西学院科学通史教授。其著作有:《宇宙论讲演录》(1853)、《人类通史哲学教程》(1859)、《中国文化通论》(1861)、《人类的伟大典型》(1874)、《论实证主义伦理学》(1880)和《歌德的〈浮士德〉》(1899)。

Lafforgue, Laurent　拉福格(1966-11-06,法国安东尼～　)　法国数学家,因为将数论与分析相联系而于2002年获得菲尔兹奖。1986年毕业于巴黎高等师范学校,1994年获巴黎大学博士学位。2001年成为位于法国伊沃特布雷的高等科学研究院的终身数学教授。在朗兰兹纲领的研究方面取得了重大进展,在数论与分析两大领域之间建立了新的联系。证明了与函数域情形相应的整体朗兰兹纲领。他所证明的相应的整体朗兰兹纲领,对更抽象的所谓函数域而非通常的数域情形提供了一种完全的理解。拉福格对于任意给定的函数域建立了其伽罗瓦群表示和与该域相伴的自守型之间的精确联系。在这一工作的过程中,他还发现了一种将来可能被证明是十分重要的新的几何构造。

Lafia　拉菲亚　尼日利亚中部高原州城镇。在通往哈科特港的铁路干线和马库尔迪—乔斯公路干线上。初为阿拉戈人的小城镇,19世纪初成为当地一酋长国的首都。1881～1903年该镇成为贝努埃河谷最重要的集市,有商道通往西南90千米的贝努埃河港洛科。1903年英国控制了北尼日利亚后,承认拉菲亚酋长为酋长国国王。1967年该镇归贝努埃-高原州,1976年属高原州。现为芝麻、大豆的集散地及薯蓣、高粱、粟、棉花的销售中心。居民以阿拉戈、蒂夫和卡努里人为主,从事农耕和织布、染布等传统手工业。附近有锡、铌和焦煤开采业。镇内有酋长王宫和清真寺。有铁路通哈科特港,有公路通马库尔迪和乔斯。人口约79 387(1991)。

Lafiagi　拉菲亚吉　尼日利亚中西部夸拉州城镇。濒临尼日尔河南岸。1810年为富拉尼人所建。1824年成立拉菲亚吉酋长国。1949年降为酋长领地。现为埃登地方政府参议会所在地。是稻米、鱼干的集散地和薯蓣、高粱、粟、玉米、甘蔗、可乐果、花生、棕榈产品、棉花等的销售中心。居民以努佩人为主。织布是重要的传统手工业。人口约53 500(最新估计)。

Lafitte, Jean　参阅 **Laffite, Jean拉菲特**。

Lafontaine, Henri-Marie　拉丰泰因(1854-04-22,布鲁塞尔～1943-05-14,布鲁塞尔)　比利时国际法学家、国际和平局主席(1907～1943)、1913年诺贝尔和平奖获得者。在布鲁塞尔大学学法律,1877年取得律师资格,并成为国际法权威。1893年在布鲁塞尔新大学任

美国不列颠百科全书公司供图

国际法教授,两年后作为社会党人被选进比利时参议院。1919～1932年任参议院副议长。他很早就对1882年创立的国际和平局感兴趣,并影响该局促成1899和1907两次海牙和平会议。他曾以比利时代表团团员的身份出席巴黎和会(1919)和国际联盟大会(1920～1921)。在其他促进世界和平的努力方面,他创办世界智力中心(后并入国际联盟智力合作研究所),并建议成立一个世界学校和大学、一个世界议会和一个国际法庭等组织。著有多种法律手册和一本文献性国际仲裁史。

LaFontaine, Sir Louis Hippolyte, Baronet　拉封丹(1807-10-04,下加拿大布谢维尔～1864-02-26,蒙特利尔)　加拿大政治家,1842～1843年与R.鲍德温共同担任加拿大联合省总理,并于1848～1851年"大内阁"期间再次共同担任总理,建立责任制政府。1829年在下加拿大取得律师资格,翌年从政,当选为代表泰勒博恩的省立法会议议员。他支持法裔加拿大人对英国总督表达的不满,但不容忍1837年的叛乱。1838年爆发第2次叛乱,他被监禁,未经审判即获释。1840年上加拿大与下加拿大合并成为加拿大西区和

加拿大国家档案馆供图

加拿大东区，他成为法裔加拿大人的领袖。他没有接受第一任总督西德纳姆提出的由他担任副检察长的建议，但接受第2任总督巴戈特向他提出的与加拿大西区（今在安大略省）改革派领袖鲍德温共同组阁的请求。1842年组成的内阁不到一年即辞职，以抗议巴戈特的继承者梅特卡夫的行径。在野4年后，在埃尔金任总督时，再度与鲍德温共同组阁，建立责任制政府。他的《叛乱损失法案》（1848）对在叛乱中蒙受损失者进行赔偿，促使发生蒙特利尔骚乱。1851年退职，1853年被任命为加拿大东区首席法官兼领地法院院长。1854年封准男爵。

Laforet (Díaz), Carmen　拉福雷（1921-09-06，西班牙巴塞罗那～2004-02-28，马德里）　西班牙女小说家。幼时在加那利群岛拉斯帕尔马斯受教育，内战（1936～1939）结束后回到巴塞罗那。所著小说中的女主人公的生活，十足反映了作者个人的经历。她的第一本也是最成功的作品《一无所有》（1945），自然流畅，富于感情，用战后出现的所谓"恐怖主义"的叙事风格写成，倾向于强调痛苦和怪诞意象。内容写一个年轻姑娘战后从国外回到巴塞罗那的印象，她发现到处是肮脏混乱的气氛和精神上的空虚。后期作品虽然结构比较完善，但却十分伤感而欠热情。1952年出版的《岛和群鬼》也属自传性质。拉福雷于1951年改奉天主教，在小说《新妇女》（1955）里有强烈反映，小说内容是写一个世俗妇女重新发现了自己的信仰。

Laforgue, Jules　拉弗格（1860-08-16，乌拉圭蒙得维的亚～1887-08-20，巴黎）　法国象征派诗人、抒情讽刺诗大师、"自由诗体"的创始人之一。他的作品影响所及直至20世纪的美国诗人如T.S.艾略特和超现实主义作家。从丰塔讷的中学毕业后，到美术学校听泰纳的课。后任艺术收藏家埃弗吕西的秘书。埃弗吕西引导他熟悉印象派绘画。1881年赴柏林，任奥古斯塔皇后的侍读，在德国居住约5年，写成他的大部分著作。1886年12月31日，同英国女郎L.李在伦敦结婚，后回到巴黎。由于贫困，次年死于肺病。在《怨歌集》（1885）以及《月亮圣母颂赞》（1886）和《仙人的集会》（1886）的诗行词句里，拉弗格以讽刺的口吻，表达了自己如何为死的念头所纠缠，以及他的孤独和他对例行公事的厌恶。他为佛教和德国哲学所吸引，尤其是叔本华的悲观论和哈特曼的无意识论。他从科比埃尔和兰波的事例中得到启发，于是创造新词，试用俗话，用哲学和科学的语言把民歌和舞厅歌曲结合起来，以求创造出异常新颖的形象。他对新节奏的探求在"自由诗体"中达到高峰。在短篇故事集《传奇道德故事》（1887）中，他重新解释莎士比亚、瓦格纳、福楼拜和马拉梅的作品。他在象征派杂志上发表的艺术评论证实他十分透彻地领悟印象主义的真谛。

Lag ba-ʿOmer　拉·巴-奥默节　犹太教的一个次要节日。日期在大麦捆计数期的第33天。届时半志哀停止，但可以嫁娶。在以色列国境内上加利利地区梅龙地方，正统派犹太教徒逢此日纷纷前往参谒大拉比西缅·本·约哈伊墓。民间庆祝活动中包括第一次为婴儿理发、玩耍象征虹霓的弓箭、围篝火舞蹈等。

Lagash　拉格什　古代苏美尔最重要的都城之一，即今泰洛赫，在伊拉克东南部底格里斯河与幼发拉底河之间。1877～1933年，法国人在泰洛赫进行发掘，发现5万件以上楔形文字文书，这是了解公元前3千纪苏美尔情况的重要原始资料之一。石刻和砖刻的铭文是考订苏美尔艺术发展年代的宝贵证据。此城建于史前的欧贝德时代（约公元前5200～前3200），直到安息时代（公元前247～公元224）仍有人居住。在早王朝时代，其统治者们自称"王"（路伽尔）。这个时期最著名的文物是庆祝埃南滕国王凯旋的兀鹰石柱和恩特梅纳国王的镌刻银瓶。最后受

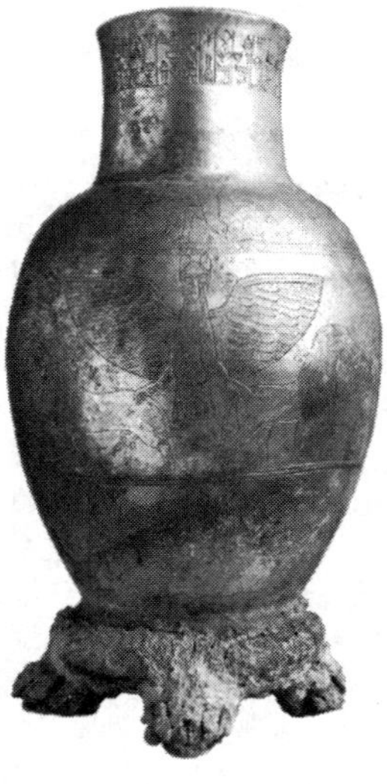
拉格什出土的早王朝时代恩特梅纳国王镌刻银瓶
美国不列颠百科全书公司供图

阿卡得的萨尔贡（约公元前2334～前2279在位）统治，但于150年以后得到复兴。在古德亚统治时代最为昌盛，他大概是一个隶属于古蒂人的统治者，而不是独立的君主。

Lågen　洛根　又称尼默达尔河（Numedalslågen）。挪威东南部河流。源出哈当厄高原，东流转北再折向东南，在拉尔维克注入斯卡格拉克海峡。全长337千米，是挪威的第三大河。在孔斯贝格附近自17世纪开始开采银矿直至20世纪中叶。设有世界上最古老的矿业学校（1757）。在孔斯贝格以上木材和水力发电是主要经济资源；孔斯贝格以下农业很重要。拉尔维克是南部沿岸重要的林产品中心。

Lågen　洛根　又称居德布兰达尔河（Gudbrandsdalslågen）。挪威中南部河流。洛根系指河流在奥普兰郡内的一段。源出多夫勒高原上众多的小湖泊和溪流，向东南流199千米，穿过居德布兰河谷，在利勒哈默尔注入米约萨湖。出米约萨湖后称沃马河，东南流，在奥尔内斯与格洛马河汇合，此段流程长160千米以上。流域面积11 900平方千米。沿河修建了许多大水电站。奥斯陆与特隆赫姆之间的主要铁路和公路多沿河铺设。

lager beer　贮藏啤酒　一种浅色、高碳酸气型啤酒（beer）。

Lagerkvist, Pär (Fabian)　拉格尔克维斯特（1891-05-23，瑞典韦克舍～1974-07-11，斯德哥尔摩）　20世纪上半叶瑞典一流小说家、诗人、剧作家。1951年获诺贝尔文学奖。早年与宗教决裂后，转向社会主义，支持艺术

美国不列颠百科全书公司供图

与文学的激进主义，并在其宣言《文字与图画艺术》（1913）中表示了这一立场。在《戏剧》（1918）中，3个独幕剧《艰难时刻》显示了他的类似现代主义的观点。第一次世界大战期间，他的作品充满极端悲观主义色彩，如《苦痛》（1916）。但从他写《永久的微笑》（1920）和自传体小说《现实的客人》（1925）开始，他的悲观主义渐渐消失。最后在散文独白巨著《战胜生活》（1927）中，宣告了他对人类的信念。这成为他以后作品的积极出发点。他的散文作品《刽子手》（1933）是他看出了新的崇尚暴力的信条的危险后针对世界上残暴行为发出的抗议。他的剧本《没有灵魂的人》（1936），表达了他对法西斯主义的愤慨。40年代，他写出最不寻常的剧本《让人活下去》（1949），指出有史以来人们就以审判别人，甚至把别人处死为能事。小说《侏儒》（1944）发表后，博得瑞典批评界普遍赞扬，成为他所写的第一本畅销书。他的《巴拉巴》（1950）出版后为他赢得国际声誉。

Lagerlöf, Selma (Ottiliana Lovisa)　拉格洛夫（1858-11-20，瑞典莫尔巴卡～1940-03-16，莫尔巴卡）　瑞典女小说家，作品多取材于传说和古代北欧英雄传奇，是获得诺贝尔

美国不列颠百科全书公司供图

文学奖的第一位妇女和第一位瑞典作家。曾在斯德哥尔摩受师范教育，1885 年在兰斯克鲁纳任教师。在那里，她写了第一本小说《古斯泰·贝林的故事》(2 卷，1891)。小说用抒情笔触，充满悲怆情调，写她的故乡兴盛时期的生活，在 19 世纪 90 年代瑞典浪漫主义复兴中起了一定作用。1894年她出版一部故事集《无形的链环》。以后在她漫游意大利之后，写出一本描写西西里的有社会主义色彩的小说《反基督的奇迹》(1897)。她的另一本集子《一座庄园的故事》(1899)是她最出色的作品之一。1899～1900年，她在埃及和巴勒斯坦过冬，因而写了《耶路撒冷》(2 卷，1901 ～ 1902)，该书问世后，她成为瑞典最优秀的小说家。其他作品包括《阿尼司·潘宁吉先生》(1904)、《骑鹅旅行记》(2 卷，1906 ～ 1907)、《骑鹅旅行续记》(1911)。她擅长以细腻的笔触，写回忆童年的作品，如三部曲《勒温斯瑟尔特的戒指》(1925)、《卡洛特·勒温斯瑟尔特》(1925)、《安娜·斯沃尔特》(1928)。

Lages (Brazil) 参阅 **Lajes** 拉日斯。

Laghouat 艾格瓦特 阿尔及利亚中北部绿洲和城镇。在撒哈拉阿特拉斯山脉南端，濒姆济河。绿洲面积 253 公顷。1852 年被法国占领。1962 年归还阿尔及利亚。为该地区四大人口中心之一。南山上的新建区有政府和军事机构。北山上的旧区保存有撒哈拉式建筑。土地通过姆济河三座水坝得到灌溉，产椰枣、果树、蔬菜和谷物。以编织帘帷和毛毯著称。人口96 342(1998)。

lagomorph 兔形类 兔形目哺乳动物，包括兔、野兔和鼠兔。前二者耳长，尾短，后肢发达，善跳跃；后者耳短圆，尾不外露，后肢不发达，能奔跑。本目均为中、小型兽类，最小的体长 150 毫米，体重 100 克(鼠兔)，最大的体长 700 毫米，体重 4.5 千克(野兔)。毛色多为浅褐色或红褐色，下体色较浅或为白色。雪兔于冬季为白色，仅耳尖黑色，夏季变为浅灰或米黄色。兔形目动物切牙发达，持续生长，上颌2 对，下颌 1 对，适于切断植物茎及啃咬树皮。唇活动灵活，分两瓣，闭口时于切牙后方相接触。无犬牙。颊牙位置较靠后，亦持续生长。上颌牙列各牙间隔离较宽。咀嚼时颌部作横向运动，颌部咀嚼肌不及啮齿类发达。小肠长，内壁有螺旋瓣以增加消化、吸收面积。盲肠大，位于小肠与大肠相连接处，内有细菌，有助于消化，并能产生含营养素的软粪团。前足 4 趾，后足 4 ～ 5 趾。趾行性。兔及野兔生境广泛，包括草原、荒漠、森林、沼泽、灌丛及冻原。亦见于海拔4 900米的山地。挖穴而居或居于其他哺乳动物挖的穴内。多数兔类独居，但有些成对而居。兔类多陆栖，但北美两种棉尾兔属(*Sylvilagus*)动物会泅水。野兔往往生活于开阔地，栖于土中或植被中浅的洼处。鼠兔居于北方干草原、半荒漠或森林，挖穴而居或置身于岩间。兔及野兔一般不发声，仅于受惊及受伤时才尖叫。鼠兔则常鸣叫。兔与野兔夜间活动，鼠兔日间活动，均以草及柔软的植物为食，也吃嫩枝及树皮，尤其在冬季。雪兔用前足刨雪，吃被雪覆盖的植物。鼠兔会贮藏食物以备冬用。有些兔形目动物有两种粪便：一种是干硬的粪便，直接排出体外；一种是软粪，含大量维生素，一排出就被吞食掉(这现象颇似反刍现象)。兔的幼仔出生时无毛，眼未睁开，生活不能自理。野兔幼仔出生后，眼睁开，有毛，不久便能跑。兔类繁殖能力极强，在繁殖季节可以产仔数窝，每窝一般产 2 ～ 3 仔(野兔)或 3 ～ 6 仔(兔)。妊娠期在野兔类为 47 天，兔类为 28 天。10 周龄的棉尾兔即可产仔。雌性的兔及野兔通常大于雄体。鼠兔于晚春及夏季繁殖，每个繁殖季节产仔 2 ～3 窝，每窝 2 ～ 6 仔。兔形目是食物链中重要的一环。其天敌有狼、狐、猞猁、鼬科动物、鹰和猫头鹰等。兔形目北方种类的数量有年度波动，与以其为食的猛禽和猛兽的数量年度波动相吻合，美洲雪鞋兔与雪枭数量波动的相关极为明显。除东南亚岛屿、澳大利亚、新西兰、马达加斯加、南美南部和南极外，兔形目动物几乎遍布全世界。人类多将兔和野兔引入其原产地之外，以为狩猎及肉食之用。野生兔形目动物是狩猎动物，肉是野味，皮可利用。穴兔(*Oryctolagus cuniculus*)可驯化成家兔，肉和皮可用，又是重要的实验动物，用于生物学及医学研究，或饲为玩赏动物。兔及野兔会为害庄稼，破坏幼树和果园，尤其是冬季。曾用天然存在于南美棉尾兔属的病毒病黏液瘤病来控制西欧和澳大利亚的兔害，但在某些地区兔对之已产生抵抗力。鼠兔对人无经济意义。

兔形目在古新世末起源于亚洲北部。兔及野兔于始新世末进入北美，第三纪中期在北美繁衍。上新世进入欧洲。鼠兔于第三纪中期由亚洲进入欧洲，后又进入非洲和北美。以前曾将兔形目划为啮齿目的重齿亚目(Duplicidentata)。但此类群的上切牙为 2 对，与啮齿目不同，因此应另立一目。兔形目分 3 科，现存 2 科。①兔科(Leporidae)。包括兔类与野兔类。耳长，后肢长而有力。尾短。共 11 个现存属。②鼠兔科(Ochotonidae)。耳短而圆，后肢较前肢稍长。仅 1 个现存属。③古兔科(Eurymylidae)已绝灭。有 2 个属。由晚古新世至始新世，产自亚洲北部，并非现在兔形目的直接祖先。上颌只有两对前磨牙。兔形目与其他哺乳类的亲缘关系未明。

lagoon 潟湖 海岸与滨岸坝之间，有水道与外海相通的浅水区。滨岸坝是由波浪堆积而成的沙坝或砾石坝，或是珊瑚礁坝。潟湖相应地分为海岸潟湖和珊瑚潟湖两种类型。

海岸潟湖 位于滨岸坝与海岸之间，水域狭长而不规则。分布广，估计约占全世界海岸线的 13%，多形成于潮差较小或中等、波浪能量较低或中等、有丰富沉积物足以形成起保护作用的滨岸坝之处。滨岸坝潟湖特点是长。在美国东海岸断续长达1 500千米；澳大利亚南部的吉普斯兰德潟湖群形成在长约 145 千米的滨岸坝后方，湖深 1 ～ 6 米。潟湖湖水的循环受潮流入口宽度、潮差和附近陆地径流注入量的影响。吹入潟湖的大风也有影响，可吹高湖面，停息时则使湖水外泄。湖水流速在横穿滨岸坝的水道中最大，吉普斯兰德潟湖入口处潮流流速达 3 节，在河流洪水入海时可增大到 7 节。海岸潟湖的水温与盐度因气候变化大而变动较大。由于水浅，水温接近气温，冬季比外海低，夏季比外海高。盐度则随进入潟湖的径流量与潮流量之比而变化。海岸潟湖按盐度可分为半咸水、咸水和极咸水三种。半咸水潟湖接受较

太平洋社会群岛中环绕赖阿特阿岛和塔哈岛的珊瑚潟湖

美国不列颠百科全书公司供图

多的径流;极咸水潟湖形成在蒸发量超过海水流入量之处。美国得克萨斯州的马德尔湖、黑海的西瓦什湖盐度分别达到65‰～132‰,在此条件下可有盐沉淀。在湖底地形剖面上,位于滨岸坝后方的海岸潟湖通常是细粒沉积带,湖底剖面随时间推移而逐渐淤高,只在接近潮流入口处有较深的沟。海岸潟湖中的动物多为生长在软泥或沙中的牡蛎等软体动物。海岸潟湖在下沉区、稳定区和上升区都可形成,只要岸坡比涌浪所需的平衡剖面低平、物质丰富,足以形成滨岸坝。海岸潟湖中由于持续的沉积作用、河流泥沙的注入、植物作用和咸水的絮凝作用,沉积速率比外海大得多。得克萨斯州潟湖中的沉积速率平均为每百年1米。暴风或海啸可暂时抬高海面、冲破滨岸坝或越顶而过,对潟湖产生重大影响,短时间改变其轮廓,引起侵蚀和堆积。海岸潟湖也受冰期后海面上升的影响。海面上升太快时,滨岸坝岛将被淹没,导致潟湖消失。

珊瑚潟湖　由环状珊瑚礁环绕或由坝状珊瑚礁相隔而成,水域呈圆形或不规则形状。分布局限于具备珊瑚生长条件的热带开阔海域,主要见于距赤道南北纬25°以内。潟湖直径25～100千米不等,深度很少超过20米,有许多更浅。在珊瑚环礁潟湖中,径流很少或没有,只有在潮流很大时引起海水的进出。在水温与盐度方面,珊瑚潟湖的湖水与外海上层海水相同。珊瑚潟湖的湖底,可因钙质沉积而变平坦,或存在死、活珊瑚的礁墩。潟湖区的植物取决于当地的气候与湖水盐度。热带潟湖中红树林繁盛,温带潟湖中常生长盐沼植物。植物的种属取决于植物的耐盐度和湖底条件。盐度较小的湖区发育芦苇沼泽,盐度接近外海时生长盐生植物。珊瑚潟湖中的动物多为造礁生物。珊瑚潟湖较能抵抗暴风浪的袭击。潟湖的发育随时间而变化。达尔文的环礁下沉成因说经钻探证明是正确的。当珊瑚在下沉的基底上能维持适当的生长水平,环礁就能继续形成潟湖,而湖底由于有来自礁上的珊瑚或钙质沉积而维持其深度。

Lagoon Nebula　礁湖星云　人马座中的一个电离氢区(HII区),又称M8和NGC6523,距太阳系1 200秒差距(3 900光年)。该星云为一直径约10秒差距(33光年)的星际气体和尘埃云。云中一群年轻热星使附近气体电离。当气体中的原子复合时,便产生星云发出的光,而星云中的星际尘埃则吸收掉其中的一部分光,看起来似乎把星云分割成星罗棋布的"礁湖",故有此名。

Lagos　拉各斯　尼日利亚西南部的一个州,濒临贝宁湾。北、东邻奥贡州,南濒贝宁湾,西与贝宁共和国接壤。1914～1954年,该州所在地区作为尼日利亚殖民地的一部分,由英国管辖。1954年宪法规定设立拉各斯联邦区(由包括拉各斯市在内的面积70平方千米的拉各斯岛组成),并将该市的腹地转交西尼日利亚行政区管辖。然而这项规定限制了拉各斯市向大陆的扩展。1967年国家政府创设拉各斯州,恢复了该市对其腹地的管辖权。州内人口原以约鲁巴人为主,随着其他尼日利亚人和西非人移入拉各斯市,人口成分亦趋多元化。拉各斯州出产木薯、棕油、棕仁、椰子、玉米、蔬菜、水果和鱼等农渔业产品。产品集中于巴达格里、埃佩和伊科罗杜三潟湖港,而后运销拉各斯市。由于构成拉各斯市中心的三座岛屿上可以利用的空间有限,这里的工业便集中在市内(阿帕帕、伊乔拉和亚巴)和市外(伊凯贾和穆欣)的工厂区,而市中心则日渐成为一个商业、金融、运输和服务业中心。因为该市人口过剩和交通拥挤,联邦政府选择阿布贾作为首都新址。1991年12月阿布贾已代替拉各斯成为国家新首都。1975年州政府已从拉各斯市迁往伊凯贾。从市区中心至大陆已增设桥梁和公路支线,并将阿帕帕港及廷坎岛港并入都会区,以减少港口阻塞。拉各斯州内有尼日利亚铁路干线(其中心路段通过拉各斯市)和公路干线,伊科罗杜、穆欣和伊凯贾因此和拉各斯市连接在一起。另一主要城市埃佩通二级公路,并且也是海港。拉各斯市国际机场位于伊凯贾郊区。该州面积3 345平方千米。人口约6 357 253(1995)。

Lagos　拉各斯　尼日利亚拉各斯州城市和主要港口。1975年以前为州政府所在地,1991年12月前为尼日利亚联邦首都。伊凯贾已取代拉各斯成为州首府,阿布贾市已取代拉各斯成为联邦首都,但拉各斯仍是许多政府机构的非正式所在地。市内人口集中于拉各斯岛。该岛位于几内亚湾中贝宁湾的拉各斯潟湖中。拉各斯是尼日利亚最大城市,也是撒哈拉沙漠以南非洲最大城市之一。15世纪末,约鲁巴渔民和猎户到拉各斯岛定居,并称之为奥科。从16世纪晚期到19世纪中叶,此地区被贝宁王国控制,改称埃科。1472年葡萄牙人首次在拉各斯岛登陆。然而,直到一个世纪之后葡萄牙人被授予奴隶专卖权以前,他们在此的贸易发展缓慢。当地的奥巴君主们与葡萄牙人有着良好关系,葡萄牙人将岛屿叫做奥尼姆(后又改称拉各斯),并发展起繁荣的奴隶贸易。1851年,英国从海上袭击拉各斯并罢免了奥巴,其压制奴隶贸易的努力达到高潮。但是,奴隶贸易却继续增长,直到1861年拉各斯被英国控制才告终止。拉各斯原为英国直辖殖民地,1866～1874年成为英国西非殖民地的一部分。1874年,成为黄金海岸殖民地(今加纳)的成员。1886年,在一名英国总督统治下重又取得单独殖民地的地位。1906年与南尼日利亚保护国合并。1914年南北尼日利亚合并时,拉各斯成为尼日利亚殖民地和保护国的首都。1954年其大部分腹地被并入西尼日利亚地区,而城市本身则设为联邦区。1960年尼日利亚独立时拉各斯成为国家首都。1967年随着拉各斯州的设立,该市恢复了对其腹地的控制权。1975年以后,一座位于全国中心阿布贾附近的新的国家首都发展起来以取代拉各斯,因为拉各斯此时已受到贫民区、工业污染和交通阻塞的困扰。拉各斯的地形以岛屿、沙洲和潟湖为主。城市在拉各斯、伊多、伊科伊和维多利亚四大岛上延伸开来,岛与岛之间,岛与大陆之间有桥梁连接。全区地势较低,拉各斯岛上最高点海拔仅7米。原殖民地所在的拉各斯岛西北端现为贫民区,街道狭窄,房屋破旧,人口拥挤。西南岸为主要商业区,高层建筑日益增多。这里是城市的心脏,商业、金融、行政管理和教育活动的中心。拉各斯的制造业主要有汽车和无线电装配、食品和饮料加工、金属制品、油漆和肥皂生产。纺织品、化妆品和药品生产也在经济中占重要地位。此外还有渔业。拉各斯港由拉各斯岛的海关码头和大陆上更为重要的阿帕帕码头组成,为尼日利亚出口商品的主要口岸。河湾和潟湖中有沿岸小船来往穿梭。该市是国内公路和铁路网在西部的终点,伊凯贾的机场则提供国内和国际服务。拉各斯都会区还是重要的教育文化中心。拉各斯大学(1962年建校)、国家图书馆、拉各斯市图书馆以及收藏着尼日利亚艺术和工艺品之最佳历史典范的国家博物馆(建于1957年)均设在该市或其郊区。尼日利亚联邦广播公司和尼日利亚电视局的总部也设在这里。人口约1 518 000(1996)。

拉各斯市的阿帕帕码头
美国不列颠百科全书公司供图

Lagos, Ricardo　拉戈斯(1938-03-02,智利圣地亚哥～　　)　全名Ricardo Lagos Escobar(里卡多·拉戈斯·埃斯科瓦尔)。智利经济学家和政治人物,2000～2006年担任智利总统。1960年在智利大学获得法律学位,1966年在美国杜克大学获得经济学博士。后担任智利大学政治和行政科学院院长和驻苏联大使。1973年,智利总统阿连德在皮诺切特将军领导的军事政变中被推翻,拉戈斯流亡美国。1978年被任命为联合国经济学家。80年代初,返回智利,担任反皮诺切特党派联盟民主联盟的主席。1987年创建争取民主党。1990年皮诺切特下台,拉戈斯在此后的两届政府中分别担任过教育部长和公共工程部长。1999年当选执政联盟的总统候选人,2000年当选总统。任职期间,智利经济增长迅速,实施了民主改革,深受民众支持。领导了智利的主要社会改革,包括将离婚合法化。2006年离任,其继任者M.巴切莱特是智利历史上第一位女总统。

Lagrange, Joseph-Louis, Count (comte) de l'Empire　拉格朗日(1736-01-25,意大利都灵～1813-04-10,巴黎)　法国数学家,在分析和数论的各个领域以及分析力学和天体力学中都有杰出贡献。他最重要的著作是《分析力学》(1788),它是此后这一学科所有研究的基础教科书。19岁时,他在都灵炮校讲授数学。其最早著作是关于声的传播和极大、极小概念的研究，深受 L.欧拉的赞赏。1761 年，他已被认为是当时最伟大的数学家之一。1764 年，以关于月球天平动的论文获得法国科学院颁发的奖金，文中应用了现在以他的

美国国会图书馆供图

姓氏命名的方程，此后还四次受奖。1776～1787 年，他迁居柏林，著述极多，涉及三体问题、微分方程、素数理论、以 J.佩尔的姓氏命名的重要的数论方程、概率论、力学以及太阳系的稳定性。在题为《关于方程的代数解的想法》(1770)中，他开辟了代数发展的新时期，激励了 E.伽罗瓦研究群论。以后他又移居巴黎，1788 年出版经典著作《分析力学》，在变分法的基础上对自牛顿以来百余年间的力学研究作了透彻的总结。1795 年巴黎综合工科学校开办后，他与 G.蒙日同为该校主要的数学教授，所授课程以《解析函数论》(1797)和《函数演算教程》(1804)为书名出版，这是实解析函数最早的教本，书中试图把微分学奠基于代数之上并排除无穷小。这是一个勇敢的尝试，但未获成功。

Lagrange, Marie-Joseph　拉格朗日（1855-03-07，法国布雷斯地区布尔格～1938-03-10，马赛）　法国天主教神学家、圣经学者。1879 年入多明我会，1883 年受神职。1890 年在耶路撒冷创办圣经研究学校。现代派神学当时流行于欧洲，许多学者企图重新解释天主教传统教义。虽然拉格朗日拥护教皇反对现代派神学的声明，但他在对《创世记》的注释(1906)中的明显现代派观点，受到了严厉批评。1912 年被召回法国。后被重新派往耶路撒冷任教，除第一次世界大战期间外，他都在该地，直到逝世。

Lagrangian function　拉格朗日函数　又作 Lagrangian。表征物理系统的状态的量。在力学中，它就是动能减去势能的差。可以把一个随时间从一个状态(或组态)变化到另一状态(或组态)的物理系统，设想为沿着一条特定的演变路径在前进；按照这种观点还可以问：为什么它在所有可以设想的路径中选择这一条？答案是：物理系统沿着每一条可以设想的路径对它的拉格朗日函数求和，然后选取其和为最小的一条。这个答案提示人们，拉格朗日函数是类似于距离增量的某种东西的度量，这样，从抽象意义上可以说物理系统总是选择最短路径。在光线这个特例中，系统组态的路径就是光在空中走过的路线，而拉格朗日函数就是对光行走时间的度量。因此，光线穿过折射透镜的特殊的弯曲路线，就是一条费时最少的路线。这虽然是一个极为一般的原理，但却是一个十分不平常的发现。它看来可以对所有现象都作出很好的说明，如火箭到月球的航行以及亚原子粒子在碰撞时似乎会沿选定的方向散射的现象等。

Lagrangian point　拉格朗日点　天文学名词。一个小物体在两个大物体的引力作用下在空间中的一点，在该点处，小物体相对于两大物体基本保持静止。这些点的存在是由法国数学家和天文学家 J.-L.拉格朗日于 1772 年推导证明的。1906 年首次发现运动于木星轨道上的小行星(参阅 **Trojan planets**)在木星和太阳的作用下处于拉格朗日点上。在每个由两大天体构成的系统(如太阳-木星或地球-月球)中，按理论有 5 个拉格朗日点，但只有两个是稳定的，即小物体在该点处即使受到外界引力的摄动，仍然有保持在原来位置的倾向。每个稳定点同两大物体所在的点构成一个等边三角形。

Laguna Beach　拉古纳比奇　美国加利福尼亚州西南部奥兰治县城市。濒临太平洋。1887 年始建，1927 年设建制。为海滨游览地和艺术家聚居地。市内有美术、摄影、芭蕾

拉古纳比奇市的海滩
美国不列颠百科全书公司供图

舞、雕塑和制陶等专业学校。1932 年以来市东天然露天剧场有艺术节和彩车盛会。人口 23 727(2000)。

Laguna District　拉古纳区　墨西哥北部农业区，包括科阿韦拉州西部、杜兰戈州东部，约有 12.6 万公顷水浇地。地处迈朗盆地。1936 年据土改纲领，分地给实行村社合作制的印第安人，土地所有权仍属政府所有。引纳萨斯河和阿瓜纳瓦尔河水灌溉后，棉花产量迅速提高。20 世纪 50 年代初发生大旱，产量急剧下降，农户纷纷外迁。政府现已实施新的灌溉计划。主要城市有托雷翁和戈麦斯帕拉西奥。

Lahaina　莱海纳　美国夏威夷州毛伊岛西北沿海城市，属毛伊县。沿南侧海岸伸延 3 千米，背后为火山峰群，最高峰普库奎 1 764 米。莱海纳锚地是太平洋捕鲸船队经常停靠的地方。市内莱海纳中等学校(1831)是夏威夷最早报纸《夏威夷火炬》(1834)的创办地。市

莱海纳市一角
美国不列颠百科全书公司供图

东 8 千米有 300 年前的奥洛瓦卢石刻，记载早期夏威夷人的活动。菠萝罐头制造和榨糖业在很长时期一直是主要收入来源，但 20 世纪末逐渐衰退，现在旅游业成为是主要经济支柱。人口9 118(2000)。

lahar　火山泥流　火山物质的泥流。可夹带各种大小的物质，小至火山灰、大至漂砾，一齐滚动，从而形成火山砾岩的堆积。其形成可能是由于暴雨冲刷疏松的火山物质，例如炽热火山云沉积的结果，炽热火山云是夹带着炽热尘埃并雪崩式地喷出火山砂的浓厚气体云；也可能是由于岩屑与河水的混合，火山喷发使积雪或冰川溶化与火山灰混合而成洪流，或是由于火山口湖水流到疏松物质上而成。另一种情况是岩浆升涌或火山喷发使火山口湖水变热而造成热泥流。泥流高速冲下山坡，能流到几十英里外的地方，堆积表面一般呈波状或山丘状。火山泥流常造成生命财产的严重损失，如公元 79 年维苏威火山爆发期间赫库兰尼姆的火山泥流便是如此。

Lahbabi, Mohammed Aziz　拉巴比(1922-12-25，摩洛哥非斯～1993-08-23，拉巴特)　摩洛哥小说家、诗人、哲学家。作品以强调对话和普遍性的人道主义观点为特点。在拉巴特大学教过哲学，当过文学院主任、教授，在阿尔及尔大学教过书。创立马格里布阿拉伯作家联盟，并任主席，主编《地平线》杂志。在巴黎获哲学博士学位。博士论文分两部分出版：《从存在到人》(1954)及《自由或解放》(1956)。拉巴比在伯格森及穆尼埃著作的影响下，曾试图采用人格主义的方法论创立以穆斯林人道主义为基础的哲学。他以《古兰经》和传统伊斯兰教论著为指南，分析了人、人的意识、责任和自我感及良心。由这一工作产生了他的《穆斯林的个人人格主义》(1964)，全面评述了穆斯林思想，《从关闭到开放》(1961)是对文化、文明的研究。此外，他还发表了许多文学和哲学短论，一些诗集和小说。《飘忽不定的希望》(1972)曾以阿拉伯文和法文出版。他的著作还有：《摩洛哥经济基础》(1977)、《摩洛哥经济要素》(1977)和《明天的世界：第三世界在挑战》(1980)。

Laḥij　拉赫季　也门西南部城镇。濒临海岸平原上的提班河。降雨稀少，主要在冬季。在从亚丁通往西也门北部的公路干线

上。为地区的农贸中心。在前英国统治区亚丁保护国管辖下为阿卜杜勒苏丹国(1967年也门[亚丁]独立时被废除)首府。人口约11 000(最新统计)。

Lahina (Sikh Gurū) **拉希纳** 参阅 **Aṅgad 安格德**。

Lahmu and Lahamu 拉赫穆和拉哈穆 美索不达米亚神话中的双生神灵。阿卜苏(环绕大地的深渊之神)和提马特(咸水之神)融合而成一片混沌,其中最先诞生的神灵就是此二神。他们一般象征淤泥,另据有些文献他们形象似蛇。

Lahn River 兰河 莱茵河右岸支流。源出德国西部亚格德峰(676米),东流转南,至吉森折向西南,在兰施泰因汇入莱茵河。全长245千米。小驳船沿疏浚成为运河的河段

兰河河畔林堡的大教堂
美国不列颠百科全书公司供图

可航行至吉森。下游河谷狭窄。沿河有马尔堡和吉森等城镇以及中世纪城堡遗迹和巴特埃姆斯疗养地。马尔堡和吉森各有一大学。

Lahnda language 拉亨达语 又称贾特基语或西旁遮普语,属印度-雅利安语西部语支,主要通行于巴基斯坦旁遮普省西部。主要方言是木尔坦方言。拉亨达语借用很多波斯和阿拉伯语词汇,与克什米尔语和信德语具有同样特点。文学作品很少。穆斯林使用波斯式的阿拉伯字母,印度教徒则使用拉亨达字母。

Lahore 拉合尔 巴基斯坦第二大城。旁遮普省省会。位于印度河支流拉维河上游冲积平原。早期历史不详。1152～1186年为伽色尼王朝首府。1524年被莫卧儿军占领。莫卧儿帝国时期城市臻于鼎盛,一度为皇族住地。17世纪中叶后重要性降低。在锡克教领袖朗季特·辛格统治时期(1799～1839)为政府驻地,后逐渐衰落。1849年归英国统治。1947年独立后,成为旁遮普省省会。旧城区南部两侧是新建的商业区、工业区和住宅区。四周为郊区。原有的城墙和护城河,除北面的保留外,均为园林所取代。一条环城路设有13座大门可通城里。名胜有古清真寺、古帝王陵墓和园林。其中巴德沙希大清真寺为世界最大清真寺之一。位于城东壮观的沙礼玛尔园林有占地32公顷花坛庭园和许多喷泉。作为重要教育中心,有国内最古老的旁遮普大学(1882)和费萨尔·沙希德理工大学以及其他各类院校。拉合尔还是重

拉合尔市的城堡
美国不列颠百科全书公司供图

要商业和金融中心,国内约有1/5的企业聚集在此。纺织业是唯一的支柱产业,亦有许多橡胶厂、钢铁厂和其他工厂。金银手工制品颇为著名。有铁路、航线可通国内其他大城市。人口5 063 499(1998)。

Lahore Museum 拉合尔博物馆 又称中央博物馆。位于巴基斯坦拉合尔。1894年开放的考古博物馆。藏有旁遮普省的艺术品和工艺美术品,其中包括雕刻、钱币、冈格拉和莫卧儿的绘画和织品。从白沙瓦地区某些遗址发掘的希腊式佛教雕刻也陈列在这里。考古陈列馆的中央有一个西克里塔鼓,上面刻有佛本生故事的情景。博物馆的珍宝收藏以拥有横贯印度河地区的实物而特别著名,还收藏各种乐器以及装饰精致的武器和盔甲。馆中西藏部分藏有引人注目的喇嘛庙旗帜的展品。

Lahti 拉赫蒂 芬兰南部海梅省城市,位于赫尔辛基东北韦西湖南端。1878年建立,1905年设市。为日益发展的工业中心,有铁路、公路和湖上航道与芬兰其他地区连接。

韦西湖畔的拉赫蒂市
美国不列颠百科全书公司供图

生产国内大部分家具和许多其他木器。有玻璃、酿酒、服装和机床等工厂。拉赫蒂设有芬兰最早建立的无线电台和电视台,也是举世闻名的冬季运动场所。人口:城市区约96 666(1999)。

Lahu 拉祜族 中国少数民族。主要分布于云南省。人口453 705(2000)。语言属汉藏语系藏缅语族彝语支。多能兼用汉语和傣语。1957年创制了拼音文字。旧称"倮黑"、"苦聪"。内部有拉祜纳、拉祜西、拉祜普等支系。先世是两汉时洱海地区昆明夷的一部。

拉祜族姑娘
中国大百科全书出版社供图

8世纪为南诏(参阅 **Cuan**)迫迁至现分布地区。与汉族杂居地区封建制度逐步形成,沦为傣族土司隶属的地区尚保留原始公社制的形态。直至近代家庭婚姻尚有母系血缘观念。家庭为一夫一妻制。男子婚后从妻居三年,或终身入赘。家族族长多为长女之夫。人死后行火葬,也有土葬。传统节日有"扩"(春节),每年农历10月15～17日为葫芦节。信奉原始宗教,崇拜多神;也有信仰佛教、基督教和天主教的。先后在拉祜族地区及与其他民族杂居地区建立4个自治县和10个民族乡。

Lahu language 拉祜语 中国拉祜族使用的语言。属汉藏语系藏缅语族彝语支。使用人口约30万。主要分布在中国云南省的思茅、临沧地区和西双版纳傣族自治州。在中国境外,分布在缅甸、泰国和老挝。分拉祜纳和拉祜西两个方言。拉祜语(澜沧)语音特点是:有29个声母,其中包括双唇、舌尖中、舌根塞音各分清、浊、清送气三套共9个,有小舌清和清送气塞音;舌尖前和舌叶塞擦音也分清、浊和清送气三套共6个;唇齿、舌尖前、舌叶和舌根擦音各分清、浊共8个;有双唇、舌尖中、舌根鼻音和边音各1个。有9个单元音韵母和10个复元音韵母。有7个声调,包括5个舒声调,即中平、低降、低平、高降、高升和2个促声调即滑低降、高短降。促声调伴随紧喉作用。语法上,词类有名词、动

词、形容词、数词、量词、代词、副词、连词、助词、叹词10类，主要以虚词和词序表示句子成分的各种关系。名词末一音节重叠可构成动词；反身代词由代词重叠并加中缀或代词加后缀两种方式构成；动词有使动范畴，以声母清浊交替和不同声调表示；形容词加助词并变化声调表示程度加深。语序是：主语在谓语前；宾语在动词前；名词、代词定语在中心词前，形容词和数量词组定语在中心词后；副词状语在中心词前。

Lāhūn, al-　拉洪　又拼 El Lahun 或 Illahun。埃及古代遗址，位于优素福运河折入法尤姆省法尤姆城的转角正北。此处遗址有中王国时期（公元前1938～前约1600?）的一

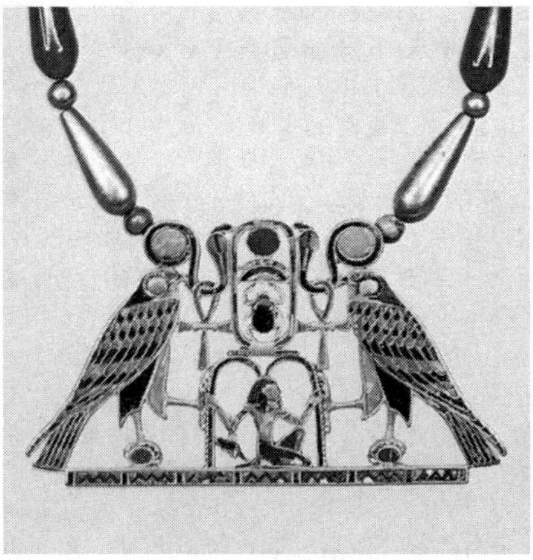

拉洪出土的塞索斯特里斯二世镶宝石胸饰
美国不列颠百科全书公司供图

座金字塔和大致与之同期的一个工匠村落。金字塔系第十二王朝8代国王中的第四代王塞索斯特里斯二世（公元前1844～前1837在位）所建，特点是墓室的入口不是开在金字塔北面而是在南面。金字塔在古代即已被盗，但在其外墙范围内的王后墓中仍然发现一件珍贵首饰。其制作之精湛，艺术之完美，均非中王国时期其他同类器物所能相比。工匠村在第二中间期（约公元前1630～前1540）也有人居住，发掘揭示出颇具规模的城镇布局。出土家具及其他室内用品难以胜数，另有一批纸莎草纸文书，内容广泛，这些发现清晰反映出中王国时期的日常生活。

lai　莱　参阅 **lay** 莱歌。

lai breton（literature）　参阅 **Breton lay** 布列塔尼籁歌。

Laibach（Slovenia）　**莱巴赫**　参阅 **Ljubljana** 卢布尔雅那。

Laibach, Congress of　莱巴赫会议（1821-01-26～05-12）　神圣同盟诸国（除英国、奥斯曼帝国及罗马教廷之外的全部欧洲国家）在莱巴赫（今斯洛文尼亚卢布尔雅那）举行的一次会议。会议为奥地利干涉和占领两西西里王国以反对那不勒斯革命（1820-07）扫清道路。这样，会议成为奥地利反自由主义政策的一项胜利；但因英、法持有异议，会议显示出这一体系已趋于衰落。参加会议的有：俄国、奥地利和普鲁士的君主们及其首相，两西西里王国和撒丁-皮埃蒙特王国的国王，摩德纳和托斯卡纳的公爵，以及英法两国的观察员。会议宣称反对革命制度，同意废除那不勒斯宪法，并授权奥地利军队扶植该地的专制王权复辟。英法反对这项决议，因而鼓舞了那不勒斯人抗击奥军，但未能获胜。1821年4月8日，皮埃蒙特的一次类似的起义亦为奥军在诺瓦拉所平定。

Laidoner, Johan　拉伊多内（1884-02-12，俄罗斯帝国爱沙尼亚维尔扬迪附近维拉茨～1953-03-13，苏联俄罗斯奔萨）　爱沙尼亚军人和爱国者。1918年领导爱沙尼亚解放军，30年代支持K.帕茨的独裁统治。在俄国学习军事，后在俄军中服役，授中校军衔。第一次世界大战期间任情报官和师参谋长。1918年任新爱沙尼亚军队总司令，1918～1919年将德国和俄国占领军逐出爱沙尼亚。1920年离开军队。1924年为镇压共产党试图发动的政变又重新服役。1925年任国际联盟英、土两国摩苏尔边境纠纷调查团团长。1934年又指挥爱沙尼亚军队镇压企图夺权的右翼“瓦普”运动。1940年6月苏军占领爱沙尼亚后被引渡至苏联，后死于苏联。

Laie　拉耶　美国夏威夷州瓦胡岛东北部火努鲁鲁县城镇。临拉耶湾。1864年为摩门基督复兴教传教士所占有，由夏威夷摩门教徒定居。市内白色建筑物拉耶教堂（1919）是举行摩门教最高礼仪活动的地方。波里尼西亚文化中心，为该地主要旅游点。设有杨伯翰大学分校（原为夏威夷教堂学院；1955）。人口4 585（2000）。

Laigin（Ireland）　**拉伊金**　参阅 **Leinster** 伦斯特。

Laima　莱马　又作 Laima-dalia（出自立陶宛语 laimė，即“幸福”、“幸运”）。波罗的海宗教所信奉的命运女神。通常以椴树为象征物。她会同天神迪夫斯和太阳女神少勒决定人的寿命和祸福；安排婚配，照料婚礼，保护孕妇，婴儿下生时降临宣布婴儿的命运。莱马还护卫牛马，决定动物和植物的寿命乃至昼夜的长短。

Laine, Dame Cleo　莱恩（1927-10-28，英国米德尔塞克斯郡绍索尔～　）　原名 Clementina Dinah Campbell（克莱门蒂娜·迪娜·坎贝尔）。英国女歌手、演员，精通各种类型的音乐，被称为“爵士女王”。14岁辍学，开始唱歌。1951年成为著名的丹克沃思爵士乐队的一员，改名克利奥·莱恩。7年间拥有了一大批歌迷，开始灌制唱片。1958年与丹克沃思结婚，并首次演出戏剧，大获成功。之后经常参加戏剧表演，还担任英国广播公司系列讽刺剧《就是这一周》中的固定演员。同时继续演唱各种类型的歌曲，如抒情歌曲、经典布鲁斯、流行音乐，甚至勋伯格的作品。她是在格莱美奖中唯一获得爵士乐、流行乐和古典音乐提名的歌手。1979年获英帝国四级荣衔；1985年获格莱美最佳女爵士乐歌手奖。她不仅出演尤利比提斯、莎士比亚、易卜生的戏剧，还参加音乐剧的演出，最著名的是桑德海姆的《拜访森林》（1988～1989）。

Laing, Alexander Gordon　莱恩（1793-12-27，苏格兰爱丁堡～1826-09-26，富拉尼帝国通布图［今马里廷巴克图］附近）　苏格兰探险家。曾到西非探险，是已知到达古城通布图的第一个欧洲人。1822年在驻塞拉利昂的英军中服役时，曾到该地区试图在曼德人中发展商品贸易，废除奴隶买卖。还访问了苏苏人的首府法拉巴（在今塞拉利昂）。1823～1824年参加英国和阿散蒂王国之间的战争。第二次探险是访问通布图和调查尼日尔河盆地。1825年7月离开北非海岸的黎波里，穿越撒哈拉沙漠，9月到达费赞北部的古达米斯（在今利比亚），然后进入图阿雷格人居住的广大地区。于1826年8月18日到达通布图之前，因作战受重伤，9月24日离开此地，两天后遇害。记载往日探险活动的日记《西非蒂马尼、库兰科和苏利马地区旅行记》于1825年出版。

Laing, R(onald) D(avid)　莱恩（1927-10-07，苏格兰格拉斯哥～1989-08-23，法国圣特罗佩）　英国精神病学家，以对精神分裂症的研究著名。出身工人家庭。曾在格拉斯哥大学学习医学和精神病学，1951年获医学博士学位。1951～1952年应征入伍任军队精神病科医师。1956～1960年在塔维斯托克诊所，1960年后在塔维斯托克人间关系研究所从事研究。他一直对精神分裂症的病因很感兴趣，1960年发表第一本书《分裂的自己》，认为本体不安全感（关于自身存在的不安全感）促成防御反应，在反应中自己分裂成几个分离的组分，从而引起精神分裂症特有的精神症状。在《自己及他人》（1961）一书中他进一步分析了精神分裂症的内部动力学。1965年与艾伦·埃斯特森合著《精神健全、疯狂与家庭》，该书收载一组精神病病例研究结果，他认为这些患者的病因是与家庭成员的关系中出现的障碍。1967年发表《经验的策略》，将疯狂视为与正常状态相离异的一种超凡形式。1971年发表《家庭的策略》，试图说明那些外表上视似无意义的精神症状，乃是个体力求保持自身的统一性和完整性的结果。他这种解释与当前流行的从生物学或化学基础上来解释精神分裂症的观点不一致。1985年发表《1927～1957：一个精神病学家的成功之路——哲人、疯人、傻人》是自传体著作。

Laird, Macgregor　莱尔德（1808，苏格兰伦弗鲁郡格里诺克～1861-01-09，伦敦）　苏格兰探险家、造船技师和商人。对了解尼日尔河曾有贡献。1832年陪同利物浦公司探险队，在英国康沃尔郡的探险家R.兰德率领下去尼日尔河三角洲。莱尔德设计的55吨轮桨船“阿尔伯卡”号是远洋航行的第一艘铁壳船。此次探险证明尼日尔河下游可行驶远洋轮。他沿尼日尔河上行880千米，再沿东岸大支流贝努埃河溯流而上，到达汇流点以上约130千米处，了解了尼日尔河河道和发

源地。探险队48名欧洲成员中，除9人之外全部死于热病或伤口溃烂，莱尔德也没有从许多苦难中完全复原。1834年他返回利物浦之后，与R.A.K.奥德费尔德一起发表了《关于1832～1834年沿尼日尔河进入非洲腹地探险的故事》(1837)。后来他致力于在尼日尔境内发展贸易。1854年他促成了由苏格兰探险家W.B.贝凯率领的第二次探险。这次探险深入贝努埃河流域约400千米，比先前任何欧洲探险家到达的里程都远。由于良好的组织工作，和使用奎宁以控制疟疾而无一人死亡，成为西非发展史上的里程碑，并推动了其他商人组织探险队。莱尔德还开创了横渡大西洋的轮船航线，该公司的轮船“天狼星”号是第一艘完全依靠蒸汽动力从欧洲横渡大西洋到达美国的轮船(1838)。

laissez-faire　自由放任主义　主张政府尽量不干涉个人和社会经济事务的一种政策。此名词的起源不明，与1756～1778年间盛行于法国的重农主义学派有联系。在亚当·斯密影响下于英国发展起来的古典经济学，强烈支持自由放任主义政策。19世纪人们普遍相信自由放任主义；其倡议者用古典经济学自然经济秩序的假设以支持他们对无约束的个人活动的信念。英国经济学家J.S.穆勒在《政治经济学原理》(1848)中阐述了政府干涉经济事务正反两方面的论点，为普及自由放任主义哲学思想起了很大作用。自由放任是一种经济原理，也是一种政治原理。19世纪盛行的理论认为，个人在寻求本人所企求的目的中，就能为其本人所处的社会取得最好的成效。国家的职责在于维护秩序和安全，而不要干预个人在寻求自己既定目标时所具有的主动性。1870年左右是这一哲学盛行的高峰时期。到19世纪末叶，工业发展和批量生产技术所带来的剧烈变化，证明自由放任主义作为一种指导哲学思想尚有不足之处。虽然原有的自由放任主义观念已不像一些新的学说那样吸引公众，但其总的学说思想仍得到一些人的支持。

Laja River　拉哈河　墨西哥中北部瓜纳华托州河流。源出圣费利佩市附近西马德雷山脉，先向东后向东南流经中央高原，经过多洛雷斯-伊达尔戈、圣米格尔-德阿连德等城，与莱尔马河支流阿帕塞奥河汇合。全长约135千米。墨西哥城—彼德拉斯内格拉斯铁路与该河下游平行。

Lajes　拉日斯　又拼Lages。巴西南部圣卡塔琳娜州中东部城市。位于卡韦拉斯河以北，海拔900米。1800年建城市区。1866年升为市。现经济以饲养牲畜和工业为主。主要产品有木材、玉米、豆类、小麦、马铃薯和燕麦。在圣保罗和阿莱格里港之间的公路干线上。人口约137 169(1991)。

Lajes　拉日什　葡萄牙城镇。在亚速尔群岛特塞拉岛的东北部。1941年葡萄牙政府在当地修建空军基地。第二次世界大战中是盟国的主要空军设施之一。现为北大西洋公约组织的美国-葡萄牙军事基地。机场也是重要的北大西洋气候预报点和美国居民区。人口2 863(1981)。

Lajpat Rai, Lala　拉奇普特·雷依(1865，印度杰格劳恩～1928-11-17，拉合尔)　印度作家、政治家。他在国大党中，以及作为印度至上运动的领袖时，公开鼓吹积极斗争的反英民族主义。拉合尔公立学院法科毕业。初在希萨尔和拉合尔开律师业。后参加国大党，由于在旁遮普进行宣传活动，1907年5月未经审判就被放逐到缅甸的曼德勒。同年11月回国。第一次世界大战时期居住美国。1919年返回印度，次年任国大党特别大会主席。1921～1923年在狱中，获释后选入立法会议。1928年提出在宪法改革上抵制英国西蒙委员会的决议案。此后不久，他在示威运动中被警察打死。主要著作有：《我被放逐的故事》(1908)、《雅利安社》(1915)、《一个印度教徒对美国的印象》(1916)和《不快活的印度》(1928)。

Lājvard ware　拉伊瓦尔特瓶　伊朗卡尚出产的一种花瓶，在阿布卡西姆的陶瓷论文(1301)中曾提到过它。在翡翠色或深蓝色的釉面上，画着红、白、黑和金色的叶形图案。拉伊瓦尔特一词起源于它所使用的蓝釉，这种瓶可能于12世纪末叶开始制造。14世纪中期产量有所增加。

lakabi ware　拉卡比陶器　lakabi又拼laqabi，又称卡尚陶器。伊斯兰陶器，其风格与波斯(伊朗)卡尚陶器有联系，制作年代约为11世纪中期直至14世纪末期。拉卡比(意思是“彩绘的”)这一名称用词不当，它实际上指的是以各种色釉装饰的雕刻图案，不同颜色釉之间用黏土纹隔开。使用的颜色是蓝、黄、紫、绿。也有些拉卡比陶器是在位于幼发拉底河上的拉卡制作的。

Lakanal, Joseph　拉卡纳尔(1762-07-14，法国塞尔～1845-02-14，巴黎)　法国大革命期间法国教育制度的改革者。1789年大革命爆发时，他是教师。1792年被选入革命立法机构国民公会。1793年1月投票赞成处决国王路易十六。在任公共教育委员会委员时，提出国民教育计划法案，建议国家为男女儿童提供免费的初等教育。这项计划被否决，但在罗伯斯比尔的雅各宾政权垮台后，他任教育委员会主席，提出了修改法案。此法案实行约一年，其中等学校计划实行到1802年。1795年他开办师范学校。第二次王政复辟(1815)后，以弑君罪被放逐去美国，1834年返法。

lake　湖泊　内陆盆地中流动缓慢或静止的较大的水域。世界很多地方都有湖泊，但以北半球高纬度及山区更多，尤其是受到近代冰川影响的地区。湖泊一般沿着坡降低缓、谷地宽平的河流出现，与河道变迁有关系。也有许多湖泊出现在接近海洋的低地，特别是湿润气候区。湖泊可以有淡水，也可有咸水。淡水湖拥有世界地表水量的约0.009%，咸水湖所占水量的比重较小。一般情况是，咸水湖出现在干旱地区周围土地富含盐与碱性物质的封闭的盆地中；这些盐分风化出来，溶解于水流入湖中，湖水蒸发使盐分比重增长。盐分极重的湖泊，例如美国犹他州北部的大盐湖就是产生在气候由湿润变成干旱的地区。

湖泊大小差别很大，多数湖泊湖面面积260平方千米上下，也有少数超过3 900平方千米。北美洲的苏必利尔湖大约有82 100平方千米，是世界上湖水面积最大的淡水湖。蓄水量最大的淡水湖则是西伯利亚的贝加尔湖，总蓄水量接近23 000立方千米。湖泊可以在任何广大的无排泄的盆地里生成，也可在具有对外通道的任何大洼地中生成，但通道或多或少高出盆地底部并有足够的给水注满洼地。湖水的原始来源是融雪和融冰、泉水、河流、地表径流以及直接落入的降水。无疑问地，世界上现有的湖泊中，冰川作用形成的湖泊多于其他任一单独作用产生的湖泊。更新世(160万年前至1万年前)广袤的冰盖覆被着加拿大、美国北部、芬兰及瑞典部分地区，将这些地区的基岩凿成无排泄的盆地，从而产生成千成万的岩岸湖。这类大陆冰川因其沉积的岩屑阻断了先成水系，也可以产生湖泊。有些冰碛石散乱在大片地区，围成浅洼坑或盆地，于今积水成湖。冰川融解后，有时留下深坑称为锅穴，也蓄水成湖。大部分山谷里的湖泊多是冰川产生的。少数山区湖泊是由山崩或泥石流阻断河溪而成，这样的湖泊寿命相当短，因为下游尾端隔断河溪的天然坝不坚固的物质迅速被水流切穿。但火山熔岩流阻塞所形成的湖泊可能永久存在。隔断先成水系而形成湖泊的其他障碍物有横跨小溪的砂丘沉积、横亘河口的海岸沉积或大河的冲积物横亘在其小支流的河道中。三角洲地区缓慢水流携带的泥沙造成沉积，较快的水流可阻塞前者，从而在上游造成湖泊。大河的泛滥平原上拥有一些称做牛轭湖的水体，它们是在过去的河道中形成的。死火山或休眠火山的火山口一般拥有湖泊，俄勒冈的火口湖是其中最出名的。世界许多地方，地壳挠曲或破裂，形成陷落地块，蓄积了水。非洲的一些大湖，如尼亚萨湖和坦噶尼喀湖，即位于大裂谷中，这里是地壳最巨大的陷落地块。基底为极易溶解的石灰岩地区可发育成洼地，称做溶陷坑，坑中积水变成湖泊。佛罗里达州中北部的湖区就属于此种类型。

从地质史的时间尺度来看，湖泊寿命是短暂的。几乎从它们形成之时起，就有三种进程开始破坏它们。一切流入的河溪将沉积物带进湖中，从而开始充填湖盆的进程。一旦湖盆充满了水，导致溢流，溢流可以侵蚀湖盆唇而形成一个槽口，让湖水排泄出去。最后，植物有机沉积物的积聚可使浅湖变成沼泽或泥塘，最后成为干地。湖的上部，光、热、氧和营养物质供应良好，且因水流和湍流分布均匀，结果产生大量多种水生有机物，最丰富的是浮游生物(硅藻为主)、水藻和鞭毛虫。湖的下部和沉积物中，主要的生命形式是细菌。虽然有机体废物可以通过水藻和细菌之间的共生关系有效地处理掉，但某些工业和

世界较大的天然湖泊

湖名及位置	面积[*]	
	平方千米	平方英里
非洲		
维多利亚湖，肯尼亚－坦桑尼亚－乌干达	69 485	26 828
坦噶尼喀湖，布隆迪－坦桑尼亚－刚果(金)－赞比亚	32 900	12 700
尼亚萨湖(马拉维湖)，马拉维－莫桑比克－坦桑尼亚	29 604	11 430
乍得湖，喀麦隆－乍得－尼日尔－尼日利亚	17 800[†‡]	6 875[†‡]
班韦乌卢湖，赞比亚	9 800	3 800
鲁道夫湖(图尔卡纳湖)，埃塞俄比亚－肯尼亚	6 405	2 473
艾伯特湖(蒙博托湖)，乌干达－刚果(金)	5 600	2 160
姆韦鲁湖，刚果(金)－赞比亚	4 920	1 900
基奥加湖，乌干达	4 430	1 710
塔纳湖，埃塞俄比亚	3 673	1 418
基伍湖，卢旺达－刚果(金)	2 700	1 040
鲁夸瓦湖，坦桑尼亚[§]	2 600	1 000
奇尔瓦湖，马拉维－莫桑比克[§]	2 600	1 000
马伊恩东贝湖(利奥波德二世湖)，刚果(金)	2 300	890
爱德华湖，乌干达－刚果(金)	2 150	830
阿巴亚湖，埃塞俄比亚	1 160	448
斯特凡尼湖，埃塞俄比亚[§]	1 100	425
埃亚西湖　坦桑尼亚[§]	1 050	400
纳特龙湖，坦桑尼亚[§]	900	350
阿贝湖，吉布提－埃塞俄比亚[§]	780	300
北美洲		
苏必利尔湖，加拿大－美国	82 100	31 700
休伦湖，加拿大－美国	59 600	23 000
密歇根湖，美国	57 800	22 300
大熊湖，加拿大西北地区	31 153	12 028
大奴湖，加拿大西北地区	28 570	11 031
伊利湖，加拿大－美国	25 667	9 910
温尼伯湖，加拿大马尼托巴省	24 390	9 417
安大略湖，加拿大－美国	19 010	7 340
尼加拉瓜湖，尼加拉瓜	8 157	3 156
阿萨巴斯卡湖，加拿大萨斯喀彻温省－艾伯塔省	7 936	3 064
赖恩迪尔湖，加拿大萨斯喀彻温省－马尼托巴省	6 651	2 568
内蒂灵湖，加拿大西北地区	5 543	2 140
温尼伯戈西斯湖，加拿大马尼托巴省	5 374	2 075
尼皮贡湖，加拿大安大略省	4 848	1 872
马尼托巴湖，加拿大马尼托巴省	4 659	1 799
大盐湖，美国犹他州[§]	4 400[†]	1 700[†]
伍兹湖，加拿大－美国	4 349	1 679
杜邦特湖，加拿大西北地区	3 833	1 480
阿马朱瓦克湖，加拿大西北地区	3 116	1 203
伍拉斯顿湖，加拿大萨斯喀彻温省	2 681	1 035
伊利亚姆纳湖，美国阿拉斯加州	2 590	1 000
米斯塔西尼湖，加拿大魁北克省	2 336	902
纽埃尔廷湖，加拿大西北地区－马尼托巴省	2 279	880
南印第安湖，加拿大马尼托巴省	2 248	868
密歇坎茂湖，加拿大纽芬兰省	2 031	784
贝克湖，加拿大西北地区	1 888	729
奥基乔比湖，美国佛罗里达州	1 813	700
马特尔湖，加拿大西北地区	1 777	686
威利斯顿湖，加拿大不列颠哥伦比亚省	1 660	641
瑟勒湖，加拿大安大略省	1 658	640
亚思凯德湖，加拿大西北地区	1 448	559
克莱尔湖，加拿大艾伯塔省	1 437	555
克里湖，加拿大萨斯喀彻温省	1 435	554
拉龙日湖，加拿大萨斯喀彻温省	1 414	546
清水湖，加拿大魁北克省	1 383	534
穆斯湖，加拿大马尼托巴省	1 368	528
锡达湖，加拿大马尼托巴省	1 352	522
卡斯巴湖，加拿大西北地区	1 342	518
比安维尔湖，加拿大魁北克省	1 248	482
艾兰湖，加拿大马尼托巴省	1 222	472
圣克莱尔湖，加拿大－美国	1 191	460
别恰罗夫湖，美国阿拉斯加州	1 186	458
小奴湖，加拿大艾伯塔省	1 168	451
雷德湖，美国明尼苏达州	1 168	451
戈兹湖，加拿大马尼托巴省	1 150	444
尚普兰湖，加拿大－美国	1 127	435
阿伯丁湖，加拿大西北地区	1 101	425
查帕拉湖，墨西哥	1 080	417
纳帕图利克湖，加拿大西北地区	1 080	417
麦凯湖，加拿大西北地区	1 062	410
马那瓜湖，尼加拉瓜	1 035	400
圣让湖，加拿大魁北克省	1 002	387
皮普马康湖，加拿大魁北克省	979	378
加里湖，加拿大西北地区	976	377
康特沃伊托湖，加拿大西北地区	958	370
阿伯蒂比湖，加拿大安大略省	932	360
雷尼湖，加拿大－美国	932	360
霍塔湖，加拿大西北地区	917	354
索尔顿湖，美国加利福尼亚州[§]	890	344
爱尔默湖，加拿大西北地区	847	327
北爱斯基摩湖，加拿大西北地区	839	324
尼皮辛湖，加拿大安大略省	831	321
泰切克普克湖，美国阿拉斯加州	816	315
诺纳科湖，加拿大西北地区	785	303
彼得池，加拿大萨斯喀彻温省	777	300
阿特林湖，加拿大不列颠哥伦比亚省－育空地区	774	299
明托湖，加拿大魁北克省	761	294
克罗斯湖，加拿大马尼托巴省	756	292
锡姆科湖，加拿大安大略省	743	287
克林顿－科尔登湖，加拿大西北地区	736	284
塞尔温湖，加拿大西北地区	717	277
波因特湖，加拿大西北地区	702	271
恩纳代湖，加拿大西北地区	681	263
霍尔达亚湖，加拿大西北地区	679	262
图利马由湖，加拿大西北地区	668	258
大特劳特湖，加拿大安大略省	660	255
普莱格林湖，加拿大马尼托巴省	658	254
南美洲		
马拉开波湖，委内瑞拉	13 300	5 150
的的喀喀湖，秘鲁－玻利维亚	8 300	3 200
波波湖，玻利维亚	2 600	1 000
布宜诺斯艾利斯湖，智利－阿根廷	2 240	865
奇基塔湖，阿根廷[§]	1 850	714
阿根廷湖，阿根廷	1 415	546
别德马湖，阿根廷	1 088	420
圣马丁湖(奥伊金斯湖)，阿根廷－智利	1 013	391
延基伟湖，智利	860	330
科尔韦瓦皮湖，阿根廷	803	310
亚洲		
里海，土库曼斯坦－哈萨克斯坦－俄罗斯－阿塞拜疆－伊朗	386 400	149 200
咸海，哈萨克斯坦－乌兹别克斯坦[§]	33 800	13 000
贝加尔湖，俄罗斯	31 500	12 200
巴尔喀什湖，哈萨克斯坦[§]	17 250[†]	6 650[†]
洞里萨湖，柬埔寨	6 350[†]	2 525[†]
伊塞克湖，吉尔吉斯斯坦[§]	6 236	2 408
乌尔米耶湖，伊朗[§]	5 600[†]	2 150[†]
青海湖(库库淖尔)，中国青海省[§]	4 583[†]	1 770[†]
泰梅尔湖，俄罗斯	4 560	1 760
兴凯湖，中国－俄罗斯	4 380[†]	1 690[†]
凡湖，土耳其[§]	3 713	1 434
鄱阳湖，中国江西省	3 583[†]	1 383[†]
乌布苏湖，蒙古[§]	3 350	1 300
洞庭湖，中国湖南省	2 820[†]	1 089[†]

续表

湖名及位置	面积*		湖名及位置	面积*	
	平方千米	平方英里		平方千米	平方英里
阿拉湖,哈萨克斯坦§	2 650	1 025	库伦达湖,俄罗斯§	728	281
库苏古尔湖,蒙古	2 620	1 012	乌伦古湖,中国新疆自治区	700	270
恰内湖,俄罗斯§	2 500	960	玛旁雍错(玛那萨罗沃池),中国西藏自治区	700	270
当惹雍错(唐古拉攸穆湖、唐古拉湖),中国西藏自治区§	2 460	950	高邮湖,中国安徽省-江苏省	700	270
太湖,中国江苏省-浙江省	2 425	936	多格错仁(曼特喀穆湖),中国西藏自治区§	700	270
呼伦湖,中国内蒙古自治区	2 315†	894†	黄盖湖,中国湖北省-湖南省	700	270
拉马湖,俄罗斯	2 000	772	琵琶湖,日本本州岛	672	259
罗布泊,中国新疆自治区§	2 000‖	770‖	贝伊谢希尔湖,土耳其	656	253
洪泽湖,中国安徽省-江苏省	1 960	757	鄂陵湖,中国青海省	650	250
哈马尔湖,伊拉克	1 950	750	**欧洲**		
纳木错,中国西藏自治区§	1 920	741	拉多加湖,俄罗斯	17 678	6 826
色林错(奇林湖),中国西藏自治区§	1 864	720	奥涅加湖,俄罗斯	9 720	3 753
哈尔乌苏湖(慈母湖),蒙古	1 760	680	维纳恩湖,瑞典	5 585	2 156
田吉兹湖,哈萨克斯坦§	1 590	614	塞马湖,芬兰	4 377	1 690
图兹湖,土耳其§	1 500	580	佩普西湖,爱沙尼亚-俄罗斯	3 555	1 373
博斯腾湖,中国新疆自治区	1 500	580	韦特恩湖,瑞典	1 912	738
吉尔吉斯湖,蒙古§	1 407	543	塞凡湖,亚美尼亚	1 360	525
多巴湖,印度尼西亚苏门答腊岛	1 140	440	梅拉伦湖,瑞典	1 140	440
死海,以色列-约旦	1 020	394	伊纳里湖,芬兰	1 102	425
微山湖,中国江苏省-山东省	1 000	386	派延奈湖,芬兰	1 054	407
艾比湖,中国新疆自治区§	1 000	386	伊尔门湖,俄罗斯	982†	379†
内湖,菲律宾吕宋岛§	922	356	奥卢湖,芬兰	893	345
普莫雍错(普穆常湖、珀莫湖),中国西藏自治区	881	340	皮耶利斯湖,芬兰	868	335
扎日南木错(帖里南木湖),中国西藏自治区	810	313	伊曼德拉湖,俄罗斯	812	314
羊卓雍错,中国西藏自治区	800	309	**大洋洲**		
巢湖,中国安徽省	800	309	艾尔湖,南澳大利亚州§	9 300‖	3 600‖
西来泰滕奈兹湖,哈萨克斯坦	777	300	托伦斯湖,南澳大利亚州§	5 776‖	2 230‖
纳马克湖,伊朗	750	290	盖尔德纳湖,南澳大利亚州§	4 780‖	1 845‖
萨瑟克湖,哈萨克斯坦	736	284	弗罗姆湖,南澳大利亚州§	2 400‖	900‖
皮亚西诺湖,俄罗斯	735	284	阿马迪厄斯湖,澳大利亚北部地方§	880‖	340‖
			陶波湖,新西兰北岛	606	234

* 面积数字为经四舍五入的近似值。 † 湖泊面积随季节变化,本表为平均数。 ‡ 20世纪90年代报告的面积是2 600平方千米(1 000平方英里) § 盐湖。 ‖ 通常干涸。

家庭垃圾中的有毒物质可能严重地破坏湖中正常的生物活动。可能发生缺乏游离氧的情况。而且农药与除草剂,以及雨水落下的大气污染物,可使丰富多样的生命受到损害。现代工业社会需要水(其中大部分仰给于湖泊),包括冲洗城市和工业垃圾、降温、灌溉、运输、发电及休憩之用,每项用途都难免对湖泊本身特点造成破坏。大都市和工业给湖泊造成化学及热的污染;船舶航行时的尾流给湖水留下油料和废物;灌溉过的水返回湖泊时常含有肥料及杀虫剂的化学残留物;缺乏基本的卫生知识和防止污染措施,最终给民众享用的水造成损害。这些对湖水的滥用,因较好的资源管理措施而获得改善。

lake　色淀　染业术语。有机染料与金属化合物作用所组成的一类不溶性颜料的总称。这种相互作用可能包括:染料与金属有固定比例的盐沉淀,或是染料和无机化合物颗粒表面之间不大清楚的吸引。有些色淀是上述两过程组合而形成的。色淀显著扩大了油漆、化妆品、印刷油墨和石印油墨生产中可达到的颜色范围。按照染料分子中成盐基团的性质而改变工艺可把几类染料制成色淀。媒染染料和酸性染料与钙、铝等金属离子形成不溶性盐。含有氨基的碱性染料与磷钨酸或磷钼酸等含金属的无机酸生成不溶性盐。

Lake (of Delhi and of Aston Clinton), Gerard Lake, 1st Viscount　莱克子爵(第一)　(1744-07-27,英格兰米德尔塞克斯哈罗～1808-02-20,伦敦)　英国将军,因在镇压1798年爱尔兰起义中的作用、1801～1806年在印度对统治瓜略尔的杜拉特·罗·信希亚的战役及对马拉塔联盟贾斯旺·拉奥·荷尔卡的战役而闻名。曾参加七年战争、美国独立战争和法国大革命等几次战争。1798年4月任驻爱尔兰英军司令,发生起义后于6月21日在温加山击败起义者。9月在基拉拉湾阻止法军登陆。1800年任驻印度英军总司令,1801年7月到加尔各答,努力使印度军队现代化。翌年成为陆军上将。1803年取得对解体的马拉塔联盟的胜利,攻占德里,11月1日在拉斯瓦里击败法国训练的信希亚部队。为报答赐封贵族之恩,1804年11月在法鲁卡巴德击败荷尔卡。但1805年初在珀勒德布尔被击败,4月被迫媾和。解职后返回英格兰,封子爵。

Lake, Simon　莱克(1866-09-04,美国新泽西普莱森特维尔～1945-06-23,康涅狄格布里奇波特)　美国发明家,发明了第一艘在广阔的公海里航行的潜艇"魟鱼"号。他的试验性潜艇"小魟鱼"号建于1894年,木制艇身长约4米,用手转动轮子在海底滚动前进。1897年建造的"魟鱼"号长11米,用30马力的汽油发动机作动力。供发动机和船员用的空气是通过一根漂浮的管从水面吸入的。"魟鱼"号也有供在海底行动的轮子。1898年它从弗吉尼亚州诺福克到纽约市,航行了约500千米。莱克的"保护者"号(1906)长约18米,卖给了俄国,他随往符拉迪沃斯托克(海参崴)工作数年,指导该艇的组装并培训船员。以后继续为俄国政府制造潜艇。在第一次世界大战中还替其他国家造了100多艘潜艇,包括给美国造的55艘。他还参加研制水下潜望镜并发明其他水下船具。

Lake Charles　莱克查尔斯　美国路易斯安那州西南部城市,卡尔克苏县县城(1852)。位于卡尔克苏河畔,邻近萨尔弗城。经32千

莱克查尔斯市的活动中心
詹姆斯·T.普拉特协会供图

米长的卡尔克苏湖与墨西哥湾沟通。1781年前后始有人定居，1867年设镇，1904年设市。19世纪80年代发展成开发北部和西部林区的基地。通铁路后木材业发展。大批农民涌入，使附近地区发展成美国主要水稻产区。矿藏(硫磺、石油、天然气)开发使该市成为美国主要石油化工业中心之一。沿河沼泽猎捕毛皮动物。岸外有石油钻井。设有州立麦克尼西大学(1939)。萨姆休斯敦州立公园位于附近。人口：市71 757；都会统计区183 577(2000)。

Lake City　莱克城　美国佛罗里达州北部城市，哥伦比亚县县城(1832)。东距杰克逊维尔97千米，在奥西奥拉国家森林附近。早期为塞米诺尔人村落。1824年后白人定居，1859年设建制。市西有南北战争旧战场，现为州历史纪念地。是综合性农业区的中心，有烟草拍卖场。有旅游、磷酸盐矿开采、林产加工和制造业(包括飞机修理)。人口9 980(2000)。

Lake Clark National Park and Preserve　克拉克湖国家公园和自然保护区　在美国阿拉斯加州南部，安克雷奇西南，临科克湾西岸。1978年建立。面积1 478 900公顷。克拉克湖是鲑鱼在北美最重要的产卵区源头。园内有锯齿形山峰、花岗岩山岭、数十处冰川、数百个瀑布以及冰原和活火山。野生动物有驯鹿、野羊、棕熊、灰熊、秃鹰和游隼等。

Lake District　湖区　英格兰坎布里亚行政郡著名风景区和国家公园。分属坎伯兰历史郡、兰开夏历史郡、威斯特摩兰历史郡。国家公园占地2 243平方千米。境内有全国主要湖泊(包括温德米尔湖，长17千米)和最高山脉(斯科费尔峰，978米)。著名的湖泊遍布的谷地以中央山脉为核心呈放射状向外延伸。境内道路曲折蜿蜒且极难攀，却富有吸引游客的魅力。1951年辟为国家公园。当地农业以饲养牛羊和生产蛋、乳为主。瑟尔米尔湖现为英格兰西北部工业区的水库。英国著名诗人W.华兹华斯诞生和安葬于湖区。19世纪以来这里成为许多文人的旅居地。

Lake Dwellings　湖上住宅　德语作Pfahlbauten，意即“桩上建筑”。分布于今德国南部、瑞士、法国和意大利这一地区内湖泊之畔的史前聚落遗迹。按照19世纪中叶瑞士考古学家F.凯勒的理论，这些居所建造在木桩支撑、高出水面的平台上，其构筑彼此极其相似。首先是把一端烧成尖形的木桩深深打进泥沼中，周围填满大块石头。木桩之间搭上树干和枝条形成网状平台，然后在平台上建造一间或两间一套的矩形棚屋，地面用黏土拍打而成。牛羊也在平台上喂养。由于湖上居民通常在旧址上重建新村，考古学家便得以构拟出中欧的文化序列，进一步证实丹麦考古学家C.汤姆森对斯堪的纳维亚提出的年代的假设，即青铜时代紧接在石器时代之后。青铜时代和铁器时代的当地居民继续建造这种木桩住宅。人类学家现在则认为，木桩住宅可能是在湖畔沼泽地上，而不是在湖面上建造的。现今在潮湿的亚热带和热带地区，如马来西亚，也还使用以木桩或石基支撑的平台为基础的类似房屋和仓库。

Lake Erie, Battle of　伊利湖战役　1812年战争中美国海军的重大胜利，自此，伊利湖被置于美国控制之下，阻止了在和平解决争端时把西北部领土割让给英国。1813年9月10

T.比奇绘《伊利湖战役》(1814)
费城宾夕法尼亚艺术学院供图

日O.佩里所率9艘战舰在伊利湖与R.H.巴克利的6艘英舰交战。美旗舰“劳伦斯”号受重创后，佩里转移到“尼亚加拉”号，立即率领全队冲进英舰阵列，舷炮齐发，迫使英舰投降。英军死40人，伤94人；美军死27人，伤96人。伊利湖上英舰队的覆灭扭转了西北战局，并迫使英军放弃底特律城。

Lake Forest　莱克福里斯特　美国伊利诺伊州东北端莱克县城市。为芝加哥北郊区。濒临密歇根湖。1835年始有人定居。1861年设建制。设莱克福里斯特学院(1857)、莱克福里斯特学校(1861)、巴拉特圣心学院(1904)和伍德兰兹预科学校。人口20 059(2000)。

Lake Geneva　莱克杰尼瓦　美国威斯康星州东南部沃尔沃思县度假城市。位于密尔沃基西南84千米处，在杰尼瓦湖东北岸怀特河口。1840年开始发展，1844年建村，1883年建市。一百多年以来，一直为四季休养胜地。杰尼瓦湖面积2 129公顷，湖滨和草木葱郁的小山上，建有避暑房屋和住宅区。设有西北陆海军学院(1911)和芝加哥大学的天文台。有一些轻工业。杰尼瓦湖东有州立公园。人口7 148(2000)。

Lake Havasu City　哈瓦苏湖城　美国亚利桑那州西部莫哈维县四季游览胜地。在莫哈维山以西的科罗拉多河沿岸彻姆惠维山谷内。1963年始建，虽未设市，已发展成为莫哈维县最大社区。中心在哈瓦苏湖(长72千米，最宽处约5千米)和伦敦桥(原为伦敦泰晤士河石桥，建于1831年，后拆运来此重建，1971年落成后掀起旅游热潮)。附近游览点有哈瓦苏湖国家野生动物保护区和哈瓦苏湖州立公园。经济以畜牧业为主，轻型制造业的产品以链锯著称。人口41 938(2000)。

lake herring　湖鲱　又作cisco，又称加拿大白鲑。数种白鲑(**whitefish**)的统称。

Lake IJssel (The Netherlands)　参阅 **IJsselmeer** 艾瑟尔湖。

Lake Louise　莱克路易斯　加拿大艾伯塔省西南部未建制村庄。位于鲍河河畔，班夫国家公园内。西南侧有风景名胜路易斯湖(以湖水澄碧著名)。1884年为加拿大太平洋铁路建筑人员宿营地，1914年以湖名命名。为横越加拿大公路和班夫—贾斯珀公路线

莱克路易斯村附近的路易斯湖，远景为维多利亚山及冰川
美国不列颠百科全书公司供图

上著名游览地。路易斯湖海拔1 731米，源出维多利亚冰川，长2.5千米，宽1.2千米，最深处超过70米。人口500(1991)。

Lake Nicaragua shark　尼加拉瓜湖鲨　真鲨科的一种鲨。参阅 **carcharhinid**。

Lake Placid　莱克普拉西德　美国纽约州东北部埃塞克斯县北埃尔巴乡村庄。在怀特费斯山麓，濒临米勒湖和普拉西德湖。1800年始有人定居，1850年兴建为避暑地。1900年设建制。当地有许多旅馆、高尔夫球场、滑雪场和一条雪橇滑道，周围有森林和山峦。现经济完全以旅游业为基础。该村的奥林匹克竞技场和会议厅是为1932年和1980年冬季奥运会所建。废奴主义者J.布朗的农场和墓地在村南5千米处。人口2 638(2000)。

Lake poet　湖畔诗人　19世纪初住在英格兰坎伯兰和威斯特摩兰(现为坎布里亚)湖区的英国诗人W.华兹华斯、S.T.柯尔律治和R.骚塞。他们最初是在1817年8月号的《爱丁堡评论》中被F.杰弗里贬称为“湖畔派”。诗人拜伦也曾以同样的口气用“湖畔人”来形容他们。这些名称错将华兹华斯和柯尔律治与骚塞归为一派，其实骚塞的观点和作品与其余两人的诗论并不一致。

Lake Ridge (North America)　**莱克岭**　参阅 **Niagara Escarpment** 尼亚加拉陡崖。

Lake Superior Provincial Park　苏必利尔湖省立公园　加拿大安大略省中部的公园。在苏必利尔湖东岸。建于1944年，以保护崎

岖的岸线和粉红色花岗岩丘的四周地带。面积1 540平方千米。园中古迹、文物有阿加万人的石壁画,为数千年前印第安人所创作。大角麋、熊、白尾鹿和红松鼠栖息在枫树、白杨树和云杉树等树林中。公园里有许多娱乐设施,包括山林间的崎岖小路和湖河垂钓、捕鱼区。

lake trout (*Salvelinus namaycush*) **湖鳟** 又作 Mackinaw trout, Great Lakes trout 或 salmon trout。又称麦基诺鳟、大湖鳟、鲑鳟,即湖红点鲑。鲑科鱼,大型贪食的红点鲑。常见于

湖鳟(*Salvelinus namaycush*)
美国不列颠百科全书公司供图

美国中北部和加拿大,生活于深而冷的湖水中。体灰绿色,被以无数淡白色斑点。春季在浅水中可捕到重约 2.3 千克的个体;夏季在深水中可用曳绳钓到约 45 千克重的大型个体。秋季于岩礁间产卵,卵重,沉落水底。直到 20 世纪 30 年代海七鳃鳗通过韦兰运河进入五大湖之前,一直有商业价值,其后则几临绝灭。

Lake Wales 莱克威尔士 美国佛罗里达州中部波克县城市。西距坦帕 90 千米。建于 1911 年。后发展成为木材、水果加工中心和旅游地。附近艾恩山坡上有蒙坦雷克禁猎区。以其栖鸟闻名,并与布克鸣塔(高 62 米,内有一套 53 口钟的钟琴)相映成趣。市南 13 千米有奥杜本中心;东北 13 千米的马斯特皮斯公园存有仿达·芬奇名作《最后的晚餐》的镶嵌画。人口约10 194(2000)。

Lake Washington Ship Canal 华盛顿湖运河 位于美国华盛顿州流经联盟湖、波蒂奇湾和联盟湾连接华盛顿州的皮吉特湾与华盛顿湖的水道,长 13 千米,最小深度 8.7 米。在运河西端的几座船闸,解决了水面存在 8 米高程差的问题,能通航 230 米长的船。

Lakehead (city, Ontario, Canada) **莱克黑德** 参阅 **Thunder Bay** 桑德贝。

Lakehurst 莱克赫斯特 美国新泽西州东部大洋县自治镇。东南距汤姆斯河 13 千米。原为曼彻斯特的一部分,1925 年成为独立的自治镇。镇东海军航空站原为飞艇的起落基地。1937 年前为横越大西洋飞艇的终点站。德国的"齐柏林"号飞艇失事(36 人死亡)后仍是小型飞艇基地,直到 1962 年停止使用小飞艇为止。1921 年建一号飞艇库,长 245 米、宽 82 米、高 52 米;1968 年被列为著名历史建筑。现经济以为当地海军航空兵驻军提供服务为主。人口2 522(2000)。

Lakeland 莱克兰 美国佛罗里达州中部波克县城市。西距坦帕 50 千米,多湖。始建于 1883 年,1885 年设市。经营磷酸盐开采和柑橘种植业。设有佛罗里达柑橘委员会。冬季游人众多。有进行体育、游乐活动和举行会议的综合设施及佛罗里达浸礼会学校(1954)、神召会东南学院(1935)和南佛罗里达学院(1885)。人口:市约78 452;莱克兰-温特黑文都会区约483 924(2000)。

Lakeland terrier 湖地㹴狗 英格兰湖区原来用以追捕狐和水獭的狗。前称帕特代尔㹴狗。形似小型艾尔谷㹴狗。体高约 33 ~ 38 厘米,体重约 7 ~ 8 千克。体粗壮,勇敢,友善。被毛黑色和暗褐色,粗硬,浓密,不畏风雨。

Lakes Entrance 莱克斯恩特伦斯 澳大利亚维多利亚州东南部港口城市。位于注入吉普斯兰湖区运河的河口,为湖区(占地 390 平方千米,包括湖区国家公园和144千米海滩)的游览中心。附近的巴斯海峡有天然气和石油开采,是澳大利亚国内原油的主要来

莱克斯恩特伦斯市鸟瞰
美国不列颠百科全书公司供图

源。港口有拖网船队在海上和湖内捕鱼。附近地区出产木材。与墨尔本通公路、铁路。北面 58 千米处的巴肯洞是著名的石灰岩洞。人口5 503(2001)。

Lakeview 莱克维尤 美国俄勒冈州南部城市,莱克县县城。在古斯湖之北。附近原为印第安人保留地。1876 年建在一牧场原址,1889 年设市,现为广大资源保护区和家畜饲养区的贸易中心。弗里蒙特国家森林总部设在此。附近有几个游乐区,有水上运动和滑雪活动等设施。市北 40 千米有北美最大的裸露断层崖之一。市东北有哈特山国家羚羊保护区。人口约2 474(2000)。

Lakewood 莱克伍德 美国新泽西州东部大洋县的镇。濒临米特德康克河南支流,位于松林及多湖区。1800 年始有人定居。1892 年设镇。现为疗养及游览胜地。乔治亚考特女子学院(1908)和大洋县公园均建于此。面积 64 平方千米。人口约60 352(2000)。

Lakewood 莱克伍德 美国俄亥俄州东北部凯霍加县城市。位于克利夫兰正西,临伊利湖。1903 年设村,1911 年设市。主要是居住区,也有一些轻工业。五大湖莎士比亚戏剧节是该市一年一度的夏令活动项目。市内有莱克伍德小剧场。人口约57 063(1994)。

Lakhmid DYNASTY **莱赫米王朝** 伊斯兰教以前,阿拉比亚北部的一个王朝,曾帮助萨珊王朝时期的伊朗同拜占廷帝国斗争并提倡早期的阿拉伯诗。它以希拉为中心。3 世纪后期开始,为伊朗的仆从国。6 世纪时国势兴隆。国王蒙齐尔三世(503 ~ 554 在位)袭击拜占廷属地叙利亚,向亲拜占廷的加萨尼王国挑战。其子阿姆尔·伊本·欣德(554 ~ 569 在位)庇护塔拉法以及其他一些与伊斯兰教前的阿拉伯诗有关的诗人。602 年努厄曼三世逝世,王朝随之灭亡。

Laki 拉基火山 冰岛南部火山裂缝和山,紧靠冰岛最大的冰原瓦特纳冰原西南端。拉基山是发生裂缝喷发过程中形成的唯一显著地形特征,现称之为"拉卡吉加"(拉基火山口)。该裂缝为东北-西南走向,拉基山把它截为接近相等的两部分。拉基山海拔 818 米,高出附近地带 200 米。拉基山并未被裂缝完全绽开。在山坡上裂缝之间只有若干极小的流出少量岩浆的火山口。火山于 1783 年 6 月 8 日开始喷发,至 7 月 29 日只剩拉基山西南面裂缝还在活动。同日,东北面裂缝开始喷发,其后的喷发几乎全在裂缝的这一半。喷发一直持续至 1784 年 2 月初,被认为是有史以来地球上最大的熔岩喷发。普遍认为岩浆喷发量约为 12.3 立方千米,覆盖面积约达 565 平方千米。大量的火山气体造成欧洲大陆大部分地区上空烟雾迷漫,甚至波及到叙利亚、西伯利亚西部的阿尔泰山区及北非。释放出的大量含硫气体妨碍了冰岛的作物和草木生长,造成大部分家畜死亡。因烟雾造成的饥荒最终使冰岛 1/5 居民丧生。

Lakk-Dargwa languages 拉克-达尔格瓦诸语言 两种关系密切的语言,即拉克语与达尔格瓦语,通行于高加索达吉斯坦中部地区,均有文字。达尔格瓦诸方言彼此差异很大,有些学者认为它们是各自独立的语言。拉克-达尔格瓦诸语言常与阿瓦尔-安迪-迪多语分支及莱兹吉语分支共同划为纳克-达吉斯坦(东北高加索)诸语言的达吉斯坦语支。参阅 **Dagestanian languages**。

Lakshadweep 拉克沙群岛 1956~1973年称拉克代夫、米尼科伊和阿明迪维群岛。印度中央直辖区,由阿拉伯海一群岛屿组成。距离印度西南岸约 300 千米。共有 27 个岛屿(其中仅 10 座岛屿有人居住),总面积 32 平方千米。首府卡瓦拉蒂。印度杰尔王朝控制了该群岛大部分岛屿,后被焦尔王朝接管。12 世纪一位焦尔公主嫁给穆斯林,该群岛遂成为喀拉拉地区穆斯林唯一统治的部分。1498 年 5 月,葡萄牙人首次发现该群岛,乃于此建立堡垒。1545 年居民崛起反抗。18 世纪末英国获得该群岛的主权,并于 1908 年直接实施行政管理。1947 年印度独立,该群岛归还印度,1956 年成为印度最小的中央直辖区。群岛南端的米尼科伊岛与北端的阿明迪维岛及拉克代夫岛之间隔九度海峡,岛屿很小,没有一个宽足 1.6 千米。土壤为珊瑚冲

积砂。表层下数英尺深有延伸全群岛的珊瑚层。居民为莫普拉人(印度人和阿拉伯人混血种后裔),大多数人为穆斯林。迄今通用的语言为马拉雅拉姆语。椰壳纤维、椰肉和鱼是主要经济产品。人口60 595(2001)。

Lakṣmī　吉祥天女　又称室利。印度教所信奉的女神。主财富和吉祥,为毗湿奴之妻。据说她能变化形象以与毗湿奴的多种化身为伴。根据流传最广的传说,在众天神和

印度中央邦桑吉1号窣堵波北门处的吉祥天女浮雕像(公元前1世纪)
美国不列颠百科全书公司供图

阿修罗共搅乳海时吉祥天女涌出水面,手拈莲花坐在大莲花上。天神和恶魔都想占有她,因而发生争执。她的像多为美女,乳房和臀部丰满,面带慈祥微笑,坐在莲花上,或有一对大象为她涂油,吉祥天女乘白色猫头鹰行动。耆那教也崇奉她。

Lala　拉拉人　居住在尼日利亚东部的民族。属于地域上相近、语言上相通的一个小族群,内有加-安达人、荣古尔人、汉达人和姆博伊人,都生活在贝努埃河以北。拉拉人及其他尼日利亚-喀麦隆交界处的小土著集团,与迁来的豪萨商贩和富拉尼(富尔贝)牧人之间,关系颇为复杂。以前有一个时期拉拉人防范富拉尼人袭击,居住在灌木丛环绕的山丘、高原及田地上。另一个时期,富拉尼牧人付给拉拉人费用,可以换取在那里放牧的权利。加-安达人甚至雇佣富拉尼人照管畜群,以牛奶作为放牧的报酬。到20世纪拉拉人在政治上臣属于富拉尼穆斯林所建的约拉酋长国。拉拉人妇女种植木薯、玉米、黍类等,饲养山羊、绵羊及鸡。在英国殖民统治期间,河床铁矿石冶炼业已完全消失。

Lalande, Jérôme　拉朗德(1732-07-11,法国布雷斯地区布尔格～1807-04-04,巴黎)　法国天文学家,他编制的行星位置表在18世纪末以前一直被认为是最合用的。当他作为一个攻读法律的学生寄宿在克吕尼宅邸时,就已对天文学发生兴趣,在该宅邸里,著名的天文学家J.-N.德利尔有一座私人天文台。1751年,拉朗德到柏林观测月球,这项观测是和N.-L.拉卡伊在好望角的观测配合进行的。这项任务的完成以及随后计算月球距离的成功,使拉朗德在不满21岁时就获准进入柏林科学院,并获得法国科学院助理天文学家的职务。他接着致力于发展行星理论,1759年出版哈雷彗星表修订本。他协助组织1761年和1769年金星凌日的国际联合观测,获得的资料使人们能精确计算日地距离。1762年任法兰西学院的天文学教授,他任这一职位达46年之久。为促进天文学的发展,他于1802年设立拉朗德奖金,以奖励每年在天文学上作出最重要贡献的人。他的著作包括:《天文学论文集》(1764)、《法国天文史》(1801)以及《天文学文献目录》(1803)等。

Lalande, Michel-Richard de（French composer)　参阅**Delalande, Michel-Richard**德拉朗德。

Lalībela　拉利贝拉　史称罗哈。埃塞俄比亚中北部宗教和朝圣中心。作为扎格王朝都城达300年。后以著名君主拉利贝拉(12世纪末至13世纪初)的名字命名,据传是他建造了使该地出名的11座巨石教堂。这些教堂用地下整块花岗岩石凿成,风格迥异。

拉利贝拉镇的巨石圣乔治教堂
美国不列颠百科全书公司供图

教堂分为两组,经地下通道相连。梅德哈尼阿莱姆(救世主)教堂最大,长33米,宽23米,深10米。十字形的圣乔治教堂系用斜岩石台凿成。圣马利亚教堂以壁画著名。这些教堂的精湛工艺与较早的德卜勒达莫教堂相似,表明埃塞俄比亚建筑传统的深厚。最近修复发现,有些教堂曾被用作防御工事和王族住地。教堂现由1 000多名科普特教会教士管理,每逢宗教节庆则吸引成千上万朝圣者。该镇也是阿姆哈拉人集市中心。人口约5 604(1986)。

Lalique, René　拉利克(1860-04-06,法国艾镇～1945-05-05,巴黎)　20世纪初期法国珠宝艺人,其宝石和玻璃制品设计对当时的新艺术运动发生重要影响。毕业于巴黎装饰艺术学校,1878～1880年去伦敦进修。1885年在巴黎自设作坊。1900年在巴黎举办的国际博览会上,其新艺术派胸针和梳子备受青睐,

拉利克用珐琅、玻璃和黄石为材料制作的头饰与胸针(1900)
美国不列颠百科全书公司供图

由此即成为著名的珠宝艺人。为法国著名女演员贝因哈特设计的装饰品极为精美。他大搞技术革新,采用如角质之类的新材料,突出其在视觉上和触觉上的特点。喜欢塑造金发披肩、罗衣透肤的女像以及蛇和昆虫之类的动物形象。一般机械制品使用贵重宝石,往往失于矫揉造作。而拉利克用宝石较少,反而雅致新颖,别具一格。拉利克对水晶石和建筑装饰玻璃很感兴趣,1910年在孔拉维尔设厂,由于接到香水瓶的订货而研制出一种模浇玻璃特殊品种,其表面清澈晶莹,浮雕精细,栩栩如生,颜色若隐若现。这些新设计在1925年巴黎博览会展出后,其名声大震。拉利克玻璃器皿是20世纪20年代最时髦的奢侈品。他提倡在建筑中使用玻璃,曾制作过许多玻璃照明设备和室内装饰品。

Lalitavistara　《普曜经》　又名《神通游戏经》。佛经名,是关于释迦牟尼生平事迹的传说,显然是经过大乘部改写的说一切有部的作品。像内容相似的《大事》一样,《普曜经》包含晚期资料,也有非常古老的素材,但比《大事》更有文学性。大乘佛教十分推崇《普

印度尼西亚婆罗浮屠的寺庙中《普曜经》佛传故事的浮雕
美国不列颠百科全书公司供图

曜经》。许多佛教艺术作品都取材于此经。汉文译本出现于公元308年(西晋怀帝永嘉二年)。

Lalitpur　勒利德布尔　印度北部北方邦西南部城镇,位于占西之南90千米处。相传由印度南部一位国王建立,并以其妻子的名字命名。地处沙贾德河(东)和比亚纳河(北)之间高地上。其家庭手工业有制革、锯木、制鞋、打铁、制皂等。附近有戈温德湖水坝、穆斯林收税所(1360年修建)。城外8千米处有一供军民两用的机场。勒利德布尔公路和铁路交通便利。人口55 756(1981)。

Lalitpur 勒利德布尔 又称帕坦。尼泊尔中部城镇。邻巴格马蒂河，距加德满都5千米。为内瓦尔人班拉族聚居处。经济以农业为主。尤以金属制品、木雕等手工艺著称。有一些精美佛教庙宇，其中包括接见厅广场的马琴德拉纳特庙。城内有一些称“维哈拉”的建筑，原为佛教寺院，现由寺院僧人后代居住。传说印度皇帝阿育王于公元前250年访问该城，并修筑了四座大塔(佛教庙宇和坟墓)，至今仍在该城四方。人口79 875(1981)。

Lally, Thomas-Arthur, comte de (count of) **拉利伯爵**(1702-01-13，法国罗芒～1766-05-09，巴黎) 法国将领。七年战争时期(1756～1763)因在印度投降英军而被处死。爱尔兰詹姆斯党流亡者之子。在法国陆军爱尔兰旅服役，随斯图亚特小僭君C.爱德华于1745年入侵苏格兰和英格兰。1758年被派往印度。由于缺乏策略，他疏远了与法国结盟的土著王公。1760年1月，他在文迪瓦什被埃尔·库特爵士指挥的英军击败，被围困在本地治里后，于1761年1月投降。他自愿返回法国接受叛国罪的审讯，经长期囚禁后被斩首。

Lalo, Édouard(-Victor-Antoine) 拉罗 (1823-01-27，法国里尔～1892-04-22，巴黎) 法国作曲家，其《西班牙交响曲》最享盛名，并以清晰的管弦乐配器著称。出身于西班牙裔

美国不列颠百科全书公司供图

军人家庭，违背父亲意志而从事音乐学习，为达到这一目的于1839年赤手空拳前往巴黎，在巴黎音乐学院学习小提琴，并从私人教师学作曲。靠拉小提琴和从事教学以维持生计。1848年出版第一批歌曲，1855年入阿曼戈四重奏团拉中提琴。19世纪60年代初他的创作虽然为数不多，但小提琴与管弦乐队的《西班牙交响曲》(由P.萨拉萨特于1875年首演)、大提琴协奏曲(1876)和芭蕾舞剧《纳莫纳》(1882)均获得成功。《纳莫纳》可说是佳吉列夫芭蕾舞剧的先兆，因为它最值得注意的是音乐而非舞蹈，其后又创作《G小调交响曲》(1887)和歌剧《伊斯王》的定稿本(1888，台本为E.布洛所作)。拉罗虽然也许因其管弦乐作品而更为知名，但他也是一位写作室内乐的大师。他的室内乐影响深远，包括四重奏1首、钢琴三重奏3首，以及几首大提琴与小提琴奏鸣曲。还作有小提琴和钢琴协奏曲、许多抒情歌曲和歌曲集(为他的唱女低音的妻子而作)。所作音乐虽与R.舒曼和C.韦伯作品有某些相似之处，但却是一位极富独创性的天才人物的产物。

Lalor, Mother Teresa 莱勒(约1766，爱尔兰～1846-09-09，美国华盛顿[哥伦比亚特区])爱尔兰出生的美国宗教领袖，美国最早的圣母往见修女会修道院奠基人和院长。成长于爱尔兰基尔肯尼。自幼即笃信宗教。只因父母干预，劝使其陪同大姐赴美，才未成为基尔肯尼的圣母进殿会修女。1795年1月抵达宾夕法尼亚州的费城时，她已成为同程两位寡妇的密友，三人不久即在L.尼尔神父的指引下形成非正式的宗教团体。她们参加各种慈善工作，在1797～1798年黄热病传染期间，给予尼尔神父很大帮助。1798年，尼尔神父出任乔治敦学院(现为大学)院长。次年，莱勒及其同伴追随他去华盛顿哥伦比亚特区。不久她们即开办了一所学校，1804年，她们买下由克拉雷会苦行修女放弃的一座修道院。尼尔建议她们成为圣母往见会的一部分。于是她们在1816年12月得到教皇庇护七世认可，为圣母往见会第一个美国机构，而莱勒也成为首任女修道院长。1819年辞去修道院院长职务，终老于华盛顿乔治敦修道院。

Lalor, Peter 莱勒(1827-02-05，爱尔兰昆斯郡蒂纳基尔～1889-02-09，澳大利亚墨尔本) 爱尔兰出生的澳大利亚1854年维多利亚州巴拉腊特的尤里卡栅栏金矿工人暴动首领，这是澳大利亚历史上最著名的一次叛乱。莱勒后来成为政治家。其父是爱尔兰自治运动的拥护者，一位地主。莱勒曾在爱尔兰学习过土木工程。19世纪中叶爱尔兰发生大饥馑后大量往外移民，他和一个弟弟于1852年移居澳大利亚(另外3个弟兄去了美洲)。他在墨尔本—吉朗铁路找到工作，后于1853年去尤里卡金矿做工。他参加了巴拉腊特改革同盟，该同盟是1854年11月11日由矿工们组成的，对牌照费高、警察虐待、无代表权和缺少土地表示抗议。由于政府对同盟所提出的改革要求拒不答复，矿工们于11月30日组织起来进行战斗，并推选莱勒为他们的领导人。12月3日，莱勒和其他举行暴动的矿工们被赶出尤里卡栅栏。莱勒在突击中负伤，失去一臂。他躲藏了几个星期。他公开露面不久，对暴动领导人的指控即告撤销。尤里卡暴动后，矿工的大部分要求得到了满足。莱勒作为金矿的首批代表之一，1855年选入维多利亚州议会，1856～1871和1875～1887年任立法议会(下院)议员。历任邮政部长(1875)、贸易和关税专员(1875，1877～1880)和立法议会议长(1880～1887)。

Lama (People) **拉马人** 参阅 **Lamba** *兰巴人*。

lama 喇嘛 又拼bla-ma。中国藏传佛教对高僧的尊称。藏语意为“上师”，原指“上人”、“导师”。是梵语“guru”(精神导师)的藏译，原只用于寺院首脑或大师。现已广泛用为对任何受尊重僧人或法师的尊称。西方人称藏传佛教和寺庙为“喇嘛教”和“喇嘛寺”，实际并不确切。有的喇嘛被信徒认为是前生的转世，名为朱古喇嘛化身，俗称活佛，以区别于修成的喇嘛。达赖喇嘛在活佛系统中地位最高，是藏传佛教格鲁派(黄帽派)首脑的

西藏拉萨附近哲蚌寺的喇嘛
中国大百科全书出版社供图

称号，信徒认为是观世音菩萨的化身。班禅喇嘛在最高传承系统中占第二位，是扎什伦布寺住持，信徒认为是无量光佛的化身。其他较小的朱古喇嘛则被信徒认为是从前一些高僧大德的化身，并把他们定为大、中、小各级。这种观念可能渊源于八十四大悉达或瑜伽行大师的传说同佛教中投生之说相结合。寻认转世活佛的过程相当复杂，特别是达赖喇嘛和班禅喇嘛的转生寻认制度更有严格规定。

Lamaism 喇嘛教 参阅 **Tibetan Buddhism** *藏传佛教*。

Lamar 拉马尔 美国密苏里州西南部城市，巴顿县县城。北距独立城160千米，临斯普林河支流。始建于1856年。经济以农业为主。为美国第33任总统H.S.杜鲁门诞生地，其故居已复修为历史遗址。人口4 168(1990)。

Lamar, Joseph R(ucker) 拉马尔 (1857-10-14，美国佐治亚埃尔伯特县～1916-01-02，华盛顿[哥伦比亚特区]) 美国最高法院大法官(1911～1916)。1878年获得律师资格，1880年开始执业当律师。在律师界青云直上，同时担任两届州议会议员，并撰写佐治亚州法律史。1893年被任命为负责重新编订佐治亚州法律的三个委员之一。《佐治亚州法典》(1896)的编订受到欢迎，对他后来于1904年被任命到州最高法院一事起了作用。1911年塔夫脱总统任命他为最高法院大法官。他在两个重大案件中提出了最高法院的意见：一个是“冈珀斯诉巴克斯火炉和电炉公司”案(1911)，坚持法院有权惩处违反禁令的行为，但以程序为理由撤销对冈珀斯和其他劳工领袖的定罪；另一个是“美国诉中西部石油公司”案(1914)，坚持总统有权保留公共产油地不许私人侵占。他曾代表威尔逊总统出席1914年为了解决墨西哥和美国之间因威尔逊拒绝承认墨西哥总统韦尔塔而发生的分歧的会议。

Lamar, Lucius Q(uintus) C(incinnatus) 拉马尔（1825-09-17，美国佐治亚帕特南县～1893-01-23，佐治亚瓦恩兰） 美国律师、政治家和法理学家。在南北战争期间为南部邦联服务，后成为美国最高法院大法官。1847年进入律师界，1853年为佐治亚州众议员。1855年移居密西西比州，1856～1860年任美国众议员。1861年起草密西西比州脱离联邦法令。曾参加南部联军。1866～1873年任密西西比大学法学教授。1873～1877年任美国众议员，1877～1885年任参议员。1885年任内政部长，1888年为最高法院大法官。他在任大法官期间最重要的意见是在"关于尼格尔"一案(1890)中的异议，该项异议表示他认为联邦行政部门的权力限于由宪法和法令特别授予的权力。

Lamar, Mirabeau Buonaparte 拉马尔（1798-08-16，美国佐治亚路易斯维尔～1859-12-19，得克萨斯里士满） 得克萨斯共和国第2任总统。早年在亚拉巴马经商，失败后给佐治亚州州长当秘书。后来成为鼓吹州权的《哥伦布问询报》主编。后因竞选失败迁居得克萨斯，投身反对墨西哥的独立运动。1836年在圣哈辛托战役中指挥骑兵，战功卓著。不久以后出任得克萨斯临时政府陆军部长，同年当选为副总统，1838年当选得克萨斯共和国总统。在任总统期间，为了防止美国的兼并，努力加强得克萨斯的独立。他计划成立国家银行，采取综合学校制度，在奥斯汀建立新都，并试图取得新墨西哥的部分土地。在外交方面，主动与法国、英国、荷兰发生接触。他经常发动反对印第安人的征战，投资浩大地开发新墨西哥，使得共和国几乎破产，离任时国债高达700多万美元。在墨西哥战争期间，他又立战功。后退居里士满的种植园。1857～1859年出任美国驻尼加拉瓜和哥斯达黎加公使。

Lamarck, Jean-Baptiste(-Pierre-Antoine) de Monet, chevalier de（knight of） **拉马克**（1744-08-01，法国皮卡第地区小巴岑廷～1829-12-18，巴黎） 法国生物学家的先驱，以

美国不列颠百科全书公司供图

其获得性遗传的观点而著名，此观点即拉马克主义，C.达尔文对此提出质疑。

生平 父为男爵，步兵中尉；同胞11人，他年最幼。父亲希望他当神职人员，将他送入亚眠的一所耶稣会学校，但父亲去世后他有机会到步兵团服役(1761～1768)，部队驻扎在里维埃拉时他对植物感到兴趣。退伍后先学习医学，然后学习植物学，在巴黎皇家植物园从法国植物学家贝尔纳·德·朱西厄学习。1788年以九年实地研究和采集的结果写成三卷本的《法国植物区系》。当时植物学已为大多数人所喜爱，该书被誉为有用的鉴定手册。该书并不盲目遵从林奈的方法。拉马克亦因该书被接纳入科学院，当时科学院仅限42名成员。当时最杰出的博物学家布封游历中欧二年，拜访植物园和其他学术机构，在此期间他聘拉马克为其子的私人教师。在这以后拉马克花费数年时间为篇幅浩瀚的《系统百科全书》撰写植物学部分(该书是继狄德罗著名的《百科全书》后另一部巨著)，并任皇家植物标本馆馆长。

使博物馆的藏品现代化 1789年的法国大革命既要改造政治结构也要改造学术机构，于是皇家博物藏品被中断。他向国民大会提交报告，谴责业余爱好者出于好心将珍奇的藏品任意装柜陈列，并恳求通过建立一家大型自然博物馆将藏品用于促进科学进步。这些藏品"应按系统的法则"安排，而不能随心所欲地展出：自然界任何一个部分的事物(动物、植物、矿物)应再细分为纲。纲又分为目，目再分为属，并有一份书面目录，用作系统知识的基础。拉马克是博物馆藏品现代概念的创始人之一，这些数量很大的物品的安排反映了一种分类系统，该分类得到学术机构的赞助，并由学识渊博的专家维护和不断更新。1793年国立自然博物馆成立，他被任为无脊椎动物部主任，他已为该部收集了重要的标本。他似乎是最早将化石和与之相似的现存种联系起来的人。

到18世纪末，在化学和生理科学方面已积累相当知识，足以说服大部分思想敏锐的探索者：只要耐心寻找基本关系的线索，就有可能对重大的因果关系有新的认识。18世纪作家对自然节律和宇宙统一观念持有不严谨的不那么吹毛求疵的观点，拉马克对此感到满意和兴奋。他觉得A.拉瓦锡的新化学离开了重大事实而陷入细节的迷宫。他害怕科学会不再成其为一个协调的系统(所有人可以借此了解世界以及他们在世界中的地位)，而变成少数专家的狭窄的势力范围。于是他构思写作一系列论文，用统一的观点来阐述物理过程，以及化学、地质、气象和生命现象。第一部著作就是两卷本的《主要物理事实之原因研究，尤论燃烧之原因》(1794)，对物质与能量作了思辨的论述。1796年发表《驳精气论，或驳现代炼金术士的新理论》，书中用他自己的燃烧理论反驳拉瓦锡及A.德·富克鲁瓦伯爵的观点。两部作品的基调不是小心谨慎的，也未能影响严肃的科学工作，他不知道如何才能生动地表达自己的观点以吸引更多的公众。1802年他发表《水文地质学》，论述地球历史上出现过多次全球的海洋，洪水淹没了大地，每次都伴有有机物的沉积，从而构成大陆。拉马克认识到从沉积物中化石的类型可以推论这些沉积物是深海沉积还是沿岸沉积，这也是当时非常先进的见解之一。该书又表达了一个不同寻常的看法：地质时期是广阔的。"对大自然来说时间是无关紧要的，从来不是什么问题。时间总是受到大自然的支配，并代表一种无约束的力量，大自然利用它来完成其最大的和最小的任务。"令他深感悲痛的是，该文也受到忽视。科学研究在一系列相互批评中进行，在这些批评中人们在研究综合的理论之前利用证据和资料使基本事实得以广泛接受。拉马克鄙视科学界的这些做法，结果为科学界所排斥，越来越感到孤立和痛苦。

无脊椎动物的系统生物学 1800年他宣布已将林奈的混乱的低等动物分类作了修正，他不停留在表面的相似上(如某些蠕虫与软体动物之间)，却深入分析鉴别重要器官的功能和复杂性。"由于得以利用国家自然博物馆的丰富藏品，加上自己在近30年时间内的相当丰富的收藏"，他在此经验的基础上完成无脊椎动物分类系统的修正。1801年他出版《无脊椎动物系统或分类总表》一书，这是他关于无脊椎动物的第一部重要著作，该书反映了当时最新的研究成果，特别是居维叶的解剖研究，建立了基本的无脊椎动物分类体系，可用作整个19世纪研究工作的指导原则，而且这体系大部分至今仍被人们接受。1815～1822年他发表了一生中最重要的著作《无脊椎动物志》，这也是他对无脊椎动物研究的顶峰，充分证明他思路的正确性：建议建立博物馆，以其藏品作为修正系统生物学的基础。拉马克认为生物是从最简单的形式发展到最复杂的形式，就如一系列楼梯一样。他将物理能量与生物总的组织状况之间的关系总结为：动物的器官在"激发"和"微妙而不断流动的液体"的推动下，变得更为复杂，在越来越高的水平上获得自己的位置。这观点在他的著作《生物体组织研究》(1802)和《动物哲学》(1809)中得到阐述。在《动物哲学》中他提出两个"定律"：①器官是用进废退的；②由环境决定的器官的进展或退化可以"通过生殖留存到后代中"。他举出一个著名的例子：长颈鹿因取食高处的树叶，前肢和颈就变长。50年后，随着C.达尔文《物种起源》的发表，拉马克的这些观点成为兴趣和争论的中心。20世纪30年代以后大部分遗传学家已证明拉马克主义是无根据的，但在苏联，拉马克主义以李森科主义的形式统治苏联遗传学到60年代。拉马克主义在形成时就是对多种生命过程的精巧臆测的一部分，对这些过程如何运作，拉马克并无直接的证据。拉马克进行的是非常概括性的思辨，在一个多世纪后要断章取义地将拉马克主义的片言只语用于通过达尔文主义的应用而变得非常复杂的问题，特别是拉马克本人对之一无所知的遗传学问题，必然会使他的原意完全变了样。拉马克终生亲自研究植物和动物，获得一个直觉：生命是动态的过程，亦即物理过程与生命过程是相互紧密依赖的。现代生物科学正是以此为依据的。事实上生物学一词由拉马克于1802年首先创用。但在生物学史上，除无脊椎动物学外最好将拉马克视为先驱而非奠基人，在无脊椎动物学方面他不仅确定了最好的研究方法，又建立了研究机构，研究工作进行得极为成功。拉马克后来双目失明，在贫病中去世。

Lamarr, Hedy　拉玛(1913-11-09,奥地利维也纳～2000-01-19,美国佛罗里达奥兰多附近)　奥地利电影明星,塑造的角色多为富于诱惑力的美女。一位银行家的女儿,4 岁开始接受专门教育,10 岁就精通钢琴、舞蹈,能讲 4 种语言。16 岁进入赖恩哈特在柏林开办的戏剧学校,并拍摄了第一部电影《街上的金钱》(1930)。1932 年《销魂》一片中的裸体镜头使她毁誉参半。1933 年与奥地利军火商 F.曼德尔结婚,演艺生涯因丈夫的阻挠告一段落。离婚后,1937 年来到好莱坞,出演第一部英语爱情片《海角游魂》(1938)。1938～1945 年在米高梅的《富家子的婚姻》(1941)和《薄煎饼》(1942)等片中展示出她的演技,但所扮演的大都是一些花瓶角色。为了获得一些更重要的角色,1946 年创办了自己的影片公司。主演的《霸王妖姬》(1949)是她在商业上最成功的影片。第二次世界大战期间,与先锋派作曲家 G.安太尔合作发明了一种能够减少无线电信号干扰的电子设备。尽管这种设备在战争中从未使用过,但成为现今人造卫星和移动电话的部件。拉玛于 1958 年息影,但 1966 年和 1991 年重新露面。两次因盗窃罪被捕,后无罪释放。1966 年,拉玛起诉其自传《我与"销魂"》的合作者叙述不实;还起诉导演布鲁克斯在《灼热的马鞍》(1974)一片中加入了一个名叫海蒂·拉玛的角色。她一生共有 6 次婚姻,去世时一人独居。

Lamartine, Alphonse de　拉马丁(1790-10-21,法国马孔～1869-02-28,巴黎)　法国诗人和政治家。他的抒情诗《沉思集》(1820)使他成为法国文学中浪漫主义运动的主要人物之

美国不列颠百科全书公司供图

一。贵族出身。幼年就读于耶稣会教士办的学校。1814 年波旁王朝复辟,他参加路易十八的近卫队。拿破仑百日统治期间,他流亡瑞士。波旁王朝第二次复辟时,他离开军队,于 1820 年任驻那不勒斯使馆秘书。同年他的第一卷诗《沉思集》出版,立即获得成功。这卷表达个人情感及宗教信仰的诗集,以其新颖的音乐节奏及生活热情,与枯萎的 18 世纪诗歌形成强烈对比。1823 年又有《新沉思集》及《苏格拉底之死》问世。他赞赏英国诗人拜伦,这种赞赏之情流露于《哈罗尔德游记终曲》(1825)中。1829 年当选为法兰西学院院士。翌年出版的《诗与宗教的和谐集》是充满宗教热忱的赞美诗。七月革命之后,拉马丁放弃外交生涯而进入政界,他不愿再为王朝效劳而开始关心社会问题,1833 年当选为议员。在这期间,他出版了长诗《约瑟兰》(1836)和《天使谪凡记》(1838)以及诗集《冥想集》(1839)。此后,他的主要活动转入政治方面。他哀叹工人的非人遭遇,揭露富商巨贾对政治的控制。他认为工人革命不可避免,并促使它来临。1847 年他出版了关于法国大革命时期温和的右翼吉伦特派的历史,因此在左翼党内威信大增。1848 年二月革命后第二共和国成立,拉马丁成为临时政府实际上的首脑。6 月,资产阶级发现拉马丁实际是工人阶级代言人,遂抛弃拉马丁,镇压工人暴动。他晚景凄凉,不得不为还债而写作。1869 年在巴黎去世时,几乎已经被人们遗忘。

Lamas, Carlos Saavedra　拉马斯　参阅 **Saavedra Lamas, Carlos** *萨维德拉·拉马斯*。

Lamashtu　拉马什图　阿卡德语。苏美尔语作 Dimme。美索不达米亚宗教中最凶恶的女魔,天神安努之女。她杀害儿童、饮人血并食人肉。在护符上其像常为狮头或鸟头女性,跪在驴背上,两手各执一条双头蛇,右乳哺一狗,左乳哺一猪或狗。

Lamaze　拉马兹无痛分娩法　不用药物,只通过心理准备和动作训练使产妇顺利分娩而不感疼痛的方法。是比较流行的无痛分娩法之一。20 世纪 50 年代由费尔南德·拉马兹采用,其目的是减轻分娩时疼痛加剧的紧张和焦虑心理。拉马兹强调要向孕妇进行教育,介绍产程各期的情况(以减轻因不了解分娩过程而产生的恐惧、紧张心理),并教会她们学会助产动作和作好心理上的准备,以便在分娩时使随意肌得到放松。根据巴甫洛夫的条件反射学说,拉马兹教会孕妇利用分散精力的办法来减轻分娩时因宫缩而引起的不舒服感觉。这些办法还包括:作深呼吸和浅呼吸,有节奏地轻轻按摩腹部(轻抚法),以及将注意力集中在体外的一点上,或想象愉快的经历等;所有这些,都是用于在分娩过程中分散对疼痛的注意力。拉马兹的无痛分娩法和其他预先有准备的("自然的")分娩法,都是依靠在分娩前几周内有指导地进行放松技术的训练和练习。孕妇和帮助她生产的辅助或陪伴人员,都要接受拉马兹无痛分娩技术的全面训练。孕妇要做收紧腹部、放松产道周围肌肉的练习,这个准备工作是帮助产妇减轻分娩过程中的肌肉紧张;另一项训练是练习在宫缩最强时进行胸部深呼吸和迅速的浅呼吸,这是为了减轻子宫的紧张程度。反复多次的训练,使这种适当的呼吸方式成为半自觉的。拉马兹的无痛分娩法还包括在分娩过程中对产妇进行指导。

lamb　羔羊肉　不到一岁的小羊的肉。英文亦指羔羊。羊出生后 6～10 个星期称为乳羊,5～6 个月称为仔羊。西方国家喜食口味柔和的羔羊肉,未断奶的羔羊肉口味特别鲜美。瘦肉的色泽随年龄而变深。英国传统的烤羔羊肉用薄荷酱作调料。法国厨师主张缩短烹饪时间,使肉鲜嫩略带淡红色。希腊、土耳其及中东国家喜欢串烤羔羊肉或加蔬菜炖煮。

Lamb, Charles　兰姆(1775-02-10,英格兰伦敦～1834-12-27,米德尔塞克斯埃德蒙顿)　英国散文作家和评论家。笔名伊利亚,以《伊利亚随笔集》闻名。他还是英国最伟大

美国不列颠百科全书公司供图

的文学家之一,是一个敏锐的文学评论家。父亲为伦敦内殿律师学院执事索尔特充当机要文书。兰姆早年废寝忘食地阅读索尔特的藏书。7 岁入小学,与 S.T.柯尔律治成为终身朋友。他学习很好,如果不是口吃,后来肯定会担任圣职。15 岁离开学校,1792 年到东印度公司当职员,直到 1825 年退休。1796 年,姐姐玛丽因精神病发作,杀死母亲,从此由他负责照顾玛丽,两人感情很好。兰姆最初发表的是诗歌,分别于 1796 年和 1798 年收入柯尔律治和 C.劳埃德所编诗集。1798 年出版散文传奇《罗莎蒙德·格雷的故事》,1802 年出版诗体悲剧《约翰·伍德维尔》,这些著作并不成功。《昙花一现的婴儿》(1828)是他最优秀的诗篇,但他最著名的诗是《熟悉的老面孔》(1789)。1807 年,应 W.葛德文之约与玛丽合编的《莎士比亚戏剧故事集》出版,是一部为儿童改编的莎士比亚戏剧集。翌年出版为儿童改写的《奥德赛》,书名为《尤利西斯历险记》。1809 年出版故事集《莱斯特夫人的学校》。同时,兰姆还出版了《莎士比亚同时代英国戏剧诗人之范作》。他还为 L.亨特所编《反思者》撰写评论莎士比亚和霍格思的文章。兰姆的书信包含有他最敏锐的评论,反映了他的个人情趣。他在散文方面的最大成就是以笔名伊利亚为 1820 年创刊的《伦敦杂志》所写的随笔。这些随笔几乎完全是自传性的。《伊利亚随笔集》,于 1823 年出版。续集名《伊利亚后期随笔集》,于 1833 年出版。兰姆退休后,由于姐姐病情恶化,两人遂移居埃德蒙顿。他离开志同道合的友人,心中郁闷,日益借酒浇愁。1834 年因跌伤引起并发症逝世。

Lamb, Sir Horace　兰姆(1849-11-27,英国曼彻斯特附近斯托克波特～1934-12-04,剑桥郡剑桥)　英国数学家,对数学物理做出了贡献。1872 年是剑桥三一学院的研究员和助教。3 年后任澳大利亚阿德莱德大学数学教授。1885 年回英格兰,任兰开夏维多利亚大学数学教授。著有《流体运动的数学理论》(1878)和《流体动力学》(1895),后者在许多年间是流体动力学的标准著作。他的许多论文主要是在应用数学方面,详述了他对波的传播、电感应、地震和潮汐波浪理论方面的研

究。1921～1927年他为航空研究委员会对飞机表面的气流作了有价值的研究。1884年被选为英国皇家学会会员，1931年被封为爵士。他的其他著作包括《无穷小演算》、《声的动力理论》和《高等力学》等。

Lamb, Mary Ann　兰姆（1764-12-03，伦敦～1847-05-20，伦敦）　英国作家。以她与其弟查尔斯·兰姆合写的《莎士比亚戏剧故事集》闻名。玛丽·兰姆出身贫寒，所受的正规教育极其有限。她自幼即为人针织以帮助家庭维持家计。其母长年卧病，悉仗玛丽照料。1796年9月22日，玛丽精神病发作，用刀刺死了母亲。据信，她的精神病是遗传性的，而劳累过度则起了触发作用。她被暂时宣布为疯人，交由其弟查尔斯监护。终其一生，玛丽不时为复发的精神病所苦。1807年，玛丽与查尔斯出版了将莎士比亚剧本用散文改写的《莎士比亚戏剧故事集》，供儿童阅读。她写了序言，改写了14出喜剧和历史剧，查尔斯则改写了6出悲剧。然而出版时仅由查尔斯署名。此书问世后受到极大欢迎，查尔斯的文名遂著。1809年，查尔斯与玛丽出版了两人合写的儿童故事集《莱斯特夫人的学校》和《儿童诗歌》。查尔斯死后，玛丽的精神病有所恶化，13年后逝世。

Lamb, Sydney M(acDonald)　兰姆（1929-05-04，美国科罗拉多丹佛～　）　美国语言学家，语符学理论（基于语言的最小意义单位即“义位”）的分支——层次语法——的创始人。1958年在伯克利加利福尼亚大学获哲学博士学位，1956～1964年在该校任教，1958～1964年领导机器翻译研究项目，1964年起任教于耶鲁大学，1977年加入加利福尼亚伯克利符号学协会。他的著作《层次语法概要》（1966）就语句分析叙述了他所认为的4个必要层次：义素层（sememic）、词素层（lexemic）、形素层（morphemic）和音位层（phonemic）。兰姆的方法的层次是逐层相关的，每层在结构上都由下个层次的成分来“体现”。

Lamb, Willis Eugene, Jr.　兰姆（小）（1913-07-12，美国加利福尼亚洛杉矶～2008-05-15，亚利桑那图森）　美国物理学家，因其实验工作使量子电动力学更加精确，与P.库什共获1955年诺贝尔物理学奖。1938年在哥伦比亚大学任教，第二次世界大战时在该校辐射实验室工作。虽然P.A.M.狄拉克的量子力学曾经预言，光谱（如经过棱镜的色散光）中出现的线具有超精细结构，但是当兰姆运用新的方法来测量这些线时，发现它们的位置与预言的稍有不同（1947）。任斯坦福大学教授（1951～1956）时，发明了检查氦光谱线超精细结构的微波技术。1956年任牛津大学理论物理学教授，1962年任耶鲁大学物理学教授。1974年任亚利桑那大学物理学与光科学教授。

Lamb of God　参阅 **Agnus Dei** *上帝的羔羊*。

Lamba　兰巴人　又称拉马人（Lama）。一支讲班图语的民族，居住在多哥东北部的克朗河谷和多哥山地以及毗邻贝宁的一些地区。兰巴人和附近有血缘关系的卡布雷人都声称自己是土著拉马人后裔。有些学者根据史前巨石和古陶器，把兰巴人划归为“古尼格罗人”。虽然兰巴意指“森林之人”，但是兰巴人已开垦了所有林地，只保留一些猴面包树、芒果树、牛油树和油棕树。农地不休耕，施用草木灰和粪，采用玉米、高粱、黍类、芋和豆类轮作制以补充耕地中的氮。兰巴人习惯于到他们自己的小集市或到他们耕地附近城镇（如尼亚姆图古或拉马卡拉）上的大集市购物。纺织、编筐、陶艺和铁工艺发展良好，有些工艺品出口外销。过去数十年中，许多兰巴人参加了多哥拉马卡拉的快速都市化；另一些兰巴人南迁到洛美或西迁到贝宁觅地或求职。兰巴人居住于田宅，各户隔田相望，不相毗连。实行父系继承制。在殖民统治以前，每一家庭均由家长领导。虽然这些松散的邻里性群体可能联合起来进行防御或攻击活动，但除家长外别无其他权力机构。他们采用的年龄组制度加强了兰巴人社会平等的性质；多哥的兰巴人（和邻近的卡布雷人）以少年组的男童角力比赛而闻名。德国殖民者引进酋长等级制，法国殖民者将兰巴人各社区与多哥人的国家政权联为一个统一体。

Lamballe, Marie-Thérèse-Louise de Savoie-Carignan, Princess de　朗巴尔亲王夫人（1749-09-08，皮德蒙特都灵［意大利］～1792-09-03，法国巴黎）　法国王后玛丽-安托瓦内

美国不列颠百科全书公司供图

特的亲密女伴，在法国大革命中因被控参与王后的反革命阴谋而被群众杀害。她是路易-维克托亲王之女，1767年嫁给朗巴尔亲王，次年亲王去世。在太子路易和玛丽-安托瓦内特结婚时（1770），她进入凡尔赛宫。1774年路易十六即位时，玛丽-安托瓦内特选她为心腹亲随。翌年任王后的内府总管。1789年10月，她伴随王室前往巴黎，她的沙龙成为王后同革命的国民议会中的王室同情者们进行阴谋的聚会场所。1792年8月10日君主制被推翻，她同王后被关在丹普尔监狱，8月19日转移至拉福斯监狱。她拒绝宣誓反对君主制，于9月3日被移交给民众审讯，民众盛怒之下，砍下她的头，用长矛挑着，送至王后的窗前。

Lambaréné　兰巴雷内　加蓬中西部城市。在奥果韦河中一个岛上，有码头和机场，公路通坎戈、恩乔莱和穆伊拉。以神学家、教会医师施韦策（**Schweitzer, Albert**）1913年创建的

奥果韦河畔的兰巴雷内市
美国不列颠百科全书公司供图

医院闻名。有基督教堂、师范学校、天主教堂、清真寺、国家医疗中心和中等学校。已引入橡胶种植。西北地区有石油。有一大型棕榈油厂。出口木材和棕榈产品。人口约15 033（1993）。

Lambayeque　兰巴耶克　秘鲁北部省份（1874年成立）。有一片干旱的沙漠沿海平原由太平洋沿岸逐渐向东升高至安第斯山脉。有大规模灌溉工程。为该国主要农业区。主要产稻米、甘蔗，亦种植棉花、水果、玉米。农业区与省会*奇克拉约*（**Chiclayo**）之间通铁路。主要海港皮门特尔和埃滕通泛美公路。面积14 231平方千米。人口约1 050 280（1998）。

Lambeau, Curly　兰博（1898-04-09～，美国威斯康星格林贝～1965-06-01，威斯康星斯特金贝）　美国橄榄球教练。曾短暂地参加圣母大学橄榄球队。1919年与格林贝新闻界人士G.卡尔霍恩合作组织职业橄榄球队，因受当地某肉类加工商的资助，故名包装工队。该队1921年加入美国职业橄榄球协会，1922年加入全国橄榄球联盟。在兰博的指导下，该队获6次全国橄榄球联盟赛冠军（1929、1930、1931、1936、1939、1944）。除担任教练和总领队外，还担任前卫（1919～1929），并且是向前传球的名手。

Lambeosaurus　兰氏龙属　鸭嘴龙的一属，化石发现于北美晚白垩纪岩层（6 640万年前至9 750万年前）。首次在加拿大艾伯塔奥尔德曼组地层中发现；较近于墨西哥下加利福尼亚发现长达16.5米的体型较大的化石。兰氏龙以颅骨顶部有斧形顶饰著称。顶饰为骨质，中空，内含复杂的腔室，分别与鼻孔和气管相通，成为呼吸通道的一部分。这些腔室的功能未明，但有人认为这些腔室用作共鸣室，以增大吼声，或为鼻腔黏膜面积的扩大，用以增强嗅觉功能。另一些研究人员认为顶饰有助于识别同类。与其他鸭嘴龙一样，兰氏龙口内牙数甚多，适于咀嚼大量较粗硬的植物性食物。

Lambermont, August, Baron　朗贝尔蒙（1819-03-25，荷兰迪翁河谷～1905-03-07，布鲁塞尔）　比利时政治家，于1863年促使通

过谈判解决斯海尔德河问题(因荷兰控制比利时主要港口安特卫普的海上贸易而引起的争端),使比利时海上贸易获得自由。第一次卡洛斯战争(1833～1839)期间,他在西班牙伊莎贝拉二世女王的军队中服役,功勋卓著。1842年回国后进入外交部,在那里任职63年。有鉴于发展比利时贸易的重要性,他转至外事局商务部门工作。1856年着手为使比利时在安特卫普出海的唯一通道斯海尔德河上的贸易获得自由做准备。由于他的努力,1863年7月在布鲁塞尔达成国际协议,使荷兰不得再行征收安特卫普海上贸易的通行费。为此他被封为男爵。1874～1890年,他在讨论有关战争的法律和惯例以及处理中非事务的几个国际会议上也有杰出表现。

lambert 朗伯 厘米-克-秒制中光亮度的单位。其定义为每平方厘米辐射或反射1流明的理想漫射表面的光亮度。此单位因纪念18世纪德国物理学家J.H.朗伯而命名,并广为天文学家、物理学家、工程师和摄影师所采用。

Lambert OF HERSFELD 兰贝特(赫施费尔德的)(1025～约1088) 德意志编年史家,曾为11世纪德意志历史搜集了宝贵的资料。在班贝格受教育,1058年入赫施费尔德天主教本笃会,同年秋天授神职。所著《赫施费尔德编年史》(1525年首次出版)约于1077～1079年撰写,记述从创世起至1077年时期的历史。他学识渊博,以李维等罗马历史学家的著作为治史和修辞的样板。《编年史》一书是研究11世纪德意志宗教和政治发展,特别是研究国家与罗马教廷之间的关系的极有价值的文献。

Lambert OF SPOLETO 兰贝特(斯波莱托的)(?～898-10-15,伦巴第马伦戈[意大利]) 斯波莱托公爵,意大利国王,动乱的卡洛林王朝时代末期的神圣罗马帝国皇帝(892～898)。892年与其父居伊同时加冕共治,894年父死后独自统治。896年德意志国王卡林西亚的阿努尔夫攻占罗马,将他废黜。阿努尔夫返国后,兰贝特再次统治帝国。

Lambert, Constant 兰伯特(1905-08-23,伦敦～1951-08-21,伦敦) 英国作曲家、指挥家和评论家。为在英国普及芭蕾舞做出了重大贡献。1926年受佳吉列夫之托,谱写了《罗密欧与朱丽叶》芭蕾舞剧。1929年任卡玛戈学会指挥。其后学会创办萨德勒的韦尔斯芭蕾剧团,他任指挥直到1947年。作品有芭蕾音乐《占星图》(1938年首演)、歌曲套曲《中国歌曲8首》(1926)。他是一位敏锐的评论家,所著《嗬! 音乐! 对衰落中的音乐的研究》(1934)是对20世纪音乐的一本有启发性的论著。

Lambert, Franz 兰贝尔(1486,法兰西阿维尼翁～1530-04-18,黑森弗兰肯堡-埃德尔) 黑森州宗教改革运动的领导人物。15岁在阿维尼翁入方济各会隐修院,自1517年起为托钵修士。他在维滕贝格会见M.路德,1524年返回斯特拉斯堡,宣传路德的学说,由宗教改革家J.施图尔姆引荐给黑森州伯爵腓力。在腓力的支持下,他起草《黑森教会的改革》,由腓力于1526年发给洪堡会议审议。这一文件主张在教会行政上实行公理制。由于路德等人认为这种制度过于民主,腓力遂予以放弃。1527年腓力创办马尔堡大学,任命兰贝尔为神学院院长。

Lambert, Gerard Barnes 兰伯特(1886-05-15,美国密苏里圣路易斯～1967-02-25,新泽西普林斯顿) 美国有成就的商人及广告家。出售其父发明的利斯特林防腐漱口剂,宣传口臭是一种社会的耻辱。在普林斯顿大学毕业后去哥伦比亚大学学习建筑学,后参加第一次世界大战。战后加入其父商号——兰伯特医药公司。以后该公司改为沃纳-兰伯特医药公司,1923年由他任公司总经理,致力于防腐漱口剂(其父发明的防腐溶液)的广告宣传。为实现自己的广告计划,他组建兰伯特-费斯利广告社。医药公司由他经营管理后,利润增长60倍。1928年售出该企业中自己的股权。退休3年后又加入需要改组的吉列保险刀片公司,3年后由于协助开发吉列蓝色刀片使该公司业务大为改观。依靠其建筑上的训练,兰伯特1938年为新不伦瑞克和普林斯顿开发了第一批低成本的津贴房屋。他是个快艇驾驶能手、业余考古学家、艺术收藏家,还是作家。他的著作有离奇故事《纽波特谋杀案》(1938)、快艇传记《美国佬在英国》(1937)和他的自传(1956)。

Lambert, Johann Heinrich 朗伯(1728-08-26,阿尔萨斯米尔豪森～1777-09-25,柏林) 又译兰伯特。瑞士-德国数学家、天文学家、物理学家和哲学家。他第一次严格地证明了π(圆的周长与直径比)是无理数,即它不能表示成两个整数之商。朗伯出身于裁缝家庭,自学成材,很早就借助于自己设计制造的仪器研究几何与天文。当过簿记员、秘书和编辑。1748年作为一个私人教师,有机会去图书馆自学,持续到1759年辞职移居至奥格斯堡时为止。1764年到柏林,受腓特烈大帝的资助。他的自传出版于1768年,该书包含了π是无理数的证明。1774年在柏林,他成为《天文年历》的编辑。朗伯第一个系统地研究了双曲函数。在热学和光学的研究中也有许多创新。亮度的单位朗伯就从他的姓而来。最重要的著作有《光度学》(1760)、《平行线理论》(1766)和《高温学》(1779)。他的主要哲学著作《新工具法》(1764)分析了多种问题,包含形式逻辑、概率以及科学原理等。

Lambert, John 兰伯特(1619秋,英格兰约克郡西区卡尔顿～1684-03,德文普利茅斯附近海上圣尼古拉岛) 英国内战时期议会军主要将领,护国政体(1653～1660存在于英格兰的共和政体)的主要缔造者。富绅家庭出身。内战爆发时参加议会军,时为上尉,1644年3月在约克郡布雷德福对保王军作战时初露头角。同年7月在约克郡马斯顿荒原战役中英勇杀敌。28岁任少将。他协助H.艾尔顿起草了旨在协调军队、议会和国王之间利益冲突的宪法草案《建议要点》。1648年任英格兰北方军区司令官。1648年8月他与O.克伦威尔在兰开夏郡普雷斯顿击败苏格兰保王派入侵者。1649年3月22日收复保王派在英格兰的最后一个据点约克郡庞蒂弗拉克特。1650～1651年在克伦威尔手下任副司令。1651年9月3日与克伦威尔一道在伍斯特的内战最后一次战役中彻底击溃查理二世。1653年他说服克伦威尔解散残余议会,但不同意克伦威尔任命议会的计划。1653年起草《政府约法》,推克伦威尔为共和国护国公。他任国务委员,成为克伦威尔的得力助手。1657年公开反对克伦威尔称王的建议。新宪法实施后,他拒绝宣誓效忠护国公,被克伦威尔撤职,但发给优厚年金。克伦威尔死后,他促使残余议会复会。为时不久,他又用武力将其解散。1660年查理二世复位。1662年6月兰伯特被判处死刑,但缓期执行,余生在狱中度过。

Lambert, Piggy 兰伯特(1888-05-28,美国南达科他戴德伍德～1958-01-20,印第安纳拉斐特) 美国大学篮球教练,倡导快攻战术。毕业于明尼苏达大学化学系。在印第安纳州莱巴嫩中学任理化教师兼篮球教练(1912～1916),后为珀杜大学篮球教练。他训练队员强调要有自信、果敢迅速、积极拼搏。1946年辞去教练职务,任职业性全国篮球联盟主任。1949年返回珀杜大学,任一年级篮球和棒球主教练。1955年辞去前项职务,专任棒球教练。兰伯特同时从事化学研究工作。1960年入选篮球名人堂。

Lambert conformal projection 兰伯特共形投影 制作地图和航图的圆锥投影。假想有一圆锥位于地球上方,锥顶对准地理北极。圆锥在某一纬圈处割入地球,向南再在另一纬圈处穿出地面。选定这两个纬圈为制图区域的边界。将地球上各点沿地心辐射线投影到圆锥上,再将圆锥沿一边切开、摊平,就成了地图或航图。

Lambessa 朗贝萨 古称朗贝西斯。阿尔及利亚巴特纳省的一个以罗马遗迹闻名的村庄。1848年法国农民被肥沃土地吸引来此,建立殖民点。1852年法国政府在此设流放者集中营。罗马遗址有两座凯旋门、一些神庙、一条高架水渠、一座圆形剧场,另有一些澡堂和许多私人住宅。人口16 057(1987)。

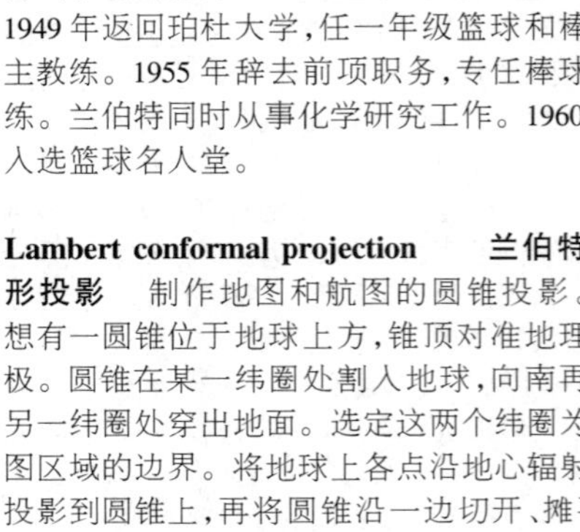

朗贝萨的古罗马遗迹,公元268年
美国不列颠百科全书公司供图

Lambeth 兰贝斯 英格兰伦敦的内自治市。属萨里历史郡。面积27平方千米。位于泰晤士河南岸,范围包括沃克斯霍尔(包括肯宁顿)和布里克斯顿区以及诺伍德、克拉珀姆和斯特雷特姆区的大部分。18世纪前居民稀少,现在主要是住宅区,也有政府机构和商业建筑。为滑铁卢车站所在地。沿河为现代文化中心,有皇家节日宫、伊丽莎白女王宫、国家剧院、国家影剧院等。还有著名的圣托马斯和金斯医学院。其他名胜有圣马利亚堂区教堂和兰贝斯宫(坎特伯雷大主教的伦敦府邸)。有5座桥梁通河对岸的议会大厦和威斯敏斯特城区。人口约269 500(1998)。

Lambeth Conference 兰贝斯会议 基督教安立甘宗各教会主教的集会,定期由坎特伯雷大主教在其伦敦办公处兰贝斯宫亲自主持召开。其重要性在于表达安立甘宗的一致意见。但安立甘宗并无中央权力机关,各主教以平等身份共同计议。一般每10年开会一次。第一次兰贝斯会议于1867年应加拿大圣公会的请求举行。许多英国主教怀疑这种国际会议的地位和这种会议是否明智。尽管采取了审慎的态度,安立甘宗全部144位主教中只有76位出席第一次兰贝斯会议。后来大家态度转变,1978年的兰贝斯会议有440位主教出席。1988年有518位主教出席,1998年大约800位出席。第一次会议仅进行了4天,后来历届会议都持续几个星期。1897年成立常设机构兰贝斯会议协商委员会来准备下届会议议程。1948年设国外传教方针顾问委员会。1958年兰贝斯会议决定任命一位主教为安立甘宗执行干事,配合上述两机构的工作。1968年两机构合并为安立甘宗协商委员会,总部设于伦敦,负责在兰贝斯会议休会期间促进安立甘宗内部合作。兰贝斯会议是安立甘宗各领导人共同协商的主要渠道,所协商的问题有该宗同其他派别的关系,各圣公会之间的问题以及神学、社会和国际问题。1998年会议期间,通过了一项决议抵制同性恋行为、同性结合(同性恋婚姻),以及向同性结合者授予神职。另一项决议宣布不能强迫主教授予女性神职,从而试图缩小那些支持授予女性神职和拒绝授予女性神职的主教之间的分歧。兰贝斯会议经常发表通报,发布决议,公布各委员会所提出的报告。兰贝斯会议的决议对各个圣公会不具有约束力,这些决议必须经过教会会议或其他宪章手续才能具有法律约束力。

Lambeth delftware 兰贝斯代尔夫特陶器 参阅 **Southwark and Lambeth delftware** 萨瑟克和兰贝斯代尔夫特陶器。

Lambeth Quadrilateral 兰贝斯四条款 基督教安立甘宗同其他派别协商联合问题时所根据的四条基本原则:以《圣经》为信仰准则;《使徒信经》和《尼西亚信经》;洗礼和圣餐礼;主教制传统。1886年由美国圣公会在芝加哥大会上宣布,1888年由安立甘宗兰贝斯会议修改通过。前3条获得广泛承认。第4条即主教制,一直是安立甘宗同新教各派联合的主要障碍。

Lambeth walk 兰贝斯走步舞 20世纪30年代后期的舞厅舞。据说是模仿伦敦兰贝斯区居民的趾高气扬、装模作样的形态。根据1937年英国歌舞剧《我和我的女友》中

兰贝斯走步舞
美国不列颠百科全书公司供图

的舞蹈改编而成,这种舞蹈按进行曲拍子的走步来进行表演。舞蹈者双臂自由平举,与肩平齐,拇指跷起,男女肩并肩或面对面成对而行,然后挽臂旋转,或拍膝高呼"嗬伊"。

Lambing Flat Riots 兰明低地暴乱(1860～1861) 澳大利亚新南威尔士金矿的反华浪潮,导致对华人移民的限制。1860年夏,兰明低地(今称扬)发现金矿,大批白人和华人矿工涌来。1860年12月12日,白人矿工团体举行示威,捣毁赌场及其他据说是犯罪的场所,然后袭击华人住区,打死数人,打伤多人。此后,华人矿工屡次遭到白人的袭击,最后被迫放弃金矿。白人矿工声称他们是因为华人浪费水源才采取暴行,但重要原因在于种族歧视。1861年3～6月军队恢复了秩序,大部分华人返回住区。但军队刚撤走,6月30日白人发动大规模的暴乱,几千人闯入华人的住宅,捕捉奔逃的华人,对华人肆意侮辱、殴打和劫掠。军队迅速返回又重建秩序。同年11月,新南威尔士政府通过《华人移民法》,严格限制华人入境。

lambkill(species *Kalmia angustifolia*) **狭叶山月桂** 又作 dwarf laurel,sheep laurel 或 wicky。杜鹃花科稀疏的直立灌木,高0.3～1.2米。叶光滑革质,常绿;花鲜艳,粉红至玫瑰色。含有梫木毒素,这种毒素也常见于其他山月桂属植物(包括山月桂、泥沼月桂)和其他杜鹃花科植物。在北美洲西北地区废弃牧场和草甸的贫瘠土壤中生长有这些植物,放牧的家畜(尤其是绵羊)食过多狭叶山月桂后可中毒,症状包括流出大量唾液和鼻涕,瘫痪,昏迷乃至死亡。

lamb's lettuce(plant) **羊莴苣** 参阅 **corn salad** 谷地色拉。

lamb's quarters(species *Chenopodium album*) **羊腿藜** 又作pigweed。即藜。藜科一年生杂草,广布亚洲、欧洲和北美。可高达3米,但通常较矮;叶蓝绿色,大小和形状各异,叶背常有白粉。春天长出的嫩苗可作野菜。

Lambton, John George 兰布顿 参阅 **Durham, John George Lambton, 1st Earl of** 德拉姆。

lamellaphone 薄片琴 又称姆比拉琴(mbira)、莱肯姆比琴(likembe)、卡林巴琴(kalimba)或拇指钢琴(thumb piano)。非洲乐器,由一套长短不一并有固定调音的金属或竹制的舌簧组成,舌簧一端连接在一块常带有箱形或葫芦形共鸣器的音板上。为增加共鸣,装在板上的薄片琴往往从葫芦或碗体内侧演奏。在音板或共鸣器上装接一些发格格声的装置或在舌簧底端安装一些金属卡套可改变音质。薄片琴常被归入拨奏体鸣乐器一类(此类乐器的发声体为具有共鸣作用的固体),但严格地说这一分类并不准确,因为琴上的舌簧并非拨奏发声而是用拇指和其他手指按下又松开而发声的。此琴通常用以为歌曲伴奏,但在某些地区亦用于演奏纯器乐。

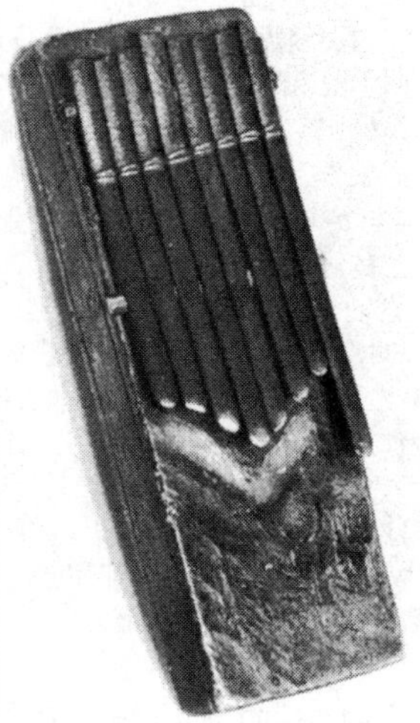

中非洲的姆比拉琴,用竹制舌簧
美国不列颠百科全书公司供图

早在1586年欧洲旅行家即已对薄片琴有所报道。它在非洲撒哈拉沙漠以南地区广为传播,分布地域同木琴;其调音亦与木琴相似。薄片琴于19世纪由非洲奴隶带往拉丁美洲,并衍生出非洲-古巴式马林巴琴。

Lamennais, (Hugues-) Félicité (-Robert de) 拉梅内(1782-06-19,法国圣马洛～1854-02-27,巴黎) 法国天主教司铎、哲学和政治著作家,他力图在法国革命之后把政治上的自由主义与天主教义结合在一起。他是卓越的著作家,是法国天主教会历史上具有影响力而引起争论的人物。拉梅内出身于资产阶级家庭,本来同情自由主义,但是经过法国革命这种同情心有所减弱。他和兄长让很早就提出,重振天主教是复兴社会的关键。拿破仑在法国恢复天主教会之后,拉梅内兄弟发表《关于法国教会情况的想法》(1808),概略地提出整顿计划。5年后,正当拿破仑与罗马教廷的冲突激化到顶点之际,他们又发表著作,为越山主义辩护,主张天主教会集中权力。其对立面高卢主义主张限制罗马教廷的

权力。此书使拉梅内与皇帝拿破仑发生冲突，他不得不暂时逃亡英格兰。重返巴黎后，拉梅内于1816年受祝圣为司铎，翌年发表《论对宗教的漠视》第一卷，该书立即使他声誉大振。他在书中提出宗教不可或缺，而他所依据的是传统的权威和人类的一般理性而不是建立在私人判断之上的个人主义。拉梅内在宗教问题上鼓吹越山主义，但在政治上信仰自由主义，主张政教分离，维护信仰、教育和新闻自由。他一方面在《论革命的进程与反对教会的战争》(1829)一书中抨击法国主教们和法国君主政体的高卢主义，另一方面又在该书中表示希望把天主教同政治自由主义结合起来。在1830年的七月革命之后，拉梅内与H.拉科代尔、C. de蒙塔朗贝尔以及一批热衷于开明天主教派的著作家共同创办《前途报》，鼓吹民主主义原则和政教分离，遭到法国天主教神职人员体系和国王路易-菲力普的政府的反对。该报于1831年11月停刊，向教皇申诉无效。于是拉梅内发表《一个信徒的话》(1834)，抨击罗马教廷和欧洲各国君主。教皇针对这篇著名的启示文学诗歌发布1834年7月的通谕，结果拉梅内与天主教会的关系断绝。其后拉梅内专诚为人民的事业效力，为共和主义和社会主义而著述，其著作中包括《人民的书》(1838)。1848年革命之后，在制宪议会工作。1851年路易-拿破仑政变之后退休。拉梅内拒绝与天主教会和解，因而死后葬在贫民墓地。

lament　哀歌　对个人损失表达深切的悲痛或忧伤的非叙事性诗歌。这种形式与英雄诗歌一同发展成为口头传统文学的一部分，并存在于大部分语言文学中。例如迪奥的《哀歌》，这是一首早期的盎格罗-撒克逊语诗歌，诗中一位吟游诗人哀诉他在赞助人那里地位的变化。另见古苏美尔语的《哀乌尔》。

Lament for the Destruction of Ur　《哀乌尔》　古代苏美尔文作品。哀挽曾统治美索不达米亚南部地区的乌尔第三王朝(约公元前2112～约前2004)的覆灭。全诗主要由长度不等的11段落组成。

Lamentations of Jeremiah, The　《耶利米哀歌》　《圣经·旧约》的一卷，属犹太教正典第三类圣录部分。在希伯来《圣经》中，《哀歌》与《路得记》、《雅歌》、《传道书》和《以斯帖记》共同构成"弥基录"。大多数基督教英译本《圣经》都仿效较晚近的希腊文本与拉丁文本，称此书为《耶利米哀歌》，《塔木德》和《七十子希腊文本圣经》则仅称《哀歌》。从此书的内容与文风可见，它不是耶利米所作。这些诗歌都是哀悼公元前586年巴比伦军队蹂躏犹大、耶路撒冷和圣殿之事，由此可见此书当是在那一年之后即巴比伦囚虏时期写成。

Lamerie, Paul de　德拉梅里(1688-04-09，荷兰斯海尔托亨博斯～1751-08-01，英国伦敦)　荷兰出生的英国著名银匠。他的父母是胡格诺派教徒，可能由于宗教的原因在17世纪80年代初离开法国，1691年在威斯敏斯

德拉梅里制作的银质餐桌中央装饰品(1743)
美国不列颠百科全书公司供图

特定居。在伦敦跟金匠普拉特尔当学徒，1712年注册商标开业。最初，他以安妮女王时代朴素无华的风格制造如酒杯和茶壶之类的简单器皿，同时又以与法国胡格诺工匠作品有联系的修饰风格做了一些矫饰的作品，如为第一代高尔伯爵制作的大型冰酒器(1719)。18世纪30年代，他制作自创的富有洛可可风格的作品，特别是有盖的杯子。1737年制作的一只杯子就是一杰出的代表，杯柄制成非常逼真的蛇形。另一个充满洛可可装饰风格的作品是一只大口水罐(1741)，罐柄是半人半鱼的海神形象。与欧洲大陆的银匠不同，他制作了许多非订货作品，贮存起来备日后出售。

Lameth, Alexandre(-Theodore-Victor), comte de(count of)　**拉梅特**(1760-10-28，巴黎～1829-03-18，巴黎)　法国贵族，1789年法国大革命初期鼓吹君主立宪制的主要人物。在美国独立战争中，拉梅特和他的兄弟曾参加殖民地人民的战斗。他回国后任骑兵团长(1785)，并当选为出席1789年5月5日召开的三级会议的贵族代表，但于同年6月25日加入没有特权的第三等级，协助起草《人权和公民权利宣言》(1789-08)。他拥护废除封建主义和限制国王路易十六现有的绝对权力。同年9月拉梅特同他的两位亲密同僚阻挠通过一项为贵族设立一个独立立法议会的法案。1791年春，拉梅特和他的朋友们感到，如果大革命继续下去，势必危及君主制和私有财产。于是，他们成为王族的秘密顾问。国王逃跑未成，新君主立宪制名声扫地。拉梅特及其同伙退出雅各宾俱乐部，另组斐扬俱乐部。翌年4月法国与奥地利开战，他在北方方面军中任军官。同年8月10日君主制倒台后，他同拉斐德侯爵出走。他在奥地利被囚禁3年多，1796年定居汉堡。拿破仑掌权后，拉梅特回国(1800)，1802～1815年任省长。路易十八和查理十世在位期间，他是议会自由反对派的成员。

Lamia　拉弥亚　古典神话中一个吞噬儿童的女怪。据后来的神话，她是利比亚女王，被宙斯所爱恋，当赫拉夺去她同宙斯所生的孩子之后，她就把在她管辖之内的孩子全部杀死。一说她是一个恶魔，常化作美女把青年男子引入她的怀抱，然后吞食。

Lamía　拉米亚　希腊中部城市，弗西奥蒂斯州首府。在奥斯里斯山脚，斯派尔希奥斯河谷地，埃维亚湾附近。为希腊正教主教驻地。地当通往色萨利的战略要地富尔卡山口。公元前5世纪初建时为马利斯人部落中心。中世纪时改称吉普顿，为雅典法兰克公爵的要塞。现保存有古城墙基和罗马人、加泰隆人、土耳其人修建的墙垛。拉米亚的工业有肥皂、棉纺和烟草加工业，还经销谷地出产的小麦、橄榄和柑橘。有铁、锰矿藏。通高速公路和铁路。人口41 846(1981)。

Lamiaceae　唇形科　唇形目最大的一科，约160属3 500种。包括一些重要的草本香料植物，有的种可供调味、药用。多为方茎；单叶，对生；花冠合瓣，二唇形；花萼合生，5浅

药用水苏(Betonica officinalis)(上)；
普通夏枯草(Prunella vulgaris)(下)
美国不列颠百科全书公司供图

裂，钟状。野芝麻属(*Lamium*)有40～50种，为矮生杂草，有时也栽培，俗名死荨麻。百里香属(*Thymus*)产欧亚大陆，约300～400种。野百里香(*T. serpyllum*)匍生，叶有香味，原产欧洲，已引种北美东部。叶和花枝似菜园百里香(普通百里香，*T. vulgaris*)。糙苏属(*Phlomis*)约100种。块根糙苏(*P. tuberosa*)高近2米，花紫红色，簇生，原产欧亚，已引种北美洲。罗勒属(*Ocimun*)有150个热带种，其中罗勒(**basil**, *O. basilicum*)原产非洲和亚洲，印度教徒视为圣草，也栽培用作调料。牛至属(*Origanum*)15～20种，原产欧洲，如墨角兰(**marjoram**, *Origanum majorana* 或 *Majorana hortensis*)。迷迭香(**rosemary**, *Rosmarinus officinalis*)以强烈的芳香闻名，原产于地中海地区。薰衣草(**lavender**, *Lavandula officinalis*)也原产于地中海；穗状花序，无叶；花芬芳，蓝到淡紫色。狮子耳属(*Leonotis*)产于非洲，40种。假荆芥叶狮子耳(*L. nepetaefolia*)引种遍及热带地区，株高1～2米，花红色至橙色，

球状聚生株端。海索草（**hyssop**, *Hyssopus officinalis*）曾用作草药。假荆芥（猫捏草、猫薄荷，*Nepeta cataria*）原产欧亚大陆，多年生，高约1米，叶心形，具短茸毛，有香气，为猫所嗜。药用水苏（*Stachys* [*Betonica*] *officinalis*）曾被认为万应药。其他水苏属植物亦用于民间验方。普通夏枯草（*Prunella vulgaris*）也曾是重要的药用植物。参阅 **Coleus**；**Mentha**；**Monarda**。

Lamiales 唇形目 双子叶植物的一目，属木兰纲。含4科，约7 800种。唇形科及马鞭草科的种类数占本目的3/4。这两个科的种类见于各个有人居住的大陆。本目4个科均

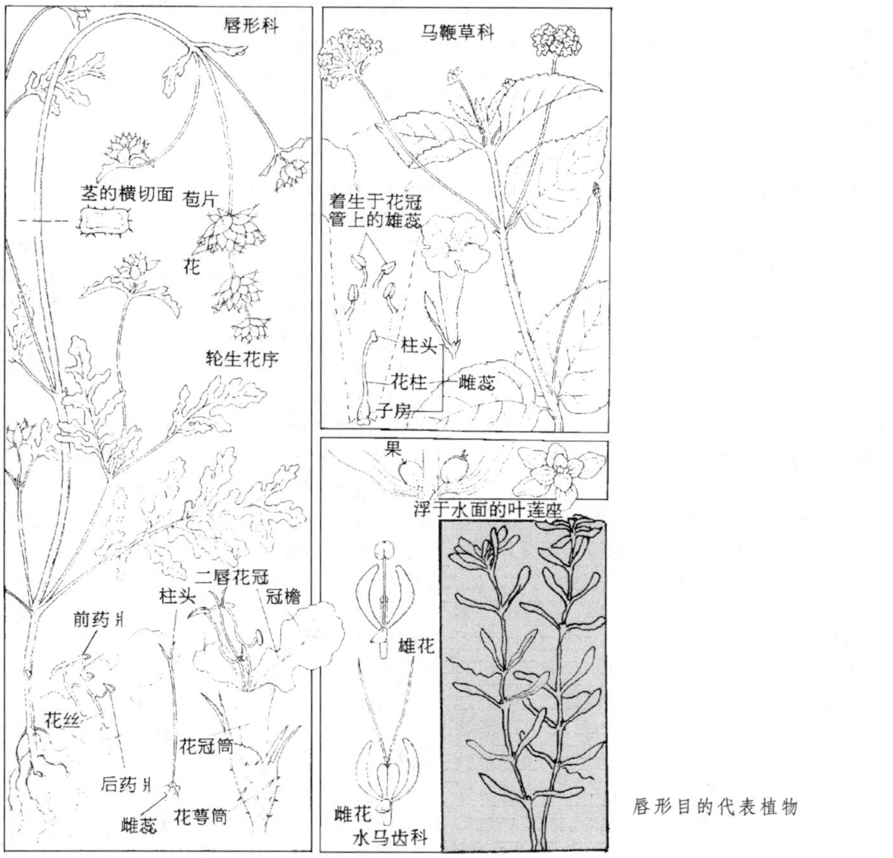

唇形目的代表植物

含低矮的草本植物；仅马鞭草科有高大的乔木。除少数例外，唇形目植物具单叶，对生；花两性，二唇形，两侧对称。唇形科及马鞭草科许多属具独特的四方形的茎。

唇形科含约3 200种，多为一年生或多年生草本。主要的分布中心在旧大陆从加那利群岛到喜马拉雅山脉一带；在埃塞俄比亚、马达加斯加、非洲及印度南部、斯里兰卡、大洋洲地区往东有几个较小的中心。在新大陆的分布中心从墨西哥中部山区到阿根廷和智利，次级分布中心由此向北和向东扩散。唇形科许多属的种类含精油，可供药用，或用作食品或饮料的调味剂，或制造香水。普通夏至草（*Marrubium vulgare*）和南欧丹参（*Salvia sclarea*）的精油可供药用。薄荷属（*Mentha*）的一些栽培品系（园艺品种）有商业性栽培以取其精油，如田野薄荷（*M. arvensis*）用以提取薄荷醇，杂交种（*M.* × *gentilis*）和留兰香（*M. spicata*）用以提取留兰香油，杂交种（*M.* × *piperita*）用以提取胡椒薄荷油。唇形科的香料植物包括墨角兰牛至（*Origanum majorana*）、欧洲墨角兰（普通牛至，*O. vulgare*）、甜罗勒（*Ocimum basilicum*）、药用鼠尾草（*Salvia officinalis*）、香薄荷（*Satureja hortensis*）、柠檬蜜蜂花（香蜂花、药用蜜蜂花，*Melissa officinalis*）和百里香（普通百里香，*Thymus vulgaris*）。狭叶薰衣草（*Lavandula angustifolia*）及药用迷迭香（*Rosmarinus officinalis*）可制香水。唇形科的花坛植物、边缘植物和地被植物有薰衣草属、薄荷属的种类以及所谓死荨麻（斑点野芝麻，*Lamium maculatum*，一种半常绿植物）。唇形科的观赏植物包括鼠尾草属（*Salvia*）的许多种类，其花颜色多样，从蓝色到橙红色的原产巴西的西洋红（一串红，*S. splendens*）。爱尔兰铃铛花（平滑摩鹿加花，*Molucella laevis*）的花萼绿色，张开如铃形，常用于插花中。鞘蕊花属（*Coleus*）有数以百计的已命名的栽培品系，叶色鲜艳，是人们珍爱的室内植物或露地栽培植物。美国薄荷属（*Monarda*）的野生种和栽培品系夏季开艳丽的花，很受人们欢迎。

马鞭草科含约2 600种，主要分布于南美和非洲热带、亚热带地区。本科植物的其他原产地包括中亚细亚、日本及印度附近的岛屿；少数种类原产于欧洲、小亚细亚及北美。马鞭草科最重要的经济植物是柚木（*Tectona grandis*）。柚木原产于印度、缅甸和马来西亚，在其他温暖地区亦有栽培，木材质地优良。极高牡荆（*Vitex altissima*）的木材供商售，极叉开牡荆（*V. divaricata*）与之近缘，木材可制作屋顶板，树皮用于制革业。穗花牡荆（*V. agnus-castus*）为较矮的乔木，芳香，是温暖地区抵抗力强的观赏树种。灌木状琴木（*Citharexylum fruticosum*）产于西印度群岛，树形似樱桃树，木材质地优良，一年四季开花。海榄雌属（*Avicennia*）是红树林植物，生长于佛罗里达州及许多热带地区的海岸泥滩上。种子大，果实仍留在母株上时种子即萌发，离开母株后，胚根向下生长，定植于泥地，并迅速生长成新的植株。此外，许多升高根从多水土壤中向上生长，于是红树林便向海洋扩张。

唇形目其他值得注意的植物有美洲紫珠（常绿紫珠，*Callicarpa americana*）、柠檬马鞭草（三叶阿洛伊西亚树，*Aloysia triphylla*）、马缨丹（*Lantana camara*）和受欢迎的地被植物——杂交种（*Verbena* × *hybrida*）。

唇形科的地毯筋骨草（*Ajuga reptans*）原产于欧洲，借匍匐茎繁殖。尖塔形筋骨草（*A. pyramidalis*）有根状茎，借以进行无性繁殖，形成集群。但唇形目最有效的繁殖方式是通过种子。

唇形目的花序主要为总状花序，这是一种无限花序，开花顺序自下而上。多数属的种类具两性花。典型的花的基数为4或5；萼片部分连合成钟形的花萼；花瓣连合成管状，花冠二唇形；雌蕊由2片深裂的心皮构成。子房具4室，花柱从子房中央凹陷处生出。唇形科的果实成熟后分裂成4个小坚果；而马鞭草科的果实稀为蒴果，多为浆果或核果。

Lamian War 拉米亚战争 又称希腊战争（公元前323～前322）。尽管雅典及其埃托利亚同盟者在亚历山大大帝死后力图使自己摆脱马其顿的统治，雅典在这场战争中还是丧失了独立。雅典的民主派领袖与埃托利亚同盟联合，在公元前323年10月将一支3万人的军队投入战场。他们攻克温泉关，并将安提帕特的马其顿军队围困在拉米亚城内，直到公元前322年春马其顿从亚洲派来援军，拉米亚才得以解围。这时雅典军队寡不敌众，又被盟军见弃，在克拉农一战中（公元前322-09）大败，结果无条件投降。安提帕特废止亚历山大的自由主义政策，并且强迫雅典接受一个对他唯命是从的寡头政府的支配。此外，他还将反马其顿派的领袖希佩里德斯和狄摩西尼处死。

laminar flow 层流 流体（气体或液体）平滑地或沿规则的轨迹流动的一种流动形式。相反，湍流为不规则流动，存在脉动和混合。层流常称为流线形流动，其中任一点的流速、压强及其他流动性质均保持恒定。水平平板上的层流，可以认为是由许多互相平行的薄层组成，和平板接触的流体是静止不动的，但所有其他的薄层则互相紧挨着滑过。直管中的层流可看成是一组相对运动的同轴圆筒形流体，最外层的流体固定于管壁，其他流体则随着接近管中心而增加流速。香烟的烟雾沿直线上升时，开始为层流，但通常经过一小段距离后，便改变为湍流，出现漩涡并旋拧偏离直线轨迹。一般仅在流体通过的管道狭小、流速较慢以及流体黏度比较高的情况下，才出现层流。油类通过细管或血液流过毛细血管的流动都是层流。除了靠近管壁的流动，特别是邻接管壁表面的薄层常属于层流外，

其他大多数流体流动均为湍流。

Laminaria 海带属 大型褐藻(kelp)的一属。

lamination 层压技术 在工艺学中将木材或纺织品等物质逐一叠成多层并用树脂黏结成制成品的方法。例如,层压板由多层薄木片黏结而成。同样地,层压织物由两层或更多布层用黏结剂黏结,或由一层织物与塑料片黏结而成。参阅 **plywood; veneer**。

Lamington Plateau 拉明顿高原 澳大利亚昆士兰州东南部麦克弗森山脉之一段。靠近与新南威尔士州交界处。该处高度平均海拔600米,占地面积约195平方千米。为奈朗、库莫拉、艾伯特和洛根河的源头。为拉明顿国家公园所在地,内有瓦奴加拉山(1 196米),500多处瀑布,还有许多珍贵稀少的鸟类和植物。北距布里斯班110千米,有公路相通。

lammergeier(species *Gypaetus barbatus*) **髯鹫** 又拼 lammergeyer, lammergeir,又作 bearded vulture。又称髭兀鹫。旧大陆产的大型似雕的鹫,属于鹰科。体长1米以上,展翅长几达3米。上体褐色,下体茶色。胸具斑点,头有黑白色条纹,颏具长须。类似雕的特征是脸和腿长满羽毛,喙钩状,生有握力强的脚和长的弯爪。分布自中亚、东非到西班牙的山地。营巢于悬崖突出处。每窝产1～2枚白色卵,约10厘米长。以腐肉为食,尤喜食骨头;会将骨头从80米高处扔到下面的平坦岩石上摔碎,从而能食到骨髓。

髯鹫(*Gypaetus barbatus*)
美国不列颠百科全书公司供图

Lamont, Johann von 拉蒙特(1805-12-13,苏格兰阿伯丁希尔布雷马～1879-08-06,德国慕尼黑) 苏格兰出生的德国天文学家,因发现地球磁场有略多于10年的波动周期而闻名。1827年,他开始在慕尼黑附近的博根豪森皇家天文台工作。他加入德国籍并在博根豪森度其余年。1835年任天文台台长,1852年还担任慕尼黑大学天文学教授。除从事其他工作外,他确定了土星两颗卫星(土卫二和土卫三)的轨道、天王星两颗卫星(天卫一和天卫三)的周期和天王星的质量。他还编了包含34 000多颗恒星的星表。1840年,他在博根豪森建立了一座磁观测台并在10年后发现了地球磁场的变化。1862年,他发现在地壳内有大规模的电荷脉动,这种脉动同电离层的扰动有关。拉蒙特最出名的著作是《地磁手册》(1849)。1852年,他被选为伦敦皇家学会外籍会员。

Lamont, Thomas William 拉蒙特(1870-09-30,美国纽约克拉弗拉克～1948-02-02,佛罗里达博卡格兰德) 美国银行家与金融家,通过改组公司开始他的事业,进而在全世界各国帮助建立稳定的金融秩序。拉蒙特1892年毕业于哈佛大学,在《纽约论坛报》金融编辑部短期工作后,便开始为库什曼兄弟公司工作。该公司是纽约一家食品进出口商,面临财政困难,拉蒙特携带改组计划和新的资本前来营救,并于1898年由他和自己的一位姻兄弟共同建立拉蒙特-科利斯公司。拉蒙特的成功使他赢得了解决财政难题能手的声誉。1903年银行家信托公司组建时,拉蒙特应H.P.戴维森之请,出任干事与司库,因为戴维森对他主持库什曼公司之改组印象很深。不到两年,他成为这家新银行的副总裁。1909年离开该银行之前,拉蒙特受美国银行家协会派遣,去欧洲建立以旅行支票闻名于世的国际汇票制度。2年后他成为摩根的银行中最年轻的合伙人,这种关系他一直维持到逝世为止,并在他生命的最后5年中担任董事长。

1918年拉蒙特购入《纽约晚邮报》,满足了他一生对新闻事业的热衷,但该报却在4年后被大为亏本地售出。第一次世界大战期间,拉蒙特和友人戴维森一道,为法国和英国筹措资金购买美国的物资。战后,他作为美国派往巴黎和会(1919)的代表团成员,作为《道威斯计划》(1924)和《扬计划》(1929)的起草人之一,为德国支付赔款的条件和建设资金的筹措进行了谈判。20年代中期,拉蒙特通过安排1亿美元的信用额度协助稳定法国法郎与意大利里拉。1923年日本遭破坏性地震后,拉蒙特帮助日本安排2.5亿美元贷款。他每年到欧洲、南美及东亚旅行,以协助解决国际货币问题,并同世界各国及金融界领导人磋商。

Lamontagne-Beauregard, Blanche 拉蒙塔涅-博勒加尔(1889,加拿大魁北克莱塞斯库曼～1958,加拿大) 加拿大法语诗人,被公认为加拿大第一位重要的法语女诗人。曾在蒙特利尔大学攻读文学。早期作品探索历史题材,但后来转向地方色彩,以坚定和感情浓烈的笔调赞美她的家乡加斯佩半岛。她的抒情诗集包括《加斯佩景色》(1913)、《穿过我们的田野和海岸》(1917)、《我的加斯佩》(1928)和《新收获》(1926)。

Lamoricière, Christophe-Louis-Leon Juchault de 拉摩里西尔(1806-02-05,法国南特～1865-09-11,普鲁扎尔) 法国将军和行政官,以其在征服阿尔及利亚中所起的作用而闻名。1829年进入工兵部队,后作为朱阿夫团的一名上尉受命前往阿尔及尔(1830)。1833年建立阿拉伯局时起了突出的作用。因在君士坦丁打了胜仗而晋升上校(1837),后晋升将军(1840)和师长(1843)。1845年任阿尔及利亚总督。1846年在法国当选为萨尔特的副手,并提出对阿尔及利亚实行自由而非军事的殖民地化的计划。1848年任陆军部长,出使俄国(1850～1851),处理政治、军事和殖民事务。他反对路易-拿破仑日益增加的权力,因而被捕(1851),并遭放逐,1857年获准归国。1860年率教皇军进攻皮埃蒙特,在卡斯特尔菲达多战败后回到法国。

lamp 灯 照明器具。最初为一具盛放着浸有可燃物质的灯心的容器,以后逐渐有了煤气灯和电灯等不同的发光装置。

灯至少是在公元前7万年发明的。原始灯具是在石头上挖一小穴,穴内放置浸有动物脂的苔藓或其他吸油物质,经点燃可发光。在地中海沿岸和中东,最初的灯为贝壳状。起初采用真正的贝壳,切去若干部分以扩大照明区域;后来它们被仿形的陶瓷、雪花石膏和金属制的灯所取代。另一种主要类型的原始灯是碟形灯,发现于古埃及和中国,由陶器或青铜制成,倾斜面中央常有一钎子以支撑灯心,可控制燃烧速度。另一类型有一灯心槽,可使灯心的燃烧面悬在槽边。后一种灯普及于非洲,并传至东亚。

在古希腊,公元前7世纪才有灯,此前人们尚在使用火炬和火钵。英语中"灯"(lamp)一词来源于希腊语 *lampas*,意为火炬。古希腊陶器灯的造型像一浅杯,杯口有一个或多个斜槽或杯嘴,灯心即在内燃烧;其顶部有一注油圆孔和一手柄。这种灯一般都涂以耐热的红色或黑色瓷釉。较华贵的灯为青铜制品,其标准样式的手柄带有提环,并在上方有新月形拇指托。后来,青铜挂灯也流行起来。

古罗马人还采用一种制造琉璃瓦灯的新方法,使用两个模具,然后再将两个铸件并在一起。金属灯型变得更为复杂,有时呈动物或植物形状。公元1世纪出现了竞技场和其他公共场所用的大型灯具。

中世纪灯的资料很少,但是,无罩的浅碟形灯在性能上不如古罗马人的有罩灯。18世纪在欧洲,灯具的发展进了一大步。中央式灯头装于密闭容器内并通过一金属管将灯心引出,灯心升降靠棘轮控制。这个进步恰与采用通风和玻璃灯罩以加强火焰的发现同时。在18世纪末期以前,灯中燃烧的主要燃料有橄榄油等植物油、牛脂、蜂蜡、鱼油和鲸油。1859年打出第一口石油井后,煤油灯逐渐普及。但是在此期间,煤气灯和天然气灯也先后推广使用。早在1784年,煤气就已用作灯的燃料。1799年一种使用从木材蒸馏出的瓦斯气作为燃料的所谓"热灯"获得了专利。虽然煤气被斥为不安全气体,但是用于路灯日益受到欢迎。在19世纪初,美国和欧洲的大多数城市都用煤气灯照明街道,且换用这种新型燃料的家庭也逐渐增多。

早期的煤气灯使用简单的灯头,其中火焰本身的黄光即为照明的光源。但是在19世纪20年代出现了一种新型灯头,可向煤气流中通入可控量的空气，产生一种高温而不闪耀的火焰，能将一种特殊的耐熔而不燃烧的材料加热到很高的温度，成为照明光源。这种材料的温度越高，灯光的颜色就越白，光输出就越多。19世纪80年代，煤气灯中所用的标准发光材料，就是浸有钍盐和铈盐的棉线织网。

19世纪末，电灯的发展遏制了煤气灯的发展趋势。1911年电开始取代煤气装置。不久，电就在一般照明用途上取代了煤气。但是在英国和欧洲，煤气的广泛使用又延长了很多年。

电灯 约在1870年，随着白炽灯的发明，开始出现现代的电灯照明。**白炽灯**(**incandescent lamp**)为一种电灯，其中有一根灯丝，被电流加热到白炽后即可发光。但是，白炽灯并不是第一种利用电能的灯。19世纪初，已发展出一种使用两个碳极中间所触发的电弧的照明设备。这些电弧灯是可靠而笨重的灯具，最适合用于街道照明。1876年，俄国电力工程师P.雅勃洛奇科夫发明了雅勃洛奇科夫烛光灯。这是一种电弧灯，具有两根平行放置且用瓷土隔开的碳棒，当电弧点燃后瓷土汽化。使用交流电以保证两根碳棒消耗速率相等。这种电弧灯一度普遍用于街道照明。

在1880年爱迪生的白炽碳丝灯取得专利以前的数十年间，许多科学家竭力想创造一种令人满意的白炽照明装置。其中英国的J.W.斯旺于1850年发明了碳灯丝片，1875年后他曾用经硫酸处理的棉线装入真空玻璃灯泡内。

由于斯旺和美国的T.A.爱迪生合作，并采用了H.施普伦格尔和W.克鲁克斯发明的真空泵，白炽灯取得了决定性的进展。斯旺和爱迪生发明的白炽灯，由碳灯丝装于真空玻璃灯泡内而构成，灯丝两端通过密封盖引出并接于电源。接通电源后，灯丝发出辉光，并且因为真空，所以不会像在空气中那么快氧化掉。完善而实用的白炽灯的发明，通常总是归功于爱迪生。1877年他开始研究这个问题，并在一年半内进行了1 200多次实验。1879年10月21日，爱迪生点亮了一盏用碳化纱线作灯丝的灯，这盏灯稳定地点亮了两天。后来爱迪生认识到，碳化名片纸(布里斯托细料纸板)制的灯丝可具有数百小时的寿命。不久又发现，碳化竹适合用作灯丝材料。1883年斯旺采用了挤压成型的纤维素灯丝。

与此同时，爱迪生认识到，当时用于电弧灯的串联接线系统不能满足白炽灯的需要，他花了很大力量来发展用于倍增电路的发电机和其他必需设备。

1880年5月在“哥伦比亚”号汽船上首先安装了爱迪生商用照明装置。1881年纽约市一工厂也采用了爱迪生照明装置，白炽灯从此迅速取得了商业上的成功。

白炽灯后继的最重要改进是金属灯丝，特别是钨灯丝的发展。钨灯丝迅速取代了20世纪初的碳、钽和金属化碳灯丝，并且今天仍在大多数白炽灯中使用。钨很适用于这种灯，因为在所有适于拉丝的材料中，它的熔点最高。这就意味着，这种灯可在较高温度下使用，从而当输入电功率相同时，较耐用性和耐熔性差的碳灯丝可发出更白的光和更多的光。1907年美国采用的第一批钨丝灯使用压制钨。1910年发明了生产拉制钨丝的方法(1913年取得专利)。

早期的钨丝灯，同碳丝灯一样，感到棘手的事情就是灯丝分子向玻璃灯泡徙动，引起灯泡发黑，光输出损失，灯丝逐渐变细，直到断裂。约在1913年发现，加入小量惰性气体(氩或氮)可减轻灯丝分子徙动，并可使灯丝耐受更高的温度，发出更白的光，效率更高，寿命更长。后来又有了进一步的改进，其中包括螺线形灯丝的发展。

放电灯 19世纪末期，克鲁克斯和其他物理学家试验过在充以少量气体元素的真空管的两个电极间激发电弧而产生辐射的方法。约在1910年，法国物理学家G.克劳德发展了充以氖气的真空管；当向真空管两端的两个电极施加高压时，即发出深红色的光。不久，霓虹灯广告牌就装饰在世界各大城市的商业大楼外面，同时，充以其他蒸气——例如汞、氩、氦、氪和氙——的实验，可以产生各种各样的颜色。

1901年P.C.休伊特利用同一基本原理制成的汞弧灯在市场上销售，其能量效率被证明为当时白炽灯的2～3倍。由于汞弧灯发出几乎无影的光且不太耀眼，很快就在美国的工业照明和街道照明方面有了广泛的用途。

1931年在欧洲发明的一种大有前途的放电灯就是高强度的**钠蒸气灯**(**sodium-vapour lamp**)。虽然其独特的黄光不适于商业和家庭用途，但是到了20世纪中叶，钠蒸气灯在全世界普遍用于交通照明。

尽管有了这些发明，在20世纪30年代发明荧光灯以前，放电灯很少用于室内照明。荧光灯是充以水银蒸气的长玻璃管，其内壁涂料经受水银辐射后可发出白色或近于白色的荧光。这种荧光使灯光增强百倍。荧光灯逐渐成为室内照明的主体，特别是在机关、工厂和其他工作场所。

现代电光源 20世纪中叶，大气电弧灯主要用于某些大功率装置，例如用于探照灯、要求高强度和强光源的放映机以及其他需要小型而强大的蓝色光和紫外线光源的特殊用途。

白炽灯仍为家用照明的最普通光源，还用于大多数便携式灯具中。它们价廉可靠，使用方便，但其能量利用率低。

发光灯包括：放电灯、半导体灯和化学灯，它们产生的热量少于白炽灯。在各种放电灯中，**荧光灯**(**fluorescent lamp**)发出白光，钠蒸气灯发出橘黄色光，汞蒸气灯发出微白的蓝绿色光。

辉光灯为极低功率的放电灯，灯管中充以氖气并装有两根大金属电极。氖在负极附近发出橘黄色光，灯光微弱，适用于信号灯和指示灯。广告牌所用的霓虹灯也属放电灯。发光二极管(LED)是一种发光灯，此灯为半导体二极管，当通以电流时，电子与“空穴”(局部正电荷)复合而能态降低，一部分释放出的能量以光子形式发射出来。发光的颜色依所用晶体物质而定。例如，绿色发光二极管的晶体是用氮处理过的磷化镓。发光二极管产生的光不足以照明，但可用于指示灯。组合发光二极管可用于许多电子装置上的数字显示。

电致发光灯是另一种半导体灯，由以磷光粉(类似荧光灯中所用)作为介电质的平板电容器组成。该灯使用交流电，用于夜间照明和工程用途，如仪表控制盘的照明。

lamp shell 腕足类 又作brachiopod。腕足动物门海产底栖无脊椎动物。外形似双壳类软体动物，但腕足类的壳分背壳和腹壳，双壳类是左右两片壳。下壳通常较大，在后端背侧有一喙状突及一圆形开孔，其形状使人联想起古罗马的灯，故英文原名意为“灯贝”。内部结构与贝类的区别更显著。体小，仅约5～100毫米。总担(布满纤毛的触手状结构)占据了壳内大部分空间，可激起水流使之流入壳内，有取食和呼吸的功能。消化道无肛门，废物由口排出。本门主要分两纲，即有铰纲(Articulata，两壳可互相铰合)和无铰纲(Inarticulata，两壳分离，无铰合，只靠肌肉使两壳相连)。腕足类少数分布于深海，大多数居于大陆架浅水中，由柄固着在硬物上，或以腹壳粘在硬物上。现存种已知的约300种，与6亿年前寒武纪初期曾经生活过的种类相比，所占的百分数很小。已知的化石种约30 000种。海豆芽属(*Lingula*)是熟知的无铰类，在暖海底部垂直的泥沙洞穴中生活，是目前已知的最古老的属，可以追溯到约5亿年前的奥陶纪。

Lampang 南邦 泰国北部地区城镇和府。位于多林木的坤丹岭地区。南邦镇为府的首府，是旺河畔一商业中心。建有制糖厂和机场。位于曼谷—清迈铁路线上，是通往清迈和清莱的公路枢纽。亦有定期航班飞往泰国其他城市。南邦府面积12 534平方千米。坤丹岭林木茂密，盛产柚木。矿产有褐煤、锑、铅、钨。农业产烟草、稻米、豆类、棉花和甘蔗。人口：城镇69 600；府779 215(2000)。

Lampasan Series 拉姆珀斯统 美国中南和西南部(主要是得克萨斯州)宾夕法尼亚纪的时间地层单元(宾夕法尼亚纪约相当于中、晚石炭世，开始于3.25亿年前，延续约0.45亿年)。该统可与阿托卡统(美国宾夕法尼亚系下部的标准单元)对比。位于本德统之上，斯特朗统之下。该统分两个群：下大斯普林群和史密斯威克群。

Lampedusa, Giuseppe Tomasi di (Italian author) **兰佩杜萨** 参阅**Tomasi di Lampedusa, Giuseppe** 托马齐·迪·兰佩杜萨。

Lampedusa Island 兰佩杜萨岛 佩拉杰群岛中最大岛。在地中海，马耳他和突尼斯之间，西西里利卡塔西南169千米处。面积21平方千米。属意大利西西里区阿格里真托省。土壤含钙，岛上原有灌木丛已砍伐殆尽，岩石裸露，植被稀少。土壤贫瘠又缺少灌溉，种植只限无花果树和橄榄树。但谷地肥沃，种植葡萄、小麦。经济以捕鱼为主，亦采集海绵和珊瑚。捕捞的沙丁鱼和鳀鱼供出口。南部的兰佩杜萨村是同名自治区的中心,有港口。西北方的利诺萨岛面积5平方千米,为火成岛。人口:兰佩杜萨-利诺萨城市区约5 937(2000)。

Lamphun　南奔　又拼Lampoon。泰国北部地区城镇和府。南奔镇为府的首府,是带城墙的古城。濒临库昂河,在清迈以南26千米。虽地处曼谷—清迈铁路线上,但1921年后,商业上的重要性不及清迈。附近的巴桑是重要棉纺业中心,产花布。南奔府面积4 506平方千米。始建于6世纪。西部山区产萤石和柚木。农作物是水稻和烟草。人口:城镇15 000;府411 231(2000)。

Lampman, Archibald　兰普曼(1861-11-17,安大略莫珀斯～1899-02-10,渥太华)　加拿大联邦派重要诗人。他最有特色的作品敏锐地记载了户外景色和事件所唤起的感受。

加拿大国家档案馆供图

曾在多伦多大学三一学院就学。在古典诗歌的完美形式和精湛技艺以及英国浪漫派诗人华兹华斯、雪莱、丁尼生和济慈所写抒情诗的影响下,他写吟咏自然的诗,歌颂渥太华及其周围地区和魁北克加蒂诺农村的美丽景色。兰普曼是社会主义者,对党派政治和有组织的宗教活动持批评态度,但只有几首短诗反映了他对政治和经济问题的激进观点。生前出过两本诗集《在谷子地里及其他诗篇》(1888)和《大地抒情诗》(1893)。逝世后,他的朋友和遗著保管人D.C.斯科特编辑了《兰普曼诗集》(1900)和《大地抒情诗:诗歌与民谣》(1925)。1943年发表了未收入诗集的几首诗。

Lampong　楠榜人　又称阿朋人。印度尼西亚苏门答腊南部巽他海峡的楠榜省土著。讲马来-波利尼西亚语系的楠榜语,书写体源于印度字母。南苏门答腊在1550年以后成为万丹(西爪哇)苏丹的附庸,那里很多楠榜人的祖先封有贵族头衔。这些头衔一向深受重视,通常是从部落首领那里买来的。早先的异族统治加强了楠榜人村落中的氏族组织,氏族又组成更大的部落,由酋长领导。他们实行父系制,财产只传给长子,父亲死后由长子赡养全家。少数贵族或富人也实行母系制,财产由女性掌管。婚姻是族外婚制。他们刀耕火种,种植旱稻、咖啡、胡椒。胡椒是经济作物,可到附近城镇出售。虽然楠榜人大部分已成为穆斯林,但仍然保持传统的万物有灵信仰和习惯法律。

Lampoon (Thailand)　参阅Lamphun南奔。

lampoon　讽刺文　以散文或诗句进行的刻毒讽刺。这些诗文是无理取闹的、有时还是不公正的、恶毒的人身攻击。该名词始用于17世纪,源于法语,但早在公元前3世纪阿里斯托芬的剧本中便可见到讽刺文的例子。阿里斯托芬在《蛙》中讽刺欧里庇得斯,在《云》中讽刺了苏格拉底。在英国文学里,这种文学形式在王政复辟时期和18世纪甚为流行,如在J.德莱顿、T.布朗、J.威尔克斯和许多无名氏的讽刺文中都有这种范例。

Lamprecht, Karl Gottfried　兰普雷茨(1856-02-25,萨克森耶森～1915-05-10,莱比锡)　德国历史学家,最早开展历史中心理因素的系统理论的学者之一。1874～1879年在格丁根大学、莱比锡大学和慕尼黑大学攻读历史、政治学、经济学和美术。1878年在莱比锡大学完成关于11世纪法国经济的博士论文。1881年去波恩,1883年参加创立莱茵历史研究会,1885年任波恩大学教授。1885～1886年他的最佳著作之一《中世纪的德意志经济生活》(3卷)问世。1890年在马尔堡大学任教,一年后任莱比锡大学历史学教授。他的杰作《德意志史》(12卷,1891～1901)对德意志文明史学派的发展是一重大贡献。他的历史研究方法引起很大争议,但导致了一番重新审查,并接受了社会和文化史作为学术研究的合法领域。

lamprey　七鳃鳗　又称八目鳗。与盲鳗同属无颌纲的约22种原始鱼形无颌脊椎动物的统称。均属于七鳃鳗科。除非洲外分布于全球所有温带淡水水域和沿海。体形似鳗,

七鳃鳗(*Lampetra*)
美国不列颠百科全书公司供图

无鳞,长约15～100厘米。眼发育良好。背鳍1～2,尾鳍存在。单鼻孔,位于头顶。体两侧各具7个鳃孔。与盲鳗一样无真骨及颌,亦无偶鳍。骨骼均为软骨。口圆,呈吸盘状,有角质齿。七鳃鳗幼体称为沙栖鳗或沙隐虫,生活于淡水中,在水底挖穴而居;无牙,眼不发达,以微生物为食。数年后变形为成体,游入海中,开始寄生生活,借助其口吸附于鱼体,吮食宿主血液及组织。到生殖期复返淡水,筑巢,产卵而死亡。并非所有七鳃鳗都需要到海中生活,有些陆封种类终生留于淡水。著名的例子是海七鳃鳗陆封型(*Petromyzon marinus dorsatus*)。此型进入北美洲五大湖,营寄生生活,在找到控制办法之前,给湖鳟及其他经济鱼类造成了毁灭性的破坏。溪七鳃鳗(*Lampetra planeri*)亦终生栖于淡水,然而不营寄生生活,达到成年后即不进食,随即繁殖而后死亡。七鳃鳗长期以来有小量捕捞食用,但经济价值不大。

lamprophyre　煌斑岩　一般呈岩墙(插入裂隙中的板状岩体)产出的深灰色至黑色的侵入岩。具斑状结构,深色铁镁质矿物的大晶体(斑晶)包裹在细粒或致密的基质中。铁镁质斑晶的数量多、晶粒大、晶体外形发育完好及其解理面闪闪发亮等,使岩石具有引人注目的外观。铁镁质矿物有黑云母、普通角闪石、普通辉石或橄榄石,不仅构成了实际上所有的斑晶,还同大量的钾长石、斜长石或似长石一起出现在基质中。从岩石成分上看,煌斑岩由于存在铁镁质矿物,缺少长石斑晶,以及大量同富碱长石相结合的铁镁质矿物而与大多数其他火成岩相区别。从化学成分上看,二氧化硅含量低和铁、镁、碱金属含量高,也是独特的。最常见的煌斑岩与大型的花岗岩体和闪长岩体伴生。典型的实例见于苏格兰的高地和南部山地,爱尔兰的湖区,法国的孚日山脉,德国的黑林山和哈茨山脉。煌斑岩极易风化和分解。很多在地表下一定距离处,就已经蚀变了。最常见的蚀变产物为碳酸岩、绿泥石、蛇纹石和褐铁矿。

Lampsacus　兰萨库斯　赫勒斯滂亚洲海岸古代希腊城市,以产酒出名,是崇拜繁殖和多产之神普里阿普斯的主要地点。公元前654年爱奥尼亚的福西亚在兰萨库斯建立殖民地。有良港。兰萨库斯曾参加爱奥尼亚反抗波斯的起义(公元前499),后来加入提洛同盟。公元前405年雅典沦亡,兰萨库斯转归波斯统治,直到公元前334年亚历山大才将该城市和希腊其他部分同时解放。亚历山大曾在此城设立铸币厂。从兰萨库斯向提洛同盟提供的高额贡税来看,该城一定是很繁荣的。

Lampung　楠榜　印度尼西亚苏门答腊南部省份。东临爪哇海,南濒巽他海峡,西为印度洋,北部和西北部接南苏门答腊省。面积33 307平方千米,包括巽他海峡中的塞布库、塞贝西、塞尔通和拉卡塔等岛屿。曾是南苏门答腊坎托利王国、东爪哇麻喏巴歇帝国的一部分,16世纪又为班特姆(今万丹)穆斯林土邦一部分。1860年纳入荷兰殖民地。1950年成为印度尼西亚共和国一部分。巴里桑山脉的明古伦山岭自西北向东南纵贯全省,其中巴泰火山海拔1 682米,特巴克山2 116米。山脉西南侧为狭窄的沿海地区,东北侧为高地。楠榜东部的低地地区从明古伦山麓地带一直延伸至沿东海岸的沼泽地带。塞坎蓬河、塞普蒂河和图朗巴旺河自明古伦山东坡向东注入爪哇海。沿海岸有红树和淡水沼泽森林,热带低地常青雨林自沿海沼泽延伸至山区。大多数人口从事农业,生产橡胶、茶叶、咖啡、大豆、玉米、甘薯、花生、椰干和棕榈油。深海捕鱼业也很重要。工业为木雕、食品加工、织布、编织草席和篮子,以及手工造纸。公路和铁路运输局限于明古伦山脚,把省会丹戎加兰与哥打布米、潘姜、直落勿洞连接起来。该省的东半部主要依靠河上运输。居民为马来人、爪哇人和米南卡包人,现爪哇人占大多数,主要因为20世纪早期大量爪哇

农村人口的涌入。人口6 680 000(1995)。

Lamu 拉穆 靠近东非海岸的印度洋岛屿、城镇及港口。行政上属于肯尼亚的滨海区。拉穆港位于岛东南岸。拉穆曾先后为波斯和桑给巴尔殖民地,在19世纪末以前为黄金、香料、奴隶集散地。人口:城镇8 800(1989)。

Lamut (people) **拉穆特人** 参阅**Even**埃文人。

län 省 瑞典的行政区划单位。参阅**landskap**。

Lan Caihe 蓝采和 又拼 Lan Ts'ai-ho。中国神话中道教八仙之一。南唐(10世纪)沈汾《续仙传》记蓝采和冬夏穿破蓝衫,腰缠黑布带,一脚穿靴,一脚赤足,夏在衫中加絮,冬

18世纪的蓝采和木雕像
巴黎吉梅博物馆供图

天卧雪中气出如蒸,常持三尺长拍板,踏歌行乞。机敏诙谐,似狂非狂,乞得钱穿长绳拖地而行,散落亦不回顾。周游天下几十年容颜不变。后醉酒于酒楼,在乐声中乘鹤飞升。画像中蓝采和为年轻男子,持笛子、拍板,有时还画一篮鲜果。元杂剧写蓝为伶人,本姓许名坚。

Lan-chou (China) 参阅**Lanzhou**兰州。

Lan P'ing 蓝苹 参阅**Jiang Qing**江青。

Lan Tao Island (Hong Kong) 参阅 **Dayushan** 大屿山。

Lan Ts'ai-ho (in Chinese mythology) 参阅 **Lan Caihe** 蓝采和。

Lan-ts'ang Chiang (Asia) 参阅 **Mekong River** 湄公河。

Lan Xang 澜沧 又拼 Lan Chang。老挝王国。14世纪起开始繁荣,18世纪时分裂为万象和琅勃拉邦两个王国。1563年因同缅甸和泰国(暹罗)发生冲突而被迫迁都万象。

Lan Yinding 蓝荫鼎(1903-12-01,中国台湾宜兰～1979-02-04) 又拼 Lan Yin-ting。中国水彩画家。祖籍福建漳州。1923年赴日本学习水彩画。翌年拜日本画家石川钦一郎为师。1926年参加日本帝国画展并入选。1929年再赴日本进修。曾为英国皇家水彩协会会员及意大利和法国美术水彩协会会员。1954年赴美国作多场学术演讲,并举行画展。1962年,《日内瓦国际艺术年鉴》推荐他为当代世界25位最杰出艺术家之一。曾获英国女王伊丽莎白颁赠的文化艺术勋章。1966年,台湾中华学术院推选他为文学艺术哲士。1971年在欧洲艺术讨论学会与美国讨论学会联合会上,当选为第一届世界十大水彩画家。1972年出任华视文化事业股份有限公司常驻监察人,次年转任董事长。著有《宗教与艺术》、《艺术与人生》、《鼎庐小语》等书。

Lan Ying 蓝瑛(1585～约1664) 中国明末清初画家。字田叔,号蝶叟、石头陀。钱塘(今浙江杭州)人。擅画山水,兼工人物、花鸟。早年受董其昌影响。壮岁以后,游历南北,饱览山川风物,纵观历代名画,学习范围甚广;对郭熙、李唐、马远、夏圭以至二米、黄公望、沈周等均曾悉心探研,遂能熔铸各家,自成一体。画史或称之为"浙派殿军",或称之为"武林派"的创始人。前称因其系浙江人,且其画法多得力于南宋各家,略近戴进

蓝瑛绘《白云红树图》
中国大百科全书出版社供图

"浙派"。后称系因其能自成风格,不为戴进"浙派"所囿。循名责实,谓之"倡为武林派"较为恰切。

蓝瑛传世作品甚多,约分两类:一种以《松岳高秋图》为代表,用笔有转折顿挫,设色浅绛,山石林木,疏秀老硬,很有气势;另一种以《白云红树图》为代表,构思设色,甚为精妙,拔出时流,独树一帜,"尤工水口,溅转有声",为明末清初所罕见。其作画题款,虽云"仿张"、"仿李"、"仿黄",实皆自成面目。从其74岁《仿宋元山水十六图》中,更可得到证明。暮年更重视意境的追求,年已八十,依然笔健。传派甚盛,家族中有子蓝孟,孙蓝深、蓝涛,弟子中有刘度、顾星、冯湜等,均有画名。其游扬州时,影响李寅等人。陈洪绶幼时亦曾向之学画。

Lanai 拉奈 美国夏威夷州毛伊县岛屿。隔奥奥海峡与毛伊岛相望。由帕拉瓦伊死火山(1 027米)构成。面积363平方千米。1854年始有人定居。为夏威夷群岛私人所有的最大岛屿。西部沿海的拉奈城和考马拉波港为该岛主要的公司城镇。拉奈岛是夏威夷有居民岛屿中唯一可考其岛名语源(意为"征服日")的岛屿,其他地名古老难以译出。人口3 193(2000)。

Lanao, Lake 拉瑙湖 菲律宾棉兰老岛中西部的湖泊。面积340平方千米,为国内第二大湖。湖水出阿古斯河向北经玛丽亚·克里斯蒂娜瀑布流入伊利甘湾。瀑布区建有水电站。湖区周围有许多穆斯林村落。

Lanark 拉纳克 苏格兰中南部南拉纳克政务会辖区城镇(敕准自治市),属拉纳克历史郡。在克莱德河右岸。现为农业区的集市中心,有定期牲畜贸易。有针织和编织行业。工业集中在市南1.6千米的新拉纳克。社会主义者R.欧文在新拉纳克进行社会实验,创造了人道主义的工作和居住条件,当地因此著名。制绳业现为新拉纳克的主要行业。人口8 877(1991)。

Lanark, William Hamilton, Earl of 拉纳克伯爵 参阅 **Hamilton, William Hamilton, 2nd Duke of** 汉密尔顿公爵(第二)。

Lanarkshire 拉纳克郡 苏格兰中南部一历史郡。约相等于克莱德河流域。包括南拉纳克政务会辖和格拉斯哥城政务会辖区的全部,北拉纳克政务会辖区的大部分地区,以及东邓巴顿政务会辖区的一部分。18世纪中叶拉纳克工业开始迅速发展,19世纪发现铁矿更促进其发展。20世纪当地纺织业和重工业衰落,经历了艰难的经济调整时期。

Lancang Jiang 澜沧江 中国最长的南北向河流。发源于青海省唐古拉山,上游扎曲、昂曲在西藏自治区昌都汇合,东南流经云南西部,到西双版纳傣族自治州南部出中国境。改称湄公河,为老挝、缅甸的界河,蜿蜒于老挝、泰国和柬埔寨境内,在越南南部入太平洋的南海。全长4 180千米,中国部分长1 612千米;流域面积65.5万平方千米;中国部分16.5万平方千米;径流总量742亿立方米。上游山区有大量冰川和永久积雪。中游穿行于高山深谷,水流湍急,流域面积狭小。水量

澜沧江上中国现存最古老的铁索桥
中国大百科全书出版社供图

主要来自下游地区，全年变化不大，夏季径流量占全年的一半左右。

Lancashire 兰开夏 英格兰西北部行政、地理和历史郡。面积3 078平方千米。下设布莱克本、布莱克普尔、伯恩利、乔利等 14 个区。主要河流里布尔河，源出奔宁山脉，西南

兰开夏的道纳姆村
美国不列颠百科全书公司供图

流注入爱尔兰海。海岸曲折，地势平坦，有港口和海滨胜地。高地降雨量达1 500毫米，海岸平原仅 760 毫米。考古表明，该郡山区早在史前就有人类居住。罗马人曾占据低地的里布切斯特、兰开斯特和柯克姆。后盎格鲁-撒克逊人从东、南两面进入该地区，使其成为诺森伯兰王国一省。西部的法尔德地区曾被斯堪的纳维亚人占领。曾受战争和瘟疫的肆虐。后利用水力发展起棉纺织业，18 世纪末棉纺织业成为经济支柱。1789 年后广泛使用蒸汽机和大规模开采煤矿促进工业发展。开凿运河和铺设铁路后，与曼彻斯特和利物浦沟通。近年纺织和采矿业衰退。经济现主要以轻工业、工程技术、服务业为中心。富饶的低地是重要农区。法尔德以乳品生产和牧业为主。里布尔河口湾南、北两岸商品蔬菜栽培极为繁荣。兰开斯特和普雷斯顿是主要销售市场和工业中心。布莱克普尔、利瑟姆圣安斯、莫克姆和弗利特伍德等许多沿海城镇为旅游中心。人口：行政郡 1 136 300；地理郡 1 426 800(1998)。

Lancaster 兰开斯特 英格兰兰开夏行政、历史郡一个区和城市。位于伦河口湾顶端，距爱尔兰海 11 千米。面积 577 平方千米。原为罗马行营，罗马防御工事的城墙遗迹保存至今。1193 年获准设镇。1322 年和 1389 年两度被苏格兰人焚毁。后成为商业中心。18 世纪末港口一度繁荣，河湾淤塞后衰落。在 17 世纪中叶内战时期，市内城堡为国会军占据并三次受保王军围攻。现有各种行业，生产家具、亚麻油毡和合成纤维等。作为主要销售中心，有英格兰西北部最大的牲畜市场之一。地处兰开夏南部至卡莱尔城之间铁路和伯明翰至卡莱尔之间高速公路干线上。有古城堡(建于罗马行营遗址上)、圣马利亚教堂(15 世纪)和圣彼得大教堂(1859)等。有兰开斯特大学(1964)。斯托雷学院有技术系和艺术系、美术馆和博物馆。人口：市44 497 (1991)；区约136 700(1998)。

Lancaster 兰开斯特 美国加利福尼亚州西南部洛杉矶县城市。地处莫哈韦沙漠西缘，安蒂洛普谷地。1882 年创建时为苏格兰人移民点，后发展养牛业。20 世纪初成为农业区。现有航空、航天和电子工业，也有硼砂开采业。设有安蒂洛普谷初级学院(1929)。东北方建有爱德华兹空军基地。人口118 718 (2000)。

Lancaster 兰开斯特 美国俄亥俄州中南部城市，费尔菲尔德县县城(1800)。位于哥伦布东南 48 千米处，濒临霍金河。始建于 1800 年，1831 年设市。连接俄亥俄和伊利运河的兰开斯特运河于 1808 年建成；1851 年马斯金格姆谷铁路通车，1887 年附近天然气的发现，都促进了经济的迅速发展。现为乳品、菜牛、猪的贸易中心。工业制品有玻璃品、电池、汽车开关、锅炉设备和阴极射线管等。设有俄亥俄大学一所分校(1954)。人口35 335 (2000)。

Lancaster 兰开斯特 美国宾夕法尼亚州东南部城市，兰开斯特县县城。是由许多小镇和自治镇组成的都会区的中心。18 世纪初已有人定居。1729 年建为县城，1742 年设自治镇，1818 年设市。独立战争期间，大陆会议曾在此召开(1777-09-27)。1794 年修通前往费城的石面公路。1799 ～ 1812 年为宾夕法尼亚州首府。18 世纪科内斯托加大货车(西去拓荒者篷车的典型)和宾夕法尼亚式步枪就由这里制造。农业、贸易和工业现为重要经济部门。工业制品有手表、油毡、电器和农业机械。附近有展示宾州农业发展历史的陈列馆。富兰克林-马歇尔学院(1853)设有北方博物馆和 J. R. 格伦迪天文台。1933 年建立兰开斯特圣经学院。面积 2 458 平方千米。人口市 56 348；都会统计区 470 658 (2000)。

Lancaster 兰开斯特 美国南卡罗来纳州北部城市，兰开斯特县县城，邻近卡托巴河。始建于 18 世纪 50 年代。1802 年设村，1830 年设镇，1898 年设市。兰开斯特 19 世纪初曾以兴奋布道会而闻名。经济主要以纺织工业为基础，以轻工业为辅。设有南卡罗来纳大学兰开斯特地区分校(1959)。兰开斯特城北有州立安德鲁·杰克逊历史公园。人口约 8 177(2000)。

Lancaster，EARLS AND DUKES OF 兰开斯特伯爵和公爵 英国封爵贵族，按年代顺序分列于后，并各以● 为标记。

● Lancaster，Edmund，1st Earl of 兰开斯特伯爵(第一)(1245-01-16，英格兰伦敦～1296-06-05，法国巴约讷) 即埃德蒙。英格兰国王亨利三世和普罗旺斯的埃莉诺的第 4 子，兰开斯特王室的建立者。10 岁时由教皇英诺森四世授予西西里王国(1255-04)，以表示其对神圣罗马皇帝占据西西里的反抗，但他始终是一个有名无实的国王。1258 年教皇亚历山大四世取消了这一恩赐。1265 年获得莱斯特伯爵爵位，两年后封兰开斯特伯爵。他参加其兄爱德华的十字军(1271 ～ 1272)。1275 年与纳瓦拉和香槟的亨利第三的遗孀阿图瓦的布朗歇结婚，取得享有王权的香槟和布里伯爵的称号。1296 年他被任命为加斯科涅的地方长官。

● Lancaster，Thomas，2nd Earl of 兰开斯特伯爵(第二)(约 1278 ～ 1322-03-22，英格兰约克郡庞蒂弗拉克特) 英格兰国王亨利三世之孙，反爱德华二世的贵族中的主要人物。他反对王权主要出于个人野心，而不是渴望政治改革。埃德蒙(“驼背”)之子。在因爱德华二世的宠臣 P. 加弗斯顿的问题发生争执的时期，他参与政治，为 1308 年要求放逐加弗斯顿的诸伯爵之一。1310 年，诸伯爵又迫使爱德华将王权交给一个约法爵士委员会，而他为委员之一。1311 年 12 月加弗斯顿重返英格兰后，他与其他一些贵族组成保卫约法爵士委员会的同盟。在随后的武装冲突中，加弗斯顿在兰开斯特的领地上被处决(1312)。兰开斯特 1313 年得到爱德华二世赦免，1314 年迫使王室进行改革，1315 年实际上已经控制了英格兰。但此时他的野心已昭然若揭，由于缺乏政治家才能而导致贵族重新集结，结果订立妥协的《利克条约》(1318)，他与国王实现正式和解。德斯彭瑟父子地位升高，成为国王的宠臣(1318)。不久，兰开斯特伯爵便为此与爱德华重新发生争吵。1321 年放逐德斯彭瑟父子后，爱德华为保护他们而开始战斗。兰开斯特伯爵在博罗布里吉被国王的军队击败，并在他的庞蒂弗拉克特城堡附近被处决。

● Lancaster，Henry，3rd Earl of 兰开斯特伯爵(第三)(约1281～1345-09-22) 兰开斯特伯爵(第一)埃德蒙的次子，兰开斯特伯爵(第二)托马斯之弟。1322 年托马斯被处死后，他又于 1324 年拥有莱斯特伯爵爵位。伊莎贝拉王后和 R. 莫蒂默从法国回来废黜国王爱德华二世，他站到他们的一边，俘获爱德华二世。1327 年任摄政会议主席，开始使用兰开斯特伯爵的称号。不久，他和莫蒂默发生争吵，抱怨摄政会议被忽视，拒绝出席 1328 年 10 月的索尔兹伯里议会。1330 年，他参与策划经爱德华同意的推翻莫蒂默的密谋。大约在此时失明，莫蒂默倒台后即退出政界。

● **Lancaster, Henry, 1st Duke and 4th Earl of 兰开斯特公爵(第一)和伯爵(第四)** (约1300,可能生于威尔士蒙茅斯郡格罗斯蒙特城堡～1361-03-24,英格兰莱斯特郡莱斯特) 英格兰军人和外交家,爱德华三世最信任的顾问,当时最有权势的封建领主。兰开斯特伯爵(第三)亨利之子,英王亨利三世之曾孙,亨利四世之祖父。1337年封德比伯爵。1345年继承其父兰开斯特伯爵和莱斯特伯爵爵位。1349年封林肯伯爵。1351年封兰开斯特公爵,在自己领地内享有王权。1395年苏格兰国王戴维二世封他为莫里伯爵。在英法百年战争中,他于1340年参加斯洛伊斯附近的海战,1350年参加苏塞克斯郡温切尔西附近的海战。1345～1347年在法国西南部任爱德华三世的代表和指挥官。1345年10月在佩里戈尔的欧贝罗什大胜法军。1346年10月洗劫了普瓦图。1349年任加斯科涅和普瓦图的指挥官和副总督。作为爱德华三世在法国的代表,负责谈判1360年5月的《布雷蒂尼条约》,结束了百年战争的第一阶段。他还曾多次担任派驻欧洲各国的宫廷使节。

● **Lancaster, John of Gaunt, Duke of 兰开斯特公爵** 参阅**John of Gaunt, Duke of Lancaster** 约翰(冈特的)。

Lancaster, HOUSE OF 兰开斯特王室 金雀花王室(**Plantagenet, house of**)的幼支,在15世纪中出了3位英格兰国王——亨利四世、亨利五世和亨利六世。被约克王室(**York, house of**)打败后其王权转归都铎王朝。1267年亨利三世的幼子埃德蒙(1245～1296)被封为兰开斯特伯爵时,这个家族的名称第一次出现。埃德蒙的第2个妻子阿图瓦的布朗歇所生的儿子中,有两个人继承了这个称号:兰开斯特伯爵托马斯(1322卒)和兰开斯特伯爵亨利(1345卒)。亨利的儿子兰开斯特第一公爵亨利(1361卒)去世时,只有两个女继承人。长女莫德嫁给巴伐利亚公爵威廉,无后。于是兰开斯特的继承归于次女布兰奇和她的丈夫、爱德华三世之子冈特的约翰。1399年约翰死后,他的儿子兰开斯特的亨利废黜了理查二世,自立为国王,称亨利四世。他即位后,兰开斯特的公爵领地便并入王室,于是亨利四世、亨利五世和亨利六世代表兰开斯特王室统治英格兰60多年。最后,亨利六世被克拉伦斯公爵和约克公爵的继承人打败,是为约克王室的爱德华四世。兰开斯特王室之后只剩下冈特的约翰的私生子博福特经合法后传下来的后裔亨利七世。亨利七世建立了都铎王朝。

附表:兰开斯特王室,见472页。

Lancaster, Burt 兰开斯特(1913-11-02,美国纽约州纽约～1994-10-20,加利福尼亚森楚里市) 美国电影演员,以扮演体格健壮、情绪敏感的角色而著称。20世纪30年代中期,短期就读于纽约大学。后进马戏团至各地巡回演出。这一经历使他获得经验,得以在后来拍片时亲自表演惊险动作。第二次世界大战时在意大利服役,后被一位舞台监督发现,让他参加短剧《猎声》(1945)的演出。一位具有慧眼的选角导演把他带至好莱坞,以《杀人者》(1946)一片而成功地进入影坛。尽管兰开斯特在一些惊险片中显示出惊险表演的才能,但很快在一些重要影片中表现出善于演出诚挚且敏感角色的能力,这些影片有:《小谢巴,回来吧》(1952)、《走向永恒》(1953)、《玫瑰文身》(1955)等。1960年他以在《埃尔默·甘特里》一片中扮演甘特里而获得奥斯卡奖,1962年以《阿尔卡特拉斯的鸟类学家》获得威尼斯电影节奖。翌年主演意大利维斯孔蒂的影片《豹》。他后期的影片有《游泳者》(1968)、《1900年》(1976)、《大西洋城》(1981)和《本地英雄》(1983)等。

Lancaster, Sir James 兰开斯特(约1554,英格兰汉普郡贝辛斯托克～1618-06-06,伦敦) 英国商人,率领第一艘英国船到达东印度群岛并在东南亚设立英国第一个贸易站。1588年他受职于F.德雷克,任"E.波拿文都拉"号船指挥官抵御西班牙无敌舰队。1591年4月10日他又率领该船由普利茅斯起航前往东印度群岛。1592年6月到达马来半岛西面的槟榔屿,在那里呆到9月,抢劫他所遇到的每一条船。1594年5月返回英格兰。1601年4月指挥"红龙"号,为东印度公司进行第一次贸易航行。他在爪哇建立东印度公司的第一个贸易站。1603年回国后受封爵士,仍留任公司的董事。他好几次航行搜寻美洲北冰洋水路——连接大西洋与太平洋的西北通道。

Lancaster, Joseph 兰开斯特(1778-11-25,英格兰伦敦～1838-10-24,美国纽约州纽约) 英国出生的教育家。提出一种集体教学体制,称兰开斯特法。它是一种班长制或"互教

美国不列颠百科全书公司供图

法",即在成人指导下,用比较聪明、学得比较好的儿童教其他儿童。19世纪初期,由兰开斯特、安德鲁·贝尔和让-巴蒂斯特·吉拉尔发展起来的这一体制,在欧洲及北美被广泛用于为大批平民儿童提供初步教育。兰开斯特的教学生涯始于1789年。他获得父亲的许可,将一些贫苦儿童带回家中教以阅读。成群的儿童奔他而来。由于他无力再雇教员或助手,遂让已略有所知的学生教其他儿童,并据此制定了一套切实可行的制度。1803年他写了小册子《教育因尊重社会勤劳阶级而取得进步》。他的这些活动引起具有慈善事业思想的人们的注意,于是他扩展了这所学校,并增设新校。但虚荣、轻率和浪费使他负债累累。学校主权改归理事会,是为皇家兰开斯特学会,后称不列颠及外国学校学会(1810)。兰开斯特的集体教学方法迅速传开,旋即有约3万名学生在95所兰开斯特式学校就学。后因自行另办一所中等程度的寄宿学校,迅即破产。1818年他移居美国,但迄无所成,遂欣然接受西蒙·玻利瓦尔的邀请,于1825年迁居委内瑞拉,继又与其反目,于1827年北返,在加拿大及美国度过自己生命中的最后10年,对自己的教学体制进行各种实验。按照兰开斯特的导生制(**monitorial system**),200～1 000名儿童集中在一个教室里,坐成若干行,每行通常为10个人。教师教班长,班长再分别转教各自一行的学生。整个教学过程于是程序化并形式化,以至创造性思维和主动精神几近荡然无存。不过,兰开斯特的革新对于使教育及其方法成为广泛关注的话题功不可没。

Lancaster, Sir Osbert 兰开斯特(1908-08-04,英国伦敦～1986-07-27,伦敦) 英国漫画家、舞台设计家、作家,以1939年开始在伦敦《每日快报》发表的漫画最为有名,这些漫画委婉讽刺英国上层阶级,尤其是他们对社会变化的反应。但其建筑学著作和个人回忆录更受到好评。1930年获得牛津林肯学院文学士学位。学法律未成,入伦敦大学的斯莱德艺术学院学绘画和舞台设计。后来,经常为《建筑评论》月刊撰稿,并为自己的专栏画素描插图。第一本画集是《骨盆湾的进步》(1936),以讽刺笔法写英格兰一个海滨村庄远古和未来的建筑。此后有《从柱子到桩子》(1938),对英国建筑史作了饶有风趣的分析;《家,可爱的家》(1939),格调相似,论英国的室内装饰。以上著作,加进有关美国建筑学和设计的资料,合编成为《唯有此地》(1958)。1951年,开始搞舞台设计,成绩斐然。著两卷回忆录:《记忆所及》(1953)和《放眼未来》(1967)。1975年受封为爵士。

Lancaster Sound 兰开斯特海峡 在加拿大努纳武特地区巴芬行政区中部偏北,是巴芬湾西面的海峡,长320千米,宽64千米。北边是德文岛,南边是巴芬岛,与萨默塞特岛东北的巴罗海峡相通。所有从大西洋经过加拿大北极群岛通往太平洋的航线,都要穿过这个海峡。1616年英国航海家W.巴芬发现此海峡,并以促进其探险事业的詹姆斯·兰开斯特爵士的姓氏命名。

lance 骑兵长矛 骑兵使用之长矛。通常包括长木杆和金属尖头两部分。亚述人和埃及人最早使用,古希腊人和罗马人也曾广泛使用。中世纪铠甲骑兵配备长矛和马镫,在战场上具有极大的突击力。长矛尾端插在马鞍上的皮革支座内。火器出现后,长矛随即过时。但成本低和不需要弹药等优点,使其未被完全淘汰,以至流传至今。1807年拿破仑曾组建波兰长矛骑兵团,战绩显著,后普鲁士、英国等军队也曾效法。整个19世纪,欧洲各国骑兵皆配备长矛。长矛之所以有吸引力的部分原因,还在于它使和平时期的仪仗

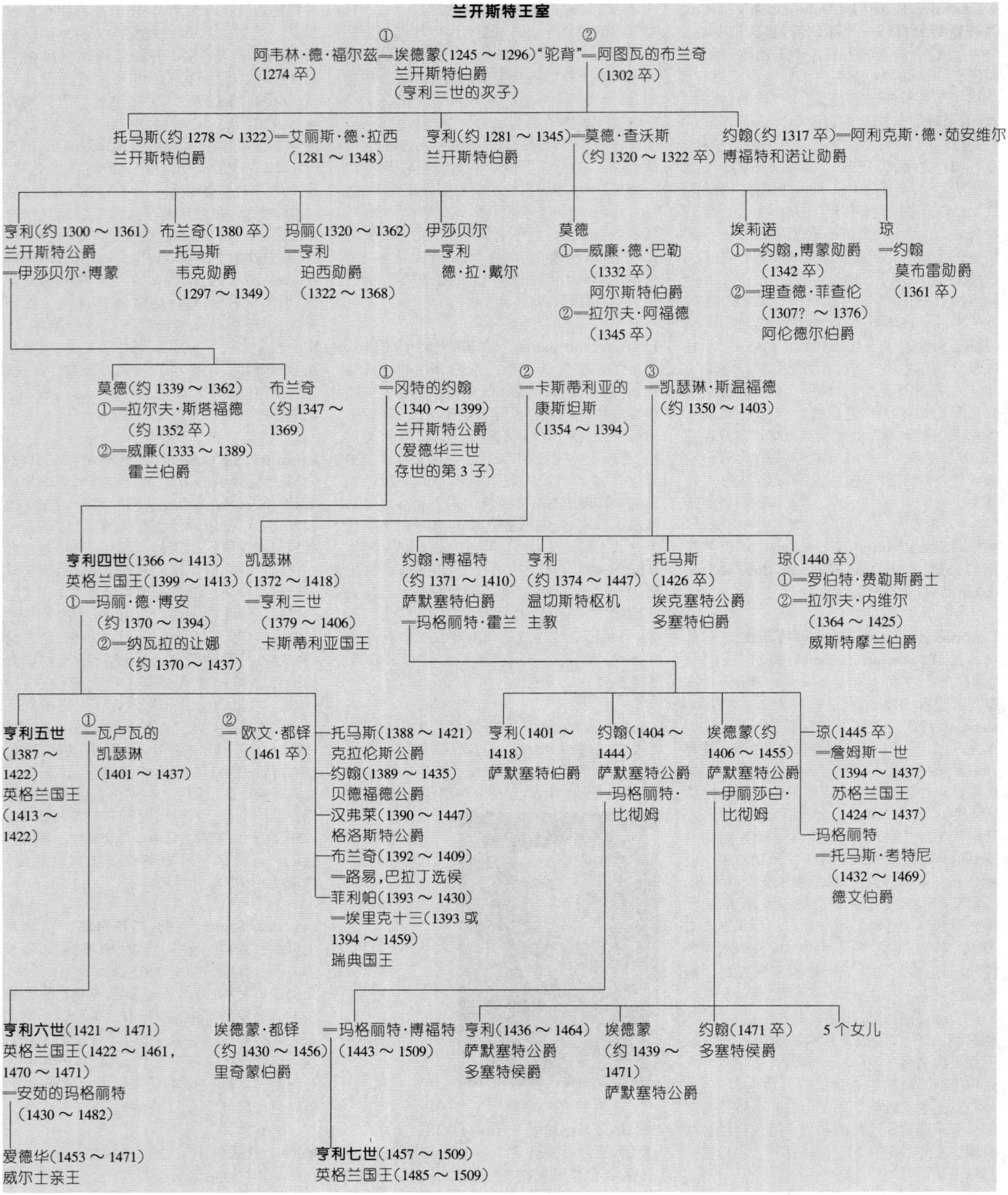

队颇为壮观。普法战争中长矛骑兵虽战绩平平,但1889年德国仍将所有骑兵全部改为长矛骑兵。1914年德、英、法骑兵团曾短时期用这样的中世纪武器参加已出现机枪的战争,例如在马恩河的首次战斗中。到20年代,骑兵长矛即已在西方国家的军械库中消失,但在第二次世界大战初,即1939年,还出现过波兰骑兵手持长矛冲向德国装甲部队这种与时代很不合拍的事。

Lance Formation 兰斯组 美国西部上白垩统的岩石地层单元(白垩纪开始于约1.44亿年前,终止于约0.664亿年前)。在兰斯组存在之处,它是白垩系最上部的岩石地层单位。因怀俄明州奈厄布拉勒县兰斯克里克附近被研究的露头而得名。该组厚度在北达科他州90米左右,怀俄明州部分地区近于600米,由浅灰色砂质页岩、浅色砂岩、薄层褐煤组成。该组的晚白垩世化石是著名的,包括植物类、晚白垩世恐龙类和哺乳类。在兰斯组发现了鸭嘴状的恐龙鸭嘴龙(*Trachodon*)、巨大的食肉动物霸王龙(*Tyrannosaurus*)、食草类三角龙(*Triceratops*)和甲龙(*Ankylosaurus*)以及哺乳类、有袋类。

Lance missile 长矛导弹 美国制造的近程弹道导弹,美国陆军于1972年采用,以后西德、意大利、比利时、荷兰、英国和以色列陆军相继采用。长矛导弹长约6米，从轻型拖车或改进型人员输送车上发射，用液体燃料火箭发动机推进，射程8～120千米，视弹头而定。这种导弹可携带高爆炸药集束小炸弹、1个1 000～100 000吨当量的原子弹头或1个1 000吨当量的强辐射（"中子"）热核弹头。长矛导弹在北大西洋公约组织的陆军中部署到军一级，打算用来攻击敌装甲部队及战斗正面之外的基地。1980年长矛导弹停止生产。类似长矛导弹的还有法国的冥王星导弹和苏联的SS－21圣甲虫导弹。

lancelet (marine animal) **海矛** 参阅 **amphioxus 文昌鱼**。

Lancelot 朗斯洛 又拼Launcelot。亚瑟王传奇中最重要的骑士之一，亚瑟的王后圭尼维尔的情夫，圣洁骑士加拉哈的父亲。朗斯洛这个名字最初作为亚瑟的骑士之一出现在克雷蒂安·德·特罗亚的12世纪故事诗《艾莱克》里。同一作者后来在《坐刑车的骑士》里把他塑造成为一个英雄。该书重述了关于圭尼维尔被诱拐的传说，把朗斯洛塑造为她的救命恩人和情夫。它还提到一位湖中仙子把朗斯洛抚育成人的故事，德文诗《朗斯洛》对此作了更为详尽的描述。这两个主题在13世纪的拉丁文《圣经》故事组，或散文《朗斯洛》里又有了新的进展。据此，朗斯洛在他父亲逝世之后，被"湖上夫人"维维安劫走，并被及时送入亚瑟宫廷。朗斯洛与王后的奸情还导致他在寻找圣杯一事中的失败，并引起一系列命运攸关的事件，使圆桌骑士团因之解体。

Lancet, The 《柳叶刀》 英国的一份医学杂志。1823年创刊，创办人及首任编辑是托马斯·韦克利，在当时他被认为是一位激进的革新家，曾宣称创办《柳叶刀》的目的是报道大都市医院的学术活动及报道当时的重要病例。《柳叶刀》创办以来，在英国医学及医院的改革中起了重要的作用，也成为一份在全世界极有威信的医学杂志。

lancet fish 帆蜥鱼 帆蜥鱼科帆蜥鱼属（*Alepisaurus*）两种广泛分布的深海鱼的统称。体长纤细，背鳍长而高，口大且有尖牙，体最长达约1.8米。是贪婪的肉食性鱼，以各种

长吻帆蜥鱼（*A. ferox*）
美国不列颠百科全书公司供图

鱼类和无脊椎动物为食。长吻帆蜥鱼（凶猛帆蜥鱼，*A. ferox*）产于大西洋。太平洋帆蜥鱼（理查森氏帆蜥鱼[*A. richardsoni*]或北方帆蜥鱼[*A. borealis*]）产于太平洋。

lancet window 尖拱窗 顶部为尖拱形的窄长窗。组成尖拱的圆弧的半径大于拱洞的宽度。尖拱窗是英国早期哥特式建筑（13世纪）的典型特征之一。

lancewood 枪木 几种番荔枝科树的木材，质地坚韧、沉重、有弹性、纹理平直。真正的枪木——矛木——产于西印度群岛和圭亚那，一般市场上供应的枪木材大部分产自这一类树种，长约4米，梢端直径约13厘米。过去用以制造马车的车辕，较细的做鞭柄、钓鱼竿等。圭亚那黑枪木树高约15米，但枝条很细，直径很少超过20厘米；圭亚那黄枪木与之相似，印第安人用以制造箭杆和作建筑的椽、梁。圭亚那出产的罗兰树属的树木，也称作枪木。澳大利亚的枪木是桃金娘科的树木。美国佛罗里达州的枪木则是樟科的树木，不用作商品材。

Lanchester, Frederick William 兰彻斯特（1868-10-23，英国伦敦～1946-03-08，沃里克郡伯明翰） 英国汽车工业和航空学的先驱，制造了英国第一辆汽车（1896）。1891年，在哈特利大学学院（今南安普敦大学）和国立理学院学习后，去伯明翰的燃气发动机工厂工作。在这段工作期间，他设计了摆调节器和起动器。5年后他开办汽车制造厂，1896年出产第一种单缸5马力型号的汽车。第二种型号的双缸汽车和第三种型号的汽车为兰彻斯特发动机公司赢得财政支持，在以后几年中生产了几百辆汽车。他设计的汽车有几个显著优点：振动较小、外形美观、驾驶室内没有大多数汽车那么多的手柄和操纵杆、车内装有行李架。在1897年的论文中第一次表达了他对航空学的志趣，他站在时代的前列，对重于空气飞行器的飞行原理作了高度评价。1907～1908年他出版一部著作，清楚地体现了先进的空气动力学思想。1909年任航空咨询委员会委员，后来任戴姆勒汽车公司顾问。

Lanciani, Rodolfo Amadeo 兰奇安尼（1847-01-01，教皇国罗马[意大利]～1929-05-21，罗马） 意大利考古学家、地志学家，古罗马研究权威，曾在罗马、蒂沃利和奥斯蒂亚发现大量古物。1893～1901年发表《罗马城市图》，按1∶1 000的比例绘制古代、中古及现代罗马城。20岁时在波尔图的图拉真皇帝港发掘工作中当助手，1868年发表的该遗址发掘记至今仍属权威性著作。1878年受聘为罗马大学古地志学教授并负责指导发掘。1886～1887年赴美、英讲学。主要著作有《从现代发现看古罗马》（1888），《罗马城考古发掘史》（共4卷，1902～1912）。

Lanciano 兰恰诺 意大利中南部阿布鲁齐区基耶蒂省城镇，大主教区中心和农业中心。有纺织、机械和家具制造业。17世纪以来便定期举行交易会，吸引意大利全国以及法国和巴尔干商人前来参加。人口：城市区约34 541（1989）。

Lancisi, Giovanni Maria 兰奇西（1654-10-26，教皇国罗马[意大利]～1720-01-20，罗马） 意大利临床医学家和解剖学家，现多认为是最早的卫生学家。兰奇西18岁时毕业于罗马大学医部。1688年被任命为教皇英诺森十一世的医生，之后又任英诺森十二世及克雷芒十一世的医生。他论述流行性感染、牛瘟和疟疾的专著显示他作为流行病学家的才能。兰奇西在其著作《论沼泽恶瘴》（1717）一书中将沼泽地区疟疾流行的情况同蚊虫的存在联系在一起，并建议排干沼泽以防止此病。他应克雷芒十一世之请著《论猝死》（1707）以阐明罗马猝死人数突增的原因，在书中他将猝死病因归于脑出血、心脏肥大及扩张，以及心瓣膜上的赘生物。在兰奇西的另一部著作《论心脏活动与动脉瘤》（1728）中，讨论了心脏扩大的种种原因并首次描述了梅毒性动脉瘤。这两部著作对心脏病理学做出很大贡献。

Lanclos, Anne de 参阅 **Lenclos, Ninon de 朗克洛**。

Lancret, Nicolas 朗克雷（1690-01-22，法国巴黎～1743-09-14，巴黎） 法国风俗画家，其对大宴会和显贵在田园娱乐活动的描绘，反映了当时的法国社会。是受欢迎的装饰家，曾为许多大收藏家的府第做过大量委托事宜。特别爱好舞会、集市和农村婚礼题材。1719年被选入皇家学院，1735年任学院评议员。他最著名的作品是为J.de拉封丹的《故事集》绘制的一系列插图。

Land, Edwin Herbert 兰德（1909-05-07，美国康涅狄格布里奇波特～1991-03-01，马萨诸塞剑桥） 美国发明家和物理学家，他的一步显影印片法，是继摄影胶卷之后摄影方面的一次空前革命。他在哈佛大学上学时，就对偏振光（全部光振动都被调准在同一个平面上）感兴趣。他请假休学后，经深入细致的研究和实验，于1932年成功地把硫酸碘奎宁的亚微观晶体的振动调准在同一平面上，并将它们埋入塑胶片中。对这种偏振片他设想了多种用途，并称之为波拉罗J片，这是个惊人的进展。它可用作一切规格的偏振片，并大幅度降低了成本。同年，兰德和哈佛大学物理学讲师G.惠尔赖特第三在美国波士顿建立了一个兰德-惠尔赖特实验室。他开发了多种类型的波拉罗材料，并于1936年开始将它们用于太阳眼镜和其他光学仪器。稍后，又用于照相机滤色镜和其他光学设备。1937年，兰德在马萨诸塞州剑桥建立了波拉罗公司。4年后，他根据偏振光原理，发明了广泛使用的立体电影拍摄法。在第二次世界大战中，他将偏振原理应用到多种军事装备中。战后，他开始研究即时显影的胶片。1947年，他发明了能在60秒钟拍摄出一张完整照片的相机，称波拉罗·兰德相机。兰德摄影法很快即广泛用于商业、军事和科学技术中。在

以后的几年中，他又有许多创新，其中包括显影彩色软片。波拉罗·兰德相机能在曝光后一分钟内取出已成像的相片，它已成为世界上最通用的相机之一。兰德对光和色彩的研究产生了新的色彩感觉理论。在一系列的实验中，他发现古典色彩感觉理论有些自相矛盾之处。他发现被感觉的颜色不取决于进入眼内的蓝、绿、红光的相对数量；他提出至少有3种独立的容易感受不同颜色的成像机制，它们共同协作而显示出所见的颜色。兰德对光和塑料的革新使他获得500多项专利。1980年他从波拉罗公司总经理位置上退下来，但仍和罗兰科学研究所一起，活跃在光和彩色的研究领域中。该研究所是由兰德于1960年创建的罗兰基金会支持的一个非营利的科学中心。在兰德的指导下，罗兰的研究人员发现光和色彩的感觉，主要由大脑而非像以前所认为的通过眼睛视网膜上的光谱系统来调节。

Land and Freedom (Russian revolutionary party) 参阅**Zemlya i Volya 土地和自由社**。

land bridge 陆桥 在各个地质年代中联结地球的大陆块的地峡，通过地峡，动植物的许多物种扩大分布至新的地区。在第三纪和第四纪（开始于大约6 500万年前）的大部分年代里，从西伯利亚到阿拉斯加曾有一个陆桥，对新大陆的动物区系产生了重大的影响。在此期间，这个陆桥也有几次暂时的中断。有许多旧大陆起源的动物，还有人类，经过这条狭长地带进入新大陆；只有少数新大陆起源的类群横过这个地峡进入欧亚大陆。巴拿马地峡是另一个重要陆桥，在第三纪的大部分年代里，它被海水淹没。由于这个原因，北美和南美的动物区系几乎是分别独立地进化的，只有在上新世（大约在530万年前至160万年前）的几十万年中，巴拿马地峡才一度上升。

land crab 地蟹 甲壳纲十足目地蟹科典型的陆生蟹。体方形。成蟹仅偶回海水中生活。产于美洲热带地区、西非和印度洋-太平洋地区。所有种类均既食动物又食植物。

地蟹（*Gecarcinus*）
美国不列颠百科全书公司供图

百慕大、西印度群岛和美国南部的圆轴蟹（*Cardisoma guanhumi*）生活在田野、沼泽和红树丛中，有的深入陆地达8千米。成体重约500克，背甲宽11厘米。百慕大到圭亚那的 *Gecarcinus lateralis* 宽9厘米，可进入陆地相当远的距离。

land-grant college 土地赠与学院 根据1862年第一个《莫里尔法案》建立的美国众多的高等学校都是土地赠与学院。该法案在美国国会通过，并因其倡议者佛蒙特国会议员J.S.莫里尔而得名。法案规定政府为每名代表本州的国会议员，赠给该州30 000英亩联邦土地。土地变卖后，所得款项用于资助建立学校，以讲授"农业和农机技术"。虽然该法案明确阐明不排除其他科学研究和文科研究，但其意图显然是为了适应迅速工业化的国家对训练有素的技术人员的需求。法案还要求所有土地赠与学院将军事训练包括在课程内。这项规定导致建立预备役军官教导团，一项培养未来的陆、海、空军军官的教育计划。有些州利用赠地所得款项创建新的学校，另一些州则以这笔资金用于将已有的州立院校或私立院校改建为农业和机械院校（称为农业机械学院）。土地赠与学院共69所，课程设有农业、工程、兽医和其他技术科目。纽约康奈尔大学的一部分、印第安纳州的珀杜大学、麻省理工学院、俄亥俄州立大学、伊利诺伊大学（厄巴纳）和威斯康星大学（麦迪逊）都是最著名的土地赠与院校。随着第二个《莫里尔法案》的通过（1890），国会开始经常拨出款项资助这些学校。以后的立法又增加了这些拨款。因为该法案对拒绝接纳非白人学生入学的州扣发基金，除非这些州提供"分离但是平等"的教育设施，这样就鼓励了黑人院校的建立。（1954年最高法院裁决"分离但是平等"的学校不合宪法规定，这种做法便停止了。）1847年和1914年通过的法案向土地赠与学院拨款以促进农业科学方法的发展。土地赠与学院对美国高等教育影响极大。近年来，美国攻读各级学位的学生中，几乎有1/5是在土地赠与学院就读。许多物理学、医学、农业科学和其他一些领域的开拓性研究工作都是在土地赠与学院完成的。而且，由于这种院校的招生方针比当时大多数其他院校更为开放，因而妇女、出身于工人阶级的学生和边远地区的学生都有可能以低廉的费用接受本科及专业教育。

Land League 土地同盟 爱尔兰农民组织，为改革英国统治下的地主所有制而斗争。1879年10月由M.达维特建立。达维特佃农出身，为芬尼亚（爱尔兰共和）兄弟会会员。他邀请英国议会内爱尔兰自治党领袖C.S.巴涅尔担任同盟主席。从此，土改运动与议会活动结合起来，使爱尔兰民族运动开始了新的起点。土地同盟的纲领主要包括3点：规定合理地租，固定租佃关系，有出售土地使用权的自由。1881年议会通过格莱斯顿的限制地主特权的《土地条例》，是土地同盟的巨大胜利。巴涅尔由于不断发表激烈演说，于1881年10月13日被捕。土地同盟号召佃户不付一切租金。政府以这个"抗租宣言"为借口，10月20日对同盟实行镇压。

land mine 地雷 固定的爆炸装置，用以对付敌军或车辆。参阅 **mine**。

Land of Ten Thousand Sinks 万洞地区 美国肯塔基州中西部一地区。有众多的灰岩坑和洞穴，其中较著名的为马默斯洞穴国家公园（**Mammoth Cave National Park**）和弗林特岭洞系（**Flint Ridge Cave System**）。在石炭纪初期（3.6亿年前至3.2亿年前）丰富的地表、地下水与石灰岩矿床的共同作用导致形成一个庞大的地下洞穴、地下河湖的网络系统。洞穴有大量硫酸盐矿层、钟乳石和石笋。

Land Reform 土地改革 中国共产党领导的废除封建土地所有制、实现农民的土地所有制的运动。在第二次国内革命战争时期（1927～1937），中国共产党控制的农村中地

1947年解放区普遍宣传《中国土地法大纲》
中国大百科全书出版社供图

主的土地都被没收，分给佃农和只有很少土地的自耕农。1937年抗日战争开始后，共产党为建立抗日民族统一战线，曾停止没收地主的土地，改为减租政策。1945年日本投降后，国民党发动内战，共产党在其所控制的广大农村中重新进行土地改革。1947年，曾以华北人民政府的名义颁布《中国土地法大纲》，没收所有地主的土地，按人口平分给每一个农民，包括已被剥夺了土地的地主。中华人民共和国建立后，1950年中央人民政府颁布《土地改革法》，规定了依靠贫、雇农，团结中农，中立富农，逐步消灭封建剥削制度，发展生产的土地改革总路线。到1952年底，除西藏、新疆等少数民族地区外，全国大陆地区完成了土地改革，从而终止了在中国持续两千多年的封建土地制度。台湾也在1949～1953年进行过土地改革。

land reform 土地改革 对于获得或拥有农业土地的方式、耕种方法，以及农业与其他经济的关系的有目的的改革。这类改革由政府、利益集团或革命宣布实施。土改最常见的政治目的是废除封建或殖民地式的土地所有制。农民的社会地位也常是土改所关注的事。土改的经济目的包括鼓励精耕细作，协调农业生产与其他经济的关系，尤其注意支持工业化进程。土改的最早记载见于公元前6世纪的雅典，梭伦废除了迫使农民以土地和劳役作为抵押从而沦为债主的佃农的偿债制度。公元前133年罗马格拉古兄弟的改革，将贵族侵占的公地重新进行分配，并规定个人拥有土地的最低和最高限额。但公元前121年，改革复又翻转过来，土地集中在整个欧洲成为一种普遍的现象，达许多世纪之久。法国大革命主要实现了改革者的社会和政治目标，封建制度和农奴制被废除，教会和外来政治移民的土地被没收，并公开拍卖。虽然

经济效益微乎其微，小型家庭农场却由此成为法国民主的基石。在英国，工业革命期间大批农民涌入城市促进了土地改革。瑞典和丹麦在19世纪20年代和平地废除了农奴制；德国、意大利和西班牙在1848年革命后也复如此。爱尔兰的土改直至20世纪30年代方才完成。沙皇亚历山大二世于1861年解放了俄国的农奴，但土改仅是局部性的，经济上也不成功。1917年俄国革命产生了农业土地的公有制和集体化。苏维埃改革初期造成大量流血事件和经济损失，但随后的农业机械化使大批农业工人获得解放，进入工业部门。墨西哥1915年革命后，着手消除使大批农民事实上沦为农奴和使农村人口、特别是印第安人贫穷不堪的那些弊病。拉丁美洲的土改通常是国内动荡和国际压力的产物，并由于人口激增、土地所有权高度集中、大量的土地为外国人所拥有、不适当的耕种方法，以及经济依赖少数几种主要出口产品而困难重重。古巴在共产党领导下进行了全面改革，社会效益高于经济成果。埃及于1952年推行除共产党国家外最激烈的土改，但该国滞后的工业使改革的经济效果甚微。北美和中东的许多国家通常在独立或革命后实行土改。非洲热带国家中，埃塞俄比亚和莫桑比克的土改更为激进，将土地收归国有，而保证耕者及其后代享有使用权。土改的另一个值得注意的例子是中国共产党上台后所实行的土改；中国的人民公社制度在近些年来为土地个人承包责任制所取代后，一般认为是成功的，效果显著。

land snail　蜗牛　陆上生活的螺类，约22 000种。多属于腹足纲肺螺亚纲，少数属于前鳃亚纲。多栖于地上或近地处。以腐烂植物质为食，产卵于土中。在热带岛屿最常见，

一种大蜗牛属(*Helix*)欧洲蜗牛
美国不列颠百科全书公司供图

但也见于寒冷地区，在该处冬天蛰伏。树栖种类(如佛罗里达及古巴的*Liguus*属)的色泽鲜艳，而地栖的通常单色。非洲的玛瑙螺属(*Achatina*)体型最大，多超过20厘米。欧洲的大蜗牛属(*Helix*)的几个种可食，被视为一种美味，尤其在法国。参阅 **gastropod**。

land tenure, feudal　参阅 **feudal land tenure 封建土地占用制**。

Landa, Diego de　兰达(1524?，西班牙锡丰特斯～1579，墨西哥尤卡坦)　西班牙方济各会教士、尤卡坦主教，著有关于马雅文化的作品。出身贵族家庭，早年参加方济各会(1541)。到墨西哥传教后，通过慈善事业保护西班牙人统治下贫病交迫的印第安人。他是一位敏锐、明智的观察家，著有关于马雅人生活和宗教的作品《尤卡坦记事》(1566)，至今仍被视为有关马雅文化的经典作品。他同情马雅人，但憎恶人祭等陋习。当他在一山洞发现人祭遗迹时，出于宗教狂热，命令毁掉所有马雅偶像、焚毁马雅书籍。他未料及此事造成印第安人的不幸。据悉在进行过程中有157名印第安人被害，但西班牙政府经过调查却认为兰达无罪，兰达并于1572年任尤卡坦主教。近代学者对他的毁誉不一。他一方面写出大量介绍马雅文化的著作，另一方面又下令彻底销毁马雅神像和象形文字材料，使他生动介绍的文明被湮没。

Landau　兰道　德国西南部莱茵兰-普法尔茨州城市。在哈尔特山坡，临奎希河。1106年首见记载。1291年为帝国自由城镇。保存有数座14世纪教堂和17世纪城堡。以市内动物园和开阔的花园、公园闻名。一种17～18世纪著名的车篷可折叠的分顶式四轮马车被称为"兰道"。有冶铁业，并生产卷烟、鞋、家具和机器等。有牲畜市场。经营酒的贸易。人口约41 502(2003)。

landau　分顶式四轮马车　德国设计的四轮马车，有两排面对面座位，容4名乘客，前面还有高置的车夫座位。特点是有两个折叠式车篷，分别装在前后两端，可在车顶合拢构成一个有侧窗的箱形围篷。常由4匹马牵引，从18世纪起流行于英国。这种马车车厢两端的下部截去一大部分，因而车门的底部成为车厢的最低处。

Landau, Ezekiel　兰道(1713-10-08，波兰奥帕图夫～1793-04-29，布拉格)　波兰拉比。1755年到布拉格任拉比，在职终生。他的律法判例辑为一集，题为《在犹大闻名》，析事细致，考证严谨。他坚决反对哈西德派和哈斯卡拉派，认为哈西德派无知到了邪恶的程度，哈斯卡拉派则危及犹太人的民族性。

Landau, Lev Davidovich　朗道(1908-01-22，俄罗斯帝国阿塞拜疆巴库～1968-04-01，莫斯科)　20世纪杰出的理论物理学家之一。诺贝尔奖获得者，对苏联物理学的发展做出过卓越的贡献。生于巴库，1922年进入巴库大学学习物理学和化学，两年后转入当时为苏联物理学中心的国立列宁格勒大学，1927年毕业并在列宁格勒物理工学院继续研究。1929年出国到哥本哈根在玻尔理论物理学研究所工作。朗道始终把自己看成是N.玻尔的学生，他对待物理学的态度也深受玻尔的榜样的影响。在离开哥本哈根之后，返回苏联之前，他又访问了剑桥和苏黎世。此后，除1933和1934年曾短期访问哥本哈根之外，其余时间都在他自己的国家度过。1932年，朗道到哈尔科夫担任乌克兰理工学院理论部主任，1935年又兼任国立高尔基大学普通物理学系主任。在哈尔科夫他创建苏联理论物理学派，使哈尔科夫成为苏联理论物理学中心，并着手编写著名的《理论物理学教程》，共9卷，包括了该学科的所有方面。朗道要求他的学生在随他学习之前先要掌握所有必需的数学技能。此后，他还要求他们掌握所谓的理论最低限度，其中包括理论物理所有领域的基本知识。只有最有才华的学生才能够通过这个最低限度。通过这种教学途径，他的许多

美国不列颠百科全书公司供图

学生成长为卓越的物理学家，而不是偏狭的专才。1937年赴莫斯科，担任苏联科学院瓦维洛夫物理学问题研究所理论组组长，在那里发展了液氦理论，对液氦的超流性作了理论说明，因而获1962年诺贝尔物理学奖。在莫斯科他继续对物理学作出多方面的贡献，几乎涉及物理学的各个方面；从低温物理学到核物理学，从金属理论到星体能源理论，从宇宙线到等离子体，从流体力学到原子物理学。有些贡献反映在一些术语上，如朗道去磁、固体物理的朗道能级、等离子体物理的朗道阻尼、低温物理的朗道能谱、高能物理的朗道分流效应等。1962年初，他因车祸受重伤，一直不能康复，延至1968年4月逝世。他是苏联科学院院士，苏联社会主义劳动英雄。获得3次国家奖和1次列宁奖；他又是英国皇家学会的外籍会员，荷兰、丹麦、美国等国科学院的外籍院士，并获得马克思·普朗克奖章和弗里茨·伦敦奖。

Landen, John　兰登(1719-01-23，英国北安普顿郡皮科克～1790-01-15，北安普顿郡米尔顿)　英国数学家，对椭圆积分有重要贡献。以1744年在《妇女日记》上的论文而成名为数学家，1766年被选为伦敦皇家学会会员。他对椭圆积分的研究引人注意的是兰登点和兰登变换。1775年他在学术论文中发表了兰登定理，后收在他的《数学论文集》第一卷中。这个定理用两个椭圆的弧来表示双曲线的弧。还写了许多关于天文学和物理学的论文。他早年对旋转运动研究就有贡献，并说明了牛顿计算进动效应的小误差。在《论剩余分析》中试图使微积分摆脱无穷小概念的困难而建立在代数和几何的可以接受的原理上。

Lander　兰德　美国怀俄明州中西部城市，弗里蒙特县县城(1884)。在温德河岭以东，海拔1 634米，濒临波波阿吉河。19世纪70年代始有人定居，1890年设为市。经济项目有畜牧、木材、油井、煤矿、铁矿和铀矿等。市北有温德河印第安人保留地。市西南有州立辛克斯峡谷公园和肖肖尼国家森林。每年举行单发羚羊猎。人口6 867(2000)。

Lander, Harald　兰德(1905-02-25，哥本哈根～1971-09-14，哥本哈根)　丹麦舞蹈演员

和编导。他的主要功绩是把涣散的丹麦皇家芭蕾舞团改组成一个卓越的表演组织。1926～1927年师从著名芭蕾大师和革新家M.福金并担任主要角色直到1945年。作为丹麦皇家芭蕾舞团芭蕾舞教师(1932～1951),他排演福金的杰作,如《仙女》、《彼得鲁什卡》和《伊戈尔王子》,以及重演19世纪丹麦著名编舞家A.布农维尔的作品,以丰富该团的剧目。他自己的作品包括常常上演的独幕芭蕾舞剧《练习曲》(1948)。1953年他成为巴黎歌剧院的芭蕾舞教师,1956年加入法国国籍。1964年在巴黎开设舞蹈工作室。他因对现代芭蕾舞蹈做出贡献从而获得丹麦、比利时和法国政府授予的勋章。临死前不久回到哥本哈根。他前后娶著名丹麦女舞蹈演员M.兰德(1931;1950年离婚)和T.兰德(1950;1965年离婚)为妻。

Lander, Richard Lemon　兰德(1804-02-08,英国康沃尔特鲁罗～1834-02-06,费尔南多波岛)　英国探险家。曾到西非探险,沿尼日尔河下游河道直达该河三角洲。曾作为苏格兰探险家H.克拉珀顿的仆人跟随他到今尼日利亚北部地区作克氏对该地区的第二次探险。克拉珀顿在索科托附近去世(1827-04)后,兰德朝东南方向前往卡诺,然后经过约鲁巴人居住地区回到海岸。出版有《理查德·兰德从卡诺到海岸的旅行日记》(1829)和《克拉珀顿队长到非洲的最后一次探险及作者随后的冒险记录》(1830),后者主要是根据他保存的主人的日记编写成的。应英政府要求,由他的兄弟约翰陪同,他再次去西非,1830年3月22日在今尼日利亚的巴达格里登陆,从内地的布萨上溯尼日尔河约160千米,然后开始乘独木舟顺流而下,到达该河三角洲;一度被三角洲的居民扣押,付了一笔巨额赎金后,得以安全到达费尔南多波岛。著有《尼日尔河河道和河口探险日记》(1832)。在一次沿尼日尔河上溯的贸易试探中,独木舟遭部族人攻击,负伤后迅即身亡。

Landes　朗德　法国西南部阿基坦盆地的森林地区。濒比斯开湾。向北延展到加龙海湾,向南到阿杜尔河,面积14 000平方千米,占有朗德省面积的3/4,吉伦特省的1/2和洛特-加龙省的约70 000公顷地区。过去曾是一片广阔的沼泽和荒野。现在是法国面积最大的森林。19世纪后半叶初期,平原上开挖运河并种植大片松林,为当地提供了木材和松节油。当地建有造纸厂以改善经济。大片地区适于发展混合性农业。辟有数处海滨胜地,合称"银色的海岸"。

Landes　朗德　法国西南部阿基坦大区省份。由过去的吉耶讷(**Guyenne**)、加斯科涅(**Gascony**)和贝阿恩(**Béarn**)省部分地区组成。面积9 243平方千米。沿比斯开湾有110千米笔直、无海湾的海岸线。范围包括勒朗德沙质平原的3/4。省会蒙德马桑(**Mont-de-Marsan**)和古城达克斯(**Dax**)位于多山林沃土的西南部地区。海洋性气候温暖宜人。所产肥鹅肝酱和龙须菜占法国第一位。比斯卡罗斯潟湖附近有导弹基地。帕朗蒂昂博恩有油井。下设2个专区:蒙德马桑和达克斯。属波尔多教育区。人口约302 000(1985)。

landfill, sanitary　参阅**sanitary landfill**垃圾填埋。

landform　地貌　地球或相似的行星体或卫星上的任何显著的地形特征。常见的例子是山岳(包括火山锥)、高原和河谷。可比较的构造在火星、金星、月球上,以及木星与土星的一些卫星上也已发现。地貌术语也可用于地球大洋盆地底部已出现的相关特征,例如像海山、洋中脊和海底峡谷。地貌的分布与构造反映了造成这些形态的地貌作用过程。大陆地块表面出现的大多数地貌,都是地质历史时期中两种基本类型作用过程相互作用的结果。这便是:①垂直构造运动和岩浆(熔融的岩石物质)的喷发;②剥蚀作用过程,这包括岩石的风化与侵蚀,以及造成的沉积物碎屑的堆积。主要由于地壳的上升与沉陷产生的、或由上升的岩浆活动产生的地形特征,可以按构造地貌来分类。它们包括上升河谷、高原、山岳和火山锥。其他地形特征,如山麓侵蚀面、沙丘、地下洞穴、峡湾和海滩,都是剥蚀作用过程形成的。根据构造地貌来分类的这些特征,可归属于河流、风力、地下水溶解、冰川、海浪和其他外营力的侵蚀作用与沉积作用。虽然构造作用过程与剥蚀作用过程可以说明大多数地貌类型的起源,但有少数地貌是由其他原因产生的。例子之一是冲击坑,它由小行星、彗星和陨石撞击而形成。另一例子是生物地貌,正如这个术语含义所表明的那样,它们是由活的生物造成的。这类地貌从巨大的白蚁丘和珊瑚礁直到人类造成的露天矿山和水坝。

landgrave　地伯　德国和斯堪的纳维亚的一种贵族称号。从12世纪起,德意志的国王们为了加强自己的地位而设立这一爵位。公爵对地伯没有控制权,地伯的地位和权力与公爵相等。第一个地伯领地是图林根,它于1130年由国王洛泰尔二世授予卢多温家族。后来,这称号较普遍地授予伯爵,使他们直接依从国王(或皇帝)。

landing craft　登陆艇　主要用于从船上到岸上运输和战略部署士兵、设备、车辆和供给以实施进攻性军事行动的小型海军舰艇。在第二次世界大战期间英国和美国人大量生产

美国海军登陆艇为诺曼底战役进行登陆演习
美国不列颠百科全书公司供图

登陆艇,并在战争中进行改进以执行各种任务。开发和使用专用艇以对敌方海岸进行战略部署最先是由日本人开始的,他们在20世纪30年代初期使用了第一艘船艏有斜坡出入道的登陆艇,可使队伍迅速部署。这种设计被英国和美国人模仿,最后他们将该设计加入到60种不同类型的登陆艇和登陆舰中。由于预见到战争对两栖攻击的需要,美国海军陆战队和海军在20世纪30年代进行了小型登陆艇试验。由新奥尔良造船商A.希金斯设计并生产了车辆人员登陆艇(LCVP),通常简称"希金斯"艇。车辆人员登陆艇能从船上运载36名带战斗装备的步兵或3.6吨货物到岸上。英国版本的车辆人员登陆艇被称为突击登陆艇(LCA)。1942年美国海军认可了希金斯的15.25米长的设计,这是机械化登陆艇(LCM)的原型。美国海军设计生产了有岸对岸能力的步兵(大型)登陆艇(LCI),是一种能运载200名步兵的48米长的船,能完成48小时的长途航行。步兵登陆艇使用在船艏两侧的两个通道代替标准的舰艏斜坡出入道。1940年英国设计和制造了坦克登陆艇(LCT),开始实施两栖攻击。

landing ship, tank　坦克登陆舰　缩写为LST。为向外国海岸运输和部署部队、车辆及供给以实施进攻性军事行动而专门设计的军舰。在第二次世界大战期间设计的坦克登陆

两辆2吨半的卡车驶下一艘坦克登陆舰的艏舌门
美国不列颠百科全书公司供图

舰是为了在没有船坞设施或商船卸货必需的各种起重、升降机的情况下使兵力登陆。它们赋予同盟国在有逐渐倾斜海滩的外国海岸任一位置实施两栖作战的能力。这使得同盟国可以攻击防守薄弱的地区,从而完成军事突袭。特殊设计的登陆舰第一次使用是被英国人用在1942年侵入北非的"火炬行动"中。在1940年的敦刻尔克大溃退后,英国认识到对这种船的需求。作为临时措施,三艘浅水油轮被改装成坦克登陆舰。重新设计了舰艏,以便使铰接在底部的通道和21米长的双层斜坡出入道能和船只匹配。这些改造使得让车辆直接从船上登陆海滩成为可能。应英国的请求,1941年11月美国人承担了重新设计和生产坦克登陆舰的任务,船舶局的J.尼德迈尔设计了一种有大型压载系统的船。横渡海洋必须要深水船只,而渡过水口则需要浅水船只。重新提出的压载系统赋予船只两种能力:在海上时,坦克登陆舰携带水以保证稳定性,而在登陆作战期间则将水抽出形成浅水船只。美国建造的坦克登陆舰Mk2,或者叫LST(2),有328英尺长、50英尺宽,载重

为2 100吨。舰艏建了两个可向外打开的14英尺的通道。大多数同盟国的车辆能运上LST(2)和从中卸下。坦克登陆舰能轻松地装备各种各样的武器。一艘典型的美国坦克登陆舰装备7门40毫米口径和12门20毫米口径的高射炮。在战争期间英国和美国人生产了大量其他类型的登陆舰。例如步兵登陆舰,或称LSI(L);指挥登陆艇,或称LSH;船坞登陆艇,或称LSD;以及中型登陆艇,或称LSM。有些叫"登陆舰"的船并不能向海滩卸载部队和供给;它们实际上只是运输或指挥和控制的船只。

Landini, Francesco **兰迪尼**(约1335,佛罗伦萨附近菲耶索莱～1397-09-02,佛罗伦萨) 14世纪意大利杰出作曲家,在世时即以惊人的音乐记忆力、即兴演奏的技巧、演奏轻便管风琴的技艺和他的作品而享盛名。还会演奏长笛和雷贝克琴。幼年因患天花而失明。1364年在威尼斯一次诗作竞赛中荣获桂冠。留存至今的作品中包括大量歌曲,他最喜爱的歌曲形式是"巴拉塔",这是一种以法国"维尔莱"或意大利本土的"圣灵颂赞歌"为蓝本的意大利歌曲。它们的程式化的典雅精美、欢快细腻和清澈织体是兰迪尼的所有歌曲的特点。除140首巴拉塔谱曲外,现存作品尚有12首牧歌,一首维尔莱和一首卡恰(猎歌)。14世纪音乐中通用的一种终止式,特别是在兰迪尼的音乐中所使用的那种,被称为兰迪尼终止式。在这种终止式中,导音到达最后的主音之前,先下行到音阶的六度音。

Landis, Kenesaw Mountain **兰迪斯**(1866-11-20,美国俄亥俄米尔维尔～1944-11-25,芝加哥) 美国联邦法官、首任职业棒球运动委员会主席。他采取断然措施对付在棒球运动

美国不列颠百科全书公司供图

中进行欺骗和其他有损棒球运动声誉的行为。曾在辛辛那提大学上学。1891年毕业于芝加哥联合法律学院,后在芝加哥当律师,直至1905年3月西奥多·罗斯福总统任命他为美国伊利诺伊州北区法院法官。两年后,他以给予非法运费回扣为由判处美孚石油公司罚金2 900万美元,从而赢得了全国性声誉。第一次世界大战期间曾主持对社会党人和工会领袖煽动叛乱罪的审判。1919年审理黑人萨克斯队受贿故意输球一案。1920年起终生任全国棒球运动委员会主席。他所作的决定从未被推翻过。1944年入选棒球名人堂。

ländler **伦德莱尔舞** 巴伐利亚和奥地利阿尔卑斯山区的一种传统的对舞。舞者随着轻松的3/4拍子乐曲,以复杂的花样手握手臂挽臂,钻过舞伴的手臂下转圈,背对背地舞

伦德莱尔舞
美国不列颠百科全书公司供图

蹈,并双手紧紧相握旋转。这种花样和三拍子节奏曾在具有德国中世纪农民舞特色的旋转舞中出现。伦德莱尔曲调18、19世纪时在维也纳甚为流行。对华尔兹的演变有过很大影响。伦德莱尔舞有很多变体,其中有伴着即兴歌词和以切分音节击掌的斯泰里谢尔舞以及舒普拉特莱尔舞。舒普拉特莱尔舞是一种求爱舞蹈,男舞伴跺着脚,拍着手或身体,做出各种夸张的技巧表演,最后把女舞伴高高举起。舒普拉特莱尔舞是欧洲几种求爱舞蹈(诸如巴斯克的奥列斯库舞、挪威的哈林格舞、乌克兰的戈帕克舞)中的一种,在这些舞中男子向女舞伴炫耀自己。

landlord and tenant **业主和租户** 又称出租人和承租人。指租赁不动产的双方当事人,他们之间的关系受契约的约束。业主或出租人是财产的所有人或占有人,不论这财产是有形的,例如土地或建筑物;或者是无形的,例如共有权或通行权。业主通过租约、租赁协议或其他文件,同意让另一个人(租户或承租人)在规定的期限内,完全占有和使用财产,通常的条件是收取租金。租赁的主要形式有以下几种:①定期租赁,租期是固定的,短至一星期以下、长至数百年。固定期限的租赁在期限届满时即行终止。②不定期租赁,按年、按季、按月、按周或按其他某一期限的租赁,在业主或租户通知停止租赁以前,可以不定期地继续下去。停止租赁的通知要提前多久发出,由法律或双方协议规定。③任意租赁,租期由业主和租户任意决定。这种租赁相对说来较少,但有时用来满足临时的需要。如果没有就租金达成协议,业主有权要求付给使用和占有补偿费。④宽容的租赁,租户原来是用合法手段占有,但在租约期满后仍然"拖延"或继续占有使用;这样的租户被认为是"受到宽容的租户"而不是一个非法侵入者。宽容的租赁同任意的租赁一样,很容易转为不定期的租赁;而且租户同样有责任要为使用和占有支付补偿费。在某些情况下,他可能要受惩罚,例如要付加倍的租金。租赁可能终止的主要方式如下:①原订的固定期限届满;②事前通知终止租赁;③撤销租约。通常在租约中加上这样一条明文规定:如果租户不支付租金或违反了租约的任何条款,就可以撤销租约。如果发生了有权撤销租约情况,就要由业主决定是否撤销。在大多数情况下,他必须向租户发出通知,说明违反了哪些条款,如有可能,可以要求采取补救措施,而在指望得到补偿时,可以要求给予补偿费。以往业主可以扣押租户个人财产直到所欠租金付讫为止的补救办法,虽然在有些法律条款中仍保留着,但大多已废除,留待通过正常法律程序收取债款或简单地驱逐租户。

Landnámabók **《定居记》** 一部独特的冰岛世系记录,虽有许多版本传世,但最初可能是12世纪初叶由阿里·托吉尔松所纂。这本书列述了400个冰岛最早的开拓者,以及他们的挪威祖先和后代的名字。还叙述了他们的地产。这些地产的地貌也被描绘得详尽、准确。

Lando **兰多**(?,罗马～914-02) 拉丁语作Landus。教皇(913-07或08～914初在位)。在位期间正值教廷历史上最困难时期(约900～950)。教廷由大狄奥菲拉克特的亲属和下属控制。

Lando di Sezze(pope) **朗多** 参阅 **Innocent(Ⅲ)英诺森(三世)**。

Landoma(people) 参阅 **Landuma 兰杜马人**。

Landon, Alfred M(ossman) **兰登**(1887-09-09,美国宾夕法尼亚西米德尔塞克斯～1987-10-12,堪萨斯托皮卡) 别名Alf Landon。美国堪萨斯州州长(1933～1937),1936年共和党总统候选人,但落选。1904年随同父母亲一起来到堪萨斯州独立城,1908年获堪萨斯大学法学学位,1912年进入石油业。同年出席进步党布尔穆斯代表大会,在堪萨斯州为进步党总统候选人T.罗斯福进行竞选活动。此后他的政见一直与堪萨斯州进步党人的主张相符。第一次世界大战中在美国陆军化学兵部队服役。战后重返石油业和堪萨斯政坛。1932年当选堪萨斯州州长,1934年再次当选(当年唯一连任的共和党在职州长),并掀起"兰登热",1936年成为总统候选人。全国约有1 700万美国人投票选举共和党候选人,但兰登只获得缅因和佛蒙特两州的选举人票。落选后,兰登继续参加堪萨斯州政治活动,但对全国事务不再发挥重要作用。

Landon, Letitia Elizabeth **兰登**(1802-08-14,伦敦～1838-10-15,黄金海岸[今加纳]) 英国女诗人和小说家,在妇女在写作主题上常受到限制的时代,她描写炽热的爱情。她以其勇敢的社会生活和神秘的死亡以及显示

她充满生气的才智和强烈感情的诗为人们所缅怀。第一部诗集于1821年问世，此后又出版8部诗集，极受读者欢迎。1831～1842年间出版的4部长篇小说也很成功。兰登以她我行我素的魅力征服了伦敦社会，但她与记者和文学家J.福斯特的订婚以不幸告终。1838年与海岸角（今在加纳）总督G.麦克莱恩结婚。1838年去非洲不久中毒身亡，据推测为误服毒药。

Landor, Walter Savage　兰多（1775-01-30，英格兰沃里克郡沃里克～1864-09-17，意大利佛罗伦萨）　英格兰作家，最为人所知的是用散文写成的历史人物对话《想象的对话》。曾在拉格比学校和牛津大学读书，均因与学校当局意见不和而辍学。一生与其父亲、邻居、妻子和任何使他生气的当局争吵，但却赢得R.骚塞、S.T.柯尔律治和C.兰姆等浪漫派诗人及C.狄更斯和R.布朗宁的友谊。他自幼精通古典文学，他的许多著作原来是用拉丁文写的。作品有抒情诗、剧本和英雄史诗，最主要的是《想象的对话》（前两卷，1824；第3卷，1828；以后继续出版，直到1853年）。

Landowska, Wanda (Louise)　兰多夫斯卡（1879-07-05，俄罗斯帝国波兰华沙～1959-08-16，美国康涅狄格莱克维尔）　波兰出生的女拨弦键琴演奏家，是20世纪拨弦键琴复兴运动的创始者。1896年在柏林学习作曲。1900年去巴黎，在丈夫、民俗学权威H.卢的影响下，从事古代音乐和键盘乐器的研究。曾在圣歌合唱学校任教。1903年首次公开演奏拨弦键琴，1909年与丈夫一起出版了研究17、18世纪音乐的《古代音乐》一书。她是17、18世纪拨弦键琴音乐的主要演奏者，尤其擅长演奏J.S.巴赫和F.库伯兰的作品，写过一些研究这两位作曲家的学术文章。1925年在巴黎附近圣勒拉森林建立一所研究古代音乐的学校。1941年定居美国。受她启示而作的现代作品中有M.德·法里雅和F.普朗克的拨弦键琴协奏曲。她的技巧理论是现代拨弦键琴演奏的基础。

Landrum-Griffin Act　《兰德勒姆-格里芬法案》　正式名称为《劳资关系报告与揭露法案(1959)》。是对20世纪50年代期间广为人知的关于美国某些工会的腐败行为和专横做法作出的立法上的反应。尽管劳联-产联（美国劳工联合会-产业工会联合会）开除了3个行为最恶劣的工会（卡车司机工会，面包和糖果工人工会和洗衣工人工会），D.D.艾森豪威尔总统和对劳工与有组织的犯罪之间的联系进行了调查的麦克莱伦委员会坚持制定一项法律以便使工会的内部事务建立在比较公正和民主的基础之上。因此，《兰德勒姆-格里芬法案》规定了一些联邦级的刑罚以惩治那些滥用工会基金、被发现犯有具体罪行或粗暴地阻止工会会员行使其合法权利的工会官员。该法案还包含有其他一些规定，这些规定加强了几乎为所有有组织的劳工憎恶的**《塔夫脱-哈特莱法》(Taft-Hartley Act)**的某些部分。这些规定包括严格禁止间接抵制（工会试图阻止一雇主同另一正在遭到罢工或抵制的雇主打交道）和给各州以更大的自由让它们在各自的州界内规定劳资关系的条件。后面这条规定使得美国的工会化程度最低的地区（南方各州）的劳工的组织工作受到了阻碍。

Landry, Tom　兰德里（1924-09-11，美国得克萨斯米申～2000-09-11，得克萨斯州达拉斯）　美国职业橄榄球教练。1960～1989年任全国橄榄球联盟达拉斯牛仔队教练，使该队达到全国强队水平。1949年进入职业橄榄球界，参加美国橄榄球联盟纽约扬基队。1950～1955年为全国橄榄球联盟纽约巨人队队员，1954～1955年兼任该队教练。1959年整个赛季任专司防守的助理教练。1960年任新组建的牛仔队教练。总共赢270场，输178场，平6场。1990年入选全国职业橄榄球名人堂。

Land's End　兰兹角　英格兰康沃尔郡最西端的半岛。其尖端是英格兰的最西南点，与传统上认为是大不列颠最北端的约翰奥格罗茨按公路计算距离约1 400千米，通常以"从兰兹角到约翰奥格罗茨"表示从英国一端到另一端。为该国主要旅游地之一。

Landsat　陆地卫星　地球资源卫星(ERTS)的别称。美国不载人科学卫星系列。最初3颗卫星于1972、1975和1978年发射。主要用于收集自然资源情报，包括矿藏位置和森林及农牧区的状况。卫星上还装有监测大气及海洋情况、探测污染程度及其他生态变化的仪器。卫星上携带各型照相机，包括红外传感照相机，摄影范围为184平方千米的地带，摄影间隔时间为18天。比飞机照相测量范围要广阔得多。第4和第5颗陆地卫星分别于1982和1984年发射。1985年陆地卫星转由私营公司管理，1992年重新由政府管理。最新的陆地卫星装有两个传感器，一个多光谱扫描仪，一个热成像测绘仪（在7个光谱带上空间分辨率为30米）。第6颗陆地卫星的分辨率更高，但1993年发射后未进入预定轨道。第7颗于1999年成功发射。

Landsberg an der Warthe (city, Poland)　**瓦特河畔兰茨贝格**　参阅**Gorzów Wielkopolski 大波兰地区戈茹夫**。

landscape architecture　园林建筑　种植树木花草以美化花园、庭院、空地、公园及其他室外空间的技艺。可用以改善自然景色，并可为房屋、村镇、城市创造自然环境。这是装饰艺术中的一个门类，并且同建筑艺术、城市规划及园艺学有关。园林设计师从天然的地形地貌开始着手工作，将原有的土地加以美化、改造或变动。"花园"（或庭园）这一名词，一般指面积较小、植物较密、往往布置在住宅或其他小型建筑物周围的绿地；而"园林"一词，则指面积较大的绿地，如公园、城市绿化地区、校园或公路两旁的绿化带。为了改变原有地貌以创造自然美景，可以栽植树木、灌木、树篱、花卉、草地，以及布置水面（湖、溪流、池塘、瀑布等）、假山和石块等物，也可以安排平台、院场、喷泉、凉亭、篱笆和铺砌地面等人工设施。人工设施与自然景色的比例，视设计者的意图、特定地区的性质以及当地的文化、时尚和嗜好而定。庭园或园林的景色，牵涉到布局形式、植物品种、树木花卉的色彩和香气、占地大小、气候条件及园林用途等因素。其组成部分，可以包括树木、树篱、灌木、花卉以及水面（湖泊、水池、溪流）、喷泉、瀑布、山石、篱笆、小径等。庭园需要常年或定期维护，以阻止杂草滋生，并控制人们并不期望的其他自然演变。庭园的景色随季节更替、气候冷暖与草木的盛衰周期而各异其趣。在历史上，供私人享乐之用的花园多于供公众消遣的公园。古代埃及人、希腊人和罗马人在花园设计方面各有特色。意大利蒂沃利附近的哈德良别墅，拥有一片广袤的园林，对后世的花园设计，颇有影响。意大利文艺复兴时期盛行的布局规整的花园，把室外景观视作房屋的延伸部分，16世纪建于蒂沃利的埃斯泰别墅，即为著名的例子。17世纪时，受意大利文艺复兴熏陶的法国园林建筑师A.勒诺特尔，为法王路易十四在凡尔赛宫设计的园林，以对称的布局、远景及宏大的喷泉为主要特征。这样的设计曾受到许多人的模仿。这些古典式的园林虽然华丽，但布局整齐规正、一丝不苟、形式对称精巧、有条不紊，其中的花木都按直线及圆弧排列成行，树丛修剪成几何形状，花卉则分门别类地栽植在明确分块的花坛之中。至18世纪，英国的伯林顿伯爵以及园林设计师W.肯特、L.布朗和H.雷普顿等人，在花园设计方面进行革新，他们主张模仿自然的法则，采用了不规则的自由布局。18世纪晚期，园林设计中还出现有人造的废墟和洞穴等作为风景的点缀。著名的实例有位于劳沙姆、斯托和斯陶尔黑德等地的花园。在美国，从事花园与园林设计的杰出人物为F.L.奥姆斯特德。园林建筑在东方则具有截然不同的设计传统，它发源于中国，随后经由朝鲜而传至日本。东方人对园林的观念，与宗教传统密切相关。庭园设计旨在引导人们达到某种思想境界和提高清澈的领悟能力。庭园中以自由布局的天然景物为主，而人工的对称设施则仅起陪衬作用。假山和山石占有特殊重要的地位，而在日本庭园中，山石曾是宗教的象征。东方庭园的尺度一般小于西方的花园，但以景物的细部作为设计重点。水面、树木与小桥为园林的重要组成部分。日本的茶室公园的设计，要使前往参加茶道的客人，产生相应的肃穆情绪。东方的园林，尤其日本的庭园布置，曾对西方的现代设计产生巨大的影响。

中国板桥林家的园林造景

中国大百科全书出版社供图

Landseer, Sir Edwin (Henry) 兰西尔(1802-03-07,英格兰伦敦～1873-10-01,伦敦) 英国画家和雕刻家,以画动物著名。最初随父学画,后进皇家学院学习美术。他画的动物以精确的解剖知识为基础,着重表现它们的健美和生气。后期作品由于拟人化而显得矫揉造作。代表作有《钉蹄铁》(1844)和《科马斯的宴会》(1843)。其著名作品还有伦敦特拉法尔加广场纳尔逊圆柱底座上的四件铜雕狮子像。1831年人选皇家学院院士。1850年获爵士封号。

Landshut 兰茨胡特 德国东南部巴伐利亚州城市。临伊萨尔河。建于1204年。1279年设建制。1503年前一直是公爵驻地。1802～1826年为巴伐利亚州大学所在地。

兰茨胡特市夜晚灯光映射之下的圣马丁教堂与特劳斯尼兹公爵城堡
美国不列颠百科全书公司供图

有特劳斯尼兹公爵城堡(13～16世纪)、哥特式圣马丁教堂(1389～1450),教堂有世界最高的砖塔(133米)之一,以及文艺复兴时期公爵宫(1536～1543)等名胜古迹。有数座收藏艺术品的博物馆。为重要的铁路枢纽。有电子和机械工业。传统行业有酿酒、面粉加工、巧克力生产、烟草加工以及纺织品、家具和化工品等制造业。人口约60 282(2003)。

landskap 省 瑞典历史上的行政区划单位。建于北欧海盗时代以前和海盗时代,曾有过25个省,由议会辖制。现虽不再具有政治或行政意义,其名称仍常被人使用并出现于正式资料中。它们与中世纪晚期出现的26个省(län),在地域上部分重叠,有的甚至完全重合。这26个省在17世纪演化为现在的形式,至今仍为瑞典主要的行政区划单位。

Landskrona 兰斯克鲁纳 瑞典南部马尔默胡斯省海港城镇。临松德(厄勒)海峡。位于马尔默市西北偏北,是松德海峡(厄勒海峡)唯一的天然港口。1413年设镇。现保存着环绕16世纪城堡修建的土城墙(欧洲规模最大和保存最好的古城墙之一)。文岛现为城市的一部分,有天文学家T.第谷的观象台废墟。主要工业有造船、金属加工、制革、食品加工,以及制造机械和化肥等。为著名的避暑地。有定期渡船通哥本哈根。人口:城市区约37 700(1996)。

landslide 滑坡 又作landslip。又称山崩。指不稳定斜坡上的土或岩石向下整体运动。滑坡的原因在于岩石的构造,有关物质的黏结性,斜坡的坡度,所含水量,斜坡根部受天然或人工切割的程度,运动的相对速度以及有关物质的相对数量等各种因素。有许多术语适用于这些变化:蠕动、土流、泥流、融冻泥流以及岩屑崩落等,这些都是由流动引起的整体运动的有关的形式。如果在固结岩石的面上发生了切变运动,那么,脱位的整体就是岩屑滑动。悬崖受河流、冰川或波浪等的底切作用,可能会变得太陡,以致大量岩石自由坠落,从而构成岩崩型滑坡。

Landstad, Magnus Brostrup 兰斯塔(1802-10-07,挪威莫斯岛～1880-10-08,克里斯蒂安尼亚[今奥斯陆]) 牧师和诗人。1853年他出版第一部真正挪威传统民谣集。他的《挪威民谣》搜集远至中世纪,内容以神话中的巨人或侏儒、英雄、骑士和诸神的经历为中心;增补部分为L.M.林德曼收集的民间曲调。易卜生的早期剧本的许多题材即取自他的民谣集。后来他受命编选全国赞美诗集,其中收入他本人所写的50篇赞美诗。

Landsteiner, Karl 兰德施泰纳(1868-06-14,奥地利帝国维也纳～1943-06-26,美国纽约州纽约) 美籍奥地利免疫学家、病理学家。因发现人类的主要血型系统及研究出

世界卫生组织供图

ABO血型的检验方法而获1930年诺贝尔生理学或医学奖。1898～1908年在维也纳病理学研究所从事研究,1901年将人类血液按红细胞质膜上所含糖蛋白的不同而分为A、B、O三型。次年又发现第4种类型——AB型。1927年发现MN血型系统,1940年发现Rh因子。1909～1919年他在维也纳大学、1922～1943年在纽约洛克菲勒医学研究所任病理学教授。1936年发表免疫化学的经典著作《血清学反应的特异性》。

Landuma 兰杜马人 又拼Landoma。主要分布在几内亚境内,沿几内亚比绍边界50～100千米的内陆地带,语言属尼日尔-刚果语系西大西洋语支,与巴加语相近。有20 000人左右。兰杜马人以种植玉米、黍类、花生及稻为主。社会组织以一名最高酋长为中心,每村有村长。婚姻常为多配偶的,遗产由母系亲属继承,宗教信仰主要是伊斯兰教,但仍有10%进行传统的对亡灵的祭祀。

Landus(pope) 参阅 **Lando** 兰多。

Landwirte, Bund der (Germany) 参阅 **Agrarian League** 农民同盟。

Lane, Alfred Church 莱恩(1863-01-29,美国波士顿～1948-04-15,纽约市) 美国地质学家和教育家。首创、推动并指导测定地球年龄的研究工作。1889～1909年间先后任密歇根州地质调查局岩石分析师、州助理地质师和州地质师。1909年起担任马萨诸塞州梅德福的塔夫茨大学地质学和矿物学教授,直至1936年为抗议州政府规定的教师宣誓而辞职。曾任全国研究理事会地质时代测量委员会主席(1922～1946),并推动了全世界范围这一项目的研究。他是世界上最先研究中子的科学家,1926年与德国物理学家O.哈恩合作,制订了一项交换核裂变科学情报的国际计划。他是收到哈恩1938年分裂铀原子的情报的第一个美国人。

Lane, Sir Allen 莱恩(1902-09-21,英国格洛斯特郡布里斯托尔～1970-07-07,米德尔塞克斯诺思伍德) 原名Allen Lane Williams。20世纪在英国推行平装书的先驱者。他坚信以低价印售高质量图书必有市场。这一信念果然推动了产生新的读者群,也导致了印刷和装订技术的改进。1935年创办企鹅图书公司,出版企鹅丛书,这种纸面平装重印的古典名著每册定价只有6便士(合12美分)。在此成功的鼓舞下,他又出版鹈鹕丛书。1937年出版了企鹅丛书的莎士比亚全集。自1941年开始出版的海鹦故事丛书则彻底改革了儿童文学读物。企鹅丛书中最畅销的是劳伦斯的《查泰莱夫人的情人》(1960),销售量达350余万部。1952年受封爵士。1969年主持企鹅第3 000种图书(J.乔伊斯的《尤利西斯》)出版后退休。

Lane, Franklin K(night) 莱恩(1864-07-15,加拿大爱德华王子岛夏洛特敦～1921-05-18,美国明尼苏达罗切斯特) 美国律师,政治家。在任内政部长(1913～1920)期间对资源保护作出了重要贡献。1871年从加拿大迁居加利福尼亚州的纳帕谷。曾就读于旧金山黑斯廷斯法律学院。1888年取得律师资格,在旧金山执业。1898年进入政界,当选市检察官,两次连选连任。1902年竞选加利福尼亚州州长、1903年竞选旧金山市市长,皆告失败。1905年任州际商业委员会委员。1913年任内政部长,在职7年。他促使美国印第安人获得较大的自治权,反对破坏国家自然资源保护区,奖励开发美国西部和阿拉斯加。在他的督促下,美国国会于1916年创设国家公园事务局。他任命著名的资源保护论者S.T.马瑟为首任局长。

Lane, Harriet 莱恩(1830-05-09,美国宾夕法尼亚默瑟斯堡～1903-07-03,罗得岛纳拉甘西特码头) 全名Harriet Rebecca Lane(哈丽

雅特·吕贝卡·莱恩）。美国第15任总统J.布坎南的甥女、代理第一夫人（1857～1861）。9岁丧母，11岁丧父，由舅父布坎南抚养。布坎南是单身汉，时为宾夕法尼亚州民主党参议员，培养哈丽雅特和姐姐读完中学、大学。布坎南1853年出任驻英公使。莱恩随同赴伦敦。因活泼貌美，十分引人瞩目，维多利亚女王甚至待以大使夫人。1855年返回美国。在布坎南4年总统任期内被新闻界誉为“民主党皇后”，成为白宫中最受人喜爱的女主人。利用其地位推动社会事业，改善印第安人在居留地的生活，邀请艺术家、音乐家出席白宫庆典。1861年布坎南卸任。莱恩退出公众生活，返回宾夕法尼亚。1866年1月11日与银行家H.E.约翰斯顿结婚。但个人生活极为不幸，两个子女十几岁夭折，不久丈夫也去世。于是重返华盛顿，投身于关爱贫困儿童事业及提高美术鉴赏工作。在遗嘱中捐赠艺术藏品，帮助成立国家美术馆，还为巴尔的摩霍普金斯医院哈丽雅特·莱恩门诊部遗赠大笔捐款。1903年患癌症去世，葬于巴尔的摩的格林芒特公墓。

Lane, Sir Hugh Percy　莱恩（1875-11-09，爱尔兰科克郡巴利布拉克～1915-05-07，海上）　爱尔兰艺术品商，以收藏印象派绘画闻名。幼时遍游欧洲，1893年开始在伦敦各美术馆工作，1898年自办画廊。在都柏林创办现代美术馆，在南非的约翰内斯堡和开普敦任美术馆顾问，1914年任都柏林的爱尔兰国立美术馆馆长。“卢西塔尼亚”号沉没时遇难，遗物由伦敦和都柏林的博物馆均分。他于1909年被封为爵士。

Lane, Jonathan Homer　莱恩（1819-08-09，美国纽约杰纳西奥～1880-05-03，华盛顿[哥伦比亚特区]）　美国天体物理学家，把太阳当作气体球进行数理研究的首创者。他通过研究得出太阳内部的压强、温度和密度的相互关系，从而促进了现代天体演化理论的诞生。1848年他任美国专利局助理审查员，3年后提升为主任审查员。1857年起任专利诉讼技术顾问。在深入研究太阳的基础上，他提出莱恩定律，即：当气态物体收缩时（如在引力的影响下），收缩会产生热。他用这个定律说明太阳长期产生强大热量的原因。他最主要的著作是《论太阳的理论温度》（1870）。莱恩还曾研究电，研制能开方的机械。他还设计过机电调速器、“目视电报”和气泵，做过机械制冷试验。

Lanfranc　兰弗朗克（约1005，伦巴第帕维亚～1089-05-28，英格兰肯特坎特伯雷）　意大利本笃会修士，曾任坎特伯雷大主教（1070～1089）。原为律师，在诺曼底的阿夫朗什开办学校并担任教师（1039～1042），颇有名望。后进入本笃会隐修院修行3年，成为隐修院院长。此后任坎特伯雷大主教。他对英格兰教会进行成功的改革整顿。他虽然坚决维护教皇的权威，但支持英格兰国王威廉一世（征服者）维持英格兰教会尽可能完全的独立。同时，他也保护教会使之不受王室和其他世俗势力的损害。

Lanfranco, Giovanni　兰弗兰科（1582-01-26，帕尔马～1647-11-30，罗马）　又称G.德·斯特法诺。意大利画家，上巴罗克幻想主义的早期倡导者。他在罗马圣安德烈亚-德拉-瓦列教堂的天顶画（1621～1625），让气势雄健的人像飘在观众头上的云端之中。这种高超画法直接取自柯勒乔。1633或1634～1646年间在那不勒斯工作，在该地的名作是大教堂内圣真纳罗礼拜堂的天顶画（1641～1646）。

Lang, Andrew　兰（1844-03-31，苏格兰塞尔扣克郡塞尔扣克～1912-07-20，阿伯丁郡班科里）　苏格兰学者、作家。以写童话故事和翻译荷马史诗著称。曾就学于圣安德鲁斯大学和牛津大学巴利奥尔学院。在默顿学院享有公开竞争取得的研究员地位，1875年迁居伦敦。他很快就因在《每日新闻》等报上发表评论文章而闻名。他在《法国古代民歌民谣》（1872）、《特洛伊城的海伦》（1882）和《帕尔纳索斯山的草》（1888）等诗中显示出诗才。《该隐的标记》（1886）和《调停者》（1902）两书显示出他写小说的才能。所编12卷的童话集获得了盛赞，其第一卷为《蓝仙女的故事》（1889）而最后一卷为《紫仙女的故事》（1910）。他自己写的童话故事《费尔尼利的黄金》（1888）、《普里吉欧王子》（1889）和《潘托弗里亚的里卡多王子》（1893）则成为儿童读物的经典之作。他在《风俗和神话》（1884）和《神话、典礼和宗教》（1887）等书中还做了很重要的开创性工作。后来转向历史和历史疑案小说，著名的有《间谍皮克尔》（1897）、《罗马占领以来的苏格兰历史》（1900～1907，4卷）、《历史疑案》（1904）和《法国姑娘》（1908）。他毕生研究荷马史诗，用散文与S.H.布彻译有《奥德赛》（1879），与W.利夫和E.迈尔斯译有《伊利亚特》（1883）。所著《荷马的世界》（1910）是一部重要学术著作。

Lang (of Lambeth), (William) Cosmo Gordon Lang, Baron　兰（兰贝斯的）（1864-10-31，苏格兰阿伯丁郡阿伯丁法维曼塞～1945-12-05，英格兰萨里基尤植物园）　具有影响力而多才多艺的基督教安立甘宗牧师。他在任坎特伯雷大主教期间成为英王乔治六世的亲密友人和顾问。1936年国王爱德华八世与辛普森夫人结婚，兰也涉嫌参与密谋爱德华八世逊位。他早年在即将取得律师开业资格时突然决定改行，入卡兹登神学院。在利兹市贫民区任助理牧师后，任牛津大学马格达伦学院神学系主任（1893～1896）和大学教堂牧师（1894～1896）；以后相继任汉普郡波特西教区牧师，伦敦市斯泰普尼副主教，约克大主教；自1928年任坎特伯雷大主教，1942年退休。当年英王乔治六世授予他兰贝斯男爵称号，并赠与他位于基尤的一处宅第。兰也是上议院的重要议员，他热切主张普世教会联合，积极在贫民区和工业区开展工作。

Lang, Fritz　朗格（1890-12-05，维也纳～1976-08-02，洛杉矶）　出生于奥地利的美国电影导演。他的影片表现命运以及人必然屈从命运安排，被誉为电影画面结构的杰作。

美国不列颠百科全书公司供图

第一部成功导演的影片是《在两个世界中间》（1921）。《尼伯龙根》（1924，在美国分成《西格弗里德》和《克里姆希尔德的复仇》两部上映）根据13世纪早期德国长诗改编而成；《大都市》（1926）是印象主义者对未来的幻想；他最出名的德国影片《M》（1931）探讨强迫杀人的问题。在影片《马布斯博士的遗嘱》（1932）中，有一个疯子高谈纳粹哲学，由此招致纳粹宣传头子戈培尔的注意，特邀朗格监督德国影片生产。朗格当晚去巴黎，后来移居美国。在美国最受推崇的影片是《狂怒》（1936），对私刑暴民予以分析。其他影片包括《你只活一次》（1937）、《电报公司》（1941）、《刽子手之死》（1943）、《赤色街》（1945）、《夜间车祸》（1952）、《声名狼藉的牧场》（1952）、《月亮湾》（1955）和《在有理有据的怀疑之外》（1956）等。P.M.詹森的《弗里茨·朗格的银幕生涯》一书，于1969年问世。

Lang, Jack　兰（1876-12-21，悉尼～1975-09-27，悉尼）　澳大利亚政治家，新南威尔士州工党总理（1925～1927，1930～1932），他对澳大利亚工党总理J.H.斯卡伦经济政策的挑战促使斯卡伦于1931年遭到失败，并使工党丧失全国统治地位。1913年选入新南威尔士州议会，后擢升至党的书记和州司库（1920～1922），1925年任州总理兼司库。在他的第一届内阁期间，他制订了第一个儿童捐赠基金计划和寡妇养恤金法案。1927～1930年在州议会领导处于反对党地位的工党。1930年以反对工党联邦政府的紧缩通货政策作为政纲，当选为州总理。1931年4月拒绝支付海外贷款的利息付款，3个月后改变了自己的立场。他的行动加深了全国性的工党分裂，导致1931年斯卡伦的失败，并促使右翼新卫士运动得到发展，反对他的政策。1932年2月，他拒不同意要求将州的税收支付给联邦的新的联邦法规，被总督P.盖姆撤职。他虽于1943年被开除出工党，但仍任新南威尔士州议会议员（1943～1949），接着短期任联邦议会议员，之后平静地过着漫长而积极的引退生活。1972年工党恢复了他的党籍。

Lang Jingshan　郎静山（1892-06，中国江苏淮阴～1995-04-13，台湾台北）　又拼 Long Chin-san。中国摄影工作者。中国第一位以摄影作品在国际沙龙获奖者。原籍浙江兰溪。12岁开始学习照相术。1912年入上海申报馆服务，为中国最早的摄影记者。1928年创立华社，提倡摄影艺术，曾在时报大厦举行中国首次大规模影展。抗日战争期间不避艰险,深入大后方摄取具有时代精神和历史意义的题材。自1931年起,参加国际沙龙30余年,入选作品千幅。1939年以中国画理首创"集锦照相法",吸收西方科技以发扬东方艺术。1940年成为英国皇家摄影学会初级会士(APSA)。1942年以集锦照相法获英国皇家摄影学会高级会士称号(FRPS);1966年获美国摄影学会高级会士称号(FPSA);1971年获法国宝多国际展荣誉会员称号。郎静山曾创立中国摄影学会,并被推选为会长,该学会于1953年在台湾恢复组织(PSC)。1966年发起创立亚洲影艺协会。曾任台湾中国摄影协会理事长、中国文艺协会理事、中国文化学院美术系及台湾艺术专科学校教授。

Lang, John Dunmore　莱恩(1799-08-25,苏格兰格里诺克～1878-08-08,悉尼)　澳大利亚基督教长老会创始人、作家。曾就学于格拉斯哥大学。1823年被苏格兰长老会派往澳大利亚。1836年英国政府接受他的建议,拨款资助自愿移居澳大利亚的人(在这以前在澳大利亚定居的主要是囚犯)。他为澳大利亚长老会招聘牧师和教师,并多年代表菲利普港、莫顿湾及悉尼参加立法机关。他6次访问英格兰,主要是动员信奉新教的上层劳动者迁居澳大利亚。

Lang, (Alexander) Matheson　兰(1879-05-15,蒙特利尔～1948-04-11,巴巴多斯布里奇敦)　英国浪漫派演员和戏剧家。他那堂堂的仪表、动人的相貌和优美的嗓音,既适合于扮演奥瑟罗式的人物,也适合扮演流浪的犹太人这类大众化的、活灵活现的人物。1897年他以演莎士比亚戏剧人物开始其舞台生涯,1900年首次在伦敦演出。1903年他饰演《无事生非》中的本尼狄克,与饰演贝雅特丽丝的E.特里配戏。1907年在曼彻斯特首次扮演奥瑟罗,他的表演声音洪亮又富于激情。所饰罗密欧极富有浪漫主义色彩,该剧在1908年伦敦戏剧季节中一直是主要剧目。在以后的30年中,他到英语国家中广泛巡回演出。他还演过几部电影,创作和改编过几部戏剧。1914年他和妻子、女演员H.布里顿(1876～1965)在伦敦老维克剧院首创"莎士比亚戏剧演出季"。

Lang, Matthäus　朗格(1468,德意志奥格斯堡～1540-03-30,奥地利萨尔茨堡)　德意志政治家,枢机主教、马克西米连一世皇帝的亲密顾问。出身中产阶级,学习法律,约1494年进入马克西米连宫廷,成为皇帝不可或缺的秘书。在1519年担任司铎以前,他曾担任许多圣职,领取圣禄。在许多方面,他是宗教改革运动领袖马丁·路德所反对的那种世俗非驻在主教的典型。他与法国、西班牙、尼德兰以及后来与教皇尤利乌斯二世协商结成康布雷联盟反对威尼斯(1508)。1511年,当与威尼斯和平相处的尤利乌斯希望获得马克西米连的援助以便把法国人从意大利赶走时,朗格被派往博洛尼亚争取教皇与法国和解,并孤立威尼斯。他们没有能够达成协议,部分的原因是朗格的傲慢态度冒犯了教皇宫廷官员们的道德观念,但1512年朗格重返意大利说服尤利乌斯与马克西米连联合反对威尼斯。作为回报,皇帝同意教皇召开第5次拉特兰会议,并答应在军事上支持教皇。1512年11月24日宣布升任朗格为枢机主教,25日缔结教皇-帝国联盟。1515年朗格在维也纳商定解决方案,将波希米亚和匈牙利的王位交给哈布斯堡王室。1519年他成为萨尔茨堡的亲王和大主教。16世纪20年代,他平定了贵族和萨尔茨堡市民的叛乱,并在士瓦本联盟的支持下,镇压了声势浩大的农民起义。他在宗教和政治方面终生奉行独裁的保守主义。

Lang Ping　郎平(1960-12-10,中国北京～　)　中国女子排球运动员。身高1.84米。是20世纪80年代世界女排三大著名攻击手之一,号称"铁榔头"。1973年进北京朝阳中学,为该校排球队队员,参加市区级排球赛,使球队获得亚军,当时就有"朝阳炮弹"的外号。1974年入北京市第二业余体校排球班。1976年调入北京队。1978年调入国家排球队,成为主攻手。她快攻变化多,网上技术突出,扣球力量大,尤以4号位高点强攻著称。1979年中国女排在第2届亚洲排球锦标赛中获冠军。1981年获不来梅国际邀请赛冠军,郎平获"最佳扣球手奖"。接着,中国女排在1981年第3届世界杯赛、1982年第9届世界锦标赛和1984年第23届奥运会排球赛中均夺得冠军,实现了"三连冠"的宏愿。郎平在这些比赛中往往起着决定性作用。在1981年世界杯赛上获"优秀运动员奖"。1985年第4届世界杯赛,中国女排又获冠军,实现了"四连冠",郎平获最佳运动员奖。1980～1985年连续6次被评为中国十佳运动员之一。1980年获运动健将称号;1986年获国际级运动健将称号。1985年获国际奥委会为纪念国际青年年而颁发给中国女运动员的奖牌(男运动员为体操运动员童非)。1986年出任中国女排教练,带领队伍再获世界冠军。同年入北京师范大学英语系学习,1987年赴美国学习。1995年2月出任中国女排主教练。2005年2月任美国女排总教练。2002年10月全票入选美国排球名人堂,评委会称她是中国女排20世纪80年代在世界排坛的"驱动力"。

Langdell, Christopher Columbus　兰德尔(1826-05-22,美国新罕布什尔新波士顿～1906-07-06,马萨诸塞剑桥)　美国教育家,哈佛大学法学院院长(1870～1895)。首创以案例讲授法律的方法。曾在哈佛大学攻读法律(1851～1854),并在纽约市开业当律师直到1870年,是年他接受了哈佛大学法学院的教授职务。后来又担任该院院长。当时美国的法律教育是业余性的,获得法律学士学位没有考试或明确的要求。兰德尔把法律教育提高到大学水平,要求正规地学习一系列必修课程和通过必要的考试。后来他创立了案例教学法,让学生们阅读和讨论原始判例,自己从中找出法学原理。兰德尔的《合同法案例选》(1871)一书,是第一部案例教学法教科书。这一教学法最终在美国各法学院得到普遍应用。

Lange, Antoni　朗格(约1861,华沙～1929-03-17,华沙)　波兰诗人、作家、文学评论家和翻译家。曾在巴黎研读语言学、哲学和文学,返回华沙不久即成为文学界的主要人物之一。他学识渊博,最先把印度哲学和文学介绍到波兰。在所著《法国文学研究》(1897)中,他不但论述了法国的帕尔纳斯派和象征派,而且把他们的作品译成优美的波兰文,介绍给本国读者。朗格本人的诗并未获得广泛承认,晚年抑郁寡欢。

Lange, Christian Lous　兰格(1869-09-17,挪威斯塔万格～1938-12-11,奥斯陆)　挪威国际和平倡导者,1909～1933年任议会间联盟秘书长,1921年与卡尔·布兰廷共同获得诺贝尔和平奖。1893年毕业于奥斯陆大学语言系,1919年以论述国际主义历史的论文获得博士学位。1900～1909年任奥斯陆诺贝尔委员会秘书,推动筹建诺贝尔学院图书馆,该图书馆于1904年建成。1907年出席在海牙召开的第2次和平会议。1909年任议会间联盟秘书长,这是世界各国立法机构代表之间的协商会议。第一次世界大战期间,议会间联盟遇到巨大的困难,但在他的领导下,却不断壮大兴旺。作为挪威代表,他在国际联盟里也十分活跃,尤其关心裁军问题。1932年荣获荷兰格劳秀斯勋章。

美国不列颠百科全书公司供图

Lange, David (Russell)　朗伊(1942-08-04,新西兰奥塔胡胡～2005-08-13,奥克兰)　新西兰律师、政治家,1984年成为20世纪新西兰最年轻的总理。左派医生之子,在奥克兰工人阶级居住的郊区长大。他在奥克兰大学获法律学位后,不去当赚钱的律师,而为贫民提供收费很少的法律援助。25岁时迁居伦敦一年,当时有一位循道宗牧师向贫民传道,

中国大百科全书出版社供图

这对他影响颇深。1976年第一次竞选新西兰国会议员失败，1977年获得成功。他迅速获得杰出演说家的盛名，1983年被推选为反对党（工党）领袖。翌年，由于该党获压倒性胜利而当选总理。朗伊任职后，采取各种措施处理前任政府遗留下来的经济问题。他的政府实现了竞选诺言，拒绝让携带核武器或使用核动力的船只使用新西兰的港口设备，希望能有一个"无核的"太平洋。这项禁令主要影响了美国战舰，遭到美国政府的谴责，责怪他不愿与西方全球核战略合作。他的政策事实上结束了澳新美防务联盟。当法国特务在奥克兰港内炸沉环境保护组织"绿色和平组织"所属正准备出发抗议法国在南太平洋进行核试验的船只时，朗伊对法国提出强烈的抗议。朗伊迫使法国为炸沉船只一事道歉，并予以赔偿。1987年8月工党在全国选举中获胜，朗伊继续担任总理，1989年因健康原因辞职。1996年退出议会。2003年获新西兰最高荣誉——新西兰勋章。

Lange, Dorothea　兰格（1895-05-26，美国新泽西霍博肯～1965-10-11，旧金山）　美国女写实摄影家，她拍摄的30年代"大萧条"的受害者的作品对后来的写实摄影和新闻摄影产

美国不列颠百科全书公司供图

生重大影响。最初，她跟一个"摄影决裂者"组织的成员怀特学习摄影。1916年，她定居旧金山，并开了一家照相馆。在大萧条时期，她拍摄流落街头无家可归的人，以扩大其拍摄范围。像《排队领取食品的白色天使》（1932）这样的照片，表现了这些人的绝望的处境，立即受到"f.64小组"的摄影家的重视，并使联邦"迁居管理处"（后来称为农庄安全管理处）聘请她专门拍摄穷人的状况，以引起公众的注意。她在拍摄的那些移民工人的照片上用工人自己的语言写照片说明，效果极好，致使州政府为移民们建造了宿营地。1939年，兰格出版了一本照片集，名叫《出国记：人类腐朽的记录》。珍珠港事件后，她拍摄了将大批美籍日本人驱赶到拘留营的照片。第二次世界大战后，她拍摄了许多专题摄影报道，其中有为《生活》杂志拍摄的《摩门教徒村》和《爱尔兰的乡下人》。虽然因病长期不能从事创作活动，但其声望仍不断提高。

Lange, Friedrich Albert　朗格（1828-09-28，普鲁士索林根附近瓦尔德～1875-11-21，德国马尔堡）　德国哲学家和社会党人。他的重要贡献在于对唯物主义的论述，以及他在马尔堡大学建立了一个持久的新康德主义传统。他是神学家约翰·彼得·朗格的儿子，曾在科隆、波恩和杜伊斯堡学习。1861年参加政治运动。最有名的作品是：《论体育》（1863）、《劳工问题》（1865）、《数学心理学原理》（1865）、《唯物论史和对它在现代意义的批判》（1866）、《穆勒对社会问题的看法》（1866）。1866年离开德国，赴苏黎世附近的温特图尔为一家民主报纸撰稿。1867年写了《唯物论史新论》。1870年任苏黎世大学哲学教授，1872年辞职，因为瑞士人在普法战争中有亲法情绪。于是他前往马尔堡担任哲学教授，使康德学说得以在该处复活。其《逻辑研究》在他去世后的1877年出版。

Lange, Oskar Ryszard　朗格（1904-07-27，波兰马佐夫舍地区托马舒夫［罗兹附近］～1965-10-02，英国伦敦）　出生于波兰的经济学家，曾在美国和波兰任教，并积极参与波兰政治。他认为国营经济的生产效率能够与市场经济一样高，或者更高。这种信念促使他在第二次世界大战后回到波兰，为斯大林主义的政府工作，以证实他的观点。曾在波兹南和克拉科学习法律和经济，所写博士论文是关于波兰的商业周期。1934年获得洛克菲勒奖学金，在英国和美国从事进一步的研究。他的经历使他对马克思主义经济和西方经济都能讲得头头是道，特别是在美国的大学里讲课时更是如此。在出版《社会主义经济原理》一书之后，到芝加哥大学讲授统计学和经济学（1938～1945）。第二次世界大战后被任命为波兰驻美国大使（1945～1946）和波兰驻联合国安理会代表（1946～1947）。后期的工作是致力于调和马克思主义经济学和新古典主义（重视供应）的定价理论，坚持认为国家控制的行业在制定价格方面能做得更好。他写道："和在竞争性市场中的情况类似，在社会主义经济中，'尝试—错误'的过程在确定公有资本货物和生产资源的结算价格上，也不起作用，这种情况并非不合情理。"朗格在西方的声誉虽然因为他与斯大林的关系而受到削弱，但他关于中央计划经济的一些说法，直到他死后仍有相当的影响，但最后随着1989年波兰共产主义政权的倒台而终被摈弃。

Langeland　朗厄兰岛　丹麦菲英州岛屿。面积284平方千米，位于波罗的海，在菲英岛和洛兰岛之间。当地的茨拉讷凯城堡1231年起即是王室住地，1550年重建。全岛地势起伏平缓，森林茂密，土壤肥沃，适宜于种植谷类和甜菜。岛南部有保存完好的石器时代古墓。主要城镇为鲁兹克宾。1287年设镇，保存有中世纪的教堂和房屋。有一系列大桥连接该岛与丹麦其他地方，但该岛人口仍持续下降。人口约14 148（2003）。

Langen, Eugen　兰根（1833-10-09，科隆～1895-10-02，科隆）　德国工程师，制造内燃机的先驱。1864年他开始与N.A.奥托毕生合作，1867年共同设计了第一台内燃机。后来，他们从理论上认识到四冲程循环的优越性，并把它应用于1877年取得专利的"无声发动机"上，成为第一台实用型的现代汽车发动机。兰根还设计了架空悬吊式独轨铁路，1901年在德国的伍珀塔尔开始运行。

Langer, František　朗格尔（1888-03-03，布拉格～1965-08-02，布拉格）　捷克医生、作家。曾在布拉格攻读医学。在奥地利军队当军医之前，写过一本短篇小说集和两部不成功的剧本。第一次世界大战时被派往加里西亚前线，为俄国人所俘（1916），后参加捷克斯洛伐克军团，在俄国国内战争期间与共产党人作战。战后在捷克军队医疗队工作，并继续从事文学。其喜剧《骆驼穿针眼》（1923）反映了下层阶级的生活，获得极大成功。心理剧《郊区》（1925）描写一个杀人犯力图接受法律制裁而无法做到。后期作品中唯一堪与他早期成功之作相比的是《骑兵巡逻队》（1935），以他在军团中的经历为背景。1939年去英国，第二次世界大战后回国。退役时已是一位将军。

Langer, Susanne K(nauth)　兰格（1895-12-20，纽约市～1985-07-17，康涅狄格旧莱姆）　美国女哲学家和教育家。她是艾尔弗雷德·诺思·怀特海的学生，1926年在哈佛大学获哲学博士学位，随后成为哲学教员。1945～1950年在哥伦比亚大学任教，1945～1961年在康涅狄格学院任教。1961年退休后成为名誉教授。在语言分析和美学方面写过不少作品。其最著名的著作《哲学新解：理性、仪节和艺术的象征手法研究》（1942），试图使艺术具有怀特海通过象征模式的分析而使科学具有的那种意义。在《感觉与形式》（1953）中，把非推论的艺术符号和推论的科学语言符号区别开来。她认为艺术，特别是音乐，是一种有高度表达能力的表现形式，它象征对于各种生活方式（普通语言无法表达的感受、运动和感情）的直接的或直觉的认识。兰格在她三卷本的《精神：论人类的感觉》（分别刊行于1967、1972及1982）一书中试图对人类心智情感之产生及其发展进行探索。

Langerhans, islets of　胰岛　又作islands of Langerhans。又称朗格汉斯氏岛。多数脊椎动物胰脏内的不规则斑片形内分泌组织。1869年为德国医师保罗·朗格汉斯所发现，故名。正常人胰脏内含胰岛约100万个，由4种细胞构成。α细胞、β细胞及δ细胞均分泌重要的激素，C细胞功能未明。β细胞数量最多，分泌胰岛素。胰岛素在碳水化合物、脂肪及蛋白质代谢过程中起重要作用：可促进身体细胞对葡萄糖的吸收，并促进葡萄糖的代谢，抑制肝脏产生和释放葡萄糖；促进肌细胞对氨基酸的吸收；抑制脂肪的分解及释放。生长激素及高血糖素可激发β细胞释放胰岛素，但最重要的促使胰岛素释放的因素为葡萄糖，血中葡萄糖升高（如饭后）胰岛素即释放以降低血糖。β细胞不能生成胰岛素或分泌量不足则致糖尿病。α细胞分泌高血糖素，可促使肝脏释出葡萄糖、脂肪组织释放脂肪酸，而葡萄糖及游离脂肪酸浓度增高又促使胰岛素释放，并抑制高血糖素的分泌。δ细胞产生生长激素的抑制激素，对生长激素、胰岛素及高血糖素均有强烈的抑制作用（下丘脑亦分泌生长激素的抑制激素，功能为抑

制生长激素)。

Langey, Guillaume du Bellay, seigneur de (lord of) **朗热** 参阅**Bellay, Guillaume du** 贝莱。

Langfang 廊坊 中国河北省辖地级市。位于省境中部,北京、天津两市之间,地理位置重要。辖安次、广阳2区和香河、永清、文安、固安、大城5县及大厂回族自治县,并代

廊坊市一角
中国大百科全书出版社供图

管霸州、三河2县级市。面积6 330平方千米,其中市区面积908平方千米。汉高祖元年(公元前206)始设安次县。元中统四年(1263)升东安州。明洪武元年(1368)改东安县。1914年复名安次县。1981年12月析县城设廊坊市。1983年3月撤销安次县,并入廊坊市。1988年9月撤销廊坊地区,廊坊市升为省辖市。廊坊地处河北平原中部,东北部为燕山山前平原南缘。地势自西北向东南缓倾。境内主要河流有子牙河、大清河、永定河和潮白河,中、南部为白洋淀、文安洼、东淀区。属暖温带大陆性季风气候,寒潮和春旱对农业生产有威胁。年平均气温11.5°C,年降水量596毫米,无霜期约180天。土壤北部多褐土,中、南部多潮土。石油和天然气资源丰富。农业生产发展较快。农作物主要有小麦、玉米、棉花、豆类、花生等。所产的红小豆被誉为"红宝珠",畅销日本和东南亚各国。廊坊市因处京、津之间,交通便利发达,有京沪、京九、大秦、津霸等铁路,以及102、104、105、106、112等国道和京津塘、京沈、保天等高速公路从境内通过,便于引进京、津两市的先进技术和原材料,工业生产发展迅速。主要工业有冶金、机械、纺织、化工、建材、酿酒、皮革、食品等,已成为全面发展的新兴城市。人口:全市3 910 000(2005);市区740 000(2004)。

Langfjellet 长山山脉 英语作Long Mountains。挪威中西部多夫勒高原西、南两面山区的总称。包括尤通黑门山脉、约斯特谷冰原、哈当厄冰盖、哈当厄高原、比克勒赫安内高地,以及其他一些较小的地形区。加尔赫峰(8 100英尺[2 469米])和格利特峰(8 110英尺)为斯堪的纳维亚两座最高峰。有博肯、哈当厄和松恩等几个主要峡湾深入这一地区。约斯特谷冰原是欧洲大陆最大冰原。挪威南部的许多主要河流发源于长山山脉。此山区人烟稀少。是冬、夏游览胜地。

Langhorne, John 兰霍恩(1735-03,英格兰萨默塞特温顿～1779-04-01,萨默塞特布拉格登) 英国诗人、1世纪希腊传记作家普卢塔克著作的英译者。他先于G.克雷布,在其著作中描述了贫苦和不幸的人们所面临的问题。1766年以后,曾担任乡村教区长。他的最好作品可能是《乡村法官》(共3部,1774～1777)。与其兄弟威廉合译的普卢塔克的著作出版于1770年。

Langhorne, Nancy Witcher 朗荷恩 参阅**Astor (of Hever Castle), Nancy Witcher Astor, Viscountess** 阿斯特子爵夫人。

Langiewicz, Marian (Melchior) 兰盖维奇(1827-08-05,普鲁士波兰波兹南克罗托申～1887-05-11,君士坦丁堡) 波兰军人和爱国者,在1863年波兰起义中起过重要作用,一度成为起义政权的独裁者。他曾当普鲁士军炮兵中尉1年,后到巴黎的波兰军事学校任

波兰克拉科夫市瓦韦尔国家艺术馆供图

教(1860)。同年参加加里波第的那不勒斯战役。1861年在皮埃蒙特库内奥的波兰军事学校任教。1862年参加筹划波兰的反俄起义,翌年起义开始,他率领一支部队在波兰南部桑多梅日地区作战。因对俄军初战获胜,同年3月起义中的保守分子请他担任革命政权的独裁者,以便遏制在华沙的更为激进的领导人。但是没有几天,他的队伍就被俄国人打得落花流水,再加上部队里大闹宗派主义,迫使他于3月21日逃往奥地利,他的独裁仅仅10天即告结束。他在奥地利被关入监狱,1865年才获释。此后到瑞士小住。后为奥斯曼帝国效劳。著有《关于我的1863年战役的报告》(1905)和《军事论文集》(1920)。

Langjökull 朗格冰原 冰岛语,意为"大冰川"。冰岛中西部的大冰川。长64千米,宽24千米,面积1 025平方千米。中心海拔高度为1 450米。冰川的融水流入几条河,包括惠特河和奥富萨河。冰原下沿有哈加湖。

Langkawi Island 凌家卫岛 马来语为Pulau Langkawi。凌家卫群岛的主岛。在西马来西亚(马来亚)马六甲海峡处。位于泰国的达鲁陶岛之南。长29千米,宽16千米,面积526平方千米,其拉亚山海拔880米。岛上大部分居民是渔夫,但种植业也发达(椰子和橡胶)。南岸最大的村庄考赫有公路与艾尔杭阿特和帕当马锡拉特等沿海小村落相连。有轮渡通内陆的瓜拉吉打并常有旅客前往参观其海滨、瀑布、温泉、彩色悬崖、古山洞和渔场。陡峭的石灰石山丘受到登山者的喜爱。人口42 755(1991)。

Langland, William 朗格兰(约1330～约1400) 据猜测为中古英语头韵诗名篇《耕者皮尔斯》的作者。这是一部包罗各种宗教主题的寓言诗。其主要成就在于把修道院的语言及概念转化为俗人能理解的形象和比喻。总的说来,该诗语言质朴、通俗,但作者有的比喻很有力和直截了当。《耕者皮尔斯》有3种版本:甲种版本时代最早,乙、丙两种版本为甲种版本主要题目的修订及增补版,有些学者认为,丙种本诗作并非完全出自朗格兰的手笔。本文叙述系根据乙种版本。它包括:①序诗及诗7章,主要描写人世生活、贪财之害,以及七大罪恶的表现;②诗13章,以夸张手法叙述"良善先生"、"甚善先生"和"至善先生"的生平事迹。实际上,就是叙述基督徒在自知、仁慈与博爱等方面的个人成长过程。诗中所描写的主题的复杂性表现在其整体结构上,特别表现在反复出现、最后全部体现在基督身上的"良善"、"甚善"和"至善"概念上。这三者常常等同于积极的、冥想的和"多方面的"宗教生活。但对诗中寓言的诠释,往往众说纷纭,某些批评家曾将寓言与传统的解经方式相比附,即从历史、比喻、神秘、风土等方面对《圣经》作出解释。朗格兰的生平不详。据后世学者推断,他可能出生于伍斯特郡莫尔文丘陵某地,如他与诗中的"梦想者"为同一人,则他可能曾就学于大莫尔文的本笃会学校。他显然精通中世纪神学,奉基督教奥义为圭臬。他对克莱尔沃的圣·贝尔纳所倡导的苦行生活颇感兴趣。他对当时教会神职人员和善男信女种种缺点的批评,同他的正统教义仍分不开。

Langley 兰利 加拿大不列颠哥伦比亚省西南部城市。在温哥华东南部偏东,近美国边界。原为具有历史意义的哈得孙湾公司的商站,以公司经理T.兰利之姓命名,称兰利堡,1827年建于附近下弗雷泽河南岸,1839年向上游迁移3千米。1858年正式宣布为英国殖民地时,即以兰利堡为不列颠哥伦比亚直辖殖民地的临时首府。兰利市1873年建市,1955年合并。现已成为温哥华都会区下属区。有轻工业、乳制品业,出产蔬菜和果品。人口22 523(1996)。

Langley, Edmund of 兰利的埃德蒙 参阅**York, Edmund of Langley, 1st Duke of** 约克公爵(第一)。

Langley, Samuel Pierpont 兰利(1834-08-22,马萨诸塞罗克斯伯里～1906-02-27,南达科他艾肯) 美国天文学家、物理学家和航空

华盛顿史密森学会供图

先驱者。他致力于研究与气象学有关的太阳现象,并建造了第一架能持续飞行的比空气重的飞行机。兰利在伊利诺伊州芝加哥和密苏里州圣路易斯取得土木工程和建筑工程的实践之后,返回波士顿,在哈佛天文台任助教。随后,又到马里兰州安纳波利斯美国海军学院教授数学。1867年,任阿勒格尼天文台台长和匹兹堡大学物理学和天文学教授。他的主要兴趣是研究太阳活动及其对天气的影响。1878年,他发明了测辐射热仪,其灵敏度可分辨1/100 000度的温度差。这一装置使他得以研究远到红外波段的太阳光谱,并测定每个不同波长的太阳辐射强度。兰利在阿勒格尼天文台时,做过已知速度的飞机在空气中运动时的升力和阻力的重要实验。根据这些实验,他最先明确地解释,鸟类不需鼓翼,也能在空中翱翔和滑翔的道理。1896年,他第一个建成无人控制、能持续飞行、比空气重的飞行机。他的两架不载人飞机都有两组长4.3米的机翼,重11.8千克,以蒸汽机为动力。他的第一架载人飞机,以他的助手C.M.曼利设计的5缸气冷式汽油发动机为动力,并由曼利驾驶。该机于1903年12月8日第二次,也是最后一次弹射起飞时,飞机被绊住,坠毁于波托马克河中。这一事件比莱特兄弟在北卡罗来纳州基蒂霍克附近的那次成功飞行还早9天。兰利的这架载人飞机的翼展14.6米,连飞行员在内的总重为386千克。一些权威人士认为,如果不是弹射装置发生故障,兰利将是实现用比空气重的载人飞行机维持飞行的第一人。

Langlois, Charles-Victor 朗格卢瓦(1863-05-26,法国鲁昂～1929-06-25,巴黎) 19世纪末法国主要学者之一,以研究法国中世纪的文献和历史驰名。1887年获博士学位。1909年任巴黎大学教授,讲授古字体、文献学和中世纪史。所著《腓力三世的统治时期》(1887)着重研究13世纪法国的政治制度。后出版《历史文献学手册》(2卷,1896～1904)、《中世纪法国的生活,从12世纪末至14世纪中叶》(3卷,1925～1927)和《法国历史档案》(1891～1893)。1913年任国家档案馆馆长。1917年任职于铭文和文学院。

Langmuir, Irving 朗缪尔(1881-01-31,美国纽约布鲁克林～1957-08-16,马萨诸塞法尔茅斯) 美国物理化学家,对固体和液体表面上的分子膜的研究开辟了胶体科学和生物化学新领域,因此获1932年诺贝尔化学奖。在哥伦比亚大学学习冶金工程后,在德国格丁根大学物理化学先驱W.能斯脱手下工作,1906年获博士学位。1909～1950年,在美国纽约州斯克内克塔迪的通用电气公司从事研究工作。曾研究气体放电、电子发射和钨的高温表面化学,极大地延长了钨丝灯泡的寿命。他还发展了真空泵、无线电广播用的高真空电子管,以及能产生3 000°C以上温度的原子氢喷灯。朗缪尔与美国原子化学家G.路易斯同时分别提出原子结构和化学键形成的理论,并且引用共价这一术语。1946年,他和同事们探索用撒播碘化银和干冰云的办法诱发降雨的可能性。

Lango 兰戈人 居住在乌干达北部夸尼亚湖和基奥加湖东北的沼泽低洼地带,语言为尼罗-撒哈拉语系沙里-尼罗语支东部苏丹语。兰戈人种植黍类作为食物和酿造啤酒,同时种植多种蔬菜。男女同耕,不过也有男子专管养牛。他们传统上划分为许多父系氏族,各有其土地。所居村庄设栅,人口密集。婚配要以大量牲畜做彩礼。世袭酋长统治所辖各氏族的全体居民,而不论其亲缘关系如何;兰戈人无世袭贵族。酋长之上,更设大酋长,大酋长系根据个人才智而非世袭取得其职位,各辖3～6个世袭酋长。男人组成若干年龄组。传统上兰戈人相信每人都有一个保护神(叫作"文约"或"鸟")。兰戈人还相信虚妄的自我,视其为无形的灵魂,称作"提波"。认为人死后,"提波"就与一个模糊的实体亦即他们的上帝或者至高威力"乔克"结合。乌干达首任总统M.奥博托(1966～1971;1980～1985)就是兰戈人。

Langport 兰波特 英格兰萨默塞特行政、历史郡南萨默塞特区一城镇教区。位于萨默塞特沼泽地边缘。数百年来一直是帕雷特河的主要渡口。撒克逊时代建为敕许自治市。1200年修建布里奇沃特港之前,该区一直与布里斯托尔海峡直接沟通。1563年首次获准开设集市。通铁路后,河上贸易衰落。1886年撤销自治市建制。人口2 882(1991)。

Langres 朗格勒 法国东部香槟-阿登大区上马恩省城镇,第戎东北偏北。是一个中世纪的筑防城市。位于朗格勒高原北端海拔466米的岬角上。城镇围墙有2世纪建罗马式城门、15～16世纪城楼和16～18世纪城门。简朴的12世纪圣马梅大教堂有18世纪的外观,标志着勃艮第罗马式建筑风格和哥特式建筑风格之间的演变。城镇中心有百科全书编纂者D.狄德罗的塑像,他出生在此。早为高卢部族林贡斯的要塞,后成为重要的高卢-罗马城镇。12～18世纪,朗格勒主教有公爵头衔。现为地方农业行业的中心。生产电机、机械和塑料制品。人口9 586(1999)。

Langston, John Mercer 兰斯顿(1829-12-14,美国弗吉尼亚路易莎县～1897-11-15,华盛顿[哥伦比亚特区]) 美国黑人领袖、教育家和外交家,被认为是第一个当选担任公职的美国黑人。父为种植者,母为奴隶,5岁时获得解放,在俄亥俄州上学,1849年在奥伯林学院毕业。不久成为自由黑人领袖,1855年选入俄亥俄州布朗赫尔姆乡、1865～1867年选入奥伯林地方机关工作。1864年组织全国平等权力联盟,为第一任主席。南北战争后移居华盛顿当律师,任霍华德大学法学教授和法律系主任(1869～1877)、副校长(1872～1876)。1877～1885年任美国驻海地公使兼驻圣多明各代办。1885年当选为弗吉尼亚高等师范学院院长。1888年作为弗吉尼亚共和党候选人竞选美国众议员。在差不多费时两年对选举结果报告提出异议后,成功地把他的民主党对手拉下台来,1890年9月23日～1891年3月3日任国会议员。

Langtoft, Peter 兰托弗特(?～约1307) 英格兰的盎格鲁-诺曼编年史作者。1271～1286曾任代理隐修院长。他的《编年史》用诗体写成,记述迄爱德华一世去世为止的英格兰历史,似乎旨在颂扬这位国王。早期部分多根据他人著作写成,但关于爱德华一世时期的部分由他撰写,很有参考价值,但具有强烈的反苏格兰倾向。

Langton, Stephen 兰顿(?～1228-07-09,英格兰苏塞克斯斯林登) 英格兰枢机主教。林肯郡一庄园主之子。约1181年去巴黎大学学习。毕业后,成为该校最著名的神学家之一,在该校工作25年。此后,教皇英诺森三世召他去罗马,1206年任命他为圣克里索哥努斯枢机主教,不久卷入英格兰政治漩涡。先是,1205年沃尔特死后,继任坎特伯雷大主教人选问题立即引起争执。教皇建议坎特伯雷各副主教选举兰顿,兰顿于1207年6月17日在意大利境内维泰博受祝圣,但是英格兰国王约翰不许兰顿莅任,扣留坎特伯雷的收入,驱逐众修士。1208年3月教皇英诺森三世给予英格兰以暂停圣事处分。1209年10月兰顿渡海到多佛尔,希望与约翰谈判,但是约翰只愿到肯特郡奇勒姆,不愿再往前趋就。一个星期之后,兰顿离开英格兰,罗马教廷遂宣布绝罚约翰。后来约翰终于同意接纳兰顿,一直主要住在法兰西境内蓬蒂尼的西多会隐修院内的兰顿渡海返回英格兰(1213-07),宣布约翰无罪。兰顿不仅与同国王约翰对立的诸侯反对派有联系,而且为他们出谋划策,支持他们,建议他们在加冕礼宣誓和亨利一世宪章问题上表明自己的态度。后来(1215-06)在泰晤士河畔兰尼米德(草拟《大宪章》之处),兰顿是国王的专员之一。因此,他或许曾发挥自己的影响力,促使《大宪章》中诸如确认教会自由权等"非诸侯"条款得以制订。

Langton, Walter 兰顿(?,可能生于英格兰莱斯特郡西兰顿～1321-11-09或16,伦敦) 英王爱德华一世的首席顾问。1295～1307年任财务署财务主管。1296年起至死任利奇菲尔德主教。在担任这两个职务时,贪婪而又不得人心。1296年6月至1297年11月在法国和佛兰德为爱德华一世执行外交任务。1307年爱德华一世死后,他被爱德华二世免职,一直被监禁到1312年1月。爱德华二世将他释放,欲利用他破坏企图削弱王权的贵族势力,但遭到贵族们的反对,国王又被迫于1315年撤去他在枢密院的职务。

Langtry, Lillie 兰特里(1853-10-13,海峡群岛泽西岛～1929-02-12,摩纳哥蒙特卡洛) 英国女演员和美人。以"泽西百合"闻名于世。她是泽西教长的女儿。1874年与E.兰特里结婚,1897年丈夫去世。1899年又与H.德巴思结婚。1881年在伦敦的草市剧院扮演《屈身求爱》中的哈德卡斯尔,这是她第一次重要演出,作为第一个登台演出的社交界女人,在当时引起了轰动。在一段时间里并没有引起文艺评论界的重视,但后来证明,她是一个完全胜任的女演员。兰特里最成功的角

美国国会图书馆供图

色是《皆大欢喜》中的罗莎琳德。她还到各地和美国巡回演出。她根据一座希腊神殿样式把伦敦的老水族馆剧院改建为帝国剧院，并于1901年亲自开张经营。她的最后一次演出是在1917年。她还在纽马基特经营了一座兴隆的赛马养育训练站。作为当代最漂亮的女人之一，她有许多身份高贵的爱慕者，其中包括后来成为国王爱德华七世的威尔士亲王。

language 语言 一种约定俗成的口头或书面符号系统，人类作为社会群体的成员及其文化的参与者以之进行交流活动。如此定义的语言是人所特有的。其他动物以声音或形体动作相互影响，有的动物还能有限度地懂些人的话语。不过其他生物并不能将其叫唤声进行约定俗成从而建成像人类语言一样的有系统的符号。就这点来说，人类可被看作是一种能说话的动物。

语言有结构或有一系列结构，其结构可作分析并可系统地展示。当人们用语言交流时，其过程是一系列复杂的情况。这些情况是根据多方面经验而来：物理的（声波）；化学的（人体化学）；生理的（神经兴奋和肌肉的运动）；心理的（对刺激的反应）；一般文化的（说话者在其社会文化系统中所处境地）；语言学的（所操语言）以及语义学的（语言的意义）。

各种语言如果都是同一原始母语的支裔，可按系谱分类。语系都是一种保守的发生学分类法，是以语系中各成员语言中大量同源词（彼此相关的词）为基础的。人们使用这些术语就可以对世界诸语言进行地理上的分类：欧洲的、南亚的、北亚的、西南亚的、东亚的、东南亚的、非洲的和美洲的。

欧洲及欧洲人后裔（如南北美洲操英语或操西班牙语者）居住区通行的诸语言主要属印欧语系和芬兰-乌戈尔语系。在印欧语系中，葡萄牙语、西班牙语、加泰隆语、法语、罗曼什语、拉定语、弗留利语、意大利语和罗马尼亚语共同组成意大利语族的罗曼语支。现在仍使用的日耳曼语族有英语、弗里西亚语、尼德兰-德语、海岛斯堪的纳维亚语、大陆斯堪的纳维亚语，这些语言进而按国别划分，如：大陆斯堪的纳维亚语又可分为挪威语、丹麦语和瑞典语。印欧语系凯尔特语族包括威尔士语、布列塔尼亚语、爱尔兰盖尔语和苏格兰盖尔语。印欧语系斯拉夫语族的文学语言可按地理分布划为3个语言区：东斯拉夫语、西斯拉夫语、南斯拉夫语。其中俄语、波兰语、塞尔维亚-克罗地亚语分别为各支代表。印欧语系其余的3个语族是波罗的语族、希腊语族和阿尔巴尼亚语族。芬兰-乌戈尔语系的语言有拉普语族和波罗的-芬兰语族（如拉普语、芬兰语、利沃尼亚语）通行挪威、瑞典、芬兰和俄罗斯各国的部分地区。匈牙利语也属芬兰-乌戈尔语系。

在南亚，印度、孟加拉、巴基斯坦及边界地区的各种语言按系谱划分为印欧语系印度-雅利安语族印度-雅利安语支和伊朗语支。印度-雅利安语支的语言超过20种，还有更多种方言，可是通用最广的却是孟加拉-阿萨姆语、西印地语、比哈尔语和东印地语。在南亚，伊朗语支各语言使用者少于使用印度-雅利安各种语言者。南亚流通最广的伊朗语支语言是克什米尔语和信纳语，只通用于查谟和克什米尔地区。少数达罗毗荼语系的本地语言泰卢固语和泰米尔语以及少数汉-藏语系的语言也通行于南亚。在许多前殖民地区，英语仍作为各地区间和国际语言在通用。

北亚的各种语言通行于北起北冰洋，南到南亚和中国，西起里海和乌拉尔山区，东到太平洋沿岸这一大片地带。这些语言按系谱划分，或属乌拉尔语系，或属阿尔泰语族，或属印欧语系，或属古西伯利亚语族。虽然操乌拉尔各种语言者甚少，但在伊朗、阿富汗、中国甘肃省却有许多人操阿尔泰诸语言。大多数印欧语言，如伊朗语，仅是不久前才被引进北亚的。古西伯利亚诸语言和北亚的其他各种语言并没有系谱上的联系，主要通行于西伯利亚极东北地区。

在西南亚，即在伊朗、伊拉克、沙特阿拉伯、约旦、叙利亚、黎巴嫩和以色列，既通行印欧语、突厥语、高加索语，又通行闪米特语。在印欧语系诸语言中，几乎全部伊朗语族的语言，包括波斯语、普什图语、库尔德语、俾路支语在内，都通行于伊朗。亚美尼亚语通行于亚美尼亚和格鲁吉亚。突厥语族的土耳其语通行于土耳其。其他的各种突厥语则通行于高加索。这里有30多种高加索语系的语言正为各族人民所使用。在西南亚的闪语诸语言中，阿拉伯语通行于北非、阿拉伯半岛、中东其他地区。希伯来语通行于以色列，阿拉米语西部各方言通行于黎巴嫩和叙利亚。

在东亚，主要语言是通行于中国的汉语及其各种方言，通行于日本的日语，通行于朝鲜的朝鲜语。中国还有突厥语族的维吾尔语和满语-通古斯语族的满语；这两种语言都属于更大范畴的阿尔泰诸语言。汉语中的官话、吴语和粤语通行范围最广，官话是70%中国人口的本族语，也是世界上作为本族语使用人数最多的语言。傣语和苗瑶语的各种语言通行于中国中南地区、越南、老挝和泰国。

东南亚包括中国以南和印度以东的一片大陆亚区，海岛马来西亚、印度尼西亚和菲律宾，通行的语言大致与其国名相应。大陆诸语言属澳斯特罗-亚细亚语系、傣语系及汉藏语系，海岛诸语言均属澳斯特罗尼西亚语系。有50多种以上的澳斯特罗-亚细亚语系语言，如柬埔寨的高棉语，泰国的孟语，越南的越南语，都通行于南亚大陆。傣语系及汉藏语系的语言有通行于泰国的泰语，通行于老挝和柬埔寨的老挝语及通行于缅甸的缅语。在东南亚各岛屿通行语言中超过500种澳斯特罗尼西亚语，其中西印度尼西亚语支是最大的语群，它包括作为菲律宾语基础的他加禄语和通行于菲律宾的其他100种语言。新几内亚和澳大利亚可以说属于岛屿东南亚地区，然而那里仅通行非澳斯特罗尼西亚的各种语言，主要是新几内亚的巴布亚诸语言和200种以上的澳大利亚土著语言。

虽然在非洲许多地方19世纪殖民主义带来的欧洲语言仍然作为国家事务方面的语言在通用，但是非洲还是有民族语言的语系，如含米特-闪米特语系、尼罗-撒哈拉语系、尼日尔-刚果语系和科依桑语系。含-闪语系通用于从毛里塔尼亚到索马里的北非地区和亚洲南部。尼罗-撒哈拉诸语言通行于中部非洲内陆。尼日尔-刚果诸语言中有900多种通行于毛里塔尼亚到肯尼亚这一地带并向南到南非共和国境内。科依桑诸语言约有50种通用于南部非洲和坦桑尼亚。

在美洲，欧洲诸语言如西班牙语、英语、葡萄牙语和法语占主导地位。英语通用于北美大部地区，西班牙语和葡萄牙语是中美和南美的主要语言。美洲印第安人的祖先由亚洲带到西半球的各种土著语言，可划分为北美和中美印第安语诸语系以及南美印第安语诸语系。北美和中美印第安语系部分由20种阿萨巴斯卡语言，13种阿尔冈昆语言、大苏诸语言和佩纽蒂诸语言（唯一在南美可找到的北美印第安语）组成。南美印第安语数量非常之大，如安第斯-厄瓜多尔语群就包括14个语系和200多种语言，其通行范围从法属圭亚那到哥伦比亚，向南直到巴拉圭以及亚马孙河流域大片地区。

language, ideal（philosophy） 参阅 **ideal language** 理想语言。

Languedoc 朗格多克 法国南部诸省的历史文化区。为法国南部特殊文明的中心。朗格多克一词起源于法国南部的传统语言（其中“OC”意即“是，对”）。从13世纪起，该

1789年的朗格多克省

词通指讲这种语言的整个地域。溯自公元前121年，朗格多克地区为罗马高卢纳尔榜南西斯行省的一部分，此地区与意大利和西班牙相连接，因此深受罗马文化的影响。1050年时，该地区的伯爵不仅是图卢兹和塞蒂马

尼亚的宗主,也是凯尔西、鲁埃格以及北边阿尔比的宗主,使之成为法国的一个大领地。从12世纪中叶开始,一种接近摩尼教的异端清洁派取得朗格多克平民和贵族的广泛拥护;清洁派亦称阿尔比派,因其势力在阿尔比城一带。教皇英诺森三世号召组织十字军对他们讨伐。这就促使了1209年法国北部一支军队对朗格多克的入侵。随后爆发了持续至13世纪中叶的战争,朗格多克结束了政治独立。1229年图卢兹的东部被法国吞并。百年战争不但使朗格多克处在被西方侵犯的地位,并且也使法王的官员们肆无忌惮地强取豪夺,终于激起城镇暴乱,最后爆发1382～1383年的农民叛乱。15世纪,朗格多克改成一个行政区,从16世纪起,分属蒙彼利埃和图卢兹财政区。此种体制保证了地方上的特权。朗格多克等级会议在百年战争期间,因对法国南部拥有征税权而显得地位优越,这种权力一直行使到法国大革命时为止。1443年成立的图卢兹高等法院作为高级审判机构,其地位仅次于巴黎高等法院。16世纪,朗格多克成为法国新教中心。政府在那里强制推行天主教,引起18世纪初叶信奉新教的卡米扎尔发动的农民起义。随着大革命的来临,朗格多克失去其独特体制,被划分为若干省。然而,从现代朗格多克语文学的复兴中可以得知南方文化传统仍继续存在。加尔省的共济会人数很多。共产党的拥护者遍及朗格多克各地。平原的葡萄园生产优质麝香葡萄酒。尼姆、于泽斯周围,以及上卢瓦尔省、阿尔代什省仍广泛讲奥克西坦语。

Languedoc Canal (France) **朗格多克运河** 参阅 **Midi Canal** 米迪运河。

Languedoc language **朗格多克语** 参阅 **Occitan language** 奥克西坦语。

Languedoc-Roussillon **朗格多克-鲁西永** 法国南部大区,包括洛泽尔、加尔、埃罗、奥德和东比利牛斯5省。幅员大致相当于前朗格多克(**Languedoc**)省。首府蒙彼利埃。全区面积27 376平方千米。朗格多克平原濒地中海,与西南方的鲁西永平原隔有科比耶尔山脉。南部屹立着比利牛斯山。沿海属地中海气候,而洛泽尔及比利牛斯山区则属于高山气候。1900～1954年间朗格多克人口几乎减少了10%,后又上升。城市人口比例接近全国的平均数。葡萄园集中在奥德、埃罗和加尔平原,产量占全国葡萄总产的半数。科斯地区则以畜牧业为主。下罗讷和朗格多克地区国家开发公司建成约20万公顷的水利灌溉区,使农业生产多样化。制造业除下罗讷外,其他地区不发达。加尔省的马库勒有钚加工厂。加尔省阿尔杜瓦斯设有于吉纳-库尔曼公司的电冶金中心。地中海沿岸旅游业很发达。人口2 295 648(1999)。

langur **长尾叶猴** 猴科的几种东方猴类的统称。包括叶猴属(*Presbytis*)、白臀叶猴属(*Pygathrix*)、仰鼻猴属(*Rhinopithecus*)和豚尾叶猴属(*Simias*)种类。与近缘的非洲疣猴一样,具大而复杂的胃,能适应树叶、果实和其他植物性食物。叶猴属(有时列在白臀叶猴属中)约14种,包括印度的哈奴曼长尾叶猴(圣猴,*P. entellus*)。此属成员均群居,昼行性,基本树栖;尾长,体修长,四肢长而纤细;体长约40～80厘米,尾长约50～110厘米;体被长毛,有些种还具特征性的构成帽状或冠状的长毛;成体面部通常黑色,毛色不同,常为灰、褐或黑色;妊娠期168天,每产一仔,幼仔毛色与成体不同,这种毛色的差异可能用以激发成体的母性,从而获得保护。哈奴

哈奴曼长尾叶猴(*P. entellus*)
美国不列颠百科全书公司供图

曼长尾叶猴是本属的代表,初生时几乎黑色,成年时为灰、黄褐或褐色;在印度视为神圣动物,可在乡村、神殿随意游荡,攫取庄稼和商品;通常20～30只成群,雄体明显地居支配地位,雌体无固定的地位;母体负保护幼体之责,也允许别的雌体前来帮忙。杂色白臀叶猴(*Pygathrix nemaeus*)分布东南亚,体型大,林栖;被灰色短毛,上有红、白两色斑点。仰鼻猴(金丝猴,*Rhinopithecus roxellanae* 和 *R. avunculus*)栖息在中国和越南北部森林中,体粗壮,鼻上仰,毛长,呈灰、黑或浅褐色而带黄色。豚尾叶猴(*Simias concolor*)亦仰鼻,毛浅褐色,外形似猕猴,栖息在潮湿的印度尼西亚森林中。杂色白臀叶猴除圣猴或哈奴曼长尾叶猴外,上述所有的种均列为濒危种或稀有种。

languriid beetle (beetle family) **拟扣甲** 参阅 **lizard beetle** 蜥甲。

Lanier, Nicholas **拉尼尔**(1588-09-10受洗,伦敦～1666-02,伦敦) 作曲家、歌唱家和画家。把意大利的单旋律独唱曲介绍到英国。1617年为B.琼森的假面剧《情人造就男子汉》绘制布景、谱写乐曲,并在剧中演唱,采用新的单旋律宣叙调风格。1626年任查理一世的音乐教师,王政复辟(1660)后成为查理二世的音乐教师。他对意大利宣叙调风格的运用使英国音乐受到重大的意大利影响。用意大利宣叙调所特有的语言节奏进行精巧的试验,对巴罗克风格的发展做出了贡献。

Lanier, Sidney **拉尼尔**(1842-02-03,美国佐治亚梅肯～1881-09-07,北卡罗来纳林恩) 美国音乐家和诗人。他的诗往往暗示音乐的节奏和主题发展。他从小写诗,并特别喜爱音乐。1860年在奥格尔索普学院毕业后曾在南北战争中服役。1867年第一部长篇小说

美国国会图书馆供图

《萱草》出版,作品把德国哲学、南方传统的传奇故事和本人战争经历糅合在一起。1873年受聘于巴尔的摩的皮博迪管弦乐队任第一长笛手。这时他已在一些杂志发表了许多诗歌。为了养家糊口,他不顾重病(肺结核)在身,拼命工作。写了好几部粗制滥造的作品,在私人音乐会演奏,并为一些小型组合开设讲座。他所写南方农业的诗《玉米》(1875)和写北方工业的诗《交响乐》(1875)均得到举国赞赏。但《百年沉思》(1876)却受到非难,促使他此后毕生研究诗歌的技巧。1887年《查塔胡奇之歌》诗歌集出版。1879年任约翰斯·霍普金斯大学英国文学讲师,系统讲授诗歌技巧、早期英国诗人和英国小说,讲稿后来编成《英国诗话》(1880)、《莎士比亚及其先驱者》(1902)和《英国小说》(1883;修订本1897)。他的作品全集(共10卷)于1945年出版。

Laniidae (bird family) **伯劳科** 参阅 **shrike** 伯劳。

Lanikai (Hawaii, U.S.) **拉尼凯** 参阅 **Kailua-Lanikai** 凯卢阿-拉尼凯。

Laṅkāvatāra-sūtra **《楞伽阿跋多罗宝经》** 又称《楞伽经》。大乘佛教的哲学论著。据说是释迦牟尼在楞伽(一般认为即今斯里兰卡)所说的教法。此经大概是公元4世纪的作品,其中有些部分可能出现较早。它宣传唯识学说,以世界为究竟无分别心的虚幻反映,并指出,人在禅定境界中可以顿时悟彻此一真理。此经于5世纪被译为汉文。

Lankester, Sir Edwin Ray **兰克斯特**(1847-05-15,伦敦～1929-08-15,伦敦) 19、20两世纪之交英国普通动物学的权威,对比较解剖学、胚胎学、寄生虫学及人类学均有过重要贡献。1871年在牛津大学求学时他也是最早描述脊椎动物血液中寄生原生动物的人之一,这在疟疾之类寄生虫病的诊治方面是一个重要的发展。1874～1890年他任伦敦大学动物学及比较解剖学教授,研究了无脊椎动物形态学及胚胎学。1890～1898年任牛津大学教授。1898～1900年在伦敦皇家协会任职。1898～1907年任英国自然博物馆馆长,

在此期间对人类学进行了开创性的研究；这些研究为他坚信的进化论及自然选择学说提供了充分的证据。1907 年被封为爵士。在“与已绝种的动物比较现代动物大脑体积增大的重要意义”一文中，他强调一种能遗传的学习能力是人类进化的重要因素，可使文化进步在社会上代代相传。他在萨福克发现了燧石工具，说明在上新世(250 万年前至 700 万年前)已有熟练工人的存在。1869 ～ 1920 年，他曾为他父亲 1860 年创办的《微观科学季刊》担任编辑及撰写过约 200 篇科学文章。主要著有：《人及动物的比较寿限》(1870)，《退化》(1880)及《大大小小的事物》(1923)。

Lanman, Charles Rockwell 兰曼(1850-07-08，康涅狄格诺里奇～ 1941-02-20，波士顿) 美国梵语学者。编写广为使用的《梵语读本》(1884)，参与编辑《哈佛东方丛书》，《丛书》刊行了有学术价值的“吠陀”英译本。吠陀是印度最古文献。在耶鲁大学师事惠特尼，习梵语，获博士学位。赴德深造后，到约翰斯·霍普金斯大学任教(1876)，后任哈佛大学教授(1880)及威尔士梵语讲座教授(1903 ～ 1926)。1891 年任《哈佛东方丛书》主编，该刊物由其友人及学生 H.C.沃伦创办并资助，任期中共刊行 31 卷，其中如惠特尼的《阿闼婆吠陀》译本，基思的《耶柔吠陀》及《梨俱吠陀梵书》译本，均为古代梵语原著首次具有学术水平的英译本。1884 年，兰曼的《梵语读本》第一版问世，成为讲英语学生的标准入门教材，20 世纪后半叶仍在继续印行。

Lannes, Jean, DUC (duke) DE MONTEBELLO 拉纳(1769-04-11，法国莱克图尔～1809-05-31，维也纳) 法国将军、第一帝国元帅。出身微贱，当过学徒。1792 年加入热尔的国民义勇军，后在反西班牙的东比利牛斯方面军中服役，任上士。在意大利战役中，他在代戈战役(1796)中英勇奋战，拿破仑大为赏识。1796 年晋升将军。1798 ～ 1799 年，他参加攻占开罗，并转战于叙利亚，任师长。在加扎、圣让阿卡包围战中发挥重要作用。阿布吉尔战役中负伤返回法国。此后，先后任第 9 师和第 10 师师长，曾参加使拿破仑掌权的雾月 18 日政变(1799-11-09)。1800 年 5 月率军越过阿尔卑斯山进入意大利，在蒙特贝洛击败奥军，为拿破仑的马伦戈大捷作出重大贡献。1804 年 5 月成为帝国的 18 个元帅之一。他曾参加乌尔姆(1805-10)、奥斯特利茨(1805-12)和耶拿(1806-10)等战役。在 1806 年 12 月 26 日波兰的普尔图斯克战役中，他以寡敌众，击败俄军。1807 年 6 月在弗里德兰再克俄军。1808 年为表彰他的战功，封他为蒙特贝洛公爵。此后，他被派往西班牙，指挥喋血的萨拉戈萨包围战，1809 年 2 月 20 日攻克该城。在阿斯佩恩-埃斯林战役中被炮弹击中双腿，不治殒命。他是拿破仑麾下最干练的将领之一。

lanolin 羊毛脂 半透明的黄白色软而腻滑的黏性物质，是羊毛蜡(有时误称为羊毛脂肪)的纯化物。既可单独使用也可与软石蜡、猪油或其他脂肪一起作为油膏、润肤剂、滋肤品、止痛药膏、高脂肥皂和皮毛整理剂的主要成分。羊毛脂容易被皮肤吸收，成为医用皮肤吸收药膏的理想基质。羊毛脂是将剪下的羊毛用水揉洗或用皂碱液洗涤再离心过滤而得到的，此后还需精制、漂白、除臭和干燥。从化学上看，羊毛脂是由多种类固醇、脂肪酸及其酯类组成的混合物。

Lanrezac, Charles(-Louis-Marie) 朗雷扎克(1852-07-31，瓜德罗普岛皮特尔角城～1925-01-18，法国塞纳河畔讷伊) 第一次世界大战初期法国的陆军指挥官，虽然是一位有才能的战术家，却无法阻止德军在法国北部的进攻，后被撤换。他曾在法国陆军中一帆风顺，1914 年任最高军事委员会委员兼第 5 集团军司令。战争爆发后，他的军队作为法军左翼，准备越过阿尔萨斯-洛林向东进入德国，但为了迎击通过比利时向前推进的德军，他被迫将他的军队调向北部。在德国第 2 集团军的压力下，他被迫撤退，对战局的估计渐趋悲观。虽然根据法军总司令 J.霞飞将军的命令，他支援巴黎以东的英国远征军，1914 年 8 月 29 日在吉斯获得一次战术上的辉煌胜利，但由于他的不断后撤，9 月 3 日霞飞下令将他撤换。

Lansbury, Angela 兰斯伯里(1925-10-16，英国伦敦～) 英国出生的美国女性格演员，在戏剧、电影和电视领域均取得巨大成就。1940 年随母亲女演员 M.麦克吉移居美国，在纽约费根戏剧和广播学校学习表演。1944 年在第一部影片《煤气灯下》中扮演一名女仆，获得奥斯卡最佳女配角提名。接着在《玉女神驹》(1944)中扮演伊丽莎白·泰勒的势利妹妹。1945 年在《道林·格雷画像》中扮演的配角再次获得奥斯卡奖提名。在《哈维女郎》(1946)、《联邦一州》(1948)、《三剑客》(1948)等片中展示出饰演多种类型角色的才能。20 世纪 50 年代在《一条无法无天的街》(1955)、《柯特·杰斯特》(1956)和《夏日春情》(1958)等片中不断尝试新角色，而最受欢迎的则是冷战惊悚片《满洲候选人》中劳伦斯的恶毒、淫荡的母亲，并以此片第 3 次获得奥斯卡奖提名。兰斯伯里不但在电影上取得很大成功，在百老汇舞台上也是一流明星。首次上演的剧目是费多的滑稽剧《帕拉迪索旅馆》(1957)，还在《蜜的滋味》(1960)和音乐剧《人人都会吹口哨》(1964)中担任主角。她的突破性角色是音乐剧《玛梅》(1966)中的玛梅，以之获得托尼奖，而且俨然成为百老汇的戏剧皇后。其后又以《亲爱的世界》(1969)、《吉普赛人》(1975)和《理发师陶德》(1979)3 次获得托尼奖。然而她最大的业绩还在于电视连续剧《书写谋杀》中扮演的侦探小说家杰西卡·弗莱彻，该剧自 1984 年开始播放，一直持续了 12 个放映季。此外，还是一位著名的配音演员，在《最后的独角兽》(1982)、《美女与野兽》(1991)、《真假公主》(1997)和《幻想曲 2000》(1999)中有着传神的配音。

Lansbury, George 兰斯伯里(1859-02-21，英国萨福克黑尔斯沃思附近～ 1940-05-07，伦敦) 英国工党领袖(1931 ～ 1935)，社会主义和济贫法改革者，由于其极端的和平主义而被迫辞去领导职务。14 岁当铁路工人，后成为木材商人。1892 年成为 H.M.海因德曼的社会民主联盟的宣传员，但最后抛弃了该联盟的极端马克思主义。他协助创办(1912)并一度编辑英国第一个专论劳工问题的报纸《每日先驱报》。第一次世界大战期间，捍卫由于道德或宗教信仰的原因而拒服兵役者的权利。1910 ～ 1912 和 1922 ～ 1940 年为下院议员，1929 ～ 1931 年任工党政府劳动部门首任长官，接着任议会反对党领袖。因不愿与其伙伴们一起要求对意大利进行经济制裁，唯恐这将导致战争，而于 1935 年辞职，由 C.艾德礼(1945 ～ 1951 年任首相)接任。1937 年访问希特勒和墨索里尼，认为自己的个人影响能够制止战争趋势。

Lansdowne, Henry Charles Keith Petty-Fitzmaurice, 5th marquess of 兰斯多恩侯爵(第五)(1845-01-14，伦敦～1927-06-03，爱尔兰蒂珀雷里郡克朗梅尔) 即 H.C.K.佩蒂-菲茨莫里斯。又称克兰莫里斯子爵(至 1866)。爱尔兰贵族，英国外交家。第 4 代侯爵的长子，伊顿公学毕业。21 岁继承其父爵位以及大批土地和财产。他参加自由党，历任财政大臣(1868)、陆军部次官(1872 ～ 1874)和印度事务副大臣(1880)。1883 ～ 1888 年任加拿大总督。1888 ～ 1894 年任印度总督。曼尼普尔邦发生起义时，他将起义领袖蒂肯德拉吉特处死。他创办了图书馆和档案馆；禁止印度造币厂自由铸造银币；改组警察部门；改组立法议会，赋予议员们讨论财政的权利；增修铁路和灌溉工程。他把独立的锡金王国置于英国保护之下(1888)并划定其与西藏的边界；并兼并阿富汗边境上的罕萨和纳格尔。1895 年任陆军大臣。1899 年人们指控他对南非战争毫无准备，要求对他进行弹劾。1900 年后任外交大臣。1906 ～1910 年他在上院任反对党保守党领袖。1915 ～ 1916 年任不管部大臣。

Lansdowne, William Petty-Fitzmaurice, 1st marquess of 兰斯多恩侯爵(第一)(1737-05-13，都柏林～ 1805-05-07，伦敦) 即 W.佩蒂-菲茨莫里斯。1761～1784年又称谢尔本伯

美国国会图书馆供图

爵(第二)(2nd earl of Shelburne)。英国政治家，乔治三世统治时期任首相(1782-07 ～ 1783-04)。1753 年受封谢尔本伯爵的 J.菲茨莫里斯之子，早期受私人教育，1755 ～ 1757

年在牛津大学基督堂学院求学，后进入军队，参加七年战争。在国外时，于1760年代表属于其家族的奇平维康姆当选为议员。1761年重又当选，并代表凯里郡选入爱尔兰议会。但随着他父亲于同年5月去世，他失去在这两个下院任议员的资格，遂调任上院议员。他婉言拒绝在比特勋爵内阁任职，而于1763年出任格伦维尔内阁贸易大臣。数月后辞职，依附于老皮特，于1766年任老皮特内阁负责南方事务的国务大臣。由于与其同僚们在殖民地问题上意见分歧，他于1768年辞职。1782年任罗金厄姆勋爵内阁内政大臣，罗金厄姆于7月去世后，他被任命为首相，但福克斯派辉格党人拒绝在他的领导下工作，与诺思勋爵联合于1783年将他击败。联合政府解散后，小皮特于1783年12月组阁，他被排除在外。他的傲慢自大和孤芳自赏以及国王对他的宠信，使他与曾同他一起工作的人疏远，他同诺思一样被指责为国王的工具。皮特甚至不与他商量。他认识到自己不受欢迎后，也不尽力使皮特为难，不和的时间也并不长。1784年12月被封为兰斯多恩侯爵，从此不再过问政治。

Lansel, Peider　兰泽尔（1863-08-15，比萨～1943-12-09，日内瓦）　瑞士复兴雷提亚（拉托）-罗曼语言和文化的领导人，是最有造诣的罗曼语抒情诗人之一。兰泽尔每年在他的故乡恩加丁河谷的森特村度夏，在那里专心于前4个世纪的雷提亚（拉托）-罗曼语文献的收集和校勘工作，结果，刊出抒情诗集《拉定方言诗选》（1910，1918再版）及其增订版《罗曼什语诗集》（1950），另刊有《论雷提亚（拉托）·罗曼语》（1935）一书，已译成英语、德语、意大利语、法语及世界语（1935）。他的怀旧之作，纤巧而高雅，于1920年汇编刊出定本，题名《幽谷情怀》（Il vegl chalamer）。兰泽尔的诗作将其青年时代一段恋爱悲剧情节融于歌颂阿尔卑斯山谷美景及其古老文化的篇章之中，从而使之达到升华的境界。所著诗歌和故事集《阿尔卑斯山白玫瑰》（1931）标志着雷提亚（拉托）-罗曼语的复兴，经过去芜存精，恢复了16世纪初期的面貌。

Lansing　兰辛　美国密歇根州首府。位于英厄姆县境内，濒临格兰德河，在格兰德河与雷德锡达河汇流处。1847年州首府由底特律迁此，1859年设建制。1852年建成通底特律的公路；19世纪70年代建成通州外的铁路。1887年创办奥尔兹汽车厂和雷奥汽车公司后，开始发展工业。现为汽车工业中心，也有多种制造业。设有兰辛社区学院（1957）和密歇根

兰辛市的州议会大厦
美国不列颠百科全书公司供图

盲人学校（1879）。市中心建有州议会大厦（1873～1878）。附近的东兰辛市有州立密歇根大学（1855）。人口：市119 128（2000）；兰辛-东兰辛都会区432 674（1990）。

Lansing, Robert　蓝辛（1864-10-17～1928-10-30）　美国国际法学家和美国国务卿（1915～1920）。曾谈判签订蓝辛-石井协定（1917），试图协调美国和日本的对华关系；他

美国国会图书馆供图

最终由于在参加国际联盟的问题上与威尔逊总统意见不同而决裂。1892～1893年在白令海仲裁案件中充当法律顾问。此后经常出席国际法庭，任美国政府的法律顾问或代理人。1914年任国务院顾问，翌年任国务卿。曾起草一些重要的外交文件，坚持美国作为第一次世界大战的中立国拥有的海上权利，包括抗议英国对西欧的封锁。他说服丹麦政府把它在西印度群岛的一些岛屿（现为美国的维尔京群岛）卖给美国以防止可能被德国占领；在美国加入第一次世界大战后，1917年他谈判缔结《蓝辛-石井协定》：美国承认日本在中国的特殊利益，日本承认各国在中国享有同等贸易权利，即门户开放政策。当时美国的一切重大外交政策都由威尔逊总统本人决定。第一次世界大战结束后，蓝辛劝告总统不要亲自参加和会。但总统不听，到巴黎后也很少与蓝辛商量。两人发生龃龉。总统认为应该立即成立国际联盟，蓝辛认为应以签订和约为主，国际联盟问题可以推迟。他反对威尔逊塞进国际联盟盟约中的某些条款。然而，在华盛顿，蓝辛还是努力使参议院批准了和约，尽管他有众所周知的保留意见。1919年9月威尔逊患病。前后约有5个月，由蓝辛决定外交政策和主持内阁会议。威尔逊对此极为不满，要求他立即辞职。他在华盛顿重操律师业务。著有《和平谈判》（1921）和《和会四巨头及其他》（1921）。

Lansing-Ishii Agreement　《蓝辛-石井协定》（1917-11-02）　即美国国务卿R.蓝辛同派往华盛顿的日本特使石井菊次郎子爵为调和第一次世界大战期间美国和日本在对华政策上的矛盾而公开互换的照会。日本保证尊重中国的独立和领土完整，尊重美国所提出的门户开放政策（所有在中国的外国在贸易上权利均等），而美国则承认日本有权保护它在同日本领土接壤的中国地区的特殊利益。石井后来断言，美国由此承认了日本在中国东北的"最高"利益，这一说法使美国感到困惑。由于协定蓄意以含混的词句掩饰两个战时盟国之间的分歧，两国遂于1923年3月30日再次互换照会，将此协定废止。

Lansky, Meyer　兰斯基（1902-07-04，俄罗斯格罗德诺～1983-01-15，美国佛罗里达迈阿密滩）　原名梅尔·舒乔尔·扬斯基。美国最有势力、最富有的犯罪辛迪加首脑和银行家之一。主要靠经营赌博业赚钱，特别是在佛罗里达州、卡斯特罗执政前的古巴、拉斯韦加斯和巴哈马群岛。兰斯基是波兰犹太人，出生于俄国的犹太移民区，1911年随父母移居纽约东南坡。20世纪20年代，他在犯罪集团首脑G.马塞里亚庇护下，从事盗窃和烈酒走私等犯罪活动。他与B.西格尔还发展了一帮职业雇佣杀手，为后来L.布查尔特和A.阿纳斯塔西亚为首的暗杀公司提供了样板。1936年兰斯基已在佛罗里达州、新奥尔良州和古巴开设赌场，在古巴向古巴独裁者F.巴蒂斯塔行贿。他还资助西格尔把赌博业发展到拉斯韦加斯（西格尔1947年因不服从辛迪加的命令，被他下令杀死）。1959年F.卡斯特罗夺取古巴政权，兰斯基转移到巴哈马群岛。60年代，他在政府配合下，在大巴哈马和天堂岛开设赌场，并把赌博业扩展到加勒比海地区，甚至越过大西洋，远达伦敦。兰斯基也从事毒品走私。他把钱储存在瑞士银行，并向一些合法企业投资。到1970年，他的财产估计达3亿美元。1970年，因惧怕大陪审团的传讯和被指控偷漏所得税，逃往以色列，企图得到申报法的保护。但以色列终于将他驱逐出境。最后回到美国接受多项指控。1973年，兰斯基以藐视大陪审团罪和偷漏所得税罪被判罪。部分由于长期健康不佳，经上诉未被监禁，对他的其他罪行的起诉，也暂时中止。1979年美国众议院专门调查肯尼迪总统被暗杀事件的委员会，通过对沃伦委员会的报告进行两年审查后，认定兰斯基与夜总会老板J.鲁比有牵连，而鲁比则是杀死刺杀肯尼迪总统的凶手L.H.奥斯瓦尔德的那个人。兰斯基死于肺癌，葬于迈阿密一所正教犹太人公墓。

Lantana　马缨丹属　唇形目马鞭草科的一属。含150余种灌木，原产于热带美洲和非洲。普通马缨丹（*L. camara*）高达3米，在热带美洲野生，但也广泛作为庭园植物；

普通马缨丹（*L. camara*）
美国不列颠百科全书公司供图

几乎终年开花，花黄色、橙色、粉红色或白色，花序中杂有各种颜色的花朵；叶芳香，粗糙，广椭圆形；浆果黑色，有毒。蔓生马缨丹（蒙得维的亚马缨丹，*L. montevidensis*）原产于南美，叶小，下垂，分枝稀疏，花玫瑰-淡紫色。其他种类有黄色益智草、垂枝马缨丹和臭老鹳草等。

Lanterloo（card game）　参阅 **Loo** 卢。

lantern　灯笼　周围为透明或半透明材料的金属笼子，它对装在里面的灯能起防护作用。这种装灯用的灯笼曾在庞贝、赫库兰尼姆及其他一些古代城市发现过。这些灯有铁的、银的、金的、也有锡的。围以角质、云母、皮革、油纸和玻璃材料。样式也多：或在粗糙的盒子上用钉子打孔，或是东方式的镂空青铜制品，还有文艺复兴风格和巴罗克风格的精美工艺品。一侧或几侧带有凸面玻璃的牛眼灯笼在18世纪初期得到普遍使用，而类似的装置至少早在13世纪就已经出现了。防风灯现仍用作报警信号灯。

lantern　穹顶小亭　建筑中，原为突出于屋顶以采光排烟的露空木结构。中世纪建筑中曾使用这种形式，例如14世纪英国伊利大教堂中央的八角形塔楼的顶部。由于形似提灯或灯塔上的灯室，并有时设置灯火，又称为灯笼式塔顶。在文艺复兴和巴罗克建筑中，指穹

佛罗伦萨大教堂的穹顶小亭
美国不列颠百科全书公司供图

顶上的小亭，常带有装饰性的连拱。虽然有时起到室内采光作用，但主要是为了外观上的比例效果。典型的例子见于佛罗伦萨大教堂(1436～1471)、罗马的圣彼得大教堂(1506)、伦敦的圣保罗大教堂(1689)和华盛顿的国会大厦。

lantern-eye fish　灯笼眼鱼　又拼 lantern-eye fish。金眼鲷目(Beryciformes)灯目鲵科(发光金眼鲷科，Anomalopidae)3种鱼的通称。主要特征为眼的下面具有一个发光器，为非深海鱼类而具有发光器的少数种类之一，由磷光细菌发出持续的光芒，但每一个种减弱发光的机制各不相同。游泳时，有些种可交替盖住或张开发光器而产生闪光的效果。3种灯笼眼鱼分属于3个不同的属，其中有两种分布于印度洋-太平洋地区的热带海域，另一种则分布于加勒比海区。3种均小型，体长最长可达30厘米。灯笼眼鱼一名特别指分布于东印度群岛的灯颊鲷(*Anomalops kaptoptron*)及小亮睑鲷(*Photoblepharon palpebratus*)。

lantern fish　灯笼鱼　灯笼鱼科150多种数量丰富的小型深海鱼的统称。日间生活于深处，夜晚游近水面，有时为灯光所诱集。体形

灯笼鱼(*Symbolophorus veranys*)
美国不列颠百科全书公司供图

稍细长，口大，眼大，头部、腹侧及尾基部有许多发光器，发光器的排列方式是分类或辨别雌雄的主要依据。成体长约2.5～15厘米。

lantern tree(*Crinodendron hookeranum*)　**红百合木**　又称灯笼树。杜英科(Elaeocarpaceae)乔木。原产于南美西部。其花美观，

红百合木(*Crinodendron hookeranum*)
美国不列颠百科全书公司供图

故广泛引种于各地。高4.5～7.5米。花瓮状，暗红色，长约2厘米。

lanternfly(*Lanternaria phosphorea*)　**磷蜡蝉**　又称楞鸡、光蝉。同翅目的一种大型昆虫，较罕见，产于南美，色泽鲜艳，生活在树上。额前伸，胀大如花生状，内含自消化道伸

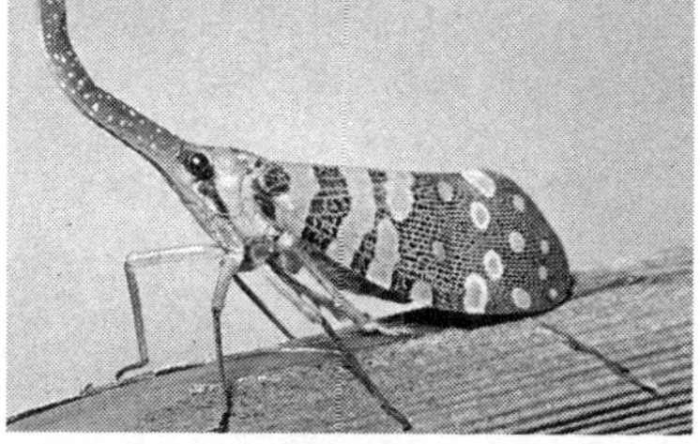

磷蜡蝉(*Lanternaria phosphorea*)
美国不列颠百科全书公司供图

展出的囊。此囊有时发亮，这种现象可能与交配有关。有的磷蜡蝉会分泌长丝状或粉状白蜡。亚马孙印第安人普遍认为磷蜡蝉的叮咬可致死亡。

lanthanide contraction　镧系收缩　化学术语。稀土元素的原子半径和离子半径从镧(原子序数57)到镥(原子序数71)随着原子序数增加而逐步减小的现象。对每个相邻原子来说，核电荷多1单位正电荷，围绕核的4f轨道中存在的电子数同时有相应的增多。这些4f电子对于增加的核正电荷的相互屏蔽作用很不完善，这样，随着镧系元素原子序数增加吸引每个电子的有效核电荷在逐步增加，结果使原子半径和离子半径逐渐减小。镧离子La^{3+}半径为1.061埃，较重的镥离子Lu^{3+}半径为0.850埃。镧系收缩使这些稀土离子半径大致相同，加之这些稀土离子一般均为3价，所以它们的化学性质很相似，因而在每种稀土矿物中，通常都存在着至少是少量的各种镧系元素。镧系收缩也是使周期表中Ⅳb族元素锆(原子序数40)和铪(原子序数72)的化学性质极为相似的重要因素。由于镧系收缩使紧跟在镧系元素后的较重的铪和较轻的锆的原子半径几乎相同。

lanthanide element(chemistry)　**镧系元素**　参阅 **rare-earth metal 稀土金属**。

lanthanum　镧(La)　化学元素，周期表Ⅲb族过渡稀土金属，镧系元素的典型。为银白色韧性金属，质地柔软，可用刀切割。1839年，C.G.莫桑德尔发现了镧的氧化物(氧化镧)，并将氧化镧和氧化铈区别开来。镧的名字由希腊文 lanthanein 而来，意思是“被隐藏的”，表示这个元素难以分离出来。镧存在于独居石和氟碳铈镧矿等稀土矿物中，工业上用硝酸镧铵结晶法富集镧，用离子交换法和溶剂萃取法可得高纯镧，电解熔融无水卤化物或用碱金属或碱土金属还原镧的卤化物(如用钙还原镧的氟化物)，均可制备金属镧。用于打火石、电子管内痕量氧的除氧剂和冶金过程的混合稀土金属中含1/4镧。镧有3种同素异形体。自然界有两种同位素：稳定的镧139(99.911%)和寿命很长的放射性镧138(0.089%)。在核试验爆炸后的雪中已探测到作为裂变产物的同位素镧140。镧是稀土金属中仅次于铕的最活泼的金属。在干燥空气中，镧很快失去光泽，440℃时在空气中燃烧，与热水猛烈反应。镧在化合物中仅呈3价。其离子半径是稀土3价离子中最大的，故白色氧化物La_2O_3是碱性最强的稀土金属氧化物。高纯氧化镧是生产低色散、高折射透镜玻璃的组分之一。镧的工业级氟化物用作弧光灯炭棒的芯体材料。镧原子序数57。原子量138.91。熔点920℃。沸点3 454℃。比重6.166(25℃)。化合价3。电子组态2,8,18,18,9,2或$(Xe)5d^1 6s^2$。

Lantian　蓝田　中国陕西省西安市辖县，“蓝田人”遗址所在地。县政府驻蓝关镇。面积1 977平方千米。位于渭河谷地南缘，东南部为秦岭山地，中西部及北部川塬、低山相间，灞河

蓝田猿人遗址
中国大百科全书出版社供图

贯流其中。西北部白鹿塬面广而平坦，历史上曾为长安(西安)城内居民的游春之处。战国秦献公六年(公元前379)置蓝田县，因境内南山产玉，次等美玉称蓝，故名“蓝田”。1983年划归西安市管辖。1963～1964年，蓝田县的公王岭和陈家窝村，发现距今约65万年至100万年的“蓝田人”头盖骨、下颌骨及旧石器。这是世界上已发现的最早的猿人之一。“蓝田人”遗址现为中国重点文物保护单位。该县以农业为主，产小麦、玉米、杂粮等。林产丰富，有名贵风景树种白皮松，还有板栗、核桃等。盛产五味子、党参、杜仲、柴胡等药材。从古至今，蓝田玉开采制作绵延不绝，玉石储量仍有百万立方米。人口640 000(2005)。

Lantian man　蓝田人　1963年在中国陕西蓝田陈家窝村附近发现的旧石器时代早期猿人化石。以一个下颌骨为代表。1964年又在公王岭发现一个头盖骨、上颌骨和牙齿化石。蓝田人的头骨骨壁厚；额骨宽，明显向后倾斜；

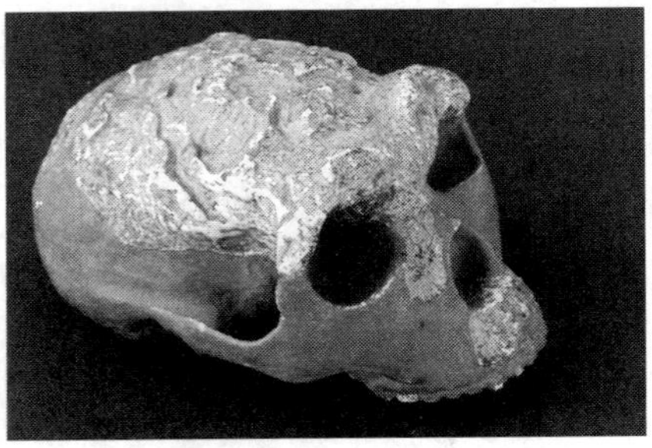

蓝田人头盖复原像
中国大百科全书出版社供图

眉嵴粗壮；脑容量小，估计为780毫升；体质形态比北京人和爪哇直立猿人都更原始。蓝田人伴生动物化石有丽牛、剑齿虎、大熊猫、剑齿象、貘和爪兽等。动物群带有浓厚的南方色彩，说明蓝田人生态环境温暖湿润。古地磁测定陈家窝村猿人下颌骨年代距今65万年，公王岭猿人头盖骨年代距今100万年，属中更新世。1966年后在同一地层中又发现石器，原料多为石英岩砾石。类型有大型尖状器、砍斫器和刮削器。制作技术差，多用一面加工方法修理，经第二步加工的石器数量很少。器型简单粗糙，表明其文化的原始性。蓝田人石器中没有北京人文化中常见的两端刃器，其中三棱大尖状器却是北京人文化中未见的器物。

Lantian Pass　蓝田关口　中国陕西省的关隘。位于蓝田县东南。秦名峣关，因临峣山得名。公元前206年汉高祖刘邦在峣关大破秦军，兵临咸阳，即指此地。6世纪中叶北周移置青泥故城侧，改名青泥关，后以关口在蓝田县为名。隋徙旧址。蓝田关口是古都长安、咸阳东南的门户，为古代用兵要地。

Lantz, Walter　兰兹(1900-04-27，美国纽约新罗谢尔～1994-03-22，加利福尼亚州伯班克)　美国动画电影艺术家和制片人。1930年绘制《爵士之王》的开场场景，这是银幕上第一次出现彩色动画片断。起初从事报纸漫画工作，1916年起试验动画，1922年到纽约为布雷制片厂绘制了几组系列片。1928～1938年他在环球影片公司创造了“啄木鸟伍迪”这一角色。1941年啄木鸟伍迪成为动画片中的明星。第二次世界大战期间他为陆军和海军训练制作动画片。战后为电视台制作了教育片和商业片。1979年电影艺术和技艺学院为他在动画片中无与伦比的贡献授予他荣誉奖。

Lanxi　兰溪　中国浙江省县级市。位于省境中西部，金华江与衢江汇合处。唐咸亨五年(674)析金华县置兰溪县，以境内有兰溪得名。1949年析县城区置市，1950年撤销。1985年撤

兰溪市通州桥
美国不列颠百科全书公司供图

县建县级市，金华市代管。面积1 310平方千米。地处金衢盆地中西部，北、西、南三面环山，丘陵、山地约占65%；金华江、衢江在市境西南汇合后称兰江(即兰溪)，沿江有河谷平原。粮食作物以水稻为主，并产大麦、小麦、玉米、甘薯。经济作物有棉花、甘蔗、油菜、芝麻、花生等。特产乌桕、金丝蜜枣、大青豆、火腿。乌桕年产量6 500吨，素称“乌桕之乡”。有煤炭、冶炼、电力、电缆、机械、化工、橡胶、塑料、纺织、造纸、陶器等工业。兰江航运上通衢州、常山、江山、金华，下达桐庐、富阳、杭州，溯新安江可至淳安、安徽。浙赣铁路金岭支线横穿境内，公路干线通金华、杭州、建德、衢州。水陆交通方便。六洞山为著名风景区，明万历年间(1573～1620)在此山栖真寺建有藏经楼，置梵文本《北藏经》6 367卷(现藏浙江省图书馆)。兰荫山有古刹兰荫寺。人口660 000(2005)。

Lanyu　兰屿　又作Orchid Island。中国台湾省台东县离岛乡一岛屿。原名红头屿。位于台东市东南约90千米的太平洋上，北距绿岛约60千米，周长约38千米，面积约46平方千米。其东南端约4.8千米处有小兰屿，面积仅1.57平方千米，因缺乏淡水、食物而不宜人居。兰屿系火山岛，全岛由火山岩构成，丘陵绵亘，溪

兰屿雅美族山胞的独木舟
台湾中华书局供图

流呈辐射状，海岸蜿蜒曲折。该岛邻近菲律宾北部的巴坦群岛，地处台湾岛与菲律宾之间的过渡地带。气候潮湿多雨，岛上遍布热带雨林，是典型的热带岛屿。岛上最高点红头山海拔548米，在岛中央；红头山以北有次高点杀蛇山，海拔494米；另有大森山及青蛇山，海拔均在440～480米之间。兰屿因冬季季风强劲，夏秋两季又多台风，故四周海岸易受海浪侵蚀，造成许多特殊海蚀地形景观，遍布天然岩穴与奇石怪崖，著名的有军舰岩岛、坦克岩、玉女岩、双狮岩、龙头岩及情人洞等。隆起的珊瑚礁环绕岛四周，形成裙礁地形景观。村落散布于沿海地带，如野银、东清村在东部海岸，椰油、红头村在西部海岸，朗岛在北部海岸；其中东清村为岛上最大村落，亦为主要渔港，岛上居民以雅美族为主，民风淳朴，多以捕鱼为生。近年因推行现代化及观光活动，其原始生活方式已渐遭破坏。人口约3 445(2002)。

Lanza, Giovanni　兰扎(1810-02-15，法兰西帝国皮埃蒙特卡萨莱蒙费拉托[今在意大利]～1882-03-09，罗马)　意大利政治家和复兴运动政治活动家，1870年罗马成为统一后的意大利首都时的总理，他并促使组成中左派政治力量。都灵大学毕业获医学博士学位后，专心致志于改进皮埃蒙特的农业。1848年志愿参加皮埃蒙特军队，帮助伦巴第抗击奥地利。当选为皮埃蒙特议会议员后，反对1849年8月9日与奥地利签订的和约，成为中左派最有影响的领导人之一。1853年任议会副议长，1855年任教育大臣，实施许多重要改革。1858年任皮埃蒙特内政大臣。1861年3月主持议会，宣布维克托·伊曼纽尔二世为全意大利国王。1864～1865年再度任内政大臣，后并再度任意大利议会议长，1869年12月14日组阁，1870年9月20日占领罗马，最后完成意大利的统一。他的大公无私和不偏不倚使他获得了意大利人民深深的尊敬。

Lanzarote　兰萨罗特岛　西班牙加那利自治区拉斯帕尔马斯省岛屿，为北大西洋加那利群岛中最东端的岛。兰萨罗特岛面积795平方千米。岛上多山，有小火山口和大片熔岩流。1730年火山爆发使该岛一半地区面貌改观。兰萨罗特岛最近一次强烈火山活动发生在1824年。岛上出产谷物、蔬菜、葡萄等。其优良的黑沙海滩和垂钓活动吸引了众多游人。该岛的主要港口阿雷西费有渔业和鱼加工业。1974年开辟蒂曼法亚国家公园(51平方千米)。兰萨罗特岛北面1.6千米以外的火山小岛上有居民数百人，多为渔民。人口53 452(1981)。

Lanzhou　兰州　又拼Lan-chou，Lanchow。中国甘肃省辖地级市，省会。西北地区综合性工业城市。位于甘肃中部，陇西黄土高原西侧，黄河上游出山口的峡谷地带。市境海拔约1 500米，日照强，空气干燥，夏天酷暑，冬天严寒。年平均气温9.1℃，年降水量327毫米，属温带半干旱季风气候。是黄河上游的重要渡口，自古为西北交通要冲。原为羌族居住地。公元前6世纪为秦国领地。西汉始元六年(公元前81)置金城县，治所在今兰州西北，属金

兰州市炼油厂
美国不列颠百科全书公司供图

城郡。西魏为金城郡治所。隋开皇元年(581)始置兰州,以皋兰山定名。唐宝应二年(763)为吐蕃占领,大和八年(834)收复,后并入西夏。北宋康定二年(1041)收复,元丰年间(1078～1085)复置兰州,靖康二年(1127)后属金。南宋端平二年(1235)为蒙古族占领。明洪武初年(1368)降为兰县,属临洮府。成化十三年(1477)复升为州。清乾隆四年(1739)临洮迁治兰州后成为府,并于府治置皋兰县。康熙五年(1666)兰州成为甘肃省省会至今。1941年以皋兰县城置兰州市。现辖城关、七里河、西固、安宁和红古5区,及永登、皋兰、榆中3县。面积13 271平方千米,其中城区面积1 663平方千米。1949年以后兰州发展成为中国的工业基地。除1935年建成西安—兰州公路外,1952年陇海铁路从天水延伸到兰州,1962年兰州至新疆的兰新铁路全线通车,与陇海铁路在兰州接轨,成为横贯中国的大干线。还建成兰州至内蒙古自治区包头的包兰铁路。1959年建成兰州至青海省省会西宁的兰青铁路,成为连接青藏高原的主要铁路干线。1990年兰新铁路与哈萨克斯坦铁路在阿拉山口接轨,1993年兰州-阿拉木图通车后,兰州地位更显重要。公路有兰新、西兰、兰银、兰青、甘川等主要公路从境内通过,兰白高速公路已全面通车。作为全省民航中心和对外空运口岸,可通往国内30多个大中城市(包括香港)和新加坡等地。电力充裕,除兰州一、二热电厂外,在黄河上游峡谷地带建有盐锅峡(又称朱喇嘛峡)、八盘峡、刘家峡等水电站。兰州是中国重要的石油化学工业中心,制造石油工业设备,炼油厂有管道连接玉门油田。还生产机车和车辆以及各种机床、化工产品和肥料,有大型橡胶工业。纺织工业以毛纺织品著称,并产皮革制品。兰州素有“瓜果城”之称。产有桃、梨、白兰瓜、黑瓜子、百合等,还有水烟。兰州是中国科学文化中心之一。有中国科学院的冰川冻土、沙漠、地质、高原大气物理、近代物理、化学物理等研究所及省属科研单位,还有兰州大学、西北师范大学等高等院校。名胜古迹有五泉山以及山上建于明代的崇庆寺;还有白塔山及山上始建于元代的白塔;市郊兴隆山、吐鲁沟是游览避暑胜地。永登县年产鲜玫瑰约2 000吨,年产精油约0.5吨,占中国产量的80%以上。人口:全市3 090 000(2005);市区1 880 000(2004)。

Lanzhou University　兰州大学　中国综合性大学。校址设在甘肃省兰州市。创建于1909年,始为法政学堂。1913年改建为甘肃公立法政专门学校。1928年2月,扩建为兰州中山大学。嗣后校名几经更迭。1946年8月,与国立西北医学院兰州分院合并,成立国立兰州大学。1952～1954年调整为文、理科综合大学。1978年以后学校发展迅速,涵盖理学、工学、农学、文学、历史学、经济学、哲学、法学、教育学、管理学、医学等11个学科门类。学校设有物理科学与技术、化学化工、资源环境、生命科学、信息科学与工程、草地农业科技、大气科学、经济、管理、医学等28个学院。有76个本科专业,5个博士、硕士学位授权一级学科,138个硕士学位学科专业,6个专业学位授权点,46个博士学位学科专业,10个博士后科研流动站。有6个国家重点学科,1个国家重点实验室,2个国家人文社科研究基地,6个国家基

兰州大学教学楼
中国大百科全书出版社供图

础科学研究与教学人才培养基地。学校有专任教师(科研)人员1 360人,其中教授317人,副教授429人,中国科学院及中国工程院院士8人。各类在校学生48 378人,其中本科生18 114人,博士生1 106人,硕士生5 846人。图书馆藏书240万册。校园面积259.2万平方米(含8个校区)。出版物主要有《兰州大学学报》、《高等理科教育》、《草业学报》等。

Lao Cai　老街　越南西北部的木材贸易城镇。地处越中边境红河、蒂河汇流处,距河内260千米。镇内有一电石工厂。因处在从海防通往中国云南省的铁路线上,为战略要地。

Lao-chün　老君　参阅 **Laozi** 老子。

Lao-ho-k'ou(China)　参阅 **Laohekou** 老河口。

Lao Issara　老挝伊沙拉　即“自由老挝”。老挝反抗法国殖民统治的政治运动,1945年建立。日军于1945年撤出老挝后,老挝掌权的上层人士就是否恢复法国管辖的问题发生分裂。国王欢迎法国返回,而总督佩差拉亲王及其兄弟苏冯纳·富马和苏发努冯要求完全独立,他们都是非共产党的“老挝伊沙拉”的著名人物。1949年“老挝伊沙拉”因仅允许老挝在法兰西联盟内获得有限的独立而发生分裂,其中一派成为巴特寮。

Lao language　老挝语　又称寮语,为东南亚傣语诸语言的一种,也是老挝官方语言。老挝语的词形式一般为单音节,用声调来区别发音相同的词的词义。也有一些复音节词,大部分借自巴利语(与梵语有关的佛经语言)和柬埔寨语。文字则源自柬埔寨文字,最终溯源天城体字母。

Lao Mountain　崂山　中国黄海沿岸名山。位于山东半岛西南部,青岛市区的东北,距市中心约30千米。古称劳山、牢山,又称辅唐山、鳌山。南临黄海,东濒崂山湾。面积约400平方千米。主峰“崂顶”,又称“巨峰”,海拔1 133米。崂山形成于太古宇,山体由灰黑色花岗岩组成。山势险峻,雄奇壮阔,古有“神仙之宅,灵异之府”和“泰山虽云高,不如东海崂”之赞。崂山海山相连,气候宜人,名胜荟萃,为著名游览避暑胜地。秦始皇、汉武帝曾先后慕名登临,李白、苏轼、蒲松龄等有诗文记述。历史上崂山曾是道教重要的道观地,太清宫、上清宫、明霞洞、华楼宫等历千年而犹存;华严寺、白云洞、狮子峰、潮音瀑、蔚竹庵、龙潭瀑等亦为山间胜迹。崂山花岗岩坚固美丽,适于建筑;崂山矿泉属低温泉,品质优良,名扬中外。

Lao She　老舍(1899-02-03,中国北京～1966-08-24,北京)　中国现代小说家、剧作家。原名舒庆春,字舍予。老舍是他常用的笔名。满族。苦难的童年和熟悉下层市民生活是他创作的源泉。中学时代即受五四新文学影响,用白话文写作。1924年去英国,在伦敦东方学院教中国语文时写成长篇小说《老张的哲学》(1926)、《赵子曰》(1927)《二马》(1929),开始文学生涯。作品以文笔幽默轻快见称。1930年写童话《小坡的生日》,表达对被压迫民族的同情。回国后在齐鲁大学、山东大学任教,讲授《文学概论》、《欧洲文艺思潮》等。1932年创作长篇小说《猫城记》,以寓言形式讽

中国大百科全书出版社供图

刺国民性的病态。次年作《离婚》,是其创作走向成熟的标志。其后有短篇小说集《赶集》(1934)、《樱海集》(1935)、《蛤藻集》等,还有中篇小说《牛天赐传》(1934)、《我这一辈子》(1937)。创作于1936～1937年的《骆驼祥子》写一个人力车夫的悲惨一生,作品一问世就轰动文坛,1939～1949年间共出8版。这是部享誉文坛的小说,也是老舍的代表作,后被译成英、法、日、俄等多种文字。抗日战争期间到武汉、重庆,领导中华全国文艺界抗敌协会,为团结文艺界抗战作了大量工作。曾用各种形式写通俗文艺作品宣传抗日。著有话剧《残雾》(1940)、《张自忠》(1941)、《国家至上》(1943年与宋之的合作)、《归去来兮》(1943),还有《面子问题》(1941)、《桃李春风》(1943)等,并写有长诗《剑北篇》(1942)。之后著有长篇小说《火葬》(1945)以及他的最重要的作品之一《四世同堂》(1944～1946)。《四世同堂》真实生动地描写了日军占领下北平人民的悲惨遭遇与

民族意识的觉醒和抗争。1946年受邀赴美国讲学。1949年回国后，曾任中国文联副主席、作协副主席、北京市文联主席，多次当选为人大代表、政协委员。其后他的创作由小说转向戏剧。1950年有《方珍珠》问世，次年写《龙须沟》，获“人民艺术家”称号。1953年出版《春华秋实》，1956年有《西望长安》，1957年创作的《茶馆》是老舍剧作的最高成就，是现代中国话剧的经典之作，在欧洲等地演出，获得很高评价。其后还有话剧《女店员》(1958)、《全家福》(1959)、《神拳》(1961)等。1961～1962年间写了他的最后一部小说《正红旗下》。老舍是中国现代文学中市民社会的杰出表现者与批判者，是位富有“京味”特色的语言大师、幽默大师。他的作品被译成20多种文字，在国外享有声誉。1966年文化大革命开始，受到极左分子的污辱迫害，投湖自尽。老舍一生写有上千部(篇)作品，70年代末对老舍作品搜集整理的工作引起普遍注意，陆续出版有《老舍诗选》(1980)、《老舍小说集外集》(1982)、《老舍论剧》(1981)，以及16卷《老舍文集》。

Lao-tzu (Chinese philosopher) 参阅 **Laozi 老子**。

Laoag 拉瓦格 菲律宾吕宋岛西北部城市。在不能通航的拉瓦格河北岸，距河口不远。为吕宋岛北部最大城市和农产品贸易中心及渔业基地。有仓库、批发商店、几家香烟工厂。有良好公路和港口，通泛菲公路干线。有机场。人口约94 466(2000)。

Laocoön 拉奥孔 希腊传说中一位先知和阿波罗神的祭司；特洛伊人阿革诺耳的儿子。一说他是安喀塞斯(英雄埃涅阿斯的父亲)的兄弟。拉奥孔违反了自己要保持独身的誓言而生儿育女，因此触怒阿波罗。当拉奥孔正准备把一只公牛作为牺牲放到祭坛上献给海神波塞冬时，他和他的双生子安提法斯和苏姆布莱厄斯(也叫美兰苏斯)被阿波罗派来的两条大海蛇波尔凯斯和卡里波亚(或库里西亚或佩里波亚)缠死。对他加以惩罚的另一理由是，他曾经警告特洛伊人不要接受希腊人留下来的木马。表现这一传说最著名的作品是维吉尔的《埃涅阿斯纪》(卷二)和由罗得城的雕刻家阿盖桑德尔、波律多洛斯和雅典诺多罗斯三人合作的拉奥孔雕像(大约属公元前2世纪)，此像现藏梵蒂冈博物馆。

Laodicea 劳迪塞亚 亚洲西部几个城市的古名，这几个城市大都是在公元前3世纪由塞琉西王朝的几位统治者所始建或重建，该王朝国王塞琉古一世之母名劳迪塞，又国王安条克一世之女(或侄女)、安条克二世之妻也都名劳迪塞，城名分别由此二人之名而来。这些城市始建时为新辟或改建的商道上的商业中心，抑或为塞琉西帝国安抚疆土所需的要塞，它们对于西亚的希腊化发挥了促进作用，日后又对基督教在该地区的传播作出了贡献。几个同名城市中最重要者是吕昆的劳迪塞亚——在今土耳其共和国代尼兹利附近。该地的教会是圣约翰写《启示录》所针对的7个教会之一。滨海劳迪塞亚——今阿拉伯叙利亚共和国拉塔基亚——是主要港口。

Laoet (Indonesia) 参阅 **Laut Island 劳特岛**。

Laohekou 老河口 又拼 Lao-ho-k'ou。中国湖北省县级市。位于省境西北部，汉江中游北岸。面积1 032平方千米。西汉为鄼、阴二县。宋改光化县，取“光大王化”之意。明末清初为新镇。清雍正三年(1725)定名老河口镇，因地处汉江故道之口而得名。1948年和1951年曾两次设市。1952年改为光化县辖镇。1979年复设市。1983年光化县撤销，并入老河口市。有大理石、石灰石、型砂、煤等矿产。是中国优质小麦商品粮生产基地。经济作物有烟草、芝麻、花生等。土特产有六股泉稻米、仙人渡萝卜、烟草、麦冬、半夏。名胜古迹有六股泉、五座坟、马头山、中山公园等。人口510 000(2005)。

Laoighis 莱伊什郡 又拼 Laois 或 Leix。爱尔兰伦斯特省的郡，原名女王郡。面积1 719平方千米。首府是莱伊什港。大部分地区是布卢姆山和卡斯尔科默高原之间的低地。1/3以上居民住在城镇和村庄。大多数农庄占地28～32公顷。约3/5土地是永久性牧场，农田和沼泽各1/5。主要作物有小麦、大麦和甜菜(卡洛糖厂的原料)。肉牛饲养是收入来源之一。布卢姆山饲养绵羊，发展起林业。波塔灵顿有木材加工厂，芒特梅利克有熏肉厂，莱伊什港有毛纺厂，阿比莱克斯有制药厂。19世纪初建大运河支渠连接波塔灵顿和芒特梅利克。从都柏林通往科克的铁路干线经过波塔灵顿。人口约58 732(2002)。

Laojunmiao 老君庙 古地名。属中国甘肃省玉门市辖地。玉门市老市区。位于省境西北部祁连山北麓，河西走廊西段的石油河畔。原是荒凉的冲积洪积扇戈壁滩，仅有破庙一座。1939年开发油田称老君庙油田，后出现居民点。它是中国第一个石油基地，1938年由中国地质学家孙建初等考察并筹资勘探，1939年钻井出油，1941年正式投产，并在此设玉门县老君庙镇。1949年以后油田迅速发展，现已建成现代化的石油城。1959年撤销玉门县，改名玉门镇，同时撤销老君庙镇，老君庙在2003年前曾为玉门市政府所在地。是中国石油勘探、开采和冶炼人才的培训基地。有铁路在玉门东镇与兰新铁路接轨，公路四通八达。工业有石油开采、冶炼和化工等。人口163 916(2000)。

Laomedon 拉俄墨东 传说中的特洛伊国王和波达尔凯斯的父亲。波达尔凯斯就是后来著名的特洛伊国王普里阿摩斯。阿波罗和波塞冬为拉俄墨东建成特洛伊城墙之后，他却拒绝支付工钱。众神于是降下一场瘟疫和一个海怪去蹂躏该地，国王只有把女儿赫西俄涅献出来，才能解救。希腊英雄赫拉克勒斯这时恰好在特洛伊，他杀死海怪，救出这位少女，谈妥的条件是拉俄墨东应把自己的神马送给他。后来拉俄墨东拒不实践前言，赫拉克勒斯于是率领一队战士返回，攻陷特洛伊，杀死了拉俄墨东和他的众子，只留下一个普里阿摩斯。拉俄墨东被埋葬在斯凯阿门附近。据传说，只要他的坟墓不受破坏，特洛伊城墙就始终攻打不破。

Laon 拉昂 法国北部皮卡第大区埃纳省省会、城镇。位于兰斯西北，巴黎东北。景色如画的旧城建在俯瞰新城的小山上。新城建在低于小山100米的四周平原上。火车站和

拉昂博物馆花园内的八边形礼拜堂
美国不列颠百科全书公司供图

主要工业设在新城。旧城的拉昂大教堂于12世纪下半叶开始建筑，1235年竣工。大教堂的一侧是13世纪的隐修院，另一侧的隐修院有一个哥特式大地下厅，现为医院。主教宫现为法院，内有12世纪的礼拜堂。拉昂博物馆收藏有罗马时代和中世纪的珠宝以及勒南三兄弟(他们都在拉昂出生)17世纪的画。博物馆花园内有12世纪的八边形礼拜堂。旧城有纪念出生于拉昂的探险者J.马凯特的纪念碑。拉昂战略地位重要。罗马曾在此筑堡设防。5世纪末建立主教管区。直到文艺复兴时期仍保持着其宗教和文化中心的地位。百年战争(1337～1453)中，城镇几次易手，最后被法国国王夺取。1790年法国大革命中撤销主教管区。1870年德国人入侵，一位工程师点燃弹药库，死亡500人并使大教堂遭到破坏。第一次和第二次世界大战中都被占领，新城于1944年受到严重破坏。现为小工业中心。主要工业有金属铸造、印刷、水暖器材和塑料等。人口27 050(1999)。

Laos 老挝 全称老挝人民民主共和国。位于东南亚印度支那半岛中部的内陆国家。国土最长处自西北到东南约1 050千米，最宽处自东到西470千米。北邻中国，东北和东与越南交界，南接柬埔寨，西连泰国，西北邻缅甸。湄公河形成该国与缅甸之间的边界，同时也形成与泰国之间的大部分边界。首都万象。面积236 800平方千米。人口约5 777 000(2002)。

土地 老挝为多山国家，境内90%以上的土地在海拔180米以上。地形明显分为两个部分。北部山脉较多，并被河流切割成西北—东南走向的深谷。有几座海拔约1 500米的山脉。全国最高峰普比亚山，高2 818米。位于川圹高原上的查尔平原，具有重要的政治及战略地位。海拔1 500～2 400米的安南山脉是老挝东部与越南之间的天然屏障，老挝南部除安南山脉之外，其余地区海拔较低。安南山脉沿东部边界延伸。老挝西部边界的大部分由湄公河构成，为老挝经济生活的中心地带。海拔约1 100米的波罗芬高原位于南部。老挝仅有的低地区位于湄公河东岸一带，肥沃的泛滥平原使低地区成为该国主

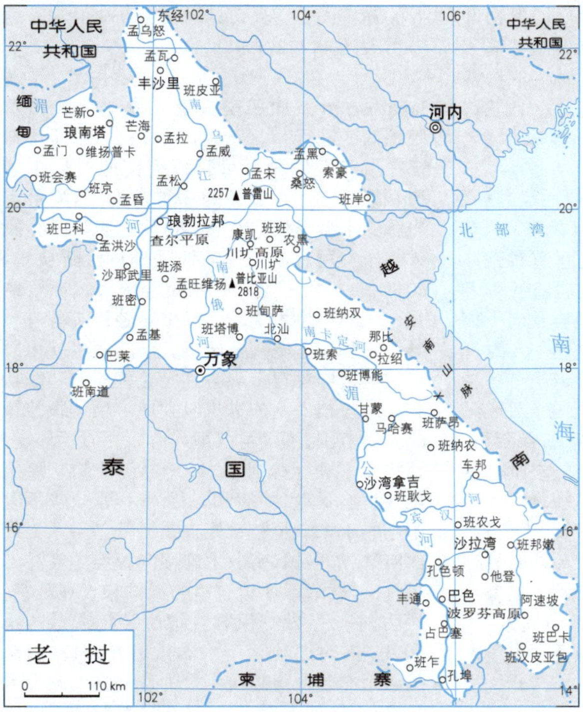

美国不列颠百科全书公司供图

要的水稻产地。

老挝属亚热带季风气候，5～10月为雨季，11～4月为旱季。12～2月天气凉爽，平均气温为16～24 ℃，但3、4月份的气温则超过32 ℃。低地区年降雨量在1 500～1 700毫米之间，波罗芬高原为4 100毫米。

老挝只有约4%的土地适合农耕。稻米为主要农作物，约1/3的稻田可得到灌溉。热带森林覆盖国土面积的一半以上，北方主要为阔叶常绿林（包括橡、松、木兰和丹桂）南方为落叶季风林（包括柚木、黄檀、乌木、檀香和竹）。野生动物有虎、象、豹、长臂猿和水牛。

老挝有多种矿物蕴藏，但大量开采的只有锡、石膏和岩盐。锡的储量有限。其他矿藏有煤、铁、铜、金、钾碱、铅、锌和宝石。虽然许多河流具备蓄水及水力发电的潜力，但尚未被广泛开发。

人民 老挝有4个主要民族语言群体。佬鲁族（谷地老挝人）讲寮傣语，住在低地区、城市和湄公河沿岸。佬鲁族约占老挝总人口的2/3。佬傣族（部落傣族）分为黑傣和红傣（由妇女所着服装的颜色而得名）遍布全境，住在较高地区的人数最多。佬听族（山地孟-高棉族）据信是本地最早居民的后裔，分布在老挝全境及邻近各国。佬松族包括苗人和傜（尧）人，可能是18世纪后期由中国南方移居而来。华人和越南人等少数民族一般住在城市。

约有3/5的人口信奉上座部佛教，佬听族信奉万物有灵，还有一小部分人信奉基督教。华人和越南人等少数民族信奉大乘佛教及儒家学说。老挝语为官方语言；城市中的高层人士也讲英语、越南语和法语。

由于约1/10的人口逃往邻近的泰国，自1975年以来政府一直努力增加老挝的人口。人口出生率一直居高不下。总人口中约2/5以上不足15岁。过去很高的人口死亡率在80年代大幅度降低。

约有一半人口住在低地区，从事水稻种植。仅有1/5的人口住在城市地区。该国4座最大城市均位于湄公河畔，其中包括琅勃拉邦（前王都）和万象（该国最大城市和主要商业中心）。

经济 老挝是世界上最贫穷的国家之一，属发展缓慢的中央计划经济，主要依靠农业和国际援助。人均国民生产总值居世界最低之列。

农业占用约3/4的劳动力，主要出产稻米。1975年（共产党）巴特寮掌权以后，全部土地实行国有化，政府鼓励推广农业合作。但在90年代初，政府开始采取措施使经济自由化，例如恢复以家庭为基础的农耕，允许外国投资。农民可以在自由市场上出售稻米；由于收购价格较高和降低农业税，卖给国家的稻米数量猛增。但稻米产量常常不能满足国内需求，部分要从泰国进口。甘薯、甘蔗、木薯、马铃薯、菠萝、玉米、香料、咖啡、药用油、烟草和棉花的产量亦很可观。鸦片为老挝北部（“金三角”中的老挝部分）重要的经济作物。另外，还饲养猪、水牛和牛。林业和渔业也是该国经济的组成部分。自池塘和湄公河捕捞到的鱼是老挝人日常摄取蛋白质的主要来源。

万象为农产品及国内原料（木材最为重要）加工中心，其他地区的制造业微不足道。老挝工业规模很小，主要集中在食品加工、锯木、建筑材料和一些轻工业消费品上。手工艺品制造业也很重要。电力几乎全部依靠水力发电。南俄河水电站发电量的绝大部分输往泰国，是老挝外汇的主要来源。木材、咖啡、锡和石膏也是重要的出口商品。老挝的大部分对外贸易，包括食品、燃料和制成品的进口，均需经由泰国转运。主要贸易伙伴有泰国、日本、中国。一直存在巨大的贸易赤字，靠国外援助来弥补。

政体与社会状况 老挝是由唯一合法政党老挝人民革命党统治的共和国。在20世纪80年代末和90年代，该党效仿越南，一方面开展经济改革，同时紧握政权不放。1991年的宪法规定成立国民议会。由主席（国家元首）和在总理领导下的部长会议行使行政权。总理也是党的主席。老挝人民革命党挑选公职人选。该党的结构与其他共产党的结构相似，最高决策机构为中央委员会的政治局。陆军构成武装力量的最主要部分。老挝一直接受越南的军事援助。

平均预期寿命约为50岁，反映出该国卫生状况很差。将医疗及公共卫生服务扩展到偏远地区一直是政府优先考虑的事情。疟疾、流行性感冒、痢疾、肺炎是当地主要的疾病，人民普遍营养不良。识字率虽有所增长，但仍然偏低，仅为84%。教育系统包括5年小学、6年中学和技术学校。传媒均由政府控制。

文化生活 老挝文学以宗教题材为主，并与佛教传统密切相关。亦有根据印度史诗用通俗语言改写而成的世俗文学。

老挝有多种民间工艺，包括编织、编篮、木刻、牙雕以及金器和银器。专业舞蹈团的演出大多取材于印度史诗。

历史 老挝人本为傣族的一支，公元8世纪以后从中国南方迁入，逐渐取代如今称作卡族的土著部族。12～13世纪芒斯瓦国（后称琅勃拉邦）建立。14世纪，法昂在吴哥高棉王朝的帮助下，建立了老挝第一个王国澜沧王国。除1574～1637年间受缅甸统治外，澜沧王国一直统治着老挝。1713年老挝分裂成万象、占巴塞和琅勃拉邦三邦。18世纪老挝三邦统治者成为暹罗的属臣，向暹罗国王进贡。19世纪万象王昭阿努企图联合越南以摆脱暹罗人的枷锁，但未能成功。阿努兵败，万象成为暹罗的一个省。19世纪末，法国控制了湄公河以东暹罗的所有领土。20世纪初，老挝成为法国的保护国。

1945年3月，日本人赶走印度支那的法国人，并宣布老挝独立。第二次世界大战以后，法国重获统治权，但1946年法国承认在琅勃拉邦国王统治下的联合的老挝。1949年颁布宪法，老挝获准在法兰西联邦中享有有限的自主权。50年代初期，左翼的巴特寮（意为“老挝的土地”）运动在对抗法国的第一次印度支那战争中，与越南的越盟合作。战争结束时，巴特寮控制了老挝的两个省。

在1954年的日内瓦会议上，一个统一与独立的老挝成立，作为共产主义阵营的北越和亲西方的泰国（前称暹罗）之间的一个缓冲国。50年代，巴特寮一直在与右派和中间派争夺老挝的控制权。1962年第二次日内瓦会议促成了一个包括巴特寮在内的中立联合政府。此后，老挝逐渐卷入越南战争。巴特寮军队和北越结盟，为夺取政权与老挝政府军作战。

1973年停战协定签订，翌年成立了包括巴特寮和右派在内的民族团结临时政府。1975年，西贡和金边的两个反共政权垮台的同时，巴特寮控制了老挝，暴露出老挝共产党早已秘密存在的事实。老挝人民民主共和国成立。80年代期间，老挝继续与越南保持着密切关系，但到90年代初，越南在当地的影响已逐渐减弱。1989年老挝举行首次大选，1991年颁布了新宪法。到20世纪90年代中期，老挝开始经历迅速的经济增长。苏联的援助被来自日本、西欧、澳大利亚和多个国际组织（包括世界银行和国际货币基金组织）的援助代替。另外，邻国泰国成为老挝最大的外国投资来源。1994年，在湄公河上建起一座桥，连接泰国和老挝，促进了两国的贸易往来，标志着老挝在政治上的调整，疏远了其殖民时期和冷战时期的盟友越南。1997年，老挝终于实现夙愿，成为东南亚国家联盟（东盟）的正式成员。但是，在90年代末的亚洲经济危机中，老挝经济受到严重打击。经济严重依赖于经济援助和电力出口。为了实现经济多元化，政府大力发展旅游业。自从苏联解体以后，老挝的外交政策发生了巨大变化。官方仍然坚持马列主义，并表达了同两个社会主义邻国（越南和中国）的兄弟友谊。同时，老挝的经济已经开始依赖于来自西方和日本的援助。在21世纪来临之时，老挝的守旧政治势力继续鼓励与越南建立更亲密的关系，更年轻的一代则更倾向于中国，而改革派则更愿意向泰国和西方国家看齐。

Laotian language　寮语　参阅**Lao language** *老挝语*。

Laozi　老子　又拼Lao-tzu。姓李名耳。中国先秦时期（公元前21世纪～前221）思想家、道家学派创始人。一说老子即老聃，楚国苦县（今河南鹿邑东）人。曾为周"守藏室之史"（管藏书的史官），孔子曾向他问礼，后隐退著《老子》。一说老子即太史儋，或老莱子。《老子》一书大致反映了老聃的哲学思想。老子提出"道"的观念，作为其思想体系的核心。认为"道生一，一生二，二生三，三生万物"，"道"是宇宙万物本原，否定天的最高权威，主

元代晋南道观壁画中的老子像（中）
多伦多皇家博物馆供图

张"不行而知"，人民"无知"，反对追求知识。反对儒、墨两派的道德观，认为真正道德是不追求道德，提倡柔弱虚静，减少私欲，知足不争。理想政治是无为而治，理想社会是"邻国相望，鸡犬之声相闻，使民至老死不相往来"的小国寡民社会。《老子》包含丰富的朴素辩证法因素。提出"反者道之动"，一切事物都有正反两面的对立，对立面互相转化。"祸兮福之所倚，福兮祸之所伏"正是生活中的朴素真理。《老子》学说对中国哲学有巨大影响，后来唯物、唯心两派都从不同角度吸取《老子》思想。

老子对道教影响深远。早在《后汉书·孔融传》中道教称老子为"老君"，《魏书·积老志》中称为"太上老君"。早期民间道教五斗米道、太平道奉老子为教主。其后道教尊老子为三清尊神之一。多种道教经典及老子传记如《老子变化经》、《老子化胡经》、《西升经》、《混元圣纪》、《犹龙传》等，对老子有各种神化说法，大致说老子以"道"为身，无形无名，生于天地之先，信于太清仙境，长存不灭。常分身化形降生人间，为历代帝王之师。伏羲时为郁华子，神农时为大成子、祝融时为广成子，等等。后汉以来，帝王多尊老子为神，如唐高宗封老子为"太上玄元皇帝"；宋真宗封老子为"太上老君混元上德皇帝"。道教主要经典如《正一经》、《云中音诵新科之戒》等都托为老君降谕。《老子化胡经》还说老子西行，令弟子尹喜化为佛陀教化胡人。此说引起道教与佛教的长期争论。

Laozi　《老子》　又称《道德经》、《老子五千文》。中国道家主要经典。是含有深邃思想的哲理诗。东汉（25～220）成书的《老子河上公章句》分为81章，前37章为《道经》，后

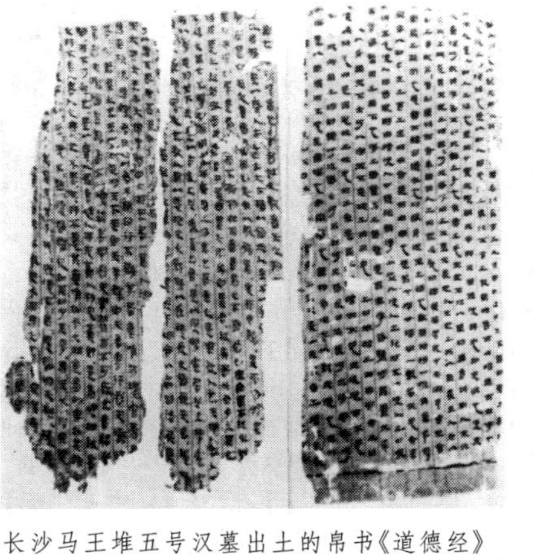

长沙马王堆五号汉墓出土的帛书《道德经》
中国大百科全书出版社供图

44章为《德经》，故称《道德经》。1973年湖南长沙马王堆汉墓出土帛书《老子》甲、乙本，都是"德经"在"道经"之前，和《韩非子·解老》篇章节次序一致。据此可知汉初《老子》有两种传本。帛书《老子》和通行本《老子》内容大同小异，文句有出入。帛书本有些文句胜过通行本，但也有若干明显错字。道教尊老子为教主，奉《老子》为主要经典，称为《道行真经》，赋予宗教性解释。除河上公注外，通行注本有三国时期魏王弼《老子注》。《老子》在世界上广泛流传，唐玄奘曾译为梵文。还有多种日文和英文译本。

Lapai　拉帕伊　尼日利亚中西部尼日尔州东南部城镇和世袭酋长国名。该酋长国1825年由富拉尼人创建，1908年并入尼日尔省。该镇地近古拉拉河。为当地格巴里和努佩人所产高粱、薯蓣、稻米、粟、牛油果、花生和棉花的销售中心。人口：城镇约6 039（1972），地方行政区88 172（1991）。

laparoscopy　腹腔镜检查　通过腹腔镜对腹腔病变进行直视诊治的程序。操作时，只需在腹壁上作一个可容腹腔镜通过的小切口。腹腔镜是内窥镜的一种类型，是配备有光源的小型光学望远镜，20世纪初就已经投入临床实用。最初它纯粹是一种诊断技术。60年代，妇科医生开始用腹腔镜做输卵管结扎一类的小手术。现代纤维腹腔镜装备有光导纤维和微型电视摄像机，这样，医生就可以通过电视屏幕直接观察到腹腔脏器的功能状态。这些技术上的进步极大地扩展了腹腔镜的应用范围，不仅可以用来诊断，而且可以在腹腔镜下进行直视手术，其中包括像切除阑尾、胆囊、子宫、肿瘤和疝修补术等一些不大不小的手术。腹腔镜检查属于低创手术。局部麻醉，加服镇静剂；术前须向腹腔内灌注二氧化碳气体，以便腹腔镜的操作和直观观察；然后，在腹壁做一仅容纤维腹腔镜通过的小切口。有时还须为手术器械另开切口，以满足手术需要。腹腔镜手术的优势在于减轻术后痛苦、加速术后康复、减少住院时间。

lapidary style　石雕体　书法的一体，专用于大理石或其他石雕，如罗马广场图拉真石柱上所用字体。铭文的文字可能事先刷在石板上作为石雕匠的字模，刻成之后，再进行着色或镀金，效果更显。石面所镌笔划明暗相间，益显雕工之精确。石雕体用方形罗马大写字母书写，优美严谨，达于极致。

lapiés　灰岩参差面　又拼lapiaz。喀斯特地区发现的风化石灰岩地面，它由被深沟所分隔的蚀刻状、凹槽状、坑窝状石芽组成。这种崎岖地面由含碳酸或腐殖酸的水沿岩石节理或易溶区溶蚀而成。尚不清楚它究竟是在裸露岩石上形成的，还是在土壤覆盖层下形成而后才露出地表的。溶沟的深度几毫米至几米不等。通常形成于倾斜岩层，石灰岩基底变得格外坚硬。

lapillus　火山砾　在火山爆发期间喷出的未固结的火山碎屑，其直径在4～32毫米之间。火山砾的组成中可能有新岩浆，有早期喷发的固结岩浆，还可能有喷发时穿过的基底岩石。增生火山砾是由火山灰或火山尘埃围绕潮湿滴的增积而形成的团粒；像水形成的冰雹那样，这些火山"雹子"被汹涌的上升气流携带着，几次穿过喷发云，就可出现同心环——有些环直径可达10厘米。

Lapin lääni（Finland）　**拉皮省**　参阅**Lappi** *拉皮*。

lapis lazuli　杂青金石　以其深蓝色而有价值的半贵重宝石。它是**群青（ultramarine）**颜料的来源。不是一种矿物，而是由青金石（参阅**sodalite**）染色的岩石。在杂青金石中除方钠石外，还常有少量的方解石和黄铁矿晶体；也有透辉石、角闪石、长石、云母、磷灰石、榍石和锆石存在。由于杂青金石是由不同成分

组成的岩石，所以其物理性质变化不定。通常产在结晶灰岩中，是接触变质的产物。最重要的产地是阿富汗西北部的巴达赫尚矿山及智利奥瓦耶矿山。许多作为杂青金石出售的原料是人工染色的德国产碧玉，它呈现出许多无色的斑点，这些斑点是纯净结晶石英而不是黄铁矿的金色斑点（为杂青金石特有且可以与天上的星星相比美）。

Lapita culture　拉皮塔文化　学术界推定的综合文化。据认为，美拉尼西亚的原始居民、多数玻利尼西亚和部分密克罗尼西亚的原始居民，都属于这一范畴，其时间约在公元前1600～前500年之间。这个文化的名称，源于新喀里多尼亚考古遗址拉皮塔，当地出土的一种粗陶器，最早得到学术界的广泛调查与研究。拉皮塔民族原来生活在新几内亚或奥斯特罗尼西亚某些其他地区，流动性强，善于航海，向外移民，约在前2000年定居于新几内亚东北部后世所称的俾斯麦群岛上。约在前1600年，拉皮塔人分布到所罗门群岛；在前1000年前后，到达斐济、汤加和玻利尼西亚西部其余地区；在前500年左右，就分散居住在密克罗尼西亚。拉皮塔人主要因其粗陶器遗存才为人们所知。粗陶有宽口容器、锅、碗等。许多出土陶器碎片饰有几何图案；图案是用一种齿形工具刻画在尚未烧制的陶胎上的。考古发掘还发现饰有人物图案的少量陶片。拉皮塔陶器见于新几内亚向东至萨摩亚这一片地带。拉皮塔文化的其他人造器物还有鱼钩、黑曜石片、黑硅石片、贝壳珠子及指环等物。拉皮塔人大概曾是娴熟的水手和航海者，虽不完全以沿海捕鱼为生，但海产是其主要生活所需。他们可能也有少量的家庭农作和牲畜饲养，但这方面的考古遗存是残缺不全的。

Laplace, Pierre-Simon, marquis de　拉普拉斯（1749-03-23，法国诺曼底博蒙昂诺日～1827-03-05，巴黎）　法国数学家、天文学家和物理学家。因研究太阳系稳定性的动力学问题被誉为法国的牛顿。青年时即显示出数学才能，经数学家J.达朗伯的推荐，18岁时到巴黎，在军事学校任教，从此走上了数学研究的道路。1773年他着手把牛顿引力学说应用于整个太阳系。他探讨了土星轨道为什么连续膨胀而木星轨道则不断收缩这个特别困难的问题。他还发现了行星平均运动的不变性，并证明为偏心率和倾角的3次幂。1773年成为科学院副院士。拉普拉斯致力于研究行星之间的摄动。1786年证明行星轨道的偏心率和倾角总保持很小和恒定，能自动调整，即摄动效应是守恒和周期性的，既不会累积也不会消解。1787年他发现月球的加速度同地球轨道的偏心率有关，从理论上解决了太阳系动态中观测到的最后一个反常问题。1796年，他的著作《宇宙体系论》问世，书中提出了对后世有重大影响的关于行星系起源的星云假说。1798～1827年间，他发表《天体力学》5卷集，总结了他把数学和引力定律用于天文学所取得的成果。1812年发表了重要的《概率分析理论》一书，两年后又为一般读者撰写了《概率的哲学导论》。他曾任法国经度局局长，并在拿破仑政府中作过6个星期的内政部长。

Laplace transform　拉普拉斯变换　数学中对解微分方程特别有用的一种积分变换。它通过无穷积分把一类函数 $F(t)$ 变换为另一类函数 $f(p)$。

$$f(p) = \int_0^{\infty} e^{-pt} F(t)\,dt,$$

简记为 $f(p) = L\{F(t)\}$，反变换记为 $F(t) = L^{-1}\{f(p)\}$，整个变换决定于*核*（**kernel**）$K = e^{-pt}$，其中 p 是指数参数，即在积分过程中是常数，积分之后是变数（积分值依赖于它）。拉普拉斯变换有许多应用，例如用于解常系数线性微分方程，或者研究*边值*（**boundary values**）问题。这些问题通常来自与物理系统有关的演算。解这类问题早期获得显著成功的是英国物理学家与工程师O.亥维赛，他发展了一套所谓“运算微积”的算法。参阅**Fourier transform；integral transform**。

Laplace's equation　拉普拉斯方程　以法国数学家、天文学家P.-S.拉普拉斯命名的二阶偏微分方程。它在物理中有广泛的应用，因为它的解 R（是调和函数）出现在电、磁、引力位势、稳态温度以及流体动力学等各方面的问题中。拉普拉斯方程可表述为：未知函数 R 的二阶偏微商之和为零。在直角坐标中它的形式是

$$\frac{\partial^2 R}{\partial x^2} + \frac{\partial^2 R}{\partial y^2} + \frac{\partial^2 R}{\partial z^2} = 0。$$

方程的左边常记为 $\nabla^2 R$，符号 ∇^2 称为拉普拉斯算子。很多物理系统用球坐标或柱坐标来描述更方便。在这些坐标系中拉普拉斯方程可重新改造。例如，在柱坐标中拉普拉斯方程为

$$\nabla^2 R = \frac{\partial^2 R}{\partial r^2} + \frac{1}{r}\frac{\partial R}{\partial r} + \frac{1}{r^2}\frac{\partial^2 R}{\partial \theta^2} + \frac{\partial^2 R}{\partial z^2} = 0。$$

Lapland　拉普兰　芬兰语作Lapi或Lappi。瑞典语作Lappland。北欧地区。大部分在北极圈内，从挪威、瑞典和芬兰的北部伸展到俄罗斯的科拉半岛。西接挪威海，北濒巴伦支海，

拉普兰地区驯鹿皮帐篷下的拉普人
美国不列颠百科全书公司供图

东临白海。拉普兰全境地势大不相同。西面是科伦山脉（高达2 000余米）北段。山脉的挪威一侧（西侧）坡度甚大，形成峡湾和海岬并断裂成群岛；而山脉的东侧（位于瑞典的拉普兰省，参阅**Lappland**）坡度较缓，形成点缀有一些指状大湖泊的广阔的山麓地区。再向东为拉普兰的芬兰部分（参阅**Lappi**），地势较低，有许多泥塘和小型湖泊。拉普兰的挪威部分大多开阔而受大风侵袭，仅在避风地带和屏障较好的内地有林木生长。拉普兰的南部和中部为泰加群落（或沼泽针叶林）地带。再往北以及海拔较高之处不再有松和云杉，而是生长有低矮的白桦、灌木和地衣的冻原。土著居民为*拉普人*（**Lapp**），在此居住已有数千年。许多拉普人现已过定居生活并与斯堪的纳维亚人和芬兰人通婚。

Lapland（province，Finland）　**拉普兰**　参阅**Lappi** *拉皮*。

Laplandsky Nature Reserve　拉普兰自然保护区　位于俄罗斯西北部，科拉半岛西部，伊曼德拉湖西面。为进行自然科学研究而建立。面积161 300公顷。建于1930年，以保护驯鹿的生息地。保护区内有平原和低山，多沼泽、湖泊、冰川地貌和裸露的波罗的海地盾结晶岩。植被以松树、冷杉和苔藓为主。还有地衣苔原和稀疏的白桦林。野生动物有海狸、麋、棕熊、灵猫、貂鼠、水獭、狼獾以及雷鸟、鹫、鱼鹰、松鸡、西伯利亚山雀和榁鸟等。1931年和1958年先后引进麝鼠和美洲水貂。保护区现被用于对驯鹿、毛皮兽和鱼类进行研究。

Lapp　拉普人　挪威、瑞典和芬兰的北部及俄罗斯科拉半岛北部的土著居民。他们的语言主要有3种，都称为拉普语，属于乌拉尔语系的芬兰-乌戈尔语族。不过，拉普人现在几

芬兰乌茨约基附近塔纳河畔的拉普渔民
美国不列颠百科全书公司供图

乎都会说两种语言，有很多人甚至于已经不说本族语。拉普人起源尚不清楚，某些学者将他们划为古西伯利亚民族；其他则认为拉普人原系山地居民，来自中欧，但其体型特征又不相同。芬兰的斯科尔特拉普人（或许还有俄罗斯的拉普人）是俄罗斯正教信徒；其他则多数是基督教信义会信徒。在非基督教的拉普人社会中，萨满教过去很盛行。现在大多数北部拉普人都信奉福音公理宗，强调苦行和悔罪。大概有2/3的挪威拉普人（差不多是全世界拉普人口的一半）是少有资产的海岸渔民；其他社区则从事农、林、淡水捕鱼、城市各行业雇佣和驯鹿饲养。近几十年来，饲养驯鹿的拉普人实行季节性放牧，不再游牧。拉普人、游牧民或放牧民今天都实行了货币经济，通常比渔民或农民富足。不过游

牧民的财富常常是在艰苦的生活条件下取得的。拉普人已经进入专门职业界、艺术界和学术界。有关拉普少数民族的问题现已引起关注;为保持拉普人的社会和文化,人们正敦促采取补救措施,如在学校使用拉普语(除本国语言外)教学,对驯鹿牧地加强保护措施等。各国还组成拉普协会,若干拉普语报刊以及广播也相继问世。参阅**Lappi**。

Lapp language 拉普语 属乌拉尔语系芬兰-乌戈尔语族,通行于芬兰、瑞典、挪威北部和俄罗斯的科拉半岛。拉普语有3种主要方言,互不相通,应该看作独立的语言。最大的方言是北拉普语,通行于芬兰、瑞典和挪威的最北部,约2/3的拉普人操这种语言。东拉普语通行于俄罗斯的科拉半岛,也通行于芬兰东部伊纳里人和斯科特人当中。南拉普语只有挪威中部、瑞典中北部的少数人使用。几近全部的拉普人都是操双语者,一般除拉普语外,还会所在国的官方语言。拉普语有些文学作品,也用于报刊中,但是在教育方面和政府机构里却很少使用它。其障碍在于正字法和文学语言不统一。拉普语虽然具有波罗的-芬兰诸语言(芬兰语、爱沙尼亚语、卡累利阿语等;参阅 **Finno-Ugric languages**)的许多特征,但却与其没有密切关系。从语言结构看,虽然句法受过斯堪的纳维亚诸语言的影响,但是语法却和芬兰语很相似。南拉普语的语音系统与其邻近的语言很不相同,特别表现在相关音量系统方面,即要求词干元音和辅音保持平衡,这个音长些,那个音就短些。拉普语词汇中有许多斯堪的纳维亚语借词及少数俄语借词。

Lappeenranta 拉彭兰塔 瑞典语作Villmanstrand。芬兰东南部屈米省城市,位于科特卡东北塞马湖南端。为中世纪主要贸易中心。1649年被芬兰的瑞典总督授予成立自治

拉彭兰塔市的塞马湖港口
美国不列颠百科全书公司供图

市的特许状。1743年签订《奥布条约》(图尔库)后,该市归属俄罗斯,至1812年又归属芬兰。名胜有矿泉浴场(1824)、木结构拉普式教堂(1791)和一所希腊正教教堂(1785)。该市是连接芬兰东部各城市、俄罗斯的维堡和圣彼得堡的铁路枢纽,也是塞马湖几条航线的主要港口。市区有国营硫酸厂、木材厂、石灰和水泥厂及金工车间。由于地处湖滨,风景优美,有矿泉浴场,辟为著名疗养胜地。人口约55 843(1994)

Lappenberg, Johann Martin 拉彭贝格 (1794-07-30,汉堡[德国]~1865-11-28,汉堡)德国档案馆长,德国和英国史的多产学者。他原想从事父业,在爱丁堡和伦敦习医;但在伦敦他产生了进入英国政界或从事外交职业的抱负。后在柏林大学和格丁根大学学习法律,但在重访英国后他认识到其抱负不可能实现。1823年返回汉堡,受聘为市历史档案馆保管员。他发表了大量文章,为汇编德意志早期的历史文献和德意志早期史协会档案作出了贡献。其间,他对汉堡档案及汉萨同盟史进行了勤勉不懈的研究。所著两卷本的《英国史》(1834~1837)到19世纪末一直是史学工作者的必备书。后任驻汉堡参议院的政府秘书,1850年代表故乡汉堡市出席法兰克福议会。

lappet 松毛虫 枯叶蛾科松毛虫属(*Tolype*)昆虫。包括茧形如卵的卵茧蛾及在树上织巨大的帐篷状网而群居的天幕毛虫。成虫粗壮,通常淡蓝灰色。翅展一般25~75毫米。许多种的触角羽状,体、足及眼上有毛。幼虫色艳丽,每节均有垂饰状突起,故英文名意为垂饰虫。常群集吐丝,包被树冠,毁坏林树、果树和观赏植物的叶子。落叶松毛虫(*T. laricis*)为害落叶松。多毛垂饰毛虫(*T. velleda*)为害苹果树、杨树和丁香花。

Lappi 拉皮 全称Lapin Lääni(拉皮省)。又称 Lapland(拉普兰)。芬兰北部省份。北接挪威,东连俄罗斯,西邻瑞典。陆地面积93 057平方千米,占芬兰总面积1/4以上,大部在北极圈内。境内有凯米河西南流注入波的尼亚湾;帕茨河北流注入巴伦支海。人口稀少,经济落后,主要有林业、水力发电、驯鹿饲养和夏季旅游业。省内有帕拉斯-欧纳斯山和莱门河两个全国最大的国家公园。重要城镇托尔尼奥和凯米均为波的尼亚湾的港口,省会为罗瓦涅米。1938年奥卢省一分为二时建省。人口约202 325(1995)。

Lappland (region, Europe) 参阅 **Lapland 拉普兰**。

Lappland 拉普兰 瑞典北部历史上的省。西部与挪威、北部与芬兰接壤。东邻北博滕省和西博滕省,南抵翁厄曼兰省和耶姆特兰省。现行政上属西博滕省和北博滕省。面积109 702平方千米,约为瑞典领土的1/4。人烟稀少。既有瑞典最高的山峰,又有起伏的丘陵,无际的平原,广袤的云杉、松、桦树林,狭长曲折的湖泊,奔腾的河流以及瀑布和冰川。有典型的极地气候。考古发现表明,早在石器时代此地就有人类定居。中世纪初期,拉普人在此放牧驯鹿。后来南方的瑞典人为其珍贵的毛皮所吸引将该地区置于其控制之下。采矿业始于17世纪30年代。铁路的出现和大规模矿产开发导致人口增长。现该省仍有数千拉普人,大多数人则为从瑞典其他地区迁至该地从事采矿和林业工作的移民的后代。有些铁矿的蕴藏量居世界前列。奔腾的河流被用于发电。作物生长期短,农业受到限制。主要农作物有马铃薯、大麦和黑麦。有萨勒克国家公园和大湖瀑布国家公园。阿比斯库、比约克利登和里克斯格伦森等地是

拉普地区游牧民族夏季放牧驯鹿用的泥炭小屋
美国不列颠百科全书公司供图

著名的冬季运动场所。有公路、铁路和航空线与外界相通。人口约112 717(1994)。

lapse, doctrine of 无嗣失权主义 印度史上,印度总督达尔豪西勋爵(1848~1856在职)所提出关于处理印度土邦继承问题的方针。它是最高权力原则的必然结果,英国根据这个原则,作为印度次大陆的统治力量,声称对印度各土邦拥有统治权,因而对它们的继承问题拥有管理权。根据印度教的法律,不论个人或君主,如无后嗣,可收养子,养子拥有亲生子的一切个人权利和政治权利。达尔豪西坚决主张这种收养必须由统治印度的英国当局批准,而且,如果未曾收养,则英国当局有权随意处理。实际上这就意味着不承认临终时的收养而英国可以吞并那些没有直系子嗣或收养子嗣的土邦,因为达尔豪西认为西方的规则优于东方的规则,并要尽可能执行。英国人在1848~1854年的短短6年间,就依靠这个主义吞并了印度的7个土邦。它们分别是萨达拉(1848)、杰伊德布尔和森伯尔布尔(1849)、巴格哈特(1850)、焦达乌代布尔(1852)、占西(1853)和那格浦尔(1854)。这种做法引起印度人的不满,造成1857年印度兵变和随后各处叛乱的因素。

lapse rate 温度直减率 又称温度垂直递减率。从地面向上实测大气温度的变化率。当温度随高度降低时,直减率为正;温度随高度不变时直减率为零;温度随高度增加(逆温)时,直减率为负。非上升空气的直减率通常称之为正常(或实际)温度直减率,它受辐射、对流以及凝结过程的影响,变化很大。直减率的平均值约6.5摄氏度/千米,它与绝热直减率不同,后者是温度因气块的上升或下沉而发生的变化。

绝热直减率通常还有干、湿之分。空气的干绝热直减率在压力和重力加速度不变时只与空气的比热有关。地球大气的干绝热直减率为9.8摄氏度/千米,因此,一个气块上升或下降5千米,温度将降低或升高49 °C。当一个含有饱和水汽的气块上升时,其中的一些水汽将凝结,释放的热量使气块冷却的速度慢于不含饱和水汽的气块。这种湿绝热直减率变化相当大。空气中水汽含量愈大,绝热直减率愈小;气块上升、冷却以及通过凝结失去其中水分时,气块的直减率增大并接近干绝热直减率。把大气正常直减率与干、湿绝热直减率作比较,就能确定大气的垂直

稳定度,即空气粒子在一小段垂直位移后回到其原始位置或加速远离其原始位置的趋向。因此,对气象学家来说,在做关于某些种类云的形成、雷暴的发生、大气扰动强度的预报时,直减率极其重要。

Laptev Sea　拉普捷夫海　俄语拉丁字母转写作 More Laptevykh。北冰洋的边缘海。位于俄罗斯西伯利亚北部海岸以外,西边以泰梅尔半岛、北地群岛为界,东边以新西伯利亚群岛、科捷利内岛为界。西连喀拉海,东连东西伯利亚海。原称西伯利亚海,为纪念首先勘测沿岸(1735～1740)的K.拉普捷夫与D.拉普捷夫兄弟,1935年命名为拉普捷夫海。面积约71.4万平方千米,平均深度578米,最深处2 980米。有大的海湾伸入海岸,多条河流入海,其中最大的河是勒拿河。几条河流形成广阔的三角洲。有几十个岛屿,主要在西部海域,地貌景观及成因各异。古代河流与冰川在海底地形与海岸线形成上很重要。海底是缓倾的平地,向北冰洋方向突然转折。深水部分海底覆盖着粉砂,较浅水部分则覆盖着沙和粉砂。在东边,薄层沉积物之下,有一层很古老的"残留冰"。至于盐度,冰雪融化与河流淡水注入可能是产生135厘米厚淡水层的原因。在冬季,东南海域盐度为20‰～25‰,北部达34‰,在夏季,东南部盐度降至5‰～10‰,北部降至30‰～32‰。一年中大部分时间海面覆盖冰雪,冬季常见暴风雪,夏季有雪雹和雾。1月平均气温-31～-34 °C,最低为-50 °C。7月北部平均气温仅略高于0 °C,南部约6 °C,最高时10 °C。在海岸最高气温可达24 °C。北部海域一年中有11个月气温在0 °C以下,南部海域亦有9个月气温是这样。冬季冰层以下水温,东南部为-0.8 °C,北部为-1.8 °C,深部地区-1.6～-1.7 °C。夏季在无冰区,薄层水温暖可达0 °C以上。河口人民靠捕捉鲑鱼及其他鱼类为生;海中哺乳动物有海豹、海象及北极熊。拉普捷夫海在北海航道上主要港口有季克西。主要运输货物有木材、建材、毛皮等。

Lapu-Lapu　拉普拉普　菲律宾马克坦岛西北部城市。隔保和海峡狭长水道,与宿务市相望。盛产椰子。为渔业中心。附近有国际机场及现代化港口设施和油库。1961年建市。人口约146 000(1990)。

Lapua Movement　拉普阿运动(1929～1932)　芬兰的法西斯主义运动。因1929年末有一个法西斯主义小组在拉普阿教区破坏共产党的集会,故名。这一运动源于世界经济大萧条,并受到意大利法西斯主义的影响,鼓吹反共,仇视苏联。1930年,该运动得到广泛的支持。1930～1931年操纵政府,迫使它宣布芬兰共产党为非法、取缔进步工会、压制自由言论。他们采取大示威、绑架、袭击报社以及其他的恐怖手段。1932年2月,他们企图发动武装政变。但是政府立即进行镇压,命令他们放下武器。1932年初,芬兰议会宣布取缔拉普阿运动及其军事组织。由于失去群众支持与经济援助,该运动终于瓦解。

lapwing　麦鸡　鸻形目鸻科的多种鸟类,尤指生活在农田和草原的欧亚麦鸡(凤头麦鸡,*Vanellus vanellus*),鸻类中最闻名的一种。有时泛指麦鸡亚科(Vanellinae)鸟类。麦鸡扑翼动作甚慢,故得其英文名。体长约30厘米。翅圆而宽。有几种具冠,有些具翅距(翅膀弯曲处的尖锐突出部,用于格斗)。欧亚麦鸡上体绿黑色,有光泽,颊白色,喉和胸黑色,腹部白色,尾白色有一条黑带;有明显的冠;繁殖于不列颠、欧洲大部、亚洲温带,直至中国东部;卵浅褐色,具黑斑,有商售者称鸻卵;冬季有些北方种类迁飞到南方,尤其是北非。另有约24种麦鸡分布于南美洲、非洲、南亚、马来西亚和澳大利亚。非洲的冕麦鸡(*Stephanibyx coronatus*)头顶黑色,有白色羽环围绕。南亚的红肉垂麦鸡(印度麦鸡,*Vanellus*[有时*Lobivanellus*] *indicus*)和黄肉垂麦鸡(马拉巴尔麦鸡,*V. malabaricus*)面部有肉垂。还有东亚的灰头麦鸡(*Microsarcops cinereus*)和非洲的长趾麦鸡(*Hemiparra crassirostris*)。

欧亚麦鸡(*Vanellus vanellus*)
美国不列颠百科全书公司供图

Lapworth, Charles　拉普沃思(1842-09-30,英格兰伯克郡法灵登～1920-03-13,伯明翰)　英国地质学家。建立了奥陶纪(5.05亿年前至4.38亿年前)地层。1864年在苏格兰的加拉希尔斯做教师,开始对南苏格兰高地早古生代岩层进行研究。利用笔石化石的分布来建立这些地层的层序,于1873年发表了一篇论文详细列举了他的发现,为在全世界范围内开展类似的地层学研究开辟了一条道路。1879年他提出:R.I.麦奇生认为是志留系下部、A.塞奇威克认为是寒武系上部的一套复杂岩层,实际上是一个独立的"系",提议把这套岩层叫作奥陶系。1881～1913年在伯明翰大学梅森学院担任地质学和地文学客座教授。1882年开始多次到苏格兰高地西北部的德内斯-埃里博尔地区旅行,对那里的主要地质特征进行详细的研究。1888年当选为皇家学会会员。

laque burgauté　螺钿漆器工艺　又拼 lac burgauté。装饰艺术中,在漆器的表面上,用闪光的蓝绿色贝壳制成一定形状的薄片,镶嵌成某种图案的东亚技法。这种贝壳镶嵌,有时采取雕刻方式,偶尔也和金、银并用。工艺非常精细,主要用于小型物件,诸如小盒、小型桌上屏风、瓶等,尤其是嵌有银丝的酒杯,普通是5件组成一套。螺钿工艺来源于中国,明朝(1368～1644)已有制作,清朝(1644～1911或1912)尤为流行。在德川(江户)时期(1603～1867),日本的工匠广泛采用这种工艺。在中国,这种工艺技术叫作螺钿,而在日本,则称之为青贝。至于西方,称之为石决明漆器。

约1700年的中国螺钿漆器圆盒(底部)
美国不列颠百科全书公司供图

L'Aquila　拉奎拉　意大利中部城市,阿布鲁齐地区首府和拉奎拉省省会,位于罗马东北,阿泰尔诺河滨的丘陵上。原由古代萨比尼人拓居。约1240年建立城市。1257年成为主教区。中世纪为重要地区中心。后属那不勒斯王国。1860年归属意大利王国。名胜古迹有雄伟的城堡(1535,辟有国家阿布鲁齐考古和艺术博物馆)、圣贝尔纳迪诺教堂(1454～1472,1527正面)和14世纪大教堂等。中世纪的城墙大部分尚存。还有许多宫殿,一所省立大图书馆和一家古代创立的市医院。拉奎拉为前往附近大萨索山区的主要出发地,是滑雪、避暑胜地。生产毛织品和无线电设备、砖、家具等,有农业和手工业。与罗马通公路。人口:城市区约69 839;省约303 839(2000)。

Lar　家神　特指古罗马宗教所崇奉的许多家庭护佑神。是家庭和家族崇拜的中心。其像多为青年男子,着短外衣,一手执容酒之角,另一手执酒杯。在罗马帝国时期的神像上,常有两位家神,分立在守护神维斯塔或另一神祇的两侧。社会的家神是国教崇奉的对象,其中有十字街神,护佑十字街及其附近地区。十字街神有自己的节日,称为十字街神祭。国家的家神称为护城神。护城神有其神庙和祭坛,位于萨克拉大街。

Lara　拉腊　委内瑞拉西北部州。面积19 800平方千米。地处丘陵地区,经常发生旱灾。依然从事自给性农业,但也种植可可、玉米、马铃薯、烟草、剑麻和咖啡。北部养山羊,普遍养牛。有少量矿业。委内瑞拉剑麻,几乎全部产于这里;麻袋和绳索加工为重要工业。有公路将州首府**巴基西梅托(Barquisimeto)**和其东北各主要城市相连接。人口1 491 940(1997)。

Lara, Brian　拉腊(1969-05-02,特立尼达坎塔罗～　)　全称 Brian Charles Lara。西印

度群岛板球运动员，当代体育界最著名的运动员之一。左撇子击球手，世界纪录保持者。有运动天赋，曾参加14岁以下年龄组国家足球队。1990年入选西印度群岛国家板球队，1994年两次创击球纪录：对英格兰队跑动得分375分，对沃里克郡队得501分。2004年以跑动得分400分超过2003年海登所创的380分纪录。他无疑是世界上最杰出的板球运动员之一。

Larache 拉腊什 阿拉伯语作El-Araish。大西洋港市。在摩洛哥北部，濒临卢库斯河口。古代的利克苏斯(相继为腓尼基人、迦太基人和罗马人拓居地)的遗址在河北岸东北

拉腊什市的拉西戈涅要塞(约1700)
美国不列颠百科全书公司供图

3千米处。1610～1689年和1912～1956年由西班牙人统治。现市区从港口延伸到沿岸高原。为农业和渔业中心。出口木材和羊毛。人口45 710(1971)。

Laramide orogeny 拉拉米造山运动 又称拉勒米造山运动。在晚白垩世和早第三纪影响北美西部大部分地区的一系列造山事件(白垩纪终于6 640万年前，紧接着是第三纪)。关于这次运动的证据，从墨西哥到阿拉斯加都有，但主要集中在：①科迪勒拉地槽东部，从内华达北部起，到加拿大西部的北落基山脉和北科迪勒拉山脉；②蒙大拿和怀俄明的中落基山脉；③科罗拉多和新墨西哥的南落基山脉；④亚利桑那南部、新墨西哥西南部和墨西哥北部。证据包括：①在科迪勒拉地槽东部，从内华达向北到不列颠哥伦比亚，是仅稍稍牵连到基底的、巨大的向东的逆冲断层和褶皱；②在中落基山脉和南落基山脉里是初期的垂直隆起及其在侧翼上形成的粗粒碎屑盆地沉积物和不整合面；③酸性深成侵入岩体，年龄在0.5亿年至0.7亿年范围内。体积比伴随内华达运动产生的深成岩体小得多，但在亚利桑那南部的那部分是例外。科迪勒拉地槽的拉拉米隆起的碎屑沉积楔状体向东散布到怀俄明和犹他两州的一些部分。拉拉米造山运动原来被认为是白垩纪和第三纪分界的标志，现在认为是多阶段的造山运动，其变形作用的强度和时代在北美西部因地而异。归属于拉拉米造山运动的事件，时间范围从晚白垩世起直晚到渐新世(渐新世为3 660万年前至2 370万年前)。然而，拉拉米的岩浆侵入则一般集中在白垩纪和第三纪的分界前后。

Laramie 拉勒米 美国怀俄明州东南部城市，奥尔巴尼县县城(1868)。东距夏延79千米，濒临拉勒米河，为梅迪辛博国家森林各林区所环绕(管理局设于拉勒米)。建于1868年修筑联合太平洋铁路时期，1874年设为市。1870年，美国第一次由有6名妇女参加的“混合”大陪审团在此参与审判而引人注意。幽默家E.威尔逊(比尔)·奈曾在此居住，1881年由他协助创办的报纸《拉勒米飞镖》现仍在出版。铁路、牛羊牧场、林业产品、水泥制造、旅游和怀俄明大学(1886)等都在当地占重要地位。市内有大学畜牧场，大学地质博物馆展有当地发现的恐龙化石。拉勒米市、拉勒米河、拉勒米平原和拉勒米山皆得名于法裔加拿大猎兽人J.拉勒米，约1819年他被印第安人在河上杀死。人口27 204(2000)。

Laramie Mountains 拉勒米山 美国怀俄明州东南部山脉。在落基山脉中段，是科罗拉多州的弗兰特山脉向北延伸部分。东南-西北走向，长200千米，宽约40～80千米。多处地方高度超过9 000英尺，最高点拉勒米峰海拔3 131米。南部低平，便于铁路和公路进入落基山区。拉勒米山为梅迪辛博国家森林的两个林区所环绕。

Laramie River 拉勒米河 美国科罗拉多州和怀俄明州河流。源出科罗拉多州北部罗斯福国家公园内的弗兰特山。北流进入怀俄明州，折向西北流经拉勒米市，出拉勒米平原和惠特兰水库注入北普拉特河。全长348千米。河水供应怀俄明州北部的灌溉工程。

Larbaud, Valery-Nicolas 拉尔博(1881-08-29，法国维希～1957-02-02，维希) 法国小说家和评论家。他是一位思想开阔、无狭隘地域偏见的博学之士，在文学上成为法国与欧洲，尤其是法国与英国和西班牙语国家间的中介人。家境殷实，一生都能在旅游和闲逸中度过。他的小说大都取材于个人的经历：《弗米娜·马尔凯兹》(1911)，一部有关青少年的小说，写一位漂亮的南美洲少女参观一所男校所产生的后果；《A.O.巴纳布特》(1913)是一位南美洲百万富翁的日记和诗歌，此人也是一位颇有教养和敏感异常的冒险家，经常出入于国际卧车和豪华旅店，实际上是拉尔博本人的化身。《儿童时代》(1918)是抒发对自己儿时生活的怀念。在描写男女私情的《情人，幸福的情人》(1923)中，作者运用了爱尔兰小说家J.乔伊斯的内心独白技巧。其他作品有取材于个人旅游经历的有随笔和感想，如《黄、蓝、白》(1927)和《罗马色彩》(1938)。他翻译过17世纪英国杂文家托马斯·布朗爵士、19世纪英国小说家巴特勒、美国诗人惠特曼以及J.乔伊斯的作品。他还著有两卷有关英国和法国文学的评论集。1952年获国家文学大奖。

larceny 偷窃 在刑法上，指怀着窃取的意图，非法拿取和携走他人的私人物品。偷窃是属于**盗窃(theft)**总类中的特定罪行之一。

larch 落叶松 松科落叶松属(*Larix*)植物。约10～12种，原产于北半球冷温带和亚北极部分地区。西藏红杉(*Larix griffithii*)仅见于喜马拉雅山地区。落叶松一如典型的

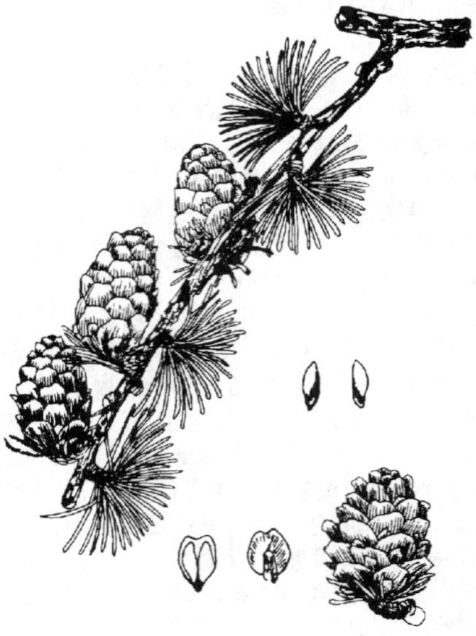

华北落叶松(*L. principis-rupprechtii*)

球果植物，植株呈金字塔形，但叶在秋季脱落。叶短针状，在新枝上螺旋排列，在老枝的短枝顶端轮生。每个短枝上有10～30枚柔软的淡绿色针叶。球果常在树上保留数年后整个落下。**金钱松(golden larch)**与之近缘，但球果成熟即脱落。东部落叶松(*L. laricina*)在北美分布最广。需100～200年方成熟。其小球果的苞鳞不外露于种鳞之外，树高12～30米，树皮灰色至淡红棕色。西部

东部落叶松(*L. laricina*)
美国不列颠百科全书公司供图

落叶松(*L. occidentalis*)原产北美西北部太平洋沿岸，苞鳞可露出种鳞之外。欧洲落叶松(*L. decidua* 或 *L. europaea*)原产于欧洲北部、中部和西伯利亚等地的山区，通常高24～42米；树皮红灰色，能提炼称为威尼斯松节油的澄明含油树脂。落叶松有几个栽培观赏种，常见的是日本落叶松(*L. leptolepis*)和垂枝欧洲落叶松(*L. decidua* var. *pendula*)。落叶松木材纹理粗疏，坚韧耐久，质重，用于造船和用作电线杆、矿柱和枕木。

Larche, Col de(French) **拉尔什山口** 参阅 **Maddalena Pass** 马达莱纳山口。

lard 猪油 肥猪的脂肪组织经过熬炼或熔化后得到的油脂。乳白色、质地如奶油的固体或半固体脂肪。为一种价值较高的烹调和烘焙用脂肪，通常经过分子重排或氢化改性后与其他油脂混合做成起酥油。猪油和起酥油中经常加入抗氧剂以防酸败。猪油也用于药剂和香料做成软膏和润发脂。因生产方法和所用动物的脂肪部位不同而异。蒸汽提炼或湿法提炼猪油是在压力下将蒸汽喷入盛有猪脂肪的密封容器中提制的。敞锅提炼或干法炼猪油(采用密闭系统)是在装有蒸汽夹套的容器中，把猪脂肪熔化，这种猪油的色泽较深；提炼后的残渣称油渣。中性猪油是用板油(取自猪腰子周围的脂肪)和背油在 49 °C 下熔制的。连续提炼过程包括碾碎、快速加热和离心分离。猪油组成随猪饲料不同而异，主要脂肪酸有油酸、棕榈酸、硬脂酸和亚油酸。猪油为洁净的无色油，是纯猪油在 7 °C结晶后，经压滤得到的；可作为润滑剂、切削油及用于制皂。固体残余物即猪油硬脂，可用作起酥油和提取饱和脂肪酸的原料。

Lardner, Ring 拉德纳(1885-03-06，美国密歇根奈尔斯～1933-09-25，纽约东汉普顿) 美国作家。他是美国最有才华和最尖刻的讽刺作家之一，还是一个擅长用日常语言写作的小说家。出身于富有家庭。在芝加哥装甲兵技术学院读了一学期后干过多种工作。1905 年任印第安纳州《南本德时报》记者，开始其写作生涯。后去芝加哥继续从事报业工作，以专门报道棒球比赛成名。1913～1919 年间为《芝加哥论坛报》撰写每日专栏《新闻追踪》；1919～1927 年间为贝尔报业辛迪加撰写每周幽默专栏。1914 年开始发表小说，写一个滑稽的棒球运动员杰克·基夫的短篇小说大获成功，其中有几篇收入选集《艾尔，你了解我》(1916)。1919 年移居纽约，写作范围扩大到棒球场之外。他的文集《怎样写短篇小说》(1924)首次引起评论界注意。他最优秀的一些短篇如《我同房的人》、《冠军》、《金色的蜜月》和《有人喜欢他们冷淡》收入 1924 年的选集。另一部选集《爱情之家及其他故事》(1926)收入著名短篇小说《与康拉德·格林共度的一天》和《理发》。在世最后 7 年患肺结核病，多次住院治疗，为维持家庭生活写过各式各样的作品。他与 M.科汉合写的《伟大的埃尔默》(1928)和与 G.S.考夫曼合写的《六月的月亮》(1929)曾在百老汇连续上演。他的讽刺自传《一个怪人的故事》于 1927 年出版。

Laredo 拉雷多 美国得克萨斯州南部城市，韦布县县城(1848)。位于圣安东尼奥西南 246 千米处，濒临格兰德河(有桥与墨西哥的新拉雷多相通)。1755 年建为渡口，1852 年设市。频遭印第安战争、边境盗匪和前往加利福尼亚金矿的冒险家们破坏达 200 多年。1836 年得克萨斯举行反对墨西哥的叛乱后，此处成为无人之地。1839～1841 年为短暂的格兰德河共和国首府。其住宅、教堂、钟楼和广场仍多具边城遗风。受西班牙和墨西哥文化及语言影响明显。经济基础复杂多样，包括旅游及大宗进出口贸易；为当地农业灌溉区、牧区、天然气和石油工业区的商业中心。产品有砖瓦、服装及电子元件。设拉雷多初级学院(1947)和州立拉雷多大学(1970)。人口：市176 576；拉雷多都会统计区 193 117(2000)。

large intestine 大肠 脊椎动物肠道的后端部分。典型的大肠由四部分组成：盲肠(**cecum**)、结肠(**colon**)、直肠(**rectum**)及肛管(**anal canal**)。大肠较小肠宽而短(人的大肠长约 1.5 米，而小肠长 6.7～7.6 米)，黏膜平坦。大肠的近侧 1/2 有来自小肠的各种消化酶，以完成消化过程，肠道内的细菌能产生维生素 B_{12}、B_1、B_2 及维生素 K 等。但大肠的主要功能为吸收食物残渣中的水分和电解质(在人类，这一过程通常需要 24～30 小时)，并储存粪质，然后将其排出体外。大肠有搅拌作用，能使消化吸收后的食物残渣逐渐与肠壁的吸收面相接触。集团运动(胃结肠反射)是一种进行性的更有力的驱动运动，每

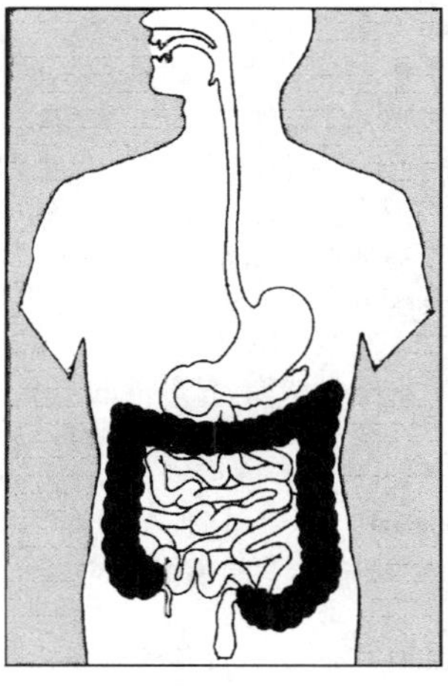

大肠

天仅出现 2～3 次，可将粪质推向肛门。草食动物的大肠一般较长。如蝌蚪主要以植物为食，其大肠长而盘曲；发育成蛙后即主要以昆虫为食，其大肠大为缩短。高蛋白质食物(如肉类)能迅速为小肠所消化，但消化粗硬的植物细胞纤维素却需要更多的化学作用和搅动，大肠以其缓慢的消化过程完成了这一功能。新生儿的大肠内没有能产生维生素 K 的细菌，维生素 K 缺乏会造成大量出血，故初生数周的婴儿食谱内应补充维生素 K。常见的大肠疾病有炎症(如结肠炎)、憩室病及良性或恶性肿瘤等。

large mouse-eared bat 大鼠耳蝠 褐色的蝙蝠(**bat**)种类。

Large White(breed of pig) **大白猪** 参阅 **Yorkshire** 约克夏猪。

Largeau(Chad) **拉若** 参阅 **Faya** 法亚。

Largillière, Nicolas de 拉日利埃(1656-10-10受洗，巴黎～1746-03-20，巴黎) 法国历史画和肖像画家，尤其擅长中产阶级的肖像画。当时大多数艺术家以古典样式为楷模，看重素描，但也有人转而追随鲁本斯注重色彩的风格，拉日利埃被看作是这方面的先驱者。他一生受人尊崇，1743年任皇家学院院长。

拉日利埃自画像
美国不列颠百科全书公司供图

Largo Caballero, Francisco 拉尔戈·卡瓦列罗(1869-10-15，马德里～1946-03-23，巴黎) 西班牙社会党领袖，第二共和国时期的杰出人物，1936～1939 年的西班牙内战爆发后不久，出任第二共和国总理。原为马德里的泥瓦匠，1894 年加入社会党，不久成为社会党工会联合会——工人总联合会(UGT)官员，晋升至该联合会主席 P.伊格莱西亚斯的首席助理。1917 年 8 月参加总罢工，被捕后判处无期徒刑。翌年因选入议会获释。1925 年接替伊格莱西亚斯任工人总联合会主席。1931～1933 年任西班牙第二共和国劳工部长，提出进步的劳工立法。1933 年大选后进入中右政府时期，但他更加左倾，号召进行社会主义革命，支持 1934 年 10 月流产的起义。1936 年 9 月人民阵线在大选中获胜，他出任总理兼国防部长，试图整饬军队纪律，努力在共和国战区树立政府权威。但共产党利用极左派在巴塞罗那举行的起义(1937-05-03～10)挑起内阁危机，他被迫辞职。1939 年流亡法国。第二次世界大战期间，他被德国人关进达豪集中营，战后在流亡中死去。

Laridae 鸥科 鸻形目的一科，包括鸥亚科(Larinae)的海鸥(**gull**)及燕鸥亚科(Sterninae)的燕鸥(**tern**)。

Lario(lake, Italy) **拉里奥湖** 参阅 **Como, Lake** 科莫湖。

Larionov, Mikhail Fyodorovich 拉里奥诺夫(1881-06-03，俄国敖德萨附近蒂拉斯波尔～1964-05-11，巴黎) 俄国出生的法国画家和舞台设计师。以其惊人而富有创造性的舞台美术和服装设计闻名，这是他在 1914 年以后作为佳吉列夫的俄罗斯芭蕾舞团的舞美设计师所取得的成果。约于 1910 年参与创立"雷戎派"的活动。他主要从事印象派立体

拉里奥诺夫绘《玻璃》(1909)
美国不列颠百科全书公司供图

风格的抽象设计,很好地协调了佳吉列夫剧团所发展的音乐舞蹈形式,体现在《夜半太阳》(1915)、《俄罗斯故事》(1919)、《爱开玩笑的人》(1922)和《狐狸》(1922)等优秀作品中。

Larissa 拉里萨 希腊拉里萨州首府和色萨利区主要城镇。濒临皮尼奥斯河。自9世纪以来即为主教驻地。古时为阿莱乌阿德部族的中心。公元前344～前196年为马其顿所统治。之后被罗马定为色萨利联盟的都城。曾先后被保加利亚、法兰克、塞尔维亚、土耳其人占领。1881年并入希腊王国。1941～1944年被德国占领。现为色萨利平原的农业中心,出产茴香烈酒和丝绸。有机场,铁路通沃洛斯和雅典。20世纪60年代,工业有所发展,建有大型糖厂和纸浆厂。人口:市102 426;州254 295(1981)。

Laristan 拉雷斯坦 伊朗法尔斯省东南部的广阔地区。位于波斯湾海岸和内陆分水岭之间。多山岭、小片高地和洼地。人烟稀少,居民为土耳其、阿拉伯和伊朗血统的游牧民族哈姆塞人。14世纪穆扎法尔王朝统治时期,该地区首见记载,14世纪后期穆扎法尔被帖木儿征服。1405年帖木儿死后,拉雷斯坦被萨非王朝(1501～1736)属下的一系列当地半独立酋长统治。最后一位酋长被阿拔斯一世(1587～1629在位)废黜并处死。是伊朗经济比较落后的地区之一。许多居民为谋生计远迁至马什哈德、德黑兰和霍拉姆沙赫尔。20世纪中叶的土地改革使游牧居民定居,农业生产增加,出产谷物和水果。有砖瓦制造和织毯业。主要城镇拉尔(Lār)位于海拔900米的平原上,平原的边沿是将城镇和波斯湾隔开的山脉。地当设拉子-阿巴斯港公路线上。城内有萨非王朝时期建造的旅馆和清真寺等古迹。拉尔镇人口约32 600(1985)。

Larius, Lacus(Italy) **拉里乌斯湖** 参阅 **Como, Lake** 科莫湖。

Larivey, Pierre de 拉里维(约1540,法国香槟～1619-02-12,特鲁瓦) 16世纪法国主要喜剧作者。所译意大利喜剧为莫里哀等人提供了素材。曾居住巴黎。后回故乡特鲁瓦任议事司铎,并开始编纂历书和卜算书。他最成功的几部《滑稽剧》(1579,1611)改编自意大利剧本,并有法国背景和方言。这些情节喜剧剧情变化突兀,时运瞬间反转,语言栩栩如生,饶有风趣,深受观众欢迎。莫里哀曾在自己的两部剧本中使用拉里维剧中的情境。

lark 百灵 雀形目百灵科鸣禽,75种。分布在东半球整个旧大陆,只有角百灵(*Eremophila alpestris*)原产于西半球新大陆。喙的形状极不相同,或小而呈窄圆锥形,或长而向

角百灵(*Eremophila alpestris*)
美国不列颠百科全书公司供图

下弯曲。后爪长而直。羽衣素色或有条纹(雌、雄鸟常相同),颜色与土壤相同。体长13～23厘米。集群在地上寻食昆虫和种子。鸣声尖细而优美。雄鸟求偶时在空中鸣唱或在高空响亮地拍动翅膀。田云雀(旧大陆云雀,*Alauda arvensis*)的特点是雄鸟鸣声圆润而持续不变。在整个欧洲繁殖,现已引入澳大利亚、新西兰、夏威夷、温哥华岛和不列颠哥伦比亚。英语 lark 一词亦常指几种其他科的鸟类,主要因其生境所致。参阅 **meadowlark; songlark**。关于 fieldlark 或 tiflark,参阅 **pipit**;关于泥巢鸟,参阅 **Grallinidae**。

Larka Kol(people) **拉尔卡科尔人** 参阅 **Ho** 荷人。

Lārkāna 拉尔卡纳 巴基斯坦信德省苏库尔专区的城镇和县。拉尔卡纳镇为县首府及重要谷物市场和贸易中心,以生产铜器著称。为铁路联轨站,铁路将县城分为东西两部分。1855年设市,一度为信德省首府。有许多历史建筑和信德大学几所学院。拉尔卡纳县面积7 423平方千米,1901年设建制。出产甘蔗、小麦、稻米、格兰姆豆、油菜籽和水果。广泛饲养骆驼。有许多碾米厂、面粉厂和染坊。采集粗盐与芒硝。拉尔卡纳镇以南24千米处有印度河流域文明(约公元前2500)的重要考古场摩亨约-达罗。人口:城镇123 890;县1 138 580(1981)。

Larkin, Philip (Arthur) 拉金(1922-08-09,英格兰沃里克郡考文垂～1985-12-02,亨伯赛德赫尔河畔金斯顿) 英国诗人。在表现20世纪50年代英国诗歌中盛行的被削弱的反浪漫主义感伤情调的诗人中,他最有代表性并最受尊崇。他靠奖学金就学于牛津大学。这段经历为他的第一部小说《吉尔》(1946)提供了素材。1947年出版另一部小说《冬天的姑娘》。后以诗集《较少受骗的人》(1955)出版后成名。从书名就可以看出,他既反对30年代诗歌中的政治口号,也反对40年代诗歌中的过度热情。他的诗并非没有感情,而是含而不露。晚期诗集有《圣灵降临节的婚礼》(1964)和《高窗》(1974)。他编有《牛津20世纪英国诗选》(1973)。《必要之作》(1982)为各类随笔集。

larkspur 飞燕草 毛茛科飞燕草属(翠雀花属,*Delphinium*)约300种草本植物的通称。其中许多种栽以观赏。一年生的飞燕草(也可划为坚固草属[*Consolida*])包括普通火箭飞燕草(水仙飞燕草[*D. ajacis*]或糊混飞燕草[*C. ambigua*])及其变种,高达60厘米,花梗分枝,花蓝、粉红或白色。多年生飞燕草多开蓝色花,但也有的开粉红、白、红、黄等色花。克什米尔飞燕草(*D. cashmerianum*)和大花飞燕草(翠雀,*D. grandiflorum*)高达30～100厘

矮飞燕草(*D. tricorne*)
美国不列颠百科全书公司供图

米。高飞燕草(*D. elatum*)高达180厘米。飞燕草有许多杂种,尤其是 Belladonna 类型和 Bellamosa 类型,茎分枝均高,大花蓝色或紫罗兰色。

Larmor, Sir Joseph 拉莫尔(1857-07-11,爱尔兰安特里姆郡马赫拉加尔～1942-05-19,爱尔兰唐郡霍利伍德) 爱尔兰物理学家,最早计算出作加速运动电子的能量辐射率,并且第一个解释了光谱线在磁场中的分裂。他的理论是基于如下的信念,即物质完全是由在以太中运动的带电粒子组成。拉莫尔曾就读于贝尔法斯特和剑桥大学。后在高尔韦的女王学院(1880～1885)和剑桥大学(1885～1932)任教。1909年受封爵士,1911～1922年为剑桥大学在英国议会的代表。

Larnaca 拉纳卡 土耳其语作Iskele(伊斯凯莱)。塞浦路斯共和国东南部港市和区。濒临基蒂角和皮拉角之间的海湾。今城许多地区建在古城基提翁原址上。古城建于公元前13世纪,经拜占廷人重建。是希腊哲学家芝诺的出生地。现代港口是在土耳其占领期间(1571～1878)发展起来的。1974年土耳其出兵塞浦路斯北部,使该岛主要港口法马古斯塔关闭,拉纳卡港得以扩建。港内码头可停泊小型船只,大型船舶在锚地停泊,由驳

船接运,或利用1977年建成的两个浮动码头装卸。出口马铃薯和水泥。有制革、炼油、化工、食品加工等工厂。建有拉纳卡国际机场。设有美国学院(1908)。传说,《圣经》中伯大尼的拉撒路复活后在该地定居,成为当地第一个主教,主要教堂即以其名命名。该地区考古发掘出的人工制品,在设于1625年建立的土耳其城堡中的地区博物馆内展出。拉纳卡区北接尼科西亚区和法马古斯塔区,西邻利马索尔区,东连泽凯利亚英国主权基地区,南濒地中海,面积1 229平方千米。该区北端在塞浦路斯土耳其族行政区内,西部有特罗多斯山脉(最高点海拔1 404米)。北端属迈萨奥里亚平原,有小片林地。境内有瓦西利科斯、锡尔加蒂斯、锡拉波塔莫斯等河向东南流贯海滨平原注入地中海。1914年英国军队占领该区,成为英属塞浦路斯的一部分。1974年土耳其出兵塞浦路斯北方后,该区东北部即属塞浦路斯土耳其族管辖。农作物有小麦、大麦、马铃薯、水果、蔬菜、坚果等。工业产面粉、罐头、饮料、木材和家具、纸制品、纺织品和人造奶油。有制盐业。西边的卡拉瓦索斯开采铜、石膏。区首府为拉纳卡镇,有公路连接泽凯利亚、帕诺科菲努和马佐托斯。该区西南角有铁路短线通瓦西利科斯和卡拉瓦索斯。人口:市约68 000(1998);区111 400(1999)。

Larne　拉恩　爱尔兰语作Latharna。原在北爱尔兰安特里姆郡的城镇、首府和区(1973年建)。濒临贝尔法斯特北的爱尔兰海。1900年后发展为度假胜地。现拉恩镇为一重要港口,配备有现代化的装货设备。当地制造业有电器和纺织业。旅游业和港口服务是拉恩镇的主要行业。农村牧场饲养绵羊、奶牛和猪。人口:城镇17 575(1991);区约30 200(1996)。

Larne River　拉恩河　在北爱尔兰安特里姆郡境内的河流。源出拉恩河谷及锡克斯迈尔河谷之间的低分水岭(122米),向东北经拉恩港注入拉恩湖,全长14.5千米。

Laromiguière, Pierre　拉罗米吉耶尔(1756-11-03,法国利维尼亚克～1837-08-12,巴黎)法国哲学家。以所著从征税论财产权的论文而出名。他认为征税是专断的,因而是非法的行为。他因这一论点曾受到法国议会的责难。法国革命后,他被任命为师范学院的逻辑学教授,并且在不同的教学岗位上度过余生。1833年成为伦理学和政治学院院士。他虽然主要信奉孔狄亚克的学说(此人认为感觉是一切知识的源泉),但不同意孔狄亚克学说中的某些论点,他认为精神的某些功能来自精神自身。主要著作有:《形而上学原理》(1793)、《孔狄亚克的悖论》(1805)、《哲学课本》(1815～1818,此书当时极为流行)。还编过孔狄亚克的著作(1795)。

Larousse　拉鲁斯出版社　全名Librairie Larousse。巴黎的一家专营百科全书和词典的出版社。1852年由A.布瓦耶和P.拉鲁斯创办。P.拉鲁斯是《19世纪通用大词典》(15卷,1866～1876;1878、1890年增补2卷)的编者。后来他们的继承人所出版的许多参考书无不导源于拉鲁斯的《大词典》。拉鲁斯编写《19世纪通用大词典》时所遵循的格言是:通俗但不鄙俗;他将词典的特色与词条简短的普通百科全书的特色结合起来,向读者提供简明的、按字母顺序排列的词条,包括头词的词源及其惯用法的例句。20世纪初,在拉鲁斯的侄子C.奥热的指导下出版了《拉鲁斯新插图词典》(7卷,1897～1904;增补,1907)。它是《大词典》的现代形式版本,进一步利用了拉鲁斯简短词条的风格。它以那些论述个别艺术作品的词条著称。1907年奥热为拉鲁斯出版物创办了一系列的补编。《拉鲁斯插图月刊——通用百科评论》(1907～1940;1947～1957)所刊登的文章篇幅较长。奥热所编《20世纪拉鲁斯》(6卷,1927～1933;修订,1948～1950;增补,1954)关于第一次世界大战的史料特别丰富。他比P.拉鲁斯的《大词典》使用更通俗的文体和更简短的词条,与《拉鲁斯新插图词典》相类似并接近于它的一种新版。《大拉鲁斯百科全书》(10卷,1960～1964)也是奥热所编。它不仅是以前3种主要拉鲁斯百科全书的继承,而且是第一部插图丰富,有完整传记的大百科全书。拉鲁斯的其他出版物还有较简短的通用百科全书,如《大众拉鲁斯百科词典》(2卷,1908);1922年接续出版《拉鲁斯通用百科词典》;还有为儿童出版的《少年百科全书》(5卷,1958～1962)等。

Larousse, Pierre(-Athanase)　拉鲁斯(1817-10-23,法国图西～1875-01-03,巴黎)　法国语法学家、词典编纂人、百科全书编著者。曾出版多种19世纪法国杰出的教学和工具书,包括《19世纪通用大词典》(15卷,1866～1876年出版,1878和1890年出版补编),这是一部具有长久价值的综合百科全书。拉鲁斯是一铁匠之子,因获得奖学金赴凡尔赛学习,后回图西任小学校长。1840年去巴黎。他的第一部著作是一本基本词汇课本,出版于1849年。1852年以后他自己撰写并由自己的出版社出版了多种语法书、词典和课本。这些成功使他能有财力编著《通用大词典》。这部词典贯彻了他对科学进步的态度,即极力普及一切新的科学知识。他说:"我的第一志愿是教育儿童,我希望继续努力,把每一件事物解释给每一个人。"

Larra (y Sánchez de Castro), Mariano José de　拉腊(1809-03-24,马德里～1837-02-13,马德里)　西班牙新闻工作者、讽刺作家。曾激烈抨击当时的社会风尚、文学趣味和政治腐败。由于其父在拿破仑占领时同法国人合作而遭到仇视,1814年被迫举家迁居法国。1818年回国。1828年自办报纸《白日的讽刺鬼怪》。后来他又创办另一报纸《可怜的饶舌者》(1832～1833)。后成为西班牙最好的报纸《西班牙杂志》的戏剧评论员,以笔名费加罗写作。1834年他的剧本《马西亚斯》上演,并发表了他唯一的小说《痛苦的堂恩利克的侍从》。拉腊的一生充满不幸。他的作品后来也愈加辛辣、悲观。他由于受到一个长期相好的女人的抛弃,自杀身死。与其他以怀旧情绪描写社会风习的散文家不同,拉腊在他辛辣尖刻的散文中揭露了当时西班牙社会的虚伪和荒诞,他的讽刺的锋芒指向西班牙政治、社会、思想的一切方面,痛斥腐败、保守、偏狭、懒惰、冷漠、空虚和伪善。他的讽刺深刻而犀利,充满改革的激情。

Larreta, Enrique Rodríguez　拉雷塔(1875-03-04,布宜诺斯艾利斯～1961-07-07,布宜诺斯艾利斯)　阿根廷小说家,以《堂拉米罗的荣耀》(1908)一书而闻名。这部小说是西班牙美洲文学中最优秀的历史小说之一。他曾在西班牙居住5年,为写该书搜集材料,以其史实准确而自豪。其他重要作品包括《索戈伊比》(1926)、《赫拉尔多,又名贵妇之塔》(1953)以及其续集《在草原上》(1955),两书在1956年合并成一卷出版,题名《赫拉尔多》。还有一卷回忆录和散文《柑橘》(1948)。

Larrey, Dominique-Jean, Baron　拉雷(1766-07-08,法国博当～1842-07-25或08-01,里昂)法国拿破仑部下的军医,创立了野战医院、在战场上采用了救护车和急救技术。在图卢兹向其叔父学习医学。1787年赴北美,后返回巴黎,继续学习医学。法国大革命期间,于1792年编入北方集团军。最后成为法国陆军最重要的军医,随拿破仑参加了几乎所有战役:埃及、意大利、德国和奥地利、俄国,最后是在滑铁卢。拿破仑封其为男爵。拿破仑失败后,拉雷的医学声望使其免遭劫难。1820年创建医学科学院时他为该院院士。1802年最先指出沙眼的接触传染性,1812年出版了首次描述战壕足病的著作。

Larsa　拉尔萨　巴比伦尼亚古都之一,即今泰勒桑凯拉,在伊拉克乌鲁克东南约32千米处。大概建于史前时代。在那普兰努姆(公元前约2025～前约2005在位)开创的独立王朝时期最为繁荣。那普兰努姆的13个继承者代表塞姆族阿卡得人在巴比伦尼亚的新霸权。在第5代国王贡古努姆(公元前约1932～前1906在位)和第6代国王亚比塞尔(公元前约1905～前1895在位)时代,拉尔萨已取得统治地位。瓦拉德辛在位时期(公元前1834～前1823)是一个十分繁荣时期。农业和畜牧业蓬勃发展,水利灌溉受到重视,兽皮、羊毛、菜油、象牙等长途贸易也很发达。在瓦拉德辛之子里姆辛(公元前1822～前1763在位)统治下,各种艺术,特别是古苏美尔文书写学校,受到极大的鼓励。公元前1763年,巴比伦的汉穆拉比打败里姆辛,取代了拉尔萨在南美索不达米亚的统治。1933年的初步发掘,发现一座阶梯式尖塔,一座太阳神庙和一座宫殿,还有新巴比伦和塞琉西时代的遗物。

Larsen Ice Shelf　拉森陆缘冰架　威德尔海西北部的冰架,接连南极半岛的东海岸。以C.A.拉森船长的名字命名,他于1893年沿冰架前沿航行。冰架覆盖面积86 000平方千米(不包括冰架范围内众多小岛)。冰架南半部狭窄,向北渐展宽,到南极圈附近又变窄。威德尔海上东南风驱使冰块向西朝南极半岛移动,引起冰块异常密集和压缩,因而产生拉森冰架。

Lartet, Édouard Armand Isidore Hippolyte 拉尔泰(1801-04,法国卡斯泰尔诺-巴尔巴朗附近的圣吉罗~1871-01,塞桑)　法国地质学家和考古学家,古生物学主要奠基人之一。因发现了人类最早期的艺术和确定了旧石器时代晚期的年龄而著名。1834年他作为热尔省的地方行政官员,在法国西南部的欧什附近首次发现化石遗址,此后主要致力于法国洞穴的系统挖掘工作。1852年在奥瑞纳发现了原始人类和已绝灭动物同时存在的证据。1860年在马萨发现了原始人类的许多早期工具。拉尔泰著有《西欧古人类》(1860)和《关于人类和晚近地质时期所特有的大型哺乳动物化石共存的新探索》(1861)。1863年起,在英国银行家兼人类文化学家H.克里斯蒂的支持下,他的注意力转向多尔多涅地区,挖掘了史前记载中的许多知名的遗址,特别是莱塞济和拉马德莱娜两处,在那里的一处未受扰动的冰期堆积层中发现了一块刻有绝灭动物的猛犸象骨骼。他和克里斯蒂一起,证明石器时代是由一系列的人类文化期组成的。他们将研究结果用《阿基坦阶遗迹》名义出版,1865年第一册出版时,克里斯蒂已去世。这套巨著的出版工作最后完成于1875年,全名是:《阿基坦阶遗迹:关于法国南部佩里戈尔及其邻区考古学和古生物学论文集》。1869年任巴黎植物园博物馆古生物学教授,终其一生。

Lartigue, Jacques-Henri(-Charles-Auguste) 拉蒂格(1894-06-13,巴黎附近的库尔伯瓦~1986-09-12,法国尼斯)　法国画家和摄影家。以其从少年时代起就拍摄的作品而著名,照片具有娱人的自然性、清新而幽默。出身于银行家家庭,7岁时就得到一台大型干板摄影机,翌年作为圣诞节礼物,又得到一架手提式摄影机。他少年时拍摄的及其后来拍摄的照片,几乎全是抓拍的亲友小照。在尔后的10年内,他积极拍摄了诸如:汽车大赛、海滨和公园中的时装妇女、放风筝等题材。其照片体现了他的自由精神和对生活的热爱。他那生气勃勃的照片,在20世纪60年代初期被发现和出版,以其抓拍的特点和日常生活题材而博得好评。在这之前,其他摄影家侧重于拍摄正规的、摆好姿势的肖像。第一次世界大战后,其主要兴趣转向绘画,但仍继续创作了一些摄影作品。后被授予骑士团荣誉勋位,并获得巴黎市的银质奖章。1970年出版作品选《一个世纪的日记》。

larva 幼体　又称幼虫。许多动物从出生或孵化到成体之间的一个发育阶段。这些不成熟的、能活动的幼体的构造不同于成体,并适应不同的环境。它能从卵把遗传信息传递到成体,还能通过变态转变为成体。有的幼体活动而成体固着,靠运动器官发达的幼体扩展该物种的地理分布。有的幼体水生而成体陆生。有的幼体阶段出现于食物丰盛的时期,有发达的消化系统,能贮存食物以供转化为成体之需。有些幼体扩散和营养两种功能兼备。幼体期时间的长短随种类而异。幼体期长的种,可能孵化得早或变态得迟,或既早孵又迟变态。相反,幼体期短或无幼体的种,其胚胎相长,或成体相早出现。幼体的形式不一。许多无脊椎动物(如刺胞动物)有具纤毛的浮浪幼体。多数纽虫有自由游泳的帽状幼体。吸虫有几个幼体期。环节动物、软体动物、甲壳动物有不同类型的幼体,如无节幼体、腺介幼虫等。昆虫的幼虫型称为:蠋(毛虫)、蛴螬、蛆和*若虫*(**nymph**)。棘皮动物(如海星)的幼体为羽腕幼虫。脊椎动物蛙的幼体是蝌蚪。

larvacean 幼形虫　又称appendicularian(尾海鞘)。尾索动物亚门(或被囊动物亚门)幼形纲小型无脊椎动物。分布于开阔的海洋。体U形,似幼体,长5毫米,透明,分为躯干和尾两部分。表皮分泌胶质(相当于被囊)包于体外,动物体在其内能自由活动。

Larvae (in Roman religion)　参阅 **Lemures** *游魂*。

laryngeal cancer 喉部恶性肿瘤　喉部两种可为恶性的肿瘤的总称。乳头状瘤是喉部最常见的肿瘤,通常为良性,但偶可恶变。形小、疣状,位于声带或二块软骨板之间的关节处。最常见于歌唱演员、播音员及经常使用声带者。在成人可呈多发息肉状,并可阻塞喉部,手术摘除后可以再发。儿童患者病情亦与之相似,但到青春期常会自愈。喉癌多见于男性,通常由慢性刺激、声带使用过度、嗜烟酒所致。可分内在型(侵犯声带,常局限于喉部,手术切除疗效甚佳)和外在型(生长于声带及假声带上部,并可扩展到会厌或咽部,常侵犯周围组织,能通过淋巴管扩散)两种。喉癌初起时为小硬斑或呈乳头状,可造成广泛的组织破坏、溃疡和脓肿。早期发现可以治愈。遗憾的是,从最初出现嘶哑症状到作出诊断可能要8~10个月。

laryngitis 喉炎　喉部因理化刺激和细菌感染而发生的炎症。通常分为4型。①单纯性喉炎。经常并发于感冒或其他感染。除细菌外,氯气、蒸汽或二氧化硫等也会引起严重喉炎。原发部位为喉黏膜。此时黏膜肿胀、充血,分泌黏稠物,含有许多炎症细胞。流感病毒感染时会厌肿胀,喉头阻塞,产生窒息。慢性喉炎因烟酒过量及过度使用声带所致。此时黏膜干燥、布满息肉。喉壁变厚并发炎。②白喉性喉炎。其病因常由咽白喉蔓延至喉头所致。黏膜上有一层由白细胞、纤维素及坏死上皮细胞形成的伪膜,附着甚为牢固。若伪膜的松散部分脱落,便可堵在声带上引起阻塞。链球菌感染时也会产生相似的伪膜。③结核性喉炎。为继发性感染,由肺脏原发病灶传播而来。细菌感染组织后即死亡,疾病通常从声带周围开始,并可蔓延到整个喉部,最终可能导致会厌和喉软骨的破坏。喉部组织可出现结核状赘生物,表面形成多数溃疡。④梅毒性喉炎。是梅毒的并发症之一。梅毒第二期,可产生溃疡或黏膜斑。梅毒发展到第三期可出现组织破坏,伤口愈合后形成瘢痕,可使喉头变形,声带变短,声音持续嘶哑。瘢痕处可有息肉生成。各种喉炎常用抗生素治疗。

laryngology 喉科学　研究和诊治鼻、咽、喉部疾病的医学分支学科。参阅 **otolaryngology**。

larynx 喉　又作voice box。与气管顶端相连的中空管状器官,空气经此达肺。具发声作用,又能防止食物及其他异物进入下呼吸道。其外框由多数软骨板组成,软骨板间由筋膜和肌纤维紧固连接。甲状软骨位于前部,有一中央脊和称为喉结的突起。20岁后软骨逐渐骨化。会厌呈叶状,突出于喉的上部。吞咽时整个喉部向会厌提升,阻断气道,食物进入食管后,喉部松弛,恢复原状。喉的中央部位有两对黏膜皱襞(假声带及真声带),构成两处裂隙状开口。肌肉直接或间接附着于声带,用以开放或关闭声门。言语来自肺部流出的空气,空气使声带振动产生未加修饰的原嗓音,又在鼻咽腔、口腔和鼻窦腔发生共鸣,并通过唇舌方形成字音。若切除喉部,食管亦能起声源的作用,但不能控制音高和音量。动物的会厌能产生声音,但不能构成词。爬行动物通过空气冲击会厌产生嘘嘘声,青蛙由空气在囊状声带前后流动发生呱呱声,鸟类的喉形小,仅用于流通空气,声音由气管下方的鸣管产生。

Las Alpujarras 拉斯阿尔普哈拉斯　西班牙南部格拉纳达和阿尔梅里亚两省多山地区。由莫特里尔和阿尔梅里亚向北伸延至内华达山麓。当地有瓜达尔费奥和安达拉克斯河和其他小河冲蚀成的深谷。“拉斯阿尔普哈拉斯”一名有时被用以专指当地建在峡谷陡崖边缘上的村落。其植被之全在欧洲无与伦比,有甘蔗、棕榈、柑橘、葡萄、橄榄、栗子和栎树等以及阿尔卑斯山的各种植物。山区公路的修建促进了经济发展和矿藏的开发。主要城市有奥希瓦和乌希哈尔;兰哈龙为著名矿泉疗养地。

Las Bela 拉斯贝拉　巴基斯坦格拉德专区的县,行政上属于俾路支省。面积18 254平方千米。北界胡兹达尔县、东为吉尔特尔山脉、南是阿拉伯海、西为哈拉岭。为农业不发达地区。水源未经开发,耕作靠漫灌。主要作物有高粱和油籽。广泛饲养绵羊、骆驼和山羊,渔业在沿海占重要地位。松米亚尼为主要海港。县首府迁往乌塔尔以前,贝拉为县首府和酋长驻地,位于拉斯贝拉平原端点博勒利东面,有公路经格拉德和默斯东通卡拉奇和奎达。当地手工业有织毯、刺绣和钩针编织等。拉斯贝拉位于信德与伊朗间的莫克兰沿海商道上,是战略要地。居民为穆斯林。卢姆里族与拉斯族为主要部族,其他部族有俾路支和布拉灰族。人口:城镇约11 000;县约187 000(1981)。

Las Casas, Bartolomé de 拉斯·卡萨斯(1474-08,塞维利亚?~1566-07-17,马德里)

早期西班牙史学家、到美洲活动的多明我会传教士。他率先揭露欧洲人压迫印第安人并呼吁废除印第安人奴隶制。据说他曾于1497年从军，驻在格拉纳达，后入塞维利亚大教堂所办学院学习拉丁文。1502年随奥万多总督去西印度群岛的伊斯帕尼奥拉岛。因多次参加远征而获得印第安人村庄一处为领地，不久即开始向印第安人传教，讲授基本教理。1512或1513年受神职为司铎。1513年因参加征讨古巴有功，获得一批印第安农奴。他在到美洲后12年间，自愿参与征服加勒比地区，但并非一贯对土著人命运漠不关心。1515年返西班牙，呼吁改善印第安人的处境。1517年再次返回西班牙，提出招募农民前往美洲以实现和平殖民化的方案。1519年12月，在西班牙议会上建议改善印第安人待遇，国王查理一世（神圣罗马帝国皇帝查理五世）同意成立自由印第安人村镇，即由西班牙人和印第安人共居的村镇，选定地址在今委内瑞拉北部帕里亚湾海岸。1520年12月，他率领一批农民起航前往美洲。由于没有招募到足够的西班牙农民，又遭圣多明各西班牙农奴主反对，而且印第安人也袭击这种村镇，结果这次试验失败。拉斯·卡萨斯折回圣多明

美国不列颠百科全书公司供图

各，于1523年加入多明我会。4年后，他着手写作《为无辜者辩护的历史》，他的本意是以此文作为《西印度群岛历史》一书序论。该书内容是他在西印度群岛耳闻目睹的欧洲人统治、压迫和欺凌新大陆殖民地土著居民的种种罪恶的事实。他要求该书在他死后出版。他在写作期间，先后在1531、1534和1535年写长信给西班牙政府西印度事务院，谴责欺压印第安人的人和制度，特别是托管印第安人村庄制度。后来他再次返回西班牙，期待觐见国王查理五世。查理五世签署所谓新法，规定托管监护权不能世袭；奴隶主经过一代的时间必须将奴隶释放。为推行新法，查理五世任命拉斯·卡萨斯为危地马拉境内恰帕斯主教。1544年7月，他偕同多明我会会士44人赴美洲。但由于坚决维护印第安人的利益，引起其他会士的反对，便于1547年返回西班牙。晚年，拉斯·卡萨斯任西班牙国王和西印度事务院顾问，为有关西印度群岛事务提供咨询意见。1562年将《西印度群岛历史》的序论部分审定出版。

Las Cases, Emmanuel(-Augustin-Dieudonné-Joseph), comte de　拉斯卡斯（1766-06-21，法国朗格多克～1842-05-15，帕西）　法国历史学家，以记录拿破仑在圣赫勒拿岛的最后言论而闻名。这些记录的发表对于欧洲的拿破仑传奇起了巨大作用。原为海军军官，1790年从法国移居英格兰，在那里出版《历史图册》（1802），引起拿破仑的注意。因此，他于1809年回国后即在政务院工作，1810年受封伯爵。1815年"百日"以后，随拿破仑流放圣赫勒拿岛。他在一年半期间记录拿破仑关于战争原理、法国大革命、政治哲学以及宗教问题的谈话。他的一封指责拿破仑所受待遇的信导致英国政府将他驱逐并没收其原稿。他被禁止进入英国，直到1822年拿破仑死后才获准返回法国，获得原稿。于1823年出版《圣赫勒拿回忆录》，立即成名。后当选众议员，反对路易-菲力浦。他的《回忆录》虽偏袒拿破仑，但它使革命思想与拿破仑相一致，增强自由派同波拿巴分子的联盟，从而促成拿破仑三世的崛起。

Las Cruces　拉斯克鲁塞斯　美国新墨西哥州南部城市，唐娜安娜县县城（1852）。位于埃尔帕索西北61千米处，濒格兰德河。始建于1848年，1907年设建制。当地出产棉花、山核桃。附近有新墨西哥州立大学（1888）、白沙导弹发射场、白沙国家纪念地、梅西亚旧城（原亚利桑那准州首府）和印第安人社区托图加斯。90年代末，成为美国西部发展最快的城市之一。人口：市约74 267；都会统计区约174 682（2000）。

Las Hurdes　拉斯乌尔德斯山谷　西班牙西部卡塞雷斯省一地区。在普拉森西亚西北埃斯特雷马杜拉自治区内。面积约470平方千米。拉斯乌尔德斯山谷为贫穷偏远的山区，居民原是政治难民或宗教难民。经济以畜牧业为主。局部地方通道路。建有营造林和阿拉贡河水坝。

Las Marismas　拉斯马里斯马斯沼泽　西班牙南部安达卢西亚地区瓜达尔基维尔河口沿岸沼地。以鸟类闻名，数个世纪曾为梅迪纳西多尼亚公爵的狩猎地。1963年由世界野生动物基金会建议辟为自然保护区。1969年划入科托多尼亚纳国家公园。当地是鸭类和雁的冬季栖息地，有鸟类数百种之多。但常年栖息者只有约20种。南欧山猫实际上仅存于该地。较高处饲养斗牛。

Las Navas, El de　拉斯纳瓦斯的阿方索　参阅 **Alfonso** (Spain: Castile and Leon) 阿方索（西班牙：卡斯蒂利亚和莱昂）项下的 **Alfonso VIII** 阿方索八世。

Las Palmas　拉斯帕尔马斯　西班牙加那利群岛东部自治区内的省份。由大加那利岛（**Gran Canaria**）、富埃特文图拉岛（**Fuerteventura**）、兰萨罗特岛（**Lanzarote**）和一些较小的岛组成。大加那利岛上的拉斯帕尔马斯市为该省省会。面积4 072平方千米。人口767 969（1991）。

Las Palmas　拉斯帕尔马斯　西班牙拉斯帕尔马斯省省会。在加那利群岛大加那利岛的东北岸，为该岛最大城市。1478年创建。曾为西班牙人征服特内里费和拉帕尔马两岛

拉斯帕尔马斯市海滨区
美国不列颠百科全书公司供图

的军事中心。后成为赴西属美洲殖民地船只的主要供给港。1883年建港口后发展迅速。现主要依赖外资商业。老城以北6千米的拉卢斯港位于欧洲至南美洲的主航线上，有良好的港口设备和贮油设施，每年出入上万艘船只。主要出口香蕉、番茄和其他农产品。冬季气候温和，海滩优美，游乐设施完备，旅游业在经济上占有重要地位。人口约352 641（1998）。

Las Peñas (Mexico)　**拉斯佩尼亚斯**　参阅 **Puerto Vallarta** 巴亚尔塔港。

Las Piedras　拉斯彼德拉斯　乌拉圭南部城市。地处蒙得维的亚北面葡萄产区。1811年乌拉圭独立战争中一次决定性战争在此进行。战斗中革命军击溃了西班牙军。现为乌拉圭最大城市之一。以鸵鸟饲养业和赛马著称。在蒙得维的亚至塔夸伦博和里韦拉的公路和铁路线上。人口58 288（1985）。

Las Tunas　拉斯图纳斯　古巴中南部省份。1976年前为前奥连特省的一部分。面积6 589平方千米。为起伏的平原，西南部瓜卡纳亚沃湾沿岸有沼泽地。主要经济活动历来为养牛和甘蔗种植业。也种植烟草、玉米、豆类、稻米、花生、木薯和水果（主要是香蕉和柑橘）。省会维多利亚德拉斯图纳斯（**Victoria de las Tunas**）附近的种植园中有雪松。帕德雷港湾畔的帕德雷港附近有榨糖厂。通中央公路和铁路干线。人口约523 810（1998）。

Las Vacas (Mexico)　**拉斯巴卡斯**　参阅 **Ciudad Acuña** 阿库尼亚城。

Las Vegas　拉斯韦加斯　美国内华达州东南部城市，克拉克县县城（1909）。1855～1857年犹他州摩门教徒曾一度来此地居住。1864年美军于此构筑贝克堡。1905年圣佩德罗—洛杉矶—盐湖铁路修通后为铁路市镇。1911年设市。随着博彩业的兴起以及20世纪30年代兴修胡佛水坝、米德湖，当地

拉斯韦加斯市商业区卡西诺中心灯火通明的夜景

美国不列颠百科全书公司供图

迅速发展。湖、坝及附近查尔斯顿山游乐区、死谷国家纪念馆都是旅游胜地，可供常年游览。城市的商业核心是一个狭长地带，有许多豪华旅馆、赌场和以赌博和异域风情的游乐设施为特色的夜总会。许多建筑物都以耀眼的霓虹灯信号、多彩的电子广告牌，以及奢华的外立面与室内装璜闻名。1940 年以后拉斯韦加斯首次快速成长。1946 年该市开始与全国犯罪集团沾上边，匪徒西格尔开办了佛朗明哥大酒店。1931 年赌博在内华达州合法化，从 40 年代晚期开始，拉斯韦加斯以旅游胜地闻名，又以“罪恶城市”之名吸引了很多声名狼藉的人。50 年代中期，更多赌场的兴建为该城的开发带来高潮，60 年代中期，企业家买下当地的许多企业和资产，城市再一次掀起发展高潮。80 年代中期，出现了大量豪华的酒店-赌场复合体，该市又经历了一次迅速的经济发展，使拉斯韦加斯成为 20 世纪后半期中发展最快的美国都会区之一。附近有内利斯空军基地、小型武器靶场、内利斯空军靶场、核试验场及印第安斯普林斯靶场。人口：市约418 658；拉斯韦加斯都会统计区约 1 381 086（1999）。

Las Vegas　拉斯韦加斯　美国新墨西哥州中北部城市，圣米格尔县县城（1862）。地处桑格雷-德克里斯托山区，海拔1 961米；临加利纳斯河。1835 年始有人定居。原为圣菲小道上墨西哥的入境站。1846 年 8 月 S.卡尼将军宣布其归属美国。1879 年通铁路，附近又形成一居民点。1970 年两处合并为一市。现为羊毛、牲畜、木材、乳制品的转运点，也是附近风景区（包括圣菲国家森林）的旅游基地。设有新墨西哥高地大学（1893）。人口 14 565（2000）。

Lasa（Tibet，China）　参阅 **Lhasa 拉萨**。

Lascaris，Constantine　拉斯卡里斯（1434，君士坦丁堡～1501，西西里岛墨西拿）　语法家和抄写家。被拜占廷帝国流放后，在意大利教希腊语。君士坦丁堡沦陷（1453）后，拉斯卡里斯去米兰，担任米兰公爵之女伊波莉塔·斯福尔扎的家庭教师，并为她撰写了《希腊语法问答》，1476 年在米兰出版，成为全用希腊语刊印的第一本书，作为基础语法长期享有盛名。1465 年起在那不勒斯执教。1467 ～ 1501 年在墨西拿为皮埃特罗·本博之授业教师。作为一位博学的抄写家，曾抄录许多珍贵手稿，其中包括希腊修辞家和尺牍家的作品集。

Lascaris，John　拉斯卡里斯（约1445，君士坦丁堡～约 1535，罗马）　希腊学者和外交家。他的经历表现了宗教改革前政治利益和人文主义努力之间的密切联系。原为洛伦佐·德·梅迪契家的图书馆长。1489 ～ 1492 年漫游地中海东部地区。他搜集、鉴定或购买手稿的记录，对学术史有重大价值。与此同时，他还收集有关奥斯曼帝国的资料，提供了一些有用的原版作品，其中包括《希腊诗选》、卡利马科斯、穆赛俄斯和卢奇安作品的原版。他的知识、关系和对希腊自由的热爱受到企图推行积极东方政策的统治者的欣赏。梅迪契倒台后，他在法国宫廷任各种外交职务，并在罗马协助教皇利奥十世建立为时不久的奎里纳尔学院以训练年轻的希腊人。1525 年他被选派代表教皇克莱芒七世向皇帝查理五世提出派遣十字军的要求。1503 年他被任命为法国驻威尼斯大使。他协助马努蒂乌斯编订《希腊修辞学》，并通过他同 J. L.戴塔普尔和比代的友谊而主导了法国文艺复兴初期的工作。

Lascaux Grotto　拉斯科洞穴　位于法国多尔多涅省蒙蒂尼亚克镇附近韦泽尔河谷的一座洞穴，其中的壁画是迄今已发现的最杰出的史前艺术之一。这个洞穴是 1940 年由 4 个男孩子因寻找一条狗而发现的。洞穴有一个主洞和几条险峭的通道，布满极其优美的动物刻像、素描及彩绘。彩绘是在浅色的底色上，涂以深浅不同的黄色、红色、褐色以及黑色构成的。最为引人注目的图画是 3 只原始野牛、一只奇异的独角兽、几只赤鹿、公牛、野马，还有几个鹿头和鹿颈。根据壁画风格，所绘动物种类，以及碳- 14 断代测定数据，确定拉斯科洞穴壁画属于奥瑞纳文化期晚期（公元前约 15000 ～前 13000）。

laser　激光器　任何一种能产生很纯的单一颜色的强光束的器件。这光束可能强到足以气化很硬的和很耐热的材料。laser 一词是首字母缩略词，来源于 light amplification by stimulated emission of radiation，意思是“利用受激发射实现光波放大”。

基本原理　原子和分子可以存在于低能态和高能态。在低能态的原子或分子可以被激发到高能态，通常是用热激发法。达到较高能态后，它们回到低能态时会放出光来。在普通光源中，许多受激原子或分子各自放出各种颜色（波长）的光。如果在一个原子受激的短暂瞬间，有一个一定波长的光与它冲击，这原子可以受激发射出与入射波同相位的辐射，因此，这新的发射增强（或放大）了入射的波；如果这现象能充分地重复，则产生的光束将是极强的完全相干光（即频率或颜色都很纯的光，其中所有的组成部分是同步调的）。

爱因斯坦在 1917 年就认识到受激发射的存在，但直到 20 世纪 50 年代才找到将它用在器件上的方法。美国物理学家 C.H.汤斯和 A.L.肖洛证明可以制造一个这样的光学器件。前苏联的两个物理学家也分别提出相似的想法。第一个激光器是 1960 年由美国的 T.H.梅曼用一个红宝石棒制造的。此后许多类型的激光器被制造出来。

在用各种方法制造的和用于不同目的的激光器中最主要的有以下几种类型：

光抽运固体激光器　要产生激光，先要将原子激发到较高的能态。方法之一是用比激光器发射的光的频率高的光，照射激光材料。这过程叫做光抽运或光泵激。光泵必须有大的发光强度，因为这过程的效率很低。

光抽运固体激光器用一根选定材料的棒，两端磨平。而且两个端面要平行，还要镀成能反射激光的镜面。棒的侧面要透明，以便抽运光透入棒中。泵源（抽运源）可以是一个脉冲气体放电的闪光灯，它可做成螺旋状围绕在激光棒外面（如附图），或用反光镜聚焦在激光棒上。第一个能工作的激光器是用粉红色的红宝石（人造氧化铝晶体）做的。以后用过许多种稀土元素，用得最广泛的是掺钕的钇铝石榴石。可以得到连续功率几千瓦的很亮闪光。

液体激光器　固体激光器的一个缺点是有时会损坏，因为材料中产生很大的热量，还有抽运光源的作用。液体激光器就不怕这种损坏。在这里晶体玻璃棒被代之以透明的容器，其中装有适当的液体，如氧化钕或氯化钕在二氯氧化硒溶液中。容器可以做得很大以增大输出功率。只有很少几种无机液体能用在激光器中。

染料激光器　某些有机染料能发荧光，即再辐射一种不同颜色的光。虽然它们的原子激发态只能维持 1 秒的很小的分数，并且发射的光不集中在一个窄的频带中，但许多种染料曾显示出激光器的作用，它们的优点是能在很宽的频率范围内调谐。

例如染料若丹明（碱性蕊香红）6G 能发射橙黄色光，可用另一激光器激发使之产生激光。若丹明 6G 是第一个能产生连续的（而非脉冲的）激光作用的染料，并且可以产生可调谐的连续激光束。另一种染料，甲基伞形酮，加盐酸后可以在很宽的光谱范围（从紫外到黄）产生指定频率的激光。

气体放电激光器　气体放电中的原子可以被激发产生辐射和发光，例如氖管霓虹灯。有时可以使大量原子都处在某一个特殊能级。如果在放电管两端都放有反光镜，则能产生激光作用。虽然这些条件是不多见的，只出现在放电发射的许多频率中很少的几个频率上，但是多数气体可以在一定的放电条件下显示出激光作用。气体放电激光器常用氦氖混合气。然而要在红外波长产生激光作用可用二氧化碳、一氧化碳和氰化氢气体等。

气体动态激光器　如果一个热的气体迅速冷却，则在低能态的分子数目可能减少得更快，减少到比在较高能态的数目少，这样就可以用来产生激光作用。使燃烧的混有氮气

的一氧化碳经过喷咀膨胀可以得到上述条件。这种激光器可以产生大于 3 万瓦的高功率输出。

化学激光器　有些化学反应产生足够多的高能原子，可用来产生激光作用。例如，在元素氢和氟反应生成氟化氢的过程中，如果有二氧化碳存在，则二氧化碳中可以出现激光作用。只要中等量的适当材料反应，就可以释放出大能量。

半导体激光器　半导体激光器是用半导体材料的结做成。结两边的半导体材料中含有不同的杂质，例如，一边是含铝的砷化镓，一边是不含铝的砷化镓。这是一个典型例子，其他Ⅲ-Ⅴ族化合物半导体也可以使用(参阅 **semiconductor device**)。当大电流通过半导体激光器时，从结区发出激光。功率输出不大，但成本低、尺寸小和比较高的效率使这种器件适于在光纤通信系统中用做光源(见下文)和用在激光唱机中。

自由电子激光器　这类激光器比其他类型更适于产生很大功率的辐射。另外，这类器件是可调谐的，可使之在微波到紫外之间工作。(理论上有可能在 X 射线的波长产生激光辐射，但是目前的技术还不能达到这样短的波长。)在自由电子激光器中，从粒子加速器或其他设备中产生的不受原子核束缚的自由电子穿过波荡器(电磁铁的线性阵列)。交变磁场使自由电子沿围绕磁力线的螺旋路径运动，这时它们被加速到接近光的速度，并发射同步加速器辐射(**synchrotron radiation**)形式的能量。调节磁场的某些参量可以控制这种辐射的强度和波长。因为这样产生的激光能在很宽的波长范围调谐，并且有高效率，研究者相信自由电子激光器的进一步发展将证明它特别适用于同位素分离、半导体研究和弹道式导弹防御(作为激光束武器)等方面。

产生短强脉冲的激光器　将一个快门光闸放在激光器的放大柱和末端反光镜之间，快门关闭时阻止激光作用。在条件适合于产生激光作用时快门突然打开，则贮存的能量

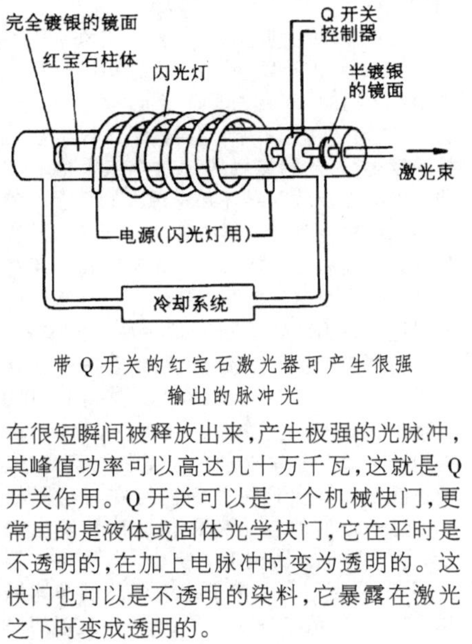

带 Q 开关的红宝石激光器可产生很强输出的脉冲光

在很短瞬间被释放出来，产生极强的光脉冲，其峰值功率可以高达几十万千瓦，这就是 Q 开关作用。Q 开关可以是一个机械快门，更常用的是液体或固体光学快门，它在平时是不透明的，在加上电脉冲时变为透明的。这快门也可以是不透明的染料，它暴露在激光之下时变成透明的。

一般的激光振荡有几种模式(即在几个不同的频率)。用一个"波模锁定"的方法使这些振荡模同步，可以得到更短更强的脉冲。这种脉冲用于科学研究和打洞，可以在材料上迅速地打出洞来而不影响洞边的材料。

激光器的应用　激光器产生的光，一般来说，比任何其他光源的光有更纯的单色性、更强的定向性、更高的亮度和更好的相干性。不过各类激光器的上述性质差别很大，而且波长、尺寸和效率也相差很大。没有一种激光器能满足所有要求，但是一些性质的组合可以完成激光器问世以前难以做到或不可能做到的事情。

从气体激光器(例如氦氖混合气)可以产生接近理想直线的连续可见光束，适用于任何校直工作。这类型的激光器产生的光束的典型散度小于千分之一，接近理论的极限。令激光束经过一个望远镜返回，可使光束的散度减小。但大气中产生的起伏现象限制了经过长距离后光束的准确度。激光器已广泛使用于大结构的校直工作，例如控制隧道钻进工作和确定管道线路。

脉冲激光器可用于光雷达，亦称 lidar。用很小的光束能准确地确定目标的位置。和雷达一样，可从光反射回来所需的时间测定目标的距离，因为光速是已知数。利用宇航员登上月球时放在月球上的多棱镜反射器曾测得月球反射回来的 lidar 信号，从而可测得地球上一个天文台到月球上反光镜的距离，准确到几个厘米。从地球上两个天文台同时测量它们和月球镜的距离和方向，可以准确求得这两个天文台之间的距离。一系列这样的测量可以告诉我们大陆之间相对漂移的速率。在飞机上垂直放置一个激光雷达，可以用来快速并且高分辨率地描绘地图，例如露天运动场台阶的轮廓，或一个房子屋顶的形状。用脉冲激光雷达也可以得到灰尘粒子的反射信号，甚至高空中空气分子的反射信号。

激光器输出的高度相干性在测量和其他利用光束干涉的应用中十分有用。如果将一个光束分成两部分，分别经过不同的路径，再会合在一起，则这两个分光束可能同步，相互增强，或者不同步，相互抵消。因此重合波的亮暗变化产生干涉条纹，从亮到暗的光程差为 1/2 波长。这种设备叫做激光干涉仪，用它可以检测出很小的位移，并且能准确地测量一个较长的距离。用激光也可以测量极长距离以外的小位移，例如监测地壳在地质断层处的小位移。在制造业中，这种设备用来测量细金属丝，监控自动化的机械工具生产和检测光学元件。

激光的单色性可使光频率的少许变化也能被检测出来。从一个向激光光源移动的物体反射回来的光的频率变化值与物体的速度有关(多普勒效应)。一个接近的物体使频率升高，一个后退的物体使频率降低。将反射回来的光和部分原始光在光检测器中复合，可以得到两束光的频率差的信号，这样可以测出很小的速度变化。

激光的亮度加上相干性，使它特别适用于视觉效应和模拟三维深度的摄影技术——例如全息术(**holography**)。

许多激光器的光是很强的，并且可用一般的透镜系统将光聚到一个有很大亮度的光点。这样一个造价不太贵的小脉冲激光器可以使小量的任何物质气化。用这方法可以在最硬的材料上钻小孔。例如红宝石激光器可用来给拉细金属丝用的金刚石模具上和给钟表中用的宝石轴承上打洞。在生物学研究中，一个精确聚焦的激光器可以气化一个细胞的一部分，这样就可以进行染色体的微外科手术。

在不可能机械接触的地方，可以用激光器产生强烈加热作用。因此激光器最早的应用之一是用在眼科的视网膜手术上。

激光器也用在小规模的切割和焊接工艺中，用它可以把电阻器的电阻材料去掉一些，可以把电阻器的电阻值调得很准。用激光器也可以调整微电路元件的集成阵列中的连线。激光器的脉冲光可以使物质的样品气化以供适当仪器分析用，这方法可以分析极少量的样品，而不会引入沾染物。

激光具有亮度高、颜色纯和定向性好的优点。这使它理想地适用于光散射实验。即使是小量的光被散射，它的波长或方向的改变也可以被辨认。特别有一种叫做拉曼效应的散射作用产生有特征的波长移动，用它可以辨认分子的结构。用激光源和灵敏的摄谱仪，可以分析透明液体、气体或固体的小样品。利用对激光束的拉曼散射甚至还能测量适当距离处大气中的污染物。

激光束也能用于通信。因为光的频率非常高(可见光的频率在 5×10^{14} 赫左右)，光强度可以按很复杂的信号编码而迅速改变。原则上一个激光束可以携带的信息和它的频道一样多，然而激光会受雨、雾或雪的阻挡，因此，为了在地球上可靠地通信，激光束必须限制在保护介质之中。光导纤维大多是用石英做的，它的外面覆以敷层，就是为了这个目的。自从 20 世纪 80 年代初起，这类波导大量用在长距离电话系统上。参阅 **fibre optics**。

激光器技术用于光盘记录和存贮系统。在这种系统中，在小直径的圆盘表面镀以薄金属膜，用激光束在它上面烧出一串微小的坑，用这方法存贮数字数据。磁带上的信息编码后存在主盘上，然后用模压法复制。读信息时用低强度的激光射到盘面，并且用光敏二极管"读"反射出来的光信号(有或没有小坑的地方，光敏二极管接收的光量不同)，通过电路转换成数字化信息，然后再转换成模拟信息，显示在图像屏幕上。小型声频光盘的工作原理与图像光盘相似，只是数字信号变换成声音。

激光器也用在计算机打印机的一种主要类型中。激光打印机是用激光束和一组光学器件使光电导圆筒上产生图像。这图像再用静电图像复制法复印在纸上。

Lashley, Karl S(pencer)　**拉什利**(1890-06-07，美国西弗吉尼亚戴维斯～1958-08-07，巴黎)　美国心理学家。进行了脑量与学习能力关系的定量研究。1914 年在约翰斯·霍普金斯大学攻读遗传学哲学博士学位时，结识了心理学家 J.B.沃森(又译华生)。1914～1917 年，他的博士后研究课题是哺乳动物的行为，这为他的终身事业打下了坚实的基础。后与沃森合作研究动物行为，并为深入研究学习过程的神经机制掌握了外科手术和显微

组织研究的技能。1920年任明尼苏达大学心理学助理教授,在该校对脑功能做了大量研究,1924年任教授。1929年出版《大脑机制与智能》,提出两个重要原理:整体活动(某些类型的学习是由整个大脑皮质完成的,而非每一心理功能均定位于皮质的特定部位)和等功性(一个系统的某些部分能接替另一些部分的功能,等功性主要涉及视觉等感觉系统)。他曾任芝加哥大学、哈佛大学教授,1942年起还出任佛罗里达州奥兰治公园耶基斯灵长类生物实验室主任。研究范围包括与感受器有关的脑机制、运动活动的皮质基础。研究过许多动物,包括灵长类,但大部分是用大鼠做的,具体方法是在用定位、定量的方法在损伤大鼠的脑之前、之后,对其进行行为测定。

Lasker, Albert (Davis)　拉斯克(1880-05-01,德国弗赖堡～1952-05-30,美国纽约州纽约市)　美国广告经理、慈善家。由于坚决主张广告应有力地促进销售而不是简单地进行介绍而被称为"广告之父"。幼时被从德国带至美国,在得克萨斯州加尔维斯顿的一所中学毕业。1898年前往芝加哥,在洛德-托马斯广告公司当练习生。他开始从事广告工作时,各广告公司只是负责取得客户已准备好的广告稿,在各出版物上发表。他提出并实行自己的新见解,在公司的地位迅速上升,1905年成为主要广告撰稿人。到1912年时,该公司成为他一人所有。他用广告进行促销的做法革新了广告业,并使洛德-托马斯公司成为世界上最大的广告公司。他展开大规模广告宣传活动,成功地向公众推出柑橘、膨化食品、卫生餐巾、面纸等商品。1942年他解散已在广告业中投资7.5亿美元的公司,专门从事慈善事业,与其妻玛丽设立艾伯特和玛丽·拉斯克基金,供作医学研究费和奖金之用。拉斯克死后,其妻继续这一慈善事业。

Lasker, Eduard　拉斯克(1829-10-14,普鲁士波森亚罗钦[今波兰波兹南]～1884-01-05,纽约市)　普鲁士自由党人。因反对俾斯麦而闻名,是德意志帝国最重要的议员之一。曾受法律教育,后任普鲁士政府法官,1865～1879年为普鲁士议会议员和北德意志联邦议会议员,1867～1883年为德意志帝国议会议员。1866年倡导组织民族自由党,支持俾斯麦统一德意志。他积极制订帝国的司法行政和法律程序(1877)以及帝国经济结构等的统一方案。后来他反对俾斯麦操纵议会,坚决主张自由贸易,在宪法改革争论和1878年实行保护关税后,他脱离民族自由党。在一次访美旅途中去世。

Lasker, Emanuel　拉斯克(1868-12-24,普鲁士柏林辛[德国]～1941-01-11,美国纽约州纽约市)　德国国际象棋大师,1894～1920年的世界冠军。1889年离开普鲁士,5年后战胜施泰尼茨获世界冠军。其后在圣彼得堡、纽伦堡、伦敦、巴黎取得一系列惊人胜利,后集中精力读书。因研究抽象代数系有成就,1902年获博士学位。1904年重返棋坛,4年内主办《拉斯克国际象棋杂志》,并连胜几位大师。1921年败于卡帕布兰卡,丧失冠军称号,但仍参加比赛并取得佳绩,直至67岁。他提出过新的残局理论。退出棋坛后研究哲学,从事教学和写作。著有《国际象棋常识》(1896)。

Lasker-Schüler, Else　拉斯克-许勒(1869-02-11,德国埃尔伯费尔德～1945-01-22,巴勒斯坦耶路撒冷)　母家姓许勒。20世纪早期的德国诗人、小说家和剧作家。许勒的父母为犹太籍,1894年,她与医生贝特霍尔德·拉斯克结婚,婚后定居柏林(两人于1903年离婚)。在柏林时,她常与先锋派文人往来。她的抒情诗和短篇小说开始在期刊上发表。她离婚后即与表现主义的权威刊物编辑赫尔瓦特·瓦尔登结婚。她的第一本书为诗集《冥河》(1902)。其后有《我的奇迹》(1911)、《希伯莱谣曲》(1913)以及几本抒情诗集。其他重要作品有剧作《伍伯河》(1909)、自传小说《我的心》(1912)以及短篇小说集《底比斯的王子》(1914)和《巴塞罗那的神奇犹太教士》(1921)。1933年,纳粹党人在德国掌权后,她移居瑞士。1940年,定居巴勒斯坦的耶路撒冷。终其一生,她的生活方式怪僻而捉摸不定。晚年在潦倒穷困中度过。拉斯克-许勒在诗作中运用丰富的幻想和象征手法,在以浓烈的感情回忆自己童年和父母时,在处理浪漫的激情、艺术、宗教以及其他主题时,时而悲怆,时而狂喜。她的许多短篇小说以一种富于视觉形象的现代幻想方式对《天方夜谭》中的故事作新的解释。这些短篇虽然长于气氛的营造和象征意义,却失之于叙事松散,缺乏甚至于没有情节。然而拉斯克-许勒作为20世纪早期德国重要抒情诗人的声望却是稳固的。

Laski, Harold J(oseph)　拉斯基(1893-06-30,英格兰曼彻斯特～1950-03-24,伦敦)　英国政治学家、教育家、杰出的工党成员,在致力于阐明英国20世纪30年代"民主危机"的过程中转向马克思主义。毕业于牛津大学新学院,1914～1916年在加拿大蒙特利尔的麦吉尔大学任教,1916～1920年在美国哈佛大学任教,这一时期著有《现代国家的权力》(1919)和《论主权的基础及其他》(1921)。在这些著作中,他攻击万能主权国家的概念,而主张多元政治;但在《政治典范》(1925)中,却为相反的观点辩护,并把国家看作是"社会的基本工具"。1920年回到英国,在1923年选举运动中竭力为工党活动。自1926年起在伦敦经济政治学院教授政治学,直到去世。30年代经济危机时期,他投向马克思主义。在《政府的原理和实践》(1935)、《欧洲自由主义的兴起》(1936)和《论英国议会政府》(1938)等著作中,拉斯基认为资本主义制度的经济困难可能导致政治上民主的毁灭。他看出:社会主义是唯一可能取代正在兴起的法西斯主义的制度。在第二次世界大战中,他在英国到处讲演,并担任C.艾德礼副首相的助手。在《对于我们时代革命的想法》(1943)、《信念、理想、文明的历史分析》(1944)中,他重又号召进行广泛的经济改革。1945年被选为工党主席,同年大选中工党获胜,他感到自己生平的事业至少部分得以实现。他的其他著作有:《美国总统的职权》(1940)、长篇论战作品《美国民主》(1948)等。

Laspeyres index　拉斯佩耶斯指数　由德国经济学家拉斯佩耶斯(1834～1913)为计算报告期与基期的价格或数量水平之比而提出的指数。此指数的计算方法是:按报告期价格购买一笔某些规定的商品的总费用与按基期价格购买一笔相同的商品的总费用之比,再乘以100而得。因此,基期指数为100,而价格水平较高时期的指数,要大于100。拉斯佩耶斯指数的显著特点是:它采用在基期所购买的一批商品作为对比的基础。换句话说,计算这种指数,是按某一商品的价比(即报告期价格与基期价格之比)再以该商品在基期整个购货量中的比重加权求得。参阅 **Paasche index**。有些观察家认为,拉斯佩耶斯价格指数有夸大物价提高的倾向,因为价格变动时,消费者一般改变其消费方式,在价格较大上涨时减少商品数量,或在价格涨得少甚至不涨时,加大商品数量。如他们在不减少总的满足需要情况下能做到这点,用基期商品选择的办法倾向于夸大生活水平的下降。拉斯佩耶斯的数量指数是按类似方法计算的,即采用基期价格比较两个时期的总产量水平。

Lassalle, Ferdinand　拉萨尔(1825-04-11,普鲁士布雷斯劳[今波兰弗罗茨瓦夫]～1864-08-31,瑞士日内瓦附近)　德国社会主义的主要发言人,卡尔·马克思的门徒(1848起),

美国不列颠百科全书公司供图

德国工人运动的创立者之一。其父母系犹太人,父亲是丝绸批发商、镇议会议员。拉萨尔于1843～1844年在布雷斯劳大学学习哲学、历史、语言学和考古学。1844～1845年在柏林继续学习,开始接触德国哲学家黑格尔和费尔巴哈以及法国乌托邦思想家的思想。为撰写论赫拉克利特哲学的论文以便获得学位和在大学任教的资格,他于1845～1847年在巴黎反复研究这一论题。1846年在杜塞尔多夫遇见正在闹离婚的哈茨费尔德伯爵夫人,为她打了35场官司,终于使她在1854年离婚成功,从此他每年从伯爵夫人处得到4 000泰勒尔的报酬。他曾参加1848～1849年自由中产阶级企图建立君主立宪制的革命,以期获得诸如集会自由和新闻自由等公民权利。这一时期他与马克思和恩格斯发生联系。由于策动人民自卫队叛变,他于1848年11月被捕,翌年7月出狱。他虽然屡遭逮捕和监禁,但仍留在杜塞尔多夫,积极从事写作和工人运动。在流产的革命之后出现的反动时期,他去瑞士旅行,1855年去巴黎参观世界博览会,并于1856年去亚洲旅行。1857年回到柏林,成为一个很活跃的政治记者。1861年与马克思会见,嗣后虽然继续通信,但关系逐渐疏远。他与马克思相反,认为革命业已结束,只有采用合法的和渐进的手段才有成功的希望。他怀着这种信念于1863～1864年与普鲁士首相俾斯麦进行了讨论。这时他所考虑的是建立君主制的福利国家,以3个阶级都能享有普选权为基础,而不是现存的仅对上层阶级有利的选举权。他希望通过工人阶级与政治生活和社会生活相结合,把建立在私有制基础上的资产阶级国家转变成为民主立宪国家。他与俾斯麦具有许多共同的特点,彼此互相吸引。拉萨尔富有魅力的性格和他认为民主乃是实行家长式统治的概念,使他与众不同,这种概念就大部分德国居民对政治并不怎么感兴趣这一点来说,是可以理解的。1862年拉萨尔产生危机感。G.加里波第领导的意大利起义并不像他所希望的那样向别国蔓延。与此同时,普鲁士政府全然不接受他的思想。他认识到在工匠俱乐部和各公民协会讲解或散发小册子,不能收到充分的效果,于是开始在各工人组织中进行宣教鼓动,以便使他的政治观点能为群众所了解。1862年12月他受"全德工人代表大会中央筹备委员会"执委会的委托,起草大会的纲领,把大会看作是组织"选举大军"的良好机会。1863年5月23日全德工人联合会在莱比锡成立,他被推选为主席。他的独裁领导和个人崇拜遭到同事们的反对。1864年7月去瑞士休养,在那里与H.登妮格丝相遇,向她狂热地求爱,但遭到女方家庭的反对。8月28日,他同登妮格丝的前未婚夫在日内瓦附近的一小片树林中决斗,他的腹部被击中,3天后去世。

忠于马克思主义学说的工人运动认为拉萨尔是改良主义的异端,而其他工人组织则传奇般地尊崇他为社会主义的先驱。只是在伯恩斯坦时期和修正主义时代,德国社会民主党主张议会民主和参加政府,人们才认识到拉萨尔思想的现代意义。德国社会民主党领袖C.施密特评价说,我们怀念的不是理论家拉萨尔,也不是工人阶级政党组织者拉萨尔,而是那样一位拉萨尔,他对社会"进行科学分析时,始终把眼光投向历史地平线的真正目标:人能凭借自己的意志力,从悲惨可怜的处境中解放自己,并永远摈除那种孤寂无援之感"。

Lassell, William　拉塞尔(1799-06-18,英格兰兰开夏博尔顿～1880-10-05,伯克郡梅登黑德)　英国业余天文学家,曾发现土星的卫星土卫七、天王星的两颗卫星天卫一和天卫二,以及海王星的卫星海卫一。在7年学徒期满后,拉塞尔于1825年前后开始经营啤酒业。但他对天文学颇感兴趣。1844年,他用自己设计的磨镜设备着手制作一架24英寸的反射望远镜,用这架首次采用赤道式装置的大望远镜,他在1846年10月10日(即在发现海王星仅17天后)发现了海卫一。1848年又发现土卫七(美国天文学家W.邦德和G.邦德也在同夜发现了它)。更奇怪的是,当他在1850年一个夜晚观测到土星的内暗环(crepe ring)并用整夜的时间核实他的发现时,不料在早晨的报纸上登载着一篇宣称邦德发现同一现象的文章。1851～1852年间,拉塞尔在马耳他发现了天卫一和天卫二。1861年,他在该地安装了一架48英寸反射望远镜,用于观测和汇编数百个新发现的星云。1849年被选为伦敦皇家学会会员,1870～1872年任皇家天文学会主席。

Lassen Peak　拉森峰　位于美国加利福尼亚州北部喀斯喀特山脉南端,海拔3 187米。1914年5月30日突然喷发。1915年5月19日喷出大量熔岩,溢下300米,融化积雪,造

拉森火山国家公园内的拉森峰
美国不列颠百科全书公司供图

成泥石流。3天后,喷出的热气毁坏许多树木。1921年停喷。有迹象表明其活动周期可能为65年。1916年辟为拉森火山国家公园。

Lasseran-Massencôme, Blaise de　拉斯朗-马桑科姆　参阅 **Monluc, Blaise de Lasseran-Massencôme, seigneur de 蒙吕克**。

Lasso, Orlando di　拉索(1530或1532,西班牙属埃诺蒙斯～1594-06-14,慕尼黑)　佛兰德斯作曲家。其作品是欧洲文艺复兴音乐中占主导地位的法国-尼德兰学派风格的顶峰。

伦敦皇家音乐学院供图

1553～1554年任罗马圣约翰拉特兰教皇教堂唱诗班指挥。在安特卫普短期停留(1555～1556)后在慕尼黑参加巴伐利亚阿尔布雷希特公爵五世的宫廷唱诗班,此后毕生定居该地。1570年马克西米连皇帝提升他为贵族。他将一集弥撒曲(1574)奉献给教皇格列高利十三世时,被授予金马刺骑士称号。他的2 000多首作品中有许多于1555年和1604年间刊印问世。某些曲集成为他一生事业的里程碑:第一集经文歌(1556)奠定了他毕生为之奉献的这一领域中的优势地位。一本综合性的尚松集(1570)使他成为创作这一体裁的最主要的作曲家。除牧歌和尚松外,还出版了7集利德(艺术歌曲)。现今最有名的作品《大卫的忏悔诗篇》(1584)在1838年由S.W.德恩重新发掘并出版后,引起了对拉索作品再次流行的兴趣。他是宗教音乐领域中的一位大师,在世俗音乐作曲方面同样精通。在后一领域中,他的国际主义精神是很明显的。作品包括意大利、法国和德国的体裁。他的宗教音乐具有特殊的感情力度。他致力于在音乐中反映唱词的内涵,这一特点预示了17世纪初的巴罗克风格。

Lassois, Mont　拉苏瓦山　位于法国科多尔省塞纳河畔沙蒂永附近的凯尔特人巨大城堡遗址。拉苏瓦山的维斯山堡似乎曾是影响很广的政治、贸易中心,公元前6世纪尤为繁荣。遗址出土的凯尔特人和希腊人丰富文物,还有附近的维斯村边墓葬和塞纳河畔圣科隆布墓葬中的文物,都说明不仅在凯尔特人内部,而且在凯尔特人与希腊人之间都存在着频繁的贸易和礼聘往来。

Lasswell, Harold D(wight)　拉斯韦尔(1902-02-13,美国伊利诺伊唐奈森～1978-12-18,纽约市)　有影响的美国政治学家,对权力关系以及人物与政治的关系有创新研究,并对当代的行为政治学有重要贡献。1922和1926年获芝加哥大学哲学学士和哲学博士。1922～1938年在芝加哥大学讲授政治学,后任耶鲁大学法学院特邀讲师(1938)、法学教授(1946～1970)、政治学教授(1952～1970),以及于1970～1976年任福特基金会法学和政治学教授及布拉姆福德学院荣誉退休研究员。1938～1939年在华盛顿精神病学院任职,1939～1945年任美国国会图书馆战时通讯研究部主任。1970～1973年和1973～1976年兼任纽约市立大学约翰·杰伊学院和坦普尔大学法学教授。他认为,政治学所研究的是社会上价值模式分布情况的变化,因为势力对这种分布情况十分重要,所以着重探讨权力问题。他认为价值是所期待的目标,权力就是决定,政治权力的目的仅仅是战胜他人而达到预期的结果。在《政治学:谁得到什么？什么时候和如何得到?》(1936)一书中,他认为社会上层人物是掌握权力的人而集中加以介绍。但在与A.卡普兰合著的《权力与社会:政治调查纲要》(1950)一书中,他扩大了论述的范围,对个人、人的性格、集团和文化等主要项目进行了分析。他的心理政治著作包括《精神病理学与政治》(1930)、《世界政治与个人风险》(1935)和《权力与个性》(1948)等。

Last Judgment　最后审判　一般指由上帝、众神或因果律普遍地或逐人地审判人的心思言行。基督教等宗教相信末日审判的对象包括活人与死者;某些非洲原始宗教则相信,人死后受这种审判。琐罗亚斯德教认为,人死后灵魂在坟墓等待3夜,第4天过果报桥。如生前善多恶寡,灵魂即过桥而进天堂;如生前恶多善寡,桥即缩窄,灵魂不能过而跌进寒冷阴暗的地狱深渊。但这还不是最后结局,最后智慧之神阿胡拉·玛兹达战胜魔王阿里曼,使人一律复活,实行最后审判而使世界重

归于善。早期犹太教著作家鼓吹，将来要有一天，即以色列的上帝雅赫维的日子，届时他审判以色列人和万国万民，建立上帝之国。基督教进一步发展关于最后审判的教义，宣传这种审判在基督复临时举行，由上帝审判一切人。在早期基督教艺术作品中，写最后审判内容有：基督作审判官，死人复活，衡量灵魂，得救者与受咒诅者分开，乐园和地狱。罗马风格的艺术家把最后审判写得更加森然可怖：基督是面色凛然的审判官，有时是手执宝剑，四周有鹰、狮、牛和生有两翼的人侍立，它们都是启示文学所写的神秘动物；天堂庄严宏伟，地狱阴惨无情，两相对比。哥特时代的艺术作品较为温和，较为有人道主义气息，写基督为救赎之主，形象荣美，袒露右侧以显示受难时所受的枪刺之伤，高举带伤的双手以显示他所作的牺牲，基督周围绘有他受难时的刑具：十字架、铁钉、长枪和荆棘冠冕。代求人重新出现在画面，审判场面显得祥和。16世纪米开朗琪罗所作罗马西斯廷教堂壁画（1533～1541）中的最后审判别开生面：凛然执掌公义的基督裸体有如异教之神，对受咒诅者作威严的手势。末日审判是伊斯兰教的五大基本信仰之一。人死后要受天使孟卡尔和纳吉尔的审问，世界末日来临之时人一律死亡，然后一律复活，根据善恶簿所记行为受审，决定其是永居天园还是下火狱。除了西方宗教和一些原始宗教外，古代中东的宗教也信仰最后审判。例如古埃及宗教宣传安努毕斯神手执天平，测量死者的心。相信转世（reincarnation）的印度教、耆那教和佛教等亚洲宗教，也往往包含最后审判的教义内容。

法国孔克一座1130～1135年建的教堂山花壁面上的最后审判浮雕
美国不列颠百科全书公司供图

Last Mountain Lake　拉斯特山湖　又称长湖，在加拿大萨斯喀彻温省中部偏南。向南注入卡佩勒河。以东面12英里（19千米）一座山之名命名。湖宽平均为2英里，向北伸展约60英里，面积89平方英里（231平方千米）。约1865年哈得孙湾公司在湖南端建一商站。以渔业著名。该湖为鸟类保护区，候鸟飞行的落脚点。是著名的度假胜地，沿湖有多处游览区，其中包括布法罗庞德和罗文斯深谷两个省立公园。

Last Supper　最后晚餐　《新约全书》中称圣餐。耶稣与门徒在耶路撒冷城内楼上共进的最后一餐，即设置圣餐礼的场合，事见《新约》。据载，耶稣派两门徒准备晚餐，并与全体门徒聚会在此楼上。耶稣对门徒说，他们中间将有一人出卖他。耶稣为饼和酒祝福、分给他们吃喝，并说，这是他的肉和立约的血。据同观福音书和教会传统，此事发生在逾越节。《约翰福音》关于耶稣受难的叙述表明，最后晚餐原不可能是逾越节晚宴，但是许多解经家都承认同观福音的记载。基督教艺术作品传统上着重描述最后晚餐的以下两点：基督向众使徒透露，他们中间有一个人将要出卖他以及众使徒的反应；设立圣餐礼。早期基督教艺术（约2～6世纪）总是这两个主题并重，后来，东派教会艺术一般在构图上突出这一事件的象征意义，西派教会艺术则侧重叙事。在早期基督教艺术中，餐桌上绘有鱼，象征设立圣餐。西派教会艺术作品起先也是如此，15世纪以后代之以圣杯和饼。

D.吉兰达约绘《最后晚餐》（1480）
美国不列颠百科全书公司供图

Lastman, Pieter　拉斯特曼（1583，阿姆斯特丹～1633，阿姆斯特丹）　荷兰画家，以画圣经画与古代神话画知名，对当时（1624）在荷兰学画的伦勃朗影响很大。最早师从后期文艺复兴风格主义画派。约1603～1607年在罗马，深受德国重要的风景画家A.埃尔斯海默的影响，吸收了他对光和风景氛围的敏锐感觉。伦勃朗的《天使与先知巴兰》（1626，巴黎）就是根据拉斯特曼的早期同名油画（1622）画成的。其《科里奥拉努斯与罗马妇女》（都柏林三一学院）和《管家受洗》（慕尼黑旧藏画馆）也对伦勃朗早期叙事性绘画的风格有影响。

拉斯特曼绘《奥德修斯与瑙西卡》
美国不列颠百科全书公司供图

Lāt, al-　拉特　阿拉伯半岛北部居民在伊斯兰教兴起之前所崇奉的女神。麦加附近塔依夫地方有一块方形巨石，是崇拜此神的处所。据《古兰经》说，拉特与女神马纳特和乌札有关。先知穆罕默德一度承认这三位女神，但是后来又得启示，撤销表示赞成崇拜她们的话，不再向麦加的异教徒让步。

Latacunga 拉塔昆加 厄瓜多尔中北部科托帕希省省会。海拔2 760米。因有温泉，殖民前时期印加皇族经常前往。位于活火山科托帕希山西南 32 千米。城市屡遭火山喷发及其伴随地震的严重破坏。虽然在 1797 年完全被毁，随后又重建起来。拉塔昆加现为周围养牛区和农业区的一个商业中心。生产面粉、建筑石料、家具、陶器和黑色火药。1963 年以来一直是罗马天主教教区。人口约 55 979(1981)。

Latakia 拉塔基亚 阿拉伯语作 Al-Lādhiqīyah。叙利亚西北部城市及省。该省地处地中海沿岸。面积2 297平方千米。为主要农区，出产烟草、棉花、谷物和水果。拉塔基亚

拉塔基亚市的凯旋拱门
美国不列颠百科全书公司供图

为该省省会，位于突入地中海的拉济亚拉角。塞琉西时代成为繁荣的港口和北部地区重镇之一。但在以后几个世纪中，两次地震毁灭该城。公元 638 年被阿拉伯人占领。1103 年属十字军管辖。1188 年转归撒拉丁。尔后依次为的黎波里的基督徒、哈马的穆斯林和奥斯曼土耳其人所有。1920 年被纳入叙利亚和黎巴嫩的法国委任统治地。现为叙利亚重要港口，有良好港湾及广阔的内地农业区。出口沥青、谷物、棉花、水果、鸡蛋、植物油、陶器和烟草。有轧棉、植物油加工、制革及海绵采集等地方行业。拉塔基亚大学建于 1971 年。该市有公路通往阿勒颇、的黎波里和贝鲁特。大部古典建筑物毁于频繁地震。现存遗迹有罗马式凯旋拱门和古希腊科林斯式圆柱。人口：市196 791；省554 783(1981)。

late blight 晚疫病 由致病疫霉(*Phytophthora infestans*)引致的马铃薯及番茄的严重疾病。分布世界各地。气温在 4 ～ 29 °C时潮湿地区可发生此病；炎热干燥的天气则抑制晚疫病的扩散。两周内有病植株即可腐烂。1845 ～ 1860 年的爱尔兰马铃薯饥荒即晚疫病所致。1946 年晚疫病毁坏了美国东半部 50%以上的番茄收成。病株的叶片、叶柄及茎上形成圆形至不规则形水浸状病损，深绿至紫黑色，似受霜害。在叶背病损的浅绿色边缘显露出白色稀疏的产孢结构。番茄果实上产生坚硬、滑腻、深绿色至褐黑色病损。受染马铃薯块茎上出现略凹陷的深褐色至紫黑色大块斑点，并有红褐色干腐，深达薯块内部 15 毫米。在贮藏、运输及销售过程中，薯块可继发真菌及细菌(欧文氏菌属)感染。疫霉属真菌存活于贮藏薯块、垃圾堆、田间自生植株及温室番茄中。胞子囊从这些地方经空气携带至邻近植株，几小时内发生感染。当气候凉爽时(低于 15 °C)，游动孢子从孢子囊产生，不久形成被囊，稍后形成芽管。在15 °C以上时，大多数孢子囊直接产生芽管。感染后 4 ～ 6 天叶部出现疫病，并产生新孢子囊。凉爽潮湿天气占优势时这种周期反复发生。

Latécoère, Pierre 拉泰科雷(1883，法国巴涅尔-德比戈尔～ 1943-08-11，巴黎) 法国飞机制造家，对国际空运事业的发展有过贡献。拉泰科雷公司于 1918 年 12 月 25 日开始从图卢兹到巴塞罗那的商业飞行，1919 年航线延长到摩洛哥，1925 年延长到塞内加尔的达喀尔。1927 年改名航空邮运总公司，20 年代末，曾一度开辟到布宜诺斯艾利斯的横越大西洋的航线。1932 年因财政困难，公司由法国航空公司接管。拉泰科雷飞机制造公司建于 1917 年，在图卢兹和巴约讷设有工厂，在朗德的比斯卡罗斯设有水上飞机基地。

lateen sail 斜挂大三角帆 中世纪航海上对帆具的具有决定意义的改进。古代的横帆只能顺风驶船，斜挂大三角帆是最早的纵帆。一根长的横桁拦腰斜挂在桅顶，桁的后部比

斜挂大三角帆船，约公元 2 世纪起最先在东地中海使用
美国不列颠百科全书公司供图

桅顶高出许多，其在船的前部则接近甲板。三角帆固定在横桁上，悬空的一角系在船尾附近。这样，帆就可以从任一面受风，使得船能抢风调向，从而显著地提高了帆船的航行潜力。据信早在公元 2 世纪在东地中海就已使用这种帆，可能是从埃及或波斯湾传入的。阿拉伯人成功地使用这种帆，使它迅速在地中海推广，对中世纪商业的复兴有重要贡献。它和横帆结合使用，就产生了全帆装备的远洋船。

latent heat 潜热 物质在温度不变时物理状态发生变化所吸收或放出的一定量的能量。固体熔解或液体凝固的潜热叫做熔解热；液体或固体汽化以及蒸气凝结的潜热叫做汽化热。例如水继续沸腾时温度总保持在 100 °C，直到最后一滴水蒸发掉为止，这时所有加给液体的热量作为汽化潜热被液体吸收，再由逸出的蒸气分子带走。同样，冰熔解时温度总保持在 0 °C，而吸收熔解潜热后所形成的液态水的温度也是 0 °C。晶态固体的结构由单个分子或离子间的引力维持，这些粒子在点阵中围绕各自的平均位置作微弱振动。吸热后运动加剧；温度上升到熔点时，引力已不再能维持粒子的有序排列，固体就转变成液体。液体内的各单个粒子独立地运动，仅以无确定方向又很微弱的力相互吸引。当物质被充分加热时，在液态中把粒子结合在一起的弱力也被克服，液体就在沸点转变为蒸气。除了单质的固相、液相和气相之间的转变外，还有其他过程的潜热。许多固体以不同的晶态存在，态间的转变一般都伴随有潜热的吸收或放出。一种物质溶于另一种物质的过程也常涉及到热量；如果溶解过程是严格的物理变化，溶解热就是潜热。不过溶解过程往往兼带有化学变化，这时部分热量与化学反应相关。参阅 **thermal fusion**。

latent image 潜影 在摄影中，胶片曝光后卤化银晶粒中所形成的看不见的影像。与未曝光卤化银的区别只在于经过显影后它能还原为金属银。根据潜影形成的一般理论，曝光时由于聚集作用而形成的银原子小点(大小为卤化物的$1/10^7$)，是显影剂所能与之起作用的物质小点，所以显影后已曝光部分的卤化银晶体便还原为金属银，而成为可见影像。

Later Le DYNASTY **后黎朝**(1428 ～ 1788) 越南历史上最伟大和最长久的王朝，由黎利创建。1471 年黎圣宗征服占婆。他按中国的模式将越南分成 13 个省，采用科举制度，并颁布新的洪德法典。1527 年王朝被莫氏篡夺，后虽恢复了王位，但 1533 年以后，实权由北方的郑氏家族和南方的阮氏家族分享。1771 年西山兄弟领导的农民起义席卷全国，7 年后推翻后黎朝对越南中部和南部的统治。

Later Ly DYNASTY **后李朝**(1009 ～ 1225) 越南三大王朝中的第一个王朝。李太祖在今越南北部的红河三角洲建立了后人称为大越的王国，定都昇龙(今河内)。因与李贲所建的前李朝(544 ～ 602 或 603)相对，故称后李朝。后李朝是越南第一个安定的王朝，它有助于确立近代越南国家的许多特征。后李朝采用中国的行政制度。依此制度，地方领主由 9 个等级的文官和国家官员所取代。不但建立了训练文官的机构，而且开设国子监。由于有了中央集权的政府，后李朝得以建立普遍兵役制，遏制中国和占婆的入侵达 200 年之久。更重要的是，这种政治制度使后李朝得以发展红河三角洲的堤防和运河系统，防止了夏季的洪水和冬季的干旱，使该地区成为世界上最富饶的产米区之一。后李朝提倡文学与艺术，在其统治期间，中国古典文学广为传布。后李朝时代越南势力向南扩展至印度化的占婆王国所控制的地区。

lateral 边音 语音学术语。指一种辅音，发音时舌尖抵住口腔顶部，气流从舌的一侧或两侧逸出。英语、威尔士语和其他一些语言中的 *l* 音是边音。

lateral line system 侧线系统 位于鱼类和两栖类头部和体侧的感受器网。其功能为探测身体周围水的流动和压力的变化。单个的感受器称为侧线器官或神经丘，由一簇受神经支配的毛所组成。毛簇由胶状突起(顶)所包围，并随水流动而弯曲。大多数硬骨鱼的神经丘位于一系列互相联结的下陷管之中，每隔一定距离就有孔与周围环境相通。

lateral secretion 侧分泌 由渗流水从围岩溶解出来的矿石矿物组分，又在附近的孔洞中再沉积下来的地质过程。这个理论于 1847 年提出，在 19 世纪后期，受到一些地质学家的强烈抨击。他们认为矿床是在从地层深处上升的热水的作用下生成的；这在 20 世纪初曾普遍受到批驳。现代的研究又把一些矿床的成因归于侧分泌作用。

laterality 一侧性 生理心理学术语。在大脑一侧半球或在该半球控制下的身体一侧发展出特化功能的现象。最明显的例子是偏手性，即总用某只手从事活动的倾向。因此，人通常可分为右利人、左利人和双手同利人三类。所谓优势手和非优势手只是个相对的概念，其运动方式和操作技能在不同个体能表现出极大的差异；绝对的优势手是不存在的。关于偏手性的起因尚无定论。有人认为这种一侧性是遗传的；有人认为是后天训练的结果；有人则认为是由于妊娠期子宫各种内力(如造成双胎的那些因子)的协同作用造成，或因受到某些宫外环境因素的影响所致。可能这几种假说都有一定道理。例如，左利人的子女，大部分也是左利人；甚至多数初生的婴儿都倾向于先动一侧上肢——通常是右上肢；而且很难阻止婴儿的偏手性的发展。大多数婴儿在 1 岁之内，偏手性会改变 1 ～ 2 次，以后随年龄增长，偏手性逐渐确定下来，这至少需要整个学龄前期或更长的时间。绝大多数儿童都是右利人。有资料表明：人类在其发生上就倾向于右利手。如在妊娠第 3 ～4 个月时，胎儿右手的指纹就比左手大。但现代研究表明，右利手和左利手并非由基因内的遗传密码确定，而是由卵细胞的空间结构所决定。还有人认为偏手性完全不取决于生物学因素而是取决于环境因素。多数儿童都可通过训练学会用右手并喜欢用右手工作，而且大部分受到这种训练的儿童未见到明显的不良影响。但是，干涉儿童的先天偏手性的发展是否明智，已有人提出质疑。法国病理学家和人类学家 P.白洛嘉首先提出大脑半球和特化功能二者之间有关系。他将语言运动中枢定位在左额下回(白洛嘉氏区)。他还指出，大脑左半球受损害，会出现言语、阅读、书写和理解能力的丧失(即失语、失读、失写等)。白洛嘉的定位学说得到下列证据的支持：即脑的言语中枢往往位于和偏利手(常为右手)相反的一侧大脑半球(常为左半球)；从大脑两半球相应部位引出的脑电图，以非优势侧更为明显。然而，上述证据并不能说明先天性的大脑皮层结构特点，就是该人偏手性的基础。优势半球的理论会使人们推测：在一侧半球控制下的躯体结构会比另一侧半球控制下的躯体结构更有效能，但是并没有多少证据支持这一假说。事实上，偏利手和偏利脚并不一定要发生在一个人的同侧，而且 3/4 的右利人和 1/3 的左利人都喜欢用右眼瞄准。

Lateran Council 拉特兰会议 天主教会在罗马市内拉特兰宫举行的 5 次会议。第 1 次拉特兰会议即第 9 次普世会议，由教皇加里斯都二世于 1123 年召开。前一年罗马教廷与神圣罗马帝国皇帝亨利五世缔结《沃尔姆斯协定》，解决主教叙任权之争。这次会议讨论与此有关的纪律问题和准政治性问题，并谴责买卖神职，禁止在俗人员处理教产，禁止大品神长结婚，不许非法按立主教。第 2 次拉特兰会议于 1139 年举行，即第 10 次普世会议。由教皇英诺森二世召开，意在谴责锐意进行改革而反对教皇掌握世俗权力的阿诺德派，并结束因选出敌对教皇阿纳克莱图斯二世而出现的分裂局面。英诺森二世终于被承认为合法教皇。第 3 次拉特兰会议即第 11 次普世会议，由教皇亚历山大三世于 1179 年召开，出席者有 291 名主教。他们研究 1177 年教廷与神圣罗马帝国皇帝腓特烈一世所缔结的关于不再支持敌对教皇并归还教产的和平协定。会议谴责清洁派异端。第 4 次拉特兰会议即第 12 次普世会议于 1215 年举行。教皇英诺森三世希望扩大会议代表性，因此出席者有主教 400 多名、隐修院院长、副院长 800 多名和许多君主的使节和神圣罗马帝国皇帝腓特烈二世的私人代表。会议就教产的使用、什一税、司法程序、主教优先地位等作出决定。会议命令犹太人和萨拉森人着特殊服装，庄严宣布有关圣体礼的变体论为正统教义，并谴责清洁派和韦尔多派。同时，英诺森三世命令基督教君主互相休战 4 年以再次发起十字军东征。第 5 次拉特兰会议自 1512 ～ 1517 年举行，是第 18 次普世会议，由教皇尤里乌斯二世召开。会议使争战中的各基督教国家君主之间恢复和平，并批准教廷与法国签订的新协议，用以取代 1438 年的《布尔日协议》。原来康斯坦茨会议和巴塞尔会议曾声明教会会议权力高于教皇，第 5 次拉特兰会议予以驳斥。

Lateran Treaty 《拉特兰条约》 1929年由墨索里尼代表意大利政府和枢机主教 P.加斯帕里代表罗马教廷所签订的条约(有效期 1929 ～ 1985)。1948 年意大利宪法对此条约予以确认。罗马教廷承认意大利国家，首都在罗马。意大利国家承认罗马教廷对梵蒂冈(面积 44 公顷)的主权。通过这一条约，教皇取得了梵蒂冈城的完全独立。双方还同意一些附加措施。其中，第 1 条为赋予罗马城以作为"天主教世界的中心及朝觐地"的特殊性质；第 20 条规定所有主教都必须宣誓向国家效忠，都必须是意大利的臣民，说意大利语；第 34 条规定国家承认天主教的婚姻在法律上有效，并受教会法规的约束，使婚约无效的案件要由宗教法庭审理，不准离婚；第 36 条规定国家准许在公立中小学中讲授宗教课，承认主教们有权任命宗教课教员和核定他们所用的教科书。根据 1985 年签订的协议，罗马天主教不再是意大利的国教。这种地位的变化引起了意大利社会生活中一些变动。其中最有实质意义的或许就是在公立学校中停止强制宗教教育。新协议还涉及其他领域，如宗教机构的免税问题和犹太人地下墓窟的所有权问题等。

laterite 砖红壤 由多种岩石在强烈的氧化作用和淋滤作用条件下风化形成的富含氧化铁的土壤层。在气候潮湿的热带和亚热带地区形成。砖红壤性土壤可以含有黏土矿物，但却往往缺乏硅质，因为氧化硅被透过土壤的水淋滤出去了。典型的砖红壤疏松多孔，呈黏土状。含有各种氧化铁矿物，例如针铁矿($HFeO_2$)、纤铁矿[FeO(OH)]和赤铁矿(Fe_2O_3)。还含有氧化钛和水合的氧化铝，其中最常见、最丰富的是三水铝矿($Al_2O_3 \cdot 3H_2O$)。砖红壤的富含铝的代表是铝土矿。砖红壤常呈豆状。露出的表面呈浅黑褐色到淡红色，并常具有矿渣或熔渣般的熔岩状外观。新鲜断口颜色常淡些(红、黄、褐)，新开采出来时，一般是软的，但一经暴露就变硬了。砖红壤不能单独同任何特定的母岩、地质时代、单一的形成方法、本来的气候或地理位置等因素等同起来，它是适应一整套物理化学条件的岩石产物。这些条件是：含铁丰富的母岩，排水通畅的地面，风化时有充足湿气供水解之用，氧化电位较高，以及这些条件持续几千年以上。砖红壤曾经作铁矿石使用，在古巴还用作镍的来源。

Lateur, Frank 拉特尔 参阅Streuvels, Stijn 斯特勒弗尔斯。

latex 胶乳 胶态悬浮液。为有花植物(如橡胶树)细胞中的乳白色乳液，或由合成橡胶或塑料组成的人造水乳胶。植物产品是多种物质的复杂混合物，含有各种树胶树脂、脂肪或蜡，也常常含有有毒的化合物，悬浮于溶解有盐、糖、丹宁酸、生物碱、酶和其他物质的水性介质中。它主要产生于萝藦科植物以及夹竹桃科、山榄科、大戟科、罂粟科、桑科和菊科植物的细胞中。乳胶循植物组织中纵列的有支管的细管循环，以传导物质并充当排泄槽。主要的商品胶乳有橡胶(**rubber**)、古塔波胶(**gutta-percha**)、糖胶树胶(**chicle**)和巴拉塔树胶(**balata**)。罂粟胶乳用于制取鸦片和吗啡。在油漆涂料工业中，水分散型聚合物(或称做胶乳的聚合物)乳胶，从 20 世纪 40 年代以来，得到了广泛的应用。合成胶乳含有分散于水中的黏合剂，当水分蒸发时，塑料微粒融合形成一层薄膜。膜的性能如硬度、柔性、韧性、黏合力、保色力和耐化学腐蚀性等取决于塑料的组成。丁二烯、苯乙烯、醋酸乙烯酯和丙烯酸类单体的聚合物均在工业上得到应用。

latex foam 泡沫胶乳 参阅 foam rubber 泡沫橡胶。

lath 板条 固定于房屋构件上的材料，作抹灰的底层之用。板条可用木材、金属、石膏或隔热板等材料加工制成。较老的房屋多用木板条。现在最常用的是一种石膏板条，其做法是把加气石膏芯板夹在两层纤维纸板之间，背面以反射箔片作为衬底，可以起绝热及隔绝蒸汽的作用。金属板条是金属薄片经开孔张拉后形成的板网，可以做成各种形状，铅丝网也是其中的一种。金属板条常用在浴室和厨房中，在这些地方常在灰浆层上再粘贴一层瓷砖。

Latharna（Northern Ireland） 参阅 **Larne** 拉恩。

lathe 车床 一种进行车削加工的机床。它使加工件旋转，用刀具去掉多余材料。车床是一种最古老而又最重要的机床。早在1569年，木工车床就已在法国使用。在产业革命时期，英国就用机床切削金属。装有工件夹持装置的水平主轴，通常由可变速的动力机驱动。在高速车床上，车刀夹在刀架上，用人工操作。在机动车床上，车刀夹在刀架的十字滑板上，可平行或垂直于工件轴线作机动运动。在螺丝车床上，靠丝杠驱动刀架，使车刀的运动与主轴的转动准确配合。内圆车削叫做镗孔，用以扩大已有的孔。要在实心工件上进行内圆车削，得先钻孔；用机动车床可以钻同心孔。参阅 **boring machine；drilling machinery**。

Lathrop，Mother Alphonsa 莱思罗普（1851-05-20，美国马萨诸塞莱诺克斯～1926-07-09，纽约霍索恩） 原名罗斯·霍桑。美国作家、修女、天主教多明我会第三教团癌症不治患者救助会创立者。莱思罗普是小说家N.霍桑的女儿。1871年与G.P.莱思罗普结婚。曾写有短篇小说和诗歌，其中有诗集《沿着海边》(1888)。1891年改信天主教。与丈夫分居后，在纽约怀先医院接受护理癌病患者的训练。为了募集基金，1897年写成《回忆霍桑》。后在纽约购得房屋，开设收治癌症患者的医院。1899年春，在她丈夫去世一年之后，医院迁入更大的楼房，改名为圣罗斯癌症不治者免费疗养院。加入多明我会后，于1900年12月8日宣誓出家当修女，取名阿方萨。她在M.罗斯修女的协助下，创办利马多明我会，后改名为癌症不治患者救助会。她成为该教团的第一任院长。1901年在霍索恩镇建立罗萨利希尔疗养所，现该会总会即设在此地，她除领导该会工作外，还主编刊物《属于基督的穷人》。该会在纽约、宾夕法尼亚、马萨诸塞、佐治亚、明尼苏达五州设有分会。

Lathrop，Julia Clifford 莱思罗普（1858-06-29，美国伊利诺伊罗克福德～1932-04-15，罗克福德） 美国社会福利工作者，联邦儿童局第一任局长。1880年毕业于纽约州瓦瑟学院。1890年参加赫尔大厦工作，为时达20年。1893年为伊利诺伊州慈善事业委员会的第一位妇女委员。在该委员会工作期间做了如下一些改革：在公立医院中任用女医生及女护士；将精神病人迁移出救济所；在美国建立第一个青少年法庭(1900)。1912年塔夫脱总统任命她为新设立的儿童局局长。该局当时属于工商部。莱思罗普领导了对于婴儿死亡率、童工、青少年犯罪及私生子等问题的开创性研究。她还参与立法活动，1921年促成谢帕德-汤纳法案通过，为社会保障法中的母婴保健诸条款提供了基础。1921年她辞去儿童局局长职务。1925年担任国际联盟儿童福利委员会委员。

Lathyrus（king of Egypt） **鹰嘴豆** 参阅 **Ptolemy IX Soter II** 托勒密九世（救星二世）。

latifundium 大庄园 古罗马的大地产，由在占领区没收的土地形成，始于公元前2世纪初。所有者是上层人物。他们拥有大量资金，能够改良作物和牲畜的品种。到公元3世纪，大庄园实际上取代了小农庄，成为意大利和行省普遍存在的农业单位。庄园上建有别墅，奴隶与牛、农具及其他动产一并计入家产。在帝国后期，奴隶劳动愈益昂贵，庄园地产更多地由隶农分种。随着帝国的衰落和西罗马帝国的灭亡，到5世纪，大庄园不仅是经济中心，而且成为政治和文化中心。

Latimer，Hugh 拉蒂默（约1485，英格兰莱斯特郡瑟卡斯登～1555-10-16，牛津） 基督教新教人士，推进宗教改革运动。剑桥大学毕业。1510年左右领神职，起初拥护正统的

美国不列颠百科全书公司供图

天主教。1525年与剑桥的一批受新教影响的青年牧师接触。1531年与两位宗教改革家——T.克伦威尔（日后任首相）和T.克兰麦成为朋友。1535年任伍斯特主教。到1536年，他已被公认为新教领袖之一。由于英格兰一度出现拥护正统天主教的逆流，1539年拉蒂默不得不辞去主教职务，后来又一度被怀疑信奉异端而关入伦敦塔。1547年爱德华六世即位后立即推行新教，于是拉蒂默有了施展才能的机会。他的讲道吸引了广大的听众。天主教徒玛丽登上王位后，以叛逆罪将他逮捕。1555年10月16日他被处火刑。他在火刑柱上对与他同时受刑的里得雷说："今天我们将在英格兰点燃这样一支蜡烛，我相信，它永远不会被扑灭。"

Latimer（of Danby），Thomas Osborne，Viscount 拉蒂默子爵 参阅 **Leeds，Thomas Osborne，1st duke of** 利兹公爵（第一）。

Latin 拉丁人 拉丁姆(**Latium**)地区的古代民族。

Latin alphabet 拉丁字母 又称罗马字母，为世界上最广泛应用的字母文字体系，是英语、欧洲和欧洲人聚居区大部分语言的标准字母表。拉丁字母约在公元前6世纪由埃特鲁斯坎字母发展而来。它的渊源可通过埃特鲁斯坎字母、希腊字母、腓尼基字母溯至约公元前1100年叙利亚和巴勒斯坦通用的北闪米特字母。最早使用拉丁字母刻写的铭文见于普雷内斯太饰针上，这是一枚公元前7世纪的斗篷别针，文字从左到右读作 MANIOS MED FHEFHAKED NUMASIOI（译成古典拉丁语是：Manius me fecit Numerio［"马尼乌斯为努梅利乌斯制作此别针"］）。时间稍晚的铭文见于罗马广场一小柱上的竖行题刻以及在奎里纳莱宫附近发现的瓶上题刻，即所谓"女傅铭文"(Duenos inscription)，大概属于公元前6世纪。虽然专家们对这些器物的时期有不同看法，但其上面的铭文却通常被认为是现存最古的拉丁字母铭文的例证。古典拉丁语有23个字母，其中21个是从埃特鲁斯坎字母派生而来。到中世纪，字母I分化为I和J，V分化为U、V和W，这样就产生了有26个字母的字母表，与现代英语相同。目前有些使用拉丁字母的欧洲语言，不用字母K和W，有些则另外增加字母（通常是把标准的拉丁字母加上发音符号或者使用读成一个音的合体字母）。在古罗马时代，拉丁字母有两种主要类型：大写体和草写体。也有由大写体、草写体或半草体混合成的许多不同的书体。拉丁字母安色尔体就是在公元3世纪由这类混合体演变而来的。中世纪又有许多不同形式的拉丁字母由大写体、草体及安色尔体衍生出来。15世纪在意大利出现圆形的"人文主义体"，用于抄写书卷，另一种有棱角的草写体，用于法律和商业；这两种手写体分别衍生出现在印刷的楷体和斜体字母。

Latin America 拉丁美洲 使用罗曼诸语言的南美洲与北美洲国家（包括加勒比海诸岛）。拉丁美洲一词通常指使用西班牙语或葡萄牙语的国家，但说法语的海地、法属圭亚那、法属西印度群岛也可包括在内。

前哥伦布时期 蒙古种人至少在20 000年前即已来到美洲，可能是从西伯利亚经阿拉斯加而来。他们遍居北美洲与中美洲各地，后经巴拿马地峡到达南美洲，约在3 000～5 000年前抵达南美洲最南端。接着便发展出从极度原始到高度发展的各种印第安文化。建筑物从木棍茸草搭成的茅舍，到印加人宏伟的石造宫殿和马雅人顶端建有庙宇的金字塔，各不相同。在争夺土地与劳力的控制权之际，有些印第安部落划分出酋长、贵族、祭司、平民、奴工和奴隶等阶级。他们在体型和语言上的差别很大，甚至一些大帝国都没有统一的语言。

殖民地时期 拉丁美洲和加勒比海地区的殖民地时期始于15世纪末新大陆发现时，终于19世纪独立运动成功后。

为了向西找出一条较短、不必绕行非洲大陆即可到达盛产香料的东方的航道，意大利航海家哥伦布于1492年在西班牙女王伊莎贝拉勉强赞助之下，启航前往"印度地方"。教皇亚历山大六世划出西班牙与葡萄牙各自

的探险范围，并将哥伦布未来所发现的土地都划归西班牙。哥伦布到过埃斯帕诺拉岛(今海地与多米尼加共和国所在)后，于1493年率领了搭载1 200名移民的船队回到该岛。1500年左右，探险家A.韦斯普奇断言所谓“印度地方”并不是东亚的一部分；英文America(美洲)一词即源自他的名字，后指整个新大陆。

1519年H.科尔特斯奉派前往征服墨西哥大陆。阿兹特克人的国王蒙提祖马二世以为科尔特斯是重返凡界的神明，便向西班牙人屈服。其他西班牙人也想步科尔特斯的后尘，前往探寻传说中在南海之外的黄金王国。F.皮萨罗与其同伙来到比鲁(秘鲁)之后，便仿效科尔特斯之策，让印第安领袖互相争斗以坐收渔人之利，凭借屠杀与诈骗终于进入盛产黄金的印加帝国。

西属美洲的政治组织反映着西班牙中央集权的专制统治。从国王、总督到监护人(奉派“保护”印第安人的殖民者，印第安人为其服劳役并对其缴纳黄金贡物)，繁复的规定造成拖延不决的弊病，财富也带来腐败。土著居民因工作过度而死亡很多，后来虽有自由劳工的身份，但也只能得到象征性的工资或小块土地。印第安人口的衰减使土地荒废，减少了输往城市和矿区的粮食，从而刺激了生产谷类与肉类的西班牙农庄的迅速成长。国王、教会、殖民者和印第安人四者之间，为了印第安劳工和贡物控制权属谁的问题彼此争斗。这些构成了当时西班牙帝国的基础。

西班牙的工业技术落后，无力供给大量的廉价商品到殖民地以换取原料，较进步的欧洲北部国家便打入这个庞大且需求很多的殖民地市场，私掠船和走私者也接踵而至。葡萄牙的工业同样落后，1550年以后由白人、印第安人和进口的非洲奴隶组成的巴西就是由英国供应纺织品。由于欧洲对殖民地产品(糖、咖啡、烟草、皮革)的需求渐增，西班牙波旁王室的国王开始鼓励经济活动，他们扩大贸易往来，对殖民地的管理实施地方分权以改革西班牙的统治。但是分权统治、商业繁荣，以及耕作不良的大农庄和种植园继续采取劳役偿债制和奴隶制度等，造就了一个有特权的克里奥尔阶级。克里奥尔人的财富使他们与广大的劳役者格格不入；他们对西班牙统治的不满也酿成了19世纪为争取独立的革命。

受到人权启蒙观念鼓舞的克里奥尔人，因受过西班牙提供的良好军事训练和西班牙全力与拿破仑作战无暇兼顾而蒙受其惠，但独立运动的战斗行动由于严重缺乏地区间和阶级间的联合而显得杂乱无章。1814年委内瑞拉的解放运动失败后，S.玻利瓦尔得到英国商人的资助，并促使各派爱国者将整个北部地区统一成一个大的独立国家，名为新格拉纳达。在墨西哥，印第安人和混血人团体也加入反抗西班牙的运动。巴西则在1820年葡萄牙政府被推翻时，迅速而几乎未经流血就变成独立国家。

独立后时期 1825～1850年，新成立的诸共和国因社会、经济的瘫痪和政治的混乱而陷入困境。对地方政治领袖的个人忠诚使得代议自治政府成效不彰，而一般大众的反应仍然冷淡。于是出现两个政治派别：一是城市知识分子，主张联邦制，反对权势强大的天主教会；另一是地主权贵，基本上持西班牙的立场观点，与教会联合，支持行政力量强大的政府形式。直到19世纪中叶，经济进步成为主要目标，劳役偿债制和地方性的铁腕政权才被消除。新兴共和国以海外市场为主的经济导向，使他们更加依赖欧洲和美国。依靠外国控制的银行机构提供资助转向大规模商业化农业。拉丁美洲许多工业的拓展一直都是在导致通货膨胀的借贷下进行的。工业化引来了数以千万计的意大利、瑞士、德国、西班牙和葡萄牙移民。

在20世纪上半叶，一些拉丁美洲国家，特别是阿根廷、巴西、智利、墨西哥、乌拉圭、哥斯达黎加，实现了一定程度的政治稳定和巨大的工业发展。但另一些国家，例如哥伦比亚、玻利维亚、秘鲁、厄瓜多尔，以及中美洲国家和加勒比海国家，政治不稳定，经济也未取得发展。最穷的国家仍然依赖于单一产品出口，因此受国际市场起伏影响很大。美国成为影响拉美地区政治经济事务的主要外国势力。

第二次世界大战以后的几十年中，很多国家都建立了右翼独裁统治，但在冷战结束后的90年代，开始了民主化浪潮。人口的迅速增长导致大量农村的无地农民涌入城市寻求生路，从而成为提高大众生活水平的一大障碍。90年代，很多国营企业被私有化，同时加快了促进地区经济整合的工作。

Latin-American Integration Association 拉丁美洲一体化协会 根据1980年蒙得维的亚条约于1981年3月成立并生效的组织。旨在寻求该条约11个创始成员国之间的经济合作。11个创始成员国分为3种类型：最发达的(阿根廷、巴西、墨西哥)、中等发达的(智利、哥伦比亚、秘鲁、乌拉圭、委内瑞拉)和最不发达的(玻利维亚、厄瓜多尔、巴拉圭)。古巴丁1999年加入。几个国家和机构具有观察员身份。总部设在乌拉圭首都蒙得维的亚。拉美一体化协会是用来代替1960年抱着建立拉美共同市场的目的而成立的拉丁美洲自由贸易协会的。拉美自由贸易协会的计划没有取得什么进展，而一体化协会为自己规定的作用较为灵活和有限，它只是促进签订双边的特惠协定，而不制定建立共同市场的时间表。该组织的机构包括由会员国外交部长组成的部长会议，就需要会员国共同决定的有关问题作出决议的契约当事人会议和执行技术和行政职能的秘书处。2001年，该协会与安第斯共同体签署了协议，以促进进一步融合。南方共同市场(Mercosur，由阿根廷、巴西、巴拉圭和乌拉圭组成的贸易组织)也积极与拉丁美洲一体化协会成员签署自由贸易协议。

Latin-American literature 拉丁美洲文学 在西半球西班牙语系诸国与葡萄牙语系的巴西所创作的文学作品的总称，其中包括西班牙征服者接触到的已开化的印第安文明所产生的诗歌、戏剧及神话历史著作。早期的拉丁美洲文学作品有发现、征服这一新大陆并参加该地区殖民事业的人的军事性报道和史学著作。这类第一手报告中较有价值的如H.科尔特斯写得颇为生动的公文急报和迪亚斯不事修饰而活泼有趣的征服墨西哥的编年史。后继的西班牙冒险家反映了文艺复兴时期对英雄体记叙文学的偏好，常用史诗体诗歌来记录他们的冒险经历与事迹。其中优秀的有A.德·埃尔西利亚-苏尼加所著的《阿劳加纳》(1569～1589)，是述说西班牙人与智利阿劳坎印第安人的斗争的史诗。巴西成为葡萄牙殖民地之后产生了截然不同的文学类型；葡萄牙的冒险家和传教士的大部分作品专注于描绘和赞美这片新土地的风光绮丽和风俗淳厚。

‘16～17世纪间，拉丁美洲殖民地社会趋于稳定，与欧陆本国的紧密联系促进了两地文学平行发展的趋向。史诗为讽刺诗文及抒情诗所取代。后者大多是些本身毫无灵感、模仿西班牙巴罗克诗人L.德·贡戈拉-阿尔戈特之作。但亦有少数作品具有真正的文学价值，如移民后裔的墨西哥修女克鲁斯所写的朴实的关于宗教及世俗之爱的诗歌。18世纪，法国习俗、文风以及法国大革命的思想产生了极大影响。拉丁美洲的一些革命战争(1808～1824)的激情表现为爱国颂歌与英雄诗，诸如J.J.奥尔梅多和J.M.埃雷迪亚的诗作。

19世纪中期，浪漫主义运动传播至拉丁美洲各新兴共和国。在题材方面浪漫主义者多采用乡土场景和当地人物类型，例如过去和现代的印第安人、潘帕斯草原上的加乌乔(南部草原的牧民)和巴西东北部僻远的乡下人。这类题材在后来的文学中仍受重视，并孕育了普拉特河流域加乌乔文学与巴西的印第安小说这些具有鲜明拉丁美洲色彩的文学品种。19世纪中叶，风土文学产生，多为用富有诗意的写实手法描绘外省各地风土人情的速写。风土文学后来演变成为以社会问题为中心的写实小说。

19世纪70年代末期，大部分拉丁美洲对外部世界的生活和文学已有普遍的认识，现代主义文学运动于是产生。这一运动标榜“为艺术而艺术”，以美、异国情调、高雅为理想，将本土与欧洲的各种不同流派(如象征主义、帕尔纳斯派诗风、颓废主义)熔于一炉。它在尼加拉瓜诗人R.达里奥领导之下达于顶点。

墨西哥革命(1910～1920)暴露的可怕情景在拉丁美洲作家中唤醒了强烈的社会意识，于是作家们屏弃借艺术逃避现实的现代主义文学，转而创作出一批散文小说，着眼于印第安人、黑人、印欧混血的农民以及贫苦的都市工人所受的虐待和苦难。这类作品有M.阿苏埃拉的《在底层的人们》(1915)，以及J.伊卡萨的《瓦西蓬戈》(1934)。诗人C.巴列霍、P.聂鲁达以及后来的先锋派诗人的作品，将对社会政治问题的深切关注与诗体和形象上的大胆创新结合起来。对戏剧的实验与革新也作了有价值的尝试，在20世纪20年代末及30年代的墨西哥与巴西，这类尝试在从表现主义到荒诞派戏剧的影响之下尤为突出。

20世纪后半期，拉丁美洲文学的主题和

象征意念更具普遍性，并已完全进入西方文学的主流。作品愈来愈显示出对哲理性问题，诸如现代人作为异化力量、生存的绝望、孤独和邪恶的受害者问题的专注。同样明显的是作家们始终爱好心理分析以及现实同幻想或梦境的交互作用。在一批当代小说家如J.L.博尔赫斯、E.马列亚、J.科塔萨尔和G.G.马尔克斯的小说中，这更是他们的特色。

Latin Averroism 拉丁阿威罗伊主义 中世纪后期及文艺复兴时代，许多西方基督教哲学家从穆斯林哲学家阿威罗伊对亚里士多德的注释得到启示而提出的学说。拉丁阿威罗伊主义的基本原则是主张理性和哲学高于信仰和基于信仰的知识。拉丁阿威罗伊主义的代表人物有巴黎的让（冉丹的）、意大利的塔代奥（帕尔马的）和安吉洛（阿雷佐的）。他们还认为物质和精神的创造是必需的和永恒的，全人类只有一个"知性灵魂"（因而否定个性与不朽）。他们亦信奉排除道德责任的心理决定论。

Latin-Faliscan languages 拉丁-法利希诸语言 某些学者提出的一个语支，属于印欧语系意大利语族，包括从罗马向外传播的拉丁语和通行于埃特鲁里亚东南部法莱里地区的法利希语。法利希语与拉丁语关系密切，它是由几块用埃特鲁斯坎字母所写的简短碑铭而为人所知。意大利语族另外一个语支是奥斯坎-翁布里亚诸语言。

Latin language 拉丁语 拉丁语作lingua Latina。属印欧语系意大利语族，是现代罗曼诸语言的原始母语。起初操该语者是台伯河下游的几个小居民集团，随着罗马人版图的扩大，拉丁语首先传遍整个意大利，而后扩及西欧和南欧大部地区以及非洲地中海沿岸的中部和西部。现代罗曼诸语言是由罗马帝国各地的不同的拉丁口语发展而来。经过中世纪直到近代，拉丁语在西方广泛用于学术和文学作品，直至20世纪晚期仍用于罗马天主教的仪式中。拉丁语最早文献可溯至公元前6世纪，是一外衣饰针上的四字铭文，用希腊字母雕成；铭文非重读音节元音不弱化，这与以后的拉丁语完全不同。早期拉丁语重音在词中第一个音节，罗马共和时期和帝国时期的拉丁语重音则在词的倒数第二音节或第三音节上。古典拉丁语时期，名词和形容词有6个"格"（主格、呼格、属格、与格、宾格、离格），在某些名词词尾变化中还留有方位格痕迹。除了i-词干和辅音词干的词尾变化（语法书中作为第三种变化）之外，拉丁语中还清楚地保留了由印欧语承袭下来的各类词尾变化。以后，至少流行3种拉丁语：书面用古典拉丁语、演说用古典拉丁语以及一般人使用的拉丁语口语。拉丁语口语一直在变化，语法、语音、词汇与古典规范的歧异越来越多。古典时期及后古典时期前期，大量铭文成为拉丁口语的主要词汇来源，但到3世纪以后，许多文献都是用一种民间拉丁语书写的。然而，4世纪末及5世纪初的圣·哲罗姆和圣·奥古斯丁这些著作家，都是用优美的晚期拉丁语文学语言写作的。其后拉丁语沿着两条途径发展：第一条途径是拉丁语以地方口语形式为基础而发展，最后形成现代罗曼诸语言和诸方言。第二条途径是拉丁语在整个中世纪继续以标准形式出现，作为宗教和学术语言而存在；拉丁语这种形式曾对西欧各种语言给予很大影响。参阅 **Vulgar Latin**。

Latin League 拉丁同盟 最初指罗马附近约30个村庄和部落为反对敌对邻近集团而结成的共同防御同盟，阿尔巴隆加成为同盟的领袖。该城成为举行宗教庆典（包括在阿尔班山举行的朱庇特祭）的地点。联盟成员还在此聚会审理纠纷。公元前348年左右罗马加入这一同盟，但因不承认其他盟员在政治上具有平等地位而引起战争。公元前338年罗马取得胜利，遂将同盟解散。

Latin literature 拉丁文学 以拉丁文写成的文学作品的总称，主要产生于罗马共和与帝国时期（当时拉丁语是通用口语）以及中世纪直至文艺复兴时期（当时宗教仪式、学术、公文用语均为拉丁语）。有人认为希腊原作是源，它们决定了古代或古典拉丁文学的发展。这只说对了一部分。从早期起，一种"拉丁特性"便已崭露头角。拉丁文学的优美和活力，一部分来自希腊成分与刚健的拉丁成分的融合。公元前1世纪诗人维吉尔将拉丁文铸炼成一种精致圆熟的诗的语言，写成史诗《埃涅阿斯纪》，同时又不失其原有韵味，诸如公元前3世纪诗人使用过的头韵，虽嫌粗糙，却铿锵有力。但是，希腊人遗留下的大多数文学体裁，如史诗、戏剧、抒情诗及其他个人创作的诗体、历史、演说、哲学等，罗马人都沿用了；他们新增加的有讽刺诗和小说。

古代　第一位重要的拉丁文作家是希腊人L.李维乌斯·安德罗尼库斯（公元前约284～前约204），他将荷马的《奥德赛》译成拉丁文。从现存的片断可看出L.李维乌斯·安德罗尼库斯富有想象力地利用拉丁语的潜在资源，创造了与荷马原著丰富词汇相当的词语。这对拉丁文的整个发展有深远影响。同期的Q.恩尼乌斯（公元前239～前169）与G.奈维乌斯（公元前约270～前约200）的作品预示拉丁文学全盛期的到来。普劳图斯（公元前约254～前184）的戏剧的魅力在于他能将不同的素材，引用希腊剧作家的词句和大量对当时罗马生活的隐喻，熔铸成近似喜歌剧的大众娱乐剧。泰伦提乌斯（公元前约195～前159?）注重情节的连贯和自然，所写对白约略可见当年罗马口语风貌。诗人兼哲学家卢克莱修（活动时期公元前1世纪）所处的地位可谓独一无二，他的《物性论》用生动的形象阐明希腊伊壁鸠鲁派用原子说明宇宙的观点。结论是人生的实际目的是及时行乐，而死亡是终极，而它的效果却是绘出了一幅忧郁的苦行景象，而非享乐主义的蓝图。

西塞罗（公元前106～前43）是政客、鼓吹者、演说家、大量书信的作家，他又是广博的理论家，以及将散文改为诗体者（但还算不上是诗人）。他留下的作品是后人研究共和时期罗马的历史和文化的最丰富的资料。J.凯撒（公元前100～前44）的《高卢战记》，在清晰克制的笔触下掩盖了其对征服高卢的宣传因素。

在屋大维（后为奥古斯都皇帝）于公元前31年掌握罗马全疆的政权以后，文人为了趋时，甚至为了活命和保存家产，不得不迎合当权者，这在各方面都对拉丁文学有所影响。有些作家为此加入了有财又有高超手腕的G.梅塞纳斯（公元前约70～前8）之流的小圈子。在共和时期，作家可以批评知名人士而不受惩处。G.V.卡图卢斯（公元前约84～前约54）对凯撒和庞培两人都曾在诗中加以抨击。他是感情容易冲动而又直率的作家，其笔锋多变，从细腻柔婉地抒写心境感觉直至嬉笑怒骂的言论，其文笔之精妙，后来者无出其右。然而拉丁诗坛的巨擘当推受奥古斯都佑护的维吉尔（公元前70～前19），其史诗《埃涅阿斯纪》中对君主的歌功颂德虽有节制，但仍不难发现。在此之前，维吉尔以忒奥克里托斯的希腊文《田园诗集》（*Idylls*）为范本写了由10首田园诗组成的《田园诗集》（*Eclogues*），他还写有经过高度锤炼的《农事诗》（*Georgics*）。维吉尔还介绍贺拉斯（公元前65～前8）加入梅塞纳斯的小圈子，贺拉斯以其《歌集》、《长短句集》和《讽刺诗集》的优美、幽默和创新而成为当时诗坛的重要人物。也许由于心存顾忌，他的诗歌有揭露也有隐讳。他的斥骂和情诗都不以真实人物为对象，但他的作品充满人情味，其为人也常被推为罗马人文明美德之表率。文雅的奥维德（公元前43～公元17）不如贺拉斯谨慎，被奥古斯都放逐到文化落后的黑海之滨，其作品中最有影响者为《变形记》，讲的是一系列变形的故事。

历史家李维（公元前59～公元17）同样是叙事能手，其《罗马简史》流露出对早期罗马传统价值的赞美，并希望奥古斯都能部分地恢复过去。李维以梳理追叙历史事件见长，但他笔法上的怪异，当时人批评为粗野。至于从奥古斯都起各代帝王争权夺位的斗争真相，则直到历史家塔西佗（约56～约120）笔下才得到有力描绘，其中语多讥讽，并时有惊人之笔。苏埃托尼乌斯（约69～122后）的著作则有耸人听闻，不加考订，任意采用传闻之嫌，但他的《诸帝本纪》所根据的某些资料则颇翔实可靠（如奥古斯都的书信）。自然史方面以老普林尼（23～79）为代表，维苏威火山爆发时为探其究竟，他逼近烟火，竟以身殉。

塔西佗的阴郁情绪反映出一种道德观点，即德行本可实现，但惰性与腐败终使之失败。另一位道德家诗人尤维纳利斯（50或65～127后）在其《讽刺诗》中痛斥罗马的道德沦丧，并抽丝剥茧般精确描述了当时普遍存在的庸俗堕落。尤维纳利斯的诗与其友人马提雅尔（38或41～约103）的讽刺短诗一样，常有淫秽之辞。

罗马人并未有意创立小说这种形式，但是像《萨蒂利孔》这种娓娓道来，信笔所至的长篇故事，很难有别的名词来形容。此书由佩特罗尼乌斯于公元1世纪时所写，讲的是两名声名败坏的青年男子的冒险经历。现存的是原来必定极长的作品的一部分，其中插有一些引语，有的是希腊文，读后可对当年日常拉丁口语（虽未必是上流社会的用语）有个概念。《萨蒂利孔》在古代失传后，忽在近代又被发现。

中世纪 由于基督教在4世纪升居统治地位，罗马于5世纪后期被野蛮部落征服，拉丁文学的法理基础亦随之发生根本的转移。原先，以文化都市罗马为基地的罗马帝国统治阶级保证长期使用拉丁语，如今却由基督教会来保证，而且仅用于礼拜、神学与历史著述方面。从此拉丁语成为西欧各地的隐修院与大教堂学校保存下来的文学语言，而在中世纪，甚至是留传经典著作以及文化的主要、有时是唯一手段。基督教的拉丁文学始于基督教徒在西方势力渐增的各聚居地，特别是在非洲的罗马省。拉丁语因应基督教之需所创造的新词汇而愈见丰富，《圣经》的古拉丁文本和日常习惯用语当时均有影响。3世纪与4世纪的非洲作家，如德尔图良、米努齐乌斯·费利克斯、西普里安、阿诺比乌斯、拉克坦提乌斯，都是基督教拉丁文学的创造者。

奥古斯丁在《论基督教义》中讨论了受过教育的基督教徒应如何对待世俗文化。这位先前的修辞学教师有条件地肯定基督教徒可以接受学校方法，同时指出《圣经》的"俚俗风格"自有其独特的修辞。哲罗姆亦受到过这同一问题的困扰，但是他所译的《通俗拉丁文本圣经》在中世纪自始至终均有影响，成为基督教拉丁文的一个范本。不少诗人运用其中种种的修辞技巧，为受过教育的听众写出有史诗风格和宗教内容的诗作。这些诗人中有尤文可斯、塞杜里乌斯、阿维图斯（维埃纳的）、亚拉脱、B.A.德拉康蒂乌斯、普鲁登蒂乌斯、圣保罗（诺拉的）等。西方的基督教史家的代表人物有T.鲁菲努斯、S.塞维鲁和P.奥罗修斯。A.T.马克罗比乌斯与M.M.F.卡佩拉是5世纪的异教徒作家，在学院中有极大影响，达数世纪之久。4世纪中最富新意的文学创作乃是拉丁文的基督教赞美诗。奚拉里（普瓦蒂埃的）写过赞美诗，圣安布罗斯的作品是后来赞美诗作的核心。

波伊提乌和卡西奥多鲁斯属于6世纪和东哥特人统治意大利时期。波伊提乌对中世纪文学与哲学有深刻影响。卡西奥多鲁斯则制订了一套学校教学计划，沿用达几世纪之久。恩诺迪乌斯与马克西米安的诗作表现了意大利各学派一贯的现世主义。伦巴第人入侵重创了意大利文化，但是格列高利一世派出奥古斯丁，使英国人皈依基督教，使新的一国人民加入了拉丁文化范畴。格列高利的著作显示了他的才华，同时也可看出学术日趋衰微。

英国的拉丁文学始于7世纪的舍伯恩主教奥尔德海姆，他所写的散文与诗受爱尔兰传统与罗马新学术的混杂影响。比德不仅写出了资料翔实和第一流的教会史，也是拉丁文学复兴最卓越的代表。比德以七艺为基础订立的学习方案传至约克学派，阿尔昆后来便成为该派在亚琛的宫廷学校校长，并且成为加洛林时期学术重振年代最优秀的人物。

在加洛林王朝时期（8～9世纪），在开明的查理曼统治下，拉丁文学得以重振。学者阿尔昆与诗人狄奥多尔夫（奥尔良的）是这一时期文坛健将中最为出众者，他们既写作历史与传记，也以不同韵律写下了圣诗与俗诗。

隐修院时代之后便是12世纪的大教堂学校（即日后大学的先驱）时期。在格伯特（兰斯的）与富尔贝尔（夏尔特尔的）领导下，学科范围更趋宽广，并更明智地关心作家。B.西尔韦斯特里斯和阿兰（里尔的）为颇具影响的柏拉图主义者。

杰弗里（蒙默思的，1155年卒）所著的《不列颠史》在浪漫传奇故事流行的情况下仍获得空前的成功。此时的历史著作急剧增加，作者有西日贝尔（让布卢的）、吉贝尔（诺让的）、奥尔德里克·维塔尔、威廉（马姆斯伯里的）、絮热（圣·丹尼斯的）、奥托（弗赖辛的）、威廉（提尔的）、萨克索以及后来的帕里斯。

拉丁中世纪最有独创性的诗作是在弥撒圣餐礼读使徒书和读福音之间吟唱的继叙经。它最初是诗体散文，9世纪巴尔布鲁斯（圣高尔的）是它的最著名的倡导者。至12世纪时发展为押韵并且有韵律的作品，而在亚当（圣维克托的）的继叙经中臻于完美。

自11世纪晚期以来，礼拜与宗教作品数量渐增，安塞姆（坎特伯雷的）写出了具有文学形态的《独白》、《关于上帝存在的谈话》和《为什么上帝与人同形?》等神学论文。其祈祷文极大地推动了个人礼拜运动，并且圣伯尔纳（明谷的）、威廉（圣蒂埃里的）与埃尔雷（里沃的）同属这一礼拜运动的人物。圭格的《冥想录》在中世纪拉丁文学中无出其右，于格（圣维克托的）与理查德（圣维克托的）为保守派神学的代表。英国的宗教礼拜文学在R.罗尔（汉波尔的）笔下，欧洲大陆方面则在托马斯（坎普滕的）笔下达到了顶峰。

文艺复兴 与拉丁文"文艺复兴"一词相关联的人物有但丁、彼特拉克、G.薄伽丘、A.墨萨多、C.萨卢塔蒂、L.布鲁尼、A.S.皮科洛米尼（即教皇庇护二世）。其时诗作有回归古典模式的潮流。散文方面，有大量的人文、历史、科学、哲学、宗教著作，所用文字仍为拉丁文，为此时期的标志之一。

15、16世纪的意大利三个主要学术中心是佛罗伦萨、罗马和那不勒斯。波焦·布拉乔利尼、M.菲奇诺、G.P.德拉·米兰多拉、波利齐亚诺、F.兰迪尼属于佛罗伦萨一派。罗马则有P.本博、G.科塔、M.维达等人。那不勒斯宫廷由G.蓬塔诺独领风骚。B.斯帕诺利是加尔默罗会的修道会长，诗作极富，他所写的牧歌在当时曾广泛传颂。文艺复兴的数百年间，田园诗成为风行一时的一种体裁。

其后数百年中，拉丁文仍为学术界所沿用。但用于纯文学者则日见衰微。18世纪早期以前，拉丁文仍是史学与科学研究的国际语言。但此后文学艺术已完全停止使用拉丁文而改用西欧各地方语言。

Latin rights（Roman law） 参阅**jus Latii**拉丁人的权利。

Latina 拉蒂纳 意大利中南部城市，拉齐奥区拉蒂纳省省会。1932年建为新开垦的蓬蒂内沼泽（**Pontine Marshes**）的第一个中心，1934年由罗马省设拉蒂纳省时成为省会。原名利托里亚，1947年改用现名。位于罗马东南偏南64千米处。有榨糖和水果蔬菜罐头厂以及玻璃厂。附近有核电站。人口：城市区100 663；省470 784（1989）。

Latini, Brunetto 拉蒂尼（约1220，佛罗伦萨？［意大利］～1294，佛罗伦萨） 意大利佛罗伦萨著名学者，曾帮助传播对早期意大利诗歌的发展极为重要的思想。为归尔甫党人（保皇党），佛罗伦萨政界的头面人物之一。归尔甫党在蒙塔贝尔蒂失败（1260）后，流亡法国。1266年回到托斯卡纳。1267年后，任公职20年，以修辞学大师闻名。1262～1266年，以法文散文撰写一部百科全书《宝藏集》。他的作品对青年但丁有深刻影响。但丁在《神曲》中十分尊敬地提到他。

Latino sine Flexione（language） **无屈折拉丁语** 参阅**Interlingua**国际语。

Latinus 拉丁努斯 古罗马传说人物。据说是拉丁姆的土著国王，代表拉丁族的英雄。一说他是希腊英雄奥德修斯与巫女喀耳刻所生之子；另说他是罗马神灵法乌努斯与仙女马里卡所生之子。拉丁努斯的属性不明确，可能是为了解释罗马的起源及其与拉丁的关系而设想出来的。

latissimus dorsi 背阔肌 背部最宽、最大、最有力的肌肉。扁平、三角形。位于背部下半部。起于脊柱下半部及髂嵴，向上渐细，成一圆腱，止于肱骨上部前侧。功能为将上臂向下向后拉，并使之内旋（如爬泳时的胳膊下划动作）。在攀爬时与胸、腹肌配合，将躯干向上拉。用力呼吸时两侧背阔肌一齐收缩，协助上拉下部肋骨。

latite 安粗岩 又称粗面安山岩（trachyandesite）。北美西部数量很多的喷出岩，一般为白色、浅黄色、浅粉红色或灰色，是相当于二长岩（**monzonite**）的火山岩。安粗岩在由正长石和普通辉石组成的细粒基质中含有斜长石（中长石或奥长石）斑晶。还含有透辉石斑晶，有时有黑云母和普通角闪石斑晶；副矿物为磷灰石、锆石、白榴石和磁铁矿。安粗岩的化学成分介于粗面岩和安山岩之间；当基质含有大量石英时，就转变为英安岩。

latitude and longitude 纬度和经度 一种坐标系统。可用以确定和描述地球表面上任何地点的位置。纬度是对赤道南北位置的度量。从技术上分，可有如下几种纬度：地理纬度、天文纬度和地心纬度，但这几种纬度间的差数不大。在大部分情况下，纬度指的是地理纬度（即绘制地图时用的纬度）。地理纬度是地球球心角所对应的地面上的弧长。它从赤道向南北两极度量，以度、分和秒表示。例如，北纬30°15′20″的一个地点即对应于地球球心的30°15′20″角；同理，赤道与两个地理极间所夹的弧均为90°（地球圆周长的1/4，即1/4×360°），因此最大的纬度是北纬90°和南纬90°。在地图或地球仪上画出与赤道平行并互相平行的等距圆圈，称为纬线或纬圈。测定地理纬度有很多方法，如观察北极星的角度或用六分仪测量正午太阳高度角等。每

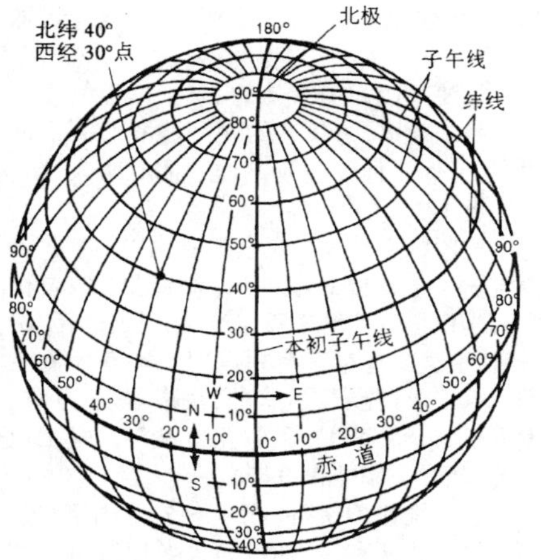

带经纬线坐标的地球透视图

一纬度的弧长约为111千米，但因地球的曲率是不均一的，所以弧的长度值是变化着的：在赤道为110.567千米，到两极则为111.699千米。经度是对格林尼治本初子午线东西位置的度量。本初子午线是专指通过地理南北极和伦敦格林尼治的一条假想南北线。经度是从地心到赤道与本初子午线的交点先画一条线，再从地心到赤道上任何一点画一条线形成的角对应的弧，也是以度、分、秒度量。本初子午线东西各有经度180°。为在地球仪或地图上定出经度位置，在南北两极间画出子午线，也就是经线。它们在两个极点相遇。每一经度代表的距离，在赤道约为111.32千米，而在两极则为0。经度和纬度交织组成经纬网格，利用这种经纬网格，根据本初子午线和赤道就能精确确定各地的位置。

latitudinarian　宽和派　基督教安立甘宗17世纪出现的一批教牧人员，他们的信仰和宗教习俗被保守派认为非正统或偏离正统。最初此称呼指的是剑桥大学的柏拉图主义者，后来泛指依靠理性而不依靠圣传以论证基督教教义的教牧人员。他们认为，除了必须公认的教义以外，其他方面应讲究宽和。因此宽和派可以说是19世纪圣公会内**宽和教会派**(**Broad Church**)的先驱。

Latium　拉丁姆　意大利中西部的古代地区，原来领土只限于阿尔班丘陵周围地区，约公元前500年扩展到台伯河南，远达奇尔切奥山地角。拉丁姆西北邻伊特鲁里亚，东至萨谟奈，东南达坎帕尼亚，东北与萨宾人、埃魁人和马尔西人的领地接壤。现代的拉齐奥区则更有扩大，包括菲奥拉河以南、加里利亚诺河以北的整个沿海平原，东至亚平宁山脉。拉丁姆的历史与古罗马的命运分不开。拉丁人为公元前2千纪前来意大利半岛定居的印欧部落的支系。在公元前1千纪开初的几个世纪里，拉丁人已形成一个单独民族，最初定居在孤立而易守的阿尔班丘陵地区。他们受到意大利南部铁器时代文化和伊特鲁里亚南部的维朗诺瓦文化双方的影响。约在公元前600年，埃特鲁斯坎人占领拉丁姆，在罗马定居后，罗马和拉丁各城镇同样受到埃特鲁斯坎文化和艺术的影响。罗马不久即成为超过邻近各城市的巨大城市。拉丁人和希腊人联合起来，迫使埃特鲁斯坎人于公元前475年从拉丁姆撤退。埃特鲁斯坎人撤走后，拉丁姆日趋贫困。罗马也丧失了在邻近城市中的领先地位，很久以后才恢复元气。在整个公元前5世纪里，拉丁同盟在罗马强制推行自己的政策，每年由拉丁各城市的代表选出一个独裁者，指挥包括罗马军队在内的同盟军队。在这个同盟中，图斯库卢姆似乎起着罗马在埃特鲁斯坎时代所起的领导作用。罗马的地界不超出城周围6英里。拉丁人民受到邻近民族的威胁，其中包括在昂蒂乌姆居住的沃尔西人和统治普勒尼斯特与蒂布尔的埃魁人。在公元前4世纪中，罗马开始凌驾于因意见不和而受到削弱的拉丁姆各姐妹城市之上。到公元前358年，罗马和拉丁同盟在平等的基础上缔结一项条约，其中规定轮流推举同盟的独裁者。但是罗马的实力不断壮大，它在沃尔西人的领地上建立两个部落。后来罗马和拉丁人之间爆发了战争，战火由公元前340年持续到公元前338年，结果拉丁人战败，拉丁同盟解体。罗马制定法令，限制或取缔拉丁诸城市的自治权。从此，罗马在拉丁姆的霸权已成为既成事实，拉丁地区生活很快走向罗马化。

Latium (Italy)　**拉蒂乌姆**　参阅 **Lazio** 拉齐奥。

Latona (Greek mythology)　**拉托纳**　参阅 **Leto** 勒托。

Latour, Maurice Quentin de (French painter)　参阅 **La Tour, Maurice-Quentin de** 拉图尔。

Latreille, Pierre-André　拉特雷耶(1762-11-29，法国布里夫-拉盖亚尔德～1833-02-06，巴黎)　法国动物学家、天主教司铎、现代昆虫学之父。首次对甲壳纲动物及昆虫进行详细分类。虽然他酷爱博物学，受的却是神学教育，1786年于巴黎受神职。1796年出版《昆虫分类性状概述——按自然顺序排列》一书，标志着现代昆虫学的开始。1799年他因此书被任命为巴黎国立自然历史博物馆昆虫馆主任。他任职时发表不少著作，包括《甲壳动物及昆虫的自然史——总论及各论》(14卷，1802～1805)。1829年继J.拉马克任国立自然历史博物馆动物学教授，讲授甲壳纲、蜘蛛纲及昆虫纲等课程。

Latrobe, Benjamin (Henry)　拉特罗布(1764-05-01，英格兰约克郡利兹附近富尔内克～1820-09-03，美国路易斯安那新奥尔良)　英国出生的建筑师、土木工程师，被认为是美国第一位开业建筑师，也是美国希腊复古式建筑的倡导人。就学于德国摩拉维亚学院。后游历法国和意大利，获得先进的法国建筑艺术知识。1784年回英国，从新古典主义建筑师S.P.科克雷尔，并向著名的土木工程师J.斯米顿学习工程，约1790年自行开业。1795年移居美国后的早期重要作品有里士满的弗吉尼亚州监狱(1797～1798，1927年拆毁)。1798年设计的费城宾夕法尼亚州银行被认为是美国第一座希腊复古式建筑。约同时设计的费城塞奇利住宅又是第一座仿哥特式建筑。1803年被美国总统J.杰斐逊任命为美国公共建筑的监督官，参加了华盛顿美国国会大厦的完成工作。在众议院和参议院会议厅中，他在古典装饰题材中增加了美国植物的花纹，如玉米、烟草等。1806～1807年设计的联邦最高法院是美国最富有创造性的古典式室内装饰作品之一。其最著名的作品为巴尔的摩的圣母升天大教堂(1805年始建)，体形庄重，匀称优美。他还擅长工程，特别是供水工程，曾进行机械、轮船等多方面的创造性实验，致使经济上陷于破产。他为新奥尔良设计了供水工程，正在监工时染黄热病去世。他提倡对所承担的工程从设计到施工自始至终亲自参加，这种方法已为现代建筑业所普遍实行。

拉特罗布设计的圣母升天大教堂
美国不列颠百科全书公司供图

Latrobe Valley　拉特罗布河谷　Latrobe又拼La Trobe。澳大利亚东南部维多利亚州的河谷，是该州最重要的经济地区。拉特罗布河源自吉普斯兰地区包包山附近的东部高地。河为东南流向，流过莫伊和亚卢恩两市，然后几乎直接向东流经特拉拉尔根，在塞尔附近与其主要支流汤姆逊河和马卡里斯特河汇合，在离塞尔10千米处流入惠灵顿湖，这是吉普斯兰地区诸湖中之一。该河原名格伦加利，是一条112千米长的河流，为缅怀维多利亚州的第一任副总督查尔斯·拉·特罗布，遂重新命名。季节性的水流变化十分明显。靠近河口处，农业——主要为乳品业——是主要的经济活动。再往西，拉特罗布河谷中部有世界最大的褐煤矿藏；1919年以来一直在开采中。在亚卢恩、莫韦尔和黑泽尔伍德有全部以煤为燃料的大热电站，并生产煤砖。河谷亦有一些林业，提供纸浆并供应当地纸厂，另有一家生产天然气的工厂。

Latter-day Saints　末世圣徒教会　参阅 **Mormon** 摩门教徒。

Latter-Day Saints, Reorganized Church of Jesus Christ of　参阅 **Reorganized Church of Jesus Christ of Latter-Day Saints** 耶稣基督末世圣徒改组教会。

Latter Rain revival　春雨奋兴运动　美国基督教五旬节派(灵恩派)早期的名称，19世纪末20世纪初兴起于田纳西和北卡罗来纳。

《圣经·约珥书》第2章23节说，上帝降下甘霖，就是秋雨（former rain）和春雨（latter rain），该派运动名称本此。秋雨和春雨分别标志犹太收获季节的开始和结束。据五旬节派解释，秋雨指当年五旬节圣灵降临在基督的信徒身上，信徒说方言之事；春雨指第二个时代，信徒再一次接受圣灵，说方言，预示基督即将复临。

Lattes, C(ésare) M(ansueto) G(iulio)　拉特斯（1924-07-11，巴西库里蒂巴～　）　巴西物理学家，和美国物理学家E.加德纳1948年在伯克利加利福尼亚大学证实了用α粒子轰击碳核时产生重介子和轻介子。拉特斯40年代在圣保罗大学和G.奥基亚利尼共同学习，1946年随他到布里斯托尔大学，和C.F.鲍威尔一起，共同证实在玻利维亚安第斯山顶上暴露在宇宙线下的照相底片上所留的径迹，可以判明两种类型的介子。1948年任圣保罗大学教授，1948年后也在巴西大学担任教学，50年代在美国任研究员。

latticinio glass　花格玻璃　在透明玻璃器皿的玻璃内嵌进不透明的通常是白色的玻璃丝或玻璃条，组成各种图案（如垂直条纹或螺纹）的玻璃。采用交叉条纹时称为花边式玻璃；采用网状图案，在每格里都有一个气泡，则称为网式玻璃。这种玻璃制作技术在16世纪是威尼斯的特长，后曾流行于欧洲。

Lattimore, Owen　拉铁摩尔（1900-07-29，美国华盛顿［哥伦比亚特区］～1989-05-31，罗得岛普罗维登斯）　美国研究中国问题专家，20世纪50年代麦卡锡主义的一位受害者。其弟里士满·拉铁摩尔为诗人。他在中国度过了大部分童年时代，当时他父亲在中国执教。从1926年起他从事研究和写作，行迹遍布中国的蒙古、新疆和东北三省。1939～1953年任马里兰州巴尔的摩的约翰斯·霍普金斯大学国际关系佩奇学院院长，1938～1963年间为约翰斯·霍普金斯大学的讲师。1963～1970年任英国利兹大学中文系主任。1950年美国参议员约瑟夫·麦卡锡控告拉铁摩尔为苏联间谍。当年后期，参议院一委员会免除了对他的控告，但参议院国内安全小组委员会恢复了调查。1952年他以曾在小组委员会作证，被控告犯伪证罪。1955年司法部撤销了所有反对他的指控。他通晓汉语、俄语和蒙古语，被认为是关于中国-俄罗斯问题的主要专家。他出版了许多关于亚洲的书，以及一本描述麦卡锡事件的书《中伤之苦》（1950）。

Lattimore, Richmond　拉铁摩尔（1906-05-06，中国保定～1984-02-26，美国宾夕法尼亚罗斯芒特）　美国诗人、翻译家，以严谨而又富有诗意的文笔翻译希腊古典名著闻名。1926年毕业于达特茅斯学院，1932年毕业于牛津大学。获伊利诺伊大学博士学位（1935）。在大学时代写了一些论述希腊、盎格鲁-撒克逊和北欧传统的诗篇。后来，集中力量写抒情诗。他的《30年诗选》出版于1972年。译作包括荷马的《伊利亚特》（1951）和《奥德赛》（1967）以及《四福音书和启示录》（1979）。他同D.格伦合编《希腊悲剧全集》（1959），所译埃斯库罗斯、欧里庇得斯、阿里斯托芬和品达罗斯的作品特别受到盛赞。他翻译的《伊利亚特》被广泛认为是当今的权威译本。还写有评论文章，如《希腊悲剧的情节模式》（1964）等。曾任布林莫尔学院希腊语教授（1935～1971）。

Lattre de Tassigny, Jean de　拉特尔·德·塔西尼（1889-02-02，法国穆耶隆-昂-帕莱～1952-01-11，巴黎）　法国陆军军官，死后被追认为法国元帅。是第二次世界大战时戴高乐将军所率军队中军事领导人之一。他也是第一次印度支那战争（1946～1954）中最成功的法国总司令。参加过第一次世界大战，1921～1926年在摩洛哥服役。第二次世界大战初期担任参谋工作，1940年5月任步兵师长。1940年6月法国失败后，他被德国人囚禁，但于1943年10月逃往北非。盟军在法国南部登陆（1944-08-16），以及随后穿越法国、攻入德国南部和奥地利的作战中，他指挥法国第一集团军。1945年5月8日，他代表法国在德国投降书上签字。战后任西欧联盟地面部队司令，后于1950年12月前往法属印度支那，动员当地法国平民参加反对越盟的民族主义革命运动的战争。他阻止了武元甲将军在1951年发动的红河三角洲攻势，但疾病迫使他返回法国。

Latuka（people）　参阅**Lotuko** *洛图科人*。

Latvia　拉脱维亚　全称拉脱维亚共和国。东北欧国家。首都及主要城市里加。位于波罗的海沿岸，濒里加湾，北邻爱沙尼亚，东连俄罗斯，南接立陶宛。面积64 589平方千米。人口约2 348 800（2003）。

自然地理和人文地理　拉脱维亚大部地区为起伏的平原，有低地与低丘相间。波罗的海及里加湾海岸极为整齐。气候受来自大西洋的气团影响，夏季凉爽多雨，冬季来的较迟，始自12月中，止于3月中。全境约2/3为森林、草地、牧场、沼泽与荒地。森林为混合林，动物包括松鼠、狐狸、野兔、猞猁狲、獾和貂。

拉脱维亚人占人口的2/3。拉脱维亚人讲拉脱维亚语，为仅存的两种波罗的海语言之一，另外一种为立陶宛语。俄罗斯人占人口的近1/3。

拉脱维亚是一个完全工业化的国家。机器制造和金属加工为主要的制造业。收音机和科学仪器等劳动密集型产品，以及冰箱、洗衣机、小型摩托车等耐用消费品均有大量生产。重工业产品包括船舶、铁路车辆、电车、发电机、柴油发动机和农业工具等。轻工业主要有纺织、制鞋和服装。

拉脱维亚的铁路、公路、航空及内河水道的运输十分便利，对外贸易大多通过里加和文茨皮尔斯两个海运港口进行。里加辟有通往莫斯科及欧洲其他大城市的空运航线。主要贸易伙伴包括德国、芬兰和瑞典。

拉脱维亚最高会议（1990～1991年称最高苏维埃）任命部长会议负责政府行政。1989年12月以前，最高苏维埃成员由拉脱维亚共产党遴选，在没有反对派的情形下，每4年选举一次。1989年，拉脱维亚议会通过投票决定取消宪法中保证共产党至高无上地位的那部分内容。1990年忠于拉脱维亚人民阵线（致力于争取拉脱维亚独立的一个组织）的候选人，在最高苏维埃的多党派自由选举中，取得决定性胜利。引入了新的国内货币拉特取代卢布。私有化和俄罗斯以外的外国投资得到发展。

拉脱维亚的小学和中学实行免费义务教育。教学语言采用拉脱维亚语或俄语，或两种语言并用。但2003年的教育改革号召加强对拉脱维亚语的教育。有多所高等教育机构和拉脱维亚科学院的各类研究所。拉脱维亚人的健康状况颇佳。但到21世纪初，人口自然增长率下降，并低于世界平均水平。男性预期寿命为65岁，女性为77岁。

历史　拉脱维亚原为古代波罗的人的居留之地。9世纪时，波罗的人遭受到北欧海盗的霸权统治，但其西部讲德语的近邻则对他们的统治更为长久，他们在12～13世纪将基督教传遍整个拉脱维亚。1237年，随日

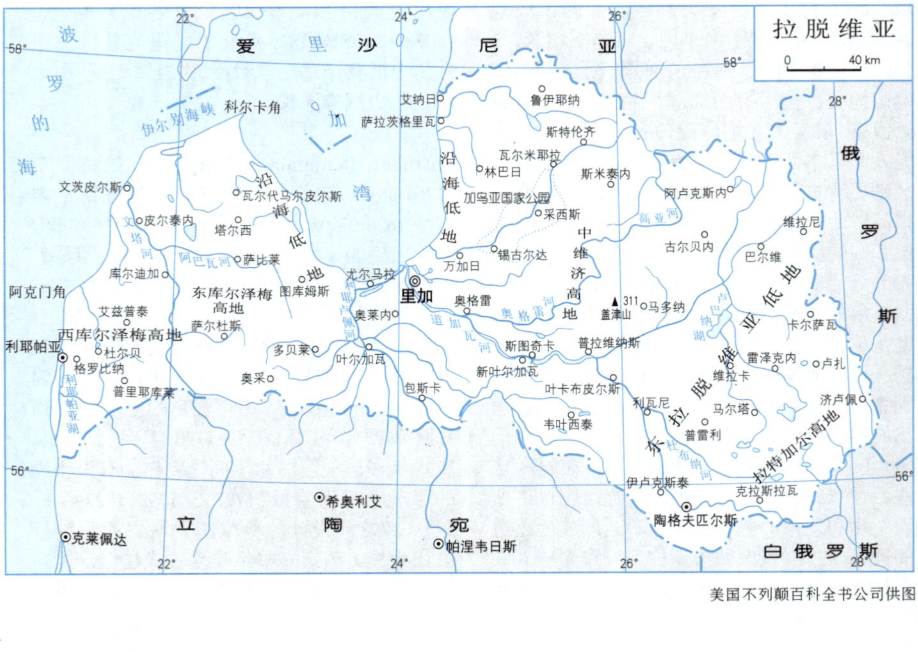

美国不列颠百科全书公司供图

耳曼条顿骑士团一起出现的宝刀骑士团于1230年征服了拉脱维亚全境。日耳曼封建领主对该地区的占领持续了3个世纪，沦为农奴的拉脱维亚农民受到日耳曼地主阶级的统治。16世纪中叶至18世纪初，拉脱维亚被波兰与瑞典瓜分，但到18世纪末，整个拉脱维亚均被扩张主义的俄罗斯吞并。日耳曼地主设法保持住了他们在拉脱维亚的影响，但拉脱维亚本土的民族主义在20世纪初迅速兴起。1917年俄罗斯革命爆发后，拉脱维亚宣布独立，经过一度混战后，新国家于1920年得到苏联及德国的承认。

独立后的拉脱维亚一直由民主联合政府统治，直至1934年独裁政权的建立。1939年拉脱维亚被迫允许苏联在其领土上建立军事基地。1940年，苏联红军进驻拉脱维亚，该国不久即被并入苏联。拉脱维亚于1941～1944年被纳粹德国占领，1944年苏联红军又将该地夺回。1949年，拉脱维亚的农庄被迫实行集体化，其欣欣向荣的经济亦与苏联经济形成一个整体。拉脱维亚始终是苏联最繁荣和工业化程度最高的地区之一，其人民仍然对过去暂短的20年独立岁月记忆犹新。由于80年代末戈尔巴乔夫在苏联实行自由化政策，拉脱维亚的民族主义情绪再次浮现，该共和国开始寻求在处理内部事务上有更大的自主权。1991年拉脱维亚脱离苏联独立。1993年进行自由选举——这是自1940年以来的第一次。1922年宪法得以恢复。2004年，拉脱维亚加入北约和欧盟。

Latvian language　拉脱维亚语　又称列托语。属印欧语系波罗的语族东波罗的语支，主要通行于拉脱维亚，自1918年以后成为官方语言。20世纪末，操拉脱维亚语者150万人。最早文献是用哥特体字母所书写的罗马天主教和路德教派教义问答，可溯源至16世纪。第一部语法出现于18世纪，19世纪末叶文学语言已有相当发展。1922年采用拉丁字母，略加改动。拉脱维亚语有3组方言：东拉脱维亚语（或称高拉脱维亚语）、西拉脱维亚语和中拉脱维亚语，最后一种较前二者更为稳定，为现代文学语言的基础。虽然与立陶宛语关系密切，但拉脱维亚语在各方面更易更新，尾音节的元音弱化早于立陶宛语，但因受芬兰语影响，词的重音总是固定在第一音节上。

Latvian literature　拉脱维亚文学　用拉脱维亚语创作的文学作品。13世纪时，拉脱维亚丧失了政治独立。妨碍了文学的自然发展，使其长期停留在民歌的范围内。书面文学出现很晚，是在德国传教士的促进下发展起来的。拉脱维亚的世俗文学始于18世纪，G.F.斯滕德在启蒙运动精神的鼓舞下，创作了一些教诲故事或描写乡村田园生活的作品，他还试图以自己创作的小调代替民歌，但没有成功。他的工作证实了各个时期的拉脱维亚文学中存在大量民间歌谣（约有100万首）。

在19世纪中叶的"民族觉醒"时期，拉脱维亚人也确立了自己的文学。J.阿卢南的《短歌集》（1856）奠定了拉脱维亚现代抒情诗的基础。在奥塞克利斯（M.克罗格泽姆斯）的抒情诗和A.普姆普尔的史诗《拉奇普列西斯》（1888，意为"猎熊人"）中民歌成了创作的灵感。雷尼斯和M.考济泰斯所写的拉脱维亚第一部长篇小说《梅尔内库莱基》（1879，意为"土地测量员的时间"）真实地描绘了拉脱维亚农民的生活。拉脱维亚现代戏剧和短篇小说始于R.布劳曼。19世纪90年代，"新思潮"需要现实主义，但当时的大诗人J.莱尼斯（笔名J.普利耶克尚斯）却在用民歌反映当代问题时，采用象征派手法。J.波鲁克斯引进了新浪漫派，然而在此后10年中，"颓废派"或"象征派"却在鼓吹为艺术而艺术。

1905年的革命是一场激动人心的经历，这时，拉脱维亚人试图摆脱掉沙皇俄国人和当地德国人。抒情风格开始占据了主导地位。在大诗人K.斯卡尔贝的诗歌和童话中，民歌的道德世界再次出现。1918年拉脱维亚独立后，一代新作家出现了。J.阿库拉特斯以尼采的审美观念表现自己以及浪漫主义的人物，他的抒情诗有力，但多系即兴之作。A.乌皮特受到法国和俄国自然主义的影响，他笔下的工人阶级的主人公都是理想化的人物。E.维尔扎严格遵照古典形式创作抒情诗；他的散文诗《斯特劳梅尼》（1933）赞美家长制的农庄。J.江苏德拉宾什具有抒情诗歌修养，他的最优秀小说是三部曲《艾贾》、《阿特巴尔斯》和《杰玛》。第一次世界大战为K.斯特拉尔斯的《卡尔什》（1922～1927）、A.布里加代尔的《克韦洛沙洛卡》（1922）和A.格林斯的《德韦塞卢·普特尼斯》（1932～1934）提供了许多素材；战后气氛也在J.埃泽林什和K.扎林什的杰出短篇小说中有所表现。J.韦塞利斯试图使时代精神同拉脱维亚民间诗歌协调起来，这一点在Z.拉兹达、A.埃格利蒂斯及V.斯特雷莱尔特的诗中取得成功。

拉脱维亚人发现对20世纪的世界达成一致看法是困难的，他们转向心理的细节。M.本德鲁普的短篇小说显示出弗洛伊德的影响，E.阿达姆森斯描写的是现代人的种种神经官能症。A.埃格利蒂斯热衷于对某个时期人的某种特点进行漫画式夸张。拉脱维亚当代最杰出的戏剧家M.济韦尔兹发展了一种长独幕剧。在他的历史悲剧《瓦拉》（1944）中，高潮是一大篇独白。

有些诗人仍受到民间诗歌的影响和鼓舞，但A.萨克斯创造了一种新传统，他用自由诗加上夸张的形象来描绘郊区的气氛。他的优秀作品是一组民谣《穆日巴斯·斯卡蒂斯》（1937～1939，意为"永生的标志"），描写第一次世界大战中的拉脱维亚步兵。他的影响在第二次世界大战后移民西方的新一代诗人中仍可感到。

V.斯尼凯尔的诗歌包含某些使人联想起拉脱维亚古代魔术程式的超现实因素。萨克斯的意象主义诗歌和美国大城市的经历的融合导致产生了L.陶斯和G.萨林什的诗歌。萨克斯的诗或许显得过分标新立异，以致在现今拉脱维亚诗人的作品中得不到反响，不过那里毕竟有3位有才华的诗人V.贝尔谢维卡、O.瓦切蒂斯和I.济耶多尼斯，他们对由于外部压力而感到压抑的内心世界各自作了独特的表达。在西方，A.伊瓦斯卡、A.克劳杰特、B.比乔勒的诗歌中出现了新的前景。在散文领域，拉脱维亚的知名作家A.贝尔斯描绘了多层面的现实；在西方，I.斯基普斯纳像在小说《涅阿普索利塔斯·泽梅斯》（1971）中那样，从存在主义转向深奥的象征主义。

Latynina, Larisa Semyonovna　拉特尼娜（1934-12-27，苏联乌克兰赫尔松～　）苏联女子体操运动员。在奥运会上获9枚金牌的第一名女运动员。曾在基辅国立体育学院学习。1956年在墨尔本奥运会上获女子体操全能和跳马第一名，自由体操并列第一名。1960年在罗马奥运会上又获全能和自由体操第一名。1964年在东京奥运会上连续第三次获自由体操金牌。1956、1960和1964年她所参加的苏联6人女子体操队获3块金牌。她还在这3届奥运会上获5块银牌和4块铜牌。

Lau Group　劳群岛　又称东部群岛。南太平洋斐济的岛群。在科罗海以东，总陆地面积487平方千米。主要为石灰岩结构。主岛瓦努阿姆巴拉武有椰干转运港洛马洛马。重要性居第二位的是拉肯巴岛，岛上有图姆镇。居民具有显著的波利尼西亚人和美拉尼西亚人的混合特征。人口14 203（1986）。

Lauchen, Georg Joachim von　劳肯　参阅 **Rheticus, Georg Joachim 雷蒂库斯**。

Laud, William　劳德（1573-10-07，英格兰伯克郡雷丁～1645-01-10，伦敦）坎特伯雷大主教（1633～1645）。国王查理一世（大不列颠）的宗教问题顾问，他迫害清教派和其他非正统派别，结果自己被下议院审判处决。在雷丁语法学校毕业后，到牛津大学圣约翰学院就读。1608年开始担任神职。1611年起任王室牧师，受到詹姆斯一世的垂青。后来成为白金汉公爵的心腹，掌握政府教会政策的大权。1627年任枢密官员，一年后任伦敦主教。1611年当选为圣约翰学院院长，1629年任牛津大学校长。1633年任坎特伯雷大主教。他认为教会的力量与国家的力量不可分离。国王查理一世在位期间，他利用自己在枢密院的地位对一些大臣进行攻击。由于他在苏格兰强制推行英格兰的宗教仪式，触发了1639年"主教战争"。1640年12月，在群众的愤怒声讨中他以叛国罪被投入监狱。1644年开始审讯，次年1月斩首。

lauda　劳达　又拼laude。意大利语，意为颂赞歌。指意大利诗歌的一种体裁，是歌颂圣母马利亚、基督和圣徒的非崇拜礼仪性宗教歌曲。作为诗，劳达本来是用于崇拜礼仪的，约自13世纪中至16世纪流行于意大利，特别为社团在宗教节日所喜用。圣方济各曾作动人的赞美歌，分别歌颂"太阳大哥先生"、"月亮大姐"、"风大哥"、"水大姐"、"火大哥"和"大地母亲"。他这篇作品人称《上帝所造之物赞》或《太阳颂》，是意大利的第一篇劳达。13世纪有才华的方济各会修士诗人雅各布内用通俗语言写了许多动人的秘修诗歌,他也是写作劳达的早期大师。劳达往往采用民谣体,便于社团朗诵,内容一般歌颂善行或咏唱基督和圣徒生平。后来逐渐转化成对话,纳入意大利神秘剧,这种神秘剧在文艺复兴时期世俗化了。文艺复兴后期的一些劳达是为了配乐而写的。作为歌曲的劳达最初是由方济各会托钵修士唱的(13 世纪初),后来,佛罗伦萨和意大利北部其他地区出现了劳达社,提倡在宗教场合唱劳达。写劳达的诗人不少,但是为劳达作曲的人往往不知名。作为歌曲,劳达简单而通俗,其音乐体裁因乐段而异,有时就用民歌曲调。最早的劳达曲,从 13 世纪起是单声部的。到了 16 世纪,出现了复调的劳达曲,多半是和弦音乐体。16 世纪劳达曾发挥重要作用,是清唱剧形成中的一个阶段。在 19 世纪以前,劳达是意大利宗教生活中的重要内容。

Laudenbach, Pierre-Jules-Louis　劳登巴赫 参阅 **Fresnay, Pierre** 弗雷纳。

Lauder, Estée　劳德　(1908-07-01?,美国纽约州纽约～2004-04-24,纽约市)　美国一家大香料化妆品公司合伙创办人。1946 年与其丈夫 J.劳德建立埃斯黛·劳德公司(又译雅诗兰黛)并在纽约萨克斯第五大道出售其第一批 6 种产品,其中有肤霜、口红、化妆粉底。这些都是在劳德叔父、化妆品药剂师的协助下研制成功的。因其广告预算小,只有 5 万美元,广告公司不愿承办。他们就将这笔钱花在时装展览会和邮寄免费赠送样品上。此举获得成功。1958 年雇员 5 人,销售总额为 85 万美元,而 1973 年扩大到1 000人,并在销售中赚了 1 亿美元。该公司采取着重护肤保健的策略,同时通过百货商店及专业商店而不是通过无声望的商品销售渠道分销其产品。他们最著名的产品包括 1953 年新产品"青春露"香浴液;1968 年新研制、经临床过敏试验的化妆品;1965 年开始试制的男用产品。公司从 20 世纪 60 年代起开始在全球出售化妆品和香水。到 21 世纪初,其产品在 130 多个国家出售。90 年代,公司的净销售额超过了 35 亿美元,超过了其他所有的在百货商店销售的化妆品牌。公司于 1995 年 11 月上市,到 2004 年,价值大约 100 亿美元。劳德夫妇也积极从事慈善事业。劳德一家在纽约中央公园建造了 3 个游乐场。1978 年劳德因对修复凡尔赛宫有贡献受到法国政府嘉奖。

Lauder, Sir Harry (MacLennan)　劳德(1870-08-04,爱丁堡波托贝洛～1950-02-26,苏格兰拉纳克郡斯特雷文附近)　苏格兰杂耍喜剧演员。他以创作与歌唱真诚的苏格兰歌曲在英语地区激起了热情。在贝尔法斯特参加音乐会演出之前曾在煤矿工作 10 年。他第一批创作与演唱的是爱尔兰或英格兰歌曲。1900 年 5 月他到伦敦加蒂杂耍剧场演出时穿苏格兰短裙,此后他仅在表现某种个性的节目表演时才穿长裤,如《家里最温柔的人》和《清晨起床好得很》。他与加蒂杂耍剧场只签订了论周计算的合同,于是在蒂沃利杂耍剧场的节目出现空档时,他一面进入会场一面唱着《基利克伦基的少女》,立即取得成功。他带了大量自己创作的曲目(有些歌词是和别人合写的)到美国、南非与澳大利亚演出。第一次世界大战期间,在法国为军队演唱,并为战争义演了多场音乐会,为此于 1919 年受封爵士。写了 4 本回忆录并演了几部电影。在美国旅行演出 22 次。第二次世界大战时又为军队演出。

Lauder, William　劳德(?～1771,西印度群岛巴巴多斯)　苏格兰伪文制造者,因诬控弥尔顿剽窃他人作品而闻名。爱丁堡大学毕业,对古典作品颇有研究。因怀才不遇,1747 年在《绅士杂志》发表一系列文章,企图一举成名。他把弥尔顿的《失乐园》的拉丁译文的一些诗句夹杂进 17 世纪诗人们写的拉丁文诗作中,企图以此"证明"《失乐园》不过是剽章窃句的大杂烩。他的伪造行为很快被一些学者觉察。1750 年 J.道格拉斯彻底揭发了他的丑行。S.约翰逊还迫使他公开认错和道歉。他从此名誉扫地,后到西印度群岛看管仓库,郁郁而死。

Lauderdale (Scotland)　**劳德代尔**　参阅 **Ettrick and Lauderdale** 埃特里克-劳德代尔。

Lauderdale, James Maitland, 8th earl of　劳德代尔伯爵(第八)(1759-01-26,苏格兰中洛锡安拉索～1839-09-13,英格兰贝里克希尔瑟尔莱斯坦)　即 J.梅特兰。苏格兰政治家兼经济著作家,初在议会推行激进政策,公开表示同情法国革命,但后来转向这一政治派别的另一端,反对 1832 年改革法案。受教于爱丁堡大学和格拉斯哥大学。1780 和 1784 年选入下议院。在继承其父的封号后,断断续续地任上院议员,以持续地敌视各届内阁而闻名。1806 年封为瑟尔莱斯坦的劳德代尔男爵。作为枢密院成员,极力与法国议和,但未成功。1821 年他被推选获得西斯尔勋位,从这时起,保守主义就明显地渗透进他原先的自由主义政治主张中。他的主要经济著作是《公共财富性质与起源的探索》(1804)。在许多问题上,他远远地站在古典经济学家的主流派之外。特别是他相信超额储蓄的可能性和担心累积总需求的水平,在这些方面,他是马尔萨斯的先驱。他赞同 J.-B.萨伊的主观价值论,否定劳动有生产性和非生产性之分,认为凡产生效用的劳动均为生产性劳动。他持这一立场的主要原因是,他认为强调需要极度节约以获得高水平投资的说法是错误的,而指望政府加大开支和发行国债以抵消过多的私人储蓄。与此一致的,还有他的重商主义观点,认为国债不损害社会,只是社会的一部分欠另一部分的债而已。

Lauderdale, John Maitland, duke of　劳德代尔公爵(1616-05-24,苏格兰东洛锡安莱辛顿～1682-08-20 或 24,英格兰肯特郡坦布里奇韦尔斯)　英王查理二世的主要大臣之一,以在苏格兰实行高压统治而遭诟骂。苏格兰贵族出身。1638 年签署《庄严同盟和圣约》,以保护苏格兰长老会制不受英王查理一世的侵犯。查理一世与议会派内战期间,劳德代尔促使苏格兰与议会派结盟,但 1647 年国会逮捕查理一世后,他与国王达成一项秘密协议(通称约定书)。根据这一协议,查理答应在英格兰强制推行长老会制,条件是帮助他平定叛乱。1648 年参与入侵英格兰,1651 年在伍斯特战役中,他被克伦威尔的军队俘获。1660 年查理二世复辟后获释,成为查理二世在苏格兰的主要行政官,并成为其以"卡巴尔"闻名的五人内阁成员之一。1672 年封公爵。因镇压誓约派,实行残酷统治,遭人们普遍痛恨。

Laudon, Gideon Ernest, Freiherr von (baron of)　**劳东**(1717-02-02,瑞典立沃尼亚图真～1790-07-14,内蒂茨凯恩)　Laudon 又拼 Loudon。奥地利陆军元帅。苏格兰裔瑞典军官之子。1732 年加入俄国军队,任士官。1741 年参加奥地利军队。在奥地利皇位继承战争(1740～1748)中战功卓著。劳东在七年战争期间平步青云。他在库纳斯多夫(1759)和兰茨胡特(1760)打败普鲁士的腓特烈大帝,成为驻波希米亚、摩拉维亚和西里西亚奥军总司令。1761 年打败希维德尼察。1763 年退伍。1788 年又被召回,次年从土耳其人手中夺取贝尔格莱德,任奥军总司令。

Laue, Max (Theodor Felix) von　劳厄(1879-10-09,德国科布伦茨附近普法芬多夫～1960-04-23,柏林)　德国物理学家,因他在晶体的 X 射线衍射方面的工作获 1914 年诺贝尔物理学奖。用 X 射线研究晶体结构标志着固体物理学的开端。1912 年任苏黎世大学物理学教授。最先用晶体衍射 X 射线,从而证实 X 射线是与光相似的电磁辐射,也为晶体的原子结构是规则性重复排列提供了实验证明。他拥护爱因斯坦的相对论,研究了量子论、康普顿效应和原子的蜕变。1919 年任柏林大学理论物理学研究所所长,1951 年任柏林马克斯·普朗克物理化学研究所所长。

Laue diffraction pattern　劳厄衍射图样 由晶体中某些组平行的原子平面散射 X 射线在感光乳剂上造成的排列有规则的斑点。当细锥状 X 射线束射到一晶体上时,某些波长的射线偏转方向与一组原子平面恰巧形成适当的角度,使射线之间的相位相同,从而在软片或底板上围绕着未偏转的光束的中心像的周围产生强烈的、规则排列的斑点。劳厄图样是德国物理学家 M. von 劳厄首先发现的,对晶体分析极有价值。

Lauenburg　劳恩堡　原德意志北部的公国,位于吕贝克以南至易北河之间的地区,东、西分别与原梅克伦堡公国与荷尔斯泰因公国接壤。1946 年以后为石勒苏益格-荷尔斯泰因州的一部分。13 世纪后该公国属阿斯卡尼亚王朝,1702 年为不伦瑞克-吕内堡-策勒的韦尔夫公爵威廉占领。他的侄子汉诺威选侯、大不列颠和爱尔兰国王乔治一世成为继承人,并得到查理六世皇帝的认可,因此劳恩堡成为汉诺威的属地。维也纳会议(1814～1815)将劳恩堡划归普鲁士,普鲁士以此与丹麦交换波美拉尼亚前瑞典领土。

1864 年丹麦-普鲁士战争后，劳恩堡又归属普鲁士；普鲁士国王威廉一世成为劳恩堡公爵。1876 年公国并入普鲁士的石勒苏益格-荷尔斯泰因。普鲁士宰相和帝国掌玺官俾斯麦曾被授予劳恩堡的大片庄园，退休时又被授予劳恩堡公爵称号。1918 年公国撤销。

Laufer, Berthold 劳弗（1874-10-11，科隆～1934-09-13，芝加哥） 美国学者，在 35 年中几乎是唯一在美国工作的汉学家。劳弗在莱比锡大学获得博士学位，教师都是远东研究领域中最活跃的人物。劳弗曾 4 次到喜马拉雅山区考察，曾任芝加哥菲尔德博物馆亚洲民族学与人类学部主任，写有 150 余篇有关中国内地和西藏文化的论文，成为必读参考文献，其中许多是关于原始技术的专门著作。由于对西藏、中国内地和日本古物的渊博知识，曾受委托搜集书籍、手稿和手工制品，为芝加哥菲尔德博物馆和纽贝里图书馆收购很多藏品。其收购品中有几件手稿已属硕果仅存者。

Laugerud García, Kjell Eugenio 劳赫鲁德·加西亚（1930-01-24，危地马拉危地马拉城～2009-12-09，危地马拉城） 危地马拉总统（1974～1978）、国防部长兼武装部队总司令（1970～1974）。其父为挪威人，母为危地马拉人，在危地马拉军事学院学习。在 1974 年 3 月动乱的选举中当选为总统。就职后宣布经济紧缩计划，但保留原政府结构和前内阁中的许多部长。任职期间发动一场声势浩大的危地马拉对邻近的伯利兹拥有主权的运动，但为国际反对所阻止，1977 年因此与巴拿马断交。他利用美洲开发银行贷款建筑铁路、医院，架设电线，发展捕渔业和建筑业。1976 年发生地震灾难后，掌管分配救济物资和维持秩序，效率可嘉。在总统的 4 年任期内，政治动乱不断发生。国际特赦组织反复谴责右翼民间杀人组织“白手”的行为，并认为劳赫鲁德默许恐怖主义。

laughing dove（*Streptopelia senegalensis*） **笑鸽** 又名senegal dove（塞内加尔鸭[塞内加尔棕斑鸭]）。鸽形目鸠鸽科鸟类。原产非洲和亚洲西南部的丛林地带，现已引进澳大利亚。体淡红褐色，翅上具蓝色斑纹。尾羽长，边缘白色。腿淡紫色。喙黑色。颈上的羽毛尖端铜色，于求偶的“鞠躬”表演期间十分醒目。一雄配一雌（单配性），双亲共同抱卵。每窝产卵 2 枚，卵白色。鸣声悦耳，听似笑声，而不同于大多数鸽子的“咕、咕”叫声。

laughing gas 笑气 参阅**nitrous oxide**氧化亚氮。

laughing goose 笑雁 参阅**white-fronted goose** 白额雁。

laughing gull（*Larus atricilla*） **笑鸥** 一种海鸥的通称。参阅 **gull**。

laughing hyena 笑鬣狗 产于非洲的鬣狗（**hyena**）种类。

laughing jackass（bird） 参阅**kookaburra** 笑翠鸟。

laughing owl（*Sceloglaux albifacies*） **笑鸮** 鸮形目鸱鸮科的一个濒危的、可能已绝灭的种。分布仅限于新西兰南岛。20 世纪末期已从北岛上消失。营巢于地面上，在那里成为猫、鼠和鼬的捕获物。体长约 40 厘米，体羽呈淡褐色。吃啮齿类、蜥蜴和昆虫。

laughing thrush 噪鹕 又作jay-thrush。又称噪鹛、碎嘴鹕。画眉科噪鹛属（*Garrulax*）45 种鸣禽的统称，喙大而坚固，有的颜色搭配醒目。栖于亚洲的森林，胆怯，成大群，发出噪

白冠噪鹛（*G. leucolophus*）
美国不列颠百科全书公司供图

耳的咯咯声或尖叫声。常被饲养的白冠噪鹛（*G. leucolophus*）是广布种，从喜马拉雅分布到苏门答腊。长 30 厘米，淡红褐色，但前部白色，冠白而蓬松，面部黑色如面罩。画眉（*G. canorus*）又称中国鹕，体稍小，色较素，广泛分布在东亚，并引入到夏威夷。英语中，laughing thrush 一词又指**歌鹛**（**song-babbler**）。

Laughlin, Robert B. 劳夫林（1950-11-01，美国加利福尼亚维塞利亚～　　） 又译劳克林。美国物理学家，与崔琦、H. 施特默共获 1998 年诺贝尔物理学奖，因为他们发现极强磁场内的电子会形成量子流体，其中可以认出电子的部分。这就是“分数量子霍尔效应”。1972 年毕业于加利福尼亚大学伯克利分校，1979 年获麻省理工学院的物理学博士学位。1979～1981 年在新泽西州贝尔实验室做研究，1981～1982 年在加利福尼亚州利弗莫尔国家实验室做研究。1985 年成为斯坦福大学的物理学副教授，1989 年成为正教授。因解释 1982 年崔琦和施特默在贝尔实验室研究过程中所得到的难解实验结果而获诺贝尔奖。1983 年为这些难解的结果提供理论上的解释。他假设极低温和强大磁场导致电流中电子的聚集而形成一种“量子流体”，这与超导物质和液态氦中出现的量子流体有关。当电子与磁场的“流量”结合而形成新的准粒子（每个仅携带电子电荷的 1/3）时，流体就形成了。这种现象是不寻常的，可能揭示物质的本质和结构。

Laughton, Charles 劳顿（1899-07-01，英国约克郡斯卡伯勒～1962-12-15，好莱坞） 英国出生的美国电影演员，擅长多种多样的人物性格刻画。1926 年起在伦敦正式登台演出，演出过《钦差大臣》、《三姐妹》、《美狄亚》等话剧。1931 年首次到纽约演出《分期付款》。后来演出的话剧有《伽利略》（1947）和《樱桃园》（1950）。1932 年开始拍片，主演的《亨利八世秘史》（1933）获得奥斯卡金像奖，并开始在国际上闻名。他主演的影片还有《叛舰喋血记》（1935）、《孤星泪》（1935）等，参加演出的最后一部影片是《咨询与赞许》（1962）。1950 年加入美国国籍。

Lauis（Switzerland） **劳伊斯** 参阅**Lugano** 卢加诺。

lauma 萝玛 立陶宛语作deivė。波罗的海地区民间传说中的仙女。其像为肩披美丽金发的裸体女郎。她们住在流水或岩石附近的树林中。喜爱孩子但不能生育，因此往往拐骗他人婴儿抚育。有时嫁人为贤妻，精于家务，尤善纺织。每周星期四晚间纺纱，其他各日日落后洗衣，届时世间妇女不得作同样工作。萝玛多情善感，心慈而富母性，怜恤孤儿和穷家姑娘，但如被无礼男子或其他人冒犯，定不轻饶。

laumontite 浊沸石 沸石族中一种常见的钙和钠的含水铝硅酸盐矿物，化学式为$(Ca, Na_2)Al_2Si_4O_{12} \cdot 4H_2O$。呈白色至黄色或灰色的棱柱状晶体，一般产于火成岩内，充填矿脉和气孔。浊沸石是沉积岩中含量较多的几

菱沸石上的浊沸石，产自美国俄勒冈的小派恩斯
美国不列颠百科全书公司供图

种沸石矿物之一；产地有罗马尼亚的特兰西瓦尼亚、奥地利的蒂罗尔、美国新泽西、加利福尼亚和俄勒冈州。浊沸石晶体具有硅酸盐和铝酸盐的四面体连接成的格架结构。这种结构使其具有阳离子交换性能（溶解的钠、钾、镁和钙在结构中很容易相互置换），故可用于软水器中。详细的物理性质，参阅 **zeolite**（表）。

Launcelot（Arthurian knight） 参阅**Lancelot** 朗斯洛。

Launceston 朗塞斯顿 澳大利亚塔斯马尼亚州北部主要城市和港口。1858 年设镇。1888 年设市。在南、北埃斯克河汇成泰马河处。地当东、西泰马、塔斯曼和米德兰等公路交会点。为州有铁路系统总部所在地。有飞机通霍巴特和墨尔本。周围沿海平原土地肥沃，出产水果、牲畜、羊毛和谷物。输出纺织品、木材和铝。生产重型机械、汽车车身等。市内有大学、维多利亚女王博物馆和美术馆及圣约翰教堂。南埃斯克的大瀑布峡谷畔有世界最早的

水电站之一(1895)。人口62 504(1991)。

Launceston 朗斯顿 英格兰康沃尔行政、历史郡北康沃尔区一城镇(堂区)。位于与德文郡边界处。朗斯顿有时被描写为“进入康沃尔的大门”。保存有邓赫韦德城堡(诺曼时期)和教区教堂(1524)等古迹。人口6 466(1991)。

launch 大舢板 船载小艇中最大的一种。过去它曾一度是单桅帆船,而且往往有武装。现在的大舢板虽可用帆或桨行驶,但大部分均有动力机械。由于重量大,商船上很少带它,军舰上则常用它作武装艇。大舢板可装载大量人员,也可运送锚、炮等重物。

launch vehicle 运载火箭 将航天器推入绕地球轨道或加速到脱离地球引力范围的火箭系统。已经使用过各种运载火箭,其有效载荷从数磅直至巨大的“天空实验室”和“联盟”号航天站不等。早期的运载火箭有许多原来是为洲际弹道导弹而研制的,如美国“水星”号飞船(**Mercury**)系列的“宇宙神”运载火箭和“双子座”计划的“大力神”运载火箭等。推进较重的航天器的运载火箭大多数由2～3级火箭推进系统组成,一级放在另一级顶上。运载“阿波罗”号飞船飞往月球的“土星”V号火箭系统即由3级组成,头两级各装有一台单发动机。每级火箭在燃料耗尽后即自动脱离,以减轻重量。1981年开始使用的美国航天飞机(**space shuttle**)的推进系统较之传统的运载火箭有重大的改进,即运载工具可使用多次。因为它的主要部件都可回收整修以供重复使用。

Laura 劳拉 意大利诗人彼特拉克的情人,也是他的抒情恋诗的对象。这些诗是在前后20多年时间中写的,大部分收集在他的《歌集》(1360)中。传说劳拉就是阿维尼翁的劳拉·德·诺沃,一个已婚的妇女和母亲。但是,由于彼特拉克没有提供线索,说明她究竟是谁,因此有好几个别的劳拉被提出来,有些评论家甚至认为并没有真正的“劳拉”存在。彼特拉克被假设在1327年4月6日于阿维尼翁的圣克莱尔教堂初见劳拉。在他的诗中,她似乎并不对他表示好感,然而他对她却痴恋了一生,甚至在她于1348年4月8日去世之后。彼特拉克写了300多首十四行诗献给劳拉,还有一些抒情短诗和一首长诗。那些收集在《歌集》里面的,分为《劳拉生前的诗集》(263首)、《劳拉死后的诗集》(103首)两部分。这些诗描写各种各样的情绪和题材,但主要是对他的情人的强烈的心理反应。劳拉死后,彼特拉克的诗继续写同一题材,表示他的哀痛,描写她如何回到他的梦中。

Laurales 樟目 显花植物双子叶植物纲的一目,特征为木本,具芳香油细胞,并有一股从茎通到叶部的输导组织。含8科,72～97属,约2 600种,为乔木、灌木或藤本,多分布于世界上的热带地区和温暖地区。樟目的种类可提供木材、医药原料、制香水的精油及樟脑;若干科的几个属是重要的观赏植物。

樟科含45属,约2 200种,许多种类为芳香和常绿植物。鳄梨(*Persea americana*)是重要的经济植物,其浆果的果肉淡绿色或亮黄色,似黄油。鳄梨的几个园艺品种今在许多

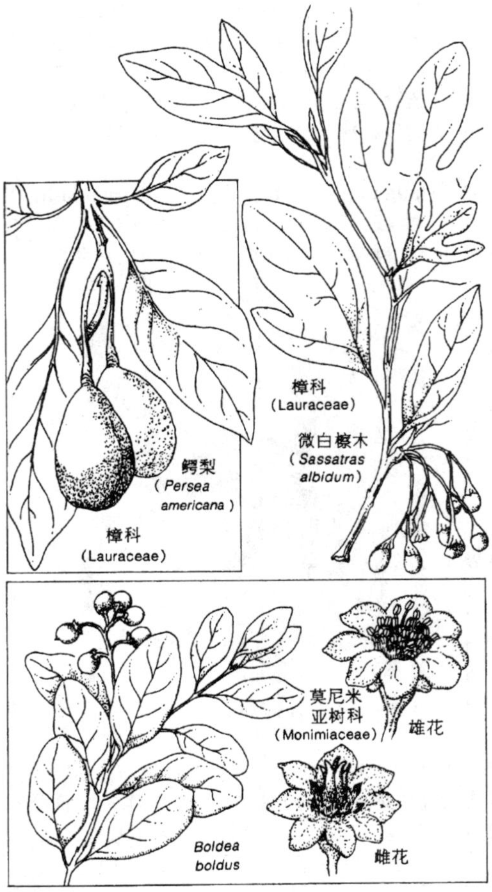

樟目两大科的代表植物

国家和美国南部培栽。樟属(*Cinnamomum*)的一些种是重要的经济植物。樟树(*C. camphora*)树形美观,高30米,产樟脑,可用以制药或制造炸药。最受欢迎的肉桂香料取自锡兰肉桂(*C. zeylanicum*)的树皮。中国肉桂是最古老的香料之一,取自中国肉桂树(*C. cassia*)的树皮。而巴东肉桂产自东南亚的阴香(伯曼氏樟,*C. burmanii*)。樟科的月桂(*Laurus nobilis*)原产于地中海地区,产精油,用于医药及制香水,月桂叶用于烹调。在古希腊,用月桂枝叶做成的桂冠作为荣誉的象征献给得胜的运动员和其他英雄。

某些樟目植物行无性繁殖。月桂树和卡罗来纳多香果(佛罗里达夏蜡梅,*Calycanthus floridus*)茎的近基部可以出芽,芽又发育为吸根,将吸根移植可得新的植株。但本目常见的繁殖方式是通过种子。樟目种类的营养器官和繁殖器官构造千差万别。花序类型有穗状、点状、圆锥、伞形花序,这决定于分枝的程度和各花的排列情况。樟目的花多形小。花被片排成两轮,形态均似花瓣或呈逐渐过渡状。雄蕊数可多至12,排成4轮,其中一轮常为退化雄蕊,不产花粉。雌蕊由一心皮构成的子房、单生的花柱和2～3裂的柱头组成。某些属的花为单性花(雄蕊和雌蕊位于不同的花中),但多数属的花为两性花。花粉粒表面的沟纹不多于两条。蜡梅科(Calycanthaceae)借甲虫传粉;樟科及莫尼米亚树科(Monimiaceae)的雄蕊腺分泌花蜜,用以吸引蜂类传粉。传粉、受精之后,子房发育为果实,胚珠发育为种子。几个科的花管变成果的一部分,或部分或完全围绕果实。各属的果不同,或为浆果,或为核果;少数科的果为翅果。樟目大多数种类在几个方面较木兰目更为高等。但樟目与木兰目亲缘关系很近,樟目有几个科被某些权威归入木兰目,反之亦然。

樟目其他各科是:Amborellaceae科、Trimeniaceae科、Gomortegaceae科、Idiospermaceae科及莲叶桐科(Hernandiaceae)。

Laurana, Francesco 劳拉纳(约1430,威尼斯共和国达尔马提亚弗拉纳[今在意大利]～1502-03-12,法国阿维尼翁) 意大利文艺复兴初期的雕刻家及勋章设计师,尤以做工雅

劳拉纳的胸像雕塑《阿拉贡的埃列奥诺拉》

美国不列颠百科全书公司供图

致的妇女胸像闻名。早年经历不详。1453年,受雇于阿拉贡王国的阿方索五世,曾为建造那不勒斯新城堡出力,以此开始闻名。可能还设计并雕刻了城堡的凯旋门。1461～1466年在安茹公爵勒内的府邸工作。1468年到西西里。有记录可查的作品包括:为勒内制作的一套勋章,意大利和西西里的圣母雕像和浅浮雕,以及法国南部的墓葬和建筑雕刻。所作胸像包括:B.斯福尔扎(佛罗伦萨巴尔杰洛博物馆)、阿拉贡的贝阿特里斯(维也纳艺术史博物馆)及I.M.斯福尔扎(华盛顿国立美术馆)。这些胸像都显得安详静谧,庄严肃穆。为创造理想的、具有贵族文雅风度的形象,他把细节减少到最低限度,着力使主要形体达到和谐均衡。其严谨、精炼和给人印象之深刻,可与彼埃罗·德拉·弗朗切斯卡的作品相比。

Laurana, Luciano　劳拉纳(约1420,达尔马提亚扎达尔[今在克罗地亚]～1479,教皇国佩萨罗[意大利])　意大利建筑师,被认为是乌尔宾诺公爵府邸的设计者。劳拉纳早年历史不详,但据文献记载,1465～1466年他居住在乌尔宾诺,1468年担任公爵府邸的总建筑师。

Laurasia　劳亚古大陆　北半球假想的大陆块。包括北美、欧洲和亚洲(印度半岛除外)。劳亚古大陆的存在是南非地质学家A.杜托伊特在其所著《我们的漂泊的大陆》(1937)一书中提出的,该书是对德国气象学家A.韦格纳的**大陆漂移(continental drift)**理论的重新阐述。韦格纳原来假定有个单一的超级大陆,即**泛大陆(Pangaea)**,但A.杜托伊特却推测有过两个这样的大陆块:劳亚古大陆在北边,**冈瓦纳古大陆(Gondwanaland)**在南边,中间隔着叫特提斯海的大洋。劳亚古大陆被认为基本上是在中生代(大约从2.25亿年前至6 640万年前)时就分裂成为现在的几个大陆了。

Laurel　劳雷尔　美国马里兰州乔治王子县城市。濒临帕塔克森特河,在首都华盛顿和巴尔的摩两城市之间。约1669年建社区,1870年设镇。第二次世界大战后,住宅建造与工业生产稳步增长。首都华盛顿国际赛马每年11月在这里的跑马场举行。这里还举行马驾车比赛。帕塔克森特野生生物研究中心在陆军训练中心和国家农业研究中心之间。T.H.达克特水库和水坝位于该镇西北。人口约19 960(2000)。

Laurel　劳雷尔　美国密西西比州东南部城市,琼斯县县城(1906)。位于杰克逊东南135千米处,濒临塔拉哈拉河。1882年建为伐木营地,1888年设村,1896年设镇,1901年设市。至1920年劳雷尔成为世界最大黄松发运地。后因森林砍伐殆尽经济衰落。马松尼特公司利用锯末生产纤维板后,成为当地主要工业厂家。石油开发和轻工制造业促进了经济发展。劳雷尔市东南为迪索托国家森林的奇卡索维区。劳雷尔市内有罗杰斯图书馆和艺术陈列馆(以搜集北美印第安人篮筐著称)、东南浸礼会学院(1949)。人口约18 393(2000)。

laurel　月桂类　樟科月桂属(*Laurus*)常绿灌木和小乔木的通称,主要指月桂(高贵月桂,*L. nobilis*),亦称甜月桂,月桂类原产地中海地区,现广泛栽培于世界各地,是调味料

高贵月桂(*L. nobilis*)
美国不列颠百科全书公司供图

月桂叶(bay leaf)的原料来源。古希腊时代,戴在英雄头上的花冠即用月桂属植物的枝叶编成。甜月桂株高6～18米。叶质硬,互生,广椭圆形,色暗淡,长约7.5～10厘米;叶缘平滑,常呈波形;花小而不显眼,浅黄色或绿白色;果为绿色、紫色或浅黑色,内含一枚种子。

Laurel, José Paciano　拉乌雷尔(1891-03-09,菲律宾吕宋岛塔纳万～1959-11-06,马尼拉)　第二次世界大战日本占领菲律宾期间的菲律宾总统(1943～1945)。1915年在菲律宾大学和1920年在耶鲁大学取得法学学位后,1925年当选菲律宾参议员,1936年任最高法院法官。珍珠港事件后留居马尼拉,为日本人服务。1942～1943年因批评美国对菲律宾的统治而担任一系列要职,并于1943年被挑选为总统。1943年曾两次遭到菲律宾游击队的枪击,但均康复。战后于1946年7月被指控犯有132项叛国罪,但始终未受审判,1948年4月被大赦。1949年作为国民党候选人参加菲律宾共和国总统竞选,被自由党候选人、在职总统E.季里诺以微弱的多数击败。1951年当选为参议员,促使当时的国防部长R.麦格赛赛脱离自由党加入国民党。麦格赛赛当选总统后,拉乌雷尔于1955年率经济代表团同美国谈判,签署改进经济关系协定。1957年退出政界。

Laurel, Stan; and Hardy, Oliver　劳莱和哈代(劳莱1890-06-16,英国兰开夏阿尔弗斯顿～1965-02-23,美国加利福尼亚圣莫尼卡;

劳莱和哈代在《走向西部》中的剧照
美国不列颠百科全书公司供图

哈代1892-01-18,美国佐治亚哈勒姆～1957-08-07,加利福尼亚北好莱坞)　劳莱原名阿瑟·斯坦利·杰斐逊;哈代原名奥利弗·诺维尔·哈代。好莱坞第一对著名的电影喜剧演员搭档。瘦子劳莱在演出默片前,曾在马戏团、音乐喜剧、话剧和歌舞杂耍中表演。胖子哈代曾巡回美国各地作演唱和歌舞杂耍表演,1913年开始演出无声喜剧片。两人于1926年先后加入哈尔·罗奇电影制片厂,罗奇说服他们组成一对搭档。两人合演的第一部成功的喜剧片是《让菲利音穿上裤子》(1927)。他们相当顺利地适应了从无声电影到有声电影的过渡,因为他们的情节只需很少对话。从1927～1951年,劳莱与哈代共拍了近90部喜剧片。劳莱饰演笨手笨脚、到处闯祸的傻瓜,烘托妄自尊大、傲慢专横的哈代。这一对常常以难以置信的无知和愚蠢把日常小事弄成一团糟,闹得不可开交。两人演出的喜剧情节大部分由劳莱策划。劳莱与哈代的最佳影片大多是20年代后期和30年代,在哈尔·罗奇电影制片厂由L.麦卡莱导演的短片。其中有《世纪之战》(1927)、《让他们笑去》(1927)、《八音盒》(1932)、《沙漠之子》(1933)和《走向西部》(1937)。

laurel leaf　参阅**bay leaf 月桂叶**。

Lauren, Ralph　劳伦(1939-10-14,美国纽约州纽约～　)　原名Ralph Lipschitz。美国时装设计师,他通过根据精英形象、美国生活方式开发品牌,建起了世界最成功的服装帝国之一。在纽约布朗克斯长大。高中毕业后,在夜校学习商业课程并在白天从事销售工作。为一家领带公司打工时,受启发开始设计他自己的颈饰,1967年开始自己经商,将他的姓改为"Lauren",以Polo品牌开发他独特的领带系列产品。1967年加入"博·布鲁梅尔颈饰",并为男性设计"Polo"时尚男装,之后又分出女装部,接着又分出家用商品的相关品牌。成为早期最重要的设计师之一,其名字已经和大众流行时尚联系在一起,其设计理念以"草原风格"(意为一股自由、舒适如大草原般的美国气息)的休闲优雅时装闻名于世。到20世纪90年代其商店和品牌已经出现在世界各地。获得过许多奖励,其中包括美国时装设计师联合会终身成就奖(1992)、最佳女装设计奖(1995)、最佳男装设计奖(1996)。

Laurence, (Jean) Margaret　劳伦斯(1926-07-18,加拿大马尼托巴尼帕瓦～1987-01-05,安大略莱克菲尔德)　母家姓Wemys。加拿大作家。她的小说以描写坚强的妇女在男子占优势的世界里在为日常生活而挣扎的同时如何为发挥自己的才干而斗争。最初发表的作品反映了她和当工程师的丈夫(后来离婚)在索马里兰(1950～1952)和加纳(1952～1957)的生活。第一部小说《约旦河此岸》(1960)写加纳建国时老殖民地居民和非洲本地人在政权变更中遭受的苦难。《先知的驼铃》(1963)描述她在非洲的生活。《征服未来的人》(1963)是关于非洲的短篇小说集。后来写的3部小说以加拿大为背景,以妇女为主人公。《石天使》(1964)写一个草原上的老

妪讲述她一生的奋斗。《对上帝的嘲弄》(1966;1968年拍成电影)与《住在火中的人》(1969)写两姐妹,一个是马尼托巴的教师,另一个是温哥华的家庭主妇,她们都努力为实现自己的理想而斗争。在发表第5和第6部小说《预言者》(1974)和《陌生人的心》(1977)后,转而写儿童读物。

Laurencin, Marie 洛朗森(1883-10-31,法国巴黎～1956-06-08,巴黎) 法国女画家和版画家,以精致的水彩画著称,主要描绘优雅而稍显抑郁的女性。曾在安巴尔美术学院学习,与G.布拉克是同学。G.斯泰因是其作品最初的买主之一。尽管曾获得蒙马尔特立体派赞誉,但并未加入这个运动。其题材有明显的女性味,丰富的色彩和熟练的技巧使她得到了"莺"的外号。她是诗人G.阿波里耐的伴侣,画过他和他的一些朋友的肖像。其舞台设计包括为俄罗斯芭蕾舞剧团(1924)和法兰西喜剧院(1928)画的布景。

Laurens, Henri 洛朗斯(1885-02-18,法国巴黎～1954-05-08,巴黎) 法国主要的立体主义雕刻家。曾受罗丹影响,1911年成为G.布拉克的朋友。其早期雕刻作品均涂以油彩,以强调立体主义不同的面。20年代开始创作大量海洋题材作品,特别是用大理石和青铜制作的裸体和美人鱼。用立体主义和兼有某些表现主义成分的透视手法来处理人的形体,例如《告别》(1940)。其作品显示出肉感和诗意的一致,许多作品显露出受同时代的艺术家A.马约尔的影响。

Laurens, Henry 劳伦斯(1724-03-06,南卡罗来纳查尔斯顿[美国]～1792-12-08,美国南卡罗来纳查尔斯顿附近) 美国早期政治家,1777～1778年大陆会议主席。曾经营商业

美国史密森学会供图

和种植业,因而发财。在美国革命前,他投身于抗英爱国事业。1776年任南卡罗来纳州安全委员会主席、州委会副主席。作为该州代表,参加在费城召开的大陆会议,不久被选为大陆会议主席。1780年秋天,他代表大陆会议乘船前往荷兰商洽1 000万美元的贷款,但在纽芬兰附近的海面上被英国人俘获,关入了伦敦塔。当发现他的文件中有一份美国人拟与荷兰签订的条约草稿时,英荷两国之间爆发了战争。他于1781年12月31日获得假释,最后与英国康华里将军互换。翌年6月被指定为与英国进行和谈的委员之一,但因病未能最后在和约上签字。

Laurent, Auguste 洛朗(1807-11-14,法国拉福列～1853-04-23,巴黎) 法国化学家。深化了有机化合物结构概念。在成为波尔多化学教授(1838)前在工业界任过多种职务。1848年后任巴黎造币厂试金员。发现多种重要有机化合物。与C.热拉尔共同提出一种有机化合物系统分类法,试图按其原子结构的"单一"理论解释组成和反应性的关系。J.von李比希和J.贝采利乌斯反对这种观点,坚持二元论,认为化合物均由正电性和负电性组分结合成的。洛朗曾为帮助阿伏伽德罗假说得到承认,提出原子量准确测定法。所著《化学方法》(1854)为他带来身后敬仰。

Laurent, François 洛朗(1810-07-08,卢森堡～1887-02-11,比利时根特) 比利时行政官员、法律学者和历史学家,以撰写人类史巨著及全面系统的民法论著而闻名。1832年取得法学学位后,在比利时司法部任司长。1836年任根特大学民法教授。他的自由主义观点受到罗马天主教教会的攻击,但由于他对比利时政府的立场,得以保全大学教席。他的巨著《人类史研究》共18卷(1861～1870),在法、德、英三国颇受欢迎。其他著作有《法国民法原理》(33卷,1867～1879)、《国际私法》(8卷,1880～1882)等。1879年后,他研究法律改革问题,并参加慈善活动,建立根特工人协会等。

Laurentian Library 罗伦佐图书馆 参阅 **Medicean-Laurentian Library** *梅迪契-罗伦佐图书馆*。

Laurentian Mountains 劳伦琴山脉 加拿大地盾的一部分,位于魁北克省境内,尤指渥太华、圣劳伦斯、萨格奈等河环绕的地带,为世界最古老山地之一。有前寒武纪岩石。后逐渐被侵蚀形成岩石准平原(广大侵蚀平原)。山峰海拔均在900米上下,最高点海拔1 190米。森林密布,湖泊众多,急流纵横。有大规模伐木业、纸浆和造纸业、采矿业。建有水电站。旅游业重要。洛朗蒂德省立公园和特朗布兰特山省立公园是著名度假胜地。劳伦琴这一名称有时包括加拿大东部大部分地区的加拿大地盾,即劳伦琴地盾。

Laurentian Trough 劳伦琴海槽 北美大陆架东部海底冰川槽,为地球上最大的冰川槽地貌。由圣劳伦斯河口向东经圣劳伦斯湾延伸至纽芬兰以南约306千米的大陆架边缘。它平均宽80千米,深达518米。据信,其地形由于更新世时期(160万年前至1万年前)冰川活动而大为改观。由于冰川前移造成地壳凹陷,沿海槽产生了淤泥层和水下海岸线。海槽底形成一海盆,并有两个大的和很多小的海槽分岔。

Laurentide Ice Sheet 劳伦太德冰盖 更新世时期(160万年前至1万年前)覆盖北美的主要冰盖。范围最大时,向南扩展到北纬37°,覆盖面积超过1 300万平方千米,在一些地区厚度达到2 400～3 000米或更多。这个冰盖大概起源于拉布拉多-昂加瓦高原和加拿大北极群岛的山脉,集中在哈得孙湾上。当冰川冰体扩展时,似乎已经同加拿大东部和美国东北部的一些局部高地上形成的其他冰帽融合起来了。

Laurentius 劳伦蒂乌斯(活动时期6世纪,意大利) 英语作Lawrence。敌对教皇(498;501～约505或507在位)。5世纪末罗马教会与东派君士坦丁堡教会关系恶化。教皇阿纳斯塔修斯谋求和解,使有些罗马神职人员感到不安,于是出现派系斗争。498年阿纳斯塔修斯死后,以劳伦蒂乌斯为首的一派赞成阿纳斯塔修斯的政策,另一派以撒丁籍助祭西马库斯为首。3天后少数派推选劳伦蒂乌斯为教皇,同时多数派则推选西马库斯。东哥特国王狄奥多里克有公正之名,双方请求他仲裁,狄奥多里克随从多数,选定西马库斯。劳伦蒂乌斯接受裁判,出任坎帕尼亚地区诺切拉主教。他的支持者继续积极反抗,于是狄奥多里克召唤西马库斯前往拉文纳。西马库斯逃亡。501年狄奥多里克召开的罗马会议未能通过使他满意的决议,于是他容许劳伦蒂乌斯返回罗马,两派纷争演成内战。可能是在505年,狄奥多里克在亚历山大助祭狄奥斯科鲁斯的敦促下宣布西马库斯为合法教皇,劳伦蒂乌斯被迫离开罗马。其一部分追随者仍坚持无效果的分裂。

Laurentius of Canterbury, Saint 劳伦蒂乌斯(坎特伯雷的),圣(?～619-02-02,英格兰肯特坎特伯雷) 又称劳伦斯。第二任坎特伯雷大主教,在建立盎格鲁-撒克逊教会方面发挥重要作用。他597年奉教皇格列高利一世派遣(当时他很可能是本笃会修士)参加第一个由盎格鲁-撒克逊人组成的传教团,到英格兰传教。该传教团由日后任坎特伯雷大主教的奥古斯丁率领。约在604年劳伦蒂乌斯继奥古斯丁为坎特伯雷大主教。像奥古斯丁一样,他也受到不列颠人的敌视和迫害,未能说服已经信奉基督教的凯尔特人接受罗马宗教习俗。肯特国王艾特尔伯赫特一世死(616)后,其子埃德巴尔德继位,反基督教倾向加强。劳伦蒂乌斯不得不考虑前往法兰西。据传圣彼得托梦命他留在英格兰,他在去世之前终于劝化埃德巴尔德信奉基督教。

Lauria, Ruggiero di 劳里亚(约1250,两西西里王国劳里亚[意大利]～1304或1305,西班牙巴伦西亚) Lauria又拼Loria。英语作Roger of Lauria(劳里亚的罗杰)。意大利海军将领。1283年任海军总司令。1283年在马耳他击败法国人,一年后又在那不勒斯湾再次战胜法国海军,俘获法国舰队司令跛子查理亲王。1285年,当法王腓力三世由海路入侵加泰罗尼亚时,他给予重创。他统率西西里-加泰罗尼亚联合舰队击溃法国舰队。他不断袭击法国海岸,切断腓力的供应线,从而挽救了加泰罗尼亚。后来又征服马霍卡岛。1285年彼得死后,詹姆斯二世任西西里国王,但西西里人立詹姆斯之弟腓特烈三世为国王。劳里亚协助腓特烈巩固了王位。由于劳里亚在巴伦西亚有大片房地产,他被迫背叛了腓特烈,1299和1300年击败西西里舰队。1302年

退役。

Lauricocha, Lake 劳里科查湖 在秘鲁中部,安第斯山区一系列冰川湖泊的最北一个。位于利马东北偏北约160千米处。海拔4 300米。亚马孙河的源头河马拉尼翁河出自该湖,故有时被认为是亚马孙河发源地。地处秘鲁人口最稀少的地区之一。

Laurier, Sir Wilfrid 洛里埃(1841-11-20,东加拿大圣林[今加拿大魁北克]~1919-02-17,加拿大安大略渥太华) 加拿大自治领第一位法裔加拿大人总理(1896~1911),以致力于确定法裔加拿大在联邦政府中的作用和加拿大与英国的关系而著称。

美国不列颠百科全书公司供图

洛里埃先在圣母升天学院学习,接受天主教神父的文学训练,接着在蒙特利尔的麦吉尔大学攻读法律,1864年获得律师资格。两种文化教育兼收并蓄,对于他献身加拿大民族团结事业起了重要作用。1866年在阿萨巴斯卡当律师。1871年当选为魁北克议会反对党议员,他的第一篇雄辩的演说,要求进行教育改革,受到很大重视。1874年当选为加拿大众议院议员,此后担任此职直到去世。

1877~1878年,洛里埃任国内税务署长,1887年成为反对党自由党领袖,一贯坚持在下列主要问题上把国人团结起来:教会与政府的关系,法语和英语加拿大人之间两种文化的协调,与英帝国的联合及与美国的关系。这些年里他的最突出的政绩之一是,1877年在魁北克市发表关于自由主义的著名演说。他在演说中既反对企图成立天主教政党的魁北克的政客们,也反对他自己的集团里那些力图把神职人员驱逐出一切政治活动的极端分子。由于他的卓越的政治家才能,在保守的教会人士与自由主义的政界人士之间的冷酷对抗开始融解。1896年他出任总理后,没有一个反教权的人担任重要的公职,也没有一个神职人员正式干预政治。

1885年他为L.里埃尔所作的申诉扣人心弦,里埃尔因领导马尼托巴省法国人和印第安人混血儿的起义而被判处死刑。这激起了魁北克法裔天主教民族主义者和安大略省英裔团体之间的暴力冲突。他虽未能挽救里埃尔的生命,却树立了自己是一个正直和抱有崇高理想的人的声誉。1887~1896年间,他完善了党的组织,改进了自由党的战略,结成政治联盟,明智地运用个人的魅力战胜保守党对手和自由党内的持不同政见者。他向党输入新的活力,为获得无限制的互惠条件即相互授予商业优惠而与美国进行有力的斗争。1896年随着保守党政府的分裂和解体,他轻而易举地率领自由党获得普选的胜利。

洛里埃力求建立全国团结政府,他的"国家政策"包括:保护加拿大工业、开发西部国土和建设高效率的运输系统。1886~1911年成为加拿大繁荣昌盛的时期。1897年的预算降低了关税,但确立了保护政策,这一政策一直持续到1911年。土地和移民政策可能是他的政府的首要成就。15年间一百多万人移入马尼托巴和西部地区。小麦成为新兴的草原诸省的主要产品,市镇和港口如雨后春笋般地出现,铁路欣欣向荣,加拿大西部成为世界粮仓。在外交方面,他于1897、1902、1907和1911年出席帝国会议,坚持拒绝英国关于密切两国关系的建议,以避免使加拿大承担防务责任。他虽然宣告,他将自豪地看到法裔加拿大人确认英国议会对自由的信念,但他却决不容许对加拿大自治有任何削弱。正是从他的这些政策开始形成由独立国家组成英联邦的现代概念。

1899年英国的南非战争标志着洛里埃开始走下坡路。他决定派遣1 000名士兵助英作战,英裔加拿大人嫌其太少,而魁北克民族主义者则谴责这个决定。在尔后一连串问题上加拿大东部各族和西部加拿大人之间的分歧愈益加深,洛里埃和他的内阁成员间的裂痕亦日趋扩大。1911年选举临近,他企图与美国谈判互惠协定,以期重新团结他的分崩离析的党,但不仅没有达到目的,而且遭到法语和英语加拿大人双重反对。他在激烈的竞选中失败。下台后他继续担任反对党领袖直到去世。洛里埃毕生致力于法英两裔加拿大人的团结,同时力求加拿大尽可能脱离英国而独立,雄才大略,口若悬河,受到国内外人士广泛景仰。

Laurium 劳里厄姆 现代希腊语作Lávrion(拉夫里翁)。希腊阿提卡州工业城镇,濒临爱琴海。古时以银矿闻名。其港口有马克罗尼索斯岛屏蔽,进口煤和大宗矿石,并经营沿海及各岛间航运。约公元前1000年开始开采。雅典银币系用该地产银铸造。公元初期,银矿采尽。1860年,希腊、法国和美国的公司开始利用古代矿渣提取铅、镉和锰。镇西韦尔塞科谷发现有保存完好的古代高炉和巷道。当地港口有铁路通雅典。人口10 124(1981)。

Lausanne 洛桑 瑞士西部沃州首府,位于日内瓦湖北岸。地处若拉高地,其海拔由湖港乌希的1 240英尺(378米)至最高点勒锡格纳尔的2 122英尺不等。市内原有两条短河弗隆河与卢韦河流过,后填平形成许多洼地,因而洛桑就建在各种不同的高度上。凯尔特人的古城洛索尼昂,最初位于今城西南面的湖岸,约于379年阿勒曼尼人入侵时,居民迁到丘陵地区避难,在今天的斯德区建立居民点,后与其他居民点合并。原由历届主教管辖,从12世纪起由神圣罗马帝国许多诸侯短期占据,1536年被伯尔尼征服,直至1798年。1803年成为海尔维第共和国新建的沃州首府。1912年意大利和土耳其条约、1923年土耳其和第一次世界大战中协约国之间的条约均在此签订。历史建筑物有早期哥特式大教堂(1275)、圣方济各教堂和市政厅(1674重建)。前主教城堡圣梅尔堡(1397~1431)现在是州政府所在地。近代的建筑物有吕米讷宫(1903)、洛桑大学的主楼和瑞士最高法院所在地联邦法院(1927)。与日内瓦一样,是瑞士法语区的学术和文化中心。瑞士的许多著名文人如B.贡斯当、A.维内、J.奥利弗和C.-F.拉缪以及哲学家C.塞克雷坦等都出生于此。欧洲许多著名的文学家和学者如伏尔泰、卢梭、雨果、狄更斯、雪莱、拜伦和E.吉本等都先后在此居住过。市内设有国际奥林匹克委员会总部、瑞士联邦理工学院、瑞士全国商品展览会。也是从日内瓦通向弗里堡、伯尔尼和去巴黎的几条路线的铁路枢纽。1906年辛普朗隧道开通后,洛桑处于巴黎至意大利米兰的主要国际铁路线上,商业重要性迅速增加。主要工业有精密仪器、服装、金属制品、皮革制品、印刷、食品加工等。亦是重要的旅游中心和举行国际会议的中心。人口约116 332(2002)。

洛桑市的圣母大教堂

美国不列颠百科全书公司供图

Lausanne, Treaty of 《洛桑条约》(1923) 结束第一次世界大战的最后条约。签字者一方为土耳其(奥斯曼帝国的继承者)的代表,另一方为英国、法国、意大利、日本、希腊、罗马尼亚和塞尔维亚、克罗地亚和斯洛文尼亚王国的代表。条约是经过7个月的会议,于1923年7月24日在瑞士的洛桑签订的。条约承认土耳其后来所保有的疆界。土耳其没有要求保留它以前的阿拉伯省份,并承认英国对塞浦路斯和意大利对佐泽卡尼索斯的占有。协约国放弃了他们要求土耳其库尔德斯坦自治和土耳其将土地割让给亚美尼亚的主张,放弃了在土耳其境内划分势力范围的要求,并不再对土耳其的财政和军队施加控制。爱琴海与黑海之间的土耳其海峡也被宣布对所有的船只开放。

Lausanne Conference 洛桑会议 为清理第一次世界大战德国对协约国的战争赔款而召开的一次国际会议(1932年6~7月)。参加者为债权国(英国、法国、比利时和意大利)代表和德国代表。1932年7月9日,会议达成协议:鉴于世界经济危机,德国无力继续清偿赔款。但德国向国际清算银行交付5%的可偿还的债券,合30亿德国马克。债权国政府取消它们之间的战争债务,但订立一项"君子协定”,即在它们就向美国借贷的战争债务达成一项满意的协定之前,洛桑议定书将不被批准。该议定书虽未被批准,实际上各国对德国已不再索取战争赔款。

Lausitz 参阅**Lusatia**卢萨蒂亚。

Lausitzer Gebirge(eastern Europe) **劳西茨山** 参阅**Lusatian Mountains**卢萨蒂亚山。

Laut Island **劳特岛** Laut又拼Laoet。印度尼西亚南加里曼丹省岛屿。在婆罗洲东南海岸外。位于马辰市东169千米处的望加锡海峡中。南北长100千米,东西宽30千米,面积约2 062平方千米。地势低平,东北部有高约800米的丘陵。沿海气候炎热潮湿,11月至翌年5月间雨量约3 800毫米。居民多从事香料(胡椒尤其重要)和橡胶生产,有大面积种植园。该岛大部分土地都生长着西米树、椰子树和红树。主要工业是煤矿开采。主要出口物是椰干、胡椒和煤。乘小船可穿过狭窄的劳特海峡到达南加里曼丹。主要城镇和港口哥打巴鲁在岛北端,有公路与西海岸的卡兰布连接。

Lautaro **劳塔罗**(1535前～1557-04-29,智利马塔基托) 阿劳坎印第安人,1553～1557年在智利中南部领导反抗西班牙征服者的土著起义。大概出生在智利北部。据说他少年时代被迫在西班牙征服者P.de瓦尔迪维亚的马厩中作马夫。1550年瓦尔迪维亚攻占阿劳坎印第安人的国家后,劳塔罗投入阿劳坎人的队伍,统一部落组织,并和印第安首领考波利坎一起指挥作战,他们改进战略战术,经常打败西班牙人。1553年12月俘获瓦尔迪维亚,次年1月将其处死。1557年他在战斗中阵亡。阿劳坎人继续进行抵抗,该地区的动乱一直到19世纪80年代才最后平息。瓦尔迪维亚的一名战士阿隆索德·埃尔西利亚-苏尼加曾以劳塔罗为主人公写了一首史诗《阿劳坎人》。他是今天智利人民心目中的民族英雄。

Lauterbourg, Philipp Jakob II (Romantic painter) 参阅**Loutherbourg, Philip James de**卢泰尔堡。

Lauterbrunnen **劳特布伦嫩** 瑞士中南部伯尔尼州伯尔尼山地上的城镇,位于因特拉肯以南路特斯钦河畔。河谷两边为壮观的300～450米高的峭壁,并以阿尔卑斯山的溪流和瀑布而引人注目,劳特布伦嫩(意为清泉)的名字即由此而来。最著名的瀑布为施陶巴赫和特吕默尔巴赫。城镇是靠近许多阿尔卑斯山峰的常年旅游胜地,山峰中有一座4 158米高的少女峰。人口3 207(1990)。

Lauterbur, Paul **劳特布尔**(1929-05-06,美国俄亥俄州悉尼市～) 全名Paul Christian Lauterbur(保罗·克里斯蒂安·劳特布尔)。美国化学家,由于发明磁共振成像(MRI)技术,和彼得·曼斯菲尔德爵士共获2003年诺贝尔生理学或医学奖。这是一项计算机扫描技术,能使人体内结构组织成像,尤其是包含软组织的结构。1962年获得匹兹堡大学化学博士学位,1969～1985年任纽约大学石溪分校的教授,同时是美国伊利诺伊大学厄巴纳-尚佩恩分校的教授及生物医学核磁共振实验室主任。20世纪70年代早期,开始使用核磁共振(NMR)开展研究工作。核磁共振是置于强静磁场中的特定原子核对高频辐射波的选择性吸收现象,其吸收谱可以提供各种固体和液体分子结构的信息,是化学分析的有力工具。劳特布尔意识到如果人为地使用非均匀磁场,那么失真的信号中将包含有可以用来构建样品内部结构的二维图像的信息。这一发现为之后曼斯菲尔德将磁共振成像技术发展成为一项实用的医学技术打下了基础。由于磁共振成像没有X射线和计算机断层扫描(CT)那样的副作用并且是非植入性的,所以在医学领域有着广泛的应用。

Lautoka **劳托卡** 南太平洋维蒂莱乌岛西北岸城市。为斐济重要蔗糖种植区及出口港。环岛公路将之与东南225千米处之苏瓦相联接,市南27千米处为楠迪国际机场。人口36 083(1996)。

Lautréamont, Comte de **洛特雷亚蒙伯爵**(1846-04-04,乌拉圭蒙得维的亚～1870-11-04,法国巴黎) Isidore-Lucien Ducasse的笔名。诗人、法国文学中一个神秘莫测的人物。一般认为,他对超现实主义者有重要影响。其父为法国驻乌拉圭领事馆职员。1860年他被送回法国就学。1868年以就读综合工科学校为名去巴黎,继而默默无闻。此外其一生事迹无可查考,亦无肖像传世。洛特雷亚蒙伯爵这一名衔出自E.苏一部小说中一个狂妄自大的主人公。他的散文诗《玛尔佗萝之歌》于1869年付梓,但它的比利时籍出版商担心其中偏激狂暴的内容可能遭到控告,不敢发行。《诗作》为一较短的作品,于1870年6月出版。洛特雷亚蒙于同年稍后死于巴黎,可能在巴黎围城期间死于警察之手。《玛尔佗萝之歌》终于在1890年出版,起初很少受人注意,但这部作品中并列各种互不关联的怪诞形象令人震悚,引起超现实主义者注意,进而师法洛特雷亚蒙,这部诗作才广为人知。《玛尔佗萝之歌》中抗议之猛烈,仿佛对人类处境的反抗已达到不折不扣亵渎神灵的地步,这对20世纪初的诗人和画家颇有影响。

Lauzun, Antonin-Nompar de Caumont, comte et duc de **洛赞伯爵和公爵**(1633-05,法国洛赞～1723-11-19,巴黎) 又称皮吉勒姆侯爵。法国军官。1658年任路易十四的外籍龙骑兵团团长。由于路易迷恋他的情妇摩纳科夫人,他非常妒恨,因而被路易投入巴士底狱,囚禁6个月。1688年,他成为龙骑兵总团长。路易十四的情妇蒙特斯庞夫人劝阻国王任命洛赞为炮兵司令,洛赞遂向蒙特斯庞夫人大发脾气,结果被投入巴士底狱。不久获释,任国王的侍卫队长。1670年,欧洲最富有的继承人蒙庞西耶公爵夫人表示愿意嫁给他,这使宫廷大吃一惊。路易为了阻止这一婚姻,于1671年11月又将洛赞投入监狱。1681年他放弃公爵夫人赠给他的领地以后获得释放。次年回巴黎后,他似乎曾与公爵夫人秘密结婚,1684年离异。洛赞于1690年在爱尔兰指挥法军,1692年受封公爵。

Lauzun, Armand-Louis de Gontaut, duc de (duke of) **洛赞公爵** 参阅**Biron, Armand-Louis de Gontaut, duc de**比隆公爵。

lava **熔岩** 在温度约为700～1 200°C的情况下,涌出地表的岩浆(熔融状态的岩石)。其黏滞度从10万倍于水到几乎完全不能流动的程度。深色的铁镁质熔岩,例如玄武岩,形成绳状熔岩和渣状熔岩。绳状熔岩表面光滑,轻微起伏或呈宽丘形。液态熔岩流在具有静态可塑性的薄的表层下面反复拉曳和褶皱,使地表形状成为密林式的褶皱和酷似缠绕的绳卷。绳状熔岩流几乎完全从内部由液体熔岩河流经被称为熔岩管的天然管道来补给的。典型情况下,绳状熔岩流的边缘是通过伸出一个又一个的小趾而前进的。与绳状熔岩不同,渣状熔岩表面非常粗糙,覆盖一层局部疏松的、很不规则的、一般叫做渣块的碎屑。渣状熔岩流主要是由在敞开的通道来补给的。典型情况下,这样的补给熔岩河沿岩流中心线形成宽8～15米的窄带,它的两侧各有一大片缓缓流动的渣块。稀薄的玄武岩熔岩流通常含有许多气泡或气孔,是凝结成液体的气泡留下的。厚熔岩流的热量能保持很长时间,凝固前大部气体已经逸出,因此所含气泡较少,结构致密。绳状熔岩和渣状熔岩流的化学成分可能完全相同。事实上,熔岩流离开火山口时成分是相同的,而在向下滑动时,绳状熔岩变成了渣状熔岩。黏滞度愈大液体搅动愈大(快速向陡坡下流动时),则绳状熔岩变成渣状熔岩的可能性就愈大。反之则不会发生这种变化。安山岩熔岩或中性熔岩形成稍微不同类型的熔岩流,叫做块状熔岩流。与渣状熔岩相似,顶部也布满疏松的碎石,不过形状比较规则,大多数呈多边形,各个侧面相当光滑。熔岩含硅量越大,形成的岩块越碎。显然气体从正在冷却和结晶的岩浆逸出时导致在整个熔岩流中一系列微爆炸,将熔岩震碎成岩块、彼此分开得很近。

Lava Beds National Monument **熔岩层国家保护区** 美国加利福尼亚州北部的国家保护区,位于图尔莱克市南面。为近代熔岩流和火山活动形成的地区,有深邃的陷窟,熔岩形成的火山锥和火山管。面积186平方千米。莫多克印第安人战争(1872～1873)的主要战场遗址位于保护区内。

lava cave **熔岩洞穴** 熔岩活动晚期因表面固结而形成的洞穴。由于表面冷却的结果,仍在活动的而且流动性大的液体岩石之上可能形成凝固的外壳。熔岩来源减少可能引起熔融物质从结壳下流出,而留下圆筒形的隧洞。熔岩气泡中的火山气体聚集于洞顶下,对洞顶起支撑作用。当熔岩气体与从洞顶通道中进入的空气混合时,因氧化而产生的高温足以使顶岩重熔,随后重熔的熔岩下滴,这种熔岩可就地凝固,形成粗糙不平的石钟乳。这类洞穴的底部常有已固结的熔岩流;洞顶可能崩塌,在地表形成坑洼不平的地面。

Laval 拉瓦勒 加拿大魁北克省南部城市,蒙特利尔行政区行政中心。包括耶稣岛全岛,南隔里维耶尔-德普赖里与蒙特利尔岛相望,北有米尔岛河与大陆相隔。耶稣岛长32千米,宽13千米,面积246平方千米。1681年始有人定居。1699年以加拿大第一代罗马天主教主教拉瓦勒之姓命名。1959年由于工业化和都市发展,成立了耶稣岛城市联合组织。1965年岛上几个城市合并,建立拉瓦勒市。20世纪60年代开辟工业区以来,工业发展迅速。制造业产品有电视机、收音机、平板印刷材料、纸张、金属制品、药品、乳制品。1965年设市。人口343 005(2001)。

Laval 拉瓦勒 法国西北部卢瓦尔大区马耶讷省省会、城镇。位于雷恩东面。旧城有16和18世纪精美住宅和马耶讷河西岸坡两座城堡。旧城现已被跨河两岸的新城包围。

拉瓦勒市俯瞰马耶讷河上旧桥的拉瓦勒伯爵城堡

美国不列颠百科全书公司供图

古老的拉瓦勒伯爵城堡是中世纪要塞,现辟为博物馆。文艺复兴时期的城堡也得到修复扩建,19世纪成为法院所在地。今为纺织业中心,生产鞋和皮革制品。工业发展有电子设备制造和印刷业等。人口54 379(1999)。

Laval, Carl Gustaf Patrik de 拉瓦尔(1845-05-09,瑞典布拉森堡～1913-02-02,斯德哥尔摩) 瑞典科学家、工程师和发明家,发展高速涡轮机的先驱。1878年他发明了离心式奶油分离器,后来又把旋转原理用于制造玻璃瓶。1882年制成第一台冲击式汽轮机,1893年制成船用的可逆式涡轮机。1883年获得专利的拉瓦尔反力式涡轮机转速可达42 000转/分。他继续革新涡轮机,到1896年已在用蒸汽初压为3 400磅/英寸^2 的汽轮机发电。他还发明并研制了向涡轮机叶片送汽的扩散喷嘴。他设计的挠性轴,能消除高转速时产生的危险摆动;还有特种人字齿轮,为后来汽轮机的发展打下了基础。

Laval, François de Montmorency 拉伐尔(1623-04-30,法国阿夫尔河畔蒙蒂尼～1708-05-06,魁北克) 加拿大第一位天主教主教。1647年受祝圣为司铎。他在巴黎大学获得教会法学学位后,任埃夫勒主教区副主教。1658年任北美洲新法兰西主教和教皇代表。次年驻魁北克。他个性强,喜与人争吵,因而和殖民当局经常发生冲突。他坚决反对向印第安人卖酒。1662年8月返回法兰西。1663年又到魁北克,创办魁北克神学院。1674年任魁北克主教。魁北克主教区包括所有法属北美领土,由罗马教廷直接管辖。1688年辞职,老死在魁北克神学院。1852年魁北克神学院改称拉伐尔大学。

Laval, Pierre 赖伐尔(1883-06-28,法国沙泰勒东～1945-10-15,巴黎) 法国政治家和国务活动家,第二次世界大战期间领导维希政府推行与德国合作的政策,成为法国的卖

美国不列颠百科全书公司供图

国贼而被处决。1903年加入社会党,1909年任律师,因曾为工会和左派人士辩护而一举成名。1914年当选众议员,1919年在选举中失败,1920年退出社会党,1923～1944年任欧贝维利耶市市长,1924年再次当选众议员,1927年成为参议员。历任公共工程部长(1925)、司法部长(1926)和劳工部长(1930),在担任劳工部长期间,负责使《社会保险法》在议会两院获得通过。1931年第一次出任总理。1932年被击败,改任殖民部长。1934年在杜梅格内阁和接着在弗朗丹内阁中任外交部长。1935年再次出任总理兼外交部长。为建立一个稳定的欧洲,他以牢固的法意友好作为他的政策的基石,但这种关系终于在1936年埃塞俄比亚危机中崩溃。在1936年人民阵线获胜前不久,他的内阁倒台。1940年进入贝当元帅的政府,任国务部长。他劝说政府留在法国,接受停战,以便使巴黎有一个合法的政府,在谈判中可以获得有利的条件,也许最终能议定一个和约。他还劝说国民议会自行解散,从而使第三共和国在1940年7月10日告终,并修改了宪法。他确信德国最后将获胜,法国最好的出路是同德国合作,以保证法国在将来能起坚强的作用。他自行开始谈判,引起其他部长们的怀疑。1940年12月被贝当革职。1942年重返政府任首脑。为了向德国表示亲善,他同意向德国的工业提供法国劳工。随着抵抗运动的发展,以及法奸中的极端分子如M.德阿特等人的攻击,他对法国的控制每况愈下。德国崩溃后,他逃往西班牙,在那里准备为自己辩护。1945年7月返回法国,以叛国罪受审判。在企图服毒自杀未遂后,于1945年10月15日被处决。

Laval University 拉伐尔大学 加拿大魁北克市郊的一所天主教法语大学。它的前身魁北克神学院,被认为是加拿大的第一所高等学府,1663年由魁北克首任主教弗朗索瓦·德蒙莫朗西·拉伐尔创办。维多利亚女王于1852年向这所神学院颁发了开办大学的特许状,它在1872年又得到教皇训令的承认。1970年该大学改组,魁北克国民议会颁发了新的办学特许状。目前,拉伐尔大学积极开展与非洲、欧洲和加勒比海地区法语大学的教育交流。该校附设有一些科学研究所。

lavaliere 拉瓦利埃颈饰 挂在短项链上的饰物。通常是嵌宝石的金质小盒,或珐琅质小盒或垂饰,17世纪开始流行。得名于17世纪60年代路易十四的情妇拉瓦利埃女公爵。在法兰西第三共和国时代,此名称也用来称呼一种在颈子上打一个松松的结,留出两段长长飘头的男用真丝领巾。

Lavalleja 拉瓦耶哈 乌拉圭东南部省份。面积10 016平方千米。境内有全国山岳最多的地区。北部许多地方用于放牧;南部地区用于生产奶制品、蔬菜及工业产品。开采石板和石灰石,以及方铅、大理石、铁矿石、粗金刚砂和白云石。泛美公路由西南向东北穿过该省,经省府米纳斯(**Minas**)。有铁路通蒙得维的亚。人口60 618(1996)。

Lavater, Johann Kaspar 拉瓦特尔(1741-11-11,苏黎世～1801-01-02,苏黎世) 瑞士作家、爱国者、新教牧师、观相术(一种反理性的宗教的文学运动)的创立者。他对观相术的研究和对"磁性的"恍惚状态的兴趣,起源于他的宗教热情。他相信身心互相影响,这使他从面容上寻找精神的影响。他的《论利用相面术促进对人的认识和人类之爱》(4卷,1775～1778),使他在欧洲获得声誉。拉瓦特尔的最重要著作有《展望永恒》(1768～1778)、《彼拉多》(1782～1785)、《自省者秘行记》(1795)以及《拿但业》(1786)等。他的抒情诗和叙事诗模仿克洛卜施托克。

lavatoe(dance) 参阅**volta, la 沃尔塔**。

Lavelle, Louis 拉韦勒(1883-07-15,法国圣马丹-德维勒雷阿勒～1951-09-01,圣马丹-德维勒雷阿勒) 法国哲学家,被称为心理形而上学运动的先驱。主张从人的"内在"存在以及它与绝对的关系中去寻求自我实现和终极的自由发展。他的许多思想都来自尼古拉斯·马勒伯朗士和圣奥古斯丁。在成为巴黎大学(1932～1934)和法兰西学院(1941～1951)哲学教授(1932～1934)以前,曾在斯特拉斯堡的甫斯特尔·德·库朗日公立中学获得博士学位(1921)。曾任国民教育的总监察员(1941)并被选为伦理学和政治学院院士(1947)。主要著作有:《感觉世界的辩证法》(1921)、《自我意识》(1933)、《绝对的存在》(1934)、《罪恶和痛苦》(1940)以及《本体论导言》(1947)。

lavender 薰衣草 唇形科薰衣草属(*lavandula*)植物。约20种,原产地中海沿岸国家。英格兰薰衣草(*Lavandula officinalis*, *L. spica*或*L. vera*)又称药用薰衣草、穗状花序薰

衣草、真薰衣草,广泛栽培以取精油,狭窄的叶及紫色的花穗干制后用于熏衣的小香囊。其他若干种亦用如英格兰薰衣草,但一般认为质量较差。斯托卡斯薰衣草(法国薰衣草,

法国薰衣草(*L. stoechas*)
美国不列颠百科全书公司供图

L. stoechas)及原产西班牙的绵毛薰衣草(*L. lanata*)亦广泛栽培。古罗马人在沐浴时使用薰衣草,其干花一直用于熏香箱柜和壁橱。薰衣草为常绿小灌木,叶线形,灰绿色,被灰白色毛,花淡紫色,疏生于花穗上,花序柄长而无叶。植物体的香气发自晶亮的油腺,油腺嵌在花、叶和茎的细小星状毛之间。栽培种均不结籽,靠萌蘖和分根繁殖。在英美,栽培薰衣草以获精油,在南欧其花亦供销售。将花蒸馏便得无色或淡黄色的薰衣草油,用于高级香水和化妆品。其芳香成分为乙酸沉香醇酯、沉香醇、蒎烯、苧烯、桅牛儿苗醛和桉树脑。薰衣草水,是一种精油的酒精溶液,并加有其他香料,用在多种化妆品中。穗花油或称穗花薰衣草油,是从一种具灰白色叶的稍低级的薰衣草蒸馏所得。穗花油用于瓷器着色或制皂,并可熏香其他物品。

laver 紫菜 日语拉丁字母转写作nori(海苔)。紫菜属(*Porphyra*)海产红藻。原植体由包埋于薄层胶质中的一层细胞组成,深褐、红色或粉红色。有性生殖结构在原植体

一种紫菜属(*Porphyra*)红藻
美国不列颠百科全书公司供图

边缘。南北半球均有分布,生长于潮间带的高潮线,在富氮的水中(如污水排水管的出口附近)生长最好。收获干燥后可作食品,消费量超过其他海藻。东方国家人工养殖作为一种重要的食物。可作汤的主料,其他食物及肉类的佐料。在不列颠群岛,紫菜置于面包上烤食,味如牡蛎。

Laver, Rod(ney George) 拉弗(1938-08-09,澳大利亚昆士兰罗克汉普顿～) 澳大利亚网球运动员。1962年获"大满贯",即在一年内取得温布尔登锦标赛、美国锦标赛、澳大利亚锦标赛和法国锦标赛四大单打比赛冠军,是网球史上获此成绩的第二名运动员。1969年再次获这种成绩,创辉煌先例。其父母都是网球运动员,他身材矮小,人们认为他难以掌握球技,但自幼刻苦练习,终于成功。18岁作为澳大利亚队成员参加戴维斯杯比赛。1962年除获"大满贯"外,还取得意大利和德国单打冠军。1959～1962年代表澳大利亚参加戴维斯杯比赛,1962年在决赛的3场比赛(2场单打和1场双打)中获全胜。1963年成为职业选手,在职业比赛中占主宰地位。到70年代仍在连传捷报,1971年成为第一名在网球生涯中获100万美元以上奖金的职业网球运动员。

Laveran, (Charles-Louis-) A lphonse 拉韦朗(1845-06-18,巴黎～1922-05-18,巴黎) 法国医师、病理学家、寄生虫学家,1880年在阿尔及利亚发现疟原虫。因这项发现及后来对原虫病的研究而获得1907年诺贝尔生理

美国不列颠百科全书公司供图

学或医学奖。他对热带病学研究影响很大。对疟疾(沼泽热)进行过划时代的研究。在锥虫病、利什曼病及其他原虫病的研究方面也取得了成果。1907年在巴斯德研究所建立了热带病研究室,1908年创立了外国病病理学会。著作很多,包括《锥虫与锥虫病》(与F.马斯尼尔合著,1904)、《沼泽热及其致病微生物》(1884)、《军队的疾病与流行病》(1875)等。

Lavigerie, Charles (-Martial-Allemand) 拉维日里(1825-10-31,法国巴约讷附近～1892-11-25?,阿尔及尔) 天主教枢机主教兼阿尔及尔与迦太基(即今突尼斯首都突尼斯)大主教。他创立非洲传教会,俗称白衣神父会。1867年任阿尔及尔大主教。在法国皇帝拿破仑三世的支持下,不顾阿尔及利亚地方政府的反对,在非洲穆斯林中间传教,建立孤儿收容所。1868年创立白衣神父会,在阿尔及利亚北部地区开展传教活动。在他的鼓励下,到1878年该会传教工作已经发展到赤道非洲。传教工作扩展到突尼斯以后,1882年教皇利奥十三世任命他为枢机主教。1884年教廷恢复迦太基教区,由他任全非洲首席主教兼迦太基大主教。他一贯反对奴隶制度,在晚年成立反对奴隶制的团体,保护中非人民。死后3年,白衣神父会工作扩展到西非。该会于1908年获得教皇庇护十世的批准。

Lavinium 拉维尼乌姆 古拉丁姆的市镇,位于罗马城南约30千米,即今意大利普拉蒂卡·迪·马雷。早期诸拉丁民族的宗教中心。经考古发掘,遗址有一些居民点,最早为维朗诺瓦文化初期,最晚的年代约为公元400年。

Lavoisier, Antoine-Laurent 拉瓦锡(1743-08-26,巴黎～1794-05-08,巴黎) 法国化学家和现代化学之父,卓越的实验家和多方面的天才,曾积极献身于公众事务和科学事业。他提出新的燃烧理论,导致推翻了一百多年来长期支配化学发展的燃素说。他关于氧化的基础研究,证实了氧在化学过程中的作用,并定量地证明氧化与呼吸之间的相似性。他系统地阐述了化学反应中的质量守恒定律。阐明了元素与化合物之间的区别,并在设计现代化学命名系统方面起了一定的作用。拉瓦锡是将定量方法引入化学研究中的首批科学工作者之一。他在实验上的独创性、严格的方法和有说服力的推理,一如他的各项发现,使化学发生一场革命。他的名字与现代科学基础的建立紧密联系在一起,不可分割。

拉瓦锡的父亲为议会的律师。他在马萨林学院受到极好的教育,除了语言、文学和哲学方面扎实、标准的基础训练外,同时还接受了科学——包括数学、天文学、化学和植物学等方面最有效的训练。他遵循家庭的传统,从事法律研究,并于1764年取得律师开业证书。但是,他的好奇心不断地将他往科学上吸引。1766年他因一篇关于大城市照明最佳方法的文章而获得科学院的金质奖章。他的早期著作中有关于北极光、雷和石膏组成的论文。由于拉瓦锡早就对岩石和矿石感兴趣,他曾伴随地质学家J.-E.盖塔进行一次长途地质旅行,并帮助他准备他的法国矿物学地图册。1768年他在提出一篇关于水样分析的论文后,被科学院接纳为化学助理。他历任科学院各级职务,1785年升任院长,1791年任司库。

由于家庭关系,拉瓦锡在20岁以后就很富有。1771年他与M.波尔兹结婚,她后来协助他工作,演示他的实验,记录结果,还翻译英文科学文章。1772年其父按照当时富有资产阶级的一般做法,买了一个贵族头衔。数年后拉瓦锡购得布卢瓦附近弗雷希讷的乡间房地产。

科学成就 1770年拉瓦锡驳斥了"水经重复蒸馏可转化为土"这种当时流行的信念,此后他的名字普遍受到重视。通过仔细地称量这种土状残渣和蒸馏设备,他证实了该固体物质来自玻璃容器而不是水。

为了推究传统四元素——土、水、空气、火——的本质,拉瓦锡开始研究空气在燃烧中的作用。1772年11月1日他向科学院提交一份纪要式简短报告,指出硫、磷在燃烧中增重是因为它们吸收了"空气",而一氧化铅与木炭一起加热后所生成的金属铅轻于原有一氧化铅是因为一氧化铅失去"空气"。这些过程涉及的空气的确切本质,他当时尚不能解释,因此他开始广泛地研究这个问题。1774年他出版了他的第一本书《物理学和化学概论》,书中列出了他获悉的结果和他实验的结果。同年,J.普里斯特利通过加热"汞的红色沉淀"而制备出"非燃素空气"(氧)。拉瓦锡证实并发展了普里斯特利的工作。他发

觉在燃烧和金属煅烧中，仅一部分已知体积的普通空气消耗掉，由此得出结论：起作用的动因是普里斯特利的新“空气”，它被燃烧所吸收，而“无活力空气”(氮)剩下。他观察到，鸟类在他称为新的“宜于呼吸的清新空气”中活得更久，并证明这种空气可与碳化合，生成“固定空气”(二氧化碳)，后者曾由 J.布莱克于 1754 年制得。

认识到大气由可参加化学反应的不同气体所组成，就有可能鉴定许多物质，特别是酸类的组成。拉瓦锡在 1777 年提交科学院、1779 年宣读过但到 1781 年才出版的一篇学术论文中，将非燃素空气命名为氧或“成酸者”，其根据为所有的酸都是由它与简单的物质(通常是非金属)相互结合所生成这个错误的假定。他解释说，燃烧不是所假设的火的要素(燃素)释放的结果，而是燃烧物质与氧化合的结果。1783 年 6 月 25 日，他向科学院宣告“水是氢与氧化合的产物”；但是，英国化学家 H.卡文迪什已先于他发表了这个结果。作为一个设法改进搭乘新发明的气球作轻于空气的飞行的委员会委员，他将水分解为其气体组分，以生产大量氢气，称之为“可燃空气”。他根据对于水的组成的认识，创始了定量有机分析。他将酒精和其他可燃有机化合物在氧中燃烧，由所生成水和二氧化碳的重量来计算它们的组成。

1786 年拉瓦锡发表了对于燃素说的才华横溢的攻击。不顾普里斯特利及其他人的反对，越来越多的科学家开始接受他的观点。1787 年一些法国化学家发表了《化学命名法》，对已知元素和化合物加以分类和重新命名。该命名法反映了拉瓦锡的新发现和理论，产生了广泛的影响。另一有影响的著作是 A.-F.de 富克鲁瓦的受人欢迎的《自然和化学简史》1788 年再版本，该书按照拉瓦锡的观点并根据新的化学命名法全面重新撰写。次年，拉瓦锡及其他人创办了《化学年鉴》，一种新化学杂志。建立在燃素说之上的陈旧方法逐渐失去信徒，拉瓦锡的思想终于被普遍接受。

拉瓦锡的学说以明确和合乎逻辑的形式得以迅速推广，他在他的《化学概要》(1789)中介绍了这些形式。这本经典著作对他及其追随者的工作做了简明扼要的讲解，并介绍了研究化学的新方法。在前面的“引言”中，拉瓦锡阐述了他关于科学探索和科学教育的正确方法的观点，并解释了新命名法。他将那些不能再分的物质命名为单质(substances simples)，即生成其他物质的元素。与古希腊思想不同的现代元素概念，在很大程度上来自拉瓦锡。他在《化学概要》中明确地阐述了他的化学反应中的质量守恒定律。他说，没有东西可以创造出来或者毁灭；只有更换和变化，并且反应前后的物质数量相等——形成一个等式。

除纯粹化学研究外，拉瓦锡大都与数学家兼天文学家 P.-S.拉普拉斯合作，极其注意物理学问题，特别是与热相关的问题。他们做了一些最早的热化学研究，设计了一种测定线膨胀和体膨胀的仪器，并在一系列的比热测定中改进了布莱克的冰量热计。拉瓦锡将热看作一种特别的无重量物质，他认为，物质存在的形式有固态、液态和气态三种聚集状态，分别取决于与该物质相关的热量。他还研究过发酵、呼吸和动物热能，认为这些过程是自然界的基本化学过程。根据他在关于动物热能和呼吸中的气体变化等开创性生物化学实验中所做的测定，得出以下结论：呼吸是一种类似碳燃烧的氧化反应。于他死后发现的一篇论文表明，他先于后来的思想家解释了动植物生命的循环过程。

拉瓦锡及其夫人
纽约洛克菲勒大学供图

政府职务 拉瓦锡在作为科学家的全部非凡生涯中，还同时从事作为政府官员的多种职务，在财政、经济、农业、教育和社会福利等方面贡献出他的才能。1768 年他成为政府一个征税机构中的助理，后来成为总征税机构包税公司的正式成员。鉴于他作为总包税人表现出的财政和组织能力和他的无容置疑的科学技术才能，1775 年被任命为火药总监。他发挥了惯有的才能，开始改进混乱的火药工业。他废除了对私人房屋地窖里硝石的麻烦搜查，提高了硝石的产量并改进了火药的生产。这个职务使拉瓦锡能迁移到巴黎的军械场，在此居住并装备了一个极好的实验室。这个机构不久就成为当代科学家和先进思想家的聚会场所。他妻子主持的宴会很闻名，她在宴会后往往陪同客人们参观该实验室或者参加一些新实验的表演。虽然日益增多的公职占去拉瓦锡的时间，但是他还是每周抽出一天用于科学研究。

随着他在科学院中影响的增长，他的职务也就增多。他是许多调研公众事务的官方委员会的委员。1781 年当臭名昭著的 F.A.梅斯梅尔来到巴黎时，拉瓦锡(与 B.富兰克林一起)在一个研究梅斯梅尔的“动物磁力”疗法的委员会担任委员，宣称这些疗法是个骗局。他在另一委员会中考察了巴黎各医院和监狱，并针对它们的悲惨处境推荐一些补救办法。他在弗雷希讷创办一个模范农场，在此表现出科学农业的优点。1785 年他被任命为政府农业委员会的秘书，草拟了关于作物种植的报告和规程，颁布各种农业计划。作为奥尔良的土地拥有者，1787 年拉瓦锡当选为省议会议员。在此，他计划通过银行储蓄、社会保险、开运河、建立济贫院、改革税收等措施来改善社会和经济状况。1788 年饥荒时期，他无息贷款给布卢瓦和罗莫朗坦，供购买大麦用。他曾任职于卫生、造币、铸炮和公共教育等委员会。1790 年法国统一度量衡委员会成立，他任秘书和司库。由于他们的工作，建立起米制计量系统。

拉瓦锡作为改革者和反对旧制度许多方面的政治自由主义者，曾积极参加法国革命。1789 年重新召开法国议会时，他成为候补议员，并制定了议员应遵循的规章。他曾被选入巴黎公社并参加温和的“1789 年俱乐部”，这是一个计划组。

拉瓦锡曾任国库的官员，并发表了对国家财政和农业现状的详细分析。但是他在不得人心的包税公司的成员资格，足以使他成为当局怀疑的对象。尽管他对国家有许多贡献并身为远近闻名的科学家，但是仍然受到较多激进的小册子作者们逐步升级的激烈攻击。1787 年在拉瓦锡建议下，曾围绕着巴黎树起一堵墙来防止禁运品流入城市，革命的极端主义者 J.-P.马拉却以监禁巴黎和阻碍空气流通的罪名将他控告。1791 年包税公司被废除，随后拉瓦锡被免去火药总监的职务，并强迫他离开军械场。1793 年恐怖时期开始，尽管拉瓦锡全力阻止，科学院和其他学术团体还是全被查禁。年终，革命议会下令逮捕前包税公司成员，1794 年 5 月他们受到革命法庭的审判。审判不到一天，拉瓦锡和其他 27 人被判死刑。当天即 5 月 8 日下午，他和同伴们(其中包括他的岳父)，均在革命广场(今协和广场)被送上断头台。他的遗体被埋入公墓。

lavolta(dance) 参阅**volta, la** 沃尔塔。

Lavon, Pinhas 拉冯(1904-07-12，奥匈帝国东加利西亚科佩钦斯[今乌克兰科佩钦齐]～1976-01-24，以色列特拉维夫-雅法) 原名 Pinhas Lubianiker，Pinhas 又拼 Pinchas。以色列政治人物。曾在利沃夫大学受教育，1924 年参加犹太复国运动。1929 年定居巴勒斯坦，1935 年任以色列工党书记，1942 年任执委会委员。1948 年以色列建国后第二年当选议会议员，同时兼任总工会总书记。1950 年任本-古里安内阁的农业部长，1954 年 1 月任国防部长。不久之后被指控策划对埃及的美国设施实施炸弹袭击，以嫁祸于阿拉伯极端主义分子，使埃及在美国名声扫地。虽经调查，洗清不白之冤，但仍于1955年2月被迫辞去政府职务。事实上，其政治生涯也因此被断送。

Lávrion（Greece） **拉夫里翁** 参阅**Laurium**劳里厄姆。

Lavrov, Pyotr (Lavrovich) **拉夫罗夫**（1823-06-14，俄罗斯梅列霍沃～1900-02-06，巴黎） 俄国社会主义哲学家，其社会思想为19世纪下半叶俄国各革命组织的活动提供了理论基础。拥有土地的家族成员，1842年毕业于圣彼得堡炮兵学校，1844～1866年在圣彼得堡各军事学校教数学。1857年参加反政府活动，加入秘密革命团体，办地下报纸。1867年被捕流放。他逃往巴黎时，正赶上参加1871年的巴黎公社。尔后去伦敦，与马克思和恩格斯结为朋友。他是一位多产作家，编辑革命组织民意党的各种出版物，并在巴黎等地组织社会主义讨论会。他的哲学著作包括《历史书信》（1868～1869）和《未来社会的国家组成部分》（1876）。

law **法律** 由一个社会公认为具有约束力的该社会的习俗、惯例和行为法规组成的学科和专业。所有法规由一个有控制权的机构来执行。

Law, (Andrew) Bonar **劳**（1858-09-16，加拿大新不伦瑞克金斯顿～1923-10-30，伦敦） 第一位出身于英国海外领地的英国首相（1922-10-23～1923-05-20），保守党领袖（1911～

美国不列颠百科全书公司供图

1921，1922～1923）。北爱尔兰裔长老会牧师之子，12岁起由苏格兰富有的亲戚抚养。16岁离校后在格拉斯哥合伙经营钢铁商行。1900年作为保守党人选入下院，追随J.张伯伦领导的帝国主义派。1911年末前首相A.J.贝尔福辞去保守党领袖职务；劳作为一个各方都能接受的候选人于11月13日获全票当选。第一次世界大战爆发前，劳主要关心关税和爱尔兰自治问题，身为北爱尔兰人，他坚决反对爱尔兰自治。1915年5月25日在H.H.阿斯奎斯领导的战时联合政府中任殖民地大臣，参与导致H.H.阿斯奎斯1916年12月5日辞职的密谋。乔治五世要求他组阁，他提议由劳合·乔治组阁，后者于次日即上任。在新的联合政府中，劳任下院领袖、战时内阁成员和财政大臣，精明地实施战时贷款和战时公债计划。1919年1月10日改任掌玺大臣，同时一直任下院领袖。1922年保守党人相继为“鬻爵”丑闻、恰纳克事件（一场毫无必要的对土耳其的战争似迫在眉睫）和关于举行选举以便通过以劳合·乔治为首的新一届联合政府的提议所激怒。10月19日，在党的会议上，劳发言反对再次组织联合政府，劳合·乔治随即辞职。劳组成的保守党政府于1922年11月获得足够的多数票通过。任内重要的事件发生于1923年1月，他不满于财政大臣S.鲍德温对英欠美战争贷款的处理而几乎辞职，同时由于法国占领鲁尔，他决定与法国断绝外交关系。5月因患喉癌辞职。

Law, Edward **劳** 参阅**Ellenborough, Edward Law, earl of**埃伦巴勒伯爵。

Law, John **劳**（1671-04-21受洗，爱丁堡～1729-03-21，威尼斯） 又译约翰·罗。苏格兰货币改革家，开发美洲法属领地的“密西西比计划”的制订者。曾在伦敦学习数学、商业和政治经济学，因决斗杀人逃往阿姆斯特丹，在该地学习银行业务。10年后返回苏格兰，写成其名著《论货币和贸易》（1705）。向苏格兰议会提出银行改革计划，但未被采纳。1716年获准在法国试行他的计划。这是因为当时法国政府由于路易十四到处进行战争而债台高筑，而他的方案正好可以减少国家的债务。但是，在劳看来，减少国债只是次要的事情。他与当时的重商主义者都认为：在经济发展中，货币是一种创造性的力量，货币数量的增加可以刺激国民生产的发展和增强国家的力量。但他与重商主义的看法也有不同之处，他认为中央银行是发行钞票的机构，钞票可以代替稀有的金银在市面上流通。劳在巴黎创办一家有权发行纸币的银行。后来，他把这一银行同路易斯安那公司结合在一起，路易斯安那公司享有开发北美洲密西西比河流域辽阔的法属领地的特权。有几年，劳的计划很有成效，但与投机倒把和政治阴谋纠缠不清。这些行为虽然不能归咎于他，但是他是这个被人们称为“密西西比泡沫”的计划的制订者，因此负有责任。1720年，他被迫逃离法国，后一贫如洗。

law, wager of（early English law） **宣誓断讼法** 参阅**compurgation**据誓断讼。

Law, William **劳**（1686，英格兰北安普敦郡金斯克利夫～1761-04-09，金斯克利夫） 英国作家。他写的关于基督教伦理和神秘主义的著作是有影响的作品。1705年进入剑桥的伊曼纽尔学院，1711年当选为该院研究员并担任牧师职务。1714年乔治一世即位时他被剑桥斥退，因为他拒绝履行忠诚宣誓。1727年担任爱德华·吉本（历史学家吉本的父亲）的家庭教师。1740年起在故乡隐居。其主要贡献在于勾画出基督教对人类生活的伦理理想及如何通过严格的个人神秘主义的实践实现这个理想。《从实践角度论基督教的完美》（1726）和《严肃号召过虔诚和神圣的生活》（1728）被认为是他的最佳作品，在正规的基督教传统的限度内主张一种温和的神秘主义观点。不过，他在《通向神知之路》（1752）、《祈祷之灵》（1749）和《爱之灵》（1752）等作品中所表述的强调造物主与万物之间结合的思想在基督教伦理神学家中却很少有人承认。

law code **法典** 又作legal code。比较全面系统的用文字记载的法律文件。在远古时期，人们就已编纂法典。现存最早的关于法典的证据是公元前2400年左右埃卜拉城（今叙利亚泰勒马尔迪赫）的古老档案中的泥版。人们所熟知的古老的法典是公元前18世纪由巴比伦国王汉穆拉比制定的法典（参阅**Hammurabi, Code of**）。罗马人的法律记载始于公元前5世纪。但是在公元6世纪的查士丁尼法典问世之前（那是西罗马帝国瓦解以后很久的事），对罗马法并没有进行过重要的编纂。统治过罗马帝国的勃艮第人、西哥特人、撒利族的法兰克人也都制定过法典（参阅**Salic Law**）。在中世纪后期，在欧洲将海事的惯例加以汇编，供商人和律师使用。这些汇编在全欧洲具有很大的权威性。从15～18世纪，欧洲各国都掀起了搜集、编纂法律和惯例的运动。但还不是全国性的编纂，而是地区性、地方性的编纂。19世纪开展了全国性的编纂，其中最早的是1804～1810年的5个拿破仑法典，即民法典、民事诉讼法典、商法典、刑事诉讼法典和刑法典（参阅**Napoleonic Code**）。随后，其他民法法系国家也陆续制定了类似的法典，如德国民法典、瑞士民法典、日本民法典等（参阅**German Civil Code; Swiss Civil Code; Japanese Civil Code**）。而在英美等普通法国家，由于多数法律主要是以先前的判决为基础的，除惯例以外的一般性法典倒成了例外。在美国，这类编纂的范围较窄，包括各种程序法、刑法和遗嘱检验法。各州都有自己的法典，尽管它们一直试图在各个法律部门制定统一的法典，其中内容最丰富全面的当数已为许多州采用的统一商法典。英国仅在买卖和合伙等几个方面制定了法典，但是它们在修改和合并现行的法规方面做了大量工作。在国际法方面，迄今为止收效甚微，尽管曾为编纂国际公法和国际私法作了很大努力。对于诸如仲裁、货物销售等问题已经准备了草案，但要被不同法系的国家所接受，还有相当的困难有待克服。

law merchant **商人法** 中世纪期间有关商人、商业事务的习惯法规和原则的总称。是商人们自己为了管理他们之间的交往而采用的。最初商人法多半由专门的准司法性质的法庭执行，如意大利由行会法庭以及随后在英国由正式成立的泥足法庭执行（参阅**piepoudre court**）。商人法是11世纪早期发展起来的，目的在于保护不受当地法律管辖和保护的外国商人。在外国商人中，如果他们同国籍的人当中有人在商业交往失信，他们就常常被没收财物并蒙受其他各种干扰。同时商人们也需要一种法律，以便他们自己可以商谈契约、合伙、商标以及买卖等各个方面。商人法因此就随着商人从一地到另一地而逐渐传播开来。他们的法院，即他们自己在集市和城市所设立的法院，执行了一种适用于整个欧洲的统一的法律，尽管在国内法和语言上各不相同。商人法主要的是根据罗马法，但其中也有一些日耳曼的影响；它构成了近代商法的基础。

law of large numbers 大数定理 在统计学中，该定理指出，在均等分布条件下，随着随机事件发生次数的增加，样本平均值接近于它们的理论平均值。大数定理最早被瑞士数学家J.伯努利于1713年证明。他和同时代的人发展了一个形式概率理论去分析那些凭借运气的游戏。伯努利设想了有着一个无穷重复序列的游戏，该游戏只有"胜"和"负"两个纯偶然结果。把"胜"的概率记为p。伯努利思考了在多次重复中"胜"的次数的比例。通常认为这个比例应该接近p。在重复次数均匀增加的情况下，伯努利严格地证明了这一点。还有一个关于大数定理平均值的更全面的表述，一个世纪以后被俄罗斯数学家P.切比雪夫证明。大数定理和另一个"平均定律"关系紧密。在抛硬币时，大数定理限定了出现正面的比例为1/2。因此，如果头十次抛掷中只出现了三次正面，那么似乎有一个神秘的力量开始增加出现正面的机会，使得比例回到1/2。当然，大数定理并不需要任何神秘的力量。实际上，出现正面的比例要经过很长的时间才会接近1/2。比如，为了让比例在0.47～0.53之间的情况占到整体的95%，抛掷的次数必须超过1 000次。换句话说，1 000次抛掷之后，初始10次抛掷中只出现了3次正面的不足淹没在随后的990次抛掷的结果之中。

law report 判例汇编 在普通法中，指国家汇编出版的司法判决，作为判例供律师和法官在后来处理案件时援用。汇编的每个判决包括下列内容：案件名称、诉讼事实、法院审理经过、法庭的意见，最后是法庭的裁判，例如维持或撤销下级法院的判决。近代的判例汇编通常还在每个判决之前加一个提要，例如有分析地概括说明作出判决的主要意见。最早的英国法院判例汇编是13世纪末到16世纪出版的年鉴。从1537至1865年，英国许多判例汇编都是以法庭记录官员的名义出版的。在这两个时期，法庭的记录工作还是处于分散状态的私人工作，制作和发布法庭诉讼和判决记录的记录员都是自愿的。他们的工作质量参差不齐，汇编的内容也往往重复或前后矛盾。近代的汇编在形式上于18世纪后半叶得到了统一。1865年的判例汇编虽然仍由私人出版，但已具有半官方的性质。当代的英国，判例汇编的编纂人必须是高级律师，是审判方面的内行，能够保证汇编的准确无误。英国的最高上诉法院即上议院的所有判决都要收入汇编，而其他上诉法院的判决只有能确定新的法律原则或者新的适用办法的方予收录。但相对说来，下级法院的判决收入汇编的是很少的。美国的法庭的正式记录官员虽然很早就由官方指派，但是第一部州的和联邦的判例汇编也是以编纂人私人的名义出版。目前，汇编的意见书几乎都是由法庭编写并正式出版。19世纪后期，一个私人出版公司开始非官方地出版全国记录官员系统中的所有州的和联邦的判例汇编，这一情况一直延续到现在。美国上诉级法院的判决，除了处理的是已经解决了的法律问题以外，大部分都收入判例汇编。由于下级法院的审判庭一般不写意见书，通常也就不收入汇编。但在纽约、宾夕法尼亚等州的法院以及联邦的地方法院，审判庭对于许多重大案件是要提出意见书的，因此他们的意见书也被收入汇编并予以出版。到20世纪70年代，美国出版的判例接近450万件，每年还要增加4万件新案例。

Lawa(people) 拉瓦人 参阅Wa 佤人。

Lawes, Henry 劳斯（1596-01-05受洗，英格兰威尔特郡丁顿～1662-10-21，伦敦） 英国作曲家，以其通奏低音歌曲闻名。师承J.科佩拉里奥。1631年成为皇室诗琴与声乐音乐家。1634年为T.卡鲁的假面剧《不列颠的天空》和弥尔顿的《科玛斯》配乐。1636年和他的兄弟威廉·劳斯一起为威廉·戴夫南特爵士的《爱情王子的胜利》配乐。他的《诗篇选粹》（1648）亦收有其弟威廉·劳斯的音乐作品和弥尔顿的一篇赞扬劳斯的14行诗。1656年为戴夫南特的《围攻罗得岛》谱曲。力求以"恰当的音符和重音"为歌词配乐。

Lawes, Sir John Bennet, 1st Baronet 劳斯（1814-12-28，英格兰赫特福德郡哈彭登罗萨姆斯特德～1900-08-31，罗萨姆斯特德） 英国农学家，建立了人造肥料工业和罗萨姆斯特德实验站（世界上最早的农业研究站）。1822年继承其父的罗萨姆斯特德产业。在该处长期试验研究施肥对盆栽植物及大田作物的效果之后，他于1842年获取一项专利：用硫酸处理磷矿石以生产过磷酸钙的方法。同年他开设了第一座肥料厂，从而开创了人造肥料工业。次年，化学家J.H.吉尔伯特与他合作，共同研究各种肥料对作物的肥效，还研究动物营养，包括各种饲料的营养价值以及牲畜长膘的根源。合作持续了50多年。1867年劳斯和吉尔伯特共同获得皇家学会颁发的皇家奖章，1882年劳斯获封准男爵。七年后他建立劳斯农业托拉斯，使罗萨姆斯特德实验站的实验工作得以继续进行。

Lawes, Lewis Edward 劳斯（1883-09-13，美国纽约埃尔迈拉～1947-04-23，纽约加里森） 美国刑罚学家。他采用的新的刑罚执行政策有助于强调监狱改造犯人的任务。1920年担任纽约州奥西宁州立新心监狱（现为奥西宁教养所）的监狱长，实行了这样一些改革：在监狱里上演戏剧、放映电影和开展体育活动；建立车间安全措施；给每个监室提供无线电耳机。他还要求所有的犯人都穿同样的囚衣，以便消除在财富上和在监外时地位上的差别。尽管他坚决反对死刑，但他仍然监督执行了数以百计的死刑。在他的著作中，最有名的是《在新心监狱中的2万年》（1932）。

Lawes, William 劳斯（1602-05-01受洗，英格兰威尔特郡索尔兹伯里～1645，柴郡切斯特） 巴罗克早期英国著名作曲家，以高度独创的器乐曲著称。1635年成为查理一世的乐师。内战时期（1642～1651）随保皇党人作战，在切斯特包围战中阵亡。所作器乐曲有为小提琴、低音维奥尔琴、大低音诗琴和竖琴演奏的《大康索特》、《皇家康索特》（一套舞蹈组曲）和一些优美的幻想曲、赞美歌和诗篇歌。他的大胆的和声应用不常见的不协和音；在复调作品中掌握了巴罗克风格的音乐语言。他也是主要的假面剧作曲家之一，曾为J.雪利《和平的胜利》（1634）和《美的胜利》（约1644）配乐，也为威廉·戴夫南特爵士的《爱情王子的胜利》（1635年与H.劳斯合作）和《大不列颠的胜利》（1638）配乐。

Lawler, Ray(mond Evenor) 劳勒（1921?，墨尔本富茨克雷～ ） 澳大利亚演员、戏剧演出人兼剧作家。其剧作《第17个洋娃娃的夏天》改变了现代澳大利亚戏剧的方向。13岁离开学校。在加入墨尔本国家剧院剧团之前干过多种工作。1955年新组建的伊丽莎白剧院托拉斯选中他的《第17个洋娃娃的夏天》，作为有独创性的澳大利亚戏剧列为该剧团的首演剧目（1956），由劳勒饰主角。取得成功后，于1957年在伦敦演出，仍由劳勒饰主角，接着又在纽约市举行演出（1958），最后于1959年被拍成同名电影。该剧批评了澳大利亚文化的陈规旧习，风格自然，语言清新活泼，是对旧传统的一次重大突破，并开拓了澳大利亚戏剧现实主义的新阶段。他的其他剧作还有《雷电的摇篮》（1949）、《皮卡迪利丛林居民》（1959）、《满脸胡子的人》（1963）、《墙上的破口》（1967）、《猎信天翁的人》（1972）及"洋娃娃三部曲"中的另外两出戏《小奖品》（1975）和《其他时光》（1976）。1952年获澳大利亚国家剧院联邦50周年戏剧竞赛一等奖。

lawn 草坪 精心布置并勤加修剪的草皮（**turf**）。

lawn bowls (game) **草地滚球戏** 参阅**bowls** 滚木球戏。

lawn croquet(game) **草地槌球** 参阅**croquet** 槌球。

lawn-leaf (plant) 参阅**Dichondra**马蹄金属。

lawn tennis 草地网球 参阅**tennis**网球。

Lawrance, Charles Lanier 劳伦斯（1882-09-30，美国马萨诸塞莱诺克斯～1950-06-24，纽约东艾斯利普） 美国航空工程师，曾设计第一台气冷式航空发动机，用于早期许多次历史性飞行。在耶鲁大学求学时即用课余时间进行汽车试验。毕业后在一家新建汽车公司工作，公司因1907年金融恐慌而破产。后到巴黎，在埃菲尔实验室进行航空试验，设计制造了一台8汽缸200马力发动机。他还设计了升阻比很高的新翼型，第一次世界大战中为交战双方所采用。1914年回国继续从事研究工作，任柯蒂斯-莱特公司总工程师，终于为该公司研制出莱特旋风式发动机。这种发动机是靠汽缸头上的散热片用空气冷却的，经多次改进，用于美国陆军、海军和通用航空。到20年代中期已证实它的功率和可靠性等性能非常优越，因而能出色地实现许多次历史性的远程飞行，如伯德海军上将的北极飞行，C.林白从纽约飞往巴黎，以及A.埃尔哈特、伯德和C.钱伯林等人的飞越大西洋等。1930年组建劳伦斯工程研究公司，在第二次世界大战中为轰炸机生产辅助发电装置。虽然劳伦斯获得许多荣誉学位和称号，但与林白的飞行所引起的巨大轰动相比，他仍然不太引人注意。对这件事他曾幽默地说：人们只记得P.里维尔骑马报警的英雄业绩，谁又记得他那匹马呢？

Lawrence（antipope） 参阅**Laurentius**劳伦蒂乌斯。

Lawrence 劳伦斯 美国堪萨斯州城市，道格拉斯县县城（1855）。濒临堪萨斯河。1854年始建，1858年设市。曾为废奴主义者聚居地，多次遭到亲奴隶主义者的武装袭击和屠杀。1866年建立堪萨斯大学；1884年建成招收印第安人的哈斯克尔学院，现在是哈斯克尔印第安人初级学院。市南有贝克大学（1858）。强烈的教育和文化传统是城市发展的标志，劳伦斯基本上是大学城，也有些小工厂。人口：市约80 098；都会统计区约99 962（2000）。

Lawrence 劳伦斯 美国马萨诸塞州东北部埃塞克斯县城市。在波士顿西北偏北43千米处，临梅里马克河。1845年创建，1847年设镇，1853年设市。通波士顿—缅因铁路后，发展为美国最大毛纺织业中心之一。1950年以后工业多样化，生产皮革、纸张、服装、化工品、机械、塑料、橡胶和金属制品。1912年发生大罢工，造成国民警卫队和世界产业工人组织的卷入。人口：市约72 043；劳伦斯-主要都会统计区396 230（2000）。

Lawrence, Saint 劳伦斯，圣（？～258，罗马） 因勇敢而最受尊重的罗马基督教殉道者之一。他是在罗马皇帝瓦莱里安迫害基督教时期，在教皇西克斯图斯二世殉教前几天被害的七助祭之一。相传他在被捕前把教会财富分发给穷人和病人。他可能是被斩首而死，但也有记述说他是在烤架上被烤死的。据传劳伦斯殉教后罗马城各地有大批人信奉基督教，其中有目睹他受难的元老院元老。

Lawrence of Arabia 阿拉伯的劳伦斯 参阅 **Lawrence, T(homas) E(dward)** 劳伦斯。

Lawrence of Brindisi, Saint 劳伦斯（布林迪西的），圣（1559-07-22，那不勒斯王国布林迪西～1619-07-22，葡萄牙贝伦） 天主教教义师，是德意志境内反宗教改革运动中的主要论辩家之一。1575年加入方济各会内部严谨的嘉布遣小兄弟会。他是有天赋的语言学家，精通希腊语、希伯来语、阿拉伯语和古叙利亚语。在教皇格列高利十三世和克雷芒八世在位期间任教廷宣教士，负责向罗马犹太人传教。1601年基督教军队与穆斯林军队在匈牙利境内施图尔韦森堡作战，神圣罗马帝国皇帝鲁道夫二世的军队在劳伦斯的激励下战胜土耳其苏丹穆罕默德三世的军队。他力图阻止德国新教兴起，在马德里和慕尼黑创立嘉布遣小兄弟会。三十年战争前夕曾在慕尼黑参加政治谈判。

Lawrence of Canterbury, Saint 劳伦斯 参阅 **Laurentius of Canterbury, Saint** 劳伦蒂乌斯（坎特伯雷的），圣。

Lawrence, Abbott 劳伦斯（1792-12-16，美国马萨诸塞格罗顿～1855-08-18，波士顿） 美国商人和慈善家。发展新英格兰纺织工业的主要人物。在建设以他命名的马萨诸塞州劳伦斯城中起主导作用。他还在该城创建几家纺织厂，使其成为纺织工业中心。1808年参与其兄阿莫斯·劳伦斯（1786～1852）在波士顿的实业活动，1814年两人共建劳伦斯兄弟公司，它是当时美国最大的贸易商号之一。1830年他自己生产纺织品，1845年在劳伦斯城建起一些大型棉纺厂和毛纺厂。他还促进了新英格兰的——主要是波士顿与纽约州奥尔巴尼之间的铁路建设。作为有名的新英格兰商务利益的倡导者，他曾当选为众议员（1835～1837，1839～1840），还出任过美国驻英国的公使（1849～1852）。捐款建立了哈佛大学的劳伦斯理学院。他的儿子A.A.劳伦斯（1814～1886）在威斯康星州阿普尔顿建立劳伦斯大学并在堪萨斯州劳伦斯以他的名字命名设立一学院，后来在1866年成为堪萨斯大学。

Lawrence, D(avid) H(erbert) 劳伦斯（1885-09-11，英国诺丁汉郡伊斯特伍德～1930-03-02，法国昂蒂布附近旺斯） 英国短篇小说家、诗人、散文家，20世纪英国最重要和最有

美国不列颠百科全书公司供图

争议的小说家之一。主要小说有《儿子和情人》（1913）、《恋爱中的女人》（1920）、《羽蛇》（1926）和《查太莱夫人的情人》（1928），后者曾被认为有伤风化而在一些国家遭禁。他在作品中揭示了人性中的本能力量，并辛辣地批评了现代工业社会。其父是矿工，其母当过教员，写过诗。他自己中学毕业后当过文书和小学教师。21岁时入诺丁汉大学学院学习。很早就喜欢写作，最初发表的作品是刊登在《诺丁汉郡卫报》上的一篇短篇小说。他在文学界的第一个朋友是F.M.许弗（F.M.福特），后者将他的第一部长篇小说《白孔雀》（1911）交由《英语评论》发表。许弗不喜欢劳伦斯的第二部长篇小说《侵入者》（1912），但当时任达克沃思出版公司审稿人的E.加尼特却喜欢。加尼特曾一度成为对劳伦斯帮助最大的文学界朋友。1912年4月他认识在诺丁汉一个老师的德国妻子弗莉达，同年5月与她前往德国。由此开始过着一种不安定的吉普赛人似的流浪生活，两人之间虽有争吵但关系十分亲密，劳伦斯后来的许多小说都主要以此为主题。在意大利住过一段时间后，与弗莉达返回英国，1914年结婚。他第一部成熟的小说《儿子和情人》虽然销路不好，但他因其成名。1914年出版第一部短篇小说集《普鲁士军官及其他故事》，此前于1913年出版了第一部诗集《爱情诗及其他诗篇》。他多次企图建立逃脱现实社会的少数人共同生活的理想公社，但总是和一些朋友因歧见吵架而重又分开。他一生写了10部长篇小说，其中最伟大和最有代表性的是《虹》（1915）和《恋爱中的女人》。这两部小说画面宽广，想象力气魄很大。主题是婚姻中的男女关系。他深入而勇敢地探讨了两性关系的现实和意义。但这两部小说比较忽略外界社会力量的压力，专注于其中角色的主观世界。他晚期的一些小说也描写两性关系，但联系了外界现实，如《亚伦的藜杖》（1922）联系了第一次世界大战后共产党的运动；《袋鼠》（1923）联系到澳大利亚想象中的法西斯运动；《羽蛇》联系墨西哥天主教会和起义农民的斗争；《查太莱夫人的情人》则联系英国中部工业的状况。1932年这部书最初在英国出版时，其中描写两性关系的片断被删节，经过法院胜诉，到1959和1960年才在纽约和伦敦全文发表。他的性格复杂，具有魅力，在他的书信、小说、诗歌、散文和传记中均有所反应。他内心充满了苦闷和仇恨，兼有自然主义小说家、诗人，现实主义者和神秘主义者的特色。但总的说来，他属于梅尔维尔和爱米丽·勃朗特一类人，而不像巴尔扎克和托尔斯泰那样能创造具有众多角色的独立自主的世界。他无论描写人、动物还是无生命的东西，都能传达他对于描写对象的深切同情。他的后期小说教诲和议论较多，表现出某种武断，可能是因他的肺病恶化所致。除小说之外，他还有其他多方面的才能。他的游记在描写风土人情方面非常出色，令人难忘。他的《美国经典文学研究》（1923）史无前例地揭示了新美国"意识"和美国人的世界观。他的诗常具有很大的传记性，如组诗《看！我们胜利了》（1917）。但他对诗歌艺术最独特的贡献是他的《鸟、兽、花》（1923）。他的书信生动活泼，趣味广泛，可能是研究他的全部作品的最好入门。晚年主要从事绘画和写作、修改最后一部小说《查太莱夫人的情人》。

Lawrence, Ernest Orlando 劳伦斯（1901-08-08，美国南达科他坎顿～1958-08-27，加利福尼亚帕洛阿尔托） 美国物理学家，由于发明第一台高能粒子加速器——回旋加速器而获得1939年诺贝尔物理学奖。他先在耶鲁大学任物理学助理教授（1927～1928），后在伯克利加利福尼亚大学任副教授，1930年升任正教授。劳伦斯构思回旋加速器最早是在

1929 年，他的学生 M.S.利文斯顿设计并制造出能把氢离子（质子）加速到具有 1.3 万电子伏能量的装置。后来劳伦斯着手建造第二台回旋加速器，它能把质子加速到 120 万电子伏，这足以引起核蜕变。为了继续这个计划，1936 年他在伯克利建立了辐射实验室并任实验室主任。世界上第一个人造元素锝就是在劳伦斯的回旋加速器中产生的。在其他粒子加速器中也采用了劳伦斯的基本设计，粒子物理学领域的巨大进展，主要是靠这些加速器取得的。除了物理学上得到诺贝尔奖外，他因通过加速器能产生新的人造元素，在化学、生物学和医学方面同样受到赞誉。他把回旋加速器中生产的放射性磷及其他同位素用于医疗，首次用放射性碘治疗甲状腺机能亢进，还着手用中子束治疗癌症。第二次世界大战期间，他参与**曼哈顿工程（Manhattan Project）**，主管用电磁法分离制造原子弹用的铀 235 的工作。1957 年美国原子能委员会授予他费米奖。除了在核物理学方面的工作外，劳伦斯还发明彩色电视显像管并获得专利。加利福尼亚州的劳伦斯伯克利实验室和劳伦斯利弗莫尔国家实验室及第 103 号元素铹，都是为纪念他而命名的。

Lawrence, Frederick William 劳伦斯 参阅 **Pethick-Lawrence (of Peaslake), Frederick William Pethick-Lawrence, Baron 佩西克-劳伦斯（皮斯莱克的）**。

Lawrence, Gertrude 劳伦斯（1898-07-04，伦敦～1952-09-06，纽约市） 以扮演科沃德的精致喜剧和音乐剧、特别是《黑暗中的女士》一剧而著称的英国女演员。其父是音乐

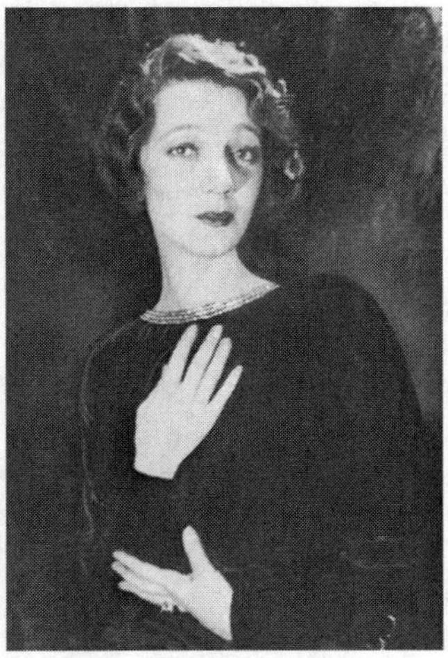

美国不列颠百科全书公司供图

喜剧和杂耍表演中的歌手。1910 年 12 月首次登台，并巡回演出音乐剧。1924 年到纽约扮演时事讽刺剧中的主角。1926 年担任格什温的音乐剧《啊，凯！》中的主角。第一次扮演话剧角色是在《冰封》（伦敦，1928）一剧中。后来还在《烛光》、《私生活》、《今天晚上 8 点半》、《苏珊和上帝》等剧中担任角色，其中《私生活》一剧是科沃德专门为她编写的。她最大的成功可能还是在哈特的音乐戏剧《黑暗中的女士》（1941）中扮演埃利奥特。她早年和英国导演 F.戈登-豪利的婚姻以离婚告终，1940 年与美国演出人 R.奥尔德里奇结婚，并在美国度过了后半生。最后一次登台演出是 1951 年在罗杰斯和哈默斯坦的音乐剧《国王和我》中扮演安娜。其自传《一颗闪烁的明星》于 1945 年出版。

Lawrence, Sir Henry Montgomery 劳伦斯（1806-06-28，锡兰马图拉～1857-07-04，印度勒克瑙） 英国军人、行政官员，因熟谙印度政治情况而使英国在旁遮普的统治得到巩固。1823 年进入孟加拉炮兵队。第一次英缅战争（1824～1826）时期，他参加夺取阿拉干的战役。他懂乌尔都语、印地语和波斯语。1833 年加入西北诸省调查厅。1839 年到旁遮普的菲罗兹布尔工作，对锡克人的政治情况获得很多知识。1841 年前往白沙瓦，因阿富汗杀害从喀布尔撤出的英军而与锡克人缔结联盟。1845 年任印度总督驻尼泊尔代表，1846 年任驻拉合尔代表。他削减锡克人的军队，镇压冈格拉和克什米尔的反英哗变，并制定一部锡克法典，取缔旧风俗，加强英国在锡克人中间的统治地位。1848 年回国休假时被封为爵士。1848～1849 年第二次锡克战争开始，他任旁遮普管理委员会主席，主张对锡克贵族采取宽容政策。1852 年因与总督的政策相悖调往拉杰布塔拉。在勒克瑙镇压哗变时被击伤后死亡，死时女王已任命他为临时总督。

Lawrence, Jacob 劳伦斯（1917-09-07，美国新泽西大西洋城～2000-06-09，华盛顿西雅图） 美国黑人画家。以生动的、风格化的现实主义手法描绘黑人的历史和生活状况。曾在纽约市哈勒姆区艺术工场随 C.H.阿尔斯顿学画。长于树胶水彩画和蛋彩画，用灰暗的褐色和黑色表现阴影和轮廓，生动的色彩使其作品给人一种与众不同的悲剧性联想。最有名的作品是以历史或社会为主题的一系列作品，包括《……和源源不断的移民》（1940）、《在哈勒姆生活》（1942）和《战争》（1947）等。1964 年访问尼日利亚，画了一些反映当地生活的画。其后期作品大多表现反对种族隔离斗争的题材。1971 年成为西雅图华盛顿大学美术教授。

Lawrence, James 劳伦斯（1781-10-01，美国新泽西伯灵顿～1813-06-01，波士顿附近海战中） 1812 年战争中美国的海军英雄，他临死之前所说的"不要放弃战船"一语成为美国海军最珍重的传统之一。1798 年以海军军官学校学员开始服役于海军。1812 年战争时指挥美国战船"黄蜂"号俘获英舰"孔雀"号。不久

美国不列颠百科全书公司供图

晋升为"切萨皮克"号驱逐舰的舰长。1813 年 6 月 1 日，"切萨皮克"号与英舰"香农"号在波士顿附近海域展开激战，未及 1 小时，"切萨皮克"号彻底败北，劳伦斯重伤阵亡。

Lawrence (of the Punjab and of Grately), John Laird Mair Lawrence, 1st Baron 劳伦斯（1811-03-04，英国约克郡里士满～1879-06-27，伦敦） 英国印度副王兼总督，在旁遮普推行广泛的经济、社会和政治改革制度，赢得"旁遮普的救星"的称号。1830 年与兄弟亨利前往加尔各答，接着前往德里，在德里工作 19 年，历任助理法官、治安法官和税务员，逐渐反对税收官员们对农民的压迫。在第一次锡克战争（1845～1846）中，成功地组织了从德里向在旁遮普作战的印度和英国军队运送物资。35 岁时擢升新吞并的贾朗达尔区专员。任内驯服山区首领，准备结算税收，建立法院和警察哨所，制止杀害女婴和寡妇自焚殉夫（随同丈夫尸体火葬），以及培训一批官员。曾两次代替兄弟任总督派驻拉合尔的特派代表。第二次锡克战争（1848～1849）后，作为亨利领导下的旁遮普行政管理委员会委员，他第一次对税收作出简要的结算，取消内部关税，实行统一货币，建立邮政系统，鼓励修建道路和运河。为对这项工程提供资金，他紧缩开支，削减首领们的庄园所享受的优惠，为此与其兄弟亨利发生争执。1853 年总督达尔豪西解散了旁遮普委员会，任命他为行政部门首席专员。1857 年印度爆发反英暴动，他将雇用的印度士兵控制在旁遮普，与阿富汗统治者多斯特·穆罕默德汗缔约成功，为此受封为准男爵，获巴思骑士大十字勋章。1864 年被任命为副王兼总督。他利用各为其主的印度士兵和日见削弱的王公势力谋求英国的安全；他反对任命印度人充任高级文官职务，但提倡给予更多的受教育机会。1869 年回到英国后，受封为旁遮普和汉普郡格雷特利男爵。

Lawrence, Mary Wells 劳伦斯（1928-05-25，美国俄亥俄扬斯敦～ ） 美国女实业家，其独具创新和幽默特色的广告工作卓有成效。18 岁时就读于宾夕法尼亚州匹茨堡卡内基技术学院。1949 年与 B.威尔士结婚（后离异），三年后移居纽约市。一段时间在梅西百货公司担任时装广告经理，后去麦肯-埃里克森广告公司，自 1953 年起工作至 1956 年。继而又去多伊尔·戴恩·伯恩巴克广告公司，于 1963 年成为总编辑和副总裁。1964 年应邀加入颇具声望和创意的杰克·丁克广告公司为高级合伙人，她的想象力和干劲得以充分发挥。她开始与撰稿人 R.里奇和 S.格林合作，三人共同策划出一些令人难忘的广告活动，包括重塑布兰尼夫航空公司形象的广告："不再是平凡的飞机。"1966 年初，她离开丁克，与同事二人创立威尔士-里奇-格林公司（WRG），她出任董事长和首席执行官。他们立刻抓住了布兰尼夫这家客户，许多其他大客户也接踵而至。（1967 年，她嫁给了布兰尼夫的总裁 H.劳伦斯。）他们的公司以幽默和创新广告遥遥领先，成为麦迪逊大街最重要的广告公司之一。当 1968 年公司公开上

市时,她成为纽约股票交易所上市公司的第一位女首席执行官。1977年,公司重又归为私人所有。她于1990年退休。1971年,她被美国广告联合会评为年度最佳广告业女士。1999年入选美国广告名人堂。自传《丰富多彩的(广告)一生》于2002年出版。

Lawrence, Stringer　劳伦斯(1697-03-06,英格兰赫里福德郡赫里福德～1775-01-10,伦敦)　英国陆军军官,英属印度军队的实际创建者。在陆军中服役20年,从掌旗兵升到陆军上尉。1748年进入东印度公司,他在马德拉斯指挥公司的军队。他加强训练由欧洲人、印葡混血基督教徒和英人雇佣的印度士兵组成的混合部队,1748年6月即能在古德洛尔击败法国人的进攻,但他于同年被法军所俘后获释。1750年辞去军职。1752年回到马德拉斯,晋升为中校。他迅速解救特里奇诺波利镇之围。然后,粉碎了雅克·劳统率的法军,在巴胡尔又取得一次胜利。1758年在马德拉斯再次击退法军。1761年任东印度公司所有部队的总司令并以少将身份成为公司参事和一个皇家委员会的委员。1766年退休离印。

Lawrence, T(homas) E(dward)　劳伦斯(1888-08-15,威尔士卡那封郡特马德克～1935-05-13,英格兰多塞特克劳兹希尔)　又称T.E.Shaw,别名阿拉伯的劳伦斯。英国军事战略家、考古学家。别名"阿拉伯的劳伦斯"。亦称T.E.肖(1927年起)。第一次世界大战期间因成功地从事间谍活动被誉为"沙漠枭雄"。大学时专攻中世纪筑城学,曾先后去法国、叙利亚和巴勒斯坦实地考察十字军东征时的堡垒遗迹,于1910年写出毕业论文《十字军堡垒》(1936年出版)备受推崇。1911～1914年随一考古队去幼发拉底河流域研究出土文物期间,学会了阿拉伯语。1914年初,以科学考察为名,去苏伊士以东土耳其境内西奈半岛北部,详细绘制了加沙至亚喀巴湾具有战略价值的地图。第一次世界大战爆发,作为英国陆军测绘局文职雇员,受

美国不列颠百科全书公司供图

命制作西奈半岛军用地图。1914年12月在开罗加入英军,任中尉,在情报部门工作,负责审询战俘、绘制地图、收集和处理敌后特工提供的情报、编出一本土军手册等。1916年10月陪同外交家R.斯托尔斯出使阿拉伯国家,争取阿拉伯国家共同抗击土耳其,并受命以政治及联络官的身份加入阿拉伯部落的军队。他随同阿拉伯军队在土耳其后方从事卓有成效的游击战,使大马士革至梅迪纳的铁路大部分无法使用。1917年夏攻克亚喀巴,后晋升中校并获优异服役勋章。在此4年间,曾多次负伤、被俘,并遭严刑拷打。1918年10月胜利进入大马士革时已奄奄一息。1918年晋升为上校,1919年7月31日退役。同年身着阿拉伯服出席巴黎和会。1921年3月返回中东任殖民地事务大臣W.丘吉尔的阿拉伯问题顾问。所著《七根智慧之柱》总结了他在阿拉伯人中进行策反的经验教训。为了写一本有关空军的书,1922年8月他放弃高薪收入化名加入皇家空军当一名士兵。写出一部传记文学作品《造币厂》,详述英国空军新兵入伍训练情况,痛斥积弊,直言不讳,军方为之惊恐万状。死于摩托车事故。一生颇富传奇色彩,还有其他许多著作。

Lawrence, Sir Thomas　劳伦斯(1769-04-13,英格兰格洛斯特郡布里斯托尔～1830-01-07,伦敦)　油画家、素描画家,18世纪后期19世纪初期英国最时髦的肖像画家。1794

劳伦斯绘《夏洛特王后》(约1789)
美国不列颠百科全书公司供图

年为皇家学院院士。素描技法高超,常用铅笔和色粉笔画肖像。J.雷诺兹去世后,劳伦斯成了英国主要的肖像画家。作品笔触流利,色彩绚丽,画面处理出色。人物醒目,具有高度浪漫主义风格。1815年被封为爵士,1818年被派往艾克斯拉沙佩勒和维也纳参加政治会议,在那里他为神圣同盟的24位军界头目和国家首脑画了等身像,现悬挂在温莎城堡,成为那一时期独特的历史文献。1820年当选皇家学院院长。劳伦斯也是位杰出的鉴赏家。

lawrencium　铹(Lr)　人工合成化学元素,周期表Ⅲb族锕系第14个元素,原子序数103。自然界中不存在。1961年,伯克利加利福尼亚大学的A.吉奥索、T.赛克兰德、A.E.拉希和R.M.拉蒂默用重离子直线加速器加速的硼离子(原子序数5)轰击锎(原子序数98)的寿命最长的同位素的混合物时得到铹(同位素铹257、铹258和铹259)。1965年,杜布纳联合核子研究所苏联科学家小组发现了铹256(半衰期35秒)。伯克利小组用铹256做的实验表明,该元素的性质更像三价的锕系元素而不太像主要为+2价的锘(原子序数102)。铹原子序数103。最稳定的同位素铹256。化合价3。电子组态2,8,18,32,32,9,2或(Rn)$5f^{14}7s^2$。

laws, conflict of　法律冲突　世界范围内存在的各种不同的法院体系之间和各种不同的私法体系(即规定各国私人之间关系的法律或者规定私人与当作不具有特殊权位的个人的国家之间的关系的法律)之间的复杂性。"各种法律冲突的法"又称作国际私法,其目的在于解决由于各法院和法律之间的差异所产生的问题。

法律冲突涉及的是关系原则法律领域的。依据这些原则,不同的州、省和国家分别对各自的法律予以承认、实施和执行。一个国家中若包括若干较小的权力实体(如州、省),则它们除实施全国的法律外,还各有一套法律。这种情况称为多重法律。当一个新的国家形成,或是一国分裂出去,或被纳入到另一个国家时,这种情况也会出现,而在强权国家与殖民地之间也属常见。即使在同一国家内,不同的宗教团体或种族集团之间也可能产生多重法律,如黎巴嫩和以色列境内的穆斯林教徒、犹太教徒和基督教徒就是由各自的法典来治理的。

法律冲突的条例是用以确定哪一套法律适用于待审案件和哪一种司法体系最适宜审判该案件(即审判权),以及外国应尊重或执行审判结果的程度。虽然19世纪人们曾尝试建立一套一致的国际法典来确定这些问题;目前的实际做法是,各国自行建立一套法律,并通常通过条约或其他形式的相互协定来确定与他国法律的关系。各国也自行界定审判权的范围,一般可纳入审判的案件限于:①案件的诉讼不致于严重妨碍法庭的议事日程,或无需大幅度变更诉讼中一方或两方出庭的地点;②案件的审判结果可在该国领域内执行。有些国家如德国由若干州组成,各州的管辖权由全国统一的法律规定;但另有一些国家如美国和英国则授权各州在某种权限内自定管辖权的范围,而美国各州的管辖权还要受到美国宪法的限制。一般情况下,各国通常把管辖权延伸到双方当事人都能接受的所有案件。依据欧洲大陆民法体系,诉讼通常在被告定居的地区提出,而在英美普通法体系中,只要出庭通知可送达被告本人,任何地区都可以进行审判。在这两种体系中,无论土地所有人居住何地,法院都可以处理在其管辖权内的土地问题。

对于外国的判决,除非两国遵守双方协定中规定的惯例,通常各国自行确定其执行或承认的程度。不同国家在接受"物诉讼"的判决、执行刑罚和引用已决事件(防止一案件以同一理由受第二次审判)等方面的政策都大不相同。一个国家认可外国某一判决时,通常要履行一项称为"认可"的特别程序(即不必重新审理该案而承认其原判的效力),以将该判决转换为符合接受国惯例的形式;然而斯堪的纳维亚半岛的有些国家,认可外国判决必须重新经由法院诉讼程序审理。不认可外国判决的决定,可能是由于原审法院无

管辖权、审判行为不当或对接受国会造成严重混乱或妨碍。在美国,依据宪法中的“完全诚意与信任”条款,各州有义务承认和执行其他州法院在行使其正当的司法权范围内所作出的判决。各州或各国为了依据诉讼所在地的法律以审判当事人,有时可选择依据外国法律而不依据本国法律来进行审判。虽然为了简化被称为“法律选择”条款的这些指导原则已作过若干努力,但在不同的国家之间这些原则仍然复杂,而且非常分歧。一般而言,一个人的法律地位视其国籍而定,而普通法系国家则根据其居留地国家来定其国籍。关于土地所有权的争议依据土地所在地的法律来解决。遗嘱的效力通常依据签署地区的法律而定。处理商业上的契约纠纷通常亦根据签约地国家的法律,或依据双方明确同意视为契约条款而受其约束的法律。

Lawson, Andrew Cowper　劳森（1861-07-25,英国苏格兰法夫安斯特拉瑟～1952-06-16,美国加利福尼亚圣莱安德罗）　加拿大裔美国地质学家。对前寒武纪岩石构造(年龄为5.7亿年)有重要发现,曾领导1906年加利福尼亚大地震灾害调查委员会。1882年到加拿大地质调查局,开始对安大略省西南部前寒武纪岩石进行规模巨大的研究。他对这些地层的革命性解释发表于1881年,一开始虽然被当作异端邪说,但不久便获得普遍承认。1890年他离开加拿大地质调查局到伯克利加利福尼亚大学任矿物学和地质学教授,自此直到1928年退休,组织了大学的矿物学与岩石学教学,还发展了野外地质学课程。他在学术和专业领域内都有重大影响,创立《地质系简报》兼任编辑达35年之久。他在1906年加利福尼亚大地震调查委员会中的报告,标志着地震领域研究的新纪元。该报告作为了解地震的里程碑,是研究主震中最完全的,并创立了有关某些地震发生原因的震波弹性回跳说。

Lawson, Edward Levy-（English newspaperman）　**劳森**　参阅 **Burnham, Edward Levy-Lawson, 1st Baron 伯纳姆男爵(第一)**。

Lawson, (Victor) Fremont　劳森（1850-09-09,芝加哥～1925-08-19,芝加哥）　美国报纸主编和发行人。或许是美国派记者驻国外各大城市采访新闻的首创者。在此改革(1898)之前,美国报纸国外新闻材料全赖英国或其他外国提供。他原系芝加哥一家挪威文报纸业主,1876年又买下芝加哥的《每日新闻》股权。在他接办后,该报发行量骤增。劳森积极参与美联社的事业始自他发现纽约金融行情到达芝加哥各报既不及时又不经常,经过调查发现合众社的大股东事实上控制着美联社,于是他联合西部报界改组美联社,使之发展成占主导地位的通讯社。他曾任美联社董事(1893～1925)和社长(1894～1900)。劳森极力鼓吹成立美国邮政储蓄银行,1910年,终于通过立法创建,因而劳森也被称为美国邮政储蓄银行法之父。

Lawson, Henry (Archibald)　劳森（1867-06-17,澳大利亚新南威尔士格伦费尔附近～1922-09-22,新南威尔士阿伯茨福德）　澳大利亚短篇小说家,歌谣体诗人,因以现实主义手法描写丛林乡野生活而著名。其父原为挪威海员,其母是个积极的女权活动家。9岁时耳聋,因家境贫穷,14岁即当建筑工人,约1884年移居悉尼,在《公报》发表第一批小说和诗歌(1887～1888)。其间为多家报纸写稿并曾到处漫游,为进行写作汲取素材。主要作品为诗集和短篇小说集,有《在海阔天空的日子里及其他诗》(1896)、《当罐里的水沸腾的时候》(1896)、《在路上和在栅栏旁》(1900)、《乔·威尔逊和他的伙伴们》(1901)、《丛林儿童》(1902)、《生活中的三角关系及其他故事》(1913)。

Lawson, John Howard　劳森（1894-09-25,纽约市～1977-08-11,旧金山）　美国剧作家、电影作家和“好莱坞十人”之一。1948～1949年被投入监狱,并由于拒绝向非美活动调查委员会表示政治忠诚而被列入黑名单。早期作品如《罗杰·布卢默》(1923)和《游行圣歌》(1925)明显地体现了其表现主义。他后来描写了工人阶级的问题:《英特纳雄耐尔》(1928)揭示了无产阶级的世界革命;《进行曲》(1937)写一次静坐罢工。劳森的剧作侧重意识形态和创新,是有力的和有影响的。30年代和40年代,他开始从事电影工作,写了一些电影脚本,如《在北大西洋的行动》(1943)和《撒哈拉》(1943)。他同他人一起创建了电影作家协会,并担任该会第一任主席。由于从事这项工作,他写了《剧本写作和电影脚本写作的理论和技巧》(1949),这是他1936年《编剧理论和技巧》的修改本。40年代末期,当共产主义影响在电影界日益扩大时,他被判刑一年,并上了好莱坞的黑名单。这些事件使他的兴趣重新转向美国的文化传统,并在其著作《隐蔽的传统:连接我们时代的思想与过去的文化的观念和力量的再发现》(1950)中进行了探索。

Lawton　劳顿　美国俄克拉何马州西南部城市,科曼奇县县城(1907)。濒临卡什河。原为乔克托-奇克索印第安人领地。1869年科曼切和基奥瓦印第安人在此定居。筑锡尔堡控制印第安人。1901年建市。阿帕切印第安人领袖杰罗尼莫投降后,印第安人地区向白人移民开放,后者大量涌入。现今该地区有农田、牧场、石灰岩、花岗石采石场和油井。该市设有卡梅伦大学(1901),附近有威奇塔山野生动物保护区及锡尔堡军用地管理中心。人口:市92 757;都会统计区114 996(2000)。

lawyer　律师　指受过训练和领有执照,代理他人准备和在法庭上提出起诉或辩护的人,以及就诉讼或非讼事件为他人提供法律咨询的人。律师把法律运用到具体的案件上。他通过同委托人交谈和查阅案卷来调查事实和证据。他起草诉状并提交法庭。在审判时,他提出证据,询问证人,辩论法律问题和事实问题。如果未获胜诉,他可以向上诉法院要求重新审判或要求法律救济。在很多情况下,律师可以通过谈判、和解和妥协,使案件不通过审判就得到解决。此外,法律使个人有权在许多问题上通过各种方式安排和决定他们的合法权益,例如通过遗嘱、契约或公司的规章等,而律师则在许多这类安排上给予帮助。在20世纪中,一个迅速发展着的律师工作领域就是代表委托人出席行政委员会和法庭,以及出席立法委员会。律师在工作中要对好几个方面负责,包括对他的委托人,对司法审判,对社会,对他的同行和对他自己负责。当这些方面互相矛盾时,就要由职业上的准则来求得统一。律师的法律业务各国不同。在英格兰,律师分为出席高级法庭辩护的高级律师和从事事务性工作、出席初级法庭辩护的初级律师。在美国,律师往往专门从事某项特定的法律业务,例如刑法、离婚法、公司法、遗嘱检验法或侵犯人身法,尽管有很多律师是从事一般业务的。在法国,有很多种专业人员甚至非专业人员处理各种法律事务;最有权威的是辩护律师,他跟法官或法学教授处于同等地位。法国的辩护律师与英格兰的高级律师大体类似,他的主要任务是出庭辩护。在法国,同在大多数民法法系国家一样,是由法官询问证人,而不像在普通法系国家那样由律师询问。在辩护律师的诉状中,他提出论据,并指出证人证言中的矛盾;这是辩护律师可以用来在法律和事实问题上说服法庭的主要方法。在以前,除了辩护律师外,还有诉讼代理人和商事诉讼代理人。前者除了口头陈述以外,他在一切程序问题上代表当事人,他起草诉讼要点,谈判解决方案;后者人数较少,只在某些商事法庭上负责辩护。现在,诉讼代理人和辩护律师之间的区别已完全消除了,只有在上诉法院中例外,在那里,诉讼代理人仍然和以前一样执行任务。除了这些专业人员以外,还有一些非专业的法律顾问,他们就各种法律问题提供咨询意见,并往往由一些企业公司聘用。在几乎所有民法法系国家里,还设有**公证人(notary)**,他们拥有处理婚姻纠纷和遗嘱一类事务的专有权利。在德国,主要的区别存在于律师与公证人之间。然而,德国律师在法庭上所起的作用,甚至比法国辩护律师所起的作用还要小,主要原因是对法律问题的陈述受到限制,而诉讼则往往让同行中的下级人员去承担。在某些地区,往往限制律师出席法庭执行任务。进一步的限制是,某些律师只能在上诉法院出庭,每一级的诉讼往往需要一个新的律师。在德国,政府机构雇用律师的程度,比在普通法国家中雇用的程度要大。在共产主义国家中,律师们广泛地被政府机关用作顾问,但是代表个人的情况却少得多。参阅 **advocate; barrister; solicitor**。

laxative　轻泻药　一切刺激肠道平滑肌或影响粪便稠度有利排便的药物。轻泻、泻、剧泻和峻泻表示促泻的不同程度,有时只需增加同一药物的剂量即可达到上述不同效果。轻泻药产生药效是通过下述几种机理。刺激性轻泻药直接作用于肠道肌肉,引起肠道的波浪样收缩(蠕动)而造成排便。刺激性轻泻药包括:波希树李皮、番泻叶、蓖麻油、双醋苯啶和酚肽等。容积性轻泻药增加粪便的水含量和粪便体积从而促进排便。容积性轻泻药包括亲水性胶体,其内容为不能消化的纤维性物质如糠麸、琼脂、车前子、甲基纤维素和多聚有机物质吸附剂。盐类轻泻药的作用至今不完全理解,但可肯定一点:它可由周围组织吸水进入肠道。据信,水容量使大便体积的增加,刺激肠道排空。盐类轻泻药包括:硫酸镁(泻盐)、氢氧化镁(镁乳)、枸橼酸镁以及磷酸盐如磷酸二钠等。甘油也可将水吸入粪便。润滑性轻泻药使肠壁及粪便湿润光滑而有利排便。主要的润滑性轻泻药是矿物油和某些植物油。粪便软化性轻泻药如辛丁酯磺酸钠则帮助粪便与水混合,因此可避免形成干硬的粪便。在纠正单纯性便秘方面,轻泻药的重要性次于高纤维膳食。轻泻药的其他正确用途还有:在患有肛门直肠病或动脉血管病时服泻药可避免患者排便用力,还可减轻疾病或药物造成的便秘。一个次要用途是手术前用于清除肠内容物。

Laxdaela saga　拉克斯代拉萨迦　又译拉克斯谷人萨迦。冰岛人"萨迦"或家族"萨迦"中之一篇,是冰岛一个英雄家族从9世纪末至11世纪间四五代人的悲剧故事。特别是有关谷德伦的故事,她所爱而又不能与之结婚的人因她而死。

Laxness, Halldór　拉克斯内斯(1902-04-23,冰岛雷克雅未克～1998-02-08,雷克雅未克附近)　冰岛小说家。1955年获诺贝尔奖,1969年获松宁奖。年轻时去欧洲旅游好几年,成为罗马天主教徒并写出了其第一部重要小说《来自克什米尔的了不起的织工》(1927)。此后在美国居留3年,改信社会主义。1930～1932年回到冰岛,写了两本小说:一名《萨尔卡·瓦尔卡》(1936),写冰岛一渔村的劳动人民的境遇;一名《独立的人们》(1935),讲的是一穷苦的农夫以及他苦苦挣扎谋求经济自主的故事。四卷的《世界之光》(1937～1940)写的是一个贫苦农民诗人的奋斗史。这些小说从社会主义的观点对冰岛社会进行批判,引起了许多争论。以17世纪和18世纪早期为背景的三部曲《冰岛之钟》(1943～1946),其主题明确无误是民族主义的,其风格则受中世纪冰岛萨迦的影响。20世纪50年代晚期的作品转而关注哲学问题,其风格则是抒情的和内省的。此后他继续写了大量小说和戏剧,包括气势浩瀚的历史小说和回忆录。

lay　莱歌　又拼lai。中世纪法国文学中一种短的传奇诗歌,通常为八音节诗,其题材被认为是源自凯尔特语。最早的莱歌由玛丽·德·弗朗斯写于12世纪,她的诗作大多基于较早的被认为是源自凯尔特人传说的布列塔尼语版本。基于这些莱歌而发展起来布列塔尼莱歌是14世纪英国诗歌的一种形式,可在杰弗里·乔叟的《坎特伯雷故事集》中的《富兰克林的故事》中得到例证。该词也可以指一种中世纪的抒情诗。这种诗的每一个诗节长短不一,约6～16行或更多,每一诗行有4～8个音节,每一诗节有1～2个韵律。莱歌可能是一首歌、一首适合歌唱的诗、一首简单的叙事诗或一首民谣。可见于沃尔特·司各特和托马斯·麦考利在19世纪早期所写的一些作品。

Lay, Elzy　莱(1868-11-25,美国俄亥俄麦克阿瑟～1934-11-10,加利福尼亚洛杉矶)　原名William Ellsworth Lay。美国西部的不法分子,野帮(**Wild Bunch**)的一员,B.卡西迪的好友和抢劫火车与银行的搭档。在新墨西哥州福尔瑟姆附近抢劫火车中,两名警官被杀后,莱被捕,1899年10月10日以化名W.麦金尼斯被判处无期徒刑。在新墨西哥地方监狱服刑时,他曾协助平息一场暴动,因而于1906年获得州长的特赦。然后,他飘流到怀俄明州,仍使用化名,与一个名叫玛丽·卡尔弗特的女子结婚并经营一个牧场。1916年开始在此地区充当地质学者的向导,自己也成为一个业余的地质学家和勘探员。

Lay, Horatio Nelson　李泰国(1832～1898-05-04,英格兰肯特福里斯特希尔)　英国外交官,中国海关第一任总税务司。1855年任上海江海关税务司。1858年参与起草和签订《中英天津条约》及《中英通商章程善后条约》。1859年由清南洋通商大臣派为总税务司,驻上海,1861年由清政府总理衙门正式任命。旋因与太平天国军作战负伤回国。次年代清政府购买兵舰,英政府曾授予三等巴斯勋位。1863年购置8艘炮艇组成舰队,并擅自任命英国海军上校阿思本为司令,越权与之私订合同。清政府为维护主权,严词拒绝。舰队船只由阿思本带回英国,李也被清政府革去总税务司职务。李泰国是李-阿思本舰队(**Lay-Osborn flotilla**)事件的主要人物之一。

Lay-Osborn flotilla　李-阿思本舰队　1863年英国外交官李泰国为中国清政府购买舰队,擅自任命英国海军上校S.阿思本为舰队司令,侵犯中国主权的事件。李泰国原为中国海关总税务司,1863年为清政府到英国购炮艇8艘,越权与阿思本私订合同,规定:"阿思本承担依照李泰国径行传达之皇帝一切谕旨行事,对于经其他途径传达之任何谕旨可置而不理";"李泰国方面约定对于任何谕旨,其合理程度不为其本人认为满意时,将拒绝居间传达";"阿思本将任命海军船上一切官兵,由李泰国作为皇帝之代表予以批准",等等。这个合同遭到清政府严词拒绝。1863年9月舰队到达中国水域后,李、阿拒绝交出舰队领导权。清政府乃撤销购舰,并罢免李的总税务司职务。为此清政府决定停止向外国租船买船,转向国内造船。

Layamon　莱亚门(活动时期12世纪)　早期中古英语诗人,传奇编年史《布鲁特》(约1200)一书作者。该书是12世纪英国文学复兴时期一部杰作,且为第一部用英语写"不列颠题材",即亚瑟王及其圆桌骑士传说的作品。他自称是伍斯特郡阿利金斯的牧师。他的作品取材于韦斯的《布鲁特传奇》,而韦斯此作又是蒙茅斯的杰弗里所著《不列颠诸王纪》一书的改写本,其体裁则采用盎格鲁-诺曼人诗歌形式。《布鲁特》约有头韵长诗16 000行(常按韵脚分为短对句),叙述不列颠传说时代的历史,始于特洛伊英雄埃涅阿斯的曾孙布鲁特率众登陆不列颠,终于689年撒克逊人战胜不列颠人。全诗以1/3篇幅描述亚瑟王生平,但莱亚门并不过分强调骑士作用,以大战为全诗的主题,烘托出亚瑟王这位日耳曼传说中的杰出军事领袖。许多历史事件,都首次见于《布鲁特》这首诗中,其中最著名的是关于设置圆桌的记载,以及与李尔、辛白林和墨林的生平有关的详情。

Layard, Sir Austen Henry　莱亚德(1817-03-05,巴黎～1894-07-05,伦敦)　英国考古学家,其发掘工作大大增进了有关美索不达米亚古代文明的知识。1842年受英国驻伊斯坦布尔大使S.坎宁勋爵聘请,办理非官方外交事务。莱亚德在奥斯曼美索不达米亚摩苏尔(今伊拉克境内)附近工作多年,寻找及发掘《圣经》名城的兴趣日浓。由于误以亚述首都卡拉遗址所在地尼姆鲁德为尼尼微,1845～1851年他在该地进行了发掘,发现公元前9世纪和前7世纪王宫遗址以及大量艺术珍品。1849年莱亚德转而注意摩苏尔对面的底格里斯河东岸岗丘,发现尼尼微遗址。出土辛那赫里布宫殿和珍贵艺术品,最重要的是发现大量楔形文字泥板文书,从而对亚述和巴比伦王国文化与历史终于有了颇多了解。他还调查了巴比伦和亚述王国的阿苏尔、巴比伦、尼普尔等遗址。所著《尼尼微和巴比伦遗址上的发现》(1853)记述此次考察,极受读者欢迎。晚年主要从事政务和外交活动。1878年受封为爵士。

Laye, Camara　莱伊(1928-01-01,法属几内亚库鲁萨[今在几内亚]～1980-02-04,塞内加尔)　首批获得国际声誉的撒哈拉以南的非洲作家之一。曾在科纳克里的工学院普瓦雷学院求学,后又靠奖学金前往法国阿尔让特伊攻读工程学。他在自传体小说《黑孩子》(1953)中怀着思乡之情,以流畅而又充满诗意的文体再现了他在几内亚的童年时代。1956年返回几内亚后,任两年工程师,后又任新闻部研究中心负责人。嗣后10年中,为《黑琴师》和《非洲现状》等期刊写过多篇短篇小说。1954年发表《国王的目光》,被某些评论家称誉为他的最佳作品。小说描写一位白人为求谒见一位非洲国王而穿越丛林的旅程,其梦魇般的强烈气氛类似卡夫卡和尼日利亚作家图图奥拉的作品。在《黑孩子》的续篇《德拉穆斯》(英译本《非洲之梦》,1966)中,怀乡之情虽不如前作那样强烈,但对社会的评论所占的篇幅却大为增加。书中主人公在巴黎生活了6年之后重返故里,发现他在异国他乡时如此渴望的生活方式和社会准则已被政治暴力所取代。从1964年起,他在塞内加尔过着流亡生活,曾在达喀尔大学任伊斯兰学研究员。

laying on of hands (Christian ritual)　参阅 **hands, imposition of** 按手礼。

Layton, Irving (Peter)　莱顿(1912-03-12,罗马尼亚特尔古-尼亚姆茨～2006-01-04,加拿

大蒙特利尔） 加拿大诗人。在写加拿大籍犹太人的经历时表现出强烈的反叛精神。1913年随家移居加拿大。1939年获得农学学位。第二次世界大战期间在加拿大空军服役。他的诗歌情调抒情而浪漫，采用古典形式。早期写的叙事诗收于《此时此地》(1945)、《现在正是地方》(1948)。后来的诗严厉谴责他所痛恨的资产阶级及其他一切反对自然感情的流露的人，这一阶段的诗收入《在我的狂热中》(1954)、《冰冷的绿色环境》(1955)。此后他由社会讽刺转到对人类普遍境遇的关心，作品有《为太阳准备的红地毯》(1959)、《摇摆的人性》(1961)、《为独臂魔术师准备的球》(1963)、《为了我的兄弟耶稣》(1976)、《为了我地狱里的邻居》(1980)、《欧洲和其他坏消息》(1981)。《诗集》1965年初版。还出有文集多卷，收有散文、短篇小说和书信，其中包括《债务》(1972)和《偏袒》(1978)。1945～1960年在蒙特利尔任教师和讲师。1970～1978年任多伦多约克大学文学教授。

Laz language 拉兹语 拉兹语作lazuri nena，格鲁吉亚语作 čanuri ena。又称查恩语。是一种无文字的语言，通行于格鲁吉亚共和国黑海沿岸地区及与之毗邻的土耳其一些地区。有些学者认为，拉兹语同其相近的明格列尔语是斯万语的不同方言，而非两种独立语言。同格鲁吉亚语及斯万语相比较，无论拉兹语还是明格列尔语都发生许多语言变化，前两种语言在语法及语音方面的特征变化较少。拉兹语、明格列尔语、格鲁吉亚语及斯万语共同组成卡特维尔或南高加索语系。参阅 **Kartvelian languages**。

Lazarev, Pyotr Petrovich 拉扎列夫(1878-04-13，莫斯科～1942-04-23，哈萨克斯坦阿拉木图） 苏联物理学家、生物物理学家。以其离子运动的物理化学理论及由此而得出的关于生命物质兴奋的理论而闻名，后一理论试图解释感觉过程、肌肉收缩过程及中枢神经系统的功能。1903年他在莫斯科大学学医时，就参加了斯特拉斯堡的科研工作，1907年任莫斯科大学物理学名誉讲师和P.N.列别捷夫的助手。1912年任莫斯科高级技术研究所教授，1920～1931年为莫斯科生物物理研究所主任。1938年至去世任苏联科学院生物物理实验室主任。

Lazarist (religious society) **辣匝禄会会士** 参阅 **Vincentian** 遣使会会士。

Lazarsfeld, Paul Felix 拉扎斯菲尔德(1901-02-13，奥地利维也纳～1976-08-30，美国纽约州纽约） 奥地利出生的美国社会学家，其关于大众传播对社会之影响的研究已经成为这一领域的典范。早年就读于维也纳大学，1925年获得应用数学博士学位。后来他的兴趣转向应用心理学，1929年在维也纳创办一所应用社会心理学研究所。1929～1933年担任维也纳大学应用心理学讲师。拉扎斯菲尔德获得一笔洛克菲勒基金会的心理学研究奖学金，于1933年赴美国，最后取得美国国籍。1937～1940年任普林斯顿大学无线电广播研究室主任，那是一项由洛克菲勒基金会资助的项目(1937～1940)，当这个项目于1940年转到哥伦比亚大学时（此研究室后来改名为应用社会学研究所），他仍为该室主任，并在该校社会学系任教。在他的领导下应用社会学研究所成为著名的经验主义社会研究的实验室。他任哥伦比亚大学教授直到1970年。

拉扎斯菲尔德所研究的课题多种多样。其中最主要的是用统计方法来推测无线电广播和印刷媒介对美国人的投票行为和进行选择的影响。他主持了关于报纸、杂志、无线电广播和电影对社会所起作用的大规模研究，并且和他的同事、心理学家H.坎特里尔及当时哥伦比亚广播公司研究部主任F.斯坦顿一起对美国公众聆听无线电广播的习惯进行了极为详细的调查研究。拉扎斯菲尔德比较重要的著作有：《无线电广播与印刷品》(1940)、与坎特里尔和斯坦顿合著的《人民的选择》(1944)、《投票》(1954)和教科书《应用社会学入门》(1975)。

Lazarus 拉撒路 源出于希伯来文Eleazar（"上帝已经帮助"），《新约全书》中提到的同名的两人中的一个。拉撒路的故事见于《约翰福音》(11:18、30、32、38)。伯大尼的拉撒路是马大和马利亚两姊妹的兄弟，家住耶路撒冷附近的伯大尼。拉撒路死而葬于墓中，4天以后耶稣使他复活。拉撒路死而复活的奇迹，感动了许多犹太人，使他们相信耶稣就是基督。另一个拉撒路见于《路加福音》(第16章)所载"财主和拉撒路"的比喻中，他是一个乞丐。在耶稣所讲的比喻中，点出名字的人物仅有拉撒路一人。

Lazarus, Emma 拉扎勒斯(1849-07-22，美国纽约州纽约～1887-11-19，纽约市） 美国作家。其最为知名的作品是她咏自由女神像的十四行诗《新的巨像》(1883)。出生于一个文化素养很高的西班牙系犹太人家庭，幼年便学习数种语言和经典著作。她出版的第一本书包括诗歌和译品，受到R.W.爱默生的注意，从此她便开始和他通信。她21岁时，出版了诗集《阿梅塔斯及其他诗篇》(1871)，还根据歌德的自传写了一本散文体传奇《阿莱德》；另写了悲剧《被赶出西班牙的犹太人》，还有译作《海涅的诗兴歌谣》(1881)。大约在1881年她担当起为受迫害的犹太人辩护的工作。《新的巨像》是她写来表达她相信美国将无愧于作为被压迫者避难所的称谓。诗以下列数行结束：

> 把你们那里精疲力竭的，一贫如洗的众生，蜷缩一团，渴望自由呼吸的众生送来给我，在你们万头攒动的国土上，他们可怜复可憎，把他们，无家可归的，历尽风浪的，送来给我，我高举明灯，守候在门边，那金光闪闪的大门！

这首十四行诗被选中刻在于1886年揭幕的女神像底座内的一块铜匾上。《在巴比伦的海边》是一组散文诗，1887年发表于《世纪》杂志。

Lazarus, Fred, Jr. 拉扎勒斯（小）(1884-10-29，美国俄亥俄哥伦布～1973-05-27，俄亥俄辛辛那提） 美国商人。将家庭小百货商店发展为有13亿美元的持股公司——联合百货商店。10岁时开始在俄亥俄州哥伦布家庭商店售货，18岁时离开俄亥俄州立大学开始全日工作。他的百货商店以顾客满意为宗旨，生意兴隆。拉扎勒斯1921年向一商人组织的零售研究协会建议，所有会员统一记账，以便分享利润及销售资料。此想法为会员们所接受。由此组成了联合商品销售公司。1930年和波士顿、布鲁克林及曼哈顿的一些商人通力合作，组建联合百货商店。1945年61岁时担任联合百货商店领导。在1966年将管理权移交给其子拉尔夫之前，已使商店发展成为巨型公司。最后离任时，公司在全国约有200家商店。

Lazarus, Moritz 拉撒路(1824-09-15，普鲁士菲楞[今波兰维伦]～1903-04-13，奥地利梅拉诺[今在意大利梅拉诺]） 普鲁士出生的犹太哲学家、心理学家。反对排犹主义，开创比较心理学。其父研究律法，他本人曾在柏林大学学习希伯来文学、希伯来历史、律法和哲学。1860～1866年在伯尔尼大学、1867～1873年在柏林军事学院、1873年在柏林腓特烈·威廉大学（今洪堡大学）任教授。拉撒路哲学的根本原理是：形而上学的或先验的抽象不能发现真理，只有心理研究才能发现真理，而且这种研究不应局限于个人的意识，首先应着眼于社会整体。心理学家必须从历史的或比较的观点研究人类，分析社会结构的要素兼及社会的风俗习惯和社会进化的主流。先后在1869年和1871年主持莱比锡和奥格斯堡的犹太教自由派会议。奋力保卫犹太教，抵制狂暴一时的排犹主义。他的主要著作有《灵魂的生活》(3卷，1855～1857)、《信仰与自由》(1887)、《犹太教的伦理学》(2卷，1898～1911)等。

Lazear, Jesse William 拉齐尔(1866-05-02，美国马里兰巴尔的摩～1900-09-26，古巴克马多斯） 美国医师，黄热病委员会成员之一。曾获哥伦比亚大学内科和外科医师学院医学学位。19世纪末在巴尔的摩市约翰斯·霍普金斯医院任职，是最早研究疟原虫结构的人之一。1900年作为军医到古巴，应邀参加黄热病委员会。委员中有W.里德、詹姆斯·卡罗尔和A.阿格拉蒙特等人。他在研究过程中被蚊叮咬，染上黄热病，一周后去世。

Lazio 拉齐奥 拉丁文作Latium。意大利中西部一区。濒临第勒尼安海。下辖罗马、弗罗西诺内、拉蒂纳、列蒂和维泰博5省。面积17 203平方千米。东部有亚平宁山脉中段的雷阿蒂尼、萨比尼等山脉。西部是沿海平原。罗马的西北和东南是4个古代火山群，每一群都有一个或几个火山口湖。低地区主要生产小麦、玉米、蔬菜、水果、肉和乳品等。坡地种植橄榄和葡萄。蒙特菲亚斯科内附近和阿尔班丘陵等地有许多葡萄园。奇维塔韦基亚和加埃塔为主要渔港。轻工业有所发展。罗马是拉齐奥区商业、银行中心。罗马，包括梵蒂冈，是意大利最大的旅游中心，阿尔班丘陵、亚平宁山区和沿海也都是重要旅游胜地。罗马又是意大利中部铁路、公路交通枢纽，这里有欧洲最繁忙的国际机场之一。奇维塔韦基亚是拉齐奥区唯一的重要港口，主要与撒丁区进行贸易。人口5 145 763（1991）。

lazulite 天蓝石 一种碱性的镁铝磷酸盐［$MgAl_2(PO_4)_2(OH)_2$］。常呈蓝色玻璃状晶体、晶粒或块体，产在花岗伟晶岩、含铝变质岩、石英岩以及石英脉中。产地有奥地利的韦尔芬、瑞典的韦斯特拉、美国加利福尼亚的莫卡尔诺和巴西的米纳斯吉拉斯。天蓝石由于有解理面可与青金石相区别。尽管天蓝石多数是不透明的或半透明的，但是透明的粒状原料可被琢磨成弧面型宝石。在晶体结构中铁常置换一些镁；在自然界中纯天蓝石（不含铁）与纯铁天蓝石（不含镁，但物理性质与天蓝石相似）之间有完整的化学变化，此即固溶体系列。详细物理性质，参阅 **phosphate mineral**（表）。

lazurite 青金石 *方钠石*（**sodalite**）的蓝色变种，它决定了杂青金石（lapis lazuli）的颜色。

lazzo 滑稽动作 意大利语，复数为lazzi。即兴喜剧中演员信手拈来的喜剧性对话或动作，是即兴喜剧演员的主要表演手段之一。内容包括对当前政治和文学题材的口语旁白、惊险动作、杂技表演等。当戏显得拖沓乏味时，演员便可求助于这些滑稽动作。哈乐根这个角色特别适合于演滑稽动作。他可以向另一个仆人脸上投樱桃核，或者装着捉个苍蝇吃掉。莫里哀和莎士比亚一些喜剧中也使用许多这类滑稽动作。

LBK culture 线纹陶文化 原称多瑙河文化。是约于公元前第五千年期在欧洲多瑙河以北、以西广大地区（从斯洛伐克到荷兰）扩展开来的新石器文化。该文化的农人可能是在黄土土壤上实行一种轮垦农业，种植二粒小麦和大麦，并饲养家畜，以牛为主。LBK 称谓来自德文 Linienbandkeramik（线纹陶）的缩写，这种陶器的装饰特点为成对的平行线组成的螺旋纹或波折纹图案。最常用的石器为磨制石锛。房屋为长方形的大型建筑，组成中等规模的村社或疏落的小群。

LC Classification LC 分类法 参阅 **Library of Congress Classification** *国会图书馆分类法*。

LCA 参阅 **Lutheran Church in America** *美国信义会*。

LCUSA 参阅 **Lutheran Council in the United States of America** *美利坚合众国信义协进会*。

Le DYNASTY（Vietnamese history） **黎朝** 参阅 **Later Le dynasty** *后黎朝*。

Le Bel, Joseph-Achille 勒贝尔（1847-01-21，法国佩谢尔布罗恩～1930-08-06，巴黎） 法国化学家。将有些有机化合物对偏振面的旋光作用加以解释，推进了立体化学的发展。曾在巴黎综合工科学校学习，是 A.-J.巴拉尔和 C.-A.孚兹的助手。他察觉有 4 个不同原子或基团连在一个碳原子上的分子存在两种形式，它们是镜像但不能重合。这一对的任何一个是非对称的，因而具有旋光性。这一想法几乎是与 J.范托夫同时发表的（1874）。他还正确地预计其他元素也可能有旋光性化合物。

Le Bon, Gustave 勒邦（1841-05-07，法国诺让勒罗特鲁～1931-12-13，法国马恩斯拉-科克绨） 法国社会心理学家，以群众心理特征的研究著称。获得医学博士学位后，曾游历欧洲、北非和亚洲，撰写了几本人类学和考古学著作。后来兴趣转向自然科学和社会心理学。在《民族心理学》（1894）一书中他提出，历史是种族或民族性格的产物，在社会发展中起支配作用的力量是情绪而不是智力。他把真正的进步归因于智力优秀者的工作。他相信，现代生活越来越表现出群集的特征；他在最受欢迎的著作《群众心理学》（1895）中认为，个体的有意识的个性在群体中被淹没了，群众心理处于支配地位；群众行为是划一的、带有情绪性的、理智薄弱的。

Le Brun, Charles 勒布朗（1619-02-24，法国巴黎～1690-02-12，巴黎） Le Brun 又作 Lebrun。法国 17 世纪后半期画家、设计师、美术界权威。其技艺精巧熟练，富有组织才干，执行过许多大型的规划。在路易十四执政期间，有 30 年受托为法国政府工作，所制作的绘画、雕刻和装饰工作大多由个人承担或监督执行，在其指导下，法国艺术家们创造出一

勒布朗绘《掌玺大臣塞吉耶》（1661）
美国不列颠百科全书公司供图

种统一的风格，为整个欧洲所接受，成为学院美术和宣传艺术的典范。1642 年到罗马，4 年之中，从 N.普桑、P.达·科尔图纳等巴罗克画家学习。回巴黎后，接受了大宗装饰性和宗教性委托。1663 年任戈布兰厂厂长，把一个小挂毯作坊扩展成一个面向全球的工厂，供应皇室所有的装饰品。从 17 世纪 60 年代起，各皇宫特别是凡尔赛宫的装饰任务都由他及助手完成。1663 年皇家绘画雕刻学院改组，由他任院长。1666 年他又创办了附属机构——罗马法兰西学院，这所学院对法国美术事业起重要影响达一个世纪以上。这些机构使法国艺术具有其同一的特征。

Le Carré, John 勒卡雷（1931-10-19，英国多塞特普尔～ ） 戴维·约翰·穆尔·康韦尔的笔名。英国作家，他根据对国际间谍活动的广泛了解，写出富于悬念、情节逼真的间谍小说。曾在国外和牛津大学就读，1959 年成为英国驻西德外交使团成员之前为伊顿公学法语和拉丁语教师。第三部小说《寒国谍影》（1963）取得成功以后，专心致志从事写作。这部小说的主人公是一个年老的英国谍报人员，任务是杀掉一个东德官员。同一般小说里所写的有魅力的间谍不同，这是一个孤苦伶仃的人，未曾有过显赫的事业和社会地位。小说于 1965 年改编成电影，极为成功。此后发表的作品有《镜战》（1965）、《德国小镇》（1968）和三部曲《补锅匠、裁缝、兵士、间谍》（1974）、《可敬的学童》（1977）、《斯迈利的人民》（1980）。《小鼓手姑娘》（1983）写以色列情报机关与巴勒斯坦恐怖分子之间的斗争。后来出版的小说有《一个优秀间谍》（1986）、《俄国房子》（1989）、《秘密朝圣者》（1991）、《夜间经理》（1993）、《我们的游戏》（1995）和《不变的园丁》（2001）。

Le Chapelier, Jean 勒沙普利埃（1754-06-12，法国雷恩～1794-04-22，巴黎） 法国大革命的领袖。1791 年他向国民议会提出《勒沙普利埃法》，宣布一切工人或雇主的结社均为非法。此法执行至 1884 年，实际上只是工人受到影响，因为他们比雇主们更难以隐匿自己的活动。勒沙普利埃初从事律师工作，1789 年当选为第三等级出席三级会议的代表。他在凡尔赛创立雅各宾俱乐部的前身布列塔尼俱乐部，曾任国民议会议长（1789-08）。1791 年路易十六逃往瓦伦后，他与温和的改革者结合。后来他离开雅各宾派，参加斐扬派。访英归来后，他在恐怖统治期间被捕后被处决。

Le Chatelier, Henry-Louis 勒夏忒列（1850-10-08，法国巴黎～1936-09-17，伊泽尔米里贝勒） 法国化学家，以勒夏忒列原理而闻名。这一原理使预测各种条件（温度、压力及反应物浓度）的变化对于化学反应的影响成为可能，在化学工业中对开发最佳化工过程具有重要价值。他曾就读于巴黎的罗兰学院、综合工科学校、矿业学院。任矿业工程师两年之后，于 1877 年任矿业学院化学教授。他成为冶金、水泥、玻璃、燃料和炸药等方面的权威。后来他的兴趣转向研究热学，发明铂铑温差电偶温度计测定高温，还发明靠分析热源发射的光测定其温度的光学高温计。1884 年勒夏忒列首次发表他的原理，随后于 1888 年在《化学平衡的稳定性定律》一书中论述了压力和其他外界条件变化对化学反应过程的影响。后来他发现，他的一些结论曾部分地为美国物理学家 J.W.吉布斯所预言过，并将其著作译为法文。据勒夏忒列建议（1895）研制了焊接和切割金属用的氧-乙炔切割器。1908 年任巴黎大学化学教授，1914～1918 年在军工部门工作。勒夏忒列原理说明：如果处于平衡状态的体系（一种物质或多种物质的集合体）受到扰动时，这个体系将自行调整以抵消这种扰动，恢复平衡。该原理可用氢和氮合成氨的可逆化学反应 $3H_2 + N_2 \rightleftharpoons 2NH_3$ 来说明，双向箭头表示氨在生成的同时

也发生分解。生成反应放热;分解反应吸热。平衡时(氨生成的速率恰好等于它分解的速率)所存在的氨、氢和氮的量是一定的。根据勒夏忒列原理,如果混合物受热,平衡将发生移动,以减少由于受热引起的温度升高,也就是平衡朝着消耗热能的方向移动。因此,加入热能将有利于向吸热的氨分解的反应方向移动,直至达到新的平衡;在新的平衡状态中,存在的氨量较少,氢和氮的量较多。所以在高温时反应产生的氨要比低温时少。这就是在合成氨工业中采用低温高压的理论基础。勒夏忒列原理不仅适用于可逆化学反应,同样适用于可逆的物理过程,如液体的蒸发或结晶。

Le Creusot 勒克勒索 法国中东部勃艮第大区索恩-卢瓦尔省工业城镇。位于第戎西南约65千米处。1782年在此建造了铸造厂和高炉,在法国第一次不用木柴而用煤作燃料。不久,英国铁器制造商威尔金森在此建造了燃焦炭的高炉,并从英国带来机器,开始制造武器。后冶金业衰落,直到1836年才有转机。当年,施奈德兄弟建立勒克勒索炼铁公司,不仅生产装甲用钢板而且还制造出法国第一批机车。现在此地不再炼铁,但为铁路运输、农业和军事服务的钢铁制作业仍占极重要地位。1970年施奈德公司与罗亚尔公司合并成为法国最重要的生产重型机械以及特种钢的公司。目前勒克勒索已成为欧洲主要军备生产中心之一。带有该城标记的铸铁炊具行销世界各地。人口28 909(1990)。

Le Duan 黎笋(1908-04-07,越南广治省[今平治天省]~1986-07-10,河内) 又名Le Dung。越南共产党政治家。1930年印度支那共产党的创始人之一。曾两次被法国人关进监狱。加入胡志明的共产党人领导的反法阵线——越盟,在胡志明于1945年在河内成立的越南共和国的中央委员会中据重要的地位。1954年越南分裂后,负责在越南南方建立共产党地下组织。1962年领导建立人民革命党——民族解放阵线的首要组成部分。1969年胡志明去世后,任越南劳动党第一书记,掌握党的领导权,1976年党改组为越南共产党后,仍保持这一地位,其正式的头衔改为总书记。1975年越南战争结束后,领导党经历了一段艰难的时期,包括越南正式重新统一、越南入侵柬埔寨、与中国决裂,以及将众多华人驱逐出境。在黎笋的统治下,越南与苏联结成亲密的联盟,成为经济互助委员会成员。他虽擅长党的组织工作,在越南战争期间善于动员人力资源以赢得战争的胜利,但作为和平时期经济和外交政策的决策者,他却缺少务实的精神。

Le Duc Tho 黎德寿(1911-10-14,越南南海省~1990-10-13,河内) 原名Phan Dinh Khai。越南政治家。1973年与基辛格共同获得诺贝尔和平奖,但他拒绝接受。黎德寿是印度支那共产党(1930)的缔造者之一。因政治活动于1930～1936及1939～1944年遭到法国人的监禁。第2次获释后于1945年回到河内,参与领导重组的共产党(当时称越南劳动党)以及越南独立组织"越盟"。1954年签订日内瓦协议之前一直是越南南方的高级越盟官员。自1955年起,任越南劳动党(1976年改名为越南共产党)政治局委员。越南战争期间(1955～1975),黎指导了50年代后期开始的"越共"反对南越政府的起义活动。战争期间他潜伏在南越,完成了他的绝大部分任务。黎以其在1973年越南停火中所起的作用而闻名于世,当时他担任出席巴黎和会(1968～1973)的北越代表团特别顾问,后来成为代表团的主要发言人,并以此身份谈判停火协议,导致美国从南越撤出最后一批军队。由于此项业绩,他被授予诺贝尔和平奖。黎接着又指导了北越的进攻,于1975年推翻南越政府,并在1978年越南入侵柬埔寨的最初阶段起了同样的作用。他担任政治局委员直至1986年。

Le Fanu, Sheridan 勒法努(1814-08-28,爱尔兰都柏林～1873-02-07,都柏林) 爱尔兰鬼怪故事和神秘小说作家,以善于制造鬼魂经常出没的房子的阴森气氛闻名。出身于一个都柏林历史悠久的胡格诺教徒家族,母亲与R.B.谢里丹有亲戚关系。都柏林三一学院毕业。1839年当律师,不久改行当新闻记者。在上大学时写成《珀塞尔志异》,1880年辑为3卷出版。1845～1873年出版14部长篇小说,其中《塞拉斯叔叔》(1864)和《教堂墓地旁的房屋》(1863)最著名。1861～1869年在他拥有并主编的《都柏林大学杂志》上发表许多短篇小说,其中大部分是鬼怪小说。《在暗暗的玻璃杯中》(1872)收有5个长篇故事,被公认为他的最佳作品。

Le Gallienne, Eva 勒加利安纳(1899-01-11,英国伦敦～1991-06-03,美国康涅狄格韦斯顿) 美国女演员、导演和演出人,20世纪美国戏剧舞台上的杰出人物之一。英国诗人理查德·勒加利安纳的女儿,7岁时观看萨拉·贝因哈特的演出即感觉到她一生要从事戏剧职业。1914年她在《莫纳·凡娜》中扮演龙套角色而首次在伦敦舞台上露面。1915年她去美国旅游,在那里扮演过各种小角色,直到1921年在《莉莉奥姆》中扮演主角而获得重要成功。1926年她在纽约创建市民轮演剧院,以低廉的票价演出经典作品和重要的外国剧作。通过演出和翻译,她向美国观众介绍了A.契诃夫、H.易卜生及其他作家的作品,并且在剧院演出的大部分剧作中担任导演和参加表演。经济大萧条使市民轮演剧院受到严重打击,剧院于1933年关闭。1946年她与C.克劳福德和M.韦伯斯特合作在纽约创建美国轮演剧院,一年后又关闭。接下来的岁月里她继续从事表演、演出和导演活动。她最后一次表演是担任1982年重演的《艾丽斯漫游奇境记》中白色皇后一角。勒加利安纳曾赢得过许多奖,包括全国艺术奖章(1986)。除翻译作品外,她还出版过两本回忆录:《在33岁时》(1934)和《带着一颗平静的心》(1953),还有一本儿童读物和一本女演员E.杜丝的传记。

Le Havre 勒阿佛尔 法国北部上诺曼底大区滨海塞纳省的海港和城镇。位于英吉利海峡塞纳河口湾右岸,按公路距离计算在巴黎西北偏西216千米,鲁昂以西85千米处。从前只是个渔村,直到1517年,法国国王弗朗西斯一世才在此建起海港,取名为格拉斯港(恩赐之港)。17世纪,在枢机主教黎塞留和路易十四统治时期,海港进行了扩建和设防。到18世纪后期路易十六统治时期,海港已能容纳较大船只。19世纪中期,拿破仑三世统治时,港口进一步改建。第二次世界大战期间,德国侵占安特卫普和奥斯坦德后,比利时政府曾一度迁此。第二次世界大战期间,勒阿佛尔几乎有3/4的建筑被毁,但战后进行了重建。市中心市府大厦广场是欧洲最大广场之一。建于16～17世纪的圣母马利亚教堂是镇上仅存的几座古老建筑之一,虽然在第二次世界大战期间损坏,但又在20世纪70年代修复。圣约瑟夫教堂是罕见的钢筋混凝土大厦。1944年旧博物馆被毁,曾从中抢救出一批藏品,现存于1961年修建的新博物馆内。19世纪的画家E.布丹和20世纪的画家R.杜飞的作品就收藏于此。港口于第二次世界大战后重建,复于20世纪70年代初进行了扩建。勒阿佛尔现为法国仅次于马赛的第二大港,并成为巴黎的外港(吃水深的船只出海的起点)。第二次世界大战前曾是往北美的客运业主要中心之一。现因为人们乘飞机旅行,所以实际上勒阿佛尔已不再是客运中心了。与英国和爱尔兰有定期的汽车轮渡。主要进口燃料油和热带作物(棉花、咖啡)。有输油管道从港口通往城东的炼油厂,并将精炼的成品输往巴黎地区。附近的昂蒂费设有储油设备。在本城其他各处已大力实现工业化。除传统制绳和木材业外,还有机器和汽车制造业,人口约196 000(1990)。

Le Jeune, Claude 勒热纳(约1527,勃艮第埃诺瓦朗谢讷[今在法国]～约1600,巴黎) 法国作曲家,以诗篇配乐及其"格律音乐"风格(一种与古典诗体的长、短音节相一致的风格)闻名于世。曾任亨利四世音乐教师。与诗人A.德·巴伊夫交往,巴伊夫信奉P.龙萨"格律诗篇"的理论,寻求恢复古典诗歌的风格。以"格律音乐"风格创作的音乐就是"格律诗篇"的配乐,以诗的长短音节配以长短时值的音符。他也根据《日内瓦圣诗集》谱制了一套著名诗篇配乐,去世后于1606年出版。其他作品还有牧歌、尚松及经文歌。

Le Loi 黎利(出生于越南清化省岑山;活动时期1428～1443) 越南将军、皇帝,1428年自中国为越南赢得独立并建立**后黎朝(Later Le dynasty)**,成为中世纪最受人尊敬的英雄,庙号黎太祖。原为大地主,鄙视与中国统治者合作的越南权贵,自称"平定王"。1418年率先在红河谷地以南的清化省领导旨为驱逐中国统治者的暴动。1424～1425年占领越南中部,1426年攻占河内。他在击败中国军队之后,协助被围困的中国军队撤回中国,然后大耍外交手腕,与中国拉关系,向明朝皇帝纳贡。1428年,明朝皇帝勉强承认了后黎朝。这是越南历史上第三个王朝,延续近360年。在此期间,中国只是名义上统治越南,实已独立。黎利曾进行不彻底的土地改革,虽然表面宣布一切男女老少都享有分得土地的权利，但是他手下的官兵以及皇亲国戚所分得的土地要比无地农民多得多。

Le Maçon, Robert 勒马松（1365?，法国安茹～1443-01-28，安茹） Le Maçon又拼Le Masson。法国大法官，查理七世的主要顾问之一，贞德的支持者。1401年被封为贵族以后，1407年起任安茹公爵和那不勒斯名义上的国王路易二世的顾问。1414年任查理六世的王后伊莎贝拉的掌玺官。以后成为图赖讷公爵、未来的查理七世的掌玺官。1422年辞掌玺官职，仍留任法国枢密顾问至1436年。

Le Maistre, Antoine 勒梅斯特尔 法兰西天主教詹森教派的重要人物，阿尔诺家族（**Arnauld family**）出身。

Le Maistre de Sacy, Isaac-Louis 勒梅斯特尔·德萨西 法兰西天主教詹森派重要人物。出身于阿尔诺家族（**Arnauld family**）。

Le Mans 勒芒 法国西北部佩伊德卢瓦尔河地区大区萨尔特省省会。在前缅因省境内，位于夏尔特尔西南萨尔特、伊斯纳两河汇合处。此地名源自塞诺马尼人的古高卢部

勒芒的圣朱利安大教堂
美国不列颠百科全书公司供图

落，其首府即为勒芒。公元3世纪后期，高卢-罗马人在镇四周建起城墙，现尚有部分存在。也是在3世纪，圣朱利安曾在此宣讲基督教，并在此建立大主教管区。公元6世纪后，勒芒成为缅因伯爵的居住地。12世纪初期，爵位传给英国金雀花王朝安茹伯爵。英国金雀花王朝第一位国王亨利二世便出生于勒芒(1133)。勒芒于13世纪复归法国管辖。在英法百年战争期间（1337～1453），英国人侵占了该城。在法国革命期间，波旁王朝的拥护者与共和政体的拥护者相继接管过该城。旧城主要局限于萨尔特河左岸的高卢-罗马人修建的古老城墙内，与围绕在其四周的新城形成鲜明对照。高耸于旧城中的圣朱利安大教堂（11～15世纪）兼有罗马和哥特式建筑的风格。其右为雕刻精美的宏伟大门，建于12世纪。在交叉通道尽头有一座塔楼，高64米，建于12～15世纪。唱诗班席位建于13世纪，其外部拱壁的图案非常精巧优美，是法国最高大最美观的唱诗班席位之一。该教堂的彩色玻璃窗十分华丽，成于13世纪；另有建于文艺复兴时期、设计精美的两座坟墓，二者均成为该教堂的特色。库图尔圣母院教堂（10～13世纪）的正面是哥特式建筑，上有13世纪的卓越雕塑。由英国亨利二世（1154～1189年在位）修建的圣女贞德教堂也是一处名胜。风景如画的旧城里有若干建于文艺复兴时期和17世纪的屋宇。在19世纪中叶前勒芒主要为当地农产品的贸易中心，到19世纪中叶勒芒的新工业得到了发展，后又获得了扩展。主要有铁路设备、汽车、农业机械、纺织和烟草等。近年来又增添了塑料和电器工业，以及成长中的服务业，特别是保险业。每年在城郊萨尔特赛车场举行的勒芒国际汽车耐力大赛，很可能是世界上最著名的汽车大赛。附近还有一所早期汽车博物馆。人口约146 000(1990)。

Le Mans Grand Prix d'Endurance 勒芒耐力大奖赛 又称勒芒二十四小时赛（Le Mans 24-hour race）。可能是世界上最著名的汽车赛，除少数几个年份外，自1923年以来每年在法国勒芒附近的萨尔特省公路赛环行线上举行。1928年以后，每次比赛的胜利者是在24小时内行程最长的汽车。赛车环行路线长13.4千米，比赛只限于赛车（即为了在公路上行走而经过改造的汽车），在6月份选一个全年夜晚最短的日子进行。勒芒大奖赛得到国际汽车联合会（FIA）批准，并被包括在该会每年举行的系列赛内，以决出制造商世界冠军。关于优胜者，参阅**Sporting Record**: Automobile Racing。

Le Moyne de Bienville, Jean-Baptiste 勒莫安·德·边维尔 参阅**Bienville, Jean-Baptiste Le Moyne de** 边维尔。

Le Moyne d'Iberville, Pierre 勒莫安·迪贝维尔 参阅**Iberville, Pierre Le Moyne d'** 伊贝维尔。

Le Nain, Antoine, Louis, and Mathieu 勒南兄弟（安托万约1588，法国拉昂～1648-05-25，巴黎；路易约1593，拉昂～1648-05-23，巴黎；马蒂厄1607，拉昂～1677-04-20，巴黎）法国画家，兄弟三人都以描绘农民生活为主，

勒南兄弟绘《农家室内》
中国大百科全书出版社供图

其现实主义在17世纪法国美术中独具一格。1630年在巴黎合开画室。兄弟三人均未婚，据说作画时配合默契，常共作一画。1648年三人同被新成立的法兰西学院接纳为成员。由于所有的署名作品都未标注名字的词首字母，而1648年以后完成的所有作品都未注明日期，所以，决定究竟是谁画了哪幅画的“勒南问题”是一个复杂的难题。因此，20世纪初期对三兄弟特点的评价只能根据关于他们各人的传说和无甚把握的三种风格分类。现在，艺术学者已不再致力于区分三兄弟的作品，而是把三兄弟当作一个艺术家来对待。农民和乞丐的画像一直是他们最重要的作品，尽管《铁匠铺里的铁匠》是19世纪罗浮宫中获赞美最多、复制最多的珍品之一。他们所画的农家景象体现出卑微人物的人格尊严和法国传统所特有的安详沉着。马蒂厄成了巴黎市的官方画家(1633)，并被封为骑士。他擅长巨幅画和肖像画。他的事业兴旺，从其画室制作出的大量肖像和宗教题材的作品推断，他有几个助手。

Le Nôtre, André 勒诺特尔（1613-03-12，法国巴黎～1700-09-15，巴黎） 杰出的法国园林建筑师之一，其传世之作为凡尔赛宫花园。其父是法王路易十三的土伊勒里宫花园总管。他曾随画家F.沃埃学透视和光学，随建筑师F.芒萨尔学习建筑原理。1637年接替父职，重新设计土伊勒里宫苑，使园景视野开阔，显示出他的才华。他为财政大臣N.富凯设计的花园，从花坛延伸出去的大片树木，逐次减小株距，中间点缀喷泉、水面及雕像等，增强了透视感。深受法王赞赏，即委托他设计凡尔赛宫花园，他将宫前的一片泥潭，改造成景色极为壮观的园林，扩大并美化了该宫的建筑空间，而他的华丽的设计风格，为路易十四的宫廷增添了豪华气派。其他作品有圣克卢和尚蒂伊的花园，圣日耳曼昂莱和枫丹白露的园林。欧洲各国竞相聘请，1662年去英国，1679年访问意大利。他的学生遍布德、奥、西班牙等国从事造园设计，将他的风格传布到欧美各国。

Le Pautre, Antoine 勒波特（1621-01-15，法国巴黎～1691，巴黎） 法国巴罗克风格的建筑师。出生于一个建筑师和装饰师的家庭，1644年被任命为负责设计国王的建筑物的建筑师。随后他设计了皇家礼拜堂（1646年始建），这是一座符合于詹森派庄严肃穆的朴素建筑物。1654年受命设计巴黎的博韦府邸。基址为不规则形，经巧妙处理，房屋没有一边与任何其他一边平行。因而成为他的杰作。1652年出版《几座宫殿的设计》版画集，其中包括一个著名的大型别墅设计图。这一设计的特点是用半圆凹形体将两端的小阁与中央建筑物连接起来。凹形体与中央主体带有鼓座而无穹顶的凸形周边形成对比。1659年勒波特被任命为国王兄弟奥尔良公爵的建筑工程总指挥。在17世纪60～70年代，他设计了几所乡村宅邸。晚年修复王宫的剧院和其他一些房间。他一生的建筑风格摇摆不定，时而是受意大利模型影响的富有戏剧性和想象力的巴罗克式设计，时而是比较简单朴素的结构。

Le Pen, Jean-Marie 勒庞（1928-06-20，法国拉特里尼泰～　） 法国民族主义者，从20世纪70年代到21世纪之交，他的民族阵线政党代表着主要的右翼反对派，反对主流的保守党派。勒庞是个有争议的人物，曾4次参选法国总统，政敌指责他仇视外国人、主张排犹主义。父亲是海员，出生于布列塔尼的一个海滨村庄，后来就读于瓦讷的一所耶

稣会寄宿学校。40 年代入巴黎大学法学院，1954 年参加法国的外籍军团，在阿尔及利亚和法属印度支那当伞兵。1956 年被选入国民会议（国会），成为最年轻的代表。1958 年再度当选。1962 年落选，随后他成立一个社团，出售纳粹演讲和德国军歌的唱片。1972 年组建民族阵线政党。这个政党一开始就强调移民对法国的威胁，尤其是来自北非法国前殖民地的阿拉伯移民。该党还反对欧洲整合，主张恢复死刑，并试图禁止在法国再兴建清真寺。他本人也一直卷入一些政治纷争。然而，他的作风和政策吸引了相当多的支持者，尤其是工人阶级，1974 年他只得到不足 1% 的选票，但在 2002 年总统选举的第一轮中，勒庞击败了总理若斯潘，赢得 18% 的选票。然而，几乎整个法国政界，包括社会党和共产党，都支持保守的总统 J. 希拉克，加上全国各地兴起反勒庞的群众示威活动，所以在第二轮选举中他被轻易击败。80 和 90 年代入选欧洲议会。

Le Petit-Quevilly　小克维伊　法国北部上诺曼底大区滨海塞纳省城镇，濒临塞纳河。历史建筑圣朱丽安礼拜堂是 1183 年由英王亨利二世修建的麻风病院的一部分，路易九世在此接受洗礼，教堂中装饰着 12 ～ 13 世纪的绘画。制造业有化工、橡胶制品和纺织品。人口22 861（1982）。

Le Play,（Pierre-Guillaume-）Frédéric　勒普拉（1806-04-11，法国拉里维耶尔-圣索沃～1882-04-05，巴黎）　法国采矿工程师，社会学家，创立了对家庭作系统研究的方法。从 1840 年起，勒普拉任国立矿业学院总工程师兼冶金学教授，1848 年起任该院督察。他把业余时间用在社会学的研究上，直到大约 1855 年，因为法国工业劳动者的条件和一再发生的革命使他感到沮丧，于是放弃采矿学而转向社会学。1867 年，他担任上议院议员，但自 1870 ～ 1871 年的德法战争中法国战败后，他又放弃了政治。作为社会学家，他反对当时流行的关于社会不断进化的观念。他把家庭看作是工业化及所带来的社会矛盾的条件下社会稳定的主要因素和道德权威，并提出一种理论，认为社会的周期性变化与家庭道德的消长有关。在为这一理论收集资料的过程中，他创立了现在叫作实例研究的方法，即实地工作者要同某个家庭一起生活一段时期，同时收集有关家庭成员的态度和相互关系的资料，以及有关他们的收入、支出和实际财产的资料。统计抽样法是在勒普拉通过实地调查收集资料法的影响下发展起来的。他把自己对家庭和社会的研究结果发表在 6 卷本的《欧洲工人》（1855）和 2 卷本的《法兰西社会改革》（1864）以及《劳动组织》（1870）等书中。

Le Puy　勒皮　法国南部奥弗涅大区上卢瓦尔省省会。位于中央高原，离卢瓦尔河左岸 3 千米，海拔 686 米。地处玄武岩高原盆地中心，四周奇怪的火山峰林立。该城早在公元 4 世纪就是基督教中心。6 世纪，伊斯兰教徒入侵后迫使附近的主教在此地避难，遂成为法国主要朝圣中心之一。16 世纪后半叶宗教战争期间，该镇支持天主教联盟。当地最高的科尔内勒峰上有一座 1860 年建造的16米高的法国圣母马利亚塑像。山脚

勒皮镇建在岩石山顶的教堂
法国国家旅游局供图

下，老城狭窄坡陡的街道环绕的平台上矗立一座主要为 13 世纪罗马风格的圣母大教堂。教堂的装饰和八角形圆顶体现了拜占廷的影响。附近修道院主体的风格为罗马式，但柱头为加洛林式。城外 80 米高的火山顶上有一座 11 世纪圣米歇尔-达艾吉尔教堂，巧妙的设计遮掩了参差不齐的岩面。约 5 千米之外，在平原之上突起的陡峭玄武岩台地上有波利尼亚克城堡的废墟。勒皮主要是集市城镇，从 17 世纪起即为花边饰带的生产中心，克里扎特厄博物馆就收集有许多精美的花边饰带。然而，目前该镇传统的花边饰带、制革和酿造业处于衰落状态。人口20 490（1999）。

Le Sueur, Eustache　勒叙厄（1617-11-19受洗，法国巴黎～ 1655-04-30，巴黎）　法国画家，以法国古典巴罗克风格的宗教画著名。法国皇家绘画雕刻学院创建人及最早的教授之一。为教堂和女隐修院作过许多画。风格受普桑、拉斐尔和沃埃艺术影响，笔法优美灵活，构图却因过分讲究而受限制。

Le Tellier, François - Michel　勒泰利耶　参阅 **Louvois, François-Michel Le Tellier, marquis de** 卢瓦侯爵。

Le Tellier, Michel　勒泰利耶（1603-04-19，法国巴黎～ 1685-10-30，巴黎）　法国陆军大臣（1643 ～ 1677），后任大法官。他创建一支使路易十四得以在法国实行独裁统治、在欧洲树立法国霸权的军队。巴黎行政官员之子。1631 年任国王路易十三的检察官，1640 年任驻意大利法军总监（国王代表）。1643 年 4 月被首相 J. 马萨林任命为陆军大臣。在贵族发动的投石党运动中，他始终忠于马萨林。马萨林流亡期间，他成为摄政奥地利的安娜的首席顾问。在投石党运动以后，他感到军队不能由贵族控制，必须完全由国王支配。于是在 17 世纪 50 年代中期，他开始改组军队。1661 年马萨林去世后，他参加国王的 3 人核心会议，在以后的 16 年中继续进行军队改革。他大大扩充了军队的规模，建立 10 万人的常备军，而在战时可以扩充到 4 倍，军风纪也大有改善。这支新军一直存在到 1789 年大革命爆发。1677 年任大法官。他鼓励对胡格诺派的迫害，在去世前不久，参与起草撤销曾给予胡格诺派某种宗教自由的《南特敕令》的文告。

Le Thai To（Vietnamese emperor）　**黎太祖**　参阅 **Le Loi** 黎利。

Le Thanh Tong　黎圣宗（？～1497，东京［今越南河内］）　越南后黎朝（1428 ～ 1788）最伟大的统治者。1460 年即位。他建立了中国式的中央集权政治制度并将王朝的统治向南扩张；他把治下分成 13 道，每道下设府、县、州，皆由中央派员治理。每 3 年科举一次，中取者得官。他进行人口登记，实行均田制度，编纂新刑民法典。1471 年战胜占婆国。

Le Touquet-Paris-Plage　勒图凯-巴黎普拉日　法国北部诺尔-加来海峡大区加来海峡省城镇。位于康什河河口，布洛涅以南 32 千米英吉利海峡岸边。该镇为海滨胜地，有娱乐场、运动设备、良好的沙滩。附近还有树林。勒图凯-巴黎普拉日镇的机场是与英国之间跨海峡车辆空中运渡的主要运渡站之一。人口 5 204（1982）。

Le Van Duyet　黎文悦（1763，越南广义省～1832-07-30，西贡［今越南胡志明市］）　越南军事战略家，阮福映王朝初期负责越法外交联系的朝廷官员，保卫基督教会免受皇帝迫害。在湄公河三角洲美荻附近成长。早年进入宫廷。历任嘉隆（阮福映）、明命两帝顾问。他随阮福映南征北战，1801 年在海上击败争夺帝位的对手。他的军事战略与法国提供的西方武器和技术结合起来，使阮福映能够征服全越南，并于 1802 年登上大宝座。1813 年，黎文悦任下交趾支那总督，并被授予大太监称号（黎文悦出生即为太监）。作为嘉隆帝亲信的顾问，他周旋于皇帝与欧洲来使之间并常代欧洲传教士向皇帝说情，因嘉隆帝不同情他们的传教事业。明命帝时，他于 1820 ～1832 年任嘉定省长。拒绝在其统辖诸省执行明命帝迫害罗马天主教传教士的命令，并上书力谏，因而死后遭掘坟之辱。但 1841 年后恢复其坟墓作为国家纪念馆。

Le Van Trung（Vietnamese religious leader）**黎文中**　参阅 **Ngo Van Chieu** 吴文照。

Le Verrier, Urbain-Jean-Joseph　勒威耶（1811-03-11，法国圣洛～ 1877-09-23，巴黎）　法国天文学家，曾用数学方法预言海王星的存在。他在巴黎综合工科学校担任天文学教职（1837）时，曾深入研究水星轨道理论和编制该行星更精确的星历表。1845 年，他把注意力转向天王星轨道的不规则性。他把这种现象解释为有一颗未知行星存在。他和英国

天文学家 J.C.亚当斯分别独立计算出这颗未知天体的大小和位置,并请德国天文学家 J.G.伽勒寻找。1846年9月23日,伽勒只用了一小时就在距勒威耶计算的位置不足1°处发现了海王星。由于这一成就,勒威耶荣获伦敦皇家学会科普利奖章。巴黎大学还聘请他担任天文学教授。1854年任巴黎天文台台长。他在任职期间使这一机构重新恢复了效率。但由于他采取一些不妥协的措施,曾招来非议和反对,直到1870年他离职后,反对他的风波方告平息。在他的继任者于1873年逝世后,勒威耶又重新复职,但这时他的权力要受到天文台委员会的制约。在担任天文台台长的艰难时期,他完成了从根本上改进行星理论的工作,并把理论同当时最好的观测进行比较。1855年,他着手解释水星运动的反常问题。他假设水星轨道内有第二条小行星带。后来有一位业余天文爱好者宣称发现一颗内行星时,勒威耶还以为这可能就是水星轨道内的小行星带中一颗最大的小行星,并把它取名 Vulcan(祝融星)。但进一步的观测并没有证实这一发现。水星近日点的反常运动问题已于1915年用爱因斯坦广义相对论得到解释。

Lea, River 利河 源出英格兰赫特福德郡,流向东转南,至伦敦陶尔哈姆莱茨自治市的布罗姆利注入泰晤士河,全长74千米。利河谷17世纪建有重要的渡槽,称为新河。1967年开辟利河谷区公园。该公园现为全国主要娱乐中心之一。

leaching 淋滤 在地质学上,指土壤顶层中可溶性物质和胶体物质通过渗滤作用而流失。流失物质向下移动(淋溶),一般再沉淀(淀积)在下层中。这种移动使顶层疏松多孔,下层密实。淋滤的速度随降水量增多、温度升高和保护性植被消失而加快。在淋滤作用广泛的地区,很多种植物养分都流失了,剩下石英和铁、锰、铝的氢氧化物。这些残留物构成了特殊的土壤类型,即砖红壤,可造成铝土矿床。在这种地区细菌的激烈活动造成土壤里没有腐殖质,因为枯枝落叶都被完全氧化了,而氧化的产物又被淋滤掉了。残余物质的积累以及在土壤下层中重新沉淀的物质可以合并起来形成连续的牢固的不透水的层,叫做铝铁硅钙壳(duricrusts)。

Leacock, Stephen(Butler) 李科克(1869-12-30,英国汉普郡斯旺莫尔~1944-03-28,加拿大安大略多伦多) 世界知名的加拿大幽默作家、教育家、演说家,写过30多本轻松的随笔和小品文。6岁时即随父母移民到加拿大。曾就读于上加拿大学院(1882~1887),后获多伦多大学文学士(1891)学位。在上加拿大学院任教8年后,又到芝加哥大学深造,1903年被授予博士学位。同年任职于蒙特利尔的麦吉尔大学。1908年任经济和政治系主任直到1936年退休。他写过近20本关于历史和政治经济方面的书,但作为讲师和作家,他的真正感染力在于他的幽默感。他的名声现已稳固,其根基始奠于消遣性幻想作品《文学的失误》(1910)和《无聊的小说》(1911)。李

美国不列颠百科全书公司供图

科克式幽默的典型表现在于对社会弊端和人类行为的表里不一的喜剧性觉察。他的作品中没有讽刺,其特点可以说是青春的活力和活泼的喜剧场面的创造。还写有论述他的幽默的《幽默的理论和技巧》(1935)和未完成的自传《我所超过的少年》(1946)。

Lead 利德 美国南达科他州西部劳伦斯县城市。东南距大急流城48千米,位于布莱克山北部。1876年发现金矿后建立,1890年设市。现有西半球最大的金矿之一。经济以采矿及相关行业为主,旅游、畜牧、伐木等业为辅。人口3 027(2000)。

lead 铅(Pb) 周期表Ⅳa族银白色或浅灰色金属,质地柔软,延展性好,密度大,是电的不良导体。早在古时候,人们就知道铅,炼金术士认为铅是最古老的金属。古罗马人安装的铅水管,经连续使用表明铅很耐用,并能抗腐蚀。铅在自然界中很少成游离态存在,它存在于几种矿物中,但其中只有硫化物 PbS(方铅矿)比较重要,成为世界铅生产的主要资源。可焙烧矿石,然后在高炉中熔炼或不焙烧而直接熔炼矿石来提取铅,然后再进行精炼以除去两种方法所生产的粗铅中的杂质。几乎全部精炼铅的一半是从再循环的废料中回收的。新切开的铅表面能迅速氧化,生成暗灰色氧化层。从前曾认为该物质是一氧化二铅Pb_2O,目前则认为是铅和一氧化铅 PbO 的混合物,此氧化层能保护铅不被进一步腐蚀。同样地,虽然铅能溶于稀硝酸,但盐酸和硫酸只能腐蚀铅的表面层,因在铅的表面上形成了不溶性氯化物和硫酸盐层,从而阻止继续反应。由于铅能耐化学腐蚀,故大量用作屋顶材料,地下或水下电缆的包皮、水管衬里,以及用于制造输送和加工腐蚀性物质的管道和设备。铅还有其他许多用途,最大的用途是制造蓄电池,还用于制造弹药(炮弹和子弹),以及用作焊料、活字合金和白镴(锡铅合金)等各种低熔点合金的组分。在大型建筑结构中,铅板用于墙壁的隔音;铅和石棉构成的衬垫用于地基中,以吸收街道上车辆和其他原因引起的振动。因为铅能有效地吸收短波长的电磁辐射,可用作核反应堆、粒子加速器、X射线装置的防护罩以及用作运输贮存放射性物质的容器。铅及其化合物有毒,并能存留在人体中,长时间积累(称为积累中毒),直至达到致死的数量。铅有4种稳定的同位素,都是其他元素放射性衰变的最后产物。它们的相对丰度为:铅204,1.48%;铅206,23.6%;铅207,22.6%和铅208,52.3%。据报道,铅有20余种放射性同位素。铅在其化合物中呈+2和+4价。铅的各种氧化物是重要的铅化合物,它们包括一氧化铅或氧化铅(Ⅱ)PbO、二氧化铅或氧化铅(Ⅳ)PbO_2、四氧化三铅Pb_3O_4。一氧化铅存在两种变体即密陀僧和铅黄。密陀僧或α-氧化铅(Ⅱ)是一种红色或红黄色固体,具有正方晶体结构,在低于488 ℃时稳定。铅黄或β-氧化铅(Ⅱ)是一种黄色固体,具有正交晶体结构。在高于488 ℃的温度下稳定。这两种形式的氧化铅(Ⅱ)均不溶于水,但溶于酸形成含有Pb^{2+}离子的盐或溶于碱形成含有PbO_2^{2-}离子的亚铅酸盐。密陀僧是用空气氧化铅来生产的。它是仅次于四乙基铅$Pb(C_2H_5)_4$(一种有机金属化合物,用作汽油抗爆添加剂)的工业上最重要的铅化合物。被大量地直接使用或用作制备其他铅化合物的原料,在制造铅-酸蓄电池极板时消耗相当数量的氧化铅(Ⅱ)。优质玻璃器皿含有多达30%的密陀僧,以提高玻璃的折射率,使玻璃明亮、坚韧并具有较好的共振性能。密陀僧也用作清漆的干燥剂,以及用于制备亚铅酸钠,后者可用来清除汽油中恶臭的硫醇(一类含硫的有机化合物)。在自然界以棕至黑色的黑铅矿形式存在的氧化铅(Ⅳ),在工业上是将四氧化三铅用氯气氧化来制取的。氧化铅(Ⅳ)受热分解,形成氧气和铅的低价氧化物。氧化铅(Ⅳ)在染料、化学试剂、烟火和火柴生产中用作氧化剂。并且还是多硫橡胶的硫化剂。四氧化三铅(俗称红铅或铅丹)可由氧化铅(Ⅱ)的进一步氧化而得。它是一种橙红至砖红色颜料,常用于生产户外钢铁用的耐腐蚀油漆。它与氧化铁(Ⅲ)反

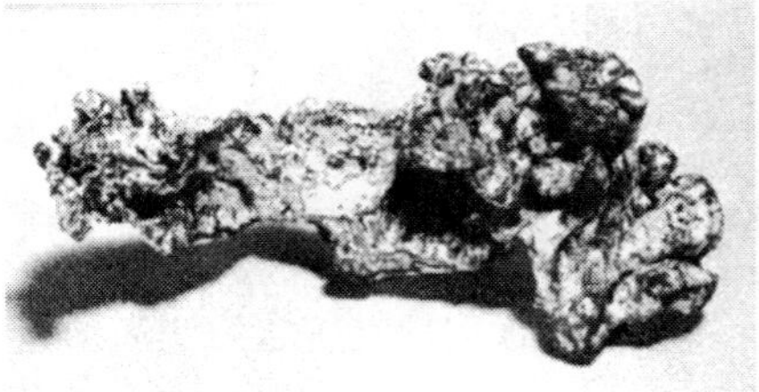

产自瑞典隆班的含铅羟锰矿
美国不列颠百科全书公司供图

应生成铁素体用来制造永久磁铁。另一具有经济意义的化合物是醋酸铅(Ⅱ)$Pb(C_2H_3O_2)_2$,这是一种水溶性的盐,可由密陀僧溶解于浓醋酸中制取。它的常见形式三水化物$Pb(C_2H_3O_2)\cdot 3H_2O$(也叫铅糖)常用作染色的媒染剂和某些油漆的干燥剂。此外,它还用于生产铅的其他化合物以及在金氰化处理工厂中用以沉淀出溶液中的可溶性硫化物。在其他各种盐中,值得提到的是碱式碳酸铅、碱式硫酸铅、碱式硅酸铅,它们都曾广泛地用作白色户外油漆颜料。然而,因为它们的毒性及对人体健康有毒害作用,自从20世纪中叶以来,铅白颜料的应用已显著减少。由于同样的原因,杀虫剂中的砷酸铅实际上也已禁用了。铅原子序数82。原子量207.19。熔点327.5 ℃。沸点1 744 ℃。密度(20 ℃)11.29

克/毫升。氧化态+2、+4。电子组态2,8,18,32,18,4或(Xe)$4f^{14}5d^{10}6s^26p^2$。

lead-210 dating 铅210测年法 利用铅的放射性同位素铅210与稳定同位素铅206的比值测定年龄的方法。此法已被用于铀的矿石。从铀238的放射性衰变得出的系列不稳定产物中,铅210由氡222衰变产生,并且是稳定同位素铅206的前身。铅210测年法对于确定年代较新的湖相和海岸相沉积物的年龄特别有用,因而愈来愈多地用来研究人的活动对水环境的影响(例如,测定沉积物中污染物的积累率)。

lead crystal 铅晶质玻璃 参阅 **flint glass** *燧石玻璃*。

lead glance(mineral) 参阅 **galena** *方铅矿*。

lead poisoning 铅中毒 又作plumbism。由于经常接触含铅物质致使人体组织内铅蓄积而引起的毒害效应。在家庭生活中,铅主要来源于铅基油漆和含铅的自来水管。铅基油漆对儿童特别有害,因为儿童爱咬嚼涂漆的玩具和家具,会吃墙上剥落的油漆皮。在石油工业、印刷业、刃具和蓄电池制造业、油漆和颜料制造业、陶瓷和玻璃制造业、弹药制造业、采矿和冶炼、铅管和天然气管道安装业,工人可受到含铅固体、灰尘、烟雾的毒害。用含铅化合物的农药喷洒水果、蔬菜,亦可引起操作人员及消费者的铅中毒。各个体间对铅中毒的耐受性差别很大,症状表现也不同。长期与铅接触后可以缓慢起病,亦可突然起病。

铅中毒可影响全身,特别是神经系统、胃肠道和造血组织。中毒者通常面色苍白,忧郁,烦躁,口内有金属味,消化紊乱,食欲减退并可有严重腹痛,伴以腹肌痉挛("铅绞痛")和便秘。牙龈基部可出现黑线("铅线")。通常贫血。晚期可有头痛、头晕、精神错乱、视力障碍。末梢神经受累能造成麻痹("铅毒性麻痹"),一般首先影响指、手和腕部("腕下垂")。在儿童中,铅中毒可影响脑,造成一些持久损害,如失明、失聪或惊厥、昏迷乃至死亡。成人大量接触铅烟雾或四乙基铅后,亦可发生脑损伤。组织中的铅可用乙二胺、四乙酸钙盐及青霉胺等逐渐驱除。铅中毒需要长期治疗,除非脑组织损害严重,通常可完全康复。

Leadbelly 赖白里(1885-01-21?,美国路易斯安那穆林斯波特~1949-12-06,纽约州纽约) 又译铅肚皮。原名Huddie William Ledbetter。美国民间-布鲁斯歌手、歌曲作家兼吉他演奏者。因生活放荡,擅长曲目极多而成为传奇人物。赖白里自幼爱好音乐,能演奏手风琴、6弦与12弦吉他、低音提琴及口琴。过着游荡的生活,听取口传歌曲学歌。有一段时间与盲人L.杰斐逊一起进行音乐巡回演出。1918年因谋杀罪而坐牢。服刑6年后,被得克萨斯州州长赦免,该州长在视察监狱时听到他唱歌。出狱后重新过漂泊生活,1930年又因杀人未遂被关入安哥拉监狱农场(在路易斯安那州)。国会图书馆采集歌曲的民俗学家J.洛马克斯和A.洛马克斯在狱中发现了他,随即发起运动,使他于1934年获释。接着他开始到东部各大学巡回演唱。后来发表了48首歌曲和评论(1936),宣传经济萧条时期黑人的遭遇,灌制了许多唱片;赖白里自1937年起在纽约市定居,为宣传政治主张而表演。曾与W.格思里、S.特里、B.麦吉等人一起作为"头条新闻歌唱家"在电台表演,并于1945年在一部短片里演出。1949年赖白里逝世前不久曾在巴黎开过音乐会。死时一文不名,但不到6个月他的《晚安!伊林娜》一曲被"织布"歌唱小组唱红,成为销售百万张唱片的热门歌曲;该曲与他的其他名曲如《午夜专车》、《岩岛之行》等均成为经典作品。

leader 先导 在气象学上,从云中向地面的明亮的闪电放电,这种放电出现在更为明亮的向云层回返闪流之前。闪电中的首次先导称为梯级先导,因为它的下落采取极为迅速的一连串跳跃方式。它在云地之间形成一条电传导通路,返回闪流沿着这条通路运行。随后的先导称为直窜先导,它可以是也可以不是逐级跳跃的。在一次电闪里曾观测到多达40个先导。

Leadville 莱德维尔 美国科罗拉多州中部城市,莱克县县城(1878)。在阿肯色河上游落基山国家森林区内,海拔3 105米。1878年建市。该市为美国最有名的采矿中心之一,生产金、银、铅、锌、锰和钼,钼产量居世界前列。莱德维尔城的马奇利斯矿、泰伯歌剧院及国家矿业名人厅和博物馆令人想起采矿繁荣时期的生活。设有科罗拉多山区学院。到21世纪,该市已经成为具有强烈波希米亚风格的艺术中心。人口2 821(2000)。

leadwork 铅制品 用铅制成的雕塑品、装饰品,以及建筑物的覆面和配件。铅容易从铅矿石中熔化,因此很早已被发现,但直到古罗马时代这种软金属的用途还非常有限。已知最早的铅制品可追溯到公元前3000年,小亚细亚和埃及人用铅制作小雕像和祈福神像。古代人不常用铅,直到公元前约5世纪,希腊人开始用铅制造小雕塑品、玩具和商用砝码。罗马人出于装饰目的,广泛地用铅制造装饰性盒子、酒杯和其他家用器皿。罗马工程师把铅扩大到用于建筑,以铅作成的屋顶、砌筑、檐槽、水管和水箱,可以使用几百年。

中世纪时,欧洲人广泛地用铅作屋顶、穹窿和教堂塔尖的覆面,也用铅制造彩色玻璃窗、棺材、钱币、纪念品和建筑物的铭刻板。有时用镀锡、着色、涂漆或镀金装饰铅制品。石雕像上常加铅饰。铅适于浇铸,能再现铸模上的细微部分。虽然在雕塑中常采用其他材料,特别是青铜,但仍继续用铅。耐腐蚀是铅的主要优点。用铅制作大型雕塑品时内部须用其他材料加固,以免因过重倒塌。

leaf 叶 维管植物的一种器官,从茎上生出,其功能是为植物制造养分,而所有陆生动物所需养分最终亦取自植物。叶是茎系统不可分割的一部分。叶起源于茎尖的周围分生组织。有些植物组织外形与常见的绿叶毫无相似之处,但其形成过程与普通绿叶相同,这些是变态的叶,如日本小壁的尖刺和天门冬柄上或百合鳞茎上的鳞片。典型的叶,叶片扁平宽阔,由柄状的叶柄与茎相连。但不同植物的叶在大小、形态、叶缘、叶脉型等方面差异很大。叶脉从叶柄伸入叶片,分布于叶片各处,其功能为支持叶片和将物质运入及运出叶组织。不同类型的植物,叶脉的构造不同:例如双子叶植物的叶脉为网状脉序,通常具自由的末梢;单子叶植物具平行脉序,叶脉末梢多连结在一起。叶柄上只有一个叶片的叶称为单叶;叶柄上具两个以上叶片(小叶)的叶称为复叶,小叶也可以退化为棘枝或鳞片。

叶的主要功能为通过光合作用为植物制造养分。叶绿素使植物具有特征性的绿色,用以吸收光能。叶的外围包着表皮,用以保护内部的组织,叶的表皮与茎的表皮相连接。叶的中央为叶肉,由未特化的薄壁组成,属于薄壁组织。多至1/5的叶肉细胞内含有包含叶绿素的叶绿体,叶绿素吸收光能,并与某些酶一起将水分解为氢、氧两种元素。从绿叶中释出的氧进入大气,补充了动植物呼吸和燃烧耗去的氧。在光合作用的酶过程中,从水中释出的氢与二氧化碳结合生成糖类,这是植物和动物生活的基础。氧通过叶表面的孔(气孔)排入大气。叶绿素是一种绿色的色素,含量较其他色素大得多。到秋季,叶绿素分解并脱色,于是其他色素的颜色便显露出来。这些色素包括胡萝卜素(黄色)、叶黄质(浅黄色)、花青素(汁液呈微酸性时呈红色,微碱性时呈浅蓝色,酸碱度在两者之间时亦是中间色调),和甜菜青素(红色)。

叶的寿命短,即使针叶树和阔叶常绿植物的叶可存活2～3年,但过一年后这些老叶对植株作出的贡献已经很小。落叶树的叶在第一年的秋季脱落,常绿树的叶在几年后也要脱落,无论何种情况,叶都在离层形成后脱落。离层是几层细胞形成的脆弱的组织,位于叶柄基部。叶因病、虫害或干旱受到严重伤害时均可形成离层。秋天离层会正常地形成,至少部分原因为日照时间缩短。也许日照缩短使正常老叶的老化过程加剧。结果,离层细胞的中层软化直至叶片脱落。离层折断处的细胞栓质化以封闭伤口,留下叶痕,这是许多冬季桠枝的显著特征,可用于鉴别植物种类。

leaf beetle 叶甲 鞘翅目叶甲科昆虫,约25 000种。分布全球,但集中在热带。体卵圆形,长不到12毫米;足短;触角长约为体长之半。以叶为食。许多种类为重要害虫。本科分为多数亚科。

leaf blister 叶疱病 又作leaf curl。又称缩叶病。一种由外囊菌属(*Taphrina*)真菌种类引致的许多木本植物及蕨类植物的病害。叶从芽苞中绽出时若气候寒冷潮湿,叶片便会肿胀,皱缩变形,出现黄、红、紫、褐、白或灰色大型水疱。病叶常死亡早落,使植株衰弱。健叶的次生生长延迟。患叶疱病后幼桃及蜜桃果实早落,或表面不平带有变色的疣状斑

桃树的叶疱病
美国不列颠百科全书公司供图

点。李的果实极度膨胀变形,中空(李袋果病)。扫帚病侵害桤木、唐棣属植物、杏、桦、樱桃、李、葡萄牙桂樱、加利福尼亚牛眼树及李类的茎,罹病的桤木及杨树的葇荑花序膨大变形。

leaf cactus　昙花　又作 orchid cactus。仙人掌科昙花属(*Epiphyllum*)植物,约 15 种,原产美洲热带及亚热带,包括西印度群岛。多为附生植物,也有地生者。茎扁平无刺像叶片,亦能行光合作用,故英文名意为“叶仙人掌”;花大,是仙人掌科中最大者,红、白或黄色,花被长,呈筒状,长达 38 厘米,通常在夜间开放,芳香,故英文俗名又称“兰仙人掌”。很多种的果实可食。

leaf-cutter bee　切叶蜂　又作 leaf-cutting bee。膜翅目切叶蜂科昆虫,尤指切叶蜂属(*Megachile*)昆虫。切叶蜂与近缘科类的区别在于用腹部而非后足收集花粉。雌蜂独居,与雄蜂交配后在土中或树洞内作巢,用绿叶碎片衬垫以包住所产的卵。取得这些绿叶碎片的方法是:雌蜂站在叶片上,沿自身周围慢慢嗑下一些碎片,在叶缘留下一个近乎圆形的洞。切叶蜂的某些种类特别爱好蔷薇花叶。

leaf fibre　叶纤维　从单子叶植物的叶片获得的粗硬纤维,主要用于制造绳索。叶纤维一般很长,性刚硬,也称“硬”纤维,以区别于较柔软或柔曲的韧皮纤维或“软”纤维。商业上利用的叶纤维包括蕉麻、坎特拉剑麻、赫纳昆剑麻、毛里求斯大麻、新西兰麻和西沙尔麻。叶纤维主要从龙舌兰科植物厚的肉质剑形叶上获得,叶片一般有几英尺长。纤维束由胶质将很多植物纤维细胞交叠结合而成。纤维一般沿叶片横向生长,表面内层处最密,只有蕉麻叶纤维束集中在叶柄周围。叶片用手工采集,用手工或机械方法把纤维从周围的叶组织中分离出来,再清洗和干燥。叶纤维主要用于制造绳索和麻线,也可用于制造织物,但一般不需经过纺纱工艺。西沙尔麻、蕉麻和赫纳昆剑麻产量较多。由于栽培和加工方法的限制,以及合成纤维在绳索制造中的应用日益广泛,致使许多可用的叶纤维仍然未被开发。

leaf fish　叶鲈　鲈形目南鲈科约10种鱼的统称。均生活于淡水,某些种可进入半咸水。地理分布为环热带性,包括亚马孙河流域、西部非洲、印度、东南亚、马来群岛。叶鲈之名特别适用于南美种的独须叶鲈(*Monocirrhus polyacanthus*),该种在水中可保持不动,恰似一片浮叶;长约 7.5 厘米,褐色,有斑点;背鳍及臀鳍有齿状边缘,似叶片的锯齿缘;有颏须,似破损的叶柄;栖于静水中;在水中飘浮,常头部朝下,以透明的尾部及胸鳍的摆动而移动;等待无警觉的小鱼游近捕食之或自己缓慢游近猎物然后用大嘴突然咬住。很多种叶鲈是常见的水族箱观赏鱼。

leaf-footed bug　叶足喙缘蝽　参阅 **coreid bug** 缘蝽。

leaf insect　叶䗛　又作 walking leaf。竹节虫目叶䗛科(与竹节虫科近缘)的昆虫,约 25 种。体扁,色绿,叶状,长约 60 毫米。雌虫前翅革质,两翅的边缘在腹部上方遇合,翅脉似叶脉;后翅退化。雄虫前翅小;而后翅大,非叶状,能飞。刚孵化的若虫淡红色,取食叶片后变绿色。颜色和形状上的拟态起保护作用,其卵形似各种种子,也有保护作用。叶䗛分布于印度至太平洋斐济群岛一带。参阅 **walkingstick**。

一种叶䗛属(*Phyllium*)昆虫
美国不列颠百科全书公司供图

leaf miner　潜叶虫　许多在叶中生活并取食的昆虫幼虫。如毛虫(鳞翅目)、叶蜂幼虫(膜翅目)、蛴螬(鞘翅目)以及蛆(双翅目)。多数潜叶虫钻成的穴道痕迹或细而弯呈淡白色,或宽阔成斑状,呈淡白色或淡褐色。虽一般不造成危害,但破坏观赏树木的外观。防治园艺植物潜叶虫的方法是把有虫的叶摘去烧掉。成虫出现时可喷洒烟碱溶液或其他杀虫药,但此法对幼虫无效。

leaf monkey　叶猴　长尾叶猴(**langur**)的一类。

leaf-nosed bat　叶鼻蝠　叶口蝠科(**Phyllostomatidae**)和蹄蝠科(**Hipposideridae**)动物的统称。

leaf-nosed snake　叶鼻蛇　游蛇科小型穴居蛇类的统称,共 4 种,特征为鼻盾片大而扁平,边缘游离。每个种均有几个亚种。叶鼻蛇属(*Phyllorhynchus*)的两个种分布在美国西南部和墨西哥的煤酚木灌丛荒漠,夜间活动,猎食蜥蜴和昆虫。裂鼻蛇属(*Lytorhynchus*)的两个种大量分布在非洲北部和亚洲西南部的干旱地区。

斑点叶鼻蛇(*Phyllorhynchus decurtatus*)
美国不列颠百科全书公司供图

leaf roller moth　卷叶蛾　又作 bell moth。鳞翅目卷叶蛾科昆虫。幼虫有特征性的卷叶习惯,故名。成虫粗壮,触角小,口器退化,翅宽,略有缘毛,静止时前翅折叠,方形似钟,故又名钟蛾。翅展 25 毫米。幼虫常卷叶为害。多数种群聚集,共同用丝、枝叶筑一公用大巢。云杉卷叶蛾(*Choristoneurn fumiferana*)是北美危害最严重的害虫之一,取食常绿树的针叶和花粉,使云杉等叶子落光,使伐木业损失很大。欧洲的栎卷叶蛾(豆绿卷叶蛾,*Tortrix viridana*)和北美的丑巢卷叶蛾(*Archips cerasivoranus*)也是常绿树和落叶树的害虫。

卷叶蛾
美国不列颠百科全书公司供图

leaf-rolling weevil　卷象　鞘翅目象甲科卷象亚科(Attelabidae)昆虫。因雌虫将新产卵卷于叶内以得保护而得名。孵化后幼虫自内向外取食叶肉。成虫自由生活,但偏好某些树种。如栎卷象(*Attelabus nitens*)栖栎树,白杨虎象(*Rhynchites populi*)栖白杨树。在榛树上产卵的有两种卷象:槭虎象(*R. betuleti*)卷起整片叶子;榛卷象(*Apoderus coryli*)只卷叶的一边。

leafbird　绿叶鸟　雀形目和平鸟科 *Chloropsis* 属约 8 种短腿、草绿色鸟类的统称,分布于东南亚和菲律宾群岛。或归入鹎科。体长约 17～20 厘米,栖息在密林冠层,主要以花蜜为食,兼吃一些昆虫和浆果。尽管常攻击其他鸟,但极善于模仿。巢杯形,松散,可容卵 2～3 枚,卵乳白色。金额绿叶鸟(*C. aurifrons*)是一种大众喜爱的笼鸟。

leafcutter ant(Attini)　**切叶蚁**　盛产于美洲热带的 39 种蚂蚁。它们用嘴将树叶切成小片,并运回地下洞穴中。其觅食队伍常绵延 30 米以上,由数百或数千只搬运树叶的蚂蚁组成。地下洞穴有1 000个以上房间，居住着数百万只蚂蚁。美切叶蚁属(*Atta*)有大小及等级不同的工蚁、兵蚁、生育蚁和“卫兵”。在洞穴深处用咀嚼过的树叶培育真菌“花园”。运出污染物，并产生氨基酸和酶促进真菌生长。还分泌一些物质，抑制其他真菌生长。不同种蚁培育的真菌不同，但均属环柄菇科(*Lepiotaceae*)，该科仅见于切叶蚁洞穴内，其菌丝和蛋白质体，供切叶蚁食用。幼虫靠真菌为食，工蚁也吃植物汁液。切叶蚁是新大陆热带的主要食草动物。仅美切叶蚁属切掉的植物即可占树叶总产量的12%～17%。某些食草种，可使巴西和巴拉圭的牧场减产10%。切叶蚁深刻影响着其周围环境，可刺激植物生长、肥沃土壤。切叶蚁并非不加选择地收割。一项研究显示，热带切叶蚁(*A. cephalotes*)较多选择菊科(*Compositae*)、茄科(*Solanaceae*)和大戟科(*Euphorbiaceae*)植物。喜欢新长出的叶、花和芽。一些蚁家族只吃某些植物，有些植物为季节性选择，另一些则总是避开。这一研究导致了抗真菌化学物质的发现。切叶蚁避开的植物一般含对真菌有毒的萜类化合物。许多种树含有此类物质，土著部族常用作药物或杀真菌剂。

leafhopper　叶蝉　同翅目叶蝉科(Cicadellidae，即浮尘子科[Jassidae])小型吸汁昆虫，体细，常色彩艳丽。几乎各类植物上都有，但个别种类有专一寄主。一只叶蝉对植物无害，但集群则严重为害。其取食行为会以不同方式对植物造成损害。造成汁液损失、叶绿素破坏，传播疾病或使叶卷曲等，产卵时亦刺伤植株。叶蝉一般数毫米长，有的达15毫米。有的在消化时分泌蜜露，并在取食时注入毒素引起病害(跳虫烧灼病)。以接触性杀虫剂防治。常见种类如下：①苹果小绿叶蝉(*Empoasca maligna*)。使苹果树叶变白并有白斑。成虫绿白色，专生活在苹果树上或蔷薇花上，一年一代。②甜菜叶蝉(*Circulifer tenellus*)。传播病毒病——卷顶病，使甜菜叶卷曲，生长阻滞。成虫浅绿色或黄色，约3毫米长。一年三代以上。也侵袭番茄、甜瓜、黄瓜、菠菜

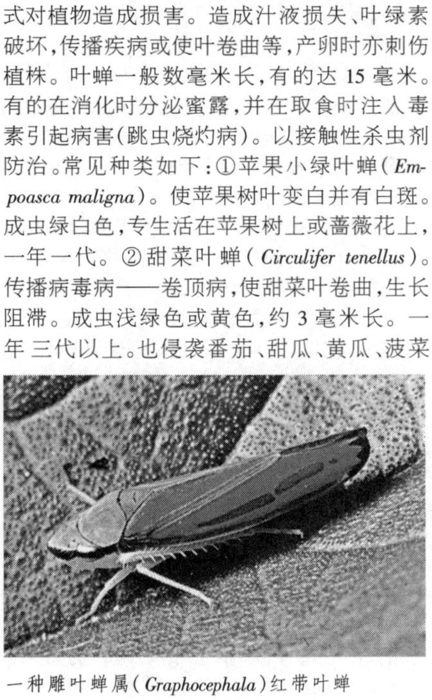

一种雕叶蝉属(*Graphocephala*)红带叶蝉
美国不列颠百科全书公司供图

等园林植物。③葡萄斑叶蝉属(*Erythroneura*)。成虫体细长，黄色，有红斑，约3毫米长。食发育中的叶，在落叶中越冬，栖于葡萄、五叶爬山虎和苹果树。可用喷雾或喷粉的方式杀灭。④马铃薯小绿叶蝉(*E. fabae*)。使叶变褐色、卷曲；堵塞木质部和韧皮部管道，从而影响营养的传送。成虫绿色，头和胸有白斑；约3毫米长。在温暖地区者不冬眠，都在豆科植物上越冬，传播病毒病，也侵害豌豆和苹果。⑤蔷薇小叶蝉(*Edwardsiana rosae*)。是蔷薇和苹果的大害虫。奶油白色至浅黄色，约3毫米长。以卵越冬，一年两代。不会引起跳虫烧灼病。⑥紫菀点叶蝉(*Macrosteles fascifrons*)。绿黄色，有6个黑斑，故亦称六斑叶蝉。一年数代，危害紫菀等园林植物；传播紫菀黄病毒(引起分枝过多，生长阻滞，叶子变黄)。

leafy liverwort　叶苔　又作scale moss。苔纲(Hepaticae)多种植物的通称，一般属叶苔目(Jungermanniales)，该目的植物体平卧于地面，水平延伸成叶状，具上表面及下表面。约3/4叶苔属于该目。大部分叶苔见于潮湿的生境——树沼、泥炭沼及潮湿的森林，生长于腐木上或潮湿的土壤上，另一些生长于较冷的环境，还有一些为水生。叶沿着茎部呈螺旋形排列，多数种类的叶常排成三列，叶多分裂；某些种类的叶可以具齿或边缘呈流苏状，可向上弯曲；新生叶覆盖于老叶上，老叶因缺乏阳光而枯萎。叶苔的成熟配子体可为雌雄异株(每一植株或包含雄性生殖器官，或包含雌性生殖器官)，或为雌雄同株(每一植株同时具有雌雄两性生殖器官)。受精卵最后发育成孢子体，孢子体依附于配子体上，靠配子体供给水和养分方能生存。孢子体包含孢子的部分(孢蒴)通常借细长的蒴柄依附于配子体上。孢蒴破裂即释出孢子，孢子萌发，最后发育成配子体。配子体以丝状的假根依附于基质。在热带中美洲、南美洲及马来群岛，叶苔的数量及种类最多。羽藓属(*Plagiochila*)种类繁多，分布于世界各地。细鳞藓科(Lejeuneaceae)为一大科，分布于热带，其形态及生态特征极其多种多样。耳叶藓属(*Frullania*)的许多种能耐干燥，在干旱季节后又能复苏，故能生长于只有季节性降雨的地区。

league　里格　一种长度单位，约为3.9～7.4千米(2.4～4.6法定英里)。英语系国家通常把丈量土地的里格取为4.8千米(3法定英里)。这种古老单位源自高卢人，由诺曼人引进英国。罗马人估算1里格约等于1 500步(步为罗马人的计量单位，约等于1.5米或5英尺)。西班牙人在早期对美国西南部的土地丈量中也曾使用里格，当时的1里格约为2.63英里。里格一度也被用作面积的测量单位。加利福尼亚早期测量土地时，采用1平方里格等于1 796公顷(4 439英亩)。18世纪末期，里格也表示加农炮能够对海上具威胁性船只开火射击的距离，各国据此规定以离岸3英里内为其领海。

League for the Independence of Vietnam　越南独立同盟会　参阅 **Viet Minh** 越盟。

League of Augsburg, War of the　奥格斯堡联盟战争　参阅 **Grand Alliance, War of the** 大同盟战争。

League of Women Voters　妇女选民联盟　美国无党派政治组织之一。1917年在全美妇女选举权协会的大会上由C.C.卡特首次提出，1919年3月24～29日在密苏里州圣路易斯召开的全国大会上成立。1920年通过宪法第19修正案后，卡特建议将成员达200万人的全美妇女选举权协会重组为妇女选民联盟。该联盟为无党派、无宗派组织，各州均有代表。主要目标是为妇女选举权提供国际支持、监督州议会、防止司法性别歧视、确保在美国民主制度下人人不受伤害。首次妇女选民联盟大会于1920年在芝加哥召开。现在，作为向男女均开放的基层活动团体，提倡积极参政、“通过教育及倡导影响公共政策”，关注选民登记、资助政治问题教育以及捍卫选举权。

Leah　利亚　又拼Lia。《旧约》(主要是《创世记》)所载以色列人祖先雅各的第一个妻子，她不为雅各所爱。利亚生了6个儿子，其中包括大卫王的祖先犹大；据《新约》载，犹大也是耶稣的祖先。雅各原想娶舅父拉班的小女儿拉结，他为赢得拉结的爱，为拉班劳动了7年。在新婚之夜，拉班欺骗雅各，将“眼睛没有神气”(可能指视力不佳)的大女儿利亚送来。拉班强使雅各为娶拉结再为他劳动7年。雅各不爱利亚，但上帝让她比拉结先得子。相传利亚葬在约旦河西岸希伯伦。

Leahy, Frank　莱希(1908-08-27，美国内布拉斯加奥尼尔～1973-06-21，俄勒冈波特兰)　美国大学橄榄球教练。所训练的圣母大学各队共胜87场，负11场，平9场。成绩仅次于K.罗克尼。先后在华盛顿(哥伦比亚特区)乔治敦大学(1931)、密歇根州立大学(1932)、纽约市福德姆大学(1933～1938)任橄榄球队教练。1939年任波士顿学院队主教练。1941年转到圣母大学队。他在圣母大学队期间，该校各队共获4次全国锦标赛冠军，1946～1950年连胜39场比赛。1953年退休后从商，并任体育专栏作家和电视解说员。

Leahy, William D(aniel)　莱希(1875-05-06，美国艾奥瓦州普顿～1959-07-20，马里兰贝塞斯达)　美国海军将领，第二次世界大战中任F.D.罗斯福总统私人参谋长。1897年毕业于美国安纳波利斯海军学院。曾参加美西战争(1898)、镇压中国义和团运动(1900)。第一次世界大战期间任海军运输舰舰长，与当时任海军部部长助理的罗斯福结成至交。历任军械局局长(1927～1931)，航行局局长(1933～1935)，海军作战部部长(1937～1939)，1936年晋升为海军上将。1939年8月因年迈退休。数月后，被罗斯福总统任命为波多黎各总督，任职至1940年12月。接着出任驻法国维希政府大使。1941年12月美国参战后，担任新设置的总统私人参谋长职务。1944年12月晋升为海军五星上将。次年随罗斯福参加雅尔塔会议。1945年4月罗斯福去世后，他在杜鲁门总统任内继任原职。1949年退休。著有战争回忆录《身历其境》(1950)。

Leakey, L(ouis) S(eymour) B(azett)　利基(1903-08-07，肯尼亚卡贝泰～1972-10-01，伦敦)　英国考古学家、人类学家。他在东非发现的化石证明：人类起源的时间远比过去认

美国不列颠百科全书公司供图

定的要早；人类进化的中心是非洲而不是从前的发现所显示的亚洲。利基亦由于对这些考古发现提出了引起争议的解释而闻名于世。出身于英国传教士之家。在肯尼亚的基库尤人中间度过青年时代，曾就读于剑桥大学。1924 年在东非开始考古学研究，后来其妻考古学家玛丽和诸子协助他工作。他先后在英国和美国一些主要大学任教。1945 ～ 1961 年任内罗毕科林登纪念博物馆馆长。1931 年在坦桑尼亚的奥杜威峡谷开始其研究工作，最初发现的是动物化石和粗制石器。1959 年玛丽·利基发掘出一块人科化石，定名为“东非人”，据认为有 175 万年历史。利基提出“东非人”即南方古猿，并不是现代人类的直接祖先，与他的发掘队 1960 ～ 1963 年在奥杜威峡谷所发现的称作“能人”的另一种化石不同。利基认为，能人与南方古猿同时生活在东非，前者是直接进化为智人的一种更先进的人科成员。起初许多学者承认这些发现意义重大，但不接受利基的观点和分类方法。他们认为能人与南方古猿的差别并不足以另分为一类。但是后来利基的家庭和其他人的发现表明，有可能能人的确代表最终绝灭的南方古猿与成为现代人直接祖先的直立人之间的进化环节。利基的发掘队所获其他重要发现还包括：1948 年在维多利亚湖鲁辛加岛上发现非洲原康修尔猿遗骸，这是距今约 2 500 万年的人猿共同祖先；在维多利亚湖以东的特尔南堡，1962 年发现肯尼亚古猿遗骸，这是生活在约 1 400 万年之前的另一个介于人猿之间的链环。利基的发现为以后最重要的人类起源研究奠定了基础。利基的著作有：《亚当的祖先》（1934，修订本 1953）、《石器时代的非洲》（1936）、《非洲的白人》（1937）、《奥杜威峡谷》（1952）、《茅茅运动和基库尤人》（1952）、《奥杜威峡谷的十年，1951 ～ 1961》（1965）、《揭示人类的起源》（1969；与 V. 古多尔合著）和《东非的动物》（1969）。

Leakey, Mary Douglas　利基（1913-02-06，伦敦～ 1996-12-09，肯尼亚内罗华）　英国出生的女考古学家、古人类学家，曾几次发现极其重要的人类化石，后来由其丈夫、著名的人类学家 L.S.B. 利基予以阐释并发表。早年曾参加英国德文郡亨伯里新石器时代遗址的发掘。1936 年结婚后，与其丈夫一起在肯尼亚主持发掘各种史前遗址。1947 年发现非洲古猿头骨，这种猿类是猿和早期人类的共同祖先，生活在约 2500 万年前。1959 年在奥杜威峡谷发现一个早期人科头骨，L.S.B. 利基将其命名为“东非人”，现在视为南方古猿的一个类型。1978 年在奥杜威峡谷以南的莱托利遗址发现约 350 万年前早期人类留在火山灰中的几组脚印。这些脚印表明其主人是直立行走的，这一发现把人类直立行走的开端推到比过去科学界预料的还要早的年代。著有《奥杜威峡谷——我的早期人类探索》（1979）和自传体的《发现过去》（1984）等书。

Leakey, Richard（Erskine Frere）　利基（1944-12-19，肯尼亚内罗毕～　　）　肯尼亚体质人类学家和古生物学家，曾在东非发现大量人类祖先化石。他的调查说明，真正人类的祖先、相对地有智力并使用工具者，早在 300 万年前就已生活在东部非洲，其时间跨度几乎为前此所估计的两倍。其父 L.S.B. 利基、母 M. 利基都是著名考古学家。他原不想继承父母事业而做一名考察队的向导。1963 年在坦桑尼亚纳特龙湖地区考察时，发现一块南方古猿的颌骨后，立志做一名考古学家。在伦敦，利基只用半年时间就读完两年中学课程，由于学费用完，对课堂学习不感兴趣，没有上大学就回到肯尼亚。1967 年他参加埃塞俄比亚奥莫河流域的考察队。在这次旅程中，他首先发现了沿肯尼亚图尔卡纳湖岸的库比福勒遗址，初步发现若干石器。在后来的 10 年里，仅从这个遗址中，利基和他的同事们发掘到可能代表 230 个个体的大约 400 块人科化石，使库比福勒成为当时世界上最丰富和最复杂的早期人类化石遗址。利基对他发现的化石提出了引起争议的论点。他在与科学作家 R. 卢因合写的《论人类起源》（1977）和《湖滨民族》（1978）两本书里，阐述大约 300 万年前，有 3 种人科动物同时并存，即能人、非洲南猿和鲍氏南猿。他论证了两种南猿类型的动物最后绝灭，能人进化到直立人，而直立人则成为智人的直系祖先，于是出现现代人。在库比福勒，他声称找到了论据。特别重要的是 1972 年在 300 余件碎片中发现的一个几乎完整的头骨化石（代号为头盖骨 1470），利基认为它代表能人，时间约在 200 万年前。这具头盖骨在学术界引起轰动和争论，因为它缺少其他人科头盖骨所具有的额部突出的特征，而其脑量几乎为南猿类的两倍和现代人的 1/2 强。利基小组进一步找到足以支持利基论点的证据。认为一种脑量相对地大而直立双足行走的人属类型，早在 250 万年甚至 350 万年之前就生活在东部非洲了。利基的论点详述于其新作《人类之形成》（1981）一书中。1968 年利基担任了肯尼亚国家博物馆管理局局长。他还创办了路易斯·利基非洲史前史纪念研究所，是一个化石收藏馆兼有研究生部及实验室的学术机构。1989 年，被任命为野生动物保护和管理部（肯尼亚野生动物管理局前身）主管。他一方面致力于保护肯尼亚的野生动物和它们的保护区，一方面减少了管理局内部的腐败，并指定和维护了一项打击大象偷猎者的强硬政策，恢复了各个国家公园的安全。很多企图从野生动物保护区中获取土地用于商业用途的政客都对他的抵抗努力怀恨在心。1993 年，他在一次飞机事故中失去了双腿。1994 年辞职，据说是因为肯尼亚总统莫伊政府的干涉。同年，辞去了肯尼亚国家博物馆局长的职务，建立了一个新政党，取名为“方舟党”。莫伊总统为了减少对他的日益强烈的批评，再加上外国捐赠者的施压，1998 年允许利基重新担任野生动物管理局局长。1999 年再度辞去局长职务。

Leal, Juan de Nisa Valdés　莱亚尔　参阅 **Valdés Leal, Juan de Nisa** 瓦尔德斯·莱亚尔。

Leamington Spa（England）　**利明顿矿泉市**　参阅 **Royal Leamington Spa** 皇家利明顿矿泉市。

Lean, Sir David　里恩（1908-03-25，英格兰萨里郡克罗伊登～ 1991-04-16，伦敦）　第二次世界大战后英国电影业复兴时期的主要导演。他的影片具有强烈的电影感，在电影制

美国不列颠百科全书公司供图

作的各个技术方面达到了炉火纯青的地步。里恩 1928 年进入高蒙制片厂，很快就升任摄影师和助理导演。1930 年任高蒙有声新闻片部首席剪辑师，后任英国有声电影新闻部首席剪辑师，并很快获得英国电影界最有成就的剪辑师之一的声誉。里恩与剧作家 N. 科沃德共同导演了获奖战争片《我们服役的军队》（1942），接着导演了《天伦之乐》（1944）、《快乐的幽灵》（1945）和《相见恨晚》（1945），这 3 部影片均根据科沃德的戏剧改编。之后，他导演了根据狄更斯的作品改编的《远大前程》（1946，又译《孤星血泪》）和《奥立弗·退斯特》（1948，又译《雾都孤儿》），两片均获得极大成功。1952 年导演了《突破音障》。1957 年导演了《桂河大桥》，描写第二次世界大战期间缅甸丛林中的英国战俘的故事，既受到观众欢迎又获得评论界的极高评价。从此，里恩被公认为拍摄宏伟壮丽的史诗片的大师。他的下一部影片是《阿拉伯的劳伦斯》（1962），这是根据第一次世界大战期间 T.E. 劳伦斯在阿拉伯的战斗事迹拍摄的历史片，与其上一部影片一样获得极高的推崇，同时使主角彼得·奥图尔一举成名。这两部影片共获得 14 项奥斯卡奖。他随后的两部史诗片《日瓦戈医生》（1965）和《瑞安的女儿》（1970）虽褒贬不一，但对其画面之美则有口皆碑。他的最后一部影片、根据 E.M. 福斯特的小说改编的《印度之行》（1984），同样是他的最佳作品之一。里恩 1984 年受封为爵士。

Leander(Greek mythology) **利安得** 参阅 **Hero and Leander** 海洛和利安得。

Leaning Tower of Pisa 比萨斜塔 由于基础沉陷而偏离垂直线5.2米，因而成为闻名于世的中世纪建筑。白色大理石的钟塔是比萨大教堂一组建筑中的第三期工程，也是最

比萨斜塔
美国不列颠百科全书公司供图

后一座建筑，1174年开始兴建，原设计为8层，高56米。当第三层完工时，发现基础沉陷不均匀。主管工程师B.皮萨诺想在继续建造时将下陷一边的层高加大以资补救，但结果沉陷更甚。在寻求解决办法过程中，工程曾数次停顿，但最后还是在倾斜状态下于14世纪完工。现代，人们曾在塔身下灌注水泥浆以加强基础，但直至20世纪晚期，该塔仍有倾倒的危险。人们曾考虑过挽救该塔的各种方案。

leap of faith 信仰的飞跃 19世纪丹麦哲学家S.克尔恺郭尔在其所撰《非科学赘语之终结》一书中使用的隐喻，指对于情况不明的客观事物特别是基督教的上帝所持的态度。克尔恺郭尔认为，上帝与人迥然不同，在上帝和人中间有一鸿沟，只有信仰才能使人跨过这条鸿沟。他既反对德国哲学家G.W.F.黑格尔的理性化基督教，也反对基督教正统派从理性证明基督教信仰。克尔恺郭尔认为，宗教真理不能从客观上证实，只有通过意志的活动才能掌握。克尔恺郭尔对于神-人两分法的强调，影响了20世纪宗教存在主义及新正统神学之产生，在瑞士神学家K.巴特的著作中尤为明显。

leap year 闰年 包含某些置闰周期的年份，尤指格雷果里历中2月有29日的年。天文上的年(地球绕太阳运转一周的时间间隔)约为365.242日，或取其第一近似值为365.25日。为解决这0.25日的余数，每4年后增加一额外的闰日。公元前46年制定的儒略历就已经首次这样做了。过许多世纪后，近似值0.25日和更精确的0.242日之间的差额越积越大。在现今普遍采用的格雷果里历中，这个差额用下法调整：在世纪年中只有能被400整除的年份(如公元1600年、2000年)才增加闰日。为使结果更加精确，每个能被4 000整除的年(如公元16000年、24000年等)定为平年(非闰年)。

Lear 李尔 传说中的不列颠国王，莎士比亚的剧本《李尔王的悲剧》的主人公。他的名字源自古代布立吞人的一个名叫李尔的海神。12世纪初，蒙茅斯的杰弗里在《不列颠诸王纪》中讲述了李尔王国的故事——他把国土分给他的女儿，以及此举带来的后果。R.霍林希德在编写《编年史》(1577)之初曾引用其中材料。而《编年史》又成了莎士比亚历史剧和《麦克白》、《辛白林》的主要材料来源。因此，莎士比亚写《李尔王》(1605或1606年首演)时利用过霍林希德的《编年史》，但他也许更直接受一无名氏剧作《李尔王的真实编年史》(1605年首演并出版)的影响。伊丽莎白时代的诗人E.斯宾塞在他的史诗《仙后》中讲到李尔的故事。它也是16世纪中叶编成的《地方行政官宝鉴》中的悲剧之一。莎士比亚的剧本主要写老国王分不清真诚和虚伪，被许多人认为是他最悲观的一部戏。

Lear, Edward 利尔(1812-05-12，伦敦附近海格特～1888-01-29，意大利圣雷莫) 英国风景画家，以写打油诗闻名。21个孩子中最小的一个，靠姐姐带大，15岁起就靠绘画维持生活。在不列颠博物馆为动物学家J.古尔德画鸟的素描。1832～1837年为德比伯爵的私人动物园做插图画，并在1846年为伯爵的孙子出版了第一本《打油诗》(1861，1863扩充)。1835年决定做一名地貌风景画家。利尔是同性恋者，终生都受着癫痫和忧郁症的折磨。1837年以后主要住在国外，而且是一个很有毅力的旅行家。到过意大利、希腊、阿尔巴尼亚、巴勒斯坦、叙利亚、埃及、印度和锡兰等地，在旅途中作了无数铅笔和水彩画稿，回到家里把它们绘制成精美的水彩画和大型油画，表现出前拉斐尔派的影响，这些画也是他主要的经济来源。他出版过3卷鸟兽画册、7种带插图的旅行记(如《一个风景画家在希腊和阿尔巴尼亚的旅行日记》，1851)和4本诙谐作品。

Lear, William P(owell) 利尔(1902-06-26，美国蒙大拿汉尼拔～1978-05-14，内华达雷诺) 美国自学成名的电气工程师和工业家，创办了世界上第一家大批量生产喷气式商业飞机的工厂——利尔喷气机公司。他还研制汽车收音机、汽车用的8声道立体声磁带放音机和飞机上的小型自动驾驶仪。利尔生在一个破裂的移民家庭，他说自己从12岁就立志从事发明以造福人类，一生获得约150项专利。他只上了8年学就辍学去当机工，16岁时进入海军。第一次世界大战期间他钻研无线电，退伍后设计出第一台实用的汽车收音机，由于得不到财政支持来自行生产这种收音机，他于1924年把它卖给了摩托罗拉公司。1934年设计出通用(任何无线电都能用)的无线电放大器，美国无线电公司买下了利尔的计划，给他以拓展其事业所需的资金。1934年利尔航空公司成立，生产飞机用的无线电和导航设备。1939年利尔公司成立。到1939年美国一半以上的私人飞机都采用利尔的无线电通信和导航设备。1950～1962年利尔公司销售额升至9 000万美元，在中西部及东、西海岸均建有新厂。公司着手制造立体声音响设备和小型通信卫星。利尔本人则想要研制一种新产品——供企业人员用的廉价的轻型喷气式飞机，董事会不批准他的计划，于是他把自己的股份全部转让，在堪萨斯州威奇托另组利尔喷气机公司，于1963年造出第一架小型喷气式飞机。新公司的喷气机成为世界上最受青睐的私人喷气式飞机之一。1967年利尔售出了该公司的股份并成立了利尔汽车公司(1967～1969)，生产蒸汽汽车。

Learmont, Thomas 利尔蒙特 参阅 **Thomas the Rhymer** 诗人托马斯。

learning 学习 通过实践获得的行为模式的改变。生物学上学习一词含义甚广，不限于语言材料的学习或技艺的掌握，原有习惯的放弃也属于学习范畴。自然，这种改变不见得立即表现出来，改变必须是相对稳定的改变；同时，所谓实践可包括阅读、练习等各种形式。单细胞生物草履虫可以学会如何从一个细试管出来取食，这也是学习。哺乳动物中常见的学习方式包括：经典式条件反射、工具性条件反射、连锁动作、技艺掌握、鉴别学习、**概念形成**(**concept formation**)、原则学习、问题求解等。由此可见，很难想象学习和实践能用一个学说加以全面概括。在20世纪上半叶，还有一些心理学家尝试提出完整解释学习的学说。自50年代以来，逐渐只剩下一些"小型的"学说，其中许多也许存在不了多久，但它们涉及的主要问题及论点却有长久意义。

在学习的各种理论中，联想说影响较大，特别是自17世纪后英国经验主义哲学家一再强调以来。在他们眼中，不同的感觉在心中产生种种观念，这些观念再借各种联想机制(重复、相似、接近等)联系在一起；学习就是个建立联想的过程。但联想究竟是发生在客观可见的刺激和行为反应之间还是在主观的感觉印象之间曾有争论。再一个问题是联想有无方向。经典式条件反射的建立要求铃声必须先于食物，且存在一个最佳的时间间隔。但文字联想的建立并无次序可言，两字孰先孰后并无区别，时间也无大限制。有关联想是一下就建立好，还是通过重复练习而逐渐建立起来，对此也有争论。"刺激-取样"学说认为，环境复杂多变，机体每次遇到的只是众多刺激中的一个样本，且样本每次不同，因此必须多次重复才能建立与全部有关刺激之间的联系。这就可以说明，尽管与个别刺激之间的联系一下子就可以建立起来，但多次重复却可以增加反应的强度(或几率)。可是仅仅重复还不能保证学习，还必须伴有强化，而强化的理论机制是什么，这也是一个争论焦点。此外，不接受联想说的心理学家也不少。如格式塔派就强调顿悟学习，认为学习时常是将环境中的关系在知觉上重组的结果。还有些心理学家也承认联想现象，但更强调抑制作用，认为学习是个抑制错误的过程。作为例证，他们举出猴子学习鉴别不同物件的实验。有些猴子在试成功若干次之

后，每遇新问题便一下就能解决，仿佛它们突然"学会了如何鉴别"。它们是通过逐次抑制错误行为(错误的鉴别)而学会的。

动机与学习的关系方面也存在许多问题。对于已学会的技能来讲，刺激鼓励有增强作用，但动机过强反又使成绩下降。实验似乎说明，动机对于学习过程本身无大关系。还有人怀疑，这么多类型的学习是否均属同一种心理过程。另有人在几种学习类型中鉴别出不同的学习阶段。记忆和遗忘都是与学习密切相关的心理过程，它们就存在不同的阶段。例如记忆可分为即时记忆、短期记忆和长期记忆。人们在提取脑中信息时常是聚类回忆，这提示人们是先在某种联想网络中找到储存的信息，然后再在其中寻找具有所搜寻特征的具体事物。即时或短期储存的信息是自然消退还是因干涉作用而丧失，对此目前还有争论，但信息的长期保存确实受干涉作用的影响，从而造成遗忘。现代的学习学说必须重视生物学的成就。例如在30年代时，人们对遗传来的和学习来的行为曾加以明确区分，但现在则不然。以鸟类的铭印行为而论，铭印行为的能力和倾向是遗传的，而铭印的具体事物却是个经验学习的问题。还有一些内省的材料(如意象等学术概念)过去认为不客观而被忽视，现在又受到重视，发现它们能有助说明问题。过去还有个错误倾向，追求普适定律，甚至忽视物种间的差异。现在则对物种差异以至个体差异都更加重视。

lease　租赁　定期或不定期地对财产单独占有(通常是，但不限于是土地或建筑物)的契约。出租财产的一方为出租人，租用财产的一方为承租人。构成租赁有两个重要条件，一是承租人取得独占权(非独占需要有许可证)；二是出租人享有财产权利的期限长于租赁期限(两个期限相等就成了财产转让而非租赁)。

least squares approximation　最小二乘法拟合　统计学中用来估计某些带有观测或测量误差的数据的真实值的方法。实际使用时，一条与各个数据点的距离(偏差)的平方和最小的直线(函数)被用来作为假定的线性关系的近似。该方法同样被应用在非线性关系上。最小二乘法的一个最早的应用是在涉及地球形状的论战中。英国数学家牛顿在《自然哲学的数学原理》(1867)一书中坚信由于自转的缘故，地球是一个扁椭球体(葡萄柚状)——自转会导致赤道的直径超过两极之间的直径约1/230。1718年巴黎天文台的台长J.卡西尼基于自己的测量而宣称地球是一个长椭球体(柠檬状)。为了解决这个争论，1736年法兰西科学院派出了探测队远赴厄瓜多尔和拉普兰。然而，当时无法精确的测量距离，并且测量误差大到产生了本质上的不确定性。人们提出了几种不同方法来把这些数据拟合成一条直线——得到一个符合实测的纬度弧长数据的函数(直线)。大家一致认为拟合结果应该在y方向(弧长)有最小的偏差，但是很多观点都是可行的，包括使得最大偏差量最小或偏差量绝对值的和最小。测量结果似乎支持牛顿的理论，但是测量中过大的相对误差留下了太多的不确定性以至于无法得到确切的结论——虽然当时并没有立刻认识到这一点。实际上，虽然牛顿本质上是正确的，但是后来的观测表明他对赤道直径的超出量高估了30%。1805年，法国数学家勒让德提出了已知最早的使用偏差量的平方和最小的直线——现代最小二乘法拟合——的建议。之前就使用过这个方法的德国数学家高斯在理论和计算的改进上做出了重要的贡献。该方法现在广泛地应用在离散数据的线性和非线性拟合上。

leather　皮革　经过处理后能防腐并适于使用的动物皮。所采用的防腐方法是通过称为鞣制的化学处理，将易腐的动物皮变为经久耐用的材料。使用的动物皮多种多样，包括如鸵鸟、蜥蜴、鳗类和袋鼠皮等，但常用皮革的来源主要有7类：牛，包括小牛和公牛；绵羊和小绵羊；山羊和小山羊；马科动物，包括马、骡和斑马；水牛；小猪和阉猪；水生动物，如海豹、海象、鲸鱼和鳄鱼等。哺乳动物的皮有3层：外层较薄的表皮、中层较厚的真皮和皮下脂肪层。除去内、外两层，用真皮制革。鲜皮按重量计算含水分60%～70%，蛋白质30%～35%，约85%的蛋白质为经化学键结合的纤维蛋白质，即胶原。制革是利用酸、碱、盐、酶和鞣酸分解动物皮中的脂肪和非纤维蛋白质，加强胶原纤维之间结合力的专门技术。

制革是一项有7 000余年历史的古老工艺，原始人将鲜皮晒干，将动物脂肪和脑髓敲入其中使之柔软，并经过盐腌和烟熏防腐。最初简单地采用干固的方法，植物鞣皮法大约始于公元前400年的埃及和希伯来。中世纪阿拉伯人保存了制革工艺并加以改进，使摩洛哥皮和西班牙的科尔多瓦皮成为名贵的皮革。15世纪鞣皮方法再次在欧洲被广泛采用；19世纪中期用动力机分割、刮肉、脱毛；到19世纪末期开始采用化学鞣皮法，特别是使用铬盐。

现代工业制革包括3个基本阶段：①准备阶段。仔细从动物躯体剥下生皮，在到达鞣皮厂前的储运过程中保存完好。毛皮在动物死后数小时内开始腐烂，因此在启运前必须通过风干、用盐湿渍或干腌，或用酸和盐水腌制，以进行脱水处理。在鞣皮厂将生皮内所有的水溶物质浸出，恢复其原有的形状和柔性，浸入石灰水中，再用机器刮去浸灰后松动的毛被和表面肌肤组织，经漂洗、脱灰、软化和浸酸，清除非纤维蛋白质，留下光洁柔软的裸皮。②鞣制。最古老的方法是植物鞣皮法，现在仍继续采用。用鞣酸取代生皮的蛋白质纤维空隙中的水分，使这些纤维结合在一起。鞣剂取自富含鞣酸的植物根、茎皮、叶和种子外皮，将生皮浸入鞣酸溶液中，不断增加鞣酸的浓度，直至鞣制完成。鞣制的时间视不同的植物鞣酸而异，约需数周至数月，可制成牢固防水的皮革。矿物鞣皮法使用矿物盐，适于鞣制柔软而富有韧性的薄皮革，鞣制时间仅需数天甚至数小时，铬盐是使用最广泛的矿物鞣剂，但也使用铝盐和锆盐。鞣制时将生皮浸入浓度不断增加的盐水或酸性溶液中，通过化学反应使盐沉积于皮纤维中。油鞣皮法也有悠久的历史，使鱼油或其他油脂浸润干皮，取代原皮中的天然水分。油鞣皮法主要用于鞣制柔软多孔的麂皮，虽反复受潮也不致损坏。皮革工业也采用由酚类和碳氢化合物制成的各种合成鞣剂。③整饰。鞣好的皮革完全干燥后染成适当的颜色，常用方法有滚筒染、喷染、印染和刷染等。然后将混合油脂渗入皮革，使其光亮、柔软、耐用、不沾水。在空气中或管道内将皮革干燥到含水量约为14%，或先加以伸展，再进行干燥。其他不甚常用的方法有涂饰、真空干燥等。干燥的皮革用湿锯末回潮，使含水量均匀地保持20%，然后伸展、拉软，并在外表形成粒面，使其更加耐磨、耐热、耐寒、防水、不易断裂或脱皮。已加工的皮革可制造各种产品，包括鞋、靴、外衣、腰带、沙发和软垫、马鞍、手套、行囊和钱包、娱乐用具，以及工业用品如抛光轮和传动带等。

leatherleaf (*Chamaedaphne calyculata*)　**矮绿**　又作cassandra。即具副萼地桂。杜鹃花科常绿灌木。产于北极地区及北美，南界到佐治亚州。分布于沼泽地边缘，形成大片密集地被。高约1.2米。叶长圆形或披针形，褐色，长1～5厘米，互生。花小，白色，钟状，簇生于枝顶，积雪还未融化时就开放。花序中有叶片。果为小蒴果。英文中leatherleaf一词又指一种叶质坚挺的蕨。

矮绿(*Chamaedaphne calyculata*)
美国不列颠百科全书公司供图

Léaud, Jean-Pierre　莱奥(1944-05-05，法国巴黎～　)　法国电影演员，曾在20世纪60和70年代法国新浪潮的一些主要影片中，尤其是F.特吕福的影片中扮演主角。其父是电影剧作家，其母是演员。14岁时被选中在特吕福的第一部故事片《四百下》(1959)中扮演不被人理解的少年安托万·杜瓦内尔，并在特吕福随后的4部影片中继续扮演这一角色，表现了杜瓦内尔的成长历程：成年、恋爱、结婚、生子，最后是离婚。这4部影片是：《20岁的爱情》(1962)、《偷吻》(1968)、《夫妻生活》(1970)和《溜掉的爱情》(1979)。莱奥出色地扮演了这个天真无邪、但对成年生活的责任毫无精神准备的年轻人。他还在特吕福的另外一些影片，如《两个英国女人和大陆》(1971)和《美国之夜》(1973)中出场。他还出演了J.-L.戈达尔的一些主要影片，如《男性和女性》(1966)、《中国姑娘》(1967)和《周末》(1967)。他还在J.斯柯利莫夫斯基和B.贝尔托卢奇的一些影片中扮演角色，其中后者的影片是《巴黎最后的探戈》(1972)。莱奥虽然戏路较窄，但能赋予他所扮演的轻浮年轻人角色以强烈的感情和含而不露的幽默。后期出演的影片包括《侦探》(1985)、《少女36》

(1988)、《我雇了一名合约杀手》(1990)、《迷离劫》(1996)以及《春宫电影人》(2001)。

leavening agent　膨松剂　在制作多孔的焙烤食品时使用的使面团或面糊产生气体而膨胀的成分，包括空气、蒸汽、酵母、发酵粉及小苏打。用空气发面依靠猛烈的搅拌打入空气。蛋清最适于生成容积大而坚韧的泡沫，烤熟后能保留膨胀结构，可用来制作安琪儿发糕、甜酥糕等。面粉的弹性蛋白质——面筋——也可搅打起泡，如松脆饼干。制作油酥薄饼的膨胀面糊靠蒸汽压膨胀。当焙烤食物内部接近沸点时，蒸汽在预先打入的气泡中产生压力，使食物膨胀。膨松的效果也可由发酵生成二氧化碳气体完成。面包酵母含有发酵酵母的活细胞，可压成块状，也可为粉末状。使用前先加水调开与面团混合，酵母与面团中的糖分产生发酵作用，同时放出二氧化碳并赋予面团以香味。大多数面包和面包卷，以及甜面团制品如咖啡饼、炸面圈及丹麦糕点等都是酵母发面产品。用于黑麦面包的酸面团法，以一小份含糖发酵细菌的面团或发面团与新鲜面团混合后发酵。化学膨松剂也通过释放出二氧化碳造成膨胀。现代发酵粉是小苏打与干酸或酸性盐的混合物，往往加淀粉以提高耐贮藏性。一次作用发酵粉含酒石酸或酒石，在室温中释出二氧化碳，必须立刻焙烤以免损失大部分气体。慢作用发酵粉含有磷酸盐，在室温下放出一部分气体，加热焙烤时再全部释出。应用最广的两次作用发酵粉含有硫酸铝钠和过磷酸钙，混合时释放少量气体，其余的气体在加热时释放。使用小苏打发面团或面糊，须加进其他含酸的配料，如蜂蜜、酸乳脂、糖蜜、可可等。如果不加酸，产品会发黄，并产生不良味道。用这种膨发方法应及时加工面团以免大部分气体在焙烤前损失。

Leavenworth　莱文沃思　美国堪萨斯州东北部城市，莱文沃思县县城(1855)。濒临密苏里河。1827年始有人定居，1854年组建并规划，次年成为堪萨斯准州内第一个设建制的社区。到1857年已成为西部移民的供应基地。现为多样化农业区的贸易中心。工业有钢铁、木材、食品等。设有圣玛丽学院(1923)。市北的莱文沃思要塞有美国陆军指挥和参谋学院、联邦监狱、国家公墓和博物馆。人口约35 420(2000)。

Leavis, F.R.　利维斯(1895-07-14，英格兰剑桥郡剑桥～1978-04-14，剑桥)　英国文学评论家。他将一种新的严肃方式引入一直受G.圣茨伯里等英国评论家采用的非正式叙述方法影响的评论界。从剑桥大学毕业后，整个第一次世界大战期间在西线当担架兵。1925年起在剑桥大学伊曼纽尔学院任教，1962年退休后，曾任许多英国大学客座教授。1967年在剑桥三一学院开设克拉克讲座。1978年被授予荣誉勋位。1932年与妻子多萝西创办评论季刊《细读》。该刊出版至1953年，被许多人认为是他对英国文学的最大贡献。利维斯认为文学应与对生活的批判紧密联系，文学评论家的职责是按作者的道德立场去评价作品。他的文学评论可分为两个阶段。第一阶段受T.S.艾略特的影响，以英国诗为重点。《英国诗歌的新方向》(1932)一书攻击了维多利亚时代晚期的英国诗歌，赞扬了T.S.艾略特、E.庞德和G.M.霍普金斯作品的重要地位。在《英国诗歌的传统和发展》(1936)中，他把评述范围扩展到17世纪。20世纪40年代，他把注意力转向小说。《伟大的传统》(1948)一书对英国小说进行了重新估价。他认为J.奥斯丁、G.艾略特、H.詹姆斯和J.康拉德是过去的伟大小说家，而D.H.劳伦斯是他们唯一的继承者。1955年以后，其他小说家，特别是托尔斯泰和狄更斯吸引了他，遂与妻子多萝西合写《安娜·卡列尼娜及其他论文》(1967)、《小说家狄更斯》(1970)两书。《共同的追求》(1952)一书也许最好地表现了他的研究范围。

Leavitt, Henrietta Swan　勒维特(1868-07-04，美国马萨诸塞兰开斯特～1921-12-12，马萨诸塞剑桥)　美国女天文学家，因发现造父变星的周光关系而著称。造父变星是一种亮度有规律变化的脉动变星，变化周期从几天到几个月。勒维特于1892年毕业于马萨诸塞州剑桥的哈佛大学附属女子学院。她先是在哈佛大学天文台当义务助手，1902年转成正式工作人员。她在该台领导星等(恒星亮度)的研究并成为恒星照相测光部主任。1912年，在她专心致志地研究了5年左右之后，发现了造父变星的周期长短和它们的光度大小成正比，这个周光关系已成为测量星际距离和星系际距离的重要手段。她还发现了4颗新星(一种突然增亮并在几个月内逐渐消逝不见的恒星)和2 400余颗变星。

Lebachia　莱巴赫杉属　生活于晚石炭世和早二叠世(3.2亿年前至2.58亿年前)的化石植物属。与球果目莱巴赫杉科(或归入沃尔茨杉目[Voltziales]沃尔茨杉科[Voltziaceae])的其他亲缘属可能是现存针叶植物(除紫杉外)的直接祖先。该属为乔木，形态大小不一。侧枝羽状排列。生长习性与现代的诺福克岛松(异叶南洋杉)相似。大、小孢子叶球着生于枝端。

Lebanon　黎巴嫩　全称黎巴嫩共和国。位于黎凡特(地中海东海岸地区)的国家，境内多山。黎巴嫩南北长约215千米，东西最宽处约90千米。北和东与叙利亚接壤，南与以色列交界，西濒地中海。首都贝鲁特。面积10 230平方千米。人口3 577 000(2005)。

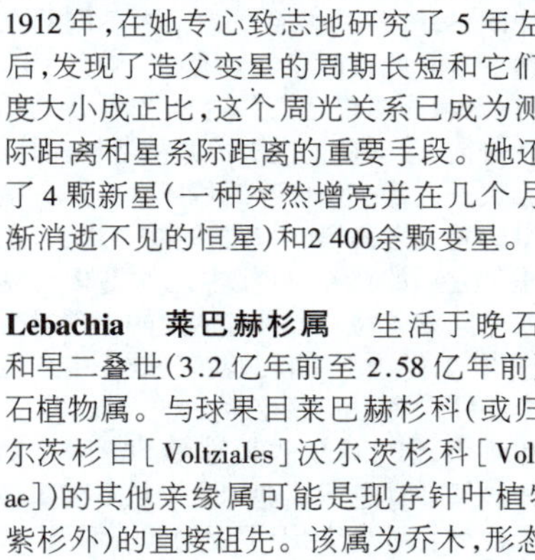

美国不列颠百科全书公司供图

土地　黎巴嫩自西向东可分为4个明显的自然地理区域：地中海沿岸狭长平坦的海岸带；纵贯南北的黎巴嫩山脉，海拔2 000～3 000米；长达175千米的肥沃的贝卡谷地，其走向与黎巴嫩山脉平行；以及形成东部边界，高约2 000米的东黎巴嫩山以及更高耸的赫尔蒙山。利塔尼河是黎巴嫩境内唯一的常年河，向南流经贝卡谷地的大部分地区，最后在历史古城提尔(今苏尔)附近注入地中海。

由于地形变化较大以及主要山脉的部分山体挡住了盛行的西风，黎巴嫩境内的气候条件有很大不同。就中东地区的标准而言，当地降水量相当高，沿海一带的年降雨量(主要在冬季)约为750～1 000毫米。黎巴嫩山脉的高海拔地区可达1 500毫米，而贝卡谷地则只有380～630毫米。

该国境内原先大部覆盖着茂密森林，但现在的森林覆盖率只约占国土面积的8%。历经数百年的砍伐之后，黎巴嫩著名的雪松仅残留很小一部分，主要集中在山边的小树林区。该国矿产资源稀少。

人民　1974～1979年间黎巴嫩的总人口大概下降了1/8或更多，这主要是由于1975～1976年的内战及随后不断发生的内乱造成居民大量迁徙所致。到20世纪90年代初许多黎巴嫩人从国外返回，全国人口与1974年时的数量大致持平。

黎巴嫩人口的种族构成包括腓尼基人、希腊人、亚美尼亚人和阿拉伯人。阿拉伯语为官方语言。法语和英语的使用也很广泛，许多黎巴嫩人可讲3种语言。大多数人讲阿拉伯语，只有一小部分人讲土耳其语和亚美尼亚语。信奉各种宗教的人数也有较大差别，穆斯林(逊尼派与什叶派)据估计约占人口的50%以上，基督教徒(马龙派、希腊正教及其他教派)占24%～40%。德鲁兹派则约占7%。

黎巴嫩是主要阿拉伯国家中人口密度最大的国家之一。由于内战，巴勒斯坦难民大量涌入并一再转移，黎巴嫩基督徒和穆斯林也多有迁徙。4/5以上的人口居住在城市。1/3以上的人口不足15岁。

经济　黎巴嫩属市场经济。该国作为中东地区商业和金融中心的传统角色，已因内乱频仍及外国军队的干预而遭破坏。20世纪70年代初该国人均国民生产总值曾居世界发展中国家最高之列，现已大幅下降。

几乎占国内生产总值1/10的农业也遭到严重损坏。农业主要集中在地中海沿岸和贝卡谷地。农田一般狭小且零散。黎巴嫩现在的农业仍未能自给自足，总要进口大量蔬菜和肉类。小麦是主要的谷类作物。主要经济作物包括苹果、柑橘和葡萄；大麻和罂粟也已成为重要经济作物。山羊和绵羊是主要饲养牲畜。

通常占国民生产总值约1/7的制造业，规模虽小但比大多数中东国家的制造业都更为发达。纺织品和加工食品通常占工业产出的一半。不过，战争造成的伤亡和人口向外迁移已使该国技术工人短缺。20世纪80年代，水泥、纺织品、面粉、皮革制品和纸张是少数几种仍在生产的工业产品。

尽管内战和战后冲突频仍，黎巴嫩经济的金融部门，包括银行业和保险业在内，仍能保持相对稳定，货币储备（主要是外币）也有所增加。大量的走私，国外对武装组织的秘密援助以及非法毒品生产使得1975年之后的贸易格局很混乱。蔬菜、纺织品和非贵重金属主要出口到中东国家。主要从西欧进口消费品、机械、交通工具、石油产品和食品。巨大的贸易赤字部分被诸如国外汇款和政府贷款之类的“隐性”项目弥补。

政体与社会状况 黎巴嫩的议会民主政治由于旷日持久的内乱已基本上不起作用。1926年颁布的国家宪法规定，总统享有行政权，一院制国会，即国民议会，享有立法权。70和80年代的战乱使得国民议会的选举工作无法进行（从1974年起，这种选举只是偶尔举行过）。1992年举行了自1972年以来的首次大选，选举出由128名议员组成的新国民议会。国民议会的一半成员是基督徒，另一半为穆斯林和德鲁兹派教徒。司法系统模仿法国的体制。

黎巴嫩传统上较高的生活水平遭到内战的破坏。贝鲁特、黎巴嫩南部和巴勒斯坦难民营受武装冲突和住房破坏的影响尤为严重。居民的迁移以及民兵、外国军队和其他人对私宅和村落的占据，引起许多产权纠纷。

教育属非义务性，包括5年制初等教育，7年制中等教育或4年制的职业教育。黎巴嫩的识字率在阿拉伯各国中居最高之列。高等教育主要为私营。

历史 今黎巴嫩的大部分领土与古腓尼基人的国土相一致，腓尼基人约在公元前3000年到达这一地区。大约在公元前2613年以后，腓尼基与埃及建立了商业和宗教上的联系，并一直延续至埃及古王国灭亡和阿莫里特人入侵腓尼基（约公元前2000）。

其他入侵并短时期控制过腓尼基的种族包括喜克索人（公元前18世纪）、新王国的埃及人（公元前16世纪）和赫梯人（公元前14世纪）。新王国的塞提一世（公元前1290～前1279）再度征服腓尼基的大部分地区，但是拉美西斯三世（公元前1198～前1156）却使腓尼基落入来自小亚细亚和欧洲的侵略者之手。

在埃及退出对该地的统治与亚述向西推进（公元前10世纪）之间的一段时期，腓尼基的历史基本上是提尔城邦史。该城邦曾在腓尼基各邦中称霸并在整个地中海地区建立起殖民地。

公元前538年伊朗居鲁士二世治下的阿契美尼德王朝征服了黎巴嫩地区，提尔以北32千米的西顿成为伊朗帝国的一个主要沿海城市。公元前332年，提尔在抵抗亚历山大大帝的军队入侵长达8个月之后，终因国力不支而投降。这一事件标志着提尔作为一个大商业城邦的消亡，城内居民亦被贩卖成为奴隶。公元前64年腓尼基被并入古罗马的叙利亚行省。

在罗马后期及拜占廷时期（约公元300～634年），信奉基督教的各位皇帝都对这一地区加以保护。6世纪时，一群逃避叙利亚迫害的基督教徒定居于今黎巴嫩北部，吸收当地居民入教并建立起马龙派教会。7世纪时穆斯林征服了叙利亚，阿拉伯部族后来亦在黎巴嫩南部定居。400年之后，这批阿拉伯人中的许多人成为德鲁兹教派的成员。沿海城镇居民则大多成为逊尼派穆斯林。

到11世纪末，黎巴嫩已经成为十字军城邦的一部分，后来又成为叙利亚和埃及的马木路克邦的一部分。15～18世纪期间，黎巴嫩得以发展自己的社会和政治制度。在这一时期，欧洲人，尤其是法国人的影响与日俱增。1516年奥斯曼土耳其人取代了马木路克人的统治。

随着黎巴嫩的基督教徒日益增多，社会制度受到沉重压力。1842年奥斯曼土耳其人结束了德鲁兹派希哈布家族对当地的统治，从而使马龙派与德鲁兹派之间本已十分紧张的关系更加恶化。1860年德鲁兹人大肆屠杀马龙派教徒，更使双方的关系降至最低点。法国人代表基督徒出面进行干预，迫使奥斯曼苏丹在奥斯曼帝国境内设立一个自治省作为山地基督教区，称为黎巴嫩山省。

第一次世界大战以后，黎巴嫩最初由法国军队管辖；1923年国际联盟正式把叙利亚和黎巴嫩委托给法国统治。

1945年法国人从该地区退出，1946年底黎巴嫩正式独立。此后，独立的黎巴嫩政府依据一个称做《民族公约》（1943）的不成文协议行使职权，该公约的原则是国内不同的宗教团体在政府和行政机构中都应平等参与。因而，黎巴嫩的总统在传统上一直是一位马龙派基督徒，总理是一位逊尼派穆斯林，而国民议会议长则是一位什叶派穆斯林。这一权力分享的妥协方案（其中基督徒略占优势）在黎巴嫩独立后的最初20年中运作得相当完满。黎巴嫩遂成为一个具有活力的正常运转的民主国家，经济上也日益繁荣，成为中东地区一个主要的金融和商业中心。

1958年，黎巴嫩的穆斯林受到泛阿拉伯理想的鼓舞并且意识到他们的人数要比基督徒的人数增长得更快，于是发动了一场暴动，但中央政府在美军的帮助下很快将暴乱平息。随后黎巴嫩也恢复了平静，但穆斯林社区仍然认为基督教徒在政府和行政机构中占有与其人口不合比例的较大权力，并对此心怀不满。

1948～1949年的阿以战争结束后，数万名巴勒斯坦难民在黎巴嫩南部的难民营中安顿下来。1970年，巴勒斯坦解放组织从约旦被驱出后，将其军事活动和总部都转移到了黎巴嫩。70年代初，巴解组织曾越过边界向以色列北部发动攻击，而基督徒控制的黎巴嫩政府则试图遏止巴解组织在黎巴嫩领土上的军事行动。巴解组织为此在黎巴嫩国内不断加剧的宗教冲突中转而支持穆斯林。到1975年，这种冲突已升级为以穆斯林与巴勒斯坦人为一方，基督教徒为另一方的公开的战争。

在1975年和1976年两年当中，穆斯林和巴勒斯坦人联手对抗基督教徒，几乎每天都有战争发生。当基督教徒开始在内战中失利时，叙利亚唯恐以色列出兵干预，派遣约2万人的部队进入黎巴嫩，以防止基督教社区遭到摧毁。1976～1982年间，数千名叙利亚军人和联合国多国部队一直试图在基督教徒、穆斯林、巴勒斯坦人及以色列人之间维持脆弱的停火。

1982年6月，以色列军队入侵黎巴嫩，声称要把巴勒斯坦军队赶出黎巴嫩南部。1985年以色列的武装力量从黎巴嫩撤出，而黎巴嫩国内宗教间的冲突仍未解决。到这时为止，这场时断时续的内战已将国内许多地方夷为废墟，成千上万的人在自相残杀的战斗中丧生。穆斯林的人数超过全国人口的半数以上，而基督教徒则决心坚持对政府要害部门的控制，任何政治解决方案似乎都不可能为双方所接受。因此，该国仍然分为马龙派基督徒、逊尼派和什叶派穆斯林、巴勒斯坦游击队和德鲁兹教派等几个敌对集团。1989年各方在沙特阿拉伯的塔伊夫签订协议，内战结束，但在90年代，仍有零星冲突。《塔伊夫协议》重新建立了1945年法国撤退后的权力分享结构，并对其进行了调整，对各派别的权力进行了限制。政府内部争端仍然存在。虽然2000年以色列从黎巴嫩全部撤出，但叙利亚军队仍然驻扎在黎巴嫩，以确保自身对黎巴嫩政治的影响。

Lebanon 莱巴嫩 美国康涅狄格州中东部新伦敦县城镇。1695年拓居，1700年设建制。独立战争时的州长故居和办公室分别辟为游览区和博物馆。经济以家禽和乳牛饲养业为主。面积140平方千米。人口6 261（1999）。

Lebanon 莱巴嫩 美国密苏里州中南部城市，拉克利德县县城（1849）。位于欧扎克山区。始建于1849年，1877年设建制。因具有战略价值，内战时多次为南北军争夺之地。现经济主要依靠农业、乳品业、制造业和旅游业。主要名胜有州立贝内特泉公园、马克·吐温国家森林和欧扎克湖。人口9 983（1990）。

Lebanon 莱巴嫩 美国宾夕法尼亚州东南部城市，莱巴嫩县县城（1813）。位于莱巴嫩谷，西距哈里斯堡37千米。18世纪20年代由德国人拓居，1750年兴建，1821年设自治镇，1885年设市。附近有著名的康沃尔铁矿和其他矿藏，独立战争前成为产铁中心。尤宁运河（1827）和莱巴嫩谷铁路（1857）的建成促进了该城的发展。主要工业产品有钢铁产品、药品、鞋和纺织品。市西有莱巴嫩谷学院（1866）。人口：市24 461；哈里斯堡-莱巴嫩-卡莱尔都会统计区629 401（2000）。

Lebanon 莱巴嫩 美国田纳西州中北部城市，威尔逊县县城。西距纳什维尔48千米，北距坎伯兰河约10千米。1802年创建，1805年建镇，1819年设市。为农畜产品贸易中心。主要经济作物为烟草。生产床上用品、服装、皮革、橡胶制品、汽车零件、家具和钟表。亦有面粉和木材（雪松）工业。设有田纳西坎伯兰初级学院（1842）和海茨堡军校（1902）。附近有全国最大原始雪松林之一。人口20 235（2000）。

Lebanon Mountains 黎巴嫩山 法语作Mont Liban，又称盖尔比山。几乎纵贯黎巴嫩全境的山脉,与地中海岸平行延伸约150英里(240千米),北端突入叙利亚。代赫尔拜德尔山口(贝鲁特—大马士革铁路、公路经过此处)以北为最高、最宽的北段,平均海拔7 000英尺(2 100米),有几座终年覆雪的山峰,其中索达山海拔10 131英尺。山口以南海拔5 000～6 000英尺,至黎巴嫩南部被900英尺深的利塔尼河谷切割。该山西侧卜舍里以东有著名的黎巴嫩雪松残存林。山脉的中、下坡有灌溉农业,其海岸一侧多种植油橄榄、杏及苹果等。

Lebbaeus, SAINT　勒巴厄乌斯,圣　参阅 **Judas, Saint** 犹大,圣。

Lebedev, Pyotr Nikolayevich　列别捷夫(1866-03-08,莫斯科～1912-03-14,莫斯科)　俄国物理学家,用实验证实光对物体的微小压力(1910)。在斯特拉斯堡的A.孔脱指导下攻读物理学,并获得博士学位(1891)。1900年任莫斯科大学教授,发表了《光压实验研究》(1901),还研究过地磁的起源。莫斯科的列别捷夫物理学研究所,即以其姓氏命名。

Lebedev, Sergey Vasilyevich　列别捷夫(1874-07-25,波兰卢布林～1934-05-02,列宁格勒)　俄国化学家。发展了工业上生产合成橡胶的方法。他于1902年在圣彼得堡大学任教。1910年他在研究把小分子聚合成大分子时,从丁二烯制成一种弹性橡胶。1925年创办炼油实验室。1928～1930年担任列宁格勒合成橡胶实验室主任,1932年成为苏联科学院院士。第二次世界大战期间,他从乙醇制取丁二烯的方法,不仅用于苏联还用于德国的橡胶工业。

Lebenswelt (philosophy)　参阅 **life-world** 生活世界。

Lebesgue, Henri-Léon　勒贝格(1875-06-28,法国博韦～1941-07-26,巴黎)　法国数学家,对黎曼积分的推广革新了积分法(**integration**)这一领域。他在雷恩大学任讲师直到1906年,而后到普瓦捷,先任副教授,后任教授。约6年后到巴黎法兰西学院任讲师,而后任教授。1917年获圣图奖。1922年被选为法国科学院院士。1924年成为伦敦数学学会荣誉会员,1930年为英国皇家学会会员。他是当时最伟大的数学家之一。他的覆盖定理是对拓扑学的一大贡献。勒贝格对傅里叶级数和位势理论也有研究,但是他的主要工作是对积分的研究。

到19世纪末,数学分析仅适用于连续函数,而对于许多奇异函数,就要采取人为的限制来应付常常出现的不连续性。黎曼积分法只是对连续函数和少量不连续函数适用。勒贝格受E.波莱尔和C.约当及其他人关于测度和容度理论的影响,在1901年制定了他的测度(**measure**)理论。次年他为定积分作出一个新的定义,这个勒贝格积分(**Lebesgue integral**)是现代实分析(**real analysis**)的一项伟大成就。用勒贝格积分,任何有界、可和函数都是它的不定积分的导数,除去测度为0的所有点外。勒贝格积分对极大地扩展傅里叶分析的范围也起了作用。勒贝格除了大约50篇论文外,还著有两本书:《积分法和原函数分析的讲义》(1904)和《三角级数讲义》(1906)。

Lebesgue integral　勒贝格积分　把曲线包围的面积的概念推广到不能画出其图形的函数去的一种方法。函数 $y=f(x)$ 的图形可以定义为所有 x 与对应的函数值 y 的数对所组成的集合。一个函数的图形可以画出来,假如函数是逐段连续的,即可把它有定义的区间分成若干小区间,使得它在每一小区间上没有突然的跳跃。由于黎曼积分的基础是黎曼和,它要把区间细分,因此不是这样的函数就不是黎曼可积的。例如,对这样的函数,当 x 为有理数时等于1,当 x 为无理数时等于0,就不存在函数在其上没有突然跳跃的任何区间。因此,黎曼和 $f(c_1)\Delta x_1+f(c_2)\Delta x_2+\cdots+f(c_n)\Delta x_n$ 没有极限,因为它可以取两个不同的值,只需把式中的诸 c 一律取为有理数或一律取为无理数。

有界函数的勒贝格积分是用勒贝格和来定义的,黎曼和是细分 x 值,而勒贝格和是细分 y 值,与分法 $\{y_i\}(=y_0,y_1,\cdots,y_n)$ 相联系的是集合 E_i,它由所有这样的 x 值组成,使得对应的函数值 y 在相邻的两个 y_{i-1} 与 y_i 之间。与集合 E_i 有关的数是这个集合的测度(**measure**),记作 $m(E_i)$。简单地说,如果集合是区间,它就是区间的长度。类似于达布上、下和,我们写出

$$S=m(E_0)y_1+m(E_1)y_2+\cdots+m(E_{n-1})y_n$$

与

$$s=m(E_0)y_0+m(E_1)y_1+\cdots+m(E_{n-1})y_{n-1},$$

若当 y 的分法的小区间趋向于0时,这两个和趋向于同一个极限,则定义它为函数的勒贝格积分。勒贝格积分的概念包含了集合 E_i 的测度,其中 E_i 可以不是由区间组成的,像上述的有理-无理函数那样,因此,勒贝格积分比黎曼积分更为一般。

Leblanc, Nicolas　吕布兰(1742-12-06,法国伊苏丹～1806-01-16,圣但尼)　法国化学家。1790年发明从食盐(氯化钠)中制造纯碱(碳酸钠)的吕布兰制碱法,这是19世纪最重要的工业化学方法之一。他也是第一位把化学发现直接应用于工业的化学家。他的父亲是炼铁厂厂长,供吕布兰学医。大约在1780年,吕布兰成为奥尔良公爵的私人外科医生。1775年法国科学院悬赏征求把食盐转化为纯碱的方法。当时,纯碱是用原始方法从木灰或海草灰中提取的,用于造纸及玻璃、肥皂和瓷器的生产;这些工业如要发展,就要求成本更低的制碱法。因为食盐和纯碱都是钠的简单化合物,科学家正确地论证,这种转化是可能的。在吕布兰发明的方法中,用硫酸处理氯化钠得到盐饼(硫酸钠)。然后将盐饼与石灰石或白垩和煤一起焙烧得到黑灰,黑灰主要由碳酸钠和硫化钙组成。碳酸钠溶于水中,然后结晶出来。吕布兰法是一种简单、经济的直接方法。但是在他完成该项实验的1790年,法国革命已经开始,他始终未得到应得的奖金。1791年9月国民议会授予他为期15年的专利权,但3年后又取消并没收了他的工厂,只给他一点象征性的赔偿。虽然拿破仑在1800年前后把工厂退还,但吕布兰已无法筹集到足够的资金重新开工,于1806年自杀。

Leboeuf, Edmond　勒伯夫(1809-12-05,巴黎～1888-06-07,法国特兰河畔蒙塞勒)　法国将军,第二帝国元帅,普法战争初期的陆军大臣。曾在巴黎综合工科学校学习,参加过1830年7月的革命,后在阿尔及利亚任炮兵军官,在君士坦丁包围战中立有战功。1852年任上校,1854年升为准将。在克里米亚战争中,他参加过包围塞瓦斯托波尔的战役,1857年12月升为师长。1859年在反对奥地利的意大利战役中,任炮兵部队总司令,对取得索尔费里诺大捷作出很大贡献。他在担任拿破仑三世的副官以后,于1868年任夏龙军营指挥官,次年任第六军团长。1869年8月21日任陆军大臣,1870年3月24日晋升法国元帅。他对法军战胜普鲁士的能力颇有信心,但是,1870年在普法战争中遭到赖希斯霍芬和福尔巴赫两次惨败后,辞去陆军大臣职务,亲赴战场,任第三军团司令。1870年10月,与梅斯卫戍部队一齐被俘。德国将他释放后,他前往海牙,1873年返回法国,在以叛国罪审判巴赞元帅时出席作证。

Lebombo Mountains　莱邦博山　南非、斯威士兰和莫桑比克境内的狭长山脉。长约500英里(800千米),由火山岩石构成。山名源出祖鲁语,意为"大鼻子"。从姆库泽河(纳塔尔省)南面向北延伸到克鲁格国家公园(德兰士瓦省)。形成南非纳塔尔省和斯威士兰之间约60英里长的边界、斯威士兰和莫桑比克之间60英里长的边界以及南非德兰士瓦省与莫桑比克之间一段边界。平均海拔约1 970英尺(600米)。斯威士兰东南角的马南加山海拔2 641英尺。姆库泽河、象河、蓬戈拉河、因瓜武马河和乌苏图河流经山脉,后两条河沿壮观的峡谷流淌。在蓬戈拉峡谷建有巨大蓄水坝。山区植被大部为热带森林。山坡上有生长铁木和乌木的热带大草原。

Lebon, Philippe　勒邦(1767-05-29,法国布拉沙依～1804-12-02,巴黎)　法国工程师和化学家,发明照明气体。当他在昂古莱姆做工程师时,巴黎桥梁和公路学校聘他为力学教授。1797年开始研究并最终发明了用气体照明和加热。他的"热灯"是燃烧从木材中蒸馏出的气体,在1799年获得专利并展出。关于他的神秘的死,按照流传最广的说法是1804年他应邀参加拿破仑一世加冕典礼的筹备工作,在举行加冕典礼的那天,被密探谋杀。据说勒邦也设计过装有电动燃料泵和火花点火装置的煤气发动机。提出(1801)内燃机燃气压缩值的也许以他为最早。

Lebowa　莱博瓦　南非德兰士瓦省北部原非独立黑人邦。该邦被定为北索托族人(佩迪族、洛维杜族、坎加-科内族等)的居住地。莱博瓦邦由两块大的和几块小的飞地组成。

1962年成立地方议会。1971年成立立法议会。1972年获自治。1973年举行首次选举。莱博瓦人民党控制立法议会;莱博瓦民族党为反对派。至1978年,莱博瓦成为南非半数以上的北索托族人的居住地。他们都是合法的莱博瓦公民。南非新宪法废除种族隔离制度。1994年莱博瓦成为南非新成立的北方省的一部分。

Lebowakgomo 莱博瓦戈莫 南非德兰士瓦省北部莱博瓦非独立黑人邦的新城镇和首府。位于彼得斯堡东南。1974年建立时只有115人。20世纪80年代初得以扩大和发展。有面包房、酒店、木材与炭行和肉店。该城一些工人受雇于彼得斯堡、波特希特斯勒斯、察嫩和帕拉博鲁瓦附近的工厂。由许尼斯普特湖供水。与彼得斯堡通公路。

Lebrija 莱夫里哈 西班牙西南部安达卢西亚自治区塞维利亚省城市。位于瓜达尔基维尔河下游流域塞维利亚以南。初由腓尼基人创建。曾被罗马人和阿拉伯人占据。1249年被西班牙收复。现经销当地农产品,输出铝硅酸盐。保存有摩尔人城堡遗迹。人口约28 597(1991)。

Lebrun, Albert 勒布伦(1871-08-29,法国默西勒欧特～1950-03-06,巴黎) 法兰西第三共和国第14任亦即最后一任总统(1932～1940)。第二次世界大战的第一年,面临国内党派纷争和德国军事威胁,力求维护法国团结,但未能施加强有力的领导。在南锡中学、综合工科学校和国立高等矿业学校学习,成为采矿工程师。1900年当选为洛林的众议员,1920年当选参议员,1931年成为参议院议长。这一时期,他担任的其他职务有:殖民地部长(1911～1913,1913～1914)、陆军部长(1913)、被封锁和被解放地区部长(1917～1919)。他是一个温和的保守派。1932年5月10日,主要作为一个各党派都能接受的候选人而当选为共和国总统。他只起调解和维护团结的作用,对政府的任命和政策很少施加影响。1939年4月15日再度当选为总统,在第三共和国的总统中获得此种荣誉的,他是第2人。第二次世界大战期间,当法国局势恶化后,他遵从政府1940年6月的决议,与德国停战,但他本人却宁愿领导流亡政府。7月,他默认维希的宪法修正案,据此,贝当元帅成为国家元首。他于1943～1944年被德国人囚禁在蒂罗尔的伊特尔。解放后承认戴高乐将军为临时政府首脑,此后结束政治生涯。

Lebrun, Charles (French painter) 参阅 **Le Brun, Charles** *勒布朗*。

Lebrun, Charles-François, DUC (duke) DE PLAISANCE, PRINCE DE L' EMPIRE **勒布朗**(1739-03-19,法国圣索沃尔-朗德兰～1824-06-16,圣梅斯默斯) 法国政治家,1799～1804年任第三执政官。1804～1814年任拿破仑帝国财政大臣,1811～1813年任荷兰总督。在巴黎当律师时,于1766年任王室检查官,两年后任王室地产总监。他曾任大法官莫普的秘书,并协助莫普进行1771年的司法改革。莫普失宠后,他从事翻译16世纪意大利诗人塔索的《被解放的耶路撒冷》以及《伊利亚特》的部分章节。在1789年三级会议期间,他代表杜尔当当选为第三等级的代表,大革命爆发后,他继续在国民议会中代表杜尔当。作为温和的自由派,他曾被左翼的雅各宾派监禁,热月9日政变(1794-07-27)后任元老院议员。拿破仑的雾月18日政变(1799-11-09)后,他被选为第三执政官。1804年5月宣布帝制后,被任命为亲王兼财政大臣,并成立审计法院。1805～1806年,他监督利古里亚并入法兰西帝国。他虽然不同意拿破仑的贵族统治,但仍于1808年勉强地接受了普莱桑斯公爵的封号。在任荷兰总督时,他的统治比较贤明和温和,因而获得"好总督"的称呼。拿破仑被迫退位后,路易十八封他为法国贵族。但拿破仑在流亡中从厄尔巴岛逃回后,在"百日政变"中,勒布朗接受了巴黎大学首席校长的职务。1815年波旁王朝重返后,他被取消贵族的头衔,1819年恢复。

Lebu 莱布 智利中南部比奥比奥区阿劳科省省会。濒太平洋,临莱布河河口。建于1739年,多次被阿劳坎印第安人毁坏。1875年设为省会。现为内地农、矿产品集散地。主产谷物、豆类、蔬菜、牲畜和煤。为小型运输枢纽、煤港,有铁路、公路与康塞普西翁等城相接。海滨浴场旅游业也是收入的来源。市东南有风景如画的拉纳尔韦湖。人口:城市区24 671(1992)。

Lecce 莱切 意大利东南部城市,普利亚区莱切省省会。位于萨伦蒂纳半岛(意大利的"靴根")。其地可能是古罗马鲁皮埃镇遗址。罗马帝国衰落后成为拜占廷、伦巴第和萨拉森争夺的对象。11世纪中叶被诺曼人占领。1463年属那不勒斯的阿拉贡国王。16～17世纪繁荣起来。现存古迹有公元前4世纪地下葬室和半圆形罗马竞技场。阿普利亚-巴罗克式建筑有大教堂、圣克罗切王宫等。其他的巴罗克式建筑有主教宫、神学院和行政公署宫(内有省博物馆)。工业有碾磨面粉,加工葡萄酒和橄榄油,制食品罐头及陶瓷和玻璃品,生产制型纸板做的宗教物品和玩具等。人口:城市区约100 508(1993)。

Lecco 莱科 意大利北部伦巴第区城镇及莱科省省会。在科莫湖南端阿达河自湖流出处。除阿达河上的格兰德桥(1336～1338)外,古迹甚少。原维斯孔泰奥城堡城楼内辟有历史博物馆。市博物馆则设在一座17世纪王宫内。镇内有A.曼佐尼纪念地,他以该镇为背景写下小说《婚约夫妇》。莱科为旅游胜地,有冶金、机械、纺织、罐头食品等行业。人口:城市区约46 109(1993)。

lechatelierite 焦石英 一种天然的二氧化硅玻璃(SiO_2),与柯石英、方石英、热液石英、石英和鳞石英的化学成分相同,但晶体结构不同。包括两个变种:①陨石二氧化硅玻璃,是地球上的二氧化硅因受巨大陨石冲击产生强烈热力和压力被熔化而形成的;②*闪电管石*(**fulgurite**),是闪电产生的热使硅石熔化形成的玻璃。玻璃陨石是滴形陨石玻璃,其二氧化硅含量通常在68%～82%之间,常含有线状或粒状的焦石英。陨石二氧化硅玻璃在巨大的陨石坑附近发现,如在美国亚利桑那州的温斯洛;也可在无特殊的陨石坑但仍有陨石冲击的地方发现,如在利比亚沙漠。

Lechitic languages 参阅 **Lekhitic languages** *莱克希特诸语言*。

Lechoń, Jan 莱洪(1899-03-13,华沙～1956-06-08,纽约市) 波兰优秀诗人、编辑、外交家、政治宣传家,被认为是他那一代人中最重要的波兰诗人之一。第一部诗集《绯红色的诗》(1920)以爱国主义为主题,继而出版了《巴宾共和国》(1921)。1924年出版抒情诗集《银与黑》。1926年任讽刺周刊《华沙的理发师》的编辑。1932年被任命为波兰驻巴黎使馆文化参赞,一直工作到法国向纳粹投降。1941年到纽约,主编一波兰文周刊达4年。他的《贝克瓦尔克的诗琴》1942年在伦敦问世,随后又于1945年出版了另一部诗集。1952年起莱洪为自由欧洲电台工作,后自杀身亡。

lechwe 短鼻水羚 *水羚属*(**Kobus**)的一种动物。

lecithin 卵磷脂 又称磷脂酰胆碱。一种在细胞结构和代谢方面起重要作用的磷脂(磷酸甘油酯)。含磷酸根、胆碱、甘油酯和两分子脂肪酸,这些脂肪酸的链长、位置和不饱合程度各不相同,因而各种卵磷脂的生物学功能亦不同。主要含卵磷脂、脑磷脂(特别是磷脂酰乙醇胺)和磷脂酰肌醇的磷酸甘油酯混合物亦称为卵磷脂。市售的卵磷脂多来自豆油,内含上述混合物,一般还含约35%的中性油。卵磷脂广泛用作润湿剂、乳化剂等等。还用于如下产品中:动物饲料、焙烤食品、调制食品、巧克力、化妆品、肥皂、染料、杀虫剂、颜料和塑料等。

Lecky, William Edward Hartpole 莱基(1838-03-26,都柏林附近纽敦帕克～1903-10-22,伦敦) 爱尔兰研究理性主义和欧洲道德的历史学家,他关于乔治时代英格兰的研究论文成为经典著作。都柏林三一学院毕业。初期著作《当代的宗教潮流》(1860)和《爱尔兰的舆论领袖》(1861)是研究折衷主义的产品,不大成功。《理性主义史》则深受熟悉达尔文进化论和地质学家C.赖尔的读者们的欢迎。该书广泛论述了近代科学思想和中世纪以来理性研究的出现。1869年出版的两卷本《欧洲道德史》深入探讨了人们日益下降的创造奇迹的意识,宗教信仰的美学表现,以及社会与道德的错综复杂关系。他的8卷本《18世纪英格兰史》(1878～1890)颇得人们的赞许。1892年谢绝牛津大学的近代史讲座教席而参加政治活动,当选为议员。《民主与自由》(1896)一书充分反映了他的政治哲学。在议会中支持对爱尔兰的改良措施,但反对

《自治法案》。1897 年任枢密官，1902 年获功绩勋章。

Leclair, Jean-Marie, THE ELDER 勒克莱尔(大)(1697-05-10，里昂～1764-10-22，巴黎) 法国小提琴家和作曲家。他建立的古典法国小提琴学派，取代了以前的意大利学派。

中国大百科全书出版社供图

1722 年是都灵主要的舞蹈家和芭蕾舞教师。曾随 G.B.索密斯学小提琴，学成后去巴黎，自 1728 年起，以演奏小提琴和作曲开始了他的辉煌事业。1732 年左右，他成了 J.G.瓦尔特的《音乐辞典》中一个条目的主题人物。不久成为王室的音乐家。晚年遭受疑忌，心灰意懒，后被谋杀。他出版了 4 册小提琴和通奏低音声部的奏鸣曲，两册无伴奏的两把小提琴奏鸣曲，5 套两把小提琴和通奏低音声部的《游乐曲》，两套弦乐协奏曲，还创作一部歌剧《斯库拉和卡律布狄斯》。

Leclanché, Georges 勒克朗谢(1839，巴黎～1882-09-14，巴黎) 法国工程师。1866 年前后发明了以他的姓氏命名的电池。勒克朗谢电池稍经改进后，就是现在的干电池。它被大量生产并广泛应用于手电筒和便携式收音机等设备中。他在 1860 年完成工科学业后，担任工程师工作。6 年后研制成功勒克朗谢电池，它由导电的氯化氨溶液(电解液)、锌负极和二氧化锰正极构成。1867 年他放弃了他的职业，把全部时间投入发明工作。一年后比利时电报局采用他的发明，接着他开办了一家工厂，生产这种电池及其他电气设备。

Leclerc, Charles(-Victor-Emmanuel) 勒克莱尔(1772-03-17，法国蓬图瓦兹～1802-11-02，圣多曼格岛法兰西角) 法国将军，拿破仑的妹夫，曾镇压图森·路维杜尔领导的海地起义。1791 年入伍，在土伦之围中表现出色并认识了拿破仑·波拿巴，受到拿破仑的赏识，此后他也一直效忠于拿破仑。意大利战役后被任命为将军。1797 年与拿破仑之妹帕乌利内结婚，与拿破仑的关系更加密切，在 1799 年拿破仑上台的政变中起了决定性作用。在埃及和德意志两次战役中显示出指挥作战的才能，被拿破仑派往海地镇压叛乱。他率领45 000法国精锐部队于 1802 年在海地登陆，不久占领了海地岛的大部分地区，与叛军领袖达成了和平协议。由于法军毁约，加之拿破仑在瓜德罗普恢复奴隶制，引发了新的战斗。其时，军中疾病流行，勒克莱尔也死于黄热病。不到一年法军被逐出该岛。

Leclerc, Georges-Louis (French naturalist) **勒克莱尔** 参阅 **Buffon, Georges-Louis Leclerc, comte de** 布丰伯爵。

Leclerc, Jacques-Philippe 勒克莱尔(1902-11-22，法国贝卢瓦圣莱奥纳尔～1947-11-28，阿尔及利亚科隆贝沙尔) 原名菲利浦-玛丽，欧特克洛克子爵。法国将军和战斗英雄，曾获巴黎解放者的荣誉。出生于贵族家庭，毕业于著名的圣西尔(1924)和索米尔军事学院。1939 年任步兵上尉，受伤后为德军所俘，潜逃到英国。得悉戴高乐将军正聚集自由法国军队，即往投奔。后由戴高乐提升为上校，在法属赤道非洲打过几次胜仗。被提升为将军后，他进行一次惊人的行军，从乍得开往利比亚，加入蒙哥马利元帅麾下的英军，沿途俘获了意大利守军士兵。1944 年参加诺曼底登陆。同年 8 月 25 日，巴黎德军司令向勒克莱尔投降，8 月 26 日，勒克莱尔和戴高乐胜利进入巴黎。其后，勒克莱尔解放斯特拉斯堡(1944-11-23)。他率领部队进军德国，攻占贝希特斯加登。翌年 7 月，勒克莱尔被任命为开赴远东的法国远征军司令官。是年正式改用现名(即参加自由法国军队时用的化名)。1946 年 3 月，被派往印度支那。他察觉到该地问题主要是政治性的，而不是军事性的，于是辞职，同年 7 月接任北非法军总监。于飞机失事中殒命，死后被追认为法国元帅。

Leclerc, Jean 勒克莱尔(1657-03-19，日内瓦～1736-01-08，阿姆斯特丹) 拉丁文作 Johannes Clericus。百科全书编纂家和圣经学家。1684 年开始在阿姆斯特丹抗议派神学院任教，编纂《综合历史文库》(26 卷，1686～1693)、《精华文库》(28 卷，1703～1713)和《古今文库》(29 卷，1714～1730)等 3 部百科全书，他在编纂工作中对圣经研究作出了不可磨灭的贡献。他否认摩西是《旧约》首 5 卷的作者，否认《传道书》、《约伯记》、《箴言》和《雅歌》是根据上帝启示所写。

LeClercq, Tanaquil 勒克莱尔(1929-10-02，法国巴黎～2000-12-31，美国纽约州纽约) 美国多才多艺的芭蕾舞演员，令人难忘的是她和丈夫 G.巴兰钦的合作。1929 年生于纽约，4 岁开始学习芭蕾舞，1941 年进入美国芭蕾舞校，师从巴兰钦。1945 年 8 月在马萨诸塞州雅各布皮洛舞蹈节上崭露头角，1946 年成为巴兰钦和柯尔斯坦创建的芭蕾协会最早的成员。1948 年芭蕾协会正式成为纽约市芭蕾舞团时，她是团里的重要演员。两年间担任过几部巴兰钦编导的芭蕾舞剧中的女主角，包括《四种气质》(1946)、《滑稽表演》(1947)和《俄耳甫斯》(1948)。1956 年，随同纽约市芭蕾舞团到欧洲巡回演出期间突患脊髓炎，不幸瘫痪，舞蹈生涯也随之结束。著有《一只猫的自传》(1964)和《芭蕾舞菜谱》(1967)。曾在哈勒姆舞蹈剧院执教。

Lecocq, (Alexandre) Charles 勒科克(1832-06-03，巴黎～1918-10-24，巴黎) 奥芬巴赫之后法国主要轻歌剧作曲家之一，尤以《昂戈夫人的女儿》一剧著称。曾在巴黎音乐学院学习，师承 F.巴赞、F.阿列维和 F.伯努瓦。第一部轻歌剧《神医》(1857)是为奥芬巴赫组织的一次比赛而写，与比才为同一剧本所作配乐并列获奖。第一部真正成功之作是 3 幕歌剧《茶花》(1868)。此后写了 11 部轻歌剧，包括《一百个童贞女》(1872)和《昂戈夫人的女儿》(1872)，后者在欧美各地演出。还写过波尔卡、马祖卡、绍蒂谢等舞曲以及 5 集歌曲。他在轻歌剧中保持着奥芬巴赫精神的蓬勃生气。

Lecompton Constitution 《莱康普顿宪法》(1857) 美国南方蓄奴论者在堪萨斯州莱康普顿制定的州宪，它维护奴隶制度，不给非奴隶的黑人以人权。这加深了后来导致美国南北战争的摩擦。但该宪法在堪萨斯选民于 1858 年 1 月和 1859 年 8 月的两次投票中被否决。堪萨斯终于在 1861 年 1 月 29 日以自由州地位加入联邦。

Leconte de Lisle, Charles-Marie-René 勒孔特·德·李勒(1818-10-22，留尼汪圣保罗～1894-07-17，巴黎附近的卢韦先纳) 法国诗人，帕尔纳斯派领袖。1865～1895 年间，被公认为除进入暮年的雨果外，他是法国诗坛泰斗。其文艺理论反对浪漫主义，强调诗必须超脱于个人，并有其格律，他采取有意挑衅性的夸张方式，表述他的理论。其史诗式诗歌往往有卖弄学识与追求藻饰之嫌，而其较短的作品却能表达出令人心折的个人思想，《该隐》(1869)即为 19 世纪最动人的短篇史诗之一。1837 年他被送往雷恩大学就读，但他弃法律而学文学。1843 年家人召其回留尼汪岛，后勉强留在该岛，直到 1846 年才返回法国，在传播傅立叶乌托邦社会学说的《和平民主日报》社工作。其后数年的诗作借希腊神话来表达其革命观点；他亦写政论文章，并试图在 1848 年的二月革命中有所行动而未果。后虽仍主张共和政体，却认为诗人不应直接采取政治行动。其第一册诗集于 1852 年出版。他最后将一生中收录在不同诗集中的诗作整理为《古代诗集》、《蛮族诗集》和《悲剧诗集》。《近作诗》则于 1895 年出版。由于必须靠写作供养母亲、姊妹及妻子，故其一生大半消磨于笔耕之中。他翻译了一些希腊与拉丁文的著作，出版了 3 本反对教会与鼓吹共和的小册子(1871～1872)，并以 P.戈塞这个笔名出版了《中古史》(1876)。1873 年得到参议院图书馆长挂名差事；1886 年被选为法兰西学院院士，补雨果之缺。他深感浩瀚无情的宇宙是短暂的，这成为他的诗作的中心意念。因受到比较宗教学的新学说与当代科学上的发现之影响，其史诗表现了希腊、印度、凯尔特、斯堪的纳维亚、波利尼西亚、犹太和基督教等宗教与文明的消亡。其若干最佳诗作在写宇宙毁灭时，使人感到的是欢悦而非恐怖；这些诗声称，面对创造与毁灭这一短暂尘世的残酷力量，诗人应更深刻地感受它的实体美。

Lecoq de Boisbaudran, Paul-Émile 勒科克·德·布瓦博德朗(1838-04-18,法国科尼亚克～1912-05-28,巴黎) 法国化学家,发展并完善了化学分析的光谱技术,并发现了元素镓(1875)、钐(1880)和镝(1886)。1858年他开始在家庭酿酒作坊工作,但在空余时间仍进行科学研究。1859年着手研究光谱分析,并开始寻求新的元素。1869年,门捷列夫发表了他的周期表,预见了几个未知元素的存在和性质,其中包括他称为类铝的元素。当勒科克·德·布瓦博德朗发现镓时,也发现它具有门捷列夫预言的类铝的性质。这样,镓就成了第一个被发现的门捷列夫预言的元素。他的发现为周期表被普遍接受铺平道路。

Lecouvreur, Adrienne 勒库弗勒(1692-04-05,法国达姆里～1730-03-20,巴黎) 法国著名女演员。14岁参加业余演出,在P. 高乃依的《波里耶克特》中扮演角色,得到演员兼剧

美国不列颠百科全书公司供图

院经理P. 勒格朗在表演艺术上的培养。随后以职业女演员的身份在里尔第一次与观众见面。1717年5月14日在法兰西喜剧院首次演出,饰P. J. 克雷比永《埃勒克特勒》中的同名角色。接着,在J. 拉辛《米特里达特》中饰莫南姆,在莫里哀《乔治当丹》中饰安日丽格,给当时的舞台带来了表演风格上不常见的自然和朴实,再加上她的美貌和魅力,使她受到观众的极大欢迎。著名演员M. 巴隆一直是她的良师益友,她还得到伏尔泰的赞赏。她在全盛时期死去,由于生前没有与演员职业脱离关系,因此未能举行基督教式葬礼。虽然她扮演的喜剧角色充满才华和活力,但最能表现她天才的还是悲剧。J. 里希特曼的作品《阿德里安娜·勒库弗勒:女演员与时代》出版于1971年。

lectionary 圣句集 基督教内规定在一年中特定日期里应读的《圣经》文句集。此语也用以指这一类圣经课的课目。早期基督徒采纳了犹太人在安息日读《旧约》文句的习俗,不久就添加上使徒著作和福音书内容。在3、4世纪,先后出现了几套《圣句集》,供不同地点的教会使用。5世纪中,米索(马赛的)最先为一个主教区编订全年特别时节的应读经文。起先,特定日期应读圣句在《圣经》抄本的正文侧边上标出,后来出现了专用的《圣句集》抄本,依顺序排定经文。希腊正教会有两部《圣句集》,一部按教会历编排,从耶稣复活节开始;另一部按世俗历(从9月1日开始)编排,纪念各圣人和各教会的瞻礼日。其他各民族教会也有类似的《圣句集》。中世纪西派教会遵照古代罗马教会排法,以基督降临节为重点。在16世纪宗教改革运动期间,信义宗和安立甘宗更改了天主教的《圣句集》。信义宗创始人路德不满意许多从罗马教会书信中选出的文句,而增加了更多论教义的经文。安立甘宗(圣公会)的第一版《公祷书》规定出每天早晚礼拜应读的《旧约》和《新约》的一段经文。各圣徒瞻礼日基本上删除,并规定出应连续阅读的《圣经》各章。当代各派别的崇拜礼文编纂家已在积极修订传统的各种《圣句集》。

lectisternium 摆榻节 源于拉丁语lectum sternere。古代希腊和罗马风俗。将神像供在街头的神榻上,向他们奉献食品。最初在希腊举行摆榻节时,是为成双的神设榻的,如:阿波罗与勒托,海格立斯与狄安娜,墨丘利与尼普顿等。节期共七八天,届时公民敞开家门,释放负债者和囚犯,尽情寻求自在。后来这种节日也用于祭祀其他神明。仪式大体上改变了罗马时代的大排筵宴(epulum)及献祭(daps)的作法,并使膜拜者能清楚地看到神像。在基督教时代,此词指祭奠死者。

lector 诵经员 英语又称reader。指基督教会被推选或指定在教堂礼拜时诵读《圣经》的人。在东正教会,该职是准备晋升为司铎的小品。在天主教会原亦为小品,1973年奉教皇保罗六世通谕改为实际职务,可由平信徒充任。按规定此职只能由男性担任,但实际上女子也可当非正式任职的诵经员。新教的诵经员可以是神职人员亦可是平信徒。

Led Zeppelin 齐柏林飞船 英国摇滚乐队,在20世纪70年代极受欢迎。虽然音乐风格多样,后来最闻名的却是他们对重金属音乐发展的影响。成员包括J. 佩奇、R. 普兰特、J. P. 琼斯、J. 博纳姆。最初称为"新新兵",1968年由佩奇组建,他是传奇性英国布鲁斯乐队"新兵"最后的主音吉他手。这个乐队受到各种音乐影响,包括凯尔特、印度、阿拉伯音乐。乐队前两张专辑的许多歌曲被视为重金属音乐的先驱。最有名的歌曲是《天堂之梯》,出现于乐队第4张(也是最出名的)专辑,推出时没有标题,封面仅出现4个如尼符号(意指乐队成员),内套上印着《天堂之梯》的神话般神秘歌词。所产生的神秘感和仪式感成为乐队意象的重要部分。他们远离新闻界,并对迎合单曲市场不感兴趣。乐队在整个70年代商业上很成功。不曾像披头士乐队或滚石乐队那样大受好评或成为主流,但他们对摇滚乐的影响却是巨大的。他们通常被视为硬摇滚和重金属音乐的先驱。"黑色安息日"、"涅槃"等乐队模仿他们的声音。佩奇的风格——独奏及连复段——已是大部分摇滚吉他手的重要典范,而博纳姆常被认为是金属摇滚或硬摇滚鼓手的典范。

Leda 勒达 希腊传说中通常被认为是埃托利亚国王忒斯提俄斯的女儿,拉塞达埃蒙王廷达瑞俄斯的妻子。某些古代作家认为她和廷达瑞俄斯生国王阿伽门农的妻子克吕泰涅斯特拉和上天的双生子之一卡斯托耳。一说她和宙斯(他化作一只天鹅来接近她)生双生子的另一人波鲁克斯和特洛伊的海伦,他们两人都从蛋中生出。各种传说都认为双生子,可能还有克吕泰涅斯特拉,有神的血统,这三个人都是从勒达的蛋里生出来的。但另有一些传说认为勒达是同她的凡人丈夫廷达瑞俄斯生下这双生子的。还有的传说认为勒达可能是从女神涅墨西斯下的蛋孵出了海伦,宙斯同样曾化作一只天鹅接近涅墨西斯。总之,无论古希腊的还是文艺复兴时期意大利的艺术家都描绘过勒达同神天鹅相会的题材;达·芬奇也曾以这一题材作画(此画已失),而柯勒乔的《勒达》(约16世纪30年代)则是使用这一题材的知名之作。

Ledbetter, Huddie William(musician) **莱德贝特** 参阅**Leadbelly 赖白里**。

Ledebour, Georg 勒德布尔(1850-03-07,汉诺威王国汉诺威[德意志]～1947-03-03,瑞士伯尔尼) 德国社会党政治家,1918年战争爆发后日益激进,成为1919年1月柏林共产党起义的领导人之一。1900年起为德国国会社会民主党议员,最初在党内属中左派。但在第一次世界大战爆发后,他组成一个反对派,反对就德国战争贷款问题进行投票表决(1914-08)。后来,他领导党内其他不同政见者建立独立社会民主党(1917)。他带头主张在战争结束之前几个星期进行政治与社会革命,曾与卡尔·李卜克内西同为革命委员会的领导人,这个委员会在1919年1月在柏林指挥流产的共产党起义。1920～1924年为魏玛议会议员,曾领导一个小的独立派别。1931年参加社会主义工人党,国社党于1933年开始执政后移居国外。

Lederberg, Joshua 莱德伯格(1925-05-23,美国新泽西蒙特克莱～2008-02-02,纽约市) 美国遗传学家。细菌遗传学的先驱,因发现细菌基因重组机制而与W. 比德尔和E. L. 塔特姆

美国不列颠百科全书公司供图

共获1958年诺贝尔生理学或医学奖。1946年与塔特姆共同发表《大肠杆菌的基因重组》,指出把二种不同株的细菌混合在一起可以出现基因重组,从而产生新的杂交菌株。有些生物学家对细菌(如大肠杆菌)存在着"性别"原不相信,仍在检验他的发现时,他和他的学生N. D. 津德又报道了另一个同样惊人的发现。1952年他们发表论文《沙门氏菌的遗传交

换》,指出某些病毒能将一个细菌的部分染色体带到另一个细菌,并称这种现象为转导。这些发现使细菌成为与果蝇和链孢霉菌同样重要的研究遗传的工具。他不仅独自创造了细菌遗传学的技术,还设计了用计算机和图论来鉴定和区分有机化学品的方法,以及利用美国人口普查资料来研究人类生物学的统计方法。他曾在耶鲁大学师从塔特姆(1948年获哲学博士学位),1947～1959年在威斯康星大学任教,并在此开设医学遗传学系。1959年在斯坦福医学院工作,1962年任肯尼迪分子医学实验室主任。

Lederman, Leon Max　莱德曼(1922-07-15,美国纽约州纽约～　) 美国物理学家,与M.施瓦茨和J.施泰因贝格尔因他们对中微子的合作研究而共获1988年诺贝尔物理学奖。就读于纽约市立学院(1943年获理学士),1951年在纽约市哥伦比亚大学获物理学博士,并于当年入该校供职,1958年提升为正教授。1979～1989年间任伊利诺伊州巴达维亚费米国家加速器实验室主任。1960～1962年间,莱德曼与他在哥伦比亚大学的合作研究者施瓦茨和施泰因贝格尔,共同在纽约州长岛的布鲁克黑文国家实验室从事了一项重要的实验。在该实验室,他们用一台粒子加速器首次作出了实验室内产生的中微子束,这是一种无法探测出质量、不带电荷、并以光速运行的难以捉摸的亚原子粒子。当时已经知道,当中微子与物质相互作用时,就会或产生电子,或产生出称为μ子的电子状粒子。但是还不知道这是否表明有两类截然不同的中微子存在。三位科学家在布鲁克黑文的工作证实,产生μ子的中微子的确是一种不同(前所未知)类型的中微子。由于μ子中微子的发现,导致后来又识别出许多不同“族”的亚原子粒子,最终又提出了标准模型,一直被用作所有已知基本粒子的分类方案。

Ledo Road (Burma)　**莱多公路**　参阅**Stilwell Road** *史迪威公路*。

Ledoux, Claude-Nicolas　勒杜(1736-03-21,法国马恩河上多尔芒～1806-11-19,巴黎) 法国建筑师,作品具有折衷主义及空想的风格,并附带大革命前的初期的社会理想。勒杜曾师从J.-F.布隆代尔及L.-F.特鲁瓦学习建筑。他为一家咖啡馆设计的富于想象力的木装修,引起世人的注意,不久即成为上流社会所欢迎的建筑师。他曾于18世纪60～70年代早期,为法国上层人士设计过不少新古典主义风格的私人住宅,目前尚存的其中少数作品有奥卡尔住宅(1764～1770)、诺曼底的贝努维尔府邸(1770)及卢韦西安纳的迪巴里夫人的著名府邸(1771～1773)。18世纪70年代中期,勒杜为阿尔克-塞南、萨林德肖的新盐场及其周围的城镇进行规划设计工作。他为该地绘制了辐射状同心圆的规划图,中央为制盐工厂,四周则布置工人住宅区。该工程虽然仅完成了一小半部分,但建成的房屋显示勒杜能以极简单的立方体和圆柱体组成坚实厚重的古典式建筑。上述城镇布局既有利于生产,又为工人提供了健康便利的生活条件。此项工程实为后来R.欧文及其他19世纪空想社会主义者新村规划的先驱。勒杜在贝桑松剧院(1771～1773)中,给普通平民及上层人士的观众都设计了座位,这在剧院设计上是一次革命。他建筑生涯后期所从事的最重要的公共工程,为修建位于巴黎城门口的60座征税所。他把原先那种简陋的征税小屋,设计成一系列宏伟的城门及建筑物。这些宏丽的征税所有圆形大厅、门厅、柱廊等,由于造价过于昂贵,导致国库空虚,因而他于1789年被免职。在法国大革命发生前4年中,上述征税所有50座已经建成(1785～1789),其中留存至今者仅有4座,其余的均在大革命中被抗拒苛捐杂税的愤怒民众所拆毁。勒杜于恐怖统治时期被捕,从而结束了建筑师的生涯。他被释后编写了《从艺术、风俗和法律来考虑建筑》(1804),书中附有其作品的版画。

勒杜设计的贝桑松附近阿尔克-塞南盐矿总监府邸

美国不列颠百科全书公司供图

Ledru-Rollin, Alexandre-Auguste　赖德律-洛兰(1807-02-02,巴黎～1874-12-31,法国丰特奈欧罗斯) 法国律师。他的激进的政治活动使他在法兰西第二共和国赢得了卓越的地位;他促使在法国实行男性普选权。1829年取得律师资格。由于为被指控犯政治罪的共和派人士辩护闻名。他还以编辑《正义之宫杂志》和《法国法律总目》而对法国的法理学作出了突出的贡献。1839年因提出要求实行普选和人民拥有最高主权的纲领而被选入众议院。1848年革命爆发时,他宣布支持共和国并参加在路易-菲力普退位后成立的临时政府。他担任内政部长,在他的影响下,新议会的选举以男性普选的方式举行。1848年5月,他反对试图建立一个新政府的革命极端分子。这使他失去了工人阶级的大量支持。1849年他抨击新总统路易·拿破仑违宪干涉罗马共和国,同年6月11日要求弹劾总统,并于两天后领导示威游行,游行变成一场未遂的起义。他领导一个临时政府仅两小时,就逃往英格兰。1870年大赦回国。1874年他作为沃克吕兹议员,再次捍卫了普选权。他的讲演和政治论文集于1879年出版。

Ledyard, John　莱迪亚德(1751,美国康涅狄格格罗顿～1789-01-10,开罗) 美国冒险家、探险家。1776～1779年曾随同J.库克船长远航,寻找通向东方的西北航道。曾试图在北美印第安人中做一名传教士却于1774年以一名普通海员出航。由是立志与中国进行皮毛交易,以牟取厚利。后因筹集资金失败,乃设想开辟西北太平洋地区商道,计划东向步行穿越俄国(包括西伯利亚),渡过白令海峡,然后继续步行,横跨北美大陆。1787年9月,自圣彼得堡动身,翌年2月抵达伊尔库茨克,为当局所执,逐出国境。其最后一次探险活动是远涉非洲以探尼日尔河河源。但至开罗即死去。

Lee, Ann　李(1736-02-29,英格兰曼彻斯特～1784-09-08,美国纽约沃特弗利特) 别名Mother Ann。女宗教领袖。她把震颤派从英国传入美洲殖民地。她于1758年参加贵格会激进的震颤派。1770年英国当局实行宗教迫害时遭到囚禁,在狱中见异象,领悟某一些宗教道理。她认为,性欲妨碍基督发挥作用,男女只有实行独身主义才能促进天国在地上实现。根据4年后另一次异象启示,李劝说丈夫、兄弟及其他6名同道移居美洲,定居于奥尔巴尼附近尼斯基尤那(今沃特弗利特)树林。邻近许多人前来参加,震颤派逐渐形成,在新英格兰各地传播,拥有信徒数千人。震颤派认为,基督体现上帝双重性质的男性一侧,李体现其女性一侧,因此,是她使千禧年降临人间。李宣传和平主义,又拒绝宣誓效忠政府,因而于1780年以叛国罪被捕入狱,几月后获释。

Lee, Arthur　李(1740-12-02,弗吉尼亚威斯特摩兰县[美国]～1792-12-12,美国弗吉尼亚米德尔塞克斯县) 美国外交官。美国革命期间曾为寻求欧洲承认和援助大陆会议而不懈努力。原为医生,改习法律,后投身殖民地独立事业。他曾撰写许多政治论文,其中包括1768年在《弗吉尼亚新闻报》上发表的10篇系列文章《忠告者的信》。1770年为马萨诸塞殖民地代表。1776年与B.富兰克林、S.迪恩同被任命为与法国谈判结盟的特使。1778年与法国签署重要的商约。1781年选入弗吉尼亚州众议院,1782～1784年为大陆会议代表。1785～1789年任美国财政委员会委员。1789年因反对联邦宪法而辞职。

Lee, David M.　李(1931-01-20,美国纽约州拉伊～　) 全名David Morris Lee。美国物理学家,因与R.C.理查森、D.D.奥谢罗夫一起发现氦的同位素氦3具有超流性而共获1996年诺贝尔物理学奖。1952年在哈佛大学获学士学位,1959年在耶鲁大学获物理学博士学位。1959年入康奈尔大学(纽约州伊萨卡)任教,1968年成为该校正教授。李和理查森在康奈尔大学的低温实验室设置了特殊冷却仪器作为研究之用,1972年意外发现氦3的超流性。当时奥谢罗夫是与他们一道工作的研究生,他们将氦3冷却至高于绝对零度(－273℃)仅数千分之一度的低温时,注意到实验样品的内压强有一些奇异的变化。该研究小组最终认定这些偏差标志着氦3的相变——变成超流体。由于氦3超流体的原子系以协同的方式运动,故该物质完全没有内摩擦,流动时也没有阻力。处于这种状态的氦3,其性质服从量子力学的定律。氦3超流性的发现使科学家得以直接在宏观(肉眼可见的)系统中研究奇特的量子力学效应,而此前科学家只能间接在分子、原子和亚原子粒子中研究这些效应。

Lee, Gypsy Rose 李(1914-01-09,美国华盛顿西雅图～1970-04-26,洛杉矶) 原名Rose Louise Hovick。美国首批赋予脱衣舞以优雅风度的通俗歌舞女演员之一,风趣而老练。

美国不列颠百科全书公司供图

早年为其舞台义母罗斯太太舞女班一员,后成为红舞女。1929年在堪萨斯城首次演出通俗歌舞。不到两年成为B.明斯基在百老汇开设的共和剧场的红角。1936年参加《齐格飞活报剧》的演出。翌年,纽约通俗歌舞剧场纷纷关闭,她退出通俗歌舞界前往好莱坞,在一系列电影中露面。接着,定期演出终场杂耍节目。纽约世界博览会(1940)上演《巴黎街头》一剧时,由她饰主角。后又主演歌舞剧《明星与勋位》(1942),并在夜总会和电视上出现。写有自传《吉普赛》(1957),并改编为同名歌舞剧(1959)和电影(1962)。

Lee, Harper 李(1926-04-28,美国亚拉巴马门罗维尔～) 美国作家。律师之女,曾就读于亚拉巴马大学,但在拿到法律学位之前便离开学校前往纽约。当时一位编辑帮她将一系列短篇故事改编成小说《梅岗城故事》(1960),这也是她唯一出版并在美国国内备受赞赏的一部小说,1961年获普利策奖。该小说于1962年和1997年两度被拍成电影。小说的主人公是一名具有正义感及同情心的律师阿狄卡斯·芬奇,为一个被诬告强暴白人女孩的黑人进行罕见的辩护。在纽约居住几年之后,李一半时间在纽约,一半时间在她的家乡门罗维尔度过。除了小说外,她还写有几篇短文,包括1983年的《浪漫与高风险》。

Lee, Henry 李(1756-01-29,弗吉尼亚威廉王子县[美国]～1818-03-25,美国佐治亚坎伯兰岛) 美国革命时期的骑兵军官。R.E.李之父。G.华盛顿逝世时,他是国会所通过的决议的起草人,该决议中有著名的警句,称华

美国不列颠百科全书公司供图

盛顿为"战争的第一人、和平的第一人、全国人民心中的第一人"。毕业于新泽西学院(今普林斯顿大学),美国革命(1775～1783)爆发后即参军。1778年晋升少校,指挥3支骑兵队和3个步兵连,战功显赫,获"轻骑哈里·李"的别名。战后为13州联邦国会议员(1785～1788,1789～1791),弗吉尼亚州州长(1791～1794)。1794年中断政治生涯,指挥军队击败宾夕法尼亚西部"威士忌酒反抗"。1799～1801年任美众议员。著有《美国南部卫戍区作战回忆录》(1812初版,1869再版)。

Lee, Ivy Ledbetter 李(1877-07-16,美国佐治亚锡达顿～1934-11-09,纽约市) 美国20世纪公共关系工作的先驱。他说服他的各种商业委托人争取舆论好感。1898年毕业于普林斯顿大学。1899～1903年在纽约做报社记者,并成为"市民协会"的工作人员。1906年成为煤矿工人团体的新闻发言人,1912年成为宾夕法尼亚铁路公司代表人。由于他成功地改善了委托人的公众形象,许多大公司争相聘用他开展公关工作。到1917年时,李得到一批财力雄厚的委托人,其中包括洛克菲勒财团。他的最大创新是对新闻界采取坦诚、开放的政策;他不仅回答记者的讯问,而且把他所代表的公司发生的有新闻价值的事物通报给报界。他曾服务过的委托人中包括第一次世界大战期间的美国红十字会、纳粹初期的德国染料托拉斯和苏联争取得到美国承认期间的美俄商会。

Lee, John Clifford Hodges 李(1887-08-01,美国堪萨斯章克申城～1958-08-30,宾夕法尼亚约克) 美国陆军后勤军官。1909年毕业于美国陆军军官学校,后在陆军工兵部队服役。第一次世界大战期间在法国任参谋,后担任工兵部队各种职务。1940年升为准将,1942年升少将。1942年5月赴英国指挥欧洲战场军需补给。1944年1月在艾森豪威尔将军手下任欧洲战场美军副司令,2月晋升中将(临时职务)。监督美军部队在英国的集结并储备战争物资和补给,以备渡海登陆西欧德军占领区。除装备外,还负责部队住房、给养和卫生。诺曼底登陆后仍负责欧洲战场300万美军的补给。1945年12月任地中海战区陆军司令。1947年退役。

Lee, Laurie 李(1914-06-26,英格兰格洛斯特斯特劳德～) 英国诗人、小说家,以其自传三部曲著称。它们包括《同萝西共饮苹果汁》(1959),回忆作者在乡间的童年生活;《我在仲夏之晨踏上征途》(1969),记述他到伦敦寻求发迹机遇之行;《战时瞬间》(1991),写西班牙内战时在那里的经历。他在家乡接受教育,1940～1943年从事电影脚本创作,1944～1945年在情报部担任编辑工作。1952年获帝国勋章。其他著作有诗集《太阳,我的纪念碑》(1944)、《烛花》(1947)、《披着多层外衣的人》(1955)和短篇小说集《我不能久留》(1976)。

Lee, Manfred B. 李 参阅 **Queen, Ellery** 奎因。

Lee, Mary Ann 李(1823,美国宾夕法尼亚费城～1899) 美国第一代芭蕾舞演员之一。在她10年的芭蕾舞生涯中包括有在美国首次演出古典芭蕾舞剧《吉赛尔》(波士顿,1846)。在费城师从巴黎歌剧院的P.哈泽德。1837年与同学A.梅伍德首次演出《喀什米尔的少女》(奥伯的歌剧芭蕾舞剧《上帝与舞姬》的英国改编本)。曾在纽约向J.西尔万学习著名奥地利舞蹈家F.埃尔丝勒的激烈的性格舞蹈。李在美国进行了几次巡回演出后,到巴黎歌剧院向《吉赛尔》的主要编导J.科拉利学习,回美国后和男演员G.W.史密斯在国内巡回演出。他们真实可信地表演了《吉赛尔》、《多瑙少女》等舞剧。1846年起她的健康开始欠佳,翌年退休,时年24岁。但直至1854年她还偶尔表演舞蹈。

Lee, Nathaniel 李(1649?～1692-05-06入葬,英格兰伦敦) 英国剧作家。他的英雄诗体戏剧很受欢迎,但过分夸张。长老会牧师之子。曾在威斯敏斯特学校和剑桥三一学院求学。原想在伦敦当演员谋生,但因严重怯场未能成功。最早的剧本《尼禄》于1674年上演。《竞争的王后们》(1677)使他成名,此剧上演至19世纪。《布鲁图斯》(1680)由于具有反君主制情绪而被查禁。与J.德莱顿合写《俄狄浦斯》(1678)和《吉斯公爵》(1682)。

Lee, Richard Henry 李(1732-01-20,弗吉尼亚斯特拉特福[美国]～1794-06-19,美国弗吉尼亚尚蒂伊) 美国政治家。在英国接受教育。1758～1775年任弗吉尼亚下议院议员。

美国不列颠百科全书公司供图

英国颁布《印花税法》和《汤森税法》时,反对英国专横的政策,并与P.亨利和T.杰斐逊一起拟订计划,建立殖民地之间的通讯委员会(1777年3月成立)。他是第一届大陆会议代

表，善雄辩，有人说他可与古罗马的西塞罗相比。在第二届大陆会议上，他曾提出3项议案：①宣布独立；②对外结盟；③拟订成立邦联的计划。第一项于7月2日通过，两天后即通过《独立宣言》。他工作积极认真，因健康不佳而不得不于1779年辞职。1777、1780和1785年为弗吉尼亚州众议院议员，1784～1787年回到国会，并于1784年任议长。他反对批准联邦宪法，因为宪法建立了一个"统一的"政府，并且缺少权利法案。虽然如此，他仍于1789～1792年代表弗吉尼亚州任第一届国会参议员。1792年从公众生活中引退。

Lee, Robert E. 李（1807-01-19，美国弗吉尼亚威斯特摩兰斯特拉特福～1870-10-12，弗吉尼亚列克星顿） 全名Robert Edward Lee。美国内战时期（1861～1865）最成功的南军将

美国国会图书馆供图

领。1865年被任命为南军总司令。1865年4月9日向北军投降通常被认为内战结束。出身名门，身材魁梧，相貌英俊。1829年毕业于西点军校，先后在工兵部队和骑兵部队服役。墨西哥战争中在W.斯科特将军麾下任上尉参谋。1859年10月镇压了J.布朗领导的黑人起义。内战时期，他反对分裂，反对内战。1861年4月拒绝率领部队进军已宣布脱离联邦的南部各州，并退出在其中已服役36年的北军而参加南军。他率领的南军与北军在布尔溪一带首战获胜。1862年七棵松战役后受命陆军司令，上任后改编南军，加强领导和纪律，提高部队士气。他深知北军在兵力、武器和供应等方面均占优势，其后两年他的目标是尽量迫使北军远离里士满武器生产中心和粮食生产基地，并瓦解敌军继续进行战争的意志。他出奇制胜，争取主动，因而成功地阻击北军对里士满的进攻。1862年8月29～30日他在第二次布尔溪会战中又获得巨大胜利，但同年9月17日在安提塔姆却遭到惨败。他率领残部到达波托马克河对岸，重整旗鼓，又于1863年5月在钱瑟勒斯维尔取得惊人战果。当时，虽然北军比南军多一倍，但他大胆分进合击，包抄敌人。但同年7月在葛底斯堡却再次遭到惨败。1864年5月新上任的北军总司令格兰特以优势兵力进攻南军，1865年4月9日他被迫在阿波马托克斯附近投降。战后接受华盛顿学院（后改为华盛顿和李大学）校长职务。后半生致力于教育工作，很有建树。他在历史上虽被称为"叛将"，但他坚决反对占有奴隶和民族分裂，对祖国无限热爱，反对用战争手段解决政治纠纷。这一事实却一直被后人忽略。

Lee, Spike 李（1957-03-20，美国佐治亚亚特兰大～ ） 原名Shelton Jackson Lee。美国电影导演，以对有争议题材采取不妥协和挑衅的态度而闻名。爵士乐作曲家比尔·李之子，在中产阶级的布鲁克林居住区长大。曾在亚特兰大的莫豪斯学院攻读传播学，在该校他导演了自己的第一部电影并遇到了他未来的合作制片人M.罗斯。1978年进入纽约大学的电影制作研究生院，并遇到了另一个未来的合作者电影摄影师E.迪克森。其硕士论文引起了全国的注意，获得了电影艺术与科学学院的学生奖。在纽约大学读书时即开始自己编写、导演、制作并演出关于非洲裔美国人生活的电影。《稳操胜券》（1986）让他备受瞩目；《黑色学府》（1988）则紧随其后，其后来一些非常成功的电影，如《为所应为》（1989）、《爵士男女》（1990）、《丛林热》（1991）、《马尔科姆·艾克斯》（1992）、《克罗林》（1994）、《跑差》（1995）、《单挑》（1998）和《酷暑杀手》（1999），则进一步确立了他作为最杰出美国黑人电影导演的声望。其电影大部分是描写美国的种族和种族主义的。除了他的纪念性传记电影《马尔科姆·艾克斯》之外，他后期的许多电影评价不一。有人抱怨他的电影过长；有人批评他对种族的刻板模式一成不变；还有人谴责他对电影中女性人物的处理方法。直言不讳的李指出好莱坞存在对黑人的偏见，使他多次与奥斯卡奖失之交臂。

Lee, Tsung-Dao **李政道**（1926-11-25，中国上海～ ） 中国出生的美国物理学家。因发现宇称守恒原理（亚原子粒子相互作用的空间反演的对称性）的破坏，与杨振宁同

纽约哥伦比亚大学供图

获1957年诺贝尔物理学奖。他们的这一发现给粒子物理学理论带来重要的改进。李政道1946年移居美国。虽然他当时大学还未毕业，却进了芝加哥大学的物理学研究生院，并开始他和杨振宁的合作。在伯克利加利福尼亚大学工作一个短暂时期后，他和杨振宁一起到新泽西州普林斯顿高级研究院工作了两年。1953年，李政道成为哥伦比亚大学的物理学助理教授。1956年，李政道和杨振宁推断θ介子和τ介子这两种早先认为是不同的粒子（因其通过不同的宇称模式而衰变）实际上是同一种粒子（现在称之为K介子）。由于宇称守恒定律禁止单个粒子在衰变中显现出相反的宇称，那就只有一种可能，即对于弱相互作用，宇称不守恒。他们建议用实验来检验他们的假说；1957年，在哥伦比亚大学工作的吴健雄用实验证实了他们的结论。1960年，李政道被任命为普林斯顿高级研究院教授，3年后他返回哥伦比亚大学担任首席费米物理学讲座教授。1964年以后，他的重要贡献是阐明了在某些弱相互作用过程中存在破坏时间反演不变性的现象。

Lee, Vernon 李（1856-10-14，法国滨海布洛涅～1935-02-13，意大利圣赫瓦西奥布雷西亚诺） V.佩吉特的笔名。英国散文作家、小说家，其美学著作最为人们所熟知。1873年佩吉特一家定居佛罗伦萨。1878年决定以男性笔名出书，以获得人们的认真对待。1880年原散见于弗雷泽的《杂志》的散文结集出版，用的笔名就是Vernon Lee。书名为《对18世纪意大利的研究》，向英国读者介绍诗人及歌剧歌词作者P.梅塔斯塔齐奥、剧作家C.哥尔多尼和C.戈齐等人的作品。在三卷本长篇小说《布朗小姐》（1884）中，她无情地讽刺了英国美学小集团，尤其是英国前拉斐尔派的画家。

Lee, William 李（1550?，英格兰诺丁汉郡卡尔弗顿～1610?，法国巴黎） 英国发明家。发明第一台针织机（1589）。这是几百年来一直使用的唯一的针织机，工作原理至今仍在应用。据说因为他热恋的女友爱好针织，他才研究这种机器。他的第一台机器生产织袜用的粗支毛，在英国女王伊丽莎白一世拒绝给他专利后，经过改进又研制出一台能生产精制丝的机器。可是女王因为对国内大量手工针织工人的关心，再次拒绝批准他注册专利的申请。由于得到法国国王亨利四世的支持，李开始在法国鲁昂生产长袜，在1610年亨利被暗杀前，生产蒸蒸日上。李死后他的兄弟返回英国，缓慢地建立起针织工业。

Lee, Yuan T(seh) **李远哲**（1936-11-29，中国台湾新竹～ ） 美国华裔化学家。因在发展化学反应动力学上成就卓著，于1986年与美国哈佛大学教授D.R.赫希巴赫及加拿大多伦多大学教授J.C.波拉尼共获诺贝尔化学奖。中学时代已在数理方面崭露天赋。1959年在台湾大学化学系毕业后，入台湾的清华大学原子科学研究所，1961年获硕士学位。1962年赴美国伯克利加利福尼亚大学深造。1965年获化学博士学位。此后继续在该校和哈佛大学进行研究工作。1968～1974年在芝加哥大学化学系任教。为研究工作之便，于1974年加入美籍，并返伯克利加利福尼亚大学化学系任教授。主要研究气态化学动力学、分子束及辐射化学。他对交叉分子束技巧的实验和改进，使规模较大和较复杂的分子研究成为可能。1986年3月荣获美国总统里根颁赠的国家科学奖章，4月获美国化学学会颁赠的"德拜物理化学奖"；10月又获得诺贝尔化学奖，成为第四位华裔诺贝尔奖获得者。1978年接受中国科学院的聘请，担任中国科学院化学研究所的名誉教授。1980年到中国讲学。担任上海复旦大学和中国科技大学名誉教授。他帮助、指导中国科学院化学研究所和大连化学物理研究所于1985年建成大型转动式分子束激光裂解产物谱仪，为中国的科技发展做出了重要贡献。1994年任台湾中央研究院院长。

Lee Commission 李调查团 英国政府1923年所委派的研究印度政府高级官员种族构成的调查团。团长是李勋爵，团员印英各半。1917年伊斯灵顿调查团的报告建议25%的政府高级职务应给印度人。1918年的蒙塔古-切姆斯福德报告提出对印度人的任命应达到1/3。1924年李调查团提出：在此后的新增人员中，应有40%是英国人，40%直接录用印度人，20%是由各省提升的印度人。1947年印度独立时，高级官员已有一半以上是印度人。其中许多人经验丰富，担任要职。

Lee-Enfield rifle 李-恩菲尔德步枪 1902年英国陆军采用的基本步兵武器。原型枪较长，1895年投产，后枪长缩短，改为弹匣装弹。全长44.5英寸，装有J.P.李发明的枪机，并按设在英国恩菲尔德的兵工厂的标准设计有5根左旋膛线。发射.303口径的枪弹，匣式弹仓内可装10发枪弹：两个5发弹夹或10颗单发枪弹。它在远距离射击时不如斯普林菲尔德步枪准确，但装弹量比后者多一倍，射速也较快。第一次世界大战后期，经改装能发射美国的.30－06标准枪弹。大战期间，在未装备斯普林菲尔德步枪的美国军队广泛使用这种步枪。第一和第二次世界大战中为英国步兵的制式武器。

Lee Kuan Yew 李光耀（1923-09-16，新加坡～ ）政治家、律师，1959～1990年任新加坡总理。在他长期当政期间，新加坡成为东南亚最昌盛的国家。出生于19世纪移居新加坡的富裕华人家庭。他的第一语言是

美国不列颠百科全书公司供图

英语，只是在进入政界后才学了华语、马来语和泰米尔语。李在新加坡上学，后去英国剑桥大学深造，在法律学科不同的两门课程中取得两个第一的优等成绩，名列优秀学生榜首；同时成为社会主义者。1950年取得英国律师资格。同年与剑桥同学马来人柯玉珠结婚，未从事律师业务即返回新加坡，被聘担任邮政工会法律顾问，参加为邮政工人争取更高工资的谈判。后来又为其他工会做同样工作。

新加坡作为英国直辖殖民地，是英国在远东的主要海军基地，由总督在立法会议协助下进行统治。立法会议成员主要为华人富商，大都为指定而不是选举产生。20世纪50年代初，宪政改革的空气在新加坡与英国殖民帝国中其他地方同样浓厚时，李与其他两个政治上的新手——律师D.S.马歇尔和工会工作者林有福联合向议会中富商挑战。然而不久李即与他俩分手，采取更为激进的立场，另组人民行动党，并任总书记。人民行动党吸收了一些共产党员，李曾有几年得到共产党支持。1955年修改后的宪法规定，议会中的32个席位中有25个由选举产生。在选举中，由李的以前同事创建的劳工阵线获13席，人民行动党获3席，其中代表新加坡许多最贫困华人居住区的1席由李赢得。次年，李作为新加坡代表团成员回到伦敦，为新加坡寻求自治未果，新加坡随后发生动乱。动乱期间有些人民行动党领导人遭到监禁。1957年伦敦谈判重开，李为代表团成员。后在一定程度自治的基础上达成协议。随后李在新加坡的补缺选举中以绝大多数获胜。接着人民行动党内出现了短时期的权力斗争：8月党内左翼撤了他的总书记职务，但他在10月间又重任此职。

1958年，李在伦敦参加了确立新加坡在英联邦中自治地位的谈判。1959年5月，根据新加坡的新宪法举行了选举，李以反对殖民主义、反对共产主义的党纲参加竞选，号召进行社会改革并最终与马来亚联合。李的人民行动党获得决定性胜利，在51个议席中得43席，但李拒绝在英国释放1956年遭到监禁的他的党的左翼成员以前组成政府。在他们获释后，李于1959年6月5日宣誓就任总理，组成内阁。他提出了一项5年计划，号召清除贫民区、建造新的公共住房、解放妇女、扩充教育设施和实行工业化。1961年党内左翼分子分裂出去，另组社会主义阵线，李亦随即断绝其与共产主义者的其余联系。此后李和党内的温和派同僚即支配着新加坡的政治。1963年由李主持新加坡参加新成立的马来西亚联邦。嗣后不久的选举中，人民行动党保持了对新加坡议会的控制，李连任总理。但1964年他错误地让他的华人占75%的党参加马来西亚全国选举。华人和马来亚人日益紧张的关系导致新加坡出现地方骚乱。1965年8月，联邦中的马来西亚同事告诉他，新加坡必须退出联邦。虽然李热情地信仰联邦所代表的多民族主义，但新加坡不能不脱离联邦。于是新加坡成为一个主权国家，以李为其第一任总理。

李的主要目标是确保新的国家能生存下去并保持新加坡的国家特性。在强大的邻国（包括中国和印度尼西亚）包围下，李并不急于要求英联邦的部队立即撤出新加坡。恰恰相反，他寻求慢慢地逐步使他们撤离，由一支本地训练的、仿照以色列模式建立起来的新加坡军队加以取代。更为重要的是，李认识到新加坡需要一种稳固而不断增长的经济，以作为一个独立国家而生存，因此他实施了一项促进新加坡工业化的纲领，并将它改变为一个以出口制成品为主的国家。他鼓励外国投资和在工会与企业经营者之间达成协议，保证劳工的安定和工人生活水平的提高。在改善国家医疗卫生和社会福利工作的同时，李继续强调合作、遵纪和使每一个新加坡人都厉行节俭的必要性。

李在政治生活中机智坚定，为他的国家带来一个有效率的政府和令人瞩目的繁荣，其代价是较为温和形式的极权政治，有时侵犯公民自由。到80年代，在李的指导下，新加坡的人均收入在东亚居第2位，仅次于日本，并且该国已成为东南亚的一个主要金融中心。

李对国家生活毫无疑义的支配地位在他的反对党社会主义阵线决定于1966年开始抵制议会时变得更加容易保持了。结果在1968年的大选中人民行动党赢得了议会的全部席位。这一业绩在1972、1976及1980年的历次选举中也一再保持，其后反对党也不过能争得一两个席位。李有时借助于新闻检查来遏制左翼对其政府基本政策的不同政见。

人民行动党在1984和1988年的大选中均取得胜利，李仍继续担任总理。不过在这一时期，由谁继任领导已经成为一个问题。在对继任问题作出令人满意的安排后，李于1990年11月辞去总理一职，但仍继续担任人民行动党的领袖。

lee wave 背风波 气流在山脉背风一侧的垂直波动。气流常有足够的深厚度能直接在山脉上空流过，有时它们会产生强烈的垂直气流，其速度通常可达5米/秒。其第一个波出现在产生它的山脉上方，而在大多数深厚气流里，有一系列的波向下游方向伸展。在没有其他山脉干扰的地方（譬如在海洋上）曾发现有100多个波。当其最大振幅出现在大气中层，而在更高的高度上逐渐消失时，这些波将产生云，称为波状云，对天气有重要影响。当上层风力较强，下层空气稳定的深厚气流流过长而陡峭的背风坡时，常产生背风波；最强的上升气流不产生在迎风坡上，而出现在第一个背风波的前方。如果背风山坡非常高而陡，这种波可能有很大的振幅并形成滚状云，后者是一种具有与气流方向垂直的水平旋转轴的涡旋，其中地面风向着山的方向吹去。背风波的波间正常距离为2～8千米。如这个距离与山丘之间的距离大致相符时，波就变大；反之，当空气越过下一座山脉时，前一座山脉产生的背风波也许会消失。在地形复杂的丘陵地区，可能在一两个地方形成短暂的强背风波，这种强背风波波谷下面的强风可把大片树木吹倒。白天在背风山坡上空的风会抑止背风波的生成。在夜间，浅薄的下坡风（下吹风）导致气流贴近山坡而形成背风波；这时有深厚的强风沿着背风坡下吹。塞拉波是研究最多并景象十分壮观的背风波之一，它出现在美国加利福尼亚的内华达山脉背风坡一侧的西风气流里。在塞拉波里滑翔机可滑翔到14 000米以上。

leech 蛭 蛭纲（Hirudinea）环节动物，已知约300种。前端有较小的口吸盘，其中央有口；后端有较大的后吸盘。体节数34。体长不一，有的极小，有的长20厘米，伸展时更

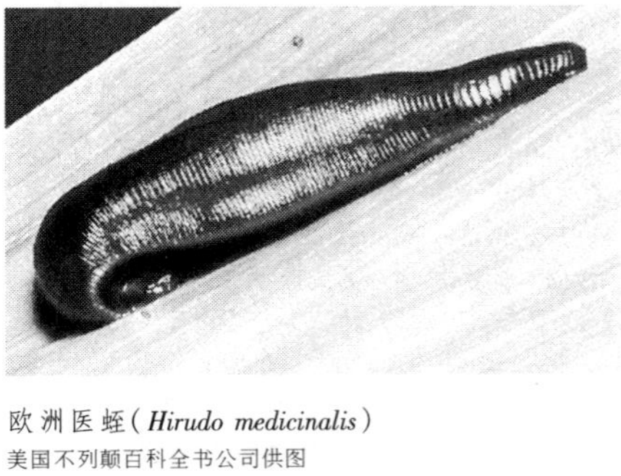

欧洲医蛭（*Hirudo medicinalis*）

美国不列颠百科全书公司供图

长。主要见于淡水中或陆上。吻蛭目(Rhynchobdellida)的种类分布淡水或海水。有的捕食其他动物,有的以有机物碎屑为食,也有寄生者。通过皮肤进行呼吸。消化系统有能贮藏食物达数月之久的嗉囊。身体前端有眼1～4对。雌雄同体,异体受精。卵产在卵茧中;卵茧落在土壤上或水中。直接发育成长,不经幼体期。水蛭吸食鱼、两栖类、鸟、兽的血液,或取食螺类、昆虫幼虫和蠕虫。陆蛭只吸哺乳类血液,常栖于潮湿的植被上,体向前伸以待动物经过。口腔内有3个颚,上有锐齿,能在寄主身上切开一个Y形伤口。唾液中含麻醉伤口、扩张血管以增加血流和抗凝血的物质。被吸血者常常不知道被蛭所咬,直到发现血液从伤口流出。因抗凝血物质仍存在,流血不会停止。从欧洲医蛭(*Hirudo medicinalis*)提取的抗凝血的蛭素,已用于医药。颚蛭科(Gnathobdellidae)的种类吸人血,有的种类作医用已有数个世纪,用蛭给病人放血在19世纪最盛行。常用水蛭治疗的疾病包括精神病、肿瘤、皮肤病、痛风和百日咳。头痛时可在太阳穴上各放数条水蛭任其吸血。除欧洲医蛭外,也用阿尔及利亚龙(*H. troctina*)。*Gnathobdella ferox* 常用于亚洲。引入北美的欧洲医蛭已定居而成为野生种,体长达10厘米,绿色,有4～6条褐纹。其他吸人血的陆蛭在亚洲的菲律宾、东印度群岛和马达加斯加主要为山蛭属(*Haemadipsa*),在澳大利亚为 *Philaemon* 属。南欧、北非和近东湖泊、溪流中的尼罗沼蛭(*Limnatis nilotica*)体长可达12厘米;在人畜饮水或洗澡时可进入鼻、喉、肺、尿道等处,幼小的蛭较易进入。受侵染的人畜可因失血而致贫血;若呼吸道阻塞可致死亡。家畜常因此死亡,尤其在亚洲。

Leech, John　利奇(1817-08-29,英格兰伦敦～1864-10-29,伦敦)　英国漫画家,以为《笨拙》期刊所画作品著名。初学医,旋即转而从事美术,于1835年出版伦敦街头人物漫画像习作:《A.佩恩先生蚀刻和速写集》。第一幅成功之作是摹拟讽刺马尔雷迪1840年为1便士廉价信封设计的图案,其上他以瓶中水蛭为自己的标记。1840年开始向各杂志投寄题为《本特利杂记》的蚀刻画;并与G.克鲁克香克合作作画。后来他排除了J.吉尔雷和T.罗兰森所创之英国漫画传统中的恐怖与讽刺成分,在作品中表现中产阶级的轻松、幽默和文雅,突出描写与家世传统相异的个性。他为C.狄更斯的《圣诞颂歌》所作的4幅蚀刻版画插图(1844),蚀刻版画《漫画英格兰史》(1847～1848)和木刻《漫画罗马史》(1852)都有这种特点。其后发表平版插图《流浪儿群像》(1841)以及后来更完美的组画《扉页》。在《笨拙》周刊的首次投稿发表于1841年8月7日,这一开始导致了为该杂志画的硕果累累的3 000幅漫画和其他插图。利奇专于社会漫画,如作品《笨拙先生珍藏的人物生活写照》(1854,1860和1863)。他和插图画家约翰·坦尼尔爵士一起创造了"约翰牛"的传统形象。

leechee (fruit)　参阅 **litchi 荔枝**。

leeching　水蛭疗法　将活水蛭放到患者体表皮肤,以吸空局部血液的治疗方法。19世纪,水蛭疗法曾流行于欧洲、亚洲和美洲。而如今,医用水蛭仅被用作皮肤移植和复植术的工具。通过清除积血帮助皮瓣或断肢愈合、恢复正常循环。最常用的种群是欧洲医蛭,即药用水蛭,这种水生环节蠕虫的吸血动物特征造就了它的商业价值。其医用价值主要在于其特殊的口器,及其唾液中所含有的抗凝血物质。水蛭的前、后两端各有一吸盘,前吸盘中央有一口,口中有3个颚,每个颚的周缘都有约100个锋利的牙齿。当水蛭用吸盘吸附在(人或家畜)皮肤上后,便张口用颚周牙齿咬破皮肤,吸食血液。水蛭唾液中含有大量的镇痛酶、抗炎酶、溶血酶以及多种具有药理功效的成分。所以,人被水蛭叮咬时并不会感到疼痛,不会被感染,血液不会凝固,还能扩张血管,增加血流。欧洲医蛭唾液中还含有一种有强力抗凝血作用的酶——水蛭素,这是一种最有效、最安全的天然凝血酶抑制剂。早在1884年,水蛭素就已经被发现,但直到20世纪50年代才被提纯。被水蛭叮咬处血流不只是多种因素综合作用的结果,其中,水蛭素虽最为重要,但并非唯一。目前,水蛭素已能通过基因工程技术批量生产。把水蛭作医用的最早的文字证据见于古印度医生卡拉克等人所著梵语文献,成书年代大约始于基督纪元之初。罗马籍希腊医生伽林(公元129～约216)主张用水蛭给患者放血,这种治疗方法在世界许多地方风行了好几个世纪。西方医学史显示:当时用水蛭放血流行之广,致使 leeching 或 leechcraft 与"医学、医术、医生和医治"同义,现代英语词典可以作证。时至19世纪前夜,一股"水蛭风潮"席卷欧洲和美洲。仅巴黎医院一处,水蛭的年用量就多达500万～600万只,所放血量多达30万升。有时,个案患者的一次放血量便超过其全身血量的80%。放血疗法(含水蛭放血)成为近代社会最普遍的治疗手段。到19世纪初,水蛭放血甚至成为治疗常规,广泛用于各类感染性疾病的预防和治疗。时至今日,水蛭疗法仍时而被用于复植术(如断指再植)和皮肤移植。术中,必须要将离断的大动脉缝合,但静脉不易缝合,因其管壁太薄,特别是当周边组织损伤过重时更为困难。如果那样,静脉回流受阻,血栓易于形成,最终会使再植器官(如手指)坏死、脱落。在这种情况下,可把1～2条水蛭放在伤口处30分钟左右,每条水蛭可摄取约15克血液。它们吃饱后自行脱离;而再植缝合部位会继续出血,持续约10小时,失血约120克。然后再重复以上程序,直到机体有充足时间重建循环网——这一过程大约需要3～5天时间。偶有被水蛭体内的细菌感染者,这是由于患者动脉供血不足所致。

Leeds　利兹　英格兰西约克都会郡城市和都会自治市。属约克历史郡。位于亚尔河沿岸,在曼彻斯特东北约48千米处。有煤和铁矿石矿床,亚尔河支流提供丰富的软水,又有穿越奔宁山脉的极好交通运输线,这些使利兹成为约克郡的工业首府。利兹原为亚尔河北岸的盎格鲁-撒克逊人城镇。后发展成为地方集市贸易中心。1626年设建制。当时该镇是周围广大地区的布料精加工中心,14世纪已由佛兰德斯纺织工人向该地区传入家庭纺织业。到了16世纪,利兹已能和毛织业的霸主约克和贝弗利一争高低。随着产业革命及当地煤田的开发,毛纺业让位于机械业,陶器和亚麻布的生产也一度占重要的地位。1816年利兹-利物浦运河竣工,这也促进了利兹的发展。1848年后铁路使利兹成为机车制造的主要中心。19世纪末期,服装业的生产得到极大的发展,吸引了不少涌入该城的犹太移民从事服装业。在利兹这座现代化城市,工厂大多集中在东、南市区,其中成衣、服装批发、机械、电子、造纸、印刷和化工等在众多行业中格外出色。利兹也是该地区保险业和银行业的重要中心,同时也是西约克郡主要购物中心。市区内历史上有名的建筑很少,郊区和市中心的新住宅区取代了以前的贫民区。旧城区有零售市场、农畜产集市和一些精美的维多利亚时代的连拱廊。附近是镇公所(1858),这是一座令人瞩目的维多利亚时代建筑,内有法庭以及一个很大的音乐厅。比较现代的城市建筑有市政厅(1933)。有一所1874年成立的大学、多所专科学院,以及一所1552年建立的男生文法学校。利兹也是英国主要文化中心之一。有一座市立戏院。每3年在市政厅举办一次音乐节。在黑丁利有全国闻名的板球场,在埃兰罗德有足球场,在穆尔敦有可举行锦标赛的高尔夫球场。有200多处公园和公共场地,其中最主要的是朗德海公园。伦敦到利兹的M1公路在市的东南部与横越奔宁山脉的公路相交。市西北有伊登机场。面积552平方千米。人口:城市424 194(1998);区约727 400(1998)。

Leeds, Thomas Osborne, 1st Duke of, MARQUESS OF CARMARTHEN, EARL OF DANBY, VISCOUNT LATIMER OF DANBY, VISCOUNT OSBORNE OF DUNBLANE, BARON OSBORNE OF KIVETON　**利兹公爵(第一)**(1632-02-20～1712-07-26,英格兰北安普顿郡伊斯顿内斯顿)　即卡马森侯爵、丹比伯爵、拉蒂默子爵、奥斯本男爵。英格兰政治家,任国王查理二世的首席大臣时,在国会内组成托利党。对1689年威廉和玛丽登上英格兰王位起关键作用。约克郡保皇党地主之子,在1660年查理二世复辟后开始在政界展露头角,1665年赢得国会席位。在有权势的白金汉公爵(第二)维利尔斯的提携下,1668年任皇家海军联合司库,1673年任英格兰财政大臣。他成功地稳定了政府财政状况,不久任查理的首席大臣,于1674年6月封丹比伯爵。倚仗国王宠信,通过贿赂在国会组建宫廷党,主张王权至上(针对国会),奉行严格的英国国教教义,并敌视法国。作为其反对法国和亲新教的政策的一部分,他于1677年促成查理的侄女玛丽公主与荷兰执政奥兰治亲王威廉的婚姻,威廉是当时欧洲大陆反法的首要人物。与此同时,查理命他从法王路易十四那里秘密地领取年度津贴。1678年事情败露时,正值国家因天主教阴谋而惶恐不安之际,国会当即对他进行弹劾,并于1679年将他关进伦敦塔。1684年获释，1688年6月重返政坛，与另外6名同谋者共同邀请奥兰治亲王威廉进犯英格兰，篡夺信奉天主教的国王詹姆斯二世的王位。他唤起北英格兰支持威廉，促使说服1689年代表会议立威廉和玛丽为英格兰的联合君主。至1690年春事实上已重新确立自己为新政权的首席大臣。随后4年他设法在威廉宫廷里相互争斗的各派之间维持脆弱的平衡。1694年被封为利兹公爵，1695年因接受东印度公司贿赂而被国会弹劾，此后影响日衰。1699年被免去一切职务。

leek（species *Allium porrum*） **韭葱** 百合科一种生活力强的二年生耐寒植物，与洋葱近缘。味甜而柔，似洋葱。在欧洲广泛用于做汤和炖菜，特别是马铃薯的佐料，亦可全株烹食。原产于地中海东部沿岸国家及中东地区，古代就有栽培。可能由罗马人带到欧洲和不列颠群岛。古代一次战争中，威尔士军队佩戴韭葱作为标志，作战胜利后，韭葱便出现于威尔士国徽的图案中。在第一个生长季

韭葱（*Allium porrum*）
美国不列颠百科全书公司供图

节，从扁平的鳞茎盘上生出带形长叶，叶基粗厚，互相覆盖，呈同心圆排列成近圆柱形的鳞茎，鳞茎上下粗细相同，至多底部略粗。鳞茎盘的基部长出成丛短须根。在第二个生长季节，从中心抽出一枝有叶的高大实心花葶，伞形花序球状、较大，完全花。种子小，黑色，形状不一，具棱角。

Leet, Court 参阅**Court Leet**贵族掌管的裁判庭。

Leeuwarden **吕伐登** 弗里西亚语作Ljouwert。荷兰北部弗里斯兰省省会。位于哈灵根-特雷克运河和多卡默埃运河汇合处。1453年设市。1504年成为弗里斯兰省省会。16～18世纪以生产金、银器闻名，现为该省经济中心和铁路枢纽。有牛市，产乳制品；生产锡、木材和包装纸。建有弗里西亚博物馆、普林塞瑟霍夫博物馆和皮埃尔潘德尔博物馆。古建筑有文艺复兴式坎塞拉里厅、旧磅房（1598）、市政厅（1724）、未完工的奥尔德霍弗斜塔和圣博尼费蒂乌斯教堂。人口约85 296（1989）。

Leeuwen, Denys van **莱文** 参阅**Dionysius the Carthusian** 狄奥尼西（加尔都西会士）。

Leeuwenhoek, Antonie van **列文虎克**（1632-10-24，荷兰代尔夫特～1723-08-26，代尔夫特） 荷兰显微镜学家，是最早观察细菌和原生动物的人。他对低等动物的研究驳斥

美国不列颠百科全书公司供图

了自然发生论；他的观察为细菌学和原生动物学建立了基础。列文虎克早年生活所知甚少。1648年他的继父死后，曾被送往阿姆斯特丹当布店学徒。20岁时回到代尔夫特，自营布店和杂货店。1660年当过官吏的管家，这使他有可靠而充足的收入，从而得以集中大量时间从事他爱好的磨制透镜并用它们观察微小物体的事业。他一生磨制过400块以上的透镜，大多数都是小的，有的只有针头那么大。1680年他被选为英国皇家学会的会员，他的许多发现都是用通信方式告诉学会的。他的大部分发现都发表在学会的《哲学学报》上。关于细菌的最早描述见于1683年该学报中列文虎克画的一幅图。他遗赠给皇家学会的一批透镜，放大倍数都在50倍以上，最大的达300倍。他对自己所用的显微镜术保守秘密，不为人所知。列文虎克于1674年开始观察细菌和原生动物。1677年他首先描述昆虫、狗和人等的精子（S.哈姆可能是同时发现人）。1680年他注意到酵母含有球形小颗粒。1684年他在前人工作的基础上准确描述了血红细胞。1702年他观察轮虫时，发现雨水中有微生物，认为外露的水都会有细菌，风能将附在空气中的灰尘上的细菌带入水中。列文虎克研究了各种低等动物的生命史。前人曾经有过假定一些低等动物是自然发生的学说。经过他对昆虫、海贝和鳝鱼等的观察研究，证明它们不是从小麦、沙子、河泥或露水里产生出来，而是和大动物一样，都有经过卵、幼虫等阶段的完整的繁殖过程。列文虎克的这一戏剧性的发现，使他很快闻名于世。为了观察像细菌那样小的现象，列文虎克必定使用过斜射照明或别的什么技术，借以提高透镜的效能，但是这种方法列文虎克未曾透露。列文虎克坚持工作几乎到他90高龄生命的终结。他在《哲学学报》上发表的文章达375篇，在《巴黎科学院论文集》中发表27篇。他一生出版了两部文集，一为荷兰文（1685～1718），一为拉丁文（1715～1722）。《A.van列文虎克选集》由S.胡尔译成英文出版（1798～1807）。

Leeward Islands **背风群岛** 西印度群岛一弧形岛链，在加勒比海东北端，小安的列斯群岛最西和最北部。自北向南的主要岛屿有：英属维尔京群岛和美属维尔京群岛（在地理上是大安的列斯群岛的一部分）；英国属地安圭拉；一半属法国，一半属荷兰的圣马丁岛；独立的英语国家圣基茨和尼维斯；独立的英语国家安提瓜和巴布达；英国属地蒙塞拉特；法国的一省瓜德罗普岛。岛链南方最近的多米尼加岛，有时被划为背风群岛的一部分，但通常被看作是向风群岛（**Windward Islands**）的一部分。瓜德罗普的苏弗里耶尔火山是小安的列斯群岛上最高的山（1 467米）。背风群岛的气候比以南的气候干燥，而且各地区有差异，一个岛屿上也因地而异。降雨量随地势而增加。信风使热带炎热气候有所缓和。从6月至10月经常有飓风。人口以黑人为主。旅游业为主要收入来源。旺季时有大批游客来自北美洲大陆和欧洲。

Leeward Islands **背风群岛** 葡萄牙语作Ilhas de Sotavento。西非海岸外大西洋中岛群，佛得角共和国两个行政区之一，由布拉瓦岛（**Brava Island**）、福古岛（**Fogo Island**）、马尤岛（**Maio Island**）和圣地亚哥岛（**São Tiago Island**）组成。是一群火山岛，属热带气候，雨量极少，常年干旱。

Lefèbvre, Anne **勒费弗尔** 参阅**Dacier, Anne** 达西埃。

Lefebvre, (Pierre-) François - Joseph, DUC (duke) DE DANTZIG **勒费弗尔**（1755-10-20，法国鲁法克～1820-09-14，巴黎） 法国将军，拿破仑麾下的18个元帅之一。出身低微。1773年加入法兰西警卫队。1789年大革命爆发时为中士。1792～1793年由上尉升至将军级师长，1793～1796年指挥莱茵方面军前卫部队，在击退奥地利人的弗勒侣斯战役（1794-06）和杜伊斯堡战役（1795－09）中，战功卓著。1798年曾任桑布尔和默兹方面军司令，次年任巴黎行政长官。由于他支持雾月18日政变（1799-11-09），拿破仑任命他为第一执政官。1800年他任元老院议员，1804年被封为帝国元帅。1806年在耶拿指挥帝国步兵警卫队，1807年4月攻占但泽而荣获但泽公爵衔，1814年他在元老院中投票赞成拿破仑退位，为此，路易十八封他为法国贵族。但在“百日”期间，他参加拿破仑企图夺回其帝国的行动。1815年7月波旁王朝复辟，剥夺了他的称号。

Lefebvre, Georges **勒费弗尔**（1874-08-06，法国里尔～1959-08-28，布洛涅-比扬古） 法国历史学家，以研究法国大革命著称，主要著作为《法国大革命时期的北部省农民》（4卷，1924）。原为中学教师，获得博士学位后，在大学授课，1935年任巴黎大学教授。其他著作有《拿破仑》（1935）和《1789年》（1939）。此外，为一般读者撰写的《法国大革命的来临》是对旧政权所作的最佳概述。他对18世纪的法国农民有透彻的理解，凭借这一正确指导，对当时社会进行分析。由于4/5人口是

农民，因此贵族、资产阶级和城市劳动阶级的社会地位，主要是根据他们与农业人口的关系加以确定。

Lefebvre，Marcel(-François)　勒费弗尔（1905-11-29，法国图尔宽～1991-03-25，瑞士马蒂尼）　法国天主教极端保守派大主教，他反对第二次梵蒂冈会议（1962～1965）发动的自由化改革，因未经罗马教廷批准擅自祝圣传统派人士为主教而于1988年被处以绝罚。他之所以任命这些主教，目的在于使他们在他身后延续他的事业。勒费弗尔求学于图尔宽圣心学院和罗马法兰西神学院，1929年受祝圣为司铎；一度在法国里尔任职，其后在加蓬（1932～1946）和塞内加尔（1947～1962）传教，1948年任塞内加尔达喀尔大主教。作为第二次梵蒂冈会议筹备委员会委员（1960～1962），他参与拟订一批传统主义提案，这些提案遭到与会的主教们的强烈反对。会议所通过的是比较开明的改革措施，如采用通俗语言作弥撒以取代拉丁语、在天主教与其他宗教之间寻求和解、加强教皇与主教共同领导天主教会的主教团制。勒费弗尔诋毁这些改革，斥之为"异端"、"反基督"、"撒旦"。他自1962～1968年任圣神会总会长。1969年他在瑞士弗里堡创立圣庇护十世神职人员团契。1970年勒费弗尔又在瑞士瓦莱州里德市附近的埃科内别墅开办这个团契的神学院，依照他所定的传统主义规范培训司铎。不久，梵蒂冈与勒费弗尔互相激烈指责，1975年梵蒂冈撤销原来批准这个团契的决定；1976年教皇保罗六世解除勒费弗尔的神职，禁止他履行司铎和主教职能。勒费弗尔非但违抗罗马教廷继续执行司铎职务，而且在一些国家成立地区性机构，代表他的模式的天主教。为了避免公开分裂而举行的几次谈判终归失败，其后他公然违抗教皇约翰·保罗二世的命令，在埃科内祝圣4名传统主义的主教，于是他于1988年6月30日被处以绝罚，他的徒众当时有6万多人，都被宣布为裂教分子。

Lefevre，Pierre　参阅**Faber，Peter**费伯。

Lefèvre d'Étaples，Jacques　勒菲弗尔·戴塔普尔（约1455，皮卡第埃塔普勒［法国］～1536，法国内拉克）　拉丁语作Johannes Faber Stapulensis（约翰内斯·法贝尔·斯塔普伦西斯）。法国人文学家、神学家、翻译家。他力图把宗教研究从较早期的经院哲学下解放出来。1492～1506年，著有物理学和数学讲义，出版加注新亚里士多德伦理学、形而上学和政治学著作的译本或译述本。1505年在共同生活弟兄会的影响下转而研究神秘主义。1509年发表《诗篇》拉丁文译本。此书和包含宗教改革基本思想的《保罗书信注释》，都对路德有所影响。他将整部《圣经》由天主教会法定的通俗拉丁文本译成法文（1530）。他对年轻一代学者有很大影响，他们仿效他的治学方法而有所改进。他常常被誉为宗教改革前夕的宗教改革家。

Lefkoşa（Cyprus）　**莱夫科萨**　参阅**Nicosia**尼科西亚。

Left Communist　左派共产主义者　苏联历史上共产党内部的一个派别，由布哈林领导。1918年上半年他们反对列宁为维护共产党在俄国的统治而实行的政策。他们反对缔结和约，主张进行一场革命战争。认为苏俄是一个经济不发达国家，在西欧其他国家的社会主义革命取得胜利之前，不可能建设社会主义。在工业问题上，左派共产主义者主张无产阶级必须管理经济，工人们控制在1917年间已经发展起来的工业企业乃是达到这一目标的一个步骤，不应为了短浅的机会主义目标而加以牺牲。最初，他们在党内得到有力的支持，控制着国民经济最高委员会；1918年1月，中央委员会内多数主张进行革命战争，但1918年3月在批准《布列斯特-立陶夫斯克和约》的第七次党代表大会上被击败。当1918年6月下旬苏维埃政府将所有大型企业国有化的时候，许多左派共产主义者认为这是一种正确的经济政策，因而支持列宁。在夏末时，左派共产主义者已不再作为显著的反对集团而存在。

Lefuel，Hector-Martin　勒菲埃尔（1810-11-14，法国凡尔赛～1881-01-01，巴黎）　法国建筑师，新罗浮宫的完成者，这座建筑公认是19世纪晚期世界主义建筑的主要象征。他是建筑承包商之子，从J.-N.于约学习，1839年获法兰西学院大奖。因所设计的18世纪风格的枫丹白露剧院而继任L.-T.-J.维斯孔蒂的职位，负责建筑连接老罗浮宫与土伊勒里宫的新建筑。他保留了维斯孔蒂原设计方案的大部分，但进行了修改，特别是在沿里沃利路的一面，增加了丰富的装饰，广泛使用铁件。他依据老建筑中原有的结构主题，却产生几乎完全是创造性的效果。最显著的是中央和角上的楼阁。从陡峭的复折式屋顶的角上升起了石制的屋顶窗，采用近乎巴罗克风格的装饰。在骑兵竞技场两边的中央楼阁有鼓凸的复折式屋顶，成为"方形的"穹顶。这些特点在后来的30年中为世界各地仿效，成为第二帝国建筑风格的标志。具有讽刺意味的是新罗浮宫在当时的巴黎建筑中并不是典型。其他作品有巴黎的富尔德府和尼沃凯尔克府以及1855年博览会中的木结构临时展览馆。

leg　腿　动物用以支撑身体、进行运动的肢体或附肢，有的腿形态改变用以协助捕捉及进食，如在一些水生贝类、蜘蛛和昆虫。四足脊椎动物的四肢通称腿，但两足动物（包括人）仅后肢或下肢称腿。人的腿骨同其他哺乳动物一样，有一个基节称股骨，中节为胫骨及较小的腓骨，末节系由跗骨、蹠骨和趾骨组成的足。鸟类及蝙蝠的前腿演化为翼（**wing**）。腿的其他适应形式包括由于游泳、挖掘、跳跃和奔跑产生的变态，这分别见于海豚、鼹鼠、袋鼠和马。许多无脊椎动物的附肢亦称腿。关于哺乳动物腿的主要肌肉的作用，参阅 **adductor muscles；biceps muscle；gastrocnemius muscle；gluteus muscle；quadriceps femoris muscle；sartorius muscle；soleus muscle**。

leg triceps（anatomy）　**小腿三头肌**　参阅**gastrocnemius muscle**腓肠肌。

legacy　遗赠产　又称bequest（遗赠）。法律上一般指由遗嘱赠与的财产。这个词用来指人死亡时对动产或不动产的处分。在英美法中，遗赠一件有形的物品，例如一笔特定的不动产，或某项指定的动产，称为特定遗赠产。另一方面，一般遗赠包括这样一些项目：一笔钱或若干只做了一般说明的物品，例如100份的普通股票。如果财产的全部价值不够交付所有的遗赠产，那就首先交付特定的遗赠产。如果受赠人所接受的仅仅是在交付了所有特定的和一般的遗赠产以后剩余的财产，这种遗赠就称为余产遗赠。在民法法系国家（例如德国、日本）遗赠产和受遗赠人的意义与英美法中的多少有所不同。在罗马法中，一个人死后，其全部法定的权利和义务都转给了一个全面继承者，即继承人。如果没有合法的遗嘱，继承人可以由无遗嘱继承的规定来决定。但是，继承人也可以由遗嘱指定，而且遗嘱人可以在其遗嘱中让继承人负责处理遗赠产——即对第三者应尽的责任，这第三者称为受遗赠人，继承人必须给受遗赠人一定数额的金钱或某些财产。这个词在德国和在一些有类似制度的国家例如瑞士和日本的法律中仍然使用。但是，在法国民法典以及那些仿效其模式的国家里，继承人这个词限于无遗嘱的全面继承人，遗嘱人将其全部财产遗留给他的人称为"全面受遗赠人"；如果财产分成了几份，各受遗赠人称为"共同的全面受遗赠人"；一个接受一定数额金钱或一笔特定财产——遗赠产——的人，称为"特定受遗赠人"。

legal aid　法律援助　在免费或收费很少的情况下，对需要专业性法律帮助的穷人所给予的帮助。在刑事案件中，大多数国家——特别是在被控犯罪的人享有无罪推定保障的那些国家——给那些经济不宽裕的人提供律师服务。在有些国家里，由政府或私人资助的配备有领薪人员的辩护人事务所，已被认为是最经济的解决办法。在另外一些不乏精通刑法和审判活动的律师的国家里，则由私人律师执行这一任务，或经法院指定或由被告本人选择。在很多国家里，这些私人律师不取报酬，或仅仅由国家或慈善基金组织付给微不足道的费用。有越来越多的国家认为有必要由国家提供一笔足够的基金，以付给适当的费用和支付所有的共同开支，从而保证接受这种援助的人能够得到适当的服务。在传统上许多国家的律师还对民事案件给予法律援助，并把它看作是一种附属于律师业务中的公益活动。1958年，国际律师协会发起组织了一个国际法律援助协会，其宗旨是：①编订和继续出版一种法律援助机构指南；②搜集和出版发行有关这类组织提供的服务以及各国有关法律援助的法律和其他规定的情报资料；③为在互惠的基础上给各合作机构分配案件创造方便条件；④鼓励在所有可能需要法律援助的国家里开展法律援助的服务工作，并鼓励同各律师协会、司法机构、社会福利机构以及其他有兴趣发展和改善法律援助和辩护人服务事业的国际组织合作。建立这样一个国际组织的必要性于1924年得到国际联盟的承认，后来又得到国际红十字会和其他有关社会福利、特别是有关移民的国际机构的承认。

legal association 参阅 **bar association** 律师协会。

legal code 参阅 **law code** 法典。

legal fiction 法律上的假设 将显然属于虚设的事物假定为真实的事物的一项规则。对于立法者未决定变更或者在规定明确限制的宪法条款或法典条款前，往往用假设加以规避。因此，既然立法机构依法无权开会超过午夜，但是还有5个小时的工作需要做，那么，不时地将标准时钟往回拨动，比之改动法律或宪法要容易得多。在古罗马，每个家庭需有一名男性继承人，如果没有，就用收养的法律假设来解决。在英国，当审理民事案件的法院积案很多时，王座法院（刑事法院）可以用假定简易民事诉讼的被告人已被捕和羁押的办法来分担部分民事案件的审理工作。几乎任何法律上的假设都可以按照事实加以陈述。因此，为了种种目的将一个公司看作是独立于其成员的人这一假设，就等于是说，为了上述种种目的，法律将该团体当成一个单位，而不是把该团体的各个成员作为分散的成员来看待。

legal glossator 法律注释家 中世纪时用行间或边角注释和字义解释的方法对罗马法文本进行说明的学者。法律注释家的时代始于11世纪末罗马法的研究在博洛尼亚的复兴。他们的首要任务之一就是通过现存手稿的比较来重新解释查士丁尼的《学说汇编》，即6世纪编纂的罗马法。13世纪中叶博洛尼亚大学有一位教授和最后一个注释家F.阿库修斯，着手搜集并整编他的前辈所作的浩繁注释，把它们汇编成一部完整的著作。这部《法令注释》的编纂，再加上阿库修斯本人的注释，被人称为《大注释》(Glossa magna)，盛行约一世纪之久，它的权威并不亚于原来的罗马法文本。注释家们为在欧洲从事罗马法的研究打下了基础。当时正值个人之间和国家之间的商业关系日益增加，这就急需一种先进的法律制度。他们是否关心那一时代的这些趋势或者甚至关心当时法律方面的需要，是值得怀疑的。他们的讨论偏重学术性，而不是偏重实用。把经过复兴的罗马法和意大利城市的法律更紧密地联系起来，为把罗马法适用于当时实际的法律需要找到一条道路，这一任务有待于他们的后继人——14世纪的评论家或后期注释家去完成。注释家及评论家的影响超出了意大利的范围，吸引许多学者进入博洛尼亚学校，从这里出去的法学家们进入欧洲各国政府和法院，他们的工作影响到许多世纪的法律思想的进程和内容。

legal maxim 法律格言 在英美法中，指一些通常以拉丁文表达的概括性命题，其中有一些从17世纪或早些时候以来一直为律师们所采用，有一些还可以追溯到早期的罗马法。法律格言在范围上比一般的法律规定广泛得多，它们通常形成了被认为是法官们在判决案件时需要考虑的法律政策或理想。格言通常并不具有法令所具有的那种严格权威；但在加利福尼亚州，有些格言已被编入了民法典，例如："任何人可以放弃预定只对他有利的法律权利，但是，私人协议不得违反为公共利益而制定的法律(由此，不涉及限制性法令的协议即具有约束力，但对贸易施加非法限制的协议而未予申明，就不具有约束力)。"法律永不要求不可能做到的事(由此，演员生病即可不参加演出，尽管契约中没有这一规定)。16世纪和17世纪工商业的发展，要求英国法院判决许多新的案件，中世纪的普通法对这类案件很少或完全没有列举任何范例，因而法官们感到需要有概括的、权威性的原则来支持他们的判决。在17世纪，F.培根汇编了一集拉丁文的普通法格言，对每条格言都做了详细的英文评论；爱德华·科克爵士的著作中也充满了类似的拉丁文格言，有些是来自罗马法，有些是自编的。在以后的3个世纪中，英国和美国继续出现了一些格言选集，通常附有解释性的评论和案例说明。但是，随着法令、判例和卷帙浩繁的教科书的日益增多，格言逐渐失去其重要性。最后，一度被认为是它最可贵的特点，即概括性和含糊性，反而受到法官们的批评。尽管格言所包含的某些思想仍然有很大的影响，但格言本身现在很少有人提及。法律格言在国际法中被援引的频率更高。

legal medicine 参阅 **medical jurisprudence** 法医学。

Legal Tender Cases 《合法货币案》（1870，1871） 美国最高法院的两个判案，1862年联邦政府为筹集南北战争资金通过《合法货币法》，发行不能兑换金银的纸币，投放了价值约4.3亿美元的"绿背纸币"。按照法律，纸币可用于纳税、缴纳欠款和偿还债务，对方不得拒收。最高法院在《赫伯恩诉格里斯沃尔德案》(1870-02-07)中，以4比3的票数裁决国会无权使纸币成为合法货币。在宣布裁决的当天，持相反意见的格兰特总统提名两位新的法官人选交参议院批准。参议院批准了布雷德利和斯特朗两位法官的任命。在下次会议中，最高法院同意重新审议绿背纸币发行问题。在《诺克斯诉李》和《帕克诉戴维斯》两案(1871-05-01)中，最高法院以5比4的多数撤销它在《赫伯恩诉格里斯沃尔德案》中的裁决，宣布1862年的《合法货币法》是国家紧急时期正当地运用联邦权力的体现。

Legalism 法家 中国战国时期以法治为思想核心的重要学派。《汉书·艺文志》列法家为"九流"之一。早期代表人物有管仲、邓析、子产、李悝、申不害、吴起、慎到和商鞅。申不害重"术"(统治权术)，慎到重"势"(专制独裁)，商鞅重"法"(立法制令)。战国末期韩非集法家学说大成。法家认为社会安定不可能通过德治达到，只有厉行严刑峻法才能巩固国家统治秩序。法家往往把"法"和道家的"道"结合成为"道法"或"道术"。法家为实现其政治主张曾和贵族进行激烈斗争，并对中国大统一事业有过卓越贡献。法家著作有《商君书》和《韩非子》等。

Legaré, Hugh Swinton 莱加列 （1797-01-02，美国南卡罗来纳查尔斯顿～1843-06-20，波士顿） 美国南方保守派律师，反对南卡罗来纳州激进派要废除1832年关税率的企图。他学习法律3年以后，赴欧洲深造。1820年返回南卡罗来纳州，任州议员10年。1828年参加创办《南方评论》。1830年任南卡罗来纳州检察长，两年以后任美国驻比利时代办。但在离开美国之前，他领导南卡罗来纳州的联邦主义力量在关于否认原则的争论中反对J.C.卡尔霍恩的认为州拥有主权和脱离联邦的权利的理论（参阅 **nullification**）。1836年回国任众议员。1841年任美国司法部长。1843年任国务卿。

Legaspi 莱加斯皮 菲律宾吕宋岛东南部阿尔拜省省会和直辖市。靠近阿尔拜海湾入口处。始建于1639年。位于马荣活火山（已辟为国家公园）南麓。该市是椰干和马尼拉麻的主要出口港，大规模麻织品手工业中心。亦有储油设备。港口虽有良好屏障，但靠岸处水位太深，频受飓风袭击，码头设施不佳。是马尼拉—南方铁路南端终点。建有机场。为比科尔大学(1969)所在地。1959年设市。人口157 010(2000)。

legate 罗马副将 拉丁语作legatus(副将)，复数 legati。公元前2世纪和前1世纪，在共和国时期，古罗马在所征服的诸行省设此官职，为总督的帮办。公元前1世纪后半期，凯撒首开任命副将指挥军团先例，到奥古斯都时期已成为惯例。在公元1、2世纪帝国早期，一个拥有一个以上军团的行省则有一名拥有"皇帝之代理省长副将"头衔的军事统帅。

legate 教廷使节 又作 papal legate。奉教皇指派代表教皇个人执行宗教或外交使命的天主教神职人员。根据教会法规定，教廷使节共分3种：根据教皇的授权，代表教皇完成特殊使命的枢机主教，称为教廷特使。派往与教廷保有外交关系的国家的使节，称作教廷大使或教廷公使；其任务是促进友好关系，对该国教会情况进行考察并向教皇作出报告。派往与教廷无外交关系各国的使节，称作宗座代表；其使命是在当地教会与教廷之间传递信息。

legation 管区 意大利语作 legazione。18～19世纪教皇国的主要行政区划。每处由一位枢机主教治理。在19世纪中期意大利统一之前，这种管区有4个：博洛尼亚（包括费拉拉和罗马涅）、乌尔比诺（马尔凯区）、佩鲁贾（翁布里亚区）和韦莱特里（南拉齐奥区）。

Legazpi, Miguel López de 莱加斯皮（约1510，西班牙苏马拉加～1572-08-20，马尼拉） 又译黎牙实比。西班牙探险家，建立西班牙对菲律宾的统治，直到1898年西班牙-美国战争时为止。1545 年去新西班牙(墨西哥),在当地政府任办事员。尽管麦哲伦 1521 年就已发现菲律宾群岛,但在那里没有建立欧洲人居民点。因此,新西班牙总督 L.德贝拉斯科于 1564 年派遣他去完成这个任务。他率领 5 艘船离开墨西哥海岸阿卡普尔科,于 1566 年 4 月到达菲律宾群岛南部的宿务岛,在今宿务城建立第一个西班牙人居民点。后为第一任菲律宾总督(1565 ~ 1572)。1570 年派远征队去吕宋岛。次年亲自出征,在吕宋废黜伊斯兰土王,兴建马尼拉城(1571-06-24),该城成为新西班牙殖民地的首府和西班牙在东亚的主要贸易港。莱加斯皮于 1568 及 1571 年两度挫败葡萄牙人的攻击,轻易地战胜了菲律宾人组织不善的抵抗。南部群岛的穆斯林抵抗西班牙统治一直持续到 19 世纪,但吕宋和北部群岛的伊斯兰力量薄弱。莱加斯皮和他的传教士为菲律宾人改信天主教奠定基础。

Legdan(Mongol chief) **林丹** 参阅 **Ligdan Khan** 林丹汗。

legend 传说 一个或一组有关某人或某地的世代相传下来的故事。最初传说一词是指圣徒事迹而言。在内容上与民间故事类似,包含奇特人物和神话因素,或对自然现象的解释,但总是与某一特定地点或人物相联系,并且总是作为历史事实加以叙述。有的传说为某地所独有或仅涉及某一人,如 G.华盛顿幼年砍倒樱桃树的故事。但许多地方传说实际是与某些特定人物或地点相关的著名民间故事。比如,关于一个神箭手被迫从他儿子头顶上射掉一只苹果、一个榛子或其他东西的故事,已经和瑞士英雄威廉·退尔联系在一起。另一个很流行的故事,谈到某人的小儿子所得遗产只有一只猫,他把猫卖到一个鼠患猖獗的地方,因而发财。这故事便和 15 世纪初三任伦敦市长的 R.惠廷顿联系在一起。李尔王的故事就是根据民间故事"爱似盐"写的。地方传说有时不胫而走。虽然哈默林穿杂色衣服的风笛手通过文学作品而著名,但欧洲许多别的城镇也有同样的传说,说是有个吹风笛的人拐走了他们的孩子。参阅 **folktale**。

Legendre, Adrien-Marie 勒让德(1752-09-18,巴黎～ 1833-01-10,巴黎) 法国数学家,在椭圆积分方面的出色工作为数学物理提供了基本的分析工具。1775 ～ 1780 年任巴黎军事学院数学教授。1795 年任巴黎高等师范学校教授。虽然他曾任几个较低的政府官职,却从来没有得到与他的才能相称的职位,这是由于他的同事 P.S.拉普拉斯的嫉妒。他早期研究球体引力问题,写了 4 篇重要论文,1783 年的第一篇论文中引进了著名的勒让德函数。他的《确定彗星轨道的新方法》(1806)中有发表最早的对最小二乘法的综合论述。他对大地测量也有贡献。他的名著《几何基础》(1794)重新组织并简化了欧几里得《几何原本》的许多命题,在欧洲和美国大多用这本书代替《几何原本》作为教科书。《几何基础》中给出了 π 是无理数的简单证明,对 π^2 是无理数做了第一次证明,并猜想 π 不是任何具有有理系数的有限次代数方程式的根。1786 年他继续 L.欧拉、J.兰登和 J.-L.拉格朗日的工作又开始研究椭圆积分;在一段时间内,他是研究这个分析新分支的唯一数学家。他最重要的著作《椭圆函数论》(1825 ～ 1837)把椭圆积分化为三个标准型,现在以他的姓氏命名。在他的著作发表后不久,N.H.阿贝尔和 K.雅可比相互独立的发现使椭圆积分发生了彻底革新。他 40 年工作的成果一直没有受到同代人的重视,而他对待超过自己的人却由衷地欢迎,这种态度使他受到后人的崇敬。他在《数论》中系统地发表了他自己和前人对数论的研究,其中包括他对二次互反律的证明,被当时最伟大的数学家 C.F.高斯认为是"算术的珍宝"。这个定律是 P.de 费马 17 世纪的工作以后,数论中最重要的成果。

Léger, Fernand 莱热(1881-02-04,法国阿尔让当～ 1955-08-17,伊沃特河畔吉弗) 法国画家,作品多以抽象的几何形体、广告式的色块表现工业题材、建筑工人和杂技演员等。

美国不列颠百科全书公司供图

出生于诺曼底一个小城的农民家庭,小时做过建筑学徒。1900 年去巴黎,当过建筑绘图员,后在一家照相馆修描照片。1903 年入装饰美术学院。初期受印象主义和野兽主义(特别是塞尚)绘画的影响,画风主要是印象主义与野兽主义的混合。1908 年立体主义兴起,在周围环境的影响下,其画风亦发生变化。1909 年创作《女裁缝》,画面呈蓝灰浅黄色调,皮肤和人体被画成块状和圆柱体,类似机器人。又作《树林中的裸体人像》,用几何图形把人体割成大的块面。1913 年,用较明亮的色彩创作了一组有力的、有时完全抽象的习作,名为《形体的对比》,用来图解其理论:要得到最大的绘画效果,就要加强色的对比、曲线和直线的对比、立体与立体以及立体与平面的对比。第一次世界大战期间服兵役,1917 年退伍后作《玩纸牌的士兵》,自称是"第一张取材于时代的绘画"。1919 年他处于被称作他的机械化的时期,作品反映出对汽车、齿轮、轴承、高炉、铁路叉道和厂区的迷恋。20 年代中期,与法国形式主义运动纯粹派画家交往之后,其艺术常用比喻,使之抽象化。

除绘画外,莱热亦从事其他种类的艺术,为芭蕾作舞台背景设计和动画片设计,他一生都关心公共建筑的色彩关系,并在一些镶嵌画和彩色玻璃画中实现了自己的想法,如公共建筑的装饰设计等。主张艺术应接近普通人民,这是他于 1945 年加入法国共产党的理由之一。在法国南部比奥,有一全部陈列其作品的博物馆。

Léger, Marie-René-Auguste-Alexis Saint-Léger 莱热 参阅 **Saint-John Perse** 圣琼·佩斯。

Leges Rusticae(legal code) 参阅 **Farmer's Law**《农业法》。

Legg-Calvé-Perthes syndrome 莱-卡-佩三氏综合征 即幼年变形性骨软骨病(**osteochondrosis**)。

Legge, William 莱格 参阅 **Dartmouth, William Legge, 2nd Earl of** 达特茅斯伯爵(第二)。

Leggett, Anthony J. 莱格特(1938-03-26,英国伦敦～) 英国物理学家,由于在超流研究方面的卓越贡献,与俄罗斯科学家阿布里科索夫和金茨堡共获 2003 年诺贝尔物理学奖。1964 年获得牛津大学博士学位,1967 年在萨塞克斯大学任职,1983 年加入伊利诺伊大学厄巴纳-尚佩恩分校。莱格特对超流现象有着开创性的研究。超流是某些超冷的液态物质无内阻或无黏滞的流动现象。超流体展示出很多奇异的行为,比如可以爬过容器的侧壁并从顶端溢出。在 20 世纪 30 年代,科学家就已经知道普通的氦,即同位素氦-4,在冷却时可以成为超流体。虽然建立了解释这一现象的理论,但是科学家们在 20 世纪 70 年代发现这个理论不能适用于另一种超流体同位素氦-3。莱格特指出氦-3 的电子可以形成类似于超导金属内部的那种电子对,而且更为复杂,从而弥补了理论上的不足。他识别并且描绘了电子对相互作用时发生的相变过程,这些成果可以广泛应用于宇宙学,以及基本粒子和液晶等相关研究领域。

Leghorn(Italy) **来航** 参阅 **Livorno** 里窝那。

Legio Maria(African church) 参阅 **Maria Legio** 圣母军。

legion 军团 军队的一种建制。原来是古罗马军队中最大的固定建制。军团一词也指罗马帝国征服并统治古老世界的军事制度。版图日益扩大的早期罗马共和国发现希腊的方阵队形在意大利中部的山区和谷地进行小规模作战时太不灵活机动,就演变出一种以小而便于机动的步兵分队为基础的新的作战体系,名叫"支队"。每个支队由 120 人组成,排面为 12 人,成 10 路纵队。两种步兵武器使得军团具有尽人皆知的灵活性和战斗力:2 米长的标枪既可用于投掷,也可用于冲刺;还有一把长 50 厘米的利剑,带有宽而锋利的刃口。每个军团成员配有金属头盔和胸甲以及一个凸圆形的盾牌。支队在作战时排列成 3 条线,每条线由 10 个支队组成,呈棋盘形。

交战时，第1线支队快步出击，先猛投标枪，再在敌人未反应过来时持剑冲入敌阵；紧接着，第2线支队又冲了上来。只有十分顽强的敌人才能在这两次连续攻击之后重新聚集起来。在近代，军团一词用于外国志愿军或雇佣军，诸如弗兰西斯一世的省军团和拿破仑的二线兵团。“外籍军团”常指由交战国招募外国志愿兵而组建的非正规部队。最著名的是法国外籍军团，由外国志愿兵组成，由法国军官指挥，自1831年组建以来，一直在“法兰西共和国”各地服役。

Légion étrangère 参阅 **Foreign Legion** 外籍军团。

Legion of Honour 荣誉勋位团 法语作 Ordre Royale de la Légion d'Honneur。法兰西共和国第一个勋位团，由当时的第一执政拿破仑于1802年5月19日创立。这是一种普通的军人与公民的勋位，不问出身或宗教，凡是公开宣誓拥护自由与平等者皆可授予。拿破仑对这一勋位团的构想最后虽然被普遍接受，但在当时却引起不少人、尤其是那些认为只有纯粹军人才能获此种勋位的人的反对。拿破仑称帝后，于1804年在巴黎残老军人院主持第一次授勋仪式。1805年创办一些招收勋位获得者的女儿的学校，后来又开办几所护理荣誉勋位团病残成员的医院 。在王政复辟期间，荣誉勋位团成为王家的一个勋位团，等级低于已经恢复的旧制度的军人与宗教的各勋位团。君主政体垮台后，这个勋位团再度成为法国最高级的勋位团，其勋章也是属于最高级的。这个勋位团符合拿破仑设此勋位时所怀抱的理想，其成员显然是平等主义者 。不论男女，不论法国公民或外国人，不论平民或军人，亦不论阶级、出身或宗教信仰，都可获得这个勋位团中的任何一个等级。凡进入这一勋位团者，必须在和平时期任文职时有政绩或在战争时期军功卓著均达20年，可以在死后授予。因军功而获荣誉勋位者皆奖以十字军功章，这是法国最高的军人奖章。在法国执政府时期和第一帝国时期，拿破仑是这个勋位团的领袖，由7位高官组成的大议事会管理该勋位团下属的15个区域单位，或称“大队”。目前法国总统任该勋位团的领袖，在由勋位团领袖任命的一个议事会的辅助下，一名文职主任主持日常工作。这个勋位团有5个等级，从高到低依次为：大十字（限80名），高官（200名），指挥官（1 000名），军官（4 000名），骑士（不限人数）。拿破仑本人提名授予勋位的约4.8万人。骑士以上4个等级的外国受勋者不在限制名额之内。由较低等级晋级到较高等级时，依其在较低等级时的贡献而定。然而，具特殊贡献的候选人可立即升入任何一级。勋章图案的变化反映出法国历史的变迁。最初，勋章的星形上绘一王冠，环绕以橡树与月桂花环，王冠下是拿破仑的头像，背面则为一只鹰，鹰爪抓着一条闪电，附有题词“荣誉与祖国”。第一次王政复辟时期，路易十八于1814年以法王亨利四世的头像取代拿破仑的头像，在背面加上皇室的百合花饰纹章。1870年拿破仑三世恢复了原来的图案，但以共和国的女性头像取代了拿破仑的头像。勋章的正面为女性头像带有“法兰西共和国”的题词，背面则为交叉的三色国旗和“荣誉与祖国”的题词。

Legion of Mary Church 参阅 **Maria Legio** 圣母军。

Legionnaire disease 退伍军人协会会员病 肺炎的一型。1976年首次确定其病原体为一种前所未知的杆菌，后定名为 *Legionella pneumophilia*。本病及其病原体因美国退伍军人协会在费城旅馆召开全州会议，会员中182人患本病，死亡29人而得名。美国佐治亚州亚特兰大市的疾病控制中心进行了研究，发现其病原体具有许多特点：生长缓慢，仅生长于营养十分丰富的湿润的培养基上，对酸碱度要求严格（最理想的pH值为6.9～7.0），在自来水中能生活一年之久。后来研究了许多保存的组织及血液标本，发现曾于许多地方（如美国的华盛顿市、庞蒂亚克、密歇根；西班牙的贝尼多姆；英国的诺丁汉乃至洛杉矶医院）爆发的原因不明的肺炎样疾病其实就是本病。本病发病时最先出现的典型症状为全身不适、头痛，继之高热，常伴畏寒。咳嗽（多无痰）、气短、胸膜炎样疼痛，腹部不适等常见，偶见精神错乱。本病亦可发生于平素健康的人，但多发生于年老体弱或因疾病、用药而致免疫能力低下者。本病与肺炎球菌性肺炎不同，罕见经人与人之间接触传染。在若干欧洲国家及自中国归来的旅游者中曾发生多次本病爆发，但确切的传染源尚未明。中央空调器可能会将其中污染的水以水滴形式散布到周围的大气中去，饮水及排水系统，建筑工地的用水亦为可疑的传染源。治疗可用红霉素，严重病例可加用利福平。到20世纪80年代初期，仍无快速诊断本病的方法。

legislative apportionment 议员人数分配 又作 legislative delimitation。众议院选区议员名额的分配办法。apportionment（分配）一词现大约只有美国一国使用。大多数国家，特别是英国和英联邦国家使用 delimitation（限定）一词。分配可以采取比较简单的方式：如在古希腊议会里，各公民代表自己。在以后若干世纪中，东方和西方一样，宫廷和议事会由几个阶级，如贵族、僧侣和诸如行会及学术中心之类的团体代表组成。但是，随着民主的发扬，选举权的扩大及政党的兴起，议员人数分配成为一个复杂的问题。对分配必须进行精确的安排，以保证议员席位的分配能最准确地反映选民的意志。尽管分配的做法多种多样，但议员人数的分配一般可分为5种类型，每种类型都有其特定的选区形式：①地域分配：选区有指定的界线，而各选区的选民数最好是大致相等，这是最普通的分配方式。②独立的行政单位间的分配（如镇、县、市、州等）：以地方行政单位为选区，选举上一级立法机构的议员。③作为选区的官方机构间的分配：由地方的或省的机构选举议员（如第17条宪法修正案确定实行普选之前，由州议会选举美国参议员）。④居民按职务划为不同集团的分配：根据社会的或经济的特点将选民划为不同集团，如英国早期议会中的贵族、僧侣和平民等级，或如基尔特社会主义用以作为分配基础的职业的、工业的、专业的、民族的或其他集团。⑤党派内各行业的分配：比例代表制（**proportional representation**）旨在尽量反映各方面的选民意见。在后两种分配制上，集团或党派被视为选区。选区面积的差异是各地议员人数分配中反复出现的问题。常常进行选举制度的改革以消除诸如英国的腐败选区（**rotten borough**）制度和美国的不公正地划分选区（**gerrymandering**）的做法中代表名额分配不公的弊病。立法机构采取由选区界线委员会定期对议员人数进行重新分配的办法，根据人口的变化对议员人数分配作出调整。

Legislative Assembly 立法议会 法语作 Assemblée Législative。法国大革命部分期间内和第二共和国时期中，法国全国性议会的名称。它成立于1791年9月，在1791年10月1日至1792年9月期间开会，后为国民公会所代替，标志着第一共和国正式开始。在第二共和国期间，它从1849年5月28日延续到1851年12月2日，后被拿破仑三世解散。不到一年，共和国也宣告结束。

Legislative Corps 参阅 **Corps Législatif** 立法团。

legislative investigative powers 立法机关调查权 立法机构进行调查的权力。除美国以外，在大多数国家中，行使这种权力主要是为了对政府的行政部门起制约作用。但是，美国的国会却行使广泛的调查权力，这开始于1792年对一次军事失败的调查。在19世纪20年代期间，国会各委员会开始经常召唤证人为拟议中的法案作证。1857年国会给拒绝回答问题的证人规定了刑罚，尽管在《基尔伯恩诉汤普森》一案（1881）中，最高法院认为国会不能询问“公民个人的私事”。大约经过40年以后，在《辛克莱诉美国》一案（1929）中，对国会的调查不像以前那样反感的最高法院裁决说，证人不能以问题涉及他的私事为理由而拒绝回答。在20世纪50年代中，众议院非美活动调查委员会对所谓的共产党活动的调查，促使人们批评国会的调查是“为揭发而揭发”，违反了宪法第一条修正案规定的权利。由于这些案件毫无例外地都指控国会违反第五条修正案，所以法院就根据第五条修正案来处理这些案件，从而避免了在第一条修正案上的争议。然而，20世纪60年代司法气氛发生变化以前的几个被定为蔑视国会罪的判决仍维持不变。在《吉布森诉佛罗里达州立法委员会》一案（1963）中，最高法院认为，州立法机关对迈阿密的全国有色人种促进协会（NAACP）进行的一次调查，违反了第一条修正案规定的权利。A. 戈德堡大法官代表多数大法官发表的书面意见中说：“本身既不从事颠覆活动也不从事其他非法或不正当的活动的团体……其自由秘密结社的权利应受到保护。”随后在《德格雷哥里诉新罕布什尔州检察长》一案（1966）中，最高法院又认为，如果没有任何迹象足以表明“州的压倒一切和令人信服的利益要求必须侵犯第一条修正案所保护的政治秘密结社的自由”，那么，第一条修正案的规定就禁止政府“以判处蔑视罪作为后盾来行使调查权”。

Legitimist 正统派 19世纪法国的保王党人，他们从1830年起就一直拥护由波旁家族嫡长系的继承人为法兰西正统君主这一主张。正统派不仅反对共和派，而且反对其他君主派，即奥尔良派和波拿巴派。奥尔良派是依附于波旁-奥尔良家族的保王党人，他们在1830年的7月革命时承认路易-菲利普为法国国王；波拿巴派主张恢复法兰西帝国。正统派把尚博尔伯爵看成法国的亨利五世；只要尚博尔伯爵还活着，正统派的地位从理论上讲就是十分稳固的。然而尚博尔伯爵在政治上的不妥协态度妨碍了正统派和奥尔良派的联合，甚至在第二帝国（1852～1870）垮台、君主制度复辟似有可能时也是如此。1883年尚博尔伯爵死后无嗣，大多数正统派成员转而拥护奥尔良派的王位觊觎者巴黎伯爵路易-菲利普-阿尔贝。

Legnani, Pierina 莱尼亚尼（1863，意大利～1923，意大利） 意大利芭蕾舞女演员。她的娴熟技艺鼓舞俄国舞蹈家们去发展他们当时特有的精湛舞艺。在米兰、巴黎、伦敦和马德里表演之后，到圣彼得堡玛丽亚剧院（1893）演出舞剧《灰姑娘》。她以完成32个“连续的富埃泰·昂·图尔囊”（在一个地点用一条腿完成的急速旋转）的舞蹈动作使观众惊叹不止，这是她在伦敦首创并表演的一种快速旋转。她虽然最初只受聘一个演出季，但她在俄国却一直演到1901年，并获得绝对首席芭蕾舞女演员的称号。帝国芭蕾舞团只给另一位舞蹈家（M.克谢辛斯卡）授予这种光荣称号。另在佩季帕和伊凡诺夫改编的《天鹅湖》（1895）中扮演过女主角。此外还演出过《葛蓓莉娅》、《蓝胡子》和《雷蒙达》。莱尼亚尼离开俄国后在意大利、法国和伦敦演出，大约至1910年。

Legnano 莱尼亚诺 意大利北部伦巴第区米兰省城市。濒临奥洛纳河。原为古罗马居民点。1176年腓烈特一世（红胡子）在此被伦巴第联盟军队彻底击败。著名建筑有圣马尼奥教堂和维斯孔蒂城堡遗迹。为米兰西北的工业卫星城。有重要的冶金和棉纺厂。也生产机械、肥皂和蜡烛等。人口：城市区约53 797（2001）。

Legnica 莱格尼察 德语作Liegnitz。前波兰西南部省份（1975～1998）。现为下西里西亚省的一部分。

Legnica 莱格尼察 波兰西南部下西里西亚省城市。位于西里西亚低地西部，卡恰瓦河沿岸。12世纪时是西里西亚要塞，1248年成为一自治公国的首府。1252年设市，很快成为重要贸易中心，1675年前由皮亚斯特王朝统治，经济基础是范围广泛的纺织业。第二次世界大战中受严重破坏。传统工业有金属加工、纺织和食品加工。冶金和铜矿加工业最近也发展起来。莱格尼察是1992年建立的当地罗马天主教主教教区的中心城市。有铜矿博物馆、艺术馆、剧院、文化中心和公共图书馆。人口约107 100（2002）。

Legrenzi, Giovanni 莱格伦齐（1626，威尼斯共和国贝加莫附近克卢索内［意大利］～1690-05-27，威尼斯） 意大利作曲家。公认为威尼斯巴罗克时期最杰出作曲家之一。所作三重奏鸣曲可列入前科莱利时期最优秀室内乐范畴。关于莱格伦齐的童年，人们知之不详。父为小提琴家，也是一位不知名的作曲家。他曾从其父学习。1651年被授以牧师职。曾任贝加莫圣玛利亚大教堂管风琴手和牧师，1656～1665年在费拉拉圣灵学院任教堂乐正。他的第一部歌剧《真正的人尼诺》（1662）即作于这一时期。1681年担任威尼斯圣马可大教堂副乐正之职，1685年升乐正。扩大圣马可大教堂的管弦乐队，并将音乐彻底加以重新组织。莱格伦齐毕生创作除奏鸣曲、弥撒曲、经文歌、清唱剧及其他作品外，尚有歌剧约19部。去世时已是世界闻名的作曲家。他的音乐反映了晚期巴罗克风格最后时期的典型特征。创作圣乐、歌剧和室内乐同样得心应手。所作教堂音乐证实他在复调写作中做出的发展。他的器乐奏鸣曲是他最有远见的作品，尤以其结构处理令人瞩目；它们对D.斯卡拉蒂、A.维瓦尔第和J.S.巴赫的作品均有巨大影响。巴赫在其《C小调管风琴赋格曲》、G.F.韩德尔在其清唱剧《参孙》的一首合唱中都曾采用莱格伦齐作品的主题。

Legros, Alphonse 勒格罗（1837-05-08，法国第戎～1911-12-08，英格兰赫特福德郡沃特福德） 法国出生的英国油画家、铜版画家、雕刻家，其以死亡和幻想为主题的版画至今仍

勒格罗绘《祈祷的妇女》
美国不列颠百科全书公司供图

为人记忆。曾在伦敦执教，在艺术衰微时期复兴了英国的素描和铜版艺术。1857年在巴黎沙龙展出的其父的侧面肖像受到人们的注意。早期名画有《祈祷》（1859）和《还愿物》（1861）。其作品显示了别具一格的杰出的素描技巧，继承了安格尔的传统。1863年迁居伦敦，教铜版画；在伦敦大学学院任教期间（1876～1892），坚持作严格的、注重结构的素描。

Leguía y Salcedo, Augusto Bernardino 莱古亚-萨尔塞多（1863-02-19，秘鲁兰巴耶克～1932-02-07，利马） 秘鲁实业家，政治家，总统（1908～1912，1919～1930）。出身显贵。

美洲国家组织供图

1896年创办保险公司。19世纪90年代任一家英国大糖业公司的董事。1903～1908年任财政部长和总理。1908年当选总统。他实行财政和行政改革，兴建医院和城市排水系统，改善保健事业，从而促进经济的发展。他经过复杂的谈判，解决了与巴西和玻利维亚长期存在的边界争端。在第1次总统任期中，他基本上是秘鲁寡头政治集团的工具。任职期满后，他去伦敦居住。1919年被召回担任总统，寡头集团分子发动叛乱。同年7月4日，他的支持者发动政变，使他就任总统。因此，在第2次任总统时，他与在统治秘鲁政界20年的旧寡头集团决裂，放逐许多著名政治家。他虽然主持制定新宪法，但是实行独裁统治。1930年在一次政变中被推翻。

legume 荚果 又作pod。豆目（**Fabales**）植物的果实。干燥的荚果沿两条缝线开裂，以释出种子。荚果实及其种子可作为人和其他动物的食物，能生产食用油和纤维，也是塑料的原料。富含蛋白质，并含有多种主要的氨基酸。有一种荚果称节荚，成熟后不开裂而节节脱落，每节含一粒种子。参阅 **alfalfa; bean; broom; clover; cowpea; pea; peanut; soybean; vetch**。

Leguminosae（plant family） **豆科** 参阅 **Fabales** 豆目。

Leh 列城 印度次大陆北部查谟和克什米尔印度控制区一城镇。原为商队站。现有公路向西通往斯利那加，向东南通往中国西藏的巴里加斯。位于有“世界屋脊”之称的高山区，海拔3 520米。为世界最高居民城镇之一。主要为商业中心，也种植果树和经营农业。有古王宫和寺院。人口27 513（2001）。

Lehár, Franz 莱哈尔（1870-04-30，奥匈帝国匈牙利科马罗姆～1948-10-24，奥地利巴特

美国不列颠百科全书公司供图

伊施尔） 匈牙利轻歌剧作曲家，以《快乐寡妇》一剧著称于世。曾在布拉格音乐学院学习。受A.德沃夏克鼓励，决心以音乐为业，1890年起任管乐队领队，在奥地利巡回演出。1896年写成轻歌剧《库库施卡》。成功之作《快乐寡妇》（1905）开创了维也纳轻歌剧的新风格，采用华尔兹舞曲曲调，模仿巴黎康康舞曲，还带上某种讽刺因素。接着又写了许多轻歌剧，在英美演出（用英文标题）后声名大振，其中包括《一夫三妻》（1908）、《卢森堡伯爵》（1909）、《吉普赛之恋》（1910）和《微笑之乡》（1923）。有几部作品拍摄成电影，包括《快乐寡妇》。

Lehi 利哈伊 美国犹他州北部犹他县城市。位于犹他湖北岸，在盐湖城郊区，为农业中心（苜蓿和甜菜）。当地还保留有一部分快马邮递的驿路。其他景点包括约翰·哈钦斯自然史博物馆和萨拉托加斯普林斯的犹他湖游泳跳水馆。每年6月有利哈伊集市。1852年设市。人口19 028（2000）。

Lehigh Valley Railroad Company 利哈伊谷铁路公司 美国的铁道企业。为宾夕法尼亚东北部煤矿运煤的铁路之一。1846年成立，原名特拉华-利哈伊-斯库尔基尔-萨斯奎汉纳铁路公司，1853年改现名。该铁路合并宾夕法尼亚及新泽西一些其他小铁路，最后东达纽约，西抵布法罗，总长约1 600余千米。随着热源使用煤炭的减少，20世纪50年代公司进入困难的岁月。1962年宾夕法尼亚铁路公司买下了该公司大部分股票但状况并未好转，终于在1970年破产。公司所属的大部分资产在1976年4月由联邦特许建立的**联合铁路公司（Consolidated Rail Corporation）**收购。

Lehman Caves 利曼岩洞 美国内华达州中东部石灰石洞穴群。位于斯内克山脉惠勒峰东坡，西距贝克8千米。1922年设为国家保护地。1986年成为大盆地国家公园的一部分。有些洞穴为史前印第安人的埋葬处。洞内廊道幽室密如蜂房，钟乳石、石笋变幻迭出，瑰丽壮观。

Lehmann, Johann Gottlob 勒曼（1719-08-04，德国萨克森皮尔纳附近朗根亨讷斯多夫～1767-01-22，俄罗斯圣彼得堡） 德国地质学家，对于地层学的发展、成层沉积岩层序之科学研究有贡献。1741年获维滕贝格大学医学博士学位，并在德累斯顿开业行医。在萨克森州，他发现其真正的志趣并不在医学，而在采矿。1750年他关于矿床及其化学成分论文的公开发表，使他被正式委任（在柏林普鲁士皇家科学院赞助下）研究普鲁士各省的采矿程序。他对特殊地层中矿藏的成因的解释总结在1756年发表的第一个地质剖面中。他认为岩石不是随意排列的，而是可以形成历史层序，这一原理是现代地层学的基础。在勒曼的极力推动下，弗来堡矿业学院于1765年成立。勒曼受沙俄帝国科学院邀请到圣彼得堡（1761），他在那里成为大学化学教授和科学院自然历史博物馆馆长。

Lehmann, John 莱曼（1907-06-02，英格兰白金汉郡伯恩恩德～1987-04-07，伦敦） 全名John Frederick Lehmann。英国诗人、编辑、出版家、文学家。所编图书期刊《新作》及其后继者对20世纪30年代中期至40年代的英国文学发生过重大影响。伊顿公学和剑桥大学三一学院毕业。1932～1936年在维也纳当新闻记者并成为诗人。回国后创办《新作》，曾发表W.H.奥登、C.衣修午德、V.S.普里切特等人的作品。曾任霍格思出版社总经理（1938～1946）和《地理杂志》的编辑顾问（1940～1945）。1946～1953年与小说家、姐姐R.莱曼经营约翰·莱曼出版有限公司。1954年创办文学评论刊物《伦敦杂志》。第一部诗集《重访故园》于1931年出版。1963年出版《诗集》之前，还出过几部诗集。3卷自传为《低语的画廊》（1955）、《我是我的兄弟》（1960）和《广泛的命题》（1966）。他还在1980年出版有诗人R.布鲁克的传记。

Lehmann, Lilli 勒曼（1848-11-24，巴伐利亚维尔茨堡[德国]～1929-05-17，柏林） 德国歌剧女高音和利德（艺术歌曲）歌唱家，以演R.瓦格纳的《特里斯丹和绮瑟德》中的绮瑟德一角闻名。1865年在布拉格首次登台，1870年加入柏林歌剧院，演唱过莫扎特《魔笛》中的夜王后一类花腔女高音角色，并得到瓦格纳的亲自指导。后来又演唱戏剧女高音角色。1885～1892年，两度在纽约大都会歌剧院演出。她的表演风度、优美嗓音和多才多艺受到极大赞赏，能演唱170个歌剧角色和600首利德。写有自传《我的生活道路》（1913）和《怎样唱歌》（1902）。

Lehmann, Lotte 勒曼（1888-02-27，德国佩勒贝格～1976-08-26，美国加利福尼亚圣巴巴拉） 德国抒情戏剧女高音歌唱家。早年在柏林学习，1910年在汉堡扮演瓦格纳的《莱茵黄金》中的弗赖亚时初露头角。1914年入维也纳国立歌剧院。R.施特劳斯挑选她担任其几部歌剧中的角色，后又专为她在《阿拉贝拉》（1933）中写角色。1913年起在英国舞台、1930年起在美国舞台上演出也获得成功。在纽约大都会歌剧院她主要演唱瓦格纳歌剧的角色。1938年起定居美国，加入美国籍。写有长篇小说《奥普利德，我的故乡》（1937）和3卷回忆录。

美国不列颠百科全书公司供图

Lehmann, (Peter Martin) Orla 莱曼（1810-05-19，丹麦哥本哈根～1870-09-13，哥本哈根） 丹麦政治革新家，主张在19世纪的丹麦建立议会制政体获得成功。19世纪30年代为学生领袖，是丹麦君主专制政体直言不讳的批评者。40年代任民族自由党领袖。该党号召建立议会制政体、自由经济制度和将所属石勒苏益格公国并入丹麦。1848年3月民族主义示威的领导人，由于这次示威，实现了自由主义宪法和民选内阁，并导致反对石勒苏益格分裂主义者的战争。在三月（临时）内阁中任不管部大臣。1848年前为自由主义者，以后转向右翼。1851年选入新议会的下议院，1854～1870年任保守的上议院议员，1855～1866年为国务委员会委员，1861～1863年在民族自由党政府中任内政大臣，该政府促成了灾难性的丹麦对普鲁士与奥地利的战争（1864）。

Lehmann, Rosamond (Nina) 莱曼（1901-02-03，英格兰白金汉郡伯恩恩德～1990-03-12，伦敦） 英国女小说家。主编和出版商J.莱曼之姊，以用纤细的笔触写青春期少女知名。她的文笔精巧优美，善于捕捉意境的微妙之处。她从私人教师就读，后入剑桥的格顿学院。其第一本小说《含糊的回答》（1927）的一部分即以该学院为背景。小说写一少女从童年、少年进入成熟期后体验各种复杂的感情，娓娓道来，引人入胜。《邀舞》（1932）描写一少女最初涉足社会，不知如何应付的虚怯心情。内容虽单薄，但写得很充分。在《街上的遭遇》（1936）中，同一少女再次出现，但这次是与一已婚男子发生了关系。在以后的作品中，莱曼的风格渐趋复杂，她的题材涉及面也越来越广。这些作品有《民谣与泉源》（1944）和《回声的丛林》（1953）。前者通过一个14岁姑娘的眼睛来看一个专断的老妇；后者细叙一少女如何越来越强烈地感觉到三角恋爱带来的问题。她的自传名《黄昏时分的天鹅》（1967）。小说《一棵海葡萄树》出版于1976年。1982年荣获英帝国高级勋章。

Lehmbruck, Wilhelm 莱姆布鲁克（1881-01-04，德国杜伊斯堡附近迈德里希～1919-03-25，柏林） 版画家、画家、诗人和雕塑家。他以拉长的裸体雕塑所引起的悲怜而著名。早年作品属学院式现实主义传统。至1905年，深受罗丹纪念碑式作品的影响，从其《沐浴者》（1905）和真人大的《人类》（1909）中可看出。1910年迁居巴黎，不仅作雕塑，还创作了一系列油画、蚀刻画及平版画。其作品《立着

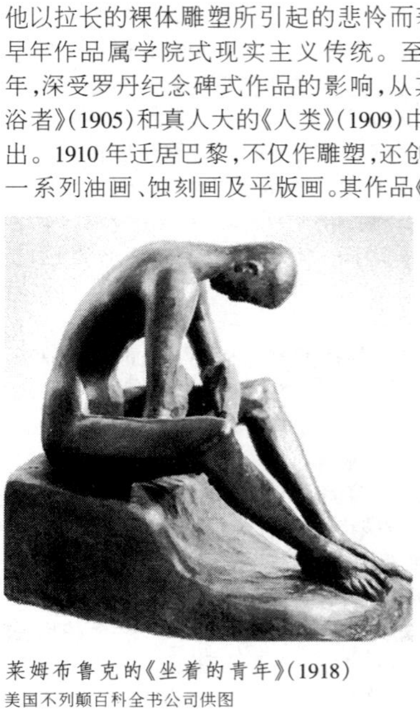

莱姆布鲁克的《坐着的青年》（1918）
美国不列颠百科全书公司供图

的女人》(1910)显示了他对法国古典主义雕塑家马约尔的新热衷。《跪着的女人》(1911)骨瘦如柴,但其四肢仍显得娇柔,呈现出和谐的宁静,与忧郁的面部表情相结合,这种顺从的悲观主义是他成熟期作品的特征。铜雕《立着的青年》(1913)呈现类似的细长状,但与《跪着的女人》不同之点是表现了一种男性的刚健和沉思的气概。第一次世界大战爆发后回德国,在一家医院为伤亡士兵工作的经历使他创造了若干动人的作品,如:《阵亡者》(1915～1916)及《坐着的青年》(1918),显露了作者极端沮丧的精神状态。一年后他自杀身亡。虽然没有参与德国的表现主义运动,他的雕塑里表现出的感情主义和拉长的五官往往使批评家和历史学家将他和表现主义联系起来。

Lehn, Jean-Marie　莱恩(1939-09-30,法国罗塞姆～　)　法国化学家。因实验合成能模拟活的生物中分子的生命化学功能的分子这一贡献,与 C.J.佩德森和 D.J.克拉姆共获 1987 年诺贝尔化学奖。1963 年他在斯特拉斯堡大学获化学博士学位。1970 年任斯特拉斯堡路易·巴斯德大学的化学教授;1979 年起,兼巴黎法兰西学院的教授。他发展了佩德森制得冠醚的成就。冠醚是一种二维的环状有机化合物,能够选择地识别其他分子并与之化合。他在致力合成具有类似反应特性的三维分子的过程中,制得一种能与乙酰胆碱化合的分子。乙酰胆碱是脑中的一种重要神经递质。他的研究工作提高了制得全人造酶的可能性,这种人造酶的性能优于人体内相应酶的性能。

Lehna (Sikh Gurū)　**莱赫纳**　参阅 **Aṅgad 安格德**。

Lehrstück　教育剧　一种以教诲为目的的戏剧形式,在正统剧院之外进行演出。这种戏剧特别与德国剧作家 B.布莱希特的史诗剧场有关。在布莱希特的教育剧作品(他去世后于 1966 年出版)中,其教诲是政治性的,是基于他对卡尔·马克思的研究。

Lehtonen, Joel　雷赫托宁(1881-11-27,芬兰赛明基～1934,赫尔辛基)　继承左拉和高尔基的自然主义传统的芬兰小说家。早年受新浪漫主义的影响。1904 年发表处女作长篇小说《魔鬼的提琴》,多得益于拉格洛夫的《古斯泰·贝林的故事》(1891)。早年信奉个人主义,崇拜天才,但在 1922 年发表的《多情的跛子》中却彻底摈弃了早年的信条。书中刻画的主人公读过尼采的书,自以为是个超人,而在现实生活中却四处碰壁,最后落得羞愧自杀的下场。在短篇小说集《死了的苹果树》(1918)中他再次以芬兰内战为题材,并对这次战争表示他的怀疑和厌恶。虚无主义也主宰着《普特基诺特科》(1919～1920)中对人的看法;雷赫托宁对未来感到失望,认为工业社会发展是一大弊病。在《心灵的斗争》(1933)和自杀前写的《告别鸟窝》(1934)中,都同样反映了他在文化上的悲观主义。随着时间的转移,他在芬兰文学中的地位和影响都在日益增强。

lei　夏威夷花链　用花做成的花环或项链,在夏威夷,人们用作迎宾或送别的礼物。通常 46 厘米长。馈赠时伴以亲吻作为殷勤好客的象征。每当船启碇离岸时,远行者通常将送别花链抛到港口水面上,任凭花链漂回岸边,表示他将会有一天重回岛上。夏威夷人每逢 5 月 1 日庆祝花链节以表示他们友好待人的传统。

lei　罍　中国古代贮酒器。从新石器时代的瓮、罐一类陶器演化而来。其特点是小口、深腹、有盖,多为青铜质或陶质,形方或圆,

商代青铜罍
美国不列颠百科全书公司供图

皆有两耳,容量比瓶大。铜罍始见于商代前期,沿用至战国。东周以后因方言关系,罍有各种名称,其形状也稍有变化。

Lei-chou Pan-tao (China)　参阅 **Leizhou Bandao 雷州半岛**。

Lei Guiyuan　雷圭元(1906-05-27,中国江苏松江～1989-10-03,北京)　中国现代工艺美术家。字悦轩。1927 年毕业于北京艺术专科学校。翌年在杭州西湖国立艺术院执教。1929 年赴法国自费留学,研究染织美术和漆画工艺。1931 年回国任杭州艺术专科学校教授。1949年后,先后任中央美术学院华东分院工艺美术系主任、中央美术学院工艺美术系主任、中央工艺美术学院副院长、中国美术家协会常务理事。从30年代开始,雷圭元主要从事图案工艺的制作和研究。早年注意欧洲图案和中国图案构成方式的结合。后在教学中深入展开对中国古代图案构成规律的研究,归纳出中国传统图案的三种构成方法,即平视体、立视体、格律体。主张从学习传统图案的规律入门而进入设计制作。他设计制作的漆画、蜡染等作品,体现了他结合民间工艺和传统图案的设计思想。在分析太极图、喜相逢、团花图案的形式构成法则的同时,注意探讨传统图案中蕴含的中国哲学和文化意义,建立起中国工艺图案教学制作体系的基础理论。著有《新图案学》、《新图案的理论与作法》、《基础图案》、《中国图案作法初探》。

中国大百科全书出版社供图

Leibl, Wilhelm　莱布尔(1844-10-23,科隆[德国]～1900-12-04,维尔茨堡)　肖像和风俗画家、19 世纪末德国最重要的现实主义画派代表人物。1864年入慕尼黑美术学院学习。1866～1868 年随 A.拉姆贝格工作,1869 年随 K.冯·皮洛蒂工作。1870 年到巴黎和 G.库尔贝一起作画。不久因爆发普法战争回到慕尼黑。后迁居巴伐利亚的小乡村等地,从周围农民生活中汲取题材。其作品与当时在德国流行的浪漫主义的理想化美学思想相对立。与法国画家库尔贝的现实主义相

莱布尔绘《教堂中的三女人》(1878～1882)
美国不列颠百科全书公司供图

似,他如实描绘的风格是建立在直接而细致地再现自然客观实体、人物和环境的基础上的。代表作品是在 1870～1880 年左右所谓"霍尔拜因时期"创作的《教堂中的三女人》(1878～1882)等。晚年画风比较柔和,以对色彩特有的强烈感受,描绘所见的一切,如《在厨房中》(1898,斯图加特国立画廊),笔法流畅而刚健有力,细部的描绘极其精美。

Leibniz, Gottfried Wilhelm　莱布尼兹(1646-07-01,莱比锡～1716-11-14,汉诺威)　德国自然科学家、数学家、哲学家。他广博的才能影响到诸如逻辑学、数学、力学、地质学、法学、历史学、语言学以至神学等广泛领域,在 17 世纪晚期和 18 世纪早期的德国知识界占有主导地位,其科学思想在 20 世纪的初叶

和70年代再次显示出智慧的力量。其唯理论的形而上学体系之基本要素是“单子论”，单子即终极的、单纯的、不能扩展的精神实体，是万物的基础。他于1661年入莱比锡大

美国不列颠百科全书公司供图

学攻读法律，开始接触伽利略、F.培根、T.霍布斯和R.笛卡儿等人的革命性的科学和哲学思想。1666年写出《组合之艺术》，其中表述了成为某些现代计算机的理论先驱的模型：一切推理，一切发现，不管是否用语言表达，都能归结为诸如数、字、声、色这些元素的有序组合。完成这篇论文后，他申请博士学位，由于年轻而遭拒绝，随即永远离开了家乡。后来他在阿尔特多夫以论文《论错综复杂情形》取得博士学位，旋即得教授席位，但他谢绝了。1672年，美因茨选帝侯(德国有权选举神圣罗马帝国皇帝的诸侯)派他出使巴黎。这时他才有空从事科学研究，并为开辟财源而制造了一台计算机器，它改进了法国科学家帕斯卡早先的机器。1673年初访伦敦时，他把它献给皇家学会。在巴黎和伦敦，他结识了许多著名科学家和数学家，有R.玻意耳、J.佩尔、J.柯林斯(牛顿之友)、C.惠更斯等人。1675年末，他奠定了微分学和积分学的基础。由于这一发现，他不再把时间和空间看作实体，这使他又向单子论跨进了一步。他开始发展广延和运动含有假想元素，因而运动的基本规律不能仅由研究其性质来发现的观念，不过他仍然认为广延和运动可以提供解释和预言现象过程的方法。1676年，在批评笛卡儿主义者对运动规律的表述(当时称为力学)时，莱布尼兹成为新的表述的创立人，这种新的表述被称为动力学。1676年10月，他在不伦瑞克-吕内堡的公爵处取得一个职位，出于谋生的需要，成为王室的万事通。他曾建议由他来视察隐修院，改进教育使之更有实效并筹建科学院；他制作水压机、风车、灯具、潜水艇、时钟以及各色各样的机械装置；他还设计改进马车，用风车操纵水泵，用磷做实验。由于考察哈尔茨山的矿藏和提出地球开始时处于熔融状态的假设，他也被认为是地质学创始人之一。而这一切都没有中断他的数学工作。1679年，他改进了二进位制，提出了现在称为一般拓扑的位置分析的基础。他还继续他的动力学和哲学研究，愈来愈趋向于反对笛卡儿主义。

公爵去世其弟继位后，莱布尼兹更多地卷入政治活动，同时通过研究存在的普遍起因来继续完善他的形而上学体系，力图达到能使推理归结为思维的代数规则这样一个出发点。他也继续进行数学研究，1681年研究了圆同其外切正方形的比例，1684年研究了固体的阻力，后又发表《求最大和最小的新方法》，其中解释了他的微分学方法。牛顿早在1665年就已发现了微积分，不过没有发表。究竟是谁先发明了微积分，曾是18世纪最热烈的争论之一。1686年他发表《谈形而上学》。在一篇题为《笛卡儿及其他学者关于自然法则的不可忽视的错误之简短证明》的短文中，披示了他的动力学。莱布尼兹观点的另一发展见于他写于1686年的一本教科书(但长期没有出版)中。这种观点认为每个真的肯定命题，不管是必然的还是偶然的，其谓项必包含在主项的概念之中。此时他的单子论哲学(除单子这个词外)已经确立。1687年他开始与法国哲学家、百科全书编纂者P.培尔通信，信中表明了他同笛卡儿主义者的差异。这些信收在他生前出版的唯一一部哲学巨著《神正论》中。1689年，他发表关于天体运动和关于事物持续时间的论文。1685年被任命为不伦瑞克家族的编史官，但他不限于编纂家谱，而把目标扩充为包括地质事件和化石描述的地球史。18世纪初，他作为一个哲学家和科学家，在欧洲声震遐迩。1714年写作《单子论》，综述了他的《神正论》中的哲学观点。莱布尼兹是一位不知疲倦的作家(其手稿至今尚未全部出版)、爱国主义者和世界主义者，是一位伟大的科学家、西方文明最伟大的人物之一。

Leibovitz, Annie 莱博维茨(1949-10-02，美国康涅狄格韦斯特伯里～) 原名Anna-Lou Leibovitz。美国摄影师，因拍摄社会名流引人注目的照片而闻名。1967年进入旧金山艺术学院，打算成为一名画家。接触到摄影学后，她立即改变了志向，要当一名摄影师。1970年，当她仍是学生时，便为《滚石》杂志制作出她的第一个商业作品。1973年成为出版界主要的摄影师，其后10年她创造了现代摇滚音乐主要人物的形象。1983年转入能拓宽摄影题材范围的《浮华世界》杂志，从而她的拍摄题材扩展至电影明星、运动员和政治人物。1986年开始从事广告摄影。有关她的照片的许多成功专著已被出版。1991年在美国首都华盛顿国家美术馆举办了第一次个人作品展，这是该机构为在世摄影师举办的仅有的两次展览之一。

Leicester 莱斯特 英格兰莱斯特地理、历史郡的城市和单一政区。临索尔河和大联合运河。面积73平方千米。诺曼人统治时期初具规模。当地隐修院建于1143年。1589年敕准建制。1832年铁路通至西北部莱斯特郡煤田，工业遂迅速发展起来。最初有织袜和针织业。19世纪以生产鞋袜闻名。后发展起轻工业。市中心有钟楼，商业街区由此呈辐射状向四面八方伸展。主要建筑、设施有西蒙·德·蒙特福特音乐厅、莱斯特大学(1918)、技术和艺术学校、行会会馆(14世纪)、三一医院(14世纪)、威奇斯顿学校(16世纪)和圣马丁大教堂等。人口约294 300(1998)。

Leicester, EARLS OF 莱斯特伯爵 英国封爵贵族，最著名的有孟福尔、达德利、西德尼等贵族。按年代顺序分列于后，并各以● 为标记。

● Leicester, Simon de Montfort, earl of 莱斯特伯爵 参阅 **Montfort, Simon de** 孟福尔。

● Leicester, Robert Dudley, earl of, BARON DENBIGH 莱斯特伯爵(1532或1533-06-24～1588-09-04，英格兰牛津郡科恩伯里) 即R.达德利。英格兰女王伊丽莎白一世的宠臣、

美国不列颠百科全书公司供图

密友，很可能是她的情夫。爱德华六世在位后期的实际统治者。诺森伯兰公爵之子。1553年其父谋立J.格雷郡主为王失败，他也被囚于伦敦塔，次年获释。1557年随英军在法国服役。1558年伊丽莎白女王即位后，他立即成为侍从长，次年又任枢密官，并受封嘉德勋位。他很快就获得女王的恩宠，曾积极向女王求婚，但遭拒绝。1564年9月获封莱斯特伯爵和登比男爵。他成为主张对外反对西班牙，对内反对罗马天主教的新教徒的领袖。1585年，伊丽莎白派他率兵6 000人去尼德兰联省共和国，支援那里的反西班牙起义。由于指挥无能，政治上也遭失败，1587年被召回国。1588年女王又任命他为驻蒂尔伯里的中将对付西班牙无敌舰队，不久猝死家中。

● Leicester, Robert Sidney, 1st earl of 莱斯特伯爵(第一)(1563-11-19，英格兰肯特彭斯赫斯特～1626-07-13，彭斯赫斯特) 即R.西德尼。英格兰军人和外交家。出身名门，牛津大学基督堂学院毕业。1578～1583年漫游欧洲大陆。1585年进入国会。1585～1587年在尼德兰进行反西班牙的斗争。1586年封爵士。1593～1594年在法国完成外交使命。此后再次去尼德兰，曾参加特恩豪特战役(1598)。1603年返回英格兰后受封男爵，1605年封子爵，1618年封伯爵。

Leicestershire 莱斯特郡 英格兰东米德兰行政区一个郡。面积2 084平方千米。下设布莱比、查恩伍德、哈博勒等9个区。其中心轴线上的索尔河谷地是人口和工业集中区。谷地东面海拔100～150米的高地区为景色优美的乡村地区。人口稀少的高地是英格兰

最著名的猎狐区。索尔河谷西面为查恩伍德森林的多树丘陵。森林的北面和西面为莱斯特郡煤田。有传统畜牧业,以出产羊、斯蒂尔顿干酪和猪肉饼闻名。莱斯特郡现有各种工业,以织袜业尤为重要,并有制鞋业和机械制造业。索尔河谷地大部分为莱斯特和拉夫巴勒两城市及其工厂所占。人口约598 700(1998)。

Leichhardt,(Friedrich Wilhelm) Ludwig 莱希哈特(1813-10-23,普鲁士特雷巴奇～1848-04-04以后,澳大利亚) 探险家和博物学家,澳大利亚最早的民族英雄之一,其神秘的失踪激起人们为寻找他而作了近一个世纪的努力。

在柏林大学(1831,1834～1836)和格丁根大学(1833)就读时,莱希哈特从哲学转向自然科学。同时,他结识了一位来自英国的同学W.尼科尔森,随他一道于1837年返英。俩人按自己的方法学习:在伦敦的皇家外科医师学会和不列颠博物馆及巴黎的植物园学习医学和自然科学。他们还在英国、法国、意大利和瑞士进行野外考察。1841年,尼科尔森为莱希哈特提供资金并支付他前往澳大利亚的费用。莱希哈特于1842年在悉尼上岸,意在考察澳大利亚内地。1842～1844年,在亨特河谷进行野外考察,整理所采集的植物和岩石标本及地质调查笔记,同时到学校授课。由官方组织一次跨越大陆探险的建议虽然已向殖民部提出,但莱希哈特还是急切地用公众的捐款组织了他自己的探险。1844年8月,他与6个伙伴乘船从悉尼出发,途中又接纳了4个成员,于10月从达令草地最远的前哨基地出发驶往埃辛顿港。两个船员中途返回,其中一人被土著杀死,但其余的人于1845年12月到达埃辛顿港。这一行人被认为已死去,因此他们回到悉尼时受到极其惊讶和欢乐的迎接。他们获得政府一笔1 000英镑的补贴和1 500多英镑的私人捐款。莱希哈特的探险日记出版于1847年。第二次探险的一行8人于1846年12月试图从达令草地到西海岸,并向南到达斯旺河定居点。因丢失供作食物用的牲畜和热病而被迫返回。1847年6月这一行人再次出发,但不得不又一次折返。莱希哈特另外组织了一支6人的队伍并于1848年3月出发,但在离开现今罗马镇附近一小地角后便杳无音信。莱希哈特曾于4月4日从那里寄出他最后的一封信。他曾预计这次探险需用两年。对这一行人的搜寻始于1852年并持续至20世纪30年代,最后阶段的搜寻受到居住在土著人之间的白人的传闻的鼓舞,许多搜寻队为后来的定居带回了有价值的信息。

莱希哈特的探险活动发现了大量适宜定居的地区和许多重要的河流,并提供了一幅早期的地图。早期的成功使他分享了1847年巴黎地理学会奖并被授予伦敦皇家地理学会的赞助者奖章。普鲁士饶恕了他没有服兵役的行为。记载他的科学工作和演讲的著作在全世界出版。

他的传说为怀特的小说《沃斯》(1957)中的主人公提供了基本素材。奇泽姆所写的传记出版于1941年,1955年修定再版,1973年又以书名《奇怪的旅程》出版。莱希哈特的书信集(3卷)于1968年出版。

Leiden 莱顿 英语作Leyden。荷兰西部南荷兰省城市。在海牙东北新、旧莱茵河汇合处。922年始见记载。围绕12世纪建的比尔赫特城堡发展起来。1266年确认城市地位并扩建。14世纪引进纺织业。1581年前后办起印刷业,成为印刷业中心。反西起义中城市抵挡住西班牙军的围攻(1574年5～10月)。为了嘉奖市民的勇气,奥伦治亲王威廉一世(沉默者)于1575年在该市创办莱顿大学。17、18世纪该大学为荷兰新教神学、科学和医学中心。莱顿大学附属机构有皇家语言与人类学学院、国立古物博物馆、国立亚洲民族学博物馆、科学史博物馆、植物园(1587)和天文台。伦勃朗等许多著名荷兰画家在此出生。17世纪该市是荷兰文艺复兴的中心。名胜古迹有海门兰德斯赫伊厅(1596)、磅房(1658)、市博物馆(1869)、拉肯哈尔厅(1640)和哥特式圣潘克拉斯教堂(15世纪)等。18世纪纺织业衰落,城市经济停滞。19世纪末随工业发展而复兴。现有冶金、印刷、建筑材料和食品加工业。当地干酪市场和牛市是全国最大的同类市场之一。附近有诺德韦克和卡特韦克两处海滨胜地。第二次世界大战后,住宅区发展向市外伸延,但旧城仍为该市活动中心。人口:市约117 041(1997);都会区约194 051(1994)。

Leiden,State University of 国立莱顿大学 由奥兰治的威廉于1575年创建于荷兰莱顿的大学。原以加尔文教义的重要中心日内瓦学院为模式。17世纪初期,莱顿大学作为神学、科学和医学中心而享有国际声誉。莱顿在医学研究方面的名望主要归功于H.布尔哈夫(**Boerhaave,Hermann**)。大学附有皇家语言学和人类学研究所、荷兰史前史和古代文物国家博物馆、植物园、莱顿天文台和国立亚洲民族学博物馆。

Leidy,Joseph 利迪(1823-09-09,费城～1891-04-30,费城) 美国动物学家,原生动物学权威,美国古生物学的奠基人,也是美国最杰出的和最多才多艺的科学家之一,对比较

费城宾夕法尼亚大学供图

解剖学、寄生虫学及古生物学均作出过重大贡献。1846年任费城自然科学院的图书管理员及馆长后不久,他便成为馆长董事会的主席(1847～1891)。对西部各州的化石沉积进行了广泛的研究。1847年发表第一篇古生物学著作《美洲的马化石》,指出远在哥伦布来到北美之前,马已在北美生活过并已绝种。其后又证明史前在美国西部也存在过狮、虎、骆驼及犀牛。1848年出版《肝的比较解剖学研究》,这是对肝作全面研究的第一部著作。1853～1891年任宾夕法尼亚大学解剖学教授,1853年即发表第一部研究消化道寄生虫的重要著作——《活动物体内的动、植物区系》,从而成为寄生虫学领域的权威。他在猪肉内发现了旋毛虫,使R.洛伊卡特得以发现人旋毛虫病的病原。他是当时美国原生动物学的权威,所著《北美洲淡水中的根足虫》是一本权威性著作。他共发表了600余种著作,其中《人体解剖学初述》被认为是美国这方面的经典教材。《达科他及内布拉斯加已绝种的哺乳动物》一文被H.奥斯本誉为可能是美国最重要的古生物学著作。

Leif Eriksson THE LUCKY 莱弗·埃里克松(幸运者)(活动时期11世纪) Eriksson又拼Ericson或Erikson。挪威探险家,普遍认为他是到达北美洲的第一个欧洲人。13和14世纪冰岛有关他的一些记载和后来的证据肯定他是早期挪威去北美海盗船的成员,但他是否领导了最初的探险活动依然不清楚。他父亲埃里克是第一个在格陵兰殖民的欧洲人。根据冰岛《埃里克家世传奇》记载,公元1000年莱弗从格陵兰到达挪威,受挪威国王奥拉夫一世的影响,皈依基督教。第二年受奥拉夫的委派,向格陵兰的定居者传布基督教。他在回挪威的途中迷航,在他称为瓦恩兰的北美大陆(可能是新斯科舍)登陆。回格陵兰后传播基督教,其母曾在布拉塔希尔建格陵兰第一座基督教堂。根据"歌曲集"中《格陵兰人的故事》,许多现代学者认为这本书比《埃里克家世传奇》更可靠,据云莱弗是从14年前到过瓦恩兰的冰岛人布亚尔尼·黑尔尤尔弗松处听到有关瓦恩兰这个地方的。《家世传奇》中说莱弗于公元1000年后若干年到北美洲,并去过赫卢兰(可能为拉布拉多)、马克兰(可能为纽芬兰)和瓦恩兰。莱弗的兄弟托瓦尔和冰岛人托尔芬·克尔塞夫尼后来也曾远航到瓦恩兰。

Leigh,Vivien 费雯丽(1913-11-05,印度大吉岭～1967-07-08,伦敦) 原名费雯·玛丽·哈特莱。英国著名电影与舞台女演员。1934年首次拍电影。一生拍片不多,但创造的艺术形象脍炙人口。《乱世佳人》(1939)开拍前大张旗鼓寻访女主角郝思嘉的扮演者时,费雯丽入选,并获得奥斯卡金像奖。她还主演《魂断蓝桥》(1940)、《汉密尔顿夫人》(1941)。1951年她在《欲望号街车》中扮演布兰奇·杜博依斯而第二次获奥斯卡金像奖。她参加老维克剧团和斯特拉特福剧团在英国各地上演莎士比亚戏剧。晚年因健康不佳演戏很少。她的最后一部影片是1965年的《愚人船》。

Leigh Creek 利克里克 澳大利亚南澳大利亚州中东部城镇和煤田。位于阿德莱德以北563千米。1888年当地发现褐煤。1892～1908年进行地下开采。后一度停产。1944年

继续商业性开发。1948年开始露天开采。除储量很大的煤矿外,也出产菱镁、石膏、赭石等。城镇建于1941年。1981年为开采旧镇地下煤层而南移。人口1 635(1981)。

Leigh-Mallory, Trafford 利-马洛里(1892-07-11,英国柴郡莫伯利～1944-11-14,飞越法国上空) 英国空军将领。就读于剑桥大学,1914年人英国陆军服役。第一次世界大战期

美国不列颠百科全书公司供图

间在法国作战。1916年调入英国皇家飞行队。大战结束时任中队指挥官。战后仍未离开英国皇家空军,1938年升任空军少将。此前一年任英国皇家空军第12歼击机大队指挥官。第二次世界大战期间"不列颠之战"时因战术问题与第11大队指挥官K.帕克及歼击机司令部司令H.道丁发生争论。1940年11月道丁被撤换,12月利-马洛里接管第11歼击机大队。1942年11月任战斗机司令部司令。翌年晋升空军上将,出任1944年春进攻法国的盟军远征空军总司令。其最大成就为"运输计划"。这是在诺曼底袭击之前对德国及法国北部铁路和调度站实施的大规模轰炸,以阻止德军调配援军攻击诺曼底盟军登陆点。虽对诺曼底登陆前夕在科唐坦半岛空降伞兵的想法深表怀疑,但在随后的战役中仍与英国陆军元帅蒙哥马利、美国上将布雷德利等陆军司令合作,在盟军装甲部队进攻前对德军防御体系实施地毯式轰炸。1944年11月被任命为东南亚盟军空军司令,但在上任途中因飞机失事丧生。1943年受封爵士。

Leighton (of Stretton), Frederic Leighton, Baron 莱顿(施特列顿的)(1830-12-03,英格兰约克郡斯卡伯勒～1896-01-25,伦敦) 英国当时极有声望的学院派画家。在欧洲许多城市受教育后,1852年去罗马,在那里结交了英国小说家W.M.萨克雷、法国小说家乔治·桑和英国诗人R.布朗宁。1855年其作品《契马布埃的圣母》在皇家学院展出,被维多利亚女王收购。这标志着一个新的全世界性的学院风格进入英国,其规模的宏大、古典希腊的形式和文艺复兴盛期的精确被用于体现轶事和肤浅事物的题材。1858年到伦敦,1869年成为皇家学院院士,1878年出任院长。1886年被封为准男爵。临终前受封男爵,为第一个被授予这样荣誉的英国画家。

Leighton, Margaret 莱顿(1922-02-26,英国伍斯特郡伯明翰附近巴恩特格林～1976-01-13,西苏塞克斯奇切斯特) 英国舞台剧和电影女演员,以其在经典剧作和当代剧作演出中的多才多艺而著称。曾就读于伯明翰的巴里·杰克逊爵士戏剧学校。在伯明翰轮演剧院首次登台演出,饰《跟我一起笑》(1938)中的多萝西。1944年在伦敦首次登台,在《彼尔英特》中扮演国王的女儿。在她加入英国声誉卓著的老维克剧团之后几年,甚得评论界的好评。在伦敦和百老汇均连续工作多年。1946年在纽约首次登台,在《亨利四世》上篇中扮演珀西夫人。在英国,她成功地扮演了包括《鸡尾酒会》(1950)中的柯普尔斯顿和重演的《苹果车》(1953)中的奥林蒂娅(科沃德饰马格努斯)。在纽约,她演出的《分开摆放的桌子》(1956)获托尼奖,《鬣蜥之夜》(1962)再度获托尼奖。她在好几部电影中也有令人难忘的精彩表演。在她拍摄的20多部电影中,最优秀的是《大惊失色的心》(1949)、《温斯洛的小伙子》(1948)、《喧嚣与愤怒》(1959)和《媒人》(1970)。最后一部影片曾获英国电影和电视艺术学会授予的最佳女配角奖。她的电视角色有1974年在《远大前程》里的哈维仙小姐和1970年在《哈姆雷特》中的乔特鲁德王后,后者使她获埃米奖。她还在埃文河畔斯特拉特福和奇切斯特戏剧节演出。她最后一次演出的剧目是与吉尼斯在伦敦合演的《声誉和财运》(1975)。

Leighton, Robert 莱顿(1611,英格兰可能于伦敦～1684-06-25,伦敦) 苏格兰长老会牧师、灵修书籍作家。1641年受按立。1653年任爱丁堡大学校长兼神学教授。1661年(即查理二世复辟的次年)苏格兰教会再次实行主教制,莱顿认为传统的主教制可以改造,乃就任圣公会邓布兰主教。查理二世和他的政府采取僵硬的态度,莱顿力促长老会牧师与圣公会和解,但终于作罢。他请求查理二世政府停止迫害誓约派无效,便于1665年前往伦敦辞主教之职,查理二世建议他留职。4年后他以誓约派代表身份重返伦敦。1670年勉强任格拉斯哥主教之职,继续谋求和解,终归徒劳。

Leigong 雷公 又拼Lei-kung,英语作Duke of Thunder。又称雷师。中国神话中的雷神。《山海经·海内东经》:"雷泽中有雷神,龙身而人头,鼓其腹。"传说"鼓腹"即发出隆隆的雷声。据王充《论衡》,汉代画工绘大力士两手击鼓,"谓之雷公"(《雷虚》)。伴随雷公作法的还有电母、云童、雨师、风伯等神。古代还有传说以轩辕黄帝为雷神(《春秋合诚图》),或以丰隆为雷神(《淮南子·天文篇》注)。中国道教以雷公为专司惩罚作恶犯罪者,是浮黎元始天尊的第九个儿子化生,名"雷声普化天尊",主管雷霆之政。《道藏》中有《九天应元雷声普化天尊玉枢宝经》、《太上说朝天谢雷真经》等。

Léim an Mhadaidh (Northern Ireland) 参阅 **Limavady 利马瓦迪**。

Leiner, Benjamin(boxer) **莱纳** 参阅**Leonard, Benny 伦纳德**。

Leino, Eino 雷诺(1878-07-06,俄属芬兰帕尔塔莫～1926-01-10,芬兰图苏拉) 阿马斯·埃伊诺·利奥波德·伦伯姆的笔名。芬兰多产而擅长多种诗歌形式的大师。能写幻想的、神秘的、直至反映当前现实的小说、小册子及报刊批判文章。曾在赫尔辛基大学读书,当过新闻记者,主要为两家自由派报纸撰写文学及戏剧评论。他将一些世界名著,包括但丁的《神曲》,译成芬兰文。第一本诗集《三月之歌》(1896)情绪欢快,文笔奔放,音节动人。他受同胞J.L.鲁内贝里、德国诗人海涅及芬兰民歌的影响颇深。后来情绪渐趋阴暗,转向创作忏悔、孤寂的诗篇和有关芬兰遭受俄国压迫时期以及以民谣和神话为主题的爱国诗篇。神话内容在他的力作《神圣颂诗》(1903～1916)中占主要地位,在诗中恢复了民谣的音节和精神。其他诗作有《冬夜》(1905)、《霜》(1908)和历史诗《猎犬西谟》(1904～1919)。他的剧作收入《面具》(1905～1911)一书中。

Leinsdorf, Erich 赖因斯多尔夫(1912-02-04,维也纳～1993-09-11,瑞士苏黎世) 奥地利出生的美国钢琴家和指挥家。在维也纳大学和国家学院学习音乐以后,任A.冯·韦伯恩的社会民主党艺术馆合唱协会的排练钢琴家,后任独奏钢琴家。1934年在萨尔茨堡B.瓦尔特请赖因斯多尔夫作其助理,同年A.托斯卡尼尼请他作为钢琴家参加在维也纳的一场特殊演出。1937年他在意大利已确立了歌剧指挥家的名声,应邀到纽约大都会歌剧院任助理指挥。1939年提升为正式指挥,负责德国剧目。1943年继A.罗德津斯基就任克利夫兰管弦乐队指挥,但由于被征入美军服兵役失去了这个职位。1947年从海外归来,任罗切斯特爱乐乐团指挥。10年以后,他在纽约市立歌剧院任一个演出季指挥,然后重新到大都会歌剧院工作。1962～1969年继C.蒙克为波士顿交响乐团指挥。1978年任西柏林广播交响乐团首席指挥,直到1980年。曾在欧美的几乎所有主要乐队担任客座指挥,包括费城、洛杉矶、圣路易斯、新奥尔良、明尼阿波利斯、克利夫兰、纽约市、阿姆斯特丹音乐厅等乐团,以及以色列爱乐乐团、伦敦交响乐团、拜罗伊特和布拉格音乐节。

Leinster 伦斯特 古代爱尔兰语作Laigin。爱尔兰东南省份,包括卡洛、都柏林、基尔代尔、基尔肯尼、奥法利、朗福德、劳斯、米斯、莱克斯、韦斯特米斯、韦克斯福德、威克洛等郡。现区划包括古代的米斯王国和伦斯特王国,其疆域北至霍斯半岛和利菲河,西至布卢姆山。中世纪初,伦斯特国王一直与米斯有势力的王族奥尼尔家族作战。15世纪末和16世纪初,伦斯特实际上独立,由基尔代尔伯爵治理。

Leinster, The Book of 《伦斯特集》 爱尔兰盖尔语的韵文和散文作品汇编,材料出自较古老的手稿和口头传说,以及12、13世纪的宗教和世俗材料。1907年初步认定并于1954年最后确定为原以为已失传的《努瓦尔集》;因此,它不是原来在爱尔兰各种书目中被称为《伦斯特集》或《格伦达洛集》的那本

书。人们认为其作者为蒂珀雷里的特里格拉斯修道院院长A.H.克里姆塞恩,该汇编写于1160年左右,完成于1201～1224年间,是现存中古爱尔兰文集中最重要的一种,特别是对于12世纪下半叶诺曼人来到爱尔兰前这一时期。收有主要写伦斯特诸王和英雄们的历史诗和世系诗、关于入侵和战斗的神话故事和历史故事、一一描述近200个地名的历史和词源的散文和诗歌、关于吟游诗人和希腊诗格律的论文、拉丁文赞美诗、一篇英雄传说《夺牛长征记》及《尤斯内奇的儿子们的命运》(黛特的传说)的最早文本。

Leiothrix　相思鸟属　雀形目画眉科的一属,有两种,自喜马拉雅地区分布到印度支那,均长15厘米,鸣声短促悦耳。银耳相思鸟(*L. argentauris*)有黄、灰、红和黑色斑纹。红嘴相思鸟(*L. lutea*)的喉金色,胸橙或红色,翅黄而有蓝色(雄鸟红色)斑纹,尾端蓝色,叉状,向外曲;曾引入到夏威夷,在该处称为丘陵知更鸟;笼鸟爱好者称之为北京夜莺(北京知更鸟)或中国夜莺(中国知更鸟)。

Leipoldt, C(hristiaan Frederik)Louis　莱波尔特(1880-12-28,南非开普殖民地伍斯特～1947-04-12,开普敦)　南非医生、新闻工作者、第二次阿非利堪斯语运动的主要诗人。热爱文学,初为报馆记者,南非战争时期担任几家布尔人报纸的战地通讯员。他是个多才多艺的作家,写有诗歌、戏剧、游记、侦探小说、烹调技术书等。他的诗表达了南非人民受屈辱的悲愤心情,也歌颂了南非的田园美景。著有诗集《格特叔叔的故事及其他诗篇》(1911)、《来自三大洲》(1923)、《美的安慰》(1932)。在《女巫》(1923)和《最后的夜晚》(1930)中,他用阿非利堪斯语写了第一批值得注意的剧作。

Leipzig　莱比锡　德国中东部城市,在萨克森州西部,位于柏林西南185千米,莱比锡盆地中央魏萨埃尔斯特、普莱瑟和帕斯三河汇流处。该城市四周为公园和花园所环绕,但主要是工业中心和交通枢纽。它处在哈雷-莱比锡大都会群的中心。城市四周的乡村是密集的农田。1015年首见记载。1170年设市。因地处重要商路,贸易发达。1497年当地两个年度交易会升格为帝国博览会。至1700年成为德国最发达商业中心。其令人羡慕的经济状况促进了令人瞩目的文化生活,尤其是早期印刷业的发达和巴赫所创造的音乐盛期。贸易继续为该市最重要的经济活动。主要的贸易商品有书、皮货、棉纱和纺织品。1839年德国第一条铁路在莱比锡和德累斯顿之间开通。银行业的兴起为日益发达的纺织业和冶金业提供资金。第二次世界大战的最后几年莱比锡有1/4被破坏。战后重建工作列入当时东德共产党政策规划之内。因更加重视莱比锡博览会和其他展销会,莱比锡在欧洲城市中继续起重要作用。目前,传统的皮货和图书出版业仍然闻名,现代工业有重型建筑机械、电器、纺织品、服装、化学品和机床制造业。博览会每年春季举行,是东、西欧之间最重要的国际贸易盛会。莱比锡是许多铁路线的中心,并且是中欧最重要的客运站。也是许多公路路线的中心。建有两座飞机场。作为欧洲重要学术文化中心,早在1409年即创设莱比锡大学(1953～1990年称莱比锡卡尔·马克思大学)。市内有许多博物馆,还有戏剧、音乐史、绘画艺术、出版等学院,都是国际闻名的。市内重要图书馆有德国图书馆和夸美纽斯图书馆,后者为欧洲最大教育图书馆。音乐传统由下列各音乐团体继承发展:托马纳合唱团、布业会堂管弦乐队、广播交响乐团。还有一座优雅的歌剧院。历史名胜有旧市政厅、旧市场、古教堂等。人口约497 531(2003)。

莱比锡市的新市政厅
美国不列颠百科全书公司供图

Leipzig, Battle of　莱比锡战役(1813-10-16～19)　拿破仑遭到决定性失败的战役,结果法军在德意志和波兰的残余力量均被摧毁。战役在萨克森境内的莱比锡进行。拿破仑军约18.5万人,盟军约32万人(包括奥地利、普鲁士、俄罗斯和瑞典的军队)。1813年10月16日拿破仑击退奥军7.8万人和普军5.4万人的联合进攻,但没有将其彻底摧毁。17日暂时休战,俄军和瑞典军到达,包围拿破仑的军队人数大大增加。18日,盟军30万人集中攻击莱比锡外围。经9小时进攻后,法军退至该城近郊。翌日上午2时,拿破仑开始经由埃尔斯特河上的唯一桥梁向西撤退,开始一切进行顺利。到下午1时,一个惊惶失措的伍长把桥梁炸毁。桥毁以后,法军的后卫部队和伤员3万名被困在莱比锡,次日被俘。另外,法军死伤3.8万人。盟军损失共计5.5万人。拿破仑战争(1800～1815)中这次最激烈的战役标志着莱茵河以东法兰西帝国的崩溃。

Leipzig, University of　莱比锡大学　德国莱比锡的一所国立男女合校高等学府。1953年由东德共产党领导机构重新命名为莱比锡卡尔·马克思大学;原名于1990年得以恢复。莱比锡大学成立于1409年。当时,波希米亚国王瓦茨拉夫四世把四国合办的布拉格大学交还捷克人后,德国学生和教授撤出该校,创建莱比锡大学,同年得到教皇训令批准。1539年莱比锡大学接受宗教改革,这场改革彻底渗透到这所大学之中。在18和19世纪,由于聘用杰出的学者和教授,莱比锡大学成为欧洲最重要的文学和文化中心之一。文学理论家J.戈特舍德或许是该校最负盛名的教授,数学家G.莱布尼兹、文学巨匠J.W.冯·歌德、哲学家J.费希特和作曲家R.瓦格纳都曾是该校学生。

Leipzig Zoological Garden　莱比锡动物园　又作Leipzig Zoo,德语作Zoologischer Garten Leipzig。德国莱比锡市内的一所市立动物园,以豢养及繁殖食肉目动物方面成绩显著而著称。1878年建立,1920年由市政府接管。面积22公顷,收养动物约600种,5 000只。以饲养大型猫科动物作为主体,该园已繁殖出2 000多头狮和250多只稀有的西伯利亚虎以及数以百计的熊和鬣狗。

Leiria　莱里亚　葡萄牙莱里亚区城镇和首府,位于里斯本以北115千米。1466年在此创办葡萄牙第一家印刷厂。为天主教主教区,现有一文艺复兴时期的大教堂。为农产品(葡萄酒、橄榄、玉米、绵羊等)贸易中心。建有制革厂和水泥厂。区面积3 508平方千米,有葡萄牙最大松树林。人口:镇约27 531(1991);区约426 200(1993)。

Leiris, Michel　莱里斯(1901-04-20,法国巴黎～1990-09-30,圣伊莱尔)　法国作家及人类学家,其作品执著地探索作者本人的脆弱、恐惧和幻想。莱里斯曾在巴黎大学及科学与宗教高级研究学院学习。当时他同超现实主义者合作,出版了一本诗集《幻影》(1925),并在20年代末,创作了小说《曙光》,于1946年出版。这部小说和他的许多诗集均表现了他对双关语和文字游戏的喜好以及对语言的联想力量的迷恋。由于不稳定的精神状况,于1929年暂时放弃了写作生活,1931～1933年凭借在大学时所学的人种学知识,参加了考察队,去达喀尔和吉布提进行考察。回国后,在巴黎人类博物馆任职,并重新开始写作。1939年发表了自传体的《成年》,引起广泛重视,并于1946年再版。他在这本自我否定和惩罚性的著作中对自己身体上和心理上的缺陷进行了分类。在1946年的版本中加进一篇文章作为该书的引言,这篇名为《论文学如斗牛》(1946)的文章把写作时需要勇气同斗牛士需要勇气作了一番比较。1948年开始写另一本自传《游戏的规则》,随后以《删去集》(1948)、《杂拌儿》(1955)、《细纤维集》(1966)及《微弱的声音》(1976)等书名先后出版。其中充满童年耻辱的回忆、性的幻想,以及对死亡和衰老的沉思。在担任全国科研中心研究部主任(1935～1970)期间及以后,莱里斯曾漫游非洲,并到安的列斯群岛和中国进行野外考察。他写的人类学论文包括:《虚幻的非洲》(1934)、《每天的圣事》(1938)和《人种和文明》(1951)。

Leisewitz, Johann Anton　莱泽维茨(1752-05-09,汉诺威[德意志]～1806-09-10,不伦瑞克[德意志])　德国剧作家。他的最重要作品《尤利乌斯·冯·塔伦特》(1776)是席勒著名的狂飙突进时期的杰作《强盗》(1781)的先声。曾攻读法律,后进入不伦瑞克行政机构工作,官至高位。虽然一度与格丁根林苑派中克洛卜施托克的追随者有联系,他那令人印象深刻的悲剧《尤利乌斯·冯·塔伦特》还是显示出莱辛的而不是歌德的影响。该剧描写狂飙突进运动所喜爱的主题——兄弟阋墙,提出了政治状况和个人心灵间的根本冲突问题,它是在有意抑制的情况下写出来的,表现了轮廓鲜明的人物。他的短剧《抵押》(1775)和《夜半访客》(1775)受狂飙突进运动的影响,描写社会上的不合理现象。

leishmaniasis　利什曼病　通过白蛉叮咬传播的一种人类地方性、原虫传染病,病原体是利什曼原虫。本病在全球范围均有报告,但在热带地区最为流行。利什曼病有内脏、皮肤、黏膜皮肤三种病变形式。利什曼原虫属于动基虫目鞭毛利什曼原虫属,可感染啮齿类、犬类等多种脊椎动物,并可通过吸血白蛉叮咬传染人类。白蛉,在美国被归入 *Lutzomyia* 属,欧亚大陆将其归入白蛉属。利什曼原虫一生分为二个形态学阶段:一是在白蛉消化道内寄生的鞭毛体阶段,虫体长有鞭毛,运动灵活;一是非鞭毛体阶段,此时虫体呈椭圆形或圆形,无活动性,常见于脊椎动物的网状内皮系统细胞中(如巨噬细胞)。当吸血白蛉叮咬患者时,非鞭毛体即可随血细胞进入白蛉消化道,并在此分裂、发育成为鞭毛体,最后进入白蛉口腔涎液。此时的白蛉具有传染性,被其叮咬者(包括人或脊椎动物)即可患利什曼病。利什曼原虫也从此开始其又一轮生命周期。因为利什曼原虫有多个不同的种,宿主的免疫功能也随时在变化,故利什曼病的表现和病变形式也是多种多样。杜诺凡氏利什曼原虫是内脏利什曼病(即黑热病)的致病体,主要见于地中海沿岸地区、非洲、亚洲和拉丁美洲,但全球各地均有散发病例发生。杜诺凡氏利什曼原虫主要侵犯全身网状内皮系统,故黑热病的主要病变器官是肝、脾、淋巴结和骨髓等。主要症状有发热,体重下降,白细胞计数减少,肝、脾肿大等;潜伏期平均为两个月以上(10天～34个月);如治疗不当,黑热病的预后不好。皮肤利什曼病的病原体有多种,故症状表现也形式多样,从单纯皮肤丘疹到巨大溃疡,都可见到;好发部位有四肢、手脚、头面部;病变多可经数月后自愈。皮肤利什曼病在旧大陆和美洲表现有所不同。在旧大陆,此病名为东方疖,是地中海沿岸、中非、东北非、南亚、西亚等地区的地方病;病原体为热带利什曼原虫、大利什曼原虫和埃塞俄比亚利什曼原虫。而美洲利什曼病的病变多累及口、咽、喉、腭、鼻的黏膜,故有"黏膜皮肤利什曼病"之称,且多于原发皮肤病变愈后多年才出现。美洲利什曼病主要见于中、南美洲和美国南部;病原体为墨西哥利什曼原虫和巴西利什曼原虫。利什曼病的临床类型虽多种多样,但在治疗上却是大同小异。葡萄糖酸锑钠(斯锑黑克)等锑剂是通用的主治药物。利什曼病应重在预防,消灭白蛉可有效地控制本病的发生。

Leisler, Jacob　莱斯勒(1640,美因河畔法兰克福[德国]～1691-05-16,纽约州纽约[美国])　纽约民兵首领,曾夺取过当地殖民政府的政权(莱斯勒暴乱),并实际控制18个月以上(1689～1691)。20岁移居新尼德兰(纽约),很快成为富商。1664年殖民地的控制权由荷兰人转入英格兰人之手后,他是激烈反对英王詹姆斯二世对纽约和新英格兰施行统一政权(新英格兰自治领)的许多殖民地居民之一。1689年詹姆斯二世被人推翻,他趁机发动暴乱,反对英王在纽约的代理人代总督F.尼科尔森。5月31日叛军攻占要塞,尼科尔森潜回英格兰。他在农民和城市工人拥护下,自任革命政府首脑,后该政府任命他为总司令,后又代理总督,指定议会管理全省政务。曾召集第一次北美各殖民地代表大会(1690-05-01),计划采取联合行动以反对法国人和印第安人。他虽对英格兰新王威廉三世宣誓效忠,但拒不承认1691年1月率英兵前来的R.英戈尔茨贝少校的权威。3月间战争爆发,不久新任该省总督H.斯劳德上校到达。被迫投降后,莱斯勒和他的女婿J.米尔本被控犯有谋叛罪,处绞刑。议会在1695年撤销没收财产令,将没收的产业归还其家族中的继承人。

Leith　利斯　苏格兰东南部洛锡安行政区爱丁堡的港口。位于该城市的北面,在福斯湾南岸。有铁路以前是进入苏格兰的主要港口。曾经是一个独立城镇,1920年并入爱丁堡市。

leitmotiv　主导动机　歌剧及交响诗中一再出现的音乐主题。主导动机用来加强戏剧中的情节,提供对剧中人物的心理刻画,以及使听者回忆或联想起在剧中发生的音乐以外的有关情节。从纯音乐的意义上来讲,主题的反复或变型也给大作品带来内在的相互关联。这个术语最初是一些作家在分析R.瓦格纳的音乐戏剧时所使用的,这种主导动机的技巧与瓦格纳有着特别的联系。他们将这个术语用于"表现性主题",瓦格纳作品均具有那些严密的主题式音乐结构特征,使主题能以一种交响乐的方式达到满意的效果,同时又能丰富戏剧的情节,从他的《尼贝龙根的指环》、《特里斯坦和绮瑟》到《名歌手》等作品莫不如此。

主导动机有两种不同的戏剧功能,可分开或同时运用:一是暗示(对剧中事物);二是变型,或连续的主题变奏。这两种方法早在瓦格纳之前很久就已得到运用。W.A.莫扎特的四旋律乐句《女人心》在他的同名歌剧中是暗示性的,但却作为一再循环的标题出现,而不是作为真正的主导动机使用。另一个早期作为这种暗示性使用的例子表现在C.M.冯·韦伯的歌剧《自由射手》之中,在马克斯犹豫着不肯进入狼谷时,乐队回响起轻侮性的合唱,在第一幕里对他进行嘲弄。

韦伯也以纯乐器的方式使用过主导动机,表现在他的歌剧《欧利安特》中,该剧的管弦乐至少有13个主旨发生变型或展开。同样,在H.柏辽兹的《幻想交响曲》中,主导动机(或称"固定乐思")就以不同的形式出现,首先是将一个诗人对他爱人的思念当作一种理想,最后又作为她参加巫师夜会梦魇似的幻象。但是柏辽兹的固定乐思还不是交响乐结构的一个有机部分。

在瓦格纳的作品中,暗示和变型得到大量而丰富的运用。在《特里斯坦和绮瑟》中纯暗示是三音符的死亡主题。与此相对照的是,《齐格弗里德》第二幕中的喇叭号音却在《众神的黄昏》中从6/8拍变成4/4拍,变为成熟的和英武的齐格弗里德的主题。他去世之后,这部作品在节奏上和构造上作了进一步修改,终于形成为一部伟大管弦乐挽歌的基础。同样,在《莱茵河的黄金》中,莱茵女仙们取得金银财宝时的欢快歌声却被变型,而主题则代表了侏儒阿尔贝里希手中黄金的邪恶力量。

R.施特劳斯常常以极具精妙的技巧使用音乐暗示,在他的歌剧《蔷薇骑士》中有所表现。相比之下,他的主题变型在绝大多数情况下是音乐的发展,而不是戏剧的参照物。他在交响诗中大多以戏剧手法使用主导动机,这里不用舞台行动去开展情节。瓦格纳的其他追随者在发展这种方法上很少建树,部分原因是他留给他们可做的事情不多。

瓦格纳对运用主导动机的最初贡献就是使用暗示。变型并非他的发明,因为这在柏辽兹的作品中和F.李斯特的交响诗中已经有了很好的进展。C.德彪西以其最纯洁的音乐形式运用了这个原则,如在他的歌剧《普莱雅斯和梅丽桑德》中所见。

G.比才和G.普契尼有效地将表现性主题运用到回忆上;G.威尔地同样如此,他常常在最后一个悲剧性情景中使用与早期幸福相联系的旋律,以回忆起以往的幸福。C.古诺在歌剧《浮士德》中,当玛格丽特在监狱中回忆起她与浮士德相会的情景时,就最有效地使用了主导动机。

Leitneriales　塞子木目　或称轻木目。双子叶植物的目,仅含1种,即罕见的佛罗里达塞子木(轻木,*Leitneria floridana*),为灌木或小乔木,产于密苏里南部至得克萨斯和佛罗里达的河岸及沼泽地带。其特征是:木质轻软,纹细,淡黄色,有树脂道;叶全缘,互生,无托叶;花单性,雌雄异株,簇生成柔荑花序。雄花序疏松,下垂摇晃,雌花序挺直。雄花无花被,雄蕊3～12枚,位于叶状有毛的大苞片的一角,40～50枚苞片互相重叠,组成雄柔荑花序。雌花子房1室,含1胚珠,基部有3～8枚瓣形苞片,花柱粗壮,在与子房连接处缢缩,上端弯曲,柱头位于侧面,风媒传粉。本目在分类上位置孤立,系统进化关系不详,有人认为它起源于金缕梅目或该目的某祖先。经济价值小,偶作观赏用。

Leitrim　利特里姆　爱尔兰语作Liatroim。爱尔兰康诺特省的一郡。面积1 525平方千米。南部是洼地,有泥炭沼泽和小湖,但大部地区已开发为农田。西以香农河为界,船只可溯河而上至郡首府香农河畔卡里克。从艾伦湖附近德拉姆尚博起有一系列高地。南部有古代铁工场和经开采煤层的遗迹。高地中有深谷。1841年起利特里姆的居民骤减,不到1/5的居民住在城镇和村庄。最大城镇是首府香农河畔卡里克。大部地区土地贫瘠,主要用于放牧。高地放牧牛羊;南方主要养牛。农作物有马铃薯和燕麦等。城镇是小型市场中心,工业有纺织品、电器零件和汽车零件等制造业。人口27 035(1986)。